REAL ACADEMIA ESPAÑOLA

COLECCIÓN NEBRIJA Y BELLO

GRAMÁTICA DESCRIPTIVA DE LA LENGUA ESPAÑOLA

1

Sintaxis básica de las clases de palabras

Dirigida por

IGNACIO BOSQUE
y
VIOLETA DEMONTE

Preámbulo de
Fernando Lázaro Carreter

Índices a cargo de
M.ª Victoria Pavón Lucero

ESPASA

Primera edición: octubre, 1999
Segunda reimpresión: diciembre, 1999

Diseño: Juan Pablo Rada

Depósito legal: M-45.139-1999
ISBN: 84-239-7917-2 (Obra completa)
ISBN: 84-239-7918-0 (Tomo 1)

Esta obra ha sido parcialmente financiada gracias al proyecto DGICYT PB93-0013 y a la acción especial APC97-0095 de la Dirección General de Investigación Científica y Técnica.

Impreso en España / *Printed in Spain*
Preimpresión: Grafilia, S. L.
Impresión: Rotapapel, S. L.

Editorial Espasa Calpe, S. A.
Carretera de Irún, km 12,200
28049 Madrid

ÍNDICE GENERAL

VOLUMEN 1

PRIMERA PARTE. SINTAXIS BÁSICA DE LAS CLASES DE PALABRAS

VOLUMEN 2

SEGUNDA PARTE. LAS CONSTRUCCIONES SINTÁCTICAS FUNDAMENTALES

TERCERA PARTE. RELACIONES TEMPORALES, ASPECTUALES Y MODALES

VOLUMEN 3

CUARTA PARTE. ENTRE LA ORACIÓN Y EL DISCURSO

QUINTA PARTE. MORFOLOGÍA

PREÁMBULO

Apenas Ignacio Bosque y Violeta Demonte me confiaron el proyecto de emprender la elaboración de una gramática y me expusieron su plan, comprendí que el futuro editorial de esta debía pasar por la Real Academia Española, entonces bajo mi dirección, y así lo propuse con éxito a las dos partes. El Estatuto de 1993 encomienda a tal instituto la promoción y difusión de estudios gramaticales, pertenezcan o no a ella sus autores. Y en cumplimiento de tal encomienda, creó la colección «Nebrija y Bello» que se inauguraría con la Gramática de don Emilio Alarcos Llorach un año después. A continuarla y a aumentar, creo que de modo muy importante, el saber sobre nuestra lengua sale destinada la obra presente, proyectada, impulsada y en gran parte realizada por ambos jóvenes y eminentes lingüistas. La Academia, según tradición y prescripción, tiene el cometido de dar a luz su propia Gramática, que no debe confundirse con las de esa colección: la elabora una comisión, la examinan los plenos de la Española y de las Academias Correspondientes y Asociadas, y, al fin, se publica sin nombre de autor o autores: es la «Gramática de la Academia» (cuya próxima edición está ahora, por cierto, en el difícil trance de ser elaborada, tras la ya lejana propuesta del *Esbozo*). Se le asigna, además, una función normativa llamémosla oficial, ajena a averiguaciones como las que siguen, las cuales no ponen sus miras en el bien hablar y el bien escribir.

Los directores de estos volúmenes han querido que haya unas líneas mías encabezándolos. Los he asistido en sus primeros pasos universitarios aprendiendo con ellos y en ellos, hasta que rebasaron ampliamente, por juventud y talento, mi capacidad para seguirlos. Ahora han tenido la generosa idea de invitarme —exhortarme, más bien— a poner un introito a su trabajo: pocas cosas podían honrarme más, porque va a vincular mi nombre al de la mayor empresa gramatical acometida en este siglo, llamada a tener una trascendencia enorme en nuestra cultura.

Ambos, Bosque y Demonte, figuran en la vanguardia de una importante nómina de gramáticos —muchos de ellos los acompañan en esta salida— que viven ahora en la dorada edad de los frutos y que, por tanto, han vivido, y no sólo como testigos, las convulsiones experimentadas por la lingüística a partir del estructuralismo. No han dudado ahora en entregarse a una empresa de importancia mayor y futuro más invulnerable: la descripción pormenorizada y extensa de los hechos de lengua. Descripción que ha contado y cuenta con aportaciones importantes en la lingüística hispana, pero insuficientes y, como es normal, inconexas: hasta ahora, carecíamos de un tratado extenso y de propósito comprehensivo que registrara los usos reales del español, el inventario y funcionamiento detallado de sus categorías, de sus estructuras, y —carencia magna— de sus relaciones con el significado y con los diversos factores de la comunicación, como paso previo imprescindible a la propuesta de sistemas; que no soslayara excepciones ni se centrara sólo en ejemplos habituales, consagrándolos como objetivos privilegiados y casi únicos de la gramática. Ni tan siquiera un modesto Grevisse poseemos, por no mirar a los copiosos inventarios con que cuentan otras lenguas, como el ya antiguo de Jespersen.

Durante el periodo fundacional de la gramática moderna que convenimos en situar tras la estela de Saussure, no se produjeron frutos importantes en nuestro ámbito científico, primordialmente orientada la investigación lingüística hacia la diacronía y la dialectología. Pero el ejemplo capital de Fernández Ramírez, la incorporación de la fonología praguense por Alarcos, la atención que a la sintaxis se dedicó en trabajos de este y de otros importantes filólogos como Gili Gaya y Lapesa, precedieron a la gran acogida dispensada por los jóvenes investigadores a la nueva —y, en ciertos momentos, babélica— lingüística que, por la sexta década del siglo, estaba desarrollándose en todo el mundo: modelos teóricos, reglas espectrales con misteriosas huellas, reformulaciones y audaces arborizaciones oracionales que desarrollábamos en nuestras aulas y departamentos, fueron necesitando cada vez más el apoyo firme en la descripción, entrando en los entresijos del funcionamiento vivo del idioma (y ya no sólo del lenguaje), con sus mecanismos, rarezas y quebrantos lógicos, con sus aparentes inconsecuencias, con la enorme variedad de posibilidades que yacen reprimidas o desconocidas en los compendios y escritos de nuestra vieja tradición gramatical, aun en los de semblante formal renovado.

Todo ese entusiasmo descriptivo, a veces inventor —en sentido etimológico— de problemas y caminos, con su cortejo de explicaciones, tan respetuosas con la tradición gramatical como desenfadadas ante sus tópicos, y ya displicentes ante el presunto pecado de mirar a la historia y al significado, han producido un caudal de información tan considerable, que hacían inviable para una persona sola ni aun para dos, incluso siendo Demonte y Bosque, la construcción de un tratado de gran aliento: la simple ojeada a la bibliografía gramatical producida aquí y fuera en los seis últimos lustros servía de freno disuasorio. Se impuso, pues, la obra colectiva, la invocación a muchos para una tarea única, que sólo podían hacer quienes poseyeran, a la vez, capacidad reconocida para ello y entusiasmo contagioso.

Era preciso, además, delinear un objetivo común situado mucho más allá de la simple compilación, del rosario de ensayos dotados tal vez de calidad particular, pero que no llegara a constituir un tratado, una gramática. En definitiva, que sus participantes no fueran colaboradores sino coautores. Lo han logrado del modo más brillante y eficaz posible: añadiendo a su trabajo personal, el de procurar que pase inadvertido su intenso esfuerzo coordinador, para lograr que el todo parezca responder (y es que, efectivamente, responde) a un único plan, asumido y compartido por todos los cooperadores en la empresa.

Son muchas las novedades que, en la morfología y en la sintaxis (con efectos sobre la lexicología y hasta la lexicografía), introducen estas páginas. A partir de ellas, vamos a saber mucho más del qué y del cómo del idioma, y bastante más del porqué. En su introducción, se lamentan los autores de no haber podido dedicar mayor atención al español de América; en efecto, ese punto puede suscitar alguna objeción, que deberá atenuarse si se piensa en el enorme espacio geográfico que cubre nuestra lengua, y la heterogeneidad de variantes culturales a que sirve de vehículo. Y si, además, caemos en la cuenta de que este tratado es el primer fundamento para un conocimiento más riguroso de lo que compartimos, y de aquello que se desvía de esa partitura común, debe pensarse que no sólo va a hacer progresar extraordinariamente en España el conocimiento de la lengua, estimulando investigaciones nuevas, adiciones, rectificaciones, complementos y hasta disidencias, según debe esperarse de una obra fundamental, sino que va a impulsar esos mismos desarrollos en América.

Y tanto allá como aquí, las consecuencias de este libro tendrán que notarse espectacularmente en las aulas, en la enseñanza del idioma a propios y a extraños, y en los manuales de gramática. Va a ser muy grande, imagino, el beneficio que de ella va a recibir la que está preparando la Academia. Estamos ante una obra de previsibles efectos muy importantes: nuestra filología está anticipando, antes de salir del novecientos, un siglo nuevo evidentemente —en esto— mejor. La gratitud que merecen Ignacio Bosque y Violeta Demonte es muy grande; y constituye un privilegio poder ser el primero en proclamarlo.

FERNANDO LÁZARO CARRETER
Real Academia Española

INTRODUCCIÓN

La gramática es la disciplina que estudia sistemáticamente las clases de palabras, las combinaciones posibles entre ellas y las relaciones entre esas expresiones y los significados que puedan atribuírseles. Esas propiedades, combinaciones y relaciones pueden formularse de maneras diversas y puede haber, por lo tanto, muchas gramáticas de la Gramática de una lengua. En el caso del español, existen tantos tratados gramaticales que parece que cada uno de los que van apareciendo necesita ya de alguna justificación, de algún signo diferencial o de algún rasgo que no haga redundante su propia existencia. No resulta difícil justificar el que ahora presentamos: la obra que el lector tiene en sus manos constituye la gramática más detallada que se haya escrito nunca sobre nuestra lengua, y —si descontamos algunas gramáticas francesas clásicas— una de las más exhaustivas que se hayan publicado nunca para cualquier idioma. Sus características externas fundamentales son cuatro: se trata de una obra *colectiva*, de un estudio *descriptivo* del idioma y de una obra *de múltiple acceso* que, además, incorpora *nuevos temas en la gramática del español.* Vale la pena que consideremos por separado estos cuatro rasgos.

Obra colectiva

Aunque el trabajo individual haya sido siempre una nota característica de la investigación humanística y haya adquirido quizá especial dimensión en el ámbito hispánico, en nuestro tiempo resulta ya imposible que un solo gramático intente describir de manera pormenorizada y exhaustiva la gramática de cualquier idioma. Como es bien sabido, el único autor que intentó construir una gramática comprehensiva en la tradición gramatical española fue Salvador Fernández Ramírez. Tras veinte años de esfuerzos publicó un espléndido primer volumen. Trabajó treinta años más en el resto de la obra y murió antes de ver publicado ni siquiera el segundo. Si trasladamos el estado de la investigación gramatical al presente, después de medio siglo de avances sin precedentes en el conocimiento de la estructura de las lenguas, resultará claro que la necesidad de conjuntar el trabajo de múltiples especialistas tampoco necesita de mayor justificación.

Es cierto que un riesgo que conlleva cualquier trabajo colectivo es el de que pueda afectar al grado de cohesión del resultado. Aun así, creemos que si se procura vigilar esta cohesión y se intenta integrar los fragmentos en lugar de superponerlos, las ventajas que se obtienen a cambio son muy numerosas, ya que hay múltiples razones para preferir el trabajo de muchos. Por poner algún ejemplo, son varios millares los títulos bibliográficos citados en la presente gramática. Estos estudios pertenecen a muy diversas orientaciones, escuelas, tendencias y épocas. Aunque no todas estas obras sean igualmente importantes ni la consulta de todas ellas sea igualmente provechosa, es impensable que una sola persona fuera capaz de estudiar (tal vez ni siquiera conseguir) una parte representativa de ellas. Resulta evidente que un solo investigador no puede en la actualidad estar al día en las aportaciones que se han hecho en los últimos veinte años sobre campos tan diferentes como la morfología prosódica, las relaciones argumentales o temáticas, los actos de habla, las construcciones cuantificativas, el aspecto léxico (o modo de acción), la modalidad, la segmentación jerarquizada de las palabras y las secuencias de palabras o las relaciones predicativas. Sencillamente, es imposible abarcar con igual profundidad todas esas materias.

Tal vez sea cierto que, como a veces se dice, la hiperespecialización es uno de los males de nuestro tiempo. Pero la especialización es también el resultado natural de que los ámbitos de conocimiento se aíslan más terminológica y conceptualmente porque, como en las demás ciencias, se averiguan más y más cosas acerca de los objetos de estudio. En suma, parece claro que los tratados exhaustivos sobre campos tan amplios como la gramática ya no pueden ser en este tiempo obras individuales. Lo son, ciertamente, las introducciones básicas, los libros de texto o las presentaciones sumarias, pero en cuanto se cruza ese umbral y se pretende penetrar con mayor detalle en el funcionamiento de las unidades gramaticales, la lengua nos muestra su enorme riqueza y su intrincada complejidad. Ante cada afirmación simplificada de los textos básicos se abre un enorme espacio en el que una serie de factores, no siempre evidentes, la precisan, la contradicen o la aclaran, cuando no la presentan como un caso particular de otra afirmación de mayor abarque. Pero además, no pocas de estas obras generales se caracterizan por sus escasos reparos en reiterar —sin examinarlos siempre con minuciosidad— conceptos o unidades cuya única justificación parece residir en que han conocido antes otras muchas reiteraciones. Nuestra tradición gramatical nos muestra exponentes bien conocidos de una extraordinaria altura, pero en ciertos ámbitos de la descripción nos muestra también más repetición que profundidad en el análisis; más clasificaciones esquemáticas que intentos de penetrar en los factores que las hacen posibles; más rutina que renovación; más simplificación que detalle. Es claro, por tanto, que una obra que trate de evitar el riesgo de la simplificación excesiva habrá de ser necesariamente colectiva. Lo exige la necesidad de cubrir una bibliografía tan amplia como la que ha proporcionado la investigación en los últimos treinta o cuarenta años, pero lo impone más aún el simple reconocimiento de la complejidad objetiva de cualquier sistema lingüístico.

Aun siendo colectiva, la obra que aquí presentamos no es una colección de ensayos superpuestos. Es más, sus directores hemos tenido muy presente a lo largo de estos casi seis años en que se ha gestado que el proyecto se desvirtuaría si se convirtiera en una recopilación de pequeñas monografías independientes. Como explicamos más adelante, nos hemos esforzado, en la medida de nuestras posibilidades, por lograr un tono expositivo relativamente homogéneo, un vocabulario descriptivo común en los aspectos esenciales del análisis y un marco conceptual de conciliación que careciera de contradicciones. Aun así, los directores hemos querido respetar el estilo de los autores, siempre que no afectase a la claridad y comprensión de las materias tratadas, de ahí que el lector vaya a encontrar, en ocasiones, algunas diferencias en la densidad de la exposición. Lo que presentamos es, en todo caso, una gramática del español, y no un conjunto de estudios gramaticales sobre nuestra lengua.

Obra descriptiva

La segunda característica fundamental de esta obra forma parte de su título: esta es una obra descriptiva. Son varias las gramáticas del español que muestran en su cabecera algún adjetivo que restringe la denotación del sustantivo *gramática*. Recordamos, entre otros, los adjetivos *empírica, esencial, didáctica, moderna, histórica, estructural, comunicativa, generativa, funcional* y *filosófica*, que aparecen en el título de otras tantas gramáticas del español. La obra que presentamos es descriptiva en el sentido más estricto del término, esto es, en el sentido en que *describir* significa mostrar o representar un objeto «explicando sus distintas partes, cualidades o circunstancias» *(DRAE)*. No coincidimos exactamente con el diccionario de la RAE en que *gramática descriptiva* sea sinónimo de *gramática sincrónica* (vol. 1, pág. 1053). Para nosotros, esta obra es descriptiva en cuanto que presenta las propiedades de las construcciones y de las palabras que las forman, es decir, en tanto que muestra clases y paradigmas, regularidades y excepciones. Es descriptiva en el sentido de que pretende exponer y razonar el comportamiento de las categorías gramaticales, las pautas que regulan su estructura interna y las relaciones morfológicas, sintácticas, semánticas y discursivas que se dan en todos los ámbitos que abarca el análisis. Es descriptiva asimismo porque se centra en la caracterización de problemas empíricos y no en la validación de constructos teóricos. Lo es, en suma, porque muestra (creemos que con suficiente detalle) los datos y las generalizaciones que resultan necesarios para entender cada construcción y para relacionarla con las demás.

El concepto 'gramática descriptiva' se distingue, claro es, del de 'gramática teórica', pero ambos términos se complementan. En efecto, aunque resulte ocioso reiterarlo, el término 'gramática teórica' no designa para ningún autor un tipo de volumen, sino una disciplina, una manera de trabajar. Se trata de la gramática orientada desde alguna teoría del lenguaje, muchas veces de tipo estructural o generativo en alguna de sus variantes, pero también de tipo funcional, cognitivo o discursivo, en orientaciones más recientes y menos desarrolladas, también subdivididas. El propósito del análisis, entendido así, es construir una teoría —en el sentido de un modelo aproximado de la realidad— que nos permita interpretar los datos y mostrar cómo encajan estos en las pautas conceptuales (formales o no) que esa teoría proporcione. 'Gramática teórica' es casi equivalente, por tanto, a 'gramática científica'. El objetivo primordial del gramático teórico no es, desde luego, escribir manuales ni tratados (sean estos básicos o elevados), sino investigar una o varias parcelas de la teoría que entre todos se pretende construir, incluso proponiendo modificaciones en su misma arquitectura.

Resulta particularmente interesante que, en el caso de la gramática, la descripción y el desarrollo de la teoría crezcan de forma pareja. De hecho, este *crecimiento paralelo* es una de las características más notables del proceso, visto en conjunto. El trabajo del investigador ofrece muchas veces explicaciones nuevas para problemas clásicos, sobre todo cuando las unidades de análisis que se introducen constituyen microscopios más finos que los tradicionales. Otras veces, la investigación muestra propiedades de las construcciones que se analizan que no habían sido ni siquiera observadas en esos estudios previos. En este caso son los instrumentos nuevos los que llevan de forma natural a considerar problemas gramaticales también nuevos, con frecuencia de considerable interés. Como a veces se dice con una imagen habitual, la pesca está siempre en función de nuestra habilidad como pescadores y del tipo de red que manejemos.

Tanto en un caso como en el otro, lo que mejora al cabo es nuestra comprensión del sistema gramatical. Las propiedades analizadas o descubiertas tienen sentido como parte de un engranaje mayor, pero lo cierto es que también lo tienen en sí mismas, y es precisamente en este punto donde cobra pleno sentido el trabajo que ahora presentamos. La descripción minuciosa del idioma es en parte es el resultado indirecto del trabajo teórico de otros especialistas; es decir, el resultado de investigaciones en las que las propiedades gramaticales de las construcciones y los paradigmas léxicos que se proponen o se descubren se interpretan de forma relativa a su papel en los constructos teóricos que se van articulando. Esta obra se presenta, pues, como descriptiva, y no como teórica, pero es en buena medida posible porque el trabajo teórico constituye una de las fuentes más ricas de la descripción, incluso si ese no es su interés inmediato. En cierto sentido —y adoptando una observación similar de los directores de la *Grande grammatica italiana* en la presentación de su tercer volumen— podríamos decir que esta obra es *posteórica*, si se nos permite emplear un término paralelo al adjetivo *preteórico*, que se usa con frecuencia para calificar las aproximaciones más o menos intuitivas a los objetos complejos cuando se realizan antes de que existan teorías articuladas sobre ellos. En nuestro caso, la descripción es posterior en buena parte a esos estudios, y pretende, por tanto, beneficiarse de ellos. Aspiramos también, consiguientemente, a que el lector no familiarizado con la investigación teórica tenga acceso a sus resultados empíricos, en tanto que contribuyen objetivamente a nuestro mejor conocimiento del idioma.

Como es de sobra sabido, la relación entre descripción y teoría es sumamente intrincada: sin una teoría implícita, siquiera en ciernes, la descripción es prácticamente imposible. Como tantas veces han hecho notar los filósofos de la ciencia, la descripción de un objeto no toma en consideración cualquier pauta imaginable que queramos aplicarle, sino sólo unas pocas que aporta algún esquema previo, a menudo puramente intencional y apenas esbozado. Así, no es enteramente apropiado decir que nuestros gramáticos tradicionales trabajaban sin una teoría gramatical previa. Parece más justo decir que la que tenían estaba poco articulada —medida con raseros actuales—, y que se basaba en un paralelismo demasiado estricto entre las categorías de la lógica tradicional y las clases léxicas, además de en una concepción muy poco restringida de los límites que existen entre la estructura formal de las oraciones y las intenciones de los hablantes o sus valoraciones de las cosas. En fin, en un sentido absolutamente estricto, y con buenos argumentos filosóficos en la mano, podría decirse que la descripción ateórica es inviable, en el sentido de que cualquier descripción siempre esconderá gérmenes teóricos que establecerán las pautas que la hagan posible.

Aunque no se nos escapan todas estas consideraciones, creemos que en este final de siglo, teniendo ya ante nosotros los resultados de casi cincuenta años de estudios teóricos detallados, concebidos con diseños diferentes y con propósitos también distintos, es plenamente posible lograr una descripción del idioma que presente esos resultados, los sume a los que proporcionan las gramáticas clásicas y modernas, y los integre en una obra de referencia. En nuestro caso, como sin duda advertirá el lector, esta gramática es deudora en importante proporción de la gran cantidad de resultados obtenidos por la gramática generativa, tanto en su versión más centrada en la sintaxis como en su vertiente léxico-sintáctica. Es natural que así sea, puesto que esta disciplina, desde los textos fundacionales del propio Chomsky, ha reconocido que aspiraba a formular las generalizaciones que subyacen a la «gran cantidad de información estructural recogida por las gramáticas tradicionales», a recuperar así la tradición. Pero, como también se notará de inmediato, esos resultados comparten su espacio (en el interior y entre los diversos capítulos) con observaciones emanadas de marcos funcionalistas, cognitivistas, lexicistas puros, semántico-formales o de la pragmática lingüística. En un momento en que el estudio del lenguaje tiene como centro las llamadas 'interficies' o 'interfaces', esto es, las zonas de contacto entre los componentes de la gramática, un esfuerzo integrador de perspectivas es un esfuerzo completamente moderno.

Hace unos quince o veinte años, una obra gramatical que se caracterizara a sí misma como *descriptiva* habría caído —dentro de algunos foros— en la torpe ingenuidad de mostrar abiertamente su propia ignominia. Si muchos artículos breves que aspiraban a ser teóricos eran desestimados con la acusación de ser *meramente descriptivos*, una obra de más de cinco mil páginas *meramente descriptivas* no podría llamar la atención de ningún investigador serio. El proyecto italiano, elaborado en buena medida por gramáticos teóricos, ya mostró bien a las claras lo equivocado de este razonamiento, que creemos confirmará esta gramática. De hecho, nos parece que los investigadores que trabajan en la gramática teórica podrán servirse en alguna medida de esta obra, que hemos presentado a la vez como descriptiva y (para completar la paradoja) posteórica. No hay contradicción en ello.

Esta es una gramática descriptiva de *referencia*, y no una obra de *doctrina* gramatical. Nos parece, de hecho, que el primer término está más libre de las connotaciones que acechan en el segundo. Lo cierto es que el término *gramática de referencia* apenas se usa entre nosotros, frente a lo que se sucede en otras culturas. *Referencia* sugiere aquí simplemente «consulta», «examen», «información». La descripción será aprovechada sin duda de forma muy diferente según sean los intereses del observador que se asome a ella. Los psicolingüistas que estudien esta obra no interpretarán, desde luego, algunos de los datos que contiene de la misma forma que lo harán algunos profesores de español como segunda lengua, y estos a su vez considerarán tal vez interesantes algunas distinciones que no llamarán la atención de otros especialistas que quieran examinarla. Este tipo de obras representan pequeños altos en el camino. La espiral del trabajo teórico —siempre veloz, absorbente, desafiante y efímero— no puede cesar, pero estos respiros aportan balances parciales que pueden servir a otros muchos profesionales relacionados con el idioma. Creemos que no faltarán los que encuentren en estas páginas motivo de inspiración que les lleve a desarrollar otras investigaciones sobre el español, teóricas o aplicadas. Nada nos agradaría más que ocupar un pequeño puesto en ese ciclo interminable.

Obra de múltiple acceso

Las dos características que acabamos de reseñar prefiguran esta tercera y determinan la cuarta. Líneas arriba decíamos que era esta una gramática detallada que aspiraba a presentar en términos relativamente sencillos y en un vocabulario común los resultados de trabajos especializados. Esta condición de 'ser detallada' tiene varias dimensiones que podemos siquiera esbozar.

Las unidades gramaticales y los fenómenos en los que participan se presentan aquí distribuidos en varios capítulos, muchos más de los habituales, como se advertirá rápidamente si se compara esta obra con otras gramáticas conocidas. Si examinamos, por ejemplo, el nombre sustantivo, su propiedades y su sintaxis, advertiremos que hay cuatro capítulos que lo tratan de manera explícita: los relativos a las clases de nombres comunes, al nombre propio, a la estructura del sintagma nominal y a las nominalizaciones, y varios más de los que constituye una parte central, o donde aparece recurrentemente: el de la concordancia, el relativo a la flexión de género y número (en la sección de morfología), y también el apartado en que se trata la elipsis nominal, en el capítulo correspondiente a la elipsis, así como el capítulo de las subordinadas sustantivas que complementan al nombre. Ese desmenuzamiento y esa división no obedecen necesariamente a la abundancia de precedentes; más bien se deben a que sabemos que cada una de esas facetas de la categoría 'nombre' requiere una perspectiva: sintáctica en el caso de la estructura de la frase nominal, sintáctica y léxica en el caso de los nombres comunes, con elementos de la semántica referencial en lo que respecta a los nombres propios, y con un acercamiento desde la sintaxis de la estructura argumental, y de la de la frase verbal en lo relativo a las nominalizaciones y a los complementos oracionales del sustantivo. La división refleja, pues, la diversidad de accesos que el objeto requiere, pero la construcción de los capítulos invita constantemente al lector, a través de indicaciones expresas, referencias cruzadas o alusiones en las notas, a integrar una perspectiva con otra, a llegar desde todos esos ángulos a una única visión del objeto.

Hay también un segundo sentido en que esta obra es múltiple sin dejar por ello de ser integrada. Esta gramática contiene numerosas clasificaciones y paradigmas léxicos de las clases de palabras, en particular de los verbos, pero también de los adjetivos, los sustantivos y las partículas. Estas clasificaciones no son inmotivadas: se relacionan siempre con patrones sintácticos, puesto que muchas propiedades sintácticas sólo se manifiestan con ciertas clases léxicas, y viceversa. Particularmente destacados a este respecto son los capítulos sobre la subordinación sustantiva, sobre el modo de acción, el adjetivo, la predicación copulativa y la secundaria, la transitividad o los dativos. Como sabemos, no hay clasificaciones léxicas inequívocas y únicas de las unidades gramaticales, y por ello las clases léxicas se agrupan o se dividen a veces según lo que estemos observando. Pero si miramos las que se utilizan bien y recurrentemente, veremos que en todas esas clasificaciones hay núcleos duros o esenciales, y que las zonas borrosas más bien muestran nuestra debilidad en el conocimiento de lo que estamos caracterizando, antes que fallos intrínsecos en los propios paradigmas léxicos. Un ejemplo en la misma línea lo proporcionan las oraciones subordinadas denominadas 'impropias', incluidas a veces entre las adverbiales. Estas oraciones merecen capítulos independientes en la cuarta parte, como luego veremos, pero se miran anticipadamente en el capítulo sobre las construcciones y oraciones infinitivas. En un caso se atiende más a las relaciones lógicas que establecen con la oración principal y a las interpretaciones discursivas a que dan lugar; en el otro, se destacan sus relaciones con otras subordinadas y con el tiempo de la oración principal. Tanto en el caso de los paradigmas léxicos como en el que acabamos de mencionar, desde los capítulos mismos, y desde el índice analítico y de voces, el lector podrá llegar a las varias facetas que manifiestan las unidades lingüísticas, a las clases léxicas que subyacen a ellas e incluso a explicaciones paralelas que convergen en una parte y divergen en otras. El resultado es una composición múltiple, sinfónica, de la que surgen melodías que pretendemos armónicas.

Nuevas cuestiones en la gramática del español

El temario de esta obra no sólo es más detallado que el de otras muchas gramáticas, sino que incorpora varias cuestiones que frecuentemente no se tratan en ellas, o sólo se mencionan esporádica y escuetamente. El lector podrá comprobarlo con un simple vistazo a la estructura de la obra y al índice de materias, pero podemos anticiparle algunos ejemplos. Son nuevos temas, entre otros, la elipsis (que en nuestras gramáticas no tenía un lugar destacado desde la *Minerva* de El Brocense), la sintaxis de las nominalizaciones (distinta de la formación de nombres derivados), las construcciones sintácticas que se corresponden con el modo de acción de los predicados verbales y adjetivos, los marcadores discursivos en tanto que parte de la relación entre oraciones, la clasificación sintáctica de los verbos intransitivos en inacusativos e inergativos (que articula con detalle la antigua noción de 'verbos con participios deponentes', introducida por Bello), o lo relativo a la presencia y ausencia de los determinantes como manifestación de relaciones gramaticales a las que corresponden funciones y significados bien determinados. Resulta novedosa también la presencia de capítulos específicos sobre la variación sintáctica: leísmo, laísmo y loísmo, las fórmulas de tratamiento y los fenómenos de dequeísmo. Que estén estos capítulos no significa ni mucho menos que esta obra refleje de una manera cabal la variación gramatical en todos sus extremos. Supone, no obstante, reconocer que existe variación en algunos esquemas gramaticales y que esta variación representa el desarrollo de posibilidades alternativas dentro de un mismo sistema.

La incorporación de numerosas clasificaciones léxicas, recién mencionada, constituye otro aspecto no frecuente en los tratados gramaticales. Puede llamar la atención, por otra parte, el que se expliquen en esta obra con mucha más precisión de lo que suele ser habitual los límites y zonas de contacto entre las categorías, tales como los que median entre sustantivos y adjetivos, adverbios y preposiciones, o entre ciertas construcciones gramaticales: las relativas y las consecutivas, el paralelismo estructural entre exclamativas, relativas e interrogativas, o entre nominalizaciones y oraciones sustantivas, entre otros ejemplos posibles. Los tres tipos tradicionales de subordinación (sustantiva, adjetiva y adverbial) se analizan también en esta obra con mayor pormenor que en cualquiera de sus predecesoras. Ni que decir tiene que las gramáticas no incluyen habitualmente capítulos sobre la formación de palabras como los que conforman la última parte de este tratado.

Al abrir la puerta a tantos nuevos asuntos estamos dejando constancia de los importantísimos avances realizados en la ciencia gramatical en los últimos cuarenta años. Indirectamente, nos gustaría también contribuir con ello a que los futuros manuales y libros de texto fueran más amplios de contenido, más ricos en matices y ejemplificación, más abiertos a considerar con detalle construcciones que tienen escasa presencia en las gramáticas clásicas, pero que revelan las múltiples posibilidades que ofrece la estructura gramatical de nuestro idioma.

Breve historia de este proyecto

En el verano de 1993 los directores de esta obra habíamos llegado independientemente a la conclusión de que se debería abordar para el español una gramática colectiva similar a la reciente *Grande grammatica italiana di consultazione* (tres vols., Bolonia, Il Mulino, 1988-1995), a la algo más antigua *A Comprehensive Grammar of the English Language* (Londres, Longman, 1985) o a la nueva *Algemene Nederlandse Spraakkunst* (2.ª edición, 1997, Groninga, Martinus Nijhoff), esto es, una gramática descriptiva del español suficientemente abarcadora que estuviera realizada conjuntamente por varios autores y dirigida por una o dos personas. Las razones han sido expuestas en parte en los apartados anteriores. Destaca entre ellas la constatación de que los manuales de gramática española, generalmente elaborados por un solo autor, giran muchas veces sobre unas pocas cuestiones que raramente pueden estudiar en profundidad, y no siempre aprovechan en suficiente medida los resultados de la bibliografía especializada, verdaderamente abrumadora en los últimos años.

El proyecto inglés lo llevaron a cabo sólo cuatro autores, que emplearon casi veinticinco años en su elaboración. Antes de la versión final, publicaron avances parciales en forma de gramáticas más breves que fueron creciendo progresivamente hasta desembocar en el volumen citado de 1985. El proyecto italiano comenzó en 1976 y fue elaborado por 37 autores. El primer volumen se publicó en 1988, el segundo en 1991 y el tercero y último en 1995. El proyecto neerlandés comenzó en 1977 y fue elaborado por cinco redactores que contaron con un amplio equipo de apoyo. La segunda edición (1997) posee unas dos mil páginas, el doble de extensión que la primera (1984). Nuestro proyecto no podía seguir ninguno de estos rumbos: el primero porque (no siendo británicos) nos parecía irreal hacer planes a veinticinco años vista; el segundo y el tercero porque los plazos eran también excesivos, y además no nos atraía la idea de publicar la obra en varias entregas separadas entre sí por años o quizás lustros. Muy pronto vimos que la obra que deseábamos para el español habría de publicarse en una sola entrega y en un plazo mucho más breve que el de sus análogas de esos otros idiomas. Era pues necesario aumentar la nómina de autores y poner todo el esfuerzo en la tarea de coordinación que resultaba imprescindible si queríamos evitar la dispersión de unidades de análisis, tonos expositivos y marcos conceptuales.

En el otoño de 1993 elaboramos un índice provisional y unas directrices generales con las características de la obra y con las normas de redacción. Estas normas contenían recomendaciones formales y también de contenido, y de hecho incluían hasta una lista de términos desaconsejados y otra de términos recomendados. Nos interesó desde el comienzo que la gramática, aun siendo obra colectiva, alcanzara un tono descriptivo y conceptual relativamente homogéneo. Propusimos la redacción de los capítulos a otros tantos autores según nuestro conocimiento de su especialidad. Enseguida comprendimos que existían más investigadores destacados que capítulos podía tener la obra, lo que comportaba decisiones inevitables y siempre incómodas. Como era de temer, no fue posible contar con algunos excelentes especialistas porque resultaba imposible desdoblar más el índice, que llegaba ya a los 80 capítulos. En revisiones y redistribuciones posteriores, la obra quedó en los 78 capítulos que posee actualmente, elaborados por 73 colaboradores. Los directores de esta gramática nos damos perfecta cuenta de que el número de autores hispanoamericanos y el de hispanistas extranjeros que no tienen el español como primera lengua son claramente insuficientes. Asumimos nuestra responsabilidad en lo inapropiado de estas proporciones, pero queremos argumentar como descargo parcial que los lingüistas hispanoamericanos que se han especializado en el estudio de la gramática española constituyen un porcentaje menor en esa comunidad que el de españoles que han elegido el mismo campo. También otras razones inevitables, relativas a la cercanía y a la familiaridad con las investigaciones en curso, han contribuido en alguna medida a esa desproporción, que los directores de este proyecto sin duda lamentamos.

El Instituto Universitario Ortega y Gasset acogió el proyecto desde el principio en su sede de Madrid, y el Ministerio de Educación y Ciencia (luego de Educación y Cultura) nos brindó una parte sustancial de la financiación para llevarlo a cabo (PB93-0013 y APC97-0095). Otra buena parte de su financiación nos la concedió la Fundación Ortega y Gasset. En la primavera de 1994 teníamos índices provisionales de casi todos los capítulos, y en el otoño de ese año empezaron a llegarnos los primeros textos. Decidimos elaborar informes muy detallados de cada capítulo, que hicimos llegar a los autores. Cada uno de nosotros dos elaboró un informe para cada autor, que le fue enviado después de corregir los solapamientos entre nuestros primeros borradores y debatir, conjuntar y poner en limpio nuestras observaciones. Estos minuciosos informes afectaban a las cuestiones generales (tono expositivo, grado de detalle, tipo de aproximación conceptual) y también a las particulares (terminología, análisis de ejemplos concretos, factores específicos de la interpretación de los datos, aspectos formales, etc.). Los informes contenían también, en algunas ocasiones, propuestas alternativas de redacción para algunos fragmentos que a nuestro entender podrían presentarse de manera más diáfana. Con toda esta información, a la que en algunos casos se unieron los comentarios que los autores pidieron a otras personas, prepararon la segunda versión de su capítulo, sobre la que hubimos de volver ocasionalmente, aunque ya sólo para discutir cabos sueltos o completar detalles bibliográficos. La ayuda de nuestra colaboradora M.ª Victoria Pavón fue esencial en este estadio del proyecto.

Los capítulos poseen extensión variable, cuyos límites decidimos los directores según su importancia objetiva en el sistema gramatical o la complejidad de las nociones estudiadas en cada caso. Con muy pocas excepciones, casi todos los autores superaron en su primera versión el número de páginas que les fue asignado, lo que en algunos casos obligó a hacer reajustes no siempre fáciles. El proceso de recopilación de los capítulos continuó desde el otoño de 1994 hasta el verano de 1998. Los tres últimos capítulos se recibieron en septiembre de 1998. Independientemente, expusimos nuestro proyecto a la Real Academia Española, que lo recibió con gran interés y decidió acogerlo en la colección Nebrija y Bello, de Espasa Calpe, que esa institución patrocina.

El proyecto ha constituido para nosotros una experiencia tan interesante como enriquecedora. De hecho, el esfuerzo que ha supuesto se ha visto sobradamente compensado con la favorable acogida que los autores dieron a nuestras peticiones, de las más generales a las más específicas, pero sobre todo con lo que hemos aprendido de ellos y con la expectación —esperemos que no exagerada— que la obra despertó entre la comunidad lingüística.

El que no se hubiera abordado antes una obra de estas características se debe probablemente a que no existían precedentes para otros idiomas, y también a que la investigación gramatical en nuestra comunidad se caracterizó durante mucho tiempo por un notable grado de dispersión, fragmentación y desconocimiento mutuo de los investigadores. El diálogo entre especialistas que trabajaran en marcos relativamente distintos era prácticamente inexistente, lo que no animaba precisamente a pensar en un proyecto integrador. A principios de los años noventa se produjo quizá un cambio de perspectiva, que conllevaba un cierto acercamiento de posturas, o al menos un aumento objetivo del interés de los investigadores por conocer y aprovechar los logros de los demás, y podría decirse que también por relativizar en alguna medida ciertos rasgos, antes inamovibles, de sus propias posiciones teóricas. Sin duda esta confluencia fue una manifestación más de dos condiciones que se daban por sabidas en el mundo lingüístico internacional: la normalización de la situación de ciertos paradigmas (que hacía ya innecesarias las proclamas ideológicas) y la confluencia de ellos en ciertos aspectos relativamente externos, como por ejemplo el que más allá de notables diferencias de objetivos, todos seamos moderadamente lexicistas. En todo caso, tal acercamiento, que se percibió en los congresos, en las publicaciones, en los tribunales de las tesis doctorales y en otros foros, propició un ambiente de respeto mutuo sin el que una obra como esta no habría podido fructificar. Esta gramática no pretende, sin embargo, ser ecléctica, ni mucho menos sugerir que las fronteras entre las teorías son difusas ni que el trabajo descriptivo debe sustituir al teórico. Tan sólo es una muestra de que es relativamente posible llegar a un *acuerdo de mínimos* entre todos los que entendemos que es conveniente, incluso deseable, presentar a la comunidad, de manera integrada y pormenorizada, los fundamentos de la estructura de nuestro idioma.

No faltará quien pregunte qué quiere decir exactamente *la comunidad*. No se nos oculta que existe en el mundo intelectual contemporáneo una difícil tensión entre la investigación y la divulgación; entre el trabajo especializado que se dirige a unos pocos en publicaciones restringidas, y el deseo natural de que el conocimiento llegue a todos y para todos sea útil. Los directores de esta obra pensamos desde el principio que podría llegar a ocupar un puesto intermedio entre la investigación gramatical especializada, que sólo resulta accesible a muy pocos profesionales, y esas otras gramáticas breves de las que antes hablábamos, con demasiada frecuencia alejadas de la primera. El origen de este proyecto estuvo precisamente en nuestro deseo de contribuir, aunque de forma necesariamente incompleta, a establecer ese vínculo.

Características internas de la obra

La presente gramática de la lengua española abarca la sintaxis, la relación entre léxico y sintaxis, la semántica de las relaciones oracionales, la morfología (tanto flexiva como derivativa) y una parte de lo que se conoce como 'gramática del discurso'. No contiene, en cambio, una sección de fonología.

La descripción que realizamos es sincrónica en lo fundamental, pero nunca se excluyen los datos diacrónicos cuando son relevantes para completar el análisis, lo que sucede más marcadamente en la sección de morfología. Si bien creemos que la proporción entre la información sincrónica y la diacrónica es (en lo esencial) correcta en una obra de estas características, nos hubiera gustado que la variación dialectal hubiera tenido más representación de la que tiene, aun cuando esta no sea en absoluto desdeñable. Ciertamente, se recogen aquí los aspectos fundamentales de la variación sintáctica (más aún los morfológicos), en los casos antes señalados y en el interior de muchos otros capítulos, con más prolijidad que en cualquier otra descripción sincrónica del español, pero no se nos oculta que existen otros hechos sintácticos de comprobada variación en el mundo hispánico que tal vez podrían haberse tratado más pormenorizadamente. Desde luego, el que no existan todavía obras de referencia detalladas sobre la sintaxis histórica del español ni sobre la sintaxis dialectal (en este último caso, con la sola excepción del antiguo tratado de Kany), es un factor importante que no podría dejar de influir en la elaboración del presente texto. Se trata de lagunas muy notorias que de ninguna manera podríamos intentar cubrir, a pesar de que esta obra pretenda ser relativamente amplia y detallada.

Los autores no fueron constreñidos sobre las fuentes de datos que debían manejar, pero sí fueron instados a hacer uso del mayor número posible de ellas. Como en las gramáticas colectivas de otros idiomas que hemos mencionado arriba, la fuente principal de datos ha sido la instrospección, lo que permite, como es bien sabido, usar 'datos negativos', es decir, secuencias agramaticales cuya inexistencia muestra alguna pauta consistente en el sistema gramatical. En este punto hemos actuado en esta obra como lo hicieron los autores de las gramáticas colectivas citadas. Sin embargo, frente a algunas de ellas, en la nuestra se hace uso habitual de fuentes literarias y periodísticas, corpus diversos privados o públicos y diccionarios sintácticos, fundamentalmente el de R. J. Cuervo. De hecho, esta es una de las gramáticas descriptivas del español moderno que más uso hace de fuentes distintas de la propia introspección.

Como se sabe, el debate sobre la validez y la fiabilidad de las fuentes de datos es largo (y casi abrumador) desde los años setenta. Se ha señalado en múltiples ocasiones que los contrastes (llamados a veces 'pares mínimos') sólo son posibles en la sintaxis con datos negativos; de hecho, todas las ausencias en la combinatoria que puedan resultar pertinentes para el sistema gramatical se obtienen de la introspección; algunas construcciones gramaticales no aparecen fácilmente en los corpus en la forma exacta en que se las necesita; otras se encuentran en los corpus, pero representan un tipo de hápax sintáctico. Por el contrario, el corpus proporciona datos interesantes a los que no tiene acceso la introspección, y con gran frecuencia ayuda a completar paradigmas léxicos que muy difícilmente pueden lograrse manejando únicamente esa otra fuente. En suma, en esta obra hemos empleado ambos procedimientos, que de hecho nos parecen complementarios en cualquier investigación gramatical.

Los directores de esta obra hemos intervenido moderadamente en los juicios de gramaticalidad que aquí aparecen. Hemos sugerido en múltiples casos a los autores que los revisaran, salvo si se trataba de variación dialectal, muy especialmente cuando parecía existir una marcada diferencia entre su criterio y el que mostraban mayoritariamente otros hablantes consultados por nosotros. Aun así, somos conscientes de que los signos de semigramaticalidad, como *?*, *??* o *?** son —independientemente de que se usen con profusión en el análisis gramatical— muestras indirectas de nuestra ausencia de control sobre los factores que intervienen en la estructura de las unidades sintácticas. Seguimos aquí el criterio general de emplearlos de manera ocasional, pero no debemos dejar de señalar que el hacerlo supone en alguna medida confesar nuestra ignorancia parcial sobre esos factores.

Esta no es una obra normativa, ni directa ni indirectamente. De hecho, se han evitado siempre las actitudes de censura o estigmatización hacia los usos sintácticos considerados 'no cultos' o 'menos cultos', tanto si los acepta la Academia, como el leísmo de persona, como si los rechaza, como el laísmo, el dequeísmo, los llamados a veces 'relativos despronominalizados' o algunos tipos de solecismos o silepsis.

Como es sabido, la agramaticalidad no debe confundirse con la incorrección. El asterisco se usa aquí exclusivamente, por tanto, para marcar la primera. Aun así, en el capítulo 34, en el que los factores normativos pesaban abrumadoramente, nos pareció conveniente sugerir a su autor que utilizara un signo convencional para marcar las secuencias incorrectas y otro distinto para señalar las agramaticales.

En lo que afecta a los registros lingüísticos, se ponen particularmente de manifiesto en algunos capítulos, como los comprendidos entre el 60 y 63, en los que se analizan más formas coloquiales que en otros, pero también en los demás se hace notar ocasionalmente este tipo de informaciones cuando son pertinentes para la descripción.

Estructura de la obra

Cualquier distribución de contenidos de una gramática resultará siempre problemática y contendrá, sin duda ninguna, solapamientos parciales y engarces difíciles. La causa no está sólo en los criterios que utilicen los autores de la parcelación, sino en la naturaleza multiforme de las unidades gramaticales. De hecho, sus propiedades sintácticas, semánticas y discursivas establecen redes de relaciones que vinculan nociones aparentemente lejanas: la predicación con el modo de acción, el aspecto con la cuantificación, la anáfora con la elipsis, la impersonalidad con la genericidad, la negación con el modo, los tiempos con los pronombres, y así en otros muchos casos.

La GDLE, que presenta una estructura relativamente tradicional, está dividida en cinco partes. No posee, frente a sus homólogas de otros idiomas, un capítulo introductorio sobre las unidades gramaticales en su conjunto. Al principio pensamos en incluirlo, pero además de tratarse de un capítulo particularmente polémico —y quizás indebidamente programático o fundacional en una obra escrita por más de setenta profesionales de orientación no siempre coincidente— lo cierto es que contendría seguramente información redundante, vista la organización general de la obra. Aun así, para compensar parcialmente esta ausencia hemos incluido cuatro capítulos que constituyen introducciones a otras tantas secciones: el 5, en la primera parte, sobre la estructura del sintagma nominal en su conjunto, el 24, en la segunda, sobre transitividad e intransitividad, así como otros aspectos de la estructura del sintagma verbal, y los que encabezan las partes cuarta y quinta sobre la gramática del discurso y la morfología respectivamente. Asimismo, el capítulo 31 constituye una presentación general e integrada de las construcciones interrogativas, relativas y exclamativas, que se analizan en capítulos independientes. Si el lector desea obtener un panorama de cada una de esas cuestiones antes de abordarlas con detalle, puede leer primero estos capítulos introductorios.

Las cinco partes que componen la obra son las siguientes:

- *Primera parte. Sintaxis básica de las clases de palabras*. Esta sección está formada por 23 capítulos y contiene una pormenorizada descripción de las clases de palabras y de los sintagmas (frases o grupos) que esas palabras constituyen. Se exceptúa el sintagma verbal, que no se estudia en esta sección, sino en las siguientes, porque sus características tienen claras repercusiones en toda la sintaxis oracional. En esta primera parte se dedican dos capítulos al sustantivo, al adjetivo y al artículo; tres a los cuantificadores, cuatro a la estructura del

Gramática Descriptiva de la Lengua Española

sintagma nominal y cinco a los pronombres personales. En lo que se refiere a las partículas, cabe señalar que la conjunción no posee capítulo propio, frente a la preposición, la interjección o el adverbio, porque se estudia, por una parte, en relación con otras clases de palabras (cap. 9) y, por otra —muy pormenorizadamente— en los capítulos sobre coordinación y subordinación.

- *Segunda parte. Las construcciones sintácticas fundamentales*. En esta segunda parte se analizan las clases de oraciones simples atendiendo a su estructura, así como la constitución del sintagma verbal. Se puede observar que, con la excepción del capítulo 28 y del 38, el título de cada capítulo no es el que corresponde propiamente a una función sintáctica, sino a alguna construcción (en los casos del 28 y del 38, por otra parte, el título quiere reflejar la denominación tradicional, pero esos capítulos no se centran en las funciones en cuanto tales, sino en las propiedades sintácticas y semánticas de dos constituyentes que se relacionan con el verbo, o con este y otros miembros de la oración). Así, no existe ningún capítulo para la función de sujeto en esta obra. Sus hipotéticos contenidos se reparten, por un lado, entre los capítulos 24 a 28, en los que el comportamiento de los sujetos agentes o pacientes está determinado por la estructura de la oración, los capítulos de la subordinación sustantiva (32 a 35), el del infinitivo (cap. 36), el de la concordancia (cap. 42) y —más adelante— los dedicados a las funciones informativas (caps. 64 y 65). Los llamados 'sujetos con preposición' se analizan en el cap. 9 porque su naturaleza tiene que ver fundamentalmente con las propiedades de las partículas. En suma, hemos intentado —con las excepciones que fueran de rigor— que las funciones mismas no articularan la estructura de esta segunda parte, porque nos parecía que en caso contrario habríamos perdido algunas de las conexiones que la obra permite establecer en su disposición actual.

- *Tercera parte. Relaciones temporales, aspectuales y modales*. Las categorías de tiempo, aspecto y modo tienen entidad suficiente en la gramática española como para dedicarles toda una sección, aun cuando ello resulte, como ha sucedido en este caso, notablemente complejo. La explicación hay que buscarla, en parte, en el hecho de que las nociones básicas que se manejan no tienen tanto asentamiento en la gramática clásica o moderna como algunas de las examinadas en los capítulos anteriores. Así, los autores que actualmente investigan sobre la relación entre el tiempo y el aspecto mantienen discrepancias muy notables entre sí (la naturaleza del imperfecto es un ejemplo claro, y el límite entre los tiempos compuestos y las perífrasis es otro, pero se podrían añadir algunos más). No nos parecía oportuno ocultar estas diferencias objetivas entre los autores, ni aun cuando en principio fuera deseable llegar al *acuerdo de mínimos* al que antes nos referíamos. A pesar de que estas ocasionales discrepancias muestren polémicas reales en el estado actual de la investigación del tiempo y el aspecto (no del modo, en términos generales), el lector comprobará que la argumentación en esta tercera parte es, como en el resto de la obra, muy pormenorizada, la ejemplificación es abundantísima y las distinciones conceptuales que los autores introducen son también, a nuestro parecer, originales, abarcadoras y sumamente productivas. Hemos dedicado dos capítulos a los modos, cuatro a los tiempos (incluyendo el que se dedica a las partículas temporales), y otros dos a las perífrasis verbales.

El participo no posee capítulo propio porque casi todas sus características le hacen entrar en relación con otras unidades. Su relación con los adjetivos se analiza en el cap. 4, su funcionamiento en las perífrasis verbales en el 52, y en las cláusulas absolutas en el 39. El gerundio no perifrástico se incluye en esta parte tercera porque manifiesta de forma encubierta algunas propiedades que otras unidades hacen explícitas, y también porque constituye el enlace más claro entre esta sección y la siguiente, dedicada a la subordinación adverbial y a la gramática del discurso.

- *Cuarta parte. Entre la oración y el discurso*. Esta cuarta parte, que comienza con un capítulo introductorio, contiene, por un lado, varios de los capítulos que la tradición solía asignar a la subordinación adverbial; por otro, desarrolla las manifestaciones gramaticales de la modalidad, en particular las relativas a la interrogación, la exclamación, los actos de habla y los discursos directo e indirecto. Incorpora asimismo un estudio detallado de los llamados 'marcadores del discurso', con frecuencia ausentes de la descripción gramatical. Los dos últimos capítulos se dedican a las funciones informativas, esto es, a la distribución en la oración de las informaciones nuevas, presupuestas o destacadas. La organización de esta parte de la gramática no debe hacer pensar, ni mucho menos, que todos los aspectos del análisis gramatical que cubre la pragmática están integrados en esta cuarta sección. Por el contrario, prácticamente en todos los capítulos de la obra, y en particular en los de la primera parte, se hacen consideraciones ocasionales sobre factores pragmáticos que resultan esenciales para entender parte del comportamiento gramatical de las categorías. Estos hechos resultan muy evidentes en la descripción del artículo, el pronombre, el adjetivo y el adverbio, pero también en algunos aspectos de la elipsis, la predicación o el modo de acción, entre otras muchas unidades. Las cuestiones estudiadas en la cuarta parte no constituyen, por tanto, aquellas parcelas de la gramática en las que la interpretación de los datos se obtiene a través de informaciones discursivas. Se trata, por el contrario, de examinar aquellos tipos de oraciones en los que más claramente se ponen de manifiesto las inferencias de los hablantes, se marca sintácticamente la modalidad o se valora la aportación informativa de cada fragmento de los mensajes. Este examen no ha de llevar a suponer exactamente que la forma de las estructuras gramaticales está condicionada por factores discursivos. Sólo damos razón de factores que en unos casos condicionan la interpretación de los datos y en otros intervienen más sistemáticamente para expresar un reducido grupo de informaciones relativas a la participación del hablante en el mensaje o a las inferencias que conlleva el empleo de ciertas formas gramaticales.

- *Quinta parte. Morfología*. Esta quinta parte suele estar ausente, o quedar reducida a un brevísimo esquema, en la mayor parte de las gramáticas del español. En la presente obra se estudia la flexión y la formación de palabras con considerable detalle. Como hemos resaltado más arriba, los factores históricos y dialectales se consideran más pormenorizadamente que en otras secciones, puesto que, como es bien sabido, las particularidades semánticas y las irregularidades de origen histórico son más numerosas en esta parte de la gramática que en las demás. Tras un capítulo introductorio, se dedican otros dos a analizar la relación de la morfología con la fonología y la sintaxis respectivamente, cuatro capítulos a la derivación (el último también a la parasíntesis), dos a la flexión, y otros tres a diversos procesos morfológicos.

Convenciones

Los capítulos están divididos en apartados de numeración corrida, según el sistema dc subdivisión por capas hasta cuatro grados de profundidad. A lo largo de la obra usamos siempre el signo para identificarlos. El texto aparece en cuerpo principal, cuerpo menor (para las informaciones menos centrales o de contenido más especializado) o en notas de pie de página, complementarias o bibliográficas. La información contenida en [→ ...] ha sido añadida por los directores y permite al lector acceder a otras partes de la obra en las que se analizan cuestiones análogas o cercanas a las que se consideran en el lugar en que aparece la remisión.

Los signos convencionales utilizados para representar los juicios sobre los datos son los siguientes:

ABC:	La secuencia ABC es gramatical.
*ABC:	La secuencia ABC es agramatical.
[*]ABC:	La secuencia ABC es incorrecta o está marcada normativamente.
#ABC:	La secuencia ABC es gramatical, pero resulta inapropiada en la interpretación deseada, o bien es irregular por factores de naturaleza extralingüística.
?ABC:	La gramaticalidad de la secuencia ABC es ligeramente dudosa.
??ABC:	La gramaticalidad de la secuencia ABC es dudosa.
?*ABC:	La secuencia ABC es agramatical, con posibles reparos.
A(B)C:	Las secuencias ABC y AC son gramaticales; esto es, los paréntesis indican que B puede no estar presente.
A{B/C}D:	Las secuencias ABD y ACD son gramaticales; esto es, en la segunda posición pueden aparecer bien B, bien C, pero no los dos a la vez.
A(*B)C:	La secuencia AC es gramatical, pero ABC no lo es; esto es, el asterisco en el interior del paréntesis indica que la secuencia será agramatical si se incluye ese elemento.
A*(B)C:	La secuencia AC es agramatical, pero ABC no lo es; esto es, el asterisco fuera del paréntesis indica que la secuencia será agramatical si ese elemento no está presente o se suprime.
A{*B/C}D:	La secuencia ACD es gramatical, pero la secuencia ABD no lo es.
A{B/??C}D:	La secuencias ABD es gramatical, pero la gramaticalidad de la secuencia ACD es dudosa

Otras combinaciones de estos signos se interpretarán según los significados establecidos en esta lista. La presencia de {A/B/C/D} en el interior de los ejemplos es un recurso para economizar espacio: permite enumerar una serie de palabras o de secuencias que podrían ocupar esa posición alternativamente. El signo «/» se usa también a lo largo de la obra para separar los ejemplos de una serie, dentro o fuera del texto. No se emplea punto y coma en estos casos porque algunos datos extraídos de textos contienen ya punto y coma como parte de la cita, lo que podría producir confusión. Como es habitual en otras publicaciones, distinguimos la referencia a una obra de la mención de un autor. En este segundo caso aparece entre paréntesis el año y el resto de la referencia (página o apartado), mientras que en el primero no aparece ningún signo de separación entre el nombre del autor y los datos que identifican su obra.

Para completar la relación de las convenciones empleadas, remitimos a la lista de abreviaturas que sigue a esta introducción.

Agradecimientos

Una obra de este alcance y empeño no hubiese sido posible sin la colaboración de muchas personas e instituciones. Desde el Ministerio de Educación y Ciencia recibimos el apoyo de Roberto Fernández de Caleya, Director General de Investigación Científica y Técnica en el momento en que comenzamos nuestros trabajos y siempre valedor de iniciativas arriesgadas. Recibimos también un paralelo asesoramiento y acogida por parte de Aurelia Modrego y José Antonio Pascual. Don Fernando Lázaro Carreter, a quien los dos directores debemos mucho de lo que seamos y a quien visitamos para contarle nuestra proyectada aventura, nos dio consejos utilísimos y nos hizo creer un poco más en lo que teníamos entre manos. Desde la Fundación Ortega y Gasset, el apoyo generoso y el constante estar ahí para resolver nuestros problemas, primero de Antonio Ramos y posteriormente de Emilio Lamo de Espinosa y Francisco Prados de la Escosura, han sido decisivos para nuestro trabajo. Sin el apoyo administrativo y económico de esta institución y estas personas la *Gramática descriptiva* simplemente no se hubiera terminado nunca.

La dirección de la obra ha sido nuestra, pero la urdimbre de ese complejo tejido de la relación con los autores, la normalización de los textos conforme a los normas de estilo, la detección de posibles conflictos terminológicos, el marcado de algunos ejemplos, el cumplimiento de las convenciones, los entrecruzamientos entre todos y todo, todo ello podría habérsenos en parte escapado de no ser por la Dra. María Victoria Pavón, nuestra muy eficaz colaboradora de investigación en los últimos tres años. María Victoria —Mariví— contó a su vez en el último año y medio con la ayuda estable en sus tareas de edición de dos excelentes estudiantes de nuestro programa de doctorado: Estrella Nicolás e Isabel Pérez Jiménez. En los comienzos del proyecto, Montse Gutiérrez nos auxilió con tino y diligencia en la organización de nuestra correspondencia con los autores; en el agobiante último verano, cuando parecía que el plazo de finales de septiembre podría llegar a no alcanzarse, la ayuda de Juana Gil Fernández y Olga Fernández Soriano no fue poca cosa en esa carrera contra reloj, y ya en la fase de preparación editorial, el cuidadosísimo trabajo de Celia Villar, Rebeca Córdoba y Marisol Palés, en Espasa Calpe, contribuyó sobremanera a la calidad del resultado final. A todos, y muy particularmente a los autores, que acogieron nuestras demandas, seguramente excesivas, con atención, respeto y, casi siempre, presteza, nuestro profundo reconocimiento.

IGNACIO BOSQUE Y VIOLETA DEMONTE
Madrid, noviembre de 1998

Las siguientes personas han hecho comentarios y observaciones a uno o varios capítulos de esta obra. Al agradecimiento de los autores de esos capítulos, los directores queremos añadir el nuestro propio por su generosa colaboración en este proyecto:

Emilio Alarcos Llorach, *in memóriam*
Santiago Alcoba
Francisco Aliaga García
Adelino Álvarez
Ana Álvarez Gómez
Alberto Anula
M.ª Jesús Arche
Ana Ardid Gumiel
Kutz Arrieta
Kurt Baldinger
Montse Batllori
Sebastián Bonilla Álvarez
Ana Bravo
José M.ª Brucart
Miquel Calçada
Héctor Campos
Bruno Camus Bergareche
Patrick Carle
Ángeles Carrasco Gutiérrez
Fanny Carrión
Nelson Cartagena
Heles Contreras
Frank Domínguez
Luis Eguren
I. Enkvist
M. Victoria Escandell
Charles B. Faulhaber
Marina Fernández Lagunilla
M.ª Jesús Fernández Leborans
Mar Garachana
Luis García Fernández
Álvaro García Meseguer
Isabel García Parejo
Leonardo Gómez Torrego
N. González-Ortega
Lluïsa Gràcia
M. Lluïsa Hernanz
James W. Harris
Edita Gutiérrez
L. Labastia
Chen Chu Lan
Manuel Leonetti
Enrique López Díaz
Joan Mascaró
Pascual Masullo
Elena de Miguel
Juan Carlos Moreno
Carlos Otero
M.ª Victoria Pavón Lucero
Lluís Payrató
Jorge Pérez-Silva
Carme Picallo
Antonio Quilis
Xabier Renedo
Gemma Rigau
A. Robledo
Francesc Roca
Teresa Rodríguez Ramalle
Elena Rosa
Juan Carlos Rubio
Marisa Santiago
Lluis Soravilla
Joan Solà
Judith Strozer
P. Touati
Ángela di Tullio
María Rosa Vila
María Yépez
M.ª Teresa Ynglès
Verónica Zumárraga
M.ª Teresa Zurdo Ruiz-Ayúcar

ÍNDICE DE SIGLAS

Obras gramaticales de referencia y diccionarios [1]

AGLE *Archivo gramatical de la lengua española,* de Salvador Fernández Ramírez.

Cuervo «Notas» de Rufino J. Cuervo a la *Gramática de la lengua castellana destinada al uso de los americanos,* de A. Bello. [2]

CRLEA *Corpus lingüístico de referencia de la lengua española-Argentina* (1992), Universidad Autónoma de Madrid.

CRLEC *Corpus lingüístico de referencia de la lengua española-Chile* (1992), Universidad Autónoma de Madrid.

CORLE *Corpus oral de referencia de la lengua española contemporánea-España* (1992), Universidad Autónoma de Madrid.

DCECH *Diccionario crítico etimológico castellano e hispánico,* de Joan Corominas y José Antonio Pascual.

DCELC *Diccionario crítico etimológico de la lengua castellana,* de Joan Corominas.

DCRLC *Diccionario de construcción y régimen de la lengua castellana,* de Rufino J. Cuervo.

DDDLE *Diccionario de dudas y dificultades de la lengua española,* de Manuel Seco.

DHLE *Diccionario histórico de la lengua española,* de la Real Academia Española.

DMILE *Diccionario manual ilustrado de la lengua española,* de la Real Academia Española.

DRAE *Diccionario de la Real Academia Española.* [3]

DUE *Diccionario de uso del español,* de María Moliner.

DVUA *Diccionario de voces de uso actual,* bajo la dirección de Manuel Alvar Ezquerra.

RAE Real Academia Española. [4]

---

[1] Los datos concretos de las ediciones utilizadas por los diferentes autores se indican en la bibliografía de cada capítulo.

[2] Las referencias a las «Notas» se hacen sin fecha, con el apellido del autor seguido del número de la nota, a su vez precedido por la abreviatura «n».

[3] En cada capítulo se cita con la fecha de la edición correspondiente.

[4] Las diferentes ediciones de la *Gramática* académica, así como el *Esbozo para una nueva gramática de la lengua española,* se citan en cada capítulo con las siglas «RAE» seguidas de la fecha de la edición correspondiente.

Revistas

AEF	*Anuario de Estudios Filológicos.* Cáceres.
AF	*Anuario de Filología.* Barcelona.
AFA	*Archivo de Filología Aragonesa.* Zaragoza.
AGI	*Archivio Glottologico Italiano.* Florencia
AIL	*Anales del Instituto de Lingüística.* Universidad Nacional de Cuyo. Mendoza
AJPh	*American Journal of Philology.* Baltimore.
AL	*Archivum Linguisticum.* Glasgow.
ALFAL	*Asociación de Lingüística y Filología de América Latina.*
ALH	*Anuario de Lingüística Hispánica.* Valladolid.
ALHafn	*Acta Linguistica Hafniensia.* Copenhague.
ALM	*Anuario de Letras.* Universidad Nacional Autónoma de México.
AMa	*Analecta Malacitana.* Facultad de Filosofía y Letras de la Universidad de Málaga.
Archivum	*Archivum. Revista de la Facultad de Filosofía y Letras.* Universidad de Oviedo.
Arbor	*Arbor.* Madrid
AUCh	*Anales de la Universidad de Chile.* Santiago de Chile.
AUMur	*Anales de la Universidad de Murcia.* Murcia.
BACol	*Boletín de la Academia Colombiana.* Bogotá.
BBMP	*Boletín de la Biblioteca Menéndez Pelayo.* Santander.
BF	*Boletim de Filologia.* Lisboa.
BHi	*Bulletin Hispanique.* Burdeos.
BHS	*Bulletin of Hispanic Studies.* Liverpool.
BLS	*Berkeley Linguistic Society.* Berkeley. *Proceedings from the Annual Meeting of the Berkeley Linguistic Society.*
BFUCh	*Boletín de Filología de la Universidad de Santiago de Chile.* Santiago de Chile.
BRAE	*Boletín de la Real Academia Española.* Madrid.
BRPh	*Beiträge zur Romanischen Philologie.* Berlín.
BRSVAP	*Boletín de la Real Sociedad Vascongada de Amigos del País.* San Sebastián.
BSLP	*Bulletin de la Societé de Linguistique.* París.
CatWPL	*Catalan Working Papers in Linguistics.* Universitat Autònoma de Barcelona. Barcelona.
CFil	*Cuadernos de Filología.* Valparaíso.
CFS	*Cahiers Ferdinand de Saussure.* Ginebra.
CIF	*Cuadernos de investigación filológica.* Logroño.
CLex	*Cahiers de Lexicologie.* París.
CLF	*Cahiers de Linguistique Française.* Ginebra.
CLS	*Papers from the Regional Meeting, Chicago Linguistic Society.* Chicago, Illinois.
Dicenda	*Dicenda. Cuadernos de Filología Hispánica.* Universidad Complutense. Madrid.
DNS	*Die Neuren Sprache.* Marburg/Frankfurt.
EAc	*Español Actual.* Madrid.

EClás	*Estudios Clásicos.* Madrid.
EFil	*Estudios Filológicos.* Valdivia.
ELLC	*Estudis de Llengua i Literatura Catalanes.* Montserrat.
ELUA	*Estudios de Lingüística de la Universidad de Alicante.* Alicante.
ERB	*Études Romanes de Brno.*
ES	*English Studies.* Groninga.
FiLM	*Filologia Moderna.* Pisa.
FL	*Foundations of Language. International Journal of Language and Philosophy.* Dordrecht-Boston.
FM	*Filología Moderna.* Madrid.
FoLi	*Folia Linguistica. Acta Societatis Linguisticae Europaea.* La Haya.
FrM	*Le Français Moderne.* París.
Glossa	*Glossa. An International Journal of Linguistics.* Burnaby.
GRM	*Germanisch-Romanische Montatsschrift.* Heidelberg.
Hispania	*Hispania. A Journal Devoted to the Interests of the Teaching of Spanish and Portuguese.* Appleton.
HR	*Hispanic Review.* Filadelfia.
IAP	*Ibero-Americana Pragensia.* Praga.
IR	*Ibero-Romania. Zeitschrift für spanische, portugiesche und katalanische Saprache und Literatur.* Múnich.
IULC	*Indiana University Linguistic Club Publications.* Bloomington. Indiana.
JIL	*Journal of Italian Linguistics.* Dordrecht.
JL	*Journal of Linguistics.* Londres.
JoP	*Journal of Pragmatics.* Amsterdam.
JPh	*The Journal of Philosophy.* Nueva York.
JRAS	*Journal of the Royal Asiatic Society of Great Britain and Ireland.* Londres.
KuhnZ	*Kuhn's Zeitschrift. Zeitschrift für vergleichende Sprachforschung auf dem Gebiete der indogermanischen Sprachen.* Gotinga.
LAB	*Linguistische Arbeitsberichte.* Leipzig.
Lan	*Language. Journal of the Linguistic Society of America.* Baltimore.
LangSpeech	*Language and Speech.* Teddington.
Langages	*Langages.* París.
LaPh	*Linguistics and Philosophy. An International Journal.* Dordrecht/Boston.
LBer	*Linguistische Berichte.* Braunschweig.
LEA	*Lingüística Española Actual.* Madrid.
LeS	*Lingua e Stile. Quaderni dell'Istituto di Glottologia dell'Università degli Studi di Bologna.* Bolonia.
Lexis	*Lexis. Revista de lingüística y literatura.* Lima.
LFr	*Langue Française.* París.
LI	*Linguistic Inquiry.* Cambridge. Massachussets.
LimR	*Limba Româna.* Bucarest.
LingR	*The Linguistic Review.* Dordrecht.
Lingua	*Lingua.* Amsterdam.
Linguistics	*Linguistics.* La Haya.
Linguistique	*La Linguistique. Revue de la Société Internationale de Linguistique Fonctionnelle/Journal of the International Society of Functional Linguistics.* París.

LNL	*Les Langues Néo-Latines.* París.
M	*Els Marges.* Barcelona.
MIT WPL	*MIT Working Papers in Linguistics.* Cambridge. Mass.
MLing	*Modèles Linguistiques.* Lille.
MLJ	*Modern Language Journal.* Ann Arbor. Michigan.
Nels	*North Eastern Linguistic Society. Proceedings from the Annual Meeting of the North Eastern Linguistic Society.*
NLLT	*Natural Language and Linguistic Theory.* Dordrecht/Boston.
NM	*Neuphilologische Mitteilungen. Bulletin de la Société Néophilologique/Bulletin of the Modern Language Society.*
NRFH	*Nueva Revista de Filología Hispánica.* México.
PhP	*Philologica Pragensia.* Praga.
PhQ	*Philological Quarterly.* Iowa City.
QPL	*Quaderni Patavini di Linguistica.* Padua.
REH	*Revista de Estudios Hispanos.* Universidad de Alabama.
REL	*Revista Española de Lingüística. Órgano de la Sociedad Española de Lingüística.* Madrid.
RevFil	*Revista de Filología.* Universidad de La Laguna.
RF	*Romanische Forschungen. Vierteljahrschrift fü romanische Sprachen und Literaturen.* Frankfurt.
RFE	*Revista de Filología Española.* Madrid.
RFH	*Revista de Filología Hispánica.* Buenos Aires.
RFR	*Revista de Filología Románica.* Madrid.
RILCE	*Revista del Instituto de Lengua y Cultura Española.* Universidad de Navarra. Facultad de Filosofía y Letras.
RFRG	*Revista de Filologie Romanica si Germanica.* Bucarest.
RGG	*Rivista di Grammatica Generativa.* Padua.
RJb	*Romanistisches Jahrbuch.* Hamburgo/Berlín/Nueva York.
RLiR	*Revue de Linguistique Romane.* París/Lyon.
RLR	*Revue des langues romanes.* Montpellier.
Ro	*Romania.* París.
RPh	*Romance Philology.* Berkeley/Londres/Los Ángeles.
RR	*The Romanic Review.* Nueva York.
RRL	*Revue Roumaine de Linguistique.* Bucarest.
RRo	*Revue Romane.* Copenhague.
RUM	*Revista de la Universidad de Madrid.* Madrid.
SALT	*Proceedings of the Semantics and Linguistic Theory Conference.*
SGI	*Studi di Grammatica Italiana, a cura dell'Accademia della Crusca.* Florencia.
SL	*Studia Linguistica. Revue de linguistique générale et comparée.* Lund.
StN	*Studia Neophilologica. A Journal of Germanic and Romanic Philology.* Uppsala.
StPhil	*Studies in Philology.* University of North Carolina. Chapel Hill.
ThBICC	*Thesaurus. Boletín del Instituto Caro y Cuervo.* Bogotá.
TL	*Theoretical Linguistics.* Berlín/Nueva York.
TPhS	*Transactions of the Philological Society.* Londres/Oxford.
TLGand	*Travaux de Linguistique de l'Université de Gand.* Gand.
TLP	*Travaux Linguistiques de Prague.* Praga.

TraLiLi *Travaux de Linguistique et de Littérature.* Estrasburgo.
UCPL *University of California Publications in Linguistics.* Berkeley.
Verba *Verba. Anuario Galego de Filoloxia.* Santiago de Compostela.
VR *Vox Romanica. Annales Helvetici explorandis linguis Romanicis destinati.* Berna.
Word *Word. Journal of the International Linguistic Association.* Nueva York.
WPLU *Working Papers in Language Universals.* Stanford.
ZrPh *Zeitschrift für romanische Philologie.* Halle/Tubinga.

RELACIÓN DE AUTORES

ALCOBA RUEDA, SANTIAGO

Catedrático de Lengua Española de la Universitat Autònoma de Barcelona. Sus trabajos de investigación se centran en aspectos de la morfología y lexicología del español. Se interesa por la configuración argumental y funciones temáticas de los verbos de régimen españoles. Es autor de artículos sobre la naturaleza, formación y relaciones de los titulares del enunciado periodístico; sobre lexicología («La elección del léxico») y sobre morfología («Los parasintéticos», «Morfología y acento del tema de futuro» y «Morfología del verbo español»).

ALONSO-CORTÉS, ÁNGEL

Profesor de Lingüística en la Universidad Complutense de Madrid. Catedrático de enseñanza media. Autor de *Gramática del subjuntivo* (Madrid, 1980), *Lecturas de Lingüística* (Madrid, 1989) y *Lingüística General* (Madrid, 1994). Investigador asociado en la UC Berkeley (1995).

ÁLVAREZ, ALFREDO I.

Doctor en Filología Española por la Universidad de Oviedo y Profesor titular de Lengua Española. Es autor, entre otros trabajos, de *Las construcciones consecutivas en español. Estudio funcional sobre la oración compuesta* (1989), «El adverbio y la función incidental» (*Verba*, 1988), «Transpositores complejos, conjunciones/preposiciones impropias y otras fórmulas alternativas en la introducción de las subordinadas adverbiales» (*LEA*, 1993), «La determinación del sintagma en gramática funcional» (*REL*, 1995); es coautor del *Diccionario de frecuencias léxicas del asturiano* (1997), *Teatro de la emigración asturiana en Cuba* (1997) y *Gramática de la lengua asturiana* (1998).

AMBADIANG, THÉOPHILE

Profesor asociado en el Departamento de Lingüística General de la Universidad Autónoma de Madrid. Su interés se centra en la fonología y la morfología, específicamente la morfología flexiva. Ha publicado *La morfología flexiva* (Taurus, 1994), «La formación de diminutivos en español: ¿fonología o morfología?» (*LEA*, 1996), «Las bases morfológicas de la formación de diminutivos en español» (*Verba*, 1997); se ha ocupado también de «Lo paradigmático en el sistema verbal de los estudiantes de español L2: sus implicaciones teóricas y pedagógicas» (1996).

BOSQUE, IGNACIO

Catedrático de Lengua Española en la Universidad Complutense de Madrid y miembro de la Real Academia Española. Es autor de libros y artículos sobre numerosos aspectos de la gramática española y compilador de algunos volúmenes de diversos autores sobre esas mismas cuestiones. Ha sido director del Curso Superior de Filología Española de la Universidad Menéndez Pelayo y profesor visitante en las universidades de Lovaina, Utrecht, Minnesota, Ohio y Sophia (Tokio).

Brucart Marraco, José María

Catedrático de Lengua Española de la Universitat Autònoma de Barcelona. Doctor en Filosofía y Letras y Licenciado en Ciencias de la Información (Periodismo). Ha sido director y profesor de cursos de enseñanza del español como lengua extranjera en la Universidad Menéndez Pelayo, director del Departamento de Filología española de la UAB y Decano de su Facultad de Filosofía y Letras. Autor de *La elisión sintáctica en español* (Barcelona, 1987) y, en colaboración con M. Lluïsa Hernanz, de *La Sintaxis* (Barcelona, 1987). Es autor asimismo de numerosos artículos sobre sintaxis del español.

Bustos Gisbert, Eugenio

Profesor titular de Lengua Española de la Universidad Complutense de Madrid. Se ha dedicado especialmente al estudio histórico de la morfología española, sobre la que ha publicado diversos trabajos, entre los que destacan *La composición nominal en español* (1986), «La asimetría *hemos/habéis*» (1992), *Práctica y teoría de Historia de la lengua española* (1993), «La alternancia *ove/pude* en español medieval y clásico» (1993), «Alternativas a la analogía» (1998), etc.

Camacho, José

Ph. D. de la University of Southern California (Los Ángeles). Vinculado a la Universidad de Rutgers y profesor visitante de la Universidad Católica del Perú. Su investigación incluye tres áreas principales: sintaxis de la coordinación (con énfasis en el español), adquisición de segundas lenguas y lenguas amazónicas.

Campos, Héctor

Profesor titular en el Departamento de Español y Portugués y en el Departamento de Estadística de la Georgetown University. Imparte sintaxis teórica. Sus áreas de investigación son la sintaxis del español, la sintaxis comparada de las lenguas románicas, así como los romances balcánicos. Ha publicado, entre otros trabajos: *Current Studies in Spanish Linguistics* (comp., con F. Martínez Gil), *De la oración simple a la oración compuesta* y *Evolution and Revolution in Linguistic Theory* (comp., con Paula Kempchinsky).

Cano Aguilar, Rafael

Catedrático de Lengua Española en la Universidad de Sevilla; fue profesor adjunto en la Universidad Complutense, donde se formó con R. Lapesa. Su labor investigadora se centra en la gramática descriptiva del español (*Estructuras sintácticas transitivas en español actual,* 1981, entre otros estudios), y en la sintaxis histórica española, a la que ha dedicado numerosos artículos y monografías, como *Sintaxis histórica de la comparación en español. La historia de* cómo (1985). De su dedicación a la historia del español ha surgido, entre otros, *El español a través de los tiempos* (1988). Se ha interesado también por la situación del español en Andalucía (*El español hablado en Andalucía,* 1998, con A. Narbona y R. Morillo-Velarde).

Carrasco Gutiérrez, Ángeles

Doctora en Filología Hispánica por la Universidad Complutense de Madrid. Profesora asociada de la Universidad de Castilla-La Mancha. Su investigación gramatical se centra en el sistema temporal del español y en la correlación de tiempos, a los que ha dedicado trabajos como: «Sequences of Tenses in Spanish» (*Venezia Working Papers in Linguistics,* 1994), «La concordancia de tiempos en las gramáticas del español» (*Verba,* 1994), «Reichenbach y los tiempos verbales» (*Dicenda,* 1994), «Observaciones sobre la correlación de tiempos en español», en G. Wotjak (ed.): *El verbo español* (Frankfurt, 1996, con L. García Fernández), entre otros estudios.

Cartagena, Nelson

Profesor de Estado de Lengua y Literatura españolas (U. de Chile), doctor en Filología Romance (U. de Tübingen). Catedrático de Lingüística Hispánica y Romance en las Universidades de Concepción (Chile) y Temple (Filadelfia). Director del Departamento de Español de la Facultad de Filología Moderna de la Universidad de Heildeberg. Entre sus obras están: *Sentido y estructura de las construcciones pronominales en español* (1972); con H.-M. Gauger, *Vergleichende Grammatik. Spanisch-Deutsch* (1989), y la edición de varios volúmenes y publicación de numerosos artículos sobre gramática española, lingüística contrastiva y traductología. Actualmente culmina un corpus del español peninsular y una base de datos del vocabulario científico español-alemán.

Casado Velarde, Manuel

Ha sido catedrático de Lengua Española en la Universidad de La Coruña (1990-1998) y, actualmente, en la Universidad de Navarra. Parte de su investigación sobre formación de palabras se recoge en *Tendencias en el léxico español actual* (Madrid, 1985). En la actualidad se ocupa de la lingüística del texto y del estudio de los conectores discursivos (*Introducción a la gramática del texto del español,* Madrid, 1997 y «Lingüística del texto y marcadores del discurso», Madrid, 1998).

Contreras, Heles

Catedrático de Lingüística, recientemente jubilado, en la University of Washington (Seattle). Especialista en teoría sintáctica y estructura del español. Autor de *El orden de palabras en español* (Madrid, 1978) y de numerosos artículos aparecidos en revistas especializadas de alcance internacional.

De Bruyne, Jacques

Doctor en Derecho y Filología Románica. Es catedrático de la Universidad de Gante y director fundador del Instituto de Estudios Hispánicos de Amberes; también miembro correspondiente de la RAE y de la ANLE. Es autor de once libros y unos cien artículos (derecho y filología española). Publicó una gramática del español en versión neerlandesa (Amberes, 1979, 4.ª edición 1998), alemana (Tübinga, 1993), inglesa (Oxford,1995) y francesa (Louvain-la-Neuve, 1998).

Delbecque, Nicole

Catedrática de Lingüística Española de la Universidad de Lovaina (K. U. Leuven). Su investigación se sitúa en el enfoque cognitivo-funcional de los fenómenos de variación sintáctica. Algunas de sus publicaciones son: «Word Order as a Reflection of Alternate Conceptual Construals in French and Spanish» (*Cognitive Linguistics,* 1990), *El orden de los sintagmas. La posición del regente. Estudio de variación sintáctica en una perspectiva probabilista y cognitiva* (Salamanca, 1992), «Por qué y cómo integrar la variación en la descripción gramatical» (*LEA,* 1992), «The Spanish Copulas SER and ESTAR», en M. Verspoor, K. D. Lee y E. Sweetser (eds.), *Lexicon and Grammar in Cognitive Linguistics* (Amsterdam, 1997), entre otros trabajos.

Demonte Barreto, Violeta

Catedrática de Lengua Española en la Universidad Autónoma de Madrid. Ha sido profesora invitada, entre otras instituciones, en la University of Minnesota, en el Colegio de México, en la Universidad de Varsovia y en la Universidad del Comahue (Argentina), e investigadora visitante de los departamentos de lingüística del MIT, University of Southern California y UCLA. Su investigación abarca la teoría sintáctica, la gramática y el léxico del español y la fundamentación de la lingüística teórica. Sobre estas materias ha publicado y editado varios libros, y ha escrito artículos especializados aparecidos en revistas nacionales e internacionales.

Eguren Gutiérrez, Luis

Profesor titular de Lengua Española en la Universidad Autónoma de Madrid. Ocupan un lugar preferente en sus estudios la semántica y la sintaxis de los determinantes («Algunos datos del español a favor de la hipótesis de la Frase Determinante»; *RAL,* 1989), la noción de núcleo en la sintaxis («Núcleos de frase»; *Verba,* 1993) y la morfología del verbo vasco

(«An Optimality Theoretic Account for Ergative Displacement in Basque»; *Morphologica,* 1996; en colaboración con Pablo Albizu). Tuvo también a su cargo la supervisión de la traducción española de F. Newmeyer (ed.) *Linguistics: The Cambridge Survey,* 1988 [trad. esp. *Panorama de la Lingüística Moderna,* IV tomos, Madrid, Visor, 1990/92].

ESCANDELL VIDAL, M. VICTORIA

Doctora en Lingüística Hispánica por la Universidad Complutense de Madrid. Es profesora titular de Lengua Española en la UNED. Es autora de *Introducción a la Pragmática* (Barcelona, 1992), y de *Los complementos del nombre* (Madrid, 1995), así como de varios otros trabajos sobre gramática y pragmática.

FERNÁNDEZ LAGUNILLA, MARINA

Profesora titular de Lengua Española de la Universidad Autónoma de Madrid. Sus líneas de investigación son la gramática (sintaxis del español) y el análisis del discurso (el discurso político y el periodístico). Sus publicaciones incluyen «El comportamiento de *un* con sustantivos y adjetivos en función de predicado nominal. Sobre el llamado *un* enfático» (Madrid, 1983), «Los infinitivos con sujetos léxicos en español», en V. Demonte y M. Fernández Lagunilla (eds.): *Sintaxis de las lenguas románicas* (Madrid, 1987), *Sintaxis y cognición. Introducción al conocimiento, el procesamiento y los déficits sintácticos* (Madrid, 1995, con A. Anula), *Aportación al estudio semántico del léxico político: el vocabulario de los republicanos* (Hamburgo, 1985), entre otros trabajos.

FERNÁNDEZ LEBORANS, M.ª JESÚS

Profesora titular de Lengua Española en la Facultad de Filología de la Universidad Complutense de Madrid. Es autora de varios trabajos de investigación en sintaxis del español y se dedica, en los últimos años, al estudio de la función de predicación de las categorías nominales.

FERNÁNDEZ ORDÓÑEZ, INÉS

Profesora titular de Lengua Española de la Universidad Autónoma de Madrid. Ha publicado los libros *Las Estorias de Alfonso el Sabio* (Madrid, 1992) y *Versión Crítica de la Estoria de España* (Madrid, 1993), además de artículos dedicados a la dialectología sintáctica del español, como «Isoglosas internas del castellano. El sistema referencial del pronombre átono de tercera persona» (*RFE,* LXXIV).

FERNÁNDEZ SORIANO, OLGA

Profesora titular de Lengua Española de la Universidad Autónoma de Madrid. Trabaja en teoría sintáctica. Su investigación se ha centrado en el sistema de pronombres átonos románicos, en las propiedades de las lenguas de sujetos nulos, el orden de palabras y las oraciones impersonales. Ha publicado *Los pronombres átonos* (Madrid, 1983, ed.). Entre sus artículos están: «Strong Pronouns in Null Subject Languages» (*MIT WPL,* 1989), «Pronombres reasuntivos y doblado de clíticos», en P. Goenaga (ed.): *De Grammatica generativa* (UPV, 1995), «Sobre el orden de palabras en español» (*Dicenda,* 1993) o «Two Types of Impersonal Sentences in Spanish. Locative and Dative Subjects» (*Syntax,* 1999).

FLAMENCO, LUIS

Profesor del Centro de Enseñanza Superior San Pablo (CEU) y del Centro de Estudios Universitarios de Talavera de la Reina (Universidad Castilla-La Mancha). Ha colaborado en los Cursos de español para extranjeros organizados por la Universidad Complutense de Madrid y por la Universidad Menéndez Pelayo. Su línea de investigación se circunscribe a la teoría pragmática aplicada al estudio de la subordinación adverbial y, en particular, a las construcciones concesivas. En este marco, ha publicado «Regularidades lingüísticas y principios pragmáticos en la formación de las construcciones concesivas» (*Interlingüística 2,* UAM), entre otros trabajos.

FONTANELLA DE WEINBERG, M. BEATRIZ

(1939-†1995). Catedrática de Lingüística en la Universidad Nacional del Sur y miembro de número de la Academia Argentina de Letras, fue una de las más destacadas y reconocidas especialistas en el análisis sociolingüístico del español americano, especialmente de la zona del Río de La Plata. Ocuparon su atención numerosos fenómenos fonológicos, sintácticos y morfológicos, y de la historia del español en América. Su extensísima bibliografía se relaciona completa en el volumen 9 (1997) de la revista *Lingüística,* publicado en homenaje a su memoria. Recordemos tan sólo que en los últimos tres años de su vida publicó libros tan señalados como *El español de América* (Madrid, 1992), *Estudios sobre el español en la Argentina I, II* y *III* (Bahía Blanca, 1992-1994), *El español del Nuevo Mundo* (Washington, 1994) y *Documentos lingüísticos hispanoamericanos* (Madrid, 1994).

GALÁN RODRÍGUEZ, CARMEN

Profesora titular de Lingüística de la Universidad de Extremadura. Sus líneas de investigación más destacadas son la gramática del español (oraciones finales, causales y verbos de movimiento), el análisis de conectores (especialmente *o sea* y *es decir*), y la teoría lingüística en torno a la relación lenguaje-pensamiento (Humboldt, principalmente). También trabaja en la enseñanza del español para extranjeros y elabora materiales para cursos de español.

GARCÍA FERNÁNDEZ, LUIS

Doctor en Filología Hispánica por la Universidad Complutense de Madrid. Es profesor asociado en la Facultad de Letras de la Universidad de Castilla-La Mancha. Su línea de investigación se centra en el estudio de las relaciones aspectuales y temporales. Entre los trabajos de los que es autor pueden destacarse: «Sobre clíticos, PRO e infinitivos» (*Cuadernos de Lingüística,* 1993); «La interpretación temporal de los tiempos compuestos» (*Verba,* 1995) o *El aspecto gramatical en la conjugación* (Madrid, 1998).

GARRIDO MEDINA, JOAQUÍN

Catedrático de Lengua Española en la Facultad de Ciencias de la Información de la Universidad Complutense de Madrid. Estudia la gramática y el texto, integrando semántica y pragmática, en el artículo, los conectores, el significado léxico, la estructura discursiva, etc. Es autor de *Lógica y Lingüística, Elementos de análisis lingüístico, Idioma e información* y *Estilo y texto en la lengua.*

GÓMEZ TORREGO, LEONARDO

Doctor en Filología Románica, actualmente es investigador en el CSIC. Colabora asimismo con la RAE, con el Instituto Cervantes y con la Agencia EFE. Sus líneas de investigación son la gramática y léxico del español y el uso y norma del español actual. Entre sus publicaciones cabe destacar: *Teoría y práctica de la sintaxis* (1985), *Perífrasis verbales* (1988), *Manual de español correcto* (1989), *El léxico en el español actual: uso y norma* (1995), *El buen uso de las palabras* (1992), *Valores gramaticales de SE* (1992), *La impersonalidad gramatical: descripción y norma* (1992, Arco/Libros), *Gramática didáctica del español* (1997).

GUTIÉRREZ ORDÓÑEZ, SALVADOR

Catedrático de Lingüística General de la Universidad de León. Trabaja preferentemente en sintaxis, semántica y pragmática. Entre sus obras se pueden destacar: *Lingüística y semántica* (1981), *Variaciones sobre la atribución* (1986), *Introducción a la semántica funcional* (1989), *Estructuras comparativas* (1994), *Estructuras pseudocomparativas* (1994), *Presentación de la pragmática* (1996), *Principios de sintaxis funcional* (1997), *La oración: sus funciones* (1997), *Temas, remas, focos, tópicos y comentarios* (1997), etc.

HERNANZ CARBÓ, M. LLUÏSA

Catedrática de Lengua Española de la Universitat Autònoma de Barcelona. Su campo de investigación abarca fundamentalmente la sintaxis española. Sus trabajos más relevantes han versado sobre las construcciones de infinitivo, las oraciones impersonales, la auxiliaridad, la predicación, el aspecto, los adjuntos, las cláusulas absolutas y la modalidad. Ha prestado también atención a la metodología de la enseñanza del español y al estudio de éste como L2. Entre sus publicaciones destacan dos libros, *El infinitivo en español* (Barcelona, 1982) y —junto con José M.ª Brucart— *La Sintaxis* (Barcelona, 1987), así como diversos artículos aparecidos en *RSEL, Verba, NRFH,* entre otras revistas.

KOVACCI, OFELIA

Doctora en Filosofía y Letras por la Universidad de Buenos Aires, es profesora honoraria en la misma universidad, investigadora principal del CONICET y vicepresidenta de la Academia Argentina de Letras. Autora de numerosos artículos sobre gramática, también ha escrito textos para la enseñanza, entre ellos *El comentario Gramatical I* y *II* (Madrid, 1990-1992).

LACA, BRENDA

Profesora de Lingüística Hispánica en la Universidad de Estrasburgo II y en la Universidad de París 8. Sus dominios de investigación son la gramática y semántica del español y del catalán, en particular la formación de palabras, la determinación nominal, el aspecto y las perífrasis verbales. Entre sus publicaciones están: *Die Wortbildung als Grammatik des Wortschatzes. Untersuchungen zur spanischen Subjektnominalisierung* (Tubinga, 1986), «Generic Objects: Some More Pieces of the Puzzle» (*Lingua,* 1990), «Auxiliarisation et Copularisation», en H. Bat Zeev-Schyldkrot (ed.): *Les auxiliaires* (*Langages,* 1997), «Derivation», en E. König et al. (eds.): *Handbuch der Sprachtypologie und Universalienforschung* (Berlín, 1998).

LAMIROY, BÉATRICE

Catedrática de Lingüística General y Comparada de la Universidad de Lovaina (K. U. Leuven). Fue profesora en la Universidad Autónoma de Barcelona e investigadora visitante en las universidades de California, San Diego y Harvard. Su línea de investigación se centra en el análisis comparado de la sintaxis de las lenguas románicas, francés y español en particular (verbos de movimiento, perífrasis verbales y pasivas). Algunas de sus publicaciones son: *Les verbes de mouvement en français et en espagnol* (Amsterdam, 1983), «On Aspectual Complementation in French» (*Language,* 1987), *Léxico y Gramática del español* (Barcelona, 1991), «Causatividad, ergatividad y las relaciones entre el léxico y la gramática», en V. Demonte (ed.), *Gramática del español* (México, 1994).

LÁZARO MORA, FERNANDO

Catedrático de Lengua Española en la Facultad de Filología de la Universidad Complutense de Madrid. Ha alternado trabajos sobre teoría de la literatura («RL > LL en la lengua literaria»), historiografía lingüística *(La presencia de Andrés Bello en la Filología Española)* y sintaxis del español («Sobre *aunque* adversativo»). En los últimos años ha dedicado una atención preferente a la morfología, sobre todo al estudio de los diminutivos.

LEONETTI JUNGL, MANUEL

Doctor en Lingüística Hispánica por la Universidad Complutense de Madrid. Es profesor titular de Lengua Española en la Universidad de Alcalá. Es autor de *El artículo y la referencia (*Madrid, 1990) y de varios artículos sobre las relaciones entre sintaxis, semántica y pragmática, dedicados especialmente a determinantes y sintagmas nominales.

LÓPEZ GARCÍA, ÁNGEL

Catedrático de Lingüística General de la Universidad de Valencia. Ha sido profesor visitante de las Universidades de Virginia, Mainz, Minnesota y Aarnus. Trabaja en gramática cognitiva, dentro de un modelo cuya primera entrega fue su libro de 1980 *Para una gramática liminar,* Madrid. Últimamente ha publicado los tres volúmenes de su *Gramática del español* (Madrid, 1994-1998), los cuales constituyen una extensa aplicación del cognitivismo a la lengua española.

LUJÁN, MARTA

Catedrática del departamento de español y portugués de la University of Texas (Austin), asociada también a su Institute of Latin American Studies. Ha sido investigadora patrocinada por la ILLAS-Mellon Foundation, investigadora visitante del MIT y profesora invitada de la Boston University. Es autora de artículos sobre sintaxis, semántica y bilingüismo aparecidos en Actas de los congresos de la Chicago Linguistic Society, en revistas internacionales tales como *Lingua, Linguistics, Hispania, Language,* y en revistas de lingüística de Argentina, Chile, México, Perú y España. Autora de *Sintaxis y semántica del adjetivo* (Madrid, 1980) y co-editora de *Current Studies in Romance* Linguistics (Georgetown, 1978).

MALDONADO, CONCEPCIÓN

Doctora en Lingüística Hispánica por la Universidad Complutense de Madrid. Profesora adjunta en la Facultad de Humanidades de la Universidad San Pablo-CEU de Madrid. Responsable de lexicografía en Ediciones S.M. Algunas de sus publicaciones son: *Discurso directo y discurso indirecto* (Madrid, 1991), *El fondo de las palabras* (Madrid, 1997), *El uso del diccionario en el aula* (Madrid, 1998), *Criterios para elegir un diccionario* (Madrid, 1998).

MARCOS MARÍN, FRANCISCO

Catedrático de Lingüística General de la Universidad Autónoma de Madrid. Filólogo. Especializado en tratamiento electrónico de datos lingüísticos y literarios. Autor de veinticinco libros y más de doscientos artículos. Destacamos *Informática y Humanidades* (Madrid, 1994) y *Gramática española,* en colaboración con J. Satorre y M. L. Viejo (Madrid, 1998).

MARTÍN GARCÍA, JOSEFA

Doctora en Filología Hispánica por la Universidad Autónoma de Madrid, es profesora de Lingüística General en la Universidad de Alcalá. Ha realizado varios trabajos sobre morfología derivativa y sobre lexicografía, entre los que destaca su libro *La morfología léxico-conceptual: las palabras derivadas con RE-* (Madrid, 1998).

MARTÍN ZORRAQUINO, M.ª ANTONIA

Catedrática de Lengua Española de la Universidad de Zaragoza. Se interesa por la sintaxis del español, con referencia particular a la oración simple y al ámbito de los marcadores del discurso (*Las construcciones pronominales en español. Paradigma y desviaciones,* Madrid, 1979; «Spanisch. Partikelforschung: Partículas y modalidad», en G. Holtus (ed.): *Lexikon der Romanistischen Linguistik VI*; «Sintaxis, semántica y pragmática de algunos adverbios oracionales asertivos en español actual», en V. Demonte, ed., *Gramática del español,* México, 1994, etc.). Ha realizado también varios trabajos sobre la variación lingüística en Aragón (*Estudio sociolingüístico sobre la franja oriental de Aragón,* Zaragoza, 1995, entre otros) y sobre enseñanza del español a extranjeros.

MARTÍNEZ, JOSÉ ANTONIO

Catedrático de Lengua Española en la Universidad de Oviedo. Su investigación se inscribe en la lingüística funcional (en la línea de Alarcos Llorach). Entre sus publicaciones se cuentan la trilogía gramatical *Propuesta de gramática funcional, Funciones, categorías y transposición* y *Cuestiones marginadas de gramática española* (1994), así como *El pronombre (numerales, indefinidos y relativos)* (1989) y *La oración compuesta y compleja* (1994); y artículos como «El no tan circunstancial 'complemento de compañía'», «El funcionalismo gramatical de Lenz» o «Tres hipótesis sobre el origen histórico de la partícula *hasta*». Sobre teoría literaria, destaca su obra *Propiedades del lenguaje poético* (Oviedo, 1975).

MASULLO, PASCUAL

Doctor en Lingüística por la Universidad de Washington, Seattle. Catedrático de Lingüística de la Universidad Nacional del Comahue (Argentina). Ha trabajado en problemas de sintaxis y en la relación entre el léxico y la sintaxis desde una perspectiva generativista. Entre otros estudios, ha publicado «Los sintagmas nominales sin determinante: Una propuesta incorporacionista», en I. Bosque (ed.): *El sustantivo sin determinación* (Madrid, 1996).

Mendikoetxea, Amaya

Profesora titular de Filología Inglesa en la Universidad Autónoma de Madrid. Su trabajo de investigación se ha centrado principalmente en la sintaxis del español dentro de la gramática generativa. Gran parte de este trabajo está dedicado al estudio de las oraciones con pronombres clíticos reflexivos, tema sobre el que ha publicado numerosos artículos en revistas especializadas y libros. Es editora del volumen *Theoretical Issues at the Morphology-Syntax Interface*, con M. Uribe-Etxebarría (UPV, 1997).

Miguel Aparicio, Elena de

Profesora titular de Lengua Española en la Universidad Autónoma de Madrid. Su investigación se ha centrado en la gramática del español y, más en concreto, en las relaciones entre el léxico y la sintaxis. Es autora de *El aspecto en la sintaxis del español: perfectividad e impersonalidad* (Madrid, 1992). Ha publicado diversos estudios en revistas españolas y extranjeras: «Sulla regola di formazione degli aggetivi in *-ble* in spagnolo» (*RGG,* 1986), «Construcciones ergativas e inversión en la lengua y la interlengua española», en J. M. Liceras (ed.): *La lingüística y el análisis de los sistemas no nativos* (Ottawa, 1993), «Nominal Infinitives in Spanish: an Aspectual Constraint» (*Canadian Journal of Linguistics,* 1996).

Montolío, Estrella

Profesora titular de Lengua Española de la Universidad de Barcelona. Su investigación gira en torno al interfaz entre gramática y pragmática, más específicamente, en la elaboración de una gramática de la interacción. En esta línea ha publicado trabajos como: «On Conditional Structures with Complex Connectors» (Adverbialia, *EurotypWP,* 1991), *Gramática de la caracterización en Valle-Inclán (Análisis sintáctico, pragmático y textual de algunos mecanismos de caracterización)* (Barcelona, 1992), «*Si me lo permiten*.... Gramática y pragmática: sobre algunas construcciones condicionales regulativas en español», en H. Haverkate et al. (eds.): *Aproximaciones pragmáticas al español* (Amsterdam, 1993); y es coeditora, con M. A. Martín Zorraquino, de *Los marcadores del discurso en español* (Madrid, 1998).

Moreno Cabrera, Juan Carlos

Catedrático de Lingüística General en la Universidad Autónoma de Madrid. Trabaja en gramática general y en lingüística tipológica. Ha publicado *Fundamentos de sintaxis general* (1987), *Curso universitario de lingüística general* (Madrid 1991 y 1994), *Lenguas del mundo* (1990) y *La lingüística teórico-tipológica* (1995), entre otros libros.

Otero, Carlos-Peregrín

Catedrático de Lingüística Románica en la Universidad de California en Los Ángeles (UCLA). Ha escrito sobre temas diversos de su especialidad, de teoría del lenguaje, historia de la lingüística e historia de las ideas. El foco de sus intereses es la obra de Noam Chomsky, del que ha traducido o editado seis libros. Entre sus publicaciones se cuentan *La revolución de Chomsky: Ciencia y sociedad* (1984) y la obra colectiva *Noam Chomsky: Critical Assessmentes* (1994). Es director de tres de las series de la editorial británica Routledge.

Pavón Lucero, M.ª Victoria

Profesora asociada en la Universidad Carlos III de Madrid y profesora colaboradora en la Universidad Pontificia de Comillas (Madrid). Su investigación se ha centrado en la sintaxis del español, especialmente en el estudio de las relaciones entre las clases de partículas. Este es el tema de su tesis doctoral (*Clases de partículas y estructura de constituyentes,* de muy próxima publicación) así como de otros trabajos suyos («Adverbios locativos del español: perfectividad e imperfectividad en la categoría conceptual de lugar», *Lenguajes naturales y lenguajes formales,* 1995, con Y. Morimoto).

PENA SEIJAS, JESÚS

Catedrático de Lengua Española en la Universidad de Santiago de Compostela. Su investigación se centra fundamentalmente en las categorías gramaticales y en la morfología derivativa. Entre sus trabajos de morfología destacan la monografía *La derivación en español* (1980), y los artículos: «Sobre los modelos de descripción en morfología» (*Verba,* 1990), «La palabra: estructura y procesos morfológicos» (*Verba,* 1991).

PENSADO RUIZ, CARMEN

Catedrática de Lingüística Románica en la Universidad de Salamanca. De entre sus publicaciones más recientes cabe destacar *El complemento directo preposicional* (Madrid, 1995); «Portuguese Secondary Nasal Vowels and Phonological Representations», en Bernhard Hurch y Richard A. Rhodes (eds.): *Natural Phonology: The State of the Art, Papers from the Bern Workshop on Natural Phonology* (Berlin, 1996) y «On the Spanish Depalatalization of /<ɲ>/ and /<ʎ>/ in Rhymes», en A. Morales-Front y F. Martínez Gil (eds.): *Issues in the Phonology and Morphology of the Major Iberian Languages* (Georgetown, 1997).

PÉREZ SALDANYA, MANUEL

Profesor titular del departamento de Filología Catalana de la Universidad de Valencia. Ha publicado diferentes trabajos sobre la morfología y sintaxis del catalán tanto desde una perspectiva sincrónica como diacrónica, entre los que destacan *Els sistemes modals d'indicatiu i de subjuntiu* (Barcelona, 1988), y *Del llatí al català. Morfosintaxi verbal historica* (Valencia, 1998). Es también coautor del *Diccionari de lingüística* (Valencia, 1998).

PICALLO SOLER, M. CARME

Doctora en Lingüística por la CUNY y doctora en Filología Catalana por la Universitat Autònoma de Barcelona. Profesora titular de la Universitat Autònoma de Barcelona. Sus líneas de investigación incluyen la sintaxis y morfología del catalán y del español. Ha publicado artículos en revistas nacionales e internacionales como *Linguistic Inquiry, Natural Languages and Linguistic Theory, Probus, Journal of Linguistics, The Linguistic Review, Els Marges, Caplletra* y *Catalan Working Papers in Linguistics.*

PIERA GIL, CARLOS

Doctor en Lingüística por la UCLA. Profesor titular de Lingüística General en la Universidad Autónoma de Madrid. Se ocupa preferentemente de aspectos de la gramática y la teoría del lenguaje que atañen de algún modo a la literatura.

PORTOLÉS LÁZARO, JOSÉ

Profesor titular de Lengua Española en la Universidad Autónoma de Madrid. En sus investigaciones se ocupa, principalmente, de la pragmática del español —con especial atención por los marcadores discursivos—, la historiografía lingüística y la morfología. Sus publicaciones más relevantes son: *Medio siglo de filología española* (1896-1952) (1986), «Sobre los interfijos en español» (1988) y *Marcadores del discurso* (1998).

RAINER, FRANZ

Catedrático de lenguas románicas en la Universidad de Ciencias Económicas y Empresariales de Viena. Sus principales líneas de investigación giran en torno a la formación de palabras (*I nomi di qualitá nell'italiano contemporaneo,* Viena, 1989; *Spanische Wortbildungslehere,* Tubinga, 1993) y el lenguaje de la economía.

RIDRUEJO, EMILIO

Ha sido catedrático de Lengua Española en la Universidad de Valencia y es actualmente catedrático de Lingüística General en la Universidad de Valladolid. Sus intereses profesionales se han centrado fundamentalmente en la diacronía del español así como en la sintaxis y en la historiografía lingüística. Es autor de más de sesenta estudios entre los que cabe citar «*Uno* en construcciones genéricas» (*RFE,* 1979-81), *Las estructuras gramaticales desde el punto de vista histórico* (Madrid, 1989), «¿Cambios iterados en el subjuntivo español?», en I. Bosque (comp.): *Indicativo y subjuntivo* (Madrid, 1990).

RIGAU OLIVER, GEMMA

Doctora en Filología Románica por la Universitat de Barcelona. Catedrática de Filología Catalana de la Universitat Autònoma de Barcelona. Sus líneas de investigación abarcan la sintaxis y semántica del catalán y el español, la estructura del léxico y la gramática del discurso. Entre sus publicaciones destacan *Gramàtica del discurs* (Barcelona, 1981) y *Lexicologia i semàntica,* junto a M. Teresa Cabré (Barcelona, 1986), así como artículos en revistas nacionales e internacionales como *Linguistic Inquiry, Probus, Travaux de Linguistique, Revue International de Linguistique Française, Journal of Linguistics, Anejos del International Journal of Basque Linguistics and Philosophy, Els Marges, Caplletra* y *Catalan Working Papers in Linguistics.*

ROJO, GUILLERMO

Catedrático de Lengua Española de la Universidad de Santiago de Compostela. Su actividad docente e investigadora se ha desarrollado en diversos terrenos, entre los que destacan la temporalidad verbal, la organización sintáctica de las cláusulas y las oraciones, la fundamentación de la aproximación funcionalista a la gramática y las actitudes lingüísticas. En la actualidad, su trabajo se inserta en la línea de la lingüística basada en el análisis de corpus.

SÁEZ DEL ÁLAMO, LUIS ÁNGEL

Profesor titular de la Universidad Complutense de Madrid. Su trayectoria investigadora está centrada en la sintaxis. Entre su artículos destacan «La paradoja de *Hace*-expresión temporal: una aproximación modular» (*Revista Argentina de Lingüística,* 1991); «Antecedent-Contained Deletion and Modals in Spanish Comparative Constructions» (*LingR,* 1989-1990); «Comparison and Coordination», en J. Lakarra y J. Ortiz de Urbina (eds.): *Syntactic Theory and Basque Syntax* (*ASJU Monographs,* 1992).

SÁNCHEZ LÓPEZ, CRISTINA

Profesora del Departamento de Filología Española de la Universidad Autónoma de Madrid. Doctora por la Universidad Complutense. Sus principales líneas de investigación incluyen la gramática del español y la lingüística teórica. Entre sus trabajos más destacados de los últimos años están: «On the Distributive Reading of Coordinate Phrases» (*Probus*, 1995), «Los pronombres enfáticos y la estructura subeventiva» (*Verba*, 1997) y «Construcciones concesivas con *para*» (*REL*, 1995).

SANTIAGO LACUESTA, RAMÓN

Profesor Titular de Lengua Española en la Universidad Complutense de Madrid. Su principal dedicación docente e investigadora es la historia de la lengua. Entre sus publicaciones figuran «-OR y -URA en textos medievales» (1992), «Sobre la desaparición de los casos de la declinación latina y su interpretación en la gramática histórica del castellano» (1992), «Para una nueva edición de la *Fazienda de Ultra Mar*» (1993), «Apuntes para la historia de la puntuación en los siglos XVI y XVII» (1999).

SERRANO DOLADER, DAVID

Docente de Lengua y Literatura Españolas en la Universidad de Zürich (Suiza), entre 1987 y 1996. Es profesor del Departamento de Lingüística General e Hispánica de la Universidad de Zaragoza. Ha publicado varios trabajos sobre morfología española, enseñanza del español para extranjeros y literatura española del siglo XX. Es autor del libro *Las formaciones parasintéticas en español* (Madrid, 1995).

SUÑER, AVEL·LINA

Profesora titular de Lengua Española en la Universidad de Girona y consultora de lengua española en la Universitat Oberta de Catalunya. Ha publicado diversos trabajos sobre sintaxis del español centrados especialmente en la predicación, las relaciones entre categorías no flexivas y la subordinación.

Suñer, Margarita

Ph. D. de Indiana University. Catedrática del Departamento de Lingüística de Cornell University. Su mayor interés es la sintaxis chomskiana, y en especial todas las facetas de la estructura de la cláusula en español en comparación con otras lenguas. Ha publicado artículos, capítulos de libros y varios libros. Algunas publicaciones recientes son «Resumptive Restrictive Relative Clauses: A Crosslinguistic Perspective» (*Language,* 1998), *Gramática española: Análisis lingüístico y práctica* (1998), «Neg-elements, Island Efects, and Resumptive No» (*LingR,* 1995), «Verb-movement an the Licensing of Argumental Wh-Phrases in Spanish» (*NLLT,* 1994).

Táboas Baylín, Susana

Licenciada en Filología Hispánica por la Universidad Autónoma de Madrid. Profesora de español como segunda lengua en varios programas del Instituto Universitario Ortega y Gasset. Su trabajo de investigación se centra en las oraciones relativas del español, tema de su tesis doctoral. Ha publicado «Spanish Infinitival Relatives: A Proposal about their Indefiniteness» (*Probus,* 1995)

Torrego, Esther

Catedrática de Lengua Española en la Universidad de Boston, es miembro del consejo editorial de las revistas *Linguistic Inquiry* y *Syntax,* y de la serie bibliográfica *Linguistic Variations* (Foris). Sus publicaciones más recientes incluyen «Quantifier Float in Control Clauses» (*LI,* 1996), *The Dependencies of Objects* (Cambridge, Mass., 1998) y «Infl and Nominative Subjects» (*Syntax,* 1998).

Val Álvaro, José Francisco

Catedrático de Lingüística General en la Universidad de Zaragoza. Su investigación se ha orientado básicamente hacia la historia de las ideas lingüísticas y el estudio del léxico, con atención especial a la formación de palabras. En el primer campo ha publicado, entre otros, estudios sobre Hervás, Gómez Hermosilla y las ideas gramaticales en el *Diccionario de Autoridades.* En el campo del análisis del léxico ha trabajado, entre otros aspectos, sobre prefijación y sobre adjetivos y verbos derivados.

Varela Ortega, Soledad

Profesora titular de Lengua Española de la Universidad Autónoma de Madrid. Sus campos principales de especialización son la morfología teórica, la gramática del español y el español como lengua extranjera. Entre sus libros se encuentran *Fundamentos de Morfología* (Madrid, 1990) y *La formación de palabras* (Madrid, 1993, ed.). Entre sus artículos, destacamos: «Flexión y derivación en la morfología léxica», en *Homenaje a Zamora Vicente* (Madrid, 1985), «Spanish Endocentric Compounds and the Atom Condition», en C. Kirschner y J. DeCesaris (eds.): *Studies in Romance Languages* (Amsterdam, 1989), «Composición nominal y estructura temática» (*RSEL,* 1990), «Verbal and Adjectival Participles in Spanish», en Ch. Laufer y T. Morgan (eds.): *Theoretical Analyses in Romance Linguistics* (Amsterdam, 1992).

Veiga, Alexandre

Profesor titular de Lengua Española en la Universidad de Santiago de Compostela, desempeña sus tareas docentes en la Facultad de Humanidades de Lugo, en la que en 1995 funda la revista *Moenia*. Sus principales líneas de investigación comprenden la fonología y morfosintaxis verbal del español y del gallego en sus dimensiones sincrónica y diacrónica. Es autor de monografías como *Condicionales, concesivas y modo verbal en español* (1992) y *La forma verbal española* cantara *en su diacronía* (1996), y co-editor, con G. Wotjak, de *La descripción del verbo español* (1990). Entre sus artículos cabe destacar «Reaproximación estructural a la lenición protorromance» (1988), «En torno a los conceptos fonológicos neutralización y distribución defectiva» (1993) o «Los fonemas de realización nasal en español» (1995).

YLLERA, ALICIA

Catedrática de la Facultad de Filología de la UNED. Después de haber estudiado durante unos años la historia de las ideas literarias, está trabajando en la actualidad en la historia de la lingüística, sobre la que había publicado anteriormente algunos artículos. Algunas publicaciones suyas son *Sintaxis histórica del verbo español: las perífrasis medievales* (Zaragoza, 1980), «Las etapas del pensamiento lingüístico occidental (Breve historia de la lingüística)», en *Introducción a la lingüística* (Madrid, 1983), *Estilística, poética y semiótica literaria* (Madrid, 1986) y *Teoría de la literatura francesa* (Madrid, 1996).

ZUBIZARRETA, M.ª LUISA

Ph.D. en Lingüística del MIT. Actualmente es catedrática en el Departamento de Lingüística de la University of Southern California (Los Ángeles). Su trabajo de investigación trata principalmente sobre la relación entre la sintaxis y otros componentes de la gramática. Sus publicaciones incluyen numerosos artículos, entre ellos: «The Relation between Morphophonology and Morphosyntax: The Case of Romance Causatives» (*LI*, 1985), «The Definite Determiner and the Inalienable Construction in French and English» (*LI*, 1991) (con J. R. Vergnaud), y dos libros: *Levels of Representations in the Lexicon and in the Syntax* (Dordrecht, 1987) y *Prosody, Focus, and Word Order* (Cambridge, Mass., 1998).

ÍNDICE DE CONTENIDOS

VOLUMEN 1

PRIMERA PARTE: SINTAXIS BÁSICA DE LAS CLASES DE PALABRAS

VOLUMEN 2

SEGUNDA PARTE: LAS CONSTRUCCIONES SINTÁCTICAS FUNDAMENTALES

TERCERA PARTE: RELACIONES TEMPORALES, ASPECTUALES Y MODALES

VOLUMEN 3

CUARTA PARTE: ENTRE LA ORACIÓN Y EL DISCURSO

QUINTA PARTE: MORFOLOGÍA

Primera parte

Sintaxis básica de las clases de palabras

1
EL NOMBRE COMÚN

IGNACIO BOSQUE
Universidad Complutense de Madrid

ÍNDICE

1.1. Introducción

Para el que habla una lengua cualquiera la primera propiedad de las cosas es su nombre. El sustantivo llamado 'común' o 'apelativo' es la categoría gramatical que expresa la pertenencia de las cosas a alguna clase. El 'nombre propio' [→ Cap. 2] es la categoría que distingue o identifica una cosa entre los demás elementos de su misma clase. Amado Alonso y Henríquez Ureña (1938: II 41) lo expresaban muy gráficamente: el nombre común nos dice sobre un objeto o una persona «qué es», mientras que el nombre propio nos dice «cómo se llama». Estas diferencias han sido reflejadas correctamente en las definiciones del concepto de 'sustantivo' que encontramos en casi toda la tradición. Para Bello, el 'nombre común' o 'apelativo' es el que «conviene a todos los individuos de una clase, especie o familia, significando su naturaleza o las cualidades de que gozan» (Bello 1847: § 100). Esta excelente definición (no necesariamente original, como señala Gómez Asencio (1981, 1985)), se basa casi exclusivamente en el concepto de 'clase', es decir en el hecho de que al denominar un objeto lo que hacemos es atribuirle la pertenencia a una «especie o familia». En la tradición lógica moderna, el nombre propio denota un individuo, mientras que el común denota un conjunto o una clase de individuos. Existe un punto de contacto con la tradición gramatical en cuanto que desde ambas aproximaciones se viene a decir que las cosas poseen nombre precisamente porque establecemos una relación predicativa respecto de ellas, en el sentido de que el pertenecer a un conjunto de entidades que poseen rasgos en común es parte esencial de su naturaleza. Es, de hecho, lo que nos permite reconocerlas como tales. El nombre no proporciona tales rasgos; tan sólo garantiza la adscripción a esa clase.

Tal como los filósofos han señalado repetidamente en la tradición, y los psicólogos vienen estudiando desde hace muchas décadas, no es en absoluto evidente por qué damos el mismo nombre a objetos que difieren sensiblemente de forma, consistencia, tamaño o uso (pensemos en sustantivos como *cosa, lado, hoja, cacharro*), o —lo que es aún más misterioso—, por qué los reconocemos como entidades. Por el contrario, damos nombres distintos a objetos próximos o a nociones relativamente cercanas: pensemos en pares como *ruido-sonido, fuego-lumbre, agua-mar, hueco-hoyo* o en series como *círculo, circunferencia, aro, ruedo, rueda, sortija, anillo, corro, corona, correa, pulsera, cuello, cintura, ecuador,* por no añadir términos abstractos como *vuelta, rodeo, giro*, etc. Menos evidente aún es por qué tenemos nombres para conceptos tan complejos objetivamente como *prisa, espera* o *escarmiento*.

La semántica estructural basó buena parte de sus distinciones en la segmentación de la realidad que cada lengua hace frente a las demás para dar nombre a las cosas, lo que ya presupone —quizás demasiado generosamente— la existencia de una realidad compartida en la que hacer esos cortes. La llamada 'semántica de prototipos' busca modelos que se ajusten a ciertas características prominentes, seguramente percibidas con mayor nitidez que otras, y por tanto clasificables más fácilmente (desde el punto de vista cognitivo) en grupos naturales. En cualquier caso, la categorización nominal, entendida como la simple posibilidad de nombrar, es un proceso sumamente complejo, de base a la vez psicológica y cultural. Una vez que concebimos una entidad como tal podremos predicar de ella acciones y propiedades, pero lo cierto es que la gramática no nos puede ayudar demasiado a explicar el simple hecho de concebirla. En sí misma no posee instrumentos específicos que nos ayuden a entender por qué ciertas cosas tienen nombre, frente a aquellas otras nociones que podemos tal vez percibir, idear o sentir, pero que no podemos nombrar. La gramática estudia la forma en que se comportarán los sustantivos una vez que sabemos que lo son, y nos permitirá agruparlos en ciertas subclases de acuerdo con el reflejo que tal comportamiento posea en el sistema lingüístico, pero cae —en principio— fuera de su ámbito la respuesta al origen mismo de su existencia como tales conceptos nominales.

Aunque el nombre común establece la pertenencia de las entidades a ciertas clases, [1] lo cierto es que él solo, aislado del sintagma que forma, no denota individuos, frente a lo que sucede con el propio. Es esta una confusión que no pocas veces se ha presentado en la descripción gramatical. [2] De hecho, los nombres comunes se diferencian claramente de los propios en que no desempeñan funciones sintácticas oracionales (con las excepciones aparentes que veremos luego, y otras que se estudian en el cap. 13 de esta obra). No decimos, desde luego, **Me encanta árbol,* ni **Mesa está sucia* ni **Le compré juguete a niño.* [3] Simplificando algo las cosas, estas irregularidades se han explicado de dos maneras:

a) Una tradición, que proviene directamente de Bally y que se remonta al menos a la gramática de Port-Royal (en Anscombre 1986 se presenta un resumen de esta línea de pensamiento), viene a considerar que los nombres sin artículo ni otros determinantes no están 'actualizados'. Al no estarlo, se referirían a conceptos o a individuos sin precisar, con lo que en cierto sentido las oraciones citadas serían anómalas por falta de información. El determinante sería así el responsable de suministrar esa vinculación deíctica: el sustantivo ya no designaría un objeto vago o impreciso, sino uno presentado, mencionado o sugerido en el discurso previo, esto es, introducido por un determinante que lo muestre ostensivamente.
b) La otra tradición, con firmes raíces en la lógica formal, presenta un punto de vista muy distinto: las secuencias anómalas citadas no son posibles porque los sustantivos son predicados, y por tanto no podemos pretender que se comporten como lo hacen las expresiones referenciales. Desde este punto de vista, los determinantes no añaden información para «precisar» la denotación de los conceptos «no actualizados», sino que establecen una vinculación deíctica entre una propiedad y un individuo, y al hacerlo permiten que se creen expresiones referenciales a partir de nociones predicativas [→ Cap. 12].

Existe un punto de contacto entre ambas concepciones, sobre todo si la 'actualización' no se concibe como un proceso de restricción de la referencia (no se puede restringir la referencia de lo que no la tiene), sino como un tipo de individuación, lo que ayuda en alguna medida a distinguir la denotación de una clase de objetos de la referencia a uno o varios individuos.

Algunos de nuestros gramáticos tradicionales coinciden en dividir los 'nombres apelativos' en dos clases: 'nombres apelativos sustantivos' y 'nombres apelativos adjetivos'. La primera abarca los que actualmente denominaríamos 'nombres comunes',

---

[1] Amado Alonso y Henríquez Ureña (1938: § II 42) presentaban una posible objeción razonable: no podemos decir —argumentaban— que los nombres comunes denoten siempre un género o una especie «porque hay nombres comunes sin género ni especie, como el cielo, el paraíso, el infierno». Es decir, *cielo, paraíso* o *infierno* son nombres comunes aunque no pertenezcan a un grupo que contenga varios ejemplares de cada una de esas entidades. Para una respuesta a este tipo de argumentos véanse los §§ 2.3.4 y 2.3.6.2 de esta obra.

[2] Véanse Gómez Asencio 1981, 1985 y Calero 1986 para un repaso de las definiciones de 'nombre' y de los criterios (semánticos, formales, funcionales) usados en esas definiciones a lo largo de la tradición española. Sobre la misma cuestión, aunque en ámbitos más reducidos, véanse Gerzenstein 1978 y González Porras 1979.

[3] Es obvio que, si los sustantivos no pueden ser por sí solos sujetos ni complementos (salvo, de nuevo, los casos que se estudian en el cap. 13), los conceptos mismos de 'sustantivación' y de 'oración subordinada sustantiva' están exagerados en la tradición, puesto que esas entidades desempeñan funciones sintácticas propias del sintagma nominal (no del nombre) dentro de la oración y de otros constituyentes.

mientras que la segunda recubre los que actualmente denominaríamos 'adjetivos calificativos' (no en cambio otros tipos de adjetivos). Otros autores hablan del 'nombre sustantivo' y del 'nombre adjetivo', términos que aun siendo ya ajenos a la nomenclatura habitual en nuestros días, no dejan de tener sentido, en cuanto que se basan en la caracterización del nombre como noción predicativa. Volveré sobre esa diferencia en el § 1.7.

Los nombres comunes poseen rasgos de género y número [→ Cap. 74], constituyen sintagmas nominales de compleja y variada estructura [→ Caps. 5 a 9] que pueden ser argumentales o predicativos [→ Caps. 37 a 39], coordinarse con otros [→ Cap. 41] y actuar como sujetos, objetos y términos de preposición [→ Caps. 24, 25, 28 y 29], así como desempeñar otras funciones de carácter discursivo [→ Caps. 64 y 65] y establecer relaciones de concordancia con el verbo y con otros elementos [→ Cap. 42]. En este capítulo examinaré el comportamiento de los nombres comunes en función de su pertenencia a una serie de clases léxicas. Estudiaré fundamentalmente estas cuatro clasificaciones (las tres primeras giran en torno a la noción de pluralidad):

— *Sustantivos contables y no contables.* Esta división opone los nombres que categorizan las entidades como «materia», «masa» o «sustancia» *(aire, arena, basura)* a los sustantivos que nos hacen pensar en ellas como nociones discontinuas o discretas *(casa, árbol, mesa)*. Esta oposición constituye, como veremos, un reflejo de otra más básica conceptualmente: la que se establece en la lengua entre las nociones de 'cantidad' y 'número'.
— *Sustantivos enumerables y 'pluralia tantum'.* Cuando pluralizamos un sustantivo *(libros)* también lo podemos cuantificar con un numeral *(tres libros)*. Los *pluralia tantum* constituyen excepciones sistemáticas. Tenemos *celos* de alguien o *(muchas) ganas* de hacer algo, pero no tenemos un número determinado de celos o de ganas. Tampoco es posible individualizar los modales, los apuros, las estribaciones o las relaciones públicas, entre otras muchas nociones plurales análogas.
— *Sustantivos individuales y colectivos.* Esta oposición se establece entre las nociones que se perciben como entidades simples *(soldado, árbol)* y las que se perciben como múltiples *(ejército, arboleda),* lo que también refleja la sintaxis con una serie de diferencias formales.
— *Sustantivos abstractos y concretos.* Esta división —como veremos, la más polémica de las que consideramos— opone nociones complejas que no se perciben como objetos físicos *(verdad, belleza)* a las que designan entidades materiales *(flor, casa)*.

Estudiaré separadamente estas divisiones, pero como existen analogías entre ellas, las tendré en cuenta en el § 1.6, y también en alguno de los anteriores, como el § 1.5.2.3. Al estudiar los componentes de estos cuatro pares de sustantivos haré referencia indirecta a otras clases léxicas de nombres que se estudian en otras partes de esta obra. Me refiero, por ejemplo, a los sustantivos simétricos (§ 1.4.3), a los relacionales y a los eventivos (§ 1.5.2.4), entre otras clases léxicas de nombres. [4] Al

---

[4] Aún cabe hacer más distinciones. Como hace notar Gómez Asencio (1985: 21) muy pocos gramáticos dividen los sustantivos en 'animados' e 'inanimados', pero todos reconocen que esta división es esencial en algunas construcciones sintácticas, como, por ejemplo, la que se estudia en el cap. 28 de esta obra.

estudiar las clases de sustantivos no contables y colectivos introduciré asimismo algunas subclases de nombres cuantificativos que aparecen en las estructuras llamadas 'pseudopartitivas'. Distinguiré entre sustantivos 'acotadores', como *grano* en *grano de uva*, sustantivos 'de medida', como *kilo* en *kilo de uva*, y sustantivos 'de grupo', como *racimo* en *racimo de uvas*.

1.2. Sustantivos contables y no contables

1.2.1. Definición

De entre todas las clases de nombres comunes, es esta la clasificación que más consecuencias sintácticas tiene, y, sin embargo, es la que menos atención ha recibido en la tradición. Los nombres 'no contables' —también llamados 'continuos', 'medibles' y 'de materia'— denotan «cosas que pueden dividirse hasta el infinito conservando su naturaleza y su nombre, como *agua, vino, oro, plata*» (Bello 1847: § 123). Se oponen a ellos los nombres 'contables', también llamados 'discontinuos' o 'discretos', que designan las cosas que «no pueden dividirse sin dejar de ser lo que son, como *árbol, mesa*» (Bello 1847: § 123). La interpretación de las entidades fragmentadas es, como puede verse, esencial en la naturaleza de esas dos clases de sustantivos: una parte de «un poco de agua» es también «un poco de agua», pero una parte de «una silla» no es —ciertamente— «una silla». Formulado en los términos habituales de la filosofía del lenguaje, desde Quine (1960) al menos: «x es un nombre de materia, si la suma de los componentes de x produce x».[5]

En este capítulo usaré como equivalentes los términos 'no contable', 'continuo' y 'de materia', por un lado, y 'contable', 'discontinuo' o 'discreto' por el otro. La oposición entre sustantivos contables y no contables se reduce en buena medida a la que existe entre los conceptos de 'número' y 'cantidad', y en último extremo se remite a la división aristotélica entre forma y materia. Como se hace notar en el § 16.2.5 de esta obra, la cuantificación de los sustantivos no contables o discontinuos aporta 'cardinalidad', es decir, establece el número de entidades sobre las que se realiza la operación de cuantificar *(muchas, algunas, cincuenta, todos)*. Por el contrario, la cuantificación de los nombres continuos aporta 'cantidad', pero no 'número'. Resulta en cierta forma desafortunado que el sustantivo *cantidad* se combine en español, en unas de sus acepciones, con sustantivos discontinuos *(la cantidad de libros que había)*. Este contexto acerca la palabra *cantidad* a la palabra *número*, lo que oculta en cierta forma el significado relevante del concepto de 'cantidad': aquel en que se mide la extensión de una materia o de una magnitud. La diferencia entre *muchos papeles* y *mucho papel* estriba en que en el primer caso hablamos del número

[5] Esta formulación hizo pensar al propio Quine que la distinción se extiende también a la clase de los adjetivos, que serían también continuos *(rojo)* o discretos *(esférico)*. Ciertamente, una parte de un objeto rojo es roja, pero una parte de un objeto esférico no es esférica. Véanse sobre esta extensión Moravcsik 1973a y especialmente Kleiber 1994a. Las réplicas al trabajo de Moravcsik, que presenta un buen panorama de la semántica de los nombres de materia hasta ese momento, se deben a Cheng (1973), Montague (1973) y Grandy (1973). Estos trabajos, así como la contrarréplica de Moravcsik (1973b), son sumamente ilustrativas de la forma de concebir el análisis de los nombres de materia en la tradición filosófica. La antología de Pelletier (1979) y la monografía de Bunt (1985), junto con los más recientes trabajos de Lønning (1987) y Higginbotham (1994), ofrecen en conjunto un panorama sumamente informativo. De hecho, llama la atención que la bibliografía de orientación filosófica sobre esta cuestión tenga mucha más tradición que la orientada desde el punto de vista estrictamente gramatical.

de elementos que poseen la propiedad de «ser un papel» o de «pertenecer a la clase de los papeles», y decimos que este número es elevado. En el segundo caso no hablamos de entidades, sino de sustancias o materias, es decir expresamos que la 'cantidad de la materia papel' es elevada.[6]

Los nombres no contables no admiten cuantificadores numerales *(cuatro)* o en general multiplicativos *(muchos)*, pero sí admiten cuantificadores indefinidos *(mucho)*:

(1) *Sustantivos contables con numerales* e *indefinidos:*
Dos libros, pocos árboles, muchas casas, demasiados problemas, bastantes sillas, tantas veces, cuántos coches, más ciudadanos.

(2) *Sustantivos no contables con cuantificadores indefinidos no cardinales:*
Poco tiempo, mucho arroz, demasiado esfuerzo, bastante arena, tanta paciencia, cuánta basura, más alegría, menos agua.

Como puede verse, sustantivos como *paciencia, esfuerzo* o *alegría* se comportan en (2) exactamente igual que *arroz, arena* o *agua*. Volveré sobre esta relación en el § 1.5.2.3. Por el momento, baste con señalar que muchas nociones abstractas son tratadas por la gramática como magnitudes análogas a las sustancias que poseen una realidad física.

Si construimos los sustantivos no contables con cuantificadores cardinales obtendremos interpretaciones discontinuas que es necesario establecer individualmente (como en *Tomé cinco cervezas*), aunque existen ciertas regularidades sobre esa recategorización, que examinaré en el § 1.2.3.4. Si construimos los sustantivos contables con indefinidos no cardinales o sin cuantificadores, también obtendremos significaciones especiales (como en *Hay sofá para los cinco* o en *Demasiado garaje para tan poco coche*) que serán examinadas en el § 1.2.3.5. En ambos casos hablaré de 'recategorización' del sustantivo o de 'interpretaciones recategorizadas'.

Los sustantivos no contables o continuos se extienden a un gran número de campos léxicos de difícil delimitación. De hecho, las gramáticas que reconocen esta clase de sustantivos no suelen intentar subdividirlos. Morreale (1973: 141-142) sugiere los siguientes campos: sustancias informes *(aire, niebla, humo)*, sustancias extensas, como los elementos constitutivos del cuerpo *(sangre, carne)*, materias primas *(mármol, hierro, plomo)*, productos naturales *(leche, miel)*, productos artificiales *(lana, mantequilla, papel)*, conjuntos contemplados como compactos *(heno, pienso)*, conglomerados de grupúsculos o granos o partes «demasiado insignificantes e informes para nombrarse» *(arena, harina, hierba, chatarra)*, entre otros. Nada tiene de extraño que existan cruces y solapamientos en una clasificación de este tipo, en la que habría que dar cabida a los abstractos cuando se comportan como los continuos (§ 1.5.2.3). En cualquier caso, el concepto de «materia», «masa» o «sustancia», es decir de «entidad medible» —puesto que se trata de cantidades y no de individuos—, se aplica correctamente a todos esos grupos.[7]

[6] En la tradición lógica, los nombres continuos denotan la propiedad de constituir un determinado tipo de sustancia o de materia. Así, *water* ('agua') denota para Montague (1973: 289) «the property of being a body of water». En general, los nombres de materia denotan —en esa concepción— funciones que toman como valores el conjunto de todos los fragmentos o porciones de la sustancia designada.

[7] Los nombres de colores se interpretan a veces como sustantivos continuos, como en el ejemplo de Alcina y Blecua (1975: 506) *No le ponga más verde al cuadro*, aunque parece que estos autores los quieren situar en un grupo distinto de ellos, tal como se deduce de su clasificación.

1.2.2. Diferencias gramaticales entre sustantivos contables y no contables. Relaciones entre los plurales contables y los singulares no contables

Los sustantivos no contables se diferencian de los contables en una serie de propiedades sintácticas que enseguida veremos. A la vez, los primeros comparten varias de ellas con los plurales. Como se indica en el § 13.1.2 de esta obra, los nombres de materia, como *agua* o *arena*, denotan la clase de fragmentos, porciones o partículas que designan esos nombres, y en este sentido sugieren una agrupación de clases de entidades relativamente análogo a la que los plurales denotan. Suele decirse, en este sentido, que los discontinuos en plural son nombres continuos a efectos semánticos. Como se señala allí, la referencia de los discontinuos en plural y la de los continuos en singular es siempre acumulativa: si sumamos «libros» a «libros» obtenemos «libros», y si sumamos «arena» a «arena», obtenemos «arena», pero si sumamos la referencia de «gato» a la de «gato» no obtenemos, ciertamente, esa misma entidad. [8] Veamos esquemáticamente las principales diferencias entre las clases mencionadas:

1) Los nombres continuos o no contables se construyen sin determinante en singular como complementos verbales. Los discontinuos requieren algún determinante:

(3) a. Esto es {pan/*libro}.
b. Lo que tienes delante es {agua/*mesa}.

(4) a. Quería {leche/*lámpara}.
b. Preferimos {té/*enciclopedia}.
c. Aquí hay {arroz/*zapato}.

Los contrastes de presencia-ausencia de cuantificador distinguen las interpretaciones continuas de las discontinuas en estos casos:

(5) *Como continuos*
Quiero pan. / Pidió tomate. / Tienes huevo en la corbata.

(6) *Como discontinuos*
Quiero un pan. / Pidió tomates. / Tienes un huevo en el plato.

La ausencia de artículo se manifiesta en los sujetos de los verbos inacusativos [→ §§ 25.1.2 y 25.3], y en general en los predicados de acaecimiento que poseen sujetos no agentivos [→ § 13.4.2]. Decimos *Cae agua* o *Entra frío* (continuos), [9] frente a **Cae niño* o **Entra mujer* (discontinuos). Los discontinuos en plural se comportan como los continuos en singular cuando desempeñan la función de sujeto *(Caen papeles, Entran mensajes),* y también la de objeto (7a) y la de predicado (7b):

(7) a. *Me compraré libro *[discontinuo]*. / Me compraré libros *[plural]*. / Me compraré pan *[continuo]*.
b. Esto son libros *[plural]*. / *Esto es libro *[discontinuo]*. / Esto es literatura *[continuo]*.

---

[8] Más detalles sobre esta relación en Garrido 1996. Aun así, es muy polémica la hipótesis de que los plurales sin determinante constituyen expresiones cuantificativas. Para los diferentes puntos de vista véanse los trabajos reunidos en Bosque 1996.

[9] La posición posverbal es esencial en estos casos, como se ha advertido repetidamente. Decimos *No corre agua por la acequia*, pero no **Agua no corre por la acequia*.

Se han debatido mucho las razones por las que no son posibles estos sustantivos como complementos de otros predicados, en particular los de afección *(*María detesta cerveza)*. La restricción se extiende, como se ha observado repetidamente, a los discontinuos en plural *(*María detesta bebidas alcohólicas)*. Véase el § 13.4 de esta obra y el repaso que se presenta en Bosque 1996: cap. 1, § 4.4.

El artículo determinado y los demostrativos son compatibles con la interpretación continua y con la discontinua. Así, la oración *A María no le gusta el café* es ambigua entre la interpretación continua del SN *el café* y la discontinua. En el primer caso decimos que a María no le gusta determinada bebida; en el segundo decimos que ese objeto (el café: la taza de café que seguramente tiene delante) le desagrada. Para la interpretación de *el café* como «la taza de café», esto es, la 'porción acotada' de la materia «café», véase más adelante el § 1.2.3.4.

2) Los nombres no contables forman complementos preposicionales sin determinante. Tenemos, pues, la interpretación continua en *Hecho con manzana* y la discontinua en *Hecho con una manzana.* [10] Los SSNN formados con nombres continuos sin determinante introducidos por la preposición *de* constituyen los llamados 'complementos de materia': *pastel de manzana, cenicero de plata, nubes de algodón.* Frente a estos complementos, los nombres contables también aparecen en construcciones similares, pero aportan información más restrictiva, parecida de hecho a la que caracteriza a los adjetivos relacionales [→ § 3.3], como en *mesa de cocina*. Nótese que los complementos formados con sustantivos contables preceden a los formados con no contables, lo que sugiere que los primeros introducen propiedades clasificativas más básicas, tal vez porque —como se ha sugerido repetidas veces— se acercan en alguna medida a los compuestos sintácticos [→ § 73.8.1]:

(8) a. Mesa de cocina *[discontinuo]* de madera *[continuo]*.
b. *Mesa de madera *[continuo]* de cocina *[discontinuo]*.

Como señala Morreale (1973: 143), los complementos sin determinante de los predicados de percepción sensorial son nombres continuos: *oler* (u *olor*) *a, saber* (o *sabor*) *a, color de,* etc., como en *oler a pan, sabor a miel, color de lino.* Estos complementos no se construyen con sustantivos definidos *(*olor al pan)* puesto que las nociones semánticas que esos núcleos introducen designan clases de sustancias, no de objetos. [11] Como sucedía con la propiedad 1), los plurales se comportan como los continuos:

(9) Un pastel hecho con azúcar *[continuo]*. / Un pastel hecho con puerros *[plural]*. / *Un pastel hecho con puerro *[discontinuo]*.

3) Como se muestra en (1) y (2), los sustantivos no contables admiten cuantificadores indefinidos, pero no cardinales. La única forma de construir secuencias como *muchas aguas, varias arenas* o *diez panes* es recategorizar esos sustantivos como contables (como veremos en el § 1.2.3). Esto significa que no pueden seguir siendo

---

[10] Los complementos formados con nombres contables sin determinante, como en *escrito con pluma* se explican por otros factores. Véase Bosque 1996: cap. 1, § 2.2 así como el § 13.5 de esta gramática.

[11] Se suelen rechazar los definidos, pero —paradójicamente— se aceptan a veces los pronombres personales y los nombres propios, tal vez con efectos estilísticos deliberados, como en *sabor a ti*.

nombres de materia y aceptar cuantificación numérica, ya que no cuantificamos sobre clases de individuos sino sobre magnitudes.

4) La mayor parte de los cuantificadores de (1) poseen rasgos morfológicos de plural. No se diferencian, pues, aparte de estos rasgos, de los cuantificadores de (2). Se oponen por ejemplo a ing. *many* o *few*, que cuantifican sobre discontinuos, frente a *much* o *little,* que lo hacen sobre continuos. Los cuantificadores comparativos de desigualdad carecen de rasgos morfológicos. El español no posee, por tanto, cuantificadores comparativos distintos para los sustantivos contables *(más libros, menos problemas)* y los no contables *(más aire, menos arena)*. Como recuerda Morreale (1973: 143) el español carece de equivalentes similares a los del francés *plusieurs de* (con contables) frente a *plus de* (con no contables). A diferencia del demostrativo exclamativo *qué,* que se combina con las dos clases de nombres (más los singulares discontinuos), la forma exclamativa *qué de* selecciona continuos en singular y discontinuos en plural, pero rechaza los singulares discontinuos, puesto que en tales casos no se denota número ni tampoco cantidad:

(10) ¡Qué de agua! *[continuo]* / ¡Qué de casas! *[plural]* / *¡Qué de casa! *[discontinuo].*

5) Como se indica en el § 16.2.5, cuantificadores como *cualquier, todo* y *cada* se combinan con sustantivos contables, pero no con los no contables: **cada arena, *cualquier sangre, *todo aire* (descártense las interpretaciones recategorizadoras).[12] También los plurales están rechazados en estos contextos. Estos cuantificadores se combinan, por tanto, con nombres que designen clases de objetos, no con los que designan materias.

6) Todos los sintagmas sin determinante rechazan la estructura llamada 'pseudopartitiva'[13] con los cuantificadores de cardinalidad [→ § 16.2], puesto que no constituyen expresiones definidas. Decimos, pues, *muchos libros, algunos coches* o *unos cuantos papeles,* pero no **muchos de libros* ni **algunos de coches* ni **unos cuantos de papeles*. Tampoco los cuantificadores indefinidos admiten esta estructura con los sustantivos continuos *(*mucha de leche, *demasiada de luz),* pero es interesante que el dialecto andaluz, que acepta esta construcción con el cuantificador *unos pocos,* lo haga tanto para los discontinuos en plural *(unas pocas de veces)* como para los continuos en singular *(una poca de leche)*.

Los sustantivos no contables aparecen en las estructuras pseudopartitivas con *de* formadas por cuantificadores neutros. Así, *algo* y *un poco* son neutros en *algo de leche, un poco de arroz*. Los contables rechazan esta construcción [→ § 16.2.5].

7) Como hemos observado arriba, resulta desafortunado que el sustantivo *cantidad* signifique también «número» en español. Tanto los discontinuos en plural como los

---

[12] Tampoco el cuantificador *algún* acepta los no contables, frente a su antónimo *ningún,* que los acepta en ocasiones: compárese **Tienes alguna arena en los pies* con *No tengo ninguna arena en los pies*.

[13] El término es de uso normal desde Selkirk (1977), quien oponía las 'construcciones partitivas' (con complementos definidos), como en *un grupo de los senadores,* a las construcciones 'pseudopartitivas' (con complementos sin determinante), que son las propiamente cuantificativas, como en *un grupo de senadores*. Las importantes consecuencias que tiene la distinción para el estudio de la concordancia se exponen en Brucart 1997. Véase el § 1.2.3.4 C) para otras repercusiones relativas a las clases de nombres, así como los §§ 5.2.2.3, 12.1.2.3 y 16.2.3.

continuos en singular pueden ser seleccionados por el cuantificador nominal *cantidad: una cierta cantidad de libros, una determinada cantidad de leche.* Los singulares discontinuos rechazan esta construcción, lo que es explicable desde el momento en que no denotan magnitudes, es decir, entidades mensurables: **una cierta cantidad de libro*.

8) Como observa Ianucci (1952: 23) los discontinuos admiten el cuantificador adjetival *medio,* que los continuos rechazan. Ambos aceptan el cuantificador *la mitad:*

(11) a. Media silla. / La mitad de la silla.
b. *Medio aire. / La mitad del aire.

Se exceptúan *luz* y *gas* en locuciones adverbiales como *a media luz, a medio gas.* Los demás continuos (y estos mismos en construcciones no lexicalizadas) rechazan sistemáticamente el cuantificador *medio: *media arena, *media chatarra,* etc., frente a *la mitad de.* La diferencia entre *medio* y *la mitad* es similar a la que existe entre *entero* y *todo:* el adjetivo *entero* rechaza también los continuos: no decimos **el agua entera* ni **la arena entera,* sino *toda el agua* y *toda la arena.* La diferencia entre estos pares es interesante porque muestra que la lengua distingue léxicamente entre la partición de entidades y la de cantidades: en el primer caso se obtienen fragmentos y en el segundo se obtiene otra cantidad. En cierto sentido, los cuantificadores fraccionarios son —por debajo de la unidad— los equivalentes cuantitativos de la multiplicidad en la cuantificación cardinal. Como es natural, el requisito que *medio* impone al elemento que cuantifica es independiente de que el fragmento obtenido sea aislable o perceptible: *medio año, media galaxia.* [14]

Como vemos, los continuos en singular comparten muchas propiedades cuantificativas con los discontinuos usados en plural, lo que sugiere que la gramática asimila en alguna medida la estructura interna de las porciones o las partículas que componen los nombres de materia a las series de entidades delimitadas y pluralizables que constituyen las clases denotadas por los nombres contables.

1.2.3. Categorización y recategorización

Los tipos de sustantivos que estamos considerando no constituyen paradigmas léxicos siempre diferentes, sino que existen frecuentes cambios de categoría entre los elementos que los forman [⟶ § 74.3.2.1]. En este apartado examinaré dichas alternancias.

1.2.3.1. Preferencias léxicas

¿Existe en la constitución misma de las cosas alguna explicación de que las percibamos como materias o como entidades individuales? Frente a lo que sería de

---

[14] Frente a *medio,* el adjetivo *entero* es ambiguo entre una interpretación predicativa, en la que designa lo opuesto a «en pedazos», como en *Se comió el pastel entero: no lo partió,* y una interpretación propiamente cuantificativa en la que equivale a «la totalidad de»: *Se comió el pastel entero: no dejó nada.* El plural *enteros* pierde la interpretación cuantificativa, de modo que *Se comió los pasteles enteros* no puede significar «se comió todos los pasteles».

esperar, todo parece indicar que la respuesta a esta pregunta es NO, aunque —ciertamente— existen algunas tendencias no enteramente desdeñables. El que ciertos objetos físicos que nos rodean se muestren como sustantivos discontinuos *(mesa, árbol, casa, lámpara)* parece tener una base real en cuanto que su delimitabilidad se corresponde con la existencia en ellos de un contorno físico perceptible. Sin embargo, en cuanto salimos de esos ejemplos casi triviales, comprobamos que la lengua tiende a categorizar otras entidades como sustantivos continuos o como discontinuos sin que la naturaleza misma de las nociones designadas en la realidad aporte la información que parecería relevante. Así, *mirada, mar, siglo, galaxia* y *problema* son sustantivos contables, mientras que *vista, agua, tiempo, espacio* e *interés* son no contables, y *trabajo* e *iniciativa* figuran en las dos clases con igual naturalidad. Ciertamente, la lengua nos permite concebir todas esas nociones de una forma o de otra (y existen en este punto grandes diferencias entre los idiomas), pero —como en tantos otros casos— no parece que el análisis de la realidad misma proporcione la información necesaria para deducir la categorización. El que el español *consejo* sea contable y su equivalente inglés *advice* sea no contable es un hecho que debe establecer el léxico de cada uno de estos idiomas. En (12) se muestran algunos ejemplos de tal variedad con sustantivos que denotan alimentos en español (cf. Martínez Álvarez 1996: 126):

(12) a. CONTABLES: Dos kilos de {calamares/mejillones/alubias/pimientos/cigalas/sardinas/frijoles}.
b. NO CONTABLES: Dos kilos de {sepia/merluza/repollo/caballa/jurel/bonito}.

Naturalmente, es posible decir *una merluza, un bonito* o *dos sepias,* pero existe una tendencia general a emplear como contables los sustantivos de (12a) y como no contables los de (12b), incluso si se trata de animales que pertenecen a la misma especie. También podría decirse *zumo de naranjas,* como se dice *puré de castañas;* o tal vez *helado de arándano,* como *helado de fresa* (y no de *fresas*), pero lo cierto es que las formas preferibles son *zumo de naranja* (con singular continuo), y *helado de arándanos* (con discontinuo en plural). Más regular es el caso de *cordero, pollo, conejo, cerdo* o *ternera,* entre otros sustantivos que funcionan como continuos cuando se refieren a la carne de esos animales *(¿Quieres pollo?, Comí ternera, Prefiere cerdo),* y como discontinuos si se refieren a los animales mismos *(¿Quieres un pollo?, Se compró una ternera).* Frente a estos casos, *carnero* es, como observa Morreale (1973: 145) muy infrecuente como sustantivo continuo, tal vez por razones pragmáticas. Tiene razón esta autora en que en la lengua existe un «continuo vaivén» (1973: 118) entre estas alternancias. En general, la naturaleza de los objetos designados no ayuda demasiado a explicar la preferencia por la denominación que resulta más habitual en estos casos. El léxico debe pues establecer tales distinciones porque forman parte de nuestro conocimiento del idioma, no de la realidad que con él designamos.

1.2.3.2. La interpretación de clase o tipo en la recategorización de los continuos como discontinuos

La interpretación por defecto de los continuos usados como discontinuos es la de clase o variedad: *tres aguas* significa «tres clases de agua» y *varias arenas* es comprensible con la interpretación «varios tipos de arena». Esta interpretación está forzada por la sintaxis y no por el léxico: no cabe hacer una lista de sustantivos continuos que se interpreten como discontinuos con este significado, puesto que el fenómeno se extiende a todos ellos. Es importante señalar que los sustantivos abstractos continuos están sometidos a la misma interpretación. Podemos, pues, usar *varios entusiasmos* con el sentido de «varias clases de entusiasmo». La recategorización sintáctica no se debe confundir, por tanto, con la léxica. La primera, que se establece por defecto, nos permite interpretar *cuatro luces* como «cuatro tipos de luz». La segunda, que debe ser estipulada, nos permite interpretar *cuatro luces* como «cuatro focos» o «cuatro puntos de luz».

¿Por qué precisamente la interpretación de 'clase' y no otra? Esta es una pregunta importante que no tiene respuesta fácil. Una interesante propiedad de sustantivos como *clase* o *variedad* es que admiten como complementos sustantivos discontinuos en plural o continuos en singular, pero tienden a rechazar los singulares discontinuos:

(13) Las variedades de {lámparas/*lámpara/luz}.
(14) a. Una clase de {??libro/libros}
b. Una clase de {algodón/pan}.

Esta propiedad muestra que cuando los sustantivos *clase* o *variedad* introducen complementos plurales,[15] se interpretan de forma cercana a sustantivos como *grupo* o *conjunto,* en el sentido en que toda clasificación supone una agrupación. Ello vincula de nuevo los discontinuos en plural con los continuos en singular, como lo hacían buena parte de los esquemas examinados en el § 1.2.2.[16] El plural impone entonces por defecto la interpretación individuativa: fuerza a los no contables a ser interpretados como entidades delimitadas, y por tanto a designar elementos agrupables. La constitución múltiple de los continuos, mencionada arriba, proporciona de nuevo la agrupación de elementos necesaria. Recuérdese, no obstante, que la cuantificación sobre individuos no exige siempre plural (cabe usar *un agua,* en singular, con el sentido de «una clase de agua») pero incluso en esos casos existe cardinalidad, es decir, se cuantifica sobre individuos y no sobre magnitudes.

1.2.3.3. Entradas dobles y correspondencias léxicas

La interpretación de clase en la recategorización de los no contables como contables es, como hemos visto, de naturaleza sintáctica. ¿Cómo se establece entonces la recategorización léxica? Existen varias posibilidades. La primera opción, poco frecuente, es que no se dé propiamente recategorización, y que tengamos en su lugar entradas diferentes para continuos y discontinuos. En estos casos contamos con un sustantivo para designar una clase de objetos, y otro distinto para referirnos a la materia o la sustancia de la que extraemos una unidad delimitada. Es lo que sucede en (15):

---

[15] El sustantivo *tipo* es ambiguo entre esta interpretación de «grupo» y otra cercana a «modelo». En esta última admite singulares discontinuos, como en *un tipo de libro.* Se obtienen alternancias similares con sustantivos como *especie* o *suerte.* Bello (§ 1847: 819) repara en que la gramática permite la concordancia en plural en oraciones como *Cubrían la ciudad por aquel lado una especie de fortificaciones.* Véase más adelante el § 1.2.3.4.

[16] Lo mismo cabría decir de sustantivos como *gama* o *surtido* en los ejemplos de Morreale (1973: 137) *una amplia gama de fregaderos* y *gran surtido de cafeteras.* Sin embargo, estos sustantivos tienden a rechazar los continuos en singular.

(15) *Correspondencias léxicas entre contables y no contables*

CONTABLE	NO CONTABLE
cigarrillo, puro	tabaco
moneda, billete	dinero
zapato, sandalia	calzado
día, hora, año	tiempo
arma	armamento
prenda, vestido, traje	ropa
poema, poesía	poesía
individuo, persona	gente
res	ganado
chocolatina, bombón	chocolate [17]
azucarillo	azúcar
libro	literatura
película	cine
carcajada, risotada	risa

Decimos, pues, *un zapato* y no (con esa interpretación) *un calzado,* y hablamos de *varias monedas* o *billetes,* y no de *varios dineros.* [18] Algunos de estos sustantivos continuos se usan o se usaron como discontinuos. En el caso de *ropa,* existe el plural *ropas* como *pluralia tantum* (véase el § 1.3). No tenemos, sin embargo, el sustantivo discontinuo *ropa,* con lo que no es posible usar *una ropa* para significar «una prenda». No sucedía lo mismo en el español antiguo, como observa Morreale (1973: 131). En algunas partes de América se usa *gente* como discontinuo, como hace notar el *Esbozo* de la RAE (1973: 187), de forma que *tres gentes* significa «tres personas». El sustantivo *tiempo* se emplea a veces como discontinuo de forma restringida para designar movimientos o fases *(un motor de tres tiempos)* y admite, como otros muchos sustantivos, usos estilísticos muy diferentes (como en *estos tiempos).* Puede encontrarse una larga serie de sustantivos que los poseen en Morreale 1971, 1973. Cf. más adelante el § 1.5.2.3.

[17] *Chocolate* es contable en algunas variantes del español que aceptan expresiones como *una caja de chocolates,* quizás calco del francés o del inglés.

[18] El alemán *Geldstück* (lit. «pedazo de dinero») proporciona una forma mucho más transparente para *moneda,* análoga a las que se examinan en el § 1.2.3.4 para el español.

Algunos de los sustantivos de la columna derecha en (15) pueden funcionar también como colectivos (§ 1.4) pero todos actúan como continuos: decimos, pues, *mucho dinero,* como *mucho viento;* usamos *poca gente* como *poca arena,* y *demasiado armamento* como *demasiado café.* [19] Como se indica en (15), *literatura* se comporta como nombre de materia *(poca, mucha literatura),* mientras que *libro* es un sustantivo contable. Es importante tener en cuenta que los sustantivos de la columna derecha no constituyen conjuntos formados sobre los de la izquierda (ni «la literatura» designa el conjunto de los libros ni «el dinero» designa el conjunto de las monedas). Por el contrario, los nombres continuos de esta serie categorizan o conceptúan las nociones que designan en tanto que materias o sustancias, y no como clases de objetos. Debe señalarse asimismo que las relaciones que se establecen en (15) no son tampoco cuantificativas; es decir, las unidades de la columna de la izquierda no son expresiones que cuantifiquen sobre las de la derecha (ciertamente, no decimos **un cigarro de tabaco* ni **dos zapatos de calzado* o **varias prendas de ropa*). Se trata, por el contrario, de unidades que deben relacionarse léxicamente con ellas en el sentido apuntado arriba.

Existe una segunda opción, mucho más común, para relacionar usos contables y no contables de los sustantivos. De hecho, una de las propiedades más sobresalientes del sistema nominal español, frente al de otras lenguas, es la facilidad con la que los sustantivos pasan de la clase de los continuos a la de los discontinuos, y viceversa. Son muchos los sustantivos ambiguos entre una interpretación y la otra, lo que el léxico debe sin duda prever.

Veamos un ejemplo sencillo: el sustantivo *jamón* se usa como continuo en (16a), y denota por tanto una materia, y como discontinuo en (16b), y los SSNN correspondientes hacen por tanto referencia a objetos:

(16) *Como continuo*
a. No quiero más jamón. / Es demasiado jamón. / Croquetas de jamón. / ¿Hay jamón? / Huele a jamón. / Hecho de jamón.
Como discontinuo
b. Le regalaron un jamón. / Hay tres jamones sobre la mesa. / El jamón está entero. / Pienso comerme medio jamón.

Como vemos, los cuantificadores indefinidos y la ausencia de determinante fuerzan la interpretación de *jamón* como nombre de materia, mientras que los cuantificadores cardinales y los modificadores *entero* y *medio* imponen la discontinua. Los artículos y otros determinantes no deciden siempre entre una y otra, como ya vimos. Así, *No le gusta el jamón* es una oración ambigua (y por tanto se refiere a un objeto o a un tipo de alimento) y *Prefiero este jamón* también lo es en el mismo sentido. Como se señaló en el § 1.2.3.2, tampoco el cuantificador *la mitad* selecciona una de las dos interpretaciones frente a la otra.

Como *jamón* se comportan otros muchos sustantivos que permiten que los sintagmas formados con ellos denoten individuos y también materias. [20] Pueden por

[19] Es más, algunos se han interpretado falsamente como colectivos: el sustantivo *ropa,* por ejemplo, no se ajusta a las propiedades de los colectivos, sino a las de los continuos. Más detalles sobre ese punto en el § 1.6.1.

[20] Allan (1977, 1980, 1981) insiste, correctamente, en que más que sustantivos continuos o discontinuos tenemos en realidad sintagmas nominales continuos y discontinuos. Aun así, fuera de la recategorización sintáctica (§§ 1.2.3.2 y 1.2.3.5), son los rasgos léxicos del sustantivo los que permiten que ello sea posible.

tanto aparecer en construcciones como las de (16a) o como las de (16b). En esa lista están los siguientes:

(17) Ajo, algodón, caramelo, cristal, corcho, helado, hierro, huevo, madera, manzana, pan, papel, pelo, pescado, piedra, queso, tela, tiza.

Es decir, el sustantivo *queso* es el núcleo de SSNN que designan objetos *(un queso)* y también de los que designan materias *(con queso, pastel de queso)*. Análogamente, sabemos que *un corcho* puede designar un tapón, pero *corcho* designa una materia en *suelo de corcho* o en *Falta más corcho*. Esta relación se extiende a los demás sustantivos de (17).

Los paradigmas del estilo de (17) son relativamente excepcionales en otros idiomas. Así, suele llamar la atención el que el inglés tenga sustantivos como *cake,* que designan sustancias o materias, o bien objetos *(one cake* frente a *some cake),* lo que, como vemos, resulta normal en español. La situación descrita es poco frecuente en esa lengua, que generalmente necesita un sustantivo 'acotador' o 'medidor' (§ 1.2.3.4) para realizar el cambio de categoría: *a piece of cake* (lit. «un pedazo de pastel»). No se diría pues, *a cotton* (lit. «un algodón»), sino *a piece of cotton* (lit. «un pedazo de algodón»), frente a lo que el español permite.[21] Morreale compara asimismo esp. *un papel* con it. *un pezzo di carta* (cabe añadir el ing. *a piece of paper*) y el citado *un algodón* con it. *un batuffolo di cotone.* Estos sustantivos acotadores resultan, pues, esenciales en el proceso de recategorización porque nos permiten obtener individuos a partir de magnitudes. Los examinaremos en el apartado siguiente.

1.2.3.4. Tres clases de sustantivos cuantificativos

Los sustantivos cuantificativos suelen recibir en la bibliografía el término 'nombres de medida', noción ciertamente útil, pero usada frecuentemente con demasiados sentidos a la vez. Como he adelantado en la introducción, en este capítulo usaré como término general el de 'sustantivo cuantificativo', que subdividiré en 'sustantivos acotadores' *(grano* en *un grano de uva),* 'sustantivos de medida' *(kilo* en *un kilo de uva)* y 'sustantivos de grupo' *(racimo* en *un racimo de uvas).* Como se verá a continuación, se trata de tres clases próximas [→ § 5.2.2.3], pero que aun así podemos diferenciar. Las tres clases muestran que mientras que la cuantificación cardinal no está restringida léxicamente, puesto que los numerales se aplican a todos los nombres de objeto, sea cual sea su naturaleza, la información mensurable está restringida por la forma, la constitución, o la consistencia de las materias sobre las que se realiza la cuantificación, entre otros rasgos léxicos no menos idiosincrásicos.

A) Los sustantivos acotadores

Llamaré 'acotadores' (ing. *counters*) a los sustantivos individuativos que denotan porciones de materia, es decir, a los nombres que toman sustantivos de materia como complemento y denotan una magnitud acotada o seleccionada.[22] Constituyen,

---

[21] Compárese, asimismo, *una madera* con *a piece of wood; un trabajo* con *a piece of work; un ajo* con *a piece of garlic; un pan* con *a piece of bread; una lechuga* con *a piece of lettuce; un consejo* con *a piece of advice; una información* con *a piece of information,* entre otros muchos casos.

[22] Como veremos, muchos de los sintagmas que forman son ambiguos entre la interpretación cuantificativa y la discontinua. Repárese, de todas formas, en que «una cantidad concreta» de alguna magnitud sigue designando una expresión cuantitativa.

pues, un procedimiento composicional para obtener sintagmas (continuos unas veces y discontinuos otras) a partir de sustantivos que denotan materias o sustancias. Muchos de los sustantivos ambiguos de (15) también permiten opcionalmente esta posibilidad: podemos decir *un papel* y también *un pedazo de papel* (donde *pedazo* es el sustantivo acotador); *una tiza* y también *una barra de tiza; un algodón* y *un trozo de algodón.* He aquí una lista más amplia:

(18) *Sustantivos usados como continuos y discontinuos que aceptan opcionalmente un nombre acotador*

CONTINUO Y DISCONTINUO	SUSTANTIVO ACOTADOR
papel	pedazo, trozo, hoja
cristal, madera, algodón, corcho	trozo, pedazo
pan	pedazo, rebanada
merluza, salchichón...	pedazo, rodaja
tela	pedazo, palmo, jirón
melón	pedazo, tajada
jamón, queso...	pedazo, loncha
ajo	diente
uva	grano
tiza, pan	barra
jabón	pastilla
cerveza, vino	vaso, jarra, botella
naranja, limón	trozo, gajo
hierba	brizna
hilo	hebra
terreno	parcela, palmo

Cabe dividir en dos grupos los sustantivos de (18) según el sintagma formado con el sustantivo acotador designe o no la misma entidad que el formado con el sustantivo recategorizado: un pedazo de papel es un papel, y un pedazo de cristal es un cristal, pero un pedazo de jamón no es (ciertamente) un jamón, ni un pedazo de queso es un queso.[23] Como *papel* se comportan *uva, cristal, ajo, corcho, tiza* o *hierba*. Como *jamón* se comportan *naranja, queso, melón* y *pan,* entre otros sustantivos.

Los sustantivos *pedazo* y *trozo*, junto con otros como *porción,* actúan en cierta forma como comodines, puesto que su significado se ajusta exactamente al de «elemento acotador» tal como se ha introducido arriba. Entre los demás existe considerable variación. Unas veces se eligen en función de la consistencia y la forma del objeto segmentado *(loncha, tajada, rodaja, gajo),* pero otras muchas se seleccionan exclusivamente para cada unidad léxica *(brizna, mendrugo, rebanada, hebra, lingote).*[24]

Muchos continuos que designan líquidos se recategorizan como discontinuos y denotan en ese caso una magnitud acotada convencionalmente con fines prácticos. La unidad de medida suele coincidir con el contenedor *(vaso, taza, jarra, botella),* como en *un café, una cerveza, un whisky, un coñac.* El proceso no es, sin embargo, general: *un agua* no designa, fuera del lenguaje abreviado de los camareros,[25] «una botella de agua», y *un champagne* tiene la interpretación estudiada en el § 1.2.3.2, no la que se muestra en (18). Sin embargo, el hecho de que el contenedor (o una unidad derivada de él) constituya un nombre acotador es relativamente frecuente: *plato, vaso, fuente, cucharada, puñado, palmo,* etc. Recuérdese que *pizca* designa etimológicamente aquella porción de materia que se puede coger con los dedos, puesto que *pizcar* significa «pellizcar».

Los sustantivos de (18) se pueden usar, por tanto, como continuos o como discontinuos, independientemente de que además admitan las expresiones formadas con el sustantivo acotador. Se diferencian de los de (19) en que estos últimos no pueden denotar «porciones de materia» sin dicho elemento: no decimos (en este sentido) *un azúcar,* sino *un terrón de azúcar.*

(19) *Sustantivos continuos que necesitan de un nombre acotador para formar sintagmas discontinuos*

SÓLO CONTINUO	SUSTANTIVO ACOTADOR
mantequilla, turrón	tableta, pastilla
azúcar	terrón[26]
café, arena, trigo...	grano
azafrán	hilo

[23] En el caso de *pelo,* el sustantivo *mecha* parece el sustantivo acotador, pero la unidad acotada *(una mecha de pelo)* posee mayor extensión que la formada sin el sustantivo acotador *(un pelo).* Cf. el apartado C) de este mismo epígrafe.

[24] Véanse, entre otros trabajos, Lehrer 1986 y Crévenat-Werner 1996 sobre este tipo de sustantivos.

[25] Este tipo de lenguajes abreviados se sobrevalora a veces, o se confunde con el sistema gramatical estándar, como sucede en Sharvy 1978. El que en este lenguaje especial *dos macarrones* signifique «dos platos de macarrones» y *tres lentejas* «tres platos de lentejas» no tiene en sí ninguna relevancia para el sistema gramatical mismo. Si los procesos de recategorización fueran libres, no existirían tantas diferencias entre los idiomas en este punto, ni haría falta que los diccionarios recogieran esa información, frente a lo que sucede.

[26] No sólo *de azúcar,* también *de nieve,* según documenta Morreale (1973: 147) en un texto de V. Soto.

SÓLO CONTINUO	SUSTANTIVO ACOTADOR
polvo	mota, brizna
ganado	cabeza
nieve, avena	copo
agua (*y los demás líquidos*)	gota, tromba
aire, humo	bocanada [27]
oro, platino...	lingote
maíz	mazorca
risa, tos	golpe, ataque

Como puede verse, *grano* figura en (19) con *café* y en (18) con *uva,* puesto que un grano de uva es «una uva», pero un grano de café no es «un café». La misma diferencia explica que *brizna* aparezca en los dos paradigmas con sustantivos diferentes. Repárese también en que *hilo* aparece en (18) en la columna izquierda, como sustantivo continuo y discontinuo, pero aparece como acotador en (19) con un sentido diferente. Asimismo, *risa* posee en (19) un sustantivo acotador *(golpe, ataque)* y en (15) un sustituto léxico discontinuo *(carcajada, risotada).* Puede verse una larga lista de sustantivos acotadores en español con múltiples ejemplos literarios en Morreale 1973: 147.

Existe cierta relación entre los sustantivos acotadores y los llamados 'morfemas clasificadores' en muchas lenguas del mundo. Los clasificadores son morfemas concordantes que no afectan sólo al género, el número o la persona, sino también a la forma, la consistencia, el tamaño o la visibilidad de los objetos. Su relación con los nombres acotadores se ha debatido en numerosas ocasiones (véanse Allan 1977, 1980, 1981, Greenberg 1972, Danny 1976, Gil 1987, Lehrer 1986 y Muromatsu 1995, entre otros muchos trabajos). Los sustantivos acotadores no son parte del sistema flexivo ni son morfemas de concordancia, y pueden ser además, como hemos visto, optativos. Los clasificadores afectan a otras muchas relaciones léxicas además de las relativas a la mensurabilidad. En cierto sentido, en las lenguas que poseen clasificadores todos los nombres son continuos, de forma que la interpretación discontinua la aportan obligatoriamente tales morfemas. Tiene particular interés el hecho (estudiado en Gil 1987) de que las lenguas con clasificadores sean también las lenguas sin marcas específicas para la definitud y la indefinitud.

Muchos sustantivos acotadores dan lugar a construcciones ambiguas, puesto que pueden denotar entidades discontinuas, o bien pueden interpretarse como nombres cuantificativos en las estructuras pseudopartitivas: un vaso es un objeto físico, como lo es un terrón, un grano, una barra o una tableta, pero también es una unidad de medida, como lo son otros contenedores, y en este sentido actúa como elemento cuantificativo. Esta ambigüedad sólo se da con algunos sustantivos acotadores. Otros, como *pedazo, trozo, pizca* o *bocanada* son sustantivos exclusivamente cuantificativos (por tanto no designan objetos sino cantidades). Si aparecen sin complemento será necesario sobreentenderlo en todos los casos. En la interpretación discontinua, *vaso* designa una clase de

[27] Morreale (1973: 150) registra *una bocanada de sol* en un texto de Rafael Muñoz.

objetos físicos, de hecho, de objetos frágiles, como en (20a); pero en la interpretación cuantitativa, aporta la magnitud que corresponde a la variable del cuantificador interrogativo, como en (20b): [28]

(20) a. ¿Qué se rompió? —Un vaso de whisky *[interpretación discontinua].*
b. ¿Cuánto bebiste? —Un vaso de whisky *[interpretación cuantificativa].*

Como se indica en Bosque 1998, sólo unos pocos adjetivos de tamaño, como *grande, enorme, hondo,* etc., pueden mantener la interpretación cuantitativa de estos sustantivos. Los demás sólo son compatibles con la discontinua: [29]

(21) a. ¿Qué hay sobre la mesa? —Un plato {grande/hondo/verde/bonito}.
b. ¿Cuántas lentejas te comiste? —Un plato {grande/hondo/*verde/*bonito}.

Los sustantivos acotadores no son asimilables a los que a veces se llaman 'meronímicos', es decir, a los que designan una parte de una unidad mayor: *rama, brazo, pie, cima, final, lado, cabeza, borde, techo.* También estos sustantivos, que se estudian en Cruse 1986, tienen complementos introducidos por *de,* pero estos complementos son referenciales, frente a lo que sucede con los sustantivos acotadores: *el pie de la montaña.* Coinciden, sin embargo, con ellos en que tanto la interpretación meronímica como la cuantitativa son inherentemente relacionales: no podemos hablar de «un borde» ni de «una bocanada» sin mencionar de qué elemento designa *borde* una parte ni de qué magnitud constituye *bocanada* una cantidad acotada. [30] Los sustantivos acotadores *trozo, pedazo,* y *parte* se diferencian de otros como *bocanada, brizna, pizca* en que también funcionan en las estructuras meronímicas, es decir, pueden designar una parte de un objeto o bien una parte de una magnitud: *Un trozo {de pastel/del pastel}; un pedacito {de algodón/del algodón}.*

B) Los sustantivos de medida

Próximos a los sustantivos acotadores están los que podemos llamar 'sustantivos de medida' [⟶ §§ 4.2.2.1, 5.2.2.3 y 16.7]. Se trata de nombres cuantificativos que actúan como restrictores inherentes de la cuantificación y que aparecen impuestos por las características físicas de los objetos (peso, volumen, extensión, distancia, tiempo): *kilo, litro, galón, gramo, onza, metro, día, año,* etc. Como vimos en el § 1.2.2, en *diez garbanzos* el cuantificador *diez* proporciona la información cardinal que nos permite interpretar el número de entidades sobre las que cuantificamos. En *un kilo de garbanzos,* sin embargo, no tenemos cardinalidad: no cabe decir que el número de garbanzos «sea un kilo» ni que «sume un kilo», puesto que ese sintagma no proporciona ningún número, sino una cantidad. La frase de medida aporta, pues, información cuantitativa, pero no cardinal.

Los sustantivos acotadores pueden designar cantidades, pero también objetos físicos (recuérdese que un pedazo de papel es un papel). Por el contrario, los nombres de medida sólo forman sintagmas de interpretación cuantificativa en los que actúan como restrictores del cuantificador. Estos sintagmas varían en función del

---

[28] Nótese que si *vaso* no se interpreta como sustantivo acotador, como sucede en (20a), *de whisky* se interpreta como un complemento de materia.

[29] La posición de los adjetivos altera también la interpretación de los nombres de medida, entre otros factores que considero en Bosque 1998.

[30] Su naturaleza relacional explica, por tanto, la presencia de su complemento, aunque este pueda ser tácito. Tanto los sustantivos de parte como los de parentesco [⟶ § 15.6.1.2] exigen por lo general su presencia, sea en su misma oración, sea en el contexto previo, como en *Cuando llegó a la cima* o como en *Todos los padres estaban presentes.* Como señala Escandell (1995), sustantivos como *mascota* son inherentemente relacionales, frente a *gato* o *animal,* que no lo son, de ahí la rareza de *??En este cuarto hay una mascota,* frente a *En este cuarto hay un animal.* El mismo rasgo opone *patria* (relacional) frente a *país* (no relacional), como se muestra en *El país vecino* frente a *??La patria vecina.* El posesivo o el complemento prepositivo *(mi mascota, tu patria, el tío de Juan)* aportan la información argumental que el sustantivo relacional exige.

tipo de dimensión en la que se efectúa la medición, como en *diez kilos, varios litros, muchas toneladas, catorce metros, dos años.* Además de nombres continuos, los nombres de medida admiten plurales como complementos, lo que es infrecuente entre los acotadores. Así pues, *un kilo de garbanzos* contrasta con **una rebanada de panes.* He aquí otros ejemplos:

(22) a. Toneladas de cieno. / Toneladas de desperdicios.
b. Medio kilo de harina. / Medio kilo de garbanzos.
c. Una libra de azúcar. / Una libra de clavos.
d. Diez metros de terreno. / Diez metros de escombros.
e. Dos años de espera. / Dos años de disgustos. [31]

Las relaciones con los acotadores son, por otra parte, evidentes: en primer lugar, hemos visto que unos pocos entre ellos admiten discontinuos en plural y también continuos en singular: *un plato de {puré/garbanzos}.* En estos casos, *plato* designa una «porción de la materia acotada» (sustantivo acotador) pero también una «medida física» de la magnitud que se parcela (sustantivo de medida), como hacen *kilo* o *litro.* Debe también tenerse en cuenta que en los casos de (22) tenemos plurales que se acercan parcialmente a los *pluralia tantum,* que, tal como se argumenta en el § 1.3, tienen mucho en común con los continuos en singular. En general, los plurales de (22) designan objetos que, aun cuando pueden concebirse aislados, se suelen categorizar como materia, más que como entidades individuales: *fideos, desperdicios, espaguetis, lentejas,* etc., esto es, como entidades que solemos pesar o medir, más que contar. De todas formas, y particularmente en los sustantivos que miden el peso (más raramente en las demás dimensiones), nada impide extender este esquema a los contables, y formar sintagmas como *dos toneladas de sillas.* [32]

Frente a los sustantivos acotadores, los nombres de medida pueden formar argumentos cuantitativos de ciertos verbos (*pesar, costar, medir, tardar,* etc.) [⟶ § 16.7.1 y § 38.3.5], y en tales casos no poseen complemento: *Mide dos metros, Pesa diez kilos.* Así pues, es imprescindible sobreentender un complemento en *Lanzó una bocanada,* frente a lo que sucede en los casos citados. No es enteramente descartable, sin embargo, que tengamos en estas construcciones complementos tácitos de tipo dimensional, como se sugiere en la nota 32.

C) Los sustantivos cuantificativos de grupo

Los nombres como *grupo, serie, manada, fajo, hatajo, ristra, partida* se han analizado con frecuencia en la tradición como un subgrupo de los sustantivos colectivos, concretamente como 'colectivos indeterminados' (§ 1.4.1). Como argumentan Brucart (1997) y Martínez (§ 42.10.1.3 de esta obra), [33] se trata de una subclase de los

[31] La diferencia entre los sustantivos temporales y los demás estriba en que no necesitan un restrictor que especifique la dimensión a la que corresponde la unidad de medida. Así pues, cabe decir *Empleó dos años más,* pero no en cambio (sin sobreentender un complemento) *#Empleó dos litros más.* Aun así, tal vez cabría entender en el primer caso «de esfuerzo», «de trabajo», etc. En el § 38.3.5 de esta obra se sugiere que los sintagmas de medida constituyen casos limítrofes entre la predicación y la complementación.

[32] Debe repararse en que a veces el complemento pseudopartitivo no designa en estos sintagmas la cantidad medida, sino el nombre de la magnitud que se está midiendo. Cabe decir, por tanto, *dos toneladas de peso* o *dos toneladas de garbanzos; un litro de capacidad* o bien *un litro de alcohol.* Los nombres de distancia se usan más frecuentemente en la primera interpretación *(dos metros de altura)* que en la segunda *(dos metros de ladrillos)* acaso porque las disposiciones lineales de los objetos no se conceptúan habitualmente como grupos mensurables. Tampoco decimos **dos horas de tiempo* (véase la nota anterior para otra característica de las unidades de medida temporales) [⟶ § 16.2.5 y § 16.7].

[33] Véase también Ortega y Morera 1981-1982 sobre la misma cuestión.

sustantivos cuantificativos, y no de una variedad de los colectivos, aunque algunos admitan ambas interpretaciones. Su lugar en la gramática no está, por tanto, junto a *arboleda, vecindario,* y otros 'colectivos determinados' u 'organizados', sino junto a expresiones como *todos, varios, algunos (de), un kilo (de), dos litros (de)* o *una bocanada (de).* Esta es la razón de que no se estudien en el apartado 1.4 de este capítulo, sino en este.

Como los nombres de medida, los sustantivos de grupo forman sintagmas cuantificativos, pero, a diferencia de ellos, establecen esa interpretación a partir de su significado múltiple, y no mediante un sintagma cuantitativo (como *dos litros*) en que funcionen como restrictores del cuantificador cardinal en virtud de las características dimensionales del objeto medido o pesado. Coinciden con los acotadores y con los nombres de medida en la necesidad de recibir un complemento sobre el que cuantificar. Esta necesidad no la encontramos en los llamados 'colectivos determinados'. Así, podemos decir *Paseaba por una arboleda* o *Conoce su vecindario,* pero no decimos **Son un hatajo,* sino *Son un hatajo de sinvergüenzas,* y tampoco **Dijo una serie,* sino *Dijo una serie de insensateces.* Frente a los sustantivos acotadores, que siempre aceptan continuos en singular como complementos, los nombres cuantificativos de grupo lo hacen en muy pocos casos: *un haz de luz* (junto a *un haz de protones*); *un grupo de gente* (junto a *un grupo de caminantes*). Cabe pensar que en estas construcciones los sustantivos de grupo se están reinterpretando como acotadores: empleamos *haz* para acotar una porción de la materia *luz* (sustantivo acotador), pero también para seleccionar un subconjunto de entre los protones (sustantivo de grupo).

Recordemos que muchos sustantivos acotadores son ambiguos entre la interpretación de objeto y la de cantidad: *una barra, un vaso.* Pues bien, algunos nombres de grupo son ambiguos entre su interpretación como colectivos ('colectivos determinados' en la tradición) y como sustantivos cuantificativos. Así los sustantivos *ejército, rebaño, jauría, enjambre* son nombres cuantificativos, y no colectivos, en (23):

(23) Un ejército de curiosos, un rebaño de turistas, una jauría de periodistas, una manada de hinchas furiosos, un enjambre de mirones, un racimo de obras selectas.

Nótese que *ejército* pierde su interpretación colectiva en (23), puesto que el SN *un ejército de curiosos* no significa «un conjunto de soldados que poseen curiosidad». Aun así, parte del significado original permanece en estos casos en forma predicativa, porque en estas construcciones se predica de los curiosos el formar un ejército y de los periodistas constituir una jauría [→ § 8.4]. Cuando *ejército* o *jauría* dejan de ser colectivos y pasan a ser nombres de grupo, no aportan información acerca del rango de la variable sobre la que se realiza la cuantificación [34] (por tanto, ya no hablamos sólo de soldados ni de perros), y pasan a constituir un sintagma cuantificativo. De hecho, a la pregunta *¿Cuántos curiosos se acercaban?* podemos contestar diciendo *un ejército.*

Los sustantivos colectivos no son propiamente cuantificativos. En *una piara de cerdos,* el nombre *piara* no funciona como cuantificador, sino que *de cerdos* funciona como modificador restrictivo de tipo clasificativo. Ello explica que podamos tener

---

[34] Es decir, sobre el tipo de entidades sobre las que cuantificamos. Recuérdese que el rango de la variable del pronombre *quién* es «personas».

ambigüedad entre las estructuras que permiten nombres cuantitativos de grupo y las que permiten colectivos con complemento [→ § 5.2.2.3]. Así, podemos interpretar *una manada de cerdos* entendiendo que *manada* es un colectivo y *de cerdos* es su complemento restrictivo. Si hacemos esto, especificaremos de qué tipo de manada hablamos, como en la oración *Hay varias clases de manadas, pero esta es una manada de cerdos.* La otra opción es entender que *una manada* cuantifica a *de cerdos,* como lo haría *un grupo, un montón* u otras frases nominales cuantificativas. Es lo que sucede en *Diez caballos, cuatro ovejas y una manada de cerdos.* Como ocurría antes, *una manada* es un sintagma apropiado para contestar preguntas sobre cantidades, como *¿Cúantos cerdos había?* Cuando *manada* se usa con determinante sólo admite, sin embargo, la primera interpretación, como sucede en *La manada de cerdos estaba a cargo de un pastor.*

Otros sustantivos cuantificativos de grupo poseen interpretaciones diferentes como discontinuos: *alud, aluvión, nómina, rosario, lista, círculo* y *galería,* entre otros. Su interpretación como nombres cuantitativos de grupo se muestra en (24):

(24) Aluvión de opiniones, lista de sospechosos, rosario de declaraciones, nómina de infiltrados, círculo de elegidos, alud de noticias, amasijo de hierros, legión de visitantes, galería de monstruos.

En muchos de estos casos se establece una relación interesante con los sustantivos acotadores, porque tanto en un caso como en el otro existe una selección semántica (a veces muy restringida) que fuerza el tipo de entidades sobre las que estos elementos realizan su función cuantificadora:

(25) *Restricciones léxicas de los sustantivos cuantificativos de grupo*

SUSTANTIVO CUANT. DE GRUPO	PLURAL DISCONTINUO
ramo, macizo	flores
fajo	billetes
rosario	declaraciones, anécdotas, escándalos, desdichas...
racimo	uvas, cerezas, poemas, frases...
gavilla	espigas, malhechores...
hatajo	disparates, bribones, asesinos...
ristra	cebollas, mentiras, salchichas...
hilera	árboles, coches...
banco	peces

SUSTANTIVO CUANT. DE GRUPO	PLURAL DISCONTINUO
círculo	elegidos, apostantes, aficionados...
alud	proyectiles, asistentes, declaraciones...
partida	ladrones, malhechores...
piña	plátanos
recua	mulas
tropel	curiosos, bribones...

Las relaciones léxicas de este tipo recuerdan en alguna medida las que establecen los morfemas clasificadores de otras lenguas, de los que hemos hablado arriba (a continuación de (19)). Así, los objetos que *tropel* selecciona han de estar desordenados;[35] los que *rosario* acepta sugieren una serie continua de entidades, y a la vez inoportuna, molesta o inconveniente; los de *alud* se refieren a conjuntos que sobrevienen en forma tumultuosa; los de *hatajo* implican una valoración sumamente depreciativa de un grupo generalmente humano, y así en los demás casos.

Los sintagmas pseudopartitivos formados con nombres de grupo funcionan como expansiones del plural discontinuo, que resultará seleccionado por el predicado al que todo el sintagma complemente. Así, *un hatajo de disparates* se comporta gramaticalmente como *disparates* o como *varios disparates* (puede ser, en consecuencia, complemento directo de *decir*). *Hatajo* no es un sustantivo argumental, y —por tanto— ningún predicado lo selecciona. Es, por el contrario, un sustantivo que especifica léxicamente una forma de agrupar la entidad *disparate* con otras entidades análogas. Como hace notar Brucart (1997: 160) estos sustantivos permiten la llamada concordancia *ad sensum* en las frases indefinidas [⟶ § 42.10.1.3], pero no en las definidas porque el sustantivo no se interpreta como nombre cuantificativo:[36]

(26) a. {Un/El} grupo de senadores socialistas votó en contra.
b. {Un/*El} grupo de senadores socialistas votaron en contra.

De forma similar, a la pregunta *¿Cuántos senadores votaron en contra?* podemos contestar diciendo *un grupo,* pero no diciendo *el grupo* [⟶ § 5.2.2.3]. Así pues, *grupo* no es un nombre cuantitativo en la oración agramatical de (26b), sino un nombre colectivo. Los colectivos concuerdan en singular, como en *La policía {llegó/ *llegaron} tarde,* y esa concordancia es la que se observa en (26a). Para el comportamiento gramatical de los colectivos, véase el § 1.4.

---

[35] Aun así, son raros los nombres de cosa. Encuentro *un tropel de errores* en *La Vanguardia,* 23-III-1995, 35 (sección de deportes) y *un tropel de libros* en *El Mundo*, 13-VI-96, 84.

[36] Para la interpretación cuantificativa en casos como *los años que vivo aquí* o *los curiosos que se acercaron,* véase el § 7.4.2.

1.2.3.5. Sustantivos discontinuos recategorizados como continuos

En el apartado anterior hemos visto algunos recursos sintácticos que emplea la gramática en los procesos de recategorización, aunque muchas veces esta es posible cambiando simplemente de categoría al sustantivo, como hemos comprobado. El tipo de recategorización que examinaremos en este apartado tiene en común con el que estudiábamos en el § 1.2.3.2 el hecho de que es sintáctico en lugar de léxico. Se ha observado en algunas ocasiones (véanse, entre otros trabajos, Lapesa 1973 y Morreale 1973) que los poetas hacen uso frecuente de esta recategorización, con lo que consiguen efectos estilísticos notables. Morreale (1973: 144) repara en que *pájaro* es un nombre de materia en el verso de Jorge Guillén *Todo en el aire es pájaro* (por tanto, no se habla en él ni de un pájaro concreto ni tampoco del conjunto de los pájaros, sino de la 'materia *pájaro*') y que los complementos de los verbos de percepción sensorial fuerzan la recategorización en casos como *Huele a gallina* o *Sabe a rosa.* No cabe decir, por tanto, que *pájaro, gallina* o *rosa* pertenezcan, en función de este comportamiento, a la clase de los nombres continuos. Es decir, mientras que la recategorización 'continuo > discontinuo' está determinada por factores léxicos (salvo la interpretación de 'tipo' examinada en el § 1.2.3.2), la recategorización 'discontinuo > continuo' está enteramente libre de ellos. Esta diferencia tiene consecuencias de tipo conceptual: la gramática lexicaliza la parcelación, pero no la masificación, lo que sin duda tiene relación con el hecho de que muchos idiomas tengan morfemas para la primera (los ya mencionados 'clasificadores'), pero no parece que los tengan para la segunda.

No son siempre efectos estilísticos los que se obtienen de este cambio de clase. La recategorización 'discontinuo > continuo' impone también la interpretación continua en los complementos singulares del verbo *haber.* Así, la diferencia entre *Hay sillón para todos* y *Hay sillones para todos* estriba en que *sillón* se interpreta como nombre de materia en el primer caso y como sustantivo discontinuo en el segundo. El que se infiera de la primera oración el hecho de que varios individuos deben compartir un sillón es un hecho enteramente secundario (cf. *Hay café para todos*).

Morreale (1971, 1973) estudió los efectos expresivos y estilísticos que se consiguen en estos cambios de categoría. Hacía notar que la conversión de los plurales en nombres de materia conlleva en estos casos un «carácter más incisivo» en la afirmación, como en *Hay mucho gracioso por el mundo* frente a *Hay muchos graciosos por el mundo*. Lo mismo en (también ejemplos suyos) *¡Cuánto médico junto!* frente a *¡Cuántos médicos juntos!* Análogamente, si nos encontramos en un aparcamiento y usamos la expresión *Hay mucho coche,* estaremos probablemente sugiriendo una valoración negativa más marcada que si decimos *Hay muchos coches.* Otras veces, sin embargo, la recategorización no fuerza la interpretación cuantitativa, sino una en la que se evalúan las cualidades del objeto. Se trata, pues, de una interpretación cualitativa y no cuantitativa. Así, la oración *Tienes mucho coche* no significa «Tienes muchos coches», sino que sugiere (quizás con leve ironía) una valoración de la calidad del vehículo en cuestión.

Otras veces, la interpretación continua resulta natural, pero sólo en ciertas expresiones idiomáticas. *Día* es un nombre continuo en *Queda mucho día por delante* (ejemplo de García Meseguer 1990: 160), pero no se integra plenamente en el paradigma de los no contables desde el momento en que no decimos *Necesito día,* frente a *Necesito {pan/leche/tiempo/tranquilidad}.* Se trata, por tanto, de un uso continuo idiomático. Muromatsu (1995: 146) se refiere a la recategorización de los sustantivos que realizan funciones predicativas, como en *Es más madre que esposa.* Estos casos son interesantes porque se compara «el grado en que se es madre» con «el grado en que es esposa», lo que resulta paradójico porque esas propiedades no poseen grados.[37]

---

[37] Cabría pensar en una adjetivación del sustantivo, como en *Es muy madre* (§ 1.7.5), pero ese análisis no se podría extender claramente a casos como *Es más padre de sus alumnos que profesor suyo* [⟶ § 17.2].

En suma, la recategorización 'discontinuo > continuo' no se establece en función de clases léxicas. Los contextos sintácticos fuerzan la interpretación semántica de materia o magnitud en sintagmas que designan entidades invididuales. El resultado se asocia generalmente con efectos expresivos, poéticos, irónicos o cómicos de diferente naturaleza.

1.2.4. El neutro de materia

Como hemos visto, los sustantivos no contables concuerdan con su cuantificador en género: *mucha agua* (fem.), *mucho pan* (masc.), pero forman sintagmas pseudopartitivos con algunos cuantificadores neutros: *algo de leche.* Estos cuantificadores admiten complementos neutros que se interpretan anafóricamente: *Juan quiere un poco de leche y yo quiero otro poco* [Ø], donde [Ø] significa «de leche». Obviamente, no hay discordancia en estos casos, puesto que el cuantificador neutro permanece invariable aunque tome como complementos sustantivos de interpretación pseudopartitiva. El español actual no admite —frente al español antiguo o el francés y el italiano actuales— estructuras partitivas con cuantificadores nulos: **Quiero de la leche* [⟶ § 5.2.1.4].[38]

Uno de los rasgos más interesantes del sistema nominal en la Romania (el asturiano en la península y ciertos dialectos italianos, entre otras variedades) es el llamado 'neutro de materia': los nombres continuos no son únicamente complementos de cuantificadores neutros, sino que poseen ellos mismos género neutro, que se manifiesta —con considerable variación geográfica— en determinantes y modificadores. Así, en asturiano se dice *leche frío* o *ropa blanco.* Es más, los nombres recategorizados cambian el género según se interpreten como continuos o como discontinuos: si *lechuga* se usa como continuo se dirá *lechuga fresco,* pero si se usa como discontinuo se dice *lechuga fresca.* La variación no afecta en asturiano al artículo (no se dice **el leche fresco,* sino *la leche fresco),* pero sí lo hace en los dialectos italianos: en la región del Lacio contrasta *u pratu* ('el prado'), discontinuo, con *o pepe* ('la pimienta'), *o latte* ('la leche'), términos continuos (Hall 1968).

También existen diferencias morfológicas visibles en la estructura misma de los sustantivos: los discontinuos experimentan en asturiano metafonía en la vocal final *-o (vasu, prau, pozu),* pero los continuos no sufren ese proceso *(dinero, vino, oro).* Aunque existe, como señala García González (1991), considerable variación dialectal, es normal que los sustantivos que aparecen en las dos clases sufran metafonía cuando se comportan como discontinuos *(pilu, quesu, cuiru, pescau),* y no la experimenten cuando actúan como continuos *(pelo, queso, cuero, pescao).* En algunas zonas de Santander, por el contrario, la vocal *-u* caracteriza a los nombres continuos.

Los pronombres neutros del español no se refieren anafóricamente a los SSNN (no puede decirse, por ejemplo, **¿Cuál es lo que quieres?* ni tampoco es posible construir oraciones en las que *ello* tenga un antecedente nominal).[39] Además, ningún sustantivo posee en español estándar género neutro, como es sabido. El neutro de materia es, por el contrario, una propiedad de los nombres, y por tanto, los pronombres definidos neutros pueden referirse a estos sustantivos [⟶ § 21.4.2]. Los ejemplos que siguen están extraídos por Ojeda (1992) de fuentes diversas:

(27) [Hablando de la leche] Dellu taba güeno y dello malu (=parte de la leche estaba buena y parte mala), Carne comíslo pa nochebuena, [Hablando de la nieve]: cayó bien d'ello, La carne ta cociéndose agora, nun toques d'ello, La herba (...) hay que segalo, La harina aquello, El agua esto, A esa xente tengo yo catao.

Ojeda nota asimismo que el español antiguo también admitía ocasionalmente estas construcciones. De entre los numerosos ejemplos que cita (1992: 250-252) entresaco los siguientes: (aparecen en cursiva los pronombres neutros, y subrayados los sustantivos continuos que toman como antecedentes).[40]

---

[38] La relación entre sustantivos de materia y construcciones partitivas es mucho más compleja de lo que esta escueta asociación sugiere. Puede encontrarse una descripción detallada de los factores que intervienen en ella en Spence 1983.

[39] De nuevo, en la lengua estándar. Para usos antiguos y dialectales del pronombre *ello,* véase Henríquez Ureña 1933.

[40] Este autor repasa las hipótesis de R. J. Cuervo, M. Suárez, E. Gessner, H. Keniston, D. Alonso y otros autores sobre este tipo de fenómenos. No es posible detenerse aquí en ellas.

(28) Alegre es el conde e pidió agua a las manos, e tiénengel*o* delant e diérongel*o* privado [*Mio Çid,* 1049-50] / Mandó el sancto padre que trasquiessen del vino, / Mandó que calentassen d'*ello* en un catino [Berceo, *Sto. Domingo*] / Yo comy tu fierro e toxico mortal comi con *ello* [*Calila e Dimna,* 2128 ss.] / acostos a el una mugier que traye unguento preciado, e puso d*ello* en la cabeça [*Evangelio de S. Mateo,* XXV 7] / dyxo el hermitano: 'non se que es vyno' / (...) / aquellos taverneros que van por el camino / te darán asaz d'*ello,* ve por ello festino [Juan Ruiz, *Libro de Buen Amor,* 534 ss.].

1.3. Sustantivos cuantificables y enumerables. Los *pluralia tantum*

En los apartados anteriores hemos venido asumiendo que los sustantivos pluralizables *(libros, años)* pertenecen a la misma clase que los sustantivos cuantificables, sea con indefinidos *(muchos libros)* o con numerales *(cuatro años).* Así es, efectivamente, en la mayor parte de los casos. Existe, sin embargo, una serie sistemática de excepciones, que se suelen recoger con el término latino *pluralia tantum* (literalmente «plurales sólo»). Así, podemos decir de alguien que tiene celos, que guarda las ropas en algún sitio o que no tiene ganas de leer, pero no diríamos que tiene un determinado número de celos, de ganas o de ropas. Estos plurales se analizan habitualmente en las gramáticas en el capítulo del número [→ § 74.3.2], y muy raramente en el de las clases de nombres. Sin embargo, si aceptamos que aparecen en el léxico como plurales, resulta natural preguntarse a qué clase léxica de sustantivos pertenecen estas formas.

Como vemos, el plural nos muestra en estos casos que la lengua conceptúa o categoriza tales entidades como nociones inherentemente múltiples, aunque sus componentes no son aislables o enumerables. Se conciben, pues, como magnitudes más que como conjuntos de individuos. Las razones son habitualmente internas al sistema lingüístico, es decir, no se deducen de la naturaleza misma de los objetos denotados: la entidad designada por el singular *lágrima* es tan identificable físicamente como la que designa el singular *ojera,* pero esta última voz es ya arcaica usada en singular, frente a la primera. Análogamente, *babas* y *fauces* son casos de *pluralia tantum,* pero no parece que la naturaleza de los objetos designados los haga más o menos individualizables que los plurales contables, como el citado *lágrimas.*

Los *pluralia tantum* rechazan siempre la cuantificación con numerales, pero con gran frecuencia admiten la cuantificación con indefinidos. A cada secuencia gramatical de (29) le corresponde una agramatical en (30):

(29) Tengo muchas ganas de verte. / Sentía demasiados celos. / Quedaban bastantes comestibles. / Te noto algunas ojeras. / Faltan más provisiones. / Encontraron algunos restos del avión. / Sus muchos dominios. / Todas las facciones de su rostro. / La casa tenía pocos cimientos. / Siento muchas agujetas. / Tomaron algunas represalias. / Pasé bastantes apuros.

(30) *Tengo varias ganas de verte. / *Sentía múltiples celos. / *Quedaban ocho comestibles. / *Tenía dos ojeras. / *Faltan diez provisiones. / *Encontraron cien restos del avión. / *Sus veinte dominios. / *Cuatro facciones de su rostro. / *La casa tenía diez cimientos. / *Siento varias agujetas. / *Tomaron tres o cuatro represalias. / *Pasé cinco apuros.

Es más, los *pluralia tantum* admiten el cuantificador exclamativo *cuánto,* pero rechazan su homónimo interrogativo, lo que sugiere que el primero no es necesariamente enumerativo, frente al segundo: [41]

(31) a. ¡Cuántos apuros pasaste! / ¡Cuántas represalias tomaron!
b. *¿Cuántos apuros pasaste? / *¿Cuántas represalias tomaron?

Los *pluralia tantum* poseen la morfología de los plurales ordinarios, pero poseen en gran parte la semántica de los nombres continuos. Algunos tienen, de hecho, variantes como nombres de materia *Pasó {apuro/apuros}, No tengo {gana/ganas},* pero aunque no las posean tienen en común con ellos el hecho de rechazar la cuantificación cardinal, sin que exista aquí posible recategorización. Recordemos que los continuos la rechazan porque designan magnitudes, no individuos. Algo muy parecido sucede en los *pluralia tantum:* no constituyen plurales desde el punto de vista semántico, sino desde el morfológico (de hecho, esperamos que aparezcan en plural en el léxico), y por tanto no designan conjuntos de entidades. Como veremos en el apartado siguiente, los sustantivos colectivos sí designan tales grupos, e incluso permiten en algunos casos que la sintaxis tenga acceso a ellos. Nótese que junto a *numeroso público* (§ 1.4.5.3) y *numerosos libros* no podemos construir expresiones como **numerosos celos.* En el caso de *público* y de *libro* se da, efectivamente, esa suma de elementos menores: *libro,* en el caso de *libros,* y cada uno de los componentes o las partículas que forman el colectivo *público,* en el caso de este sustantivo: «personas», «asistentes», etc. (cf. el § 1.6.1 para las diferencias entre discontinuos en plural y singulares colectivos). Pero *celos* no se comporta ni como *libros* ni como *público,* sino más bien como *furia, hambre* o *sed,* con la peculiaridad de que el plural *muchos,* que *celos* admite, es similar al singular *mucha* en *mucha hambre* o *poca* en *poca sed.* [42] Apoya esta conclusión en favor de su naturaleza continua el que *celos* se construya con sustantivos acotadores: decimos *un ataque de celos,* como *un ataque de tos, de risa* o *de locura.*

Un segundo tipo de *pluraria tantum* lo constituyen los nombres de objetos múltiples [⟶ § 74.3.2.1]. Estos sustantivos pueden dividirse en dos grupos:

(32) a. DUALES LÉXICOS: Alforjas, alicates, andas, bigotes, bragas, bridas, calzones, esposas, fauces, gafas, grillos, narices, pantalones, pinzas, prismáticos, tenazas, tijeras, tirantes, riendas.
b. PLURALES LÉXICOS: Escaleras, intestinos, murallas.

Como puede verse, los duales léxicos designan unas veces objetos compuestos de dos piezas o componentes, y otras veces partes dobles del cuerpo humano. El plural es con frecuencia optativo en los nombres de objetos múltiples (se entiende, en la interpretación de un solo objeto). Cabe decir, por tanto, sin que se altere

---

[41] Lo que recuerda en alguna medida el contraste entre los sintagmas adjetivales exclamativos, ya desusados *(¡Cuán magnánimo era!)* y sus inexistentes correlatos interrogativos *(*¿Cuán magnánimo era?)* [⟶ § 4.2.1].

[42] Existen algunos *pluralia tantum,* generalmente insertos en expresiones lexicalizadas, que rechazan también los cuantificadores indefinidos. Así podemos hablar de *las nupcias,* pero no de **algunas nupcias;* de *las estribaciones de la cordillera,* pero no de muchas o de algunas de ellas, o de *las afueras de la ciudad,* pero no de **algunas afueras de la ciudad.* Tampoco admiten cuantificación de ningún tipo los *pluralia tantum* que aparecen insertos en modismos: *hacerle a alguien chiribitas los ojos, no estar alguien en sus cabales, llevar, tener* o *traer trazas de algo, hacer las paces, hacer pucheros, cantar las alabanzas de alguien, ir a lomos de un animal,* etc.

necesariamente el sentido, *un pantalón* o *unos pantalones,* y *la muralla de la ciudad* o *las murallas de la ciudad*. De ello se sigue que *pantalones, murallas* o *escaleras* son formas plurales ambiguas: en un caso, el plural se interpreta semánticamente y en el otro no se interpreta. Para comprobarlo basta considerar las situaciones en las que la sintaxis fuerza la interpretación semántica del plural, es decir, aquellas en las que los rasgos meramente morfológicos del plural resultan desenmascarados porque no se corresponden con conjunto alguno de entidades. Esta situación se presenta en muchos casos, pero citaré sólo tres:

a) Los complementos de *cada uno, todos, muchos* o los demás cuantificadores:

(33) a. Me encantan tus pantalones *[ambiguo: uno o varios objetos].*
b. Me encantan todos tus pantalones *[no ambiguo: varios objetos].*
(34) a. Tus pantalones están manchados *[ambiguo: uno o varios objetos].*
b. Dos de tus pantalones están manchados *[no ambiguo: varios objetos].*

b) Los complementos de verbos como *juntar* o *reunir,* que se interpretan como plurales colectivos (cf. el § 1.4.5.2):

(35) a. He comprado estos pantalones *[ambiguo: uno o varios objetos].*
b. He juntado estos pantalones *[no ambiguo: varios objetos].*

c) Los adjetivos simétricos, como *parecido, divergente, relacionado* (que se estudian en los §§ 4.3.5.4, 16.3.2.2 y 41.2.6 de esta obra) también poseen interpretación colectiva:

(36) a. Los pantalones que están sobre la cama están manchados *[ambiguo: uno o varios objetos].*
b. Los pantalones que están sobre la cama son parecidos *[no ambiguo: varios objetos].*

Existe un contraejemplo aparente: como observa Fernández Ramírez (1951: vol. 3.1, nota 384) la expresión *un par de pantalones* puede designar la misma entidad que *un pantalón,* lo que no parece encajar en los hechos observados. Sin embargo, hemos visto que los *pluralia tantum* se acercan en buena medida a los continuos, luego esta doble opción recuerda en cierto sentido a la de *un grano de uva* / *una uva.* Si este análisis está bien encaminado, *un par* no se comporta en el ejemplo de Fernández Ramírez como un cuantificador sobre entidades (frente a lo que sucede con *dos*), sino de forma parecida a como lo hacen los sustantivos acotadores. Así pues, los nombres en plural de los objetos dobles no pueden formar sintagmas que se interpreten como argumentos de los predicados colectivos, ni como complementos de los cuantificadores cardinales, lo que confirma de forma sencilla que sus rasgos morfológicos de plural no se interpretan semánticamente.

Aunque con considerable irregularidad, los *pluralia tantum* se agrupan en una serie de clases léxicas menores: [43]

---

[43] Cf. la n. 35 del Cap. 74. El único intento que conozco de agruparlos en clases léxicas análogas a las de los demás

a) Algunos se refieren a alimentos o enseres diversos: *vituallas, víveres, enseres, provisiones, comestibles, variantes* (en el sentido de «frutos encurtidos en vinagre»), *útiles,* etc.
b) Otros denotan cantidades de dinero: *haberes, emolumentos, honorarios, finanzas, gajes* (poco usado ya en el sentido de «emolumento»), *dietas* (en la interpretación de «honorario», no en las demás).
c) Otros aluden a comportamientos y manifestaciones sociales o afectivas: *modales, arrumacos, maneras, mañas, cariños* (más usado en América).
d) Otros hacen referencias a acciones preparatorias o previas a alguna otra: *preparativos, prolegómenos, preliminares, comienzos.*
e) Algunos designan lugares o zonas próximas o alejadas de alguna otra que se toma como referencia: *andurriales, afueras, aledaños, alrededores, proximidades, estribaciones, ambages* (ya desusado con el valor de «camino intrincado»).
f) Unos pocos son sinónimos próximos de *matrimonio (nupcias, bodas, desposorios).*
g) Otros hacen referencias a partes internas de la anatomía: *sesos, entrañas, intestinos.*
h) Finalmente, otros aluden a los fragmentos, los pedazos o los restos de un objeto *(trizas, añicos, restos, residuos, escombros)* o bien a objetos poseídos *(bienes, dominios, posesiones).*

Bello (1847: 122) repara en otros casos de *pluralia tantum,* como *mocedades, sutilezas, metafísicas,* etc. [⟶ § 1.5.2.3]. Los llamados a veces 'plurales estilísticos' constituyen otro tipo de *pluralia tantum,* como prueba el hecho de que se formen a veces sobre no contables sin que exista recategorización: *aguas* no está recategorizado en *las aguas del río,* ni *nieves* lo está en *las nieves perpetuas.* Lo mismo se aplica a *sombras, barbas* y otros muchos sustantivos. Véase Morreale 1973 para una abundantísima ejemplificación. [44]

1.4. Sustantivos individuales y colectivos

1.4.1. Definición y clasificación

Los sustantivos colectivos designan en singular conjuntos de entidades, como *familia* o *arboleda,* mientras que los individuales, que son la mayoría, designan una sola entidad, como *casa* o *árbol.* La mayor parte de nuestros gramáticos dan cabida a la categoría de los sustantivos colectivos entre las clases de nombres que reconocen, pero —como en otros casos— la habitual brevedad con que se presentan las

sustantivos es el de García Meseguer (1990), que distingue entre los siguientes grupos de *pluralia tantum:* individuales discretos cuantificables y no graduables (*antiparras, alicates, andas, gafas* y los demás nombres de objetos dobles), colectivos discretos cuantificables no graduables *(arras, lares, manes, penates),* individuales colectivos continuos graduables no cuantificables *(facciones),* colectivos continuos graduables no cuantificables *(rehaños, modales, víveres),* individuales continuos no cuantificables ni graduables *(alrededores, afueras, adentros, fastos, expensas),* individuales discretos no cuantificables ni graduables *(ambages, entendederas, exequias),* colectivos no cuantificables no graduables *(turbas, andares, Baleares, Andes, cortes,* en el sentido de *parlamento).* La clasificación es interesante, pero no se usan en ella los términos 'continuo', 'colectivo' e 'individual' en el mismo sentido en que se emplean en este capítulo. La semántica de los *pluralia tantum,* que plantea todavía otros problemas de los que no es posible hablar aquí, ha sido abordada —fundamentalmente para el inglés— por Anna Wierzbicka en varios trabajos, entre otros Wierzbicka 1985, 1992ab.

[44] Se dan a veces en estos casos diferencias de registro o connotaciones afectivas peculiares. Así, el sustantivo *pretensión* usado en singular no sugiere necesariamente ambición ilegítima, frente al plural *pretensiones.* El plural *historias* puede conllevar significados próximos a los de *chisme* o *enredo,* que no van asociados al singular. El singular del sustantivo *relación* en *tener relación con alguien* sugiere simplemente «conexión» o «correspondencia», mientras que el plural en *tener relaciones con alguien* parece apuntar sólo hacia relaciones afectivas o diplomáticas. De manera análoga, el plural *nociones* alude a conocimientos elementales, mientras que el singular *noción* designa el conocimiento o la idea misma que se tiene de alguna cosa, sin que se haga patente el significado relativo a lo fundamental o lo elemental. El plural *perspectivas* sugiere el significado de «contingencia prevista», concepto que no está presente necesariamente en el singular *perspectiva.* El singular *abuelo* no se usa con el significado de «antepasado» o «ancestro», frente al plural *abuelos.* Finalmente, el plural *deberes* se usa con el significado específico de «tarea escolar», en el que es raro el singular *deber.* Aunque el singular es posible, predomina el uso del plural en sustantivos como *accesorios, adminículos, albores, branquias, alrededores, amoríos, cimientos, correrías, crines, enaguas, rencillas, escarceos, greñas,* y otros muchos [⟶ § 74.3.2].

clasificaciones gramaticales en la tradición, una y otra vez repetidas en los manuales de gramática, no siempre nos ayuda a entender sus límites, menos aún sus consecuencias para el análisis gramatical mismo.

Andres Bello, siguiendo a otros gramáticos, y particularmente a Salvá, distinguía (1847: § 105) con buen criterio los colectivos morfológicos, que manifiestan en su radical el objeto que aparece multiplicado (como en *alameda* o *caserío*), de los «colectivos que no se derivan de sustantivo alguno que signifique la especie, como *cabildo, congreso, ejército, clero*». En todos estos casos sabemos qué entidades estamos sumando, puesto que nos la proporciona la morfología o el léxico. A estos colectivos, que se denominan (desde Salvá 1830 al menos) 'colectivos determinados', añade Bello los que «sólo significan el número», como *millón, millar, docena.* Muchos gramáticos, entre ellos el propio Bello, oponen estos últimos, llamados también 'colectivos numerales' a los 'colectivos indefinidos' o 'indeterminados', que también designan grupos de objetos, pero «el conjunto de ellos es impreciso» (Seco 1967: 13). Es lo que sucede en *grupo, montón, puñado, serie, conjunto,* etc. Como observa Gómez Asencio (1985: 26 y 60), la distinción entre colectivos determinados e indeterminados se remonta al menos a la gramática académica de 1796, y ha sido seguida por muchos gramáticos de nuestra tradición en los años posteriores.

Con diferencias entre los autores, que no siempre aclaran los cruces o solapamientos posibles entre las clases que proponen, cabe deducir de la doctrina tradicional española la siguiente clasificación de sustantivos colectivos:

(37) *Clases tradicionales de nombres colectivos*

DETERMINADOS:[45] Designan grupos de entidades cuya naturaleza conocemos. Ej: *piara* («grupo de cerdos»).

— Obtenidos mediante sufijos derivativos: *-ada (yeguada), -ario (vecindario), -eda (arboleda), -al (robledal), -edo (hayedo), -ería (chiquillería), -aje (peonaje), -ado (profesorado).*

— Sin estructura morfológica: *familia, clero, ejército, rebaño, enjambre, manada.*

INDETERMINADOS: Designan grupos de entidades cuyos componentes podemos desconocer. En unos casos conocemos el número, pero en otros sólo sabemos que constituyen una agrupación de alguna clase.

— Numerales: *millar, docena, par.*

— No numerales: *grupo, serie, conjunto, montón, puñado.*

El *Esbozo* de la RAE añade (1973: 187) los colectivos que llama 'impropios' *(la loza, la plata, la porcelana),* que se caracterizan por usarse siempre en singular (también *la cuerda, el metal* de una orquesta). Así, *plata* es un nombre de materia en *Guardaba plata en el cajón,* pero es un colectivo impropio en *Guardaba la plata en el cajón,* si *plata* significa «conjunto de objetos de plata», con lo que se acerca a *cubertería* y otros colectivos determinados.

La clasificación, aun siendo habitual (y hasta más explícita que algunas de las habituales) contiene un error no insignificante al que hemos hecho referencia en el § 1.2.3.4 C: el de identificar los sustantivos colectivos indeterminados con los sustantivos cuantificativos. Como hemos examinado estos sustantivos en dicho apartado,

[45] 'Específicos' en la terminología de la Academia (RAE 1973: 187). También se llaman a veces 'organizados'.

en lo sucesivo nos referiremos a la clase de los colectivos como si sólo contuviera los colectivos determinados.

1.4.2. Objetos compuestos frente a sustantivos colectivos

Una de las confusiones más antiguas de la historia de la lingüística es la del signo con el objeto: las palabras con las realidades que designan. Si queremos dilucidar si determinados sustantivos son o no colectivos, no constituirá una estrategia apropiada el pensar si los objetos designados se componen o no de partes análogas o de componentes similares. Lo cierto, sin embargo, es que los gramáticos no parecen insistir demasiado en esa importante cuestión. Los sustantivos *dentadura, cordillera* y *vajilla* no están entre los ejemplos habituales de nombres colectivos, pero parecen designar conjuntos de elementos. ¿Son entonces colectivos? Cualquiera que sea la respuesta, ¿cómo lo sabremos? Parece claro que las preguntas que conviene hacerse sobre los sustantivos colectivos no son, desde luego, del tipo de A), sino más bien del tipo de B):

A) ¿El objeto descrito consta realmente de un conjunto de elementos más básicos que lo componen? ¿Se trata de partes de una entidad superior o de una suma o agregación de elementos individuales?
B) Puesto que no clasificamos objetos, sino palabras, ¿qué propiedades gramaticales caracterizan a los nombres colectivos como clase lingüística?

Dicho de otro modo, la clase gramatical de los nombres colectivos tiene sentido en tanto podamos mostrar que la gramática es sensible a ella. Por el contrario, resulta irrelevante el que los objetos designados se compongan o no de partes análogas o que estén formados a partir de componentes iguales más básicos, puesto que, en realidad, casi todos los objetos de este mundo están formados en alguna medida por ellos. [46]

Como es sabido, la distinción entre objetos redondos y alargados no tiene en español consecuencias gramaticales, pero sí las tiene en algunas de las muchas lenguas que poseen morfemas clasificadores, a las que hemos hecho referencia más arriba. Análogamente, el que un sustantivo designe una entidad que se pueda percibir como múltiple no es en sí garantía de que la gramática deba reflejar esa distinción entre las clases de unidades que establece. De hecho, no han faltado gramáticos en nuestra tradición, como hace notar Gómez Asencio (1985: 62), que han negado la pertinencia misma de la clase de los sustantivos colectivos, puesto que entendían que lingüísticamente no se distinguen de los individuales.

A pesar de ello, la mayor parte de las consideraciones que se hacen sobre este problema en la tradición giran en torno a las preguntas del tipo A), muy raramente a las del tipo B). Así, se hace notar en Bosque 1983 que Mounin (1979: 38), Fält (1972: 76) y Coseriu (1969: nota 37) no están de acuerdo en si palabras como *ejército* y *bosque* deben clasificarse o no como sustantivos colectivos. Para el primero lo son

[46] En la definición que ofrecía Salvá (1830: § 2.2.2) de 'sustantivo colectivo' se precisaba que las entidades sumadas han de ser «semejantes», y además han de formar «un cuerpo o grupo», pero la pregunta sobre si la lengua percibe o no esos sustantivos como colectivos sigue planteándose en la misma medida.

las dos; para Fält lo es *ejército,* pero no *bosque,* porque entiende que *bosque* designa «un terreno poblado de árboles y plantas», y no un conjunto de árboles. Para Coseriu no son colectivos ninguno de los dos sustantivos, porque si los consideráramos como tales, «deberían ser colectivos los nombres *casa* —porque el objeto 'casa' contiene muchas piezas o muchos ladrillos— y *hombre,* porque el hombre se compone de muchas células».

En los apartados que siguen consideraré algunas posibles respuestas a las preguntas del tipo B). Veremos que el comportamiento gramatical del sustantivo *bosque* (y no las consideraciones enciclopédicas sobre esa noción) muestra que no se trata de un nombre colectivo, aunque en una de sus acepciones se comporta como los sustantivos cuantificativos de grupo examinados más arriba. En cuanto a *ejército,* son también las pautas sintácticas las que permiten deducir que se trata, en efecto, de un sustantivo colectivo.

1.4.3. Los sustantivos colectivos frente a los plurales

El comportamiento gramatical de los nombres colectivos se asemeja al de los plurales en ciertos aspectos relativos a la selección léxica (adjetivos, verbos, adverbios y preposiciones, como veremos), y también, aunque con gran variación, en lo relativo a la concordancia verbal. Por el contrario, los sustantivos colectivos no se comportan como los plurales en lo que respecta a las relaciones anafóricas y las cuantificativas, y en general a los aspectos de la sintaxis menos determinados por las relaciones léxicas.

Veamos primero las diferencias entre plurales y colectivos en el terreno de las relaciones anafóricas. Si comparamos dos oraciones como las siguientes:

(38) a. Los novios se compraron un coche.
b. La pareja se compró un coche.

veremos que en (38a) estamos hablando o bien de un solo coche que esa pareja compró (interpretación colectiva del plural) o bien de dos coches distintos (interpretación distributiva del plural). Por el contrario, en (38b) sólo cabe hablar de un coche, como si *la pareja* denotara una entidad simple, lo que muestra que no podemos acceder sintácticamente a cada uno de los componentes de la unidad léxica *pareja.* Análogamente, el pronombre *su* puede tener antecedentes plurales, como en (39a):

(39) a. Los niños tenían su cuenta de ahorro.
b. La familia tenía su cuenta de ahorro.

En (39a) cabe entender que cada uno de los niños tenía su cuenta particular de ahorro (interpretación distributiva) o bien que existía una sola cuenta que los niños compartían (interpretación colectiva). Por el contrario, en (39b), se pierde de nuevo la ambigüedad y es forzoso entender que se trataba de una sola cuenta. En suma, los colectivos no se comportan como los plurales distributivos en las relaciones anafóricas.[47]

---

[47] Los singulares interpretados distributivamente también denotan, obviamente, una pluralidad de objetos, pero —fren-

Tampoco permite la gramática que los adjetivos calificativos distribuyan la propiedad que introducen entre los componentes del conjunto designado por el nombre colectivo. Si lo hicieran, podríamos hablar de *un ejército muy grande* para significar «un ejército de gigantes», y el usar expresiones como *un grupo sumamente simpático* nos obligaría a suponer la extrema simpatía en cada uno de sus componentes, contra lo que resulta ser cierto. [48] Como he recordado en el § 1.3, los sustantivos y adjetivos simétricos (*igual, sinónimo, vecino, diferente, incompatible,* etc.) se predican de plurales colectivos, es decir, no distributivos, en el sentido de que la propiedad no se asigna independientemente a cada miembro de la clase: si decimos de dos oraciones que «son largas» predicaremos la longitud de cada una, pero si decimos que «son sinónimas», no estaremos diciendo de cada una de ellas que posee la propiedad de «ser sinónima», aunque sí la de ser «sinónina de la otra» [→ §§ 4.3.5.4, 16.3.2.2, 23.3.3 y 41.2.6]. Este componente recíproco es esencial para definir la naturaleza simétrica de estos adjetivos. Los sustantivos colectivos no permiten que tales predicados tengan acceso a los miembros que constituyen el grupo en cuestión, de modo que, de nuevo, la gramática los trata a este respecto como si no estuvieran integrados por varios elementos:

(40) a. Los dos eran parecidos.
b. Los compañeros de curso eran incompatibles.

(41) a. *La pareja era parecida.
b. *La clase era incompatible.

En suma, la irregularidad de las oraciones de (41) es similar a la que produciría cualquier término singular (**Juan es parecido).* Como es lógico, estas oraciones se pueden interpretar si suponemos que el otro argumento de *parecido* o de *incompatible* («a alguien» o «con alguien») aparece en el contexto inmediato (más detalles sobre esta información ausente, en el § 4.3.5.4). [49]

Las propiedades mostradas en (38) a (41) ponen de manifiesto que, desde el punto de vista sintáctico, los sustantivos colectivos se comportan como los individuales, al menos en lo que hace referencia a la interpretación de las relaciones anafóricas y cuantitativas, [50] lo que a primera vista parecería dar la razón a los

---

te a los colectivos— no son los rasgos léxicos de pluralidad del sustantivo los que determinan tal interpretación. Las dos oraciones de (ia) o (ib) pueden ser sinónimas:

(i) a. Se quitaron {la chaqueta/las chaquetas}.
b. Abróchense {el cinturón/los cinturones}.

Vergnaud y Zubizarreta 1992 constituye un estudio reciente de estas interpretaciones distributivas. Véanse también los §§ 16.3 y 16.4 de esta obra.

[48] No sucede así tan claramente en los nombres duales, como en *El matrimonio era muy joven* (ejemplo de Ortega y Morera 1981-1982: 648). Nótese, sin embargo, que si *Juan y María* son pareja, no es necesario que ambos sean simpáticos para que la oración *Son una pareja simpática* tenga sentido. Sobre estas cuestiones véase Kleiber 1994b.

[49] Los complementos adverbiales y distributivos del tipo de *separadamente, uno a uno, por separado,* etc. actúan en parte (como su antónimo *juntos*) como predicados simétricos, y por tanto, seleccionan argumentos plurales o coordinados. Decimos *Los novios se marcharon por separado,* y, más raramente, *?La novia se marchó por separado.* Sin embargo, el rasgo semántico de pluralidad que los sustantivos colectivos poseen cumple a veces la condición que *juntos* o *por separado* exigen al elemento del que se predica, como en *El vecindario actuó junto* o *La familia huyó por separado.*

[50] Frente a las diferencias anteriores, los sustantivos colectivos parecen comportarse como los plurales en los complementos de perífrasis durativas como <*ir* + gerundio>. Nótese que los complementos en plural de esta perífrasis se interpretan a menudo como plurales colectivos, no como plurales distributivos: si digo *Me fui fijando en los escaparates* no quiero decir «Me fui fijando en el primero» + «Me fui fijando en el segundo», etc. Por el contrario, la perífrasis nos lleva

autores que han rechazado la relevancia gramatical de esta clase de palabras. Existen, sin embargo, otro tipo de pruebas, relacionadas con la concordancia y con las propiedades selectivas de los predicados, que ponen de manifiesto que la clase de los nombres colectivos es una clase gramatical relevante. Las consideraremos separadamente en los apartados que siguen.

1.4.4. Los rasgos de plural de los sustantivos colectivos y la concordancia verbal

La concordancia del verbo con los sustantivos colectivos se estudia en el § 42.10.1.3 de esta obra, en particular los casos en los que los nombres de grupo (llamados a veces 'colectivos indeterminados') establecen la llamada concordancia *ad sensum.* Señala Bello (1847: § 818) que los colectivos determinados concuerdan en singular. Ciertamente, no construimos oraciones como las de (42):[51]

(42) *Lo que el gobierno decidieron. / *La familia estaban de acuerdo. / *La policía llegaron tarde. / *El comité rechazaron la propuesta.

Las posibles excepciones se debaten, desde luego, desde antes de Bello. De hecho, ha tenido fortuna en la tradición, como hace notar Gómez Asencio (1985: 62), la discusión acerca del ejemplo de Salvá *Se agolpó el pueblo, y amotinados se dirigieron a casa del gobernador.* La discusión entre gramáticos se centraba, sin embargo, en si se trataba o no de un caso de 'silepsis', y como el concepto de silepsis se ha usado fundamentalmente en la gramática normativa, las consideraciones sobre la gramaticalidad daban paso con demasiada frecuencia a los dictámenes sobre la corrección.

Gili Gaya (1944: § 19 y ss.), Fält (1972) y otros autores presentan numerosas excepciones a la generalización de Bello (esto es, 'Los colectivos determinados concuerdan en singular'), aunque algunas son sólo aparentes. Deben descartarse de esas posibles excepciones los casos en los que el antecedente del sujeto flexivo está fuera de la oración. Tiene razón este autor al considerar (Fält 1972: 80) que no estamos ante concordancia de colectivos en plural en casos como *La pareja de enamorados montará su hogar en Roma, ciudad en la que viven,* puesto que «el verbo puede referirse al colectivo o bien al complemento». También deben descartarse los casos en que el verbo forma parte de una relativa cuyo antecente puede ser el sintagma que encabeza el colectivo o bien su complemento, como en *El grupo de árabes que se han decidido a trabajar en Israel* (Fält 1972: 82). Piensa Fält que existen, por el contrario, contraejemplos verdaderos a la generalización de Bello. En su estudio recoge un amplísimo número de estas oraciones, generalmente tomadas de textos periodísticos. Extraigo tan sólo unos pocos ejemplos de su nutrido corpus (en cursiva el verbo y el sustantivo colectivo):

(43) Cuando la *policía* llegó al apartamento, se *encontraron* con la cómica, aunque desagradable escena de (...) [Revista *Semana;* citado en Fält 1972: 83] / Al estandarte de los Reyes Católicos (...) *daban* escolta una *escuadra* de infantería [*ABC;* citado en Fält 1972: 106] / La *policía,* sin embargo, a pesar de que siquiatras, astrólogos, y los más famosos detectives han sido movilizados, no *tienen* todavía pistas que (...) [*La Vanguardia;* cit. en Fält 1972: 106] / La *misión* portuguesa llegará mañana a Madrid y *visitarán* establecimientos industriales (...) [*La Vanguardia;* citado en Fält 1972: 108] / Ya sabemos que el *Servicio Secreto* Español es muy bueno y por tanto la *habrán* puesto al corriente y (...) [León Gómez; citado en Fält 1972: 108] / El *jurado* manifestó que en

a interpretar colectivamente ese plural, lo que sugiere un recorrido lineal (un solo evento) a través de la serie de entidades individuales que el plural establece. Repárese ahora que no se interpreta igual *Me fui fijando en Pedro* que *Me fui fijando en el público.* La primera oración sugiere un conjunto de «eventos de fijación», una serie de acciones sobre la misma persona, quizás separadas cronológicamente. La segunda oración es ambigua entre esta interpretación y otra más natural en la que el *público* se interpreta como *los escaparates* en el ejemplo anterior: cada uno de sus componentes constituye una entidad cuya suma proporciona el plural colectivo que la perífrasis nos permite interpretar de la forma indicada.

[51] Algunas de estas secuencias serían plenamente gramaticales en inglés, lo que se extiende a ciertos nombres colectivos. Para una revisión de los factores que intervienen en esta doble concordancia, véase Quirk 1978.

su día ya *habían* solicitado la igualación de (...) [*La Vanguardia;* citado en Fält 1972: 108] / Como en otros casos, se recurrió a una *empresa* publicitaria para que, como expertos, *realizasen* la campaña [Revista *¡Hola!;* citado en Fält 1972: 108] / (...) agradezco al *gobierno* de México la acogida y la hospitalidad que *han* tenido a bien reservarnos [*ABC;* citado en Fält 1972: 111] / La *aviación* israelí trató de atacar a los comandos cuando se retiraban, ha añadido el portavoz, pero *fueron* rechazados por los (...) [*La Vanguardia;* citado en Fält 1972: 111].

Cabe hacer algunas consideraciones sobre estas construcciones, y otras muchas similares que recoge Fält. Ante todo, si los textos hubieran sido orales en lugar de periodísticos el número de discordancias habría aumentado seguramente.[52] Es evidente que los textos periodísticos se parecen a los orales en cuanto que la inmediatez de su producción lleva a veces al emisor a reconsiderar las piezas léxicas que los componen mientras la oración se va construyendo. Se trata de un rasgo que separa la lengua oral de la escrita, como tantas veces se ha señalado. Pero aun así, no deben descartarse oraciones como las de (43) por el simple hecho de que normativamente sean censurables. En tanto que representan una pauta productiva (y el corpus de Fält lo muestra sobradamente), ponen de manifiesto que los rasgos de plural de los sustantivos colectivos tienen sin duda reflejo en la flexión verbal.

Sin embargo, debe resaltarse que Fält recoge en su nutrido corpus un solo ejemplo (1972: 77) del tipo de los mencionados en (42), y aun así reconoce que es dudoso.[53] De hecho, parece que sólo en algunos de los casos recogidos en el corpus de Fält puede decirse verdaderamente que un sustantivo colectivo (de los llamados 'determinados') se usa en singular como sujeto de un verbo en plural. En muchos otros casos resulta ser más bien el antecedente de los rasgos personales de la flexión, con frecuencia situada en otra oración, o quizás de alguna categoría intermedia, como un pronombre relativo. Así, en (44):

(44) La correspondiente *delegación* municipal les comunicó en 1967 que *estaban* dispuestos a construir (...) [*ABC;* citado en Fält 1972: 110]

el SN que encabeza el sustantivo colectivo *delegación* es el sujeto de *comunicó,* pero es sólo el antecedente de la flexión pronominal de *estaban,* y no el sujeto de este verbo. Análogamente en el ejemplo incluido en (43) *...agradezco al gobierno de México la acogida y la hospitalidad que han tenido a bien reservarnos,* el SN *el gobierno* no es el sujeto de *han tenido,* sino el antecedente del relativo.

La información de persona tiene en español, como es bien sabido, naturaleza pronominal [⟶ Cap. 20]. Lo que la gramática parece tolerar es que estos rasgos de persona posean como antecedente los que se asignan a los sustantivos colectivos. Nótese que algunas de las oraciones que Fält recoge no son ni siquiera normativamente censurables:

(45) Yo creo que gusté al jurado porque me vieron tranquilísima [Revista *Semana;* citado en Fält 1972: 111] / La familia era formidable; no se metían en sus cosas y le daban dinero suficiente [V. Alperi; cit. en Fält 1972: 119] / Considero que la pareja malagueña puede ser una promesa del bridge español si participan juntos con mayor frecuencia en pruebas de categoría internacional [*ABC;* cit. en Fält 1972: 119].

[52] Véanse Quilis 1983 y Millán Orozco 1977 para la concordancia en plural de los colectivos en la lengua hablada. Morreale considera (1971: 122) algunos casos de concordancia de persona en la lengua conversacional, como en *La juventud no sabéis lo que es el respeto a los padres.* Gili Gaya (1944: § 21) se refiere al «olvido o debilitamiento de la forma gramatical empleada», a la «atención debilitada» del hablante y al «descentramiento de la atención» en estas concordancias propias de la lengua hablada.

[53] Millán Orozco (1977), que trabaja con textos orales, tampoco encuentra muchos casos del tipo de los de (42). Cita entre ellos *Una pareja pueden estar manifestándose cariño.* La mayor parte de los ejemplos de discordancia citados, contienen incisos, como en *Cualquier familia, por escasos que sean sus recursos, tienen su radio.* Véase sobre este mismo factor, el § 42.10.1.3 de esta obra. Debe hacerse notar que —como he recordado más arriba— algunas construcciones del tipo de (42) son normales en la lengua inglesa.

Aun sin ofrecer en todos los casos resultados gramaticalmente impecables, no resulta extraño que un sustantivo colectivo sea el antecedente de los rasgos pronominales de la flexión, o de un pronombre con rasgos de tercera persona de plural. Esto último sucede, de hecho, en oraciones en las que no se plantea ningún problema de concordancia sujeto-verbo, como en *Todo el alumnado pensaba que los profesores se ocupaban poco de ellos.* Estas oraciones muestran que, con resultados variables, cabe establecer concordancia de número entre un pronombre en plural y su antecedente colectivo. Por el contrario, la rotunda agramaticalidad de las oraciones de (42), ya señalada por Bello, parece plantear algún problema a la hipótesis —formulada de diversas maneras en la bibliografía teórica moderna— que interpreta el sujeto en español como el antecedente (situado en una posición temática periférica) de los rasgos de persona y número de la flexión verbal. Ciertamente, sin más diferencias no esperaríamos contrastes tan claros como los que se dan entre (42) y (43), basados en su mayor parte en la existencia de límites oracionales entre la flexión de persona y sus posibles antecedentes.

1.4.5. Sustantivos colectivos y predicados con argumentos plurales

Hemos visto en el § 1.4.3 que las relaciones anafóricas no distinguen los sustantivos individuales de los colectivos. En el § 1.4.4 hemos comprobado que —por el contrario— los sustantivos colectivos poseen rasgos plurales que sirven de antecedentes de los pronombres, y en ocasiones de la información pronominal de número contenida en la flexión verbal. En este apartado examinaremos algunos comportamientos de los sustantivos colectivos como argumentos de los predicados que exigen plurales. Los sustantivos colectivos son aceptados en buena medida en estos contextos, aunque también existe considerable variación. En cualquier caso, las diferencias entre estos casos y los examinados en el § 1.4.2 muestran claramente que los sustantivos colectivos satisfacen más holgadamente las condiciones léxicas de pluralidad que los predicados pueden imponer a sus argumentos que las relaciones sintácticas de tipo anafórico o cuantificativo. Distinguiremos en apartados distintos las preposiciones, los verbos, los adjetivos y los adverbios.

1.4.5.1. Términos singulares de la preposición entre

La preposición *entre* toma como término o complemento SSNN formados con sustantivos plurales como en (46a), o bien por SSNN coordinados, como en (46b): [54]

(46) a. Entre las flores. / Entre estos libros. / Entre amigos.
b. Entre la espada y la pared. / Entre Juan y Pedro. / Entre mil y dos mil pesetas.

Frente a preposiciones aparentemente cercanas, como *en medio de,* la preposición *entre* no admite, en términos generales, singulares individuales como término (se entiende, naturalmente, en ausencia de coordinación):

(47) a. Encontraron el cadáver en medio del lago.
b. *Encontraron el cadáver entre el lago.

[54] No es trivial, desde luego, el problema de conseguir un plural a partir de una coordinación, pero el proceso formal que lo permitiría queda por entero fuera de los propósitos de esta descripción.

(48) a. Perdí la nota entre {*el libro/las páginas del libro}. [55]
b. El tesoro estaba entre {*la pared/las paredes}.

Nótese que esta relación no es en sí misma muy diferente de otras bien conocidas entre pluralidad y coordinación: como sabemos, el sujeto de *cantan* solo podrá ser un SN cuyo núcleo (nominal o pronominal) tenga rasgos de plural, o bien un sintagma coordinado. [56] Tiene por ello especial interés el que la preposición *entre* pueda aparecer con ciertos sustantivos en singular que no cumplen ninguna de las condiciones mencionadas. Es lo que sucede en los sintagmas de (49), formados con sustantivos colectivos de persona:

(49) Entre el público, entre el vecindario, entre la juventud, entre el clero, entre el ejército, entre la muchedumbre, entre el alumnado, entre la comitiva, entre la tripulación, entre el gentío, entre la multitud, entre la crítica especializada, entre la población, entre el electorado, entre el séquito, entre la alta sociedad, entre la marabunta, entre la competencia [57], entre la comunidad musulmana, entre el personal sanitario, entre la elite, entre la plantilla, entre la orquesta. [58]

Los colectivos duales, como *pareja* o *matrimonio* no escapan a esta generalización:

(50) Las discusiones entre la pareja. / Unas conversaciones íntimas entre la pareja misteriosamente captadas. / Las desavenencias entre el matrimonio Fujimori [*El Mundo,* 4-IV-1995, 26].

Algunas unidades léxicas compuestas se interpretan como sustantivos colectivos de persona, sin que lo sea propiamente el núcleo nominal que las constituye. Son expresiones colectivas *opinión pública* (frente a *opinión*), *tercera edad* (frente a *edad*),

[55] No encuentro excepciones sistemáticas a esta generalización, pero sí algunas ocasionales, que todos mis informantes han rechazado como parte de la lengua actual común:

(i) Fue casi imposible encontrar huecos entre el muro germano [*El Mundo,* 23-II-1995, 79] / Entre la cena, le preguntó don Rafael que cúyo hijo era [Cervantes, *Quijote* II, 12; cit. en *DCRLC* III, 641b] / Las cenizas del Libertador se estremecían de gozo entre la sepultura [Mallorquín, *Blas Gil;* cit, en *DCRLC* III, 640a] / Con la siniestra mano entre el bolsillo, principié a contar las... [J. E. Rivera, *La vorágine;* cit. en *DCRLC* III, 640a] / (...) no le cabía el alma entre el cuerpo [Arciniegas, *Biografía del Caribe;* cit, en *DCRLC* III, 640a].

En la lengua actual no usaríamos *entre* con sustantivos individuales aunque designen objetos extendidos o amplios, como las telas: *La carta apareció entre {*la sábana / las sábanas}.* Sin embargo, Cervantes emplea este tipo de construcción en *El Quijote*:

(ii) a. Traía en las manos un lienzo delgado, y entre él, a lo que pude divisar, un corazón de carne momia [Cervantes, *Quijote* II, 23; cit. en *DCRLC* III, 639b].
b. La última, que traía el corazón entre el lienzo, era la señora Belerma [Cervantes, *Quijote* II, 23; cit. en *DCRLC* III, 639b].

[56] La relación entre pluralidad y coordinación muestra además que el pronombre *sí*, que se estudia pormenorizadamente en el cap. 23 de esta obra, tiene rasgos implícitos de número. Si no los tuviera de plural no podríamos explicar el que pueda ser término de la preposición *entre: entre sí*.

[57] Esto es, el conjunto de individuos o empresas con que se compite, acepción de *competencia* que no recoge todavía el DRAE. Por razones análogas, *oposición, profesión, redacción, selección, vanguardia* y *promoción* son también sustantivos colectivos de persona, y de hecho se combinan con *entre*.

[58] Este último disuena para algunos hablantes. Encuentro *la sola presencia del Maestro entre la orquesta* en *ABC Cultural,* 29-IV-1994, 42.

mundo intelectual o *mundo desarrollado* (frente a *mundo*), *sexo masculino* (frente a *sexo*), etc., y todas aceptan la preposición *entre* con naturalidad: [59]

(51) a. Se acepta {en/*entre} el mundo.
b. Se acepta {en/entre} el mundo intelectual.

Así pues, *tercera edad* pasa a significar «el conjunto de las personas de la tercera edad», y *sexo masculino* se usa como colectivo para designar el conjunto de los varones. También aceptan *entre* los colectivos determinados que no designan agrupaciones de personas:

(52) Entre el material de trabajo que este autor maneja. / Entre el mobiliario destacaban las sillas. / Entre el rico anecdotario de la campaña electoral cabe señalar... / Entre el arsenal incautado. / (...) asomó por entre el cañaveral [Isaacs, *María;* cit. en *DCRLC* III, 638a] / Los caballeros que esto oyeron se meten entre una arboleda que cerca del camino había [Montemayor, *Diana;* cit. en *DCRLC* III, 640a] / (...) las tres torres emergentes entre la floresta nocturna [*El Mundo,* 27-II-1996, 15] / Sus restos yacen entre el fuselaje chamuscado.

Muchos nombres de resultado, como *producción, programación, documentación, oferta,* etc. pasan a ser colectivos y se interpretan como «el conjunto de las cosas producidas, programadas, documentadas, ofrecidas», con lo que admiten *entre* con naturalidad.

Los llamados 'colectivos indeterminados', que más arriba hemos caracterizado como nombres cuantificativos de grupo, aceptan también *entre,* lo que es absolutamente esperable puesto que estos sustantivos introducen plurales *(entre el grupo de ciudadanos, entre la mayoría de votantes).* Son estos plurales de la construcción pseudopartitiva los que son sensibles a la selección de *entre.* Como vimos, es frecuente que este paradigma se vea ampliado con sustantivos que en principio no son cuantificativos, pero que pasan a serlo al emplearse en esta construcción. Conviene, pues, deslindar su comportamiento como sustantivos individuales del que muestran en tanto que nombres cuantificativos. Obsérvese que a cada secuencia agramatical de (53) le corresponde una gramatical en (54):

(53) *Lo encontré entre el bosque. / *Se había perdido entre la avalancha. / *El niño tiene que estar entre este laberinto. / *Me temo que apareces entre la lista. / *La víctima ha quedado sepultada entre este alud.

---

[59] El papel de adjetivos relacionales como *general* o *generalizado* es de gran importancia gramatical en estos casos porque parecen añadir información argumental con rasgos de plural, y en este sentido permiten que se formen sintagmas de interpretación colectiva a partir de sustantivos que no lo son:

(i) a. Entre {??la risa/la risa general}.
b. Entre {??la insensatez/la insensatez generalizada}.

Sobre las propiedades gramaticales de los adjetivos relacionales véase el § 3.3 de esta obra.

(54) Lo encontré entre el bosque de brazos que se había formado. / Se había perdido entre la avalancha de visitantes. / El niño tiene que estar entre este laberinto de casetas. / Me temo que apareces entre la lista de sospechosos. / Leves rasgos de ingenio sepultados entre un alud de memeces.

Así pues, los sustantivos *bosque, avalancha* o *laberinto* no son colectivos (rechazan *entre* y también las construcciones examinadas en los apartados siguientes).[60] Sin embargo, las oraciones de (54) son gramaticales porque estos sustantivos funcionan en ellas como nombres cuantificativos de grupo. En consecuencia, no están siendo seleccionados por la preposición *entre,* que incide directamente sobre los plurales que aparecen en su complemento. Como vimos, en la lengua actual son muchos los nombres que se utilizan fundamentalmente en esta interpretación cuantificativa, por tanto con un complemento prepositivo en plural: *aluvión, amasijo, lista, círculo, alud, nómina, legión, galería,* entre otros muchos que también aceptan *entre* por las razones indicadas. Recuérdese (24), más arriba.[61]

Como observa Morreale (1973: 143), la preposición *entre* admite también como término sustantivos no contables. Se trata de nombres como *ceniza, niebla, arena, grasa, follaje, asfalto, oferta,* etc. En (55) se muestran algunos ejemplos:[62]

(55) Se abrieron camino entre la maleza. / Restos del desastre encontrados entre la hierba. / Buscábamos entre la paja del gallinero. / Se había perdido entre la bruma de la isla. / Apareció entre el fango. / La nota que encontraron entre su ropa interior. / Estaban atrapados entre el fuego cruzado de la artillería (es decir, «entre los disparos»). / Entre la oferta existente destaca... / Lo descubrieron entre la basura. / Surgió de entre la humareda. / Busquémoslo entre la chatarra. / Andan despistados entre la oscuridad [Sánchez Ferlosio, *El Jarama;* cit. en Morreale 1973: 144] / Parecía una laguna el ancho río entre la blanca niebla [Machado, *Poesías completas;* cit. en *DCRLC* III, 639b] / En el fondo asoman las paredes de una casa entre el brillante y

---

[60] Recuérdese que *arboleda* sí lo es, como se muestra en el ejemplo de la *Diana* de Montemayor citado en (52). A los sustantivos cuantificativos de grupo recogidos en (54) se pueden añadir otros infrecuentes, como *muro* en *entre el muro de cuerpos amontonados* [*El Mundo,* 27-I-1995, 48]. El sustantivo *muro* no es colectivo, por lo que no se construye con *entre,* a pesar de lo que sugieren algunos usos aislados, como el que entresaco en la nota 55.

[61] Muchos sustantivos que sugieren sonido, ruido, estrépito, algarabía u otras manifestaciones expansivas, se combinan con *entre.* Con frecuencia se trata de complementos continuos, como *entre el fragor de la música,* pero en ocasiones es difícil saber si se trata de esta construcción o bien de la construcción pseudopartitiva ejemplificada en (54). A favor de la primera hipótesis figura el hecho de que se trata de sustantivos no contables a favor de la segunda el que casi nunca se construyan sin complemento tras la preposición *entre*:

(i) Entre la euforia de sus partidarios, entre el murmullo de los periodistas, entre el alborozo del público, entre el regocijo de sus amigos, entre el entusiasmo de la ciudadanía, entre el chirriar de los carros, entre el clamor general.

[62] Parece de todas formas que los nombres de materia requieren alguna condición adicional relativa a la separación que exista entre las partículas o los componentes del objeto designado. Los sustantivos han de designar objetos *no compactos* (término de García Meseguer 1993), lo que Cuervo (*DCRLC* III, 639) reflejaba con el peculiar concepto 'sólidos blandos'. Como se muestra en (i), los líquidos no suelen aceptarse:

(i) a. Lo encontré {en/entre} el barro.
b. Lo encontré {en/*entre} el agua.

Disuena por ello para muchos hablantes el siguiente texto de Caballero Calderón: *...copiando la estampa de esos pueblos que se tiran de bruces al mar o que acaban de salir de entre el agua* [Caballero Calderón, *Ancha es Castilla;* cit. en *DCRLC* III, 639]. Los gases no se conceptúan como los líquidos en este punto, sino como los sólidos: *(...) vi a una mujer salir entre el humo* [*El Mundo* 20-IV-1995, 10]. Véase, más adelante, el § 1.6.1.

oscuro follaje [Azorín, *Trasuntos de España;* cit. en *DCRLC* III, 639a] / (...) en el corazón de la hoguera, entre la ceniza, perduró casi intacto el libro de (...) [Borges, *El Aleph;* cit. en *DCRLC* III, 639b] / En la playa las tortugas (...) dejan sus huevos entre la arena caliente [Borges, *El Aleph;* cit. en *DCRLC* III, 639b] / Se habían perdido entre la nieve. / Desde allí surgía Madrid (...) por entre la grasa del aire polvoriento [Baroja, *La busca;* cit. en *DCRLC* III, 639b] / Y rebuscando sobre una repisa, entre el polvo pesado de los años [*El Mundo,* 8-VIII-1995, 4].

1.4.5.2. Predicados verbales que poseen plurales colectivos como argumentos

Predicados como *reunir, combinar, juntar, recopilar, coleccionar, agrupar, sumar, amontonar,* etc. tienen en común la importante propiedad de que seleccionan plurales colectivos como complementos: si alguien reúne diez lámparas no podemos decir que «reúne cada una de las diez lámparas» (frente a lo que sucede si las limpia), puesto que el predicado verbal establece una relación léxica con el conjunto de elementos que toma como argumento, no con cada uno de sus componentes. Lo mismo en *combinar varios colores* o *coleccionar mariposas.* Consideremos ahora estas dos oraciones formadas con el verbo *reunir:*

(56) a. Los miembros de la familia se reunieron ayer.
b. La familia se reunió ayer.

Descartemos por el momento la interpretación en la que puede faltar el argumento preposicional de *reunirse,* es decir, la interpretación (más característica de políticos y ejecutivos que del resto de los individuos) en la que una persona puede «reunirse», en el sentido de «estar reunida con otras no especificadas». Si descartamos esta interpretación, veremos que aun así la oración (56b) es gramatical, y sin embargo, no lo es **El padre se reunió ayer.* Este simple contraste muestra que el verbo *reunirse* puede tener como argumento no sólo sintagmas plurales, sino también sustantivos colectivos. Es decir, el plural que el verbo exige a su argumento lo satisfacen los rasgos morfológicos del sustantivo o bien los rasgos léxicos que el sustantivo colectivo lleva asociados. He aquí otros ejemplos con *reunir* y *reunirse:*

(57) La {pareja/flota/documentación/vajilla/colección de arte/antología/biblioteca} que se reunió.
(58) El {patrimonio/reparto/comité/gobierno/cuarteto de cuerda/público} reunido.

Una consecuencia inmediata de este hecho es que el plural exigido por estos predicados pueden legitimarlo los rasgos léxicos del sustantivo colectivo o bien el plural morfológico que el propio sustantivo puede manifestar en su flexión. Ello explica de forma natural la ambigüedad de oraciones como (59):

(59) Las familias se reunieron.

Esta oración se puede interpretar de dos formas: significa que hubo una sola reunión de familias, o bien que hubo tantas reuniones como familias. En el primer caso, la oración se analiza como se analizaría *Los hombres se reunieron,* es decir, el plural de *familias* aporta el rasgo que el predicado *reunirse* exige a su argumento. Se trata, pues, de un plural colectivo, con lo que obtenemos la interpretación de una sola reunión. El sustantivo *familia* se interpreta en este caso como sustantivo individual, no como colectivo, desde el momento en que sus rasgos plurales no intervienen en la construcción. En el segundo caso, la oración se analiza como se analizaría *La familia se reunió,* es decir, es la naturaleza colectiva de *familia* la que aporta esa información múltiple que *reunir* necesita saturar léxicamente. Pero como el sujeto es *las familias,* el predicado *reunieron* denota un conjunto de «eventos de reunirse», es decir, de reuniones. Estamos, pues, ante un plural distributivo, puesto que de cada miembro del conjunto de familias se predica la propiedad que el verbo denota. Como ya vimos en (42), no es posible que el rasgo de pluralidad del sustantivo colectivo lo sature directamente la flexión verbal *(*La familia se reunieron).* En suma, la ambigüedad de este tipo de oraciones es el resultado de la interacción entre los rasgos flexivos del plural y los rasgos léxicos de pluralidad, lo que nos confirma la relevancia gramatical de la clase de los sustantivos colectivos.

1.4.5.3. Adverbios que se predican de sustantivos colectivos: por unanimidad, por mayoría, *etc.*

El DRAE no proporciona exactamente una definición de la palabra *unánime,* pero especifica a quién se aplica: «Dícese del conjunto de las personas que convienen en un mismo parecer, dictamen, voluntad o sentimiento». Los adverbios *por unanimidad, por mayoría,* etc., actúan de forma parecida a los complementos predicativos, y en ese sentido imponen tales requisitos numéricos a las entidades de las que se predican. Estos adverbios modifican a predicados de decisión o de expresión de sentimiento. El sujeto de tales verbos, o el complemento agente correspondiente en las construcciones pasivas, habrá de ser un sintagma plural o coordinado. Resulta, pues, interesante que se acepten con naturalidad los sustantivos colectivos en singular:

(60) a. *El director acordó el despido por unanimidad.
b. Los directores acordaron el despido por unanimidad.
c. La dirección acordó el despido por unanimidad.

La oración (60c) es gramatical porque el sustantivo colectivo *dirección* aporta el rasgo léxico de pluralidad que *por unanimidad* exige al elemento del que se predica. He aquí otros ejemplos (en cursiva los colectivos):

(61) El *congreso* aprobó la ley por mayoría. / Sentencias confirmadas por el *tribunal* por absoluta unanimidad. / La propuesta había sido aprobada por el *Comité* Central por mayoría simple. / La decisión acaba de ser adoptada por la *junta* unánimemente. / El *electorado* rechazó la propuesta unánimemente. / La *asociación* había aprobado por mayoría absoluta concederle la medalla de oro.

1.4.5.4. El adjetivo numeroso *en singular*

El adjetivo *numeroso,* rechaza, como ya sugiere su propia etimología, los sustantivos singulares individuales. Ciertamente, no decimos **una pared numerosa* ni **una carretera numerosa,* independientemente de que la primera pueda tener muchos ladrillos o de que por la segunda puedan circular muchos automóviles. Nótese ahora que tampoco podemos hablar de **una numerosa cordillera* ni de la **numerosa dentadura* de un pez, independientemente de las montañas que compongan la primera y de los dientes que constituyan la segunda. Tiene particular interés el que *numeroso* admita sustantivos en singular si son colectivos.[63] Los ejemplos de (62a) contienen sustantivos colectivos de persona:

[63] Encuentro algún caso de *numeroso* con singulares no colectivos y no coordinados, pero se trata de usos estilísticos

(62) a. El numeroso {público/grupo/pelotón/reparto/convoy/accionariado/contingente/armamento/séquito/orfeón/clan/conjunto/equipo/corro/reparto/bloque/exilio [64]}.
b. La numerosa {familia/tribu/orquesta/representación/servidumbre/audiencia/colonia/prole/escolta/comitiva/comunidad/organización/plantilla/delegación}.

Los colectivos de cosa son mucho menos frecuentes, pero aun así cabe señalar algunos, como en *una numerosa {correspondencia/fauna/obra/flota/oferta}* o en *un numeroso rebaño*. Disuena para muchos hablantes *??su numerosa biblioteca,* lo que sugiere que la lengua categoriza como individual este sustantivo (como sucedía con *dentadura* o *cordillera*), es decir, el hecho de que el objeto designado se componga de muchos elementos análogos, en este caso los libros, no se traduce lingüísticamente en que la gramática asigne al sustantivo en cuestión el rasgo de pluralidad que asigna a otros colectivos.

El adjetivo *numeroso* usado en plural y en posición prenominal se comporta como un cuantificador análogo a *muchos, varios,* etc. Usado en plural en posición posnominal mantiene sus propiedades adjetivales con los rasgos que hemos examinado. Ello explica la diferencia entre *numerosas familias* («muchas», «varias») y *familias numerosas* [→ § 3.5.2.3]. Como la interpretación cuantificativa no se mantiene en posición posnominal, no tenemos una ambigüedad como la estudiada en *Las familias se reunieron* y casos análogos.

1.5. Sustantivos abstractos y concretos: una oposición conflictiva

1.5.1. Introducción. Criterios clásicos en que se basa la clasificación

Los nombres abstractos son, según la tradición, los que designan las entidades a las que no atribuimos «una existencia real», en palabras de Bello. Constituyen, pues, «las cualidades que atribuimos a los objetos suponiéndolas separadas o independientes de ellos» (Bello 1847: § 103). El gramático venezolano, y con él otros muchos, se refiere a los sustantivos deadjetivales y deverbales (sus ejemplos son *verdor, redondez, temor, admiración*). El término 'abstracto' significa etimológicamente «separado», como recuerda el propio Bello, puesto que tales sustantivos —se dice— designan entidades separadas de las cosas mismas, esto es, características o propiedades suyas relativas a su forma, tamaño, color, composición, uso, valor, apreciación, interpretación y otras muchas nociones igualmente predicables de los objetos. Pueden verse descripciones muy similares en muchas otras gramáticas tradicionales. [65]

Pocas distinciones gramaticales resultan tan escurridizas como esta cuando se sale de los ejemplos más claros que cabe proponer para cada una de las dos clases. Como veremos, existen serias dudas sobre si tiene sentido mantener propiamente la

---

con efectos estéticos buscados, como el empleo de *numeroso* por *prolífico* en *ese escritor sutil y numeroso* [*El Mundo*, 22-I-1995, 92].

[64] Esto es, «conjunto de personas exiliadas».

[65] Para un repaso a las definiciones de 'sustantivo abstracto' en nuestra tradición gramatical, véase Gómez Asencio (1985: § 1.2.4).

distinción, puesto que muchos indicios hacen pensar que la clasificación debe sustituirse por otras de abarque más específico. Paradójicamente, la noción de 'nombre abstracto' resulta poco concreta para ser aprehendida en los términos que la gramática pueda aceptar o comprender.

La interpretación clásica del concepto de 'nombre abstracto' plantea problemas inmediatos cuando queremos ir más allá del criterio morfológico, es decir, cuando consideramos otros sustantivos diferentes de los derivados que terminan en *-era, -ura, -ancia, -anza, -ada, -ción,* etc. En primer lugar, los ejemplos que los propios gramáticos suelen aducir cuando extienden su análisis no acaban de encajar en la definición que suelen proponer. El propio Bello, que comienza con ejemplos claros, como *altura* y *fluidez* (1847: § 103), pasa luego casi inadvertidamente a hablar de sustantivos (abstractos en su opinión) como *figura, tiempo, espacio, gracia* o *fortuna.* Justifica etimológicamente el caso de *virtud,* derivado de *vir* 'varón', «porque al principio se entendió por virtud *(virtus)* lo que llamamos fortaleza, como si dijéramos varonilidad» (1847: § 104). Aun admitiendo que este último sea un nombre de cualidad, y que *gracia* o *fortuna* designen también propiedades de los individuos, no parece que *tiempo* o *espacio* lo sean de la misma manera. Las mismas dudas nos asaltarán si nos preguntamos si son concretos o abstractos sustantivos como *música, miedo, hambre, sueño,* etc.

El concepto de 'independencia' se ha presentado múltiples veces en la tradición como elemento central de la definición de 'sustantivo abstracto'. Amado Alonso y Henríquez Ureña (1938: § II, § 44), entre otros muchos autores, lo recogen en su caracterización: son concretos los «nombres de los objetos independientes», y abstractos los de los «objetos no independientes», donde «ser independiente quiere decir tener existencia individual». Como se ha hecho notar en no pocos trabajos (entre otros, parte de los reunidos en Flaux y otros 1996), esta *independencia* es la base tradicional de la noción misma de 'abstracción' desde Abelardo, Tomás de Aquino o Guillermo de Occam. *Abstracto* significa «extraído» o «independiente» de la existencia del objeto, con lo que las entidades que no designan objetos físicos, esto es 'seres materiales', constituyen los candidatos naturales para formar parte de esa clase.

Fernández Ramírez (1951: § 94) intentaba precisar las nociones que encierra la categoría de nombre abstracto, y tras mencionar los «nombres verbales de acción» añadía «los de los estados físicos, de cualidad, de categorías lógicas, de entes y realidades complejas», para concluir con «...conceptos de muy diferente naturaleza». No es de extrañar que los gramáticos que han intentado proseguir tal concepción pensando en diversos tipos de sustantivos hayan tenido que reconocer la falta de herramientas para obtener resultados fiables. En nuestra tradición son probablemente los citados Alonso y Henríquez Ureña los que muestran mayor porfía. Argumentan (1938: II, § 39) que los sustantivos designan objetos, lo que no quiere decir únicamente entidades materiales, sino también «cualquier aspecto de la realidad que no sea independiente cuando lo consideramos en sí mismo», lo que se aplica a *blancura* o a *delgadez.* Enseguida notan la inestabilidad de esa distinción. Para tratar de afinarla apuntan que (1938: 45) percibimos los objetos concretos por los sentidos y los abstractos por la inteligencia, pero reparan en que el olor se percibe por los sentidos. Según este criterio, *olor* es concreto, pero al mismo tiempo es evidente que no designa un objeto material, sino más bien los efectos de una emanación. Consideran luego casos como *el canto del pájaro, el calor, el relámpago, la luz* y tratan de aplicar a esos casos la noción tradicional de «objeto independiente» con diversas consideraciones,[66] pero reconocen abiertamente su escaso éxito, como muestra su conclusión (1938: 45) «por la misma naturaleza del asunto, es imposible trazar la división exacta entre los nombres concretos y los abstractos».

El análisis de Alonso y Henríquez Ureña es representativo de una actitud relativamente habitual en la tradición: los gramáticos tradicionales se refieren una y otra vez a la dificultad de caracterizar con precisión la clase de los nombres abstractos, pero no parecen plantearse la pregunta que resulta natural en términos actuales: el problema no es exactamente qué definición debemos dar del concepto 'sustantivo abstracto', sino más bien determinar si la clase de los nombres abstractos tiene entidad gramatical delimitada, esto es, si se trata o no de una clase asimilable a otras clases de sustantivos o a otras interpretaciones semánticas que no constituyen necesariamente clases léxicas. No parece tampoco que los gramáticos tradicionales se planteen otras preguntas previas que parecen pertinentes:

— ¿Por qué habría de ser sensible la gramática a la naturaleza material o inmaterial de las entidades que somos capaces de nombrar?
— ¿Por qué debería tener reflejo gramatical el concepto de 'independencia' en que se basa la noción de sustantivo abstracto?

Sabemos que sólo ciertas distinciones del mundo real (sean internas o externas a los seres humanos) tienen un correlato gramatical claro. La distinción 'concreto-abstracto' parece asumir, quizás con demasiadas expectativas, que esas formas de percibir o conceptuar las entidades han de verse reflejadas en las clases léxicas de sustantivos que reconocemos, más allá de aquellas otras cuya relevancia ya ha sido probada: las que denotan clases de individuos, materias y grupos.

Roca Pons (1960: 163) se daba perfecta cuenta del tipo de limitaciones que estamos considerando cuando notaba que en la distinción concreto-abstracto «no existe un punto de partida, de base formal o semántica, que nos permita proceder con un verdadero rigor científico». Mucho más recientemente, Martin (1996) y Wilmet (1996) suscriben, con más argumentos y matizaciones, posiciones próximas. De hecho, el reciente congreso monográfico sobre los nombres abstractos al que pertenecen esos trabajos (Flaux y otros 1996) muestra a las claras que, si bien ciertas clases de sustantivos que no denotan objetos físicos se ajustan a algunas propiedades semánticas y sintácticas estables, el término 'abstracto' resulta ser demasiado vago para designar todas esas interpretaciones a la vez.

Todo parece indicar, en consecuencia, que la gramática no concede particular relevancia en sus esquemas formales a la clase específica de los sustantivos abstractos entendida como tal, es decir, como una división paralela a otras que hemos visto antes, como 'contable/no contable' o 'individual/colectivo'. Esto viene a significar, en consecuencia, que casi siempre que llamamos *abstracto* a un sustantivo estamos considerando alguna otra propiedad o interpretación suya que se puede definir independientemente. Veamos un ejemplo sencillo: clasificaremos sin duda como abs-

[66] Galmiche y Kleiber (1996) notan, en el mismo sentido, la paradoja que presentan sustantivos como *explosión* en *La explosión sólo duró unos segundos.* Desde luego, se trata de una noción percibida sensorialmente de la que predicamos una propiedad física, como es la duración. En el § 1.5.2.4 me refiero a la clase de los 'nombres eventivos' y a alguna de sus propiedades gramaticales.

tracto cualquier sustantivo que ocupe el lugar de N en el esquema *Eso es un acto de N,* pero en realidad son sólo una pequeña parte de los abstractos, los sustantivos que designan actos, los que se admiten en esa pauta. En el apartado siguiente veremos algunas otras de esas *interpretaciones parciales* que recibe a veces el concepto de 'sustantivo abstracto'.

1.5.2. Interpretaciones de los sustantivos abstractos

Como reconocen los diccionarios, las interpretaciones de los nombres derivados son múltiples. El sustantivo *entrada* significa «el hecho de entrar» en *La entrada es posible;* significa «la acción de entrar» en *La entrada es lenta*; significa «el lugar por el que se entra» en *La entrada era estrecha,* y «el instrumento para entrar» en *Llevo la entrada en el bolsillo.* Otros muchos sustantivos poseen interpretaciones análogas [⟶ Caps. 6 y 69]. En realidad, cualquier tipología de los modos de acción [⟶ Cap. 46] presenta aproximaciones más detalladas a las clases aspectuales de sustantivos de lo que sugiere la vaguedad de la distinción 'concreto-abstracto'. En este apartado veremos que al intentar clasificar las nociones que parece encerrar el concepto de 'nombre abstracto' desembocamos en otras nociones que tienen sentido independientemente como unidades del análisis lingüístico.

1.5.2.1. Interpretaciones genéricas y referentes imaginarios

Se consideran a veces 'abstractos' los sustantivos de referente imaginario, tal como hace notar Martin (1996). Habrá quien considere 'concreto' el sustantivo *barco* en el sintagma *El barco que está atracado en el muelle,* y 'abstracto' el uso del mismo sustantivo en *El barco con el que soñé ayer nunca ha existido ni existirá,* pero lo cierto es que la gramática no asigna a estas interpretaciones clases léxicas distintas o, lo que es lo mismo, no hay nada en el sustantivo *barco* que explique la diferencia entre esos dos usos. Análogamente, las interpretaciones inespecíficas de los SSNN *(El libro que escriba)* se diferencian de las específicas *(El libro que he escrito),* tal como se estudia detalladamente en el cap. 50, pero —de nuevo— estos valores no tienen relación alguna con las clases de nombres.

Cuando decimos *El caballo es un cuadrúpedo* no estamos tampoco usando *caballo* como «sustantivo abstracto», sino interpretando el SN *el caballo* con un valor genérico, tal como se muestra en el § 12.3.3. La prueba más clara de que ni estas ni las anteriores constituyen clases léxicas de sustantivos la proporciona el simple hecho de que cualquier nombre puede recibir tales interpretaciones si se dan las condiciones sintácticas y semánticas adecuadas.

1.5.2.2. Usos figurados y usos primitivos

Son pocos los sustantivos que no tengan usos figurados, sean metafóricos, metonímicos o de otro tipo. Si interpretamos estos usos como 'abstractos' estaremos usando el término para alguna de esas acepciones, con frecuencia presentes en el diccionario. Así, la expresión *un apoyo* puede designar «un bastón», pero también otro tipo de ayuda inmaterial. No hace falta insistir en que usamos *cabeza* por «mente», *voz* por «expresión» u «opinión» y *camino* por «recorrido» o «trayectoria», entre varios miles de usos figurados de los nombres.[67] Nada hay en contra de usar el término 'abstracto' con esas interpretaciones, siempre que al hacerlo no olvidemos que estamos suplantando con él otros conceptos mucho más específicos.

También pueden concebirse como abstractos los nombres de los objetos que encierran símbolos. Podemos llamar 'abstracto' al uso del sustantivo *bandera* —ejemplo de Martin (1996)— en *el respeto a la bandera,* y 'concreto' a su empleo en *Se mojó la bandera,* pero, ciertamente, los símbolos constituyen formas metonímicas, pero no proporcionan clases léxicas de sustantivos. Un aro, una bandera, una paloma, una cruz o una espada pueden ser símbolos, y por tanto, representar países, valores o movimientos. En esos casos la abstracción la proporciona el concepto mismo de 'símbolo', sin que la gramática pueda situar tales sustantivos en una clase léxica, de acuerdo con las propiedades que ella reconoce.

1.5.2.3. Nombres continuos de objetos inmateriales

Es antigua la idea, a mi entender muy bien encaminada, que sugiere que la división entre contables y no contables se cruza con la división entre concretos y abstractos. Para la RAE, los sustantivos abstractos (1973: § 2.3.4b) «se asimilan a los de sustancia» —es decir, a los continuos—, y propone ejemplos como *mucho odio* y *poca vergüenza* para aclarar esa «asimilación». Bloomfield (1933: § 12.13) y Jespersen (1924) insistían particularmente en este punto, que otros autores han enfatizado también.[68] Ello confirma que la división entre concretos y abstractos es mucho menos central en el sistema gramatical que la división entre contables y no contables y que, de hecho, puede remitirse en parte a ella: tanto los continuos como los discontinuos pueden aludir a clases de objetos materiales e inmateriales, sin que esta diferencia tenga una manifestación especial. La relación entre el cuantificador y el sustantivo es, pues, idéntica en *mucho arroz, mucha arena, mucha pena* y *mucho entusiasmo.* En (63) se muestran algunos ejemplos de ese cruce de las dos clasificaciones:

(63) a. *Abstractos contables:* condición, problema, propiedad, virtud, característica, resultado, matiz, opinión, trato, motivo, excusa.
b. *Abstractos no contables:* paciencia, humor, zozobra, pena, sentido común, entusiasmo, perspicacia, velocidad, inteligencia, sabiduría, suerte.[69]
c. *Abstractos contables y no contables:* alegría, desgracia, inquietud, manía, razón, información, dificultad, torpeza.

De forma parecida a como muchos continuos concretos se interpretan como discontinuos [→ § 74.3.2.1] con el significado de «porción de materia» (recuérdense los casos de *cristal, papel, algodón,* etc. considerados en el § 1.2.3.4), muchos nom-

---

[67] Nótese que la diferencia entre *Queda mucho camino por delante* y *Los tres caminos que he recorrido* no introduce un uso abstracto frente a otro concreto, sino uno continuo frente a otro discontinuo. Véase sobre esta cuestión el § 1.5.2.3.

[68] Entre otros muchos, Carroll (1978) y Moravcsik (1973). Para el español apunto algunas consideraciones sobre esta cuestión en Bosque 1983. Cf. también García Meseguer 1990, entre otros trabajos.

[69] Se entiende, sin cambiar la interpretación. El plural *penas* es un caso de *pluralia tantum* (véase más arriba el § 1.3). Si se altera la interpretación se obtienen significaciones diferentes, como en *las suertes del toreo, nuestros sentidos, un motor de cuatro velocidades,* etc. Cf. otros muchos casos en Morreale 1971, 1973.

bres de cualidad continuos, generalmente derivados deadjetivales, poseen acepciones discontinuas que reciben la interpretación de «acto». Se ha observado desde Bello (1847: § 122) que esta recategorización es más frecuente si las nociones son negativas ('pasiones especiales', según Bello): *una imprudencia* es un «un acto de imprudencia» y *una injusticia* es «un acto de injusticia», pero *una prudencia* es «un tipo de prudencia» (§ 1.2.3.2), no un acto, y *una justicia* es también «un tipo de justicia», no «una acción justa».[70] Como *imprudencia* e *injusticia* se comportan *insensatez, ingratitud, inconstancia, desobediencia* (frente a sus antónimos no prefijados). Pertenecen al mismo grupo, aunque no posean prefijo negativo, *tontería, idiotez, debilidad, arbitrariedad, crueldad, flaqueza, necedad.* Entre los pocos sustantivos no depreciativos que pertenecen a este paradigma figuran *inquietud, amabilidad (una amabilidad por su parte), atención.* Junto a la interpretación de «acto» en la recategorización de los abstractos continuos en concretos discontinuos, es también frecuente la de 'persona' u 'objeto': *una belleza, un desastre, un horror, una maravilla, un espanto, una eminencia, una autoridad, un encanto;* no en cambio, *una simpatía, una brillantez,* ni otros muchos que sólo se recategorizan en la interpretación de tipo, que, como vimos, la sintaxis proporciona por defecto (§ 1.2.3.2).

La ausencia de determinante en entornos preposicionales es también muestra de la naturaleza continua de estos usos, no de su naturaleza abstracta. Decimos *La despidió con pena,* y no *??La despidió con pañuelo,* porque *pena* es un nombre de materia, como *arroz* o *harina,* no porque sea un nombre abstracto. Los sustantivos continuos abstractos se comportan de la misma manera que los continuos concretos en los esquemas presentados en el § 1.2.2. Decimos, pues, *toda la pena,* y no **la pena entera.* Compárese, asimismo, *la mitad de la pena* con **media pena.* Lo mismo sucede en los demás casos presentados en aquel apartado.

Apoya también el análisis de estos abstractos como una clase de los continuos (quizás inmateriales, si se desea) el que los nombres acotadores se extiendan a ellos con naturalidad. Decimos *un hilo de agua,* pero también *un hilo de esperanza; un ataque de tos* y también *de locura; una brizna de hierba* y también *de sentido común.* He aquí otros ejemplos:

SUSTANTIVO ACOTADOR	CON CONCRETOS	CON ABSTRACTOS
soplo	aire, viento	inspiración, renovación
ataque	tos, fiebre, risa	celos, locura
golpe	tos	suerte
chorro	agua, luz, lava, voz, aire, tinta, dinero	gas, energía[71]
corriente	agua	simpatía, protesta

[70] Véanse sobre este punto Ianucci 1952: 37, Bosque 1983: 83 y Wald 1990: 391.

[71] Encuentro *chorros de luna amarilla* en *La Vanguardia* 21-VII-1995, 53, y *chorros de demagogia* en *El Mundo,* 14-V-1995, 96.

SUSTANTIVO ACOTADOR	CON CONCRETOS	CON ABSTRACTOS
racha	viento	suerte, inspiración
hilo	agua, voz	continuidad, esperanza, vida
brizna	hierba, polvo	lucidez, sentido común, esperanza, fantasía
ráfaga	viento, fuego	optimismo, inspiración [72]

Algunos sustantivos acotadores se especializan, de hecho, en los abstractos, como en el caso de *arrebato,* que selecciona sustantivos que denotan determinadas emociones, pasiones o estados anímicos (*cólera, ira, fanatismo, locura, celos,* etc.) o *ápice,* que restringe mucho menos a sus complementos inmateriales (*fuerza, confianza, esperanza, gravedad,* etc.). Cabe concluir, por tanto, que el comportamiento gramatical de estos sustantivos es el que se deduce de su clasificación como contables o no contables, independientemente de que designen o no nociones abstractas.

1.5.2.4. Sustantivos eventivos

A veces se llama 'abstractos' a los 'sustantivos eventivos', pero se trata en realidad de un tipo de sustantivos individuales (por tanto, contables) que no designan objetos físicos, sino acontecimientos o sucesos. Estos sustantivos, que se examinan en el cap. 6 de esta obra, pueden ser sujetos de verbos como *tener lugar* (y también complementos directos de otros como *presenciar,* como me hace notar J. M.ª Brucart). [73] He aquí una breve relación de sustantivos eventivos:

(64) Accidente, batalla, cena, cacería, concierto, conferencia, curso, eclipse, desfile, encuentro, función, llegada, muerte, nacimiento, partido, paseo, reunión, sesión, tempestad.

Nótese que sólo algunos de ellos *(cacería, reunión, paseo, inauguración, desfile, rendición)* son deverbales. Puesto que las entidades designadas poseen límites temporales, estos sustantivos se usan habitualmente con verbos como *empezar, comenzar, concluir.* Compárense la naturalidad de oraciones comunes como *La cena empieza a las ocho* o *El partido empieza a las nueve* (con sustantivos eventivos) con la extrañeza de oraciones análogas con nombres de objetos físicos *(#La pelota empieza a*

[72] García Márquez usa *una ráfaga de espanto* en *Crónica de una muerte anunciada* (pág. 17), y también *una ráfaga de pánico* en la misma novela (pág. 64). Las referencias proceden del ARTUS (véase el índice de siglas utilizadas en este capítulo), a cuyos responsables agradezco vivamente que me permitieran consultarlo.

[73] O en general (como me señala V. Demonte) *ver, oír* y otros verbos de percepción. La naturaleza semántica de los complementos (nominales y oracionales) de los verbos de percepción ha sido muy debatida, pero esta es una cuestión en la que no es posible entrar aquí. Debe resaltarse, de todas formas, que los verbos de percepción no discriminan entre los sustantivos eventivos *(Oí la batalla)* y los no eventivos *(Oí el coche)*, mientras que *presenciar* es uno de los pocos verbos que sí lo hacen: *Presencié la batalla* frente a **Presencié el coche.*

las nueve, #El libro terminó a las diez). Cuando se usan con el verbo *durar* no designan el límite existencial o vital de un objeto, sino que establecen los límites de un acontecimiento. Así, podemos decir *Esta pelota ha durado muy poco* y también *Este partido ha durado muy poco,* pero en el primer caso hablamos de un objeto físico que quizás se deteriora y pasa a ser inútil, mientras que en el segundo establecemos el límite de un evento. [74]

Muchos sustantivos son ambiguos entre la interpretación eventiva y la objetual. [75] Existen, de hecho, casos de ambigüedad sistemática entre ambas interpretaciones: los sustantivos *cena, concierto* o *conferencia* están sujetos a ella, puesto que designan en unos casos eventos *(Llegamos tarde al concierto, La cena es a las nueve, La conferencia empieza a las seis)* y en otros entidades materiales *(El concierto está escrito en Re menor, La cena está servida, Mi conferencia está en la maleta).* Muchos predicados no distinguen entre ambas interpretaciones en sus argumentos, con lo que la desambiguación habrá de llegar a través de informaciones discursivas. Entre ellos están los predicados de afección. Alguien puede decir, por tanto, *No me gustó la cena a la que nos invitaron* incluso si la comida era excelente. Se estaría refiriendo con esas palabras al evento mismo de la cena, es decir, a la forma en que tuvo lugar o a la manera en la que se desarrolló. [76]

Cuando los sustantivos eventivos aparecen en el complemento preposicional de los adverbios *antes* y *después* o la preposición *tras,* se interpreta semánticamente el predicado verbal citado «tener lugar», como en *después de la cena, antes de la conferencia, tras el eclipse.* Cuando un sustantivo no eventivo aparece en dicha función sintáctica se sobreentiende con frecuencia un verbo que se asocia léxicamente con dicho sustantivo y que denota la entrada en acción o en funcionamiento del objeto que se designa, o bien a alguna actividad en la que es participante habitual: *después de cuatro cervezas* («beber»), *antes del cigarrillo* («fumar»), *después del último autobús* («circular»), *después de las primeras páginas* («pasar, leer»). [77] Si no existen predicados asociados léxicamente en la forma prototípica indicada, se interpretan por defecto las acciones que sugiere la situación lineal que esos adverbios y preposiciones establecen entre las entidades que sus argumentos designan: *Después de diez tiendas estaba agotado* («pasar», «recorrer»), *Ocho planetas después* («pasar», «visitar», etc.)

Los sustantivos que la preposición *durante* acepta como término son nombres eventivos o nombres de periodos. Decimos *durante la noche* o *durante el verano,*

---

[74] Los nombres que designan 'periodos' no son propiamente eventivos, pero se asimilan parcialmente a ellos, y aceptan desde luego todos estos predicados: *El invierno ha durado poco, Febrero termina pronto este año, Empezamos el curso.*

[75] De hecho, algunos periodistas deportivos usarían *pelota* en el deporte del tenis con el significado eventivo mencionado (parcialmente equivalente a *jugada,* como sucede con *mano* en los juegos de naipes), y emplearían por consiguiente la oración *Esta pelota ha durado muy poco* con absoluta naturalidad para significar «esta jugada ha sido breve».

[76] La relación entre objeto y evento puede concebirse como un tipo de traslación metonímica. Como se ha observado, la interpretación metonímica de los sustantivos no puede obtenerse normalmente a la vez que su sentido original, pero existen contraejemplos interesantes. El significado de *periódico* (ejemplo de Pustejovsky 1995) en *El periódico despidió a diez empleados* no es el mismo que el que posee en *Derramé el café en el periódico.* No decimos, por tanto, **Derramé el café en el periódico que había despedido a diez empleados.* Tampoco *libro* significa exactamente lo mismo en *Estoy traduciendo este libro* que en *Este libro pesa diez kilos,* pero es evidente que podemos decir *El libro que estoy traduciendo pesa diez kilos.* En esta oración, el mismo sustantivo aporta a la vez los requisitos abstractos que *traducir* exige a su complemento y los requisitos puramente físicos (por tanto, concretos) que *pesar* exige a su sujeto. Para el análisis de estas cuestiones véase Pustejovsky 1995 y las referencias allí citadas.

[77] Existen varias formas de reflejar estas informaciones en un modelo detallado de las relaciones léxicas. Me refiero brevemente a ellas en el § 4.3.5.6 de esta obra.

pero también *durante el eclipse, durante la clase, durante la ocupación alemana, durante la crisis, durante el embarazo* o *durante la reunión.* [78]

La distinción entre sustantivos eventivos y objetuales es léxica en tanto en cuanto no es extendible a cualquier nombre, si bien es cierto que adverbios como *después,* como hemos visto, permiten alargar en cierto modo el paradigma. Así, la gramática no interpreta sustantivos como *rayo* o *nube* de la misma forma que *eclipse* o *tormenta:* es evidente que si cae un rayo a las cuatro no describiríamos la situación diciendo **El rayo tuvo lugar a las cuatro,* sino a lo sumo *La caída del rayo tuvo lugar a las cuatro,* lo que muestra que percibimos el rayo como un objeto y no como un acontecimiento. Al no serlo, «cae», o «brilla», pero no «tiene lugar» ni podemos «presenciarlo». Análogamente, las nubes pueden aparecer o desaparecer, pero ciertamente no «tienen lugar» ni tampoco podemos «presenciarlas». No sería de extrañar que otros idiomas categorizaran estos sustantivos de forma enteramente diferente, lo que confirmaría que estas clasificaciones léxicas tienen sentido como parte de la gramática. En cualquier caso, en ninguna de las situaciones citadas estamos ante interpretaciones «abstractas» frente a «concretas», sino ante interpretaciones eventivas u objetuales de los sustantivos mencionados.

1.6. Otras relaciones entre las clases léxicas de sustantivos. Límites de las clasificaciones y jerarquías entre ellas

En el § 1.2 hemos examinado los sustantivos continuos, en el § 1.4 hemos estudiado los colectivos y en el § 1.5.2.3 hemos examinado la relación que existe entre los abstractos y los continuos. En este apartado veremos algunas relaciones entre las demás clases, examinaremos ciertos límites que estas clasificaciones poseen y consideraremos la jerarquía que cabe establecer entre las clases de sustantivos estudiados.

1.6.1. Relaciones entre continuos y colectivos. Límites de la distinción

Muchos sustantivos continuos son antiguos neutros latinos, como señalan Morreale (1973) y Hall (1968). Así, *leña* deriva de *ligna,* que es el neutro plural de *lignum* («leño», «madero»). La palabra *leña* era, pues, en su origen, equivalente a *leños,* pero en la actualidad no es un sustantivo colectivo, sino continuo. Designa, por tanto, una materia y no un conjunto. Lo mismo sucede con *fruta,* derivado de *fructa* (antiguo plural de *fructus),* que tampoco se interpreta en la actualidad como colectivo, sino como continuo. Como hace notar la misma autora (Morreale 1971: 125), *herramienta* ha perdido ya el significado colectivo que compartió con *osamenta, vestimenta* y *cornamenta,* y de hecho, apenas puede usarse ya como nombre de materia *(mucha herramienta),* frente a lo que era normal hasta hace unos años.

Esta diferencia entre las materias y los conjuntos es esencial para distinguir los continuos de los colectivos. Decimos *mucha leña* o *poca fruta* como decimos *mucha*

[78] Los sustantivos que designan fenómenos meteorológicos *(lluvia, nieve, granizo)* se comportan a veces de forma irregular en lo relativo a estas propiedades: actúan como argumentos de *durar, empezar o terminar (La lluvia duró poco),* pero a veces disuenan como complementos de *durante:* compárese *durante la nevada,* con *?durante la nieve,* o *?durante la lluvia* con *durante la tormenta.* Esta inestabilidad sugiere que se perciben como objetos más claramente que como acontecimientos.

arena o *poco aire,* pero no decimos en cambio **mucho electorado,* es decir no usamos *mucho* para cuantificar sobre los componentes de un grupo, sino para medir una cantidad. Es frecuente que conceptos relativamente próximos se categoricen lingüísticamente unas veces como continuos y otras como colectivos. Esta es, por ejemplo, la diferencia que existe entre *ganado* (continuo) y *rebaño* (colectivo), o entre *tropa* (continuo) y *ejército* (colectivo), independientemente del número de individuos que compongan esas entidades. Es, por tanto, el comportamiento de estos sustantivos lo que justifica la existencia de estas dos clases gramaticales diferentes.[79]

La clase de los continuos es, en unos pocos casos, compatible con la de los colectivos. Los sustantivos *familia, público* y *escolta,* junto a otros como *documentación* o *producción,* son continuos *(mucha familia, poco público, demasiada escolta, mucha documentación, poca producción),* pero también son colectivos: todos aceptan con naturalidad el adjetivo *numeroso,* frente a lo que sucede con la mayor parte de los continuos: *fruta, pelo, dinero, basura.* Los componentes léxicos de los sustantivos continuos y colectivos pueden concebirse gramaticalmente, por tanto, como las partículas que caracterizan a los nombres de materia, o bien como las series de individuos que caracterizan a los colectivos. La lengua permite, pues, en estos casos, una doble categorización.

Hemos visto que los continuos rechazan el adjetivo *numeroso,* frente a los colectivos *(*pelo numeroso, *dinero numeroso, *fruta numerosa).* Es interesante que muchos de los continuos acepten en cambio el adjetivo *abundante:* no sólo *pelo, dinero,* o *fruta,* sino también *comida, suelo, basura, lluvia, aceite, saliva, público, tierra, munición, producción, documentación, información,* y otros muchos sustantivos continuos,[80] lo que nos confirma que la lengua distingue cuidadosamente entre los grupos y las materias, y que establece clases léxicas diferentes a partir de esa distinción.

Una de las diferencias más notables entre los continuos y los colectivos afecta a la interpretación de los adjetivos de tamaño [⟶ § 3.4.2.2].[81] Resulta en cierta forma sorprendente que existan sintagmas como *arroz largo.* Desde luego, la longitud no se predica en este caso de la materia 'arroz', puesto que las materias no tienen longitud, frente a los objetos. La longitud se predica aquí de cada una de las partículas que componen dicha materia. Comparemos ahora los sintagmas de (65a) con los de (65b):

(65) a. Gente grande. / Ganado grande *[continuos].*
b. Gentío grande. / Rebaño grande *[colectivos].*

En los casos de (65a) predicamos una propiedad de cada una de las partículas que forman la denotación de *gente* o de *ganado,* con lo que nos vienen a la cabeza

---

[79] Morreale (1973: 132) analiza *dinero* como nombre colectivo, pero considera *calderilla* como nombre de materia (1973: 143), es decir, como sustantivo continuo. Parece que se trata en ambos casos de nombres continuos. Nótese que *dinero* puede aparecer sin artículo, frente a lo que permiten los colectivos (cf. *Guardaba dinero* frente a **Conservaba ejército*). Por otra parte, *dinero* admite los cuantificadores indefinidos *(mucho dinero),* frente a lo que sucede con los colectivos no recategorizados. Finalmente, el contraste entre *dinero abundante* y **dinero numeroso* confirma que no se trata de un nombre colectivo sino de un continuo. Véase más abajo sobre la diferencia entre estos dos adjetivos.

[80] Los discontinuos admiten <*abundante en* + N plural o continuo>, como en *una llanura abundante en mieses,* pero rechazan *abundante* fuera de este contexto. Encuentro sólo algunas excepciones, como *abundante desayuno* o *abundante dieta*.

[81] Ianucci (1952) y Morreale (1973: 145) aluden a esta propiedad, que también se menciona en Bosque 1983.

jugadores de baloncesto o luchadores de sumo en el primer caso, y vacas lecheras o bisontes en el segundo. En (65b), por el contrario, predicamos del grupo mismo la propiedad de ser grande. El adjetivo *grande* trata, pues, al colectivo como si denotara un objeto simple (como *mesa* o *libro*), pero trata al continuo de forma diferente. Ya que de la materia no cabe predicar el tamaño, sino la cantidad (esto es, la medida de la magnitud en la que se presenta), el adjetivo no puede predicarse como se predicaría de un grupo, es decir, de una entidad discontinua. El resultado debería ser agramatical,[82] pero se reinterpreta en la forma indicada. Lo mismo en *pasta grande, fruta grande,* etc., que sugieren respectivamente «pasta de fragmentos grandes» (quizás *tortellini,* frente a *fideos*) o «peras o manzanas de mayor tamaño que el normal». Ello muestra, en consecuencia, que al menos en ciertos casos las relaciones de predicación pueden tener acceso a los elementos que componen la denotación de los nombres de materia.

Los casos examinados arriba muestran diferencias gramaticales muy claras entre continuos y colectivos. Existen, sin embargo, algunos contextos que no discriminan estas dos clases. Hemos comprobado antes que ciertos entornos característicos de los colectivos, como la preposición *entre* y los verbos del tipo de *reunir,* admiten también continuos. Así, decimos *entre el electorado* (colectivo) y *entre la bruma* (continuo). También podemos construir sintagmas como *reunir al equipo* (colectivo) junto *a reunir dinero* (continuo).

En el caso de *entre,* la multiplicidad de los elementos constitutivos es más compleja que la simple suma de entidades. Como veíamos en la nota 62, *entre* acepta a veces ciertos discontinuos si cabe entender que existe cierta permeabilidad entre los elementos que componen el objeto designado. Usaré el término 'pluralidad extendida' para designar este fenómeno. Podemos decir *Pasó por entre la reja* y —ciertamente— *reja* no es continuo ni colectivo. Aun sin serlo, aporta la información relativa a la 'pluralidad extendida' que *entre* exige a sus complementos. Si se recuerdan los contrastes examinados del tipo **entre el agua/entre el barro* se comprobará que *agua* es claramente continuo, pero aun así resulta rechazado porque las restricciones léxicas son en este caso más fuertes.[83]

No debemos esperar que los predicados organicen las restricciones léxicas que imponen a sus argumentos en torno únicamente a las clases léxicas habituales de sustantivos. Por el contrario, estas clases ponen de manifiesto conjuntos de propiedades generalmente relativas a la multiplicidad o la agrupación de las nociones denotadas, pero no siempre coincidentes con los requisitos mencionados. No es difícil encontrar predicados, además de *entre,* que exigen ese requisito de 'pluralidad extendida' a sus argumentos, de forma que no sólo aceptan discontinuos en plural y continuos en singular, sino también algunos sustantivos que escapan a esos dos grupos. Los verbos del tipo de *derramar, esparcir* o *desparramar* figuran entre esos pre-

---

[82] Y lo es con muchos continuos: *basura, aire, polvo, harina, café,* etc.

[83] En otros casos los criterios que caracterizan las clases léxicas que hemos examinado tampoco ofrecen resultados enteramente coincidentes. Así, los nombres de ciudades funcionan a veces como colectivos, como en *Lanzarote llora, unánimemente, a su querido y popular artista* [*ABC Cultural,* 2-X-1992, 44] o *Toda la ciudad estaba reunida en la plaza* (cf. sobre este punto Fält 1972: 76 y ss.). Disuena, sin embargo **entre la ciudad* (frente a *entre la población*) para todos los hablantes consultados. El hecho de que *entre* funcione ocasionalmente con sustantivos individuales puede explicar el que ocasionalmente acepte falsos colectivos, como en *los viejos (...), con el palillo entre la dentadura (...)* [*El Mundo,* 22-II-1996, 96]. Recuérdese que no tenemos **dentadura numerosa.* Tampoco coinciden las pruebas examinadas en el caso del sustantivo *biblioteca.* Junto a la agramaticalidad, ya mencionada, de *??biblioteca numerosa,* es gramatical, sin embargo, *Reunió una gran biblioteca.*

dicados. Así, el verbo *desparramar* admite entre sus complementos los discontinuos en plural *(libros, cuadros, maletas, personas, fichas)*, y también los continuos en singular *(sangre, dinero, trigo, aceite, familia, correspondencia, talento)*. Sin embargo, podemos decir con naturalidad *El periódico está desparramado por la alfombra*, y ciertamente *periódico* no es continuo ni colectivo, aunque designe un objeto compuesto por elementos iguales e independientes. [84] Como sucedía en el caso anterior, el predicado acepta en ciertos casos que la suma de partículas que exige al sustantivo que toma como complemento se produzca en un nivel léxico diferente de los que aportan los rasgos gramaticales habituales. Ciertamente, ello nos exige una clasificación hiperespecífica de los sustantivos con rasgos que las taxonomías actuales no pueden proporcionar. [85]

La reflexión general sobre las clases establecidas hace surgir otra pregunta: ¿son primitivos las oposiciones que estamos considerando o son por el contrario casos particulares de otras más básicas? Como vimos en el § 1.5.2, el concepto de 'nombre abstracto' parece un comodín para un conjunto de nociones más elementales. Por otra parte, son muchos los autores [86] que han notado que la oposición 'continuo / discontinuo' es un tipo de distinción análoga a las que se establecen en la gramática del aspecto léxico o modo de acción, aplicado en este caso a los nombres en lugar de a los verbos. Ciertamente, existe una relación clara entre la semántica de la repetición o iteración de eventos y la semántica del plural, en el sentido de que ambas nociones denotan la multiplicidad de entidades que pertenecen a categorías análogas. Como hace notar Jackendoff (1991: 16), en el caso de los eventos repetidos, como en *La luz parpadeaba*, una manifestación del evento se multiplica en múltiples apariciones de la misma categoría, lo que recuerda la naturaleza gramatical de los plurales de los nombres discontinuos o de los singulares colectivos. Los nombres de materia son continuos de una forma parecida a como los estados o las actividades lo son [→ §§ 46.2.4.3 y 46.3.2.3], y los contables son discontinuos en un sentido también próximo a como los predicados de logro o consecución denotan nociones puntuales.

1.6.2. Jerarquías entre las clases de sustantivos

Son muchos los gramáticos de nuestra tradición que establecen una jerarquía entre las clases de sustantivos, pero prácticamente ninguno la justifica frente a otras posibles. Así, Lenz (1920: § 48), al que siguen Seco (1930: 11), Pérez Rioja (1954: § 164) y Marcos Marín (1980: § 10.1.6), entre otros gramáticos, entiende que la división básica se debe establecer entre concretos y abstractos. Los concretos se dividen en comunes y propios, los comunes en genéricos y de materia, y los genéricos en individuales y colectivos. Como es evidente, esta clasificación no deja lugar para los abstractos de materia *(mucha paciencia, bastante odio)*; tampoco da cabida a los colectivos que a la vez son continuos *(familia, escolta)* ni deja lugar para los

[84] La 'pluralidad extendida' produce sin duda efectos estilísticos. Cabe decir de una persona que «se desparrama por el suelo» sugiriendo figuradamente que se trocea o se desarticula. No puedo considerar aquí estos casos, pero no serían de extrañar, dados los requisitos léxicos que el predicado impone a su argumento.

[85] Acaso los *Qualia* de Pustejovsky (1995) constituyan una vía interesante de explorar estos problemas. Para una breve presentación de estas unidades, véase el § 4.3.5.6 de esta obra. Véase también el § 3.3.2.3.

[86] Entre otros, Tenny (1994), Dowty (1979), Jackendoff (1991, 1996). Pueden encontrarse otras muchas referencias sobre este punto en esos trabajos.

abstractos discontinuos *(varias cualidades, tres propiedades, dos virtudes, múltiples responsabilidades).* Bloomfield (1933) dividía los comunes en delimitados *(bounded)* y no delimitados *(unbounded),* y estos últimos en nombres de materia y nombres abstractos. Si aplicamos esta clasificación al español, quedarán fuera sin duda los abstractos delimitados, como en *tres problemas* o *cuatro virtudes.* Podríamos dividir los no animados en abstractos y concretos, y subdividir los concretos en contables y no contables, como hace Kaluża (1974), pero entonces quedan fuera los abstractos no contables, como *tesón* o *entusiasmo.* Chomsky (1965: 83) dividía los no contables en abstractos y concretos, y los contables en animados y no animados, con lo que también perdemos, si aplicamos la hipótesis al español, los contables que pueden ser abstractos.

Todo parece indicar que la jerarquía se reduce en realidad a muy pocos casos, y que en los demás tenemos clasificaciones cruzadas. Así, sabemos que todos los colectivos son concretos desde el momento que el conjunto de entidades abstractas es una entidad concreta, puesto que la noción de conjunto lo es. Los eventivos, considerados en el § 1.5.2.4, son un caso particular de los discontinuos, luego no tienen por qué intervenir en la división básica. Si los *pluralia tantum* se interpretan como una variedad de los continuos, según se sugirió en el § 1.3, tampoco forman parte de las divisiones esenciales. Quirk y otros (1985: 247) cruzan la oposición 'abstracto/concreto' con 'contable/no contable', como se indica a continuación, lo que deja fuera la oposición 'individual/colectivo'.

	CONCRETO	ABSTRACTO
CONTABLES	juguete	dificultad, observación
NO CONTABLES	mantequilla, oro	música, paciencia

En el § 1.6.1 hemos visto que existen sustantivos que se deben clasificar en dos grupos a la vez, es decir, *familia* es no contable en una de sus interpretaciones, pero es colectivo (y por tanto discontinuo) en la otra. Si cruzamos la oposición fundamental, esto es, 'contable/no contable', con las demás oposiciones, obtenemos sólo una casilla vacía, la que corresponde a los individuales no contables (se descartan las recategorizaciones sintácticas analizadas en los §§ 1.2.3.2 y 1.2.3.5).

(66) *Cruce de la oposición 'contable/no contable' con las demás*

	ABSTRACTO	CONCRETO	INDIVIDUAL	COLECTIVO
CONTABLE	propiedad, problema	mesa, flor	árbol, libro	familia, ejército
NO CONTABLE	paciencia, entusiasmo	leche, arena	—	familia, público, escolta

No obstante, si consideramos, tal como se argumenta en el § 1.5.2, que la oposición 'abstracto/concreto' no es básica, sino derivada de otros factores léxicos, aspectuales y también propios de la semántica oracional, podemos prescindir de ella y reducir las otras clases a rasgos más simples. El resultado de Jackendoff (1991) es, ciertamente, una de las posibilidades. Este autor sugiere que las oposiciones entre las clases léxicas fundamentales se establecen a partir de dos rasgos. Uno de ellos aporta la información relativa a la delimitabilidad *(boundedness)* de las entidades, a sus fronteras como objetos aislables, o al menos pensables como tales. El segundo rasgo nos dice si las entidades que consideramos tienen o no estructura interna, en el sentido de denotar grupos o series de elementos menores. Si usamos 'D' para el primer rasgo e 'I' para el segundo, tenemos el esquema de (67), aplicando al español el que sugiere Jackendoff para el inglés:

(67) a. [+D −I]: individuos *(mesa)*.
b. [+D +I]: grupos *(comité)*.
c. [−D −I]: sustancias *(agua)*.
d. [−D +I]: sumas *(libros)*.

Para adaptar los resultados de (66) deberíamos clasificar los continuos que a la vez son colectivos en los grupos (67b) y (67c). Esta clasificación tiene al menos tres ventajas:

1) No establece redundancia entre los sustantivos individuales y los discontinuos, puesto que todos los miembros de una de las dos clases pertenecen también a la otra.
2) No introduce los abstractos como grupo distinto, esto es, pueden añadirse fácilmente sin alterar la clasificación: *virtud* pertenece al grupo (67a) y *paciencia* al grupo (67c).
3) Proporciona clases semánticas de sustantivos basadas en los tres grupos naturales que permiten los singulares: (67a, b y c). Las oposiciones binarias se establecen entre los rasgos, no entre las clases mismas de sustantivos, lo que parece un resultado deseable.

1.7. Sustantivo y adjetivo

1.7.1. Introducción

Las relaciones entre las 'categorías gramaticales', en el sentido tradicional de 'partes de la oración', o 'clases de palabras' son muy estrechas. La relación entre artículo y pronombre se examina en el § 12.1 de esta obra; la que existe entre el adverbio y otras categorías, en el § 11.2 y en el § 14.2; las que se dan entre preposición, conjunción y adverbio, en el cap. 9; la que existe entre los infinitivos nominales y los verbales, en el cap. 36; las que se establecen entre adjetivo y participio en el § 4.4, y así en muchos otros casos. Parece conveniente dedicar un apartado a examinar brevemente la relación que existe entre las categorías 'sustantivo' y 'adjetivo', dos clases de palabras que han caminado estrechamente unidas en la tradición durante siglos.[87]

[87] La gramática de la RAE no distinguía entre las dos clases como categorías independientes antes de 1870. Español Giralt (1991: cap. 2) presenta un panorama detallado de la oposición 'sustantivo-adjetivo' en la tradición gramatical es-

En efecto, los sustantivos y los adjetivos se consideran en la tradición como dos clases de nombres, en cuanto que ambos poseen idéntica flexión de género, número y caso (en las lenguas que manifiestan estos morfemas). Sustantivo y adjetivo comparten además algunos morfemas derivativos, como los diminutivos, pero, por encima de todo, ambos son elementos predicativos. De hecho, sabemos que en las oraciones atributivas las dos categorías se muestran próximas [→ § 37.2]: *Eres médico* viene a significar «perteneces al conjunto de los médicos», y *Eres alto* significa «perteneces al conjunto de los altos». También algunos de los complementos predicativos seleccionados [→ § 38.3] pueden estar constituidos por sintagmas adjetivales o por sintagmas nominales, como en *Lo considero médico* / *Lo considero inteligente*.

Las gramáticas tradicionales suelen señalar que los adjetivos se distinguen de los sustantivos en que no pueden «subsistir por sí solos» (RAE 1931: § 12), por lo que «se expresan adheridos a un sustantivo» (Gili Gaya 1944: § 81). Aun así, debe tenerse presente que la *subsistencia* no es otra cosa que la capacidad de formar sintagmas nominales (en una de sus interpretaciones), o bien la de denotar clases de individuos (en la otra), con lo que no constituye, desde luego, ningún concepto básico del análisis gramatical. En la tradición europea es relativamente frecuente oponer las dos categorías que comparamos en el mismo sentido en que las 'sustancias' se oponen a los 'accidentes'. Más recientemente, algunos autores han revisado esa antigua oposición sustituyendo 'sustancias' por 'clases' y 'accidentes' por 'propiedades' (Wierzbicka 1986), lo que tiene algunas consecuencias interesantes sobre las que diré algo en el § 1.7.3.

Como apunté en el § 1.1, los sustantivos designan conjuntos o clases de entidades en la tradición lógica. Sin embargo, muchos autores en esa tradición no aceptan que el concepto de 'propiedad' sea básico y lo sustituyen por el de subconjunto de entidades. Es decir, la referencia de *casa* se establece en el conjunto de las entidades que son casas. La de *grande* se establece, por el contrario, en un subconjunto de cada uno de los conjuntos de entidades imaginables (o «existentes en el conjunto de mundos posibles», para expresarlo en los términos más habituales en esa tradición). Se definen así los adjetivos como categorías necesariamente restrictivas (esto es, son necesariamente subconjuntos), lo que sugiere un punto de contacto con la tradición gramatical que siempre ha insistido en su naturaleza dependiente. Como revela la etimología de la palabra *adjetivo*, los adjetivos han de 'adjuntarse' (*arrimarse*, según Nebrija) para poder significar (el verbo latino *adjicere*, del que deriva *adjectivum*, significa 'estar al lado'). Se predican, pues, de la entidad a la que modifican y al mismo tiempo restringen su extensión, con lo que forman necesariamente constituyentes que denotan subconjuntos de las entidades que tendríamos en su ausencia.

La distinción categorial 'adjetivo-sustantivo' plantea dos preguntas muy diferentes:

A) ¿En qué se diferencia la gramática de estas dos unidades?

---

pañola. Véanse también Gómez Asencio 1981: § 2.3; 1985: § 1.1 y Calero 1986: 67 y ss. Entre nuestros gramáticos, el que más atención presta a esta relación es Fernández Ramírez (1951: vol. 3.1, §§ 66 a 75). Pueden verse además Briz 1989 y Bosque 1989: cap. 5.

B) ¿Hay alguna razón para que ciertas palabras sean sólo sustantivos, otras sólo adjetivos y otras pertenezcan a las dos clases?

La pregunta A) hace referencia al comportamiento morfológico y sintáctico de estas palabras, es decir, al funcionamiento gramatical que esperamos de ellas y también —lógicamente— a las pautas sintácticas que nos permiten reconocerlas como tales. La otra pregunta afecta a la categorización y a la recategorización —«traslación» para Seco (1972: § 7.6.2)—, y en este sentido está más próxima a las consideraciones que hacíamos sobre el cambio de clase gramatical en el § 1.2.3.

A la pregunta A) se le ha prestado en nuestra tradición mucha más atención que a la pregunta B), con la notable excepción de Fernández Ramírez (1951). Veremos cada una de estas preguntas por separado, en ambos casos de manera muy breve. El apartado siguiente está dedicado a la pregunta A), mientras que los demás apartados de esta sección estarán dedicados a la pregunta B).

1.7.2. Diferencias gramaticales entre sustantivo y adjetivo

La pregunta A) es relativamente simple. De hecho, surgen inmediatamente varias respuestas:

a) Aunque los sustantivos y los adjetivos coinciden en sus rasgos morfológicos, los del adjetivo nunca se interpretan semánticamente. Así, el plural de *grandes* en *osos grandes* no aporta información semántica, mientras que el plural de *osos* sí la transmite. El plural de *osos* es, pues, un plural 'interpretado semánticamente', mientras que el de *grandes* es un 'plural concordante'. Véase el cap. 42 para otros aspectos de esta distinción.

b) Como se ha señalado repetidamente (entre otros muchos lugares, RAE 1973: 171 y ss. y las referencias citadas en los §§ 12.1.2.5 y 43.3 de esta obra), los sustantivos forman sintagmas nominales cuya referencia no se interpreta anafóricamente. Así, *viejo* es un sustantivo de persona en *Los viejos nos superan en sabiduría y experiencia,* pero es un adjetivo en *Los libros nuevos y los viejos.* En el primer caso, *viejo* designa una clase de individuos; en el segundo, una propiedad de la entidad nominal *libro.* Esta entidad está representada en unos análisis por el artículo (que posee valor anafórico), y en otros análisis por el núcleo nominal nulo que se postula a veces entre ambos. [88] La diferencia existente entre estos dos análisis no es relevante aquí, pero sí lo es el hecho de que la naturaleza nominal o adjetival de *viejo* en el sintagma *los viejos* es inseparable del examen que hagamos del significado de esa unidad, no sólo de su forma. Nótese que en ninguno de los dos análisis mencionados tiene el adjetivo valor anafórico. El elemento que lo posee es o bien el artículo (en el primero), o bien el núcleo nominal tácito (en el segundo).

Menos sencillo resulta analizar sintácticamente los SSNN de interpretación no anafórica que incluyen superlativos: podemos decir *El mundo no tiene por qué ser*

[88] En los dos casos se obtiene un SN: en el primero porque al artículo le otorga naturaleza pronominal; en el segundo porque el sustantivo tácito constituye el núcleo de dicho sintagma, al que modifica el adjetivo. En palabras de Fernández Ramírez (1951: vol. 2.1, § 67), en estos casos «la sustantivación es dudosa y parece actuar la referencia anafórica del artículo o del pronombre en función de término primario».

de los más audaces sin haber establecido antes un conjunto de entidades de la que ahora seleccionamos un subconjunto. Aun así, *audaces* es un adjetivo en esta oración, o —dicho con la cautela habitual de Fernández Ramírez (1951: vol. 3.1, § 25)— «el adjetivo no se ha despojado enteramente de sus propiedades». Así pues, el problema sintáctico que plantean estas oraciones estriba en que tenemos adjetivos en SSNN definidos que no se interpretan anafóricamente, frente a lo que sucedía en los casos anteriores. Es interesante que estas situaciones se den siempre con sustantivos de persona. Es decir, frente al ejemplo citado, sólo cabe la interpretación anafórica en *La gente siempre compra los más caros* o en *Los más interesantes son los más breves.* Este hecho sugiere que la referencia no anafórica que el artículo permite, como entidad cuasipronominal, es la personal, lo que sucede también con los determinantes en casos como *el que esté libre de culpa* o en *aquel que no cuide de sus propios asuntos.* En estas situaciones no tenemos, como puede verse, referencia anafórica, pero esta referencia es obligada si hablamos de cosas, es decir, no cabe usar sin anáfora una oración como *El que sea barato se venderá mucho antes* para significar algo como «el objeto que sea barato será vendido mucho antes».

c) Como hacía notar Nebrija (1492: 166) al comparar el 'nombre sustantivo' con el 'nombre adjetivo', sólo los adjetivos pueden recibir el artículo *lo,* lo que constituye una importante diferencia formal que los gramáticos han interpretado de manera divergente. Para estas construcciones véanse los §§ 12.1.3 y 42.3.4 de esta obra, además de Bosque y Moreno 1984 y Lapesa 1984.

d) También los sustantivos son los únicos que pueden recibir el artículo indefinido: decimos *un libro* o *un estudiante* porque *libro* y *estudiante* son sustantivos, pero no decimos **un estupendo* ni **un oscuro* porque *estupendo* y *oscuro* son adjetivos. Como es evidente, los adjetivos *estupendo* y *oscuro* modifican al pronombre *uno* en los SSNN *uno estupendo* y *uno oscuro.* Si se tratara de sustantivos estas secuencias serían agramaticales, como lo es **uno libro.* [89]

e) Los sustantivos se diferencian asimismo de los adjetivos en que sólo estos suelen formar predicados externos en las construcciones absolutas [→ § 39.2]. Así, el lugar de los adjetivos coordinados en construcciones como *Enfermo y abatido, se sumió en una profunda depresión* no suele ser ocupado por sustantivos (pero cf. el § 8.3.2). Tampoco se admiten sustantivos en la mayor parte de las construcciones de complemento predicativo no seleccionado [→ § 38.2], como en *Lo compré nuevo* o *Sirvió frío el café.*

Estas diferencias, y otras que se examinan en los §§ 3.1, 4.1, 5.3.2.2, 12.1.1, 43.3.2.1 y 73.2.2 [90] justifican sobradamente que adjetivo y sustantivo constituyan dos clases léxicas distintas. En los apartados siguientes veremos que muchas palabras pertenecen a una o a otra en contextos diferentes, lo que no siempre constituye un hecho arbitrario.

---

[89] Como hace notar Fernández Ramírez (1951: vol. 3.1, § 71), *un* no se combina con sustantivos, sino con adjetivos en las construcciones «con interrupción o con prolongación consecutiva» del tipo *Es de un cursi...,* o *Era de un gris...,* en las que *un* actúa como cuantificador de grado.

[90] En este último apartado se estudian los compuestos endocéntricos formados por dos sustantivos en los que el segundo aporta información adjetival. Así, *clave* en *problema clave* significa «central», «esencial»; *cumbre* en *momento cumbre* significa «culminante»; *estrella* en *jugador estrella* posee un significado próximo al de un elativo. Lo mismo en otros casos análogos.

1.7.3. Sustantivos y adjetivos de persona

1.7.3.1. Aspectos sintácticos de la recategorización 'adjetivo > sustantivo'

Fernández Ramírez (1951: vol. 3.1, § 67.3) utiliza el término 'sustantivación' en una acepción no sintáctica que adoptaré también en este apartado. Este concepto designará, por tanto, el proceso semántico por el que una unidad léxica que designa una propiedad (p. ej. *viejo*) pasa a usarse para aludir a una clase de individuos, por tanto a funcionar como sustantivo y formar SSNN de interpretación no anafórica: *los viejos, el viejo, un viejo, tres viejos*.

La mayor parte de los adjetivos que se comportan también como sustantivos son de persona. Si los sustantivos designan simplemente clases de entidades, sin más restricciones, no habría razón para esperar esta asimetría. Conviene recordar en primer lugar que, como han señalado varios gramáticos,[91] en un buen número de los casos la sustantivación está favorecida por los plurales genéricos [—> § 12.3]. He aquí algunos ejemplos:

(68) Los buenos, los malos, los humildes, los soberbios, los sensatos, los insensatos, los ineptos,[92] los parados, los empleados, los altos, los bajos, los cobardes, los valientes, los audaces, los tímidos, los fuertes, los débiles, los nerviosos, los tranquilos, los oprimidos, los liberados, los vivos, los muertos.

Como se ha observado en el § 1.7.2b, parece lógico suponer que en la preferencia por la interpretación de persona de estos SSNN interviene la naturaleza referencial del artículo: decimos *los altos* por «las personas altas», de forma parecida a como entendemos que se habla de personas en la interpretación no anafórica de *los que son altos.* Vistas así las cosas, la naturaleza referencial del artículo —al menos en los contextos genéricos— hace que estas palabras mantengan en buena medida sus propiedades predicativas. Desde luego, no es imprescindible que estos sintagmas plurales definidos sean genéricos para que se evite la interpretación anafórica (lo que nos mostraría que estamos ante adjetivos), pero lo cierto es que esta surge con frecuencia en ausencia de tales contextos [—> § 12.1.2.5]. Comparemos estas dos oraciones:

(69) a. Los más humildes serán recompensados.
b. Los más humildes fueron recompensados.

La interpretación más natural de (69a) es la genérica, mientras que la de (69b) es la específica, por tanto la anafórica. El presente es, como suele decirse, un 'inductor de genericidad' (véanse los §§ 12.3 y 50.1.3.2 para otras propiedades de estos contextos). En (69a) hablamos, pues, de la clase de las personas humildes, y no necesariamente de un subgrupo obtenido de un conjunto anterior, pero en (69b) obtenemos por defecto la interpretación contraria,[93] con lo que se favorece la lectura

[91] Entre otros, el ya citado Fernández Ramírez (1951: vol. 3.1, § 67) y Seco (1972: § 7.6).

[92] Parece que la ausencia de **los aptos* se debe a que los adjetivos que poseen complementos obligatorios [—> § 4.3.5] no pueden prescindir de ellos en la sustantivación: *falto, tendente, aquejado.* Los que admiten complementos optativos lo hacen más fácilmente: *alérgico, culpable*.

[93] Los singulares muestran la misma diferencia. Nótese que *humilde* es un sustantivo en (ia), pero —en la interpre-

adjetival [→ §§ 2.4.3.2 y 12.1.2.5]. Varios sustantivos del grupo de (68) sólo son nombres usados en plural. Así, disuenan expresiones como **un mayor* (frente *a los mayores*), **un malo* (frente *a los malos*), **un sensato* (frente *a los sensatos*), **un fiel* (frente *a los fieles*), **un mío* (frente *a los míos*), etc.

Cuando decimos que muchas palabras pertenecen a la clase de los adjetivos y también a la de los sustantivos queremos significar, lógicamente, que en contextos diferentes muestran el comportamiento sintáctico propio de los miembros de cada una de esas clases. La ambigüedad sólo subsistirá si la construcción en la que aparezcan no discrimina entre ambas, lo que muy pocas veces sucede. Ciertamente, si encontramos fuera de contexto la oración *Los franceses no estaban de acuerdo* no podremos saber si *franceses* es sustantivo o es adjetivo porque nos faltará información para interpretar anafóricamente el SN *los franceses.* Si esa información la aporta el contexto previo (por ejemplo, *Los ciclistas españoles aceptaron, pero...*) sabremos que se trata de un adjetivo. Si no existe tal contexto, se tratará de un sustantivo gentilicio de persona. Tampoco sabremos si *esclavo* es sustantivo o adjetivo en *Lo tomaron por esclavo,* puesto que este tipo de complementos predicativos en entornos preposicionales no aporta rasgos categoriales suficientemente diferenciadores.

La posibilidad de interpretar como adjetivo o sustantivo una determinada palabra está estrechamente ligada a la posición que ocupa en el SN [→ § 3.5]. Consideremos los siguientes contrastes (el par de (71) está tomado de Español Giralt 1991: 54)

(70) a. Aquel francés sabio *[no ambiguo].*
b. Aquel sabio francés *[ambiguo].*

(71) a. Los estudiosos orientales *[ambiguo].*
b. Los orientales estudiosos *[no ambiguo].*

Las palabras *francés, sabio, estudioso* y *oriental* pueden ser sustantivos o pueden ser adjetivos. Sin embargo, la sintaxis fuerza con frecuencia una u otra interpretación. Así, en (70a) *francés* es sustantivo y *sabio* es adjetivo. No puede ser al contrario porque los adjetivos gentilicios, que son una subclase de los relacionales, no pueden anteponerse al sustantivo [→ § 3.5.1.1]. En (70b), la interpretación natural es aquella en la que *sabio* es sustantivo y *francés* es adjetivo gentilicio, pero podemos tener también la interpretación inversa, en la que *sabio* funciona como epíteto (puesto que no es relacional) y *francés* como sustantivo gentilicio. La posición prenominal de *sabio* es habitual con sustantivos como *decisión, medida, consejo,* etc.[94] En (71a) tenemos ambigüedad: cabe interpretar *estudioso* como sustantivo (como en *un estudioso*), pero también cabe interpretarlo como adjetivo, epíteto del sustantivo *oriental (los orientales)* desde el momento en que *estudioso* no es un adjetivo relacional. Como el adjetivo *oriental* sí lo es, la ambigüedad desaparece en (71b).

---

tación más natural— se interpreta como adjetivo en (ib), es decir, se prefiere la interpretación anafórica, una vez descartadas otras interpretaciones irrelevantes, como la de apodo:

(i) a. El humilde tiende a veces a exagerar sus deficiencias.
b. El humilde se había escondido tras la cortina.

[94] Me hace notar F. Aliaga que (70b) contrasta con *un sabio francés* en que este último SN no muestra la ambigüedad del primero. Es decir, resulta prácticamente imposible interpretar *sabio* en *un sabio francés* como epíteto del sustantivo *francés.* Parece que existe en ocasiones cierta incompatibilidad entre los epítetos y las construcciones indefinidas *(los blancos copos de nieve* contrasta con **unos blancos copos de nieve),* pero esta es una cuestión de la que no puedo ocuparme aquí.

1.7.3.2. Aspectos semánticos y pragmáticos de la recategorización 'adjetivo > sustantivo'

Existe otro factor que favorece en alguna medida la sustantivación de persona. Me refiero a la hipótesis, defendida por varios autores (notablemente por la citada Wierzbicka 1986, en los últimos años) que trata de establecer una vinculación semántica entre el concepto de «clase» y la «prominencia» (ing. *saliency*) del grupo de individuos que esa clase establece. Dicho de otro modo, todos los sustantivos designan clases de entidades, pero los adjetivos que pasan a ser sustantivos con mayor facilidad son aquellos que designan propiedades de los individuos lo suficientemente relevantes como para caracterizar grupos humanos reconocibles más fácilmente. Este factor no se basa, por tanto, en que quepa agrupar a sus miembros por el hecho de que posean algo en común (todos los grupos son equivalentes a efectos lógicos), sino en la valoración o la relevancia de la clase así obtenida.

Veamos algún ejemplo: son a la vez adjetivos y sustantivos los predicados que designan la edad de las personas: *viejo, joven, anciano, adulto, adolescente, pequeño, menor, mayor, grande* (este último en América). Ciertamente, esta tendencia no puede exagerarse: en francés y en inglés no existen, por ejemplo, el sustantivo equivalente a *joven* (esp. *un joven,* frente a fr. **un jeune,* ing. **a young*), pero es cierto que la edad constituye un factor más prominente que otras características que puedan predicarse de las personas. Las clases así obtenidas tienen indudable relevancia social.

También se comportan como sustantivos los adjetivos que designan defectos físicos: *ciego, cojo, manco, sordo, jorobado, impedido, tullido.* Debe recordarse que no existen adjetivos para sus antónimos, es decir, no tenemos adjetivos que signifiquen «con manos», «con ojos», etc. La diferenciación constituye por tanto un factor razonable de identificación categorial. Algunos adjetivos que designan nociones que giran en torno a la vecindad o la proximidad se comportan frecuentemente como sustantivos: *vecino, allegado, familiar, llegado* (en *el recién llegado*), pero también en este caso son tendencias más que principios firmes lo que cabe observar. Tanto *conocido* como *desconocido* son adjetivos y sustantivos de persona, pero no lo son *próximo, lejano, parecido* ni *distinto*.

Otros adjetivos que funcionan también como sustantivos denotan rasgos propios del carácter o el comportamiento de las personas: *fiel, pecador, noble, criminal.* En general predomina, como antes, el factor diferenciador: decimos *un preso,* pero no **un libre; *un ilegal,* pero no **un legal; *un salvaje,* pero no **un civilizado; un extranjero,* pero no **un oriundo; un desgraciado,* pero no **un feliz.* [95] Aunque no debemos olvidar que existen como sustantivos *sabio* e *ignorante; valiente* y *cobarde; afortunado* y *desafortunado,* no se debe despreciar el factor diferenciador al que hemos hecho referencia. Este factor tiene una explicación natural si se tiene en

[95] Este tipo de diferencias se acercan a las que establece el llamado «*un* enfático», generalmente depreciativo, que estudian Fernández Ramírez (1951: vol. 3.1, § 67), Fernández Lagunilla (1983) y Portolés (1993), entre otros autores [⟶ §§ 37.2.2 y 37.5]. Así, todos los adjetivos de (ia) pueden usarse como sustantivos en esta interpretación (como en *Juan es un incapaz*), pero los de (ib), que son sus antónimos, rechazan esta construcción:

(i) a. Insensato, hipócrita, incapaz, indecente, anormal, aburrido, indiscreto, desobediente, inconsciente, antipático, inmaduro.
b. Sensato, sincero, capaz, decente, normal, divertido, discreto, obediente, consciente, simpático, maduro.

cuenta que los sustantivos de persona que ingresan en la lengua caracterizan a los seres humanos por el hecho de pertenecer a grupos reconocibles por alguna propiedad diferenciadora que la comunidad perciba como relevante. Este tipo de características las suelen aportar las peculiaridades que oponen más claramente unos individuos a otros, en lugar de aquellos rasgos que los aproximan, lo que tal vez pueda ser interpretado por los sociólogos como un correlato lingüístico de una propiedad de los grupos humanos no enteramente accidental.

La serie más numerosa de adjetivos que se comportan a la vez como sustantivos la constituye la que forman los que designan actividades u ocupaciones. Fernández Ramírez (1951: vol. 3.1, § 25) ofrece muchos ejemplos, entre los que están *intelectual, liberal, militar, cortesano, científico, ayudante, técnico, político, crítico,* [96] a los que cabe añadir *ejecutivo, administrativo, fundador, trabajador, comerciante, nadador, estudiante, estudioso, escritor, escribiente, cazador, vigilante* y otros muchos. [97] También son adjetivos y sustantivos términos como *oficial, dependiente, encargado* o *enviado,* entre otros muchos. En unos pocos casos no es la actividad realizada, sino la posición del individuvo el factor que parece sobresaliente, como *lateral, delantero* o *medio* en varios deportes. Recuérdese que algunos gentilicios no se forman exactamente sobre topónimos, sino sobre puntos cardinales o nombres de orientación *(oriental, occidental, sureño, levantino).*

Los adjetivos que designan características geográficas, étnicas, políticas y religiosas constituyen un campo sumamente propicio para convertirlas en clases, y por tanto para designar sustantivos. Todos los gentilicios entran en este grupo *(americano, andaluz, parisino, belga, japonés, vallisoletano),* pero también los adjetivos que se refieren a creencias religiosas *(mahometano, cristiano, budista)* o tendencias políticas *(liberal, conservador, radical, extremista).*

En general, los sustantivos de persona que se crean en la lengua tienen un correlato claro en los mismos grupos que la sociedad reconoce. Las propiedades pasan a identificar clases de personas que tienen en común alguna característica reconocible o aislable que les permite constituirse como tales clases. De hecho, no es probable que los adjetivos *blanco* y *negro* fueran sustantivos de persona en un mundo sin problemas raciales.

1.7.4. Sustantivos y adjetivos no personales

También en esta categoría cabe señalar algunas tendencias en el proceso de recategorización. El nombre que se otorga a los instrumentos, aparatos, productos o dispositivos es, con gran frecuencia, el resultado de convertir en sustantivo el adjetivo deverbal que designa su función: *lavadora* es un adjetivo en *máquina lavadora,* y *dentífrico* también lo es en *pasta dentífrica,* pero ambos son sustantivos en *una lavadora* o *un dentífrico.* Lo mismo cabe decir de *secadora, taladradora, ametralladora, rotativa, tostador, adhesivo, conservante* o *explosivo,* todos sustantivos y adjetivos. Entre los nombres de muebles sólo unos pocos siguen la misma pauta *(mecedora),* que resulta por el contrario más habitual en los de medicamentos (*calmante,*

[96] Pueden encontrarse algunos más en Fernández Ramírez (1951: vol. 3.1, § 67), entre otros poco empleados, como *un estratégico,* que usa Galdós.

[97] Sobre la inestabilidad de la caracterización que el DRAE hace de estos términos, véase Rebollo Torío (1978).

estimulante, tranquilizante, sedante, antidepresivo, etc.) [→ § 70.5]. También se aplica un proceso de sustantivación similar a los adjetivos que designan empresas, comisiones o juntas *(la coordinadora, una distribuidora, la patronal),* así como a los nombres de vehículos, desde el término mismo *automóvil* (nótese que también *móvil* es sustantivo y adjetivo, como *portátil*): *deportivo, descapotable, todo terreno, submarino, destructor.* El adjetivo italiano *aereo* es sustantivo con el significado de «avión», lo que refleja el mismo proceso que muestra *submarino* en español. Los nombres de líneas también siguen esta pauta: decimos *una línea recta* o *una recta; dos líneas perpendiculares* o *dos perpendiculares* (lo mismo con *paralela, tangente, secante,* etc.). Unos pocos adjetivos que denotan propiedades físicas se utilizan también para designar el nombre de la dimensión correspondiente: *el grueso del libro, el largo de la falda, el ancho de una carretera, el vacío, el infinito, el exterior, el interior.*

En algunos de los casos citados, los sufijos parecen especializarse en la interpretación de dispositivo o bien en la de producto. *Un estimulador* sugiere un aparato, pero *un estimulante* es una droga o un medicamento. La misma oposición se establece entre *aislador* y *aislante; carburador* y *carburante; secador* y *secante.* Tiene también base morfológica la inexistencia de sustantivos derivados en los casos que los morfólogos suelen denominar 'de bloqueo': el hecho de que ya exista en la lengua un sustantivo con el significado que tendría la nueva creación impide que se produzca la sustantivación. Así, como se hace notar en Bosque 1989: cap. 5, los adjetivos de (72a) se diferencian de los de (72b) en que no funcionan como sustantivos:

(72) a. Refrescante, policial, lindante, delictivo, espantoso.
b. Traficante, físico, vigilante, aislante, científico.

A cada uno de los primeros corresponde un sustantivo ya existente en la lengua *(refresco, policía, límite, delito* y *espanto),* que no existe tan claramente en el caso de los segundos (cf., por el contrario, la distinción *scientist-scientific* del inglés). En lo que al género respecta [→ § 74.2.3.6], los adjetivos de doble terminación genérica (o simplemente de doble género) se sustantivan en una de las dos opciones *(una lavadora),* más raramente en las dos *(un tostador-una tostadora; un secador-una secadora; un gráfico-una gráfica).* En los casos en los que tenemos sustantivos de ambos géneros, las diferencias en la interpretación no son transparentes, aunque siempre existe una justificación etimológica: *un pendiente* es un adorno, mientras que *una pendiente* es una curva o una forma del terreno; *un automático* designa un botón (en España), pero *una automática* es una pistola. Lo mismo en otros muchos casos.

Hemos comprobado en el apartado anterior que la interpretación de persona es la que se establece de forma más característica en los procesos de recategorización 'adjetivo > sustantivo'. Nótese que *un criminal* no designa un acto, sino una persona. *Un conocido* tampoco puede significar «un hecho conocido». La interpretación de hecho, suceso o acción se obtiene sólo en unos pocos casos: *un imponderable, un feo, un imposible, un extraño.* En general, fuera de los campos léxicos mencionados, las sustantivaciones no siguen tan claramente tendencias léxicas estables. De hecho, precisamente por ser léxico, el proceso que mencionamos está sujeto a considerable variación histórica y geográfica. Ya no es posible usar *invierno* como adjetivo, frente a lo que sucedía en latín, como hace notar Menéndez Pidal (1904), ni se reconoce tampoco un antiguo adjetivo gentilicio en el sustantivo *avellana* (*nux abellana* 'nuez de Abella'). Hace unas pocas décadas, en España se usaba todavía como adjetivo el actual sustantivo *aperitivo* (como en *un refresco aperitivo*), lo que en la actualidad ya parece imposible. Esta enorme variación se extiende, desde luego, a las lenguas romances. Lo que en español es *un morado* (esto es, *una moradura, un cardenal*), en francés es «un azul» *(un bleu),* y en otros idiomas románicos no tiene equivalente con adjetivo de color. [98]

Conviene insistir en que estos procesos de sustantivación no son sintácticos, sino léxicos, tal como se señaló arriba. La sintaxis de las formas apocadas muestra claramente la diferencia. Tenemos, pues, el adjetivo *deportivo* en (73a) y el sustantivo *deportivo* en (73b):

(73) a. Dos coches oficiales y uno deportivo.
b. Dos coches oficiales y un deportivo.

En ausencia de artículos o cuantificadores que posean formas apocopadas, la secuencia obtenida será potencialmente ambigua. Cabe pues interpetrar que *paralela* es adjetivo o sustantivo en (74a),

(74) a. Trazó dos líneas rectas y una paralela.
b. Trazó una paralela y dos líneas rectas.

pero es sólo sustantivo en (74b) puesto que en este tipo de coordinaciones tenemos anáfora y no catáfora [⟶ § 43.3.2], como en **El de Juan y el libro de Pedro*).

Los adjetivos de color, que se estudian en los §§ 3.4.2.2, 8.2.2.1, 67.2.1.5 y 73.2.2 de esta obra, funcionan también como sustantivos de género masculino. Así *rojo* es adjetivo en *una lámpara roja,* y también en *lo rojo,* pero es sustantivo en *El rojo no queda bien en este cuadro.* Como hemos visto más arriba, los nombres de colores funcionan como nombres continuos, como en *Hay demasiado verde en esta pared* o en *una pincelada de azul intenso* (ej. de Fernández Ramírez 1951: vol. 3.1, § 75). De hecho, en este último ejemplo el sustantivo *pincelada* se comporta como sustantivo acotador (§ 1.2.3.4), lo que produce una construcción muy similar a *un terrón de azúcar* o *un golpe de suerte.* Igualmente, la ausencia de determinante en *Falta rojo* se explica, en esencia, por los mismos factores que la permiten en *Falta aire* (§ 1.2.2). Sintagmas como *el rojo,* son, por tanto, ambiguos entre una interpretación anafórica, como en *el cuadro verde y el rojo* (o catafórica, como en *El rojo es su color preferido*) y otra interpretación no anafórica ni catafórica, como en el ejemplo citado *El rojo no queda bien en este cuadro.*

Podría pensarse que los nombres de (colores son siempre adjetivos y que se elide o se sobreentiende el sustantivo *color.* Hay varios argumentos contra ese análisis. El artículo indefinido *un* nos confirma que *rojo* es sustantivo en estos casos: si decimos que un pintor necesita *un rojo especial* comprobaremos que *rojo* ha de ser sustantivo necesariamente, puesto que posee un adjetivo que lo modifica. Si supusiéramos un núcleo nominal nulo (equivalente a *color*), no podríamos explicar sintagmas como *un azul claro,* ni *cualquier verde oscuro,* puesto que las formas apocopadas no pueden incidir sobre los núcleos nulos. El hecho de que no existan combinaciones como **un* ∅, **cualquier* ∅ o **algún* ∅ es el que nos permite explicar que no tengamos construcciones como **un de ellos,* **cualquier con alas,* o **algún para mí,* donde sólo caben las formas pronominales tónicas respectivas: *uno, cualquiera, alguno* y sus variantes morfológicas [⟶ § 68.4.1.2].

[98] Los sustantivos creados a partir de adjetivos crecen en el lenguaje periodístico. En Bosque (1989) se menciona que *especial* e *informativo* son dos creaciones recientes que se combinan en sintagmas análogos. En *un especial informativo,* tenemos el sustantivo *especial,* pero en *un informativo especial* es *informativo* el que actúa como nombre.

Los nombres de color admiten adjetivos de gama, y con ellos forman SSNN que modifican a otros nombres en una relación de aposición [→ §§ 3.4.2.2, 8.2.2.1]:

(75) a. Una falda verde {claro/*clara}.
b. Corbatas marrón {oscuro/*oscuras}.
c. Pantalones y camisas azul {vivo/*vivos/*vivas}.
d. Ojos azul {verdoso/*verdosos}.

Así, en (75a) el adjetivo *claro* concuerda con el sustantivo masculino *verde,* formando el SN *verde claro,* que actúa como aposición de *falda.* Como vemos, no se trata propiamente de un caso de elipsis del sustantivo *color,* que no puede recuperarse en el discurso previo. [99] Fernández Ramírez (1951: vol. 3.1, § 75) documenta *malvas lánguidos* y *violetas ignorados* en Juan R. Jiménez, así como *verde intacto* en Gabriel Miró, y concluye, correctamente, que los adjetivos de color «son al mismo tiempo nombres sustantivos masculinos», lo que la concordancia muestra claramente.

Como es sabido, algunos colores toman su nombre de objetos que los poseen de forma característica, generalmente flores o frutos pero también piedras: *rosa, violeta, naranja, granate, malva,* y también otros objetos o materias. García-Page (1990) menciona *ceniza, avellana, sangre, marfil,* entre otros muchos. Estos sustantivos no se convierten en adjetivos, aunque existe variación en el caso de *rosa,* ya adjetivo pleno para muchos hablantes:

(76) a. Dos camisas {naranja/*naranjas}.
b. Faldas {violeta/*violetas}.
c. Vestidos {rosa/rosas}.
d. Alfombras {ceniza/*cenizas}

La doble opción que se muestra en (76c) no se extiende a los demás sustantivos de color [100] derivados de nombres, ni tampoco a los adjetivos de color no derivados (*azul, amarillo, rojo,* etc.), a los que llamaré 'básicos'. Así, pues, los adjetivos de color básicos no forman aposiciones, pero los nombres de color básicos sí las forman. Es interesante, por tanto, que en la construcción de (75) sea imprescindible el adjetivo para que exista una relación de aposición:

(77) a. *Corbatas marrón.
b. Corbatas marrón oscuro.

Como vemos, *marrón* es adjetivo en (77a), y tiene que concordar con el sustantivo, pero es sustantivo en (77b) y no tiene por qué hacerlo. Los nombres de color admiten adjetivos, como en (77b), pero también otro sustantivo que designa alguna gama de su misma tonalidad, [101] con el que forma un compuesto nominal,

---

[99] A eso se añade que el problema de suponer que se elide el elemento subrayado en *Camisas* <u>*de color*</u> *azul oscuro* es el de tener que aceptar que una preposición y el núcleo del sintagma que toma como término forman un constituyente que deja fuera a los complementos de dicho núcleo nominal. Parece difícil justificar sintácticamente este análisis. Si entendemos que la elipsis se produce en *Camisas* <u>*color*</u> *azul oscuro,* gramatical para muchos hablantes, el problema es aceptar que pueda ser nulo el núcleo de un SN en aposición.

[100] Aun así, Fernández Ramírez (1951: vol. 3.1, § 75) documenta algunos casos análogos en plural, casi todos en Juan R. Jiménez.

[101] Estos segundos sustantivos son muy numerosos para cada color, pero aun así, es dudoso que el léxico deba prever estas series, puesto que el segundo miembro del compuesto nominal se toma libremente de los objetos que muestran tales

(78) a. [$_N$ camisas [$_N$ [$_N$ amarillo - [$_N$ limón]]]].
b. [$_N$ faldas [$_N$ [$_N$ gris - [$_N$ perla]]]].
c. [$_N$ bolsos [$_N$ [$_N$ verde - [$_N$ botella]]]].

Estos compuestos pueden, lógicamente, coordinarse entre sí o admitir adjetivos, que concordarán en género y número con el nombre de color:

(79) a. Camisas [amarillo limón] o [verde botella].
b. Camisas [[amarillo limón] claro] y faldas [[gris perla] oscuro].
(80) a. Buscaba tres camisas [[verde botella] o [gris perla]], ambos pálidos.
b. *Buscaba tres camisas [[verde botella] o [gris perla]], ambas pálidas.

Como hemos visto, el sustantivo *color* no está presente en estas formaciones, pero puede estarlo para algunos hablantes, que admiten por tanto secuencias como *camisas color amarillo limón.* Fernández Ramírez (1951: vol. 3.1, § 75.6) cita *pelo color cerveza blonda* en Pardo Bazán, *pañuelo de seda color hueso* en Zunzunegui y *vestido de pana color avellana* en R. Chacel, entre otros ejemplos. Así pues, tenemos en estos casos dos tipos de relaciones gramaticales: por un lado, una relación apositiva (por tanto, sintáctica) entre dos SSNN. Por otro lado, tenemos una relación morfológica entre los componentes de un compuesto nominal [→ § 73.2.2]. Veámoslo con más detalle:

(81) Una [$_{SN3}$ blusa [$_{SN2}$ color [$_{SN1}$ [$_{N1}$ blanco hueso] intenso]]].

En (81), N1 es un compuesto nominal formado por los sustantivos *blanco* y *hueso.* Este sustantivo compuesto admite el adjetivo *intenso,* y forma SN1, que a su vez establece una relación sintáctica de aposición con el sustantivo *color,* formando así SN2. Este SN, establece a su vez otra aposición con el núcleo *blusa,* formando SN3.

Las aposiciones que permite el sustantivo *color* las posibilitan también otros sustantivos, como *estilo, marca, talla, modelo,* y otros sustantivos que establecen clases de objetos. Así pues, la alternancia citada con *color* se reproduce en otras como las de (82):

(82) a. Una corbata (de) color amarillo. / Una corbata amarilla.
b. Un palacio (de) estilo Renacimiento. / Un palacio Renacimiento.
c. Unos zapatos (de) marca X. / Unos zapatos X.
d. Un billete (de) clase turista. / Un billete turista.

Esto no significa que las aposiciones constituyan procesos de adjetivación: el nombre propio *Luis XV* no constituye un adjetivo en el SN *sillones estilo Luis XV.* Resulta interesante, sin embargo, que estos sustantivos *(estilo, talla, marca, modelo, color)* [→ § 2.4.1.4] sean precisamente los que se pueden omitir en las relaciones de aposición mencionadas: son estos precisamente los que aportan los criterios más inmediatos para establecer clases de objetos.

---

coloraciones. García Page (1990) menciona combinaciones como *verde jade, verde esmeralda, verde limón, verde musgo, verde pino, verde oliva, verde mar, verde césped, verde botella,* entre otras.

1.7.5. La recategorización 'sustantivo > adjetivo'

Este tipo de traslación se aplica en primer lugar a los sustantivos que admiten grados, con lo que manifiestan una propiedad típicamente adjetival: *muy mujer, bastante payaso, algo torero* [→ § 2.4.1.4]. Independientemente de los efectos secundarios que se consiguen al usarlos, lo cierto es que *mujer* no denota una clase de personas en *muy mujer,* sino más bien una propiedad culturalmente relevante o prominente de la entidad *mujer.* Lo mismo en los demás casos. Fernández Ramírez (1951: vol. 3.1, § 74) documenta otros usos, como *muy siglo XVIII* y *muy papagayo.* Sugiere este autor que los sintagmas formados con <*a lo* + N> corresponden también al apartado de lo que llama 'sustantivos adjetivados'. Cuando decimos (ejemplos suyos) *a lo señor, a lo Espartero, a lo príncipe,* incluso *a lo bestia* (este ya lexicalizado), extraemos ciertos rasgos característicos o prototípicos de esas entidades, y en cierto sentido hacemos que denoten características o propiedades como en el caso anterior. El significado de *a lo señor* es «a la manera señorial». Es interesante que esta construcción permita también adjetivos *(a lo grande, a lo pobre)* sin grandes diferencias significativas. En ejemplos como *lo gran ciudad que es Buenos Aires* (Lapesa 1984) no es evidente, sin embargo, que tengamos una 'adjetivación del sustantivo', puesto que se trata de un SN *(gran ciudad).* Sin embargo, no es menos cierto que este sintagma ocupa el puesto que corresponde a adjetivos calificativos (o relacionales recategorizados como tales). Esta construcción, de gran complejidad en la gramática española, se examina con detalle en los §§ 7.4.2, 12.1.2.7, 12.1.3, 62.1.2.4 y 62.4.5.5 de esta obra.

SIGLAS UTILIZADAS

AGLE: Archivo Gramatical de la Lengua Española, de Salvador Fernández Ramírez. Vol. 1: *Las partículas,* edición en marcha a cargo de I. Bosque, J. A. Millán y M.ª Teresa Rivero, Alcalá de Henares, Instituto Cervantes.

ARTUS: Archivo de textos de la Universidad de Santiago. Colección de textos literarios y periodísticos en soporte magnético. Universidad de Santiago de Compostela. El archivo no está publicado.

DCRLC: Rufino José Cuervo: *Diccionario de construcción y régimen de la lengua castellana,* 8 vols., Bogotá, Instituto Caro y Cuervo, 1954-1994.

DRAE: Real Academia Española: *Diccionario de la lengua española,* Madrid, Espasa Calpe, 1994, 2 vols.

REFERENCIAS BIBLIOGRÁFICAS

ALCINA FRANCH, JUAN y JOSÉ MANUEL BLECUA (1975): *Gramática española,* Barcelona, Ariel.

ALLAN, KEITH (1977): «Classifiers», *Language* 53, págs. 285-311.

— (1980): «Nouns and Countability», *Language* 56, págs. 541-567.

— (1981): «Interpreting from Context», *Lingua* 53, págs. 151-173.

ALONSO, AMADO y PEDRO HENRÍQUEZ UREÑA (1938): *Gramática Castellana.* Cito por la 26.ª edición, dos volúmenes, Buenos Aires, Losada, 1971.

ANSCOMBRE, JEAN CLAUDE (1986): «L'article zéro en français: un imperfect du sustantif?, *Langue Française* 72, págs. 4-39.

BELLO, ANDRÉS (1847): *Gramática de la lengua castellana,* cito por la edición de R. Trujillo, Tenerife, 1981.

BLOOMFIELD, LEONARD (1933): *Language,* Nueva York, Holt, Rinehart y Winston.

BOLINGER, DWIGHT (1992): «About Furniture and Birds», *Cognitive Linguistics* 3, págs. 111-117.

BOSQUE, IGNACIO (1983): «Clases de nombres comunes», *Serta Philologica F. Lázaro Carreter,* Madrid, Cátedra, págs. 75-88.

— (1989): *Las categorías gramaticales. Relaciones y diferencias,* Madrid, Síntesis.

— (ed.) (1996): *El sustantivo sin determinación. La presencia y ausencia de determinante en la lengua española,* Madrid, Visor-Libros.

— (1998): «Sobre los complementos de medida», en *Estudios en honor del profesor Josse de Kock,* Lovaina, Leuven University Press, págs. 57-73.

BOSQUE, IGNACIO y JUAN CARLOS MORENO (1984): «Las construcciones con *lo* y la denotación del neutro», *Lingüística (ALFAL)* 2, págs. 5-50.

BRIZ GÓMEZ, ANTONIO (1989): *Sustantivación y lexicalización en español,* Valencia, Anejo n.º 4 de los Cuadernos de Filología de la Universidad de Valencia.

BRUCART, JOSÉ M.ª (1997): «Concordancia ad sensum y partitividad en español», en M. Almeida y J. Dorta (eds.), *Contribuciones al estudio de la lingüística hispánica. Homenaje al profesor Ramón Trujillo,* Tenerife, Montesinos, vol. 1, págs. 157-183.

BUNT, HARRY (1985): *Mass Terms and Model Theoretical Semantics,* Cambridge, Cambridge University Press.

CALERO VAQUERA, M.ª LUISA (1986): *Historia de la gramática española (1847-1920),* Madrid, Gredos.

CARROLL, JOHN B. (1978): «Continuous-Discrete: A Reinterpretation of the Mass-Count Feature of English Common Nouns», en *Linguistic and Literary Studies in Honor of Archibald Hill,* París-La Haya, Mouton, vol. 2, págs. 19-30.

CHENG, CHUNG-YING (1973): «Comments on Moravcsik's Paper», en J. Hintikka y otros (eds.), págs. 286-294.

CHOMSKY, NOAM (1965): *Aspects of the Theory of Syntax,* Cambridge, Cambridge University Press.

COSERIU, EUGENIO (1969): «El plural de los nombres propios», en E. Coseriu, *Teoría del Lenguaje y Lingüística General,* Madrid, Gredos, págs. 261-281.

CRÉVENAT-WERNER, DANIELLE (1996): «*Tranche* avec les noms concrets», *Cahiers de Lexicologie* 68, páginas 45-61.

CRUSE, D. A. (1986): *Lexical Semantics,* Cambridge University Press.

DANNY, J. F. (1987): «What are Noun Classifiers Good For», *Proceedings of the 12 Annual Meeting of the Chigaco Linguistic Society,* págs. 122-132.

DOWTY, DAVID (1979): *Word Meaning and Montague Grammar,* Dordrecht, Reidel.

ESCANDELL VIDAL, M. VICTORIA (1995): *Los complementos del nombre,* Madrid, Arco/Libros.

ESPAÑOL GIRALT, M.ª TERESA (1991): *Nominalidad y contexto en español,* Barcelona, Promociones y Publicaciones Universitarias.

FÄLT, GUNNAR (1972): «Sujetos colectivos», en *Tres problemas de concordancia verbal en el español moderno,* Uppsala, Acta Universitatis Upsaliensis, Studia Romanica Upsaliensia, vol. 9, págs. 76-149.

FERNÁNDEZ LAGUNILLA, MARINA (1983): «El comportamiento de *un* con sustantivos y adjetivos en función de predicado nominal. Sobre el llamado *un* 'enfático'», *Serta Philologica F. Lázaro Carreter,* Madrid, Cátedra, págs. 195-208.

FERNÁNDEZ RAMÍREZ, SALVADOR (1951): *Gramática española,* Madrid, Revista de Occidente. Cito por la segunda edición en 5 volúmenes, Madrid, Arco/Libros, 1986.

FLAUX, NELLY y otros (eds.) (1996): *Les noms abstraits. Histoire et théories. Actes du colloque de Dunkerke (15-18 septembre 1992),* Dunkerke, Presses Universitaires du Septentrion.

GALMICHE, MICHEL y GEORGES KLEIBER (1996): «Sur les noms abstraits», en Flaux y otros (eds.), páginas 23-40.
GARCÍA GONZÁLEZ, FRANCISCO (1988): «El neutro de materia», en el *Homenaje a Alonso Zamora Vicente,* Madrid, Castalia, vol. 2, págs. 91-105.
GARCÍA MESEGUER, ÁLVARO (1990): «Descripción binaria de la lengua. Tipología de las palabras con número», *Actas del V Congreso de lenguajes naturales y lenguajes formales,* Facultat de Filologia, Universitat de Barcelona, págs. 151-165.
— (1993): «De cómo la lengua nos ilustra acerca de la realidad: ¿Qué es un individuo y qué es un colectivo? Rasgos del aspecto nominal» Comunicación presentada al *XXIII Simposio de la Sociedad Española de Lingüística,* Universidad de Lérida.
GARCÍA-PAGE, MARIO (1990): «Los nombres de colores y el sustantivo *color.* Morfología y sintaxis», tirada aparte de *Thesaurus, Boletín del Instituto Caro y Cuervo,* págs. 1-25.
GARRIDO MEDINA, JOAQUÍN (1996): «Sintagmas nominales escuetos», en I. Bosque (ed.) 1997, págs. 269-338.
GERZENSTEIN, ANA (1978): «El tratamiento del nombre en las gramáticas de Nebrija y Villalón», *REL* 8:2, págs. 409-429.
GIL, DAVID (1987): «Definiteness, Noun Phrase Configurationality, and the Mass-Count Distinction», en Eric Reuland y Alice G. B. ter Meulen (eds.), *The Representation of (In)definiteness,* Cambridge, MIT Press, págs. 254-269.
GILI GAYA, SAMUEL (1944): *Curso superior de sintaxis española.* Cito por la 9.ª edición, Madrid, Biblograf, 1964.
GÓMEZ ASENCIO, JOSÉ J. (1981): *Gramática y categorías gramaticales en la tradición española* (1771- 1847), Salamanca, Ediciones Universidad de Salamanca.
— (1985): *Subclases de palabras en la tradición española (1771-1847),* Salamanca, Ediciones Universidad de Salamanca
GONZÁLEZ PORRAS, TEÓFILO (1979): «La terminología gramatical en las obras de la Academia: el sustantivo», *Anuario de Estudios Filológicos* 2, págs. 75-87.
GRANDY, RICHARD A. (1973): «Comments on Moravcsik's Paper», en J. Hintikka y otros (eds.), páginas 295- 300.
GREENBERG, JOSEPH (1972): «Numeral Classifiers and Substantial Number. Problems in the Genesis of a Linguistics Type», *Working Papers on Language Universals* 9, págs. 1-39.
HALL, ROBERT A. (1968): «Neuters, Mass Nouns and the Ablative in Romance», *Language* 44:3, páginas 480-486.
HENRÍQUEZ UREÑA, PEDRO (1933): *«Ello», Revista de Filología Hispánica,* 1:3, págs. 209-229.
HIGGINBOTHAM, JIM (1994): «Mass and Count Quantifiers», *Linguistics and Philosophy* 17:5, págs. 447-479.
HINTIKKA, JAKKO y otros (eds.) (1973): *Approaches to Natural Languages,* Dordrecht, Reidel.
IANUCCI, JAMES I. (1952): *Lexical Number in Spanish Nouns,* Philadelphia, Universidad de Pennsylvania.
JACKENDOFF, RAY (1991): «Parts and Boundaries», *Cognition* 41, págs. 9-45.
— (1996): «The Proper Treatment of Measuring out Telicity, and perhaps even Quantification in English», *NLLT* 14, págs. 305-354.
JESPERSEN, OTTO (1924): *The Philosophy of Grammar.* Cito por la edición de 1965, Nueva York, The Norton Library.
KALUŻA, IRENA (1974): «The Feature "Count" and Semantic Information», *Studia Anglica Posnaniensia* 6, págs. 61-71.
KLEIBER, GEORGES (1994a): «L'opposition *Massif-Comptable* et les adjectifs», cap. 2 de G. Kleiber, *Nominales. Essais de sémantique référentielle,* París, A. Colin, págs. 29-47.
— (1994b): «Le drapeau est rouge et bleu ou Comme *flotte* la quantité», cap. 9 de G. Kleiber, *Nominales. Essais de sémantique référentielle,* París, A. Colin, págs. 160-176.
LAPESA, RAFAEL (1973): «Lenguaje normal y lenguaje poético: el sustantivo sin actualizador en las "Soledades" gongorinas», en *Cuadernos Hispanoamericanos* 280-282. Cito por la reproducción que aparece en R. Lapesa, *Poetas y prosistas de ayer y hoy,* Madrid, Gredos, 1977, págs. 186-209.
— (1984): «El neutro en calificativos y determinativos castellanos», en *Estudis en memòria del professor Manuel Sanchis Guarner,* Universitat de València, vol. 2, págs. 173-193.
LEHRER, ADRIENNE (1986): «English Classifier Constructions», *Lingua* 68, págs. 109-148.
LØNNING, JAN TORE (1987): «Mass Terms and Quantification», *Linguistics and Philosophy* 10, págs. 1-52.
LENZ, RODOLFO (1920): *La oración y sus partes,* Madrid, Centro de Estudios Históricos.
LOPE BLANCH, JUAN MANUEL (ed.) (1977): *Estudios sobre el español hablado en las principales ciudades de América,* México, UNAM.

MARCOS MARÍN, FRANCISCO (1980): *Curso de gramática española,* Madrid, Cincel-Kapelusz.
MARTIN, ROBERT (1996): «Le fantôme du nom abstrait», en Flaux y otros (eds.), págs. 41-50.
MARTÍNEZ ÁLVAREZ, JOSEFINA (1996): «Nombres discontinuos y artículo», *BRAE* LXXVI (enero-abril), págs. 119-128.
MENÉNDEZ PIDAL, RAMÓN (1904): *Manual de Gramática Histórica española.* Cito por la 13.ª edición, Madrid, Espasa Calpe, 1968.
MILLÁN OROZCO, ANTONIO (1977): «Anomalías en la concordancia del nombre en el español de la ciudad de México» en J. M. Lope Blanch (ed.) págs. 85-104.
MONTAGUE, RICHARD (1973): «Comments on Moravcsik's Paper», en J. Hintikka y otros (eds.), págs. 289-294.
MORAVCSIK, JULIUS (1973a): «Mass Terms in English», en J. Hintikka y otros (eds.), págs. 263-285.
— (1973b): «Reply to Comments», en J. Hintikka y otros (eds), págs. 301-308.
MORREALE, MARGARITA (1971): «Aspectos gramaticales y estilísticos del número», Primera parte, *BRAE* 51, págs. 83-138. Para la segunda parte de este trabajo, véase la referencia siguiente.
— (1973): «Aspectos gramaticales y estilísticos del número», Segunda parte, *BRAE* 53, págs. 99-206. Para la primera parte de este trabajo, véase la referencia anterior.
MOUNIN, GEORGES (1979): *Diccionario de lingüística,* Madrid-Barcelona, Labor.
MUROMATSU, KEIKO (1995): «The Classifier as a Primitive, Individuation, Referability and Argumentation», *University of Maryland Working Papers in Linguistics* 3, págs. 144-180.
NEBRIJA, ANTONIO DE (1942): *Gramática de la lengua castellana.* Cito por la edición de A. Quilis, Madrid, Editora Nacional, 1980.
OJEDA, ALMERINDO (1992): «The Mass Neuter in Hispano-Romance», *Hispanic Linguistics,* 5:1-2, págs. 245-277.
ORTEGA, GONZALO y MARCIAL MORERA (1981-82): «La concordancia numérica de los colectivos: un caso de silepsis», *Archivum* 31-32, págs. 645-656.
PELLETIER, FRANCIS J. (1979): *Mass Terms: Some Philosophical Problems,* Dordrecht, Reidel.
PÉREZ RIOJA, JOSÉ ANTONIO (1954): *Gramática de la lengua española.* Cito por la 6.ª edición, Madrid, Tecnos, reimpresión de 1971.
PORTOLÉS, JOSÉ (1993): «Atributos con *un* 'enfático'», *RRo* 28:2, págs. 218-236
PUSTEJOVSKY, JAMES (1995): *The Generative Lexicon,* Cambridge, MIT Press.
QUILIS, ANTONIO (1983): *La concordancia gramatical en la lengua española hablada en Madrid,* Madrid, Consejo Superior de Investigaciones Científicas.
QUINE, WILLIAM O. (1960): *Word and Object,* Cambridge, MIT Press.
QUIRK, RANDOLPH (1978): «Grammatical and Pragmatic Aspects of Countability», *Die Neueren Sprachen* 77, págs. 317-325.
QUIRK, RANDOLPH y otros (1985): *A Comprehensive Grammar of the English Language,* Longman, Londres.
REAL ACADEMIA ESPAÑOLA (1973): *Esbozo de una nueva gramática de la lengua española,* Madrid, Espasa Calpe.
REBOLLO TORÍO, MIGUEL (1978): «Consideraciones sincrónicas sobre la formación del plural en el adjetivo», *Anuario de Estudios Filológicos* I, págs. 1-13.
ROCA PONS, JOSÉ (1960): *Introducción a la gramática.* Cito por la segunda edición, Barcelona, Teide, 1972.
SALVÁ, VICENTE (1830): *Gramática de la lengua castellana, según ahora se habla.* Cito por la edición de M. Lliteras, dos vols., Madrid, Arco/Libros, 1988.
SECO, MANUEL (1972): *Gramática esencial del español.* Cito por la edición de 1980, Madrid, Aguilar.
SECO, RAFAEL (1930): *Manual de gramática española.* Cito por la 9.ª ed., Madrid, Aguilar, 1967.
SELKIRK, ELIZABETH O. (1977): «Some Remarks on Noun Phrase Structure», en P.W. Culicover y otros (eds.), *Formal Syntax,* Nueva York, Academic Press, págs. 285-316.
SHARVY, RICHARD (1978): «Maybe English has no Count Nouns. Notes on Chinese Semantics», *Studies in Language* 2, págs. 345-365.
SPENCE, NICOL C. W. (1983): «Partitives and Mass-Nouns in French», *RF* 95, págs. 1-22.
TENNY, CAROL (1994): *Aspectual Roles and the Syntax-Semantics Interface.* Dordrecht: Kluwer.
VERGNAUD, JEAN ROGER y M.ª LUISA ZUBIZARRETA, (1992): «The Definite Determiner and the Inalienable Construction in French and in English», *LI* 23, págs. 595-652.
WIERZBICKA, ANNA (1985): «Oats and Wheats: The Fallacy of Arbitrariness,» en J. Haiman (ed.), *Iconicity in Syntax,* Amsterdam, John Benjamins, págs. 311-342.
— (1986): «What is a Noun? (or How do Nouns Differ in Meaning from Adjectives)», *Studies in Language* 10:2, págs. 353-389.
— (1992a): «Furniture and Birds. A Reply to Bolinger», *Cognitive Linguistics* 3, págs. 119-123.

— (1992b): «Semantic Rules Know no Exceptions», *Studies in Language* 15:2, págs. 371-398.
WALD, LUCIA (1990): «Some Observations Concerning the Plural of Abstract Nouns in Romanian and Other Romance Languages», *Revue Roumaine de Linguistique* 25, págs. 389-393.
WILMET, MARC (1996): «À la recherche du nom abstrait», en Flaux y otros (eds.), págs. 67-76.

2
EL NOMBRE PROPIO

María Jesús Fernández Leborans
Universidad Complutense de Madrid

ÍNDICE

2.1. El nombre propio en la tradición gramatical

2.1.1. Definición tradicional. Características

En el mundo occidental, lingüistas, filósofos y, especialmente, lógicos, han mostrado singular interés durante más de 2.000 años —desde el *Cratilo* de Platón— por delimitar adecuadamente la clase de los llamados 'nombres propios'. Pero, en la tradición gramatical, apenas se establecen criterios que sancionen convenientemente la diferenciación entre nombres propios y nombres apelativos (o comunes) [→ Cap. 1]; de hecho, la RAE reconoce la dificultad de fundamentar esta distinción con criterios gramaticales y opta por una postura acaso extrema al sugerir que «probablemente [...] nada tiene que ver con la gramática» (RAE 1973: 172, n. 5). Lo cierto es que los nombres propios (en adelante, NNPP, NP) constituyen una categoría no exclusivamente lingüística; su carácter marginal deriva de la dificultad que supone su delimitación mediante las relaciones intrínsecas entre los signos que constituyen el sistema de una lengua: es una clase de palabras desprovista de contenido léxico codificado, de modo que su valor ha de ser establecido en relación con factores extralingüísticos (Jonasson 1994).[1] Entre otros aspectos, ha sido objeto de especial atención en los últimos veinte años, su dimensión sociolingüística (Allerton 1987, 1996), así como su rendimiento causal, psicofísico, en la comunicación (Castañeda 1985), su valor semiótico (Sánchez Corral 1990) o su naturaleza cognitiva (Jonasson 1994), pero, en cuanto a su condición lingüística, el NP ha sido reconocido, también en las dos últimas décadas, como clase gramatical con propiedades morfológicas, semánticas y sintácticas relativamente distintivas, pero no exclusivas.

En las gramáticas clásicas grecolatinas ya se definía el nombre propio en relación con el nombre común o apelativo; Donato lo distinguía como el «nombre de uno solo» —*unius nomen (PROPRIUM)*— frente al «nombre de varios» —*multorum nomen (APPELATIVUM)*—. De hecho, el NP se consideraba como el verdadero Nombre —este es el significado de la palabra *kúrion* en la expresión *onoma kúrion*, traducida del griego al latín por *nomen proprium*— porque es el que verdaderamente nombra, designa seres individuales (Molino 1982: 5). Durante siglos, las gramáticas tradicionales han observado este tipo de delimitación logicista —'designación de un individuo' (NP) *vs.* 'designación de una especie o clase' (N común)— sin añadir modificaciones sustanciales. Es representativa, en este sentido, la definición de Bello (1847: § 100): «nombre propio es el que se pone a una persona o cosa individual para distinguirla de las demás de su especie o clase».

En relación con el auge de la Lingüística Diacrónica y la Gramática Comparada, se consolida una disciplina auxiliar, la Onomástica, que estudia especialmente los NNPP de persona (antropónimos) y los NNPP de lugares (topónimos) en su etimología, significado y difusión; de interés, no sólo para los estudios históricos, sino para la descripción en disciplinas como la Dialectología, la Geografía Lingüística o la Lexicología, la Onomástica ha contribuido notablemente al conocimiento de propiedades morfológicas de los nombres propios.

En nuestro siglo, fueron no precisamente gramáticos, sino lógicos y filósofos, quienes dedicaron —hacia la segunda mitad— singular y creciente atención al nombre propio, con propuestas y reflexiones —Frege, Russell,...— sobre la referencia, el significado, la predicación y cuestiones conexas. Sus aportaciones despertaron el interés de los lingüistas, atraídos por los aspectos semántico-referenciales del NP, a finales de la década 70. A partir de 1980 aparecen nuevos estudios sobre la gramática de los NNPP (aspectos morfofonológicos, funciones sintácticas y, naturalmente, valores

[1] De hecho, la mayor parte de los estudios de carácter general sobre el nombre propio incluyen referencias en síntesis a las perspectivas específicas de determinadas ciencias y disciplinas que se han aplicado al estudio de los NNPP; pueden verse, entre otros, Algeo 1973; Gardiner 1954; Gary-Prieur 1991a; Jonasson 1994; Pulgram 1954; Sorensen 1963; Wilmet 1991; Zabeeh 1968. El carácter interdisciplinar del NP se destaca, especialmente, en Molino 1982 y Morala 1986.

semánticos y pragmáticos); se trata, en general, de estudios descriptivos basados en criterios metodológicos característicos del funcionalismo, del estructuralismo franco-suizo o del distribucionalismo. (Por otra parte, los NNPP han sido objeto de numerosos estudios en Antropolingüística, de modo especial a partir de las propuestas de Lévi-Strauss 1962 —Evans-Pritchard 1971; Bromberger 1982; Zonabend 1980— y en Psicolingüística —Molino *et al.* 1974; Bonnet y Tamine 1982—, así como en Sociolingüística —particularmente, trabajos de investigación interlingüística, estudios de traducción, etc.: Hermans 1988; Franco 1996).

Las propuestas de delimitación estrictamente lingüística del NP como categoría diferenciada del nombre común (en adelante, NC) coinciden en establecer una serie de propiedades que, si bien no son definitorias de modo excluyente, sirven en conjunto para caracterizar gramaticalmente —con cierta provisionalidad— la clase de los NNPP: introducción mediante mayúscula; flexión fija; unicidad referencial —o monorreferencialidad—; falta de significado léxico; ausencia de determinante —en la función referencial prototípica—; incompatibilidad con complementos restrictivos o especificativos —en la función referencial prototípica—; imposibilidad de traducción. [2]

La mayúscula inicial es una característica generalizada en el uso de los NNPP, pero es extensible a cualquier expresión al servicio de algún modo de designación; la flexión fija es una propiedad predominante, pero no definitoria; la monorreferencialidad no es propiedad exclusiva —pero sí obligatoria— de los NNPP, y la ausencia de determinante no es una propiedad absoluta, aunque es, sin duda, representativa. En cuanto al significado de los NNPP, se trata, por una parte, de defecto de significación léxica (el NP no significa una 'clase' léxicamente identificable mediante un conjunto de rasgos semánticos codificados, como el NC; en el NP existe primacía —exclusividad, para muchos gramáticos— de la designación o referencia sobre la significación); por otra parte, se trata de inoperatividad de su significado léxico originario, lo que se traduce, unido a la relación de univocidad del NP con su referente, en el hecho de que no es posible utilizar cualquier expresión sinónima construida según la lengua común como forma onomástica alternativa (**Los Bajos Países* o **Los Países Inferiores,* por *Los Países Bajos; *María Aflicciones* o **María Molestias* por *María Dolores).* [3] El NP rechaza complementos restrictivos porque no define una clase léxica, a diferencia del NC. Y en lo que respecta a su intraducibilidad, no se diría que constituye una propiedad relevante; como es sabido, determinados NNCC de algunas lenguas no se pueden traducir a términos correspondientes en otras (como los varios nombres para «hielo» en Noruega, o para «lluvia» en Galicia, etc.).

2.1.2. Clases de nombres propios

Uno de los aspectos que dificultan notablemente la determinación de la categoría NP es su heterogeneidad; es precisamente el hecho de la diversidad de referentes de los NNPP el factor que impide la aplicación de criterios formales con

[2] Véase al respecto, Jonasson 1994: 12; la autora considera que, cualquiera que sea el criterio adoptado, no se logra distinguir claramente los NNPP de los NNCC, a causa de una insuficiencia de precisión en la noción de NP.

[3] Véase al respecto Curat y Hamlin 1993. Los autores señalan que, si bien en la mayor parte de las lenguas modernas los hablantes no son sensibles al significado léxico etimológico de los NNPP, en las lenguas árabes, inuktitu y amerindias, gran parte de los antropónimos corresponden a elementos léxicos de valor semántico transparente.

capacidad de delimitar sin ambigüedad la clase de los nombres propios de la de los nombres comunes (Algeo 1973). Por otra parte, los criterios no son convergentes; dos criterios cualesquiera no permiten delimitar el mismo ámbito referencial de NNPP (Molino 1982).

Una de las dos subclases de NNPP más ampliamente estudiadas es la de los 'antropónimos' (o nombres de persona), categoría en sí misma heterogénea (constituida por los llamados 'nombres de pila' (*María, Antonio,* etc.); los 'sobrenombres' o 'apellidos', generalmente 'patronímicos' (apellido que antiguamente se daba a los hijos, formado sobre el nombre del padre: *Fernández,* de Fernando, etc.) y por los 'hipocorísticos' (nombres en forma abreviada o diminutiva, empleados como designaciones familiares, afectivas o eufemísticas, de carácter convencional en la mayor parte de los casos (*Pepe* —de *José—; Concha* —de *Concepción—; Maite* —de *María Teresa—,* etc.). ('Apodos' y 'pseudónimos' constituyen, asimismo, un modo secundario de designación propia).

Los 'zoónimos' o nombres propios de animales individuales no constituyen una categoría diferenciada de esta subclase de los 'antropónimos', en lo que respecta a propiedades formales; de hecho, no es infrecuente poner a los animales domésticos nombres de persona. No obstante, la tendencia en el uso común a diferenciar los significantes —piénsese, por ejemplo, en *Rintintín* o *Chita,* o *Flipper*— tiene que ver con motivaciones extralingüísticas (socioculturales).

La otra subclase, objeto de numerosos estudios —desde las perspectivas diacrónica, etimológica, dialectológica y sociolingüística, especialmente— es la de los 'topónimos', o nombres propios de lugares (países, ciudades, ríos, etc.: *España; San Sebastián; el Guadalquivir; la Selva Negra; el Teide,* etc.). Esta subclase difiere de la de los 'antropónimos' en más de un aspecto, como veremos posteriormente.

Las demás subclases, que presentamos a continuación, no han sido consideradas en todos los casos como categorías de NNPP genuinos, y son limitados los estudios al respecto: a) nombres de períodos temporales (días, meses, estaciones, fiestas del calendario, etapas, etc.: *lunes, diciembre, primavera, Pascua,* etc.); b) nombres de instituciones: *O.N.C.E., UCM,* etc.; c) nombres de productos de la actividad humana en general: *AVE; la Sexta* (sinfonía de L. van Beethoven); *Aida* (ópera de G. Verdi), *Las Meninas* (famoso lienzo de Velázquez), etc. (Estos dos últimos subtipos, b) y c), adoptan con frecuencia la forma de siglas: *C.S.I.C.* —Consejo Superior de Investigaciones Científicas—, determinándose, en muchos casos, como acrónimos: *Sida, Ovni, Renfe,* etc. [→ § 78.3.2]); d) nombres de uso apelativo familiar o informal *(Papá, Mami)* y 'títulos' (*Maestro, Excelencia,* etc.); e) nombres de símbolos matemáticos y científicos en general: *alfa, 3,1416, PRO* (un tipo de categoría no visible fonéticamente —gramática generativa—); *k* (símbolo químico del potasio), etc.; f) otros nombres de designación ocasional (cualquier objeto o entidad puede ser un referente adecuado para un nombre propio en determinadas circunstancias). [4]

[4] Una clasificación similar propone Molino (1982) sobre distinciones de Zabeeh (1968) y Le Bihan (1974). La mayor parte de los gramáticos reducen el número de subclases de NNPP (Weinrich 1989), y, en general, se consideran NNPP propiamente dichos los antropónimos y los topónimos; particularmente se rechazan como NNPP los tipos (d) y (e), incluso (a) (Wilmet 1991). Pero algunos gramáticos establecen hasta dieciséis clases de NNPP (Togeby 1982); además de los mencionados, se consideran NNPP los nombres de períodos históricos *(el Renacimiento, el Siglo de Oro...);* los nombres de los puntos cardinales *(Norte, Mediodía);* los nombres astronómicos (*Orión, Mercurio,* etc). Puede verse un resumen sobre diversas clasificaciones de NNPP en Wilmet (1995). Este autor reduce los tipos de NNPP a dos tipos: NNPP 'esenciales' (desprovistos de *signification,* que adquieren un *sens* —en contacto con un referente: *Nestor, Mercurio, Cuba—*) y NNPP 'accidentales' (originariamente NNCC, que ocultan su *signification* permanente, en favor de la adquisición de un *sens*

Desde el punto de vista léxico-morfológico, Jonasson (1994) distingue los NNPP 'puros', constituidos por formas léxicas especializadas en la función de NP, de las expresiones denominativas de base descriptiva o mixta. Los NNPP 'puros' son los de 'personas' y 'lugares' (ciudades, países, generalmente). Las otros NNPP suelen estar constituidos por NNCC con determinación, eventualmente acompañados por modificadores adjetivos o prepositivos; se trata de los NNPP de instituciones, organizaciones, empresas, o de ciertos lugares —calles, plazas, etc.— (*La Real Academia Española; el Macizo Central; el Jardín Botánico,* etc.), o poseen material mixto —un NP puro y un NC o un adjetivo— *(la calle Goya; Isla Cristina; Nueva Orleans).* En función de los tipos de referentes, los NNPP puros son designadores más 'flexibles' que los NNPP 'descriptivos', porque, contrariamente a estos, son susceptibles de uso no referencial, entre otros aspectos (Jonasson 1994: 20).

En las páginas que siguen se describen las particularidades morfológicas, semánticas y sintácticas de los nombres propios 'genuinos', esto es, originariamente sancionados como tales por la tradición gramatical: antropónimos y topónimos. (Las observaciones se centran especialmente en los NNPP de persona.)

2.2. Particularidades morfológicas de los nombres propios

2.2.1. La mayúscula inicial

Uno de los aspectos más destacados en las gramáticas normativas como rasgo distintivo de los NNPP es el uso convencional, en la grafía, de la mayúscula inicial; los gramáticos tradicionales consideran esta particularidad como una marca específica que distingue el nombre propio del nombre común o apelativo. Cierto es que, en lenguas como el español, francés, italiano y otras, tal particularidad aparece invariablemente como marca identificativa de NP; de hecho, la asignación de mayúscula inicial a un nombre común suscita sin dificultad su interpretación como nombre propio en un contexto dado, o en determinadas circunstancias (Gary-Prieur 1991a).[5] Pero no es menos cierto que hay lenguas sin mayúsculas y lenguas, como el alemán, en las que todos los nombres llevan mayúscula inicial. Ahora bien, como se ha señalado en alguna ocasión, importa observar la tendencia generalizada en muy diversas lenguas a destacar, mediante algún tipo de procedimiento gráfico (un signo, marca o símbolo particular), el nombre propio (Algeo 1973), lo que constituye una prueba clara de la conciencia lingüística de su especificidad gramatical.

Sin duda, la mayúscula inicial es el procedimiento más extendido como marca definitoria de la categoría NP, en relación, probablemente, con su imposibilidad de traducción (Manczak 1981). Para el español, la *Ortografía* de la RAE (1988) presenta normas muy claras al respecto; todo nombre propio debe escribirse con letra inicial mayúscula (cap. II, 2.º) (los ejemplos de NNPP citados en la *Ortografía* corresponden a antropónimos, zoónimos y topónimos —*Jesús; Rocinante; Castilla*);

---

cuando designan un referente: *Lafuente, Los Países Bajos, el Discóbolo*). En general, los gramáticos renuncian a establecer una definición lingüística extensional de los NNPP, y se limitan a analizar las propiedades morfológicas, sintácticas y semánticas de los NNPP 'prototípicos', es decir, los nombres de persona y de lugar; Gary-Prieur (1995) explica que la razón fundamental radica en un conocimiento insuficiente o nulo del comportamiento de las demás subclases de NNPP —nombres no prototípicos.

[5] A este respecto, Gary-Prieur observa que, en un determinado contexto, *El Emperador* puede servir para designar a *Napoleón,* etc., y menciona la tendencia —ya señalada por gramáticos tradicionales— de ciertos nombres abstractos provistos de mayúscula a funcionar como nombres propios; cita, por ejemplo, a Damourette y Pichon (1911) —1940: 398—: «*La Liberté, la Raison,* envisagées comme des entités absolues et uniques, ont un rôle grammatical absolument analogue à celui de *La France*» [«*La Libertad, la Razón,* consideradas como entidades absolutas y únicas, tienen un uso gramatical absolutamente análogo al de *La Francia*»].

asimismo, las expresiones equivalentes, en algún sentido, a NNPP, como las descripciones definidas que componen el nombre de instituciones, cuerpos, o establecimientos también deben escribirse con letra inicial mayúscula *(la Real Academia de la Historia; el Museo Naval),* de igual modo que los títulos, tratamientos *(Sumo Pontífice; Duque de Osuna; Señor Don)* y apodos *(el Gran Capitán; García el Trémulo);* así como las denominaciones de cargo o jerarquía cuando se emplean como NNPP, como *el Papa, el Duque,* etc. Por otro lado, las expresiones de colectivos o instituciones de referencia única y específica en el universo de discurso —hablante y oyente comparten la presuposición de unicidad y especificidad del referente— se escriben también con mayúscula: *el Clero, el Estado, el Partido, la Facultad, la Universidad,* etc. Las expresiones designadoras constituidas por adjetivos con el artículo determinado —con núcleo nominal elíptico— se emplean también con mayúscula inicial —no obligatoria— en virtud de cierta convención o semi-lexicalización en su referencia; decimos, por ejemplo, *la Central de Barcelona (la Universidad),* o *la Nacional sexta (la carretera).* Los nombres de marcas comerciales se escriben habitualmente con mayúscula inicial, aunque se trate de usos metonímicos con rendimiento de NC en el contexto *(un Danone; una Coca-cola; un Martini; un Renault)* si bien, en muchos casos se ha impuesto la minúscula *(jerez, champán, brie)* en la incorporación de estos nombres al léxico como NNCC. Los NNPP metonímicos de autores —de obras pictóricas o literarias— siempre se escriben con mayúscula —no pierden su categoría NP aunque se empleen como NNCC en el contexto; la relación metonímica es operativa—: *un Goya; el último Cela; el mejor Picasso que tenemos*). Se escriben, naturalmente, con minúscula los NNPP transcategorizados en NNCC: *un donjuán, un mecenas, un quijote...*

2.2.2. Sobre el género de los nombres propios

En ciertas lenguas la diferenciación entre nombre propio y nombre común se marca por sufijación de los NNPP, frente a la forma no sufijada de los NNCC (De Vincenz 1961), o mediante morfemas distintos (Hockett 1958: 311), pero, en francés, inglés, italiano, etc., no hay características morfológicas diferenciadoras de las dos clases de nombres. [6] Realmente, no parece que exista en cada lengua una pauta de formación regular o básica en lo que respecta a la estructura morfológica de los NNPP, de modo que, en principio, cualquier palabra o secuencia de palabras podría ser un nombre propio (Molino 1982). De hecho, los límites a esta posibilidad vienen impuestos generalmente por convenciones socio-culturales, no por la gramática de una lengua. No obstante, es observable, en algunas lenguas, la tendencia a formar NNPP en concordancia con la articulación morfológica interna de los NNCC, especialmente en lo relativo a los morfemas de género y número.

Así, con respecto a los morfemas de género gramatical en los NNPP de persona [→ § 74.2.3.4], no es infrecuente, en español, la formación del femenino de los NNPP por 'moción' del correspondiente masculino, como sucede con numerosos nombres apelativos: *Fernando/Fernanda; Manuel/Manuela; Juan/Juana;* etc. En general, no es difícil constatar la tendencia en la sociedad a seleccionar los NNPP de

[6] Véase, respecto a generalizaciones sobre las diferencias morfológicas entre nombres propios y nombres comunes, Kurylowicz 1966. Más de un gramático se ha interesado por las posibles características morfológicas universales de los NNPP: la disponibilidad para la función de 'vocativo' en el caso de los NNPP de seres animados; las condiciones restrictivas en la formación del plural, o la limitada —o, simplemente, especial— productividad derivacional de los NNPP, en relación con los NNCC (puede verse una síntesis de estas reflexiones en Molino 1982). En cuanto a la morfología flexiva de los NNPP, en más de una ocasión se ha destacado la flexión por defecto de los NNPP, en relación con la de los NNCC, en el sentido de que son nombres de flexión 'fija'; son invariablemente de un género dado, y también de un número dado (Togeby 1982: 120). Respecto a la morfología derivativa, cabe destacar que son numerosos los adjetivos derivados de NNPP geográficos (*español, francés, madrileño,* etc.). Los NNPP de personas célebres también dan origen a adjetivos derivados: *kantiano, marxista, galdosiano;* se trata, en general, de adjetivos relacionales, aunque no son infrecuentes los calificativos descriptivos: *dantesco, afrodisíaco, hercúleo.*

referente animado femenino con el morfema regular de género femenino que adoptan los NNCC (la desinencia *-a*); no existe, respecto a los NNPP de referente animado masculino, una generalización paralela en relación con el morfema regular *-o,* dado que es el género no-marcado. Algunos patronímicos y apellidos son morfológicamente invariables con ambos referentes: *don Trinidad/doña Trinidad* (Alcina y Blecua 1975: 527).

En cuanto al género que presentan los NNPP con sufijos diminutivos apreciativos, se observan pautas de formación análogas a las que se aplican a los NNCC [→ § 71.5]; así, los nombres de mujer terminados en *-o,* como *Amparo, Consuelo, Rosario,* etc. forman el diminutivo por analogía con los NNCC de la misma terminación: *Amparito, Consuelito, Rosarito,* etc. (Véanse también, por ejemplo, con los NNPP terminados en *-s: Mercedes, Lourdes,* etc., las formaciones con diminutivo en femenino singular: *Merceditas, Lourditas,* etc.)

El género de los NNPP de referentes inanimados se determina normalmente por el género del nombre apelativo que especifican. Así, los NNPP de ciudades, comarcas, aldeas o villas, etc., son ordinariamente femeninos, si bien influye, en muchos casos, la terminación:[7] así, «*Sevilla* es necesariamente femenino, porque concurren el significado y la terminación» (Bello 1847: 165); otros nombres suscitan cierta ambigüedad, como *Toledo,* que unas veces atrae concordancia por la terminación y otras por su significado de 'ciudad' *({todo/toda} Toledo...),* pero sin duda está bastante generalizada la tendencia a asignar género femenino a este subtipo de NNPP, como puede comprobarse por la desinencia de los determinantes.[8] No obstante, decimos, por ejemplo, *Destruyeron media Rusia,* pero también, contrariamente, *Destruyeron medio Berlín,* bajo supuesto influjo del nombre común *pueblo* (Alcina y Blecua 1975: 528).

Bello (1847: 850) califica como «uno de los caprichos más inexplicables de la lengua» el uso del artículo indefinido *un* y del adjetivo *medio* —en masculino— con nombres propios femeninos de ciudades: «¿Quién diría que en *un* Segovia no se encuentra una buena posada?»; «Lo ha visto *medio* Sevilla». De modo semejante —señala Bello (1847: 851), recogiendo una observación de J. A. Puigblanch— se emplea el adjetivo *mismo:* «tanto en la Península como en América se dice corrientemente, *el mismo Barcelona* o *Barcelona mismo*». Pues bien, el lector puede comprobar, a través de los ejemplos del gramático venezolano, la tendencia anteriormente indicada hacia el femenino en los determinantes de nombres de ciudades, sobre todo cuando estos terminan en la vocal *-a.* (Actualmente decimos con más naturalidad respecto a los ejemplos anteriores: *media Sevilla* o *la misma Barcelona,* aunque continuemos con expresiones como *Todo Madrid estaba allí,* o *Medio Madrid asistió a la celebración.*)

Los NNPP de accidentes geográficos tales como ríos, montes, lagos, mares, volcanes..., son, salvo algunas excepciones (como los nombres de islas o archipiélagos: *las Baleares; las Canarias...*), masculinos, en relación con el género del nombre apelativo: *el Ebro; los Pirineos; el Mediterráneo...* (Alcina y Blecua 1975: 528).

Por lo que respecta a los NNPP de instituciones o de cualquier producto de la actividad humana, es el nombre apelativo que especifican el que decide comúnmente el género: *el María Guerrero* (teatro); *el Barcelona* (equipo de fútbol); *la Complutense*

[7] Véanse Bello 1847: 165 y RAE 1931: 13*f*.

[8] Bello (1847: 166) señala que nombres de ciudades antiguas como *Corinto, Sagunto,* «se utilizan casi invariablemente como femeninos, no obstante su terminación».

(Universidad); *la Renault* (empresa automovilística); *el Golf* (modelo de automóvil); *la O.N.C.E.* (organización); *el C.S.I.C.* (Consejo o Instituto).

2.2.3. Sobre el número de los nombres propios

En cuanto a la realización del morfema de número plural [→ § 74.3.42.1], los NNPP de persona adoptan los alomorfos *-s* o *-es* cuando son nombres de pila: *las Teresas; las dos Pilares*. En cambio, cuando se trata de patronímicos o apellidos, en general, que designan una familia, un matrimonio, etc., existe clara tendencia a dejar invariable el nombre y realizar el plural sólo en el artículo; decimos, preferentemente, *los García; los Pérez; los Blanco;* etc. (y no *los Garcías; los Blancos*). (Los patronímicos terminados en *-ez* no admiten nunca realización de plural: **los Péreces; *los Fernándeces.*) De hecho, el uso de la desinencia de plural en estos tipos de NNPP favorece su interpretación como NNCC; así, una emisión como *Los Garcías suelen ser muy simpáticos* puede suscitar sin dificultad la lectura «las personas que se apellidan *García...*».

En italiano, los *cognomi* se usan en plural para designar globalmente varios miembros de una misma familia o grupo, portadores de los mismos nombres: *gli Scipioni; i Medici; le Tremiti...*, pero de forma que no es posible inferir de la estructura interna del sintagma si el nombre propio en plural se refiere, efectivamente, a varios miembros con el mismo nombre o si se trata de un uso metafórico por antonomasia (Renzi y Salvi 1988: 331). En francés los nombres de familia no admiten desinencia de plural salvo cuando se trata de la designación de algunas dinastías célebres: *les Bourbons, les Stuarts*. En los demás casos de nombres de familias es posible emplear el plural, realizado en el artículo, cuando no se pueden especificar de otro modo: *les Dupont; les Goncourt* (Weinrich 1989: 51). Contrariamente, en otras lenguas, los apellidos sí admiten realización fonética del plural, como en inglés: *the Browns; the Spencers...* (Coseriu 1955: 272).

Respecto a los apellidos extranjeros, la formación del plural en español tiene que ver con el grado de asimilación y popularidad que hayan alcanzado. Si la terminación del NP es asimilable a las terminaciones castellanas, no es infrecuente la realización del plural: *los Kennedys* vs. *los Spencer; los Nixon* (Alcina y Blecua 1975: 546).

Algunos NNPP de accidentes geográficos como cordilleras, macizos montañosos o archipiélagos poseen forma de plural —a modo de *pluralia tantum* [→ § 1.3]—: *los Pirineos; los Alpes; las Antillas; las Canarias,* etc., y algunos nombres de ciudades o de países presentan asimismo forma de plural —correspondiente, en general, al plural morfológico y semántico del nombre común subyacente—: *Buenos Aires; Palos de Moguer; Estados Unidos,* etc. En algunos de los NNPP de forma plural son reconocibles los elementos de la estructura o conjunto político, geográfico o cosmográfico, pero, en otros, no se puede advertir más que simple convención, por lo que no cabe reclamar el carácter plural de los elementos (Weinrich 1989: 52). La concordancia en la oración nos dice algo a este respecto; mientras que podemos construir *Las Canarias son {un archipiélago/otra historia}* —aunque no rechazaríamos *Las Canarias es {un archipiélago/otra historia}*— sólo admitimos *Buenos Aires {es una preciosa ciudad/tiene grandes avenidas}* (y no *{*son/*tienen}*); cf., por otra parte, *Los Estados Unidos disponen de excelentes recursos tecnológicos* vs. *Estados Unidos dispone de excelentes recursos tecnológicos.*

En cualquier caso, no hay unanimidad de criterio respecto a la relación entre el nombre propio y el número gramatical. Así, Gardiner (1954), por ejemplo, propone que los NNPP en plural constituyen una categoría intermedia: *common proper names,* de modo que el plural de los nombres propios es, a todos los efectos, el número plural de los NNCC; cuantifica sobre más de un individuo u objeto (el nombre plural designa una pluralidad de objetos). En este sentido, al nombre plural se le puede oponer el correspondiente singular; en cuanto a los NNPP, este podría ser el caso de los nombres de los patronímicos y apellidos que se emplean con artículo plural para designar varios miembros de una familia o grupo o, más adecuadamente, el de los nombres de pila con artículo y terminación en plural (como en *las (tres) Elenas* —«abuela, madre e hija», por ejemplo—), a los que es posible oponer un singular correspondiente. Sin embargo, el hecho de que los NNPP puedan aplicarse a una pluralidad de objetos no significa que el nombre propio pueda tener «semánticamente» plural; como ha observado Coseriu (1955: 281) «hay que subrayar que esa 'pluralidad' es tal desde el punto de vista de los objetos, y no desde el punto de vista de la designación: en cuanto nombrada por un nombre propio la pluralidad se vuelve un 'individuo'...». Efectivamente, la referencia de 'unicidad' que distingue el NP del NC es consecuente con esta consideración, si bien no faltan argumentaciones en favor del rendimiento sintáctico de los NNPP en plural como nombres comunes. (Véase más adelante.)

2.3. El contenido de los nombres propios

2.3.1. Principales propuestas

A lo largo del siglo XX y, de manera especial, en los últimos veinte años, filósofos, lógicos y gramáticos se han interesado en presentar argumentaciones —con frecuencia discutidas— para determinar si los nombres propios tienen significado o no. Las reflexiones al respecto no son sino una forma de respuesta para las cuestiones que despiertan el interés de los gramáticos, en particular: «¿qué es el nombre propio?» «¿en qué se distingue del nombre común?»; ciertamente, lo relativo al significado y la referencia del NP en su uso prototípico de nombre propio no-modificado es esencial para delimitarlo como clase gramatical y para comprender sus particularidades sintácticas.

Son tres las principales propuestas que se han argumentado: [9]

a) Los NNPP están desprovistos de significado intrínseco; esta es la tesis de Mill (1843): el nombre propio sólo 'denota', pero no 'connota', o lo que es lo mismo, el NP carece de significado y sólo es capaz de designación o referencia; [10] es, por ello, un 'designador rígido' (Kripke 1972; Récanati 1983).

b) Los NNPP contienen una descripción del referente; están dotados de contenido descriptivo o intensional muy rico —como corresponde al concepto de indi-

[9] Una relación de las diversas opiniones en torno a esta problemática puede hallarse, por ejemplo, en Burge 1973; Kleiber 1981; Wilmet 1986a, 1986b.

[10] El concepto de 'connotación' de Mill equivale al de 'significación' en otros autores, y 'denotación' es sinónimo de 'designación' cuando este último concepto se emplea con el valor de 'referencia'. Sobre la propuesta de Mill, se postula en algunos estudios —véase, entre otros, Conrad 1985— que el NP es una expresión deíctica, en relación con la dimensión contextual necesaria para su interpretación.

viduo único que designa (concepto que tiene la extensión más restringida y, consecuentemente, la intensión más rica)—; particularmente, gramáticos y semánticos han relacionado esta interpretación con la propuesta de Russell (1905), quien considera que los NNPP ordinarios no son nombres propios auténticos, sino «descripciones definidas abreviadas o encubiertas».[11] Por ejemplo: el NP *Sócrates* podría condensar propiedades del tipo 'filósofo griego', 'maestro de Platón', etc.

c) Los NNPP tienen contenido predicativo específico, denominativo: implican *prédicats de dénomination* (Kleiber 1981) —Sócrates = 'el x llamado Sócrates'— con carácter de exclusividad.

Las dos primeras propuestas reflejan una interesante polémica respecto a la caracterización del nombre propio dentro de los dominios de la Lógica y de la Filosofía del lenguaje, pero no se trata, en modo alguno, de una discusión trivial para la Lingüística, si bien lógicos y filósofos se interesan por el NP considerado exclusivamente en su relación con un referente único, o en contextos que contienen proposiciones contrafactuales o modales. Sus observaciones, sin embargo, han inducido a lingüistas y gramáticos al estudio del NP más allá de su valor de etiqueta denominativa. Y, a propósito de la condición de 'unicidad', la caracterización del NP se ha relacionado comúnmente con la de las otras expresiones que refieren también de modo único, como son, por un lado, las expresiones deícticas y los pronombres personales singulares y, por otro, las descripciones definidas (los sintagmas nominales con determinación definida).[12] En las teorías referenciales (1.ª propuesta), los NNPP se relacionan con las expresiones deícticas, y en las teorías del significado —o del sentido— (2.ª propuesta), son las descripciones definidas (en adelante, DDs) las expresiones que se asocian con los NNPP. En los apartados siguientes se exponen más detenidamente las varias propuestas de caracterización del NP en relación con el significado y la referencia.

2.3.2. El nombre propio y la referencia

2.3.2.1. La teoría referencial clásica

En cuanto a la consideración de los NNPP como expresiones que solamente refieren, no faltan opiniones radicales que presentan el NP como una etiqueta que permite identificar su objeto en virtud de la distintividad exclusiva de su constitución fónica (Gardiner 1954). Lo cierto es que la delimitación del NP como una etiqueta no descriptiva, o desprovista de significado léxico, se ha constituido en definición más o menos constante en las gramáticas de diversas lenguas y de distintas orientaciones, especialmente en gramáticas normativas —o en gramáticas al uso— de

[11] Una postura radical a este respecto adoptan Frege, Strawson, Searle..., frente a la moderada de Geach, Buyssens, Kiefer, Gross, etc. (véanse Kleiber 1981; Engel 1985 y Kleiber 1991b).

[12] Pariente (1973) considera los deícticos, los NNPP y las descripciones definidas como *opérateurs d'individualisation;* se trata de los tres tipos de expresiones propias de las lenguas naturales que pueden designar un individuo. Pero, en lo que respecta al NP, tal función le corresponde exclusivamente en su uso referencial sin artículo. Tradicionalmente, en la Filosofía del lenguaje, NNPP, descripciones definidas, demostrativos y pronombres personales singulares se han definido como nombres o términos singulares —designadores de objetos o individuos particulares— en oposición a los nombres o términos generales —los NNCC— que predican alguna propiedad universal —de clase— (extensible a cualquier objeto o individuo en cuanto miembro de una clase).

signo no exclusivamente logicista. En general, los gramáticos distinguen el NP del NC por el modo de designación, esto es, en cuanto que designa 'únicamente' personas o cosas —sirven para identificar un ser u objeto de modo único y propio (que no conviene más que al objeto designado en sí mismo)—, a diferencia del NC, que incluye en un conjunto todos los seres de la misma especie (Charaudeau 1992).

Este tipo de definición gramatical del NP tiene mucho que ver con la *teoría referencial* clásica sobre los nombres propios; el valor informativo del NP es el objeto que nombra, de modo que el límite entre significado y referencia desaparece o se confunde, lo que equivale a decir que un NP significa en cuanto 'vale por' su referente.

El autor más representativo de esta teoría referencial clásica es el ya citado Stuart Mill (1843), para quien los NNPP son los únicos nombres que no tienen, en sentido estricto, ninguna significación; se trata de nombres singulares —o individuales— no connotativos, que denotan los individuos que nombran sin indicar o implicar que a cada individuo nombrado le pertenece algún atributo. Los NNPP se distinguen, así, de los 'términos singulares o individuales' connotativos, que son las DDs: nombres significativos de atributos que posee un objeto único. Los NNPP y las DDs constituyen, en la concepción de Mill, la clase del 'nombre individual' o 'nombre singular': que no puede ser afirmado con verdad, en el mismo sentido, más que de un solo individuo, a diferencia del 'nombre general' —el NC (no colectivo) de la gramática— que puede ser afirmado con verdad, en el mismo sentido, de cada miembro de un número indefinido de cosas (de una clase). [13] [⟶ § 1.2.1].

2.3.2.2. Nombres propios y expresiones deícticas

Si los NNPP son expresiones exclusivamente referenciales, como asegura la teoría referencial clásica, habría que considerar que otras expresiones propiamente referenciales, como las deícticas, pertenecen a la categoría de los NNPP.

Las expresiones deícticas [⟶ § 14.2] (pronombres y determinantes demostrativos: *este, aquel libro;* o sintagmas del tipo: *la columna de la izquierda, la mesa de ahí fuera...;* adverbios de lugar: *aquí, allí, cerca, encima...,* o de tiempo: *ahora, hoy...,* y pronombres personales: *yo, tú,* así como el tiempo verbal) indican un referente (individuos u objetos individuados, lugares o posiciones determinados, segmentos o momentos delimitados de tiempo, personas participantes en el acto de comunicación) en función de las coordenadas de la situación comunicativa o contexto situacional. Y la indicación o mostración se realiza 'únicamente', como 'únicamente' designa su referente el nombre propio. Pero la asimilación entre expresiones deícticas y NNPP se reduce sólo a la 'unicidad'en el modo de indicación o designación.

Se señala comúnmente que los pronombres personales de primera y segunda persona [⟶ § 19.3] constituyen una representación universal del procedimiento lingüístico conocido como 'deixis'. Por el hecho de no poseer capacidad anafórica —a diferencia de los pronombres personales de tercera persona— y de indicar específicamente individuos fijos —'emisor' y 'receptor'— los pronombres *yo* y *tú* han recibido la denominación de 'nombres personales', y se ha considerado que poseen

---

[13] Según Mill, un término no connotativo es «el que designa un sujeto solamente o un atributo solamente; el término connotativo es el que designa un sujeto e implica un atributo» (véase, al respecto, García Suárez 1997: 83 y ss.; el autor realiza una exposición precisa, a modo de revisión crítica, de las principales propuestas de delimitación de la categoría de los NNPP en el ámbito de la Filosofía del lenguaje, con introducción de numerosas citas de los textos originales de los filósofos traducidas al español).

una «idiosincrasia denotadora similar a la típica de los nombres propios» (Morer 1991: 265). Ciertamente, «una de las características de las personas 'yo' y 'tú' es su unicidad específica: el 'yo' que enuncia, el 'tú' a quien 'yo' se dirige son cada vez únicos» (Benveniste 1946: 165). Ahora bien, el nombre propio posee un rendimiento análogo al de los nombres personales solamente cuando es empleado como un instrumento de interpelación virtual (Granger 1982). [14]

En este sentido, la similitud es observable en el caso del nombre personal de segunda persona y el nombre propio (véase, por ejemplo, en oraciones declarativas, interrogativas...: *(Tú) dijiste, Pedro, que no lo sabías; ¿Sabías {tú/Pedro} que ya inauguraron la exposición?; ¿(Tú) comprendes, Pedro, lo que quiero decir?; {¡Oye, tú!/¡Oye, Pedro!})* [⟶ § 62.8]. No obstante, se advertirá sin dificultad que no son intercambiables en todos los contextos y que las implicaciones semántico-pragmáticas no son las mismas; el uso explícito de los pronombres *yo, tú,* es enfático en todos los casos, pero pospuesto al verbo refuerza su función interpelativa; por otro lado, la interpelación con *tú* es pragmáticamente diferente de la que se realiza con el NP (en el primer caso, se trata de una relación informal, de confianza, ocasionalmente en el límite de la recriminación; en el segundo, la interpelación comporta afecto, respeto o deferencia). [15] [⟶ § 60.2.1].

Por otra parte, el nombre propio es susceptible de contenido descriptivo (o 'significado', de algún modo), asociado a la referencia, y esta particularidad lo distingue claramente de los deícticos. Y es, además, la condición que hace posible su rendimiento sintáctico-semántico en la oración como argumento pleno, léxico, no vinculado a las coordenadas personales del acto de enunciación (si bien su interpretación ha de estar anclada dentro del universo de discurso del enunciado).

Además, el contenido del NP, equivalente, en cierto modo, al «concepto de individuo» que designa, —constituido por un conjunto de propiedades del referente— comporta su disponibilidad. Esto es consecuente con el hecho de que los NNPP tienen un referente estable (un signo no puede designar un referente estable si la designación no lleva asociada, en cierta forma, la significación —en términos informales, la 'conceptualización' del *designatum*); así, el referente de los NNPP es, efectivamente, único, pero no 'cada vez único', como el referente de los nombres personales. [16]

Provisionalmente, podríamos decir que los deícticos poseen referencia variable —se decide el referente adecuado por el contexto— pero su significado es constante, en cuanto convención o instrucción de la gramática —se trata, naturalmente, de un significado propiamente gramatical, relacional—; por ejemplo, el referente del nombre personal *tú* es variable según el contexto, pero siempre se usa para dirigirse al interlocutor o receptor, de modo que su significado —algo así como «la persona que escucha»— es invariable. Por el contrario, la referencia de los NNPP no es variable;

[14] La propiedad esencial del nombre propio es, para Granger, precisamente su valor de *régle de désignation interpellative,* asociada a una enunciación. Siguiendo observaciones de Pierce, Granger considera que el NP es un *index,* como los deícticos, pero difiere de estos elementos en que es, además, *symbol,* en la medida en que comporta, a diferencia de los deícticos, une *présupposition de sens* ('presuposición de sentido').

[15] No es natural la deixis de primera persona con el nombre propio, salvo en contextos o situaciones especiales (declaraciones, compromisos de cargos, juramentos, etc.), y suele realizarse como designación no restrictiva con respecto al pronombre: *yo, Alberto de Vistahermosa...*

[16] Los nombres personales sólo tendrían los rasgos: [+ H(ablante)] [-O(yente)] para el nombre de 1.ª persona *yo,* y [-H(ablante)] [+ O(yente)], para el de 2.ª persona *tú.* El pronombre de 3.ª persona sería [-H -O] (De Groot y Limburg 1986). Carecen de contenido descriptivo (salvo en contextos específicos ocasionales, como el *tú* de la siguiente secuencia: *No puedo decirle tal cosa; yo no soy tú*). Por eso, su referente es único cada vez.

…nque un mismo NP se utilice para designar más de un referente, no se trataría de un designador …ultirreferencial o referencialmente ambiguo. Sólo si se considera como puro significante —*Alfonso* en cuanto NP de persona, por ejemplo—, puede entenderse el NP como virtualmente multirreferencial; si un hablante conoce varias personas llamadas *Alfonso,* no diríamos que posee un signo, un solo NP, que sirve para varios referentes, sino que dispone de un NP *Alfonso 1,* de un NP *Alfonso 2,* etc., asociados a sus respectivos referentes.

2.3.3. El nombre propio y el significado

2.3.3.1. Teorías del sentido (I)

La teoría referencial clásica parece confirmar satisfactoriamente algunas distinciones deseables desde el punto de vista de la intuición lingüística: existe una clara diferencia entre NNPP y DDs, correlativa a las funciones distintas de 'referir' —o 'nombrar'— y 'describir' —o 'significar'—: por otra parte, los NNPP, a diferencia de los NNCC, no pueden ser objeto de definición léxica. [17] Pero esta teoría de la denotación no permite dar cuenta de ciertos tipos de enunciados que se muestran paradójicos si admitimos que el aporte del NP se limita al objeto nombrado. La solución a estas paradojas surge de propuestas que constituyen la denominada *teoría del sentido* —también conocida como *teoría descriptiva*—: el NP posee 'referencia' *(Bedeutung)* —el objeto que designa— pero también un 'sentido' *(Sinn)* —el modo en que se presenta o se da el objeto (asociado a la(s) descripción(es) definida(s) que permite(n) identificarlo) (Frege 1892).

Así, entre los tipos de enunciados problemáticos para la teoría de la referencia, la llamada 'paradoja de identidad' que presentan las proposiciones en las que se afirma la identidad de referencia de dos NNPP se resuelve si suponemos, de acuerdo con Frege, que lo que el NP aporta al enunciado como valor informativo es el sentido y no el referente. Enunciados del tipo *Tulio es Cicerón; Sebastian Melmoth era Oscar Wilde,* serían tautológicos si los NNPP son exclusivamente designadores, pero de hecho son enunciados informativos, no triviales; son verdaderos porque los nombres tienen la misma referencia —designan el mismo individuo—, pero son informativos porque tienen distinto sentido.

Los NNPP, como términos singulares portadores de 'sentido', no difieren, en la concepción de Frege, de las DDs. Con criterio relativamente similar, Russell (1905) considera que el NP condensa una descripción definida (*Sócrates* = «el filósofo griego maestro de Platón»; *María* = «la hermana de José»...). Ahora bien, las DDs contienen un componente descriptivo explícito, que permite delimitar estos términos singulares como expresiones dotadas de contenido semántico —significado, propiamente dicho— además de referencia. Pero el sentido de los NNPP no se revela explícitamente como contenido naturalmente distinto de la referencia. Y pro-

[17] Véase al respecto, García Suárez (1997: 89). El autor señala que los NNPP «no pueden tener equivalentes definicionales. Lo que nos ofrecen las entradas de enciclopedias, en el caso de los nombres propios, son enunciados fácticos acerca del referente del nombre». Según García Suárez, cualquier enunciado afirmativo en el que apareciese el NP como sujeto y una descripción o conjunto de descripciones como predicado definicional, se constituiría en enunciado analítico, y si fuera negativo se volvería contradictorio. Pero si bien esto es cierto respecto a enunciados definicionales de carácter lexicográfico, debe tenerse en cuenta que no son imposibles en el discurso declaraciones definicionales identificativas de valor informativo con el NP como sujeto y una descripción definida como predicado: *Mario es el estudiante de Física que te presenté el otro día; María no es la profesora de Lengua (es la profesora de Historia).*

bablemente el sentido de Frege es, como se ha señalado en alguna ocasión, una noción epistémica o cognitiva, y no una noción semántica.

De hecho, si el sentido de un NP se asocia a su valor informativo, determinándose como el modo en que se presenta el objeto —un modo particular de identificar un objeto como referido por un NP— no hay duda respecto a la dimensión cognitiva del contenido del NP.

Y, curiosamente, la teoría referencial clásica no se habría opuesto a esta interpretación; el propio Mill sugiere que si bien la designación de un objeto mediante su NP no dice nada respecto al objeto, existen, sin embargo, informaciones asociadas al nombre propio: el nombre propio evoca lo que el interlocutor sabe ya de su referente. ¿No sería esto *sentido*, de un modo u otro?

Por otra parte, el concepto de 'descripción' en Russell tiene que ver con un tipo de conocimiento, con una relación cognitiva no directa con el objeto; así, el referente del NP es conocido por descripción, como el objeto que es «el tal-y-tal» (Russell 1912: 48), algo así como «el *x* que tiene tal propiedad y tal otra...».

Pero el sentido, para Frege, se caracteriza por su disponibilidad; es objetivable, comunicable, «no es parte o modo de la mente individual» (Frege 1892: 175). Lo que supone una clara aproximación a la noción semántica (naturalmente, la dimensión semántica, no la cognitiva o epistémica, es pertinente para la gramática).

2.3.3.2. *Teorías del sentido (II)*

A partir de 1960 aproximadamente, la teoría del sentido adoptó su versión más elaborada, conocida como la *teoría del racimo;* el sentido de un NP no se asocia con una sola descripción, sino con un conjunto —o 'racimo'— inespecificado e indefinido de descripciones que convienen al referente.

Digamos —parafraseando a Strawson (1959)— que el usuario de un NP debe poder sustituir un NP por una descripción identificadora de su referente particular, dado que la introducción de particulares en proposiciones requiere conocimiento de un hecho empírico, al menos, respecto al portador del NP; de modo más apropiado, el NP se relaciona con un 'conjunto presuposicional' (Strawson 1959) —conjunto de proposiciones disponibles para los usuarios del NP relativas a hechos o propiedades del referente—. Pero, en realidad, el único requisito para usar con éxito NNPP es la existencia de un conocimiento básico identificador que no tiene que coincidir necesariamente con una descripción identificadora (Strawson 1974).

Una concepción análoga es la defendida por Searle (1967), para quien el significado de un NP equivale a la disyunción lógica de un número determinado de descripciones (*Sócrates* = «filósofo griego» o/y «maestro de Platón» o/y «corruptor de la juventud ateniense» [18] o/y...). Pero no hay que entender las descripciones identificadoras como definiciones del NP. Los NNPP tienen un sentido impreciso; su valor informativo no incluye ni cuántas ni cuáles han de ser las características descriptivas que constituyen la identidad de su referente: «los nombres propios funcionan no como descripciones, sino como ganchos para colgar descripciones» (Searle 1967: 491). [19]

---

[18] Descripciones tomadas de Wilmet (1991).

[19] Citado por García Suárez (1997: 92). En cualquier caso, si el sentido de un NP es el modo de representación del objeto, y se asocia con un (conjunto de) criterio(s) de reconocimiento de un objeto relativo(s) a propiedades del objeto, no se entiende bien por qué el sentido no debe consistir en un conjunto de descripciones definidas; ¿acaso el (conjunto de) criterio(s) puede ser transmitido de otro modo?

La vaguedad de los NNPP en su uso en el discurso ordinario permite suponer que el 'racimo de descripciones' no está articulado para todos los usuarios de un NP en determinadas propiedades esenciales y determinadas propiedades accidentales; probablemente la(s) misma(s) propiedad(es) del portador del NP puede(n) o no formar parte del 'racimo' según los usuarios, o incluso ser seleccionada(s) como propiedad(es) esencial(es) para unos usuarios o como propiedades accidental(es) para otros. No es improbable, además, que una propiedad accidental del referente pueda constituir, para un usuario, una descripción suficientemente identificadora. Plausiblemente, sólo serían imprescindibles en el conjunto de descripciones las que atribuyen al referente propiedades de clases muy generales —predicados sortales— que son esenciales para su identidad (García Suárez 1997: 94), como los rasgos «humano», «varón», por ejemplo, para el NP *Platón*. En cualquier caso, la imprecisión no es, desde una perspectiva pragmática, una particularidad exclusiva del contenido de los NNPP; podemos suponer, con un margen mínimo de error, que la(s) descripción(es) asociada(s), por ejemplo, a un NC, como *libro,* no sea(n) la(s) misma(s) para un usuario que sea escritor que para otro que sea un pastor casi analfabeto.

Lo cierto es que, para el lingüista, no se advierte claramente una diferencia no trivial entre poseer contenido descriptivo o intensional y estar asociado a un racimo de descripciones. Lo que importa al gramático especialmente es si el contenido de los NNPP es expresable en términos de rasgos —o propiedades— léxico-semánticos, que permitan distinguir el NP del NC. De hecho, Carnap (1947), por ejemplo, basándose en la diferenciación de Frege entre 'sentido' y 'referencia', asigna a cada expresión una 'intensión' —noción análoga al 'sentido'— y una 'extensión' —similar a 'referencia'—, de modo que los NNPP expresan un concepto de individuo como intensión y designan un individuo único como extensión; el NP se distingue así del NC por la intensión: 'concepto de individuo' *vs.* 'concepto de clase' —y por la extensión: 'individuo' *vs.* 'conjunto o clase'. [20]

2.3.4. El nombre propio y la referencia directa

2.3.4.1. El nombre propio: designador rígido

Las teorías descriptivas o teorías del sentido cedieron lugar, en los años setenta, a propuestas alternativas, integradas en la llamada *teoría referencial directa* (Donnellan, Kaplan, Putnam, Kripke, etc.), por la que se propugna que la referencia de un NP no está decidida por un concepto individual. El NP no puede ser reducido a una descripción definida; la descripción definida sólo sirve para 'fijar la referencia', pero no para 'dar el significado' de un NP (Kripke 1972). [21]

Un nombre propio, en la concepción de Kripke, se establece mediante un primer acto de denominación —la llamada 'ceremonia del bautismo inicial'— por el que el NP se asigna a un individuo, nombrado por 'ostensión'; la referencia del

---

[20] La 'clase' consiste, como se ha observado reiteradamente en Lógica, en un conjunto de propiedades o atributos, de modo que el NC es propiamente intensional (posee contenido descriptivo). En cuanto al NP como categoría que expresa un concepto de individuo, no faltan propuestas radicales particularmente entre los lingüistas: los NNPP son los nombres más significativos, es decir, los que contienen información intensional más rica, dado que son los de extensión individual (véase, al respecto, Sorensen 1963). Curiosamente, una definición estoica del NP, la de Diógenes Laercio, presenta una caracterización de esta categoría en términos «atributivos»: un nombre propio, como *Diógenes* o *Sócrates* es la parte del discurso que indica una cualidad que pertenece a un solo individuo. (Véase Molino 1982: 13.)

[21] Kripke (1972) observa, en el marco de un análisis semántico de los sistemas de lógica modal, que NNPP y DDs no tienen rendimiento equivalente. Por otra parte, los argumentos utilizados por Kripke y Donnellan en contra de las propuestas por las que se defiende que los NNPP tienen sentido fregeano, se muestran 'débiles' para la teoría descriptiva más elaborada, la del «racimo» o disyunción de descripciones, tal como observa García Suárez (1997: 94 y ss.).

nombre puede fijarse mediante una descripción. Cualquier utilización posterior de tal NP remite de un modo u otro a esta primera función denominadora. [22] Así pues, la cadena causal explica la transmisión del NP en una comunidad lingüística y preserva la misma referencia; el referente del NP puede permanecer constante aunque se introduzcan cambios en el conjunto de descripciones asociadas al NP. Pues bien, aunque a la teoría causal se le ha reconocido, entre otros, el mérito de presentar una explicación social de la relación de referencia, han sido discutidos los mecanismos relativos al 'bautismo inicial' —por falta de aplicación general— y a la cadena causal —por el posible cambio de referencia—, y, en cualquier caso, la teoría no explica satisfactoriamente la condición semántica de los NNPP. [23]

Si bien el interés de Kripke se centra en la relación directa del NP con el individuo designado, es su definición del NP como 'designador rígido', unido a la observación de la necesidad de distinguir adecuadamente 'significado' y 'referencia', lo que ha suscitado el interés de los lingüistas.

Kripke (1972) define un designador rígido como un designador que designa el mismo objeto en todos los mundos posibles.

Los mundos posibles son, según Kripke, «estipulados»; se establecen —en la interpretación que hace Gary-Prieur (1994) de este planteamiento— en relación con el acto de enunciación, es decir, no existen fuera del discurso que permite presentarlos, por ejemplo, en enunciados contrafactuales. [24] Pues bien, dado que un NP está asociado a su referente en el ámbito de un enunciado determinado, es precisamente en relación con este enunciado como el NP puede designar invariablemente de un mundo posible a otro el mismo individuo. Así pues, el designador 'rígido' no es el que designa siempre el mismo individuo, sino el que designa el mismo referente en cualquier mundo posible asociado a un enunciado (Gary-Prieur). Si es así, los NNPP no plantean, en las propuestas de Kripke, el problema de la 'ambigüedad referencial'.

Así, en las oraciones siguientes: [25]

(1) a. Si *Aristóteles* no hubiera sido griego, el pensamiento occidental habría sido diferente.
b. Si *Aristóteles* continúa persiguiendo al gato, tendré que encerrarlo en su caseta.

se observará sin dificultad que el NP *Aristóteles* designa en cada uno de los dos contextos (1a) y (1b) un mismo referente en el mundo real —el correspondiente al enunciado— y en el mundo

[22] Como indica Gary-Prieur (1994), este planteamiento de Kripke de la característica fundamental del NP ha dado origen a lo que se ha denominado la 'teoría causal': cualquier uso del NP se explica por un uso precedente, remontándose la cadena causal al acto inicial de denominación. La teoría causal de Kripke ha sido considerada como la más influyente en la actualidad entre lógicos, filósofos del lenguaje y lingüistas en lo que respecta al significado y la referencia de los NNPP (véase Jonasson 1992a). Desde una perspectiva esencialmente pragmática, se ha atribuido a los NNPP una función no semántica, sino precisamente causal, perteneciente a la mecánica de la comunicación de los pensamientos, no a las estructuras lingüísticas que articulan el contenido de los pensamientos (Castañeda 1985).

[23] Si la cadena causal no decide la fijación del referente, dado que la intención de preservar el referente puede malograrse, ¿cuál es el factor decisivo?; una descripción definida sólo contribuye —o puede contribuir— a fijar el referente, pero las DDs son designadores accidentales o no rígidos y, por eso, no dan el significado del NP. ¿Qué lo da entonces? La teoría referencial directa no resuelve adecuadamente esta cuestión. Lo cierto es que algunos gramáticos —Gary-Prieur (1994); Jonasson (1994), por ejemplo— se sirven de la hipótesis de la cadena causal en relación con el referente inicial del NP para describir usos de los NNPP.

[24] Otros lógicos, como Hintikka, consideran que los mundos posibles existen fuera del discurso, en el pensamiento (Hintikka 1989). Gary-Prieur (1994: 21) observa, reinterpretando a Kripke, que es el acto de enunciación el que «fonde le 'monde réel' auquel s'opposent les mondes possibles» [«establece el mundo real al que se oponen los mundos posibles»], e indica (n. 2) que es como en el modelo de Fauconnier (1984), en el que se propone la existencia de un «espacio real» —aquel en el que habla el emisor del enunciado— en relación con el cual se definen todos los demás espacios mentales.

[25] Los ejemplos (1a) y (1b) están inspirados en los enunciados correspondientes en francés originales de Gary-Prieur (1994: 22).

posible —representado por la construcción hipotética— y, por otra parte, el NP no refiere al mismo individuo en (1a) y en (1b); no hay ambigüedad referencial [⟶ §§ 57.1.1-2].

La función de designación 'rígida' implica irreductibilidad a una descripción definida cualquiera —o a un conjunto cualquiera de descripciones definidas— que conviene al individuo designado; en este sentido, la diferencia entre NNPP y DDs se muestra obvia: una descripción definida, a diferencia de un NP, no puede designar un mismo individuo invariablemente (las DDs son designadores no-rígidos: cambian de referencia de un mundo posible a otro).

2.3.4.2. Nombres propios y descripciones definidas

La distinción introducida por Donnellan (1966) entre el uso 'atributivo' o 'descriptivo' y el uso 'referencial' de las descripciones definidas es ilustrativa a este respecto [⟶ § 12.1.1]; una DD es intencionalmente descriptiva en su uso 'atributivo' (se trata de sintagmas de propiedad o de caracterización, expresiones de rendimiento predicativo): su valor está en función de la propiedad que describe. Pero en su uso 'referencial', las DDs no importan tanto por la adecuación de la propiedad descrita a un determinado referente, como por la capacidad de designarlo de modo único. Así, un emisor puede referirse, por ejemplo, a la mujer que es su esposa mediante el NP, *María,* o a través de una DD, como *la mujer de mi vida*. (Piénsese en un contexto oracional cualquiera con el NP y la DD en posición referencial: *{María/La mujer de mi vida} es la directora de los Cursos de verano; Nunca le diría algo así a {María/la mujer de mi vida}.* —Cf. el valor descriptivo, atributivo, de la misma DD en: *La considero la mujer de mi vida; María es la mujer de mi vida.*) [⟶ Caps. 37 y 38]. En este sentido, NNPP y DDs de uso 'referencial' serían expresiones designadoras análogas. Sin embargo, mientras que el NP conviene en cualquier mundo posible a un mismo y único referente, la DD de valor referencial no puede hacerlo. Así, aunque el NP *María* y la DD *la mujer de mi vida* puedan designar la misma persona en un mundo real, la DD no sería adecuada en un mundo posible en el que tal persona hubiera dejado de ser, para el emisor aludido anteriormente, su esposa o simplemente, «la mujer de su vida». Esto es porque, en una DD de uso referencial, aunque la adecuación de la descripción al objeto no es esencial, la designación no puede realizarse independientemente de la descripción.

Por el contrario, el NP, por el hecho de que no está asociado a ninguna descripción necesaria, —a ninguna propiedad determinada— refiere al objeto individuo independientemente de los varios atributos que le pueden ser asignados en el mundo real o en diferentes mundos posibles. [26]

---

[26] Una interpretación, frecuente entre los lingüistas, de la caracterización que hace Kripke del NP como designador rígido consiste en considerar que los designadores rígidos refieren independientemente del contexto; Gary-Prieur (1994: 24) señala que tal interpretación debe precisarse en el sentido de que «independencia del contexto» significa «independencia de cualquier variación en los mundos posibles». Porque, para Kripke, la asociación de un NP con su referente se origina por un acto de 'bautismo inicial' en un enunciado dado, en un contexto determinado, de forma que se consolida la identidad del referente indicado por el emisor y aprehendido por el receptor y la relación de unicidad entre el NP y su referente. Así que la 'rigidez' se define en relación con un enunciado. Por otra parte, entre los observadores radicales de aquella interpretación, se comenta que la teoría causal desatiende el hecho de que, en su mayoría, los NNPP designan varios individuos distintos (Jonasson 1992a), de modo que se estipula una condición pragmática que evite la ambigüedad referencial y permita lograr un acto de referencia.

A este respecto, se ha relacionado en más de una ocasión la tesis de Kripke con la de Mill; los NNPP son designadores rígidos en la medida en que no tienen connotación (significado), dado que no describen una propiedad determinada o no reclaman una identificación de su referente en virtud de tal o cual propiedad esencial o accidental. [27] De modo que —parafraseando a Gary-Prieur (1994: 25)— la relación entre significado y referencia funciona de manera opuesta en el NP y en el NC: si se admite que el NC denota porque connota (Kleiber 1981: 17), habrá que aceptar que el NP denota porque no connota; lo que haría consistente la diferencia entre designador no-rígido (el NC) y designador rígido (el NP).

Pero los NNPP vacuos, no denotativos (esto es, los nombres sin referente real, frecuentes en los enunciados existenciales negativos, como *Zeus no existe*) —además de los otros casos problemáticos para la teoría referencial clásica— difícilmente se acomodan en la teoría de la referencia directa, lo que ha inducido a algunos filósofos y semantistas a proponer que los únicos nombres semánticamente propios son los que efectivamente denotan (Anscombe 1960). [28]

Ciertamente, las propuestas de Mill y Kripke han llevado a los lingüistas a situar el análisis del NP en el marco de la enunciación y en la dimensión semántico-pragmática de la referencia, evitando así caracterizar el NP por oposición al NC en el dominio del léxico [29].

2.3.4.3. *Sobre la naturaleza cognitiva del nombre propio*

En relación con estudios realizados en la última década sobre los aspectos cognitivos de la lengua y del lenguaje (la intervención del lenguaje en la categorización

---

[27] El NP designa unívocamente un individuo; para Kripke, esta designación dependería tan sólo en apariencia de nuestras formas de describirlo (Granger 1982: 31). Uriagereka (1998) considera la 'rigidez' como una característica definitoria del NP, asociada a la 'designación' y —lo que es más interesante— afirma que se trata de una propiedad específicamente lingüística; según el autor, el NP es un rígido 'tal-y-tal' por la simple razón de que, por definición sintáctica, no es accesible su estructura interna. Un NP es un 'átomo indivisible', a diferencia del NC, que es un predicado 'flexible', articulado, a modo de conjunto de rasgos —espacios mentales de diferentes dimensiones— construido sobre la base de otros previos, por lo que se establece como 'descripción'.

[28] García Suárez (1997: 105 y 106) considera que esta es «una solución desesperada e implausible», porque hace depender de un asunto empírico la pertenencia de una expresión a una categoría semántica. El autor también critica otra solución más reciente a las dificultades que plantean los contextos existenciales negativos y los NNPP vacuos a la teoría referencial directa; se trata de las propuestas de Devitt (1981) y Devitt y Sterelny (1987), quienes admiten sentido, además de referencia, en los NNPP, pero de modo que el sentido de un NP se identifica con la cadena causal apropiada que vincula sus usos con el portador (no habría cadena causal apropiadamente anclada en un objeto en el caso de los NNPP vacuos y de los existenciales negativos). García Suárez rechaza esta solución, entre otras razones, porque la cadena causal no siempre se puede establecer y no es equivalente, en modo alguno, al 'sentido' fregeano, que es una noción cognitiva. Contrariamente, Stalnaker (1998) propone que las distinciones, en el habla y en el pensamiento, de preguntas sobre cuál es el contenido de los nombres y sobre cómo se determina, permiten impugnar los argumentos de la imposibilidad de una semántica milliana para un lenguaje real y defender una explicación causal de la referencia.

[29] Así lo pone de manifiesto Gary-Prieur (1994: 25). Véase, al respecto, Curat y Hamlin 1993. En los últimos diez años, la mayor parte de los estudios lingüísticos sobre los NNPP se han ocupado de analizar las funciones de los NNPP y sus valores interpretativos bajo perspectivas propias de la Semántica referencial-contextual y de la Pragmática. Es representativo el estudio de Allerton (1996), quien analiza el uso de NNPP y DDs con la misma referencia como resultado de la aplicación de pautas pragmático-culturales, especialmente sociolingüísticas, con intervención, en ocasiones, de factores psicológicos que operan en la mente del hablante. (El autor utiliza datos del inglés y del alemán —NNPP y DDs referidos a personas, lugares e instituciones.) En una perspectiva opuesta, el estudio de López García (1985) presenta una caracterización del NP como unidad del código con función de identificación, que se articula como oración paradigmática de 'lengua', lo que, según el autor, tiene que ver con sus características de 'clase' y no con sus usos o interpretaciones particulares. Una propuesta original es la de Allan (1995), para quien los NNPP forman parte del *léxico* —los usos denominativos de los NNPP requieren disponer de entradas léxicas correspondientes a NNPP— y también de la *enciclopedia* —la información relativa al portador del NP pertenece al saber enciclopédico—; Allan propone considerar el léxico como una parte de la enciclopedia.

del mundo, la interacción entre lenguaje y conocimiento, etc.) es particularmente interesante la propuesta de Jonasson (1994), vinculada, en cierto sentido, a las tesis de la referencia directa; la naturaleza del NP no se puede determinar ni en el discurso ni en el léxico —el NP no puede ser adecuadamente caracterizado por la referencia, ni por el significado— sino que se revela en un plano más profundo, el cognitivo. La función cognitiva del NP consiste en nombrar, afirmar y mantener una individualidad; los NNPP son depositados en la memoria estable —a largo plazo— asociados a un conocimiento específico, directamente a la imagen de un particular, mientras que los NNCC y otros vocablos, en virtud de su significado léxico codificado, se almacenan asociados a un conocimiento general, a un concepto, aplicándose a un número indefinido de particulares. Así, se dirá que el NP designa el particular directamente, mientras que, con el NC, el particular será designado indirectamente, por medio de un significado léxico, de un concepto.[30]

El vínculo directo y estable del NP con una entidad particular es denominativo, según Jonasson; es una convención social que resulta de una denominación previa, y debe ser reconocido como tal en la comunicación, pero subsiste fuera de todo acto comunicativo emprendido, por lo que el NP puede emplearse con fines no referenciales. Pero, ¿qué garantiza la subsistencia del NP? No puede ser la relación directa con el referente —porque la función referencial se decide en el contexto—, sino con su 'imagen', lo que nos sugiere, de nuevo, la idea de 'contenido' para el NP (piénsese, al respecto, que el contenido conceptual de los NNCC no está disociado de una imagen prototípica).

Jonasson observa, en relación con la función cognitiva del NP, que es verdad que la individualidad designada ha de ser primero percibida y aprehendida con la ayuda de una descripción definida, cuyo papel primordial es el de «constituir objetos» (Kleiber 1981), aunque añade que una ostensión podrá ser suficiente. Para asegurar la especificidad de la entidad designada —continúa Jonasson (1994: 17)— es decir, su existencia y unicidad, se deben poder proporcionar coordenadas espaciales, temporales o personales: lugar de nacimiento, fecha, parentesco, relaciones familiares, profesión, etc. Pero, ¿no se trata, acaso, de rasgos o propiedades del referente?; ¿no vincularíamos la descripción definida con el NP?

Lo que, en realidad, distingue el NP del NC no es su vacío de contenido, sino su defecto de dotación léxica; el contenido informativo que es susceptible de transmitir el NP no coincide con el significado sistemático que poseen los *items* léxicos de una lengua, que consiste en un estereotipo o en condiciones de empleo que especifican las propiedades necesarias para la pertenencia a una clase denotada por cada *item* (Jonasson 1994: 121).

2.3.5. El nombre propio y el significado predicativo

2.3.5.1. Los nombres propios como predicados

En cierto modo vinculadas con la teoría del sentido o teoría descriptiva, cabe considerar las propuestas que reducen los NNPP a predicados —expresiones descriptivas—, de suerte que la categoría de los NNPP se reconstruye como subordinada a la de los términos generales, en lugar de estarlo a la de los términos singulares (Quine 1960). Así, los NNPP son, como los NNCC, expresiones no propiamente referenciales, sino atributivas —predicativas— o descriptivas.[31]

---

[30] Jonasson (1994: 18). La autora observa que para la mayor parte de los lingüistas que han estudiado el NP, el aprendizaje de los NNPP tiene un propósito comunicativo: sirven para poder referir a un particular, pero, en su opinión, la función de los NNPP es cognitiva: el conocimiento de los NNPP contribuye a estructurar el mundo y la realidad que nos rodea, porque nos permite aislar entidades únicas y específicas.

[31] Tales propuestas son de indudable interés para la investigación gramatical, dado que una de las características que confirman la subcategorización del nombre en nombre propio y nombre común se basa en la distinción referencial / atributivo (descriptivo).

Quine (1950; 1960) considera, en este sentido, que todos los términos singulares son eliminables; los NNPP pueden ser todos reducidos a descripciones definidas individualizadoras: primarias *(Platón = el filósofo griego maestro de Aristóteles)* o derivadas, mediante elaboración de predicados artificiales *(el individuo que es Platón,* descripción formada sobre los predicados *ser Platón,* o *platonizar).* El problema es que los predicados derivados son difícilmente compatibles con la condición de unicidad (en términos de 'exclusividad') y, por otro lado, resultan antiintuitivos —porque se asimilarían erróneamente a predicados sortales: los predicados naturales 'clasificadores'— (admitimos *ser bueno, ser de Valladolid, ser médico, ser un buen hombre...,* pero no *ser Juan, ser Platón, ser María Luisa...*).[32]

Una propuesta ciertamente radical es la de Burge (1973): los NNPP son intrínsecamente predicados. Burge pretende unificar los usos literales y los usos figurados de los NNPP modificados y no modificados; si hay una relación semántica entre los diversos usos de los NNPP, debe haber una explicación semántica unificada, de modo que no sea preciso mantener la distinción entre NNPP referenciales (términos singulares) y NNPP predicativos (de hecho, términos generales). Todos los usos de NNPP son usos predicativos.

En general, filósofos y semánticos han considerado que el NP no modificado es un término singular propiamente referencial, y que los NNPP modificados se comportan como términos generales, es decir, como NNCC; estos usos predicativos de los NNPP han sido observados comúnmente en contextos de interpretación figurada (irónicos o metafóricos) —*Ya no eres el Antonio de antes; Se cree un Napoleón*—, pero Burge señala que también son predicativos los usos literales de los NNPP modificados —*Ha llamado un tal Jorge; Tengo varios Pepes en mi clase*—. Para Burge se trata de predicados *especiales* intensionales, que contienen un elemento autorreferencial y que sería algo así como «ser llamado NP» o «tener por nombre NP» *(Ha llamado alguien que tiene por nombre Jorge; Tengo varias personas llamadas Pepe en mi clase).*[33]

2.3.5.2. La ambigüedad referencial de los nombres propios

Uno de los aspectos de los NNPP que más ha llamado la atención de filósofos y lingüistas es su ambigüedad referencial: son expresiones de múltiple aplicabilidad (*Félix* = «el marido de Ana»; «el gato de mi vecino»; «el compositor Mendelssohn»; «el ordenador de mi hermano»...). No se trata de un fenómeno trivial; de hecho, «compromete» directamente el *status* categorial de los NNPP. Generalmente se ha considerado que la función referencial singular es la función primaria de los NNPP, y esta función referencial requiere invariablemente para su actualización relaciones contextuales —es un fenómeno de *parole* (Saussure) o de *discours* (Guillaume), no una propiedad de *langue* (Cohen 1986)—; si es así, la supuesta ambigüedad refe-

[32] Respecto a la condición de unicidad, entiende Quine que la diferencia entre ser verdadero de más de un objeto —dícese así de los términos generales— y ser verdadero de uno y sólo un objeto —como corresponde a los términos singulares— es una cuestión de funciones gramaticales de los nombres en las oraciones (Quine 1960: 102). De lo que se infiere que, ciertamente, los NNPP son predicados que han de ser verdaderos de una cosa a lo sumo (incluso los predicados artificiales), pero la condición de unicidad no es condición suficiente para justificar la diferenciación 'categorial' entre NNPP y NNCC.

[33] El inconveniente fundamental del análisis de Burge es la inversión injustificada del orden natural de prioridad entre usos referenciales y usos predicativos, como observa García Suárez (1997: 111); dado que los usos predicativos son ocasionales, esporádicos, en relación con los usos referenciales, que son los más frecuentes, «¿por qué explicar entonces primero los usos predicativos modificados y apelar después a esa explicación para dar cuenta de los usos singulares?». Véanse, no obstante, argumentaciones en favor de la propuesta de Burge, en Hornsby 1976.

rencial de los NNPP se desarticula pragmáticamente, puesto que el NP identificaría un objeto no como 'forma de palabra' o 'lexema' sino en cuanto se integra en la 'emisión' verbal. [34]

En este sentido, lingüistas vinculados al estructuralismo franco-suizo, observan que, en *langue,* el NP es un *asémantème,* es decir, un *signo* dotado de un *significante* —una serie *q* de fonemas— y de un *significado* vacío, pero virtual. El tránsito de la *langue* al *discours* exige una *dénomination,* que conecta, por ejemplo, el significante *Sócrates,* con un referente, convirtiendo un *x* 'virtualmente' denominable *Sócrates* en un *x* 'efectivamente' denominado *Sócrates*. En *discours,* el NP, circunscrito a tal o tal «objeto del mundo» recibe *a posteriori* un contenido constituido por un conjunto de semas instable y distribuido desigualmente entre los miembros de la comunidad (Wilmet 1991).

Pero tal vez no sea adecuado recurrir al contexto para resolver las ambigüedades referenciales de los NNPP, [35] porque probablemente no se trata de multirreferencialidad, sino simplemente de homonimia (Droste 1975). (Para las propuestas que conceden prioridad al contenido predicativo de los NNPP sobre su función referencial singular —como la de Burge— la aplicabilidad múltiple de los NNPP no supone inconveniente alguno.) Los NNPP de que dispone un hablante no son meros significantes con un vacío de significado que se satura en el contexto con el referente apropiado, sino que contienen cada uno una constante individual, cualquiera que sea la naturaleza de este contenido. El hecho de que, por ejemplo, cuatro constantes individuales estén asociadas con un mismo NP, no tiene por qué ser consistente con un NP ambiguo. Parece más adecuado suponer, a la manera de Davidson (1984) parcialmente, no que el NP *Félix* es un signo ambiguo, porque se aplica a cuatro referentes, sino que hay cuatro NNPP *Félix,* vinculado cada uno a su respectivo referente. [36]

---

[34] Esta observación, recogida por García Suárez (1997), pone realmente en entredicho el *status* o condición léxica de los NNPP. A este respecto, se ha indicado en más de una ocasión que, de hecho, una pregunta por el significado como conjunto de rasgos léxico-semánticos sólo es adecuada para el NC *(¿{Qué significa/Cuál es el significado} de NC —{mesa/ oro/agua/...}—?),* pero nunca para el NP *(¿Qué significa NP —{Sócrates/Juan/Madrid / ...}—?),* porque, en este caso, se pregunta, en realidad, por la etimología o la traducción del significante (Wilmet 1991: 115 n). Pero lo cierto es que la inviabilidad de la interrogativa con NP tiene que ver con el hecho de que, para los hablantes, los NNPP son presumiblemente referenciales, de modo que su función en el discurso no es la alusión a un concepto. De todos modos, la pregunta por el significado sólo resulta natural cuando se trata de categorías no susceptibles de componente extensional —como adjetivos, adverbios, etc. *(¿Qué significa {nuncupatorio/insubsistentemente / ...}?)*. (Tanto con NNCC como con NNPP, emitimos naturalmente: *¿Qué es (un) NC?; ¿Quién es NP?,* porque intentamos averiguar la referencia.)

[35] De hecho, si la función primordial de un NP es la referencial singular y se trata de una función pragmática, que se actualiza en la emisión verbal, el NP sólo puede suscitar ambigüedad en la interpretación del oyente. (Supongamos un contexto por el que un hablante se dirige a su interlocutor en los siguientes términos: *He visto a Pilar en el teatro;* si los dos participantes del diálogo conocen a más de una persona con el nombre *Pilar,* el oyente puede preguntar: *¿A qué Pilar te refieres*?)

[36] Sería algo similar a lo que se propone en la teoría veritativa; axiomas en número indefinido para las variantes de un NP, con subíndices sucesivos, uno para cada referente singular:

$Félix_1$ = «el marido de Ana»
$Félix_2$ = «el gato de mi vecino»
$Félix_3$ = «el compositor Mendelssohn»
$Félix_4$ = «el ordenador de mi hermano»
...
$Félix_n$ = «el / la..................»

La idea es que el hablante dispone —o puede disponer— de NNPP de este tipo, a modo de «repertorio», con información específica para cada referente individual; no se trata de axiomas propiamente o estrictamente referenciales —como recoge García Suárez (1997: 111):

$Aristóteles_1$ designa a Aristóteles el estagirita
$Aristóteles_2$ designa a Aristóteles el armador
...

2.3.5.3. El nombre propio contiene un predicado de denominación

Otro tipo de definiciones del NP, en las que, de forma análoga, se propugna que se trata de un signo con significado predicativo, son las de carácter metalingüístico; Kneale (1962), por ejemplo, propone que el sentido de un NP lo constituye una descripción del tipo «el individuo llamado NP». Más conocida, entre los lingüistas, es la definición de Kleiber (1981): el NP es un 'predicado de denominación': *ser llamado NP*. Por otro lado, Katz (1990) presenta una definición metalingüística estricta, con el fin de evitar la objeción de circularidad que suscitan sin dificultad propuestas como las de Kneale —o incluso la de Kleiber—, puesto que *llamar NP* a alguien no es más que una forma de la relación de referencia, lo que se supone no es deseable para quienes defienden una teoría del sentido. Según Katz, el sentido de un NP sería «el individuo —contextualmente definido— que es un portador de NP».

No obstante, este tipo de definiciones metalingüísticas poseen carácter claramente derivativo —las descripciones del tipo 'el individuo llamado NP' o 'el individuo que es un portador de NP' no son primitivas; derivan del uso previo del NP para designar a su portador—, con la particularidad de que se basan en la condición pragmática de la referencia. Pero, en cualquier caso, la inclusión de este último aspecto no hace necesariamente de este tipo de definiciones un modo contradictorio de delimitar el sentido del NP a través de su función referencial. De hecho, a definiciones como la de Kleiber se les ha atribuido el mérito de representar una hipótesis específicamente lingüística sobre el sentido de los nombres propios.

2.3.6. El nombre propio: ¿sentido?, ¿significado?, ¿contenido?

2.3.6.1. El nombre propio: significado lingüístico y significado extralingüístico

Una peculiaridad interesante de la definición de Kleiber tiene que ver con la expresión *llamarse (s'appeler; se nommer)*, en relación con el NC y el NP. Según Kleiber (1981), «el NP representa la síntesis del predicado de denominación *ser llamado /N/ (x)»*. [37] Esta definición no puede aplicarse al NC; [38] decimos, así: *«Pedro* es el *x* que {se llama/es llamado} */Pedro/»*, pero no: *«león* es el *x* que {se llama/es llamado} */león/»*, sino *«El león* es el *x* que {se llama/es llamado} */león/»*. De modo que los NNCC no contienen 'predicados de denominación'. Si observamos el par mínimo siguiente:

(2) a. Ese mueble se llama *mesa*.
b. Ese chico se llama *Pedro*.

Aristóteles$_n$ designa a Aristóteles Pérez

porque, en definitiva, en tales axiomas la definición del tipo «designa a...» no es más que una forma o una clase de descripción.

[37] En términos de Kleiber (1981: 329): «Le nom propre représente l'abréviation du predicat de dénomination *être appelé /N/ (x)»*.

[38] Contrariamente a la opinión de más de un autor (cf., por ejemplo, Martin 1987: 143). Como observa Gary-Prieur (1994: 42), un gato no se llama *gato*, sino *Poussy, Mistigri* o *Raminagrobis*.

fácilmente advertimos el carácter metalingüístico del primer enunciado, frente al valor informativo extralingüístico —*mondain* [39]— del segundo. En otros términos, *llamarse NP* predica una propiedad del referente, contrariamente a *llamarse NC.* [40]

Un aspecto de esta definición de los NNPP considerado de gran conveniencia por algunos gramáticos —por la dimensión específicamente lingüística que le atribuye Kleiber— lo constituye la propuesta de que los NNPP tienen por función de significación la de nombrar o denominar un individuo; lo que importa de tal función —los NNPP son signos, [41] como los NNCC, y como estos, deben 'significar', en concepción de Kleiber— es que tiene que ver con un significado propiamente lingüístico, de *langue,* interpretable fuera de contexto y asimilable, por tanto, al significado léxico de los demás signos de la lengua. El significado lingüístico de los NNPP es el que se expresa por la descripción definida predicativa de denominación *(el X que es llamado NP),* o mediante el predicado de denominación *ser llamado /NP/ (x).* Y sería un concepto de 'significado' próximo al concepto de 'sentido' de Lyons (1981) —definido por las relaciones entre los signos de la lengua—, pero no análogo al 'sentido' sugerido por la teoría referencial clásica ni al propugnado por las diferentes versiones de la llamada *teoría del sentido.*

Para Gary-Prieur (1994: 40 y ss.), se trata del verdadero sentido *(sens)* del NP, si bien resulta insuficiente para la interpretación adecuada del NP en determinados contextos, en los cuales es preciso recurrir a la otra dimensión semántica de los NNPP, la que corresponde al 'contenido' *(contenu),* definido como «un conjunto de propiedades del referente inicial asociado al nombre propio, que intervienen en la interpretación de ciertos enunciados que contienen este nombre propio». [42]

Gary-Prieur defiende la integración de la teoría causal de Kripke en la caracterización lingüística del NP; la interpretación de un NP está completamente regida por el contexto y se decide en función de la relación presuposicional que, de un modo u otro, se establece con un referente inicial. [43] La particularidad de la concepción de Gary-Prieur consiste en hacer del referente inicial «un presupuesto del NP, es decir, una parte de su propia definición, y no simplemente una condición de su uso». Así que el conjunto de propiedades que caracterizan el NP en tanto que está asociado a su referente inicial constituye su 'contenido' *(contenu).* Consistente con esta relación es el hecho de que ciertas propiedades del referente inicial intervienen —o pueden intervenir— en la interpretación del NP. Diferentemente, el predicado de denominación constituye su 'sentido', una propiedad

---

[39] Kleiber (1981: 390 y ss.) destaca, al respecto, dos usos distintos del verbo *s'appeler* («llamarse» o «ser llamado»): «Nous défendrons donc l'idée d'un *s'appeler,* expression métalinguistique lorsqu'il s'agit de noms communs, et d'un *s'appeler,* expression non métalinguistique lorsqu'il s'agit des noms propres» [«Defendemos, pues, la idea de un *s'appeler,* expresión metalingüística cuando se trata de nombres comunes, y de un *s'appeler,* expresión no metalingüística cuando se trata de nombres propios»].

[40] Kleiber dice así: «[...] le fait de porter un nom représente pour certaines catégories de particuliers un attribut non négligeable. De même qu'on peut parler du poids de quelqu'un, de sa forme, de sa taille, etc., de même on peut parler, de façon ordinaire, c'est-à-dire non métalinguistique, de son nom» (1981: 394) [«... el hecho de llevar un nombre representa para algunas clases de individuos un atributo no trivial. De igual modo que se puede hablar de los pies de alguien, de su forma, de su talla, etc., se puede hablar también, en sentido ordinario, es decir, no metalingüístico, de su nombre»].

[41] A este respecto, resultan claramente irrelevantes consideraciones como la que sigue: los NNPP están provistos fuera de contexto de una 'intensión' nula (p. ej., el significado vacío del significante *Sócrates*) y, correlativamente, de una *extensión* máxima (el inventario de seres y objetos que pueden ser denominados *Sócrates*). (Wilmet 1991: 115. La traducción es mía.) No parece muy adecuado propugnar que un signo puede estar constituido por un significante de significado nulo, y menos cuando se trata de un signo adscrito a la categoría del nombre.

[42] En traducción de la definición original en francés de Gary-Prieur (1994: 46). La autora argumenta en favor de la distinción *sens/contenu,* a lo largo del capítulo III (1994).

[43] Según Gary-Prieur (1994: 29 n. 1), «el término «inicial» está doblemente motivado: 1) por una referencia al acto de bautismo inicial de toda cadena causal que vincula un nombre con su portador; 2) por la oposición que aparecerá más tarde entre este referente y otros referentes posibles del nombre propio en un SN».

que caracteriza el NP en tanto que unidad de la lengua. La distinción de estos dos niveles de funcionamiento semántico permite dar cuenta —según Gary-Prieur— de la especificidad del nombre propio en relación con el nombre común, que no funciona más que en el plano del 'sentido'.

El 'contenido' de los NNPP se determina así como una función semántico-pragmática; no debe confundirse con 'conocimiento enciclopédico' del referente del NP, que se construye fuera del discurso, sino con el 'conocimiento discursivo' del referente inicial, que es un conocimiento relacionado con el saber enciclopédico, pero que tiene su origen en el discurso mismo, de modo que, generalmente, la interpretación adecuada de un NP no requiere «un *tout savoir*» sobre su referente inicial. Gary-Prieur precisa, de esta forma, que el 'contenido' de un NP es un conjunto de propiedades atribuidas al referente inicial de este NP en un *univers de crofance.* [44] Naturalmente, la definición del contenido del NP en relación con un 'universo de creencias' es sólo válida en contextos metafóricos —o similares (metonímicos)—, en los que las propiedades que se retienen para construir la interpretación metafórica del NP no son precisamente —o no tienen por qué ser— las que sirven para establecer la identidad del referente inicial, como puede observarse en los ejemplos de la autora: *Laforgue vient de découvrir Laforgue* («Laforgue acaba de descubrir a *Laforgue*»); *...tu n'ambitionnes pas d'être le Victor Hugo du vingt et unième siécle* («...no ambicionas ser el *Victor Hugo* del siglo XXI»). En otros casos, la metáfora se basa en propiedades definidas en una *image d'univers,* como sucede con el contenido de *Jérusalem,* en relación con Vilnius, en el contexto siguiente: *De Vilnius, on disait au siècle dernier qu'elle était «la Jérusalem de la Baltique»* («De Vilnius, se decía, en el último siglo, que era la *Jerusalem* del Báltico»). [45]

El 'sentido' decide la interpretación de los usos 'primarios', propiamente referenciales, de los NNPP, mientras que el 'contenido' permite dar cuenta de los usos 'secundarios', derivados (atributivos o predicativos, figurados) de los NNPP.

En ocasiones, el 'contenido' se ha confundido con la noción de 'significado connotativo' o 'connotación', no como lo entiende Mill, no como equivalente a *intensión,* en Lógica, sino como opuesto a 'significado denotativo' o 'denotación', en Semántica. El significado connotativo sería el significado adicional de una expresión, de carácter afectivo, relativo al sentimiento, no al pensamiento, y está constituido por el conjunto de asociaciones, evocaciones, etc., que suscita implícita o explícitamente tal expresión, en la lengua o en el contexto. Pues bien, algunos gramáticos y semánticos consideran que en la base del uso metafórico de los NNPP, no se encuentra su 'sentido' o su contenido semántico, sino las diversas connotaciones que se asocian a este (Kleiber 1981: 361). Para otros, el único significado de los NNPP es el connotativo (Kerbrat-Orecchioni 1977: 178). Contrariamente, Gary-Prieur argumenta en favor de la distinción entre 'contenido' y significado connotativo. El 'contenido' es específico del NP; los NNCC tienen *sentidos* y eventualmente *connotaciones,* pero los NNPP tienen un 'sentido' y/o un 'contenido', y también, en ciertos casos, connotaciones. Y, mientras que el contenido de un NP depende necesariamente del *referente* (inicial), las connotaciones se establecen sobre el signo —significante sólo o significante y significado—, como puede observarse en los ejemplos siguientes de la autora: *Un MOHAMED ne peut pas être français* («Un MOHAMED no puede ser francés»; en una emisión en la que se parodiaba *Le Front National,* y *Mohamed* es el nombre de pila árabe típico); *Pierre, naturellement, avait le coeur dur* («Pierre, naturalmente, tenía el corazón duro», donde las connotaciones derivan de la homonimia entre un NP y un NC —*Pierre,* «Pedro» y *pierre,* «piedra»).

2.3.6.2. Nombres propios y nombres comunes: diferenciación semántica

A modo de conclusión: el NP —no modificado— constituye una clase de palabras subordinada a la categoría del nombre. Su uso primario, neutro o no marcado

[44] Gary-Prieur adopta esta expresión, así como la de *image d'univers,* de Martin (1983, 1987). El *univers de croyance* del locutor es el conjunto de proposiciones que tiene por verdaderas en el momento de la enunciación; una *image d'univers* es la representación en el discurso de un *univers de croyance* distinto de aquel del locutor en el momento del discurso (Gary-Prieur 1994: 48 n.).

[45] Los ejemplos aparecen en las págs. 45 y 47 de Gary-Prieur 1994.

es el referencial: se trata de expresiones propiamente —pero no exclusivamente— referenciales, a diferencia de los NNCC, que son expresiones propiamente predicativas. Los NNPP son signos dotados de referencia, y derivativamente, de significado, lo que equivale a decir que su función referencial no es inducida lingüísticamente por su significado (en los NNCC, es el significado el factor que dirige a la referencia, que «guía hacia» al referente). A este respecto, no es adecuado considerar que el NP tiene significado léxico, como el NC, que posee contenido descriptivo articulado en propiedades o rasgos de subcategorización gramaticalmente objetivables y semánticamente discernibles por su relación con las otras unidades léxicas de la lengua (en particular, con el significado léxico-semántico de otros NNCC) [→ Cap. 1].

Digamos que el NP no tiene un significado léxico, en acepción lingüística convencional; un NP no se opone a otros NNPP por sus propiedades o rasgos semánticos, dado que estos no pueden constituirse en una descripción más o menos precisa, única y estable del referente, mientras que los rasgos de un NC pueden ser definidos mediante descripciones de este tipo. Así que, ciertamente, no conviene a un NP una descripción determinada ni una(s) propiedade(s) fija(s) —cualquier característica o propiedad del portador del NP podría servir para identificar el referente—; la gramática no contiene instrucciones respecto a la (forma de) selección y estructuración del significado de los NNPP en el léxico, probablemente porque no se requiere algo así, dada la función predominantemente referencial del NP no modificado. Lo que no implica, en manera alguna, el vacío de significado; no se trata, como se ha observado anteriormente, de expresiones deícticas, sino de signos que contienen —de un modo no decidido aún— el 'concepto' de individuo al que refieren —su 'referente inicial'— y debe ser así porque, independientemente de los enunciados en los que el NP funciona como mera etiqueta de denominación —*Mi hermano se llama Juan; Le pusieron por nombre Cecilia*—, los NNPP son signos disponibles para el hablante con significado aislable del contexto.

Ahora bien, el significado del NP no equivale al *sens* de Kleiber y otros —porque, efectivamente, nunca dejaría de ser metalingüístico—, ni al *contenu* de Gary-Prieur —porque es, en cualquier caso, pragmático, y sólo operativo en contextos de «sentido figurado»— sino que es análogo, de algún modo, a 'intensión' (pero de individuo, no de clase). [46] Si no fuera así, es decir, si no admitimos que los NNPP están dotados de contenido predicativo, ¿cómo explicaríamos su rendimiento sintáctico como nombres comunes en determinados contextos? [47] o, correlativamente, ¿de

[46] Los términos 'intensión' o 'componente intensional', o 'concepto', no han sido sancionados en la tradición lógico-filosófica como términos adecuados cuando se aplican a 'individuo' y no a 'clase', de forma que, dado que no existen otros más apropiados, los empleamos entre comillas a veces, o mediante expresiones de aproximación o relativización (*de algún modo,* etc.). Por otro lado, la intensión de individuo puede estar léxicamente codificada, como en el caso de los nombres *sol, luna*... No se trata de nombres propios —contrariamente a lo que dice la RAE (1988)— porque poseen significado léxico, articulado en rasgos semánticos que pueden constituirse en una descripción definida estable (como la que muestran las definiciones de los diccionarios). Bally (1932), entre otros lingüistas, también considera que *le soleil es un NP «de la langue»,* porque siempre es monorreferencial, pero —dejando al margen que existe más de un *sol*— aun cuando hagamos referencia al único *sol* de nuestro sistema planetario, la unicidad referencial no es el factor que decide el *status* categorial NP de un nombre, sino su defecto de significado léxico codificado. Se trata, pues, de NNCC. (Obsérvense algunos contextos naturales de NC: *Hace un sol espléndido; un baño de sol; el claro de luna; Dibujó una media luna; ¡Qué luna tan grande!,* etc.)

[47] Generalmente, los NNPP se comportan como NNCC en contextos en los que aparecen con determinantes y/o complementos restrictivos de naturaleza categorial varia. Kleiber (1981) distingue, al respecto, el NP *modifié* —el uso predicativo, descriptivo, no referencial, de los NNPP— del NP *non modifié,* que corresponde a su uso primario, como término singular, como expresión referencial. En el marco teórico de la Semiótica formal, Boër (1978) distingue entre NNPP referenciales y NNPP atributivos; los atributivos difieren de los referenciales en la estructura sintáctica profunda,

qué otro modo daríamos cuenta de los usos metafóricos de los NNPP, tanto contextuales como lexicalizados *(donjuán, quijote...)?*

Al hilo de propuestas, en la Filosofía del lenguaje, como las de Russell o Quine, cabe suponer que el NP singular no modificado contiene, de modo abreviado o sintético, un operador de unicidad y un predicado, esto es, un componente extensional y un componente intensional.

2.4. La sintaxis de los nombres propios

2.4.1. El nombre propio sin determinante

2.4.1.1. El nombre propio en función referencial

El uso primario, genuino, del nombre propio en la oración es el que corresponde a la forma NP escueta, esto es, sin determinantes ni complementos; el NP es una categoría sintácticamente autodeterminada y autocomplementada. Este uso del NP escueto tiene que ver con su función específica de argumento referencial, en las posiciones adecuadas. [48] (El rendimiento natural de los NNPP es el de argumentos referenciales y la referencia está inducida por la determinación.) Digamos que el NP es N en el léxico, y SN definido en la Sintaxis. [49]

La función referencial es uno de los tres usos prototípicos del NP sin determinante. (Los otros dos usos son: el vocativo [⟶ § 62.8] *—¡Ven aquí, Juan!—* y el denominativo [⟶ § 38.2.1.4] *—Me llamo María—*). La función referencial del NP puede ser 'primaria' (cuando el NP es, en la oración, un argumento del verbo —sujeto, objeto, etc.—: *Juan está estudiando; Se lo he dicho a Juan...*); 'secundaria' (el NP designa un referente secundario cuando forma parte de un argumento: *las cartas de Juan; su encuentro con Juan...*) o 'extendida' (como en *Cervantes está en el anaquel de abajo.*) [50]

---

en la que aparecen representados como predicados, y no como argumentos; los NNPP atributivos se asemejan así a los NNCC, pero se diferencian de estos semánticamente, porque, contrariamente a estos, contienen un elemento *sui-referential* —la forma de su expresión forma parte de su intepretación semántica, como en el uso denominativo, comentado posteriormente— y porque su sentido depende del contexto. Jonasson (1994: 179) observa, respecto a las propuestas de Boër, que no parece justificada la asignación de dos estructuras profundas sintácticas distintas, cuando, de hecho, el comportamiento NC de los NNPP se decide pragmáticamente.

[48] En la bibliografía sobre el NP se considera generalmente el uso del NP no modificado —su función referencial— como primario (es el uso prototípico del NP) y su empleo modificado —predicativo, no referencial— como secundario (pero hay excepciones: Burge 1973, Algeo 1973, Kleiber 1981, Castañeda 1985). Con respecto al uso referencial primario del NP en relación con la determinación, es ilustrativa la regla que propone Kleiber (1981: 306) para reconocer sintácticamente los NNPP: «Es nombre propio todo nombre que, en singular, y en posición de sujeto, no acompañado de un adjetivo o de una relativa restrictiva, es incompatible con el artículo definido». (La traducción es mía.) Esta regla puede considerarse válida en términos generales, porque en la forma *el + NP,* el artículo, o es léxico, o es expletivo. Las observaciones que siguen sobre la sintaxis de los NNPP se basan principalmente en las aportaciones de Gary-Prieur (1994) y Jonasson (1994), quienes reconocen, a su vez, la influencia decisiva de Kleiber (1981).

[49] De modo más preciso, en el marco de la Gramática Generativa, sería un SDET (Sintagma Determinante) con determinación definida específica, es decir, una expresión propiamente *referencial* (extensional), mientras que el NC, que es un predicado léxico, una expresión predicativa —de interpretación *denotacional* (intensional)— requiere, para referir, ser complemento de un determinante léxico —pleno (fonéticamente realizado)— o vacío, de modo que se comporta lógicamente como una variable que proporciona un *rango* para el operador representado por el DET (véase Longobardi 1994). El NC no puede ser nunca —no puede proyectarse nunca en— SDET (cf., por ejemplo: *Pablo duerme / *Niño duerme; Dáselo {a Pablo/*a niño})* [⟶ Cap. 13].

[50] Véase, sobre este último tipo de función referencial, Fauconnier 1984. Kleiber (1992c) considera que la relación pragmática entre los autores y sus obras es un caso de *«metonymie integrée»*.

Los NNPP, como argumentos referenciales, pueden admitir complementos no restrictivos (predicativos adjuntos [⟶ Cap. 39], oraciones de relativo no especificativas [⟶ Cap. 7] o sintagmas nominales en aposición explicativa [⟶ Cap. 8]):

(3) a. *Pedro *muy nervioso* no hacía más que moverse de un lado para otro.
b. Pedro, *muy nervioso,* no hacía más que moverse de un lado para otro.

(4) a. *María *que pinta muy bien* te hará el retrato.
b. María, *que pinta muy bien,* te hará el retrato.

(5) a. *Acaba de llamar Antonio *el marido de Ana*.
b. Acaba de llamar Antonio, *el marido de Ana*.

La aceptabilidad —y gramaticalidad— de construcciones como las de (6), sólo aparentemente análogas a (3a), radica en que el supuesto modificador es, en realidad, un predicativo [⟶ Cap. 38]:

(6) a. Considero a Mario *culpable*.
b. Nunca había visto Sevilla *tan llena de gente*.
c. Dice que siempre recuerda Madrid *en obras*.

En construcciones del tipo *Pepe recién nacido; María muerta; Joaquín de joven; Ana de estudiante... (la fotografía de Pepe recién nacido; la imagen de María muerta; la cara de Joaquín de joven; un retrato de Ana estudiante),* el NP está seguido de expresiones (generalmente adjetivos o participios) en función de predicativos [⟶ § 38.2.3].

En las fórmulas convencionales *Elisa madre / Elisa hija; Madrid ciudad* y similares, no hay relación de predicación; al NP le sigue un NC en aposición restrictiva.

Los adjetivos generalmente antepuestos al NP sin determinación favorecen la referencia descriptiva de carácter valorativo, estimativo, en formaciones especiales: apóstrofes *(Querido Pepe)* —el adjetivo se pospone normalmente en interpelaciones del coloquio *(Pepe querido)*—; exclamaciones *méditatives* (Togeby 1982: 67) *(¡Pobre Pepe!)*. En frases elípticas o construcciones nominales absolutas —en titulares de periódicos, etc.— es más natural en español el adjetivo predicativo —o cualquier otro sintagma predicativo— pospuesto al NP *(Valencia inundada; Madrid en fiestas)* [⟶ Cap. 39].

Hay, por otra parte, construcciones gramaticales y aceptables semejantes a la (4a), en las que un SN con determinación definida aparece en relación de adyacencia estricta con el NP. [51] Se trata de expresiones en las que el sintagma definido adyacente al NP y constituido invariablemente en la forma <*el* + A/N> (artículo definido seguido de adjetivo o sustantivo), funciona como un 'sobrenombre' des-

[51] Respecto a los nombres apellidos parece claro que su función primigenia es la restrictiva del nombre de pila; su rendimiento actual es, no obstante, el de constituir con este un NP unitario. La diferencia entre el uso del nombre de pila únicamente y el empleo conjunto de nombre y apellido probablemente tiene que ver con la distinción —pragmática— que propone Declerck (1988: 130) entre dos clases de NNPP: los que presuponen «familiaridad» —*acquaintance*— que son los NNPP no modificados, y los que corresponden a usos no familiares, es decir, los modificados, como *Doctor Peláez; General Santos,* etc.; entre ellos, podrían incluirse las formaciones de nombre de pila y apellidos: *José Ruiz de Torres,* etc. La distinción entre las dos clases de NNPP no es trivial; tiene que ver con distintas interpretaciones en contextos oracionales con verbo copulativo: el NP de la primera clase no funciona naturalmente como predicado descriptivo en oraciones copulativas identificativas, mientras que el NP modificado sí puede hacerlo. (Declerck 1991). (Cf. las dos respuestas a una pregunta del tipo: *¿Quién puede ser ese señor? —¡Es Juan! / —Es José Ruiz de Torres*). Véanse, en el capítulo 37 de esta gramática, los §§ 37.3-4.

criptivo; es un tipo de complementación que admite exclusivamente el NP sin determinación (Le Bihan 1978; Noailly 1990, 1991). En aquellos casos en que la formación <NP-*el* + A/N> se ha consolidado de tal modo que se encuentra tradicionalmente sancionada como parte del acervo cultural de una comunidad —pertenece al conjunto de conocimientos enciclopédicos— no hay duda de su carácter unitario como denominador global: *Felipe el Hermoso; Isabel la Católica; Iván el Terrible, Juana La Loca...;* en algunos casos, el referente ha llegado a ser conocido más por el 'sobrenombre' que por el NP correspondiente: *El Tintoretto; El Greco.*

No hay unanimidad respecto a la caracterización gramatical de esta peculiar construcción; para algunos autores, la descripción definida que sigue al NP sería un predicado análogo al que aparece en la construcción paralela del tipo <*el* + A − NP>; así, según Noailly (1991), sólo una cuestión de 'matiz' *(nuance)* distingue *Jacques le fataliste* de *le fataliste Jacques.* [52] Por otro lado, Gary-Prieur (1994: 73) considera que se trata de construcciones diferentes por más de una razón; en el primer caso —la construcción <NP *el/la* N>— hay dos nombres, dos expresiones referenciales sucesivas, *Jacques* y *le fataliste,* que remiten independientemente al mismo individuo, de modo que cada uno de los dos nombres posee autonomía sintáctica y semántica (lo confirma el hecho frecuente de la representación gráfica en letra mayúscula de la inicial del nombre que sigue al artículo). En el otro caso, sólo hay una expresión referencial, el NP; de hecho —siguiendo observaciones de Gary-Prieur (1994: 73)— la descripción definida que precede al NP no puede emplearse nunca como designador alternativo respecto al NP, mientras que la descripción definida de la construcción anterior sí puede emplearse ocasionalmente en lugar del NP. Pero lo cierto es que esta posibilidad sólo es efectivamente productiva con los sobrenombres populares genuinamente alternativos de los NNPP, que son los *alias;* no empleamos naturalmente *El Hermoso; La Católica; El Terrible* o *La Loca* para referirnos a *Felipe El Hermoso; Isabel La Católica; Iván El Terrible* o *Juana La Loca* [⟶ § 8.2.2], pero sí utilizamos *El Puma, El Cordobés, o La Faraona* en lugar de sus correspondientes NNPP *(Joaquín Rodríguez; Manuel Díaz, Lola Flores).* Y, obviamente, las DDs que se incluyen entre los pseudónimos son NNPP 'secundarios', legítimamente alternativos: *El Pobrecito Hablador* (Mariano José de Larra); *El Solitario* (Serafín Estébanez Calderón); *La Peregrina* (Gertrudis Gómez de Avellaneda)...

Pero las DDs en construcciones del tipo *Isabel La Católica* no son expresiones referenciales, sino predicativas, que se han incorporado atributivamente al NP en el léxico —enciclopédico— a modo de 'títulos', caracterizadores o distintivos absolutos, por lo que no son comparables a las construcciones: *Aristóteles, el armador* vs. *Aristóteles, el filósofo* vs. *Aristóteles, el gato de mi vecina* (cf. *mi hermano, el ingeniero*), en las que las DDs, coloquialmente empleadas de modo especificativo, discriminador, sirven para lograr la interpretación identificativa adecuada del referente en un determinado contexto. [53] La atribución de la propiedad contenida en la descripción está vinculada al enunciado, en función de la situación de comunicación, como sucede también en las construcciones del tipo: *el pobre Pepe,* más productivas, en español, en la forma *el pobre de Pepe,* con una preposición *de* vacía y un componente valorativo enfático (Suñer 1990: cap. III), de tono compasivo o de carácter depreciativo o irónico, generalmente [⟶ § 8.4.1].

[52] Con criterio análogo, Jonasson (1994: 46 y ss.) considera que se trata de expresiones similares, con adjetivos epítetos generalmente, aunque de modo ocasional el adjetivo admite lectura restrictiva (como en *Le vieux Théodule est mort hier*). De hecho, tal lectura es bastante improbable con el adjetivo antepuesto al NP.

[53] Jonasson (1994: 48) indica que la posposición —sin coma— de un SN definido de carácter clasificador a un NP, suscita una interpretación extraña, de efecto paródico, como en *Clinton el presidente; Luis Antonio el ingeniero;* o de contraste en relación con el contexto (como en el ejemplo de la autora: *Gens de lettres, baisez le nez, Simone l'actriz est meilleure que vous.* En esta construcción, el referente de *Simone l'actriz* contrasta con el grupo denotado por *gens de lettres.* Ocasionalmente, el contraste se suscita con respecto a otra faceta del mismo referente *(Juan el fotógrafo / Juan el médico).*

2.4.1.2. *El nombre propio en función predicativa*

El NP sin determinante puede emplearse predicativamente, de modo análogo a un NC,[54] en posiciones en las que únicamente se activa su componente 'intensional' no su componente extensional, de modo que el NP funciona como predicado caracterizador y no como argumento referencial. Se trata de contextos con verbo copulativo —oraciones copulativas identificativas— como los de (7):

(7) a. Clarín es *Leopoldo Alas*.
b. Esa chica es *Ana Rodríguez*.
c. Ignacio no sería *Ignacio* si abandonara el proyecto.
d. Pedro parece *Napoleón*.
e. Antonio no es hoy *Antonio*.

En estas construcciones [→ §§ 37.3-4], el segundo NP no es una expresión referencial; funciona como atributo identificativo —(7a, b)— o caracterizador (de propiedad) —(7c, d, e)—; en el primer caso atribuimos a la persona designada por el NP (*Clarín,* pseudónimo en este caso) o indicada por la expresión deíctica *(esa chica)* un NP a modo de descripción identificadora neutra —naturalmente vaga (ninguna propiedad es particularmente destacada)— relativa a la figura literaria del escritor *Leopoldo Alas* o a la imagen más o menos objetiva —en el universo de discurso— de la persona *Ana Rodríguez*. En las construcciones (7c-e) o similares, el contenido del NP atributo tiene que ver con rasgos valorativos de la personalidad del referente —(7c, e)— o del personaje —(7d).

La interpretación del NP como atributo lógico de 'identificación' en contextos copulativos se logra cuando la otra expresión —vinculada al NP por el verbo copulativo— posee mayor fuerza referencial porque designa un referente accesible en la situación de comunicación; esto es lo que sucede cuando se trata de expresiones deícticas —cuyo referente es directamente accesible (es perceptible auditiva o visualmente)— como en (7b), o, de modo eventual, cuando es otro NP el que designa un referente disponible para el interlocutor, como en (7a).

En cuanto a la interpretación del NP como atributo de 'caracterización', se sigue naturalmente del contenido descriptivo asociado al NP, en forma de propiedades que se suponen —en el universo de discurso— socialmente reconocidas respecto a su portador (Jonasson 1994: 91).

En más de una ocasión se ha observado la posibilidad de empleo metafórico del NP no determinado; se trataría de una posibilidad excepcional, puesto que se considera con cierta unanimidad que la presencia de un determinante es condición de la interpretación metafórica de los NNPP (Jonasson 1991), como en (8):

(8) a. Luis es un *Sansón*.
b. Ana se cree la *Greta Garbo* de nuestros días.

Pero no resultan extrañas construcciones como las de (9), en las que la falsedad de la identificación conduce a buscar una interpretación metafórica; el proceso con-

[54] Conviene tal vez precisar que el funcionamiento predicativo del NP no modificado tiene más que ver con el valor predicativo de las descripciones definidas —sintagmas nominales con determinación definida— que con la categoría léxica N (el núcleo sustantivo predicado). Los NNPP nunca son predicados léxicos a menos que hayan sido objeto de transcategorización o recategorización *(donjuán, jerez, sanbenito)*.

siste en la búsqueda de propiedades del referente inicial del NP aplicables al referente del sujeto de la oración (Gary-Prieur 1994): [55]

(9) a. Eduardo es *James Dean*.
b. Laura es *María Callas.* [56]

2.4.1.3. *La construcción del tipo* el abogado Peláez

Uno de los usos más productivos del NP escueto es el que presenta en posposición a un NC clasificador, en el interior de la estructura de un sintagma nominal con determinación definida, como puede observarse en las construcciones siguientes [→ § 8.2.2]:

(10) a. El presidente *Lincoln*.
b. El escritor *Cela*.
c. El abogado *Peláez*.

y otras similares: *la ópera Aida; el compositor Vaughan Williams; la torre Eiffel; la diosa Cibeles; la tía Ifigenia;* también expresiones del tipo: *mi hijo Juan; tu vecina Marisol,* etc. [57]

La interpretación de estas construcciones se resuelve, generalmente, en el sentido de que el NP especifica al NC en relación de identificación; [58] lo que no es más que una forma de decir que el NP no define una propiedad o rasgo intensional del NC, restringiendo su extensión, como lo haría un adjetivo, por ejemplo, o incluso otro NC (cf., p. ej.: *el presidente estadounidense; el abogado poeta*); antes bien, la intensión del NC sí corresponde a una característica del *designatum* del NP (en el sintagma *el presidente Lincoln,* por ejemplo, el NC *presidente* contiene una propiedad del individuo designado por el NP *Lincoln,* correlativamente, corresponde a un rasgo de su intensión individual. Así pues, el NP no sería, en este tipo de construcciones,

---

[55] La autora considera que, en esta clase de construcción, el funcionamiento del nombre propio está más próximo al de un adjetivo que al de un sustantivo; así, en (i), por ejemplo, el NP predicativo funciona como un NC, y se trata de una identificación, mientras que en (ii), el NP predicativo se comporta como un adjetivo, y se trata de una metáfora (Gary-Prieur 1994: 79-84):

(i) Émile Ajar, c'est {Romain Gary/un écrivain connu}.
(ii) París, c'est {Beyrouth/beau}.

[56] Descártese la lectura posible de los NNPP poscopulares no referenciales como personajes interpretados por los referentes de los NNPP sujetos. Descártese asimismo la lectura identificativa inversa [→ 37.3.1]: los NNPP precopulares *(Eduardo, Laura)* pueden ser las expresiones descriptivas de los personajes interpretados por los referentes de los NNPP poscopulares (*James Dean* —el actor—; *María Callas* —la cantante de ópera—), que serían las expresiones referenciales en esta lectura correspondiente al tipo de oraciones copulativas especificativas.

[57] En los estudios gramaticales franceses, las construcciones con la secuencia del tipo: N_1 N_2 se denominan construcciones con sustantivo *epithète;* el NP, como N_2, es analizado como nombre propio *epithète,* y contrae con el N_1 relaciones de 'identificación' —como en *el presidente Lincoln*— o de 'calificación' —como en *el estilo Armani*— (Gary-Prieur (1994); la autora considera que, en cualquiera de los dos casos, el NP es no referencial). Noailly (1990) incluye, además, las relaciones de 'coordinación' *(le duo Chirac Barre)* y de 'complementación' *(la gestion Mitterrand)* —ejemplos de la autora— en las que el NP es referencial. Jonasson (1994: 92 y ss.), a su vez, manifiesta que el NP no es *epithète* propiamente dicho en las relaciones de 'identificación' y de 'coordinación', puesto que no está en relación de subordinación con el nombre precedente.

[58] Véase, entre otros, Noailly 1990; Gary-Prieur 1994; Jonasson 1994.

un simple predicado denominativo. De hecho, en ningún caso parafraseamos tales expresiones en la forma *el NC que {se llama/es llamado/tiene por nombre} NP —#el presidente que {se llama/es llamado/tiene por nombre} Lincoln.* [59]

Pero lo cierto es que no hay unanimidad respecto a la función del NP en esta clase de construcciones, generalmente ilustradas con nombres de (clases de) profesiones, funciones, cargos, etc. Así, Kleiber (1985: 8) parece interpretar el NC como núcleo de la construcción, y Gary-Prieur (1994: 84 y ss.) considera que se trata de un uso no referencial del NP *épithète,* pero Noailly (1991: 110) y Jonasson (1994: 48) caracterizan la construcción como la yuxtaposición de dos expresiones referenciales autónomas —pero correferenciales— en el interior de un SN; NC —con referencia descriptiva— y NP —con referencia directa— funcionan los dos como núcleos de un SN complejo (Jonasson 1994: 48). El NC podría servir para precisar adecuadamente la referencia, mediante distinción de un rasgo socialmente relevante —en el universo de discurso— del referente; lo que no sería muy distinto de considerar, siguiendo a Stowell (1991), que estos NNCC (de profesiones, cargos, etc.), ambiguos, porque son sustantivos cuando se refieren a 'clases', pero adjetivos cuando se refieren a 'títulos', podrían comportarse, en tales construcciones, como 'títulos' —serían adjetivos prenominales.

En las gramáticas españolas se asigna generalmente al NP en esta construcción la función de 'aposición' distintiva o especificativa de valor denominativo. Se podría suponer, por otra parte, que el NP especifica la referencia, no del NC, sino del sintagma <*el* + NC>, porque resultaría gramaticalmente inadecuado admitir que un NP referencial esté en relación de aposición a un NC que, como tal, no puede referir por sí mismo (el NC tiene significado, contenido predicativo descriptivo; la referencia se la da el determinante, como ha sido reconocido reiteradamente). Pero lo cierto es que no se advierte con claridad cómo la gramática puede dar cuenta, independientemente, de la aposición de una expresión referencial —el NP— a otra expresión referencial —<*el* + NC>— si, a todos los efectos, habría un solo argumento y un solo referente. Aun si suponemos que el SN es un sintagma predicativo antepuesto al NP, con no menor dificultad podríamos explicar la aposición —restrictiva o no— de una expresión referencial como el NP a una expresión predicativa. De modo que, en este tipo de construcciones, probablemente el NP está provisto de valor denominativo, que es una forma de uso no-referencial (como puede verse más adelante).

Por otro lado, los nombres de profesiones, cargos, rangos, etc., así como algunos adjetivos valorativos, se usan como títulos —o a modo de títulos— antepuestos al NP en contextos no referenciales, es decir, como vocativos o interpelativos: *prima Luisa; profesor López; bella María; gentil Pepe;* en algunos casos, socio-culturalmente convenidos, la expresión puede tener función referencial, con títulos del tipo: *santo/*

---

[59] Probablemente, el NP es un predicado puramente denominativo con NNCC no animados, en el sentido de que el NP define, sólo en cuanto nombre, una propiedad distintiva del NC: *un reloj Rolex; la torre Eiffel; el monte Teide; la calle (de) Alcalá; el río Duero...* (Por ejemplo, en la expresión *la torre Eiffel,* ningún rasgo de la intensión individual relativa al referente —el arquitecto *Eiffel*—, es asociado al NC *torre.*) Esta posibilidad no está excluida con respecto a los NNCC de persona, pero, naturalmente, para el emisor, el NP no referencial en este tipo de construcciones no se reduce a etiqueta denominativa, sino que es, de algún modo, una expresión intensional; de ahí que no resulte inadecuado observar una relación de identificación entre el NP y el NC (hiponímica). Para Alcina y Blecua (1975: § 7.8.6.1) se trata, en cualquier caso —es decir, siempre que el sustantivo nuclear es genérico o común y el otro es un nombre propio—, de aposición de valor denominativo. La RAE (1973: 3.8.3d) habla, asimismo, de aposición especificativa. (La RAE destaca el uso tradicional de la preposición *de* en algunos casos —con los nombres de islas, cabos, estrechos, etc., y de ciudades, calles, plazas, meses, años o instituciones—: *la ciudad de Barcelona; el mes de mayo,* etc., pero observa la tendencia a suprimir actualmente la preposición cuando se trata especialmente de años, edificios o instituciones.)

a; san; don; doña; monseñor; fray; sor. Así, *doña María; San José,* etc., funcionan naturalmente como argumentos referenciales, sin necesidad de artículo.[60] Pero, en los demás casos, se requiere el artículo para lograr su rendimiento referencial. Esto sugiere que, en las construcciones de (10), e incluso en las del tipo: *la bella Otero, el gentil Francisco, el pobre Pepe,* etc., plausiblemente la estructura sea <*el* + SN [NC / A + NP]>, de modo que el NP, que es prototípicamente referencial por sí mismo —escueto— y, como tal NP, no admite determinantes ni complementos, puede formar parte, en la sintaxis, de una estructura característica del NC. Así pues, por ejemplo, si bien las expresiones *Vicenta, la Vicenta, la generosa Vicenta, la profesora Vicenta,* pueden designar el mismo referente —el individuo real «Vicenta»— las dos primeras lo hacen como NP (en *la Vicenta,* el artículo es expletivo), y las dos últimas como SN definido (mediante la estructura característica de las descripciones definidas).

Ahora bien, si se considera que tanto los nombres de profesiones como los adjetivos que suelen anteponerse al NP se emplean generalmente sin intención de proporcionar descripción o valoración adicional[61] y si se observa que algunos de ellos se emplean de forma abreviada o trunca, no sería tal vez desatinado suponer que se trate, en cualquier caso, de títulos asociados al NP de tal forma que el artículo resultaría innecesario o redundante (lo que explicaría su ausencia en los casos indicados más arriba); si fuera así, la estructura sería: <*(el)* NP [A (título) + NP]>.

2.4.1.4. La construcción del tipo el estilo Luis XV

Un tipo de construcción paralela, con NP no determinado en función no referencial, es la que se ilustra en (11):

(11)
a. El estilo *Luis XV/Chanel/Cela/...*
b. Su perfil *Cleopatra.*
c. La gestión *Churchill.*
d. Su etapa *Sartre.*

La modificación especificativa del NP con respecto al NC es, en este caso, de caracterización propiamente; el NP define una propiedad restrictiva del componente intensional del NC, a modo de adjetivo especificativo 'calificativo' [→ Cap. 3] —por asociación generalmente metafórica— como en (10 a, b) o 'relacional' —por relación de *complémentation* (Noailly) o *détermination* (Jonasson)—[62] como en (11 c, d). Lo

[60] Se podría suponer que estos títulos están, de alguna forma, 'incorporados' al NP —convencionalmente—, algunos de ellos 'desemantizados' *(don, doña, sor, monseñor...),* por lo que no se sienten como adjetivos descriptivos, lo que explica la ausencia del artículo. (No son, en realidad, más definidos que *doctor, profesor,* o *presidente,* por ejemplo). Construcciones similares con ciertos nombres de parentesco se comportan de modo análogo —con función argumental sin artículo— en situaciones familiares *(Me lo regaló tío Francisco; Va a salir con tía María).*

[61] Cuando decimos *la bella Otero,* no pretendemos describir ni valorar la cualidad de la belleza en el referente del NP; ni siquiera con respecto a situaciones particulares, en expresiones del tipo *el joven Francisco, la simpática Vicenta,* los adjetivos se comportan como 'títulos' (la cualidad denotada se sabe perteneciente al referente); sólo como recurso irónico posee valor informativo, sin dejar de ser 'título'. Jonasson (1994: 51) habla de «referencia descriptiva» para la construcción del tipo *la bella María,* en la que el artículo es indispensable para la función referencial del sintagma. Por el contrario, la referencia «no descriptiva» del NP escueto —*María*— se refleja en la ausencia de artículo.

[62] Jonasson (1994: 109) afirma que los NNPP de calles, plazas, colegios, etc., son interpretados como *«denominations partielles»,* y que el papel del NP es el de un *épithète de détermination.* Se distingue de otros tipos de 'determinación' en

cierto es que la función «calificativa» del NP deriva con frecuencia de la «relacional» y que, en ocasiones, pueden ser concurrentes las dos formas de caracterización (11d, p. ej.). (El artículo indefinido, así como la presencia de adverbios de grado excluyen la interpretación relacional.) Se trata, en cualquier caso, de una clase de construcción de valor expresivo muy productivo en el lenguaje cotidiano y de recurso habitual en el lenguaje periodístico —en todos los medios de comunicación en general—. Requiere, naturalmente, conocimientos pragmáticos o enciclopédicos respecto al portador del NP.

Para algún gramático, el NP no puede ser calificativo. Dado que no describe ninguna propiedad del objeto que denota, el NP no puede servir para calificar, si entendemos que calificar es aportar una caracterización descriptiva. Esta es, por ejemplo, la observación de Noailly (1990: 190). Pero si admitimos que el NP tiene contenido intensional tácito —o *contenu,* en la versión de Gary-Prieur— podemos explicar por qué admite adverbios de grado en las construcciones de (10): *un traje muy Chanel; su forma de moverse tan Von Karajan...; de aire algo Madonna...* El NP no rechaza, en este sentido, yuxtaposición a construcciones con NC y adjetivos descriptivos: *un tono repetitivo, lánguido, grave, un tono Hermida* [63] [⟶ § 1.7.5].

2.4.1.5. *El uso denominativo del nombre propio*

Uno de los usos prototípicos del NP sin determinación es el denominativo. Se trata de una función considerada 'no referencial' en cualquiera de sus manifestaciones: [64]

(12) a. Mi madre se llama *Julia*.
b. Mi nombre es *María*.
c. Se hace llamar *Belinda*.

El NP en contextos denominativos es un nombre vacío —*disembodied* (Gardiner 1954)—, que vale en cuanto forma fónica y léxica (como designador potencial), [65], a modo de signo, como 'etiqueta' que se proporciona para permitir la fijación y disponibilidad de su referencia.

Los verbos de la clase *llamar* [⟶ § 38.2.1] pueden presentar, además del uso ordinario denominativo, un uso metalingüístico, según Kleiber (1981, 1984). Pero, de hecho, la ambigüedad de

---

secuencias NC-NP *(el proyecto Erasmus; el recital Pavarotti; el asunto Clinton...)* porque se trata de entidades *nommables,* es decir, que deben tener un nombre, por convención socio-cultural de denominación (Kleiber 1985).

[63] Gary-Prieur (1994: 89) recoge ejemplos, muy ilustrativos al respecto, de Noailly (1990: 106) y Gary-Prieur (1991a: 20). En francés, esta función del NP como calificativo del NC en el dominio estructural de un sintagma nominal es más natural —y frecuente— que en español; la versión más habitual en español es la que presentan NNPP de caracterización como complementos adyacentes a un N 'comodín': *tipo, estilo,* o similar: *un traje estilo Chanel; su perfil tipo Cleopatra; un tono tipo Hermida; una canción estilo Beatles...* Extremadamente productiva en francés es la construcción *à la NP —à la Modigliani—,* de distribución análoga a la de un adjetivo, lo que constituye, según Gary-Prieur (1994: 91), prueba evidente de la capacidad de *qualification* del NP. En español, la versión paralela se construye con *lo* neutro: *a lo NP,* o en la forma plena: *{al modo / a la manera} de NP (a lo Góngora; {al modo / a la manera} de Cela).* No es infrecuente el uso prestado de la expresión francesa con adjetivos —del sustantivo tácito *manera* (francés *façon*)—: *a la española* [⟶ § 1.7.5].

[64] Así lo indica claramente Jonasson (1994: 69): «[...] en su empleo de *nomination,* el papel del NP es predicativo y no referencial. La predicación consiste, sin embargo, en atribuir un NP y no una propiedad al particular designado». (La traducción es mía.) Pero los enunciados del tipo *Te presento a NP; (He) aquí NP...* suscitan duda, según Jonasson, respecto a la interpretación del NP —si es referencial o denominativo—; parece claro, sin embargo, que no puede tratarse de un uso denominativo exclusivamente, dado que, en este tipo de enunciados, el NP posee rendimiento argumental —referencial— en relación con núcleos predicativos *(presento, (he) aquí)* que así lo requieren.

[65] Gardiner (1954: 8) distingue entre *embodied names* —los NNPP que están inseparablemente vinculados a su referente particular— de los *disembodied names* —los NNPP como meras formas de la lengua.

interpretación es claramente observable en contextos como los de (11b). Según Kleiber (1981: 398), un enunciado como *Bernardo es el nombre del director de la escuela* puede ser interpretado como un enunciado metalingüístico, en el que se dice algo a propósito del NP *(Bernardo designa el director de la escuela),* o como no metalingüístico, por el que se predica algo del director de la escuela *(El director de la escuela se llama Bernardo)* [—> § 37.2.1]. En el primer caso, *Bernardo* sería un 'autónimo' *(autonyme)* del NP, como en los enunciados metalingüísticos: *María es un nombre propio; Pedro consta de dos sílabas.* [66] (En cualquier caso, el NP nominativo, cuando es sujeto lógico-semántico en la oración funciona como el término singular, la expresión referencial —si bien su referente no es propiamente extralingüístico; equivale tal vez a la DD *«el nombre de NP»,* como en los dos últimos ejemplos, o en *Bernardo es el nombre del director de la escuela* o, incluso, en la oración identificativa inversa —especificativa— (12b).)

2.4.2. El nombre propio con el artículo definido

2.4.2.1. Consideraciones generales

Los usos no prototípicos del NP tienen que ver con su rendimiento como nombre común en la sintaxis [—> § 13.5.6]; se trata del uso 'modificado' del NP (el *NP modifié,* de Kleiber), en la medida en que su función referencial distintiva —con implicación de presuposición existencial de unicidad— se modifica en favor de una función descriptiva, predicativa —que comporta presuposición existencial de 'clase'. El contenido descriptivo asociado de modo estable —aunque improvisado— al NP hace posible la modificación, en contextos incompatibles con NP en uso prototípico: el artículo definido (13a); el artículo indefinido (13b); los cuantificadores indefinidos (13c); el plural escueto, o singular escueto (13d, e); y los contextos predicativos (13f): [67]

(13) a. Ya no eres *el Juan* que yo conocí.
b. Tengo *un Óscar* en mi grupo.
c. Dice que ha conocido a *varias Paulas.*

---

[66] Según Kleiber, en la interpretación no metalingüística, el NP no sería un *autonyme* —el signo de un signo—, pero tampoco es un verdadero NP, porque, como hemos visto, el NP «legítimo» contiene —para Kleiber— un predicado de denominación y, en este caso, no hay tal contenido, de modo que sería «un signo que significa la secuencia fónica o gráfica homomorfa» (Kleiber 1981: 399). (La traducción es mía.) Jonasson (1994: 71) califica de «inútilmente complicada» esta descripción de los NNPP denominativos.

[67] Véase Kleiber 1981: 169-170 y Jonasson 1994: 173. Con respecto a los determinantes, es claro que cuando se trata del artículo indefinido, *un,* la categoría que le sigue es inequívocamente NC, y que el artículo definido *el* puede preceder a categorías que no son NNCC, pero con NP puede incluirse entre los contextos mencionados naturalmente compatibles con NC (excepto si el artículo definido es léxico o expletivo). Por otra parte, los autores mencionados no hablan de plural escueto, ni de singular escueto, sino sólo de contextos de plural; se trata del plural indefinido —y también del singular indefinido— de la gramática tradicional introducido por el artículo partitivo —en francés o en italiano—, como en los ejemplos de Jonasson (1994: 171), reproducidos en (i) (ii):

(i) Il n'y a pas *d'Huguette* au numéro que vous avez demandé.
(ii) Car il en naît, *des petits Gianpietro.*

Por otro lado, estos ejemplos ilustran, asimismo, el contexto de oración impersonal que proponen entre los contextos incompatibles con el NP prototípico 'no modificado'. En español, sólo es pertinente, a este respecto, —como contexto impersonal— la construcción con *haber* existencial. Por otro lado, Curat y Hamlin (1993) no aceptan la propuesta de Kleiber, seguida por otros, respecto a la posibilidad de un NP de ser precedido, como un NC, de cualquier determinante; los autores afirman que, en tales contextos, siempre se presupone un NC (*hombre, persona, lugar,* etc.), de modo que proponen hacer extensible la hipótesis de la *abréviation predicative* de Kleiber (1981: 330-1) a todos los NNPP. (Cf. *Tengo un (individuo llamado) Emilio en mis listas de alumnos; *Tengo un (animal llamado) gato en mi casa de Madrid.*)

d. No hay *Enriques* en la lista.
e. No parece haber *María* que se le resista.
f. Se cree *un Cela*.

En general, el uso de los NNPP como NNCC está asociado a alguna forma de determinación en la sintaxis; en su uso referencial prototípico, el NP, en cuanto categoría del léxico, implica determinación definida especifica, de modo que se impone la referencia —'transparente' *(de re)* y 'rígida'— sobre el contenido descriptivo asociado y, consecuentemente no se requiere un determinante en la sintaxis, pero, en el uso no prototípico, el NP refiere a una 'clase', como un NC, así que debe estar introducido por un determinante —definido o no definido, pleno o vacío— que delimite la extensión de la clase.

Así, en (13a, b, c, f) el NP aparece precedido de determinantes «plenos» y el sintagma refiere respectivamente a un estadio de la clase de estadios posibles del individuo «Juan» (13a); a un miembro de la clase de individuos denominados *Óscar* (13b); a un conjunto indefinido de la clase de individuos llamados *Paula* (13c) o a un miembro de la clase de individuos que tienen propiedades nálogas a las que caracterizan al escritor *Cela* —el individuo Camilo J. Cela, en cuanto escritor socialmente consagrado—. (Las condiciones de 'transparencia' y 'rigidez' propias del uso referencial prototípico del NP no son observadas en tales contextos de uso 'marcado' del NP, como pueden comprobarse en construcciones del tipo: *Pedro quiere casarse con una Cecilia,* que admiten lectura 'opaca' *(de dicto)* sin dificultad, o: *el Félix de quien te hablé es compositor,* que puede suscitar designación 'flexible' —designaciones distintas en diferentes mundos posibles.) Las construcciones (13d, e) presentan NNPP con determinante 'vacío', por lo que se impone la lectura cuantificada indefinida, sobre miembros de la extensión de una clase —cuando el NP aparece como NC en la forma de plural escueto (13d)— o sobre 'subpartes' en conjunto (interpretación de materia) —cuando el NP está en singular (13e)—). En cualquier caso, el NP ha de estar en posiciones léxicamente regidas por una categoría. (Con el NP en uso referencial prototípico no hay determinante vacío, porque nunca manifiesta, en la sintaxis, lectura cuantificada existencial indefinida, ni interpretación de 'materia' o 'masa'.) [68]

2.4.2.2. <Artículo definido + nombre propio>

Si los NNPP 'no modificados' logran su lectura definida específica sin recurrir a la estructura sintáctica <determinante + nombre>, habrá que considerar —siguiendo a Longobardi (1994)— que el artículo con NNPP no modificados es un caso de artículo 'expletivo', como en italiano: *{Il Gianni/Gianni} mi ha telefonato.* [69] En español, la presencia del artículo definido con NNPP se ha calificado de familiar

[68] Véase, al respecto, Longobardi 1994. El autor considera que, a diferencia de los artículos, demostrativos y determinantes como *every, each,* el determinante 'vacío' de las lenguas románicas y germánicas impone al NC cuantificación plural indefinida o interpretación *mass* —de «masa» o «materia»— en el sentido de conjunto o colección *(set)* potencialmente infinito de subpartes. Lo que es consistente con la interpretación del NC como categoría que denota una clase *(kind)* cuyas extensiones son *sets* potencialmente infinitos; desde el punto de vista lógico-semántico, los determinantes son comprendidos como 'operadores' que ligan una 'variable', cuyo *range* lo proporciona la extensión de la clase natural denotada por el NC, y si el NC no está en relación con un determinante —'operador'— explícito que permita decidir el *range* de su extensión, se revelará la realización no marcada del NC, con determinante vacío y su lectura natural de *mass* (en singular) o de miembros de clase en extensión no definida. Lo mismo sucede con el NP en su uso NC.

[69] Longobardi sugiere que si distinguimos dos entidades sintácticas respecto al determinante: *expletive* y *substantive* —siendo esta última la que funciona como operador, en la estructura operador-variable, podemos esperar que, en algunas lenguas, no sean formas homófonas. Eso es lo que sucede, por ejemplo, con el artículo definido en catalán: *en Pere (el Pedro)* frente a *el gos (el perro)*. Por otra parte, Longobardi desarrolla una interesante argumentación respecto al paralelismo entre los NNPP —de hecho, nombres de 'individuo'— y los nombres genéricos —que son nombres propios de 'clase', designada 'en bloque' *(whole kind)*—, y observa que, en inglés, los NNPP singulares 'no modificados' y los genéricos de

o coloquial *(La María; el Antonio)*. Más generalizado está el uso del artículo definido con apellidos de mujer *(la Garbo; la Thatcher)* [70] [—> § 12.1.2.1].

Ciertos NNPP forman con el artículo definido una expresión unitaria lexicalizada; se trata de nombres geográficos de ciudades, regiones y algún país *(La Habana; El Escorial; Las Palmas; La Mancha; La Rioja)*. Son originariamente DDs transcategorizadas en NNPP. Algunos apellidos presentan formación similar —en otros la relación con el artículo ha derivado en unidad morfológica— (cf.: *Las Heras, Lafuente*).

Hay nombres geográficos que únicamente pueden emplearse con artículo, aunque este no forme parte del NP como en el caso anterior. Generalmente son nombres de ríos y lagos *(el Guadalquivir; el Sena)*; de océanos y mares *(el Atlántico; el Mediterráneo)*, de montes y cordilleras *(el Teide; los Alpes)* y de archipiélagos *(las Azores; las Baleares)*. (Con algunos nombres de países, el artículo es opcional: *(los) Estados Unidos; (el) Perú; (el) Japón; (la) India; (la) China; (el) Canadá; (el) Ecuador.*)

En estos casos de artículo obligatorio pero no indisociable del NP, Gary-Prieur (1994: 225 y ss.) habla de *noms à article defini lexical,* porque entiende que el artículo definido está relacionado con el nombre «en el sistema de la lengua», no «en el enunciado»; esto sucede con nombres geográficos, que son 'no-humanos' y no presentan ambigüedad referencial. La autora hace una interesante comparación entre los NNPP con artículo 'léxico' y nombres genéricos con artículo: *La France,* por ejemplo, es única en tanto que individuo, de la misma manera que *le chien* es único en tanto que clase (el artículo garantiza la unicidad en cualquier caso). En realidad, lo que importa es distinguir, respecto a los nombres geográficos que exigen el artículo, su función referencial en cuanto NNPP de su posible rendimiento contextual como NNCC; la diferenciación entre artículo 'léxico' y artículo 'sintáctico' de Gary-Prieur es una forma de dar cuenta de este distinto comportamiento; cf., por ejemplo: *El Duero tiene un gran caudal* vs. *El Duero de Machado ya no existe,* y, paralelamente: *El gato es un felino doméstico muy cariñoso* vs. *El gato de mi vecina es muy cariñoso.*

Otros NNPP no antropónimos ni zoónimos que se usan precedidos de artículo (no indisociable), como los nombres geográficos, son los NNPP de instituciones, asociaciones, organismos públicos y privados, etc.: *la Universidad Complutense; la R.A.E.; el Real Madrid; el C.S.I.C.; el teatro María Guerrero...* [71]

---

materia *(mass)* y plurales rechazan el artículo; dado que en otras lenguas germánicas y en las lenguas románicas no sucede así invariablemente, y que, en tales lenguas, la opcionalidad del artículo definido surge precisamente en los dos casos, NNPP y genéricos, la ausencia del artículo en inglés tendría que ver, probablemente, con la falta de expresión morfológica de género y número en el artículo, mientras que, en las otras lenguas, la presencia del artículo se explicaría por la necesidad de manifestar algún contenido abstracto morfológico —rasgos de concordancia (opcional) con el nombre—. (Véase Longobardi (1994: 652 y ss.)

[70] Probablemente esto es porque el apellido escueto suscita la interpretación no marcada (el referente masculino), pero en algunas gramáticas se señala que tal uso está limitado a casos de designación de mujeres célebres o famosas, generalmente cantantes o actrices (véase, por ejemplo, Grevisse 1980: § 617). De hecho, aun en el caso de individuos no socialmente «consagrados», el empleo del artículo, incluso con apellidos de referentes masculinos, presupone generalmente algún «título» de los observados en el § 2.4.1.3, que puede ser depreciativo en muchos casos; piénsese, p. ej., en expresiones como *el Juárez; la de las Heras,* etc.

[71] El artículo determinado no es prescindible en esta subclase de NNPP porque se trata de descripciones definidas habilitadas para el uso referencial. En el caso de los NNPP geográficos, la presencia del artículo tiene que ver con su correspondiente NC tácito *(el Ebro);* cuando se hace explícito, el artículo encabeza una descripción definida con NP meramente denominativo *(el río Ebro)*. No parece haber paralelismo entre *el presidente Lincoln* y *el río Ebro;* cf. *Lincoln es {presidente/el presidente}; {*Ebro/el Ebro} es {*río/*el río/un río}*. El artículo no sería nunca expletivo en el caso de los NNPP geográficos o de instituciones. Por otra parte, los nombres geográficos referidos se distinguen de los nombres de regiones, ciudades, plazas, calles, y similares, porque no admiten ser introducidos por la preposición *de* (cf.: **el río de Guadalquivir* vs. *la ciudad de Madrid/la calle de Alcalá,* etc.) y, contrariamente, admiten ser introducidos por el artículo sin el NC correspondiente (cf.: *el Guadalquivir* vs. **la Madrid/*la Alcalá*).

Entre los nombres de festividades religiosas, unos se emplean siempre con artículo *(la Ascensión; la Asunción; el Corpus)*, pero otros pueden aparecer sin él *(Pascua, Nochebuena, Navidad* o *Cuaresma)*, porque designan períodos temporales de límites imprecisos en torno a la fecha fija de la festividad.

Respecto a los nombres de los días de la semana y de las estaciones, se ha observado que funcionan como nombres comunes y deben aparecer con artículo en todos los contextos en que los NNCC suelen llevarlo (excepto tras algunas preposiciones: *en primavera, en sábado;*[72] esto sucede cuando los nombres no se emplean en función deíctico-referencial —cf. *una tarde de sábado / la tarde del sábado*—). En cambio, los nombres de los meses parecen comportarse como NNPP y no llevan artículo (excepto si están 'modificados'): *Septiembre es mi mes favorito; está aquí desde Octubre* (cf. *siempre está en su memoria el mayo del 68*). Probablemente, la relación de asociación metonímica que explica el comportamiento NC de los días de la semana y de las estaciones, no ha alcanzado a los nombres de meses (recuérdese que, originariamente, todos los nombres de porciones de tiempo periódicas eran NNPP), —cf.: *La tesis estará terminada {el lunes/*el día de lunes}; La tesis estará terminada en (el mes de) febrero*—. (Obsérvese, además, que el referente de estos nombres temporales es siempre un segmento periódico relativo —delimitado por los segmentos precedentes y subsecuentes— y ocasional —*febrero,* por ejemplo, refiere al tercer mes del año; *el lunes* al segundo día de la semana— frente al referente estable de los demás NNPP; en este sentido, podemos emplear: *(el mes de) febrero,* pero no admitimos: *(la persona de) María Luisa* [⟶ § 8.4.].)

2.4.2.3. <Artículo definido + nombre propio + complemento(s)>

Los tipos de nombres con artículo obligatorio no indisociable observados en el párrafo anterior se han consolidado en el léxico como expresiones propiamente designadoras, aunque no se trata de NNPP genuinamente 'puros', dado que se han constituido mediante una estructura sintagmática descriptiva o mixta —que contiene, de un modo u otro, un NC—. Pero un NP introducido por el artículo definido puede adquirir, en el contexto, usos característicos de NC cuando se le añaden complementos restrictivos; estos complementos imponen naturalmente lectura definida de carácter contrastivo. Los complementos más frecuentes son sintagmas preposicionales introducidos por la preposición *de;* adjetivos especificativos, —necesariamente pospuestos al NP, en español y otras lenguas— y oraciones relativas restrictivas:

(14) a. El Madrid de los Austrias.
b. La España medieval.
c. El Vicente que conocí en Berlín.

La complementación permite asociar al NP una interpretación 'denominativa' *(el {Peláez/Adolfo} que me atendió el otro día)*; 'identificativa' *(el Pablo de mi juventud)*; o 'predicativa' —metafórica— *(el Marco Polo de nuestros días)*.[73]

Respecto a la primera interpretación, que se puede obtener con cualquiera de los procedimientos de complementación referidos *(la Roma antigua; el Madrid de Estados Unidos; el Manuel que me presentaron el otro día)*, Jonasson (1994: 186 y ss.) incluye los NNPP en plural con artículo definido, y no necesariamente complementado: *Los Gosálvez pasan sus vacaciones de verano en la montaña* —lectura definida específica—; *Los López suelen ser gente sencilla; La generación de las Vanessas ya ha llegado a la Universidad* —lectura genérica—. No faltan ejemplos con cuantificadores:

---

[72] Véase Fernández Ramírez 1951: § 154.

[73] Las tres interpretaciones han sido meticulosamente observadas por Gary-Prieur (1989; 1994).

las dos Hepburn (Katherine, Audrey); [74] *los otros Albertos; todas las demás Marías del grupo.* Por otro lado, los NNPP en plural sin artículo suscitan sin dificultad la lectura indefinida existencial característica de los NNCC plurales escuetos: *En España hay Cármenes por todas partes.*

En cuanto a la segunda interpretación, es la complementación del NP el procedimiento contextual que permite construir una imagen del referente, que aparece —de modo implícito o explícito en el enunciado— en relación contrastiva con otras imágenes del referente (Noailly 1991: 105). Con complementos del tipo <*de* + SN>, la imagen del referente se puede construir en cuatro tipos generales de 'espacios mentales': [75] un 'espacio-tiempo' *(el Pablo de mi niñez; la España del Siglo de Oro);* un 'espacio-lugar' *(el New York de las grandes avenidas; el Antonio de las expediciones científicas);* un 'espacio-obra' *(el Cervantes de* El Persiles*; el Madrid de* Las bodas de Fígaro*);* un 'espacio-persona' *(el Madrid de Galdós; la España de Alfonso XII)*. No obstante, existen otras posibilidades: *el Vicente de las mil caras; la España del flamenco;* etc. Los cuatro tipos de coordenadas pueden estar también representadas por cláusulas relativas restrictivas, pero de modo menos inmediato que en el caso del complemento expresado por el sintagma preposicional en la forma <*de* + SN>: *el Pablo que conocí en mi infancia; el Madrid que se representa en* Las bodas de Fígaro*; el Madrid que describe Galdós,* etc. La construcción con complemento adjetivo es menos productiva, porque ha de limitarse a los adjetivos relacionales —que equivalen, de hecho, al sintagma preposicional con *de*— o a adjetivos que especifican porque suscitan, convencionalmente, su antónimo *(la España monárquica; el Madrid castizo* (vs. *el Madrid moderno*), etc.

En la interpretación metafórica, la forma de complementación más productiva es el sintagma con *de,* aunque no es infrecuente el adjetivo del tipo relacional: *el Alejandro Magno de la familia; el Sinatra español.* [76]

2.4.3. El nombre propio con el artículo indefinido

2.4.3.1. *Interpretación denominativa*

La posibilidad del NP para obtener rendimiento de NC se manifiesta inequívocamente en relación contextual con el artículo indefinido [⟶ § 12.2]. Esta categoría, en efecto, sólo puede determinar NNCC. El NP con artículo indefinido ilustra sin reservas el uso *modifié* de Kleiber, seguido por otros autores; el NP no designa rígidamente un referente individual, sino que denota una clase. [77] Y el sintagma que constituye con *un* refiere o describe a un miembro cualquiera de la clase.

---

[74] Ejemplo recogido por Jonasson (1994: 187).

[75] Véase Gary-Prieur 1994: 106 y ss.; la autora da cuenta de la relación entre el referente inicial del NP y el referente del sintagma <el NP Complemento> siguiendo el modelo de 'espacios mentales' de Fauconnier (1984).

[76] A propósito de la diferencia entre las construcciones: <Art + A + NP> *(la antigua Roma; la rubia María)* y <Art + NP + A> *(la Roma antigua; la María rubia),* Gary-Prieur (1994: 119 y ss.) considera que, en el primer caso, el artículo tiene valor anafórico; remite al conocimiento común previo que autoriza la atribución de la propiedad expresada por el adjetivo —propiedad que caracteriza típicamente al referente del NP—. (Para Noailly 1991: 111, se trata de una cualidad «implicada», ligada al conocimiento que el locutor y el interlocutor comparten respecto al portador del NP, y el artículo es, para la autora, cuestión de «simple automatismo sintáctico».) En el segundo tipo de construcción, el artículo está en correlación sintáctica con el adjetivo, imponiendo así la condición de unicidad. Por otro lado, el adjetivo antepuesto, sin ser restrictivo desde el punto de vista referencial, resulta restrictivo desde el punto de vista predicativo: *María* y *la rubia María* no presentan las mismas posibilidades de predicación sobre el mismo referente (Gary-Prieur 1994: 122).

[77] A diferencia de Kleiber (1981), Jonasson (1987, 1994), Longobardi (1994), etc., Gary-Prieur (1994: 126) considera que, dada la imposibilidad de asignar al NP una interpretación 'genérica', no es adecuado hablar de «clase» para el NP; la relación entre un NP y la 'clase' que le puede ser asociada no es de la misma naturaleza que la que se da entre el NC y su significado de 'clase'. Así que, según la autora, no hay razón para admitir NNPP *modifiés* —término, por otra parte, confuso en su opinión, porque resulta ambiguo entre «NP precedido de determinante» y «NP convertido de designador en clasificador o categorizador»—. Pero lo cierto es que no se plantea problema alguno si entendemos que se trata de una diferencia entre las perspectivas léxica y sintáctica; el NC significa una clase en el léxico y en la sintaxis, mientras que el NP sólo puede obtener lectura de clase contextualmente, en la sintaxis, sin dejar de ser categorialmente NP.

El contenido descriptivo que adquiere el NP con *un* puede ser relativo a «la clase de individuos denominados NP» (interpretación *denominativa*) —(15a, b, c)— o a «la clase de individuos con cierta(s) propiedad(es) del referente del NP» (interpretación *metafórica*) —(15d, e):

(15) a. Un {López/Antonio} no puede ser inglés.
b. Prefiere hablar con una Carmen, antes que con una Gertrudis.
c. Acaba de llamarte una (tal) Carmen.
d. No serás nunca un Picasso, por mucho que lo intentes.
e. Le gustaría tener la capacidad creativa de un Leonardo da Vinci.

El uso denominativo de *un NP* puede adoptar interpretación indefinida genérica (15a), indefinida inespecífica (15b), o indefinida específica (15c). La lectura genérica de oraciones como la (15a) y similares *(Una María ha de ser seguramente una buena esposa y mejor madre; Un Pedro no se arredra nunca...)* implica el predicado de denominación («ser llamado NP») y la forma o el tipo de NP; probablemente ambos aspectos están también implicados en la interpretación indefinida inespecífica —(15b)—, pero el segundo aspecto no es condición para la interpretación indefinida específica (15c).

Los NNPP rechazan la interpretación genérica definida en el singular; no podemos decir *El Pedro no se arredra nunca,* con el sentido de «el hombre/todo hombre que se llame Pedro no se arredra nunca», probablemente porque la «clase» referida no es un género natural. (Los NNPP no denotan clases en el léxico; sólo pueden obtener rendimiento NC en la sintaxis, a menos que estén transcategorizados en NNCC: cf. *El donjuán no es un tipo exclusivamente latino* / **El don Genaro no es...*).[78]

Los NNPP de familia tienen lectura genérica o inespecífica en contextos intensionales: *Un Rosálvez no puede admitir eso; Para un García del Sol lo más importante es el trabajo.* (El género o clase se reduce a la familia, o, también, asociación, congregación o grupo.) En contextos extensionales, tales NNPP adquieren lectura específica: *Acaba de llamar un Leborans.*

La referencia indefinida específica se obtiene comúnmente mediante interposición de adjetivos determinativos del tipo: *tal, cierto (El otro día me atendió un tal Jorge; El sobre viene a nombre de un cierto Pepe Laínez).*

Un uso especial de *un NP* es el que aparece en construcciones del tipo: *Hoy hemos podido ver a una Nuria Espert realmente sublime; Pocas veces hemos oído un Plácido Domingo como el de esta noche.* En estas construcciones, muy productivas en el lenguaje coloquial y periodístico en relación con actuaciones de individuos pertenecientes al mundo del espectáculo o de la política, el referente de *un NP* es, sin duda, un individuo específico, pero el modo de referencia no equivale al del NP escueto; *un NP* refiere a una forma de manifestación —un 'estadio'— perteneciente a la clase de modos de actuación —artística o de otro tipo— esperables o posibles en un determinado individuo. El NP, una vez más, presenta rendimiento NC en el contexto (véase el § 2.4.3.3).

El valor numeral de *un* con NP suele ir reforzado con indicadores de 'exclusividad' en modalidad negativa o positiva: *No hay más que un Sinatra en el mundo* (expresiones de este tipo no son necesariamente —ni exclusivamente— denominativas; es claro el carácter ponderativo inducido por *UN* enfático); *Tengo un solo Enrique en mis listas de alumnos.* Los demás numerales con NNPP

[78] Los nombres genéricos definidos en singular designan la 'clase' «en bloque» *(whole kind);* se trata de la genericidad definida —o de función *referential* (Longobardi 1994: 649) —*El lince es un felino en riesgo de extinción*—. Los NNPP admiten sólo la genericidad indefinida —o *quantificational*—. (Véase, en esta obra, el § 12.3.3 para la distinción entre 'genericidad definida' y 'genericidad indefinida' en relación con los NNPP.) Los plurales definidos de interpretación genérica, que reclaman una lectura *quantificational,* pueden estar representados por NNPP: *Las Cármenes suelen ser mujeres muy femeninas.* (Enunciados como *La típica Lolita no está de moda* muestran NNPP en el límite de la lexicalización como NNCC; la lectura genérica resulta natural.)

suscitan naturalmente la interpretación denominativa, del mismo modo que cualquier otro tipo de cuantificador: *Entre mis alumnos tengo {tres/varios/bastantes/algunos} Alfonsos.*

En el uso denominativo de *un NP*, la complementación, no propiamente restrictiva, no es infrecuente en relación con la lectura indefinida específica: *Ha llamado una (tal) Carmen de voz muy cálida; En mi clase hay una Carmen que ha nacido en Helsinki; Me presentó a un (tal) Antón compositor de jazz; Dice que se lo vendió un gentil y amabilísimo don Jacinto.* De todos modos, las lecturas genérica e inespecífica no son incompatibles con la complementación: *Un José que haya nacido en Seúl de padre irlandés y madre libanesa no es un tipo que se vea todos los días; A Antonio le gustaría casarse con una María morena de ojos negros.* En cualquier caso, la complementación comporta información adicional.

2.4.3.2. *Interpretación metafórica*

En las construcciones de interpretación metafórica, *un NP* —generalmente en función de 'atributo' o 'complemento predicativo'— es una expresión descriptiva que sirve para caracterizar a un individuo como «un x que pertenece a la clase de individuos poseedores de la(s) propiedad(es) distintiv(as) del referente del NP» [→ §§ 5.2.1.3, 12.2]. [79]

La comparación o similaridad que implica la relación metafórica puede ser objeto de valoración de grado, expresable mediante adjetivos o expresiones generalmente antepuestos al NP: *un auténtico NP; una especie de NP; un verdadero NP; un nuevo NP; casi un NP; un NP de pacotilla...*

Según Gary-Prieur (1994: 132 y ss.), el uso metafórico de los NNPP implica un proceso de comparación que lleva a caracterizar a un individuo —el referente discursivo— mediante las propiedades de otro —el referente inicial—, de modo que *un NP* comporta el marcador de comparación *como*. (Es posible, por otra parte, hallar usos de *un NP* a modo de metáfora *in absentia;* el contexto no proporciona referente discursivo disociado: *Apareció en su vida un Rodolfo Valentino*). [80]

El NP tiene función descriptiva predicativa no referencial; importa por cierta(s) propiedad(es) que permiten obtener una imagen-modelo convencionalmente estable del referente del NP. La imagen determina una especie de 'prototipo' parangonable en mayor o menor medida; la medida de su lexicalización está en función del grado de fijación y relevancia de la(s) propiedad(es), en relación con el grado de difusión social del referente (se trata siempre de personas o personajes notorios en comunidades más o menos amplias; naturalmente, la integración en el conocimiento enciclopédico, y la estabilidad temporal en la memoria colectiva favorecen la lexicalización). Así, podemos recuperar, mediante descripciones, el significado de NNPP próximos, cuando no transcategorizados a NNCC, como *donjuán* «prototipo de seductor sin escrúpulos»; *Hércules* «prototipo de hombre de extraordinaria fuerza física», etc. (el sentido metafórico de esta clase de nombres está muy debilitado, por lo que su valor expresivo es limitado). Estos nombres se construyen habitualmente con *un* o en la forma de plural indefinido. Pueden aparecer en contextos no favorables a la intepretación metafórica, como los existenciales: *No hay tanto(s) donjuán(es) en España como se suele decir.* Pero el tipo no lexicalizado, es decir, el uso metafórico de los NNPP que se obtiene en el contexto, no es fácilmente recuperable a través de descripciones relativas a propiedades deter-

---

[79] La diferencia entre este uso metafórico de *un NP* y el de *NP* escueto, radica fundamentalmente en que en este último caso —p. ej., *Nunca serás Picasso, por mucho que lo intentes*— el NP no rinde como NC, es decir, no denota una clase; en la interpretación del NP escueto subyace una traslación directa por contigüidad —metonímica— del referente a su(s) propiedad(es) más representativa(s): el NP contiene un 'estereotipo', no un 'prototipo'. Sobre la interpretación metafórica de los NNPP, véase especialmente, Jonasson 1991 y 1994. Flaux (1991) estudia particularmente las relaciones entre el uso metafórico y el empleo por *antonomasia* del NP.

[80] Véase, sobre este tipo de metáfora, Jonasson 1990.

minadas, por lo que habitualmente se construyen con complementación: *una Margaret Thatcher a la española; una especie de Marlon Brando de la política*. (En general, se trata de NNPP apellidos o completos —con nombre de pila y apellidos—, a diferencia de los más o menos lexicalizados, reducidos al nombre de pila en la mayor parte de los casos. Su portador suele ser un personaje real más o menos contemporáneo.) [81]

La construcción *un NP*, obtiene interpretación metonímica en ciertos contextos (*un* puede ser indefinido o numeral [⟶ § 12.2.1]): *Acabo de ver un Cervantes en la última estantería; Me gustaría poder adquirir un Picasso* —una obra de Cervantes, un cuadro de Picasso—. En relación con el uso metonímico del NP, hay que destacar las construcciones con NNPP escuetos o introducidos por cuantificadores indefinidos en contextos existenciales o de cualquier otro tipo favorable a la interpretación del NP como nombre de 'materia' o 'masa': *Hay mucho Goya en este museo; No habrá Bach en el concierto; Vamos a tener Mozart para rato; ¡Ya está bien de Beatles por hoy!* (Se trata siempre de NNPP de personas; recuérdese que existen NNCC que tienen su origen en NNPP de lugares, marcas, etc., transcategorizados por relación metonímica: *jerez, champán, camembert...*)

Los complementos del NP en la construcción con *un* metafóricamente interpretada no se relacionan con el referente original del NP, sino con el referente discursivo o temático —o tópico— y con frecuencia significan propiedades opuestas a las del portador del NP, [82] lográndose así un efecto de gran valor expresivo. La complementación en el uso metafórico de los NNPP hace de la construcción un recurso de caracterización productivo, original y eficaz. Los complementos —'calificadores' o 'clasificadores'— pueden adoptar la forma de sintagmas adjetivos, sintagmas preposicionales u oraciones de relativo: *un nuevo Hamlet; una Penélope de nuestro siglo; un Romeo abandonado; una Callas a la española; un Cid Campeador sin rey a quien servir; una Dulcinea de carne y hueso; un Marco Polo que nunca salió de su pueblo.*

Un tipo de construcción peculiar con *un NP* es la que corresponde a la denominada interpretación 'ejemplar'; [83] se trata de una variedad del uso metafórico, si bien no hay unanimidad al respecto. Un ejemplo de esta construcción es el (15e); en (16) se muestran otras construcciones con *un NP* —en función de sujeto (16a), de objeto (16b), de término de preposición en el complemento de un NC abstracto (16c)—:

(16) a. Un Unamuno no habría escrito tal cosa.
b. ¿Cómo debo tratar a un don Felipe de Borbón?
c. Nunca tendrás la abnegación de una Teresa de Calcuta.

---

[81] En relación con la consideración de Jonasson (1991: 64) respecto a la denotación de los NNPP metafóricos, que, según la autora, denotan, no un particular, sino un tipo o una 'categoría', Gary-Prieur (1994: 132 y ss.) se pronuncia de modo contrario; afirma que la denotación de 'clase' sólo es válida para los NNPP cuyo sentido metafórico está lexicalizado, y defiende que «en *un NP*, NP remite únicamente al referente inicial provisto de sus propiedades singulares, y que *un* determina la construcción de una clase por una relación de comparación» (pág. 134). Pero lo cierto es que la gramática de *un* exige que el nombre que determina sea un nombre común —de 'clase'— o funcione como tal —en la sintaxis— y este es el caso —uno de ellos— que nos ocupa. (Recuérdese que el NP, como tal nombre subcategorizado *Propio [-Común]* no puede significar una 'clase' léxica, pero sí puede hacerlo en la sintaxis.)

[82] Véase, al respecto, Jonasson 1991, 1994. Para la autora, la complementación parece atenuar un contraste entre las imágenes de los dos referentes —el original del NP y el discursivo— modificando el contenido descriptivo aportado por el NP con el fin de hacerlo más acorde o afín al referente discursivo (Jonasson 1991: 78). Gary-Prieur (1994: 152) considera que la complementación, más que atenuar un contraste, tiende a crearlo, y es precisamente la creación de tal contraste lo que confiere valor retórico a la construcción.

[83] Véanse Martin 1987; Le Bihan 1974; Gary-Prieur 1994; Jonasson 1994.

El referente del NP —que es también en esta construcción un personaje notorio, de relevancia social, en la política, la literatura, etc.— importa como poseedor de ciertas cualidades susceptibles de constituir una imagen prototípica de sí mismo.

El uso 'ejemplar' de *un NP* es previo a la metaforización (Jonasson 1994: 232 y ss.); la diferencia entre el uso metafórico y el uso ejemplar radica en que, en el primer caso, el NP se aplica como una descripción a un referente distinto del portador original del NP, asignándole propiedades características del referente original. Por el contrario, en el segundo caso, la descripción del NP sólo es aplicable al referente original. Según Jonasson, la interpretación ejemplar se logra cuando un mismo NP acumula los empleos referencial y atributivo en un enunciado; el sintagma *un NP* es empleado atributivamente, al mismo tiempo que el *NP* mantiene su referencialidad.

En un sentido no muy diferente se manifiesta Gary-Prieur, si bien esta autora considera que la interpretación ejemplar es distinta —aunque no distante— del uso metafórico; *un NP* es referencial como NP. El artículo *un,* según Gary-Prieur, está disociado del *NP* y posee un valor más bien genérico que particular. El referente del NP no aparece en este sintagma en tanto que individuo, sino que es presentado como representante típico de una cierta categoría de personas, y sirve por sí mismo de generador de una clase 'virtual'. Para Gary-Prieur (1994: 143 y ss.), la construcción de interpretación ejemplar también contiene un operador de identificación, en este caso, identificación circular (*un NP* = un individuo *como* el x_i que es). La diferencia con respecto al uso metafórico se basa precisamente en que, en este caso, se trata de una clase 'real' de la que se selecciona uno o varios individuos, distintos del referente del NP, el cual no forma parte de la clase. [84]

Lo cierto es que, desde un punto de vista estrictamente gramatical, el NP de *un NP* ejemplar no puede acumular los dos valores referencial y atributivo. Y *un* no está disociado del *NP,* sino que se trata de una manifestación de *UN* enfático; la entonación, que acentúa la separación entre el artículo y el NP marcando una ligera pausa —según Gary-Prieur— es un modo de expresar este fenómeno de determinación por cuantificación ponderativa.

El sintagma *un NP* de interpretación ejemplar es una expresión en función referencial; no puede aparecer en función de atributo, a diferencia del uso metafórico. Pero el *NP* tiene rendimiento de NC, no es referencial en modo alguno, sino que denota una clase, si se quiere *virtual*, extensionalmente reducida a un solo individuo —el referente original del NP— e intensionalmente definida por cierta(s) propiedad(es) de tal individuo en condición de prototipo. Es esta última dimensión, la intensional, la que importa en el NP habilitado para la descripción de un 'modelo ejemplarizante'. (Obsérvese que podemos perfectamente parafrasear *un NP* por «una persona de la clase/categoría de NP»; la interpretación ejemplar no está lejos de lecturas como esta: «un escritor modelo como Unamuno...»; «una {clase/tipo} de {hombre/mujer} como NP», etc.)

La interpretación ejemplar no es naturalmente compatible con la función de atributo o complemento predicativo porque el NP no describe, en este caso, una clase a la que puede ser adscrito un referente distinto del original portador del NP, a diferencia del uso metafórico; paralelamente, el NP de lectura ejemplar no admite complementación restrictiva porque sería incompatible con la extensión de unicidad; no es posible aumentar la intensión porque se reduciría la extensión, lo que no puede suceder en este caso. (Así, las oraciones: *Pedro {es/se cree/parece/...} un Pavarotti; Nunca tendrá la fuerza interpretativa de una Nuria Espert que ví hace años,* o similares, no suscitan la lectura ejemplar, sino la metafórica.)

---

[84] Jonasson (1991) considera, a diferencia de Gary-Prieur, que, en la clase metafórica, el referente original del NP es el miembro más típico. Para Gary-Prieur (1994: 145), «la primera propiedad que define los elementos de la clase *«les Molière(s)»* es, en efecto, no ser *Molière»*.

2.4.3.3. *Interpretación relativa a un estadio del referente*

La construcción <*un* + NP + complemento> admite un tipo de interpretación relativa a uno entre los varios estadios o modos de manifestación posibles del individuo portador del NP; el NP denota la «clase» de estadios diferentes que puede asumir el portador del NP. [85] Tal interpretación se logra generalmente mediante anclaje temporal en el discurso:

(17) a. Esta mañana me encontré con *una María muy rejuvenecida*.
b. Daba gusto pasear por *un Madrid en silencio*.
c. Ayer hablé con *un Javier que echaba chispas* y hoy me llamó *un Javier amabilísimo*.

La propiedad que se describe mediante el complemento está vinculada al tiempo de la enunciación, creándose una imagen discursiva ocasional, a modo de instantánea; los complementos, de valor predicativo, son, en general, adjetivos, participios y oraciones de relativo.

La construcción paralela con el artículo definido *el* evoca, como señala Gary-Prieur (1994: 156 y ss.), una imagen atemporal, definida en un universo de creencia exterior al universo de discurso, y no admite naturalmente participios —a menos que sean de valor descriptivo y la construcción presente restricción adicional *(la María desesperada que escribe poemas de amor y muerte)*— ni adjetivos no relacionales, —a menos que el artículo posea valor anafórico (cf. *el Madrid castizo / *el Madrid acogedor / El Madrid acogedor [—al que te has referido antes—] ya no existe),* o que una segunda complementación permita fijar el universo de creación de la imagen *(el Madrid acogedor de principios de siglo...)*—. Los adjetivos no relacionales son admisibles si es accesible una oposición o contraste (*el Madrid apacible y silencioso de los domingos por la mañana* —vs. *el Madrid desapacible y ruidoso de los días de diario*). [86]

2.4.4. El nombre propio con demostrativos y posesivos

2.4.4.1. *El nombre propio con demostrativo: ¿valor referencial o valor predicativo?*

La construcción de NNPP con determinantes demostrativos *(este, ese, aquel)* [⟶ § 14.3] ha sido objeto de discusión en lo que respecta al valor del NP: el NP con demostrativo, ¿posee rendimiento de NC —es un NP *modifié* (Kleiber 1991b)— o se trata de un NP no modificado semánticamente, con pleno valor referencial (Jonasson 1994)? ¿Se trata, tal vez, de una relación de yuxtaposición entre dos categorías con funciones disociadas, de modo que el NP mantiene su función denominativo-referencial habitual y el demostrativo efectúa la suya de relación anafórica o deíctica (Gary-Prieur 1994)? Los gramáticos consideran, en general, que no es fácil dar una respuesta satisfactoria al respecto. Veamos, por el momento, los principales contextos:

---

[85] Esta interpretación —una muestra más del rendimiento de NC de los NNPP en el contexto— tiene que ver con el tipo *manifestation* descrito por Gary-Prieur (1989, 1991b, 1994) y Jonasson (1992b).

[86] Gary-Prieur (1994: 158 y ss.) observa que, cuando la construcción <*un* + NP + Complemento> no está vinculada a la temporalidad del enunciado, se puede construir una imagen en un mundo posible (imaginario, representado o contrafactual): *Se empeñaba en evocar constantemente un Raúl recién llegado a su vida; La foto muestra una Raquel jovencita vestida de ángel; Sería divertido vivir con un Ernesto dedicado a la defensa y protección de animales salvajes.*

(18) a. Allí preguntas por un (tal) José Luis; *este José Luis* es el encargado del centro y te dará instrucciones.
b. Ha descubierto un Chopin que no conocía. *Este Chopin* es el de las «mazurkas».
c. Se siente orgulloso de la España de jarana y pandereta, pero *esa España* no le hace ninguna gracia a su mujer.
d. Es mejor que hables con Dolores del Ala; *esta Dolores* es amiga mía de la infancia.

Emisiones como las de (18) ilustran el uso anafórico —endofórico— de la construcción <demostrativo + NP>. El antecedente de la expresión anafórica está representado por los sintagmas <*un* + NP + (complemento)> —(18a, b)—, <*el* + NP + complemento> —(18c)— o por el NP escueto —(18d)—. Los dos primeros ejemplos corresponden a interpretaciones asignadas al NP con función de NC: denominativa (18a) —«un miembro de la clase de individuos denominados *José Luis*»— y metonímica (18b) —«una pieza del conjunto de las composiciones de *Chopin*»—. El demostrativo —parafraseable por expresiones similares: *el tal {José Luis/Chopin}*; o la más informal: *el José Luis {ese/este}*— designa el individuo previamente seleccionado en el contexto determinando de modo preciso la unicidad referencial.

Los sintagmas con determinación definida, como el de (18c), sirven de antecedente a la construcción <demostrativo + NP> cuando refieren a una imagen particular —un estadio— del individuo portador del NP, en relación con el conjunto de imágenes o estadios posibles de tal individuo (el NP, también en este caso, es como un NC). El demostrativo permite retomar contextualmente el estadio referido. Por último, en (18d), la construcción <demostrativo + NP> es anafórica de un NP plenamente referencial (no modificado). Generalmente la construcción permite remitir al portador del NP mencionado a una cierta distancia en un contexto precedente, o implica, cuando hay proximidad absoluta, como en (18d), una cierta apreciación o compromiso por parte del emisor, en supuesta complicidad con el receptor. En cualquier caso, la construcción <demostrativo + NP>, es una expresión referencial, pero no refiere como NP, sino como SN definido: «el *x* llamado *NP* previamente mencionado».

2.4.4.2. El nombre propio y la deixis

En enunciados como los de (19), el demostrativo posee valor deíctico:

(19) a. *Ese Eugenio* de quien tanto hablan, ¿quién es?
b. ¿Te acuerdas de *aquel Pedro* que te presenté hace unos años, que era escritor?
c. Tienes que hablar seriamente con *ese Don Carlos* que tienes por jefe.
d. Está decidido a abandonar a *esa Manuela* que tanto le hace sufrir.

Los gramáticos excluyen, en general, un funcionamiento puramente deíctico del demostrativo en tales casos —de hecho, en cualquier contexto no relacionado con una mención anterior del NP—, porque no puede servir para introducir un nuevo referente en el discurso [→ § 14.2]. [87] Pero lo cierto es que, en emisiones como las de (19), no parece ser otro el cometido del demostrativo («ese individuo llamado Eugenio...»; «aquel individuo llamado Pedro...»). La deixis exofórica [→ § 37.3.2] mentadora está asociada en muchos casos a una cierta inaccesibilidad del referente; el emisor carece de la presuposición identificadora necesaria para el uso del NP escueto (no conoce suficientemente al portador del NP).

La construcción puede contener un NP en uso metafórico: *No para de cantar a todas horas, {esa/esta} Montserrat Caballé de tres al cuarto*. La complementación más frecuente está representada por oraciones de relativo, aunque no faltan sintagmas preposicionales —como en el ejemplo anterior— ni sintagmas adjetivos *(No sé qué hacer con este Juan Luis siempre tan callado y triste)*. Con frecuencia, hay correlación semántica entre la oración de relativo y la oración principal: *Tiene mucha paciencia con {este/ese} Ernesto que no estudia nada.* [88] En todos estos casos, el demostrativo está asociado, en algún sentido, a la denominada 'calificación deíctica' (Kleiber 1991b), claramente observable en el tipo de construcción que se comenta seguidamente.

Es muy frecuente en el coloquio la expresión *este/a NP* asociada a una entonación específica en modalidad contextual exclamativa [→ § 62.1.2.3]:

(20) a. ¡Este Francisco!
b. ¡Muy lista, esta Susana!
c. ¡Este pobre Antonio...!

En expresiones como estas, el demostrativo no sirve para mostrar un referente, sino más bien para indicar —siguiendo observaciones de Kleiber (1991b)— una calificación, implícita o explícita, que es inferible del *hic et nunc* de la situación de enunciación; la calificación se basa en un acontecimiento anterior que implica al portador del NP y es accesible en la situación de comunicación, o se menciona en un contexto precedente. [89]

La variedad (20c), con adjetivo antepuesto de carácter valorativo afectivo, supone cierto compromiso o responsabilidad del emisor con respecto a la calificación representada por el adjetivo; se trata de una calificación subjetiva, afectiva, espontánea y exclamativa, frente a la calificación objetiva, estable y aceptada de la construcción paralela con el artículo definido (cf. *este pobre Luis* vs. *el pobre Luis*). [90]

---

[87] Cuando el demostrativo es determinante de un NC introduce por mostración un nuevo referente en el discurso, pero cuando le sigue un NP no puede hacerlo por el carácter no descriptivo del NP. (Véanse, al respecto, Kleiber 1991a, 1991b y Gary-Prieur 1994.)

[88] Gary-Prieur (1994: 207 y ss.) observa que, en este tipo de construcción, la relativa no es restrictiva —como en la construcción con artículo definido, que refiere a una imagen del referente *(el Víctor que no estudia nada)*— de modo que el demostrativo es independiente de la relativa, al menos en el plano de la referencia; antes bien, implica al enunciador, que comenta, en cierto modo, con el demostrativo, su acto de referencia. Sintácticamente habría que considerar que la oración de relativo —que no es tampoco apositiva— posee valor predicativo, como los adjetivos del ejemplo anterior *(tan callado y triste)*.

[89] De modo análogo, Danon-Boileau (1990) considera que el demostrativo en estas construcciones permite destacar una «propiedad diferencial» del referente manifestada en el *hic et nunc* de la enunciación. Asimismo, Gary-Prieur (1994) señala que la expresión «constituye una especie de comentario mínimo de una situación donde el referente del NP es el objeto de un juicio, favorable o desfavorable, del enunciador» (pág. 210). Para Wilmet (1986a), dado que la propiedad del referente con frecuencia se hace explícita a continuación de la expresión, el demostrativo posee valor catafórico.

[90] Según observaciones de Kleiber (1991b: 94). El autor considera, además, que, en expresiones similares con NNCC *(¡este charlatán de Pedro!; ¡este cretino de Pablo!)* —por otro lado muy frecuentes en español coloquial— se da un «proceso de generalización deíctica»; «de un comportamiento episódico del referente se pasa a una calificación estable, habitual o genérica». El demostrativo —afirma Kleiber (1991b: 95)— marca el paso de una manifestación del referente del NP a una caracterización del referente en general.

La construcción ilustrada en (20) es la que ha suscitado desacuerdo entre los gramáticos respecto a la supuesta modificación semántica del NP (no hay que olvidar que las expresiones de (20) pueden funcionar referencialmente en las posiciones y modalidad adecuadas: *Este (pobre) Francisco no tiene más que problemas...*). Así, Kleiber (1991b: 94)) considera que la calificación asociada al uso del demostrativo provoca la modificación del NP (el NP 'no modificado' no permite referir a alguien y calificarlo al mismo tiempo); por el contrario, Jonasson (1994: 190 y ss.) propone que se trata de NNPP no modificados, porque en su interpretación no hay fraccionamiento del referente, ni multiplicidad de referentes. Desde una posición intermedia, Gary-Prieur (1994: 214) afirma que el efecto esencial del demostrativo sobre el NP es el de «descargar a este último de su función identificadora».

2.4.4.3. Nombres propios con posesivos

Existe un uso de NP con adjetivo posesivo antepuesto paralelo al que presenta la construcción de NP con demostrativo ilustrada en (20):

(21) a. Dice que su Pepito no le come nada.
b. Mi Luis no haría tal cosa.
c. A mí me gusta mucho mi Madrid.

En emisiones como las de (21), el posesivo —como el demostrativo en (20)— está disociado del NP, y sirve para introducir una relación de compromiso o proximidad afectiva por parte de la persona indicada por el posesivo con respecto al individuo referido por el NP. [91] El NP puede tener una interpretación figurada *(Me llamó para decirme que, por fin, había encontrado a su Julieta)* [→ §§ 15.2.3-6].

Son, sin duda, interesantes las diferencias semántico-pragmáticas entre el posesivo de primera persona y los demás; el posesivo de primera persona siempre permite expresar una relación afectiva de signo positivo con respecto al referente del NP; por el contrario, el uso de los posesivos de segunda y tercera persona permiten al emisor un cierto distanciamiento con respecto al portador del NP (generalmente, no es más que una forma de establecer límites de familiaridad o de derecho de posesión, o una forma de no implicarse en el mundo ajeno). Cf. p. ej.: *Pregúntale a tu Pedro, que sabe mucho de ordenadores; Mi Pedro acaba de llegar; No me interesa lo que podáis pensar tú o tu Delia*. Es curioso observar que un adjetivo o sustantivo antepuesto de valoración negativa con el posesivo de primera persona, o no es aceptable en la mayor parte de los casos o adquiere lectura afectiva positiva *(mi pobre Guillermo; mi diablo* —más frecuente con diminutivos: *diablillo, diablejo— de Pablo),* mientras que un adjetivo o sustantivo positivo pueden adquirir sin dificultad interpretación de carácter irónico o sarcástico *({su/tu} simpática Julia; {su/tu} tesoro de Julia).* [92]

Claro es que el posesivo con NP no sirve para determinar o restringir la extensión semántica del nombre como lo hace cuando se trata de un NC léxico; pero la razón por la que la determinación posesiva con NP es diferente —es de carácter afectivo—, no radica en el valor 'no modificado' del NP, sino en el hecho de que no designa una clase natural, léxicamente codificada. Pero, una vez más, el NP se comporta como NC en el contexto, de forma que la expresión referencial no es

---

[91] Véase, al respecto, Gary-Prieur 1994: 218 y ss.; el NP designa —según la autora— su referente inicial, y el posesivo introduce una persona, de modo que el NP sigue siendo *non modifié*.

[92] Gary-Prieur (1994: 220 y ss.) analiza detalladamente los diversos efectos de sentido en relación con la categoría de persona, que debe ser entendida no sólo como una categoría gramatical, sino como una categoría lógico-discursiva; particularmente, observa la construcción <posesivo + NP> comparándola con las construcciones paralelas <demostrativo + NP> y <artículo + NP>.

precisamente el NP, sino el SN definido del que forma parte como constituyente nuclear objeto de determinación; lo mismo puede afirmarse respecto a la construcción de NP con demostrativo, observada en el § 2.4.4.3. Tanto en la construcción con posesivo *(Mi Pedro ha leído mucho)* como en la que presenta demostrativo *(Este Francisco siempre está haciendo de las suyas)* se determina valorativamente un referente (el individuo llamado *Pedro,* y el individuo llamado *Francisco*) en cuanto individuo singular poseedor de una cierta cualidad o condición, como en *el Pedro que es mi hijo,* por ejemplo, o responsable de cierto comportamiento, como en *el Francisco que acaba de romper la vitrina.*

REFERENCIAS BIBLIOGRÁFICAS

ALCINA FRANCH, JUAN y JOSÉ MANUEL BLECUA (1975): *Gramática Española,* Barcelona, Ariel.

ALGEO, JOHN (1973): *On Defining the Proper Name,* Florida, Gainesville.

ALLAN, KEITH (1995): «What Names Tell about the Lexicon and the Encyclopedia», *Lexicology* 1:2, páginas 280-325.

ALLERTON, D. J. (1987): «The Linguistic and Sociolinguistic Status of Proper Names, What Are they, and Who do they Belong to?», *JoP* 11, págs. 61-92.

— (1996): «Proper Names and Definite Descriptions with the Same Reference: A Pragmatic Choice for Language Users», *JoP* 25, págs. 621-633.

ANSCOMBE, G. ELIZABETH M. (1960): *An Introduction to Wittgenstein's Tractatus,* Londres, Hutchinson. [Tr. esp. *Introducción al 'Tractatus' de Wittgenstein,* Buenos Aires, El Ateneo, 1977.]

BALLY, CHARLES (1932): *Linguistique générale et linguistique française,* París, Berne, 4.ª ed., 1965.

BELLO, ANDRÉS (1847): *Gramática de la lengua castellana destinada al uso de americanos,* Santiago de Chile. [Cito por la edición de 1945, Buenos Aires, Espasa Argentina.]

BENVENISTE, ÉMILE (1946): «Estructura de las relaciones de persona en el verbo», en E. Benveniste, *Problemas de lingüística general,* México, Siglo XXI, 1974 (4.ª ed.), págs. 161-172.

BIHAN, MICHÈLE LE (1974): *Le nom propre. Étude de grammaire et de rhétorique,* tesis doctoral de la Universidad de Rennes.

— (1978): «Note sur les noms propres», *Linguisticae Investigationes* 2, págs. 419-427.

BOËR, S. (1978): «Proper Names and Formal Semiotics», *Syntese* 38, págs. 73-112.

BONNET, CLAIRELISE y JOËLLE TAMINE (1982): «Les noms construits par les enfants: description d'un corpus», *Langages* 66, págs. 67-101.

BROMBERGER, CHRISTIAN (1982): «Pour une analyse anthropologique des noms de personnes», *Langages* 66, págs. 103-124.

BURGE, TYLER (1973): «Reference and Proper Names», *JPh* 40:14, págs. 425-439.

CARNAP, RUDOLPH (1947): *Meaning and Necessity: A Study in Semantics and Modal Logic,* Chicago, University Press.

CASTAÑEDA, HÉCTOR-NERI (1985): «The Semantics and the Causal Roles of Proper Names», *Philosophy and Phenomenological Research* XLVI:1, págs. 1-23.

CHARAUDEAU, PATRICK (1992): *Grammaire du sens et de l'expression,* París, Hachette.

COHEN, LEONARD JONATHAN (1986): *The Dialogue of Reason: An Analysis of Analytical Philosophy,* Oxford, Clarendon Press.

CONRAD, BENT (1985): «On the Reference of Proper Names», *Acta Linguistica Hafniensia* 19:1, págs. 44-129.

COSERIU, EUGENIO (1955): «El plural en los nombres propios», en *Teoría del lenguaje y lingüística general,* Madrid, Gredos, 1962, págs. 261-281.

CURAT, HERVÉ y FRANK R. HAMLIN (1993): «Désignation, référence et la distinction entre noms propres et noms communs», *ZrPh* 109, págs. 1-15.

DAMOURETTE, JACQUES y ÉDOUARD PICHON (1911-1940): *Des mots à la pensée. Essai de grammaire de la langue française,* París, D'Artrey.

DANON-BOILEAU, LAURENT (1990): «Il y a deixis et deixis: considérations cursives sur les limites du fonctionnement déictique de *le* et du fonctionnement anaphorique de *ce*», en G. Kleiber y J.-E Tyvaert (comps.), *L'anaphore et ses dommaines*, París, Klincksieck, págs. 97-109.

DAVIDSON, DONALD (1984): *Inquiries into Truth and Interpretation*, Oxford, Clarendon Press. [Tr. esp. *De la verdad y la interpretación*, Barcelona, Gedisa, 1995].

DECLERCK, RENAAT (1988): *Studies on Copular Sentences, Clefts and Pseudo-Clefts,* Lovaina, Univ. Press, Dordrecht, Foris.

— (1991): «A Taxonomy of Copular Sentences: a Reply to Keizer (1990)», *Linguistics* 29, págs. 521-536.

DEVITT, MICHAEL (1981): *Designation,* Nueva York, Columbia University Press.

DEVITT, MICHAEL y K. STERELNY (1987): *Language and Reality: An Introduction to the Philosophy of Language,* Oxford, Blackwell.

DONNELLAN, KEITH S. (1966): «Reference and Definite Descriptions», *Philosophical Review* 75, págs. 281-304. [Reimp. en L. A. Jakobovits y D. Steinberg, *Semantics. An Interdisciplinary reader in Philosophy, Linguistics and Psychology,* Cambrigde, 1971, págs. 100-114, y en A. P. Martinich (comp.), *The Philosophy of Language,* Oxford University Press, 1996].

DROSTE, FLIP G. (1975): «On Proper Names», *Leuvense Bijdragen* 64, págs. 1-14.

ENGEL, PASCAL (1985): *Identité et réference,* París, P.E.N.S.

EVANS-PRITCHARD, EDWARD EVAN (1971): «Les noms de personnes chez les nuer», en *La Femme dans les Sociétés Primitives et autres essais d'Antropologie Sociales,* París, Payot.
FAUCONNIER, GILLES (1984): *Espaces mentaux,* París, de Minuit.
FERNÁNDEZ RAMÍREZ, SALVADOR (1951): *Gramática española 3.2. El pronombre,* Madrid, Arco/Libros, 1987.
FLAUX, NELLY (1991): «La antonomase du nom propre ou la mémoire du référent», *LFr* 92, págs. 26-45.
FRANCO, JON (1996): *Condicionantes de traducción y nombres propios,* tesis doctoral de la Universidad de Alicante.
FREGE, GOTTLOB (1892): «Uber Sinn und Bedeutung», *Zetschrift für Philosophie und Philosophische Kritik* 100, págs. 25-49. [Trad. esp. «Sobre sentido y referencia», en G. Frege, *Conceptografía. Los fundamentos de la aritmética y otros ensayos filosóficos,* México, UNAM; G. Frege, *Escritos filosóficos,* Barcelona, Crítica, 1996.]
GARCÍA SUÁREZ, ALFONSO (1997): *Modos de significar,* Madrid, Tecnos.
GARDINER, ALAN H. (1954): *The Theory of Proper Names. A Controversial Essay,* Oxford, Univ. Press.
GARY-PRIEUR, MARIE-NOËLLE (1989): «Quand le référent du nom propre se multiplie», *MLing* 11:2, páginas 119-133.
— (1991a): «Le nom propre constitue-t-il une catégorie linguistique?», *LFr* 92, págs. 4-26.
— (1991b): «La modalisation du nom propre», *LFr* 92, págs. 49-64.
— (1994): *Grammaire du nom propre,* París, PUF, 1994.
— (1995): «Le nom propre, suite», *Travaux de Linguistique* 30, págs. 93-102.
GRANGER, GILLES (1982): «A quoi servent les noms propres?», *Langages* 66, págs. 21-36.
GREVISSE, MAURICE (1936): *Le bon usage,* París, Gembloux, Duculot (1980[11]).
GROOT, CASPER DE y MACHIEL LIMBURG (1986): «Pronominal Elements: Diachrony, Typology and Formalization in Functional Grammar», *Working Papers in Functional Grammar* 12, págs. 7-19.
HERMANS, T. (1988): «On Traslating Proper Names, with Reference to 'De Vitte and Max Havelaar'», en M. Wintle (comp.), *Modern Dutch Studies,* Londres, Athlone.
HINTIKKA, JAAKKO (1989): *L'intentionnalité et les mondes possibles,* Lille, PUL.
HOCKETT, CHARLES F. (1958): *A Course in Modern Linguistics,* Nueva York, Macmillan. [Tr. esp. *Curso de lingüística moderna,* Buenos Aires, EUDEBA, 1971.]
HORNSBY, J. (1976): «Proper Names: A Defense de Burge», *Philosophical Studies* 30:4, págs. 227-234.
JONASSON, KERSTIN (1987): «Articles génériques et noms propres modifiés», en G. Kleiber (comp.), *Rencontre(s) avec la généricité,* París, Klincksieck, págs. 57-72.
— (1990): «Métaphores in absentia et la lexicalisation des noms propres», *Actes du onzième Congrès des Romanistes scandinaves,* Trondheim, págs. 261-271.
— (1991): «Les noms propres métaphoriques: construction et interprétation», *LFr* 92, págs. 64-81.
— (1992a): «La référence des noms propres relève-t-elle de la deixis?», en M.-A. Morel y L. Danon-Boileau (comp.), París, P.U.F., págs. 457-471.
— (1992b): «Le nom propre désignateur: un terme massif?», *Études de linguistique romane et slave,* páginas 291-313.
— (1994): *Le nom propre. Constructions et interprétations,* Lovaina, Duculot.
KATZ, JERROLD (1990): «The Description Theory of Names», en G. Boolos (comp.), *Meaning and Method: Essays in Honour of Hilary Putnam,* Cambridge, Cambridge University Press.
KERBRAT-ORECCHIONI, CATHERINE (1977): *La connotation,* Lyon, Université PUL.
KLEIBER, GEORGES (1981): *Problèmes de référence: descriptions définies et noms propres,* París, Klincksieck.
— (1984): «Dénomination et relations dénominatives», *Langages* 76, págs. 77-94.
— (1985): «Sur le sémantique et pragmatique des SN *Le projet Delors* et *La camarade Catherine*», *L'Information Grammaticale* 27, págs. 3-9.
— (1990): *La sémantique du prototype,* París, P.U.F. [Tr. esp. *La semántica de los prototipos,* Madrid, Visor, 1995.]
— (1991a): «Anaphore et deixis: où en sommes-nous?», *L'Information grammaticale* 51, págs. 3-19.
— (1991b): «Du nom propre non modifié au nom propre modifié: le cas de la détermination des noms propres par l'adjectif démonstratif», *LFr* 92, págs. 82-103.
— (1992a): «Quand le nom propre prend l'article: le cas de la détermination des noms propres métonymiques», *French Language Studies* 2, págs. 185-205.
— (1992b): «Sur les noms propres dits métonymiques», en *Le mot, les mots, les bons mots. Hommage à I.A. Mel'čuk,* Montréal, págs. 77-92.
— (1992c): «Qui est sur l'étagère de gauche? o Faut-il multiplier les réferents?», *Travaux de Linguistique et de Philologie* 30, págs. 107-124.

KNEALE, WILLIAM (1962): «Modality, *De Dicto* and *De Re*», en E. Nagel, P. Suppes y A. Tarski (comps.), *Logic, Methodology and the Philosophy of Science: Proceedings of the 1960 International Congress,* Stanford, Stanford University Press, págs. 622-633.

KRIPKE, SAUL (1972): «Naming and Necessity», en D. Davidson y G. Harman (comps.), *Semantics of Natural Language,* Dordrecht, Reidel, págs. 253-355. [Tr. esp. *El nombrar y la necesidad,* México, UNAM, 1985.]

KURYLOWICZ, JERZY (1966): «La position linguistique du nom propre», en E.P. Hamp, F. W. Householder & R. Austerlitz (comps.), *Readings in Linguistics II,* Chicago, págs. 362-370.

LEONETTI JUNGL, MANUEL y M. VICTORIA ESCANDELL VIDAL (1991): «Complementos predicativos en sintagmas nominales», *Verba* 18, págs. 431-450.

LÉVI-STRAUSS, CLAUDE (1962): *La pensée sauvage,* París, Plon. [Trad. esp. *El pensamiento salvaje,* México, F.C.E., 1964.]

LONGOBARDI, GIUSEPPE (1994): «Reference and Proper Names: A Theory of N-Movement in Sintax and Logical Form», *LI* 25:4, 609-665.

LÓPEZ GARCÍA, ÁNGEL (1985): «Lo propio del nombre propio», *LEA* 7:1, págs. 37-54.

LYONS, JOHN (1978): *Eléments de Sémantique,* París, Klincksieck.

— (1981): *Language and Linguistics,* Cambridge, Cambridge University Press. [Trad. esp. *Introducción al lenguaje y la lingüística,* Barcelona, Teide, 1990.]

MANCZAK, WOHLFELD (1981): «La notion de nom propre», *Proceedings of the Thirteenth International Congress of Onomastic Sciences,* págs. 101-106.

MARTIN, ROBERT (1983): *Pour un logique du sens,* París, P.U.F.

— (1987): *Langage et croyance,* Bruselas, Pierre Mardaga.

MIGLIORINI, BRUNO (1968): *Dal nome proprio al nome comune,* Florencia, Olschki.

MILL, JOHN STUART (1843): *A System of Logic, Ratiocinative and Inductive:* Londres, Routledge and Kegan Paul.

MOLINO, JEAN (1982): «Le nom propre dans la langue», *Langages* 66, págs. 5-20.

MOLINO, JEAN *et al.* (1974): «Sur les titres des romans de Jean Bruce», *Langages* 35, págs. 56-95.

MORALA, JOSÉ R. (1986): «El nombre propio ¿objeto de estudio interdisciplinar?», *Contextos* 8, págs. 49-61.

MORENO CABRERA, JUAN CARLOS (1991): *Curso universitario de Lingüística General,* Madrid, Síntesis.

NOAILLY, MICHÈLE (1990): *Le substantif éphithète,* París, P.U.F.

— (1991): *«L'enigmatique Tombouctou:* nomp propre et position de l'épithète», *LFr* 92, págs. 104-113.

PARIENTE, JEAN-CLAUDE (1973): *Le langage et l'individuel,* París, A. Colin.

PULGRAM, ERNST (1954): «Theory of Proper Names», *Beiträge zur Namenforschung* 5, págs. 165-171.

QUINE, WILLARD VAN ORMAN (1950): *Methods of Logic,* Nueva York, Holt, Rinehart and Winston. [Tr. esp. *Los métodos de la lógica,* Barcelona, Ariel, 1981.]

— (1960): *Word and Object,* Cambridge, Mass. MIT Press. [Trad. esp. *Palabra y objeto,* Barcelona, Labor, 1968.]

REAL ACADEMIA ESPAÑOLA (1931): *Gramática de la lengua española,* Madrid, Espasa Calpe. [RAE 1931 en el texto].

— (1973): *Esbozo de una nueva gramática de la lengua española,* Madrid, Espasa Calpe. [RAE 1973 en el texto].

— (1988): *Borrador para la nueva edición de la Ortografía académica,* documento inédito. [RAE 1988 en el texto].

RÉCANATI, FRANÇOIS (1983): «La sémantique des noms propres», *LFr* 57, págs. 106-118.

RENZI, LORENZO y GIAMPAOLO SALVI (1991): *Grande grammatica di consultazione,* Bolonia, Il Mulino.

RUSSELL, BERTRAND (1905): «On Denoting», *Mind* 14, págs. 479-493. [Vers. esp. «Sobre el denotar», en T. M. Simpson (comp.), *Semántica filosófica: problemas y discusiones,* Buenos Aires, Siglo XXI, 1973, págs. 29-49.]

— (1912): *The Problems of Philosophy,* Londres, Home University Library. [Vers. esp. *Los problemas de la filosofía,* Barcelona, Labor, 1970 (1928 1.ª ed.).]

SÁNCHEZ CORRAL, LUIS (1990): «El nombre propio como imagen semiótica del referente», *Estudios de Lingüística* 6, págs. 207-227.

SEARLE, JOHN R. (1967): «Proper Names and Descriptions», en P. Edwards (comp.), *The Encyclopaedia of Philosophy,* Nueva York, Macmillan y Free Press, 1967. [Tr. esp. en L. M. Valdés Villanueva (comp.), *La búsqueda del significado. Lecturas de filosofía del lenguaje,* Madrid, Tecnos, Murcia, Universidad, 1991, págs. 83-93.]

SORENSEN, H. (1963): *The Meaning of Proper Names,* Copenhague, Gad.

STALNAKER, ROBERT (1998): «Los nombres y la referencia: semántica y metasemántica», *Teorema* XVII:1, págs. 7-19.

STOWELL, TIMOTHY (1991): «Determiners in NP and DP», en K. Leffel y D. Bouchard (comps.), *Views on Phrase Structure,* Netherlands, Kluwer, págs. 37-56.

STRAWSON, PETER F. (1959): *Individuals: An Essay in Descriptive Metaphysics,* Londres, Methuen. [Trad. esp. *Individuos. Ensayo de metafísica descriptiva,* Madrid, Tecnos, 1989.]

— (1974): *Subject and Predicate in Logic and Grammar,* Londres, Methuen.

SUÑER, AVEL·LINA (1990): *La predicación secundaria en español,* tesis doctoral de la Universidad Autónoma de Barcelona.

TOGEBY, KNUD (1982): *Grammaire française,* Copenhague, M. Berg, G. Merad y E. Spang-Hanssen.

URIAGEREKA, JUAN (1998): «A Note on Rigidity», *University of Maryland Working Papers in Linguistics* 6, págs. 218-238.

VINCENZ, A. DE (1961): «Structuralisme et onomastique», *Orbis* X, págs. 15-34.

WEINRICH, HARALD (1989): *Grammaire textuelle du Français,* París, Didier-Hatier.

WILMET, MARC (1986a): «La détermination des «noms propres», en J. David y G. Kleiber (comps.), *Déterminants, Syntaxe et Sémantique,* París, Klincksieck, págs. 317-330.

— (1986b): *La détermination nominale,* París, P.U.F. (cap. II).

— (1991): «Nom propre et ambiguité», *LFr* 92, págs. 113-125.

— (1995): «Pour en finir avec le nom propre?», *L'Information grammaticale* 65, págs. 3-11.

ZABEEH, FARHANG (1968): *What is in a Name?,* La Haya, Nijhoff.

ZONABEND, FRANÇOISE (1980): «Le nom de personne», *L'Homme* XX:4, págs. 7-23.

3
EL ADJETIVO: CLASES Y USOS. LA POSICIÓN DEL ADJETIVO EN EL SINTAGMA NOMINAL *

VIOLETA DEMONTE
Universidad Autónoma de Madrid, Instituto Universitario Ortega y Gasset

ÍNDICE

---

* La investigación que subyace a este trabajo ha sido parcialmente financiada por el Proyecto DGICYT PB95-0178.

3.1. Definición y características fundamentales

El adjetivo es una categoría gramatical: una clase de palabras cuyos miembros tienen unas características formales muy precisas; y es también una categoría semántica: hay un tipo de significado que se expresa preferentemente por medio de adjetivos. Como categoría gramatical puede ser un atributo o modificador del nombre sustantivo; unido a él, y a sus determinantes y cuantificadores, forma una frase nominal en la cual ha de concordar en género y número con el nombre modificado:

(1) a. Me gustan [estas soleadas mañanas].
b. *Me gustan [estos soleado mañanas].

El adjetivo comparte con los determinantes y cuantificadores la obligación de concordar con el sustantivo. Se diferencia de ellos, sin embargo, en que su sola presencia no es suficiente para capacitar al nombre como expresión referencial, apta para ocupar en la oración las posiciones de sujeto, complemento directo y demás. Compárese *Entró una clásica señora discreta* con **Entró clásica señora discreta* [⟶ § 5.3.2.2].

El adjetivo puede aparecer también en la posición, o función, de predicado de una oración copulativa caracterizadora [⟶ § 37.2] (2a), o como complemento predicativo bien obligatoriamente escogido por el verbo, (2b), bien opcional, (2c) [⟶ Cap. 38]:

(2) a. Ese gesto es *inoportuno*.
b. Considero ese gesto *muy inoportuno*.
c. Sírveme la leche *fría*. / El capitán venía *parado* rígido, con las piernas abiertas [J. Saer, *El entenado,* 15].

La construcción modificadora o atributiva, [1] que es la que estudiaremos en este capítulo, tiene una estrecha relación con la construcción de predicado nominal [2] ya que casi todos los adjetivos que funcionan como predicados en oraciones copulativas caracterizadoras pueden ser también modificadores. No todos los adjetivos modificadores, empero, concurren en posiciones predicativas y son por tanto equivalentes a predicados, tal como muestran los siguientes ejemplos:

(3) a. El viaje presidencial. / *El viaje es presidencial.
b. La última noche que pasé contigo. / *La noche que pasé contigo fue última.

---

[1] Sigo a la RAE (1973: § 2.4.1) en la denominación de 'atributo' para el adjetivo que «se coloca en posición inmediata al sustantivo de que depende». Bello (1847: § 35) denomina 'predicado' al adjetivo adyacente antepuesto al nombre, o 'epíteto', (así como a los adjetivos complementos predicativos) —denominación que también emplearemos— y reserva, en cambio, la noción de 'atributo' para «el adjetivo que envuelve la cópula» (1847: cap. II, nota 2) —el llamado por la RAE 'predicado nominal'—, pues para Bello el atributo es simplemente la segunda parte de una proposición: lo que no es el sujeto. El uso de atributo (a la manera de Bello) para designar el predicado nominal es frecuente en otros capítulos de esta gramática (cf., por ejemplo los §§ 4.1, 37.1 y 77.1.6). Nuestro término 'atributo (o) modificador' alude a la condición atributiva o asignadora de propiedades del adjetivo, sea este especificador o no lo sea. Véase la nota 1 del capítulo 37 para más pormenores sobre estas cuestiones terminológicas y Lago 1984: § 2.4 para una revisión de esta terminología en la tradición francesa.

[2] Bolinger 1967 se ocupa de las relaciones entre la atribución y la predicación por medio de adjetivos. Luján (1980) considera que los adjetivos atributivos del español son la manifestación de una función predicativa básica. Este análisis, característico de una etapa de la gramática generativa, ha sido luego puesto en tela de juicio.

Esa capacidad modificadora y predicativa es en buena medida un trasunto de la naturaleza semántica de esta categoría.[3] Los adjetivos son palabras que se aplican a otras palabras que nombran objetos físicos o mentales; por medio de los adjetivos se adscribe a esos objetos una propiedad o un conjunto de propiedades. Más estrictamente, un adjetivo modificador adscribe propiedades cuya especificación sirve para definir o delinear con mayor precisión a la entidad mentada (4a), para caracterizarla e identificarla entre varias similares (4b), para clasificarla o establecer taxonomías culturales y científicas (4c) y (4d), para indicar relaciones genéticas o meronímicas (a saber, relaciones parte-todo), (4e), etc.:

(4) a. La orilla. — La verde orilla.
El músico. — El apasionado músico.
b. —¿Qué lápiz quieres?
—Dame el lápiz azul.
c. El acuerdo legal. / El acuerdo ilegal.
d. La ballena patagónica. / La ballena azul.
e. El cuadro japonés. / La masa aceitosa.

Si concebimos una realidad constituida ontológicamente por tres clases de entidades: objetos físicos o mentales (cosas que tienen 'existencia'), acontecimientos (cosas que 'tienen lugar' en el espacio y en el tiempo) y propiedades o 'características' de esos objetos o acontecimientos, podemos pensar que los sustantivos, los verbos, y los adjetivos junto con los adverbios representan en el lenguaje a esos tres tipos de entidades. Como bien señala Lyons, a quien se debe aproximadamente la observación que acabamos de hacer,[4] a esta triple distinción le corresponden sólo 'típicamente' ciertas clases de palabras, pues esa correspondencia no es absoluta. Así, hay nombres que designan propiedades: *belleza,* nombres que expresan acciones o estados: *carrera, paz,* o adjetivos que designan conjuntos de propiedades, esto es, clases naturales: *rural, gallego*.

La característica fundamental de los adjetivos, tanto si son atributivos como si son predicativos, lo que los diferencia de los nombres, es que son términos generales y por ello pueden aplicarse a múltiples objetos *(libro verde, niño verde, árbol verde)*. Los sustantivos, en cambio, definen o condensan un conjunto de condiciones necesarias y suficientes para identificar un individuo, o mejor, una clase de individuos [→ §§ 1.1, 1.7.2]. Esta diferencia se hace patente en el hecho de que los nombres pueden ser modificados por marcadores de identidad como *mismo,* marca que no aceptan los adjetivos:

(5) a. El mismo Juan. / La misma tarde.
b. *El mismo feliz.

Una propiedad semántica típica de los adjetivos (aunque no todos la poseen, como tendremos ocasión de ver) es que son graduables y medibles y pueden por ello ser modificados por adverbios que indican el grado o la extensión de la pro-

[3] Para una caracterización de las propiedades semánticas generales de los adjetivos pueden verse, entre otros, Chierchia y McConell-Ginet 1993: § 8 y Larson y Segal 1995.

[4] Lyons (1977) señala que existe un marco ontológico neutral que permite identificar entidades de diverso orden o rango: objetos físicos o entidades de primer orden, entidades de segundo orden o acontecimientos, procesos y estados de cosas que ocurren en el tiempo y en el espacio, y entidades de tercer orden o proposiciones (que están fuera del tiempo y el espacio) (cf. Lyons 1977: § II.3).

piedad expresada por el adjetivo, (6a); al ser graduables pueden asimismo aparecer en construcciones comparativas, (6b):

(6) a. Una habitación *poco luminosa.* / Un libro *muy interesante.*
b. El salón es *menos luminoso que el dormitorio.* / Este libro es *más interesante que aquel.*

Más precisamente, los adjetivos denotan cómo se sitúa una propiedad en el interior de una escala de comparación, por ello decimos que son graduables. En el mismo sentido, pueden indicar en qué medida o extensión está presente en el objeto la propiedad que se le atribuye, por ello decimos que son medibles.

En claro contraste con los adjetivos, los sustantivos no son graduables *(*una muy persona),* y si en ocasiones algunos nombres van acompañados de adverbios de grado *(muy mujer, muy torero)* es precisamente porque el nombre designa en esos casos la propiedad esencial o estereotípica de la entidad que se mienta [→ § 1.7.5]. Paralelamente, las construcciones exclamativas sobre entidades (y, por lo tanto, sobre expresiones nominales) expresan una ponderación global de las mismas *(¡Qué discurso! ¡Qué médico!);* se indica con ellas que un objeto satisface totalmente las cualidades características de ese tipo de cosas. Lo que se gradúa, en suma, son las características de los objetos mentados por los sustantivos, y esto se hace precisamente por medio de adjetivos *(una persona {muy/bastante/demasiado/tan} inteligente).* Por otra parte, los predicados verbales que designan estados o procesos pueden llevar modificadores de grado, pero esos modificadores no indican extensión o adecuación a una norma, como en el caso de los adjetivos, sino valores de otro tipo: cantidad *(Comió mucho),* frecuencia *(Viaja mucho),* duración *(Bailó mucho)* o participación del experimentante en el estado experimentado *(Piensa mucho, Sufre mucho)* [→ § 16.5].

Entre los adjetivos modificadores hay algunos que no adscriben propiedades a objetos, que no son caracterizadores, y por ello no pueden funcionar como predicados. Son, pues, modificadores pero, en sentido estricto, no son atributivos ni predicativos. En (7a) (similar a (3a)), por ejemplo, el adjetivo *presidencial* expresa el actor o agente de ese viaje; en (7b) *antiguo* indica tiempo (la «casa» que Juan tenía en un momento anterior al actual) y posee por lo tanto un valor casi adverbial. Para esta última interpretación no hay una correspondiente construcción predicativa; nótese que la estructura posible *La casa de Enrique es antigua* sólo puede significar «la casa es vieja» no «la casa es el lugar donde Enrique vivía antes»:

(7) a. El viaje presidencial a Nicaragua. — *El viaje es presidencial.
b. La antigua casa de Enrique. — #La casa de Enrique es antigua.

Ciertamente la existencia de esta segunda forma de relación entre los adjetivos y los nombres está relacionada con el hecho de que los sustantivos no sólo describen objetos sino que pueden también designar acontecimientos o situaciones espaciotemporales (el proceso de viajar, el lugar donde alguien vive, por caso). Volveremos detenidamente sobre estas y muchas otras características de los adjetivos a lo largo de este capítulo.

Con lo que hemos señalado hasta aquí podemos definir el adjetivo a través de los siguientes rasgos: generalidad o independencia del objeto, capacidad para adscribir propiedades o características a los objetos y a los acontecimientos y graduabilidad. Estos rasgos son típicos y, junto a muchos otros que iremos presentando oportunamente, su ausencia o presencia permite establecer clases de adjetivos y explicar su funcionamiento sintáctico.

3.2. Clases de adjetivos: introducción general

3.2.1. Preliminares sobre determinación y adjetivación

Las gramáticas tradicionales y algunas estructuralistas distinguen en la lengua española una subclase de adjetivos y otra de pronombres entre los posesivos, cuantificadores y demostrativos. Según este punto de vista, es adjetivo todo término que modifica directamente al nombre en relación de adyacencia con él, y la frontera se traza entre la 'actualización', que realiza el artículo, y la adjetivación, que pueden llevarla a cabo todos los otros modificadores del nombre, siendo estos últimos susceptibles de dividirse en 'calificativos' y 'determinativos'.[5]

Pese a la semejanza en la obligación de concordar con el nombre en rasgos flexivos —única característica común a estas varias grandes clases de palabras—, hay razones más que suficientes para suponer que el sistema de la cuantificación / determinación del nombre y el de la adjetivación son realmente diversos.[6] Así, los determinantes (los artículos, posesivos y demostrativos) y los cuantificadores (los numerales e indefinidos) constituyen clases cerradas con un número fijo de miembros desprovistos de significado léxico. A estos términos, a los que no es posible darles una definición de diccionario (no corresponden en verdad a ningún campo nocional), no les falta, sin embargo, significado gramatical o funcional: los artículos marcan género y número, sirven para introducir un nombre en el discurso o para establecer una relación anafórica, expresan unicidad o presuposición de existencia, etc. [→ Cap. 12]; los demostrativos [→ Cap. 14] añaden a todas estas funciones la capacidad señaladora o deíctica; y los numerales e indefinidos la de indicar cantidad, familiaridad o (in)especificidad [→ Cap. 16].

La conjunción de sus muchas virtualidades (que hemos indicado de manera más que escueta) es lo que les permite a todos ellos capacitar a una expresión puramente designadora de clase (a un nombre común) para ser plenamente referencial —esto es, para no sólo describir un conjunto de propiedades sino señalar un objeto del mundo—, y poder así desempeñar funciones gramaticales *(*Casa es grande — La casa es grande)*.

Frente a los determinantes, los adjetivos constituyen clases léxicas abiertas, de extraordinaria complejidad léxico-conceptual como tendremos ocasión de ver. Asi-

---

[5] Véanse Alarcos 1969 y 1994 para la justificación de este punto de vista: «ni por su función esencial ni por el modo de designación es distinto el comportamiento de los adjetivos calificativos y determinativos» (1994: 83). Otros gramáticos engloban bajo idéntica distinción terminológica una clasificación diversa: para Sobejano (1955: 101-121 y 131-152), por ejemplo, el área de los adjetivos determinativos incluye a cuantificadores como *tres* y a los adjetivos que expresan una relación, como *bovino.* En el extremo opuesto, Luján (1980) considera que sólo son adjetivos aquellas formas que pueden ser predicados de una oración copulativa, esto es, los adjetivos calificativos y unos pocos relacionales. Véase Demonte 1982 para más precisiones sobre estas clasificaciones.

[6] Navas Ruiz (1962) suscribe también muy explícitamente este punto de vista y recuerda que Amado Alonso y Henríquez Ureña (1955[12], tomo I, págs. 142-148) también señalan que «estos adjetivos no son tales, sino verdaderos pronombres» (Navas Ruiz 1962: 371).

mismo, los adjetivos por sí solos no legitiman referencialmente a los sustantivos (*Casa amarilla es de mi hermano — La casa amarilla es de mi hermano).* No son referencializadores, en suma, sino clasificadores (marcadores de una extensión) y evaluadores de la intensión de los términos según explicaremos más abajo. Naturalmente, los demostrativos, artículos y posesivos no pueden tampoco, frente a los adjetivos, funcionar como predicados, y ante estructuras como *Estos libros son tres* o *Mis amigos son estos* es fácil mostrar bien que se trata de una expresión con un nombre elíptico bien que estas formas pronominales corresponden por sí solas a una expresión nominal plena.

3.2.2. Clases de adjetivos según su significado intrínseco

3.2.2.1. Dos clases de adjetivos asignadores de propiedades

Hemos definido a los adjetivos como términos de alcance general que adscriben propiedades a los nombres. Ahora bien, los adjetivos que aparecen en (8a) y (8b) no realizan esa adscripción de la misma manera: el número de propiedades que cada uno conlleva y la manera como la vinculan con el nombre son distintas. En (8a), los adjetivos se refieren a un rasgo constitutivo del nombre modificado, rasgo que exhiben o caracterizan a través de una única propiedad física: el color, la forma, el carácter, la predisposición, la sonoridad; en (8b) se refieren a un conjunto de propiedades (todas las características que, conjuntamente, definan a sustantivos como *mar, leche* o *campo*) y las vinculan, de una cierta manera que habremos de precisar, a las del nombre modificado:

(8) a. Libro azul. / Señora delgada. / Hombre simpático. / Voz iracunda. / Frase chillona.
b. Puerto marítimo. / Vaca lechera. / Paseo campestre.

Los adjetivos que expresan una sola propiedad son los 'calificativos' [→ § 1.1]; los que expresan varias se denominan 'relacionales'. La asignación de una sola propiedad es una mera relación de incidencia que puede casi siempre parafrasearse por medio de una oración copulativa caracterizadora *(el camino tortuoso — el camino que es tortuoso);* la asignación de varias propiedades da lugar a relaciones semánticas más complejas y diversificadas *(los datos científicos — los datos que vienen de la ciencia / la capacidad torácica — la capacidad que tiene el tórax).*

Empleo 'propiedad' en un doble sentido: en el corriente o conceptualista (el que da el diccionario) de «característica» o «cualidad» y en un segundo sentido, propio de la semántica, de «función» que selecciona al conjunto de entidades que están en la extensión de un predicado. En esta acepción las propiedades son la contrapartida semántica de las expresiones predicativas del lenguaje corriente y hay propiedades correlativas tanto de las entidades individuales como de conjuntos o proposiciones.

La distinción recién establecida entre adjetivos asignadores de una o de varias propiedades puede también glosarse afirmando que hay dos grandes clases de adjetivos, los que designan cualidades en sentido estricto y los que indican propiedades que la entidad objeto de modificación adjetiva posee por su relación con algo externo a ella.[7]

En línea similar, Bosque (1993a) caracteriza a los adjetivos relacionales como aquellos que «no son calificativos, es decir, ...no denotan cualidades o propiedades de los sustantivos sino... que establecen conexiones entre esas entidades y otros dominios o ámbitos externos a ellas...» (1993a: 10). La consideración de los adjetivos relacionales como categorías cuasinominales con forma adjetival, por así decir, es la que subyace a la definición de los adjetivos relacionales como pseudo-adjetivos.[8]

Cualquiera que sea la específica caracterización y denominación que escojamos, en lo que sin duda estaremos de acuerdo es en que hay fundadas razones para distinguir entre dos clases de adjetivos asignadores de propiedades y para suponer, contrariamente a la idea implícita en una distinción genérica entre adjetivos determinativos y calificativos, que los adjetivos relacionales no son una subclase de los calificativos. Pero, antes de estudiarlos en profundidad, deseamos señalar brevemente cuáles son los contextos sintácticos que ponen de manifiesto la distinción que acabamos de establecer.

3.2.2.2. *Adjetivos calificativos y adjetivos relacionales. Principales diferencias*

Schmidt (1972) y Bache (1978), entre otros, reconocen tres pruebas sintácticas, tres procesos gramaticales, que permiten distinguir los adjetivos calificativos (los centrales o descriptivos, en su nomenclatura) de los relacionales (denominados por Bache clasificadores o categorizadores). Estos contextos son: (a) la posibilidad de poder ser o no usado predicativamente, (b) el poder entrar en comparaciones y ser modificados por adverbios de grado y (c) su capacidad para formar parte de sistemas binarios y ser por tanto términos de correlaciones de polaridad. Los calificativos, como se ve en (9), dan resultados positivos en las tres pruebas; los relacionales, *grosso modo* y según se muestra en (10), no pueden usarse predicativamente, entrar en comparaciones, ni ser términos de correlaciones de polaridad:

(9) a. El diccionario verde. — El diccionario es verde.
b. El sabor (tan) dulce de esta fruta. — El sabor de esta fruta es más dulce que el de la anterior.
c. Este niño es alto. — Este niño es bajo.

(10) a. El diccionario médico. — *El diccionario es médico.
b. El sabor (*muy) mineral. — *Este sabor es más mineral que aquel.
c. La política cultural. — *La política acultural.

---

[7] Esta distinción, relativamente clásica, se encuentra en Vinogradov 1947, Sussex 1974 y Bache 1978, entre otros. Es menos frecuente en la tradición española, donde sí la postulan Alcina y Blecua 1975, Bartoš 1978, Hernanz y Brucart 1983 (que distinguen entre adjetivos 'clasificadores' —*grosso modo,* los que aquí denominamos relacionales— y 'cualitativos'), y más recientemente la estudian con todo detalle Bosque 1993a y Bosque y Picallo 1996.

[8] Ambos términos: 'relacional' y 'pseudo-adjetivo' son característicos de la lingüística francesa. Véase Bosque 1993a: § 1 para una revisión del tratamiento de estos adjetivos en la bibliografía francesa y norteamericana. Como ya hemos comentado, Sobejano (1955) reconoce a estos adjetivos como 'determinativos' y Navas Ruiz (1962: 372) los llama 'clasificadores', al igual que Hernanz y Brucart (1983: § 5.4.2).

Para ser más estrictos, sólo las pruebas (b) y (c) distinguen de manera categórica entre las dos clases de adjetivos. La posibilidad de aparecer en posiciones de predicado, en cambio, no es exclusiva de los adjetivos calificativos aunque sí sea más característica de ellos que de los relacionales (cf. *infra* los §§ 3.2.3.1, 3.3.1.1 y 3.3.1.3). Este resultado no es inesperado si pensamos en la condición cuasi nominal o pseudo- adjetiva de los adjetivos relacionales. Fue Jespersen (1924) quien señaló originariamente, en efecto, que los adjetivos se diferenciaban de los nombres en denotar una única propiedad, frente a la «mayor complejidad de las cualidades denotadas por los sustantivos» (1924: 79).[9] Esta diferencia esencial entre nombres y adjetivos se reproduce en la distinción entre adjetivos calificativos y relacionales: del mismo modo que los nombres no pueden graduarse por el hecho de involucrar un conjunto de criterios y dificultar así el que se sepa qué rasgo sería el que se está comparando o midiendo, los adjetivos relacionales tampoco pueden tomar modificadores de grado ni entrar en construcciones comparativas. A la par, así como los nombres pueden ser predicados, ciertos adjetivos relacionales podrán usarse predicativamente *(acuerdo constitucional / Este acuerdo es constitucional).* En los §§ 3.3, 3.4 y 3.5 extenderemos y precisaremos las propiedades de estas dos clases de adjetivos, sus rasgos comunes y sus importantes diferencias.

3.2.2.3. Adjetivos adverbiales: adjetivos modificadores del significado o intensión de los nombres y adjetivos circunstanciales o modificadores del evento

La distinción del apartado anterior establece diferencias entre clases de adjetivos en virtud de la manera de atribuir propiedades a los nombres. No es esta, sin embargo, la única capacidad de los adjetivos. Algunos adjetivos, en efecto, sólo sirven para indicar la manera como el concepto o intensión de un término se aplica a un determinado referente. Cuando decimos, como en uno de los ejemplos de (11a), que alguien es un *falso amigo* o que es *el supuesto asesino,* lo que estamos aseverando es que, en realidad, el significado de 'amigo' o 'asesino' no se aplica (o es posible que no se aplique) al objeto mentado. De manera similar, aunque no idéntica, en los ejemplos de (11b) el adjetivo indica que el significado atribuido por *ganador, objeción* o *argumento* se aplica de manera muy destacada al objeto mentado y no es atribuible en cambio a otros posibles candidatos a esa condición, presupuestos en el entorno, (*la verdadera objeción* es la 'objeción' que más satisface la condición de tal entre un conjunto de 'objeciones' posibles):

(11) a. El posible acuerdo. / El presunto agresor. / El falso amigo. / Un supuesto asesino.
b. La mera insinuación. / La verdadera objeción. / Una determinada medida. / El principal ganador. / El único argumento.

Estos adjetivos no guardan relación con la extensión de los términos (con el objeto mentado) sino sólo con el concepto aludido, con la intensión de ellos: mientras que la expresión *un niño gordo* alude efectivamente a un niño, *el supuesto ase-*

[9] Bhat (1994: § 3.2) repasa estas consideraciones de Jespersen y las conecta, como también haremos aquí, con observaciones similares de Kamp (1975) y Wierzbicka (1968).

sino o *la ficticia gimnasia espiritual* no hablan de un 'asesino' o de una 'gimnasia espiritual' reales o referenciales. Por ello, adjetivos como *presunto, posible* o *evidente* suelen denominarse intensionales. Estos adjetivos no admiten gradación ni pueden entrar en construcciones comparativas *(*Juan es más presunto agresor que Luis);* no pueden admitirla puesto que no indican propiedades de entidades. Algunos de estos adjetivos, los de (11a), guardan una estrecha relación con los adverbios modales epistémicos como *presuntamente, posiblemente, supuestamente* y los llamaremos por ello adjetivos intensionales modales. Los de (11b) también tienen correlatos adverbiales, en este caso en los adverbios focalizadores y marcadores de la actitud del hablante *(Juan verdaderamente ganó (no perdió); Verdaderamente, Juan ganó),* y los denominaremos adjetivos intensionales marcadores o focalizadores. Por su analogía con las formas adverbiales englobaremos a las dos clases, con sus subclases, en la denominación común de 'adjetivos adverbiales'. En los §§ 3.6.1.1 y 3.6.1.2 nos ocuparemos de explicar las semejanzas y diferencias entre las varias clases de adjetivos adverbiales intensionales.

Un segundo tipo de adjetivos adverbiales viene prefigurado por el hecho de que el significado del nombre con el que el adjetivo se combina es también esencial para especificar los matices de la acepción adjetiva. Así, si bien *constitucional* o *presidencial* son adjetivos relacionales en las tres frases nominales de (12a) y (12b), la interpretación que esos adjetivos reciben tiene significativas variaciones según cuál sea el nombre con el que se combinen: *reforma constitucional* es «reforma *de* la Constitución», *texto constitucional* es «texto conforme con la Constitución», *político constitucional* puede significar «un político relacionado con la Constitución» (por ejemplo: uno de los redactores del texto constitucional) o «que actúa conforme a la Constitución»:

(12) a. Reforma constitucional. / Texto constitucional. / Político constitucional.
b. Viaje presidencial. / Régimen presidencial. / Mesa presidencial.

En términos generales, y omitiendo detalles que desarrollaremos oportunamente, esas variaciones se deben al hecho de que los nombres, como ya hemos sugerido, no designan sólo objetos o entidades físicas o abstractas sino que pueden indicar procesos, estados o situaciones. En un extremo de esta posibilidad tenemos a aquellos nombres que mantienen totalmente o en parte sus cualidades verbales; se trata en general de nominalizaciones de proceso o de resultado en las que el nombre conserva la capacidad de asociar argumentos o tener una valencia [⟶ § 6.3.1]; este es el caso de *reforma* y *viaje,* por eso los adjetivos que los acompañan en (12a) y (12b) significan, respectivamente, el objeto o paciente de la reforma y el agente del viaje. En el otro extremo, los nombres concretos *persona* y *mesa* ponen de relieve sus rasgos constitutivos (la «persona», ser una entidad con cualidades esenciales, la «mesa» el tener funciones, servir para algo o para alguien) cuando se relacionan con esos mismos adjetivos, que significan ahora una forma civil de ser y una relación de uso y posesión. A partir de ese significado de proceso, estado o situación, esto es, de las propiedades eventivas que muchísimos nombres parecen poseer, pueden explicarse variaciones de significado como el hecho de que *largo* signifique duración cuando se une a *día,* y longitud, en cambio, cuando modifica a *pasillo.* [10]

[10] Bierswich (1967) habla de la condición sincategoremática de los adjetivos de grado, a saber, del hecho de que cuando se toman aisladamente no tengan un significado autónomo.

Pues bien, determinada por las propiedades eventivas de los nombres existe una clase de adjetivos cuyo significado y función son similares a los de los adverbios que modifican a los predicados verbales en las oraciones plenas. Estos adjetivos apenas se tratan en los estudios sobre la adjetivación [11] probablemente porque muchas veces no se distinguen formalmente de los adjetivos calificativos, aunque tomen significados bien distintos en contextos específicos: *un hombre feliz* es una persona con un determinado estado de ánimo, con una propiedad; *una amable discusión* no significa una manera de ser de la persona, manifiesta en cambio la manera como se llevó a cabo el acontecimiento de 'discutir'. Por su semejanza con los adverbios y sintagmas preposicionales adjuntos al sintagma verbal los denominaremos 'adjetivos adverbiales eventivos circunstanciales'. Los circunstanciales, empero, no son los únicos adjetivos eventivos. En este primer acercamiento a esta clase de adjetivos destacaremos tan sólo que parecen existir dos clases de adjetivos modificadores del evento: los que hemos llamado circunstanciales (temporales, locativos y de manera), como los de (13), y los aspectuales, como los de (14):

(13) El próximo año. / Mi antiguo jefe. / La última reunión. / El reciente atentado. / El remoto incidente. / El actual intendente. / El primer presidente. / La cercana casa. / La entrada súbita. / El beso cortés. / La mirada dulce. / La furtiva aparición. / Su sonrisa benevolente.

(14) El frecuente llamado. / Las constantes idas y venidas. / Las periódicas revisiones. / La ocasional visita. / Las reiteradas entradas. / Las esporádicas crisis. / El largo adiós.

En los §§ 3.6.1.3 y 3.6.1.4 daremos más precisiones sobre estas dos clases de adjetivos eventivos.

3.2.3. Clases de adjetivos según las relaciones semánticas que contraen con los nombres

Los adjetivos calificativos y relacionales pueden contraer con los nombres varias relaciones semánticas:

a) según asignen cualidades consustanciales con los objetos, o se refieran a estados pasajeros de las entidades;

b) según se apliquen sólo al sustantivo, o incidan en las clases de cosas con las que se cruza la entidad designada por el sustantivo; y

c) según restrinjan o no la extensión de la clase de objetos designados por el sustantivo.

Esta triple distinción —que alude principalmente a significados o valores semánticos que los adjetivos adquieren en determinadas situaciones contextuales (si

[11] Pero cf. Bache (1978), que alude a una clase de adjetivos modales entre los que incluye *simple* o *mero* en frases como *el simple hecho, el mero hecho.* Navas Ruiz (1962) se refiere asimismo a los 'adjetivos situacionales' (una subclase de los calificativos) que «concretan al sustantivo mediante determinaciones de carácter circunstancial como la colocación en el tiempo o el espacio» (1962: 373).

bien muchos de ellos, en virtud de su específico significado, se ajustan sólo a uno de esos valores alternativos)— da lugar, respectivamente, a las siguientes tres clases:

(a) adjetivos que expresan cualidades individuales o estables frente a los que describen cualidades episódicas o precarias,
(b) adjetivos intersectivos frente a subsectivos, y
(c) adjetivos restrictivos en contraste con los no restrictivos.

Las dos primeras distinciones se han planteado en el seno de la semántica formal, [12] la última es más propia de los gramáticos [13] y su comprensión resulta crucial (junto con la de (b)) para entender las razones de la anteposición y posposición de los adjetivos calificativos, así como la manera como se acumulan (coordinados o incrustados unos en otros) los adjetivos relacionales y los calificativos.

3.2.3.1. *Adjetivos individuales y adjetivos episódicos*

Si tenemos en cuenta la estructura interna de la cualidad asignada por el adjetivo podemos distinguir dos clases de adjetivos. Hay unos que predican situaciones estables, propiedades llamadas a veces permanentes, que caracterizan a un individuo en cuanto tal y se sitúan al margen de cualquier restricción espacial o temporal. A estos adjetivos suele denominárseles 'gnómicos', 'individuales' o 'estables'. Entre las formas adjetivas calificativas que sólo pueden actuar dentro de esta clase se encuentran *psicópata, egocéntrico, capaz, apto, idóneo,* etc. El grupo alternativo a este es el de los modificadores y predicados adjetivos que se refieren a estadios, a situaciones y propiedades transitorias, que implican cambio y que tienen limitación espacio temporal. A estos adjetivos se los conoce como predicados 'episódicos', 'precarios' o 'de estadio'. Casi todos los adjetivos calificativos derivados de participios pertenecen a esta segunda clase [→ § 4.4.1.2]: *harto, limpio, seco, suelto, descalzo, maduro, contento, lleno, frío, caliente* (pero *ser leído, indeciso* o *sufrido*), así como todos los participios adjetivales [→ § 4.4.5]: *abierto, destrozado, conmovido, cortado, despiezado,* etc. (véanse también los § § 37.1.2 y 37.6.3.2, para la distinción entre estas dos clases de adjetivos).

La lengua castellana es una de las pocas que explicita de manera categórica en la sintaxis esta diferencia en el significado de los adjetivos, diferencia que en muchas otras lenguas ha de concebirse sólo mediante la interpretación. En efecto, en español se predican con *ser* las propiedades individuales y con *estar* las situaciones precarias o episódicas. Esta es pues la prueba esencial para reconocer a cuál de esas dos clases pertenece un adjetivo predicativo o modificador. Con estas precisiones, resulta sencillo formular generalizaciones sobre la naturaleza de los adjetivos relacionales y

---

[12] Para la distinción entre adjetivos intersectivos y no-intersectivos véanse Chierchia y McConnell Ginet 1990, Larson y Segal 1995 y, muy en particular, el estudio de los adjetivos ingleses de Siegel 1976. En cuanto a la oposición entre adjetivos estables, individuales o esenciales y adjetivos del estadio, precarios o episódicos son básicos Carlson 1977, Kupferman 1991 y Kratzer 1995. El capítulo 37 proporciona nueva información bibliográfica e interesantes consideraciones sobre esta segunda clase de adjetivos.

[13] Esta distinción, que se expresa también a través de las relativas especificativas y explicativas (restrictivas y no restrictivas), se remonta a la *Gramática* de Port Royal. En la tradición anglosajona la retoma Jespersen (1924), en la hispana Bello (1847: § 48), Sobejano (1955) y Seco (1954). Véase Rojo 1975 para el examen de estas fuentes y para nuevas propuestas a las que también se aludirá aquí.

calificativos: los relacionales describen propiedades estables o individuales puesto que, cuando pueden usarse como predicados, sólo se predican con *ser*. Los calificativos, en cambio, pueden interpretarse como individuales o episódicos dependiendo del contexto, según se deduce del hecho de que la mayoría de los adjetivos calificativos pueden predicarse con ambos verbos copulativos.[14]

En resumen, la pertenencia a una clase —que es lo que se designa por medio de los adjetivos relacionales (adjetivos de entidades o conjunto de propiedades, como hemos indicado)—, cuando se expresa predicativamente, se concibe lingüísticamente como un predicado individual, y lo es en tanto en cuanto constituye una descripción definida.[15] El cambio de estado (lo que se designa por medio de los adjetivos perfectivos arriba mencionados) se interpreta lingüísticamente como un episodio acotado en el espacio y en el tiempo, como un estadio. Frente a estas dos clases bien definidas, las cualidades o propiedades singulares pueden ser estables o transitorias ya que puede decirse tanto *Pepe es alto* como *Pepe está alto,* o *La mañana es azul* y *La mañana está azul;* en la misma línea, pero en inversa dirección, los estados como *soltero, feliz* o *aburrido* pueden concebirse también como cualidades, como en el contraste entre *Pepe está aburrido* y *Pepe es aburrido.* Obsérvese que ciertos adjetivos calificativos, dado su específico significado, parece que deberían interpretarse sólo como predicados individuales; tal es el caso, por ejemplo, de *inteligente* —paralelo a los que citábamos al comienzo de esta subsección— ya que si alguien es «inteligente» se nos ocurre que no puede dejar de serlo en virtud de factores incidentales. En la codificación lingüística no es así, sin embargo: incluso predicados como este pueden emplearse como descriptores de situaciones transitorias; cuando así se procede es habitual hacer explícitas las condiciones espacio-temporales en que esa interpretación es posible como en *Luis está inteligente *(hoy, esta mañana).*[16]

Ahora bien, esa dualidad interpretativa de una buena parte de los adjetivos calificativos se encuentra sólo en su empleo como predicados de las oraciones copulativas. Cuando los adjetivos que admiten las dos interpretaciones son atributos modificadores (cuando están dentro de un sintagma nominal) su acepción por defecto es la de propiedad individual o estable: *una panorámica clara* o *una mañana clara* son, ambas, entidades *claras,* aunque la presencia de *mañana* invite a una lectura más acotada temporalmente. Es cierto, sin embargo, que los adjetivos que sólo admiten lectura episódica (los que expresan cambio de estado) también concurren como modificadores atributivos de los nombres; no obstante, a diferencia de los anteriores, estos adjetivos aparecen siempre pospuestos: *un vaso lleno — *un lleno vaso; un hombre dispuesto — *un dispuesto hombre.*[17] Los adjetivos participiales o perfectivos se caracterizan también por funcionar como complementos predicativos (o predicados secundarios) en construcciones en las que son seleccionados simultáneamente por un nombre y por el verbo principal [⟶ § 38.2]. Así, podemos decir *María bailó descalza* pero no **María bailó alta,* y la diferencia de aceptabilidad (el hecho de que en la segunda frase nos sintamos obligados a una interpretación absurda en la que *alta* designa una manera de bailar) se debe a que el primer adjetivo es un predicado de estadio mientras que el segundo es un predicado

[14] Para una clasificación de los adjetivos españoles basada exclusivamente en su empleo con *ser* y *estar* véase Roca Pons 1958: 311-335. Luján (1980: 21 a 40) establece tres clases de adjetivos con similar criterio.

[15] Carlson (1977), en efecto, argumenta que hay tres tipos básicos de predicados individuales: verbos estativos como *saber* o *amar,* todos los sintagmas nominales predicativos, *un hombre, un vegetal,* y adjetivos como *inteligente* o *alto* (frente a *mareado* o *disponible*).

[16] Véase el capítulo 37 (especialmente su nota 18) para el estudio de estas diferencias y su consecuencia en la sintaxis de las oraciones copulativas.

[17] En inglés la anteposición del adjetivo es prácticamente obligatoria, pero si aparecen adjetivos pospuestos estos siempre son predicados de estadio (cf. Bolinger 1967): *The packets ready will be shipped.*

individual. Nótese asimismo que, en contraste con el empleo como complementos predicativos, el valor individual de los adjetivos de doble uso sí es posible en las construcciones con adjetivos incidentales o 'destacados' *(Luisa, rubia y esbelta, se marchó a su casa — *Luisa se marchó rubia y esbelta).* [18]

Puesto que los adjetivos calificativos que caracterizábamos como de doble uso no pueden aparecer, *grosso modo,* en posiciones de complemento predicativo, debemos pensar que en realidad estos adjetivos tienen, por defecto, como rasgo que van a exhibir a menos que haya información específica que lo impida, la condición de predicados individuales. Algunos adjetivos pueden cambiar, sin embargo, de condición y pasar a ser episódicos en determinadas circunstancias: cuando se predican con *estar,* o cuando hay en su entorno expresiones espaciales o temporales que promueven la lectura de estadio *(El río está turbio desde que empezó la creciente),* entre otros contextos posibles. En suma, los adjetivos calificativos no tienen dos rasgos alternativos, dos acepciones o dos estructuras argumentales, sino que poseen un significado básico y la posibilidad de cambiarlo en ciertas condiciones bien definidas. [19]

La naturaleza individual o episódica del adjetivo modificador incide en varios aspectos de la sintaxis del adjetivo en la frase nominal: afecta, en primer lugar, a su posición, como antes indicábamos *(??la descalza condesa, la condesa descalza);* no influye en cambio en el hecho de que puedan llevar o no complementos *(apto para cardíacos, comprensivo con sus amigos),* ni en las restricciones de coaparición entre ellos *(la condesa descalza y feliz / la condesa española descalza).*

Pese a que la distinción de la que nos hemos ocupado en esta subsección parece tener una mayor relevancia para explicar el comportamiento del adjetivo en las otras dos construcciones sintácticas en las que es característico: las oraciones copulativas y las construcciones de complemento predicativo y de adjetivo destacado, volveremos a referirnos a ella cuando tratemos las clases de adjetivos calificativos y la posición del adjetivo en el sintagma nominal.

3.2.3.2. Adjetivos intersectivos o absolutos y adjetivos subsectivos o relativos

'Intersectivos o absolutos' frente a 'no-intersectivos, subsectivos o relativos' son las dos maneras de nombrar el hecho de que la propiedad asignada por el adjetivo pueda aplicarse al nombre en sentido absoluto (a las clases de objetos presupuestas por tal nombre) o sólo al nombre común modificado. [20] En el primer caso no nos hará falta saber cómo es el objeto modificado para darnos cuenta de si la atribución del adjetivo ha sido correcta, en el segundo tendremos que saber cómo es el objeto designado por el nombre modificado para poder entender el significado de una expresión compleja. Si afirmamos, por ejemplo, que *{La/Una} nieve es blanca* o

---

[18] Véase Sobejano 1955 y, en particular, Lapesa 1975 para esta construcción con adjetivos destacados. Cf. asimismo el capítulo 39 de esta obra, para la explicación de estas construcciones, y para referencias precisas sobre ellas.

[19] No todos los adjetivos individuales parecen permitir este cambio, empero, como nos hace notar Bosque. Así, parece difícil que digamos **Juan está hoy capaz* o **La noticia está siendo falsa*. Que esto se deba a razones lingüísticas o a razones pragmático-culturales es algo que no podemos precisar.

[20] La distinción intersectivo-no intersectivo es parcialmente equivalente a la distinción entre adjetivos sincategoremáticos y categoremáticos. Más adelante, al hablar de las clases de adjetivos calificativos, las trataremos, en efecto, como una única clase. Por el momento preferimos ceñirnos a la terminología propia de la semántica formal.

que *{El/Un} elefante es cuadrúpedo* estaremos asignando una propiedad en sentido absoluto —como una intersección o conjunción entre la clase de la nieve y la de todos los objetos y materias blancos en un mundo determinado, o entre la de los elefantes y todos los animales que sean cuadrúpedos—; afirmaremos, con otras palabras, que si algo es nieve blanca, es nieve y es un objeto blanco, o si un objeto es un elefante cuadrúpedo entonces es, además de elefante, un animal cuadrúpedo.

Por el contrario, *{el/un} elefante pequeño* puede ser pequeño como elefante pero grande como objeto del mundo (puede pues no ser precisamente un animal ni un objeto pequeño); aquí no hay intersección entre la clase de las cosas pequeñas y la clase de los elefantes. Del mismo modo, *{el/un} excelente músico* puede ser excelente como músico pero muy poco apreciable como persona, como marido o como amigo. Los adjetivos de medida física y de evaluación intelectual, en efecto, los que afirman una comparación entre una dimensión de una determinada cosa y la calidad media que tiene la clase de cosas a la cual aquella pertenece (formas como *alto, fuerte, barato, profundo, grande (de tamaño), habilidoso o salvaje*), son por lo común adjetivos relativos o no intersectivos. Parece pues, para ser más específicos, que los adjetivos son relativos o subsectivos cuando manifiestan cualidades cuya interpretación depende muy fuertemente del contexto. Dos pruebas sencillas que permiten distinguir los usos subsectivos de los intersectivos son (a) la posibilidad o imposibilidad de aceptar la paráfrasis <Adj. *como* N> y (b) ser sensible o no a la negación (incurrir o no en contradicción) cuando esta se aplica al segundo miembro de una clase a la que también pertenece el nombre modificado. Como se muestra en (15), las construcciones *la nieve blanca* y *el elefante pequeño* (a las que asignábamos, respectivamente, lecturas intersectiva y subsectiva) dan resultados contrapuestos en estas dos pruebas:[21]

(15) a. Titi es un elefante pequeño. — Titi es pequeño como elefante.
Este líquido es nieve blanca. — *Este líquido es blanco como nieve.

b. Este animal es un elefante pequeño. — Este animal, que no es pequeño, es un elefante pequeño.
Este líquido es nieve blanca. — #Este líquido, que no es blanco, es nieve blanca.

La distinción entre estos dos usos de los adjetivos resulta clara y fácil de aprehender cuando contraponemos adjetivos de medida (típicamente no intersectivos o relativos) a adjetivos de color (típicamente intersectivos o absolutos), como en los ejemplos precedentes. Sin embargo, en muchos casos el nombre modificado no tiene asignada una medida de evaluación clara, un rango medio, y es difícil establecer si el adjetivo que se le aplica es absoluto (intersectivo) o relativo (subsectivo, no-intersectivo). Expresiones del tipo de *el padre afectuoso* o *la luna sombría* son ambiguas entre las dos acepciones que comentamos. Sin embargo, en la lengua española hay procedimientos para desambiguar estas expresiones tanto en los contextos definidos como indefinidos, como tendremos ocasión de mostrar.

Con lo que hemos establecido parece claro que sólo los adjetivos calificativos pueden tener, en sentido estricto, usos intersectivos y no intersectivos; sería difícil decidir, por el contrario, cuáles

[21] Véase Siegel 1976 para otras pruebas similares a estas.

de las varias propiedades expresadas por los adjetivos relacionales intersecta con la clase hiperónima de la designada por el nombre modificado. Sin embargo, los adjetivos relacionales resultan ser por defecto intersectivos en tanto en cuanto se posponen siempre (como estudiaremos en el § 3.5.1) y se comportan como los intersectivos en las pruebas correspondientes: *la poesía lírica* no puede ser sólo 'lírica como poesía' ni es posible ser poesía lírica y no ser género lírico, aunque sea difícil definir el conjunto de las cosas «líricas».

Esta distinción entre adjetivos relativos y absolutos (subsectivos e intersectivos) nos será de gran utilidad para entender una parte de las razones para la anteposición y posposición del adjetivo y, sobre todo, para explicar por qué los adjetivos calificativos tienden a coordinarse entre sí más que a modificarse sucesivamente. Nos explayaremos sobre estas razones en el § 3.5.

3.2.3.3. Adjetivos restrictivos y no restrictivos

Bello (1847: § 47) introduce en la gramática española la distinción entre adjetivo especificativo (llamado también restrictivo, denominación que aquí adoptaremos) y explicativo (o no restrictivo, denominado también por Bello 'epíteto' o 'predicado'). Señala que «de dos maneras puede modificar el adjetivo al sustantivo; o agregando a la significación del sustantivo algo que necesaria o naturalmente no está comprendido en ella, o desenvolviendo, sacando de su significación algo de lo que en ella se comprende, según la idea que nos hemos formado del objeto», y que «lo más común es anteponer al sustantivo los epítetos cortos y posponerle los adjetivos especificantes como se ve en *mansas ovejas* y *animales mansos*» (1847: § 48). Dos ideas son fundamentales en esta apreciación de Bello: la primera es que hay una relación entre estos significados y el lugar que ocupe el adjetivo respecto del sustantivo; la segunda es que estas relaciones de modificación semántica afectan a la significación o intensión de los nombres. En pares con miembros alternativos como los de (16),

(16) Las niñas tímidas — Las tímidas niñas. / Las paredes verticales — Las verticales paredes. / Los ojos hostiles — Los hostiles ojos. / El viejecito malhumorado — El malhumorado viejecito.

el primer sintagma de cada par se refiere a un (sub)conjunto determinado de objetos —restringido por el adjetivo—, que se destacan en un universo en el que se presuponen otras *niñas, paredes, ojos* o *viejecitos.* En el segundo miembro de cada par no hay en cambio restricción alguna, sólo se destaca un rasgo del objeto mencionado, rasgo este que puede ser consustancial con el objeto (como en *las mansas ovejas* o *las verticales paredes*) o no serlo *(los hostiles ojos, el malhumorado viejecito).* Esta distinción ha sido glosada, revisada y extendida en la mayoría de las gramáticas del español, que coinciden en proponer una función determinativa o restrictiva, la que corresponde al adjetivo pospuesto, y precisan en términos más ambiguos (cualidad subjetiva, actitud valorativa o afectiva, etc.) la función globalmente denominada no restrictiva (volveremos detenidamente sobre estas apreciaciones en el § 3.5.2).

La distinción no es difícil de caracterizar, empero, si partimos de reconocer dos cuestiones básicas, una relativa a la semántica del sustantivo, otra concerniente a la semántica de las frases nominales. En cuanto a lo primero, una expresión nominal, un sustantivo, implica un concepto, referencia o intensión y un referente o extensión: el objeto o conjunto de objetos designados por el sustantivo. En esta situación, podemos concebir al adjetivo como una función seleccionada por la intensión de un nombre (relacionada con los rasgos de ella)[22] que determina que este, unido al sustantivo, nombre a un grupo o individuo distinguibles, restringidos, escogidos del conjunto designado por el nombre referido en el universo del discurso (en algunos casos un subconjunto natural de la clase designada por el sustantivo). En esta función el adjetivo restrictivo colabora en la determinación y referencialidad del sintagma, diremos pues que modifica la extensión del término en el sentido de que de la modificación adjetiva sale un nuevo referente. Pero, alternativamente, el adjetivo puede ser una función que se aplica al concepto, a la intensión del término en su totalidad, para evaluar y singularizar una propiedad en relación con el conjunto de características que definen al nombre en cuestión, y ayudar así a determinar el individuo que es el referente de la expresión; en estos casos el adjetivo es un modificador de la intensión y con la modificación adjetiva el referente (la extensión) es el mismo que sin dicha modificación. Veamos algunos ejemplos que pueden ayudarnos a entender mejor esta doble distinción:

(17) a. Como si lo más notable que me hubiera ocurrido cuando era niño permaneciera enmarcado... en *los tórridos atajos callejeros* de Jerez [J. M. Caballero Bonald, *Tiempo de guerras perdidas,* 7].
b. ¿Cómo no calcular su asombro al oír *las palabras incomprensibles* con que el africano bautizaba las piezas exhibidas...? [J. Donoso, *Conjeturas de la memoria de mi tribu*, 39].
c. Cuando tocamos tierra era casi de día. Nuestra presencia en *la orilla gredosa* acrecentó el bullicio de los pájaros [J. J. Saer, *El entenado,* 24].
d. ...la regocijante descripción... de un célebre gurú, Gurdjieeff, cuyo círculo de devotos frecuentó en sus años mozos. Esbozado a pinceladas de diestro caricaturista, *el célebre iluminado* que encandiló a muchos incautos... aparece en estas páginas como una irresistible sanguijuela [M. Vargas Llosa, «El ladrón en la casa vacía», *El País,* 4-V-1997].
e. Nadie se deja llevar tampoco por la tentación de tratar de convertir este leal reconocimiento *del carácter vacío* y *superficial del espectáculo* en una astucia secundaria [R. Sánchez Ferlosio, *La homilía del ratón,* 13].

Si el adjetivo *tórridos* de (17a) apareciera pospuesto, en vez de decirse que las calles estrechas de Jerez son, por naturaleza, muy calientes (valoración no restrictiva) se aludiría a un conjunto específico de esas calles, se restringiría la extensión de este sustantivo; el adjetivo *incomprensibles* de (17b) caracteriza la manera de hablar del personaje, subclasifica como tales las palabras que él emite; al determinar

[22] Hay muchas hipótesis sobre cuáles pueden ser los rasgos que componen la intensión o significado del nombre, y no es este el lugar de caracterizarlas. Con coordenadas aristotélicas podemos pensar que en *sombrero raro* el adjetivo modifica a los rasgos constitutivos (un sombrero raro es algo que casi podría no ser un sombrero), en *sombrero alargado* el adjetivo se refiere al aspecto externo, a la forma, en *sombrero veraniego* a la finalidad del sombrero, y así sucesivamente.

la referencia del nombre permite interpretar que lo que causa el asombro es precisamente esa incomprensibilidad de las palabras. El contraste, paralelo al anterior, entre los casos de (17c) y (17d) es muy nítido: en (17c) se cuenta primero que se ha tomado *tierra* y a continuación se describe esa *tierra* como *orilla gredosa:* el adjetivo introduce una información que sirve para precisar la referencia del término anterior y el artículo es una anáfora de *tierra.* En (17d), en cambio, toda la expresión nominal es anafórica: *el célebre iluminado* es una descripción del nombre propio que se ha introducido antes, si *célebre* apareciera pospuesto, únicamente *el iluminado* sería una anáfora del nombre anterior y el autor se dirigiría al lector por medio de ese adjetivo que serviría ahora para restringir y delimitar la referencia del nombre anterior y no para instalarla. En (17e), por último, ni siquiera parece posible el uso no restrictivo de los adjetivos que allí aparecen ya que los términos muy generales como *carácter* necesitan ser especificados o restringidos.

En los §§ 3.5.2 y 3.5.3 retomaremos estos y otros significados de los adjetivos antepuestos y pospuestos que aquí caracterizamos como no restrictivos y restrictivos. Sin embargo, antes de cerrar esta presentación introductoria conviene que nos refiramos al segundo factor, antes mencionado, que constriñe las interpretaciones en cuestión: la semántica de la frase nominal. Más específicamente, los adjetivos atributivos pueden aparecer tanto en sintagmas nominales definidos como en indefinidos y las restricciones interpretativas no son las mismas en estos dos contextos. Como se habrá advertido, todos los ejemplos de (17) (a diferencia de lo que ocurría en los apartados anteriores) son frases nominales definidas. Esta selección no es fortuita sino que se debe a que, en sentido estricto, la oposición restricción no restricción sólo se verifica en sintagmas nominales definidos, en los indefinidos esa relación semántica no es posible.[23] Este hecho es una consecuencia directa de la diversa naturaleza semántica de las frases introducidas por artículos definidos e indefinidos [→ § 12.1]. En términos muy generales, las frases nominales definidas tienden a designar objetos cuya existencia se presupone, a tener por tanto una lectura referencial y específica (si bien pueden también tener lectura inespecífica en determinadas condiciones). Las frases indefinidas, por su propia naturaleza semántica, propenden en cambio a ser ligadas por operadores cuasicuantificacionales o modales, lo que da como resultado la acepción de objeto nuevo, no conocido, inespecífico, que generalmente se asocia a ellas (si bien también pueden referirse en ocasiones a entidades específicas). Parece natural pues que la restricción y especificación sea una función semántica propia de las expresiones que se refieren a entidades conocidas, existentes, presentadas, esto es, específicas, y que esa restricción no pueda tener lugar en los sintagmas indefinidos. Fijémonos en los ejemplos de (18):

(18)
a. Al entrar en la fiesta me miraban fijamente *unos ojos hostiles.*
b. Al entrar en la fiesta me miraban fijamente *unos hostiles ojos.*
c. *Unos turistas desaprensivos* arrancaron la valla que rodeaba las flores.
d. *Unos desaprensivos turistas* arrancaron la valla que rodeaba las flores.

En las oraciones de (18) la anteposición o posposición de *hostiles* y *desaprensivos* no implica, como en las de (17), que el objeto modificado sea una clase determinada

[23] Para una observación similar véase el capítulo 5: § 5.3.2.2.

de un objeto conocido por el hablante y el oyente. En realidad en los dos casos de cada ejemplo los adjetivos designan el mismo número de objetos, si es que el sintagma es denotador. Obsérvese que si el artículo fuese definido *los ojos hostiles* podría referirse a varios pares de ojos (habría que decir, por caso, «los ojos hostiles de varios invitados») y *los turistas desaprensivos* sería un subconjunto de los turistas de los que se ha estado hablando; *los hostiles ojos (de Luis)* o *los desaprensivos turistas* sólo singularizan algo más a los referentes de los términos empleados. Pese a que no tengan interpretaciones restrictivas y no restrictivas, entre las oraciones de (18a) y (18b) (y (18c) y (18d)) hay, sin embargo, una importante diferencia de significado que explicaremos oportunamente en el § 3.5.2.3. Por el momento, reparemos tan sólo en que las oraciones (18a) y (18b) tienen diferentes continuaciones posibles, como se ve en (19a) y (19b), y sólo la construcción con adjetivo pospuesto puede ser el sujeto de una oración copulativa identificativa: (19d) frente a (19c). Ambas situaciones sugieren que la diferencia de significado entre el adjetivo antepuesto y el pospuesto en los sintagmas nominales indefinidos tiene que ver con el aumento de su capacidad de designar un objeto presupuesto o específico:

(19) a. Al entrar en la fiesta me miraban fijamente unos ojos hostiles, {eran los de Luis/#que habría querido no reconocer}.
b. Al entrar en la fiesta me miraban fijamente unos hostiles ojos, {eran los de Luis/que habría querido no reconocer}.
c. **Unos turistas desaprensivos* son los que arrancaron la valla.
d. *Unos desaprensivos turistas* son los que arrancaron la valla.

La diferencia de aceptabilidad entre las dos oraciones copulativas identificativas se debe a que en estas oraciones los dos términos que se identifican han de ser referencialmente equivalentes, y lo que aquí sucede es que en (19c) el primer término puede ser inespecífico, a diferencia del segundo. Nótese que si en estas oraciones invertimos el orden entre *unos turistas* y *los que arrancaron la valla* el juicio de aceptabilidad se invierte y la construcción correspondiente a (19c) es perfectamente aceptable: *Los que arrancaron la valla son unos turistas desaprensivos.* Esta última oración es simplemente una copulativa atributiva o caracterizadora y la expresión clasificadora con adjetivo pospuesto funciona mejor como predicado caracterizador.

En resumen, en esta primera parte hemos definido a los adjetivos en tanto que categoría sintáctica y categoría semántica y hemos delimitado a grandes rasgos las tres clases léxico-sintácticas de adjetivos de las que vamos a ocuparnos en lo que queda de este capítulo, en el orden en que ahora las enuncio: la de los adjetivos relacionales, la de los calificativos y la de los adverbiales intensionales y circunstanciales (o eventivos). Para caracterizar de una manera fina la conducta sintáctica y las subclases de estas clases de adjetivos era conveniente que definiésemos las relaciones semánticas básicas que ellos pueden establecer con los nombres: la individualidad frente a la precariedad, la intersección frente a la subsección, y la restricción frente a la no restricción (con el caso paralelo de la especificidad/inespecificidad). En las secciones que vienen estudiaremos pues las tres clases de adjetivos. Al tratar de los calificativos abordaremos la compleja cuestión de los valores y factores de la posición del adjetivo en la gramática de la lengua española.

.3. Los adjetivos relacionales

3.3.1. Características sintácticas y morfológicas de los adjetivos relacionales o pseudo-adjetivos

3.3.1.1. Características sintácticas

En el § 3.2.2.1 definíamos a los adjetivos relacionales como aquellos que se refieren a un conjunto de propiedades (a una entidad externa) con las cuales el nombre modificado establece una relación semántica determinada, pendiente aún de especificar. Dábamos allí tres contextos o situaciones sintácticas que permiten distinguirlos de los calificativos. Repetimos esos tres contextos en (a), (b) y (c), pero añadiremos a ellos otras situaciones características y diferenciadoras. [24]

(a) Numerosos adjetivos relacionales no pueden encontrarse en posiciones predicativas (cf. también *supra* los ejemplos (9) y (10)):

(20) a. La actuación policial — *La actuación fue policial.
b. La arqueología submarina — *La arqueología es submarina.

Es cierto también que una buena parte de los adjetivos relacionales pueden ser predicados de una oración copulativa: *La revista es mensual* / *La comedia es musical* / *El contexto (de la medida) es internacional.* En el § 3.3.1.3, una vez delineadas las características morfológicas de estos adjetivos, indicaremos las razones por las que algunos de estos adjetivos pueden usarse predicativamente.

(b) Los adjetivos relacionales no aceptan adverbios de grado ni pueden formar parte de construcciones comparativas:

(21) a. La conducta laboral — *La conducta tan laboral.
b. Aceptó el tratamiento psicológico del médico — *Aceptó el tratamiento bastante psicológico del médico.

(c) No tienen antónimos ni entran en correlaciones de polaridad:

(22) a. El respeto personal («hacia la persona», distinto de «el respeto íntimo») — #El respeto impersonal (distinto de la distinción entre *un intelectual honesto — un intelectual deshonesto*).
b. El mercado laboral — *El mercado {in-/a-} laboral.

Bosque (1993a: 22) señala atinadamente que cuando los adjetivos de relación llevan prefijo negativo no designan a su antónimo, como sucede con los calificativos *(honesto-deshonesto / apacible-desapacible / tranquilo-intranquilo),* sino la exclusión de la clase representada por el adjetivo relacional: *gramatical-agramatical / legal-ilegal / científico-acientífico*.

Otras características de estos adjetivos se derivan de su posición dentro del sintagma nominal y de sus relaciones con los adjetivos calificativos.

---

[24] Para la delimitación de estas características nos basamos principalmente en Bartning 1980.

(d) A diferencia de los adjetivos calificativos, los relacionales se posponen siempre:

(23) La zona industrial — *La industrial zona. / Una visión cortoplacista (de la política) [*El País,* 4-V-1997, 11] — *Una cortoplacista visión de la política. / La ciudad universitaria — #La universitaria ciudad. / La prosa realista. — *La realista prosa. / La crispación política — *La política crispación.

Ahora bien, en numerosas ocasiones, adjetivos que se emplean comúnmente como relacionales pueden encontrarse antepuestos sin merma de la gramaticalidad de la construcción. Se suele afirmar que en estos casos los adjetivos relacionales se han recategorizado como calificativos. Lo que sucede, en efecto, es que estos adjetivos pasan a significar sólo una propiedad, singularizada frente a las otras, del conjunto de propiedades que definen a la entidad con la que se relaciona el nombre a través del adjetivo. Los ejemplos de (24) —basados varios de ellos en los de Bosque (1993a: § 4.1), donde se postula esta recategorización— ilustran este cambio de condición de los adjetivos designadores de varias propiedades en adjetivos designadores de una sola propiedad, y muestran que en esta segunda acepción es posible anteponerlos. Así, en el par de (24a) *usos amorosos* se refiere a las «costumbres relacionadas con (las actividades propias) del amor» mientras que los *amorosos arrullos* significa simplemente «tiernos (=cariñosos) arrullos»; en (24b) *teatral* significa, en el uso relacional, «lo que sucede en el teatro», y en el empleo calificativo, una actitud «estudiada» o «afectada», y así sucesivamente.

(24) a. Los usos amorosos (en la España isabelina). — Los amorosos arrullos (de los enamorados).
b. El espectáculo teatral. — Mi teatral amiga.
c. El acuerdo diplomático. — Su diplomático saludo.
d. Las Ramblas barcelonesas. — La obra fue estrenada en el barcelonés Teatro Principal el 7 de enero de 1915 [*El País,* 13-VIII-1996, Cartas al director].
e. Una novela histórica. — El histórico pacto.

Naturalmente, cuando estos adjetivos recategorizables aparecen a la derecha del nombre es posible que den lugar a ambigüedades entre la interpretación relacional y la calificativa. *Una actuación teatral* puede significar «en el teatro» (y contraponerse a una *actuación cinematográfica*) o puede aludir a una actuación «exagerada y aparatosa» (sólo en este segundo caso es un adjetivo calificativo); *un texto barroco* puede designar una obra específica de ese período de la historia literaria, y es entonces un adjetivo relacional, o puede aludir a una escritura recargada y artificiosa. Obsérvese que el empleo relacional se pierde cuando cualquiera de estos adjetivos precede al nombre: *una teatral actuación* sólo designa una manera excesiva de proceder y *un barroco texto* es simplemente un texto exagerado.

(e) Los ejemplos que venimos introduciendo nos indican que los adjetivos relacionales acompañan más frecuentemente a nombres deverbales o nominalizaciones que a nombres comunes. Su aparición es posible, sin embargo, sólo con las nominalizaciones de resultado y no con las de proceso o acción que, a semejanza de los verbos, desarrollan o expanden los argumentos verbales en posiciones sintácticas [→ § 6.3.1]. Esta limitación se ilustra en los ejemplos de (25) y ha sido puesta de relieve también por Bosque y Picallo (1996: § 3.2). (25a) es una nominalización de evento/proceso, (25b) es un nombre deverbal de resultado:

(25) a. La producción de café por parte de Cuba descendió a finales de los ochenta.
b. {La producción cafetera (*por parte de Cuba) / La producción cafetera de Cuba} descendió a finales de los ochenta.

La observación de que los adjetivos de relación 'referenciales' acompañan sólo a nombres deverbales de resultado es original de Picallo (1991: 281) quien especifica también las clases de verbos que permiten esa modificación adjetiva: los transitivos y un subgrupo de los intransitivos (los de la clase de *temer,* que tienen argumento externo y que por ende no son inacusativos; pero no los de la clase de *preocupar,* considerados como inacusativos); el trabajo de Picallo se refiere al catalán. En castellano, y en lo que respecta a los intransitivos, los datos de que disponemos sobre presencia de adjetivos relacionales en deverbales de intransitivos incluyen no sólo a intransitivos del tipo de *temer (el amor argentino por el tango; el respeto español por la monarquía o el temor juvenil a la droga)* sino también a deverbales de inacusativos como *gustar, agradar, desgradar* o *repugnar* (*el agrado popular por las películas de acción; el desagrado hindú por la violencia; el gusto argentino por el fútbol; la repugnancia infantil por las verduras,* etc.).[25]

(f) El nombre y el o los adjetivos relacionales que lo siguen forman una unidad compacta, de manera que los adjetivos calificativos, como en (26a), o los modales y circunstanciales, como en (26b) y (26c), no pueden intercalarse entre ellos. Podemos decir, pues, que el adjetivo relacional ha de mantener una relación de adyacencia estricta con el nombre al que modifica:

(26) a. La magnífica actuación policial / La actuación policial magnífica. — *La actuación *magnífica* policial.
b. El posible avance normando. — *El avance *posible* normando.
c. El firme movimiento asambleario / El movimiento asambleario firme. — *El movimiento *firme* asambleario.

Esa estricta adyacencia se mantiene también cuando concurren otros modificadores del nombre en la frase nominal, a saber, un complemento preposicional tampoco puede situarse entre el nombre y el adjetivo de relación: **la producción de Francia industrial* (frente a *la producción industrial de Francia*); **la mañana con José parisina* (frente a *la mañana parisina con José*). Incluso en los casos de nombres seguidos de frases preposicionales con las que forman un semicompuesto *(tren de alta velocidad, mañana de sol, plan de educación)* el adjetivo relacional debe colocarse muy preferentemente a continuación del nombre:

(27) El tren francés de alta velocidad — ??El tren de alta velocidad francés. / El plan público de educación — *El plan de educación público. / La fiesta nacional de independencia — ??La fiesta de independencia nacional.

---

[25] Los datos de esta última serie me han sido proporcionados por M. Rosa Fracassi y han sido atestiguados por hablantes argentinos. Conviene indicar que algunos ejemplos anómalos en catalán (Picallo 1991: 288) no lo son tanto en castellano, sugiriendo pues una diferencia entre las dos lenguas: *la atracción catalana por las cuestiones de la lengua, la preocupación norteamericana por la obesidad.*

Este requisito no es tan fuerte, en cambio, en el caso de los adjetivos calificativos. Ciertamente, en las construcciones con calificativos posnominales la posibilidad de que el adjetivo preceda o siga al complemento preposicional del nombre depende de factores diversos: sintácticos ante todo (el hecho de que la frase preposicional forme una unidad léxico-morfológica con el nombre o sea sólo un complemento de él), rítmicos, semánticos (la condición precaria o no predicativa del adjetivo), la pesantez de la estructura, etc., de los que trataremos en los §§ 3.5.1.2 y 3.5.1.3. De todos modos, podemos adelantar ya, a través de los ejemplos de (28), que en los casos en que modifica a un semicompuesto [→ §§ 1.2.2 y 73.8] el adjetivo calificativo (a diferencia de lo que veíamos en (27)) va preferentemente después del SP: (28a), y en los de nombre seguido de verdadero complemento tiende a suceder al nombre y preceder al SP: (28b). Con otras palabras: el adjetivo calificativo respeta la unidad <N + SP> a diferencia del adjetivo relacional que se sitúa entre N y SP:

(28) a. El plan de educación innovador — ?El plan innovador de educación. / El avión a reacción maravilloso — ??El avión maravilloso a reacción. / La mañana de sol luminosa — La mañana luminosa de sol.
b. La amiga simpática de Luisa — ?La amiga de Luisa simpática. / El jarrón verde de Luisa — *El jarrón de Luisa verde.

Esta diferencia entre los relacionales y los calificativos se pone de manifiesto también en su conducta con los posesivos pospuestos como *suyo* o *nuestro*. Según se indica en el capítulo 15 (§ 15.3.2), el posesivo pospuesto no puede interrumpir la secuencia formada por el nombre y sus modificadores cuando el adjetivo que sigue al nombre es de relación *(Resolvieron un recurso administrativo suyo* frente a **Resolvieron un recurso suyo administrativo);* la posición del posesivo es más libre, en cambio, si el adjetivo posnominal es calificativo *(un mensaje suyo muy misterioso* y *un mensaje muy misterioso suyo).* Un contraste similar tiene lugar cuando el sustantivo va acompañado de la palabra negativa *alguno* situada en posición posnominal. Esta palabra debe preceder a los complementos restrictivos *(No conozco persona alguna de esa talla — *No conozco persona de esa talla alguna)* [→ § 40.3.3.2], pero debe en cambio seguir a los adjetivos relacionales *(*No tengo reloj alguno eléctrico — No tengo reloj eléctrico alguno).* Tiene una posición ambigua, por último, con los adjetivos calificativos *(No vi libro rojo alguno — No vi libro alguno rojo).*

(g) Cuando en un sintagma nominal concurren varios adjetivos relacionales estos se adosan o incrustan unos en otros y el adjetivo situado más a la derecha modifica siempre a la unidad formada por el nombre y el primer adjetivo relacional. En *la novela histórica decimonónica* el último adjetivo modifica a *novela histórica;* en el ejemplo de (29a) *jerezano* se aplica a *mapa patriótico* no sólo *a mapa,* y en (29b) cada uno de los tres adjetivos relacionales sucesivos tiene alcance sobre la unidad formada por el nombre y el o los adjetivos anteriores.

(29) a. Esa tropa de señoritos [...] desapareció bien pronto del *mapa patriótico jerezano* [J. M. Caballero Bonald: *Tiempo de guerras perdidas*, 39].

b. ...por cuanto —transcripción literal de los periódicos— «menosprecia gravemente el *patrimonio cultural autóctono valenciano*» [R. Sánchez Ferlosio: *La homilía del ratón*, 26].

(h) Los adjetivos relacionales no se coordinan con los calificativos: **una persona católica y simpática,* ni con los adverbiales: **un viaje transatlántico y largo.* En construcciones como *una persona liberal y encantadora* lo que sucede es que el primer adjetivo está empleado como calificativo (en *partido liberal,* en cambio, *liberal* es un adjetivo relacional). En el § 3.3.3 añadiremos nuevas precisiones respecto del orden y de los tipos de relaciones sintácticas que se establecen entre los adjetivos relacionales.

(i) Los adjetivos relacionales, por último, no admiten complementos: **las fuerzas productivas para la nación* frente a *una persona apta para los negocios*. Este hecho, unido a la imposibilidad de admitir modificadores de grado (cf. *supra* el § 3.3.1.1b), indica que los adjetivos relacionales, a diferencia de los calificativos, no dan lugar a una estructura sintagmática plena, a una frase con núcleo y complementos, y se expanden tan sólo hasta el nivel de la palabra. Esta propiedad, junto con el requisito de adyacencia descrito en el § 3.3.1.1f, suele tenerse en cuenta para caracterizar la relación morfo-sintáctica que se establece entre el nombre y el o los adjetivos relacionales que lo siguen, y que consideraremos en el § 3.3.1.2c.

Las nueve características que acabamos de desglosar evidencian una entidad bien definida, con propiedades singulares frente a los adjetivos calificativos. Sus características morfológicas también son precisas y específicas.

3.3.1.2. Características morfológicas

(a) Los adjetivos relacionales son siempre sufijales y derivan de nombres. Los sufijos derivacionales que los forman son numerosos; *-al/-ar, -ario, -ano, -ico, -ivo, -ista, -esco* o *-il* pueden servir como ilustración, pero en español se documentan más de setenta sufijos aptos para la derivación de adjetivos denominales de relación [→ Cap. 70, especialmente el § 70.3.1]. Estos sufijos no son exclusivos de esta clase de adjetivos ya que pueden aparecer también en adjetivos calificativos, si bien algunos de ellos son manifiestamente preferidos por los relacionales (los siete primeros de la lista anterior, por ejemplo, entre los más productivos). Otros sufijos son preferidos, en cambio, por los calificativos (los dos últimos de la serie precedente así como *-oso* y *-udo,* [26] entre varios otros). En (30) tenemos algunos ejemplos de adjetivos relacionales formados mediante los sufijos antes enumerados [→ § 70.5]:

---

[26] Bosque (1993a: § 3.2) señala, en efecto, que «en español, muy pocos de los adjetivos denominales que se construyen con *-esco* son adjs.-R[elacionales]»; *dantesco* o *quijotesco* nunca significan «de Dante» o «de Quijote» en construcciones como *Incendio de proporciones dantescas* o *Individuo quijotesco*.

(30) *-al:* feria nacional, solución radical, decisión gubernamental, novela policial, médico rural.
-ar: paisaje lunar, cría caballar, ganado lanar, problema pulmonar, análisis clausular («de la cláusula»).
-ario: problema estatutario, zona portuaria, claustro universitario, comercio comunitario («de la Comunidad europea»), transmisión hereditaria.
-ano: ideas republicanas, paradigma chomskiano, canto gregoriano, revolución copernicana, culto mahometano.
-ico: dictadura ayatólica [§ 70.3.1.1], viaje patagónico, filosofía analítica, desigualdades geográficas [*El País semanal* 25-V-1997, 37], educación pública.
-ivo: acto delictivo, política informativa («de la *información*»), madre nutritiva (i.e. «que da *nutrición*»), problemas afectivos, problemas auditivos («de la *audición*»).
-ista: economía comunista, ideología marxista, pueblo catastrofista, persona idealista, dictadura franquista.
-esco: novela caballeresca, poesía juglaresca, arte plateresco (los tres en Bosque [1993a: 19-20]), creaciones arnichescas [§ 70.3.3.1].
-il: derecho mercantil, producción textil, poesía pastoril (los tres en Bosque [1993a: 20]), sentido táctil, encuentro civil.

Estos sufijos tienen un significado relativamente estable que aquí no estudiaremos (cf. cap. 70), pero que puede variar a su vez en virtud del significado del sustantivo base al que se aplique, como veremos en los §§ 3.3.2.1 y 3.3.2.2. Asimismo, si bien algunos sufijos se usan más que otros para la derivación de adjetivos relacionales (es el caso del sufijo *-al*, cuyo significado es precisamente «relativo a», o el del sufijo *-(i)ano* que forma, por defecto, deonomásticos de persona), en el empleo de estos sufijos encontramos también la labilidad y la relativa arbitrariedad típicas de las formaciones derivadas. Puede darse el caso, por ejemplo, de que una forma originalmente relacional pase a ser exclusivamente calificativa si en el léxico de la lengua aparece un derivado alternativo con significado relacional. Gawelko (1975: 309) documenta el caso del adjetivo polaco equivalente a *cordial* que dejó de ser relacional y se convirtió en calificativo a medida que la palabra polaca correspondiente a *cardíaco* se especializó en el significado «del corazón»; en castellano ha sucedido lo mismo. En el mismo sentido, una formación en *-al* como *maternal* pasa a tener un empleo preferido como calificativo (*persona maternal,* pero téngase en cuenta también *amparo maternal,* nombre dado en Argentina a instituciones de alimento y acogida de niños sin hogar) cuando *materno* se generaliza con el significado de «de la madre», como en *la herencia materna.* El interesante doblete moderno *policial-policiaco* sobre cuyos valores, a veces paralelos a veces contrapuestos, reflexiona certeramente Pascual (1996), ilustra la evolución de la forma *policiaco* que «del sentido neutral de referente a la policía... fue derivando hacia el meramente calificativo de *brutal» (estado policiaco)* (1996: 43), para volver luego a desarrollar un sentido relacional *(el cine policiaco)* a la par que *policial* empezaba a tener un significado calificativo («*...en un estado tan policial como el alemán...*»; cit. por Pascual 1996: 45).

(b) Es característico de los adjetivos relacionales ir acompañados de prefijos preposicionales como *ante-*, prefijos adverbiales del tipo de *pre-* o *anti-* así como de prefijoides o temas grecolatinos del estilo de *neo-* o *paleo-*:

(31) Ideas antediluvianas. / La batalla pre-electoral. / El período post-democrático. / La política antidemocrática. / La corriente neoliberal. / Un partido paleomarxista.

Paradójicamente, el prefijo no siempre es un modificador de la forma adjetiva derivada, antes bien el sufijo se refiere a la unidad formada por la base nominal y el prefijo. [27] La expresión *batalla pre-electoral,* por caso, no alude a un suceso anterior a lo electoral sino a una batalla que tendrá lugar antes de las elecciones; el prefijo pues forma una unidad con la base nominal. Una *política anticomunista* no es una política en contra de lo comunista sino aquella partidaria de lo contrario al comunismo.

(c) La exigencia de adyacencia estricta y el hecho de que la relación <N + Adjetivo relacional> sea equivalente, en ocasiones, a la constituida por un N seguido de un SP con un nombre sin determinante (una *huelga patronal* es una *huelga de patrones* y no una *huelga de los patrones; la Córdoba califal* no es *la Córdoba del califa* sino *la Córdoba con califas*) ha llevado a algunos autores a considerar que la estructura formada por el nombre y el adjetivo relacional pudiera ser asimilable a la de ciertos compuestos de las lenguas romances; más específicamente, a postular que la relación entre el nombre y el adjetivo relacional es más una relación morfológica que una relación sintáctica. [28]

Podemos esbozar escuetamente el interés y los límites de esta propuesta. Los compuestos sintagmáticos, compuestos lexicalizados o «compuestos impropios» (cf. Rainer y Varela 1991: § 1.1.2) formados por un nombre seguido de adjetivo [⟶ §§ 73.1.1 y 73.8] tales como *guardia civil, cuenta corriente, puente aéreo, salto mortal* o *bomba lacrimógena* se caracterizan, entre otras propiedades, por poseer un significado unitario, estar muy cohesionados sintagmáticamente (no admitir, por lo general, modificadores ni complementos en el segundo miembro del compuesto: **boletín muy meteorológico*) y ser transparentes semánticamente. Muy pocos de esos compuestos tienen significado no literal o cuasi metafórico; *salto mortal, tortilla francesa* o *salsa bearnesa* podrían ser ejemplos en este sentido. Estas unidades —a diferencia de los compuestos perfectos como *hojalata* o *hierbabuena,* donde hay una verdadera fusión léxica— se caracterizan asimismo porque pueden tener flexión interna:

(32) Guardias civiles. / Bombas lacrimógenas. / Llaves inglesas (frente a *Hierbasbuenas u *Hojas latas).

Las propiedades generales de estas lexicalizaciones o compuestos impropios, incluida la de poder flexionar sus dos constituyentes, se dan también en secuencias como *reforma constitucional* o *estudios filológicos* que podrían, por lo tanto, considerarse compuestos sintagmáticos. Ahora bien, si existe una diferencia entre las secuencias <N + Adjetivo relacional> y los verdaderos compuestos sintagmáticos, ella estriba en que las frases del primer tipo *(sociedad industrial, industria alimenticia* o *motor eléctrico)* son más sensibles que los compuestos sintagmáticos a ciertos procesos sintácticos. Bosque y Picallo (1996: § 4.2) argumentan, que la presencia de un adjetivo relacional (lo mismo sucede con los calificativos) sirve para identificar un nombre elidido o sobreentendido, como se ilustra en (33a). (33b) sugiere, en el mismo sentido, que en los verdaderos compuestos el primer elemento no actúa como constituyente independiente capaz de legitimar un elemento sobreentendido:

---

[27] Más estrictamente, estas formas constituyen ejemplos característicos de las paradojas de segmentación o encorchetamiento [⟶ § 67.2.1.2].

[28] Este posible análisis se sugiere en Bartoš 1978 y en Bosque 1993a; se rechaza explícitamente, en cambio, en Bosque y Picallo 1996. Argumentos en pro de un análisis en esta línea se encuentran también en Crisma 1990 y Zamparelli 1993 para el italiano. Estos autores ponen de relieve el hecho de que las lenguas de orden <N + Adjetivo relacional> (como el italiano y el español) ordenan sus adjetivos en una secuencia que es la imagen espejo de la correspondiente a las lenguas de orden <Adjetivo relacional + N> (como el inglés). Al castellano *Producción algodonera cubana* corresponde el inglés *Cuban cotton production.* Ese orden estaría en buena medida determinado por la distinta manera de formar los compuestos en ambos tipos de lenguas. Recordemos que el inglés tiene *can opener* «(de) latas abridor» donde el español da *abrelatas.*

(33) a. La sociedad industrial y la [—] cibernética configuran las dos grandes etapas del siglo XX.
b. *Vi los hombres-rana y los *(hombres-)anuncio [Bosque y Picallo 1996: 364]. [29]

Otra diferencia importante entre los compuestos sintagmáticos y nuestra unidad <N + Adjetivo relacional> reside en que en estos últimos (pero no en los verdaderos compuestos sintagmáticos) el adjetivo puede estar modificado por adverbios focalizadores. [30] Estos adverbios pueden ser restrictivos, como en (34a) y limitar la aplicación del sentido al elemento enfocado, o pueden ser excluyentes, como en (34b), e implicar que ninguna de las alternativas satisface la noción que se focaliza; estos adverbios, como corresponde a su capacidad para marcar a todas las categorías, se aplican a todo tipo de adjetivo relacional (*una decisión específicamente presidencial:* «específica del presidente»; *un carril estrictamente peatonal:* «justo para los peatones»). Por último, según se desprende de (34c) los elementos internos de los verdaderos compuestos no admiten adverbios focalizadores que sí son posibles en las frases lexicalizadas en las que se recupera la preposición:

(34) a. Los procedimientos estrictamente cibernéticos. / Un viaje específicamente turístico.
b. Una revista sólo trimestral. / Una respuesta exclusivamente oficial.
c. *Tren estrictamente mercancías. / Tren estrictamente de mercancías.

Conviene hacer notar, de todos modos, que algunos compuestos propios parecen admitir que el segundo constituyente pueda ser modificado por un adjetivo, adverbio o frase preposicional. Rainer y Varela (1991: 119) mencionan entre ellos a *sector educación, vestido violeta, hombre hombre,* etc.

En el mismo sentido —y sin disminuir la importancia de los hechos anteriores, que son de mucho peso—, hay otros datos que suscitan la sospecha de que la unión entre el nombre y el adjetivo podría constituir una unidad similar a las unidades de la morfología. En opinión de algunos hablantes, opinión que comparto, ciertas secuencias <N + Adjetivo relacional>, a semejanza de los compuestos sintagmáticos, tampoco permiten separar al adjetivo del nombre en los procesos de elisión, (35a); la recuperación del artículo en (35b), asimismo (mostrando que hay un nombre elidido y no coordinación), empeoraría sensiblemente la construcción en cuestión:

(35) a. *Me preocupan la moderación consumista y la [—] salarial.
b. La corrupción, las desigualdades sociales y [*las] geográficas y la contradicción entre libertad económica y política son los lados oscuros... [V. Verdú, *El País semanal,* 25-V-1997, 37].

Por otro lado, si los nombres de las secuencias <N + Adjetivo relacional> actúan a veces como los de los compuestos sintagmáticos, también algunos compuestos sintagmáticos permiten a su primer constituyente actuar en los procesos de elisión como si se tratara de nombres independientes. Los casos son ciertamente muy aislados, pero el siguiente ejemplo ilustra esta observación si aceptamos que *cuenta corriente* es un compuesto sintagmático y que su unidad léxica se manifiesta en la capacidad para derivar *cuentacorrentista: ?El gobierno clausuró las cuentas financieras pero no las [—] corrientes.*

Un último aspecto [31] que indirectamente vincula estas construcciones a los compuestos débiles es el hecho de que los adjetivos relacionales pueden ir acompañados de prefijos, de los que hemos

---

[29] Otra prueba sintáctica de considerable importancia en contra del análisis del complejo <N + Adjetivo relacional> como un posible compuesto sintagmático es que el nombre en cuestión, en catalán, puede ser pronominalizado por medio del pronombre partitivo *ne.* Un núcleo de compuesto, en cambio, no admite esa pronominalización ni acepta la preposición; por otra parte, la presencia de la preposición en estos casos cuestiona seriamente su análisis como compuestos, como me hace notar C. Picallo. El par contrastante siguiente está tomado de Bosque y Picallo (1996: 365):

(i) (D'incursions) *n*'he vist d'aeries i de terrestres.
'Incursiones [de ellas] he visto de aéreas y de terrestres'.
(ii) *(D'homes) *n*'he vist de bala i d'objecte.
'Hombres [de ellos] he visto de bala y de objeto'.

[30] Le agradezco a I. Bosque el haberme recordado este hecho, así como los ejemplos de (34a).

[31] Esta consideración se basa en una prueba similar proporcionada por Levi (1973: 337).

ya mencionado varios *(anti-, bi-, neo-, mono-, ante-, pre-: antinuclear, monoparental, bianual, preconciliar, neonatal);* estos prefijos se unen normalmente a nombres *(antigas, bifronte, monóculo, neonazi, antecámara)* y desde luego no acompañan a los adjetivos calificativos (**antiguapo, *neointeligente, *prealto,* etc.). Esta propiedad hace pensar que puesto que los adjetivos relacionales tienen características de nombre, podrían estar en realidad formando una secuencia <N + N>.

En suma, la cuestión de la exacta naturaleza, sintáctica o morfológica, de estas formaciones queda acaso pendiente, pero estas consideraciones nos han permitido mostrar que la unión de los nombres con los adjetivos relaciones es diversa de la que mantienen con otros modificadores suyos. Estas relaciones parecen estar próximas a las lexicalizaciones y los hablantes las tienen presentes en diversos procesos gramaticales.

3.3.1.3. Limitaciones en el uso predicativo de los adjetivos relacionales

Se afirma frecuentemente que los adjetivos de relación no pueden ser predicativos. Hay ejemplos, sin embargo, que contradicen esta afirmación, como puede verse en (36):

(36) a. La revista es mensual. — *Revista de Occidente* es una revista mensual.
b. La comedia es musical. — *My fair lady* es una comedia musical.
c. La primera elección de la que salió vencedor fue municipal [*El País*, 26-V-1997, 4]. — El acontecimiento fue una elección municipal.
d. La zona sur es industrial. — El sur es una zona industrial.
e. La medida es política. — La ley de aguas es una medida política.

Construcciones similares a las de (36) son *Las visitas fueron nocturnas* / *La televisión es comercial, no estatal* / *El control es parlamentario* / *El cartel es publicitario* / *El conflicto es ideológico*.

(37) muestra, por el contrario, que otros adjetivos relacionales no pueden ser predicados de una oración copulativa:

(37) a. *La moderación es salarial. — La moderación es (*una) moderación salarial.
b. *La pesca es (sólo) ballenera. — La pesca es (*una) pesca ballenera.
c. *La producción es automovilística. — La producción es (*una) producción automovilística.
d. *La arqueología es (exclusivamente) industrial. — La arqueología es (*una) arqueología industrial.
e. *La coalición es presidencial. — La coalición es (*una) coalición presidencial.
f. *El viaje es espacial. — El vuelo fue un viaje espacial.

Ejemplos paralelos son **La construcción es inmobiliaria* / **La protección es aduanera* / **El control es policial* / **La respiración es artificial*.

Los adjetivos de (36) modifican sobre todo a nombres de objeto, que pueden ser a veces deverbales de objeto: (36c). Los adjetivos de (37) son modificadores de nominalizaciones de resultado. Asimismo, los adjetivos de (36) describen condiciones y relaciones asociadas a esos objetos, semánticamente son predicados caracterizadores o clasificadores (tal vez adjuntos, tal vez asociados con rasgos específicos del nombre) y su sujeto es precisamente el nombre al que modifican. Los adjetivos de (37) (con excepción de (37d)) no predican propiedades sino que describen argumentos o elementos de la valencia del nombre: el que se coaliga con otros, en (37e), aquello que se *modera,* se *pesca* o se *produce;* en estas construcciones, pues, los adjetivos relacionales manifiestan relaciones gramaticales. (Volveremos sobre esta distinción entre adjetivos clasificadores y adjetivos argumentales en el § 3.3.2.) Por lo tanto, la posibilidad de ser o no predicado no depende del adjetivo sino del tipo sintáctico del nombre al que modifica, como se ve en (38), donde el primer nombre es un deverbal y el segundo un nombre concreto o abstracto:

(38) a. *La respuesta es docente. — El problema es docente.
b. *La actividad es militar. — El cuartel es militar.
c. *El transporte es aéreo. — La panorámica es aérea.

Los nombres deverbales, por lo que parece, satisfacen por sí mismos (saturan formalmente) el papel semántico que, en la oración con el verbo del que provienen, desempeñaría un sujeto independiente. Con otras palabras, *producción* no es el sujeto de *automovilística* sino que condensa en sí el predicado que selecciona a *automovilística* y el sujeto de ese predicado. Naturalmente, si un adjetivo no es predicativo y si el nombre al que modifica no es su sujeto, no puede haber empleo predicativo de ese y similares adjetivos, como veíamos en (37). Las oraciones que siguen a los ejemplos relevantes de (36) y (37) inciden en lo mismo: las de (36) muestran que cuando la unidad <N + A> aparece en posición predicativa el sujeto ha de ser un hiperónimo o un hipónimo del nombre modificado; en (37) sólo se pueden construir, en cambio, oraciones copulativas con claro valor remático o con significado contrastivo (del mismo modo que podemos decir *Esta industria es TEXTIL, y no metalúrgica,* aunque **La industria es textil* sea una expresión anómala). Bartning (1980: 39) formula una generalización similar a la anterior: «Cuanto más fácil es reconocer la relación gramatical menos posible es la predicatividad».

De todos modos, aunque la generalización anterior cubra una buena parte de los datos, no da cuenta de todas las posibilidades. Hay, en efecto, numerosos adjetivos relacionales acompañantes de nombres comunes que tampoco admiten un uso predicativo:

(39) *El oso es polar (oso polar). / *El águila es imperial (águila imperial). / *El partido es político (partido político), salvo que se interprete como calificativo. / *El nivel es cultural (cf. La revista es cultural). / *Esta orden es religiosa (orden religiosa), salvo que se interprete como calificativo. / *El año es {escolar/fiscal} (año escolar / año fiscal). / *El ingeniero es eléctrico (ingeniero eléctrico). / *El sistema es digestivo (sistema digestivo).

Los elementos de esta segunda serie de adjetivos relacionales no predicativos se caracterizan por no establecer con el nombre ninguna relación semántica específica. Forman con él una entidad única que posee notables semejanzas con los compuestos sintagmáticos, por lo cual nos inclinamos a suponer que son un subconjunto de ellos. Parece, pues, que los adjetivos argumentales como *lechera* en *producción lechera* y los subclasificadores generales forman una clase homogénea: la de los adjetivos relacionales que no pueden usarse como predicados.

3.3.2. Clasificaciones léxico-sintácticas de los adjetivos relacionales

3.3.2.1. Ambigüedad y vaguedad en ciertas construcciones con adjetivos de relación

Con bastante frecuencia las construcciones con adjetivos de relación bien son semánticamente ambiguas bien tienen un significado de contornos vagos o imprecisos. [32] Esta relativa imprecisión se debe tanto al significado lábil de los sufijos como a la compleja semántica de la relación entre nombres y adjetivos. Probablemente la labilidad semántica de esta relación (que no implica que no pueda sistematizarse, como tendremos ocasión de ver), unida a la brevedad y condensación de la forma adjetiva, explique que el recurso a los adjetivos relacionales sea uno de los más frecuentemente utilizados para la creación de unidades semánticas concisas y conceptos denominadores y clasificadores novedosos. Parece más contundente, en efecto, hablar de *instrumentalización partidista* [*El País,* 30-V-1997, 12] que de «instrumentalización en beneficio de los partidos», de *empresas audiovisuales* [*El País,* 30-V-1997, 12] en vez de «empresas dedicadas a la comunicación por radio, cine y televisión»; y tiene más fuerza semántica llamar *estadio mundialista* al «estadio construido en Mar del Plata (Argentina) para su uso en el mundial de fútbol de 1982». Cuando se apela a este procedimiento no se está describiendo un objeto preexistente (como cuando se dice que un libro es rojo) sino que se está nombrando un objeto nuevo, creando una categoría. Es por esto por lo que los adjetivos relacionales son mucho más frecuentes en la prosa periodística y administrativa que en la prosa narrativa o poética.

Los tipos de ambigüedad y vaguedad más fácilmente discernibles son los que a continuación se presentan (pero véanse también los ejemplos preliminares que dábamos en el § 3.3.1.2a):

(a) En formaciones como las de (40) la ambigüedad radica en que los adjetivos pueden interpretarse por lo menos de dos maneras, es decir, pueden contraer más de una relación semántica con el nombre modificado:

(40) Nieve arenosa [de Warren 1988: 122] (a saber: «nieve que contiene arena» o «nieve que parece arena»). / Televisión comercial («televisión sostenida por el comercio», «televisión que hace anuncios»). / Viaje estelar («viaje por las estrellas o viaje hacia las estrellas»).

(b) La doble interpretación de una secuencia <N + Adjetivo relacional> puede deberse a que el nombre modificado sea a su vez ambiguo entre una lectura como deverbal y otra como nombre concreto, en el primer caso el adjetivo modificador será argumental, en el segundo no lo será, como se ilustra, en este mismo orden, en los ejemplos siguientes:

---

[32] Sobre las clases de adjetivos de relación y sobre las relaciones semánticas y sintácticas que establecen con el nombre pueden verse Bartning 1980, Warren 1988, Levi 1974, Ljung 1970 y Schmidt 1972, entre otros. Para el español: Bartoš 1973, Bosque 1993a y Bosque y Picallo 1996.

(41) Estructura molecular [tomado de Bosque 1993a: 16] (a saber, «la estructura de la molécula» o «estructura (de algo) en moléculas»). / Vida monacal («vida de las monjas/monjes», «vida similar a la de las monjas o monjes»). / Mancha solar («mancha producida por el sol», «mancha (que está) en el sol»).

(c) La ambigüedad proviene de la polisemia del adjetivo, que puede designar una propiedad o un conjunto de propiedades (esto es, ser calificativo o ser relacional):

(42) Crítica poética («crítica en términos líricos-poéticos», o «crítica de poesía»). / Deportes agónicos (de masa) [R. Sánchez Ferlosio, *El País,* 31-V-1997, 13] («deportes que están extinguiéndose» —para quien no conozca la etimología— o «deportes donde se lucha por un premio» —sentido etimológico (relacional) que recupera Sánchez Ferlosio—. / Saludo olímpico («saludo desde las alturas», correctamente despreciativo, o «saludo en / de las olimpiadas»).

Puede comprobarse fácilmente que la primera de las dos acepciones anteriores es la única que se encuentra cuando el adjetivo va antepuesto: *poética crítica, agónicos deportes* y *olímpico saludo*.

Estas ambigüedades se originan en dos factores: la laxitud semántica de las subclases sufijales de adjetivos y la complejidad de las relaciones léxico-sintácticas que los adjetivos relacionales mantienen con los nombres por ellos modificados. En cuanto a lo primero, si bien puede afirmarse, en términos generales, que *-al, -ivo* o *-ista* significan respectivamente «relativo a» *(nivel cultural),* «que sirve para» *(bebida digestiva)* y «afecto a» *(persona reglamentista),* en realidad todos ellos pueden translucir otras relaciones semánticas. En la serie de formas con *-al* de (43a), el significado del adjetivo es, sucesivamente, «que produce música», «de música» y «algo poseído por la música en relación parte-todo»; *-ista,* en los ejemplos de (43b), colabora en el significado final del primer ejemplo y en el de «fundado en» de los dos ejemplos que siguen; *-ico* en (43c) se integra en el valor locativo de *patagónico,* en el agentivo de *abandónico* y en el causal-instrumental de *eléctrico:*

(43) a. Reloj musical. / Crítica musical. / Tono musical.
b. Instrumentalización partidista [*El País,* 30-V-1997]. / Discurso nacionalista. / Perspectiva historicista.
c. Viaje patagónico. / Madre abandónica («la que abandona o la que se siente abandonada»). / Reloj eléctrico.

La complejidad de las relaciones léxico-sintácticas que los adjetivos de relación establecen con los nombres —el segundo factor antes aludido— ha dado lugar a intentos diversos de clasificación de estos adjetivos. Esas clasificaciones oscilan entre las que buscan un sistema subyacente a esa gama de significados —derivan esos significados de diversos parámetros de la semántica léxica (Levi 1974, Bartning 1980)— y las que suponen que los varios significados dependen, en última instancia, de factores pragmáticos y culturales (Warren 1988); como consecuencia de ello se concluye en ocasiones que sólo es posible una clasificación sintáctica de los adjetivos de relación (Bosque y Picallo 1996). En el § 3.3.2.2 presentaremos dos clasificaciones de los adjetivos de relación, una léxico-semántica y otra (léxico)-sintáctica en el § 3.3.2.3; propondremos, en líneas muy generales, un nuevo análisis de estos adjetivos.

3.3.2.2. Dos clasificaciones de los adjetivos de relación

(a) Podemos distinguir tres clases de adjetivos relacionales si atendemos a su valor semántico en la relación de modificación: a) el adjetivo tiene el valor semántico que correspondería a una función gramatical canónica *(decisión comunitaria = decisión de la comunidad = la comunidad* (Sujeto) *decide);* estos valores sólo se dan cuando el nombre modificado es una nominalización; b) el adjetivo adopta uno de entre una serie de valores semánticos adjuntos (locativo, instrumental, causal, final, posesivo, etc.) y c) el adjetivo tiene un significado integrable en el nombre; este significado corresponde a ese etéreo pero perfectamente identificable significado parte/todo, continente/contenido, fondo/forma que se asocia a la preposición *de* en construcciones como *mesa de madera, idea de los jóvenes, actitud de los varones,* etc. (44) ilustra, en el mismo orden, estos tres tipos de valores semánticos:

(44) a. ADJETIVO RELACIONAL CORRESPONDIENTE A UNA FUNCIÓN GRAMATICAL: Producción artesanal («producción de artesanía»). / Masaje cardíaco («masaje al corazón»). / Rechazo senatorial («rechazo por parte del Senado»). / Error administrativo («error de/por parte de la Administración»).

b. ADJETIVO RELACIONAL CORRESPONDIENTE A UNA FUNCIÓN SEMÁNTICA ADJUNTA: Vista aérea («vista desde el aire»). / Puerto marítimo («puerto en el mar»). / Energía eólica («energía producida por el viento»).

c. ADJETIVO RELACIONAL DE SIGNIFICADO INTEGRADO EN EL NOMBRE: Código civil. / Ballena patagónica. / Enfermedad cardiovascular. / Plan inmobiliario. / Estilo arquitectónico. / Educación primaria. / Instituciones democráticas. / Prestigio cultural. / Ideas republicanas. / Contingencias bélicas (y todos los ejemplos de (39) *supra*).

La clasificación que acabo de esbozar está basada en la seminal de Levi 1974, que hace suya también Bartning 1980. La clasificación de Levi, característica del período de la semántica generativa, deduce tres tipos de adjetivos relacionales de tres tipos de estructuras semánticas a las que se asocian procesos gramaticales: tres tipos de relaciones semántico-sintácticas subyacentes entre los nombres y los adjetivos. Las tres clases de adjetivos antes mencionados se derivan, respectivamente, por ‘nominalización’, ‘elisión de un predicado (subyacente)’ e ‘incorporación’. Entre los predicados subyacentes que pueden elidirse están TENER *(Palacio real (palacio que tiene el rey)),* CAUSAR *(Infección viral (infección causada por un virus)),* HACER *(Reloj musical (reloj que hace música)),* USAR *(Trabajo manual (trabajo que usa las manos))* SER *(Célula familiar (la familia es una célula))* y (ESTAR) EN *(Nota marginal (nota en el margen)).* (Los ejemplos son de Levi o están inspirados en ella.)

Esencial a esta propuesta es el supuesto de que la relación nombre-adjetivo relacional no es irrestricta y, por consiguiente, idiosincrásica o hiperespecífica (como sugieren los análisis pragmáticamente orientados) sino «múltiplemente ambigua a partir de un conjunto reducido y predecible de posibles [acepciones o] interpretaciones» (Levi 1974: 403). Levi sí piensa que los factores pragmáticos son decisivos para descartar las interpretaciones posibles pero inexistentes. Efectivamente, la propuesta de esta autora implica que una estructura como *visión aérea* podría significar no sólo «vista desde el aire», que es lo que significa, sino «visión por medio del aire, visión que usa el aire (para ver)» o «visión que produce aire». A su juicio es nuestro conocimiento del mundo el que nos permite reducir este cúmulo de interpretaciones.

Las clases (a) y (b) de los adjetivos de (44) se subdividen a su vez en varias subclases, tantas como permita la valencia del verbo del que proviene el nombre deverbal (la nominalización), de un lado, y tantas como papeles semánticos adjuntos puedan asociarse a los nombres comunes, de otro. En (46) se ejemplifican valores de los adjetivos asociados a nominalizaciones ((44a) contiene algunos ejemplos más):

(46) a. ADJETIVOS RELACIONALES CORRESPONDIENTES A SUJETOS AGENTIVOS: Comentario editorial («comentario del editor»). / Exportaciones chilenas («exportaciones de Chile»). / Rechazo senatorial («rechazo de los senadores»). / Estructura molecular (cf. (41)). / Actividad tormentosa («actividad de la tormenta»). / Invasión urbanística («lo urbano invade»).

b. ADJETIVOS RELACIONALES CORRESPONDIENTES A SUJETOS EXPERIMENTANTES: Sufrimiento materno («sufrimiento de madre»). / Temor policial («temor de la policía»).

c. ADJETIVOS RELACIONALES CORRESPONDIENTES A OBJETOS DIRECTOS PACIENTES, AFECTADOS O EFECTUADOS: Producción lechera («producción de leche»). / Educación infantil («educación de infantes», cf. con *educación primaria* en (44c)). / Planificación urbana («planificación de la urbe»). / Enmienda constitucional («enmienda de la Constitución»). / Estudios oceanográficos («de la oceanografía»). / Explotaciones agrarias («explotación del campo/agro»).

d. ADJETIVOS RELACIONALES CORRESPONDIENTES A COMPLEMENTOS LOCATIVOS: Tránsito aéreo («tránsito por el aire»: locación con recorrido). / Aterrizaje lunar («aterrizaje en la luna»: locación- meta). / Viaje espacial («viaje a través del espacio»: locación recorrido).

e. ADJETIVOS RELACIONALES CORRESPONDIENTES A COMPLEMENTOS INSTRUMENTALES: Producción manual («producción por medio de las manos»). / Elaboración industrial («elaboración con medios industriales»). / Análisis microscópico («análisis mediante microscopio»).

f. ADJETIVOS RELACIONALES CORRESPONDIENTES A COMPLEMENTOS FINALES: Cortejo amoroso («cortejo para el amor»). / Poesía laudatoria («orientada al elogio»). / Maniobra política («con fines políticos»).

Los valores semánticos de los adjetivos relacionales asociados a los nombres deverbales o nominalizaciones son pues bastante restringidos y se corresponden muy estrictamente con los roles o valencias seleccionados por las entidades verbales. Es más difícil, en cambio, hacer una lista exhaustiva de los valores semánticos adjuntos o generales que pueden vincularse a los nombres comunes a través de los adjetivos relacionales; algunos de ellos son los mismos que se asocian a los deverbales (locación, tiempo, causa, instrumento o finalidad) sugiriendo, pues, que nombres sin origen verbal aparente pueden tener propiedades verbales; otros (el significado de posesión, el más conspicuo) sólo pueden darse con los nombres comunes. En (47) tenemos una lista representativa:

(47) a. LOCACIÓN: Tropas fronterizas («tropas en la frontera»). / Merienda campestre. / Vida marina. / Paseo marítimo («que va por el mar»: locación con recorrido). / Visión aérea («visión desde el aire»: locación de origen). / Posición social. / Río serrano. / Militar jordano. / Enclave urbano.
b. TIEMPO: Flores primaverales («flores (que se dan) en primavera»). / Verduras invernales. / Juegos romanos. / Literatura medieval. / Impuesto anual. / Iglesia románica.
c. INSTRUMENTO: Testigo ocular («testigo mediante sus ojos»). / Pintura cibernética. / Energía solar. / Generador eléctrico.
d. CAUSA / AGENTE: Depresión nerviosa («depresión causada por los nervios»). / Shock vitamínico. / Infección viral. / Prosa surrealista.
e. FINALIDAD / BENEFICIARIO: Locales comerciales («locales para el comercio»). / Ley confiscatoria [*El País,* 30-V-97, 12]. / Anuncios propagandísticos. / Cámara nupcial. / Manual escolar. / Utensilios culinarios. / Afán vengativo. / Líquido disolvente.
f. POSESIÓN: Avión ministerial («avión del ministro»). / Piel cutánea. / Dedo anular. / Arteria femoral. / Organismo unicelular. / Intuición femenina.

Para la tercera clase de adjetivos 'incorporados' (Levi 1974) —o de significado integrado en el del nombre, porque indican relación parte-todo, continente-contenido, forma-fondo u otras similares—, puesto que no tienen subclases discernibles, remito a los ejemplos ya dados en (44c).

(b) Una gama tan variada de relaciones semánticas implícitas y de significados posibles determina que los adjetivos sean múltiplemente ambiguos y que formas aparentemente paralelas resulten inconstantes en los significados que admiten. En (48), por ejemplo, *comercial* establece siempre la misma relación con los nombres a los que se aplica, pero *aéreo,* contra lo que cabe esperar, no significa «del aire» en *análisis aéreo* ni, en (48b), puede aludir a un «tren desde el aire». *Eléctrico,* a su vez, tiene un significado constante en *tren eléctrico* y *reloj eléctrico* (y en un hipotético *análisis eléctrico*), pero en *central eléctrica* no se indica una central movida por electricidad (en ese caso una *central nuclear* podría ser una *central eléctrica*) sino una *central* «que produce electricidad».

(48) a. Análisis aéreo («desde el aire») [tomado de Bosque 1993a: 24]. / Análisis {microscópico/estadístico} («análisis por medio de microscopio/estadísticas»). / Análisis hormonal («análisis de las hormonas»). / Análisis comercial («análisis {para/destinado a} el comercio»).
b. Tren eléctrico («tren que se mueve por medio de electricidad»). / Tren aéreo («tren que va {por el aire/en el aire}»). / Tren comercial («tren destinado al comercio»).

Señalaremos en el § 3.3.2.3 que algunos de esos huecos en la gama de significados son imposibles y otros simplemente improbables, y que de lo primero da cuenta el análisis léxico y de lo segundo el análisis pragmático; pero antes de llegar a este punto conviene tener en cuenta otra clasificación de estos adjetivos.

Efectivamente, a la vista de problemas como los que acabamos de esbozar, Bartning (1980: 74) opta por distinguir simplemente entre dos clases de adjetivos relacionales: los que expresan relaciones gramaticales y los 'subclasificadores', esto es, los que se usan para establecer oposiciones múltiples en vez de oposiciones polares (*análisis gramatical,* así, se opone a *análisis estadístico, matemático, periodístico,* etc. mientras que *blanco,* adjetivo calificativo, establece una oposición polar con *negro).* Bartning, pues, une bajo la función léxico-sintáctica de subclasificación a los adjetivos de (44b) y (44c): los que expresan funciones semánticas (implícitas) adjuntas y los que hemos denominado integrados (siguiendo la de Levi 1974: 'incorporados'). En línea similar, Bosque (1993a) distinguirá entre adjs-R, 'adjetivos relacionales argumentales o temáticos' (en el sentido de la gramática generativa: poseedores de una valencia o papel temático), y adjs-RC, 'adjetivos relacionales clasificativos'. En Bosque y Picallo 1996 se justificará la razón de ser sintáctica de esta clasificación pues «tiene claros efectos sintácticos: se manifiesta en la organización jerárquica ... y en el orden relativo de [estas dos clases de adjetivos] respecto de N» (1996: 354). Con otras palabras, la única distinción léxica gramaticalmente relevante, a juicio de estos lingüistas, es la que se establece entre adjs-R que «saturan funciones semánticas léxicamente habilitadas» y adjs-R que «introducen modificadores restrictivos» (1996: 354). Esta sistematización pone de manifiesto una asimetría entre los dos tipos de adjetivos puesto que la función semántica desempeñada por el adjetivo temático está «habilitada por el nombre núcleo» (1996: 359) mientras que la función semántica añadida por el adjetivo-C viene «determinada por la entrada léxica del adjetivo [en cuestión]» (1996: 361). Volveremos sobre la virtualidad sintáctica de esta clasificación cuando tratemos de las secuencias de adjetivos relacionales inmediatamente en el § 3.3.2.3.

3.3.2.3. Otra manera de analizar las relaciones semánticas que los adjetivos relacionales establecen con los nombres

Lo que se desprende de los análisis anteriores, como acabamos de señalar, es que mientras para algunos adjetivos relacionales (los que modifican a nominalizaciones) parece posible generar o deducir su significado relacional de la información lingüística (más específicamente, léxica) depositada en el nombre al que modifican, para otros tal deducción no sería posible. Tal conclusión y tal asimetría, sin embargo, no se justifican puesto que en todos los análisis de los adjetivos relacionales se reconoce implícita o explícitamente que el valor semántico, el significado, del adjetivo relacional no se conforma plenamente a partir del significado léxico de la raíz nominal que da base al adjetivo derivado, sino que depende en importante medida del significado del nombre al que modifica.[33] Lo que ha sucedido también es que no se ha dispuesto hasta muy recientemente de buenas caracterizaciones de la estructura semántica de los nombres, conocimiento este algo más avanzado en el momento actual.

---

[33] Desde un punto de vista léxico, se diría que los adjetivos relacionales (comparados con los nombres y los verbos, por ejemplo) están infraespecificados y que su significado se genera a partir de la información léxica depositada en el sustantivo al que modifican, y presumiblemente también de información contextual.

Ahora bien, es razonable suponer, siguiendo una línea iniciada en Pustejovsky 1995, y en trabajos similares que estudian sistemas de rasgos léxicos sensibles a las funciones contextuales, que los nombres concretos tienen una estructura semántica que habilita o hace posible ciertas interpretaciones de los adjetivos relacionales, e impide otras. [34] Con raíces que llegan hasta los 'modos de explicación' aristotélicos, recuerda Pustejovsky que la interpretación de toda categoría está restringida por ciertas condiciones o roles que son los que nos permiten entender la palabra cuando la encontramos situada en un contexto lingüístico. Esas condiciones conforman los *Qualia* de la palabra [⟶ § 4.3.5.6]. En los *qualia* o definición entran cuatro tipos de condiciones: un 'rol constitutivo' (la relación entre un objeto y sus partes), un 'rol formal' (lo que distingue a un objeto de los de otros dominios), un 'rol télico' (para qué se lo usa) y un 'rol agentivo' (cómo tal objeto llega a ser lo que es) (Pustejovsky 1995: § 6.1). Si los nombres se analizan de este modo, [35] si suponemos que la estructura semántica de todo nombre contiene funciones predicativas que saturan variables, y si extendemos la noción de argumento a toda expresión saturada, podemos formular entonces la siguiente regla descriptiva de la semántica de los adjetivos relacionales:

(49) a. Los adjetivos relacionales son argumentos.
b. Los adjetivos relacionales asociados a nombres deverbales habilitan argumentos correspondientes a funciones gramaticales.
c. Los adjetivos relacionales asociados a nombres concretos son argumentos de los roles constitutivo, télico y agentivo de los *qualia* de dicho nombre.

Estas premisas nos permiten explicar algunas de las ambigüedades a las que hacíamos alusión y tratar mejor ciertos ejemplos de difícil análisis para cualquiera de los puntos de vista antes expuestos. Los ejemplos de (48) (los casos de inconstancia en el significado de formas adjetivas similares) indican, en efecto, que es la estructura del nombre y no el significado del adjetivo lo que determina las interpretaciones posibles: los adjetivos de *tren {eléctrico/comercial/pendular}* o de *análisis {microscópico/comercial/hormonal}* se relacionan con los roles agentivo, télico y constitutivo, respectivamente (igual que *cartel publicitario* y *cartel luminoso* o *ley confiscatoria* y *ley orgánica* se refieren, en este orden, a finalidad (rol télico) y manera de gestarse (rol agentivo)). La serie tan citada para justificar el tratamiento pragmático del significado de estas formas, dada la polivalencia inherente a los adjetivos de relación, ((50) está tomado de Bartning 1980: 27):

(50) Reloj musical. / Comedia musical. / Talento musical. / Crítica musical.

se reduce a una explicación bastante sencilla: en los artefactos *(reloj)* y disposiciones *(talento)* el adjetivo es un argumento del rol télico, en las creaciones *(comedia, crítica)* parece serlo del rol constitutivo (si bien, puesto que *crítica* es ambiguo entre la lectura como deverbal y como nombre concreto *musical* puede ser también un argumento temático correspondiente al objeto efectuado). La ambigüedad de *estructura molecular* (cf. (41) *supra*) se explica tanto en este como en cualquier otro enfoque por la doble naturaleza de *estructura* que puede verse como un deverbal o como el nombre de una entidad concreta que toma un argumento asociado a su rol constitutivo. En cuanto a la imposibilidad de que *visión aérea* signifique «visión mediante el aire» o «visión que produce aire» (cf. el § 3.3.2.2), si el *quale* formal contiene la noción de «capacidad constitutiva», no se requerirá un instrumento para ejercitarla, y si la visión, por otra parte, es un objeto resultado y no un proceso, no podrá entonces legitimar un objeto efectuado.

---

[34] En Beard 1991 se propone también que los significados de los adjetivos relacionales (y también los de algunos calificativos) se derivan de su relación con cierta propiedad o rasgo semántico «destacado» de los nombres. El marco semántico adoptado por Beard es el de Jackendoff (1983, 1987), que presupone un sistema de categorías semánticas (categorías conceptuales, a su juicio) que permiten descomponer el significado de las categorías sintácticas en un conjunto bien determinado de rasgos léxicos. Esos rasgos semánticos «se subunen con uno y sólo uno de los rasgos de [un] núcleo» (Beard 1991: 208) (donde «subunirse es servir de predicado o argumento del rasgo seleccionado» (1991: 216)), en una composición entre categorías a partir de la descomposición del significado léxico de nombres y verbos. Los adjetivos relacionales son argumentos de rasgos inherentes de un nombre núcleo o de funciones semánticas virtuales (1991: 220), los calificativos son predicados (1991: 218).

[35] Todas las categorías poseen *qualia*, no sólo las nominales (Pustejovsky 1995).

Ciertamente los adjetivos relacionales locativos y temporales que concurren tanto con deverbales como con nombres concretos (recordemos (46d) o (47a y b) no se explican de una manera directa mediante el análisis que estamos sugiriendo. Lo que sucede en estos casos es que nos encontramos frente a otra distinción que se entrecruza con la estructura de los *qualia*; esta distinción es la que se establece entre nombres de estadio y nombres estables o individuales. Los nombres deverbales expresan, por defecto, eventos, y son por lo tanto predicados de estadio; los nombres concretos, en cambio, pueden ser de uno u otro tipo dependiendo de su específico significado. *Flores, nubes,* o *tren,* por ejemplo, serían nombres de estadio —de ahí *flores {invernales/campestres}, nubes tropicales* o *tren aéreo; vasos* o *sillas* parecen ser nombres estables: **vaso {campestre/veraniego}, *silla jardinera.* En suma, los adjetivos relacionales locativos y temporales se asocian con la lectura de situación (o acontecimiento) que acontece en el espacio y el tiempo, lectura esta que se da tanto en los verbos como en los nombres y los adjetivos.

Esta manera de analizar el contenido léxico-semántico de los adjetivos relacionales puede quizá ayudarnos a entender mejor por qué no se producen ciertas formaciones o interpretaciones esperables, pero ciertamente no resuelve todos los problemas. Bosque y Picallo (1996: nota 17) insisten en lo idiosincrásico del significado de estos adjetivos y nos recuerdan que, pese a ser posible, *curación manual* no significa «curación de las manos» (a semejanza de *curación cutánea*) y que *análisis aéreo* no significa «análisis del aire» (cuando *análisis ocular* sí significa «análisis de los ojos»). Estos problemas siguen donde estaban: manifestando que efectivamente las derivaciones posibles no siempre llegan a realizarse y recordándonos así una vez más una crucial diferencia entre los procesos sintácticos, que son totalmente productivos, y los procesos de la morfología derivacional, que nunca lo son. Indican también que la interpretación última de estos adjetivos ha de realizarse con criterios que tienen que ver con el 'uso' de estas expresiones (es decir con criterios pragmáticos) aunque una buena parte de esa interpretación provenga también de un primer análisis léxico-semántico.

3.3.3. La sucesión de adjetivos relacionales en la frase nominal

3.3.3.1. Incrustación sucesiva y abarque semántico

Los adjetivos de relación, como hemos podido advertir sobradamente, se posponen siempre al nombre al que modifican; se diferencian en esto crucialmente de los adjetivos calificativos, que pueden aparecer tanto antepuestos como pospuestos. Sobre esta peculiaridad de la conducta sintáctica de estos adjetivos incidiremos en el § 3.5.1.1; nos interesa ahora otro aspecto de tal conducta, a saber, la relación que mantienen entre sí los varios adjetivos relacionales cuando el nombre está modificado por más de uno de ellos. Como regla general (cf. *supra* el § 3.3.1.1g), los adjetivos relacionales se incrustan unos en otros sucesivamente, (51); esa incrustación define unas relaciones de 'alcance' que proceden de derecha a izquierda:

(51) a. Estaban además al tanto... de todo lo que ocurría en el *tinglado cultural madrileño* [J. M. Caballero Bonald, *Tiempo de guerras perdidas,* 34].
b. La enfermedad pero predispone a *neumonía vírica o bacteriana secundaria*.

c. [=(27b)]...por cuanto —transcripción literal de los periódicos— «menosprecia gravemente el *patrimonio cultural autóctono valenciano»* [R. Sánchez Ferlosio, *La homilía del ratón*, 26].

Sintácticamente nos encontramos con una dependencia jerárquica según la cual todo adjetivo situado a la derecha de otro modifica a la unidad formada por el nombre y el o los adjetivos relacionales que lo suceden; esa jerarquía sucesiva se representa en (52), donde SN significa sintagma nominal:

(52) a. [$_{SN}$ [neumonía vírica] secundaria].
b. [$_{SN}$ [[patrimonio cultural] artístico] valenciano].

Alternativamente, la representación jerárquica podría ser la de (53) que se diferencia de (52) en que los adjetivos forman un complejo en el que se modifican sucesivamente y modifican conjuntamente al núcleo:

(53) a. [$_{SN}$ neumonía [[vírica] secundaria]].
b. [$_{SN}$ patrimonio [[cultural] artístico] valenciano]].

En la versión de (52) lo que es *secundario* es la *neumonía vírica,* lo *valenciano* es el *patrimono cultural artístico* y lo *artístico es el patrimonio cultural.* En la segunda la *neumonía* es *vírico-secundaria* y lo *valenciano* es el patrimonio *cultural-artístico*. Nuestra inclinación, puesta de manifiesto en el § 3.3.1.2, a considerar que los adjetivos relacionales pueden formar con los nombres a los que modifican unidades tanto de tipo sintáctico como morfológico (ser un cuasi compuesto sintagmático) nos lleva a preferir el análisis de (52) al de (53). Por otro lado, una formación como *vírico-secundario* en los ejemplos anteriores, o como *arrocera-china* en *exportación arrocera china,* parece bastante improbable tanto semántica como morfológicamente.

Hablamos de relación jerárquica (o de dominio e incrustación sucesivos) porque estamos frente a una relación entre los adjetivos distinta de la de mera yuxtaposición que podemos encontrar en compuestos como *La más reseca hojarasca histórico-folclórica* [R. Sánchez Ferlosio, *La homilía del ratón*, 19], o de las relaciones de yuxtaposición y coordinación tan características de las series de adjetivos calificativos: *la luna llena, grande, blanca con un resplandor frío y fosfórico* [A. Muñoz Molina: *Plenilunio*, 31]; y de las que trataremos luego en el § 3.5.4. En la yuxtaposición y en la coordinación los adjetivos modifican al nombre cada uno independientemente del otro desde una misma posición jerárquica, si bien pueden mantener entre ellos relaciones mínimamente distintas: modificación simultánea armónicamente desagregada en la yuxtaposición, modificación simultánea armónicamente agregada en la coordinación. En las series como la de (52) los adjetivos no tienen la misma posición jerárquica; antes bien, dependen unos de otros. Algunos autores identifican esa relación de dependencia con la de subordinación [36] en tanto que «incidencia sobre el núcleo desde distintos planos de estructura jerárquica» (Lago 1984: 125). Preferimos hablar aquí simplemente de diferencia (y dependencia) jerárquica, ya que la subordinación puede implicar a elementos de diversa naturaleza sintáctica (una oración sustantiva se subordina a un verbo o a un nombre, por ejemplo) y supone, *grosso modo*, una relación entre un núcleo y un elemento dependiente de él. Lo que presentan estas series de adjetivos, como se veía en (52), es una relación de encajo-

[36] Véase en particular Lago 1984: § 4.3 y los precedentes similares que allí se dan.

namiento progresivo dentro de un mismo constituyente. ¿A qué obedece esta estructuración, en qué otros factores se origina si es que tal deducción es posible?

La dependencia jerárquica de los adjetivos de relación parece estar relacionada (al menos parcialmente) con la semántica de la construcción. Así, Lago (1984) afirma que cuando los que siguen al núcleo son adjetivos calificativos restrictivos (nombre que da a los adjetivos relacionales) «la incidencia adjetival sobre el núcleo nominal se verifica a partir del adjetivo menos desgeneralizador y... se van sucediendo las incidencias del resto de los componentes de la acumulación, hasta terminar con el adjetivo que presente un mayor poder desgeneralizador» (1984: 125). Es cierto, que en muchas ocasiones el primer adjetivo está más próximo al significado del núcleo que el segundo; en ese sentido «desgeneraliza» menos: establece una subclase amplia susceptible de nuevas acotaciones. El ejemplo de *neumonía vírica secundaria* ilustra bien esta idea; del mismo modo, *cultural* en *patrimonio cultural artístico* establece una clase mayor que admite subclasificaciones (*artístico, antropológico, lingüístico,* etc.). La regla es pues que los adjetivos relacionales se suceden unos a otros en virtud de su «alcance o abarque semántico»: de su capacidad para definir subclases sobre la clase definida por el adjetivo anterior. Esa capacidad subclasificadora puede provenir de su significado léxico: del hecho de que el significado de un adjetivo esté incluido en el significado del otro; esto es lo que sucede, con *artístico* respecto de *cultural* en el ejemplo anterior, o con *productos frutales cítricos.* En casos como estos la alteración del orden produce construcciones que suenan muy extrañas: *??patrimonio artístico cultural* o **productos cítricos frutales*.

Sin embargo, en múltiples situaciones en las que no existe una taxonomía clara, ni léxica ni pragmáticamente establecida, es precisamente el orden sintáctico entre los adjetivos el que induce la lectura más o menos restrictora de cada uno de ellos. Así sucede, pongamos por caso, en *novela política francesa* (tan buena como *novela francesa política,* pero que implica una distinta clasificación de la novelística) o en *producción industrial lechera* y *producción lechera industrial;* en los dos casos *lechera* alude a lo que se produce, e *industrial* al medio empleado para elaborar esa *producción.* [37] Estos ejemplos muestran la importante interacción entre semántica y sintaxis: aquella establece condiciones generales, pero las formas sintácticas imponen luego las interpretaciones específicas.

Bosque y Picallo (1996) tienen una concepción más estricta de la relación entre el orden sintáctico y la interpretación de los adjetivos. A su juicio, son tres las generalizaciones que subyacen al orden de los adjetivos relacionales: (i) cuando hay dos adjetivos temáticos el correspondiente al objeto precede siempre al correspondiente al sujeto, (ii) cuando concurren uno clasificatorio y uno temático el clasificatorio está siempre adyacente al sustantivo y precede al temático y (iii) los clasificatorios se suceden en orden de subespecificación sucesiva.

De la tercera de estas tres reglas hemos tratado anteriormente; queremos ahora hacer algunas precisiones sobre (i) y (ii). En cuanto a la generalización (i), es verdad que en la mayoría de los casos la inversión del orden entre dos adjetivos argumentales temáticos correspondientes al objeto y al sujeto resulta en agramaticalidad (*conocimiento lingüístico nativo — *conocimiento nativo lingüístico / reforma constitucional francesa — *reforma francesa constitucional / producción sedera china*

[37] Hay una segunda lectura de *producción industrial lechera* en la que se significa la «producción industrial relacionada con la leche».

— **producción china sedera.)* De ser completamente cierta, empero, *política comunitaria española* y *política española comunitaria* (el ejemplo es de Bosque 1993a) deberían tener, respectivamente, las dos interpretaciones siguientes: «política respecto de la CEE, de España» y «política respecto de España, de la CEE». A mi modo de ver, y en opinión de varios hablantes consultados, sólo la primera interpretación es clara para el primero de los dos ejemplos; en el segundo algunos encuentran la misma interpretación que en la primera, pese al cambio de posiciones de los adjetivos, y aducen asimismo otras en las que disminuye la interpretación temática de estos adjetivos. Un factor paralelo que influye en ese resultado es que el adjetivo correspondiente al objeto tiende a aparecer unido al término que lo selecciona semánticamente.[38]

La tendencia a cohesionarse sintácticamente con el seleccionador y con el término al que se clasifica es muy fuerte, y lleva a formaciones que contradicen la generalización segunda antes expuesta: *producción lechera industrial* compite, como decíamos, con *producción industrial lechera* (que sería la permitida por la generalización (ii) de Bosque y Picallo si queremos decir que «se produce leche»), y es tan buena como *análisis celular microscópico* («análisis de la célula mediante microscopio») donde, de nuevo, el adjetivo temático precede a uno clasificatorio,[39] o como *generador eléctrico manual* (cf. *generador manual eléctrico*).

Esa misma tendencia, por último, es la que restringe la libertad de los adjetivos clasificatorios para permutarse entre sí cuando aparecen en secuencia. En efecto, en muchísimos casos, la elección de un orden u otro refleja simplemente la manera como subclasificamos a una entidad:

(54) Libro escolar doctrinal — Libro doctrinal escolar. / Utensilio culinario plástico — Utensilio plástico culinario. / Televisión digital europea — Televisión europea digital. / Análisis comercial estadístico — Análisis estadístico comercial.

en otros, sin embargo, un adjetivo 'impone' su adyacencia frente a otro aun cuando se expresen relaciones semánticas que con otros términos menos cohesionados permitirían el orden inverso. Por ejemplo, en (55), *reloj eléctrico musical* («reloj que funciona con electricidad y produce música») debería permitir *reloj musical eléctrico,* formación equivalente en su interpretación semántica a *análisis celular microscópico,* y **merienda veraniega campestre* no tendría por qué sonar mal si podemos decir *flor primaveral alpina:*

(55) Reloj eléctrico musical — *Reloj musical eléctrico. / Merienda campestre veraniega — *Merienda veraniega campestre. / Depresión nerviosa endógena — *Depresión endógena nerviosa. / Plan inmobiliario comercial — *Plan comercial inmobiliario.

---

[38] Otro factor influyente es que los adjetivos gentilicios o étnicos tienden a aparecer en posición final de la secuencia cuando se interpretan como argumentos agentivos de los deverbales a los que acompañan. En los trabajos pioneros sobre la sintaxis de los adjetivos en una perspectiva generativista, Giorgi y Longobardi 1991 y Cinque 1994, se reconocen y se formalizan estas dos propiedades de los adjetivos étnicos.

[39] Nótese que para estos autores son clasificatorios todos los adjetivos que corresponden a complementos adjuntos o no seleccionados semánticamente.

Nos parece, en suma, que las generalizaciones sobre el orden sintáctico de los adjetivos relacionales ponen de manifiesto órdenes o disposiciones que son posteriores a un factor básico: la tendencia de algunos de estos adjetivos a formar combinaciones léxicas estables con los nombres a los que modifican. Así, la imposibilidad de alterar el orden de los adjetivos en formas similares a *guerra religiosa fratricida* (tomado de Bosque y Picallo 1996: 368) o *viaje nupcial real* (cf. **guerras fratricidas religiosas* / **viaje real nupcial*) puede deberse no tanto a que el adjetivo clasificatorio no pueda aparecer pospuesto al temático cuanto a que *guerra religiosa* y *viaje nupcial* sean formas sintácticamente compuestas que, por consiguiente, no admiten separación.

El orden de los adjetivos relacionales expresa pues una relación de subclasificación sucesiva y de alcance semántico de derecha a izquierda a partir de la tendencia de los adjetivos relacionales a formar una unidad con el sustantivo que los escoge semánticamente.

3.3.3.2. La coordinación de adjetivos relacionales

Con cierta frecuencia, algunos adjetivos de relación pueden aparecer coordinados [→ § 41.2.3]:

(56) a. ...sin que en ningún momento se permitiera recusar *las ideas republicanas y agnósticas* del marido [J. M. Caballero Bonald, *Tiempo de guerras perdidas*, 34].
b. Hay algo además en ese paisaje que [...] remite sin duda al *prestigio histórico y aún mitológico* que se ha ido acumulando secularmente en estas demarcaciones [J. M. Caballero Bonald, *Tiempo de guerras perdidas*, 23].
c. ...los *reveses económicos y morales* que andaba a la sazón padeciendo [J. M. Caballero Bonald, *Tiempo de guerras perdidas*, 57].
d. La decisión plantea *problemas políticos y sociales.* / Le hicieron un *análisis ocular y auditivo.* / Viajaron en el *avión real y presidencial.*

La explicación de esta coordinación es evidente: dos adjetivos relacionales pueden coordinarse (i) cuando tienen exactamente la misma función semántica y (ii) la restricción que uno impone no incluye o es incluida por la otra sino que ambas son complementarias. La regla (i) se ilustra bien en (56): la mayoría de los adjetivos allí coordinados son adjetivos 'integrados' o que manifiestan relación parte-todo; *ocular y auditivo* son adjetivos argumentales de 'objeto', y *real y presidencial* adjetivos argumentales agentivos. Esta restricción es la que explica asimismo que sean agramaticales formaciones como **ley orgánica y confiscatoria* o **reloj musical y eléctrico* puesto que los adjetivos son de diverso rango semántico (en estos casos diríamos *ley orgánica confiscatoria* y *reloj eléctrico musical*).

La restricción (ii) es la que da razón del hecho de que ante posibles coordinaciones como las recién mencionadas se prefiera, en la mayoría de los casos similares a los de (56), formar un compuesto <A + A>, como en (57):

(57) Productos *hortofrutícolas* españoles. / Problemas *político-sociales.* / Reveses *económico-morales.* / Prestigio *histórico-mitológico.* / Ideas *republicano-agnósticas.* / Análisis *ocular-auditivo.* / Avión *regio-presidencial.*

Explica también la coordinación disyuntiva de dos adjetivos relacionales alternativos:

(58) No me veo incorporado en absoluto a ninguna *celebración municipal o militar* [J. M. Caballero Bonald, *Tiempo de guerras perdidas*, 76].

De la ordenación respectiva entre adjetivos relacionales y calificativos trataremos en el § 3.5.1 una vez que hayamos estudiado las clases de adjetivos calificativos.

3.4. Los adjetivos calificativos

3.4.1. Principales características de los adjetivos calificativos. Graduabilidad y polaridad

Los adjetivos son términos atributivos cuya función es la de atribuir a las entidades propiedades que las describen y singularizan. Como hemos indicado, los adjetivos calificativos, a diferencia de los relacionales, asignan una propiedad que puede ser estable (=individual) o transitoria (=episódica) como ilustran *la joven {buena/alta/honesta/rubia/rápida}* frente *a la joven {exhausta/casada/consumida}* (cf. *supra* el § 3.2.3.1). En varios otros aspectos generales se diferencian los calificativos de los relacionales. Desde el punto de vista morfológico, una gran parte de estos adjetivos son formas primitivas, aunque hay bastantes calificativos deverbales como los acabados en los sufijos *-dor/tor, -ante, -oso* y *-ble (avasallador, seductor, agobiante, rumoroso, envidiable.).* [40] Los calificativos no derivados atribuyen cualidades esenciales o características; tales cualidades se relacionan con el conjunto de los rasgos de los *qualia* del sustantivo si bien parecen incidir sobre todo en las propiedades formales (cf. *supra* el § 3.3.2.3): indican los rasgos que distinguen a un objeto de otros *(niña alta* frente a *niña baja),* la situación de una entidad con respecto a una norma *(hombre feo/mesa vieja/libro barato),* las propiedades que permiten identificarlos *(pared roja/durazno blando/persona jovial),* entre otros aspectos. Mientras que la relación léxica entre el sustantivo y el adjetivo relacional está mediada por una gama de relaciones semánticas, la relación entre el sustantivo y el adjetivo calificativo es semánticamente una conjunción: *una mesa blanca* designa simplemente algo que es «una mesa» y es «blanco» (pertenece a la clase de las mesas y a la clase de las cosas blancas).

Clasificar adecuadamente a los adjetivos calificativos no es tarea sencilla, sobre todo si se adopta como criterio de clasificación el situar a estas formas en relación con clases de objetos (adjetivos que se aplican a seres animados, inanimados, artefactos, líquidos, sólidos) [41] y con propiedades de la realidad (forma, color, velocidad, cualidad moral, etc.) Será necesario de todos modos que hagamos distinciones entre clases semánticas de adjetivos calificativos, pero podemos antes preguntarnos si existe un rasgo semántico básico distintivo de los adjetivos calificativos. Bierwisch (1967), en línea iniciada por Bally 1932, respondió a esta pregunta señalando que

---

[40] Navas Ruiz (1962) considera a estos adjetivos derivados una clase específica dentro de los calificativos: los tres primeros «encierran la idea de causar un efecto determinado y se les podría llamar adjetivos de acción» (1962: 373).

[41] Una clasificación muy interesante asentada en este criterio y basada asimismo en un complejo sistema de rasgos comunes a los sustantivos y adjetivos, que permiten descomponer sus significados, es la que se ofrece en Aarts y Calbert 1979.

la propiedad semántica central de estos adjetivos es poseer un significado de grado. [42] Todo adjetivo de esta clase lleva implícito un constituyente de grado que incide en su conducta sintáctica y permite establecer distinciones entre los adjetivos en cuanto a la manera de poseer tal grado o graduabilidad.

La existencia de un constituyente de grado se manifiesta de varias maneras en la sintaxis de los adjetivos calificativos. Se pone de manifiesto, en primer lugar, en la posibilidad de llevar adverbios de intensificación, (59a); en segundo lugar, en el hecho de que puedan constituir construcciones comparativas y construcciones de medida de diversa forma, (59b) [→ § 4.2]:

(59) a. Extremadamente gordo. / Increíblemente rápido. / Muy delgado. / Tremendamente malo. / Demasiado tonto. / Poco discreto.
b. Juan *es el doble de alto* que su hermano. / Este coche *corre el triple de rápido* que el tuyo. / Pedro *es menos estudioso* que Luis. / José *mide 1,82 de alto.* / El río *tiene 57 km de largo.*

En una dimensión aparentemente léxica que sin embargo influye directamente en la sintaxis, por último, estos adjetivos participan en oposiciones de polaridad: forman parte de pares de adjetivos que representan los grados extremos de una cualidad o característica, (60):

(60) Bueno-malo. / Viejo-joven. / Rápido-lento. / Ancho-angosto o estrecho. / Blando-duro. / Fino-grueso. / Claro-oscuro.

Ahora bien, la polaridad no tiene las mismas características en todos los pares de adjetivos, ni todos los adjetivos graduables son polares. En cuanto a la primera cuestión, señala Bierwisch que algunos adjetivos tienen una 'orientación' de la polaridad. Se refiere con ello a que en algunos pares sólo un miembro del mismo, generalmente el positivo, puede actuar como representante de la propiedad. Esto es lo que sucede, por ejemplo, con *largo, grueso* o *ancho* que son los términos no marcados de la oposición de polaridad; es decir, cuando queremos preguntar neutral o imparcialmente por la altura de algo decimos *¿Cómo es de largo?,* y si preguntásemos *¿Cómo es de corto?* (pregunta inesperada, si no de dudosa posibilidad) presupondríamos que estamos hablando de un objeto corto. Asimismo, para indicar su medida afirmamos que *Una alfombra tiene 70 cm de largo,* no *70 cm de corto.* [43] Esto no sucede con *caliente-frío* donde no hay una pregunta imparcial que pueda formularse con ninguna de esas formas, o con *bueno-malo* donde, si bien el primero produce una pregunta neutral y el segundo una pregunta cargada de presuposición, ambas construcciones son corrientes.

Esta diferente conducta sintáctica refleja una distinción léxico semántica. Cuando uno de los términos de la oposición de polaridad posee un valor no marcado los adjetivos resultan ser antónimos polares, cuando no es así estos adjetivos son antónimos de otro tipo; en todos los casos el

[42] Para una detenida exposición de los principales aspectos de este importante trabajo de Bierwisch véase Calvo Pérez 1986, especialmente las págs. 75-85.

[43] Las pruebas del carácter no marcado no son iguales en todas las lenguas: en alemán funciona como prueba distinguidora del carácter no marcado de un adjetivo el que sea aceptable en estructuras como *La mesa es el doble de larga que el sofá.* En alemán, el adjetivo *corta* resultaría agramatical en una oración como la anterior. Ese contexto no es distintivo en castellano.

término opuesto es su contrario, no su contradictorio. Cruse (1986: § 9.4) denomina antónimos solapados a pares como *bueno-malo* y antónimos equipolentes a pares como *caliente-frío*.

Numerosos calificativos, como hemos señalado, no son graduables; el caso más típico es el de los adjetivos de color. Con estas formas, cuando decimos que *X es más rojo que Y* ni estamos situando ese objeto en relación con una norma media contextualmente establecida, ni implicamos que ese objeto pudiera no ser rojo y ser de un hipotético color contrario (como sí sucede cuando decimos que *X es más duro que Y,* donde podríamos implicar que *Y es blando* y, específicamente, que *Y es más blando que X*), se significa aquí generalmente brillo o intensidad. En el mismo sentido, cuando decimos que algo es *muy rojo* no estamos graduando en el interior de una escala con extremos, como acontece en *muy alto.* Por razones muy distintas, tampoco admiten ser graduadas formas como *maravilloso, extraordinario, fastuoso, infinito, espantoso, horrendo, magnífico* o *dulcísimo, agradabilísimo, óptimo,* etc.; estos adjetivos, que se denominan 'elativos', están ya graduados (interna o morfológicamente), son la lexicalización del extremo de una escala.

Característicamente, los adjetivos graduables polares como *alto, ligero* o *suave* son adjetivos relativos, no intersectivos o sincategoremáticos (cf. *supra* el § 3.2.3.2); ello se debe precisamente a que estos adjetivos, como señalaba Bierwisch, [44] significan la posesión de una cualidad en una proporción superior a la media de la escala a la que pertenecen ('estatura', 'peso', etc.); la norma está pues en uno de sus extremos. Los adjetivos no polares, básicamente los de color y forma pero también formas como *celoso* o *tonto,* son intersectivos, categoremáticos o absolutos; esa condición se deriva de que la cualidad significada por estos adjetivos representa la adecuación a una media, a una expectativa. Con otras palabras, *ser alto* es ser más alto que la media, mientras que *ser celoso* es estar conforme con el valor medio de esa cualidad o propiedad. Volveremos a hacer uso de estas distinciones al establecer las clases de los adjetivos calificativos.

3.4.2. Clasificaciones de los adjetivos calificativos

3.4.2.1. Tipos de clasificaciones

Las clasificaciones de los adjetivos calificativos son múltiples y no fácilmente comparables entre sí. En una aproximación muy general, podemos distinguir tres tipos de clasificaciones: las basadas únicamente en criterios sintácticos (Lucas 1975, Zierer 1974 o Vendler 1968), las fundadas principalmente en criterios morfológico-históricos (Lenz 1935), las fundadas sólo en criterios nocionales o semánticos (García de Diego 1951 y la muy elaborada de Calvo Pérez 1986) y las que combinan criterios formales morfológicos con distinciones léxico-nocionales (Navas Ruiz 1962, entre las más conspicuas, pero también Lenz 1935. Véase también el § 37.2.2.1 de esta gramática, para otras precisiones sobre las clases de adjetivos calificativos). [45]

Las clasificaciones sintácticas de los adjetivos establecen separaciones entre estos teniendo en cuenta las relaciones sintagmáticas que el adjetivo contrae bien con los determinantes (Lucas 1975),

---

[44] Cf. Bierwisch 1967: § 2.4 y n. 10 *supra*.

[45] Penadés Martínez (1988: § 3) ofrece una pormenorizada revisión, casi un resumen, de las clasificaciones que acabamos de mencionar.

bien con sus complementos (Zierer 1974), bien en virtud de la capacidad de los adjetivos para ser seleccionados por los diversos patrones transformacionales (Vendler 1968). En cuanto a las que toman el ser o no morfológicamente derivado como criterio esencial de distinción, es canónica la establecida por Lenz 1935 entre adjetivos primitivos, adjetivos derivados latinos y adjetivos derivados castellanos.

Entre las clasificaciones puramente léxico-nocionales tenemos en un extremo la breve enumeración de clases semánticas de adjetivos calificativos que ofrece García de Diego 1951: adjetivos de procedencia, materia, legitimidad, enfermedad, etc., y en el otro el detallado análisis de Calvo Pérez 1986 de dos grandes campos macrosemánticos de adjetivos puros: el de los adjetivos físicos —que incluye, entre muchos más, los sensorio espaciales *(redondo, profundo, alto),* los posicionales *(pino, prono, supino),* los sensoriales *(verde, dulce, fétido, duro, caliente, agudo),* y los que trasladan valores del mundo físico al psíquico *(nimio, íntimo, malo, puro)*—, y el de los adjetivos psíquicos como *fiero, bravo, elegante, cruel, contento.*

Más frecuentes son las taxonomías mixtas como la muy sugerente, a la par que plena de redundancia interna, de Navas Ruiz (1962: 372-373, reproducida en Navas Ruiz 1963) que distingue entre adjetivos clasificadores (los que aquí hemos denominado relacionales), cualitativos (los calificativos no derivados asignadores de cualidades estables; sean propiedades morales o físicas: *bonito, generoso,* o propiedades de la forma física: *alto, calvo, verde*), de estado *(soltero, feliz),* adjetivos verbales *(preferible, inquietante)* y adjetivos situacionales *(viejo, barato,* pero también *normal* y *ordinario).*

3.4.2.2. Clases léxico-sintácticas de adjetivos calificativos: adjetivos de dimensión, velocidad, propiedad física, color (y forma), edad, valoración, aptitudes y (pre)disposiciones humanas

Clasificaremos a los adjetivos calificativos adoptando como rótulos generales las clases establecidas por Dixon (1977), a saber, 'dimensión', 'velocidad', 'propiedad física', 'color', 'edad', 'valoración', 'propensión o capacidad humana'. Estas clases definen 'tipos semánticos' o tipos de conceptos que pueden expresarse por medio de adjetivos en las lenguas que los poseen (que no son, ciertamente, todas las lenguas). A estos tipos semánticos les corresponden ciertas propiedades sintácticas y morfológicas. Al presentar estas propiedades dentro de cada una de las clases, extenderemos las muy generales consideraciones de Dixon con consideraciones propias: todas las subclases específicas de estos adjetivos en castellano son nuestras, y retomaremos las distinciones antes establecidas entre adjetivos de estadio e individuales y adjetivos intersectivos y no-intersectivos. Para la ejemplificación tendremos en cuenta en ocasiones la detallada casuística de Calvo Pérez 1986. Al presentar propiedades e introducir ejemplos no estableceremos diferencias entre adjetivos calificativos primitivos, adjetivos calificativos derivados y participios adjetivales, si bien a esas clases morfológicas corresponden en ocasiones propiedades léxico-semánticas. Recordemos así, a modo de observación general, que los participios adjetivales (y los adjetivos derivados de participio) son casi siempre predicados precarios o de estadio mientras que los adjetivos primitivos son por defecto (o tendencialmente) predicados individuales (cf. *supra* el § 3.2.3.1). Por importante que sea, por último, apenas rozaremos en esta clasificación la cuestión del uso figurado a traslaticio de los adjetivos calificativos. Ni las subclasificaciones ni la ejemplificación que siguen pretenden ser exhaustivas, aspiramos sólo a trazar las grandes líneas de un campo de extrema complejidad.

(a) ADJETIVOS DE DIMENSIÓN. Con el término 'dimensión' (o tamaño) se designa ante todo las tres dimensiones espaciales de los objetos físicos (largo/alto, ancho y volumen o profundidad). Pertenecen a esta clase, por lo tanto, formas como *largo, corto, alto, bajo, ancho, amplio, angosto, estrecho, grueso, fino, delgado, pequeño, grande, enorme, inmenso, diminuto, mínimo, profundo* [46] (o *alargado, estirado, estrechado, ensanchado,* en el sector de los participios adjetivales), etc. Los adjetivos de dimensión, como ya hemos anticipado, son los adjetivos no-intersectivos o sincategoremáticos por antonomasia. Estos adjetivos aparecen pues en pares de antónimos polares y la forma positiva de esa oposición representa por lo general a la dimensión en sí. *¿Cómo es de {ancho/grueso/largo/grande} ese libro?* permite una respuesta que aluda a dimensiones mínimas y da origen a los sustantivos que designan precisamente la dimensión (*anchura* pero no *estrechura, altura* pero no *bajura, longitud* —forma culta relacionada con *largo*— pero no *cortura,* entre varios).

Nótese que los derivados correspondientes a las formas no marcadas parecen quedar disponibles para los usos metafóricos o figurados: *estrechez de miras, cortedad de entendimiento, finura de juicio,* etc. [47]

Los adjetivos dimensionales, como se ve en los ejemplos siguientes, pueden anteponerse o posponerse al sustantivo modificado:

(61) ...por momentos nos tocaba atravesar un bosquecito de *árboles enanos* [J. J. Saer, *El entenado,* 70]. / El *sol alto* iluminaba todo [J. J. Saer, *El entenado,* 70]. / Despojada de todo, su *pequeña vivienda...* tenía algo de museo involuntario de otro tiempo [A. Muñoz Molina, *Plenilunio,* 23].

De entre los adjetivos dimensionales, las formas *largo, corto, grande* y en menor proporción *pequeño* pueden emplearse también como adjetivos adverbiales e indicar la dimensión temporal, la duración, de un acontecimiento. Volveremos sobre ellos, pero podemos recordar ahora formas como *dos llamadas cortas y una larga* o *grandes, y a veces pequeños espacios de tiempo* [tomados de Calvo Pérez 1986: 75], *La larga noche del 42* (título de una película), etc. Todas las clases de adjetivos adaptan algunas de sus formas a los usos adverbiales; las formas reacomodadas suelen ser las que tienen empleo genérico dentro de cada clase. *Grande y pequeño,* por ejemplo son formas que representan a las tres dimensiones (*una cama grande* puede serlo por larga o ancha; *un árbol grande* es tanto un árbol robusto como un árbol alto).

(b) ADJETIVOS DE VELOCIDAD. Los adjetivos básicos de velocidad: *rápido, lento, lerdo, veloz* son relativos y polares como los adjetivos de dimensión física, en tanto en cuanto la forma positiva posee el valor no marcado de la oposición de polaridad *(rápido* es una denominación neutra para velocidad en construcciones como *¿Cómo de rápido terminó la prueba?).* Las formas derivadas de significado similar, *momentáneo, imperceptible, brusco* se emplean más asiduamente como adjetivos adverbiales: *brusca aceleración, fugaz mirada, escapada momentánea, apresuramiento sigiloso.*

Estos adjetivos pueden anteponerse o posponerse:

---

[46] Para un interesante análisis de las propiedades topológicas de estos adjetivos (en la línea de Bierwisch pero con nuevas precisiones), y de cómo evalúa el castellano las tres dimensiones espaciales en ciertos objetos, véanse Calvo Pérez 1986: 74-119 y López García 1998: Cap. 25.

[47] Para los usos figurados de los adjetivos que denotan dimensiones físicas, véase Bosque 1985.

(62) Sin duda que también estaba afectándome otro de los influjos sectoriales del *lerdo ambiente jerezano* [J. M. Caballero Bonald, *Tiempo de guerras perdidas,* 39]. / La vida, hasta cuando la vemos más negra, puede ofrecernos estas compensaciones lingüísticas capaces de arrancarnos una *sonrisa momentánea* [C. Martín Gaite, *Nubosidad variable,* 52].

(c) ADJETIVOS DE PROPIEDAD FÍSICA. Esta amplia clase incluye los adjetivos que hacen referencia a propiedades de los objetos perceptibles mediante los sentidos, ciertamente, propiedades físicas distintas de la dimensión, la velocidad y el color, ya que estas dan lugar a subclases específicas. Entre estas propiedades encontramos: la forma *(redondo, curvo, cóncavo, convexo, sinuoso, cuadrado, ovalado, rectilíneo),* el peso *(ligero, liviano, pesado, macizo, robusto),* la consistencia *(espeso, denso, fluido, líquido, hirsuto),* el sabor *(dulce, amargo, picante, soso, desabrido, agrio, ácido* y los de sabor por analogía: *pimentoso, salado, salobre),* el tacto *(duro, blando, liso, suave, áspero, rugoso, basto, seco, húmedo* y los que se establecen por analogía con la textura de ciertas materias: *aterciopelado, sedoso),* el olor *(fragante, fétido, ácido, agrio, acre, maloliente),* la temperatura *(caliente, frío, tibio, fresco, helado, gélido, cálido),* la sonoridad *(grave, agudo, débil, fuerte, intenso, flojo, ronco, bronco, sordo).*

Estos adjetivos, a semejanza de los de dimensión, suelen dar lugar a pares de antónimos, pero es menos frecuente que en aquellos el que uno de ellos sea el miembro no marcado de una oposición de polaridad: en *¿Cómo está de {dulce/agria/caliente} la comida?* no se pregunta por el sabor o la temperatura en general sino que se presupone dulzura, acritud o calor. En suma, estos adjetivos parecen ser polares pero esa polaridad carece de orientación, son pues antónimos equipolentes. La mayoría de estos adjetivos son también sincategoremáticos o relativos: *un gemido intenso* puede ser intenso como gemido pero débil como sonido en general, y un *limón ácido* es muchísmo más ácido que un *dulce de leche ácido.*

No todos los adjetivos de propiedad física comparten, empero, estas características: los adjetivos de forma, por ejemplo, son por lo general intersectivos o categoremáticos, en este sentido son más parecidos a los de color que a los de propiedades físicas; coinciden también con los de color en que no dan lugar a antónimos (no hay, en sentido estricto, un término opuesto a *redondo)* [48] y, al igual que los de color, tampoco son graduables.

Una cuestión de indudable interés es la que concierne al posible empleo de algunos de estos adjetivos en varios campos sensoriales a la vez: podemos hablar de *olor y sabor ácidos,* referirnos al *sabor y al tacto secos* o mencionar un *sonido y sabor dulces.* Estos usos no son metafóricos como cuando aludimos a un *político recto,* a una *mente cuadrada* o a una *persona {salada/desabrida/aguda}.* Hay metáfora si cancelamos un rasgo fundamental del adjetivo en cuestión (el rasgo, por ejemplo, «aplícase a objetos inanimados y caracteriza una propiedad perceptible sensorialmente») y trasladamos su uso a la caracterización de propiedades morales o evaluativas de seres animados; hay sólo flexibilidad interpretativa, en cambio, en *olor y sabor ácidos.* Más precisamente, estos ejemplos muestran que todas estas subclases configuran un solo grupo de adjetivos, con la probable excepción de los de forma.

[48] Aunque *redondo* no tenga un adjetivo opuesto sí hay antónimos establecidos culturalmente; así puede entenderse que lo que no es redondo será cuadrado.

Como los restantes adjetivos calificativos, los adjetivos que denotan propiedades físicas pueden anteponerse o posponerse:

(63) ...echaba en falta una alfombra sobre la que poner los pies para no pisar las *baldosas heladas* [A. Muñoz Molina, *Plenilunio,* 23]. / También las esculturas de esta época... muestran a una Marie Thérèse de *redondas y suaves formas* [P. Picasso, *Caminos abiertos por Pablo Picasso,* 113].

Algunos de estos adjetivos son frecuentes en usos adjetivo-adverbiales con valor circunstancial de manera: *un duro debate, una fría sonrisa, una sesión caliente, la época dura de la oposición, un período político acre, un fuerte enfrentamiento, una propuesta débil, una ácida respuesta, una complicación grave, una conversación fluida.* En este uso los adjetivos relacionados con la percepción sensorial trasladan su significado a la esfera intelectual, emocional y moral. Como vemos a través de los ejemplos inmediatamente anteriores, todas las subclases de adjetivos de propiedad física dan origen a adjetivos de manera modificadores del evento; los más generales como *duro, frío, débil* o *suave* son los más frecuentes, los más específicos, empero, quedan reservados a la esfera estrictamente física: *una fétida respuesta* o *una pelea hirsuta* son construcciones poco probables, si bien no podemos tampoco considerarlas imposibles, pensemos en *una discusión viscosa*.

(d) ADJETIVOS DE COLOR (Y FORMA). Los adjetivos de color, junto con los de forma, constituyen un conjunto relativamente abierto en el que se incluyen (i) los términos básicos designadores de color: *blanco, negro, gris, rojo, verde, azul, amarillo, marrón,* [49] (ii) los adjetivos aproximativos derivados de ellos: *rojizo, amarillento, azulado, azulón, grisáceo,* (iii) los compuestos a que dan lugar: *rojiblanco, blanquinegro,* (iv) los sustantivos especializados y lexicalizados en significados adjetivos de color, así como los derivados de estos sustantivos: *salmón, mostaza, naranja, anaranjado, cielo, celeste, añil, rosa, rosáceo, mora, morado, violeta, púrpura, cano, canoso, luminoso, soleado, nublado* [→ § 1.7.4] y (v) los compuestos sintagmáticos formados por un adjetivo de color básico seguido de un sustantivo distinguidor, o de un adjetivo que indica matiz: *verde botella, verde limón, amarillo huevo, rojo granate, gris perla, azul celeste, (rojo) burdeos, verde claro, amarillo mate, azul oscuro*.

Estos adjetivos, al igual que los de forma, son siempre semánticamente intersectivos (categoremáticos o absolutos): no es posible que algo sea un vestido verde y no sea un objeto verde. Es esta propiedad la que explica el hecho de que tiendan a aparecer pospuestos así como el que no requieran coordinación cuando coaparecen con ciertos adjetivos calificativos (particularmente los de forma): *un libro rojo alargado / una mesa redonda amarilla / una mesa amarilla redonda / una seda gris aterciopelada* frente a **una seda aterciopelada gris / *un salmón amargo bueno* (cf. *un salmón amargo y bueno*) (volveremos sobre esta cuestión del orden relativo entre los adjetivos de color y forma, y de estos con respecto a otras clases, en el § 3.5.1). Esa característica da razón también del hecho de que cuando se anteponen tiendan a sentirse como fuertemente epitéticos y semánticamente redundantes:

[49] El campo semántico del color es un tema clásico de la semántica estructural. El trabajo más destacado en este enfoque es seguramente el de Berlin y Kay 1969.

(64) ...caballeros en potros estupendamente enjaezados, con *renegridas chuletas* en el *sonrosado rostro* [R. Arlt, *El juguete rabioso,* 9]. / En la *cara áspera y rojiza*, en el *pelo canoso, revuelto y escaso...* no había rastros del niño ahora inverosímil... [A. Muñoz Molina, *Plenilunio,* 69].

Los adjetivos de color, por último, se encuentran difícilmente en usos adverbiales (circunstanciales o intensionales). En construcciones como *prensa amarilla / día negro de la política latinoamericana* o *libro blanco,* en los que el significado no es de designación de una propiedad física, no está claro que tengan significado adverbial, más bien parece que los adjetivos de color se trasladan en estos casos a la subclase especial de los adjetivos fuertemente valorativos (una subclase de los elativos) que pueden coaparecer tanto con sustantivos eventivos como con nombres concretos de objeto (retomaremos esta observación en el § 3.5.1.2b).

(e) ADJETIVOS DE EDAD. El conjunto de los adjetivos de edad[50] constituye una clase menos amplia acaso que las anteriores; en ella encontramos formas generales como *viejo, nuevo, joven, antiguo, arcaico, lejano, reciente, moderno,* formas más especializadas como *añejo* (que sólo se aplica a seres inanimados), *anciano* (que se aplica muy preferentemente a seres animados) o *antediluviano,* y formas importadas del campo de los adjetivos de propiedades físicas: *rancio, pasado, caduco, fresco,* etc. Estos adjetivos, como los de dimensión y velocidad, son típicamente no intersectivos o sincategoremáticos: sobrepasar (o estar antes de) una media de edad depende crucialmente de cuál sea la edad posible de la entidad cuya duración temporal se evalúa. Generalmente dan lugar a relaciones de antonimia.

Los adjetivos de edad de significado más general adquieren valor temporal de duración o de relación con el momento del habla (no de situación cronológica) cuando en vez de modificar a un objeto físico animado o inanimado, como en *persona joven, libro viejo,* y similares, se refieren a nombres que llevan consigo un significado espacio temporal *(un antiguo novio de Luisa / la reciente declaración del acusado.)* En aquellos casos en que las dos interpretaciones son posibles el significado adverbial aparece cuando el adjetivo va antepuesto y el puramente calificativo cuando va pospuesto *(un viejo amigo — un amigo viejo, una nueva casa — una casa nueva).* Esta variación, que se da también con el adjetivo de dimensión física *grande (un gran amigo — un amigo grande),* se debe a la naturaleza categorial y a la sintaxis básica de estos dos tipos de adjetivos.

(f) ADJETIVOS DE VALORACIÓN O EVALUATIVOS. Si bien *bueno-malo* y *lindo-feo,* y sus hipónimos: *bello, bonito, agradable, hermoso, perfecto, excelente, maravilloso, horrible, horrendo, pésimo, espantoso, tremendo,* pueden considerarse formas canónicas de esta clase de adjetivos calificativos, lo cierto es que estamos frente a un conjunto más amplio en el que hay permanente creación e incorporación de formas derivadas (al igual que sucede entre los adjetivos que denotan propensiones humanas, como señalaremos de inmediato). La variación léxico semántica interna a esta clase es tan diversa como el rango de los aspectos de la realidad, humana y no humana, que los seres racionales consideran susceptibles de valoración. Así, *rico, sabroso, delicioso* son especializaciones de *bueno* para el campo de la comida, *guapo y buen mozo* para el campo de la imagen externa, *santo* en el de la interior; *carcamal, decrépito, achacoso* son variantes de *malo* en el terreno de la forma física, *amorfo,*

---

[50] Este campo semántico también ha atraído la atención de la semántica estructural. Cf. Geckeler 1976: § 7 y Apéndice y Corrales Zumbado 1981 para el estudio de este campo semántico a lo largo de la historia de la lengua española.

desquiciado, deslabazado, descuajaringado en el de la forma y estructuración de los objetos y de los hechos, *radiante y tenebroso* son valoraciones extremas en el terreno del color/ luminosidad, *achaparrado, gigantesco* en la de la dimensión, y muchas más variantes. Muchos de estos adjetivos son superlativos implícitos o elativos.

De los ejemplos que acabamos de introducir se deduce que (*pace* Dixon) el conjunto de los adjetivos de valoración no es una clase más entre los adjetivos calificativos sino más bien una hiper-clase que cruza a casi todas las anteriores, como se ha indicado en varios lugares.

En Demonte 1982, por ejemplo, proponíamos dos rasgos para clasificar a los adjetivos (además de una serie de reglas de redundancia): el relativo a la clase (ser calificativo, relacional, etc.) y el que denominamos afectivo o no-afectivo indicando con ello que el significado de implicación subjetiva o afectiva divide a su vez a los adjetivos en dos grandes clases. Kerbrat-Orecchioni (1994: § 2.2) distingue los adjetivos objetivos *(soltero, rojo)* de los subjetivos (separables a su vez entre afectivos: *alegre,* y evaluativos (no axiológicos: *grande* y axiológicos: *bueno*)). Este sistema contiene subclases de límites imprecisos: los axiológicos son en ocasiones subjetivos afectivos y viceversa, los objetivos se hacen inindistinguibles a veces de los no axiológicos, etc.

Desde el punto de vista lingüístico, estas formas constituyen una manifestación explícita del componente de grado presente en la mayoría de los adjetivos calificativos. Estos adjetivos son graduables y en los casos más generales *(bueno-malo)* dan lugar a pares de opuestos; estos términos opuestos son antónimos, aunque muchas veces se interpretan como complementarios (esto es, si decimos que alguien no es bueno puede interpretarse que implicamos que es malo).

Los adjetivos de valoración suelen oscilar, y a veces ser ambiguos, entre la interpretación relativa (sincategoremática) y la absoluta o intersectiva [→ § 4.3.5.6]. Su posición respecto del nombre aclara esa interpretación al menos en los contextos indefinidos: *una maravillosa esposa* puede ser, por ejemplo, una abogada desastrosa, mientras que *una esposa maravillosa* implica con mucha mayor fuerza que se trata de una persona globalmente maravillosa; *un buen arquitecto* alude sólo a alguien que construye bien, frente a la ambigüedad de *un arquitecto bueno* («bueno como arquitecto» — «persona buena»). Cuando los adjetivos valorativos son absolutos suelen ir pospuestos: *Tiene una esposa bella* es preferible a *Tiene una bella esposa,* a menos que se trate de valorativos elativos (o superlativos implícitos) que prefieren claramente la anteposición, (65a), —tal vez porque estos tienden muy preferentemente a la lectura no-intersectiva o sincategoremática— y si se posponen ocupan siempre el último lugar de la serie de adjetivos (en los ejemplos de (65a) la posposición resultaría menos natural; en (65b) la colocación en una posición intermedia lleva a la agramaticalidad). En definitiva, por el hecho de incorporar muy explícitamente el constituyente de grado y de ser una especie de hiper-clase, los adjetivos de valoración tienen un comportamiento sintáctico especial, a medio camino entre los calificativos y los adjetivos modificadores del evento, que analizaremos en la sección sobre posición del adjetivo.

(65) a. Frente a los *deslumbradores, solemnísimos y multitudinarios festejos* de que se ve rodeado el más pequeño fasto... [R. Sánchez Ferlosio, *La homilía del ratón,* 17].

b. Se compró *un vestido rojo largo deslumbrante* (cf. Se compró *un vestido largo rojo deslumbrante,* *Se compró *un vestido deslumbrante largo* rojo, *Se compró *un vestido rojo deslumbrante largo*).

(g) ADJETIVOS DE APTITUDES Y (PRE)DISPOSICIONES HUMANAS. Esta clase también muy amplia incluye adjetivos primitivos y derivados que reflejan aptitudes intelectuales *(inteligente, capaz, sabio, despierto, astuto, sagaz, idiota, memo)* [51] o emocionales *(sensible, amable, cordial, simpático, entrañable, emotivo, cariñoso, delicado, generoso, arrogante, petulante, odioso),* y pasiones y disposiciones humanas primordiales *(nervioso, avaro, irritable, agresivo, hiriente, autoritario, envidioso, celoso, orgulloso, agarrado, cruel, alegre, triste, haragán, vago),* desgajadas todas ellas según variaciones de grado *(discreto, tonto, necio, imbécil),* de perspectiva (*sensiblero* / *cándido,* en perspectiva despectiva, *emocional* / *sencillo,* en perspectiva positiva), o de relación con actividades y actitudes humanas esenciales *(trabajador, batallador, inquisitivo, activo, distendido, relajado, dinamizador, comilón, gastador, dadivoso, derrochador, excitante).*

Estos adjetivos no tienen por lo general antónimos ni complementarios; sería difícil precisar, por ejemplo, cuál es el extremo opuesto de la escala a la que corresponderían *arrogante* o *autoritario.* No está claro que describan en sentido estricto adecuación a la media de una norma, como sería el caso de *bueno* o *joven,* o superación de la media de una norma, como ocurre con *alto* o *soso;* describen simplemente la posesión en grado alto de una predisposición o capacidad. Asimismo, los grados intermedios de la posesión de una determinada aptitud suelen expresarse léxicamente y no por medio de adverbios de medida; esto es, mientras que *alto* y *bajo* no dan lugar a más variaciones que su modificación por medio de *muy* y *poco,* más la creación de denominaciones para sus extremos: *enano* o *gigantesco,* la zona de los celos, por ejemplo, incluye una gama de términos no estrictamente graduales pero que sí especifican matices y maneras de ser frente a esa predisposición: *celoso, desconfiado, receloso, cauto, insensible, indiferente,* etc. De este hecho se deriva una importante diferencia entre estos adjetivos y todos los que hemos descrito hasta ahora: todos los anteriores, en efecto, no admiten variantes con un prefijo negativo [→ § 76.5.3]: **inalto, *inrojo, *inlento,* etc.; numerosos adjetivos que denotan disposiciones tienen en cambio variantes negativas como *incapaz, infeliz, insensible, indelicado, inactivo, inmodesto,* etc. Puesto que este prefijo negativo señala la ausencia de una propiedad (y no designa lo contrario de lo expresado por la raíz), este es un dato que muestra que efectivamente estos adjetivos no entran en relaciones de polaridad, ya que cuando existe polaridad no hay negación posible. [52] Todos estos hechos, y el tipo de campo nocional implicado, coadyuvan a que esta clase sea la más rica y amplia de todas las clases de adjetivos reseñadas.

El trasiego de estos adjetivos a la calificación de los objetos físicos y de los acontecimientos en que participan seres humanos, sea a través de metáforas, sinécdoques o metonimias, es, como todos sabemos, notabilísima y su caracterización pormenorizada excede con mucho los objetivos de una gramática descriptiva, pero podemos enumerar algunos ejemplos: los *zapatos recios* y la *lluvia tenaz* implican la consideración analógica o metafórica de esas entidades físicas como entidades humanas (si bien en *lluvia tenaz* el adjetivo podría también ser modal), *pensamientos tristes* y *cabeza tonta* son sinécdoques, designaciones de partes a las que se les atribuye la propiedad de estar triste o ser tonto que en realidad posee la totalidad de la persona:

---

[51] Trujillo (1970) examina meticulosamente el campo semántico de la valoración intelectual en español.

[52] En numerosísimas lenguas (cf. Dixon 1977) estos significados no se expresan mediante adjetivos sino mediante nombres.

(66) ...unos *zapatos recios y austeros* [A. Muñoz Molina, *Plenilunio,* 88] / ...una *lluvia... tenaz.* [A. Muñoz Molina, *Plenilunio,* 61] / ...de *tristes y obsesionantes pensamientos.* [A. Moravia, *La Romana,* 316] / De los sueños aterriza uno con la *cabeza tonta...* [C. Martín Gaite, *Nubosidad variable,* 11].

Los adjetivos que denotan propiedades características de los seres humanos son frecuentes también en empleos intensionales: en estos usos los acontecimientos se caracterizan por medio de cualidades de las personas, que describen aquí la manera como se desarrolla la acción:

(67) Manera sumisa. / Festejo afectado. / Gesto medroso. / Fervorosas jornadas. / Arrebatados afanes. / Ansiosa discusión.

Naturalmente, si acaso más que en ninguna otra, los adjetivos de la clase de propiedades humanas se dividen en valorativos y no valorativos.

3.5. La posición del adjetivo en la frase nominal: sintaxis y semántica

3.5.1. Restricciones sintácticas en la colocación de las tres clases de adjetivos

3.5.1.1. Orden relativo entre adjetivos relacionales, calificativos y adverbiales

Antes de estudiar qué posición respecto del nombre pueden ocupar todas y cada una de las subclases que hemos establecido, conviene que recordemos que, en términos generales, los adjetivos modificadores pueden aparecer tanto antepuestos como pospuestos al nombre *(el extravagante bolso anaranjado / la agraciada señora veneciana)* dentro del sintagma nominal. Los adjetivos que admiten adverbios de grado, esto es, los calificativos y algunos de los intensionales *(posible* pero no *único),* pueden ir acompañados de estos intensificadores en todas sus posiciones sintácticas *(el muy estúpido profesor extraordinariamente gordo).* Sólo los adjetivos pospuestos, en cambio, admiten ir acompañados de complementos *(*el similar al de Pedro examen — el examen similar al de Pedro)* [→ § 4.3]. La posición prenominal y la posnominal son pues relativamente simétricas en cuanto a la admisión de intensificadores pero no en lo que concierne a los complementos. No son desde luego completamente simétricas en cuanto a las clases de adjetivos que admiten en cada posición. Veámoslo.

Los adjetivos de relación se colocan siempre después del nombre en el sintagma nominal y no admiten que otros constituyentes se interpongan entre ellos y el sustantivo al que modifican (cf. *supra* el § 3.3.1.1d y 3.3.1.1f y compárese *el batallón español de Toledo* con **el batallón de Toledo español*). Según hemos ya sugerido, la obligatoria adyacencia y la posposición se deben, en primer lugar, a la relación cuasimorfológica que media entre el nombre y el adjetivo relacional [53] y, luego, a la función semántica clasificadora de esos adjetivos: tal función la desempeñan siempre los adjetivos pospuestos (si bien no todos los adjetivos pospuestos son clasificadores,

[53] Es característico de los compuestos españoles, a diferencia de los de otras lenguas, que el elemento que se une al núcleo se le incorpore por la derecha *(aguamarina, camposanto, sacacorchos, sofácama).*

como veremos). Dadas pues esa adyacencia y posposición, cuando otro adjetivo forme serie con un adjetivo relacional se encontrará siempre detrás de este. Teóricamente, todas las clases de adjetivos calificativos y algunas de los adverbiales pueden coaparecer con los relacionales; ahora bien, si el relacional modifica a un nombre deverbal encontraremos en esa posición preferiblemente a adjetivos adverbiales, si es que estos son posponibles. En efecto, en (68a) tenemos adjetivos de duración, adjetivos temporales y adjetivos de manera (a los que hemos denominado, en conjunto, eventivos circunstanciales) —que pueden tanto posponerse como anteponerse *(un <u>largo</u> masaje cardíaco* frente a *un masaje cardíaco <u>largo</u>)*. A diferencia de los circunstanciales, los adjetivos adverbiales intensionales modales (como *presunto, posible)* se anteponen obligatoriamente, según se ilustra en (68b):

(68) a. Un masaje cardíaco largo. / Una discusión ministerial tensa. / Un tráfico aéreo desordenado. / La estancia londinense corta. / El acuerdo intercontinental futuro.
b. Una presunta llamada oficial (*Una llamada oficial presunta). / Una posible visita papal (#Una visita papal posible [54])

Volveremos en el § 3.6 con más precisiones sobre la posición de los adjetivos intensionales y circunstanciales.

Paralelamente, de entre los diversos tipos de adjetivos calificativos sólo los de valoración (particularmente los elativos) coaparecen con los nombres deverbales y los adjetivos relacionales que los acompañen. Si bien estos calificativos suenan mejor antepuestos, también se encuentran tras el nombre y el adjetivo de relación (como veremos oportunamente, los adjetivos elativos tienen un comportamiento distinto en los sintagmas nominales definidos e indefinidos; la generalización que acabamos de establecer es válida para los indefinidos):

(69) Un masaje cardíaco excelente. / Una discusión parlamentaria {extraordinaria / horrible / bochornosa}. / Un tráfico aéreo {terrible / insoportable}.

Por otra parte, si el adjetivo relacional modifica a un nombre que denota objeto o entidad material, podrán coaparecer con él todos los tipos de calificativos compatibles con la acepción del nombre; en (70) tenemos, por este orden, adjetivos de dimensión, de propiedad física, de color / edad, de propensión humana (en este caso es posible también una acepción de manera) y de valoración:

(70) La mesa presidencial ancha. / La receta vegetariana sabrosa. / La iglesia románica {dorada / antigua}. / La sonrisa paterna despectiva. / Un juez militar extraordinario.

En todos estos casos, los adjetivos calificativos pueden anteponerse y esa anteposición lleva consigo, salvo en el caso de los de valoración, un cambio en el significado de la frase nominal en la que concurre el adjetivo (trataremos de esta cuestión en el § 3.5.2).

---

[54] # significa que la construcción existe pero el adjetivo tiene un significado ligeramente distinto.

3.5.1.2. *Orden relativo entre las diversas clases de adjetivos calificativos (orden entre los calificativos antepuestos, entre los pospuestos, y la posposición de los adjetivos participiales)*

En numerosas lenguas los adjetivos calificativos se ordenan entre sí de una manera muy estricta.

El inglés es una lengua que impone un orden bastante rígido a sus adjetivos, que van siempre antepuestos al nombre. A partir de las generalizaciones de Dixon (1977: § 3.5), Quirk *et alii* (1985: § 7.45), Sproat y Shih (1988: § 2.1) y Cinque (1994: § 5), entre otros, puede postularse un orden universal no marcado de serialización de los adjetivos calificativos, a saber: valoración > dimensión > forma > color > (adjetivo relacional) > N (hipotéticamente: *a beautiful big round blue electric clock* 'un maravilloso grande redondo azul eléctrico reloj').[55] (Este orden se altera sin menoscabo de la gramaticalidad si el adjetivo situado más a la izquierda recibe acento fuerte como en *brówn old hat*.) Según Sproat y Shih tal orden tiene un fundamento cognitivo; sostienen estos autores que los adjetivos que requieren menos comparación (los de color, que son semánticamente intersectivos o absolutos) se sitúan más próximos al núcleo.

Frente al inglés, en lenguas como el chino los adjetivos pueden tener un orden completamente libre; esto sucede cuando los adjetivos —como máximo en una serie de dos— son modificadores indirectos y van por lo tanto acompañados de la partícula *-de* (*xiao-de lu-de hua-ping — lu-de xiao-de hua-ping* «pequeño verde florero» — «verde pequeño florero»);[56] por el contrario, si los adjetivos son monosilábicos, no llevan *-de* y modifican directamente al nombre, han de satisfacer un orden muy estricto similar al que indicábamos líneas arriba.

En castellano, las restricciones de orden entre adjetivos calificativos son pocas y sencillas de establecer. Procederemos por pares de adjetivos y veremos qué acontece en la anteposición y en la posposición.

(a) ORDEN ENTRE LOS ADJETIVOS CALIFICATIVOS ANTEPUESTOS. La regla relativa a la serialización de los adjetivos calificativos que preceden al nombre es la siguiente:

(71) La mayoría de los adjetivos calificativos han de ir solos cuando preceden al sustantivo. Sólo los adjetivos de valoración interpretados como circunstanciales (así como los intensionales) pueden formar secuencia con un adjetivo calificativo antepuesto.

Series como las siguientes, en las que encontramos los órdenes de precedencia: dimensión > color *(*un largo rojo coche),* color > dimensión *(*la rosada enorme habitación),* edad > forma *(*el viejo alargado pórtico),* dimensión > aptitud humana *(*un alto inteligente profesor),* resultan muy extraños a menos que se pronuncien con una pausa intermedia o se interprete que entre los adjetivos media una conjunción coordinante. Los ejemplos anteriores son perfectos, en cambio, si los adjetivos van unidos por una conjunción; de hecho, en las numerosas obras literarias consultadas no hemos encontrado jamás dos adjetivos antepuestos que no estén separados por coma o explícitamente coordinados.

---

[55] Dixon (1977: 38) habla ciertamente de que los informantes «prefieren» *old white* (edad > color), por ejemplo, frente a *white old,* o *good clever* (valoración > disposición humana) frente al orden inverso y *long heavy* (dimensión > propiedad física) ante *heavy long.* Sproat y Shih (1988: 469-469) marcan como agramaticales **a red good dog* (color > valoración - «quality» en su denominación) frente a *a good red dog* o **{round large red apple / large red round apple}* frente a *large round red apple* (dimensión > forma > color).

[56] Los ejemplos están tomados de Sproat y Shih 1988: 465.

Hay dos situaciones, no obstante, en las que los adjetivos antepuestos sí constituyen una verdadera secuencia, tanto que la reposición de la conjunción coordinante convierte a la construcción en agramatical. En la modificación de los nombres de objeto esto sucede cuando el primero de dos adjetivos antepuestos es de valoración (preferiblemente cuando es marcadamente valorativo, como en (72)), y en la modificación de los nombres eventivos, cuando los adjetivos calificativos aparecen precedidos por uno o más adjetivos adverbiales, cada uno de una clase, como en (73):

(72) El extraordinario (*y) famoso arquitecto. / La magnífica (*y) roja manzana. / El monumental (*y) largo cañón. [57]

(73) La supuesta (*y) vieja iglesia románica. / El posible (*e) inteligente constructor. / La próxima (*y) suave noche en Marraquech. / La posible próxima suave noche en Marraquech.

Nótese, en el mismo sentido, que el orden inverso entre valorativos y calificativos requiere, en cambio, la conjunción:

(74) El largo *(y) monumental cañón. / La roja ??(y) magnífica manzana

Hay dos precisiones que son fundamentales en este momento. La primera es que estos adjetivos elativos que preceden a los calificativos parecen referirse más bien a dicho adjetivo y no al nombre que les sigue. Así, las formas de (72) pueden glosarse como *el extraordinariamente famoso arquitecto* o *el monumentalmente largo cañón.* Naturalmente los adjetivos elativos pueden anteponerse a los nombres cuando concurren solos, como en *la extraordinaria orquesta francesa, una maravillosa obra de teatro,* etc. La segunda observación es que, en ocasiones, un adjetivo modal puede seguir (no sólo preceder, como en (73)) a uno calificativo: *la supuesta vieja iglesia románica, la alegre posible noche en Marraquech.* Volveremos en el § 3.6 sobre este asunto.

Estos datos muestran que los adjetivos adverbiales (particularmente los modales) y los valorativos elativos constituyen una clase natural de modificadores que pueden referirse a un nombre modificado a su vez por un adjetivo, frente a ellos los restantes calificativos son modificadores únicos que, en la anteposición, sólo pueden actuar en paralelo (modificar cada uno por separado a un núcleo) y no tienen alcance sobre otros adjetivos.

(b) ORDEN ENTRE LOS ADJETIVOS CALIFICATIVOS POSPUESTOS. LOS ADJETIVOS DE COLOR Y LOS ADJETIVOS VALORATIVOS ELATIVOS. SU ORDEN RESPECTO DE LOS COMPLEMENTOS PREPOSICIONALES. La regla más general que rige las secuencias de adjetivos pospuestos en castellano es la que se expone en (75):

(75) Los adjetivos intersectivos (color, forma y valoración) pueden adosarse unos a otros. Los adjetivos relativos o no intersectivos (dimensión, edad, velocidad, propensión, etc.) bien van solos, bien aparecen coordinados. Los adjetivos de valoración siempre han de ir al final de la secuencia.

---

[57] Recordemos que el * y las ?? dentro del paréntesis indican que esa secuencia se convierte en no gramatical si se añade la conjunción y, por lo tanto, que es gramatical sin ella.

(76a) ejemplifica los casos posibles de adosamiento o incrustación sucesiva que se siguen de (75), (76b) los que requieren coordinación [→ § 41.2.3], [58] (76c) la restricción que pesa sobre los de valoración:

(76) a. El libro amarillo (?y) alargado. / El libro cuadrado (y) azul. / La mesa grande (?y) maravillosa. / La niña alta (?y) bellísima.
b. El libro sucio *(y) amarillo. / La persona atractiva *(y) aguda. / El coche rápido *(y) viejo. / La ballena larga *(y) cariñosa.
c. La mesa grande maravillosa — *La mesa maravillosa grande. / La niña alta bellísima — *La niña bellísima alta.

(75) es en realidad subsidiaria de una propiedad semántica relativa a los adjetivos absolutos o intersectivos: estos adjetivos forman nombres comunes a partir de nombres comunes; son pues formas cuyas extensiones no se ven afectadas por los nombres con los que se combinan. Kamp (1975) denomina 'predicativos' a los adjetivos de este tipo e incluye en esta clase, entre otros, a los de color y forma. De esta propiedad se deriva muy probablemente el que los adjetivos de color y forma sean los que aparecen más próximos al nombre prácticamente en todas las lenguas.

No todas las lenguas, sin embargo, aceptan la incrustación sucesiva de los adjetivos de color y forma. Sproat y Shih (1988: § 2.1) indican que en chino no se pueden combinar dos modificadores directos de forma y de color y sugieren, en consecuencia, que dos adjetivos de la misma predicatividad no pueden ser modificadores directos de N (1988: 472). Cinque (1994: nota 15) advierte una restricción similar en italiano y da como agramatical **un vaso rosso ovale di terracotta;* el ejemplo correspondiente español: *un vaso rojo oval de terracota* es una construcción óptima.

En castellano, esa capacidad de los adjetivos intersectivos para formar nombres comunes a partir de nombres comunes tiene una doble implicación: en primer lugar, se satisface cuando el adjetivo sigue al nombre, no cuando lo precede; en segundo lugar, el nombre y el adjetivo de color (o forma) constituyen una unidad de clasificación, susceptible a su vez de ser modificada por adjetivos no intersectivos. Los ejemplos gramaticales de (77) ilustran esta posibilidad, los agramaticales indican que cuando el adjetivo pospuesto es relativo —como *rápido* y *viejo*— la incrustación de otro subclasificador tiene mayores restricciones, si bien es a veces posible, pensemos en *vehículos lentos confortables:*

(77) El [[coche azul] veloz]. / El [[vaso rectangular] vacío]. / La [[flor rosada] olorosa]. /?*El coche rápido caro. / *El vaso viejo bonito. / etc.

Estas dos implicaciones explican la mucho mayor naturalidad y frecuencia de los adjetivos de color y forma en la posición de detrás del nombre. Cuando los adjetivos de color se anteponen, bien suenan extraños *(#Encontré la roja media* frente a *Encontré a la desagradable mujer),* bien constituyen los usos como 'epíteto' [59]

---

[58] El * que precede al paréntesis significa que la construcción es agramatical sin el elemento situado dentro del paréntesis.

[59] Reservaremos la denominación de 'epíteto' para los calificativos antepuestos que expresan cualidades consustanciales con la entidad designada: *olorosa rosa, blanca paloma* o *efímera hierba;* cuando las cualidades expresadas pueden servir también para restringir, aunque no sirvan para ello en la anteposición, hablamos simplemente de adjetivos calificativos no

de los que se destaca su «carácter expresivo y estético que... [los] hace especialmente útiles en el lenguaje literario» (Hernanz y Brucart 1987: 181). Un ejemplo canónico de uso epitético lo proporciona la siguiente estrofa de Garcilaso en la que abundan precisamente los adjetivos de color:

(78) Por ti el silencio de la selva umbrosa.... | por ti la verde hierba, el fresco viento | el blanco lirio y colorada rosa | y dulce primavera deseaba [Garcilaso de la Vega, Égloga I, *Obras,* 99-104, citada también en Sobejano 1955: 147].

La anteposición de los adjetivos de color (otro caso en que una cualidad consustancial al objeto se pone de relieve) tiene pues un marcado efecto literario.

El carácter intersectivo de los adjetivos de color y la incidencia de esta propiedad en la sintaxis de la frase nominal explica también un hecho anticipado en el § 3.4.2.2d, a saber, que estos adjetivos característicamente den lugar a compuestos sintagmáticos constituidos por un adjetivo de color y un nombre sustantivo (*gris perla, verde botella, azul mar, azul turquesa, amarillo azafrán, verde oliva,* entre muchos). Fernández Ramírez (1951: § 75) destaca esta singularidad de los adjetivos de color, que relaciona con su naturaleza próxima a los sustantivos, concretamente, con «la capacidad de los sustantivos para yuxtaponerse como adjuntos a otros sustantivos» (1951: 121). Añadimos ahora que los adjetivos que forman nombres comunes a partir de nombres comunes (los relacionales también forman parte de este grupo) se caracterizan por admitir modificadores que tengan alcance sobre ellos y por formar compuestos con modificadores de la misma categoría semántica (cf. *supra* el § 3.3.3.2).

Los adjetivos valorativos pospuestos, cuando concurren con otros calificativos, se sitúan predominantemente al final de la secuencia de adjetivos *(el libro verde grande maravilloso — *el libro maravilloso verde grande),* como mostrábamos ya en (65b) y ahora en (76c). La incrustación y posposición de los adjetivos de valoración, sin embargo, responde a razones distintas de las que intervienen con los adjetivos de color. Recordemos nuestra observación anterior de que estos adjetivos son los únicos calificativos que coaparecen pospuestos a nombres deverbales seguidos de adjetivos relacionales (cf. ejemplo (69) y texto que lo precede). En nuestra opinión estas son dos facetas de una misma propiedad profunda: los adjetivos evaluativos elativos se anteponen, pero pueden además posponerse con toda clase de nombres porque son, además de calificativos, adjetivos intensionales que por lo tanto no añaden una propiedad sino que operan sobre el concepto, que en este caso es evaluado respecto de la opinión subjetiva del sujeto. Los adjetivos evaluativos intensionales no modifican al nombre solo (no forman un nombre común a partir de otro nombre común), se refieren a toda la expresión nominal. Una prueba de esta condición es que, a diferencia de los otros adjetivos calificativos, como bien advirtieron Hernanz y Brucart (1987: § 5.4.2), los valorativos tienen mucha mayor dificultad para aparecer como modificadores de un nombre elidido:

---

restrictivos o intensionales como en *unos hostiles ojos, la antipática prima de Juan* o *el horrible concierto* que no son pues construcciones epitéticas. Bello (1847: §§ 47-49) denomina epítetos a los adjetivos que atribuyen una «cualidad natural y propia» y parece implicar que todos los adjetivos antepuestos son epítetos. La RAE (1973: § 3.9.3) alude con este término al concepto clásico de *epithetum ornans,* a saber, el adjetivo explicativo —por lo tanto antepuesto— «usado con intención artística». Es esta misma acepción la que adoptamos aquí, si bien nuestra definición es diferente.

(79) a. ??No me gusta ese cuadro; prefiero el bellísimo [tomado de Hernanz y Brucart 1987: 171]. (Cf. No me gusta ese cuadro figurativo; prefiero el expresionista.)
b. *No quiero el coche verde fabuloso sino el maravilloso. (Cf. No quiero el coche verde grande sino el pequeño.)

Una segunda condición que distingue a los adjetivos de valoración de los restantes calificativos es que su anteposición o posposición no implica ningún cambio en el significado de la frase nominal. Los contrastes de significado de los calificativos antepuestos y pospuestos son materia de la sección inmediatamente siguiente, advirtamos ahora tan sólo que las dos oraciones de (80a) difieren, entre otras muchas cosas, en sus presuposiciones: el hablante que emite la primera de esas oraciones caracteriza una casa como *vieja* y *de ventanas enrejadas* (presupone que el hablante no sabía cuáles eran las opciones que tenía), en la oración que le sigue se presupone, por el contrario, que el hablante sabe de qué casa se está hablando. Tal contraste no existe en las oraciones de (80b), que son semánticamente equivalentes y no difieren ni en virtualidad clasificatoria ni en contenido presuposicional:

(80) a. No compraré la casa vieja de ventanas enrejadas. — No compraré la vieja casa de ventanas enrejadas.
b. No compraré la casa maravillosa de ventanas enrejadas. — No compraré la maravillosa casa de ventanas enrejadas.

Cuando en la posición posnominal coaparecen un adjetivo y un complemento preposicional lo normal es que el adjetivo preceda al complemento:

(81) La chica rubia de los ojos azules. / Un peine delgado de mi hermana. / Una mesa inservible con el tablero roto. / La malicia refinada de un torturador.

En construcciones como las de (81), si los adjetivos se pospusiesen, sería imprescindible que entre el complemento y el adjetivo mediase una entonación de pausa, de coma en la escritura: *la chica de los ojos azules, rubia; un peine de mi hermana, delgado;* sin esa pausa la secuencia es agramatical *(*la mesa con el tablero roto inservible)*.

Ahora bien, que el orden recién mencionado sea normal no significa que sea el único, ya que en la conformación final de las construcciones nominales intervienen factores diversos y, en efecto, en múltiples ocasiones se prefiere el complemento antes del nombre. Las siguientes construcciones, por ejemplo, resultan inusuales, cuando no imposibles, con el adjetivo detrás del sustantivo y suelen formarse más bien con el adjetivo precediendo al nombre *(un oloroso ramillete de alhelíes),* o sucediendo al complemento *(el coche de carreras veloz)*:

(82) Un ramillete oloroso de alhelíes. / Una tarta deliciosa {de cumpleaños / de manzanas}. / ??El coche veloz de carreras. / ??El piano elegante de cola. / ?Una cartera bonita de cuero.

La razón de este diverso orden es la fuerza de la conexión sintáctico-semántica entre el nombre y el complemento preposicional: *tarta de cumpleaños* y *coche de carreras* son lexías complejas, lexicalizaciones que funcionan como una sola unidad nominal, una de cuyas manifestaciones es la ausencia de determinante en el nombre que sigue a la preposición (cf. Bosque 1993a). En otros casos en que no puede hablarse de unidad léxica pero sí de frase preposicional escueta, (83), parece que las dos posiciones son posibles para el adjetivo:

(83) ?El cuadro bellísimo de Matisse (Hernanz y Brucart 1987: 171 dan *un cuadro de Matisse extraordinario*). [60] / La playa rosada de Copacabana — La playa de Copacabana rosada. / El libro verde de matemáticas — El libro de matemáticas verde}.

La regla sintáctica general es la de que el adjetivo sigue al nombre, pero cuando el nombre forma una unidad léxica con la frase preposicional es fácil que los suceda. Además de esta ley general hay razones prosódicas y acaso estilísticas que permiten reacomodaciones en estos marcos. Trataremos escuetamente de esas razones en el § 3.5.3.

(c) LA OBLIGATORIA POSPOSICIÓN DE LOS PARTICIPIOS PREDICATIVOS ADJETIVALES Y DE LOS ADJETIVOS PERFECTIVOS. En el § 3.2.3.1, al hablar de la condición de predicados de estadio de los adjetivos que expresan cambio de estado, particularmente los participios adjetivales, pero también los adjetivos perfectivos, [61] aludíamos someramente a las consecuencias sintácticas de esta condición. En efecto, los participios adjetivales y los adjetivos perfectivos van obligatoriamente pospuestos al nombre que modifican (salvo en usos figurados como *su seca sonrisa* o *su meditada respuesta*) [→ § 4.4.5.4]. Atribuimos esta conducta a una condición sintáctica que se sigue de su naturaleza semántica, a saber, los participios adjetivales —aunque formen una unidad de entonación con el nombre al que modifican y puedan coordinarse con adjetivos puros *(la mujer asustada y triste)*— tienen una posición sintáctica intermedia entre la modificación y la predicación. Los participios adjetivales de (84), además de llevar modificadores propios de los verbos (lo que aproxima estas construcciones a las oraciones), son plenamente parafraseables por oraciones de relativo.

(84) a. ...y en lugar de las elegantes hileras de *libros encuadernados* vi unas maderas descoloridas... [M. Vargas Llosa, «Epitafio para una biblioteca», *El País,* 29-VI-1997, 13].
b. La ampliación de la ruta de Megara transformaba el paisaje...; *los dos mil estadios de camino pavimentado, provisto de cisternas y puestos militares...* [M. Yourcenar, *Memorias de Adriano,* 88].
c. Dos días y dos noches más que nosotros cuentan los ángeles: el Señor los creó el cuarto día y entre *el sol recién inventado* y la primera luna pudieron... [J. L. Borges, *El tamaño de mi esperanza,* 63].

Otra propiedad muy interesante de los participios adjetivales y adjetivos perfectivos (que los aproxima grandemente a los de relación, tanto como a los de forma

[60] En este caso seguramente incide también la tendencia a la colocación en posición final de los adjetivos valorativos.

[61] Llamamos 'participios adjetivales' a formas morfológicamente participiales, susceptibles de recibir modificadores verbales, que se encuentran en la posición de modificadores del nombre; en el ejemplo (84a) podríamos decir *libros encuadernados por artesanos antiguos.* Denominamos 'adjetivos perfectivos' a formas a veces derivadas de antiguos participios latinos truncados, que ahora funcionan plenamente como adjetivo *(el vaso lleno (*por el camarero)).*

y color) es su capacidad para incrustarse unos en otros estableciendo relaciones de alcance de derecha a izquierda. Así como en *reformas legales comunitarias* el adjetivo situado más a la derecha modifica a la unidad formada por el N y el adjetivo relacional que lo sigue, y tiene un significado distinto de *reformas comunitarias legales, un producto contaminado quemado* es diverso de *un producto quemado contaminado;* en el primer caso el producto contaminado probablemente ya no hará efecto porque ha sido quemado, en el segundo caso podríamos estarnos comiendo un trozo de carne quemada que pudiera aún contaminarnos.

Para resumir: en lo que concierne a la relación entre clase de adjetivo y posición sintáctica posible, la lengua española pospone obligatoriamente sólo los adjetivos relacionales y los participios adjetivales y perfectivos, y tienden también a aparecer pospuestos (su anteposición no es imposible pero tiene un significado marcado) los adjetivos de color y forma. Por el contrario, los adjetivos intensionales (modales, orientados al hablante, etc.) sólo van antepuestos. Los adjetivos adverbiales que denotan circunstancias de tiempo, manera o lugar, así como los calificativos relativos o sincategoremáticos, pueden anteponerse o posponerse. En los calificativos esas dos posiciones se relacionan con dos interpretaciones semánticas diversas, salvo en el caso de los de extrema valoración. Los adjetivos valorativos elativos, en efecto, pueden anteponerse o posponerse sin que se modifique su relación semántica con el nombre. No obstante, los elativos antepuestos bien van solos bien se reinterpretan como adverbiales modificadores de un calificativo; y cuando se posponen, deben ir siempre al final de la secuencia formada por el nombre y el o los otros adjetivos relacionales o calificativos. Los participios adjetivales y los adjetivos perfectivos aparecen pospuestos, como ya hemos indicado, pero no son extrañas construcciones como *las cerradas puertas* que ponen de manifiesto la ambigüedad morfológica de estas formas que se comportan aquí como verdaderos calificativos.

En cuanto a las posibilidades de iteración de adjetivos en la frase nominal, como norma general los adjetivos no suelen acumularse. No obstante, es posible que en la anteposición se sucedan iterados los adjetivos intensionales, los de valoración y uno (y sólo uno) de los restantes calificativos *(el supuesto magnífico (alto) novio de mi hija,* ejemplo exagerado pero más concebible que *el alto rubio elegante novio de mi hija).* Pospuestos al nombre, pueden sucederse iterados los calificativos de forma y color y los participios adjetivales y perfectivos dando lugar a relaciones de alcance, igual que sucedía con los adjetivos relacionales. En todo caso, lo característico del español es que, tanto en la anteposición como en la posposición, si aparecen varios calificativos, estén coordinados o se sitúen en construcción asindética.

Aclarados los aspectos sintácticos, podemos centrarnos ahora en la semántica de la anteposición y posposición de los adjetivos calificativos.

3.5.2. El significado de las construcciones con adjetivos calificativos antepuestos y pospuestos

3.5.2.1. Antecedentes

La caracterización del significado de los adjetivos calificativos antepuestos y pospuestos es un tema clásico de la gramática del español, la serie de trabajos que ha suscitado es simplemente inmensa.[62] Proporcional a ese interés es la variedad de interpretaciones propuestas, fundadas *grosso modo* en razones «lógicas (semánticas), psicológicas, estilísticas o rítmicas» (Simón 1979: 183, Lago 1986: 91) que pueden actuar conjuntamente. En efecto, los autores encuentran en el contraste entre anteposición y posposición diferencias entre 'explicación' y 'especificación-particularización' (Bello 1847, Seco 1954), 'restricción' y 'no restricción' (Seco 1954, RAE 1973), 'subjetividad' y 'objetividad' (Lenz 1935), 'orden afectivo o valorativo' frente a 'orden analítico, descriptivo o normal' (Gili Gaya 1943, RAE 1973), 'orden predicativo' y 'orden atributivo' (Fernández Ramírez 1951), 'señalamiento' frente a 'adición' de una nota contenida en la intensión del nombre (Bello 1847, Rojo 1975).

Tras la distinción inicial de Bello entre adjetivo envolvente y desenvolvente, que explicábamos en el § 3.2.3.3, ha habido muchas nuevas precisiones. Escuetamente, Lenz (1935: 176-179) y Hanssen (1910 / 1945) hablan del valor o carácter 'objetivo' (se especifica al sustantivo de manera lógica por medio de cualidades complejas y exteriores) y 'subjetivo' (se implica una apreciación afectiva por medio de cualidades primitivas, inherentes e interiores), respectivamente, de los que aquí llamamos adjetivos restrictivos y no restrictivos. Fernández Ramírez (1951: 140-148) y Gili Gaya (1943: 217) aluden, entre otras propiedades de las que trataremos oportunamente, a «la *significación determinativa* del elemento pospuesto» (las palabras son del segundo de los dos autores mencionados. La RAE (1973: § 3.9.3), además de reconocer tales funciones determinativa y explicativa, explica que el adjetivo pospuesto tiene una función «determinativa, definitoria, restrictiva de la significación del sustantivo»... «desde el punto de vista lógico el adjetivo delimita o restringe la extensión del sustantivo...». La función del adjetivo antepuesto es, en cambio, «explicativa, pero no definidora... la anteposición responde al deseo de valorar la cualidad... el adjetivo que se anticipa denota, pues, actitud valorativa o afectiva».

En línea similar, Rojo (1975: 199 y ss.) indica que el adjetivo restrictivo o clasificador *(accidente automovilístico)* añade notas nuevas al sustantivo, amplía su intensión y, de esta manera, causa una reducción en la extensión del mismo. En la situación opuesta *(la verde esmeralda)* el adjetivo simplemente destaca una nota contenida en la intensión del sustantivo; en este caso, la extensión de tal nombre no se ve reducida. En Galichet 1957, donde se establece una apreciación similar a la que acabamos de glosar,[63] la distinción entre adjetivo restrictivo y no restrictivo corresponde estrictamente a la que en otros lugares se establece entre adjetivos relacionales y calificativos. Por último, Bolinger (1967) también distingue entre 'adjetivos modificadores del referente' y 'adjetivos modificadores de la referencia', si bien realiza tal distinción principalmente a los efectos de separar los adjetivos atributivos de los predicativos. Lapesa (1975: 345) combina en alguna medida la explicación semántico intensional de la restricción-explicación con la observación de que la posición es una «oposición de relevancia expresiva, cuyo término marcado corresponde al adjetivo antepuesto». Dentro de otro marco teórico, Demonte (1982) plantea una caracterización similar a estas últimas.

Como hemos razonado en el § 3.2.3.3, aunque adoptemos la denominación de 'restrictivo' y 'no restrictivo' para designar de una manera general a los adjetivos pospuestos y antepuestos, respectivamente, somos conscientes de que una caracterización justa de los valores de la posición del adjetivo requiere muchos más elementos que una semántica, digamos, de la clasificación o restricción frente al realce o no restricción. Anticipábamos en el § 3.2.3.3 que una descripción novedosa de esta distinción ha de tener en cuenta dos aspectos: la semántica de la relación adjetivo-

[62] Para una revisión y clasificación de esa bibliografía pueden verse los más escuetos Simón 1979 y Penadés 1988: § 1, y también Lago 1986: § 3, que expone los antecedentes teóricos de análisis de este fenómeno en la tradición sobre todo francesa.

[63] Cf. Lago 1984: § 2.4.2.

nombre, esto es, de qué manera puede relacionarse un adjetivo con el nombre al que modifica, y la naturaleza de la frase nominal en la que se sitúa la relación de modificación, más específicamente, si el sintagma nominal en que concurre el adjetivo es definido o indefinido. Veamos estos dos aspectos.

3.5.2.2. Valores semánticos de los adjetivos antepuestos y pospuestos en los sintagmas nominales definidos e indefinidos. Dos facetas de la naturaleza de los determinantes

Kamp (1975: 153) encuentra dos objetivos para el empleo de un adjetivo acompañando a un nombre: «contribuir a la delineación de la clase de objetos para cuya aprehensión está diseñada la frase nominal compleja de la que forma parte el adjetivo y, alternativamente, ayudar a determinar el individuo particular que constituye el pretendido referente de la descripción en la que aparece el adjetivo». La distinción es, en nuestra opinión, perspicaz y puede muy bien constituir el punto de partida de un análisis. [64] Caracterizamos a los adjetivos posnominales, según anticipábamos en el § 3.2.3.3, como expresiones que se unen a extensiones (nombres comunes) para configurar nuevas extensiones (nuevos nombres comunes); los adjetivos prenominales, en cambio, son funciones que actúan sobre la referencia o intensión sin que su aplicación afecte a la extensión del término modificado (los adjetivos posnominales, pues, son extensionales y modificadores del referente, mientras que los prenominales son intensionales y modificadores de la referencia). En este sentido, los prenominales corresponden a la primera definición de Kamp y los posnominales a la segunda. Estas dos relaciones sintácticas son invariables; sin embargo, dan lugar a dos interpretaciones semánticas alternativas según se establezcan en sintagmas nominales encabezados por artículos definidos o por artículos indefinidos. En efecto, como se trasluce de la agramaticalidad de los ejemplos de (85b) y (86b) —oraciones genéricas en las que por definición no se hace referencia a objetos individuales, sino a clases de objetos [65] [→ § 5.2.1.5]— tanto en las frases definidas como en las indefinidas el adjetivo prenominal induce una interpretación de objeto que existe, que se presupone: alude a los individuos que son la referencia de la expresión nominal y cierra el paso a la interpretación cuantificacional de referencia a una clase o a una subclase de objetos, interpretación que surge naturalmente con el adjetivo pospuesto, (85a) y (86a):

(85) a. Los leones desdentados se alimentan siempre de hierbas.
 b. *Los desdentados leones se alimentan siempre de hierba.
(86) a. Un hombre elocuente seduce siempre con facilidad.
 b. *Un elocuente hombre seduce siempre con facilidad.

(85b) y (86b), repitamos, suenan mal porque los *desdentados leones* y *un elocuente hombre* sólo pueden designar individuos que existen, individuos específicos,

[64] Tomar esta directriz general no implica que estemos adoptando el complejo análisis semántico propuesto por Kamp 1975, basado en la distinción entre adjetivos predicativos *(endocrino)* y no predicativos *(rojo, dulce)*, privativos *(falso)*, afirmativos *(rosado, brillante, dulce)*, extensionales (los predicativos y también *rojo*), propiedades que pueden combinarse.

[65] Cf. Carlson y Pelletier 1995: § 1 para la distinción entre oraciones caracterizadoras y oraciones particulares. Las oraciones caracterizadoras contienen enunciados gnómicos o normativos, las particulares generalizaciones descriptivas.

y en estas oraciones concurren diversos factores (el tiempo verbal, el adverbio *siempre*) que obligan a la interpretación genérica de los sujetos: la interpretación de referencia a clases de cosas. Efectos similares se consiguen cuando el verbo principal es uno de aquellos que exigen como sujeto una expresión designadora de clase, tal como *extinguirse,* o es un predicado de una oración caracterizadora (no particularizadora):

(87) a. Los pingüinos peludos se están extinguiendo.
b. *Los peludos pingüinos se están extinguiendo.

(88) a. Una mujer inteligente es vanidosa.
b. *Una inteligente mujer es vanidosa.

Nótese que los adjetivos antepuestos plenamente epitéticos no impiden la interpretación genérica. *La blanca nieve siempre produce vértigo* o *Los desdentados osos hormigueros se están extinguiendo.* Esta generalización, en suma, se refiere sólo a los adjetivos que pueden efectivamente usarse restrictivamente.

No es el objetivo de este capítulo estudiar las construcciones genéricas [→ § 12.3.3.1], pero el comportamiento en ese contexto de los adjetivos calificativos atributivos constituye un buen punto de partida para reelaborar con nuevas precisiones la idea tradicional de que los adjetivos pospuestos son restrictivos o clasificadores y los antepuestos son no restrictivos. Señalábamos y razonábamos escuetamente en el § 3.2.3.3 que tal distinción sólo se verifica en las expresiones definidas, mientras que en las indefinidas las dos posiciones dan lugar a una oposición de especificidad. Podemos señalar ahora que esa doble oposición se debe a la naturaleza de los determinantes y no a la relación sintáctica entre el sustantivo y los adjetivos pre y posnominales, aunque esta incida de manera decisiva en la interacción de esos determinantes con los nombres.

(a) ANTEPOSICIÓN Y POSPOSICIÓN EN SINTAGMAS NOMINALES DEFINIDOS. RESTRICCIÓN FRENTE A NO RESTRICCIÓN (MODIFICACIÓN DE LA REFERENCIA FRENTE A MODIFICACIÓN DEL REFERENTE). Los artículos definidos e indefinidos son considerados por algunos estudiosos como cuantificadores fuertes [→ § 12.2.1] y débiles [→ § 12.2.2], respectivamente, y su papel en la sintaxis y en la interpretación de las oraciones es sustancialmente diferente. Los artículos definidos (cuando no están ligados explícitamente por operadores o términos genéricos como sucede en (85) y (86)) actualizan la referencia, describen explícitamente un objeto tal que se pueda encontrar al referente del mismo, o aluden a los objetos de manera directa.

Cuando en el sintagma nominal definido los nombres están modificados por adjetivos pospuestos, la cuantificación y la actualización de la referencia se realizan entonces sobre la unidad <N + A>, que pasa a designar bien un subconjunto general, una clase natural *(Me gustan las manzanas doradas),* bien un subconjunto contextualmente determinado de la clase designada por el nombre *(Me comí las manzanas doradas)* o, si el artículo es singular, simplemente un individuo específico, referencialmente considerado *(Dame la manzana dorada),* o presentado como un conjunto de atributos *(Búscame la manzana más grande que haya en el cesto).* Cuando el adjetivo es prenominal la lectura específica no se disipa, puesto que depende del determinante, pero sí desaparece la lectura de grupo seleccionado de individuos inducida por el adjetivo y surgen los varios matices, tal vez pragmáticamente condicionados, de la llamada lectura no restrictiva: énfasis de una cualidad intrínseca *(las mansas ovejas),* valoración subjetiva, singularidad-exclusividad del individuo *(el maravilloso amigo),* etc. El adjetivo antepuesto en sintagmas nominales definidos sirve pues, en términos generales, para hacer más claras las particularidades del individuo designado por el nombre, para identificar mejor al referente del objeto; el adjetivo pospuesto sirve en cambio para especificar la referencia del objeto (la mejor identificación del referente, en el primer caso, se debe a la modificación de la referencia; en el segundo, al restringir la referencia se modifica el referente). [66]

Hay varias características de las frases nominales definidas que se relacionan también con el significado del determinante y con la diversa relación sintáctica que el nombre mantiene con los adjetivos antepuestos y pospuestos. Bolinger (1972), criticando a Moody (1971), es quien señala que el artículo definido es usualmente anafórico en los sintagmas nominales sencillos: *La mujer me habló,* por ejemplo, implica que la mujer es conocida por el contexto; a la par, la expresión continúa siendo anafórica cuando lleva un adjetivo antepuesto *(La linda mujer me habló).* En *La mujer linda me habló* el artículo es en cambio catafórico, describe a alguien aún no suficientemente presentado en el contexto de esa información, introduce nuevos rasgos, es un elemento focal. La explicación de Bolinger señala que el artículo catafórico, frente al anafórico, necesita especificación (1972: 93). Tal como lo planteamos aquí es natural que encontremos esta dualidad: puesto que el adjetivo antepuesto no forma otro N con un N, el artículo que comparezca en esa secuencia tendrá la misma capacidad semántica que con el nombre solo y el adjetivo simplemente ayudará a identificar el individuo mencionado por el nombre modificado; por el contrario, con el adjetivo pospuesto el artículo tiene alcance sobre la unidad NA y de ahí ese nuevo significado, esa cataforicidad o focalidad, que atribuimos a la secuencia.

Hay construcciones de adjetivo antepuesto como las siguientes que suenan raras a menos que se explicite el complemento del nombre (encerrado entre paréntesis en (89a)), o el adjetivo en cuestión se coordine con otro adjetivo, (89b):

(89) a. Cómprame los ricos chocolates ??(que nos recomendó mi hermana). — Cómprame los chocolates ricos.
b. Concedió una entrevista al tonto *(y grandilocuente) abogado.

Esto muestra que si bien la frase nominal se refiere en ambos casos a una entidad específica, a objetos individuales cuya existencia se presupone, hay una especificidad enriquecida, máxima, que configura una descripción definida plena, y una especificidad mínima que consiste en la identificación de un individuo ya mencionado. La especificidad enriquecida o catafórica se consigue mediante el adjetivo pospuesto, las oraciones relativas y los complementos de N. El adjetivo pues forma una clase sintáctica natural con estos constituyentes y esto permite pensar que, al igual que ellos, mantiene una relación estrecha con el nombre modificado, distinta de la que este establece con el adjetivo antepuesto. El adjetivo pospuesto, en suma, desarrolla rasgos del N (en esto consiste la identificación de la referencia), el adjetivo ante-

[66] Para un análisis sintáctico y semántico de la derivación de los adjetivos antepuestos y pospuestos puede verse Demonte 1999.

puesto deja intacta la referencia y añade nuevas notas para la identificación del referente.

Esta última observación se visualiza de manera muy clara a través del comportamiento de los adjetivos calificativos con los nombres propios. Los nombres propios, como sabemos, son expresiones máximamente referenciales, no necesitan pues complementos o adjetivos pospuestos que realicen una descripción conceptual del sentido (o referencia) del término *(*Carlos de mi hija, *(el) Carlos guapo)* y sirvan así para escoger el referente [⟶ § 2.4.1].[67] Los adjetivos antepuestos, sin embargo, son posibles con los nombres propios *(El genial Mozart* [tomado de Zamparelli 1993a: 141], *La inefable Stella, La divina Callas).* Si los adjetivos antepuestos fueran sintáctica y semánticamente comparables a los pospuestos estas expresiones serían inconcebibles.

(b) ANTEPOSICIÓN Y POSPOSICIÓN EN SINTAGMAS NOMINALES INDEFINIDOS. ESPECIFICIDAD E INESPECIFICIDAD. FOCO Y TEMA. Una diferencia básica entre los sintagmas nominales definidos y los indefinidos consiste en que mientras que aquellos introducen descripciones definidas —y por ello tienden fuertemente a ser referenciales—, los indefinidos se dice que introducen variables —tienden por ello, precisamente, a ser no referenciales ya que las variables son expresiones abiertas que significan en virtud de lo que se tenga en el contexto—. Si esto sucede, surge entonces la lectura no específica (la interpretación de variable) como en *Todos mis vecinos tienen un perro,* donde *un perro* no designa un específico animal sino que posee una lectura cuantificacional distributiva: «cada perro de todos (y cada uno) de mis vecinos».[68] Pero las frases nominales indefinidas también son susceptibles de lecturas específicas como le sucede a *un hombre* en *En este momento entra un hombre, es el alcalde,* o en *Óscar quiere ver una película* en el sentido de «Hay una película que Óscar quiere ver»; en ambos casos el hablante puede relacionar el sintagma indefinido con un ejemplar de la clase denotada por el sustantivo.[69]

Varios teóricos (Kamp 1981, Heim 1982, Diesing 1992, principalmente) señalan que en estos segundos casos, cuando se refiere a una entidad específica, la variable introducida por el indefinido se 'clausura existencialmente'. Con otras palabras: al no ser ligada por ningún elemento cuantificacional, habitual o lo que sea, va a tener la referencia específica que le otorga un operador existencial presente en el texto.

Con estas distinciones como punto de partida, podemos acercarnos ahora a las implicaciones de la presencia de calificativos atributivos en los sintagmas nominales indefinidos.

Picallo (1994) (elaborando una idea planteada en Bosque 1993b) describe varios contextos que muestran inequívocamente que los sintagmas nominales indefinidos difieren en interpretación según que el adjetivo modificador sea pre o posnominal. Así, mientras que una oración como (90a) (adaptación del ejemplo catalán de Picallo 1994: 150) no presupone necesariamente la existencia del individuo denotado por

---

[67] Los casos como *Iván el terrible* o *Juana la loca* (frente a **Iván terrible* o **Juana loca*) ilustran la misma idea: los nombres propios no pueden llevar adjetivos, pero si frases nominales en aposición en las que haya adjetivos [⟶ Cap. 8].

[68] El análisis semántico define a las variables como elementos que pueden ser ligados por operadores, por entidades cuantificacionales. En el ejemplo anterior, *uno* significa, por así decir, lo que determina *todos,* el operador cuantificacional que lo liga.

[69] El segundo ejemplo está tomado de Leonetti 1993: 52, obra a la cual refiero (así como a su capítulo 12 en esta gramática) para aclarar estas cuestiones.

la expresión nominal y es ambigua entre una interpretación específica y una inespecífica, (90b) tiene una única interpretación que es la de presuposición de existencia o especificidad de la entidad designada por el sustantivo:

(90) a. Ana cree que *una periodista importante* le solicitará una entrevista.
b. Ana cree que *una importante periodista* le solicitará una entrevista.

(Una continuación como *Esa periodista es Rosa Montero* suena muchísimo más normal con (90b)).

La realidad de este contraste, de cuya explicación exhaustiva no nos ocuparemos aquí, [70] se manifiesta de múltiples maneras. Como muestra Picallo (1993: § 4), por ejemplo, las secuencias AN son imposibles cuando se encuentran bajo el alcance de modales deónticos como *tener que* o *deber,* (91a), o de verbos de actitud proposicional como *creer,* (91b), ya que los contextos intensionales no suscitan interpretaciones específicas:

(91) a. *Tiene que haber *un amable profesor* por alguna parte. (Cf. Tiene que haber *un profesor amable* por alguna parte.)
b. *Creo que tienen *un experto abogado* en ese bufete. (Cf. Creo que tienen *un abogado experto* en ese bufete.)

Bosque (1996) analiza varios marcos sintácticos que establecen un claro contraste en los valores semánticos de los calificativos antepuestos y pospuestos en los sintagmas indefinidos. Como sucedía con los sintagmas definidos, en efecto (cf. (85)), la interpretación de variable no se puede obtener cuando la oración contiene un elemento modal o habitual:

(92) ??*Un complicado artículo* te suele llevar horas de lectura [tomado de Bosque 1996: 4]. (Cf. *Un artículo complicado* te suele llevar horas de lectura.).

Los imperativos, que configuran contextos intensionales como los que ilustrábamos en (91) —puesto que si ordenamos obtener algún objeto claramente ese objeto no existe todavía—, prefieren los adjetivos pospuestos:

(93) ??Envía *una valiente carta.* Nadie te hará caso. (Cf. Envía *una carta valiente.* Nadie te hará caso.)

Bosque (1996) hace ver también [71] que la preposición *a* de los objetos directos, preposición marcadora de especificidad en español [→ § 28.4], no puede estar ausente en contextos intensionales cuando el nombre va precedido de un adjetivo calificativo. Lo que se ve aquí nuevamente es que el adjetivo antepuesto obliga a la lectura de especificidad (la anomalía allí de la ausencia de preposición así lo indica): fuerza la lectura específica e impide la de variable en situaciones en las que, de otro modo, las dos lecturas serían posibles:

---

[70] Pero cf. Picallo 1993, Bosque 1996 y Demonte 1999.

[71] Son varias más las situaciones sintácticas que ratifican esta distinción en Bosque 1996; remito al lector a ese trabajo para su seguimiento y me limito aquí a los casos más sobresalientes.

(94) a. Busco a un médico inteligente. / Busco un médico inteligente.
b. Busco a un inteligente médico. / *Busco un inteligente médico.

Dada su interpretación específica, los sintagmas nominales indefinidos con adjetivos antepuestos son muy frecuentes en posiciones de 'tema': las que contienen información compartida por el hablante o el oyente. Son normales así en las construcciones de constituyente antepuesto repetido en el interior de la oración mediante un clítico dativo o acusativo (llamadas también de 'dislocación a la izquierda'); claro está que pueden ir allí asimismo las de adjetivo pospuesto, puesto que también pueden ser específicas:

(95) —¿Me comprarás esa moto?
—{*Una peligrosísima moto*/?Una moto peligrosísima} no te la compraré ni aunque me lo pidas de rodillas.

Por el contrario, los sintagmas nominales indefinidos con adjetivos antepuestos suenan extraños en las posiciones de foco que introducen información sobre tipos de cosas en vez de sobre ejemplares:

(96) —¿Qué se necesita para esa fiesta?
—Se necesita un {??sencillo vestido/vestido sencillo}.

El contraste específico—inespecífico con sus efectos en la focalización y la tematización es el que sale a la luz también en los sintagmas nominales sin determinante en los que concurren nombres y adjetivos calificativos. Hay varias situaciones que permiten hacer esta afirmación. Ya sabemos, en primer lugar, que los nombres plurales escuetos o sin determinante pueden introducir información nueva o de foco: *—¿Qué trajo?, —Coches,* y que los focos suelen tener lectura inespecífica. Pues bien, en un contexto así podríamos admitir como respuesta, con mucha más facilidad, *Coches nuevos* que *Nuevos coches.* Frente a los focos, los constituyentes 'temas' (que, como decíamos, introducen información compartida) son por lo general específicos.

Dos contextos con constituyentes típicamente temáticos son los titulares de los periódicos *({Ciudadanos emocionados/Emocionados ciudadanos} se manifestaron por la Avenida 9 de Julio)* y 'las construcciones exclamativas de carácter estimativo' (*¡Bonito razonamiento!, ¡El lujo, el cochino lujo!* [tomados de Fernández Ramírez 1951: § 82, 142]) [→ § 39.2]. En el caso de los titulares están igualmente bien la anteposición y la posposición probablemente porque el medio informativo puede jugar con la posibilidad de que el lector del periódico esté enterado del acontecimiento que el titular resume. Las construcciones exclamativas traducen una reacción subjetiva, condensada y valorativa frente a algo que se acaba de percibir o entender; tales expresiones no transmiten información sino que presuponen un punto de vista común que el hablante pretende acercar y hacer explícito al interlocutor, no pueden por lo tanto ser focales y de ahí la exigencia de adjetivo antepuesto.

Conviene advertir que estos contrastes de significado y esas variaciones de aceptabilidad tienen lugar tan sólo con los adjetivos calificativos; con los adjetivos que serán objeto de nuestra atención en el próximo apartado, los intensionales como *posible* y los adverbiales circunstanciales como *futuro* o *lento,* la anteposición y posposición no llevan consigo ningún cambio de interpretación, (97b y c). Más aún, a diferencia de lo que veíamos en (85), (86), (87) y (88), los adjetivos antepuestos no calificativos son posibles en oraciones genéricas o habituales como (97a):

(97) a. {Un/El} {posible/presunto} ratero siempre provoca miedo. — {Un/??El} ratero posible siempre provoca miedo.
b. El largo viaje me agotó. —El viaje largo me agotó.
c. Saludé a mi futuro jefe. —Saludé a mi jefe futuro.

3.5.2.3. Los significados absolutos y relativos en la anteposición y posposición de adjetivos como pobre, bueno *y* simple

Señalábamos en el § 3.2.3.1 que las cualidades asignadas por los nombres se pueden aplicar a un nombre en sentido absoluto —ser una propiedad tanto de ese objeto como de las clases de entidades que él implica— o ser una propiedad relativa sólo al nombre modificado. En un caso como el primero, cuando afirmo que *Susana es una amiga buena* aplico la propiedad en sentido absoluto y significo que Susana es buena en general (es una persona buena); esta expresión, de todos modos, es ambigua y, aunque de una manera menos obvia, puede afirmar simplemente que *Susana es buena en tanto que amiga.* La ambigüedad de la oración anterior desaparece por completo en *Susana es una buena amiga* donde sólo se encuentra la acepción relativa o no intersectiva («ser una buena amiga» no elimina la implicación de que se pueda ser una horrorosa hija, por caso).

La semántica intersectiva y no intersectiva de las relaciones nombre-adjetivo depende en buena medida del significado mismo del adjetivo. Veíamos en el § 3.4.2.2, en efecto, al clasificar a los adjetivos calificativos, que algunos de ellos, típicamente los de color y forma (aunque no sólo estos), son siempre intersectivos o absolutos; pero la mayoría de los adjetivos calificativos son relativos o sincategoremáticos: su interpretación está contextualmente determinada y su significado depende de la norma establecida para que una propiedad pueda ser atribuida a una clase determinada de objetos. Esta distinción no tiene un reflejo inequívoco en la sintaxis, no se deduce de la estructura sintáctica, ni, viceversa, la interpretación condiciona la sintaxis. La distinción, sin embargo, no deja de reflejarse en la forma de manera aislada. Recordemos, por ejemplo, que los adjetivos de color-forma y muchos de los de valoración son los únicos que pueden modificarse entre sí y ser modificados por otros adjetivos, los restantes adjetivos han de coordinarse entre ellos (cf. *supra* el § 3.5.1.2b). Pues bien, en lo que concierne a la posible relación entre las posiciones de los adjetivos y los dos significados o valores semánticos que estamos considerando, no es una generalización impropia afirmar que los adjetivos antepuestos tienden a tener una interpretación no intersectiva mientras que los pospuestos pueden ser tanto intersectivos como no-intersectivos. (Ciertamente en la anteposición se encuentran también adjetivos categóricos, como *los rojos claveles,* que si suenan extraños o inesperados es tal vez porque fuerzan a una lectura referida a ese objeto en particular, cuando en realidad son una característica general de esa clase de cosas.)

Ahora bien, existe en castellano un grupo reducido de adjetivos que emplean la anteposición/posposición para distinguir precisamente un significado suyo claramente no intersectivo del intersectivo. Más estrictamente, la variación de significado que se encuentra en adjetivos como *viejo* y *bueno* es una consecuencia de los dos significados que corresponden a la anteposición y a la posposición. [72] Me refiero a formas como las siguientes:

(98) a. Una verdadera alegría [= gran] — Una alegría verdadera [= cierta].
b. Buen amigo [= gran] — Amigo bueno [= bondadoso].
c. Gran jefe [= con grandeza] — Jefe grande [= de tamaño].
d. Nuevo libro [= recién aparecido] — Libro nuevo [= apenas usado, casi intacto].
e. Pobre hombre [= miserable] — Hombre pobre [= sin recursos].
f. Viejo profesor [= antiguo en la profesión] — Profesor viejo [= anciano].
g. Rara cualidad [= no frecuente] — Cualidad rara [= extravagante].
h. Real coche [= muy bueno] — Un coche real [verdadero].

Las paráfrasis con *como* restringido al nombre modificado («bueno como amigo»; «grande como jefe»; *de reciente aparición:* «nuevo como libro») son inmediatas para los adjetivos antepuestos. Los pospuestos son casi siempre absolutos o intersectivos y se refieren a la clase general en la que se incluye ese individuo («bueno como persona», «grande como individuo físico», «nuevo como objeto»). Ciertamente, estas paráfrasis adquieren matices diversos que dependen en buena medida del significado del sustantivo y acaso también de factores discursivos. Así, mientras *amigo bueno* significa llanamente amigo y buena persona, *médico bueno* y *abogado bueno* parecen mantener el significado relativo a la profesión y no a la persona. Otra observación de interés es que los significados relativo y absoluto inciden en (o marcan) una parte de la acepción del nombre. *Nuevo libro* y *pobre hombre* aluden, respectivamente, al libro como objeto intelectual y al hombre como ser espiritual; *libro nuevo* y *hombre pobre* se refieren a las propiedades externas, al objeto físico antes que a otra cosa. El uso de estos adjetivos parece sugerir, en suma, que los elementos constitutivos del significado de los sustantivos no son todos del mismo rango.

Martín (1995: § 3.3.3) establece una interesante distinción entre dos tipos de calificativos antepuestos, que amplía y seguramente matiza nuestras consideraciones sobre los adjetivos de la clase de *pobre* y *bueno.* Señala Martín que los adjetivos calificativos antepuestos son, de una parte, 'epítetos' (*blanco, elegante,* etc.) que «especifican uno de los parámetros del nombre con un valor prototípico de él, y lo enfatizan» (1994: 203); y, de otro, son adjetivos 'evaluadores de la referencia' *(pobre, bueno)* que «intensifican, en una dirección positiva o negativa, las propiedades prototípicas del nombre» (1994: 203). Los adjetivos evaluadores de la referencia tienen una conducta sintáctica muy distinta de la de los calificativos epítetos (en el sentido de este autor), y similar en cambio a la de los adjetivos modales del estilo de *posible* o *presunto.* Por ejemplo, los adjetivos de la clase de *pobre* no impiden la lectura genérica cuando van antepuestos *(Un verdadero profesor seduce con facilidad,* com-

---

[72] Véase Demonte 1982: § 4.3.2 y, muy especialmente, Siegel 1976 para más precisiones sobre esta cuestión. Se puede recordar, aunque sea de paso, que en algunas lenguas esta distinción da lugar a claras distinciones formales. El ruso, por ejemplo, las formas largas de los adjetivos son no intersectivas y las breves son intersectivas. Otras lenguas, el nganamba por ejemplo, encajan esos significados en categorías distintas: sólo son adjetivos las formas de significado intersectivo, la acepción no intersectiva se realiza a través de nombres o verbos.

páreselo con (86b) *supra),* no fuerzan tampoco la lectura específica en sintagmas nominales indefinidos *(Ana cree que una buena amiga la sacará del atolladero,* compáreselo con (90b) *supra)* y así sucesivamente. De esta consideración se desprende que lo que caracteriza a esta subclase de adjetivos es el ser intensionales o modificadores de propiedades, igual que sucede con *falso* o *posible.* Así las cosas, la acepción 'relativa' de estos adjetivos cuando van antepuestos no sería más que un reflejo del hecho de que los verdaderos calificativos sí tienen significado subsectivo o relativo en esa posición (piénsese en el contraste entre *una deliciosa enfermera-una enfermera deliciosa*), de modo que el contraste entre interpretación relativa y absoluta es paralelo al que se establece entre interpretación intensional y no-intensional, contrastes ambos que se manifiestan en la anteposición-posposición sintáctica de los adjetivos, aunque no de una manera categórica.

3.5.3. El papel de los factores estilísticos y rítmicos en la posición del adjetivo

Por lo que hemos visto hasta aquí, las razones que determinan la posición del adjetivo son en buena medida semánticas: el hecho de que expresen una propiedad absoluta o relativa, que se refieran al concepto o al objeto designado, que tengan un significado valorativo o intensional o que sean predicados de estadio son algunos de los factores que hemos visto intervenir. Para ser estrictos, sin embargo, hay que señalar que lo que en realidad muestra la posición del adjetivo es una estrecha interacción entre sintaxis y semántica: las relaciones semánticas antes mencionadas se expresan dentro de unos límites formales, el número de adjetivos que pueden incrustarse sucesivamente es limitado, los adjetivos antepuestos no pueden llevar complemento, y la coordinación de términos tiene unas restricciones formales que se suman a las que tienen ya los modificadores, y así sucesivamente. Junto a las contricciones semántico-sintácticas hay también factores léxicos. Señalamos en el § 3.3.1.2 que la posposición obligatoria de los adjetivos relacionales puede deberse a la condición de cuasi compuesto sintagmático que tiene la secuencia <N + Adjetivo relacional> y, por lo tanto, a la intervención de un proceso que une estos adjetivos a los nombres núcleos del sintagma del que forman parte. El hecho asimismo de que el complemento preposicional de un nombre constituya una unidad con el nombre *({torta/tarta} de cumpleaños)* situará al adjetivo calificativo detrás de esa unidad, contrariando sólo en apariencia la tendencia normal al orden <N + A + Complemento preposicional>.

En pocas ocasiones la presencia de los adjetivos en una determinada posición dentro del sintagma nominal se debe a razones exclusivamente sintácticas. Cabe acaso encontrar una razón formal pura en la posposición y colocación final de los adjetivos que llevan ellos mismos complemento; actúa en estos casos un factor de 'pesantez' que Hernanz y Brucart (1987: 168) formulan del modo siguiente: «los constituyentes dotados de estructura sintáctica compleja tienden a seguir a los que carecen de ella». Estos autores ilustran su generalización mediante ejemplos como el de (99a):

(99) a. *Un problema fácil de resolver por medio de una ecuación de segundo grado de matemáticas (cf. Un problema de matemáticas fácil de resolver por una ecuación de segundo grado).

b. Descubrimos la casa famosa de techo descendente (frente a ??Descubrimos la casa famosa por sus brillantes colores (,) de techo descendente. — Descubrimos la casa de techo descendente (,) famosa por sus brillantes colores).

Si bien la motivación de esa colocación de los constituyentes pesados podría considerarse sintáctica, es más preciso acaso suponer que el factor que mueve a esa disposición es la estructura rítmica y prosódica de la frase. Fernández Ramírez (1951: § 83) alude explícitamente a las 'leyes estructurales y cuantitativas' que rigen la colocación del adjetivo. Esas leyes, cuya formulación explícita no es sencilla, como bien indica nuestro destacado gramático, explican según Fernández Ramírez la preferible anteposición de ciertos adjetivos cuando el nombre al que modifica lleva a su vez un complemento (*Ordenó que le abriesen y que alumbrasen el inmenso escritorio de Don Trinatario* [G. Miró, *El obispo leproso,* 61]; *en el eremítico país del Vierzo,* [C. Espina, *La esfinge maragata* I, 34; tomados de Fernández Ramírez, 1951: 144 y 145, respectivamente]). Indica este lingüista que «el atributo se retrae porque la posición final o posterior, en el ritmo acentual ascendente que rige el orden de palabras en español, es la posición dominante. Anclado entre el determinante y el sustantivo... el atributo no interrumpe el contacto entre el sustantivo y los otros elementos de la organización» (1951: 144). Entendemos pues que, en un caso como este, la prosodia interactuaría con la opción entre un orden afectivo o atributivo <A + N> y un orden lógico o predicativo <N + A>, distinción esta última de Fernández Ramírez.

Pero parece haber también razones prosódicas exclusivas que controlan la disposición: «Cuando se pospone al nombre sustantivo, suele constituir un grupo fónico, mientras que en la anteposición se incorpora generalmente a la unidad melódica del nombre sustantivo» (1951: 145). Esta razón es la que subyace, entendemos, al desplazamiento de los sintagmas pesados que naturalmente constituyen un grupo fónico y por ello necesitan posponerse a diferencia de los adjetivos sin complemento ni modificador alguno, que no constituyen por sí solos un grupo melódico. Seguramente hay también factores melódicos de simetría («la organización de ramas y unidades melódicas simétricas», 1951: 145) que hacen preferible, pongamos, *el libro azul alargado* a *el libro alargado azul;* esto es, en una estructura de dos adjetivos intersectivos sucesivos en la que los dos órdenes serían completamente equivalentes desde el punto de vista semántico suena más aceptable aquella en la que el adjetivo más corto precede al más largo. Esta tendencia a posponer el componente más largo explica también que los adjetivos antepuestos sean generalmente iguales o más cortos que el N con el que forman unidad fónica y, paralelamente, que el adjetivo solo que siga a un nombre tienda a ser más largo que este (cf. Fernández Ramírez 1951: § 84 a propósito de esta 'ley cuantitativa' del español). Todas estas consideraciones, aunque plausibles, necesitan una mayor elaboración. Habría que ver sobre todo qué grado de autonomía tienen estos condicionamientos prosódicos frente a las leyes semántico-sintácticas que parecen constreñir más fuertemente la colocación de los adjetivos.

En todo caso, cuando hablamos de opciones para una similar interpretación semántica estamos haciendo referencia al papel de los factores estilísticos en la anteposición y posposición de los adjetivos. [73]

---

[73] Klein (1983) atribuye globalmente a razones que denomina también estilísticas los significados de los diversos

.4. La coordinación y yuxtaposición de adjetivos calificativos en la frase nominal

Los adjetivos antepuestos y pospuestos pueden coordinarse entre sí [→ § 41.2.3] y utilizan para ello todas las conjunciones coordinantes que se emplean en la coordinación de sintagmas y de núcleos de sintagmas (*y, o, pero, mas, aunque, sino, si bien,* etc.). Los principios sintácticos y semánticos que rigen la coordinación de adjetivos son los mismos que funcionan para otras categorías: los términos que se coordinen deben ser semánticamente compatibles y complementarios cuando la coordinación es copulativa *(tristes y obsesionantes; luminosa y excitante);* el segundo debe cancelar una expectativa suscitada por el primero en el caso de la coordinación adversativa *(borrascosos pero felices);* deben ser alternativos a la par que compatibles cuando la conjunción es disyuntiva *(temerarios o discordantes);* como se ve en los ejemplos de (100).

Estos mismos ejemplos nos muestran que los adjetivos coordinados tienden a ser de una misma clase semántica: dos adjetivos de disposición humana *(extraviado y medroso),* de propiedad física *(cálido y dorado),* de valoración *(buenas y pacientísimas),* etc. No es forzoso sin embargo que los adjetivos pertenezcan exactamente a la misma subclase semántica; podemos hablar, por ejemplo, de *una persona viva y realista* (disposición y cualidad intelectual), *gentes desesperadas y famélicas* [J. M. Caballero Bonald, *Tiempo de guerras perdidas,* 42] (situación psicológica y situación física), o componer tamaño con color como en *bolso pequeño y negro.*

(100) ...*un bolso pequeño y negro* como si fuera un misal [A. Muñoz Molina, *Plenilunio,* 7]. / ...*ciudad luminosa y excitante*... / ...*días borrascosos pero felices*... / ...de *los reveses económicos y morales* que andaba a la sazón padeciendo... [J. M. Caballero Bonald, *Tiempo de guerras perdidas,* 57]. / ...*gesto extraviado y medroso*... [A. Moravia, *La Romana,* 172]. / ...*los gestos temerarios o discordantes*... [J. M. Caballero Bonald, *Tiempo de guerras perdidas,* 20]. / ...*tristes y obsesionantes pensamientos*... [A. Moravia, *La Romana,* 316]. / *un sol cálido y dorado* como un viejo licor... [A. Moravia, *La Romana,* 205]. / ...*fervorosas e idílicas jornadas* neoisabelinas... de aquellas *buenas y pacientísimas señoras*... [R. Sánchez Ferlosio, *La homilía del ratón,* 19]. / como si *el viejo, aunque nunca entero, albedrío* de los humanos... estuviese empezando a retirarse hacia el pasado... [R. Sánchez Ferlosio, *La homilía del ratón,* 9].

Una muy general condición de compatibilidad semántica (y seguramente pragmática) hace legítimas unas coordinaciones frente a otras, por eso una combinación como *#un libro azul e inteligente* suele resultar inesperada ya que los dos adjetivos se refieren a dimensiones muy diversas de ese tipo de objeto: cuando hablamos del color nos referimos al *libro* como objeto físico, cuando decimos que es *inteligente*

órdenes adjetivo-sustantivo. Por estilístico significa esta autora, en realidad, «diferentes circunstancias contextuales» (1983: 149). Su punto de vista no es fácil de comparar con el que se desarrolla en este capítulo por varias razones: (i) en su tratamiento no distingue los adjetivos calificativos de los determinantes (numerales, indefinidos y demás) cuya anteposición y posposición (cuando es que esta última puede darse) obedecen a razones estrictamente formales, (ii) no realiza tampoco una clasificación detallada de las varias subclases de calificativos, ni los distingue de los relacionales y los intensionales, (iii) no tiene en cuenta factores léxico-morfológicos y, (iv), apenas define y pormenoriza la noción básica para su análisis de significado contrastivo frente a no contrastivo.

aludimos al contenido y a la gestación del libro, una dimensión muy distinta de los *qualia* de la palabra. Tratándose de personas, en cambio, no resulta insólito que nos refiramos a *una mujer rubia e inteligente.* Parece pues que las propiedades físicas y las intelectuales tienen el mismo rango (son propiedades formales en el sentido de Pustejovsky 1995) cuando se trata de seres humanos; cuando se aplican a creaciones humanas, en cambio, se sitúan en dos ámbitos distintos de la definición: el aspecto físico es una propiedad formal, el contenido es una propiedad agentiva.

Los adjetivos coordinados pueden estar acompañados de adverbios de grado marcadores de intensificación como *más, muy* y *tan,* (101a) [→ § 4.2]. En general un solo adverbio se aplica al conjunto formado por la coordinación de adjetivos *(manera tan sumisa y desarmada; el más necio y huero...);* la presencia simultánea de adverbios en los dos términos coordinados suele parecernos redundante *(el más necio y más huero narcisismo)* y no es usual tampoco que el adverbio de intensificación esté presente en el segundo coordinando: estructuras como *un libro verde y muy pequeño* se sienten como poco naturales a menos que se reponga una coma entre el adjetivo desnudo y el adjetivo intensificado *(un libro verde, y muy pequeño).* Estos hechos nos indican que la coordinación de adjetivos modificadores es principalmente coordinación de núcleos y no de sintagmas adjetivales completos. Hay construcciones sin embargo en las que adverbios y partículas marcadores de aspecto y de focalización como *ya, nunca, siempre, casi* o *hasta* —generalmente mono o bisilábicos— acompañan cómodamente a los dos coordinandos o modifican al segundo término sin merma de la aceptabilidad, (101b). Estos términos son muy probablemente núcleos inacentuados o clíticos que forman una unidad semántica y rítmica con el sustantivo, de modo que podemos pensar que en estos casos también se están coordinando núcleos y no sintagmas completos:

(101) a. ...de *manera tan sumisa y desarmada...* [A. Moravia, *La Romana,* 260]. / ...aquellas dos *muchachas tan lerdas y llamativas...* [J. M. Caballero Bonald, *Tiempo de guerras perdidas,* 112]. / ...conceder satisfacción al *más necio y huero narcisismo...* [R. Sánchez Ferlosio, *La homilía del ratón,* 14]. / Se trata de un *texto muy ágil e interesante.*

b. ...sus *públicos y hasta oficiales delirios aqueménidas...* [R. Sánchez Ferlosio, *La homilía del ratón,* 14]. / ...con su *casi imperceptible y nunca autoritaria voz...* [J. M. Caballero Bonald, *Tiempo de guerras perdidas,* 56]. / su *siempre alegre y nunca malhumorada hermana.*

Lapesa (1975: § 4, 2) presenta interesantísimos ejemplos de series de «adjetivos equivalentes» en textos de diversas etapas de la lengua castellana. A su juicio «la anteposición es tanto más artificiosa e infrecuente cuanto mayor sea el número de calificativos» (1975: 337). Entre sus ejemplos hay varios casos de adjetivos coordinados antepuestos en los que sólo el segundo término aparece modificado: *el estéril y mal cultivado ingenio* [Cervantes, *Quijote,* Pról. 29; tomado de Lapesa 1975: 337], *Insigne cauallero y jamás como se deue alabado Don Quixote* [Cervantes, *Quijote,* II, 17, 217; tomado de Lapesa 1975: 340]. En cuanto al primero se trata de un adjetivo participial que lleva unido, acaso cliticizado, un adverbio de manera que lo modifica como entidad verbal que es. Del segundo ejemplo, señala Lapesa que se trata de un caso de giro ampuloso ridiculizado por el propio Cervantes.

En la coordinación de adjetivos intervienen también, como hemos indicado, factores rítmicos y estilísticos; cabe suponer que son razones de este orden (la ley de economía cuantitativa a la que antes aludíamos) las que hacen ligeramente preferible *una mujer suave y delicada* a *una mujer delicada y suave.* Naturalmente las coordinaciones se ven condicionadas también por los factores sintácticos y semánticos que constriñen las posiciones relativas entre las diversas subclases de adjetivos (cf. *supra* el § 3.5.1): preferimos decir *un libro azul y roto* (frente a *un libro roto y azul*) porque los adjetivos de color suelen estar adyacentes al nombre mientras que los adjetivos estativos de origen participial se sitúan por lo general al final de la secuencia de adjetivos y tienen una interpretación predicativa.

La yuxtaposición de adjetivos calificativos está presidida por principios de compatibilidad semántica y pragmática similares a los que restringen la coordinación. La libertad en el orden relativo es aquí mayor puesto que, como es característico de la yuxtaposición, cada adjetivo forma una unidad con el sustantivo, independiente de las unidades formadas por los otros adjetivos. Si tomamos el segundo ejemplo de (102), veremos que el resultado es similar (salvo resultados rítmicamente preferibles) cualquiera sea el orden en que dispongamos a los adjetivos (*densas, chatas y enormes - chatas, densas y enormes - enormes, chatas y densas,* etc.). El último ejemplo de (102) nos muestra que es posible yuxtaponer también coordinaciones de adjetivos:

(102) ...dar lugar...a *mínimas, arduas vías* de mutación... [R. Sánchez Ferlosio, *La homilía del ratón,* 9]. / ...compás de *densas, chatas y enormes ampollas* que revientan... [R. Sánchez Ferlosio, *La homilía del ratón,* 9]. / *...una lluvia suave y tenaz, rumorosa y tranquila,* como la del norte... [A. Muñoz Molina, *Plenilunio,* 61].

Los adjetivos calificativos, por último, pueden coordinarse también con sintagmas preposicionales: *...rezumaba la misma ostentación fría y de mal gusto...* [C. Martín Gaite, *Nubosidad variable,* 13]. Esa coordinación está, empero, muy constreñida; no es posible, por ejemplo, en casos como los de (103), donde el adjetivo y el complemento preposicional del nombre no tienen el mismo rango semántico; asimismo, *una ciudad excitante y de gran esplendor,* con dos modificadores que asignan sensaciones de atracción intelectual, es mejor que *una ciudad excitante y con varias puertas de acceso* donde se combinan una sensación intelectual con una propiedad física objetiva. Por otra parte, en las frases de (103) los elementos que se coordinan parecen tener también distinta jerarquía dentro del sintagma (los complementos preposicionales de posesión y relaciones parte-todo *—de tu padre/de cuero—* quieren tener alcance sobre la relación nombre-adjetivo: **el dolor agudo y de cabeza, *el libro innovador y de Russell*):

(103) *El ingenio estéril y de tu padre (cf. El ingenio estéril de tu padre). / *Las gafas elegantes y de montura dorada (cf. Las gafas elegantes de montura dorada). / ??El bolso pequeño y de cuero (cf. El bolso pequeño de cuero).

3.6. La modificación de los aspectos conceptuales, temporales y espaciales de los nombres: Los adjetivos adverbiales

3.6.1. Clases de adjetivos adverbiales: adjetivos intensionales y adjetivos eventivos

Llamaremos 'adjetivos adverbiales', retomando lo que indicábamos en el § 3.2.2.3, a todas las formas adjetivas paralelas a los adjetivos calificativos que, sin embargo, no constituyen expresiones asignadoras de propiedades. Pueden denominarse adverbiales, en primer lugar, porque todas ellas estarían representadas por el adverbio correspondiente en *-mente* si la expresión en que aparecen fuese oracional en vez de nominal:

(104) Mirada fría. — Miró fríamente. / Viaje largo. — Viajó largamente. / Presumible ataque. — Atacarán, presumiblemente.

Los adjetivos adverbiales se agrupan en dos grandes clases, la de los adjetivos adverbiales intensionales y la de los adverbiales eventivos o circunstanciales. Los 'adjetivos intensionales' indican cómo se aplica el concepto a un determinado referente, modifican a la intensión y no al objeto designado por el sustantivo. Si aludimos, por ejemplo, a *un presunto asesino* no nos referimos a una entidad real (así, cualquier expresión designadora, *José Pérez,* pongamos por caso, y una forma como *el presunto asesino de la niña* no pueden establecer una relación de identidad porque la segunda no es una expresión referencial), *presunto* se aplica pues a la intensión, no a la extensión, de *asesino;* en *un verdadero amigo,* en el mismo sentido, *verdadero* es un marcador del concepto introducido por *amigo,* de la intensión del término. En suma, mientras que los adjetivos calificativos introducen propiedades, estos adjetivos intensionales modifican las propiedades de un referente. Los 'adjetivos eventivos', por otra parte, no se refieren a los objetos en sus aspectos constitutivos (la estructura física de la noche, pongamos) sino a los objetos o procesos en cuanto entidades que tienen lugar, y que porque tienen lugar acontecen en el tiempo, en el espacio y de una cierta manera. Si hablamos de *los frecuentes viajes de Pedro* no estamos aludiendo a un acontecimiento particular sino al hecho de que ese acontecimiento de viajar se realiza con una determinada periodicidad o estructura temporal: en períodos estables y fijos de tiempo.

Las gramáticas no suelen por lo general distinguir entre las dos formas del adjetivo *corto* que tenemos en *un vestido corto* y *un día corto* y tratan las dos interpretaciones del adjetivo en esas frases (dimensión física y duración temporal) como dos acepciones de un único adjetivo calificativo. La decisión es razonable puesto que en efecto se trata de una misma entidad categorial y léxica que, como es característico de los adjetivos, termina de conformar su acepción al entrar en contacto con el nombre al que modifica. Una manera paralela de dar razón de esas dos interpretaciones es suponer que una de esas acepciones, quizá en este caso la designadora de dimensión física, es básica y la otra derivada o acaso metafórica; en vez de dos acepciones habría pues un uso básico y uno traslaticio, pero se trataría siempre de adjetivos calificativos. Ahora bien, esas varias acepciones de adjetivos como *largo, bajo, alto* (tanto si se trata de polisemia como de usos traslaticios), como ya indicábamos en el § 3.2.2.3, se deben ante todo a que los nombres sustantivos no sólo nombran entidades individuales y objetos del mundo *(lápiz, cama);* designan también acontecimientos en sentido estricto *(reunión, cortejo, huida, asesinato)* así como entidades que, no siendo literalmente acontecimientos, se sitúan en el espacio y en el tiempo bien porque son cosas que 'ocurren', que 'tienen lugar' (son objetos-evento en la terminología de Dowty (1979): *día, noche, cena, actitud, vacaciones, enfermedad, concierto, sonrisa, negocio, tormenta*), bien porque designan constructos que están por definición temporalmente acotados como los cargos y las relaciones de parentesco *(presidente, alcalde (futuro alcalde), pariente (pariente lejano))* [→ § 1.5.2.4].

La mayoría de los adjetivos que aquí caracterizaremos como adverbiales eventivos, en efecto, son variaciones de adjetivos calificativos y tales variaciones son bastante sistemáticas. En el § 3.4.2.2, al describir las varias clases semánticas de adjetivos calificativos, indicamos ya que algunos de los adjetivos de dimensión física *(largo, corto, grande)* se convierten en adjetivos que indican duración cuando se aplican a nominalizaciones o a objetos-evento *(corto debate / día largo / gran choque);* los de propiedad física y los de disposición humana tienen a su vez acepciones de manera del acontecimiento cuando se aplican a esos mismos tipos de nombres *(mirada fría / sesión caliente / escritura robusta / decisión dulce / actitud inteligente / pensamiento cínico),* los de velocidad pueden ser en ocasiones adjetivos aspectuales *(disparo lento / mirada fugaz).* No obstante, numerosos adjetivos que se refieren tanto a las propiedades de la situación descrita por el nombre como al concepto en sí mismo son exclusivos de estos usos; tal es el caso de *frecuente, constante, completo, cercano, lejano,* entre los del primer tipo, *presunto, posible, mero, seguro, dudoso, presumible,* entre los del segundo tipo.

En las subsecciones que siguen caracterizaremos en primer lugar dos subclases de adjetivos intensionales: los adjetivos modales (§ 3.6.1.1) y los adjetivos marcadores de la intensión o referencia (§ 3.6.1.2); en segundo lugar describiremos los adjetivos eventivos o circunstanciales en sentido estricto (§ 3.6.1.3) y caracterizaremos en último lugar los adjetivos eventivos aspectuales (§ 3.6.1.4).

3.6.1.1. Adjetivos adverbiales modales

Incluimos en esta clase a los adjetivos que, como los correspondientes adverbios modales epistémicos [→ § 11.5.1], se utilizan para expresar la necesidad o la posibilidad de ciertas relaciones *(novia, pacto)* y acontecimientos: *posible novia, probable invasión, presuntos implicados, necesario pacto, supuesta connivencia, presumibles indicios,* así como a los que expresan la actitud del hablante frente a esas relaciones y acontecimientos: los correspondientes a los 'adverbios orientados al hablante' (Jackendoff 1972) —*seguro acuerdo, feliz decisión*— y los que expresan la actitud del sujeto, correspondientes pues a los 'adverbios orientados al sujeto' (Jackendoff 1972): *el brutal ataque a Irak* (en el sentido de «Fue brutal por parte de x atacar a Irak» y no en el de «atacaron de manera brutal» que sería un adverbial circunstancial), *la afortunada decisión de Juan.*

Estos adjetivos van antepuestos al nombre que modifican:

(105) a. ...tenía el pelo muy rubio y ensortijado y, de acuerdo con *esas presuntas señas alegóricas...* [J. M. Caballero Bonald, *Tiempo de guerras perdidas,* 14] (cf. *señas alegóricas presuntas).

b. Una actitud que no respondía para nada a cualquier *presumible indicio hereditario...* [J. M. Caballero Bonald, *Tiempo de guerras perdidas,* 34] (cf. *indicio hereditario presumible).

Posible, no obstante, parece permitir también la posposición:

(106) Una solución posible es abrir una ventana que dé al jardín.

Conviene advertir, sin embargo, que esta oración no es una variante de *Una posible solución es abrir una ventana que dé al jardín.* En este último ejemplo *posible* tiene significado epistémico, el hablante concibe que la *solución* podría llegar a tener lugar. En (106), en cambio, *posible* no refleja el tipo de conocimiento del hablante, se refiere más bien a la naturaleza de la solución y tiene la acepción de «concreta», «viable», «real» y similares. Por esta razón, en los pocos casos en que este adjetivo puede adjuntarse a nombres contables aparece precisamente pospuesto: *Esa que ves allí es una mesa posible para mi despacho (...*una posible mesa para mi despacho).* Algo parecido sucede con *seguro: un seguro acuerdo* alude a la certeza de llegar a un acuerdo, mientras que *un acuerdo seguro* es un acuerdo bien establecido, que no se puede romper. Estas variaciones indican que la lectura intensional modal sólo se da cuando el adjetivo aparece antepuesto.

3.6.1.2. Adjetivos adverbiales marcadores de la intensión o referencia

En expresiones como

(107) Mi único apoyo. / Mi propia madre. / La principal ventaja. / El mismo hombre. / La específica cuestión. / La exacta respuesta. / Una determinada persona.

los adjetivos orientan la interpretación hacia la unicidad, singularidad y compacidad del referente, parecen querer convertir una descripción en un designador rígido, en un nombre propio; en ese sentido pueden denominarse restrictivos.[74] Las formas como

(108) Un verdadero amigo. / Un completo fracaso. / Un puro invento. / Un mero artefacto. / Un claro fallo. / Una simple estupidez.

orientan en cambio la interpretación hacia la exhaustividad de la referencia, invitan a que la acepción correspondiente se aplique al referente con todas sus consecuencias, sin ningún género de duda. Otra característica de algunos de los adjetivos de esta segunda subclase es que, al igual que sus correlatos adverbiales, tienen un papel focalizador en el sentido de que indican que la intensión o concepto al que modifican se aplica de manera exclusiva al objeto mentado, excluyendo así a otros posibles merecedores de tal acepción. Expresiones como *Juan es un verdadero amigo* o *La historia es un puro invento* implican, la primera, «no así Luis», y «no un hecho comprobable», la segunda.

Al igual que sucede con los adjetivos modales, estos adjetivos van siempre antepuestos. En los pocos casos en que uno de ellos se pospone se trata por lo general de una forma calificativa homófona. Así, en construcciones como *una mentira simple,* el adjetivo *simple* asigna propiedades y no se refiere, como en *una simple mentira,* a la manera como el concepto se aplica al referente:

[74] Así se los denomina en Quirk *et alii* 1985 § 7.35.

(109) Una cierta aventura — Una aventura cierta. / Un verdadero horror — Un horror verdadero. / Una simple mentira — Una mentira simple.

3.6.1.3. Adjetivos adverbiales circunstanciales (temporales, espaciales y de manera)

Los adjetivos adverbiales eventivos circunstanciales se agrupan en clases muy generales, paralelas en buena medida a las que podemos establecer para los adverbios, si bien la variación de las funciones adverbiales es mayor que la que se da entre nuestros adjetivos.

Si los adjetivos modales y los marcadores de la referencia guardan una fuerte relación con los adverbios 'externos' al sintagma verbal —los que se refieren a la proposición en su conjunto y a las coordenadas del acto de habla [→ § 11.4]—, los adjetivos circunstanciales la tienen con los adverbios 'internos' al sintagma verbal [→ § 11.3.2]. Estos adjetivos, en efecto, modifican los aspectos temporales y situacionales del nombre *(el antiguo acuerdo / el siguiente presidente / una breve jornada / el cercano puente)* o señalan, como los adverbios de manera, la forma de realizar la acción descrita por el sustantivo (*una mirada hiriente, cálida, tierna, severa,* etc.) En términos generales, la mayoría de estos adjetivos pueden aparecer tanto antepuestos como pospuestos sin que cambie su significado:

(110) El futuro presidente — El presidente futuro. / El largo viaje — El viaje largo. / Las próximas vacaciones — Las vacaciones próximas.

Sin embargo, muchos de ellos pierden el significado circunstancial cuando aparecen pospuestos y funcionan en esta posición como adjetivos calificativos asignadores de diversos tipos de propiedades. Ejemplos como

(111) La antigua casa — La casa antigua. / Mi viejo amigo — Mi amigo viejo. / Mi próximo sobrino — Mi sobrino próximo (= cercano).

ilustran esta observación.

La mayor parte de los adjetivos que modifican los valores temporales de ciertos nombres, por otra parte, tienen una función a veces deíctica y otras anafórica. En construcciones como *el próximo invierno, un traje moderno, el actual rector* o *la semana pasada* los adjetivos sitúan la referencia del nombre en relación exclusivamente con el momento del acto de habla, de modo que *el próximo invierno* en una carta de 1910 se refiere al invierno de 1911. Cuando decimos *En el capítulo siguiente trataremos de esa cuestión,* en cambio, *siguiente* se refiere al capítulo mencionado en el texto y tiene pues un empleo anafórico, en *el caso anterior* sucede lo mismo: se hace referencia a un 'caso' recién mencionado lingüísticamente. Son exclusivamente anafóricas formas como *precedente, sucesivo* o *subsiguiente.* Adjetivos como *contemporáneo, futuro, semejante, similar, pasado,* etc., pueden emplearse tanto anafórica como deícticamente.

Por último, los adjetivos adverbiales de manera (y probablemente también algunos de los de duración como *largo* y *corto*), si bien son semánticamente modificadores de los valores espacio-temporales de los nombres, sintácticamente se comportan como los adjetivos calificativos. Dan lugar, en efecto, a los contrastes semánticos típicos de los adjetivos calificativos: tienen lectura restrictiva cuando siguen al nombre y no restrictiva cuando los preceden, (112a), suscitan una interpretación específica cuando se anteponen y por ello no pueden ser sujeto de expresiones genéricas, (112b):

(112) a. Me gustaron las discusiones animadas entre los participantes. — Me gustaron las animadas discusiones entre los participantes.
b. #Una torpe discusión$_{gen}$ siempre provoca tedio. — Una discusión torpe siempre provoca tedio.

3.6.1.4. *Adjetivos adverbiales aspectuales*

De la misma manera que adverbios como *frecuentemente, habitualmente, constantemente* o *siempre* modifican la estructura temporal interna de la acción descrita por un verbo y nos indican, por ejemplo, si el acontecimiento descrito es completo, incompleto, reiterado, etc., los adjetivos aspectuales *frecuente, constante, permanente, periódico, reiterado* o *asiduo* se aplican a nominales de acción y resultado (*viaje, visita, exposición, discusión,* etc.) para aludir exclusivamente a la manera de estructurarse temporalmente esa acción. Estos adjetivos se aplican regularmente a los nombres deverbales de resultado, (113), pero parecen tener más restricciones para referirse a los objetos-evento, (114a), y a los nombres concretos designadores de estados o relaciones, (114b):

(113) Las periódicas carreras de caballos. / Las constantes salidas de Juana. / Las asiduas recriminaciones de Pepe.

(114) a. *Los permanentes inviernos / *Los reiterados cumpleaños (cf. Las reiteradas fiestas).
b. *Las constantes novias / *Los permanentes libros / ??Los reiterados ministros liberales.

Este diverso comportamiento puede deberse a que los objetos-evento y los nombres de estado, si bien descriptores de un estado susceptible de modificación temporal, no tienen sin embargo estructura de evento (no describen un acontecimiento que puede tener comienzo, medio y fin) y por ello no admiten modificadores que, como estos adjetivos, se refieren directamente a la estructura interna del evento.

A diferencia de las dos subclases estudiadas anteriormente, los adjetivos aspectuales pueden anteponerse o posponerse sin que cambie ni su significado ni el de la frase de la que forman parte:

(115) Los {constantes viajes/viajes constantes} de mi padre durante mi infancia me producían una gran tristeza. / Escuché las {quejas permanentes/ permanentes quejas} de los empleados durante años.

Este último dato es revelador de la distinta condición sintáctica y semántica de los adjetivos aspectuales. Si la relación que establecen con el nombre fuese similar a la que crean los calificativos cabría esperar que la anteposición/posposición llevase consigo contrastes de significado similares a los que estudiábamos anteriormente y que hubiera oposiciones de restricción/no restricción, especificidad/no especificidad. No las hay, y los adjetivos aspectuales simplemente parecen tener la movilidad característica de los correspondientes adverbios.

3.6.2. Secuencias de adjetivos adverbiales

Los miembros de las cuatro clases que acabamos de caracterizar pueden aparecer formando secuencia en la posición antepuesta. Ejemplos como los de (116), aunque suenen algo recargados, no son, sin embargo, imposibles en castellano:

(116) a. La *supuesta única antigua* amiga de mi madre que aún vive.
b. La *presumible ansiosa* reacción inmediata a tu carta.

En (116a) un modal precede a un adjetivo privativo y este a un circunstancial temporal. En (116b) el orden es modal seguido de circunstancial de manera. Si bien el orden de (116a) puede considerarse como el más habitual (en la medida en que concurran varios adjetivos preverbales, hecho harto infrecuente incluso en la lengua escrita, como ya hemos indicado), no faltan casos en los que los adjetivos modales y los marcadores de la intensión o referencia pueden intercambiar posiciones y dar lugar a situaciones en las que concurren más de un miembro de alguna de esas clases. (117a) ilustra casos de doble disposición de modales y adjetivos intensionales; (117b) muestra la concurrencia y libre disposición de dos modales; (117c) la concurrencia y libre disposición de dos adjetivos intensionales:

(117) a. La *supuesta falsa* declaración — La *falsa supuesta* declaración. / El *probable verdadero* autor — El *verdadero probable* autor.
b. El *presunto supuesto* asesino — El *supuesto presunto* asesino.
c. Mi *verdadero único* amigo — Mi *único verdadero* amigo. / Un *simple completo* fracaso — Un *completo simple* fracaso.

De manera similar los adjetivos circunstanciales (especialmente los de manera y los temporales y aspectuales) pueden ordenarse libremente entre sí como muestran los ejemplos de (118):

(118) Sus *frecuentes tímidas* entradas — Sus *tímidas frecuentes* entradas. / Su *corta prudente* actuación — Su *prudente corta* actuación.

Por otra parte, las varias subclases de adjetivos modales (epistémicos, orientados al hablante y orientados al sujeto) parecen disponer de una única posición en la cual deben alternar. La construcción de (119) es buena si uno solo de esos adjetivos precede al nombre:

(119) La {probable/feliz/brutal} decisión de partir.

Ahora bien, cuando en la posición prenominal concurren adjetivos circunstanciales junto con modales o restrictivos aquellos deben estar siempre inmediatamente antes del nombre, a saber, modales (119a) y restrictivos (119b) no pueden seguir a los circunstanciales:

(119) a. Los *supuestos frecuentes* viajes de Luis asustan a su mujer. — ??Los *frecuentes supuestos* viajes de Luis asustan a su mujer. / El *posible futuro* rey está bien preparado. — *El *futuro posible* rey está bien preparado.}

b. Me preocupa el *probable completo* fracaso de la obra. — *Me preocupa el *completo probable* fracaso de la obra.

Todos estos hechos ponen de manifiesto notables diferencias entre los adjetivos adverbiales y los calificativos y relacionales.

TEXTOS CITADOS

ROBERTO ARLT: *El juguete rabioso,* Buenos Aires, Losada, 1958/1995.
JORGE LUIS BORGES: *El tamaño de mi esperanza,* Barcelona, Seix Barral, 1994.
JOSÉ MANUEL CABALLERO BONALD: *Tiempo de guerras perdidas,* Barcelona, Anagrama, 1995.
JOSÉ DONOSO: *Conjeturas de la memoria de mi tribu,* Barcelona, Anagrama, 1996.
CARMEN MARTÍN GAITE: *Nubosidad variable,* Barcelona, Anagrama, 1992/1996.
ALBERTO MORAVIA: *La romana,* Barcelona, Seix Barral (traducción de Francisco J. Alcántara), 1984.
ANTONIO MUÑOZ MOLINA: *Plenilunio,* Madrid, Alfaguara, 1997.
PABLO PICASSO: *Caminos abiertos por Pablo Picasso,* Librería y Casa Editorial Hernando S.A., 1972.
JUAN JOSÉ SAER: *El entenado,* Buenos Aires, Alianza Argentina, 1992.
RAFAEL SÁNCHEZ FERLOSIO: *La homilía del ratón,* Madrid, El País, 1986.
GARCILASO DE LA VEGA: *Obras,* Madrid (Espasa Calpe), Clásicos Castellanos, 4.ª edición, 1984.
MARGARITA YOURCENAR: *Memorias de Adriano,* Barcelona, Edhasa (traducción de Julio Cortázar), 1974/1994.

REFERENCIAS BIBLIOGRÁFICAS

AARTS, JAN M. G. y JOSEPH P. CALBERT (1979): *Metaphor and Non-metaphor. The Semantics of Adjective-noun Combination,* Tubinga, Niemeyer.

ALARCOS LLORACH, EMILIO (1969): «Aditamento, adverbio y cuestiones conexas, *Archivum* 19. (Reimpreso en *Estudios de gramática funcional del español,* Madrid, Gredos, 1972.)

— (1994): *Gramática de la lengua española,* Madrid, Espasa Calpe.

ALCINA FRANCH, JUAN y JOSÉ MANUEL BLECUA (1975): *Gramática española,* Barcelona, Ariel.

ALONSO, AMADO y PEDRO HENRÍQUEZ UREÑA (1955): *Gramática castellana,* Buenos Aires, Losada.

BACHE, CARL (1978): *The Order of Premodifying Adjectives in Present-day English,* Odense, Odense University Press.

BALLY, CHARLES (1969): «Les notions grammaticales d'absolu et de relatif», en *Essais sur le langage,* Minuit («Le sens commun»), París, págs. 189-204. (1.ª edición, Ginebra, 1932).

BARTOŠ, LUBOMÍR (1978): «Notas a la clasificación del adjetivo», en *Estudios ofrecidos a Emilio Alarcos Llorach,* Oviedo, Universidad de Oviedo, Vol II, págs. 45-60.

BARTNING, INGE (1980): *Remarques sur la syntaxe et la sémantique des pseudo-adjectifs dénominaux en français,* Estocolmo, Almqvist & Wiksell.

BEARD, ROBERT (1991): «Descompositional Composition: The Semantics of Scope Ambiguities and "Bracketing Paradoxes"», *NLLT* 9:2; 195-230.

BELLO, ANDRÉS (1847): *Gramática de la lengua española destinada al uso de los americanos,* Santiago de Chile, Imprenta del Progreso.

BERLIN, BRENT y PAUL KAY (1969): *Basic Color Terms,* Berkeley, University of California Press.

BHAT, D. N. SHANKARA (1994): *The Adjectival Category,* Amsterdam, John Benjamins.

BIERWISCH, MANFRED (1967): «Some Semantic Universals of German Adjectives», *FL* 3:1, págs. 1-36.

BOLINGER, DWIGHT (1967): «Adjectives in English. Attribution and Predication», *Lingua* 18, págs. 1-34.

— (1972): «Adjective Position Again», *Hispania* 55:1, págs. 91-94.

BOSQUE, IGNACIO (1985): «Usos figurados de los adjetivos que denotan dimensiones físicas», en *Philologica hispaniense in honorem Manuel Alvar,* Madrid, Gredos, págs. 63-90.

— (1993a): «Sobre las diferencias entre los adjetivos relacionales y los calificativos», *Revista Argentina de Lingüística* 9, págs. 9-48.

— (1993b): «Degree Quantification and Modal Operators in Spanish», presentado en el *Going Romance Meeting,* Utrecht.

— (1996): «On Specificity and Adjective Position», en *Perspectives on Spanish Linguistics,* vol. 1 (J. Gutiérrez Rexach y L. Silva Villar (eds.)), págs. 1-13.

BOSQUE, IGNACIO y M. CARME PICALLO (1996): «Postnominal Adjectives in Spanish». *JL* 32, págs. 349-385.

CALVO PÉREZ, JULIO (1986): *Adjetivos puros: Estructura léxica y topología,* Valencia, Universidad de Valencia.

CARLSON, GREGORY (1977): *Reference to Kinds in English,* tesis doctoral inédita, University of Massachussets, Amherst.

CARLSON, GREGORY y FRANCIS J. PELLETIER (ed.) (1995): *The Generic Book,* Chicago, The University of Chicago Press.

CHIERCHIA, GENNARO y SALLY MCCONNELL-GINET (1990): *Meaning and Grammar. An Introduction to Semantics,* Cambridge (Mass.), MIT Press.

CINQUE, GUGLIELMO (1994): «On the Evidence for Partial N-movement in Spanish DP», en G. Cinque, J. Koster, J. Y. Pollock, L. Rizzi y R. Zanuttini (eds.), *Paths Towards Universal Grammar, Studies in Honor of Richard S. Kayne,* Washington D.C., Georgetown University Press, págs. 85-110.

— (1997): *Adverbs and Functional Heads,* Oxford, Oxford University Press, en prensa.

CORRALES ZUMBADO, INMACULADA (1981): *El campo semántico «edad» en español,* La Laguna, Secretariado de Publicaciones de la Universidad de La Laguna.

CRUSE, D. A. (1986): *Lexical Semantics,* Cambridge, Cambridge University Press.

CRISMA, PAOLA (1990): *Functional Categories Inside the NP: A Study on the Distribution of Nominal Modifiers,* tesis doctoral inédita, Universidad de Venecia.

DEMONTE, VIOLETA (1982): «El falso problema de la posición del adjetivo. Dos análisis semánticos», *BRAE* LXII, págs. 453-485. (Reimpreso en *Detrás de la palabra,* Madrid, Alianza, 1991.)

— (1999): «A Minimal Account of Spanish Adjective Position and Interpretation», en J. Franco, A. Landa y J. Martín (eds.), *Grammatical Analyses in Basque and Romance Linguistics,* Amsterdam, John Benjamins.

DIESING, MOLLY (1992): *Indefinites,* Cambridge, Massachusetts, MIT Press.

DIXON, R. M. W. (1977): «Where Have All the Adjectives Gone?» *Studies in Language* 1:1, págs. 19-80.
DOWTY, DAVID R. (1979): *Word Meaning in Montague Grammar,* Dordrecht, Reidel.
FERNÁNDEZ RAMÍREZ, SALVADOR (1951): *Gramática española,* Madrid, Revista de Occidente.
GALICHET, G. (1957): «L'adjective peut-il exercer la fonction apposition», *FrM* XXXV:3, págs. 181-185.
GARCÍA DE DIEGO, VICENTE (1951): *Gramática histórica española,* Madrid, Gredos.
GAWELKO, MAREK (1975): «Sur la classification sémantique des adjectives suffixes», *Lingua* 36, págs. 307-324.
GECKELER, HORST (1976): *Semántica estructural y teoría del campo léxico.* Madrid, Gredos.
GILI GAYA, SAMUEL (1943): *Curso superior de sintaxis española,* México, Minerva. Citamos por la edición de Barcelona, Vox, 1976.
GIORGI, ALESSANDRA y GIUSEPPE LONGOBARDI (1991): *The Syntax of Noun Phrase: Configuration, Parameters and Empty Categories,* Cambridge, Cambridge University Press.
HANSSEN, FEDERICO (1910): *Spanische Grammatik und Historicher Grundlage,* Halle. Nueva edición, Buenos Aires, El Ateneo, 1945.
HERNANZ, M. LLUÏSA y JOSÉ M.ª BRUCART (1987): *La sintaxis I,* Barcelona, Crítica.
HEIM, IRENE (1982): *The Semantics of Definite and Indefinite Noun Phrases,* tesis doctoral inédita, University of Massachussets, Amherst.
JACKENDOFF, RAY (1972): *Semantic Interpretation in Generative Grammar,* Cambridge (Massachusetts), MIT Press.
— (1983): *Semantics and Cognition,* Cambridge (Massachusetts), MIT Press.
— (1987): «The Status of Thematic Relations in Linguistic Theory», *LI* 18, págs. 369-411.
JESPERSEN, OTTO (1924): *The Philosophy of Grammar,* Londres, George Allen & Unwin Ltd.
KAMP, HANS (1981): «A Theory of Truth and Semantic Representation», en J, Groenendijk *et al.* (eds.) *Formal Methods in the Study of Language,* Mathematical Center, Amsterdam, págs. 277-321.
KAMP, J. A. W. (1975): «Two Theories about Adjectives», en E. Keenan (ed.) *Formal Semantics of Natural Languages,* Londres, Cambridge University Press, págs. 123-155.
KERBRAT-ORECCHIONI, CATHERINE (1994): *La subjetividad en el lenguaje,* Buenos Aires, Hachette.
KLEIN, FLORA (1983): «Grammar in Style: Spanish Adjective Placement», en *Discourse Perspectives on Syntax,* Nueva York, Academic Press, págs. 143-179.
KRATZER, ANGELIKA (1995): «Stage-level and Individual-level Predicates», en G. Carlson y F. Pelletier (eds.), *The Generic Book,* Chicago, The University of Chicago Press, págs. 176-223.
KUPFERMAN, LUCIEN (1991): «Structure événementialle de l'alternance un/Ø devant les noms humains attributs», en J. C. Anscombre (comp.) *Absence de déterminant et déterminant zéro, Langages* 102, páginas 52-75.
LAGO, JESÚS (1984): *La acumulación de adjetivos calificativos en la frase nominal del francés contemporáneo,* Anejo 26 de *Verba,* Universidad de Santiago de Compostela.
LAPESA, RAFAEL (1975): «La colocación del adjetivo atributivo en español», en *Homenaje a la memoria de D. Antonio Rodríguez Moñino,* Madrid, Castalia.
LARSON, RICHARD y GABRIEL SEGAL (1995): *Knowledge of Meaning,* Cambridge (Mass.), MIT Press.
LENZ, RODOLFO (1935): *La oración y sus partes,* Madrid, Publicaciones de la *RFE.*
LEVI, JUDITH (1973): «Where do All These Adjectives Come from?», *CLS* 9, págs. 332-345.
— (1974): «On the Alleged Idiosyncracy of Nonpredicates NP's», *CLS* 10, pág. 402-415.
LJUNG, MAGNUS (1970): *English Denominal Adjectives,* Lund, University of Gothenburg (Gothenburg Studies in English 21).
LÓPEZ GARCÍA, ÁNGEL (1998): *Gramática del español III. Las partes de la oración*, Madrid, Arco/Libros.
LUCAS, M. A. (1975): «The Syntactic Classes of Antenominal Adjectives in English», *Lingua,* págs. 155-171.
LUJÁN, MARTA (1980): *Sintaxis y semántica del adjetivo,* Madrid, Cátedra.
LYONS, JOHN (1977): *Semantics,* Cambridge, Cambridge University Press.
MARTÍN, JUAN (1995): *On the Syntactic Structure of Spanish Noun Phrases,* tesis doctoral inédita, Universidad del Sur de California (USC).
MOODY, RAYMOND (1971): «More on Teaching Spanish Adjective Position: Some Theoretical and Practical Considerations», *Hispania* 54, págs. 315-321.
NAVAS RUIZ, RICARDO (1962): «En torno a la clasificación del adjetivo», *Strenae. Estudios dedicados al profesor García Blanco,* Salamanca, *Acta Salmanticensia* XVI, págs. 369-374.
— (1963): *Ser y estar. El sistema atributivo del español.* Salamanca, Almar. (Ed. renovada en 1977.)
PASCUAL RODRÍGUEZ, JOSÉ ANTONIO (1996): *El placer y el riesgo de elegir. Sobre los recursos derivativos del español,* Salamanca, Universidad de Salamanca.

PENADES MARTÍNEZ, INMACULADA (1988): *Perspectivas de análisis para el estudio del adjetivo calificativo en español,* Cádiz, Universidad de Cádiz.

PICALLO, M. CARME (1991): «Nominals and Nominalizations in Catalan», *Probus* 3, 279-316.

— (1994): «A Mark of Specifity in Indefinite Numerals», *CatWPL* 4:1, págs. 143-167.

PUSTEJOVSKY, JAMES (1995): *The Generative Lexicon,* Cambridge, MIT Press.

QUIRK, RUDOLPH *et alii* (1985): *A Comprehensive Grammar of the English Language,* Londres, Longman (12.ª edición, 1994).

REAL ACADEMIA ESPAÑOLA (1973): *Esbozo de una nueva gramática de la lengua española,* Madrid, Espasa Calpe. [RAE 1973 en el texto.]

RAINER, FRANZ y SOLEDAD VARELA (1991): «Compounding in Spanish», en S. Scalise (ed.) *The Morphology of Compounding, Rivista di Linguistica* 4:I, págs. 117-142.

ROCA PONS, JOSEP (1958): *Estudios sobre perífrasis verbales del español,* Madrid, C.S.I.C.

ROJO, GUILLERMO (1975): «Sobre la coordinación de adjetivos en la frase nominal y cuestiones conexas», *Verba* 2, págs. 193-224.

SCHMIDT, REINHARD (1972): *L'adjective de relation en français, italien, anglais et allemand,* Göppingen, Alfred Kümmerle.

SECO, RAFAEL (1954): *Manual de gramática española,* Madrid, Aguilar. (7.ª edición, 1967.)

SIEGEL, MUFFY E. A. (1976): *Capturing the Adjective,* tesis doctoral inédita de la University of Massachussets, Amherst.

SIMÓN, CÉSAR (1979): «El problema de la colocación del adjetivo en castellano. Revisión crítica del estado de la cuestión», *Cuadernos de Filología de la Universidad de Valencia. Studia Linguistica Hispanica* II, 1, págs. 183-197.

SOBEJANO, GONZALO (1955): *El epíteto en la lírica española,* Madrid, Gredos, 2.º edición ampliada de 1970, por la que cito.

SPROAT, RICHARD y CHILIN SHIH (1988): «Prenominal adjectival ordering in Mandarin and Chinese», *Nels* 18, págs. 465-489.

SUSSEX, R. D. (1974): «The Deep Structure of Adjectives in Noun Phrases», *JL* 10, págs. 111-131.

TRUJILLO, RAMÓN (1970): *El campo semántico de la valoración intelectual en español,* La Laguna, Secretariado de Publicaciones de la Universidad de La Laguna.

VENDLER, ZENO (1968): *Adjectives and Nominalizations,* La Haya, Mouton.

VINOGRADOV, Z. (1947): *Russkij Jazykk,* Moscú, Ucpedgiz.

WARREN, BEATRICE (1988): «Ambiguity and Vagueness in Adjectives», *SL* 42, págs. 122-172.

WIERZBICKA, ANNA (1986): What's a Noun? (or: How do Nouns differ in Meaning from Adjectives?)», *Studies in Language* 10, 353-389.

ZAMPARELLI, ROBERTO (1993): «Prenominal Modifiers, Degree Phrases and the Structure of AP», *University of Venice Working Papers in Linguistics* 3, págs. 138-161.

ZIERER, ERNEST (1974): *The Qualifying Adjective in Spanish,* La Haya, Mouton.

4
EL SINTAGMA ADJETIVAL. MODIFICADORES Y COMPLEMENTOS DEL ADJETIVO. ADJETIVO Y PARTICIPIO

IGNACIO BOSQUE
Universidad Complutense de Madrid

ÍNDICE

4.1. El sintagma adjetival. Características generales

4.1.1. Definición

Se denomina 'sintagma adjetival' o 'sintagma adjetivo' —también 'grupo' o 'frase' 'adjetiva' o 'adjetival'— al grupo sintáctico que forma el adjetivo con sus modificadores y complementos (en adelante usaré la abreviatura SA, plural SSAA). El SA puede estar constituido por un solo adjetivo, pero también puede estar integrado por numerosos constituyentes hasta alcanzar una notable complejidad. Todos los ejemplos que se muestran en (1) son SSAA:

(1) a. Difícil.
b. Difícil de traducir al español.
c. Increíblemente difícil de traducir al español.
d. Casi tan increíblemente difícil de traducir al español como todos los demás textos de ese mismo autor.

En los §§ 4.1 a 4.3 de este capítulo estudiaré la forma y el significado de estos grupos sintácticos. Algunos de ellos, como el de (1d), poseen la complejidad que muestran porque la estructura que les corresponde la proporcionan las palabras comparativas. Por esta razón no serán estudiados en este capítulo, sino en el cap. 17. De los demás tipos me ocuparé en las páginas que siguen. En el último apartado analizaré algunas de las relaciones que existen entre SA y SV, concretamente el *status* del participio como categoría parcialmente híbrida entre el adjetivo y el verbo.

Los SSAA son predicados. Es, por tanto, todo el sintagma, y no únicamente su núcleo, el que desempeñará alguna de las funciones sintácticas que los predicados suelen desempeñar en la oración o en el SN. En los ejemplos siguientes aparecen en cursiva los SSAA y se indica en mayúsculas cuál es su función:

(2) a. Gente *cada día más difícil de convencer*. MODIFICADOR NOMINAL
b. Llegaba a casa *completamente roto por el trabajo diario*. COMPLEMENTO PREDICATIVO DEL SUJETO
c. Lo creía *más sensible al dolor ajeno*. COMPLEMENTO PREDICATIVO DEL OBJETO DIRECTO [1]
d. *Llenas de trigo* las alforjas, reemprendieron el viaje. PREDICADO DEL SN DE UNA CLÁUSULA ABSOLUTA
e. Estás *algo enfermo de los nervios*. ATRIBUTO O PREDICADO NOMINAL

Así pues, son dos las formas en que crecen o se expanden los adjetivos y forman grupos adjetivales: por un lado, admiten modificadores, generalmente —pero no exclusivamente— preadjetivales. Por otro lado, admiten complementos prepositivos, generalmente pospuestos. No se trata, sin embargo, de dos tipos de elementos que inciden sobre el adjetivo en la misma relación sintáctica: si el adjetivo posee complemento, configura con él un grupo sintáctico que a su vez puede estar modificado —generalmente cuantificado— por el adverbio que lo precede. Los corchetes marcan en (3) este tipo de relación jerárquica:

[1] Como se estudia en el § 38.2 de esta obra, se trata de un complemento predicativo seleccionado, frente a otros que no lo están.

(3) a. Marcadamente [alérgico [a la penicilina]].
b. Muy [contento [de haber aprobado el curso]].
c. Absolutamente [fiel [a sus ideas]].

Como vemos, los SSAA están formados en torno a un núcleo, que representa el adjetivo. Este puede llevar complemento o carecer de él. La última situación es la normal con los adjetivos que denotan forma, color, velocidad o tamaño, entre otras propiedades físicas: *abrupto, amarillo, veloz, alargado,* etc. Tal intransitividad es parecida a la de los verbos y los sustantivos que no seleccionan complementos, en cuanto que la noción que se denota en todos estos casos no exige un argumento interno como participante esencial de la situación descrita.

Cuando el adjetivo lleva complemento, se manifiesta mediante un sintagma preposicional. En latín bastaba con frecuencia un sustantivo, cuyo caso —determinado por el adjetivo— era en parte reflejo de las propiedades semánticas del adjetivo: *cupidus* y *plenus* regían sustantivos en genitivo, *utilis* y *similis*, en dativo, y *dignus* y *dives* en ablativo, como señala Tesniere (1951). En francés, los complementos de los adjetivos pueden ser sustituidos por clíticos adverbiales y de genitivo, inexistentes en español: *Jean s'est préparé à des examens* 'J. se ha preparado para sus exámenes' > *Jean s'y est préparé; Je suis satisfait de te voir* 'Estoy contento de verte' > *J'en suis satisfait.* Por lo que al español respecta, los únicos elementos clíticos posibles en estos casos son los de dativo: *Le es fiel, Nos es útil, Me fue propicio, Te es simpático, Os había sido favorable.* Estas construcciones alternan con los complementos con *para* [2] y se estudian en el § 30.6.4 de esta gramática.

4.1.2. Relaciones y límites entre modificadores y complementos del adjetivo

Los modificadores del adjetivo se interpretan de ordinario como cuantificadores, es decir, como operadores que establecen la medida o el alcance en que se atribuye la propiedad denotada por el adjetivo, como en *muy alto, bastante interesante* o *poco útil* [→ § 16.5]. Muchos adverbios de manera son implícitamente gradativos. Así, si hablamos de un sistema *considerablemente ingenioso,* de una novela *increíblemente complicada* o de un descubrimiento *auténticamente novedoso* no estamos hablando en sentido estricto de la forma o la manera en que son ingeniosas, complicadas o novedosas esas entidades, sino que estamos cuantificando indirectamente sobre las propiedades que los adjetivos denotan [→ §§ 11.2.1 y 11.7]. Una característica esencial, por tanto, de muchos de estos modificadores adverbiales es que atenúan o difuminan la motivación léxica que sugeriría su origen morfológico: un hecho *particularmente doloroso* no es exactamente un hecho que es doloroso en una de las maneras en las que puede serlo (la particular). Es, aproximadamente, *un hecho muy doloroso.* Tampoco en *tremendamente sólido* se alude a una forma de ser sólido cuya característica sea la de ser tremenda, sino más bien al hecho de que la solidez se presenta o se manifiesta en grado extremo. Estos adverbios no son compatibles con los modificadores gradativos, lo que sugiere que ocupan su lugar sintácticamente (el asterisco dentro del paréntesis indica que no se puede añadir la información que contiene): [3]

---

[2] Sobre algunos aspectos dialectales de esta alternancia *(Es útil para mí / Me es útil)* véase DeMello 1995.

[3] No debe pensarse, sin embargo, que todos los adverbios en *-mente* son incompatibles con otros modificadores de

(4) a. Un sistema considerablemente (*bastante) ingenioso.
b. Novelas increíblemente (*muy) complicadas.
c. Un descubrimiento auténticamente (*muy) novedoso.
d. Experimentos terriblemente (*demasiado) caros.

La relativa cercanía entre la manera y la modificación de grado se da, desde luego, en situaciones más simples. El adverbio *bien* modifica en algunas variantes del español a los adjetivos *(bien interesante, bien bonito)* sin denotar manera, pero sí denota esta noción cuando incide sobre participios *(bien estudiado, bien conducido)*.[4] La relación entre cantidad y manera se percibe más claramente en el caso de adverbios como *grandemente, enormemente* o *visiblemente,* en los que no se denotan propiamente maneras o formas de ser o actuar, a pesar de la terminación en *-mente,* sino que se expresa —como en los casos citados antes— el grado extremo de la propiedad que se atribuye.[5] Como se señala arriba, es ya casi imposible explicar el significado de *considerable(mente)* o *increíble(mente)* a partir del significado de *considerar* o *creer.* Volveremos sobre estos adverbios indirectamente cuantificativos en el § 4.2.3. Por el momento, basta señalar que su incompatibilidad con las palabras de grado indica que ellos mismos vienen a comportarse como tales.

Algunos modificadores de grado aparecen pospuestos a los adjetivos, como en *susceptible en extremo* o *irritante al máximo.*[6] Los complementos comparativos de los adjetivos son también modificadores aunque aparezcan pospuestos. De hecho, los modificadores comparativos postadjetivales son incompatibles con los adverbios de grado, a menos que sean apositivos. Ello es absolutamente natural si suponemos que en realidad compiten con tales adverbios, en cuanto que ambas unidades realizan funciones cuantificativas. Consideremos la asimetría que se observa en (5)-(6).

(5) a. Largo, como una serpiente.
b. Largo como una serpiente.
(6) a. Muy largo, como una serpiente.
b. *Muy largo como una serpiente.

Como vemos, en (5a) se compara un objeto largo con otro que también lo es (sea en igual o en distinta medida), con un propósito probablemente ejemplificativo. En (5b), por el contrario, no se comparan dos objetos, sino que se establece el grado de longitud de uno, por analogía con el de otro. Se habla, por tanto, de la medida o el grado (ing. *extent*) en que un objeto es largo, lo que explica el rechazo de un nuevo cuantificador en (6b). Este último SA queda excluido, por tanto, porque posee doble cuantificación de grado: el sintagma de *como* y el adverbio *muy.*[7] Una

---

grado, como se muestra en SSNN como *libros de texto paradójicamente demasiado complicados.* Algunos de los adverbios que se rechazan en (4) son admisibles en construcciones comparativas, como se muestra en el § 4.2.2.1.

[4] Los participios adjetivales son compatibles, sin embargo, con la interpretación gradativa de *bien,* como en *bien fastidiado, bien hecho polvo.* Véase sobre este punto Bolinger 1972: cap. 2. Sobre algunas propiedades gramaticales de los adverbios *bien* y *mal* en español véanse Delbecque 1994, Hernanz 1995 y Arjona 1990: 90. Sobre alternancias como *bien long / très long* o *bien simple / très simple* en francés, véase Gaatone 1990.

[5] Nótese que ciertas expresiones exclamativas contienen léxicamente modificadores verbales de manera que se interpretan como modificadores de grado. El que usa un SN exclamativo como *¡Qué manera de llover!* no se está extrañando de la forma en la que cae la lluvia, sino que probablemente se está refiriendo a la cantidad extrema de la lluvia que cae.

[6] Martinell (1992) proporciona una relación más amplia: *de verdad, de veras, sobremanera, sin medida, sin mesura, en demasía, de todo punto, en grado sumo* (también *en grado extremo* y *en grado superlativo*) y *a maravilla.* La lista se alarga en la lengua coloquial: *feo con ganas, tonto donde los haya, antipático de narices,* etc.

[7] Es importante tener en cuenta que en (5b) tenemos una comparación *prototípica* (véase el § 17.1.5 sobre este

consecuencia natural de esta asimetría es el hecho de que los adjetivos relacionales [⟶ § 3.3] sólo admiten las comparaciones apositivas, como en (7a), pero no los modificadores comparativos pospuestos, como en (7b), lo que se debe a que tales adjetivos rechazan la gradación:

(7) a. Hierbas medicinales, como la manzanilla.
b. ??Hierbas [medicinales como la manzanilla].

Así pues, descartadas las construcciones comparativas de igualdad, los adjetivos sólo admiten modificadores comparativos no apositivos si son graduables, puesto que los no apositivos se comportan como modificadores cuantificativos. [8]

Pese a su apariencia, tampoco se deben considerar complementos adjetivales ciertos modificadores preposicionales del adjetivo que denotan extremo o límite. Al igual que los complementos con *como* vistos arriba, poseen significación cuantificativa:

(8) a. Era cortés; hasta la adulación.
b. Era cortés hasta la adulación.
(9) a. Era muy cortés; hasta la adulación.
b. *Era muy cortés hasta la adulación.

En (8b) no se introduce propiamente un complemento que denota el límite físico o figurado para la atribución de la propiedad de ser cortés (lo que conceptualmente casi carece de sentido), sino que se señala más bien el grado máximo o extremo en que la propiedad se aplica, como sucedería con *absolutamente.* [9] La redundancia de (9b) es —de nuevo— esperable, puesto que tenemos doble cuantificación.

Ciertas locuciones, restringidas léxicamente a unos pocos adjetivos, parecen también complementos prepositivos, pero son en realidad modificadores gradativos pospuestos. Como sucedía en los casos anteriores, también son incompatibles con otro cuantificador:

(10) a. Pobre de solemnidad, loco de atar, tonto de capirote, honrado a carta cabal, idiota perdido.
b. *Muy pobre de solemnidad, *completamente loco de atar, *absolutamente tonto de capirote, *muy honrado a carta cabal, *totalmente idiota perdido.

---

concepto). En el resto de los casos, las codas comparativas restrictivas que modifican a los adjetivos parecen actuar como cuantificadores, puesto que son incompatibles con el cuantificador de grado implícito que se suele asociar a los adjetivos calificativos (véase Cresswell 1976):

(i) a. Juan es alto, como Pedro.
b. ??Juan es alto como Pedro.

[8] En las comparaciones de igualdad que descartamos *(tan alto como Juan),* cabe pensar que el sintagma que *como* introduce está seleccionado por el cuantificador *tan.* [⟶ § 17.1].

[9] No hay contradicción en (9a) puesto que —como es sabido— los incisos establecen con frecuencia un grado mayor o menor de la propiedad que se acaba de cuantificar: *Bastante interesante; mucho, de hecho.* Lo mismo en *Me gustó mucho; muchísimo.* Existen modismos cuantificativos formados por estos falsos sintagmas preposicionales con *hasta: hasta decir basta, hasta la extenuación.* Como me hace notar M.ª J. Fernández Leborans, el concepto de «límite» no está muy alejado del de «grado extremo». Si decimos *Es inteligente hasta el punto de que...* estamos proporcionando literalmente «un límite», pero en realidad estamos realizando una cuantificación en la escala de inteligencia.

El origen de estos complementos es indudablemente preposicional, y su conversión en elementos gradativos se realiza con frecuencia a través de su interpretación originariamente consecutiva. Si hablamos de *alforjas llenas a reventar* entendemos, ciertamente, que las alforjas están tan llenas que reventarán. La consecuencia del grado máximo (en este caso, *a reventar*) en que se predica la propiedad pasa, pues, a designar la manifestación gramatical misma de ese grado, con lo que *a reventar* se convierte en un elemento cuantificativo, y es ya incompatible con otro: **completamente llenas a reventar*. No es fácil, por lo general, usar estos cuantificadores prepositivos con más adjetivos que aquellos que los seleccionan léxicamente (*a reventar* sólo se combina con *lleno* y adjetivos muy cercanos). Algunos complementos de este grupo parecen menos restringidos, pero en tanto en cuanto son elementos cuantificativos, siguen siendo incompatibles con otro cuantificador. Así, el periodista que escribió *Balladur es soso a rabiar* [*El Mundo*, 5-IV-1995, 22] no podría haber escrito **Balladur es muy soso a rabiar*. Algunos de estos gradativos postadjetivales se construyen con formas cognadas, como en el ejemplo de *El Quijote* que señala la Academia (RAE 1931: 232b) *imposible de toda imposibilidad*.

4.1.3. Aspectos posicionales y de segmentación

En el apartado anterior hemos visto que son posibles los cuantificadores adjetivales pospuestos. No debe esperarse, por tanto, que todos los elementos cuantificativos precedan al sintagma formado por el adjetivo y su complemento, a pesar de que esta es la situación no marcada, como se muestra en (3). Los adjetivos que poseen modificadores posnominales pueden admitir complementos. Cuando lo hacen, el complemento puede seguir al segmento formado por el núcleo y el cuantificador pospuesto, o bien puede aparecer entre ellos:

(11) a. Lleno a reventar de vino.
b. Lleno de vino a reventar.

Esta doble opción recuerda de cerca la que ponen de manifiesto varias clases de adverbios en el SV (recuérdese que podemos decir *llenar completamente la tinaja* y también *llenar la tinaja completamente*), lo que constituye un punto de contacto en la estructura interna del SA y la del SV.

La segmentación de los sintagmas es siempre esencial para determinar las relaciones internas que se establecen en ellos, tanto las de modificación como las de complementación. Consideremos los SSAA insertos en SSNN. Sabemos que los adjetivos no tienen complementos posesivos, frente a los sustantivos. En *Es ayudante mío, Era admirador suyo* o *Nunca fue partidario nuestro* no tenemos adjetivos, sino sustantivos. El que los posesivos concurran —como es sabido— con SSPP no debe hacernos pensar que estamos ante complementos adjetivales. Existe, por tanto, una considerable diferencia entre los ejemplos de (12):

(12) a. Un rasgo característico de él.
b. Un rasgo característico suyo.

puesto que *de él* en (12a) puede ser complemento de *característico* o de *rasgo*, mientras que en (12b) sólo puede serlo de *rasgo*. La proximidad se deshace, como es de esperar, en las oraciones copulativas, donde la segmentación sintáctica hará imposible que podamos tener posesivos que complementen a ningún predicado adjetival:

(13) a. Este rasgo es característico {de él/*suyo}.
b. No es propio de {él/*suyo}.

La segmentación es algo menos evidente en el caso de los SSAA que aparecen insertos en SSVV. Existen razones para pensar que los complementos de los adjetivos que aparecen en las oraciones copulativas se reanalizan o se reinterpretan como complementos del SV que contiene la cópula y el predicado. Es decir, cabe suponer que (14a) se reanaliza como se indica en (14b):

(14) a. Estoy [feliz de verte].
b. [Estoy feliz] de verte.

Son varias las razones que justifican ese reanálisis: en primer lugar, se ha mencionado arriba que algunos argumentos, como los que suelen llamarse 'experimentantes' o 'receptores', aparecen como clíticos de dativo del verbo, con lo que *le* en *Le es simpático* o *Le estaba muy agradecido* no deja de ser —en sentido amplio— un complemento verbal. A esto se añade que la estructura del complemento del adjetivo en el SA permite establecer una analogía con la doble segmentación característica de los predicados que suelen llamarse 'de apoyo' [⟶ §§ 67.3.2.2 y 73.8.3], como se muestra en (15):

(15) a. Dio [una vuelta a la manzana]. [10]
b. [Dio una vuelta] a la manzana.

Estos predicados *(dar, hacer, tener)* poseen escaso contenido léxico y toman como complementos frases nominales con mayor carga predicativa. Repárese en que las perífrasis de relativo respetan las dos segmentaciones que se muestran en (15), como vemos en (16). Las dos opciones se extienden a (14), como se ve en (17):

(16) a. Una vuelta a la manzana fue lo que dio.
b. Una vuelta fue lo que dio a la manzana.
(17) a. Lo que estoy es feliz de verte.
b. De verte es de lo que estoy feliz.

La doble segmentación de (14) recuerda, por tanto, la que tenemos en el caso de los verbos de apoyo, y el escaso contenido léxico de los verbos copulativos recuerda igualmente el que poseen esos otros verbos. Por otra parte, como indica Sáez (1993), de no haber reanálisis no podríamos explicar que los complementos del adjetivo puedan quedar excluidos del segmento que el pronombre átono *lo* representa. Es decir, si (18a) fuera la única segmentación posible, (19a) sería una secuencia agramatical, y sólo podríamos tener (19b). Sin embargo, si (18b) es también una segmentación plausible, junto a (18a), las dos opciones de (19) se explican de forma natural:

---

[10] Esta segmentación es posible porque el sustantivo *vuelta* selecciona SSPP encabezados por *a*, como *la vuelta a Francia, la vuelta al mundo*.

(18) a. Estaba [contenta de su última novela].
b. [Estaba contenta] de su última novela.

(19) a. Estaba contenta de su última novela, pero no lo estaba de la que había empezado.
b. Unas veces estaba contenta de su última novela y otras veces no lo estaba.

A esta diferencia se añade otra importante que se manifiesta en los llamados 'procesos de extracción' [→ §§ 31.1 y 31.3]: podemos formar oraciones exclamativas, relativas o interrogativas anteponiendo todo el SA, es decir, el adjetivo con su complemento, o bien podemos separar el complemento y adelantar sólo el resto de la secuencia. Al par de (20), tomado de Sáez (1993), podemos añadir otros como el de (21):

(20) a. ¡Qué orgullosa está Luisa de su hija!
b. ¡Qué orgullosa de su hija está Luisa!

(21) a. Cuanto más dispuesto estés a ayudar.
b. Cuanto más dispuesto a ayudar estés.

En otras estructuras enfáticas en las que se focaliza el SA se produce la misma alternancia: [11]

(22) a. ¡Muy contento con tu nuevo coche estás tú!
b. ¡Muy contento estás tú con tu nuevo coche!

Los textos antiguos muestran que, en términos generales, existía más facilidad en la lengua clásica para separar el SP del resto del SA:

(23) a. Es fácil cosa de entender [Melo, *Guerra de Cataluña;* cit. en *DCRLC* IV, 11a].
b. ¿Tan fáciles son mis lazos | De romper? [Calderón, *El mayor encanto amor;* cit. en *DCRLC* IV, 11b].

Los adjetivos prenominales pueden tener modificadores antepuestos *(muy grandes deseos, bastante extraña actitud).* [12] Sin embargo, en la lengua actual no pueden

[11] Aun así, debe señalarse que los ejemplos de (21) y (22) plantean un problema de segmentación sintáctica. Esa anteposición sugiere que el cuantificador forma con el adjetivo un constituyente que deja fuera al complemento preposicional. Es posible, en consecuencia, que el reanálisis que se muestra en (14) haya de extenderse también al interior del SA, de forma que (ia) y (ib) sean segmentaciones plausibles:

(i) a. Muy [difícil de traducir].
b. [Muy difícil] de traducir.

Rojo y Jiménez Juliá (1989: 120) adoptan (ib) en lugar de (ia), pero no justifican su opción.

[12] El que los cuantificadores puedan modificar al adjetivo prenominal o al sustantivo ofrece una explicación natural para contrastes como (i):

(i) a. Muy mala suerte.
b. Mucha mala suerte.

Estos SSNN no son sinónimos ni sugieren una situación de variación libre. En (ia) tenemos la estructura *[[Muy mala]*

tener complemento, ni tampoco pueden separarse de él y mantenerlo en posición posnominal:

(24) a. Un problema difícil de solucionar.
b. Un difícil problema (*de solucionar). [Cf. (23a)]
c. *Un difícil de solucionar problema.

(25) a. Una mujer simpática con todos.
b. Una simpática mujer (*con todos).
c. *Una simpática con todos mujer.

Existen algunas excepciones que afectan por lo general a complementos débilmente seleccionados, como los de destino o beneficio: *una buena solución para todo el mundo.* Esta aparente irregularidad parece estar relacionada con la naturaleza cuantificativa de los adjetivos evaluativos prenominales (como en *un magnífico libro en todos los órdenes*). De hecho, los adjetivos superlativos [→ § 17.3] son prenominales y aun así admiten complementos posnominales, como en *el último libro en aparecer.*

4.2. Los modificadores del adjetivo

4.2.1. Cuantificadores adjetivales

Los cuantificadores preadjetivales más característicos son los adverbios de grado: *mucho/muy, bastante, demasiado, harto, más, menos, algo, nada, poco, un poco, medio, un tanto,* [13] *tan, cuán:*

(26) Muy alto, bastante torpe, demasiado caro, harto probable, más grande, menos listo, algo raro, nada atractivo, poco sagaz, un poco aburrido, medio chalado, un tanto tímido, tan interesante, cuán inútil.

Los adverbios no poseen rasgos flexivos, luego su forma no se ve alterada por las propiedades morfológicas de los adjetivos. Sin embargo, como documentan Lope Blanch (1972) en México y H. Van Wijk (1969) en Honduras, algunos de estos adverbios toman las terminaciones flexivas de los adjetivos, de modo que se encuentran en esos países secuencias como *Son unos muchachos medios perezosos* o *Están medias locas.* Madero (1983) documenta en México *Se requieren bastantes buenos técnicos* y *Hay muchos puntos históricos bastantes vagos.*

Como observa Bäckvall (1970), sintagmas como el citado *algo raro* son ambiguos porque pueden tener como núcleo el sustantivo (como en *Aquí hay algo raro*) o bien el adjetivo (como en *un libro algo raro*). [14] Los adverbios *así, igual* y el interrogativo

---

suerte], luego esperamos que aparezca la forma apocopada *muy* ante el adjetivo *mala.* En (ib), por el contrario, tenemos *[Mucha [mala suerte]],* que es gramatical por la misma razón que lo es *mucha suerte.* Modernamente tiende a pensarse que *mucha suerte* es un sintagma cuantificativo nominal en lugar de ser un sintagma nominal cuantificativo. De hecho, la presencia del adjetivo *junta* no viene determinada únicamente por el sustantivo *suerte*, sino por el cuantificador *mucho* que incide sobre el SN al que precede:

(ii) a. *Muy mala suerte junta.
b. Mucha mala suerte junta.

[13] Hace notar Martinell (1992) que la lengua antigua permitía también *algún tanto,* que documenta en *El Corbacho* y en *El Lazarillo,* y también otros como *dos tantos, seis tantos,* etc.

[14] Señala el mismo autor que las construcciones existenciales y las posesivas muestran una interesante alternancia

cómo se construyen con la preposición *de (así de listo, igual de extraño, cómo de pequeño).* El cuantificador adjetival *qué* se comporta de forma opuesta a *cómo,* puesto que forma con el adjetivo SSAA exclamativos, mientras que *cómo* los forma interrogativos. Así pues, *qué grande* y *cómo de grande* son SSAA con distribución complementaria:

(27) a. ¡Qué grande es tu coche!
b. *¡Cómo de grande es tu coche!
(28) a. *¿Qué grande es tu coche?
b. ¿Cómo de grande es tu coche?

El antiguo *asaz* se construía con preposición y también sin ella. Cervantes usa ambas formas en *El Quijote:*

(29) a. (...) maguer que yo sea asaz de sufrido [*Quijote* I, 25; cit. en *DCRLC* I, 673a].
b. (...) asaz de claro está [*Quijote* I, 25; cit. en *DCRLC* I, 673a].
(30) a. (...) asaz melancólicos y de mal talante llegaron [*Quijote* II, 30; cit. en *DCRLC* I, 672a].
b. (...) lo que sigue ahora es asaz breve en palabras [Fr. Luis de León, *De los nombres de Cristo;* cit. en *DCRLC* I, 672b].

Los cuantificadores multiplicativos *doble, triple,* etc. son los mismos para las construcciones nominales y para las adjetivales, pero en el último caso concurren con los adverbios en *-mente* correspondientes:

(31) a. El doble de trigo (N). / El triple de galletas (N).
b. El doble de bueno (A). / Doblemente bueno (A).
c. El triple de costoso (A). / Triplemente costoso (A).

También se aplican por igual a sustantivos y adjetivos una serie de cuantificadores formados sobre sustantivos, en su mayor parte restringidos al registro coloquial: *la mar de veces* (N) junto a *la mar de contento* (A); *cantidad de libros* (N) y también (en el mismo registro) *cantidad de guapo.* [15] Inciden sólo sobre adjetivos y adverbios los cuantificadores coloquiales *un rato (Es un rato caro)* y *de lo más (Resultó de lo más interesante).* [16] Muchos adverbios en *-mente* se comportan como elementos cuasicuantificativos, como veremos en el § 4.2.3.

---

entre la forma prepositiva *(Eso no tiene nada de raro; No hay nada de interesante en ello)* y la no prepositiva *(Eso no tiene nada raro; No hay nada interesante en ello).* Se trata, en cualquier caso, de sintagmas nominales, no adjetivales [⟶ § 16.2.3].

[15] La lista es más larga en el español peninsular actual, en particular en el habla marginal: *la tira de caro, tela de chungo,* etc.

[16] Como se hace notar en Bosque y Moreno (1984), la doble concordancia que se observa en (i)

(i) a. Cartas de lo más extrañas.
b. Cartas de lo más extraño.

se debe a la doble segmentación que permite *de lo más.* En el primer caso constituye un solo cuantificador, mientras que en el segundo encabeza un SP que posee un SN como término de preposición. El adjetivo *extraño* ha de concordar con el núcleo *lo,* como lo hace en *María es lo más {simpático/*simpática} del mundo.*

Los adjetivos que admiten los modificadores gradativos son los calificativos, es decir, los propiamente predicativos. Los relacionales los rechazan, como se muestra en los §§ 3.2.2 y 3.3.1.1, puesto que no designan propiedades, y por tanto no pueden aportar un restrictor para el cuantificador. Los adjetivos relacionales que parecen admitirlos *(muy francés, bastante literario, demasiado teatral)* se reinterpretan como calificativos. También rechazan la gradación los adjetivos determinativos y los cuantificativos, puesto que no son predicados. La aparente excepción de los posesivos *(muy mío, bastante suyo)* no es tal porque se reinterpretan como adjetivos calificativos («muy personal», «bastante característico», etc.). [17]

Los adjetivos elativos no admiten modificadores de grado porque contienen léxicamente la información correspondiente a la gradación extrema: *enorme, exhausto, extraordinario.* Los que terminan en *-ísimo* [18] manifiestan morfológicamente ese grado y también rechazan, consiguientemente, tales modificadores *(*muy altísimo).* [19] Aun así, a veces aparecen con ellos en el español clásico y en el coloquial actual, lo que sugiere que su fuerza intensificativa está atenuada en esos estados de lengua:

(32) a. Muy grandísimas son las mercedes y socorros que... [J. de Ávila; cit. en *DCRLC* VI, 694b].
b. Sepa que ansí lo puedo, y muy poquísimo en lo que vuestra reverencia me escribe de la ida a Roma [Montemayor, *Diana;* cit. en *DCRLC* VI, 695b].

---

[17] Es posible que existan además diferencias de registro: *muy probable* pertenece a la lengua estándar, pero *muy posible parece* restringido al lenguaje familiar o coloquial.

[18] Me hace notar L. Gómez Torrego que las condiciones léxicas del sufijo *-ísimo* son muy diferentes de las que poseen los cuantificadores *muy, bastante,* etc. Le agradezco muy sinceramente el haberme proporcionado la lista de diferencias que aparece a continuación:

a) La gradación morfológica con *-ísimo* es compatible con la gradación sintáctica, pero no con otro sufijo gradativo: *muy pequeñito, bastante grandote, algo delgaducho,* pero no **pequeñitísimo, *grandotísimo, *delgaduchísimo.*
b) Cuando los adjetivos relacionales pasan a ser calificativos admiten gradación sintáctica, pero no léxica *(muy musical/??musicalísimo; bastante político/??politiquísimo).* Se exceptúan los gentilicios: *españolísimo, madrileñísimo.*
c) Los adjetivos situacionales tienden a rechazar *-ísimo,* pero admiten los cuantificadores citados: *muy próximo/??proximísimo; muy cercano/??cercanísimo; muy anterior/??anteriorísimo.* Los sufijos adjetivales más frecuentes en la formación de adjetivos de relación *(-ivo, -ero, -ista, -ario)* son compatibles con cuantificadores sintácticos, pero en su mayor parte rechazan *-ísimo.*
d) Los adjetivos cultos rechazan *-ísimo,* pero admiten la gradación sintáctica: *muy sagaz, bastante veraz, absolutamente ducho, algo bisoño, bastante cauto,* pero no *??sagacísimo, ??veracísimo, ??duchísimo, ??bisoñísimo,* etc. También rechazan el sufijo elativo muchos adjetivos compuestos de origen griego: *demagogo, ególatra, tecnócrata, cinéfilo, carnívoro, xenófobo,* en su mayoría esdrújulos.
e) Los sustantivos adjetivados admiten gradación sintáctica, pero tienden a rechazar *-ísimo: muy rosa, bastante violeta, muy niño, bastante fiera, algo cabezota,* frente a *??rosísima, ??violetísima, ??niñísimo, ??fierísima, ??cabezotísima.*
f) Rechazan también *-ísimo* los adjetivos terminados en *-ío (sombrío, baldío, tardío)* con la excepción de *pío (piísimo),* así como sus femeninos. También los terminados en *-io (necio, recio, rancio, lacio, propio)* y sus femeninos. Son excepción *limpio, amplio* y *sucio.* Tampoco poseen derivados en *-ísimo* los terminados en *-eo (aéreo, idóneo, etéreo), -uo (vacuo, ingenuo, inicuo, asiduo)* y sus femeninos. Se exceptúa *antiguo,* con cambio de radical *(antiquísimo).* Rechazan asimismo los derivados en *-ísimo* los adjetivos esdrújulos terminados en *-ico (lúdico, apático, abúlico, rústico, específico, cívico, teórico,* etc). Se exceptúan *simpático* y *práctico.* Lo hacen asimismo los acabados en *-ante,* como *insinuante, boyante, penetrante, frustrante, preocupante, sangrante, recalcitrante, exuberante, tirante, radiante, cargante, alarmante.* Son excepciones *interesante, importante, amante, brillante* y *pedante.* También los terminados en *-(i)ente,* como *impaciente, insolente, latente, patente, pudiente.* Se exceptúan *frecuente, valiente* y *caliente.*
g) Tampoco admiten *-ísimo* la mayor parte de los adjetivos con prefijo negativo: *incierto, anormal, inusitado, apático, insípido, amorfo, inmaduro, inhumano, inseguro, inválido, insólito.*

[19] Otras formas de intensificación morfológica son incompatibles, por redundancia, con la gradación sintáctica: **muy requetebueno, *considerablemente superlisto.*

En la actualidad, los elativos *mínimo, ínfimo* y *extremo* tienden a hacerse positivos, y admiten por tanto intensificación, como en *de la más ínfima calidad* o en *temperaturas muy extremas.* Ya Cervantes usa *sus más mínimos pensamientos (DQ,* I, IX).

4.2.2. Adverbios modificadores en los sintagmas adjetivales

4.2.2.1. Cuantificadores en los sintagmas comparativos

Los modificadores del adjetivo, o del sintagma que este forma con su complemento, deben distinguirse de los que admite el SA en su conjunto, incluso estando ya cuantificado [→ § 16.5]. Los adjetivos comparativos admiten adverbios cuantificativos distintos de los que modifican a los adjetivos simples. Consideremos los dos pares siguientes:

(33) a. Infinitamente triste.
b. Infinitamente más triste.
(34) a. Extraordinariamente amable.
b. *Extraordinariamente más amable.

El adverbio *infinitamente,* frente a *extraordinariamente,* pertenece al paradigma de los adverbios que se comportan como los llamados 'sintagmas de medida', es decir, al paradigma de los elementos nominales y adverbiales que expresan el grado en que una propiedad atribuida a una determinada entidad supera o no alcanza la medida que corresponde a otra, como en *mil dólares más caro* o *diez años más joven.* En (34), por el contrario, *extraordinariamente* funciona como uno de los adverbios cuantificativos del tipo de los mencionados en el epígrafe anterior. Los ejemplos de (35a) pertenecen al grupo de *extraordinariamente,* mientras que los (35b) pertenecen al grupo de *infinitamente:*

(35) a. Absolutamente (*más) despreciable, totalmente (*más) brillante, completamente (*menos) tonto, terriblemente (??menos) eficaz.
b. Sensiblemente (más) barato, ligeramente (menos) aburrido, alarmantemente (más) grande, considerablemente (más) siniestro, enormemente (más) fluido, incomparablemente (más) atractiva.

Los adverbios de (35b) pertenecen, pues, al mismo paradigma que los sintagmas de medida. Estos sintagmas pueden estar representados por adverbios, que se ejemplifican en cursiva en (36a), pero también pueden ser SSNN cuantificativos, como se muestra en (36b):

(36) a. *Mucho* más alto, *algo* menos viejo, *bastante* más aburrido, *un poco* más calvo.
b. *Mil pesetas* menos caro, *dos años* más joven, *10 metros* más corto, *dos toneladas* menos pesado, *20 kilómetros* más apartado.

Nótese que, si bien cabría pensar que *mucho* o *algo* son pronombres cuantitativos en (36a), ya que se corresponden con SSNN en esa misma posición, como se muestra en (36b), los adverbios de (35b) concurren con ellos en el mismo paradigma y no podrían categorizarse como tales. Es importante tener en cuenta que los adverbios de (35b) no coaparecen con los de medida ni con los SSNN cuantificativos de (36b) que hacen ese papel. Es lógico pensar que ello es así porque ocupan su lugar sintáctico:

(37) *Sensiblemente mucho menos barato, *considerablemente bastante menos interesante, *incomparablemente mucho más atractiva.

Se diferencian claramente de algunos adverbios epistémicos, de los temporales y de los de puntos de vista, que veremos con más detalle en el § 4.2.3. Frente a los adverbios del grupo de *infinitamente,* estos últimos adverbios no son cuantificativos, y pueden incidir, por tanto, sobre SSAA ya cuantificados:

(38) Físicamente mucho más fuerte, aparentemente bastante más práctico, actualmente muchísimo más desarrolladas, climatológicamente algo más grave.

Los sintagmas de medida [—> §§ 5.2.2.3, 16.5 y 16.7] se han estudiado con mucho detalle en los últimos años (véase, entre otros, Martínez 1994, cap. 3; Corver 1991, 1997ab, Zamparelli 1993ab y Bosque 1998). En los casos de (35b) se establece una correspondencia entre la unidad de medida y la propiedad que representa el adjetivo, es decir, el restrictor del cuantificador ha de ser el que corresponde a la magnitud designada por el adjetivo que aporta la información predicativa: metros, kilómetros, etc., si se trata de magnitudes longitudinales; unidades monetarias si se habla de precios, etc. [20]

Los adverbios que actúan como sintagmas de medida no poseen formas apocopadas. Mientras que *algo, bastante* o *harto* no alteran su morfología en el SA, *mucho* se apocopa cuando no incide sobre sintagmas comparativos, y aparece en la variante átona *muy* [—> §§ 68.4.1.1 y 68.4.1.2]:

(39) a. Bastante (más) alto. / Harto (más) complejo.
b. *Mucho alto. / Mucho más alto.
c. Muy alto. / *Muy más alto.

La forma *mucho* incide, por tanto, sobre los adjetivos comparativos, pero no sobre los simples. Esta diferencia es suficiente para explicar las asimetrías que se muestran en (40):

---

[20] Como se señala en Bosque 1998, estas relaciones se amplían con frecuencia porque las unidades de medida se crean y se modifican, particularmente en los sintagmas de medida que inciden sobre adverbios. En ese trabajo apunto algunos de esos casos con sintagmas adverbiales, como en *diez cervezas después, tres manzanas más lejos de mi casa* o *cinco semáforos más adelante.* Nótese que la relación entre *cervezas* y *después* en *diez cervezas después* no es, ciertamente, la misma que se establece entre *metros* y *largo* en *dos metros más largo.* En un modelo léxico como el que se propone en Pustejovsky 1993, 1995 algunas entradas léxicas poseen rasgos aspectuales de tipo télico que aportan información sobre los eventos asociados prototípicamente con esas entidades, lo que permitiría sin duda relacionar *cerveza* con *beber.* En el § 4.3.5.6 apunto otros desarrollos de esa idea, que también exploro en Bosque 1997. Esta línea de análisis no se aplica, desde luego, a algunas creaciones periodísticas o literarias, para las que deberían arbitrarse otros recursos sobre los que nada puedo decir aquí. Un periodista del diario *El País* (29-VII-1994) consideraba que una determinada corrida de toros había resultado «tres orejas menos buena» que otra. Ciertamente, la *magnitud* es aquí la «calidad de la corrida», y su *unidad de medida* es «la oreja» [—> § 1.2.3.4].

(40) a. Mucho mejor. / *Muy mejor.
b. *Mucho superior. / Muy superior.
c. Mucho mayor. / Muy mayor.

En efecto, el adjetivo comparativo *mejor* incorpora léxicamente la información semántica necesaria para que se comporte como un sintagma comparativo («más bueno»), luego la forma del adverbio será *mucho* y no *muy*. Lo mismo se aplica a *peor, mayor* y *menor*. Por el contrario, *superior* es un adjetivo calificativo no comparativo. En consecuencia, rechazará *mucho,* como sucede con *inferior, anterior, posterior* y *ulterior*. La aparente opcionalidad que se muestra en (40c) no es tal, puesto que *mayor* es comparativo en el primero de los dos ejemplos (= «más grande»), pero no en el segundo, ya que se trata de un adjetivo calificativo simple (= «anciano» o «crecido»). De forma análoga, cuando Pérez de Ayala habla de *ropas muy menores* [cit. en *DCRLC* VI, 694b] no está comparando el tamaño de las ropas, sino hablando de una clase de ellas.[21]

Frente a lo que sucede en las lenguas germánicas, las frases de medida no son posibles en español con los predicados adjetivales no comparativos —como en (41a)—, pero sí lo son con varios predicados adverbiales y prepositivos que denotan propiedades físicas, como en (41b), lo que se ha intentado explicar con argumentos de tipo morfológico:[22]

(41) a. *Dos años viejo. / *Varios kilos pesado. / *Cinco metros hondo.
b. Dos metros bajo tierra. / Varios kilómetros hacia el sur. / Varios puntos por encima de lo normal.

4.2.2.2. *Adverbios temporales, aspectuales y modales en el sintagma adjetival*

Existen otros adverbios que inciden sobre SSAA no comparativos, y aun así admiten que el adjetivo lleve otros modificadores. El SA completo se marca entre corchetes:

(42) a. Gente [siempre muy sola].
b. Hábitos [todavía bastante arraigados].
c. Empleados [de ordinario nada simpáticos].

---

[21] Como es de esperar, los adverbios comparativos no se construyen en la actualidad con *muy,* sino con *mucho (mucho antes),* frente a los no comparativos *(*mucho tarde)*. En la lengua antigua no era necesariamente así: *llegando al puesto donde se había de pasar muy antes que los demás* [S. Figueroa, *Amarilis;* cit. en *DCRLC* VI, 695b]. En la lengua antigua era también posible usar la forma apocopada *muy* con adjetivos comparativos, frente a lo que sucede en la actual:

(i) a. (...) como un claro diamante muy mejor que todo el mundo [Sta. Teresa; cit. en *DCRLC* VI, 694].
b. Tenía ya el Papa hecha otra nueva liga, muy más regia que la primera [A. de Valdés, *Diálogo de las cosas;* cit. en *DCRLC* VI, 695b].
c. Lo que aquí tratamos agora es muy más dulce que lo que leemos allí [Fr. Luis de León, *Nombres de Cristo;* cit. en *DCRLC* VI, 695b].
d. (...) digo yo que parece muy peor la mujer casada y moza sin su marido [Cervantes, *Quijote;* cit. en *DCRLC* VI, 695b].

[22] Concretamente, por la ausencia de flexión nominal en los adverbios y las preposiciones, como sugiere Zamparelli (1993a, b). Como se apunta en Bosque y Masullo 1996, este análisis tendría algunos problemas si se extendiera al español. Predice, erróneamente, por ejemplo, que en español habríamos de tener construcciones como la italiana *un uomo alto due metri* (lit. «un hombre alto dos metros»).

Existen diferencias posicionales entre los adverbios de este grupo. Así, el adverbio *siempre* puede aparecer en posición preadjetival y posadjetival. Podemos decir *gente sola siempre* y también *gente siempre sola.* El adverbio *nunca* se antepone si no hay negación preadjetival. Como se señala en el § 40.1.2, las palabras negativas posverbales exigen inductores negativos preverbales. La inviabilidad de *nunca* en posición postadjetival sin inductor negativo establece otro claro paralelismo entre el SA y el SV:

(43) a. Gente no contenta nunca.
b. *Gente contenta nunca.
c. Gente nunca contenta.

(44) a. No llamaba nunca.
b. *Llamaba nunca.
c. Nunca llamaba.

La misma distribución explica la posición necesariamente preadjetival del adverbio *en absoluto* dentro del SA, en ausencia de inductor negativo:

(45) a. Medidas en absoluto necesarias.
b. *Medidas necesarias en absoluto.
c. Medidas no necesarias en absoluto.

Otros adverbios de naturaleza aspectual o temporal [—> § 48.1], como *a veces, ya, todavía,* aparecen tanto antepuestos como pospuestos:

(46) a. Una persona a veces sorprendente. / Una persona sorprendente a veces.
b. Enfermos todavía convalecientes. / Enfermos convalecientes todavía.
c. Una rueda ya inservible. / Una rueda inservible ya.

El que estos adverbios no incidan directamente sobre el núcleo adjetival sino sobre todo el SA tiene un correlato semántico en el hecho de que no cuantifican sobre el grado en que la propiedad se manifiesta, sino que lo hacen sobre el número de ocasiones en las que se presenta, o bien —como en el caso de *ya* y *todavía* [—> § 48.1.2]— establecen su relevancia actual o su persistencia, o manifiestan expectación sobre el hecho de que la propiedad designada se verifique en un futuro. Al no graduar la propiedad misma, es lógico que estos adverbios puedan coexistir con los propios elementos gradativos. Cuando se posponen, lo hacen a todo el SA, no solamente al núcleo: [23]

(47) a. Siempre [tan ingenioso].
b. [Tan ingenioso] [siempre].
c. *Tan [ingenioso siempre].

Todos los adverbios señalados pueden separar el adjetivo de su complemento, lo que reproduce de nuevo la situación habitual en el SV:

[23] La situación no es exactamente la misma en los temporales que en los aspectuales. Los adverbios *ya* y *todavía* pueden aparecer en posición posadjetival o preadjetival, pero pueden también modificar al sintagma formado por un adverbio modal y el núcleo del SA:

(i) a. Una solución [lamentablemente [ya inútil]].
b. Una solución [ya [lamentablemente inútil]].
c. Una solución [lamentablemente [inútil ya]].

(48) a. Siempre tan encantadora con todo el mundo. / Tan encantadora siempre con todo el mundo.
b. Ya imposible de renovar este año. / Imposible ya de renovar este año.

También pueden ser preadjetivales o postadjetivales los adverbios de foco [⟶ §§ 11.7.1 y 16.6], en particular los de inclusión y exclusión: *sólo, únicamente, exclusivamente, incluso, además, también,* etc. Coinciden con los temporales y los aspectuales mencionados arriba en que pueden también separar el adjetivo de su complemento:

(49) a. Personas sólo dispuestas a entorpecer.
b. Personas dispuestas sólo a entorpecer.
c. Personas dispuestas a entorpecer sólo.

Como vimos en el apartado anterior, muchos adverbios en *-mente* son cuantificativos, y por tanto son incompatibles con otro cuantificador. Se distinguen de ellos algunos adverbios modales, en particular epistémicos [⟶ § 11.5], que no poseen valor gradativo y comparten, por tanto, las propiedades de los aspectuales y los temporales apuntadas arriba:

(50) a. Mosaicos seguramente muy anteriores al siglo III.
b. Mosaicos muy anteriores seguramente al siglo III.
c. Mosaicos muy anteriores al siglo III seguramente.

El hecho de que estos adverbios *(probablemente, seguramente, posiblemente)* sean operadores modales sugiere que pueden ocupar varias posiciones dentro del SA. Lo interesante de esta libertad posicional es que permite establecer un paralelismo entre las relaciones sintácticas que se establecen en el SA y las que se dan en otros sintagmas. Así, se sabe que estos adverbios modales pueden romper con más facilidad que otros la unión formal característica de los tiempos compuestos, de manera que preceden al participio, le siguen o se anteponen a toda la forma verbal. Esta propiedad la rechazan con rotundidad los adverbios de manera, como se comprueba en estos contrastes:

(51) a. Habían probablemente decidido vengarse.
b. Habían decidido vengarse probablemente.
c. Probablemente habían decidido vengarse.
(52) a. *Habían cruelmente decidido vengarse.
b. Habían decidido vengarse cruelmente.
c. *Cruelmente habían decidido vengarse *[sin pausa]*.

La posición de los adverbios es todavía una de las cuestiones menos estudiadas de toda la sintaxis española. [24] Es muy probable que otros aspectos de la sintaxis de los adverbios en el SV se extiendan a la estructura interna del SA, pero esos paralelismos no han sido aún estudiados con detalle.

4.2.3. Los adverbios en *-mente* como modificadores adjetivales

Un gran número de adverbios modifican al adjetivo dentro del SA y son incompatibles, como hemos visto, con los elementos gradativos [⟶ §§ 11.7.2 y 16.5.3]. Aportan valores modales, en el sentido en el que lo hacen los adverbios que se examinan en el § 11.3.2.2 de esta obra, es decir, en el sentido en que introducen predicados que denotan propiedades de cuya atribución es responsable el hablante, el sujeto o ambos. Las clases de adverbios en *-mente* que modifican a los adjetivos

[24] Por el momento, el estudio sintáctico más completo sobre la posición de los adverbios en el SV es Cinque 1997.

dentro del SA son casi tan variadas como las que inciden sobre los verbos, que se examinan en el capítulo 11. Sólo será posible, por tanto, hacer aquí una mención escueta de las que parecen más características.

Aunque la mayor parte de los adverbios inciden tanto sobre adjetivos como sobre participios, muchos de los adverbios de acción orientados hacia el sujeto [⟶ § 11.3.2.2, A. 1] raramente lo hacen sobre adjetivos (sin base verbal), pero se combinan con naturalidad con participios. Se trata de adverbios como *silenciosamente, cuidadosamente, deliberadamente, respetuosamente,* etc. Volveré sobre estas alternancias en el § 4.4.5.2.

(53) a. {Fijado/*fijo} cuidadosamente.
b. Deliberadamente {cubierto/*lleno} de tulipanes.
c. Ropa {secada/*seca} rápidamente.

Los contrastes de (53) tienen su base en el hecho de que los adjetivos no denotan acciones, sino propiedades, [25] mientras que los adverbios citados se predican de la acciones que los verbos designan. Lo mismo cabe decir de los adverbios que denotan direcciones *(perpendicularmente, circularmente),* u otro tipo de dominios locativos *(localmente, continentalmente),* [26] entre otras muchas clases de adverbios de acción.

Varios adverbios derivan de los adjetivos que denotan significados metafóricos espaciales, en concreto relativos a la altura, la profundidad, la longitud y el tamaño, como en *altamente improbable, hondamente arraigado, profundamente representativo.* Otras veces el significado del adverbio afecta a la magnitud o la extensión en que la cualidad se predica. Se trata, por tanto, de adverbios cuantificativos que expresan relaciones parte-todo, [27] como en *completamente fallido, parcialmente aceptable, totalmente lógico, mínimamente crítico, absolutamente perfecto.*

Forman otro grupo los adverbios de evaluación afectiva [⟶ § 11.4.3.1], llamados a veces 'evaluativos afectivos'. En este grupo se incluyen tanto los que suelen caracterizarse como 'orientados hacia el sujeto' como algunos de los que suelen considerarse como 'orientados hacia el hablante'. Muchos de ellos son factivos y se comportan semánticamente como predicados de la propiedad que el adjetivo denota. Así pues, si decimos de algo que es *extrañamente perfecto* predicamos la extrañeza de la perfección. La propiedad evaluada se puede atribuir en estos casos al hablante, como en *Juan tuvo una reacción sorprendentemente rápida,* donde no es Juan, sino el que habla, quien manifiesta sorpresa. También puede atribuirse al sujeto, como en *Juan consideró tu reacción sorprendentemente rápida,* donde no es el que habla, sino Juan, el sorprendido. Lo mismo en combinaciones análogas como *amargamente lúcido, sospechosamente rápido de reflejos, felizmente vivo, asombrosamente maleable.* Si el SA no aparece en el entorno de un predicado de lengua o de actitud proposicional, la interpretación por defecto en todos estos casos es aquella en la que es el hablante el que manifiesta las reacciones afectivas que se señalan.

---

[25] Como es sabido, las propiedades de los objetos que participan en acciones no constituyen acciones en sí mismas: *ruidoso, veloz,* etc.

[26] Para estos adverbios, véase el § 11.3.2.2, apartado C de esta obra.

[27] Varios de estos adverbios corresponden al grupo de los resultativos de O. Kovacci, en esta obra, § 11.3.2.2, apartado 3.

Se producen relaciones semánticas cercanas con los adverbios que manifiestan modalidad alética, como los de probabilidad *(gente probablemente incapaz de engañar a nadie),* orientados hacia el hablante, lo mismo que con los que denotan seguridad e incertidumbre *(temperamento indudablemente dramático, raíces inequívocamente andaluzas, actitudes ciertamente anacrónicas).* En general, la vehemencia, la rotundidad o la notoriedad con la que el hablante realiza la asignación de la propiedad se manifiesta mediante adverbios preadjetivales. Es lo que sucede en combinaciones como *descaradamente lascivo, decididamente filosófico, marcadamente afectado, resueltamente humorístico, ferozmente sarcástico,* etc.

Muchos de los adverbios modales señalados actúan de forma análoga a las expresiones parentéticas, aun cuando no media pausa entre ellos y el adjetivo sobre el que inciden. Ello es posible porque el ámbito gramatical al que se aplican es el de la enunciación, externo por tanto al *dictum* proposicional. Nótese que no hay demasiada diferencia entre las secuencias (a) y (b) en los pares que siguen:

(54) a. Era sorprendentemente rápida de reflejos.
b. Era, sorprendentemente, rápida de reflejos.

(55) a. Me pareció sencillamente admirable.
b. Me pareció, sencillamente, admirable.

Otros adverbios expresan el hecho de que la propiedad asignada destaca o se ajusta entre otras, o se considera más importante que ellas. Estos adverbios aparecen en SSAA como *esencialmente apropiado, básicamente interpretativo, fundamentalmente pedagógico.* La propiedad o la corrección en que la atribución se pone de manifiesto se expresa como otros adverbios que denotan la presencia o ausencia de desvío o de exactitud en la asignación de la cualidad correspondiente, como en *directamente afectado, débilmente relacionado, apropiadamente amarillo, vagamente autobiográfico.* Se acercan a ellos los que denotan nociones que giran en torno a la veracidad o la autenticidad de la atribución misma, como en *auténticamente representativo, verdaderamente ilustre, falsamente académico.* Estos últimos adverbios se estudian en el § 11.4.3.3 de esta obra.

Un grupo numeroso de particular interés es el que forman los adverbios de punto de vista o de perspectiva, que se examinan en el § 11.4.2 de esta gramática. Indican que la propiedad se asigna con la limitación impuesta por un determinado dominio o un marco de conocimiento o de intereses que la restringe. Suelen admitir la paráfrasis «desde el punto de vista + adj»: *estéticamente inclasificable, estratégicamente necesario, estadísticamente significativo, técnicamente perfecto, económicamente desarrollado, argumentalmente impecable.*

El último grupo corresponde a los adverbios que establecen relaciones de tiempo *(eternamente vivo, actualmente visitable, anteriormente lleno de público)* o más estrictamente de frecuencia *(frecuentemente arisco, diariamente asequible, desusadamente prolijo, constantemente fiable, raramente enfermo).* Muchos adverbios de este grupo coinciden con los adverbios de punto de vista en que modifican a todo el SA, en lugar de actuar como elementos cuasicuantificativos del adjetivo. Así pues, admiten elementos gradativos interpuestos:

(56) a. Medidas estratégicamente muy necesarias.
b. Un país económicamente bastante desarrollado.
(57) a. Un museo actualmente tan visitado como hace años.
b. Teatros hasta hace poco completamente llenos de público.

En este sentido se diferencian muy claramente de las clases léxicas que acabamos de presentar, cuyos adverbios raramente coexisten (salvo en construcciones parentéticas) con cuantificadores. Esta diferencia es interesante en cuanto que muestra que los adverbios de perspectiva y los temporales no son propiamente evaluativos ni intensificativos. Al no serlo, no actúan como elementos cuasicuantificativos, y son —por tanto— compatibles con ellos.

Es difícil establecer la productividad de las combinaciones que hemos visto en todas estas clases de adverbios, tanto si modifican a los adjetivos como si inciden sobre participios. En ocasiones, los resultados son logros expresivos que tienen sentido como creaciones de autor, pero que no forman parte de la lengua común. En el extremo opuesto están las combinaciones fijas, clichés relativamente estables que constituyen acuñaciones mil veces repetidas: *estrechamente ligado* (también *unido, vinculado*); *celosamente guardado* (también *protegido, vigilado*); *tristemente célebre* o *desaparecido; duramente atacado* o *criticado; endiabladamente complicado; entrañablemente unido, vivamente retratado, vilmente asesinado, rematadamente loco, universalmente aceptado* o *celebrado,* etc. etc.

4.3. Los complementos del adjetivo

En el § 4.1 vimos que los SSAA están formados por modificadores y por complementos, y también consideramos allí algunas relaciones que existen entre ambas clases. En este § 4.3 estudiaremos únicamente los complementos del adjetivo. Veremos su estructura y su significado, y analizaremos el tipo de relación sintáctica y léxica que mantienen con el núcleo adjetival que los admite.

4.3.1. Complementos argumentales y complementos adjuntos

Como los verbos y algunos sustantivos, los adjetivos también admiten adjuntos o circunstantes, es decir, complementos no seleccionados. Tal como observa María Moliner (*DUE* I, pág. 58), si decimos de un objeto que está *torcido por la punta,* no debemos concluir que el participio *torcido* selecciona la preposición *por,* sino más bien que *por la punta* es un complemento adjunto o circunstancial, [28] como lo sería de un predicado verbal. [29] Muchos de estos complementos son posibles porque se cumplen las condiciones léxicas —con frecuencia, aspectuales— del adjetivo, exac-

---

[28] En adelante usaré 'adjunto' en lugar de 'circunstancial' en estos casos porque el término *complemento circunstancial* se ha aplicado tradicionalmente a los verbos de forma casi exclusiva. El razonamiento se extiende desde luego a los sustantivos: *tu actitud la semana pasada, la llegada de la primavera hace dos días.* Para estos adjuntos que modifican a los sustantivos véase el § 5.3.2.

[29] Aun así, esta distinción entre complementos argumentales y adjuntos no es general en la tradición, tal vez porque —como he señalado— el concepto de «complemento circunstancial» se aplica en ella casi exclusivamente a los predicados verbales. Así, Gili Gaya (1944: § 161) propone como complementos del adjetivo ejemplos como *serio sin afectación*, donde es evidente que el adjetivo *serio* no selecciona la preposición *sin*.

tamente igual que sucede con los verbos. No existen, por ejemplo, adjetivos que seleccionen las preposiciones *hasta, desde* o *durante,* pero encontramos SSAA como los de (58). Obsérvese que en estas secuencias no hay ningún verbo:

(58) a. Una persona [[fiel a sus ideas] hasta la muerte].
b. Un colegial [[reticente al esfuerzo] desde el comienzo de sus estudios].
c. Gente [[alérgica al polen] durante toda su vida].

En las secuencias de (58) tenemos un adjetivo con un complemento argumental, con el que forma un sintagma que a su vez es complementado por un adjunto, lo que recuerda muy de cerca la situación habitual en los esquemas verbales. Como sucede con los verbos, incluso una misma noción puede ser argumental en unos casos y circunstancial en otros. Así, los complementos finales son unas veces argumentales, como con el adjetivo *apto* o el verbo *servir,* y otras son adjuntos o circunstanciales, como con el adjetivo *cauteloso* o el verbo *cantar.* Estamos pues ante un complemento argumental en *apto para trabajar,* pero sólo ante un adjunto en *cauteloso para no molestar.* Lo mismo sucede con los complementos locativos: el SP *en un mango* es complemento argumental en *inserto en un mango* (ejemplo de María Moliner, *DUE* I, pág. 58), pero es complemento adjunto en *escrito en un mango.*

En general, la distinción entre complementos argumentales y adjuntos es problemática en la gramática de los adjetivos en la misma medida en que lo es en la de los verbos. El hecho que los complementos de *durante* sólo puedan aparecer con verbos *atélicos* (o con los télicos negados [⟶ §§ 40.3.4, 46.2.4 y 48.1.2.1] conlleva desde luego un tipo de selección. Es más abstracta que la que obtenemos en los casos habituales, puesto que, como se señala en esos capítulos, la presencia de *durante* no está exigida léxicamente por el predicado, pero no es en cambio menos objetiva, porque ha de ser compatible con sus propiedades aspectuales *(permanecer allí durante un rato* frente a **llegar allí durante un rato).* Análogamente, podemos construir secuencias como las de (58) porque la fidelidad o la alergia son propiedades de los individuos que se prolongan durante cierto tiempo. El adjunto es posible, por tanto, porque resulta compatible con una propiedad léxica del predicado al que modifica, lo que implica, desde luego, un cierto tipo de selección semántica.

Los adjetivos que se construyen con SSPP adjuntos son por lo general compatibles con varias preposiciones. Este hecho es muy claro, por ejemplo, en el caso de los adjuntos locativos: decimos *oculto en el escritorio,* pero también podemos decir *oculto debajo del escritorio, dentro del escritorio* o *al lado del escritorio,* lo que confirma su naturaleza no seleccionada. Este tipo de razonamiento hace pensar que en lugar de doble complemento argumental, tenemos un argumento y un adjunto en casos como (59),

(59) a. Superior a él en todo.
b. Parecido a ti en la tozudez.

puesto que el segundo complemento no está encabezado por una preposición seleccionada (cf. *en lo relativo a, en cuanto a, en lo que afecta a,* etc.). Las diferencias entre complementos argumentales y adjuntos son más sutiles en otros SSAA. En el § 4.3.6 estudiaremos algunas clases semánticas de complementos adjetivales de forma más pormenorizada.

4.3.2. Complementos básicos y complementos heredados

Los adjetivos derivados de otras categorías pueden heredar de ellas sus complementos, tanto si son argumentales como si son adjuntos. Como se señala en el capítulo 67, se denomina 'herencia' a la propiedad que poseen algunas palabras derivadas de mantener los argumentos y los adjuntos de las palabras de las que derivan, así como —con frecuencia— su misma realización sintáctica. En los ejemplos que siguen usaremos adjetivos y participios (véase el § 4.4 para sus límites):

Adjetivos deverbales y participios con complementos argumentales heredados:

(60) Un número divisible entre cuatro, gestos representativos de una actitud peculiar, espectadores aficionados al fútbol, un paciente aquejado de molestias en el abdomen, actitudes atentatorias contra la libertad de expresión, reos sentenciados a la horca.

Adjetivos deverbales y participios con complementos adjuntos heredados:

(61) Un paraguas olvidado en un bar, acuerdos revisables cada dos años, gente trastornada durante muchos meses, un cuadro clavado a la pared, renovable a voluntad del consumidor, un asunto verdaderamente preocupante desde que se suscitó.

Así pues, podemos tener sintagmas como *divisible entre cuatro* o *sentenciados a la horca* porque el adjetivo *divisible* y el participio *sentenciado* heredan de los verbos de los que derivan la posibilidad de mantener sus argumentos. Estos complementos modifican a los adjetivos y a los participios con los que se construyen como modificarían a los verbos de los que esas unidades derivan. Los complementos prepositivos de (61) lo hacen también como lo harían si fueran circunstanciales de los verbos respectivos.

4.3.3. Complementos nominales y complementos oracionales

4.3.3.1. Distribución básica y tipos de subordinadas

Al igual que los verbos y los nombres, los adjetivos poseen complementos preposicionales constituidos por SSNN o bien por oraciones sustantivas como término de la preposición. Como sucede en aquellos casos, las razones que posibilitan la aparición de unos y otros complementos son léxicas en lo fundamental. De hecho, tienen su base en el tipo de interpretación semántica que el adjetivo imponga a sus argumentos. Así, sabemos que *amable* tiene un complemento de persona que designa el destinatario de la amabilidad (como en *amable con sus compañeros*). No esperaremos, por tanto, encontrar una subordinada sustantiva (sea flexionada o de infinitivo) en el término de la preposición *(*amable con que...)* puesto que las subordinadas sustantivas no denotan personas. Lo mismo sucede en *fiel(a)* o *simpático (con),* entre otros muchos casos. Igualmente, si sabemos que el complemento del adjetivo denota un lugar —como en *distante (de), nativo (de), enclavado (en)* u *originario (de)*— tampoco esperaremos que una subordinada sustantiva desempeñe esa función, frente a una relativa sin antecedente. La razón, de nuevo, radica en que las subordinadas sustantivas no denotan lugares. [30] Un razonamiento análogo explica

---

[30] Las propiedades distribucionales de los complementos de los adjetivos se presentan con gran detalle en Picabia

que también carezcan de complementos oracionales otros muchos adjetivos, como *típico (de), soluble (en), lleno (de), ausente (de)* o *resistente (a).*

Cuando pasamos de la denotación de entidades, es decir de 'individuos', a la de nociones más abstractas como las proposicionales, la selección del complemento se hace más compleja. Los contenidos proposicionales pueden ser expresados por oraciones o bien por sustantivos. Así, en tanto en cuanto los objetos pueden ser designados por sustantivos, y un objeto puede ser «parecido a otro», esperamos tener SSNN en los dos argumentos del predicado *parecido,* como en *Las antenas parabólicas son parecidas a las paelleras.* Al mismo tiempo, en tanto en cuanto un hecho (noción proposicional) puede ser «parecido a otro», es también esperable que podamos tener una oración subordinada en lugar de un SN, como sucede en *Ver la televisión casi nunca es parecido a ir al cine.* Es lógico, por tanto, que podamos tener subordinadas sustantivas en muchos casos en los que el complemento del adjetivo denota hechos o situaciones, como sucede en (62): [31]

(62) Contradictorio con que defienda la empresa pública, contento de que las cosas vayan bien, preocupado por no haber contestado todas las preguntas del examen, incompatible con tener otro trabajo, distinto de que ella haya de ocuparse de todo, sintomático de que la situación se deteriora, conforme con continuar después, indeciso entre irse y quedarse.

Los hechos de (62) se extienden a un gran número de adjetivos que admiten complementos nominales y también proposicionales. [32] En otros casos la interpretación del contenido proposicional de los SSNN es más compleja porque intervienen otros factores. Algunos de ellos coinciden con los que determinan la interpretación de las llamadas 'interrogativas encubiertas', que se estudian en los §§ 31.2.5 y 35.2.6. Interpretamos, por tanto, *ignorante del resultado* o *seguro del resultado* en el sentido de «cuál es, ha sido o será el resultado», es decir, de la misma forma que interpretamos *desconocer el resultado* o *saber el resultado.*

Otras veces se sobrentienden en el complemento preposicional predicados incoativos o existenciales abstractos, como sucede en *ávido de riquezas* («tener», «obtener»), *partidario del desarme* («que suceda», «que tenga lugar»), *propenso a la gripe* («coger», «incubar»), o *seguro del éxito* («conseguir», «obtener»). En la mayor parte de los casos, sobre los que volveremos en los §§ 4.3.4.3 y 4.3.5.6, se sobrentienden predicados verbales de tipo existencial, o bien predicados análogos de tipo télico que se asocian con la consecución o la presencia de la noción denotada por el sustantivo. Esta situación es particularmente interesante en el caso del adjetivo mo-

---

1978 para el francés y en Malaca Casteleiro 1981 para el portugués. Ambos trabajos, elaborados en la corriente de *léxico-gramática* auspiciada por Maurice Gross en los años setenta y ochenta, muestran una sorprendente cantidad de informaciones gramaticales, particularmente en las tablas distribucionales que ambos trabajos contienen. Sus autores, sin embargo, están más interesados en presentar todas esas propiedades que en deducirlas de otros principios, sean estos sintácticos o semánticos. Para una sucinta clasificación de los complementos adjetivales del español atendiendo a sus propiedades sintácticas básicas véase Bosque 1983.

[31] Ciertos complementos locativos se reinterpretan semánticamente de forma que denotan hechos o situaciones. Cabe decir, por tanto, *un bar próximo a la carretera,* pero también *Está próximo a ser intervenido quirúrgicamente.*

[32] Aun así, existen adjetivos que admiten los complementos oracionales y rechazan los nominales a pesar de ser compatibles semánticamente con ellos, lo que parece requerir estipulaciones léxicas. Decimos, por ejemplo, *deseoso de volver* o *feliz de trabajar aquí,* pero no **deseoso de su vuelta* ni **feliz de este trabajo.*

dal *capaz*, que sólo admite ciertos sustantivos de comportamiento en su complemento cuando no se construye con oraciones. Decimos, por tanto, *capaz de cualquier disparate* o *capaz de grandes logros*, pero no **capaz de buenas novelas*, ni **capaz de un extraordinario concierto.* [33] Cuervo sugiere (*DCRLC* II, 61) que los complementos nominales del adjetivo *capaz* denotan la habilidad o la capacidad para «recibir, tener, padecer o hacer alguna cosa». En sus ejemplos se sobrentienden siempre estos predicados, u otros predicados télicos prototípicos, como *alcanzar, tener, lograr* (todos los ejemplos, tomados del *DCRLC* II, 61):

(63) (...) capaz de pensamientos sublimes (...) [M. de la Rosa, *Anotaciones a la Poética*] / (...) capaces de sentimientos elevados (...) [Lista, *Ensayos literarios y críticos*] / (...) la cultura, abundancia y majestad de que ya entonces era capaz de lengua castellana (...) [Gil y Zárate, *Resumen histórico de la literatura española*] / (...) capaz de tanta elocuencia y discreción (...) [Fr. Luis de Granada, *Introducción al símbolo de la fe*] / (...) capaces de las empresas más heroicas (...) [Balmes, *El protestantismo comparado con el catolicismo*] / (...) no todos eran capaces de tan gran bien (...) [Rivadeneira, *Flos sanctorum*] / (...) toda la gloria, esplendor y hermosura de que él es capaz (...) *[ibid.]*

Las subordinadas declarativas van introducidas en español por una preposición vacía que actúa como marca de función. Así pues, frente al inglés *a man happy that...* o el francés *un homme hereux que...*, en español no tenemos **un hombre contento que...*, sino *un hombre contento de que...* En la lengua conversacional esta preposición se suprime a veces, como en *Estoy seguro que lo sabe,* y —como señala S. Fernández Ramírez (1951: vol. 3.1, § 80.2)— en español medieval se da esta situación con relativa frecuencia, como en *Seades bien seguro que seredes colgado* (Berceo, *Sto. Domingo*).

Los complementos oracionales de los adjetivos no están constituidos únicamente por las proposiciones que suelen llamarse *enunciativas*. También, como los nombres y los verbos, admiten interrogativas indirectas. Como cabe esperar, las nociones que designan los adjetivos que las admiten son las mismas que sugieren los verbos que poseen tales complementos argumentales. Dichas nociones se estudian en el § 35.6. Algunos ejemplos son:

(64) Independiente de a qué persona elijan, revelador de cómo actúan, dudoso de si debería ir, interesado en cómo va la competición futbolística, indeciso sobre si ver o no el partido.

---

[33] La naturaleza intensional de *capaz* se comprueba en que se construye con cuantificadores de indeterminación, como *cualquiera*, o con los superlativos de interpretación inespecífica. El contraste con los adjetivos no intensionales, como por ejemplo *contento*, es muy claro:

(i) a. Es capaz de cualquier hazaña.
b. ??Está contento de cualquier hazaña.

(ii) a. Era capaz de engañar a los más cautos.
b. Estaba contento de engañar a los más cautos.

Mientras que en (iia) se hace referencia a «cualquier persona cauta», en (iib) entendemos que se habla de un grupo específico de personas cautas supuestamente presentado antes. Sobre las propiedades de *cualquiera* véase el § 16.2.1.

En resumen: el término de la preposición en los complementos de los adjetivos puede estar representado por un SN o bien por una oración subordinada sustantiva. En el primer caso, el SN puede designar un individuo (persona, cosa, lugar, etc.) o bien una noción proposicional (hecho, acción, situación, etc.). En estos últimos casos caben también oraciones subordinadas sustantivas, pero en los primeros sólo caben relativas libres.[34] Podemos dividir las subordinadas sustantivas en declarativas (o enunciativas) e interrogativas indirectas. Ambas pueden ser o bien flexivas o bien no flexivas (es decir, de infinitivo). Las flexivas pueden construirse con indicativo o con subjuntivo, siempre en función de las características léxicas del predicado. Combinando esos rasgos obtenemos las seis posibilidades que se muestran en (65):

(65) a. Seguro de que su jefe será elegido *(subordinada declarativa en indicativo)*.
b. Ansioso de que su jefe sea elegido *(subordinada declarativa en subjuntivo)*.
c. Preocupado por cómo van las cosas *(subordinada interrogativa en indicativo)*.
d. Preocupado por cómo vayan las cosas *(subordinada interrogativa en subjuntivo)*.
e. Ansioso de viajar al extranjero *(subordinada declarativa de infinitivo)*.
f. Interesado en cómo conseguir mayores beneficios *(subordinada interrogativa de infinitivo)*.

En los apartados siguientes veremos que algunos de estos grupos poseen propiedades específicas de particular interés.

4.3.3.2. El modo en los complementos oracionales del adjetivo

En ausencia de negación o de otros inductores que se estudian en los caps. 49 y 50, los adjetivos, como núcleos que son, seleccionan el modo de la oración subordinada sustantiva que toman como complemento. Como sucede con otras clases de predicados, los adjetivos que se construyen con indicativo en su complemento proposicional denotan certeza, seguridad y posesión o adquisición de conocimiento:

(66) Seguro de que le *esperan,* consciente de que se *equivocaba,* revelador de que su actitud no *era* correcta, coincidentes en que *era* la mejor solución.

Como es lógico, los participios heredan el modo de los verbos respectivos. Los complementos de *convencido (de)* o *basado (en)* se construyen todos con indicativo, como sucede con los de *convencer (de)* o *basarse (en)*. Los que se construyen con

[34] Las relativas sin antecedente expreso equivalen a SSNN, como se muestra en el § 7.2.4.3. Decimos *originario de donde no puedes imaginarte* o *importante para quienes hemos trabajado en ellos* porque podemos decir también *originario de allí* (o *de ese lugar*) e *importante para nosotros.* Así pues, podemos tener relativas adverbiales de lugar donde tenemos adverbios de lugar, y podemos tener relativas pronominales donde tenemos pronombres. La gramática no debe especificar, por tanto, que en el lugar de cada SN cabe una relativa sin antecedente. Dicho de otro modo, las restricciones que hemos visto sobre la cercanía semántica que existe entre las oraciones sustantivas y los SSNN no se aplican a estos casos, puesto que la relación descrita es sistemática y las estipulaciones de selección resultan innecesarias.

subjuntivo denotan un subgrupo de las mismas nociones que sus equivalentes verbales o nominales [→ § 49.5.2]:

a) Afección y valoración:

(67) Satisfecho de que su hijo *vaya* a la universidad, avergonzado de que le *hayas* llamado la atención, insensible a que se *produzcan* tantos accidentes, acostumbrado a que no le *digan* nada, asombrado de que *existan* especies así, orgulloso de que sus amigos le *apoyen*, conformes con que *haya* que esperar, encantado de que le *hubieran* aceptado.

b) Deseo, tendencia y disposición:

(68) Partidario de que *cambien* al entrenador, reticente a que *bajen* los impuestos, pendiente de que *contratemos* a un ayudante, ansioso de que el tren *llegue* a su pueblo.

c) Comparación y suficiencia:

(69) Parecido a que le *ofrezcan* dinero, diferente de que él *siga* al mando, anterior a que se *descubriera* la penicilina, compatible con que su hermano *sea* juez, contradictorio con que ahora *defiendas* esa tesis, independiente de que *hayan* aprobado tal ley, suficiente para que le *den* el puesto.

Al igual que sucede con los verbos, existe variación histórica y dialectal en la selección modal con los adjetivos, en particular en el caso de los factivos, como son la mayor parte del grupo de (67). Como señala Molho (1975: vol. 2, 443), el adjetivo *alegre* se construye con complementos en indicativo en el *Poema del Cid* («Dios cómo fo alegre (...) que Minaya Albar Fáñez era llegado»), lo que también es posible en la lengua actual para algunos hablantes con adjetivos análogos (*¡Qué contento estoy de que estás ya de vuelta!*). Fernández Ramírez documenta (1951: vol. 4, 343) en Ortega y Gasset el uso del indicativo en el complemento del adjetivo *sorprendido* («sorprendido de que Aristóteles no dedica a la cuestión...») y el de *contento* en un texto Lope de Vega *(ibid.)*, aunque en verso: «estoy contento | De que mi buen pensamiento | Solo de serviros fue». También estas alternancias recuerdan el uso actual de ambos modos en otros complementos del adjetivo: *Estaba entusiasmado con que su hijo {regresaba/regresara}*.

Como es lógico, los predicados de las oraciones subordinadas flexionadas pueden tener o no tener como participantes las mismas entidades que poseen como argumentos los adjetivos a los que complementan. Cuando denotan hechos o acontecimientos, esa independencia es muy evidente: podemos decir *Estoy seguro de que..., deseoso de que...* o *preocupado por que...* y añadir a continuación informaciones que tengan que ver con nosotros o bien afectar a la más lejana de las galaxias. El subjuntivo constituye una poderosa restricción de esa independencia denotativa. En efecto, las subordinadas sustantivas de los complementos prepositivos que analizamos coinciden con las de las demás categorías (verbos y sustantivos) en estar sujetas a la llamada 'referencia disjunta de sujetos', es decir, a la constricción que impide que el sujeto de la subordinada de subjuntivo tenga por antecedente el SN del que se predica el adjetivo. Esta restricción, que se estudia en el § 49.8 (cf. también el § 19.3.2), no se extiende al indicativo. Si comparamos (70a) con (70b),

(70) a. Juan está seguro de que regresará.
b. Juan está ansioso de que regrese.

veremos que mientras que en (70a) el sujeto de *regresará* puede tener o no tener a *Juan* como antecedente, en (70b) es seguro que no lo tiene; es decir, en (70b) no sabemos quién ha de regresar, pero sabemos que ese alguien no es Juan. La misma restricción se extiende a los demás complementos en subjuntivo, con la excepción del adjetivo *dudoso*, que admite para algunos hablantes la correferencia, al igual que lo hace el verbo *dudar:*

(71) a. María está dudosa de que sea capaz de aprobar el examen. [35]
b. María duda de que sea capaz de aprobar el examen.

La razón de este peculiar comportamiento está vinculada al hecho de que *dudoso* y *dudar* incorporan semánticamente una negación. De hecho, si esta negación es explícita con los predicados que seleccionarían el indicativo, la constricción citada deja de tener efecto, como se estudia detalladamente en Kempchinsky 1990. Así pues, en (72a) cabe la correferencia de sujetos (es decir, es posible que Juan sea el que no sabe arreglar el grifo), pero en (72b) la correferencia es imposible:

(72) a. Juan no está seguro de que sepa arreglar el grifo.
b. Juan no está ansioso de que arregle el grifo.

La diferencia que se muestra en (72) se sigue, por tanto, del hecho de que el adjetivo *seguro,* frente a *ansioso,* no se construye con subjuntivo en ausencia de negación.

La condición de referencia disjunta muestra una situación de distribución complementaria entre el infinitivo y el subjuntivo. Guarda relación con ella la restricción que afecta a algunos adjetivos que denotan capacidades y disposiciones (*listo, dispuesto, capaz.* etc). Si decimos *Estoy listo para que...* será difícil que la oración subordinada no contenga al menos un pronombre de primera persona, es decir, que la acción denotada no tenga al sujeto de la predicación como participante directo o indirecto de la acción:

(73) a. Estoy listo para que {me/??le} dictes la carta.
b. Estoy ansioso de que {me/le} dictes la carta.

Ello constituye una traducción sintáctica de un hecho semántico: las proposiciones que manifiestan los contenidos de las capacidades o las disposiciones (frente a los deseos y otras afecciones) no son independientes referencialmente del individuo al que corresponden. Esta falta de independencia en los contenidos de la oración subordinada es uno de los rasgos que caracteriza más directamente al infinitivo, como veremos en la sección siguiente.

[35] El que *capaz* sea un adjetivo modal (cf. el § 4.3.3.1) puede ser relevante aquí. Para muchos hablantes la gramaticalidad empeora en ausencia de un elemento claramente modal, lo que justifica la irregularidad de **Estoy dudoso de que lo sepa* en la interpretación correferente.

4.3.3.3. Adjetivos con complementos de infinitivo. Restricciones en la interpretación de la persona y el tiempo

Hemos visto en la sección anterior algunas restricciones a la independencia denotativa de las oraciones subordinadas en relación con las principales. Estas restricciones son aún mayores en el caso de los infinitivos. De hecho, los infinitivos son categorías verbales dcfectivas, en el sentido de que carecen de algunas propiedades características de los verbos, como la persona y el tiempo. Aun así, estas propiedades no manifiestas se interpretan semánticamente en dichos complementos.[36] Veámoslas separadamente.

A) *La interpretación de la persona.* En la mayor parte de los casos, el antecedente del sujeto tácito de los infinitivos es la misma entidad de la que se predica el adjetivo. Así, en la secuencia (74)

(74) Tengo un amigo muy satisfecho de vivir solo.

el adjetivo *solo* es complemento predicativo del sujeto de *vivir*. Obviamente, el sujeto de *vivir* no es *un amigo,* pero se suele suponer que este sintagma es el antecedente del sujeto tácito del infinitivo. Con esta suposición razonable podemos decir que *solo* es, efectivamente, un «complemento predicativo del sujeto», aunque este sujeto sea tácito (recuérdese que los complementos predicativos deben predicarse de una expresión referencial o de una oración). Dicha 'correferencia de sujetos' es por lo general la única posibilidad que la gramática ofrece en tales casos, incluso en los complementos de interpretación pasiva, como en *difícil de resolver,* que estudiaremos en el § 4.3.4, y en los participios pasados *(un libro traducido)*.

En unas pocas situaciones, el sujeto tácito del infinitivo puede admitir una interpretación inespecífica o indeterminada,[37] como la que recibe en las oraciones copulativas del tipo *Es malo fumar,* que se estudian en el § 36.2.3. El contraste entre la correferencia obligatoria y la no obligatoria se muestra en (75):

(75) a. Una persona deseosa de viajar a Asia.
b. Una persona partidaria de legalizar la droga.

Mientras que en (75a) el que manifiesta el deseo es el mismo que piensa viajar, el SN (75b) expresa más bien la preferencia del individuo en cuestión por la legalización de la droga, y no implica necesariamente que el que muestra su opinión favorable tenga capacidad para legalizar o ilegalizar actividad alguna. Los adjetivos *opuesto, contrario* y *reticente* se comportan de la misma manera. Este fenómeno parece consecuencia directa de que en (75b) se introducen hechos, mientras que en (75a) se hace referencia a eventos. Repárese en que podemos decir de alguien que es «partidario de un determinado hecho», pero difícilmente diríamos que está «de-

[36] El que estas cuestiones apenas se consideren en la tradición está indudablemente relacionado con el hecho de que el análisis gramatical no siempre ha relacionado explícitamente las formas con los significados. Ciertamente, la sintaxis debe establecer con claridad las relaciones entre las categorías y las funciones, pero también debe ser capaz de explicar los significados a partir de las formas, lo que resulta particularmente relevante en el ámbito de la subordinación.

[37] A veces llamada *arbitraria* por una traducción equivocada del adjetivo inglés *arbitrary.* Obviamente «sin justificar» y «sin precisar» son nociones muy distintas.

seoso de un determinado hecho». [38] Independientemente de la traducción categorial que estos hechos tengan, es claro que la sintaxis refleja de forma diferente los complementos de deseo de los que introducen reacciones sobre sucesos virtuales, como los planes o las actividades. Ambos designan acontecimientos futuros, pero la correferencia de sujetos sólo se fuerza en el primer caso. [39] Esto sugiere que la gramática interpreta la voluntad o el deseo como contextos modales más restrictivos, y en este sentido propios de los comportamientos estrictamente individuales. [40]

B) *La interpretación del tiempo.* La persona es la primera propiedad que el infinitivo no manifiesta de manera expresa. La segunda es el tiempo. Los infinitivos no poseen flexión, pero admiten adverbios de tiempo. Esta situación es paradójica porque dichos adverbios han de medirse (por definición) desde las coordenadas deícticas o anafóricas que aporte el predicado al que modifiquen. Sin embargo, el predicado al que modifican es un infinitivo, y carece de flexión temporal. Una forma de solucionar la paradoja es pensar que tal información es tácita en el caso de los infinitivos, tal como sucedía con la persona. Nótese que los dos infinitivos de (76) no se interpretan de la misma forma:

(76) a. Está ansioso de sacar a la luz el informe.
b. Es culpable de sacar a la luz el informe.

Aunque el verbo copulativo principal esté en presente en ambos casos, el verbo *sacar* admite en (76a) complementos temporales prospectivos, como *próximamente* o *la semana que viene,* pero en (76b) sólo admitiría complementos retrospectivos, como *recientemente* o *hace días.* Este hecho, que sin duda debe prever el análisis que hagamos de estas construcciones, es a la vez de naturaleza sintáctica y léxica. Es sintáctico en cuanto que —al igual que sucedía con la persona— la información temporal tácita se induce desde el predicado principal, pero tiene su efecto en la oración subordinada. Es léxico en cuanto que el verdadero inductor es la naturaleza semántica del adjetivo. La interpretación prospectiva de (76a) viene inducida por un adjetivo de voluntad, mientras que la interpretación retrospectiva de (76b) es consecuencia natural de que la culpabilidad sólo sea aplicable a acontecimientos pretéritos. [41]

---

[38] Debe descartarse, naturalmente, la interpretación del sustantivo *hecho* en el sentido de «acontecimiento», como cuando decimos *El hecho ocurrió a las cuatro.*

[39] La correferencia de sujetos tácitos determinada por razones léxicas se denomina a veces 'control' en la teoría sintáctica reciente. Se trata de las relaciones que en la tradición recubrían los términos clásicos 'infinitivo concertado' y 'no concertado'. Véase sobre esta cuestión el § 36.2.2.

[40] La aptitud es aun más restrictiva que el deseo en este sentido. El adjetivo *apto* es uno de los pocos que admiten complementos de infinitivo pero no oraciones subordinadas flexivas, lo que en cierta forma acerca este adjetivo a los auxiliares modales de las perífrasis:

(i) a. Deseoso de que otros lo hagan.
b. *Apto para que otros lo hagan.

[41] Los casos en los que el adjetivo forma un predicado complejo con el verbo principal son particularmente interesantes en lo relativo a la interpretación del tiempo. La siguiente oración es gramatical, como me hace notar L. Gómez Torrego, y sin embargo, *suspender* no se refiere a un acontecimiento pasado:

(i) Como siga poniendo ese tipo de exámenes, este profesor será considerado culpable de suspender a toda la clase en el próximo curso.

La creación de predicados complejos (como *considerar culpable*) con los verbos que poseen predicativos seleccionados se estudia en el § 38.3.1 de esta gramática. El fenómeno de (i) apoya la idea de que los predicados complejos poseen un solo tiempo. Esta información temporal puede actuar como antecedente de la que interpretamos en el infinitivo (en el

Al igual que tenemos correferencia de persona, como en (75a), también la tenemos de tiempos. Es decir, el tiempo del infinitivo no sólo ha de interpretarse posteriormente al del predicado principal, como ocurría en (76a), o anteriormente a él, como en (76b). Puede interpretarse también como *correferente* con él, es decir, como *simultáneo,* lo que proporciona más argumentos a favor de la naturaleza pronominal de las informaciones temporales. Es interesante la diferencia que existe en estos casos entre los infinitivos simples y los de perfecto. Si comparamos los sintagmas siguientes, veremos que los de (77) son sinónimos, pero los de (78) no lo son:

(77) a. Culpable de asesinar al policía.
b. Culpable de haber asesinado al policía.

(78) a. Contento de estar allí.
b. Contento de haber estado allí.

En (77a) tenemos un adjetivo que selecciona infinitivos retrospectivos por razones léxicas: como hemos visto, la culpabilidad sólo se aplica a los hechos ocurridos. En este caso, la presencia de *haber,* que marca expresamente dicha relación retrospectiva, es opcional en español. [42] Es lo que sucede con adverbios como *después* o con preposiciones como *por* (causal), en cuyo complemento de infinitivo también tenemos opcionalmente el verbo *haber:*

(79) a. Después de {recibir/haber recibido} las instrucciones.
b. Lo castigó por {romper/haber roto} el jarrón.

Así pues, existe sinonimia en (79 a y b) y también en (77), pero no en (78), puesto que la interpretación de las afecciones no está restringida temporalmente: podemos manifestar nuestro sentimiento sobre hechos presentes, pasados o futuros, con lo que la presencia de *haber* nunca será potestativa en tales casos. En (78a) tenemos interpretación correferencial de tiempos, mientras que el auxiliar *haber* marca la anterioridad en (78b). Como *contento* en (78) se comportan *feliz* o *seguro* entre los adjetivos y *lamentar* entre los verbos. La ausencia de sinonimia de (78) se extiende, por tanto, a (80):

(80) a. Juan no lamenta vivir en Atenas.
b. Juan no lamenta haber vivido en Atenas.

Varios de los complementos de infinitivo de interpretación temporal correferente (es decir, los del tipo de *seguro* o *feliz*) alternan con oraciones de indicativo, mientras que los de interpretación prospectiva o retrospectiva alternan mayoritariamente con subordinadas en subjuntivo. Con los factivos, como *contento* o *feliz,* se admiten los dos modos, aunque predomina el subjuntivo. Este hecho es independiente de que la correferencia de sujetos sea obligatoria en los complementos de subjuntivo:

---

sentido en que los tiempos verbales se acercan semánticamente a los pronombres), y se impone por tanto a la que implícitamente conlleva la naturaleza léxica retrospectiva del adjetivo. El proceso de reanálisis esquematizado en (14) produce exactamente el mismo resultado:

(ii) Este juez será culpable de prevaricar mañana si dicta tal sentencia.

[42] Pero no lo es en otras lenguas románicas, como se estudia en Bosque y Torrego 1995. En italiano o en francés existe el equivalente de (77b), pero no el de (77a) [⟶ § 36.3.4.3].

(81) a. Seguro de tener razón.
b. Seguro de que María {tiene/*tenga} razón.
(82) a. Ansioso de viajar.
b. Ansioso de que María {viaje/*viaja}.
(83) a. Culpable de engañar a Hacienda.
b. Culpable de que su socio {engañara/*engañó} a Hacienda.

La presencia del verbo *haber* en la subordinada constituye una marca léxica necesaria para medirla temporalmente respecto de la principal. Podrá, pues, ser obligatoria, optativa u opcional, dependiendo de las características léxicas del verbo principal. Este hecho sugiere que las diferencias mostradas en (76) a (83) no son exclusivas de las construcciones de infinitivo, tal como se ilustra en el cap. 47 de esta obra, sino que se extienden con naturalidad a los complementos flexionados:

(84) a. Le criticaron que hubiera escrito ese informe.
b. *Le propusieron que hubiera escrito ese informe.

4.3.4. Complementos del adjetivo con infinitivos pasivos

4.3.4.1. Propiedades básicas y tipos de adjetivos

Existe una considerable diferencia entre los dos sintagmas que siguen, a pesar de que los distingue una sola palabra:

(85) a. Gente contenta de elegir.
b. Gente difícil de elegir.

Como es evidente, en (85a) se habla de gente que elige, y está contenta por ello, mientras que en (85b) se nos habla de la dificultad que existe para que determinada gente sea elegida. Sorprendentemente, no existen marcas formales de esa diferencia, que ya Bello (1847: § 1105) consideraba «notable». En realidad, secuencias como las de (85b) o como las de (86):

(86) a. Tu amigo es difícil de convencer.
b. Este libro es fácil de traducir.
c. Algunos problemas son imposibles de solucionar.

están entre las más problemáticas de toda la sintaxis del español, y en general de la teoría gramatical moderna. Dichas oraciones se forman siempre con un infinitivo transitivo que aparece sin complemento directo. Es evidente que en (86a) se habla de convencer a alguna persona y en (86b) de traducir un libro, pero ni *tu amigo* es el objeto directo de *convencer* en (86a) ni *este libro* es el complemento de *traducir* en (86b). Así pues, esos sustantivos se interpretan como pacientes de los infinitivos respectivos sin ser objetos directos suyos. Es más, los infinitivos aparecen sin complemento directo incluso si se trata de verbos transitivos que nunca prescinden de él. Junto a la clara agramaticalidad de las oraciones de (87), las de (88) son plenamente gramaticales:

(87) a. *Tengo que dilucidar.
b. *Hemos estado preparando.

(88) a. Esta cuestión es difícil de dilucidar.
b. El plato parecía fácil de preparar.

No es sencillo encontrar otros casos en los que los infinitivos de (88) se construyan sin complemento directo en toda la gramática del español (pero cf. el § 4.3.4.3). El problema gramatical consiste, por tanto, en explicar cómo es posible que un verbo transitivo aparezca sin objeto directo dentro del complemento de un adjetivo, y aun así tenga —o parezca tener— como argumento suyo precisamente el elemento del que se predica el adjetivo sobre el que incide ese complemento preposicional.

Las peculiaridades de esta construcción y su difícil encaje en las pautas sintácticas que conocemos explican sin duda el que haya sido abordada en tantos marcos teóricos. Lo ha sido en la teoría estándar ampliada (Akmajian 1972, Halpern 1979, Lasnik y Fiengo 1974, Schachter 1981), en el modelo de principios y parámetros (Chomsky 1981, 1986, Contreras 1993, Raposo 1987, Marquis 1995), en la gramática de estructura sintagmática generalizada (Jacobson 1992, 1994, Chae 1991), en la gramática relacional (Legendre 1986), en la gramática categorial (Bayer 1991) y en el reciente programa minimista (Roberts 1997), entre otros modelos de análisis gramatical. Veamos esquemáticamente sus propiedades fundamentales:

Como se ha señalado, la construcción de (86) es posible únicamente con los verbos transitivos. Todos los intransitivos están excluidos:[43]

(89) a. Fácil de entender, sencillo de interpretar, largo de contar, imposible de solucionar.
INFINITIVOS TRANSITIVOS
b. *Lento de llegar, *ruidoso de bostezar, *difícil de caminar, *rápido de crecer.
INFINITIVOS INTRANSITIVOS

A pesar de que sólo los verbos transitivos son posibles en esta construcción, aparecen, como hemos visto, sin su objeto directo. Actúan como predicados transitivos muchas locuciones verbales en las que el núcleo verbal admite otro complemento (cercano con frecuencia al predicativo) además del directo: *difícil de poner en práctica, fácil de volver del revés, imposible de llevar a efecto*.

En la lengua coloquial, y a veces en otras variantes de lengua no estándar, es posible esta construcción con verbos que poseen complementos preposicionales. En estos casos, el término de la preposición es un pronombre que se refiere al elemento del que se predica el adjetivo:

(90) a. Tu amigo es muy difícil de convivir con él.
LENGUA CONVERSACIONAL
b. Era una persona imposible de confiar en ella.
LENGUA CONVERSACIONAL

[43] Aun así, Fukushima (1985: 23) recoge «una urbe (...) cómoda de vivir» en un texto de M. Delibes.

El esquema de (90) es también relativamente frecuente en la lengua no estándar con verbos transitivos seguidos de un clítico de acusativo, como en *difícil de entenderlo*. Skydsgaard (1977: I, 648) recoge *son más fáciles de gafarlas* en un texto de Jorge C. Trulock en el que se reproduce el lenguaje coloquial. Fernández Ramírez (*AGLE:* § 626) encuentra en el diario *ABC* (26-V-1962) *(...) es un ejemplo digno de imitarlo,* y Beardsley (1966: 143) recoge en la *Primera Crónica General (...) ligera de mantenerla (...) un prinçep.* [44]

Frente a lo que ocurre en otros idiomas, el español tiende a rechazar las perífrasis verbales en el infinitivo, así como los tiempos compuestos:

(91) *Un blanco imposible de haber fallado, *tareas difíciles de poder solucionar, *un proyecto imposible de empezar a estudiar, *ayudas oficiales difíciles de seguir costeando.

Aissen y otros (1976: 16-17) aceptan como gramaticales, sin embargo, las secuencias *Estas galletas son casi imposibles de dejar de comer* y *Errores como esos son difíciles de seguir tratando de corregir*, que mis informantes rechazaron. También se rechazan en esta construcción las nominalizaciones *(*su facilidad de convencer,* [45] **su imposibilidad de traducir),* y, con ciertas reservas, los causativos *(??un ejército difícil de hacer avanzar),* normales en francés según Legendre (1986).

A pesar de que existe considerable variación, tanto histórica como geográfica, los predicados que se aceptan en esta construcción pertenecen a clases semánticas relativamente homogéneas:

a) Destacan en primer lugar los que denotan posibilidad, facilidad y dificultad:

(92) Imposible de resolver. / Fácil de leer. / Rápido de preparar. / Difícil de transportar. / Cómodo de usar. / Ligero de llevar. / (...) sendero áspero de andar (...) [*Primera Crónica General;* citado en Lapesa 1983: 294] / Sencillo de entender. / (...) asequible de comprar (...) [*Cambio 16* 16-III-1985; cit. en Fukushima 1985: 23] / (...) costoso (...) de aceptar (...) [Azorín, *Capricho;* cit. en *AGLE:* § 17314] / Penoso de soportar / (...) trabaiosa de conquerir (...) [*Primera Crónica General*; cit. en Beardsley 1966: 150].

No pertenecen a este paradigma, aunque formen parte de esa clase semántica, adjetivos como *posible, probable, fundamental* o *básico:*

(93) *Un problema posible de solucionar, *personas probables de encontrar, *asuntos fundamentales de resolver, *cuestiones básicas de tratar.

Llama particularmente la atención la clara diferencia que se percibe entre *posible,* que rechaza la construcción, e *imposible,* que la admite. [46]

---

[44] En la lengua coloquial o familiar se cruzan a veces las construcciones que analizamos con las subordinadas de infinitivo que funcionan como sujeto de las oraciones copulativas de las que se predican esos mismos adjetivos. El resultado son oraciones del tipo de **Esto es difícil de arreglarlo*. Nótese que en *Esto es difícil arreglarlo* el pronombre *esto* no es el sujeto de *es,* sino un elemento temático extraoracional. El sujeto de *es* es, por el contrario, la oración de infinitivo *arreglarlo*.

[45] Obviamente, cabe decir *su facilidad para convencer*, pero no se trata de la construcción pasiva que analizamos.

[46] Aun así, Fernández Ramírez (*AGLE:* § 626) encuentra en un texto científico sobre el bazo la oración *Fenómenos*

b) Otros adjetivos, no relacionados directamente con la esfera modal de la facilidad o la posibilidad, se acercan a ella en la construcción que nos ocupa. Así, Cela usa *malo de pelar* (en *Judíos, moros y cristianos,* cit. en Fukushima 1988: 42) aplicado a una fruta. Como sucedía en los casos examinados en (86), la «maldad» o la «cualidad de ser malo» no se aplica estrictamente a la fruta, sino más bien a la acción de pelarla. El significado obtenido está, de nuevo, próximo a la dificultad.[47] Los adjetivos que aparecen a continuación también ponen de manifiesto obstáculos o impedimentos diversos para la consecución de las acciones que allí se denotan:

(94) Duro de sobrellevar. / Largo de contar. / (...) Heroico de digerir (...) [Díaz Cañabate, *Historia de una taberna;* cit. en *AGLE:* § 626] / (...) un flumen (...) brauo de pasar (...) [Berceo, *Sto. Domingo;* cit. en Lapesa 1983: 294] / (...) cara de fazer (...) [*Primera Crónica General;* cit. en Beardsley 1966: 145] / (...) muy fuerte sennora de seruir (...) [*Primera Crónica General,* cit. en Beardsley 1966: 147] / (...) graue de contar (...) [*Primera Crónica General;* cit. en Beardsley 1966: 147].

c) Una serie más reducida de adjetivos que admiten infinitivos de interpretación pasiva denotan sensaciones, placenteras o no, ocasionadas por las acciones de las que se habla:

(95) Música aburrida de escuchar. / Un texto interesante de leer. / Películas agradables de ver. / Coches divertidos de conducir (...) [*Cambio 16,* 3-VI-85; cit. en Fukushima 1985: 31] / (...) los fillos e las fillas dulces son de veyer (...) [*Poema de Alexandre;* cit. en Beardsley 1966: 146] / (...) curioso es de aceptar (...) [Azorín, *Capricho;* cit. en *AGLE:* § 17314] / (...) sabroso de oyr (...) [Berceo, *Sto. Domingo;* cit. en Beardsley 1966: 149] / (...) nombres sonoros y bellos de pronunciar (...) [C. González Ruano, *Memorias;* cit. en *AGLE:* § 626] / (...) maravilloso de ver (...) [recogido de un informante, cit. en Fukushima 1988: 42] / (...) hermoso de ver (...) [C. Alegría, *El mundo es ancho y ajeno;* cit. en *AGLE*] / (...) fermosa de catar (...) [*Primera Crónica General;* cit. en Beardsley 1966: 146] / (...) un salmo bueno de rezar (...) [Berceo, *Milagros;* cit. en *AGLE*].

d) Es más difícil trazar los límites en las clases semánticas a las que pertenece el resto de adjetivos que admiten esta construcción. Algunos denotan merecimiento, estimación, relevancia y frecuencia, pero sólo unos pocos de entre los que manifiestan esas nociones parecen admisibles:[48]

---

análogos son posibles de demostrar con los preparados de hormona tireotropa, que disuena para los hablantes que he consultado. Akatsura (1979) sugiere que los equivalentes ingleses de SSNN como los de (93) se excluyen porque los predicados que admiten la construcción manifiestan la evaluación subjetiva del hablante. De hecho, el adjetivo *posible* no funciona con igual normalidad que *imposible* en otras predicaciones de tipo epistémico en las que el hablante manifiesta su punto de vista, como son las de (i):

(i) A mí me parece simplemente {imposible / ??posible} hacer lo que dices.

[47] Análogamente, puede ser positivo decir de una historia que es *larga,* pero si se dice de ella que es *larga de contar* se alude directamente a trabas o impedimentos que sugieren una caracterización negativa del evento en el que participa como objeto. Cf. el § 4.3.4.2.

[48] Los antónimos de algunos de estos adjetivos rechazan con frecuencia la construcción:

(96) Un ejemplo digno de imitar. / Cuestiones importantes de recordar. / Cosas raras de ver. / (...) muchas cuestiones más honestas de callar que de dezir (...) [*Grimalte y Gradissa,* cit. en *AGLE*] / (...) un hombre extraño de estudiar (...) [C. J. Cela, *La cucaña;* cit. por Skydsgaard 1977: vol. 1, 648].

No sólo las fuentes literarias vienen a coincidir en el alto grado de variación que existe en el paradigma de adjetivos que se admiten. También coinciden en este punto los autores que han hecho encuestas sobre dicho paradigma, como Reider (1993) para el español e Igarashi (1985) para el inglés. Así, Reider (1993) explica que sus informantes hispanohablantes se ponen de acuerdo en cuanto a *difícil, fácil* e *imposible,* pero no en cuanto a *posible, agradable, fascinante, penoso* o *simple.* En general, los hablantes hispanoamericanos admiten la construcción con una serie mayor de adjetivos que los hablantes del español peninsular, pero los textos peninsulares muestran muchos de los adjetivos que los hablantes consultados rechazan, lo que apunta claramente a la existencia de diferencias dialectales y sobre todo de registro. Como es de esperar, algunos de los usos posibles en el español americano son relativamente frecuentes en textos hipánicos antiguos.

4.3.4.2. Breve comparación de análisis

En varios marcos teóricos se ha intentado relacionar sintácticamente la pauta que estamos analizando con la correspondiente oración en la que el argumento del que se predica el adjetivo pasa a ser el objeto directo del infinitivo. Tanto en el marco generativista de la teoría estándar como en el modelo de léxico-gramática que Picabia (1978) aplica al francés o Malaca Casteleiro (1981) al portugués se ha intentado vincular las pautas que representan las dos secuencias de (97) mediante relaciones transformacionales:

(97) a. Este libro es difícil de traducir.
b. Traducir este libro es difícil.

En la gramática generativa se identificaron durante un tiempo esas operaciones con la etiqueta «*tough* movement», puesto que el adjetivo inglés *tough* es un buen representante, como el español *difícil,* del fenómeno que examinamos. La paráfrasis de (97) sugiere que *difícil* es un predicado de sujeto oracional, a pesar de que lo encontramos en (97a) con un sujeto nominal.

El establecer tales paráfrasis conlleva un aspecto positivo y muchos negativos. El positivo consiste en tratar de recoger el hecho de que los predicados que estamos considerando se comportan como si tuvieran sujetos oracionales más que propiamente nominales. En (97a) no se nos dice que un determinado libro sea inherentemente un objeto difícil, lo que conceptualmente carece de sentido (más detalles sobre este punto en el § 4.3.5.6), sino que se nos informa más bien sobre la dificultad

---

(i) a. {Digno/*indigno} de imitar.
b. {Raro/*frecuente} de ver.

aunque puedan admitir otros complementos del adjetivo de interpretación activa, como en *indigno de recibir ese castigo.*

de traducirlo, es decir, de una acción que se ejerce sobre él. Más sencillamente, la vida puede ser *digna de vivir,* sin ser necesariamente *digna*. La parte negativa de esas relaciones radica en el hecho de que afectan irremediablemente a otros aspectos de la sintaxis, lo que las hace insostenibles como procesos gramaticales:

1) En primer lugar, la concordancia en (97a) es la que impone un SN, pero en (97b) tenemos un sujeto oracional. Basta colocar el sujeto nominal en plural para mostrar las diferencias entre ambas construcciones:

(98) a. Estos libros {*es/son} fáciles de traducir.
b. Traducir estos libros {es/*son} fácil.

2) La relación parafrástica de (97) omite que estos adjetivos se pueden usar sin complemento, mientras que los predicados no pueden dejar de requerir un sujeto. Podemos decir *un libro difícil* o *un proyecto fácil*, lo que no parece posible si hemos de aplicar a todos estos casos paráfrasis como la de (97). La interpretación de estos adjetivos sin complemento será analizada en el § 4.3.5.6.

3) La construcción que nos ocupa afecta a la estructura interna del SA. No es, pues, necesariamente proposicional, frente a la paráfrasis de la que se trataba de derivarla:

(99) a. Compré [un libro fácil de traducir].
b. *Compré [(que) traducir un libro es fácil].

4) Los SSAA con infinitivos pasivos se pueden coordinar, incluso en incisos, lo que no tiene ningún correlato posible en la estructura proposicional: *Sobre la mesa hay un libro difícil de interpretar, y mucho más de traducir.*

5) El papel de la preposición *de* no es tampoco evidente en el análisis proposicional. Para Montalbetti y Saito (1983) es una 'marca de caso' de la subordinada sustantiva, sin valor semántico, por tanto. Como es sabido, en otras lenguas románicas la preposición que marca el complemento del adjetivo es diferente de la que introduce la sustantiva de sujeto, lo que hace aún más difícil obtener una de las estructuras a partir de la otra:

(100) a. Pierre est facile {à/*de} convaincre.
'Pierre es fácil de convencer'
b. Il est facile {de/*à} convaincre Pierre.
'Es fácil convencer a Pierre'

Algunos autores han defendido que el complemento del infinitivo en los casos que nos ocupa no es un complemento desplazado, sino elidido, o bien nulo o tácito (Jacobson 1992). Otros autores han propuesto operadores nulos (aproximadamente, en este caso, sintagmas cuasi-relativos tácitos) en estas oraciones, tanto para el inglés (Chomsky 1977, 1981) como para el español (Contreras 1993) o el portugués (Raposo 1987). Las ventajas y los inconvenientes de la hipótesis del operador nulo se han estudiado con detalle para el inglés (como en Jones 1983, Massam 1992, Safir 1991, Wilder 1991), pero no tanto para las lenguas romances. Da la impresión de que el paralelismo con el inglés se rompe en el hecho de que en esta lengua es posible que dicho operador legitime o autorice objetos directos tácitos en el complemento del infinitivo a través de subordinadas interpuestas (los llamados a veces 'huecos parásitos'), frente a lo que el español permite. Así, mientras que la presencia de un relativo permite en español la (sorprendente) ausencia potestativa del objeto directo en (101): [49]

(101) a. El libro que guardé sin haber leído.
b. El libro que guardé sin haberlo leído.

no es posible extender esta opcionalidad a la construcción que nos interesa:

(102) a. *Cuestiones difíciles de resolver sin haber examinado atentamente.
b. Cuestiones difíciles de resolver sin haberlas examinado atentamente.

También sería de esperar, si la hipótesis del operador nulo fuera aplicable al español, que en nuestra lengua tuviéramos equivalentes directos de las oraciones inglesas en las que este proceso es recursivo, como en *John is too stubborn to tell Bill to talk to* 'Juan es demasiado tozudo como para decir a Bill que hable con él', lo que tampoco sucede.

Han sido varios los autores —clásicos y modernos— que han sostenido la muy razonable hipótesis de que estos infinitivos se interpretan como pasivos, aún sin marca formal que refleje esa interpretación. Esta es la propuesta de Bello (1847: § 1105), Gili Gaya (1944: § 143), Cuervo (*DCRLC* IV, 10b), Hawkes (1965) y Zierer (1974). Véase también Gaatone 1972. Montalbetti y Saito (1983) y también Montalbetti y otros (1982) proponen un análisis que mezcla aspectos de esta interpretación y del análisis anterior, concretamente, categorías abstractas que proporcionan tanto la información que corresponde a la pasiva como al relativo. La interpretación pasiva del infinitivo se acepta también en Raposo 1987 para el portugués.

Existen, en mi opinión, varios argumentos a favor de interpretar estos infinitivos como pasivos:

a) En primer lugar, las oraciones pasivas cumplen gran parte de los requisitos que definen la construcción que estudiamos, en particular el hecho de que sea necesaria la presencia de un verbo transitivo sin objeto directo y la de un argumento que se interpreta como paciente suyo. Nótese que el análisis de estos infinitivos como pasivos permite interpretar estas construcciones adjetivales de infinitivo no concertado como si fueran de infinitivo concertado. Recordemos que el sujeto tácito de *viajar* en (103a) tiene *una persona* como antecedente (más sencillamente, el que está cansado es el que viaja), pero en (103b) el sujeto tácito de *solucionar* no tiene *un problema* como antecedente.

(103) a. Una persona cansada de viajar.
b. Un problema difícil de solucionar.

El interpretar estos infinitivos como pasivos (independientemente de la traducción formal que este análisis tenga) permite entender que en (103b) *un problema* es el

[49] La ausencia de objeto directo en estas construcciones resulta para algunos propia del lenguaje coloquial o familiar. Sin embargo, pertenece a la lengua culta en no pocas ocasiones:

(i) a. Son ideas complejas que, cuando consigues aprehender, ya han sido modificadas o superadas.
b. Son ideas complejas que, cuando consigues aprehenderlas, ya han sido modificadas o superadas.

Obviamente, el relativo *que* es el sujeto paciente de *han sido,* luego el problema de (ia) es identificar el objeto directo de *aprehender.* Aun siendo una de las cuestiones más estudiadas en la teoría sintáctica moderna, es relativamente marginal para los propósitos de este capítulo.

antecedente del sujeto paciente de *solucionar.* La construcción recibe, por tanto, un análisis parecido al que recibiría un sintagma como *una persona deseosa de ser atendida,* donde la entidad de la que se predica *deseosa* es antecedente del sujeto paciente tácito del infinitivo.

b) En segundo lugar, muchos verbos transitivos estativos rechazan las construcciones pasivas, a menos que se reinterpreten como incoativos o que alteren su significado estativo. Frente a los infinitivos que aparecen como sujetos oracionales de los adjetivos, que no tienen que denotar acciones necesariamente, los infinitivos pasivos sí han de hacerlo. De hecho, los infinitivos pasivos estativos se interpretan como incoativos en la construcción que nos ocupa. [50] Así, mientras que en (104a) no es imprescindible que *tener* signifique «conseguir», en (104b) sí se fuerza esa interpretación:

(104) a. Es difícil tener todos esos millones.
b. Esos millones son difíciles de tener.

c) En tercer lugar, estos infinitivos admiten, aunque con algunas diferencias léxicas, complementos agentes, como en *difícil de construir por arquitectos especializados,* propiedad que comparten con algunos adjetivos terminados en *-ble.*

d) El argumento más fuerte a favor de que se trata de infinitivos pasivos lo proporciona el hecho de que, aunque con considerable variación dialectal e histórica, se aceptan o se aceptaron en esa construcción tanto las pasivas reflejas como las de participio:

Con pasiva refleja:

(105) a. (...) bueno de comerse, digno de notarse (...) [Bello 1847: § 1105].
b. (...) que es lo más difícil de conseguirse (...) [Cervantes, *DQ,* II, Aprobación].
c. (...) una cosa tan clara y tan necesaria de traerse [51] como (...) [Cervantes, *DQ,* I, 2].
d. De suerte que es muy fácil de cogerse (...) [Quiñones de Benavente, *Ramillete de entremeses;* cit. en *DCRLC* IV, 11a].
e. (...) aunque hubo en ella no poco que sería digno de referirse (...) [J. Costa, *Último día de paganismo;* cit. en *AGLE:* § 626].
f. (...) el calor es muy malo de suffrirse (...) [Torquemada, *Jardín de flores curiosas;* cit. en *AGLE:* § 17314].
g. Sus principios y doctrina no eran fáciles de sostenerse contra el interés y las pasiones de la muchedumbre (...) [Quintana, *Las casas;* cit. en *DCRLC* IV, 11a].
h. Es tan difícil de verse | Como fue de abrirse fácil (...) [Calderón, *La dama duende;* cit. en *DCRLC* II, 1226a].

---

[50] No es fácil dilucidar si el rechazo de los infinitivos estativos transitivos no interpretables como incoativos se debe simplemente a esta propiedad aspectual o también al hecho de que la construcción requiera sujetos de persona: **consecuencias difíciles de implicar, *dificultades imposibles de conllevar.* Sobre este tipo de constricción sintáctica en los infinitivos pasivos que complementan al adjetivo véase Richardson 1985.

[51] En la lengua actual resultaría inusitado usar el adjetivo *necesario* con un infinitivo pasivo como complemento, sea o no en forma refleja.

Con pasiva de participio:

(106) a. Llamasme a una cosa la más difícil de ser inquirida (...) [Villegas, *Boecio;* cit. en *DCRLC* II, 1226a].
b. (...) fácil de ser atravesado (...) [Gili Gaya 1944: § 143a].
c. Fácil soy de ser entendido (...) [L. Pinciano, *Filosofía;* cit. en *DCRLC* IV, 10b].

En la variante dialectal que analizan Montalbetti y otros (1982) y Montalbetti y Saito (1983), la pauta que se representa en (106) es gramatical en el español actual. Debe resaltarse que incluso los hablantes que rechazan (106) en el español contemporáneo aceptan el adjetivo *digno* en esa construcción. De hecho, el adjetivo *digno* figura entre los pocos que admiten libremente las tres pautas: pasiva de participio, pasiva refleja e infinitivo de interpretación pasiva:

(107) a. Es digno de alabar. / Es digno de alabarse. / Es digno de ser alabado.
b. La vida es digna de vivir. / La vida es digna de vivirse. / La vida es digna de ser vivida.
c. Digno de tener en cuenta. / Digno de tenerse en cuenta. / Digno de ser tenido en cuenta.

El adjetivo *digno* es particularmente interesante porque admite también infinitivos activos, como los que hemos visto en el § 4.3.3.3. Así pues, el SA *digno de visitar* puede tener las dos interpretaciones:

(108) a. Se han hecho dignos de visitar los lugares prohibidos. / Es digno de recibir el premio.
Interpretación activa.
b. Este palacio es digno de visitar. / Es digno de tener en cuenta.
Interpretación pasiva.

Por otra parte, el sujeto de *han hecho* es el elemento del que se predica *dignos* en (108a), al igual que *digno* se predica de *este palacio* en (108b). Sin embargo, el sujeto de *han hecho* en (108a) es el antecedente del sujeto de *visitar:* la entidad que es digna es la misma que visita en (108a), pero es la visitada en (108b).

Parece claro que la estructura que estamos considerando admite más de un análisis, puesto que es evidente que en la variedad lingüística que acepta complementos clíticos de acusativo (véase más arriba los usos antiguos y modernos del tipo *difícil de entenderlo*), la construcción no puede interpretarse como pasiva. Si descartamos estos usos, que exigen otra explicación, surge una pregunta natural: ¿A qué puede deberse el hecho de que un infinitivo de forma activa se interprete como pasivo? Desde el punto de vista histórico, es muy posible que los infinitivos pasivos del español mantengan propiedades léxicas que tal vez ya tuvo en su origen el ablativo del supino latino del que proceden *(facilis cognitu).* Desde el punto de vista sincrónico, existen razones para pensar que el inductor de la interpretación pasiva del infinitivo es la naturaleza modal del adjetivo al que complementa, lo que acerca estas construcciones en alguna medida a los adjetivos formados con el sufijo *-ble,* [52] es decir, a otras construcciones modales de interpretación también pasiva. Tanto en un caso como en otro tenemos restricciones léxicas sobre bases transitivas, y en no pocas de estas

[52] Nanni (1980) y Di Tullio (1997) también establecen esta conexión.

situaciones la construcción con los adjetivos de dificultad, claramente modales, tiene correlatos en *-ble (difícil de tratar/intratable; imposible de traducir/intraducible).* [53]

En Bosque 1990a se sugiere un argumento sintáctico a favor de que los complementos infinitivos pasivos deben reanalizarse [54] junto con los adjetivos a los que modifican, de forma que estos se interpreten como predicados modales, en definitiva como unidades sintácticas no muy lejanas de las formas léxicas con *-ble*. La base del argumento radica en el hecho de que la adición de estos complementos de infinitivo al adjetivo al que modifican puede cambiar el modo en que aparece el verbo de la oración subordinada, algo que en principio resulta inesperado:

(109) a. Es difícil que Juan {*está/esté} loco.
b. Es difícil de aceptar que Juan {está/esté} loco.

El indicativo es posible en (109b), pero se rechaza en (109a), algo que sería inexplicable si se tratara de un complemento adjetival ordinario: el modo de una subordinada sustantiva de sujeto lo selecciona el predicado, no el complemento del predicado. Este indicativo de (109b) se puede explicar, sin embargo, si pensamos que en *difícil de aceptar* el verbo *aceptar* mantiene su capacidad selectiva como lo hace en las construcciones modales, incluso negativas. [55] De hecho, sabemos que el predicado *no se puede aceptar* es compatible tanto con el indicativo como con el subjuntivo. Massam (1992) propone un análisis formal que relaciona el elemento modal de estas construcciones con el que suele aparecer en las construcciones medias inglesas, a las que cabe añadir las pasivas reflejas españolas. Decimos *Es fácil de leer* casi en los mismos contextos en los que diríamos *Se lee fácilmente.* En ambos casos tenemos un argumento (tema o paciente) sin agente explícito junto con un operador modal, sea este un adverbio o un adjetivo. Incluso cabría pensar que el «reflexivo implícito» (*empty reflexive* en Massam 1992) que se suele postular para las construcciones medias del inglés, como en *This books reads easily*, que Massam extiende a los casos que nos ocupan, es similar al «reflexivo explícito» que se muestra en (105). [56]

4.3.4.3. *Estructuras gramaticales análogas*

Los complementos adjetivales de interpretación pasiva constituyen, como hemos señalado, un desafío sintáctico para todos los gramáticos, sea cual sea el marco

[53] La estructura morfológica de los adjetivos en *-ble* sugiere también una explicación para el hecho de que no existan infinitivos negativos pasivos en los complementos adjetivales. Se trata, en esencia, de una cuestión de ámbito: cabe pensar que no decimos **fácil de no aceptar* por la misma razón que no podemos segmentar *inaceptable* en la forma **[[in-[acepta]]ble],* o lo que es lo mismo, por la inexistencia del verbo **inaceptar.*

[54] El concepto de 'reanálisis' ha sido aplicado a estas estructuras de forma diversa. Véase Chomsky (1981: 312) y la propuesta reciente de Roberts (1997), y antes la aplicación al francés de Kayne (1989) y —para el español— el estudio ya citado de Montalbetti y otros (1982).

[55] Y como lo hace en los complementos directos oracionales: *Es difícil aceptar que Juan {está/esté} loco.*

[56] Creo que las construcciones reflejas de infinitivo proporcionan otro argumento a favor del reanálisis en estos casos. Las pasivas reflejas de infinitivo no existen, a menos que puedan legitimar independientemente su propio sujeto en ausencia de flexión verbal (naturalmente, se descartan las perífrasis verbales si contienen auxiliares flexionados). Nótese que de los dos sujetos de infinitivo que se muestran en (i), sólo el de (ib) permite construir una secuencia gramatical:

(i) a. *Es conveniente llegar Juan.
b. Antes de llegar Juan.

Pues bien, en el primer caso se excluyen las pasivas reflejas, mientras que en el segundo se admiten:

(ii) a. *Es conveniente resolverse todos estos problemas.
b. Antes de resolverse todos estos problemas.

Es decir, podemos tener sujetos léxicos para las pasivas reflejas siempre que sin ellas también podamos tenerlos. Sin acudir a un proceso de restructuración no parece posible explicar por qué tenemos pasivas reflejas de los infinitivos que ahora estudiamos *(Esto es digno de verse)*, ya que en ellos se rompe claramente una simetría que se aplica a un gran número de casos en la gramática española.

teórico en el que trabajen. Se ha señalado alguna vez que este tipo de dificultades no es exclusivo de la construcción que nos ocupa, lo que arroja alguna luz sobre la comprensión de sus propiedades. Así, varios autores (entre otros, Ianucci 1979 y Safir 1991) han analizado —al parecer, independientemente— casos relativamente análogos con sustantivos en el lugar de los infinitivos. El sustantivo denominal *solución* se asocia con el predicado *resolver,* pero la identificación del argumento agente del sustantivo *solución* dependerá del predicado verbal al que modifique:

(110) a. Juan propuso la solución del problema.
b. Juan rechazó la solución del problema.

Expresado en términos crudos, entendemos que Juan es el que soluciona el problema en (110a), pero no en (110b). Dicho de otra forma, interpretamos que el agente implícito del sustantivo *solución* es correferente con *Juan* en el primer caso, pero no en el segundo. El fenómeno es, en realidad, mucho más general. El tipo de relación «no concertada» que hemos visto en los infinitivos pasivos se reproduce en los casos de (111):

(111) El niño merece un premio. / Este asunto desafía a la comprensión. / El problema se resiste a una solución razonable. / La cuestión necesita más estudio. / Esperamos una respuesta. / Tales manifestaciones exigen una réplica inmediata. / El proyecto requiere modificaciones.

Ianucci (1979) argumenta con datos ingleses análogos que estos sustantivos se interpretan proposicionalmente sin correferencia de sujetos. En *Juan merece un premio* entendemos «que se le dé», no «que él lo dé», y en *El asunto requiere mayor atención* interpretamos «que se le preste» o «que alguien se la preste». El adjetivo *digno,* cuyas propiedades peculiares hemos presentado más arriba, se comporta como el verbo *merecer* en este sentido. Así pues, en *El candidato es digno de elogio* no tenemos ningún infinitivo como complemento, pero interpretamos el complemento de *digno* en el sentido de «que se le elogie», no en el sentido de «que él elogie a alguien». Tanto en el caso de *digno* como en el de *merecer* parece necesario, además, que el sujeto de la oración que se interpreta en el complemento sea distinto del sintagma del que se predica el adjetivo, y también que tal entidad esté representada pronominalmente dentro de la oración:

(112) a. *El candidato*$_i$ es digno de que se hable con {él$_i$/*él$_j$}.
b. *El candidato*$_i$ merece que sea estudiada {su$_i$/*su$_j$} causa.

Existen diferencias léxicas entre los adjetivos de este grupo. Algunos, como *pendiente,* se comportan igual que *digno* en cuanto que admiten infinitivos activos y pasivos, y también sustantivos de interpretación pasiva. Otros, como *susceptible,* admiten sólo las dos últimas de estas construcciones:

(113) a. El asunto está pendiente de {firmar/ser firmado/firma}.
b. El acuerdo es susceptible de {*revisar/ser revisado/revisión}.

Estas diferencias no son arbitrarias. En (113a) es claro que es la acción de firmar la que está pendiente, pero en el segundo caso no es la acción de revisar el acuerdo la que es susceptible. Es decir, la propiedad se predica en un caso del evento y en el otro del objeto mismo (más detalles en el § 4.3.5.6, más adelante). En cualquier caso, la existencia de sustantivos derivados que poseen interpretación pasiva, como *firma* o *revisión,* relaciona estos hechos con los de (111), en los que un sustantivo que complementa a un verbo recibe indirectamente interpretación pasiva. Hemos de traducir, por tanto, a términos gramaticales el hecho evidente de que en *El problema requiere más estudio* se habla de «estudiar un problema», a pesar de que *el problema* no es el complemento del sustantivo *estudio.* Como se ha señalado (véase Safir 1991), es posible que la solución no pueda establecerse restringiendo la correferencia de sujetos (léxicos o tácitos) —el llamado 'control' [⟶ § 36.2.2]— sino más bien a través de informaciones más abstractas que deben formar parte de la entrada léxica de los predicados. [57]

La alternancia entre infinitivos pasivos (reflejos o no), que caracteriza a los complementos del adjetivo con infinitivo pasivo, no es extraña en otras construcciones del español. Los infinitivos pasivos, con alternancias de *se* pasivo reflejo o sin ellas, se dan el menos en los casos siguientes:

a) En los complementos con *para.* Al igual que en el caso mencionado de *digno,* aceptan la interpretación activa y también la pasiva, lo que da lugar a casos de ambigüedad, como en *El pollo está listo para comer* [⟶ § 36.3.4.4].

b) Las construcciones con *sin* seguido de infinitivo, como en *Las medidas son urgentes, pero siguen sin aprobar(se)* [⟶ § 36.3.4.5].

c) Los infinitivos que complementan a algunos verbos causativos como *llevar* o *enviar.* Raramente tenemos en ellos objetos directos: *enviar el televisor a arreglar(*lo), poner la ropa a secar(*la).* Como señala Lamiroy (1994: 423) estos infinitivos admiten complemento agente: *Lo mandó arreglar por un mecánico* [58] [⟶ § 36.2.5.4].

d) Las construcciones atributivas con *ser de,* también restringidas léxicamente. Son más frecuentes con el verbo *ser* negado:

(114) No es de extrañar. / No es de despreciar. / Es de agradecer. / Era de suponer. / No es de fiar. / Como era de temer. / Los golpes que le han dado son de no creer [M. Puig, *El beso de la mujer araña;* cit. en Fukushima 1988: 43].

Varios de estos verbos admiten opcionalmente el *se* pasivo reflejo: *Es de esperar(se), cosas que no son de despreciar(se),* etc. La construcción era mucho más productiva en la lengua antigua:

(115) (...) las cosas que non eran de fazer (...) [Alfonso X, *General Estoria;* cit. en *AGLE:* § 621] / (...) las razones que son de dezir *(ibid.)* / Este avenimiento (...) no es tanto de maravillar *(ibid.)* / (...) el reyno (...) non era de partir» *(ibid.)* / (...) ninguna cosa que de contar sea *(ibid.)* / No es el resto de olvidar (...) [Juan Ruiz, *Libro de Buen Amor;* cit. en *AGLE:* § 621] / (...) no son de culpar los hombres que las tienen (...) [Torquemada, *Jardín de flores curiosas;* cit. en *AGLE:* § 621].

En algunas de estas construcciones, los infinitivos alternan con sustantivos y adjetivos, como en *es de cobardes, era de tontos.* La Academia sostenía (1931: § 196d) que en estos casos «se

[57] Deben descartarse de entre las secuencias que muestran la pauta de (111) las que constituyen locuciones verbales, como sucede en *sufrir un aplazamiento* y casos análogos, que se consideran en el apartado de los verbos de apoyo [⟶ §§ 67.3.2.2 y 73.8.3]. La construcción <*ser objeto de* + sustantivo deverbal> es interesante porque parece reproducir analógicamente la relación formal que ilustra.

[58] La alternancia que se observa en *Lo hizo desnudar(se)* no es exactamente del mismo tipo porque la construcción con *se* no es pasiva refleja, sino pronominal. Véase el § 36.2.5.2.

sobrentiende *propio*». También se acercan a veces estas formas analíticas a las formas derivadas con el sufijo *-ble,* tal como veíamos más arriba: *No es de despreciar/No es despreciable; No era de fiar/ No es fiable*.

e) La construcción <*quedar por* + infinitivo>. Como observa Roca (1996: 372, nota 20) aparecen aquí infinitivos transitivos, pero sin complemento directo: *Quedan dos problemas por resolver(*los).* Aranovich (1997) estudia varias propiedades interesantes de esta construcción, entre las que destaca el hecho de que en lugar de infinitivos pasivos se admitan también los inacusativos [⟶ Cap. 25], como en *Quedan varios por pasar, Quedan muchos por llegar*.

Todo ello da a entender que la interpretación pasiva (sin marca formal de pasividad) de los infinitivos que complementan al adjetivo tiene su lugar dentro del amplio conjunto de estructuras sintácticas en las que otros infinitivos, o incluso los sustantivos, reciben interpretaciones similares.

4.3.5. Complementos obligatorios y optativos

4.3.5.1. Introducción

Al igual que sucede con otros predicados, también los complementos de los adjetivos pueden ser obligatorios u optativos. Así, en los sintagmas de (116) no es posible prescindir del complemento preposicional que aparece entre paréntesis:

(116) Una persona falta *(de recursos). / Tal comportamiento es constitutivo *(de delito). / Resultaba atentatorio *(contra la libertad de los ciudadanos). / Estaba imbuido *(de su espíritu de lucha). / Sigo ávido *(de noticias). / Siempre fue parco *(en palabras). / Penas privativas *(de libertad). / Un planteamiento político más acorde *(con los tiempos). / Parecía aquejado *(de una enfermedad crónica). / Era propenso *(a la gripe).

Muchos de los adjetivos del grupo de (116) mantienen esta propiedad de las bases verbales de las que derivan: el que los adjetivos *proveniente, indicativo, atribuible, merecedor, lindante* o *concerniente* no se puedan construir sin complementos es una característica que heredan de los verbos *provenir, indicar, atribuir, merecer, lindar* y *concernir* respectivamente.

Los adjetivos que seleccionan un complemento preposicional pueden aparecer algunas veces sin él. Los factores que regulan la presencia y la ausencia de los complementos son complejos. Cabe establecer, en principio, varios grupos, que separaré en los apartados que siguen.

4.3.5.2. Complementos ausentes recuperados anafóricamente

En primer lugar, muchos adjetivos que se construyen sin complemento permiten que se recupere en el discurso, con frecuencia con procedimientos anafóricos, la información que no se presenta explícitamente dentro del SA. Se trata, por tanto, de casos de elipsis similares a las que permiten otras categorías, particularmente los sustantivos:

(117) También yo soy alérgico. / Fue declarado culpable. / ¿Desde cuándo es adicto? / Esta calle no es perpendicular. / Era inmune. / La otra opción sigue siendo preferible. / Seguía convaleciente. / Dijo que no era partidario. [59]

En todos estos casos estamos ante argumentos implícitos. En (117) no cabe pensar que alguien pueda ser alérgico, adicto o inmune sin serlo a algo, ni que se pueda ser culpable o partidario sin serlo de alguna cosa. Las nociones que corresponden a los complementos argumentales de los adjetivos se recuperan a través del discurso previo, que aporta, por tanto, información recuperada anafóricamente. Ello implica, desde luego, que esta información forma parte del significado del sintagma adjetival. De forma análoga, es muy evidente que el que aparezca sin complemento el sustantivo *invasión* en *La invasión tuvo lugar ayer* no nos podría llevar a la absurda conclusión de que no se invadió nada [→ § 5.3.1].

4.3.5.3. Factores pragmáticos

En unos pocos casos la información no se recupera estrictamente a partir del contexto inmediato, sino de informaciones o conocimientos compartidos por los hablantes, como en *Juan es creyente* (donde —en nuestra comunidad— cabe entender «en Dios»). Otras veces es la ubicación de los interlocutores la que aporta la información deíctica relevante. Es lo que sucede con algunos adjetivos espaciales, como en *Mi casero vive en el piso superior,* donde se entiende «a aquel en que estamos ahora».

Más habituales y sistemáticos son los casos en los que los complementos ausentes se interpretan como genéricos, sobre todo si se trata de adjetivos de tipo caracterizador [→ § 37.2.2] Así, si decimos de alguien que es *desleal, fiel, crítico* o *receloso* entendemos «hacia o ante todo tipo de situaciones o de personas». De nuevo, no es posible «ser fiel» sin que la fidelidad recaiga en algo o en alguien. En general, los factores que determinan si los adjetivos pertenecen a este grupo son en parte similares a los que distribuyen a los verbos en clases análogas. Así, parece relevante el hecho de que la fidelidad o el recelo sean nociones nominales que permitan caracterizar a las personas en determinados grupos humanos. Existe, desde este punto de vista, cierta relación con los factores que suelen regular la interpretación de los verbos transitivos absolutos como denotadores de acciones marcadas por la costumbre, el hábito o la relevancia profesional: como se sabe, podemos decir *Ya he comido, Adelanté mal* o *Tengo que traducir,* pero difícilmente **Ya he preparado, *Solucioné mal* o **Tengo que averiguar* [→ § 24.1.3].

En algunos casos, la interpretación de un mismo adjetivo puede resultar ambigua entre esta lectura y la que se describe en (117). Así, la oración *María era diferente* es ambigua: cabe entender «...de la entidad (o la situación) presentada antes» o bien «...de los demás en general». En el primer caso, *diferente* se comporta

---

[59] Pero cf. **Dijo que no era proclive.* Tal vez influya en esta alternancia el que la proclividad se aplique únicamente a las propias inclinaciones o tendencias, como la propensión, mientras que las tomas de postura afecten a hechos, por tanto a comportamientos que pueden ser ajenos: *partidario de un hecho* / **proclive a un hecho.* Traducido a términos sintácticos, *proclive* se comporta de forma cercana a como lo hacen los verbos de las perífrasis modales, mientras que *partidario* lo hace más bien como los predicados que seleccionan argumentos proposicionales.

como los adjetivos de (117), y en el segundo lo hace como *desleal, crítico* y los adjetivos con complementos genéricos tácitos mencionados antes. [60]

4.3.5.4. Los complementos de los adjetivos simétricos

Los adjetivos simétricos, que se estudian en los §§ 1.4.4, 11.2.1, 16.3.2.2, 23.4 y 41.2.6, se predican de entidades colectivas, pero también admiten sujetos singulares si el complemento prepositivo designa al otro participante:

(118) a. Estas oraciones son sinónimas. / Gómez y Pérez son tocayos. / Las casas son equidistantes.
b. *Esta oración es sinónima. / *Gómez es tocayo. / *La casa es equidistante.
c. Esta oración es sinónima de aquella. / Gómez es tocayo de Pérez. / Aquella casa es equidistante de la otra.

Aun así, un gran número de adjetivos simétricos admiten la situación descrita en (117), con lo que se interpretan sin dificultad oraciones como *Mi situación es parecida* o *Su sobrina era igual.* La recuperación deíctica es particularmente interesante si tiene lugar con otros adjetivos simétricos. Así, el adjetivo *contemporáneo* puede admitir una interpretación temporal en la que el segundo argumento se recupera deícticamente: en *Picasso es un pintor contemporáneo* se entiende «...nuestro». Pero, predicado de sujetos colectivos, este adjetivo también admite la interpretación simétrica, en la que el prefijo *co-* sugiere el componente anafórico que parece necesario: en *Mozart y Haydn eran contemporáneos* no se interpreta «...nuestros», sino «...el uno del otro». [61]

También se extiende esta propiedad a algunos sustantivos simétricos usados en contextos indefinidos, en este caso con deixis personal en lugar de temporal o locativa: en *Me lo dijo un amigo* entendemos «mío» y en *Le ayudó un vecino* entendemos «suyo», «mío» o tal vez «de alguna otra persona cercana». Por el contrario, en *Son amigos* o *Eran vecinos* interpretamos de nuevo «el uno del otro» [⟶ § 11.2.1b)]. Así pues, aun careciendo del prefijo *co-*, esos sustantivos simétricos contienen la información léxica necesaria en la interpretación recíproca mencionada. [62]

4.3.5.5. Cambios de significado y la alternancia ser/estar

Algunos adjetivos cambian ligeramente de significado según se construyen con complemento o sin él. En *Es una persona digna* entendemos «íntegra», pero en *Es una persona digna de mejor trato* entendemos «merecedora». Asimismo, en *un hombre capaz* interpretamos «capacitado», pero en *Un hombre capaz de los mayores disparates* interpretamos «del que cabe esperar...».

Más sistemática es la relación que se da entre el hecho de que los adjetivos se construyan con complemento o sin él y el que aparezcan con *ser* o con *estar*. Los siguientes contrastes están tomados de Di Tullio 1997:

---

[60] Algunos de los adjetivos que introducen complementos causales o cuasicausales, examinados en el § 4.3.6.5, prescinden con frecuencia de dicho argumento sin que la ausencia de tal información se haya de recuperar necesariamente en el discurso previo. Cabe decir *Estaba contento con su situación* o *de su vida,* sin que la falta de tales complementos prepositivos nos fuerce a recuperarlos en el discurso *(Estaba contento).* Estos complementos, aun siendo argumentales, introducen informaciones que no se consideran imprescindibles, ni es por tanto necesario recuperarlas discursivamente.

[61] Existen adjetivos deícticos sin complemento [⟶ § 3.6.1.3]. *Moderno, actual, antiguo* o *extranjero* son adjetivos deícticos puesto que nos fuerzan a evaluar la situación temporal o locativa que denotan a partir de la que ocupa el hablante en el momento de usarlos. Como es lógico, las definiciones lexicográficas que contienen adjetivos deícticos son frágiles porque resultan siempre perecederas: la edición del *DRAE* de 1992 comienza la definición de *claqué* por las palabras «baile moderno caracterizado principalmente por....».

[62] El complemento de los sustantivos y adjetivos simétricos no va introducido sistemáticamente por la preposición *con,* que corresponde al prefijo *co-*. Esta relación entre preposición y prefijo es más sistemática en los verbos simétricos: *colaborar con, convivir con,* etc. Aun así, Van Wijk (1969: 123) observa que en el español de Honduras es normal decir de una persona que *es amiga con otra,* lo que recuerda al francés coloquial. Sobre construcciones análogas en el español de América véase el § 41.2.6.4.

(119) a. Es orgulloso (*de su hijo).
a′. Está orgulloso (de su hijo).
b. Es celoso (*de su mujer).
b′. Está celoso (de su mujer).
c. Es interesado (*en el nuevo proyecto).
c′. Está interesado (en el nuevo proyecto).
d. Es casado (*con María).
d′. Está casado (con María).

Cabe pensar que puede haber polisemia en casos como (119a) o (119c), pero es evidente que no la hay en (119b) o (119d). En efecto, el orgullo al que se hace referencia en (119a) sugiere altanería o soberbia, mientras que el que se expresa en (119a') está más próximo a la complacencia o la autoestima, nociones ciertamente distintas de las anteriores. Un razonamiento análogo podría aplicarse a (119c), pero debe reconocerse que la polisemia carece de sentido en los demás casos.

El fenómeno tiene sin duda relación con el *efecto inferencial* de los adjetivos que han analizado Higgins (1973) y Pesetsky (1995) para el inglés. Los autores citados observan que muchos adjetivos ingleses de afección no pueden aparecer con complemento cuando en lugar de predicarse de individuos se predican de maneras, comportamientos o formas de actuar. El efecto inferencial consiste, por tanto, en que en los casos de (121) no son propiamente las maneras o los comportamientos las entidades que juzgamos, sino al propio individuo que las posee, del que «deducimos» o «inferimos» tales propiedades:

(120) a. John was proud (of his son).
'J. estaba orgulloso de su hijo'
b. Bill was angry at the government.
'B. estaba molesto con el gobierno'
c. Tom was fearful (of an earthquake).
'T. temía un terremoto'
(121) a. John's manner was proud (*of his son).
'La forma de actuar de Juan era orgullosa (*de su hijo)'
b. Bill's remarks were angry (*at the government).
'Las observaciones de B. eran molestas (*con el gobierno').
c. Tom's attitude was fearful (*of an earthquake)
'La actitud de T. era temerosa (*de un terremoto').

El efecto citado se aplica sin duda al español, con consecuencias en la selección del auxiliar:

(122) a. Juan *estaba* atento a todos los detalles.
b. El comportamiento de Juan *era* atento (*a todos los detalles).

Debe tenerse en cuenta que sustantivos como *comportamiento, actitud, talante* o *maneras* no designan personas, pero aun así admiten sin dificultad como predicados nociones que sólo deberían atribuirse a los seres humanos, y quizás a los animales superiores: *orgullo, envidia, temor, inseguridad,* etc. El 'efecto inferencial' observado en inglés se extiende sin dificultad a los adjetivos del español, pero a diferencia de lo que ocurre en nuestro idioma, en inglés no existe la alternancia *ser / estar*. Por lo que al español repecta, las actitudes, las maneras, los caracteres o los talantes se definen o se establecen como características de las personas, y en este sentido predicamos de ellos adjetivos *de nivel individual* (más detalles sobre este concepto en los §§ 3.2.3.1 y 37.2). Es importante resaltar que este hecho se percibe independientemente del complemento con el que se construyan, como vemos en (122). De hecho, en (123) no aparece ningún complemento del adjetivo:

(123) a. Juan {está/es} cariñoso.
b. El carácter de Juan {es/*está} cariñoso.

Así pues, de las características definitorias de los individuos no se predican propiedades transitorias, sino inherentes. En (124) aparecen otros adjetivos que rechazan el complemento construido con *ser*, mientras que lo admiten con *estar* (ejemplos tomados de Di Tullio 1997):

(124) a. Es decidido (*a dar el paso).
a'. Está decidido (a dar el paso).
b. Es atento (*a las órdenes).
b'. Está atento (a las órdenes).
c. Es seguro (*de lo que quiere).
c'. Está seguro (de lo que quiere).
d. Es ansioso (*de regresar).
d'. Está ansioso (de regresar).

De nuevo, aunque en algún caso pueda existir polisemia,[63] estamos ante una pauta sistemática. Así pues, la generalización descriptiva sobre estos hechos está próxima a la que se muestra en (125):

(125) Los adjetivos que se construyen con *ser* y *estar* (y denotan, por tanto, bien características inherentes, bien estadios temporales) tienden a rechazar el complemento en el primer caso.

Como puede verse, esta generalización descriptiva no afecta a los que se construyen sólo con una de las dos cópulas *(Es partidario de.../Es propenso a...; Está contento de.../Está oculto a...).*[64] Es importante hacer notar que el fenómeno observado en (125) tiene lugar sobre todo con los adjetivos que denotan rasgos afectivos característicos de los individuos o aspectos de su comportamiento o de su personalidad. No hay acuerdo entre los gramáticos acerca de si la explicación de la asimetría observada tiene su origen en principios de tipo semántico o si por el contrario obedece a restricciones de naturaleza sintáctica.

4.3.5.6. La interpretación de los complementos adjetivales ausentes y el problema de la sincategorematicidad

La mayor parte de los complementos que hemos caracterizado como «de interpretación pasiva» son optativos: podemos decir *Este libro es fácil de entender* y también *Este libro es fácil.* El problema gramatical que se plantea en estos casos es el de interpretar el significado de tales complementos cuando están ausentes.

Como ya vimos, ante un SN simple como *un libro difícil* no entendemos que la dificultad sea una propiedad del libro en sentido estricto —frente a la forma, el tamaño o el color—, sino que interpretamos que lo es más bien de una acción que se realiza sobre el libro, a pesar de que no siempre se manifieste explícitamente. De hecho, la interpretación de esa acción pasa a ser esencial para entender el significado de dicha secuencia. En ese proceso vienen a la mente en primer lugar unas pocas acciones («de entender», «de interpretar»), pero inmediatamente se alarga la lista («de escribir», «de traducir», «de editar», «de encuadernar», «de vender», «de

---

[63] *Seguro* en (124c) equivale al inglés *safe,* pero en (124c') equivale al inglés *sure.*

[64] Constituyen excepción adjetivos como *optimista: {Era/Estaba} optimista sobre sus nuevas tareas,* tal vez porque *sobre* no introduce un complemento argumental (véase sobre este punto el § 4.3.6.1). Algunos adjetivos de valoración emotiva que no se construyen con *estar* también rechazan claramente los complementos *(*Juan es miedoso del futuro),* pero no les afecta (125) porque no admiten las dos cópulas. Nótese que el adjetivo *temeroso* encaja correctamente en la generalización (125):

(i) a. Una actitud temerosa.
b. *Una actitud temerosa de que pudiera suceder algo.

ilustrar», «de distribuir», etc., etc.) hasta el punto de que se hace prácticamente ilimitada: cualquier acción que pueda realizarse sobre los libros tiene cabida en principio en la interpretación del SA.

El factor que nos trae a la mente los verbos *entender* o *interpretar* en *un libro difícil* parece, en principio, estadístico: el que en este mundo existan más lectores que encuadernadores o traductores no es un hecho lingüístico, pero influye indirectamente en la interpretación más favorable de este tipo de secuencias.[65] Sin embargo, en este apartado veremos que existen razones para pensar que este «hecho estadístico» pasa a tener naturaleza léxica, y por tanto debe estar previsto en la descripción que hagamos de esas palabras.

Algunos lingüistas (entre ellos, Marquis 1995, Raposo 1987 y Contreras 1993) han sugerido que los complementos de infinitivo que hemos estudiado en el § 4.3.4 son en realidad adjuntos. Parece conveniente matizar este análisis, puesto que no da cabida al hecho evidente de que la interpretación de la información ausente en *un libro difícil* es esencial para entender esa expresión. Si se tratara de verdaderos adjuntos (por ejemplo los causales, como en *feliz por su matrimonio*) no sería imprescindible recuperarlos gramaticalmente. También está en contra de la interpretación de estos complementos como adjuntos el hecho de que no podamos prescindir del SP en una serie de casos, concretamente si no existe la relación léxica apropiada entre el predicado transitivo y su objeto directo (descártese la interpretación anafórica en (126 a′, b′ y c′)):

(126) a. Un problema difícil de resolver.
a′. Un problema difícil.
b. Un suceso difícil de narrar.
b′. *Un suceso difícil.
c. Distancias difíciles de calcular.
c′. *Distancias difíciles.

Desde luego, no parecería justificado afirmar que el complemento preposicional es adjunto en (126a′), pero argumental en (126b′) y (126c′).

¿Qué quiere decir entonces «la relación léxica apropiada»?; ¿cómo se identifica esa información ausente? Dicho de otro modo, tenemos que considerar los factores que determinan los hechos de (126) y, en particular, la propiedad que poseen sustantivos como *libro* que no está presente en otros como *suceso* o *distancia*. En Bosque (1997) considero esta cuestión con algún detalle. Aquí me limitaré a mencionar los factores esenciales:

La interpretación del argumento implícito de los adjetivos con infinitivos de interpretación pasiva, como en (126), apunta hacia uno de los tipos de 'sincategorematicidad' que los filósofos y los lingüistas han considerado con atención en los últimos treinta años. El término 'sincategorematicidad' se ha usado con varios sentidos, pero es muy habitual referirse a las 'palabras sincategoremáticas' para aludir a las que denotan propiedades que requieren hacer mención a eventos o a acciones que no se mencionan expresamente en su propia definición ni prevé —en principio— la naturaleza léxica de tales sustantivos. Naturalmente, el problema es el de precisar cómo obtenemos

---

[65] Este hecho influye excesivamente en la definición de *difícil* que proporciona el DRAE: «Que no se logra, ejecuta o entiende sin mucho trabajo». Como puede verse, sólo *entender* encaja claramente en las numerosas interpretaciones observadas para el sintagma *un libro difícil*.

exactamente la información ausente en estos casos. Veamos un ejemplo: el adverbio *después* se suele definir en estos términos: «Que denota posterioridad de tiempo, lugar o situación.» Esta paráfrasis es adecuada para acoger a los sustantivos que designan periodos *(después del verano / después de la primera semana)* y también para dar cabida a los sustantivos eventivos, que se estudian en los §§ 1.5.2.4 y 6.4 *(después de la cena, después del partido, después de la reunión, después de su muerte, después de la batalla),* es decir, a los que pueden ser sujetos de predicados como *transcurrir* o *tener lugar.* Sin embargo, la definición, aun siendo casi la única posible, no permite explicar la aparición de otros sustantivos tras el adverbio *después: después del último autobús, después de cuatro cervezas, después del cigarrillo, después de las primeras páginas.* Ninguna de las definiciones existentes del adverbio *después* puede prever que en estos casos se habla de eventos y no de objetos. Hemos pues de interpretar esa información eventiva con recursos obtenidos bien de un léxico enriquecido, bien de fuentes de naturaleza pragmática. Los predicados interpretados en estos casos son (respectivamente) «pasar» (o «circular»), «beber», «fumar» y «leer».[66]

La naturaleza parcialmente defectiva de los adjetivos evaluativos simples como *bueno* o *excelente* fue resaltada hace años por algunos filósofos.[67] La definición que proporciona el *DRAE* del adjetivo *excelente* es «Que sobresale en bondad, mérito o estimación.» Si la aplicamos literalmente a la interpretación de la oración *Este cuchillo es excelente* obtendremos una paráfrasis casi cómica. Katz (1964, 1966) era muy consciente de este hecho, hasta el punto de que las entradas de su modelo de representación semántica (ciertamente anticuado, visto desde el presente) contenían «rasgos evaluativos» que hacían referencia a la función prototípica de los objetos. El marcador semántico evaluativo de *cuchillo* haría pues referencia a su función como objeto cortante. Los adjetivos evaluativos *(bueno, malo, excelente...)* se interpretan, argumentaba Katz, de acuerdo con la información proporcionada por los marcadores evaluativos. Estos marcadores no sólo se aplican a instrumentos. También especifican propósitos o fines *(buenos pulmones),* o incluso deberes *(un buen abogado),* entre otras características. Si un sustantivo no tiene marcador evaluativo, continúa Katz, la información aportada por el adjetivo no especificará función de ninguna clase y la secuencia no se podrá interpretar como sucede en *una buena galaxia* o en *una buena ameba.* Otros autores, como Bar-Lev y Lefkowitz (1972) sugerían que no es necesario subdividir los rasgos evaluativos como hace Katz, y que bastaría con introducir rasgos que especificaran el hecho de que el objeto posee alguna función o comportamiento prototípico. De esta forma podríamos interpretar expresiones como *un buen reloj* en el sentido de «un reloj que funciona bien» sin necesidad de especificar en qué consiste este funcionamiento.

Entre los lingüistas que proponen un léxico enriquecido para analizar la sincategorematicidad ha sido sin duda Pustejovsky (1993, 1995) el que lo ha hecho de forma más detallada. El modelo de análisis léxico que propone este autor contiene rasgos que denomina *Qualia* [⟶ § 3.3.2.3]. Estas informaciones no responden estrictamente a las que esperamos de las definiciones del diccionario y para otros autores serían sin duda hiperespecíficas o tal vez enciclopédicas. Los *Qualia* son de cuatro tipos. Los *constitutivos* establecen la relación existente entre un objeto y sus partes, además de sus características físicas; los *formales* circunscriben los objetos a entidades más amplias y especifican su orientación, su magnitud, sus dimensiones, su posición, etc.; los *télicos* establecen la función prototípica de los objetos o el propósito habitual con el que se usan las entidades materiales; los *agentivos* establecen informaciones relativas a la existencia del objeto, su origen, su proceso de creación, etc. La relación léxica que se establece entre *libro* y *entender* en el modelo de Pustejovsky viene aportada por el tercer tipo, entre los rasgos mencionados: los rasgos télicos. Cabe pensar, por

[66] Uno de los tipos de sincategorematicidad más estudiado es el que se aplica a los predicados adjetivales de eventos o de estados de cosas que aparecen construidos como si fueran predicados de individuos. El adjetivo *habitual* significa «Que se hace, padece o posee con continuación o por hábito» *(DRAE).* Como ocurría antes, este tipo de paráfrasis es apropiada para los SSNN eventivos *(una reunión habitual; un viaje habitual; una respuesta habitual),* pero no lo es para los no eventivos *(un pasajero habitual de Aeroméxico, un público habitual, un ejemplo habitual).* Lo mismo se aplica a adjetivos como *posible* («Que puede ser o suceder / Que se puede ejecutar», según el *DRAE*). La paráfrasis es adecuada para *una reunión posible* (con sustantivo eventivo), pero no para *un posible almacén para tus trastos* (con sustantivo no eventivo). Véase el § 3.2.3.

[67] Estos adjetivos han dado lugar a una larga polémica. Desde el punto de vista filosófico, véanse fundamentalmente Vendler 1963 y Zipf 1960. La formalización de Katz (1964, 1966) suscitó numerosas reacciones de lingüistas y filósofos a favor y en contra, entre otras las de Bar-Lev y Lefkowitz (1972), Bloemen (1973), Carstairs (1971), Neto (1985), Ginsberg (1966), McConnell-Ginet (1979) y Sampson (1970).

tanto, que en el marco de Pustejovsky tendríamos un rasgo de este tipo que incluyera en los *Qualia* télicos del sustantivo *problema* la referencia explícita al verbo *resolver.* El proceso que Pustejovsky llama *Modificación del tipo denotado (Type Coercion)* permite interpretar algunos procesos de predicación que no concuerdan en el *tipo* de entidad sobre la que deben realizarse, como cuando el adjetivo pide un evento y el nombre denota un objeto. Los *Qualia* proporcionan la información necesaria para modificar el tipo de denotación. Podemos interpretar así (ejemplos de Pustejovsky) *empezar una novela* en el sentido de «a leerla» o «a escribirla», y *empezar una botella* en sentido de «a beberla». Algunos psicolingüistas, como Franks (1995), desarrollan el léxico de Pustejovsky y lo hacen aún más informativo. A este autor le interesa especificar qué rasgos léxicos deben ser resaltados y cuáles deben ser cancelados para explicar la forma en que interpretamos adjetivos como *falso* (*fake* en el original). Parece que las propiedades que cancelamos hacen referencia en este caso a las funciones prototípicas de los objetos, como en *una llave falsa, una puerta falsa,* pero otros adjetivos, argumenta Franks, cancelan la referencia a la forma de los objetos más que a su función.

Frente a esta línea de análisis, que basa en el enriquecimiento del léxico la solución de la sincategorematicidad, existe otra tradición que la fundamenta en principios discursivos. Así, Zipf (1960) sugería que los sustantivos a los que modifican adjetivos como *bueno* denotan entidades que se caracterizan por responder a ciertos intereses, pero tales intereses estarían más en los hablantes que en el significado de las palabras. En la misma línea, Sampson (1970) aducía que la aproximación de Katz estaba equivocada. Para Sampson, las acciones que Katz quiere especificar en sus marcadores evaluativos no son más que inferencias que el oyente lleva a cabo. El adjetivo *bueno* indica una evaluación positiva, pero —argumenta Sampson— su entrada léxica no puede especificar el aspecto o la faceta de la entidad calificada que sugiera esa evaluación. La oración *Este es un buen cuchillo* se interpretará de forma distinta según la use un cocinero, un lanzador de cuchillos o un vendedor de juguetes bélicos, por lo que nada deberá decir el léxico sobre los factores que condicionan dicha interpretación. No menos radical que la crítica de Sampson a Katz es la de Fodor y Lepore (1998) a Pustejosvky. Piensan estos autores que Pustejovsky está equivocado y que no hay tal proceso de *Modificación del tipo denotado.* En su opinión los *Qualia* representan informaciones a la vez imposibles de sistematizar e irrelevantes para la interpretación de las combinaciones. En su opinión no es necesario conocer cómo está hecho un objeto ni qué utilidad puede tener para comprender el significado de la palabra que lo designa. Los ejemplos de Pustejovsky son casos de polisemia o de indeterminación, y buena parte de las informaciones que Pustejovsky obtiene del léxico se podrían obtener de postulados de significación o acudiendo a la polisemia, como cuando interpretamos *bueno* en el sentido de «bondadoso» *(Juan es bueno)* o bien en el de «útil» *(Este cuchillo es bueno).* Existen, desde luego, posturas mixtas. La aproximación de McConnell-Ginet (1979) es matizadamente discursiva, puesto que entiende que las entradas léxicas no pueden reflejar los intereses particulares de los individuos, pero a la vez acepta la necesidad de elaborar un léxico más informativo. El que interpretemos *buena madera* como «madera que arde bien» no tiene que ver —argumenta— con la entrada léxica de *bueno* ni con la de *madera,* sino con el hecho extralingüístico de que la madera puede usarse como combustible. Aun así, argumenta, la información necesaria para interpretar un sustantivo como instrumental debe proporcionarse en el léxico en lugar de pensar que podemos obtenerla únicamente del conocimiento extralingüístico. La postura de Aronoff (1980) también es matizadamente discursiva. Los adjetivos evaluativos anulan o cancelan algunas veces la denotación predicativa del sustantivo al que califican *(Eres un buen enfermero* no implica necesariamente *Eres un enfermero),* pero no siempre lo hacen. La información esencial para distinguir unos casos de otros, piensa Aronoff, la proporciona el conocimiento pragmático que tenga el hablante de las actividades asociadas de forma característica con la denotación de tales sustantivos. [68]

---

[68] Es razonable pensar que la información ausente, en el caso particular de los adjetivos evaluativos, consiste en un argumento implícito. Esta es una línea tradicional en la semántica filosófica para analizar ejemplos clásicos de adjetivos no intersectivos, como en *Los elefantes pequeños son bastante grandes* [⟶ § 3.2.3.2]. Este segundo argumento (aproximadamente «para ser elefantes») se postula en Vendler 1968, Bierwisch 1967, Bolinger 1967 y Kamp 1975, entre otros trabajos. Nótese que aplicada esta idea a nuestros adjetivos sincategoremáticos, viene a decir que interpretamos *un cuchillo bueno* como «un cuchillo bueno como cuchillo», sin especificar en qué consiste esta bondad, *y un excelente abogado* como «un abogado excelente como abogado». Repárese en que en este último ejemplo no es posible acudir a la relación morfológica típica de casos más sencillos (*un buen bailarín* es «alguien que baila bien») puesto que el sustantivo *abogado* no deriva de ningún verbo. El análisis aquí esbozado proporciona simplemente este segundo argumento de contenido predicativo: «bueno como bailarín».

Así pues, importa señalar que el problema de la interpretación de los complementos adjetivales ausentes (particularmente, en el grupo de los de interpretación pasiva) representa un caso particular del muy debatido problema de la sincategorematicidad. En Bosque 1997 trato de justificar por qué muchas de las 'relaciones preferenciales' que es necesario establecer para interpretar los complementos ausentes de los adjetivos deben ser proporcionadas por el léxico, y no es razonable pensar que todas proceden de procesos inferenciales de tipo discursivo. En un gran número de casos se identifican sin dificultad una serie de acciones que se interpretan por defecto y que el léxico debe proporcionar. Un camino puede ser difícil de encontrar, de describir o de trazar, pero si no hay otra información, la expresión un *camino difícil* significa «un camino difícil de recorrer». Asimismo, una condición puede ser fácil de omitir o fácil de revisar, pero, por defecto, el SN *una condición fácil* se interpreta en el sentido de «de cumplir» o «de satisfacer». Lo mismo se aplica a los casos de (127), en los que se marca entre corchetes y en cursiva la información omitible que léxicamente se interpreta por defecto:

(127) Un problema fácil *[de resolver]*, un camino difícil *[de recorrer]*, dinero fácil *[de obtener]*, un horizonte difícil *[de alcanzar]*, una cuestión difícil *[de resolver]*, un experimento fácil *[de realizar]*, la vida no es fácil *[de vivir]*, un terreno fácil *[de explorar, de pisar]*, una obra literaria nada fácil *[de comprender, de interpretar]*, un paso difícil *[de dar]*, tiempos difíciles *[de vivir, de superar]*, una condición fácil *[de cumplir]*, éxito fácil *[de conseguir]*.

Nótese que si la interpretación de estas secuencias estuviera determinada únicamente por factores pragmáticos, el léxico no tendría por qué reflejar tales informaciones, con lo que los resultados serían demasiado abiertos: todas las situaciones discursivamente posibles tendrían cabida en cada una de ellas sin que hubiera razones para marcar léxicamente ninguna con relación a las demás. Sin embargo, los adjetivos de (127) admiten muchos infinitivos en su complemento, pero en su ausencia identificamos claramente una acción télica como prominente. Eso significa que la relación entre *resolver* y *problema* es una *relación léxica* (en el sentido de que debe ser establecida en el léxico de forma preferencial o prototípica), mientras que la relación entre *calcular* y *distancia* o entre *narrar* y *suceso* no debe serlo, con lo que tenemos una explicación razonable para los hechos de (126).

La forma en que se establezca esa relación en el léxico no es tan importante como la decisión sobre si debe establecerse o no. En el modelo formal del léxico que desarrolla Mel'čuk (1984-1992), las relaciones sintácticas que el léxico debe establecer pueden reducirse a menos de medio centenar de funciones léxicas que cubren los aspectos relativos a sus conexiones aspectuales, su comprehensión, sus modificadores y argumentos prototípicos, predicados de apoyo y otras relaciones semánticas primitivas (causativas, locativas, existenciales, etc.). Se trata, pues, de una teoría de las concurrencias o solidaridades (ing. *collocations*) léxicas basada en funciones abstractas. Una de ellas es la función *Real*, que significa «realizar» o «llevar a efecto». Toma un sustantivo como argumento y proporciona un verbo que selecciona dicho nombre como objeto. La función contiene un subíndice que especifica si se trata del argumento primero o segundo del sustantivo. Algunos ejemplos de Mel'čuk (1984-1992), que Alonso (1989a,b) aplica al español, son los siguientes: $Real_1$ *(problema): resolver;* $Real_1$ *(promesa): cumplir;* $Real_2$ *(consejo): seguir;* $Real_2$ *(examen): aprobar, pasar;* $Real_1$ *(trampa): tender;* $Real_2$ *(trampa): caer en.* Otra función, que Mel'čuk (1984-1992) llama *Oper* establece una relación léxica entre los sustantivos y los verbos de apoyo, que en esta gramática se estudian en el § 67.3.2.2.

Entre los ejemplos más claros están los siguientes: Oper_1 *(pregunta): plantear;* Oper_1 *(paso): dar;* Oper_1 *(consejo): dar;* Oper_2 *(consejo): recibir.*

Otros autores abordan el problema desde un punto de vista pragmático. Así, Ducrot no está interesado en proponer una teoría del léxico, pero algunas de las distinciones que introduce tienen correlatos léxicos claros. Este autor denomina (1995) *modificateurs réalisants* (MMRR) a las propiedades asociadas a las unidades léxicas a través de lo que llama *topoï,* es decir, relaciones semánticas incardinadas en convenciones (tal vez culturales) que, aunque están basadas en estereotipos de naturaleza pragmática, tienen efectos claros en la gramática. Los *modificateurs déréalisants* (MMDD) son los opuestos a los MMRR y no aportan esa información léxica prototípica. Según Ducrot, el adjetivo *cercano* es un MR del sustantivo *pariente,* como se muestra objetivamente al añadir un modificador adversativo (las oraciones que siguen deben interpretarse sin discurso previo):

(128) a. Tiene un pariente lejano.
b. Tiene un pariente cercano.
(129) a. Tiene un pariente, pero es lejano.
b. *Tiene un pariente, pero es cercano.

Por el contrario, *lejano* es un MD para *pariente,* según el mismo autor. Es importante señalar que tanto el MR como el MD son compatibles léxicamente con el elemento al que determinan, como se muestra en (128). Así pues, si para Ducrot: MR *(pariente) = cercano;* MD *(pariente) = lejano,* es lógico pensar que MR *(diana) = se alcanza;* MR *(camino) = se recorre;* MR *(botella) = se bebe;* MR *(horizonte) = se alcanza;* MR *(terreno) = se pisa, se explora;* MR *(autobús) = pasa, circula;* MR *(problema) = se resuelve.* La relación prototípica entre *problema* y *difícil* o entre *solución* y *fácil* se establece también en los mismos términos.[69] Anscombre (1995) estudia algunas consecuencias de estas informaciones prototípicas tácitas y observa que la interpretación no marcada de los complementos adjetivales con infinitivos de lectura pasiva es la positiva, no la negativa. Esta interpretación positiva no es sólo existencial, es decir, no implica necesariamente la creación o el surgimiento de la entidad de la que se habla, sino que puede tratarse también de alguna acción característica que se realice sobre ella, lo que recuerda muy de cerca los *Qualia* télicos de Pustejovsky o las funciones *Real* y *Oper* de Mel'čuk. Los ejemplos de Anscombre son los siguientes:

(130) a. Este blanco es fácil de alcanzar.
b. Este blanco es fácil de fallar.
(131) Este blanco es fácil. (=130a) (≠130b)
(132) a. Una empresa difícil de poner en práctica.
b. Una empresa difícil de abandonar.
(133) Una empresa difícil. (=132a) (≠132b)

Así pues, todas las oraciones citadas son gramaticales, pero en ausencia de complemento, como en (131) o en (133), se interpreta la acción positiva, no la negativa.

Sea a través de sistemas formales como los de Pustejovsky o Mel'čuk, o no formales como el de Ducrot, parece claro que es necesario incluir en el léxico informaciones aspectuales de tipo télico que nos ayuden a explicar cómo entendemos estos tipos de complementos ausentes. Esta necesidad la entrevieron algunos gramáticos tradicionales. Como vimos más arriba —recuérdese (63)—, Cuervo era consciente de que en el complemento no verbal de adjetivos como *capaz* entendemos predicados como «recibir, tener, padecer o hacer».

Los factores que determinan la interpretación de los complementos ausentes de interpretación pasiva son, por tanto, variados. La información se puede recuperar

[69] Como se comprueba en las paráfrasis adversativas:

(i) a. Hay un problema {difícil/fácil}.
b. Hay una solución {difícil/fácil}.
(ii) a. Hay un problema, pero es {*difícil/fácil}.
b. Hay una solución, pero es {difícil/*fácil}.

'léxicamente', como en (127), 'anafóricamente', como en (134), o 'discursivamente', como en (135):

(134) a. Existen distancias muy fáciles de calcular, pero algunas otras son verdaderamente difíciles.
b. Unos sucesos son muy fáciles de narrar, y otros muy difíciles.

(135) a. Cualquier cartógrafo nos dirá sin titubear que Viena no es una ciudad fácil.
b. Los taxistas consideran que Viena no es una ciudad fácil.
c. (...) Viena es, sin duda, la capital de la música, aunque, tal vez por eso mismo, no es, ni ha sido nunca, una ciudad fácil. Se portó mal con Mahler y con Bruno Walter, y no digamos con Mozart (...) [R. Frühbeck de Burgos, *ABC Cultural,* 5-V-1993, 42].

Obviamente, para entender (135a y b) es imprescindible tener conocimiento de las actividades habituales de los cartógrafos o los taxistas, y para interpretar (135c) en el sentido de «para vivir en ella los músicos» es necesario asimismo buscar información que no obtenemos de la sintaxis ni del léxico. Por defecto, parece claro que la recuperación anafórica es la primera que el hablante intenta, puesto que es la que la sintaxis proporciona. La recuperación léxica es la que se obtiene de las informaciones, formalizadas mediante *Qualia,* funciones léxicas u otros procedimientos que proporcione un léxico enriquecido. La recuperación discursiva es la que tiene lugar cuando fallan las otras dos, es decir, la que estamos obligados a obtener de los factores pragmáticos que podamos extraer del contexto previo.

4.3.6. Algunas clases semánticas de complementos adjetivales

Ya vimos en el § 4.3.1 que no todos los complementos de los adjetivos son argumentos suyos. Incluso las mismas nociones semánticas (lugar, ámbito, finalidad, etc.) pueden ser argumentales en unos casos y no serlo en otros. Señalábamos en aquel apartado que los complementos adjuntos comportan también algún tipo de selección léxica, más abstracta sin duda que en el caso de los complementos de régimen, pero no menos objetiva. En este apartado veremos varias clases semánticas de complementos argumentales y adjuntos.

4.3.6.1. Complementos de ámbito y limitación

Los complementos de ámbito introducen la materia o el asunto al que se aplica la propiedad denotada por el adjetivo, pero aun así este tipo de relación no es en todos los casos la que corresponde a un complemento argumental. Consideremos el ejemplo de la (RAE 1931: 235) *expedito en los negocios.* Es claro que no podemos decir que el adjetivo *expedito* seleccione *en* como lo hacen *rayano* o *creyente.* Aun así, la presencia del complemento muestra la compatibilidad entre la noción designada por el adjetivo y el ámbito o el campo al que se aplica. Lo mismo cabe decir de los casos de (136):

(136) Hábil y astuto en todas sus actuaciones, feliz en su trabajo, cómodo en cualquier asiento, dicharachero en la conversación.

Los adjetivos que se construyen con *acerca de* en el corpus de Slager (1997) son *explícito* e *inseguro,* los que aparecen construidos con locuciones como *respecto de* o *con respecto a* en ese mismo corpus son *compasivo, confiado, desproporcionado, escéptico, exigente, injusto, optimista, precavido* y *elocuente.* Con la preposición *hacia* aparecen en dicho corpus *crítico, culpable* y *expectante.* En ninguno de esos casos puede decirse que estemos propiamente ante complementos argumentales (es decir, que todos esos adjetivos seleccionen las preposiciones *en, acerca de* o *hacia*), pero lo cierto es que la capacidad de introducir un complemento de ámbito no la poseen todos los adjetivos. Como ocurría en el caso de los temporales y los locativos, ello es indicio claro de que ha de existir algún tipo de compatibilidad léxica. Muchos de los adjetivos citados designan características relativas al carácter o a la personalidad de los seres humanos y son compatibles con esas preposiciones. También lo son con formas como *en lo relativo a, en lo que hace a, en cuanto tiene que ver con, en lo que afecta a,* etc. Por el contrario, son propiamente argumentales los complementos adjetivales de ámbito o contenido en los que *en* constituye prácticamente la única opción. La oposición entre (137) y (138) muestra esa diferencia:

(137) a. Escéptico {en/en lo relativo a} los negocios.
b. Exigente {en/respecto de} su trabajo.
c. Equivocado {en/en cuanto a} esa polémica decisión.
(138) a. Creyente {en/*en lo relativo a} Dios.
b. Rico {en/*en lo relativo a las} vitaminas.
c. Tardo {en/*en lo relativo a} reaccionar.

También están seleccionados los SSPP de ámbito construidos con *en* que complementan a adjetivos como *experto, docto, ducho, entendido* o *certero,* entre otros que, según María Moliner (*DUE* I, 58), «expresan pericia».[70] Por el contrario, muchos de los que denotan reacciones no lo están en la misma medida, puesto que las preposiciones *ante* o *frente a* que introducen son sustituibles por otras análogas: *valiente frente al peligro, vulnerable ante la crítica.* Los adjetivos ordinales introducen complementos argumentales de ámbito introducidos también por *en,* como en *el tercero en llegar a la meta.* María Moliner *(ibid.)* hace notar que a veces se construyen con *a,* como en *el último a firmar.*

Los complementos que Fernández Ramírez llamaba (1951: vol. 3.1 § 80.4) «de limitación» están próximos a los argumentales, pero no está claro que lo sean propiamente. Estos complementos restringen o limitan la propiedad que el adjetivo denota circunscribiéndola a alguna parte o algún aspecto de la entidad de la que se predica, como en *enfermo del corazón* o *subido de color.* No deben confundirse con los complementos de causa que introduce la misma preposición *(enfermo del calor que hace).* Los de limitación están más próximos al predicado y —de hecho— el sintagma que forman con él puede estar complementado por el de causa. El segmento que aparece subrayado en *Un político [[enfermo del corazón] de tanta presión como había tenido que soportar]* constituye, por tanto, un único sintagma adjetival.

Una serie particular de complementos limitativos se caracterizan por aparecer en dos construcciones próximas. Como observan la RAE (1931: 236) y Wonder (1971), son interesantes desde el punto de vista semántico porque la cualidad que manifiestan se aplica unas veces a la persona misma, como en (139a), y otras a la parte o al aspecto de su cuerpo que se ve afectada directamente por ella, como en (139b):

[70] El adjetivo *general* introduce complementos argumentales de ámbito encabezados por *a (Es general a todas las islas)* y complementos locativos adjuntos introducidos por *en (Es general en todas las islas).*

(139) a. Una persona {dura de corazón/corta de ingenio/larga de nariz/ mediana de estatura/blanca de cara/larga de manos/fina de oído/alta de talle/lenta de ademanes/ancha de caderas/sonrosada de mofletes}.

b. Un corazón duro, un ingenio corto, una nariz larga, una estatura mediana, una cara blanca, unas manos largas, un oído fino, un talle alto, unos ademanes lentos, unas caderas anchas, unos mofletes sonrosados.

Así pues, en los casos de (139a) el complemento del adjetivo denota una parte del cuerpo, un sentido o un rasgo de la personalidad. El adjetivo manifiesta una valoración del individuo restringida o limitada a esa parte del cuerpo o al rasgo al que se refiere el complemento. En los casos de (139b), por el contrario, el adjetivo aparece sin complemento y no se predica del individuo, sino directamente de la parte del cuerpo, el sentido o el rasgo del carácter de que se habla.

Los sustantivos que se muestran en (139a) no llevan modificadores ni complementos (cf. **largo de su nariz,* **duro del corazón,* **larga de manos estilizadas*), lo que hace pensar que la unidad que forman se aproxima a los compuestos sintácticos. Como hace notar Di Tullio (1997), en muchos de estos casos tenemos también compuestos adjetivales endocéntricos, como en *manilargo, carirredondo, patitieso,* etc. [→ § 73.6.3]. Las propiedades denotadas son 'inalienables', y también se ponen de manifiesto en otras construcciones del español y otras lenguas [→ § 15.6 y § 30.6.5]. En cuanto a los adjetivos que se permiten, existe cierta irregularidad. Junto al citado *blanco de cara* disuena **azul de ojos,* como observa Di Tullio (1997), que anota también la inviabilidad de formas como **una chica lacia de pelo,* o **camisas redondas de cuello*.

La concordancia con el nombre que designa la parte del cuerpo o con el sustantivo de persona puede ser suficiente para distinguir una construcción de la otra. Así, en lugar de *(...) soy de corazón tierna,* Tirso de Molina podría haber dicho (*Por el sótano y el torno;* cit. en *AGLE:* § 1732) *soy de corazón tierno,* lo que obviamente no implica libre concordancia, sino alternancia entre las dos construcciones descritas. Ambas construcciones aparecen conjuntamente en el siguiente fragmento de *El Quijote* (I, cap. 16) como observa la RAE (1931: § 223):

(140) Servía en la venta una moza asturiana ancha de cara, llana de cogote, de nariz roma, del un ojo tuerta y del otro no muy sana (...) [*Quijote* I, 16].

Los adjetivos que no son aplicables a varias partes del cuerpo carecen de una de las dos construcciones que examinamos, puesto que no tendría sentido usarlos con tal función delimitativa. Podemos decir de una nariz que «es larga», pero no decimos de una pierna que «está coja» ni de un ojo que «es tuerto», ni tampoco decimos de una persona que es «calva de cabeza». Nótese, de todas formas, que debería disonar de acuerdo con esta generalización —y sólo lo hace para algunos hablantes— la secuencia *un viejo aguileño de nariz,* que Fernández Ramírez encuentra en un texto de Pérez Galdós (*AGLE:* § 1732), puesto que el adjetivo *aguileño* no se aplica a otros sustantivos además de *nariz.*[71]

---

[71] Podría decirse que estamos ante un caso de *hipálage,* si no fuera porque los tipos de hipálage no están del todo bien definidos sintácticamente en la retórica clásica. La mayor parte de las hipálages adjetivales que menciona Meyer (1989) son, por otra parte, casi exclusivas del lenguaje literario.

Observa correctamente Di Tullio (1997) que muchos de los complementos del grupo (139a) son obligatorios. Decimos de una persona que es *dura de oído* o *corta de vista,* pero si decimos de ella que *es dura* o que *es corta* expresaremos significados diferentes. Este hecho ha llevado a algunos autores, como el citado Wonder (1971), a proponer un análisis transformacional que deriva una de las dos construcciones de la otra. En otros casos del mismo grupo, la estructura de (139a) no se interpreta tan claramente como hipálage (recuérdese la nota anterior). Así, si decimos de alguien que es *fuerte de temperamento* estamos predicando la fortaleza de ella y de su temperamento, es decir, del individuo y de uno de sus aspectos.

Como señala la RAE (1931: § 236), los adjetivos que se usan en esta construcción no sólo denotan propiedades físicas, sino también cualidades «morales o abstractas en que sobresalen o se distinguen personas o cosas». Es lo que sucede en *blando de condición* o en *flaco de memoria,* a los que cabe añadir otros, como los que extrae Fernández Ramírez (*AGLE:* § 1732) de textos diversos: *admirable de fuerza, expresivo de mirada, sueltas de lengua, escaso de carnes.*

4.3.6.2. Complementos de supeditación. Cuantificadores explícitos e implícitos

Relativamente próximos a los complementos adjuntos de ámbito están los de supeditación, que introduce la preposición *para: una decoración moderna para la época, soluciones inapropiadas para los tiempos que corren* [→ §§ 16.5 y 58.4.2]. Estos complementos no son argumentales. Es decir, en los SSNN citados no es correcto analizar *inapropiado* y *moderno* como adjetivos que seleccionan *para.* Por el contrario, en la mayor parte de los casos estamos ante restricciones que no inciden verdaderamente sobre el adjetivo mismo, sino más bien sobre el cuantificador —tácito o expreso— que lo modifica. Nótese que no hay demasiada diferencia entre las secuencias de (141) y las de (142):

(141) a. Un muchacho joven para conducir.
b. Es tarde para ir al cine.
(142) a. Un muchacho demasiado joven para conducir.
b. Es muy tarde para ir al cine.

Así pues, más que 'complementos adjuntos del adjetivo', estos complementos están seleccionados por un cuantificador, expreso o tácito, que denota una magnitud cuya relevancia se supedita a las situaciones o las circunstancias que designa el término de la preposición. La restricción que introducen no afecta tanto a la propiedad designada por el adjetivo como al grado (mayor, menor, o excesivo) en que esa propiedad se predica de la entidad a la que se refiere. Como tales complementos lo son en realidad del cuantificador, es esperable que sean rechazados por los adjetivos de relación, que no son graduables, como se hace notar en el § 3.3.1. Ciertamente, podríamos construir sintagmas como *una ley parlamentaria para estos tiempos,* pero el SP *para estos tiempos* complementaría al sustantivo *ley,* no al adjetivo *parlamentaria.* Los cuantificadores que modifican al adjetivo en estos casos pueden incidir también sobre otras categorías, como los sustantivos, los verbos o los adverbios. Los sintagmas cuantificativos así formados mantienen los mismos complementos: [72]

[72] Para otras propiedades de estos complementos de supeditación véase Sánchez (1995) y Contreras (1993).

(143) a. Era ambicioso. Demasiado para sus méritos.
CUANTIFICADOR ADJETIVAL
b. Leía tebeos. Demasiados para su edad.
CUANTIFICADOR NOMINAL
c. Fumaba. Demasiado, de hecho, para su estado de salud.
CUANTIFICADOR VERBAL

4.3.6.3 Complementos de reacción sensible y predisposición

Se construyen con *a* y denotan el estímulo ante el que se experimenta —o se deja de experimentar— el comportamiento manifestado por la propiedad que el adjetivo expresa, así como la predisposición del sujeto hacia una acción o un estado de cosas:

(144) Suave al tacto. / Incansable al desaliento. / Sensible al halago. / Áspero al paladar. / Débil a la admiración de las mujeres (...) [F. de Cossío, *Clara:* cit. en Fernández Ramírez (1951, vol. 3.1: § 80.4)] / (...) absurdo *a* las orejas y entendimiento» *[DHIST,* fasc. 1, s/v *absurdo].*

M. Moliner cita (*DUE* I, 58) los ejemplos de (145a) y Fernández Ramírez extrae los de (145b) de textos diversos (*AGLE:* § 11313):

(145) a. Ciego a sus súplicas, resistente al fuego, desagradable al oído, grato a la vista, áspero al tacto.
b. Más dura que mármol a mis quejas (...) [Garcilaso, *Égloga segunda*] / (...) las cosas divinas (...) tanto más son al alma escuras y ocultas naturalmente (...) [San Juan de la Cruz, *Noche escura del alma*] / Nunca he buscado (...) hacerme simpático a los hombres (...) [M. de Unamuno, *Ensayos,* II].

Algunos de estos usos parecen propios de la lengua literaria, y disuenan al oído de muchos hablantes en la lengua común. Son casos como los de (146), todos extraídos por Fernández Ramírez: [73]

(146) (...) una piel (...) deliciosa a la caricia (...) [J. A. de Zunzunegui, *Chiplichandle,* cit. en *AGLE,* ref. 817] / personas (...) fáciles a la ternura» [G. Miró, *Libro de Sigüenza,* cit. en *AGLE,* ref. 819] / (...) firmes a los vicios tentadores (...) [J. Santos Chocano, *Selva virgen;* cit. en *AGLE,* ref. 820].

La naturaleza argumental de estos complementos es incierta. El adjetivo *débil* no selecciona estrictamente la preposición *a* en *débil a la admiración de las mujeres,* ni *dura* selecciona *a* en el famoso verso de Garcilaso citado en (145b). Es cierto, sin embargo, que ambos adjetivos admiten tal tipo de complementos porque pertenecen a la clase léxica de los que designan efectos provocados sobre los sentidos o reacciones ante estímulos externos. Estos son exactamente los casos en los que los límites entre los complementos argumentales y los adjuntos se tornan más tenues.

Para María Moliner, los adjetivos que se construyen con *a* no sólo designan «efecto en los sentidos», sino también «subordinación», como en *obediente a las leyes, dócil al mando,* etc.

4.3.6.4. Complementos de tendencia y propensión

Se construyen con *a* los complementos argumentales de muchos de los adjetivos que designan estas nociones, como *opuesto, ajeno, extraño, proclive, afín, tendente, propenso, indiferente, intrínseco, aficionado, contrario, fiel.* En algunos casos parece posible más de una preposición. Cabe decir *consustancial a,* como hace Ortega y Gasset (*AGLE:* § 1131), pero también se emplea *consustan-*

[73] Como me hace notar V. Demonte, el concepto de 'reacción sensible' es a veces escurridizo. En *fácil a la ternura* no se denota exactamente una sensación provocada por la ternura, y en *firmes a los vicios tentadores* tampoco es evidente que la firmeza constituya la reacción ante un estímulo. Parece, pues, que en ciertos casos la noción denotada está próxima a la «disposición» o la «predisposición» de alguna entidad ante la acción que se ejerce sobre ella.

cial con. Fernández Ramírez registra (1951: vol. 3.1 § 80.1) *propio a* en Azorín, frente al más común *propio de,* y también documenta *ajeno de* en San Juan de la Cruz, frente al más común *ajeno a;* recoge *afín con* en Rosa Chacel, frente al más común *afín a*.

Para la Academia se construyen también con *a* una serie de adjetivos que denotan (1931: § 236) «cariño, adhesión y dependencia», como *adicto, afecto, sumiso, sujeto.* En cambio, nótese que aparece *con* tras muchos adjetivos que designan estados afectivos provocados por la entidad que se menciona en el complemento adjetival, como en *enfadado con él, furioso con su jefe, embobados con el bebé.* Esta relación, que María Moliner llama 'de adlación', se extiende a los adjetivos que denotan «afecto o actitud favorable» (cabría añadir «o desfavorable»), como en los SSAA de (147):

(147) Cariñoso con todos, comprensiva con sus semejantes, injusto con él, respetuosos con los mayores, recelosos con las novedades, dicharachero con las jovencitas, dura conmigo.

Los adjetivos de (147) poseen en común el designar la reacción orientada que hemos señalado, pero aun así no puede decirse que los complementos que allí aparecen sean siempre argumentales. El corpus de Slager (1997) añade otros adjetivos a esta relación: *beligerante, blando, cínico, escrupuloso, implacable, cruel, cómodo, feroz,* etc. En todos ellos cabe sustituir *con* por *en relación con* o *con respecto a,* frente a lo que sucede en los casos en los que *con* introduce un verdadero complemento argumental: *colaborador, compatible, consecuente, contradictorio,* etc.

4.3.6.5. Complementos de causa

La mayor parte de los complementos causales son adjuntos o circunstanciales. Así, el SA que aparece en *triste por lo ocurrido* o en *molesto por tu comportamiento* no contiene un complemento seleccionado por el adjetivo, sino un adjunto causal, en principio añadible a cualquier predicado. Sin embargo, aun siendo la causa una noción circunstancial, se interpreta como argumental con algunos complementos que introduce la preposición *de,* como en los ejemplos de (148). Los de (148b) están extraídos por Fernández Ramírez (*AGLE:* § 1734) de autores diversos:

(148) a. Culpable del robo, cansado del viaje, ronco de hablar, pálido de la emoción, asombrado del paisaje, encantado de conocerle, radiante de felicidad.
b. Murió ciego de ovillar y enhebrar agujas de colores (en Pedro Álvarez). / Temblorosos estamos todavía de turbación y de piedad (en Eugenio D'Ors). / (...) sudoroso de sufrimiento y de insomnio (en Ramón Gómez de la Serna).

Frente a los complementos de (148), parecen ser adjuntos del SV los que admiten potestativamente la presencia del intensivo *tanto* (o de sintagmas intensivos con *tan),* puesto que la reacción extrema se produce por una acción también excesiva. La omisión del intensivo *tan* [⟶ § 58.15 y § 58.5] con adjetivo tras la preposición es más frecuente en la lengua literaria, como en los ejemplos de (149): [74]

(149) (...) necio estás de confiado (...) [P. A. de Alarcón, *La manganilla de Melilla, DCRLC* II, 770b] / (...) de turbada voy ciega (...) [Guillén de Castro, *Las mocedades del Cid;* cit. en *DCRLC* II, 770b] / (...) fuimos crueles de despegados (...) [G. Miró, *El obispo leproso;* cit. en *AGLE:* § 1734] / (...) De pálida estaba ya lívida (...) [R. Pérez de Ayala, *Curandero de su honra,* cit. en *AGLE:* § 1734] / (...) manteletas casi inmateriales de desgastadas (...) [R. Gómez de la Serna, *El chalet de las rosas;* cit. en *AGLE:* § 1734] / La salud de doña Luz era insolente de buena (...) [J. Valera, *Doña Luz;* cit. en Alcina y Blecua 1975: 963].

pero puede encontrarse también en la lengua común, como en (150):

[74] Sin embargo, no hay demasiada diferencia entre *cansado de trabajar* y *cansado de trabajar tanto* (o *tan intensamente*), y a pesar de ello se trata de un complemento argumental.

(150) a. Estaba inmundo de (tan) sucio.
b. Resulta empalagoso de (tan) dulce.

La forma sintáctica de estas construcciones pone de manifiesto que una cualidad se interpreta como resultado de la naturaleza extrema de otra. Se trata en lo esencial de los mismos adjuntos verbales de significado causal que aparecen en *estallar de alegría, gritar de emoción, llorar de rabia, morir de hambre, revolcarse de risa,* etc. (véase Leeman 1991 sobre esta construcción) que se extienden con naturalidad a los complementos adjetivales: *{resplandecer/resplandeciente} de felicidad.* Tanto la propiedad causante como la causada se toman en estos casos en un sentido cuasielativo, y por ello disuena a veces la intensificación en el núcleo del SA: [75]

(151) a. ??Resulta muy empalagoso de dulce (cf. (150b).
b. *Su salud era bastante insolente de buena (cf. (149), al final).

4.3.6.6. Complementos de materia

Próximos en ocasiones al grupo anterior está el de los complementos de materia. Se construyen con sustantivos sin artículo y son argumentales. Están seleccionados por adjetivos y participios como *lleno, abundante, manchado, cubierto, pintado, henchido, vestido, tapizado:*

(152) Llena de agua, vestido de marinero, pintadas de rojo, cubierto de flores, henchida de gozo, atestados de alcohol, empañado de vaho, abundante en frutos.

S. Fernández Ramírez presenta una relación más larga con ejemplos de diversos autores, algunos desusados como *Estaba (...) olorosa de incienso,* en un texto de Valle-Inclán (*La corte de los milagros,* cit. en *AGLE:* § 17312), o *flamante de lentejuelas* (en Pedro Álvarez, *Los colegiales de San Marcos, ibid.,* § 1734). Nótese que la ausencia de artículo es inviable con otros adjetivos, como los que denotan afección:

(153) a. Estoy lleno de tiza. / Una mujer harta de niños.
b. *Estoy preocupado por tiza. / *Una mujer contenta de niños.

En el mismo grupo [76] cabe situar los adjetivos que, según María Moliner (*DUE* I, 58), «expresan ciencia o maestría», como *diestro, perito, versado, docto,* que seleccionan la preposición *en* y también se construyen generalmente con sustantivos sin determinante (cf. el § 4.3.6.1).

---

[75] Como hemos visto, el término de la preposición es un adjetivo en todos estos casos. No hay pues discordancia en español en alternancias como las de (i):

(i) a. Loca de contenta.
b. Loca de contento.

puesto que *contento* es un sustantivo (= «alegría», «satisfacción») o un adjetivo. Sin embargo, como vimos en el § 4.1.2, en algunas de estas construcciones el SP se interpreta como cuantificador pospuesto, más que como verdadero complemento. Si decimos de alguien que está *loco de alegría* no interpretaremos que la alegría es la causa de su locura, sino más bien que está «sumamente alegre» (cf. **muy loco de alegría* y las secuencias agramaticales de (10b)). Ello permite explicar el aparente complemento doble en SSAA como *loco de alegría de que haya vuelto su novia.*

[76] El concepto de 'materia' puede seguramente extenderse y usarse en sentido figurado. De hecho, en Bosque 1996 se apunta que las materias pueden interpretarse en el sentido más abstracto de «contenidos» o «asuntos», lo que sugiere que pueda aplicarse a adjetivos como *culpable* o participios como *acusado.* Ello sugiere una explicación para contrastes como (i):

(i) a. Es culpable de asesinato.
b. *Está seguro de asesinato.

Es cierto, sin embargo, que estos casos acercan los complementos de materia a los de causa: el asesinato es «la razón» de la culpabilidad (como los niños lo son de la hartura en (153a)), pero al mismo tiempo constituyen la materia o el asunto que da existencia a esas propiedades. Lo mismo en *helado de frío, muerto de miedo,* y otros casos señalados antes.

4.3.6.7. *Otros complementos*

Los complementos de utilidad, destino y propósito se construyen con *para.* Son argumentales con los adjetivos que denotan utilidad, necesidad o aptitud *(útil, apto, inepto, necesario, aprovechable),* a los que se asimilan algunos adjetivos de valoración general, como ya vimos en el § 4.3.5.6: *un sitio bueno para veranear.* Sin embargo, los complementos que introduce *para* no son argumentales con los demás predicados: *húmedo para plancharlo mejor, abierto para que todos puedan verlo.* Los complementos con *a fin de* nunca son argumentales.

Son también argumentales los complementos que denotan igualdad, semejanza, cercanía y proximidad (y sus contrarios), la mayor parte introducidos por la preposición *a: igual,* [77] *contiguo, cercano, extraño, inferior,* etc. En algunos de ellos existe alternancia de las preposiciones *a* y *de:* [78]

(154) a. Distinta {a/de} todas.
b. Diferente {a/de} los que conoces.
c. Un pueblo cercano {al/del} mío.
d. Es contrario a mis principios / (...) lo contrario de un filósofo de la historia (...) [Ortega y Gasset; cit. en Fernández Ramírez 1951: vol. 3.1 § 80.1].
e. Contemporáneo {a/de} creadores tan geniales como él.

El sustantivo *vecino* se construye con complementos posesivos, pero el adjetivo *vecino* ('cercano') se construye con *a,* como señala S. Fernández Ramírez (*AGLE,* ref. 791), al igual que el adjetivo italiano *vicino*.

Algunos de los adjetivos citados son también simétricos. En el § 4.3.5.4 vimos algunas características de los complementos de estos adjetivos. La mayor parte de ellos se construyen bien con *con* (como *compatible* o *combinable*), bien con *a* (como *paralelo* o *similar*). En este grupo es más rara la alternancia entre *a* y *con,* que se da con el adjetivo *comparable.* Aun así, Fernández Ramírez encuentra *paralelo con* en un texto de medicina (AGLE, ref. 1606) y también *igual con* en textos antiguos (AGLE, ref. 1604). Los complementos de privación y exención se construyen con *de,* como hace notar este mismo autor (1951, vol. 3.1 § 80.2):

(155) Desnudas de todo adorno, escasos de valor, desengañado de la vida, falto de interés.

4.4. Sintagma adjetival y sintagma verbal. La relación entre adjetivo y participio

En varios apartados de este capítulo hemos visto que la estructura del SA y la del SV se acercan en algunos aspectos. Esas similitudes afectan en particular al hecho de que los adjetivos y los verbos admitan complementos argumentales y adjuntos, y también a la posición de las palabras negativas y a la de los adverbios que interrumpen la contigüidad entre el núcleo y el complemento. En este apartado ampliaré esas relaciones a los puntos en los que la gramática del participio se acerca a la del adjetivo, y también especificaré aquellos en los que se aleja de ella. La sintaxis del participio pasado se estudia en los capítulos 25, 39 y 52 de esta obra. Para algunos aspectos de su sintaxis cuando forman parte del SN, véase específicamente el § 5.3.2.3.

---

[77] Sobre la alternancia *igual a/igual que* véase Bente 1969 [⟶ § 17.2.4].

[78] Pueden encontrarse ejemplos de ambos regímenes, extraídos de textos literarios y periodísticos, en Slager 1997.

4.4.1. Relaciones y diferencias básicas entre adjetivos y participios pasados

4.4.1.1. Introducción

Los participios pasados [79] son derivados verbales que se comportan parcialmente como los adjetivos: salvo en los tiempos compuestos, tienen género y número como ellos, y también se predican de las entidades nominales de la misma forma en que lo hacen los adjetivos. Sin embargo, otros aspectos de su comportamiento gramatical son manifestaciones de su naturaleza verbal.

La mayor parte de los participios regulares no están en el diccionario. Este hecho, lejos de constituir una ausencia involuntaria de los lexicógrafos o una omisión censurable, viene a establecer indirectamente la clave de la diferencia entre las dos categorías que comparamos: los participios regulares no aparecen en el diccionario porque su forma y su significado se obtienen de los principios básicos de la sintaxis. En cierta forma, el razonamiento que lleva a los lexicógrafos a excluir del diccionario la palabra *traducido* es relativamente similar al que les lleva a no incluir *casita* o *mesas.* Como es sabido, los adjetivos denotan propiedades individuales (como *alto*) o episódicas (como *seco*), cuyas diferencias se explican con detalle en los caps. 3 y 37 de esta gramática. El hablante debe conocer independientemente el significado de cada una de estas voces, y sólo podrá calcularlo o deducirlo parcialmente si se trata de formas que contengan prefijos *(imposible, neogótico)* o sufijos *(blanquita, gordísimo).* Los participios denotan también propiedades episódicas, pero además designan estadios perfectivos cuya interpretación se obtiene o se calcula a partir de la clase sintáctica y semántica a la que el verbo pertenece. Los participios mantienen pues propiedades esenciales de los verbos de los que se derivan, en particular las relativas a la acción denotada y a la existencia de un agente. Si el hablante posee tales informaciones sobre el verbo, no necesitará establecerlas independientemente para el participio. En suma, el significado de los adjetivos se obtiene del léxico, mientras que el de los participios lo proporciona en gran medida la sintaxis.

Cualquier hablante sabe que la palabra *alargado* no significa lo mismo en *un sobre alargado* que en *un plazo alargado.* En el primer caso, el adjetivo *alargado* asigna a *sobre* una propiedad (como podría asignarla a *carretera* o a *espada*). En el segundo caso, el hablante calcula el significado del participio *alargado* porque conoce el del verbo transitivo *alargar.* La diferencia es, por tanto, notable: a pesar de la forma aparentemente participial del adjetivo *alargado,* es perfectamente posible hablar de *una carretera alargada* (adj.) *que no ha sido nunca alargada* (part.) *por el Ministerio de Obras Públicas.* Es decir, el adjetivo muestra una propiedad del objeto (en este caso, relativa a su forma) mientras que el participio denota el estadio del objeto que manifiesta el resultado de cierta acción que se ha ejercido sobre él o de algún proceso que ha experimentado.

Conviene hacer notar que usamos muchos adjetivos con terminación participial sin que intervenga para nada en nuestra interpretación su origen verbal. Así, el hablante que emplea el adjetivo *tullido* no tiene ya en cuenta que este era el participio del verbo pronominal *tullirse* («perder el movimiento del cuerpo o de alguno de sus miembros»). La relación entre adjetivo y verbo en este caso es exclusivamente

[79] Llamados también 'participios pasivos', aunque el término que mejor los define es probablemente 'participios de perfecto'.

histórica y deja de ser relevante para el cálculo al que antes hacía referencia: simplemente, no interviene en la interpretación semántica de esa forma. Nadie relaciona tampoco el adjetivo *empedernido* con el verbo antiguo *empedernir,* que significaba «hacerse insensible o duro de corazón», y ningún hablante que describa a una persona como *aguerrida* estará relacionando este adjetivo con el participio del verbo pronominal *aguerrirse,* que significa «acostumbrarse a la batalla», y menos aún lo relacionará con el verbo transitivo *aguerrir,* que significa, según el *DRAE,* «acostumbrar a los soldados bisoños a los peligros de la guerra».[80] En otros casos, sin embargo, las relaciones son mucho más cercanas, como veremos en los apartados que siguen.

4.4.1.2. Adjetivos perfectivos y participios truncos

Existe una serie de adjetivos cuya relación morfológica con los participios es relativamente transparente. Adjetivos como *seco, contento, enfermo, lleno, limpio, fijo* o *maduro* tienen bases léxicas que comparten con verbos próximos a ellos semánticamente [→ §§ 68.8.5 y 70.2.2.1]. Varios de los adjetivos que se construyen con *estar* poseen raíces verbales y fueron participios en estados anteriores del idioma (se los conoce con el nombre de 'participios truncos'). Estos adjetivos, que llamaré 'perfectivos', son más numerosos en el español de América. De hecho, en España no sería habitual usar secuencias como las de (156a), que resultan normales en algunos países americanos, y se usarían en su lugar las oraciones de (156b):

(156) a. Ya estoy pago. / No estoy calmo. / Sigo canso. / El cielo está nublo.
b. Ya estoy pagado. / No estoy calmado. / Sigo cansado. / El cielo está nublado.

Aun así, en algunas zonas del español peninsular e isleño[81] se usan todavía, o se usaron hasta hace poco, adjetivos como *colmo* (por *colmado*), *collo* (por *cogido*), *sesgo* (por *sesgado*), *abrigo* (por *abrigado*), *consigo* (por *conseguido*), *invento* (por *inventado*), *quito* (por *quitado*), *quisto* (por *querido*), *privo* (por *privado*), *basto* (= «bien provisto», por *bastado*), *cargo* (por *cargado*) etc. Menéndez Pidal (1904: § 121) se refiere a estos casos como «participios sin sufijo». Atribuye formas como *Está pago* al habla vulgar y *Estoy canso* al habla aragonesa y a la de «los judíos de Oriente». Reduce *nublo* al antiguo aragonés (aunque parece ser forma más extendida), documenta *abrigo* en el habla de Segorbe y hace constar que en Alba de Tormes es (o era) normal decir *Está siento* por *Está sentado* aplicado al tiempo tranquilo. Cuervo (1867: § 924), por su parte, añade formas como *fallo* (por *fallado*), *baldo* (por *baldado*), *saldo* (por *saldado*), *trunco* (por *truncado*), y algunos más.

En (157) se muestran otros ejemplos. Nótese que *colmo* significa «colmado» en (157a), *quito* significa «quitado» en (157b y d), *corto* significa «cortado» en (157e y f), *sesgo* significa «sesgado»

[80] Lo mismo en *airado, acusado* (en *acusada personalidad*), *florido,* etc. La forma *dicho* en sintagmas como *dicho trabajo* deja de ser participio para asimilarse a un determinante, como la misma voz *determinado* en construcciones como *determinada persona.* Son también adjetivos simples, sin relación ya con los participios, las formas *comido* (en *estoy comido*), *bebido* (en *un marinero bebido*), *leído* (en *Es persona leída*) o *viajado* (en *un diplomático muy viajado*). Nótese que si fueran participios mantendrían algún complemento verbal, como sucede cuando sabemos que esas formas se comportan como participios:

(i) a. Un plato comido en este restaurante. / *Estoy comido en este restaurante.
b. La cantidad bebida esta mañana. / *La gente bebida esta mañana.
c. Es un diplomático que ha viajado por todo el mundo. / ??Es un hombre muy viajado por todo el mundo.

[81] Para los usos dialectales de estos adjetivos en España y en América véanse Zamora Vicente 1950, además de Menéndez Pidal 1904: § 121 y Cuervo 1867: § 924.

en (157g), ejemplo moderno, *lleno* significa «llenado» en (157h) y, evidentemente, *fueron todos juntos* no significa en (157i) «caminaron en compañía», sino «se juntaron».

(157) a. (...) podré yo decir que está colmo el vacío de mis deseos (...) [Cervantes, *DQ*, I, 33].
b. (...) yo también, de hoy más, soy quito de la palabra que os di (...) [Cervantes, *DQ*, I, 35].
c. (...) De Darío eres quito, de los suyos bien uengado (...) *[Poema de Alexandre*, 1760b, cit. en *AGLE]*.
d. (...) Feriense de muy grandes golpes, de guisa que los yelmos auien ya cortos é las mangas de las lorigas (...) [*Primera Crónica General;* cit. en *DCRLC* II, 548b].
e. (...) quando uio la cabeça corta al enemigo (...) *[General Estoria*, 2.ª parte, *Jueces*, cit. en *AGLE]*.
f. Que mano besa ome, que la queria ver corta (...) [Arcipreste de Hita, *Libro de Buen Amor*, cit. en *DCRLC* II, 548b].
g. En la tarde declinante, sesgos los rayos del sol moribundo, lucían lentamente (...) [Ortega y Gasset, *Obras Completas*, VI, 453; cit. en *AGLE*].
h. (...) fueron las paredes llenas de tierra (...) *[General Estoria*, 1.ª parte, libro 15, 447, cit. en *AGLE]*. [82]
i. (...) contó como estos Señores fueron todos juntos cerca de Badajoz (...) *[Crónica del Rey don Pedro*, 130; cit. en *AGLE]*.

Como muy oportunamente recuerda Bello (1847: § 358, nota), *harto* se usa como participio en una de las Bienaventuranzas: *Bienaventurados los que han hambre y sed de justicia porque ellos serán hartos*, es decir «se hartarán». Fernández Ramírez *(AGLE)* documenta en Juan del Encina *presto* por *prestado;* en Gracián *embriago* por *embriagado;* en la *Primera Crónica General dexa* por *dejada;* en el refranero de Correas *preña* por *preñada*, y en textos del escritor mexicano Mariano Azuela *pinta* por *pintada: vacas pintas de negro y blanco.*

El que muchos adjetivos perfectivos tengan bases léxicas comunes con los verbos no quiere decir que todos las posean. Son también adjetivos perfectivos *borracho, solo, triste, firme* y otros que se construyen con *estar* y se estudian en los capítulos 3 y 37 de esta obra. Es interesante hacer notar, de todas formas, que muchos de los actuales adjetivos perfectivos son restos de antiguos participios. Esa relación morfológica permite comprender mejor que el significado verbal correspondiente a la acción denotada desaparece en la evolución del participio, para dejar tan sólo el significado correspondiente al estado final. Para Cuervo (1867: § 924, nota 88) en estos casos «se ofrece (...) el concepto verbal». Corominas es algo más claro al explicar el proceso (*DCECH* I, 23):

> «*Suelto* [Cid] al principio no fue más que participio, hasta que habiéndose hecho arcaico el verbo quedó *suelto* como adjetivo independiente, y a veces funcionó a modo de participio trunco de *soltar* ('fue suelto de la cárcel', *Guzmán de Alfarache* III, 220.8)»

Los actuales adjetivos *lleno* o *junto* eran, pues, verdaderos participios. Son ahora adjetivos porque han perdido la información que corresponde a su naturaleza eventiva. Al igual que adjetivos como *seco, maduro, tenso, fijo, sujeto, oculto* o *desnudo* (todos construibles con *estar*), describen un estado de las entidades de las que se

[82] En español actual esta oración no equivaldría a «fueron llenadas de tierra», sino a «se llenaron de tierra», con interpretación media. El uso de *ser* con participio con este sentido inceptivo ha sido muy estudiado en la sintaxis histórica. Me limitaré a señalar, entre otros muchos trabajos, Aleza 1987, Andrés-Suárez 1994 y Sepúlveda 1988.

predican y no poseen ya las propiedades gramaticales de los derivados verbales. Los adjetivos perfectivos y los antiguos participios truncos sólo se forman, por tanto, sobre verbos desinentes. Aunque el proceso o la acción que lleva a tales estados no forma ya parte del significado de los adjetivos perfectivos, es interesante recordar que se usan en las construcciones absolutas, puesto que comparten con los participios la significación perfectiva que tal construcción requiere: [83]

(158) a. {Llenado/lleno} el vaso hasta el borde, ...
b. Una vez {secada/seca} la toalla, ...
c. Ya {fijado/fijo} el tornillo, ...

En Bosque 1990b apunto otras coincidencias de estos adjetivos con los participios sobre la base de la perfectividad que comparten, entre ellas la posibilidad de ir modificados por el adverbio *completamente* o por el cuasiprefijo *medio,* posibilidad que rechazan los adjetivos que sólo se construyen con *ser* y no denotan, por tanto, estados resultantes. Una consecuencia de que los adjetivos perfectivos no aporten información sobre la acción realizada es el hecho de que —frente a los participios asociados a ellos— rechazan los adverbios de instrumento, los de manera orientados al sujeto, y también los complementos agentivos:

(159) a. Un cartel {fijado/*fijo} con una brocha.
INSTRUMENTAL
b. Un cartel {fijado/*fijo} por el bedel de la facultad.
AGENTIVO
c. Un cartel {fijado/*fijo} con más esfuerzo de lo que parecía.
MANERA

Es probable que los antiguos participios truncos admitieran estos complementos, puesto que heredan del verbo la información correspondiente a la acción misma. Esta primera diferencia es suficiente para mostrar que los adjetivos como *fijo* denotan estadios episódicos, mientras que los participios como *fijado* denotan además resultados de acciones. En cuanto que las acciones que se denotan están presentes en la gramática del participio, podemos añadir instrumentos, maneras o agentes, lo que los adjetivos simples no admiten. Como se indica en Bosque 1990b: 192 los complementos de medio se diferencian de los de instrumento en que son aceptados por los adjetivos perfectivos con naturalidad. Ello es posible porque los complementos de medio afectan al resultado obtenido, no a la acción que desemboca en él:

(160) a. Una estantería sujetada a la pared {con un clavo/con un martillo}.
b. Una estantería sujeta a la pared {con un clavo/*con un martillo}.

Otros pares del tipo 'participio-adjetivo perfectivo' son *despertado-despierto, madurado-maduro, contentado-contento, hartado-harto, llenado-lleno, juntado-junto.* Se ha señalado alguna vez el error del *DRAE* consistente en presentar como participios

---

[83] Sin embargo, como recuerda Brucart (1990: 187), la construcción de participio puede aparecer con su sujeto paciente y su complemento agente, como en *reunidos los profesores por el director,* frente a lo que la construcción adjetiva permite.

irregulares lo que son adjetivos perfectivos. El diccionario académic
participios en su edición de 1992 formas como las citadas *fijo* y *pago*,
abstracto, compulso, difuso, diviso, harto, preso, afijo, atento, recluso, desc
contento, converso, exento, digesto, infuso, incurso, inserto, permiso y *erecto,* ent
muchas. Nótese que ninguna de estas formas permite formar tiempos compu
en la actualidad. Parece claro, por tanto, que esa descripción no responde al esta
actual de la lengua. La lista de (161) contiene una relación parcial de adjetivos perfectivos en la lengua actual, pero no de participios irregulares:

(161) Atento, absorto, bendito, contento, converso, correcto, corrupto, descalzo, despierto, electo, enfermo, erecto, exento, fijo, harto, inserto, junto, limpio, lleno, maduro, nato, preso, sucio, suelto, vacío.

Por el contrario, en (162) se recogen participios irregulares, puesto que todos forman tiempos compuestos:

(162) Abierto, absuelto, adscrito, cubierto, descrito,[84] dicho, disuelto, encubierto, escrito, frito, hecho, impreso, inscrito, muerto, provisto, puesto, resuelto, roto, satisfecho, visto, vuelto.

Algunos de estos participios irregulares se comportan también como los adjetivos perfectivos, como *satisfecho, visto* o *disuelto,* pero, como hemos visto, las propiedades gramaticales de las dos clases se distinguen con criterios sintácticos bien delimitados.

4.4.1.3. Adjetivos formados sobre participios. Pérdida de la información eventiva

En la lengua actual, son muchos los adjetivos que no se distinguen morfológicamente de los participios, pero que aun así se diferencian sintáctica y semánticamente de ellos, como vimos con el ejemplo inicial *alargado.* Consideremos el SN *un asunto complicado.* Este sintagma es ambiguo, puesto que *complicado* puede ser un adjetivo, aproximadamente equivalente a *difícil,* o puede ser un participio del verbo transitivo *complicar.* En esta segunda interpretación, el significado del SN nos fuerza a entender que la acción de complicar se ha ejercido sobre el asunto en cuestión. No podemos decir, sin embargo, que el participio del verbo *complicar* sea estrictamente un adjetivo, porque los adjetivos no admiten adverbios de manera pospuestos, como se muestra en (163b), ni tampoco complementos agentivos, como se indica en (163c):

(163) a. Un asunto complicado. *(Ambiguo: participio o adjetivo.)*
b. Un asunto complicado deliberadamente. *(No ambiguo: sólo participio.)*
c. Un asunto complicado por la administración. *(No ambiguo: sólo participio.)*

Esto significa que *complicado* tiene, en efecto, dos interpretaciones y que la sintaxis nos ayuda a elegir entre ellas. En cierto sentido, es razonable pensar que el

[84] *Descripto* en algunos países americanos, al igual que *inscripto, prescripto* e *inscripto.*

...jetival es en estos casos una parte del participial, puesto que para ...el estadio alcanzado que el participio denota necesitamos tener acceso ...capas significativas» que hacen referencia al proceso o la acción que lo ...cabo. Así pues, algo puede ser *complicado* o *estar fijo* o *estar seco* sin que la ...ática tenga en cuenta los procesos que desencadenaron esas acciones. Quizás ...cluso las entidades de las que hablamos no fueron nunca simples o móviles, ni estuvieron nunca húmedas. Pero cuando usamos los participios respectivos *(fijado, complicado, secado)* es imprescindible tener en cuenta los procesos respectivos de fijación, secado o consecución de la complejidad. Los contrastes de (159), (160) y (163) se basan precisamente en la existencia de esas diferencias gramaticales.

Recuérdese que obtenemos de la gramática (y no del diccionario) el participio *complicado* por el simple hecho de que tenemos el verbo transitivo *complicar.* ¿Es casual entonces que exista el adjetivo deverbal *complicado?* Aunque la relación adjetivo-participio ha de establecerse en el léxico individualmente, existe una generalización productiva desde el momento en que el estado final de un proceso se interpreta como estado existente, es decir, sin la información eventiva propia de la naturaleza verbal de los participios. Cabe establecer tres grupos de acuerdo con la transparencia de esa relación: [85]

A) En muchos casos se percibe de manera relativamente clara la relación entre el estadio final y la acción en la que se desemboca. Los adjetivos perfectivos borran, cancelan o simplemente no tienen en cuenta la información sobre los procesos que llevan a los estadios que se describen. Nótese que los dos sentidos de *complicado* son análogos a los dos sentidos de *prolongado, aislado* o *elevado.* Si hablamos de *una sesión prolongada* podemos querer decir simplemente «larga» (adjetivo) o bien podemos manifestar que ha sufrido prolongación (participio). [86] El SN *un caso aislado* puede designar «un caso único» (adjetivo), es decir, no conectado con otros, o bien «un caso que ha sido aislado» (participio). Lo mismo en ejemplos análogos, como *un lugar retirado del mundo* (adjetivo), frente a *un coche retirado de la circulación* (participio). En todas estas situaciones el adjetivo perfectivo designa un estadio episódico, pero no tiene en cuenta el evento que lleva a él, exactamente lo contrario de lo que sucede con el participio.

Aunque no siempre cabe establecer esta relación de forma productiva y sistemática, se entrevé con frecuencia en muchos adjetivos que poseen homónimos participiales. Es posible establecerla en la interpretación adjetiva de *callado* (*un hombre callado* = «silencioso») frente a la participial (*un hombre callado* = «obligado a callar») o en la interpretación adjetival de *cuidado* (*un estilo cuidado* = «esmerado») y la participial (*un estilo cuidado* = «que es o ha sido cuidado, que se cuida»). Lo mismo en *gente animada* («vivaz, alegre») frente a *gente animada a actuar* («que ha sido animada o que se anima»). [87]

B) Otras veces es más difícil relacionar directamente —desde esta pauta interpretativa— el significado del adjetivo con el del participio. La vinculación se puede

---

[85] Estas diferencias no se suelen considerar con detalle en los estudios sincrónicos, pero algunas de ellas se han examinado desde el punto de vista histórico, como en Aleza 1987, 1988 [⟶ § 68.8.5.1].

[86] «Que se ha prolongado» o bien «Que ha sido prolongada». Sobre esta diferencia, véase el § 4.4.4.

[87] Otros ejemplos: *afilado,* en *ingenio afilado* (adjetivo) frente a *cuchillo afilado* (participio); *gente civilizada* (adjetivo) frente a *pueblos civilizados por sus invasores* (participio); *una foto detallada* (adjetivo) frente a *cláusulas del contrato detalladas por el notario* (participio).

establecer en estos casos, pero es algo más tenue, como entre el adjetivo *honrado* («honesto») y el participio *honrado (Fue honrado con la cruz de oro),* el adjetivo *conseguido* (como en *un cuadro bastante conseguido*) y el participio *conseguido* (como en *una aspiración conseguida tras muchos esfuerzos* [88]), el adjetivo *recogido* (como en *personalidad tímida y recogida*) y el participio *recogido* (como en *las cantidades recogidas*) o el adjetivo *disputado (El encuentro fue muy disputado)* y el participio *disputado (El encuentro fue disputado a las 14.00 horas).*

C) Finalmente, la relación semántica resulta otras veces prácticamente imposible de establecer sincrónicamente, como entre el adjetivo *acertado (una decisión acertada)* y el participio *acertado (un pronóstico acertado),* o entre el adjetivo *autorizado (una opinión autorizada)* y el participio *autorizado (una reunión autorizada).* En estos casos, frente a muchos de los anteriores, se pierde la relación argumental existente entre el predicado verbal y su argumento interno, es decir el que corresponde al objeto directo *(*acertar una decisión; ??autorizar una opinión).* La relación histórica que permite este proceso derivativo no parece ir acompasada en la conciencia de los hablantes con tal vinculación significativa, lo que por otra parte constituye un fenómeno relativamente habitual en la morfología derivativa de las lenguas románicas: si el proceso que deriva adjetivos de participios se puede interpretar como un proceso morfológico, esa irregularidad no constituye, en principio, una sorpresa en el sistema lingüístico. [89]

El comportamiento, con frecuencia irregular, de los derivados adjetivales contrasta con el funcionamiento regular de los participios verbales, es decir, de los de las oraciones pasivas: el significado de *cancelar, recorrer, destruir* o *convencer* se mantiene intacto en los participios *cancelado (Fue cancelado por la agencia), recorrido (El terreno será recorrido por la expedición), destruido (Había sido destruido por la aviación)* o *convencido (No pudo ser convencido por los argumentos de su oponente).* Esta sistematicidad es la que hace de los participios pasivos formas verbales en su significado y en su comportamiento gramatical. Es esto también lo que indirectamente lleva a los lexicógrafos a no incluirlas en el diccionario. Aun así, no dejan de compartir algunas propiedades con los adjetivos, como veremos en el apartado siguiente.

4.4.1.4. Analogías sintácticas y morfológicas

A las relaciones semánticas que existen entre adjetivo y participio cabe añadir otras estrictamente sintácticas. Como es sabido, el español no posee una forma

[88] El paso del participio *conseguido* al adjetivo *conseguido* implica un desplazamiento semántico (real, pero no evidente ni automático) que se fundamenta en una asociación entre lo que se logra y lo que es adecuado o apropiado. Lo mismo en *acabado, depurado* y otros casos: *una técnica muy acabada, un estilo depurado.*

[89] La idea de que la gramática del participio pasado se obtiene en parte de las propiedades de la sintaxis y en parte de las características del léxico viene planteándose en la gramática generativa desde hace tiempo. No se planteaba seguramente en la tradición descriptiva porque para ello es necesario concebir el léxico y la sintaxis como componentes distintos con propiedades bien diferenciadas. Los trabajos más relevantes en la corriente teórica a la que me refiero son Wasow 1977 —algunas de cuyas propuestas aplica Demonte (1983) al español— Bresnan 1982 y especialmente Levin y Rappaport 1986. En cuanto al estructuralismo español, casi todos los esfuerzos se centraron en el debate sobre la equivalencia o no equivalencia formal de las construcciones pasivas y atributivas, al que me refiero en el § 4.4.2. A pesar del tiempo transcurrido, la contribución de Roca Pons (1958) a la gramática de las construcciones participiales del español sigue siendo fundamental. Para la relevancia de otras contribuciones modernas, véanse los capítulos 25, 39 y 46 de esta obra.

gramatical exclusiva para la voz pasiva, frente al latín o el árabe, entre otros muchos idiomas. [90] Las oraciones pasivas se construyen en español con el auxiliar *ser,* con el que también se forman las oraciones copulativas, y con el participio pasado, que también actúa como predicado al igual que los adjetivos. Los participios pasados se acercan a los adjetivos en cuanto que:

a) Poseen la misma flexión de género y número que ellos: *gente* (fem. sing.) *contratada* (fem. sing.), *libros* (masc. pl.) *prohibidos* (masc. pl.).

b) Admiten la sustitución por clíticos de acusativo en las oraciones pasivas: *Fue asesinado > lo fue.*

c) Admiten los clíticos verbales de dativo, al igual que los adjetivos: *Le fue fiel, Le fue entregado.*

d) Admiten modificadores de manera antepuestos y pospuestos. En este punto los participios se diferencian claramente de los verbos y se agrupan con los adjetivos, puesto que los verbos no admiten modificadores de manera antepuestos:

(164) a. El reo fue vigorosamente defendido por su joven abogado.
b. El reo fue defendido vigorosamente por su joven abogado.

(165) a. *Un joven abogado vigorosamente defendió al reo.
b. Un joven abogado defendió vigorosamente al reo.

Sobre esta propiedad y la siguiente volveré en el § 4.4.5.2.

e) Admiten adverbios de grado antepuestos, lo que no sucede con los verbos. Podemos decir casas *muy altas,* pero también *gente muy perseguida por la policía.*

f) Poseen a veces diminutivos, lo que de hecho les hace perder su naturaleza verbal:

(166) a. Era bajito. / Una casa pequeñita. / Ovejas blanquitas.
b. Estaba guardadito en el cajón. / Iba pegadito a él. / Me sirvieron las patatas doraditas.

Volveré sobre esta propiedad y la siguiente en el § 4.4.6.1.

g) Permiten a veces derivados elativos en *-ísimo,* propiedad claramente adjetival: *estudiadísimo, enamoradísimo, logradísimo,* etc.

h) En ciertos casos admiten derivados en *-mente: apresuradamente, civilizadamente, confiadamente.* Véase el § 4.4.6.3 para otros detalles.

i) Pueden aparecer en estructuras especificativas y explicativas, al igual que los adjetivos. Los ejemplos de (167) pertenecen a Fernández Murga (1984):

[90] El término 'voz' designa, sin embargo, conceptos distintos en la tradición latina y también en la románica. En particular, la aplicabilidad del concepto de 'voz media' a las lenguas románicas ha sido objeto de gran controversia. Para un repaso de las nociones que la categoría 'voz' designa o ha designado en la tradición hispánica y románica, así como de las distintas formas en las que se ha abordado, véanse, entre otros, Pena 1982, González Calvo 1991-1992, Pottier 1979 e Iglesias Bango 1991.

(167) a. Los árboles podados a tiempo crecen más lozanos.
b. Los árboles, podados a tiempo, crecen más lozanos.

Frente a estas propiedades adjetivales de los participios que funcionan como predicados, debe recordarse que los participios pasados que aparecen en los tiempos compuestos no tienen relación alguna con los adjetivos, es decir, son formas plenamente verbales en todos los casos: no tienen género *(*María ha llegada)* ni diminutivos (decimos *Está dobladito,* pero no **Lo he dobladito* [91]) ni elativos *(*Lo han estudiadísimo),* ni poseen tampoco cuantificación gradativa antepuesta (decimos *Has viajado mucho* y no **Has muy viajado*).

No todas las propiedades de la lista anterior tienen igual relevancia. Es importante resaltar que la propiedad b) se extiende en general a los predicados, no sólo a los adjetivos y los participios, y esto se aplica también a la propiedad c). La sustitución por el clítico *lo* es posible también con los SSNN predicativos: los sintagmas *una verdadera maravilla* o *un desastre absoluto* no son SSAA, sino SSNN, independientemente de que funcionen como predicados. Sin embargo, admiten la sustitución por el pronombre clítico. Lo mismo se aplica a los sustantivos clasificativos, como en *Juan es [médico militar].* Estos sustantivos no pasan tampoco a ser adjetivos ni a formar sintagmas adjetivales. De hecho, sabemos que los adjetivos no admiten otros adjetivos como modificadores, frente a lo que muestra el ejemplo propuesto. En cuanto a la propiedad de admitir clíticos de dativo, la comparten también otros predicados, como en *Le cayó encima.* En suma, una parte importante de las propiedades que adjetivos y participios tienen en común es consecuencia de su naturaleza predicativa. Las demás propiedades de la lista anterior son más intrincadas. Las consideraremos en otros apartados de esta sección.

4.4.2. Participios de verbos transitivos y sus derivados adjetivales

Como hemos visto, los participios se predican de los sustantivos como lo hacen los adjetivos, pero denotan estadios resultativos, de forma que su sintaxis manifiesta que en su significación están presentes las acciones o los procesos que dan lugar a tales estadios. Aunque todos los verbos transitivos tienen participios, [92] no todos se usan en todas las construcciones sintácticas. Como se señala en el § 25.4, los que denotan estados *(tenido, valido, querido)* poseen una gramática mucho más restringida, ya que raramente forman oraciones pasivas.

Los participios de los verbos transitivos aparecen como modificadores nominales *(un libro traducido del griego),* forman pasivas con *ser (El libro ha sido traducido del griego),* o con otros auxiliares que se estudian en el cap. 52. Admiten asimismo complementos agentes *(un libro traducido del griego por un hispanista francés).*

Hace unos años originó cierta controversia en la gramática española de orientación funcional la polémica que suscitó Alarcos (1970, 1988) al sugerir que la sintaxis de las estructuras pasivas y atributivas era formalmente idéntica. [93] Esta polé-

[91] Aun así, De Bruyne (1995 § 1230) hace notar que Manuel Machado escribe *Te he tomaíto el cariño cuando menos lo pensé.* Tal vez en algunos registros coloquiales sea posible decir, con intención expresiva, *Lo he frítito bien.*

[92] Son escasísimos los participios en los que falla la correspondencia, como en *una película hablada en alemán* frente a *??hablar una película en alemán.*

[93] Antes de Alarcos, sostuvieron planteamientos semejantes Lenz, Gili Gaya y Correas. Pueden encontrarse exposiciones detalladas de la polémica en González Calvo 1991-1992, Brucart 1990, Sepúlveda 1988: 46 y ss., e Iglesias Bango 1991. Entre los trabajos que se sitúan a favor de la postura unificadora de pasivas y atributivas cabe citar Gutiérrez Ordóñez 1986, Iglesias Bango 1991 y Hernández 1982. Entre los que se sitúan en contra puede mencionarse Manacorda de Rosetti 1961, Carrasco 1973, Lázaro 1975, 1995, Trujillo 1988 y Garrido 1987.

mica se considera, desde ángulos diferentes, en los capítulos 25, 37 y 52 de esta gramática. Traducida a nuestros intereses en este capítulo, y consideradas las diferencias apuntadas arriba sobre la oposición entre adjetivos y participios, la polémica sobre datos ya clásicos como *La edición fue reducida* pierde al menos una parte de su sentido, puesto que las dos interpretaciones de *reducida* se ajustan con relativa propiedad a los dos significados de *prolongado, aislado, alargado, elevado, cuidado, alejado* y otras muchas formas ambiguas entre la interpretación adjetival y la participial. La polémica no puede centrarse en si el español posee marcas morfológicas exclusivas para la voz (puesto que es obvio que no las posee), y tampoco en el concepto mismo de «oración pasiva» o de «oración copulativa». [94] Los aspectos más interesantes que suscita la controversia giran, por tanto, en torno a la oposición categorial entre adjetivo y participio.

En los términos habituales del análisis tradicional, el participio *reducido* es un derivado verbal que admite un complemento agente *(una edición reducida por el editor).* Su homónino *reducido* es un adjetivo calificativo que significa «escaso». La polémica suele plantearse en las oraciones con el verbo *ser,* pero nótese que las preguntas esenciales que están en juego se mantienen sin que exista auxiliar. La ambigüedad de *La edición fue reducida* se mantiene intacta en el SN *la edición reducida,* con lo que no parece que la cuestión central tenga que ver propiamente con la naturaleza de la atribución, sino más bien con los rasgos que oponen los adjetivos a los participios.

Como vimos arriba, es claro que cuando el diccionario excluye de sus entradas la voz *asesinado* no está omitiendo información relevante. Está actuando de la misma forma que cuando no da entrada a las formas flexivas de los verbos *(asesinaba, asesines)* o de los nombres *(asesinatos),* es decir, está omitiendo del léxico aquello que la gramática nos permite calcular. El participio pasado que aparece dentro del SN *(un policía asesinado, un libro traducido)* tiene como argumento de predicación la misma entidad a la que se refiere el objeto directo del verbo transitivo al que corresponde (*el policía* es paciente de la acción de asesinar y *el libro* lo es de la de traducir), pero *el policía* no es el objeto directo de *asesinado,* ni *el libro* lo es de *traducido.* Este es un hecho que los análisis formales han tratado de reflejar con mecanismos diversos que ahora no nos atañen, pero que tienen en común el postular recursos que permitan interpretar semánticamente los hechos básicos: el paciente de la forma verbal no es el objeto directo porque el participio es una forma intransitiva. Sí es, en cambio, el 'sujeto de predicación', es decir, el elemento del que el participio habrá de predicarse y con cuyo sujeto paciente (aunque sea tácito) habrá de estar coindizado. [95] Aunque no los consideremos aquí, parece evidente que esos mecanismos son necesarios si queremos que el análisis gramatical refleje lo que significan estos SSNN, es decir, si deseamos que la gramática no se limite a establecer relaciones formales entre palabras, sino que nos permita calcular la forma en que combinamos piezas léxicas para obtener composicionalmente los significados a los que esas combinaciones dan lugar.

---

[94] Se ha insistido mucho en los últimos años en el hecho de que el concepto de *oración* no es un primitivo gramatical, sino el resultado de combinar una serie de categorías léxicas y sintagmáticas y de informaciones flexivas de diferente naturaleza. Si la polémica se centra en si las construcciones pasivas pertenecen o no a la clase de las oraciones atributivas, desaparecerá como tal si se relativiza la existencia misma —como entidad autónoma, primitiva y no descomponible— de la clase gramatical de las oraciones copulativas.

[95] O del que habrá de ser antecedente. Uno de los análisis que se han presentado consiste en suponer que *traducido* en *un libro traducido* posee el estatuto categorial de una oración. Los dos argumentos de *traducir* aparecerían tácitos, y uno de ellos, el sujeto paciente, tendría como antecedente el SN *el libro.* El participio hereda los argumentos del verbo y también los circunstantes. Véase el análisis que Hernanz y Brucart (1987: 155) hacen del SN *los bienes reclamados a Juan Quiñones por su antiguo socio desde 1969 hasta 1982.* En lo que respecta a los llamados participios adjetivales, Levin y Rappaport (1986) hacen notar que no es necesario ningún proceso que marque como externo el sujeto de predicación puesto que ello se sigue del simple hecho de que todos los adjetivos necesitan saturar esa posición, es decir, necesitan predicarse de alguna entidad.

Reducida pues a sus componentes categoriales, la polémica citada deja prácticamente de existir en los casos mencionados. Como hemos visto, el SN *una edición reducida* es ambiguo porque *reducida* es o bien un adjetivo calificativo que significa «escasa», y así esperamos que aparezca en el diccionario, o bien es el participio del verbo transitivo *reducir,* y no esperamos que este participio aparezca en el diccionario. El participio *reducido,* aun siendo una forma verbal, funciona como predicado dentro del SN y posee flexión nominal, dos propiedades que comparte con los adjetivos. La razón por la que no esperamos que este participio aparezca en el diccionario se sigue de la definición misma de *sintaxis* como parte de la gramática: combinando apropiadamente las nociones de predicación y de transitividad podremos deducir adecuadamente lo que significarán las secuencias en las que ese participio aparezca.

Con auxiliar o sin él, el participio mantiene o hereda las propiedades del verbo al que corresponde:

a) Complementos indirectos: *libros devueltos a la biblioteca; Le habían sido pedidos.*
b) Complementos de régimen preposicional: *botellas sacadas de la bodega, periodistas comparados con otros periodistas.*
c) Complementos circunstanciales: *un hombre asesinado ayer, poemas escritos apasionadamente, lista de trenes retrasados desde el martes, una edición reducida a la mitad.*
d) Complementos agentes: *una novela escrita por Cervantes, el paquete ha sido entregado por el cartero.*
e) Complementos predicativos: *un diputado elegido senador, una ministra considerada hábil negociadora.*

La propiedad a) se examina en el cap. 30 y la propiedad d) será considerada en el § 4.4.5.1. La propiedad e) tiene particular interés, como se hace notar en el cap. 38. Nótese que el hecho de que *elegido* sea un derivado verbal es lo que permite la presencia del complemento predicativo en el SN citado *un diputado elegido senador.* Ningún adjetivo puede ocupar el lugar de *elegido,* puesto que los adjetivos no son formas verbales, y por tanto carecen de complementos predicativos. Así pues, *elegido senador* en el SN *un diputado elegido senador* es —funcionalmente— un predicado y un modificador restrictivo, pero categorialmente es un tipo de sintagma verbal que podríamos llamar 'participial'. Su estructura interna es, como vemos, incompatible con la de los sintagmas adjetivales, aunque en conjunto se predique de algún SN en la forma en que lo hacen esas unidades.

En algunos casos, las propiedades de la lista anterior son compartidas por otras clases de palabras. Así, los complementos agentes y muchos circunstanciales; las poseen también las nominalizaciones: en *la destrucción de Roma por los bárbaros* tenemos un complemento agente, y en *su llegada ayer* tenemos un circunstancial de tiempo. También los adjetivos en *-ble* [→ § 70.2.2] heredan a veces estas dos propiedades: en *un proyecto edificable únicamente por arquitectos muy especializados* tenemos un complemento agente, y en *contratos renovables cada año* tenemos un circunstancial de tiempo.

Los participios citados formados sobre verbos transitivos (*reducido, alejado, prolongado, cuidado, aislado,* etc.) poseen, como hemos visto, homónimos adjetivales relacionados semánticamente con ellos mediante una pauta relativamente productiva. Se trata, por tanto, de formas ambiguas entre la interpretación adjetival y la participial. Esta ambigüedad no se aplica, sin embargo, a todos los adjetivos. No existe, por ejemplo, en *aplaudido, comido* ni *asesinado,* entre otros, lo que significa que cuando modifican a los sustantivos (como en *la obra aplaudida, la cantidad comida* o *el hombre asesinado*) estos participios mantienen íntegras, a pesar de la concordancia y la predicación, sus propiedades como derivados verbales.

Como hemos visto, la mayor parte de los verbos transitivos poseen participios que se construyen con *ser* [96] o que modifican directamente al sustantivo, pero sólo algunos entre ellos se construyen con *estar.* Se ha señalado repetidamente que los participios que admiten *estar* [⟶ §§ 25.4.2.1, 37.6.5 y 52.2] forman las llamadas 'pasivas estativas', frente a las llamadas 'pasivas eventivas' formadas con *ser.* [97] También se ha hecho notar con frecuencia que poseen significado resultativo. Aun así, no debe pasarse por alto que el concepto de 'resultado' encierra una considerable complejidad y —de hecho— no es siempre fácil explicar cómo se obtiene la interpretación resultativa en cada uno de esos casos, o por qué no es posible obtenerla en otros. Cabe pensar que si podemos decir de una idea que *está sacada de un determinado autor,* pero no decimos de un libro que *está sacado de una determinada estantería* es porque *sacar* implica en el primer caso «elaborar» u «obtener», es decir, una acción más compleja que el movimiento físico, y por tanto, una actividad cuyo resultado se puede medir o evaluar. Lo mismo en *presentar una tesis doctoral* (decimos *La tesis está presentada*) frente a *presentar una persona a otra* (no decimos **Estoy presentado al subdirector general*) puesto que en el primer caso el estadio obtenido permite categorizar un resultado (incluso administrativo) esencial para definir el significado de ese predicado. Hanssen (1912: 18) hacía notar que Don Juan Manuel usa *es dicho* junto a *está escrita* y apunta que «*estar* se propaga con más rapidez en los casos en los cuales se combina con la idea de lugar», es decir, cuando el resultado se percibe de forma más patente porque se manifiesta físicamente. [98]

El hecho de que las consecuencias físicas no son en sí mismas relevantes lo pone de manifiesto el que los participios de verbos como *golpear, besar, asesinar, atropellar* o *acariciar* rechacen la construcción con *estar,* frente a *herir* o *morir,* o, lo que es lo mismo, no permitan conceptuar un estadio resultativo que se corresponda con la «nueva situación» que Roca Pons (1958: 87) percibe como necesaria en estos casos. [99] El que las oraciones agramaticales a las que me refiero (como

---

[96] Aunque suele decirse que la pasiva refleja suplanta a la de participio, De Kock (1973) muestra algunos datos estadísticos en contra [⟶ § 25.4].

[97] La importancia de la distinción en la gramática moderna, sobre la que se insiste en Levin y Rappaport 1986, no radica simplemente en que unas denoten acciones y otras estados, sino en que unas se obtengan en la sintaxis (por lo tanto sin apenas excepciones), y otras se obtengan del léxico, por lo tanto, sujetas a las peculiaridades de las diferentes clases léxicas (en particular aspectuales) de predicados verbales.

[98] Roca Pons (1960: cap. 10d) hace notar que el efecto o el resultado no afecta necesariamente al estado del objeto, sino «a las consecuencias de la acción», como en *vendido* o en *invitado.* Los SSNN *un coche vendido* y *una persona invitada* no designan entidades físicamente afectadas por ninguna acción, pero sí entidades a las que afectan sus consecuencias. El «estar vendido» y el «estar invitado» designan, pues, predicados que se conciben como categorías episódicas de los objetos o las personas. También Fernández Ramírez (1951: vol. 4,414) nota que el resultado no siempre tiene consecuencias físicas; en sus palabras, que no siempre «aparece gravitando sobre la sustancia de una marca recognoscible».

[99] Estos predicados pertenecen a clases aspectuales distintas: *golpear, acariciar* o *besar* son verbos de actividad, pero *atropellar* y *asesinar* parecen más bien predicados de realización (ing. *accomplishment*). Aun así, como me hace notar V. Demonte, se diferencian de muchos predicados de este grupo en que constituyen eventos instantáneos que no conllevan un proceso previo, requisito que parecen exigir los participios con *estar.* Las pruebas clásicas para identificar las realizaciones no dan resultados claros, pero muestran que estos verbos no encajan claramente en ese grupo [⟶ § 46.2.4.2]:

(i) a. ?Lo acarició en un segundo.
b. ?La besó en un par de minutos.

(En (ib) debe descartarse, naturalmente, la interpretación «tardó un par de minutos en empezar a besarla».) Como sugiere Takagaki (1997), estos predicados se conceptúan como «predicados de contacto», no como acciones que conllevan procesos o que se caracterizan por desembocar en estadios episódicos. Takagaki observa que aunque *llevar* es siempre transitivo, es un verbo resultativo en *llevar regalos a casa de alguien* (de ahí que tengamos *Los regalos llevados hoy*), pero es un verbo de contacto en *llevar una corbata* (de ahí que disuene *??la corbata llevada hoy*). Nótese, de todas formas, que el problema en los verbos de contacto no es tanto formar el participio adjetival como la construcción con *estar.* La intuición de Takagaki parece correcta, de todas formas *(Estos regalos están llevados* es más natural que *??Esta corbata está llevada).*

**El perro está atropellado, *El niño estaba golpeado*) mejoren con el adverbio aspectual perfectivo *ya* sugiere que es ese adverbio el que permite aportar la información resultativa que las construcciones participiales con *estar* necesitan codificar. [100] Véase el § 4.4.5.1. para otros factores relevantes en la legitimación de los complementos participiales de *estar*.

4.4.3. Participios adjetivales derivados de verbos intransitivos

Los verbos llamados inergativos o 'intransitivos puros' (analizados en los caps. 24 y 25 de esta obra; véase también De Miguel 1992) no tienen argumento interno al SV y rechazan sistemáticamente los adjetivos formados sobre base participial. Sin designar lo que tienen en común, María Moliner (*DUE* II, 649) apunta con brillante intuición que no es posible usar como adjetivos los participios *marchado, goteado* o *volado* (tres inergativos característicos), a los que se podrían añadir fácilmente otros como *bostezado, roncado, nadado* o *caminado*. Como se ve, la presencia de un argumento interno es condición necesaria (aunque no suficiente) para que exista participio pasado con interpretación adjetival. Este es, de hecho, el punto de contacto fundamental entre los predicados transitivos y los llamados inacusativos [→ Cap. 25]. [101]

Muchos verbos intransitivos forman participios que se interpretan como adjetivos deverbales. Este proceso de creación de adjetivos episódicos (la mayor parte se construyen con *estar*) es relativamente regular cuando se forma sobre predicados inacusativos que denotan procesos de aparición, desaparición, acaecimiento, cambio de tamaño, forma o lugar: los predicados que seleccionan un argumento interno de forma característica. Son los que habitualmente se han asociado con el concepto tradicional de 'voz media'. [102] Predominan los derivados de verbos pronominales:

(168) PARTICIPIOS PASADOS ADJETIVALES FORMADOS SOBRE VERBOS INTRANSITIVOS PRONOMINALES: [103] apoyado *(apoyarse)*, acostumbrado *(acostumbrarse)*, acurrucado *(acurrucarse)*, adaptado *(adaptarse)*, agotado *(agotarse)*, aprovechado *(aprovecharse)*, arraigado *(arraigarse)*, arrepentido *(arrepentirse)*, asomado *(asomarse)*, atragantado *(atragantarse)*, atrevido *(atreverse)*, averiado *(averiarse)*, basado *(basarse)*, cansado *(cansarse)*, caracterizado *(caracterizarse)*, casado *(casarse)*, desangrado *(desangrarse)* equivocado *(equivocarse)*, escurrido *(escurrirse)*, establecido *(establecerse)*, estirado *(estirarse)*, movido *(moverse)* situado *(situarse)*.

[100] Nótese que diríamos de un museo que *está vigilado,* pero no que *está visitado* (cf. de nuevo, *ya está visitado*). Frente a lo que sería de esperar, es más probable observar o percibir visiblemente el resultado de «visitar el museo» (predicado de consecución, ing. *accomplishment*) que obtener una manifestación análoga como resultado de «vigilarlo» (predicado de actividad). Por el contrario, el estadio obtenido se puede conceptuar mejor en el caso de *vigilar* (aproximadamente, «en vigilancia») que en el de *visitar.* En cualquier caso, debe hacerse notar que el concepto de «resultado» se maneja a veces en la bibliografía sobre estas construcciones como si se tratara de una información evidente que proporciona automáticamente cada noción verbal.

[101] Lo que significa indirectamente que los participios de los verbos inergativos sólo pueden usarse en los tiempos compuestos, a menos, naturalmente, que los inergativos tengan variantes transitivas como sucede con *jugar* o *trabajar.* Véase también sobre este punto Takagaki 1997.

[102] El concepto de 'voz media' y su interpretación se ha aplicado fundamentalmente al español en el caso de los verbos pronominales. Véase el cap. 26 de esta obra, además de (entre otros muchos) Gómez Molina 1980, García-Miguel 1985, Lázaro Mora 1983, Zribi-Herz 1982, 1987 y Labelle 1992.

[103] Sobre los homónimos derivados de verbos transitivos, véanse los §§ 4.4.2 y 4.4.4.

(169) PARTICIPIOS PASADOS ADJETIVALES FORMADOS SOBRE VERBOS INTRANSITIVOS NO PRONOMINALES:[104] adelantado *(adelantar),* aparecido *(aparecer),* avanzado *(avanzar),* caído *(caer),* cambiado *(cambiar),* comenzado *(comenzar),* crecido *(crecer),* desaparecido *(desaparecer),* descansado *(descansar),* disminuido *(disminuir),* decaído *(decaer),* empezado *(empezar),* encogido *(encoger),* entrado *(entrar),* envejecido *(envejecer),* llegado *(llegar),* mejorado *(mejorar),* menguado *(menguar),* muerto *(morir),* nacido *(nacer),* ocurrido *(ocurrir),* pasado *(pasar),* surgido *(surgir),* terminado *(terminar),* transcurrido *(transcurrir),* venido *(venir).*

Constituyen un grupo numeroso los adjetivos derivados de los verbos pronominales de afección, como en *gente aburrida, desengañada, amargada, angustiada, enojada, interesada, enamorada, desesperada, crispada, afectada, fastidiada, preocupada,* etc., tal como hace notar Roca Pons (1958: 87). Sin embargo, carecen de adjetivo con forma participial verbos como *congratularse, felicitarse, desvivirse, dignarse, jactarse, percatarse, portarse* o *refugiarse,* entre otros muchos que poseen argumentos externos en lugar de internos (verdaderos agentes, por tanto, en lugar de temas).

Como es evidente, los participios adjetivales que estamos considerando no son pasivos: una persona *asomada a la ventana, echada, levantada, callada, atrevida* o *acostada* es la que ha realizado esas acciones o experimentado esos procesos *(asomarse, echarse, levantarse, callarse, atreverse, acostarse).* El grupo de (169) lo forman, como puede verse, unos pocos participios de verbos intransitivos no pronominales, muchos de ellos inacusativos: *una enfermedad avanzada* («que ha avanzado»), *gente desaparecida* («que ha desaparecido»).

Descartados los tiempos compuestos, sin relación con el asunto que ahora nos ocupa, algunos predicados inacusativos poseen participios en contextos muy restringidos. Así, *entrar* sólo parece tenerlos en ciertas construcciones absolutas, como en *entrada la noche...,* o *entrada la temporada,* frente a *??entrada la gente...* Lo mismo *salir (un pastel salido del horno, recién salido de la universidad),* frente a *venir, llegar, caer,* que los forman sin esas restricciones. El participio *terminado* también posee restricciones análogas: se usa en las construcciones absolutas *(terminado el verano);* fuera de ellas, el verbo *terminar* forma participios adjetivales cuando se construye con *en* (como en *una palabra terminada en vocal*), pero difícilmente en otros casos: nótese que *un libro terminado tristemente* es un libro «que ha sido terminado tristemente», no «que termina tristemente». Asimismo, *dar a luz,* que es predicado transitivo, se comporta a veces como inacusativo, como en *una mujer recién dada a luz.*

¿Son entonces adjetivos todos estos participios? Aunque pueden considerarse como tales, de ello no se deduce que se deban comportar como los adjetivos de otras clases léxicas. Recuérdese que algunos adjetivos deverbales (como los que terminan en *-ble*) heredan propiedades sintácticas de los verbos que les están vedadas a otros adjetivos que no dejan por ello de pertenecer a esa categoría. En efecto, debe tenerse en cuenta que al heredar la significación de proceso o de «evento en desarrollo», algunos de estos participios adjetivales son compatibles con adverbios como *paulatinamente, poco a poco* o *progresivamente,* que resultan rechazados por la mayor parte de los adjetivos simples:

---

[104] Se exceptúan algunos verbos de presencia y existencia, como *existir, caber, bastar, permanecer, faltar,* cuyas propiedades como inacusativos de una subclase especial se analizan en el § 25.3 de esta obra. Véase también Takagaki 1997 sobre el mismo punto. Estos verbos no poseen participios (se entiende, de nuevo, fuera de los tiempos compuestos).

(170) a. Ropa {secada/*seca} poco a poco.
b. Progresivamente {envejecido/*viejo}.
c. {Renovado/*nuevo} paulatinamente.
(171) a. Gente paulatinamente acostumbrada a recibir críticas.
b. Costumbres arraigadas poco a poco en la conciencia de la sociedad.

Los contrastes de (170-171) proporcionan pares mínimos sobre bases léxicas idénticas. Como es lógico, la presencia de un proceso en la gramática del participio adjetival, pero no en la del adjetivo simple, permite dar cuenta razonablemente de esas diferencias.

4.4.4. Ambigüedad de las formas derivadas

Como la mayor parte de los verbos pronominales tienen correlatos transitivos, los participios de los primeros tienen formas homófonas pertenecientes al grupo de los segundos. Es decir, los participios de estos verbos se pueden interpretar sistemáticamente como derivados de los verbos transitivos o como derivados de los pronominales respectivos:

(172) a. Gente aprovechada y sin escrúpulos [de *aprovecharse*]. / Gente aprovechada para funciones en las que puede rendir [de *aprovechar*].
b. Políticos convencidos de que tienen razón [de *convencerse*]. / Políticos convencidos por otros políticos [de *convencer*].
c. Litografías antiguas afortunadamente conservadas [de *conservarse*]. / Litografías antiguas deliberadamente conservadas [de *conservar*].
d. Planteamientos alejados de la realidad [de *alejarse*]. / Manifestantes alejados del centro por la policía [de *alejar*].

Si el contexto no aporta la información relevante (generalmente adverbios agentivos o complementos agentivos) la ambigüedad puede no deshacerse. Si nos hablan de una persona *preparada, aburrida* o *acostumbrada,* no sabremos si se trata de una persona que se ha preparado, aburrido o acostumbrado, o bien que ha sido preparada, aburrida o acostumbrada.[105] A la ambigüedad entre la interpretación transitiva y la intransitiva se añade la que considerábamos en el § 4.4.1.3 entre la transitiva y la puramente adjetival. En consecuencia, se obtienen en muchos casos tres interpretaciones, como se muestra en (173):

(173) a. Montañas muy alejadas (= *lejanas*). / Una sesión prolongada (= *larga*). ADJETIVOS.
b. Ciclistas alejados del pelotón (= *que se alejan*). / Una rivalidad prolongada durante mucho tiempo (= *que se prolonga*). PARTICIPIOS ADJETIVALES DE VERBOS INTRANSITIVOS.

[105] Aunque la primera interpretación predomina estadísticamente sobre la segunda. Las locuciones se especializan a veces en una u otra interpretación: *dado a la caza* se obtiene de un predicado intransitivo *(darse a la caza),* mientras que *dado a la comunidad,* que no es locución, procede del verbo transitivo *dar,* no del pronominal *darse.* Análogamente, *hecho a la idea* es una locución participial formada sobre una forma intransitiva *hacerse a la idea,* mientras que *hecho trizas* sugiere la variante transitiva *hacer trizas,* aunque es compatible también con la intransitiva *hacerse trizas.*

c. Padres alejados de sus hijos por el régimen nazi (= *que son o han sido alejados*). / Plazos prolongados por la administración (= *que son o han sido prolongados*). PARTICIPIOS DE VERBOS TRANSITIVOS.

La diferencia entre las tres interpretaciones puede diluirse a veces, pero nótese que las montañas no experimentan en (173a) proceso alguno de alejamiento (directo ni indirecto) y que en (173b) no hay paciente que reciba acción alguna, mientras que en (173c) las dos condiciones se cumplen. Se trata, pues, de casos de ambigüedad, no de vaguedad o de indeterminación. [106]

4.4.5. Otras diferencias sintácticas

4.4.5.1. Complementos agentivos y pseudoagentivos

Como vimos en el § 4.4.1.2, los adjetivos simples [107] no tienen complementos agentivos, lo que significa que los participios de los verbos transitivos heredan de ellos la capacidad de denotar acciones:

(174) a. Un cartel {fijado/*fijo} por el bedel.
b. Depósitos {llenados/*llenos} por los empleados.

También hemos visto que los participios pasados pueden aparecer con agente en las oraciones pasivas *(El libro fue publicado por otra editorial),* así como cuando inciden directamente sobre el sustantivo, como en *Un libro publicado por otra editorial,* o se construyen con otros auxiliares, como en *El libro está publicado por otra editorial.*

El agente del que se predica la acción denotada queda a veces tácito, pero a menudo se interpreta o se tiene presente semánticamente, como se pone de manifiesto cuando el participio se construye con adverbios agentivos. Si usamos una secuencia como (175)

(175) Un autor vergonzosamente condenado al olvido.

no estaremos predicando de ese autor ningún comportamiento vergonzoso, sino que lo predicaremos del agente tácito del verbo transitivo *condenar,* en este caso genérico. Así pues, el comportamiento vergonzoso no deja de predicarse de alguna entidad, aunque esta sea tácita e indeterminada. El asociar ese adverbio agentivo con el argumento agente del participio *condenado,* heredado del de *condenar,* es precisamente lo que nos permite relacionar la forma de ese SN con su significado.

La gramática de los complementos agentes es más compleja en el caso de los participios que se construyen con *estar* que en el de los que se construyen con *ser.* Ya vimos que estos participios se forman con los verbos intransitivos (salvo los inergativos), pero también pueden derivar de verbos transitivos. Estos últimos participios adjetivales se construyen con *estar* y complemento agente [108] en contextos

[106] De hecho, como se hace notar en el § 4.4.6.3, los adverbios en *-mente,* se obtienen de la interpretación a), no de la b) ni de la c).

[107] Es decir, no derivados. Algunos adjetivos en *-ble* los admiten, como se ha señalado más arriba. Lo mismo con ciertos infinitivos de interpretación pasiva, como se señaló en el § 4.3.4.

[108] O 'argumento externo', ya que no siempre se denotan acciones, como veremos.

atélicos. Este tipo de construcción tiene lugar con predicados estativos, pero también con verbos de acción, siempre que esta sea simultánea con el estado que origina. En efecto, si construimos con agente los participios adjetivales de los verbos transitivos que denotan una acción anterior al resultado observado, es decir una acción previa que se ejerce sobre el objeto, comprobaremos que tienden a rechazarlos cuando se construyen con *estar*. Naturalmente se aceptan con *ser*, porque se trata de verbos transitivos:

(176) a. Mi antena de televisión {ha sido/*está} averiada por un rayo.
b. El Quijote {fue/??está} escrito por Cervantes.
c. Este banco {ha sido/*está} comprado por los árabes.
d. El nuevo museo romano de Mérida {ha sido/*está} construido por Rafael Moneo.

Comparemos ahora los datos de (176) con los de (177), absolutamente naturales:

(177) a. Su misión está amenazada por contratiempos económicos.
b. El premio está patrocinado por una fundación benéfica.
c. Las explosiones cósmicas están causadas por una burbuja que se alimenta de neutrinos.
d. Este libro está publicado por la editorial Espasa Calpe.

Repárese en que en las oraciones de (177) se describen presentes extendidos, es decir, acciones que se presentan como coexistentes con el estado descrito: «los contratiempos amenazan la misión», «la fundación patrocina el premio», «la burbuja causa las explosiones», «la editorial publica este libro», mientras que en los casos de (176) se describen acciones previas en lugar de coexistentes con el estado mencionado. [109] Esta interpretación temporal es probablemente consecuencia del hecho de que los verbos que participan en estas oraciones poseen propiedades léxicas distintas: los predicados de (177) poseen subeventos homogéneos: frente a las acciones de «construir» o «comprar», las de «patrocinar» o «amenazar» se aplican al objeto que las recibe de forma homogénea (esto es, de principio a fin). No exigen conceptualmente, por tanto, un inicio o un final que se pueda categorizar como entidades aislables. [110]

Aunque no entran a estudiar sus consecuencias en el funcionamiento de los complementos agentes, Roca Pons (1958) y Hamplova (1970) observan correctamente que los participios de acción simultánea no deben confundirse interpretativamente con los de acción anterior. Si nos referimos (ejemplo suyo) a un escenario diciendo que *está iluminado*, no hablamos necesariamente de una acción previa al estado que el escenario muestra, sino que nos referimos a una acción simultánea al estado que describe. Esto no significa que el auxiliar *estar* deba conjugarse en presente, sino que la acción descrita y el estado obtenido son prácticamente simultáneos [→ § 52.2.2-3]. Como es de esperar, el complemento agente se acepta con naturalidad en esos casos, independientemente del tiempo en el que se conjugue el auxiliar:

---

[109] Existe cierta inestabilidad en el caso de los verbos de creación, lo que requiere un estudio más pormenorizado. (176b) contrasta claramente, por ejemplo, con *Este cuadro está firmado por Salvador Dalí.*

[110] Gracias a V. Demonte por hacerme notar la posible pertinencia de los componentes subeventivos en este punto.

(178) a. El escenario estaba iluminado por decenas de focos.
b. La ciudad estuvo sitiada por los invasores.
c. Los misioneros franciscanos de África han estado perseguidos por tribus locales durante muchos años.
d. Grecia estuvo gobernada por los turcos.
e. La película estará interpretada por Harrison Ford.

Las condiciones semánticas mencionadas se cumplen con facilidad con la mayor parte de los transitivos estativos. Se trata de predicados como *rodear, ocupar, sitiar, cercar, formar, habitar, constituir, integrar,* y otros verbos que no describen necesariamente acciones, sino propiedades de las entidades de las que se predican. Es interesante, y en cierta forma paradójico, que estos verbos de estado admitan los llamados «complementos agentes» sin que en realidad tenga lugar ninguna acción:

(179) a. La ciudad está rodeada por murallas.
b. Se trata de una sociedad deportiva que está formada por jóvenes de ambos sexos menores de 30 años.
c. Madrid está habitado por cuatro millones de personas.

A esa clase se añade la de los transitivos de afección *(admirado por todos, respetado por sus compañeros, conocido por mucha gente, odiado por los que protegió),* también estativos. Fernández Ramírez (1951: vol. 4, 413) atribuye a la clase de los «verbos imperfectivos» el hecho de que poseen participios en los que «la acción es simultánea, nunca anterior». Cita entre sus ejemplos *querido, admirado, cuidado, seguido, arrullado, acompañado, acariciado,* y algunos más. Opone estos «participios de verbos imperfectivos» a los de los «verbos perfectivos», que vienen a ser los que se han analizado tradicionalmente como resultativos, en el sentido de que denotan el resultado de una acción anterior. Sin embargo no relaciona directamente estas dos clases con su comportamiento en las oraciones con *estar,* y en particular con la gramática de los complementos agentes.

Hemos visto que los participios de los verbos transitivos construidos con complementos preposicionales agentivos mantienen o heredan el argumento externo del verbo. El que no exista interpretación eventiva en estos participios es un rasgo esencial que los acerca a los adjetivos y los diferencia de los participios más puramente verbales, como los de las pasivas con *ser.* Como es de esperar, se denota acción (y por tanto agente) en las variantes agentivas de los verbos citados, lo que indirectamente produce la interpretación activa (y hasta la presencia de movimiento) que sugiere (180a), frente a la situación estática que se describe en (180b):

(180) a. En este momento la ciudad es rodeada por las tropas enemigas.
b. En este momento la ciudad está rodeada por las tropas enemigas.

Ello viene a significar que los complementos preposicionales citados no son argumentos agentes en las construcciones con *estar* (de ahí el término 'complemento pseudoagentivo' que aparece en el encabezamiento de esta sección). Al no serlo, el participio adjetival, con su complemento pseudoagentivo, es compatible con la significación estativa de los adjetivos, aun cuando se trate de adjetivos derivados de una unidad léxica verbal.

El complemento agente de los participios está introducido por las preposiciones *por* o *de.* La primera es la preposición no marcada, por tanto de uso más general en la lengua actual. La segunda, aunque más culta, se emplea en la actualidad de forma mayoritaria en las construcciones estativas que acabamos de señalar:

a) Con predicados de afección:

(181) Aborrecido de todos, odiado de sus semejantes, amado de cuantos tiene alrededor, temido de la gente, respetado [111] de todos sus compañeros, querido de cuantos lo conocieron.

(182) (...) no solo sea querida, sino adorada de todos (...) [Cervantes, *Galatea:* cit. en Kallin 1923: 225 / (...) los poetas desdeñados y no admitidos de sus damas (...) [Cervantes, *Quijote;* cit. en *AGLE,* ref. 2910 / (...) Et que de los omnes alabados seamos (...) [*Rimado de Palacio;* cit. en Kallin 1923: 226] / (...) Tal que de omne vivo non serie apreçiado (...) [Berceo, *Milagros;* cit. en Kallin 1923: 227] / (...) Si quisiere el rey ser de todos temido (...) [*Rimado de Palacio;* cit. en Kallin 1923: 242].

b) Con predicados estativos que indican forma, posición y locación, como los citados del tipo de *rodear, abrazar, sitiar, acompañar, seguir, preceder* [⟶ § 25.4.2.1].

(183) a. Vive rodeado de enemigos.
b. Iba precedido de un largo prólogo.
c. (...) el viajero, siempre seguido del hombre de la zamarra (...) [P. Baroja; cit. en Fernández Ramírez 1951: vol. 4, 413].
d. Cayeron tres rayos seguidos de una impresionante tormenta.
e. (...) apretada con tornillos y abrazada de una vitola de acero (...) [F. Serna; cit. en *AGLE,* ref. 2906].
f. (...) estaba rodeado de ángeles. [A. M. Matute; cit. en Roegiest 1980: 192].
g. Recibí un paquete acompañado de una carta. [Ejemplo de Roegiest 1980: 192].

c) En la lengua antigua, más raramente en la actual, los complementos con la preposición *de* incidían también sobre predicados de influencia como *amenazar, amonestar, apercibir, apremiar, castigar, confundir, aconsejar* (ant. *consejar*), *consolar, constreñir,* todos los cuales se usan con *estar* y complemento agente con *por* en la actualidad. Nótese que poseen las características semánticas de los predicados que aparecen en (177) y siguientes. He aquí algunos ejemplos (pueden encontrarse muchos más en Kallin 1923; cap. IV):

(184) a. (...) viven animados de una ilusión genealógica (...) [J. Ortega y Gasset; cit. en *AGLE,* ref. 2905].
b. (...) ayudado del bastón pasó el arroyo dos o tres veces (...) [J. C. Dávalos; cit. en *AGLE,* ref. 2908].
c. (...) de Dios seas perdonado» (...) [*Celestina,* cit. en Kallin 1923: 239].
d. Luego fuy dellos todos muy fuert(e) amenazado (...) [*Fernán González;* cit. en Kallin 1923: 226].

En la lengua actual no se emplean con *de* los participios de otros verbos de acción, pero en la lengua antigua la clase de los verbos que admitían estos complementos era mucho más amplia, como señala el citado Kallin (1923). Aun así, quedan algunos restos, como en *llevado de su propio interés* o en ciertas construcciones lexicalizadas: no decimos **La carta está dejada de María,* pero sí diríamos *Estás dejado de la mano de Dios.* [112]

---

[111] El antiguo *aguardar* significaba «respetar» y se construía con preposición *de,* como en «Pero de sus varones era bien aguardado» [*Poema de Alexandre;* cit. en Kallin 1923: 225].

[112] La relación entre el participio con *estar* y el complemento con *de* se rompe en el caso de *saber* y *conocer.* En *un torero bien conocido de los aficionados mexicanos* usaríamos *ser* y no *estar.* Lo mismo en *como es sabido de todos.*

4.4.5.2. Adverbios con adjetivos y participios

En el § 4.4.1.2 hemos considerado algunas diferencias entre adjetivos perfectivos y participios relativas a su comportamiento con adverbios, y en el § 4.4.5.1 hemos comprobado también que los adverbios de manera de orientación agentiva nos fuerzan a interpretar un agente (aunque sea tácito) en los participios de los verbos de acción. Al mencionar las propiedades básicas de adjetivos y participios, también señalábamos que los participios de las oraciones pasivas se parecen a los adjetivos calificativos en que admiten adverbios de manera antepuestos, mientras que las formas flexionadas los admiten sólo pospuestos. En (185) y (186) se presentan algunos ejemplos más, también con adverbios de orientación subjetiva:

(185) a. Los misioneros que han sido {cruelmente perseguidos/perseguidos cruelmente} por las guerrillas locales.
b. El candidato había sido {descaradamente elegido/elegido descaradamente} entre otros mejores.
c. Este libro fue {cuidadosamente traducido/traducido cuidadosamente} al alemán.
d. El guiso había sido {lentamente preparado/preparado lentamente} con una receta rarísima.

Frente a estos casos, el adverbio de manera sólo puede seguir al verbo si está flexionado:

(186) a. Las guerrillas locales {*cruelmente persiguieron/persiguieron cruelmente} a los misioneros.
b. El tribunal {*descaradamente eligió/eligió descaradamente} a ese candidato entre otros mejores.
c. Un hispanista extranjero {*cuidadosamente tradujo/tradujo cuidadosamente} este libro al alemán.
d. El cocinero {*lentamente preparó/preparó lentamente} el guiso con una receta rarísima.

La posición preparticipial de los adverbios de (185) pone de manifiesto la naturaleza adjetival de estas unidades, pero la posición posparticipial es posible porque mantienen parte de sus características verbales.

Son varias las clases de adverbios que se combinan con adjetivos y con participios y que no muestran diferencias marcadas entre las construcciones participiales con *ser* y con *estar.* En todos estos casos son posibles los adverbios aspectuales *(completamente),* temporales *(anteriormente),* intensivos *(sumamente),* epistémicos *(aparentemente),* deícticos *(actualmente),* entre otras clases.

(187) PARTICIPIOS: El fuerte estaba completamente destruido. / Como está científicamente demostrado. / Estaba aparentemente excluido. / La edición está bellamente ilustrada. / El museo está actualmente cerrado.

(188) ADJETIVOS: Estaba completamente solo. / Resultados técnicamente perfectos. / Gente aparentemente triste. / Ministros actualmente poco generosos.

Por el contrario, los adverbios evaluativos aceptan los participios *(adecuadamente ilustrado, correctamente estacionado),* pero no suelen combinarse con los adjetivos *(??adecuadamente azul),* sin duda porque denotan juicios estimativos sobre acciones, no sobre estadios ni propiedades. Algunos adverbios de manera orientados hacia el sujeto tienden también a rechazar la construcción con *estar (*El guiso estaba lentamente preparado con una receta rarísima, *Los misioneros estaban cruelmente perseguidos).* No obstante, existen diferencias léxicas en este punto, puesto que podemos decir de una tarta que está *hábilmente decorada* o de un libro que está *concienzudamente preparado.* En cualquier caso, los adjetivos simples rechazan este tipo de adverbios en la mayor parte de los casos de manera sistemática, sin que aparentemente existan diferencias léxicas a este respecto.

Los adverbios de grado son posibles con adjetivos y con participios, pero existen diferencias interpretativas importantes entre ellos. Cuando un adjetivo calificativo admite gradación, el adverbio denota el nivel o el grado en el que se aplica la propiedad. Si decimos de un edificio que es *muy alto,* cuantificamos sobre los niveles o estadios progresivos que asignamos a la propiedad «altura». Cuando cuantificamos un participio con un adverbio de grado antepuesto, como *muy, poco* o *bastante* podemos obtener al menos dos interpretaciones:

a) Podemos entender que la cuantificación posee la interpretación intensiva o inherente del verbo del que se deriva el participio. Así, *muy* en *un asunto muy estudiado* aporta la misma significación que *mucho* en *Estudié mucho el asunto.* Lo mismo en *un personaje demasiado odiado por su generación,* donde obtenemos la misma interpretación que en *odiar demasiado.* Llamaremos a esta lectura *interpretación intensiva.*
b) Podemos interpretar la cuantificación como una propiedad del evento. Un museo «muy visitado» es aquel que visita mucha gente, o que recibe muchas visitas, es decir, un museo sobre el que se aplica numerosas veces la acción de visitar. Ciertamente, el SN *un museo muy visitado* no designa un museo que se visita con intensidad o particular atención. Lo mismo en *bastante repetido, muy leído,* etc. La interpretación eventiva hace, pues, referencia al número de ocasiones en las que se lleva a cabo la acción o al número de individuos que la realizan. [113]

Para Authier (1980) no existe en ninguno de estos casos una tercera interpretación «colectiva» que designe un agente múltiple, sino que se trata de una variante de la eventiva. No hay pues, argumenta, ambigüedad entre la interpretación «eventiva» y la «colectiva», sino indeterminación entre ambas, que se decide por factores contextuales: interpretaremos *un vestido muy llevado* como «llevado muchas veces», sea por la misma persona o por personas distintas. *Una iglesia muy visitada* es una iglesia «visitada por mucha gente», y no en cambio (probablemente) «visitada muchas veces por la misma persona». Argumenta Authier que no existe tampoco ambigüedad en *una teoría muy criticada,* entre «una teoría que mucha gente critica» y «una teoría que ha sido criticada muchas veces». Bosque y Masullo (1996) argumentan a favor de que la interpretación eventiva es distinta de la interpretación llamada «de ligado no selectivo» (ing. *unselective binding*) [114] cuando hay sujeto

---

[113] Como observa Authier (1980: 28) el valor iterativo o reiterativo («réitération d'un procès») puede expresarse con sintagmas de frecuencia, y que en ese caso tales sintagmas son incompatibles con la gradación:

(i) a. La pasarela ha sido muy usada.
b. La pasarela ha sido usada cien veces.
b. *La pasarela ha sido muy usada cien veces.

[114] De forma muy resumida, el concepto de 'ligado no selectivo' se suele aplicar al análisis semántico de los adverbios que aparentemente cuantifican sobre el evento cuando en realidad ligan variables que proporciona algún argumento. Así, la oración *Una maceta siempre decora* no nos habla de una maceta que decora constantemente (frente a lo que literalmente

o complemento agente, pero no se pronuncian sobre lo que sucede en su ausencia. Es decir, en *La gente ha leído mucho este libro,* o en *un libro muy leído por la gente* no hacemos referencia a un libro que la gente ha leído muchas veces, sino a un libro que mucha gente ha leído.

La interpretación a) es común a adjetivos y participios adjetivales, mientras que la interpretación b) está excluida en los adjetivos, lo que es absolutamente lógico puesto que los adjetivos no denotan eventos. El que sea la interpretación eventiva la que separe los adjetivos de los participios viene a confirmar la idea de que los participios poseen capas léxicas relativas a la acción denotada de las que carecen los adjetivos. Ciertamente, no cabe interpretar *un coche muy lleno* como «un coche que ha sido llenado muchas veces» o «que mucha gente ha llenado» y lo mismo sucede con cualquier otro adjetivo. Así pues, los adjetivos nunca dan lugar a casos de ambigüedad entre a) y b). En cuanto a los participios, heredan de sus verbos las dos interpretaciones de los adverbios de grado. Así, la ambigüedad entre a) y b) en el caso de *un asunto muy estudiado* deriva de la ambigüedad que se observa en *estudiar mucho un asunto.*

En el § 4.2 de este capítulo hemos comprobado que unos cuantificadores son preadjetivales y otros son postadjetivales. Los de la serie *mucho/muy,* [115] *poco, bastante, demasiado,* etc. son exclusivamente preadjetivales *(*un edificio alto mucho).* [116] El que estos cuantificadores puedan aparecer en esta posición con los participios *(un libro criticado mucho)* es una prueba clara de que los participios mantienen propiedades esenciales de los verbos de los que se derivan. [117]

Los participios de los que se obtienen adjetivos perfectivos tienden a rechazar los adverbios de grado antepuestos, pero los admiten pospuestos con naturalidad, exactamente al contrario que los adjetivos relacionados con ellos:

(189) a. Uvas bastante {maduras/??maduradas}.
b. Uvas {*maduras/maduradas} bastante.

(190) a. Un cartel demasiado {fijo/??fijado}.
b. Un cartel {fijado/*fijo} demasiado.

(191) a. Vasos muy {llenos/*llenados}.
b. Vasos {llenados/*llenos} mucho.

Los participios que no poseen morfología especial en su interpretación como adjetivos perfectivos deshacen sistemáticamente su ambigüedad potencial en los mismos contextos:

(192) a. Sesiones parlamentarias {*muy prolongadas/prolongadas mucho} por el presidente.
b. Una edición {*muy reducida/reducida mucho [118]} por el editor.

Si los cuantificadores no tienen formas apocopadas, la posición decidirá entre la interpretación adjetival y la participial [119]:

---

parece decir), sino que viene a significar que todas las macetas decoran, es decir, *una* viene a interpretarse como variable ligada por el cuantificador *siempre.* El concepto de 'ligado no selectivo' ha tenido una gran importancia en la interpretación semántica de los indefinidos y de las oraciones genéricas. Véase Carlson y Pelletier 1995 para una excelente revisión.

[115] Recuérdese que la diferencia entre *mucho* y *muy* es únicamente morfofonológica, como la que existe entre *tan* y *tanto. Muy* es una forma apocopada, y por tanto cercana a las unidades clíticas: ninguna oración podrá concluir, pues, con el cuantificador *muy,* y tampoco con *algún, cualquier, tan,* etc.

[116] Sobre la imposibilidad de que *mucho* modifique a SSVV con verbo copulativo *(*Es alto mucho)* véase Bosque y Masullo 1996.

[117] Sobre este punto véase Lázaro Carreter 1975, 1995.

[118] Nótese que el argumento preposicional del verbo *reducir* posee interpretación cuantitativa, con lo que resulta incompatible con el cuantificador de grado: *Una edición reducida (*mucho) a la mitad.*

[119] Estas diferencias en las relaciones entre adjetivos perfectivos y participios pasados son sistemáticas y se extienden también a los participios derivados de verbos intransitivos, sean prenominales o no:

(193) a. Ángulos redondeados un poco. PARTICIPIO.
b. Ángulos un poco redondeados. ADJETIVO.
(194) a. Trabajadores afectados demasiado por la crisis. PARTICIPIO.
b. Trabajadores demasiado afectados por la crisis. ADJETIVO.

Si salimos de la clase de los adjetivos participiales perfectivos, comprobaremos que la anteposición de los adverbios de grado es posible con otras clases de participios. Las interpretaciones eventiva e intensiva de los cuantificadores puede darse tanto en posición antepuesta como pospuesta en la mayor parte de los participios que los permiten. Es decir, con participios como *usado, estudiado* o *transitado* (que no están en el diccionario ya que se obtienen de forma enteramente productiva), la posición preparticipial sigue mostrando que estamos ante formas adjetivales, y la posposición que el adverbio modifica a una categoría verbal, pero aun así no se ponen de manifiesto diferencias semánticas marcadas en esos casos:

(195) a. Una carretera transitada bastante por la gente. / Una carretera bastante transitada por la gente.
b. Servicios usados muy poco por los turistas. / Servicios muy poco usados por los turistas.
c. Un asunto muy estudiado por los especialistas. / Un asunto estudiado mucho por los especialistas
d. Bromas muy celebradas por todos sus compañeros. / Bromas celebradas mucho por todos sus compañeros.

4.4.5.3. La posición prenominal

En el § 3.5 de esta obra se muestra que la posición de los adjetivos en el SN depende de varios factores sintácticos y semánticos. Como regla general, los participios pasados no se anteponen a los sustantivos:

(196) *La escrita carta, *el traducido libro, *el terminado puente, *la cortada carretera, *los comprados coches, *la comida carne, *el roto pantalón, *un aceptado encargo.

Se ha señalado, sin embargo, en varias ocasiones (para el español, Demonte 1983 y Omori 1988, entre otros; para el francés Birdsong 1982 [→ § 5.3.2.3]) que algunos participios aparecen antepuestos, lo que se ha interpretado correctamente como signo claro de que se trata de adjetivos. La anteposición constituye, pues, un buen criterio para marcar diferencias entre las dos clases. He aquí algunos ejemplos:

(197) Una asustada mujer, el asombrado presentador, un afamado personaje, la citada obra, el recordado asunto del desfalco, el renovado diálogo entre las potencias, su amada esposa, un angustiado padre, su atormentada existencia, un consagrado novelista, el reiterado análisis, la anunciada entrevista, la olvidada niñez, la esperada reforma, la improvisada reunión, su proyectada novela.

(i) a. La chica estaba {muy asustada/*asustada mucho}.
b. La enfermedad está {muy avanzada/*avanzada mucho}.

Debe tenerse en cuenta, sin embargo, que un buen número de adjetivos prenominales no se obtienen de participios mediante procesos derivativos como el que hemos esbozado en los apartados anteriores, unas veces porque no existe o no se usa el verbo del que derivaría *(reputado, consabido, accidentado, afortunado),* otras veces porque aun existiendo se pierde la relación léxica, y en particular las relaciones que se suelen llamar «temáticas», lo que fuerza la existencia de entradas léxicas independientes: *un relato muy logrado* frente a **lograr mucho un relato; un marcado carácter enciclopédico* frente a *??marcar un carácter; su ponderada contribución* frente a *??ponderar su contribución.* Lo mismo en *desgraciado intento, abultado número* y otros muchos casos de adjetivos prenominales que no se obtienen de participio a partir de un proceso de derivación productivo.

Como cabe esperar, los adjetivos que poseen participios adjetivales homóninos mantienen la ambigüedad en la posición posnominal, mientras que la única interpretación posible en la posición prenominal es la adjetival:

(198) a. Una visita prolongada *(ambiguo).* / Una prolongada visita *(no ambiguo).*
b. Una cantidad de participantes elevada *(ambiguo).* / Una elevada cantidad de participantes *(no ambiguo).*
c. La edición reducida que publicaron *(ambiguo).* / La reducida edición que publicaron *(no ambiguo).*

Así pues, la posición posnominal de *prolongada* es compatible en (198a) con la interpretación participial («la visita se prolongó o fue prolongada»), pero la posición prenominal fuerza la adjetival («la visita fue larga»). Lo mismo en el resto de los casos. La ausencia de ambigüedad en la posición prenominal nos confirma que los participios (al menos, los que poseen homónimos adjetivales) no se anteponen porque no se integran por completo en la categoría de los adjetivos. Aquellos participios de los que se obtienen adjetivos restringidos léxicamente sólo podrán anteponerse en su interpretación adjetival:

(199) a. Una acusada personalidad. / *Una acusada persona.
b. La acertada decisión. / *La acertada quiniela.
c. Su celebrada actuación. / *Su celebrado cumpleaños.
d. Su apartada casa. / *La apartada suma de dinero.
e. El ajustado tono de su exposición. / *El ajustado nivel de la caldera.
f. Una probada vocación. / *Un probado teorema
g. Una agitada vida. / *Una agitada botella de zumo.
h. Un reservado personaje. / *Una reservada mesa en el restaurante.
i. Un conocido actor. / *Una conocida noticia ayer.

Los participios correspondientes sólo admiten, como cabe esperar, la posición posnominal, por tanto todos los SSNN agramaticales de (199) pasarían a ser gramaticales con dicho orden (*la quiniela acertada,* etc.). De hecho, nada tiene de extrañar que los dos usos que se muestran en (199) para cada una de las voces tengan equivalentes distintos en otras lenguas. Birdsong (1982: 40) estudia alternancias como *degenerate* (adj.)/*degenerated* (part.) en inglés, inexistentes en las lenguas romances porque el adjetivo y el participio poseen en estos casos la misma morfología. En el apartado siguiente examinaremos algunas situaciones en los que adjetivos y participios poseen propiedades morfológicas distintas.

4.4.6. Diferencias morfológicas

En el § 4.4.1.2 hemos considerado algunas diferencias morfológicas entre adjetivos y participios, algunas de ellas históricas y dialectales. En este apartado veremos que la morfología derivativa establece límites marcados entre ellos.

4.4.6.1. Diminutivos en -ito *y elativos en* -ísimo

A) Los derivados en *-ito*

El que algunos participios posean diminutivos muestra claramente que se comportan como adjetivos. De hecho, los participios de los tiempos compuestos los rechazan sistemáticamente (pero recuérdese el ejemplo de Machado citado en la nota 91), así como los participios de las oraciones pasivas con *ser,* lo que muestra una vez más que esos participios no son adjetivales. Los participios admiten diminutivos, en cambio, si inciden directamente sobre el sustantivo o cuando van introducidos por otros auxiliares, es decir, cuando se comportan como adjetivos:

(200) a. Un camión cargadito de regalos. / *El camión ha sido cargadito de regalos.
b. El bebé estaba tapadito. / *El bebé había sido tapadito por su madre.
c. Iba con él agarradita del brazo. / *Fue agarradita del brazo por él.

Además de estar restringidos a un registro familiar, y de poseer valor afectivo [—> § 71.2], los participios con diminutivo conllevan a menudo informaciones aspectuales. Así, *cargadito de regalos* implica «completamente cargado», y *cortadito* sugiere «en trozos pequeños». A eso se añade una cierta connotación positiva en casi todos los casos: no parece posible usar *fritito* por «completamente frito» si no se trata de algo apetitoso o presentado como tal. [120]

Los participios que admiten diminutivos son todos adjetivales; por tanto, todos aceptan *estar.* Todos son incompatibles con los complementos agentes y con los adverbios de orientación agentiva, lo que es igualmente esperable. Así pues, aunque existen las formas *dobladita, calladito* y *guardaditos,* no podrán aparecer en los contextos citados:

(201) a. Una camisa de bebé {doblada/*dobladita} por la niñera.
b. Un niño {callado/*calladito} sin gritarle. [121]
c. Viejos juguetes deliberadamente {guardados/*guardaditos} en el desván.

En cambio, los diminutivos son compatibles con los adverbios aspectuales o gradativos: *completamente dobladito, perfectamente ajustadito, bastante calladito,* etc., puesto que estos adverbios afectan al estadio resultante, pero no al proceso o a la acción que desemboca en él.

Los participios de los verbos inergativos (también llamados 'intransitivos puros') no tienen, como vimos en el § 4.4.3, formas homónimas adjetivales, lo que predice de inmediato la inexistencia de palabras como **caminadito, *viajadito, *goteadito* o **llovidito.* Nótese que cabría usar *paseadito,* pero sería forma derivada a partir del verbo transitivo *pasear* (como en *un perro muy paseadito*), no a partir del verbo intransitivo *pasear.*

Frente a los múltiples participios que admiten *estar,* sólo aceptan los diminutivos un subconjunto de ellos que denotan en su mayoría relaciones físicas: contigüidad, ubicación, disposición, etc. (como *guardadito, colocadito, preparadito, dobladito, abrazadito, ajustadito*), así como algunas otras características físicas de los objetos *(pegadito, secadito, arrugadito)* y algunas acciones propias del comportamiento personal.

---

[120] De hecho, se usan muy frecuentemente en el lenguaje dirigido a los niños. Aun así, se aplican a veces a los adultos, generalmente de manera afectiva, pero en ocasiones con crítica velada o actitud caricaturizada *(pintadita, tapaditos, peinaditas, arregladitos, calladito).*

[121] Es decir, «hecho callar». Como es de esperar, el SN *un niño calladito* es gramatical en la interpretación adjetiva.

B) Los derivados en *-ísimo*

Los 'elativos' (o adjetivos de grado extremo) pueden ser léxicos *(sublime, maravilloso, abominable, espantoso)* o morfológicos. Estos últimos se construyen con el sufijo *-ísimo* (recuérdese la nota 18). Los participios adjetivales admiten también este sufijo, como en *estudiadísimo, ilusionadísimo* o *cerradísimo.* Las llamadas 'pasivas con *estar',* de naturaleza adjetival como hemos visto, aceptan la construcción, como cabe esperar, que también es posible si el participio adjetival incide directamente sobre el sustantivo:

(202) La transitadísima avenida del Mediterráneo, una interpretación aclamadísima de la Traviata, la demandadísima última edición de *El Quijote,* este renovadísimo cuarteto de cuerda.

Es también previsible que los participios que tienen homónimos adjetivales sólo admitan el derivado en *-ísimo* en esa interpretación. Así, el sentido adjetival de *acabado* (esto es, «perfilado», frente a «concluido») es el único que se percibe en *acabadísimo.* Análogamente, la ambigüedad entre adjetivo y participio ya notada en SSNN como un *título acertado* (ambiguo fuera de contexto [122]) desaparece en *un título acertadísimo.*

Como consecuencia de su naturaleza adjetival, los participios terminados en *-ísimo* se rechazan sistemáticamente en los tiempos compuestos de los verbos *(*Lo han estudiadísimo* frente a *Está estudiadísimo)* así como en las pasivas con *ser: *La publicación fue autorizadísima por el Ministerio de Educación* (participio) frente a *la autorizadísima opinión del ministro* (adjetivo). Sin embargo, frente a lo que sucede con los derivados en *-ito,* algunos participios adjetivales terminados en *-ísimo* son compatibles con los complementos agentes, siempre que no se trate de pasivas con *ser,* es decir, siempre que se descarten los usos puramente verbales:

(203) a. Está solicitadísimo por todo el mundo.
b. Un asunto estudiadísimo por los especialistas.

4.4.6.2. *Prefijos negativos*

Los participios no poseen prefijos negativos [→ § 76.5.3], a menos que los hereden del verbo del que derivan. No existen las palabras **incomido, *intraducido* e **inestudiado* porque no existen los verbos **incomer, *intraducir* e **inestudiar.* Ahora bien, son muchos los adjetivos con prefijos negativos que no derivan de verbos, sino de adjetivos con forma participial. Es decir, existen los adjetivos *inacentuado, inigualado* e *inexplorado,* pero no existen los verbos **inacentuar, *inigualar* e **inexplorar.* En (204) se muestra una lista parcial de los adjetivos de esta clase:

(204) Inacentuado, inarticulado, incivilizado, inadaptado, inesperado, indeseado, inestimado, inexplorado, indeterminado, inhabitado, inigualado, injustificado, inmoderado, inmotivado, invertebrado, ilimitado, insospechado.

Como puede verse, no existen los verbos **incivilizar, *inesperar* o **indesear,* y lo mismo en el resto de los casos, lo que muestra que no cabe postular un origen participial para esos adjetivos. Algunos miembros de este grupo no son derivados adjetivales, sino parasintéticos formados sobre bases nominales, como *inmaculado* o *infortunado.* Al no ser participios ni ser adjetivos deverbales, los adjetivos de (204) rechazan los complementos agentes, con escasísimas excepciones: [123]

---

[122] *Un título acertado por el concursante* (interpretación participal), frente a *Un título acertado es el que le ha puesto a su última novela* (interpretación adjetival).

[123] Como *inexplorado por el hombre,* tal vez calco del inglés. De hecho, las excepciones son muy numerosas en inglés, como se estudia en Siegel 1973 y Hust 1977. Para el español, véase Demonte 1983 y Varela 1992 sobre este punto.

(205) *Injustificado por el ministerio, *ilimitado por las autoridades, *inesperado por los ciudadanos, *inmotivado por el fiscal, *incivilizado por los invasores, *inadaptado por los nuevos usuarios.

Estos adjetivos contrastan con formas como *inhabilitado, inutilizado* o *incapacitado,* puesto que en estos últimos casos estamos ante participios (verbales o adjetivales) derivados de los verbos respectivos: *inhabilitar, inutilizar, incapacitar.* Como es lógico, cabe formar tiempos compuestos con las formas de este grupo *(Lo han inutilizado, Lo habían incapacitado),* pero no con las del grupo de (204): **Lo habían {inacentuado, inexplorado, ilimitado}.* Análogamente, las construcciones con *ser* podrán ser pasivas en un caso, pero no podrán serlo en el otro porque no estamos ante formas verbales:

(206) a. Fue inutilizado. / Había sido incapacitado. / Será inculpado. ORACIONES PASIVAS.
b. Fue ilimitado. / Había sido inesperado. / Será inmoderado. ORACIONES ATRIBUTIVAS.

Así pues, entendemos las oraciones de (206a) porque conocemos la sintaxis y el significado de los verbos *inutilizar, incapacitar* e *inculpar,* pero comprendemos las oraciones de (206b) porque conocemos el significado de esos adjetivos, y tal vez de aquellos otros de los que derivan.

4.4.6.3. Los adverbios en -mente

De los participios no se derivan adverbios en *-mente*. No decimos **asesinadamente, *comidamente* ni **rotamente.* La explicación natural parecer residir en el simple hecho de que estos participios son formas verbales (con flexión nominal), mientras que los adverbios en *-mente* se forman sobre los adjetivos. Ahora bien, es evidente que los adverbios de (207) están todos bien formados:

(207) Abreviadamente, prolongadamente, separadamente, complicadamente, civilizadamente, alteradamente, agobiadamente, equivocadamente, detalladamente, complicadamente.

Como es lógico, estos adverbios se derivan de adjetivos y no de participios; es decir, formas como *prolongado* o *abreviado* se interpretan en (207) como adjetivos, y por tanto se manifiesta en esos casos que ciertas acciones se llevan a cabo de manera *prolongada* o *abreviada*.

Es importante tener en cuenta que los adverbios en *-mente* no se derivan de los participios adjetivales (mucho menos aún de los verbales), sino directamente de los adjetivos, aunque en este caso posean homónimos participiales (recuérdese la distinción que introducíamos en (173) y la n. 106). La diferencia se pone de manifiesto cuando encontramos significados distintos en los adjetivos y los participios adjetivales. Así por ejemplo, el significado de *estudiado* en la oración *Está estudiado* es distinto del que posee en la base léxica de *estudiadamente.* Este adverbio significa «de manera estudiada», es decir, «afectada, amanerada, privada de espontaneidad», mientras que en *Está estudiado,* la significación del participio la proporciona directamente el verbo *estudiar.* Lo mismo en *equivocadamente* o *resumidamente,* que se derivan respectivamente de los adjetivos *equivocado* («erróneo») y *resumido* («breve»), no de los participios adjetivales *equivocado* y *resumido,* que se obtienen de los verbos *equivocar(se)* y *resumir(se).*

Así pues, los adverbios en *-mente* no pueden derivarse de unidades verbales por razones tanto categoriales como semánticas. Si *resumida* significara lo mismo en *resumida-mente* que en *La noticia está resumida aquí,* no habría razón para rechazar formas ininterpretables como **traducidamente* o **escritamente* [124]. Estas palabras no tienen una estructura reconocible morfológicamente y tampoco se pueden interpretar semánticamente, puesto que las bases de las que derivan son participios adjetivales, y el proceso de formación de palabras exige categorialmente adjetivos en estos casos. Como cabe esperar, los predicados inergativos, que no tienen más participios que los que aparecen en los tiempos compuestos, rechazan sistemáticamente los derivados en *-mente*: **caminadamente,* **viajadamente,* **jugadamente,* etc.

[124] Descarto, como es natural, los adverbios insólitos en *-mente* creados con propósitos literarios o humorísticos, como los que estudian Mayoral (1982) y García-Page (1996).

SIGLAS UTILIZADAS

AGLE: Archivo Gramatical de la Lengua Española, de Salvador Fernández Ramírez. Vol. 1: *Las partículas,* edición en marcha a cargo de I. Bosque, J. A. Millán y M.ª Teresa Rivero, Alcalá de Henares, Instituto Cervantes.

DCECH: Joan Corominas y José Antonio Pascual, *Diccionario crítico etimológico castellano e hispánico,* 6 vols., Madrid, Gredos, 1980.

DCRLC: Rufino José Cuervo, *Diccionario de construcción y régimen de la lengua castellana,* 8 vols., Bogotá, Instituto Caro y Cuervo, 1954-1994.

DHIST: Diccionario Histórico de la Lengua Española, Seminario de lexicografía, Real Academia Española.

DQ: Miguel de Cervantes, *El ingenioso hidalgo don Quijote de la Mancha,* edición de Martín de Riquer, Barcelona, Planeta, 1975.

DUE: María Moliner, *Diccionario de uso del español,* 2 vols., Madrid 1981.

REFERENCIAS BIBLIOGRÁFICAS

Aissen, Judith y otros (1976): «Clause Reduction in Spanish», *Proceedings of the Second Annual Meeting of the Berkeley Linguistic Society,* págs. 1-30.

Akatsuka, Noriko (1979): «Why *Tough*-Movement is Impossible with *Possible», Papers from the 15th Regional Meeting of the Chigaco Linguistics Society* 15, págs. 1-8.

Akmajian, Adrian (1972): «Getting Tough», *LI* 3, págs. 373-376.

Alarcos Llorach, Emilio (1970): «Pasividad y atribución en español», en *Estudios de gramática funcional del español,* Madrid, Gredos, págs. 124-132.

— (1988): «Otra vez sobre pasividad y atribución», *Homenaje a Alonso Zamora Vicente,* Madrid, Castalia, vol. 1, págs. 333-342.

Alcina Franch, Juan y José Manuel Blecua (1975): *Gramática española,* Barcelona, Ariel.

Aleza, Milagros (1987): Ser *con participio de perfecto en construcciones no oblicuas (español medieval),* Anejo 3 de *Cuadernos de Filología,* Universidad de Valencia.

— (1988): «Sobre la adjetivación del participio medieval», en Manuel Ariza y otros (eds.) *Actas del I Congreso Internacional de Historia de la Lengua Española,* vol. 1, Madrid, Arco/Libros, págs. 251-255.

Alonso Ramos, Margarita (1989a): «Aproximación a un nuevo modelo lexicográfico: El Dictionnaire explicatif et combinatoire du français contemporain. Recherches léxico-sémantiques de Igor Mel'čuk», *Verba* 16, págs. 421-450.

— (1989b): «La formalización de la coocurrencia léxica en el Dictionnaire explicatif et combinatoire de I. Mel'čuk», en las *Actas del V Congreso de lenguajes naturales y lenguajes formales,* Universidad de Barcelona, págs. 317-331.

Anscombre, Jean Claude (1995): «Semántica y léxico. Topoï, estereotipos y frases genéricas», *REL* 25, págs. 297-310.

Andrés-Suárez, Irene (1994): *El verbo español. Sistemas medievales y sistema clásico,* Madrid, Gredos.

Aranovich, Raúl (1997): «Unaccusativity and Reflexive Clitics in Spanish», trabajo presentado en el LXXI Annual Meeting of the LSA, Chicago.

Arjona, Marina (1990): «El adverbio *muy* y otros intensificadores en el habla popular de México», *ALM* 28, págs. 75-96.

Aronoff, Mark (1980): «Contextuals», *Language 56,* págs. 744-758.

Authier, Jean-Marc (1980): «Note sur l'interprétation sémantique de <*très* + participe passé passif>», *CLex* 37:2, págs. 25-33.

Bäckvall, Hans (1970): *«¿Algo bueno o algo de bueno?», S+N* XLII 2, págs. 377-404.

Bar-Lev, Z. y R. W. Lefkowitz (1972): «Semantic Metaconditions and the Syncategorematicity of *Good», Glossa* 6, págs. 180-202.

Bayer, Samuel (1991): *«Tough* Movement as Function Composition», *The Proceedings of the Ninth West Coast Conference on Formal Linguistics,* Universidad de Stanford, págs. 29-42.

Beardsley, Wilfred A. (1966): *Infinitive Constructions in Old Spanish,* Nueva York, AMS Press.

Bello, Andrés (1847): *Gramática de la lengua castellana.* Cito por la edición crítica de Ramón Trujillo, Aula de Cultura de Tenerife, 1981.

Bente, Thomas O. (1969): «Observations on *igual* and the *igual que, igual a* Construction», *Hispania* 52, págs. 77-99.

Birdsong, David (1982): «Prenominal Past Participles in French», en P. Baldi (ed.) *Papers from the XII Linguistic Simposium on Romance Languages*, Amsterdam, John Benjamins, págs. 37-50.

Bierwisch, Manfred (1967): «Some Semantic Universals of German Adjectivals», *FL* 3, págs. 1-36.

Bloemen, Johan (1973): «Syncategorematic Words», *LI* 4, págs. 681-682.

Bolinger, Dwight (1967): «Adjectives in English: Attribution and Predication», *Lingua* 18, págs. 1-34.

— (1972): *Degree Words,* La Haya, Mouton.

Bosque, Ignacio (1983): «El complemento del adjetivo», *LEA* 5, págs. 1-14.

— (1990a): «Las bases gramaticales de la alternancia modal. Repaso y balance», en I. Bosque (ed.), *Indicativo y subjuntivo,* Madrid, Taurus, págs. 13-65.

— (1990b): «Sobre el aspecto en los adjetivos y en los participios», en I. Bosque (ed.), *Tiempo y aspecto en español,* Madrid, Cátedra, págs. 177-214.

— (1996): «Por qué determinados sustantivos no son sustantivos determinados», en I. Bosque (ed.), *El sustantivo sin determinación. Presencia y ausencia de determinante en la lengua española,* Madrid, Visor-Libros, págs. 13-119.

— (1997): «Objetos que esconden acciones. Una reflexión sobre la sincategorematicidad», presentado en la Universidad Pompeu Fabra, octubre de 1997. En prensa en *Lèxic, Corpus i Diccionaris, Cicle de conferències 97-98,* Barcelona, Universidad Pompeu Fabra.

— (1998): «Sobre los complementos de medida», en *Estudios en honor del profesor Josse de Kock,* Universidad de Lovaina, págs. 57-73.

BOSQUE, IGNACIO y PASCUAL MASULLO (1996): «On Verbal Quantification in Spanish», en *Studies on the Syntax of Central Romance Languages,* Universidad de Girona, 1998, págs. 9-63.

BOSQUE, IGNACIO y JUAN CARLOS MORENO (1984): «Las construcciones con *lo* y la denotación del neutro», *Lingüística (ALFAL)* 2, págs. 5-50.

BOSQUE, IGNACIO y ESTHER TORREGO (1995): «On Spanish *haber* and Tense», *Langues et Grammaire* 1, Universidad de París 8, págs. 13-29.

BRESNAN, JOAN (1982): «The Passive in Lexical Theory», en J. Bresnan (ed.), *The Mental Representation of Grammatical Relations,* Cambridge, Massachusetts, MIT Press, págs. 3-86.

BRUCART, JOSÉ M.ª (1990): «Pasividad y atribución en español: un análisis generativo», en V. Demonte y B. Garza (eds.), *Estudios de lingüística de España y México,* Universidad Nacional Autónoma de México y El Colegio de México, págs. 179-208.

BRUYNE, JACQUES DE (1995): *A Comprehensive Spanish Grammar,* Londres, Blackwell.

CARLSON, GREGORY y FRANCIS J. PELLETIER (1995): *The Generic Book,* Chicago, The University of Chicago Press.

CARRASCO, FÉLIX (1973): «Sobre el formante de "la voz pasiva" en español», *REL* 3, 2, págs. 333-341.

CARSTAIRS-MCCARTHY, ANDREW (1971): «Syncategorematic Words», *LI* 2, págs. 107-110.

CHAE, HEE-RAHK (1991): «Gap Licensing in *Tough* and Similar Constructions», en *The Proceedings of the Ninth West Coast Conference on Formal Linguistics,* Universidad de Stanford, págs. 91-106.

CHOMSKY, NOAM (1977): «On *Wh*-Movement», en P. Culicover y otros (eds.), *Formal Syntax,* Nueva York, Academic Press, págs. 77-142.

— (1981): *Lectures on Government and Binding,* Dordrecht, Foris.

— (1986): *Knowledge of Language,* Nueva York, Praeger.

CINQUE, GUGLIELMO (1997): *Adverbs and Functional Heads,* en prensa en Oxford University Press.

CONTRERAS, HELES (1993): «On Null Operator Structures», *NLLT* 11, págs. 1-30.

CORVER, NORBERT (1991), «Evidence for DegP». *Proceedings of the 13th Meating of the Nort Eastern Linguistic Society* (NELS 13), págs. 33-47.

— (1997a): «*Much* support as a Last Resort», *LI* 28, págs. 119-164.

— (1997b): «The Internal Syntax of the Dutch Extended Adjectival Projection», *NLLT* 15, págs. 289-368.

CRESSWELL, MAX J. (1976): «The Semantics of Degree» en B. Hall Partee (ed.), *Montague Grammar,* Nueva York, Academic Press, págs. 261-292.

CUERVO, RUFINO JOSÉ (1867): *Apuntaciones críticas sobre el lenguaje bogotano.* Cito por la 9.ª edición, Bogotá, Instituto Caro y Cuervo, 1955.

DELBECQUE, NICOLE (1994): «Las funciones de *así, bien y mal», REL* 24:2, págs. 435-466.

DEMONTE, VIOLETA (1983): «Pasivas léxicas y pasivas sintácticas», en *Serta Philologica F. Lázaro Carreter,* Madrid, Cátedra, vol. 1, págs. 141-157.

DEMELLO, GEORGE (1995): «Expresión impersonal + *para* + infinitivo: *es importante para Juan estudiar», Estudios Filológicos* (Valdivia) 30, págs. 58-68.

DUCROT, OSWALD (1995): «Les modificateurs déréalisants», *JoP* 24, págs. 145-165.

FERNÁNDEZ MURGA, FÉLIX (1984): «Las formas no personales del verbo en italiano y en español», en Joaquín Arce y otros (eds.), *Italiano y español. Estudios lingüísticos,* Publicaciones de la Universidad de Sevilla, págs. 9-107.

FERNÁNDEZ RAMÍREZ, SALVADOR (1951): *Gramática española, Madrid,* Revista de Occidente. Cito por la segunda edición en 5 vols., Madrid, Arco/Libros, 1985-1986.

FODOR, JERRY y ERNIE LEPORE (1998): «The Emptiness of the Lexicon: Reflexions on James Pustejovsky's *The Generative Lexicon», LI* 29:2, págs. 269-288.

FRANKS, BRADLEY (1995): «Sense Generation: A Quasi-Classical Approach to Concepts and Concept Combination», *Cognitive Science,* 19, págs. 441-505.

FUKUSHIMA, NORITAKA (1985): «La construcción *tough* en español (1)», *Lingüística Hispánica* 8, páginas 13-41.

— (1988): «La construcción *tough* en español (2)», *Lingüística Hispánica* 11, págs. 37-59.

GAATONE, DAVID (1972): *«Facile à dire», Revue de Linguistique Romane* 36, págs. 129-138.

— (1990): «Éléments pour une description de *bien* quantifieur», *RLiR* 54, págs. 211-230.

GARCÍA-MIGUEL, JOSÉ M.ª (1985): «La voz media en español. Las construcciones pronominales con verbos transitivos», *Verba* 12, págs. 307-343.

GARCÍA-PAGE, MARIO (1996): «Formaciones denominales en *-mente* en el discurso poético», en G. Wotjak (ed.), *En torno al adverbio español y los circunstantes,* Tubinga, Gunter Narr, págs. 161-170.

GARRIDO MEDINA, JOAQUÍN (1987): «Sobre la pasiva en español», *Revista de Ciencias de la Información (UCM)* 4, págs. 131-156.

GILI GAYA, SAMUEL (1944): *Curso superior de sintaxis española,* Madrid, Biblograf. Cito por la 9.ª edición, 1964.

GINSBERG, MICHAEL (1966): «Katz on Semantic Theory and *Good*», *JPh* 63, págs. 517-521.

GÓMEZ MOLINA, CARMEN (1980): «De la conjugaison pronominal de quelques verbes intransitifs en espagnol», *Orbis* 29, págs. 147-161.

GONZÁLEZ CALVO, JOSÉ MANUEL (1991-1992): «Notas sobre las estructuras llamadas pasivas con *ser* en español» Primera parte en *AEF* 14 (1991) págs. 183-198. Segunda parte en la misma revista 15, (1992), págs. 107-123.

GUTIÉRREZ ORDÓÑEZ, SALVADOR (1986): *Variaciones sobre la atribución,* León, Universidad de León.

HALPERN, R. N. (1979): *An Investigation of* <u>John is Easy to Please</u>*,* tesis doctoral inédita, Univ. de Illinois.

HAMPLOVA, SYLVA (1970): *Algunos problemas de la voz perifrástica pasiva y las perífrasis factitivas en español,* Praga, Instituto de Lenguas y Literaturas de la Academia Checoslovaca de Ciencias.

HANSSEN, FEDERICO (1912): «La pasiva castellana», *AUCh,* traducido de la versión alemana publicada en *Romanische Forschungen* 29, págs. 764-778.

HAWKES, RICHARD (1965): «The Notional Passive in English and Spanish», *Lenguaje y Ciencias* 18, páginas 6-11.

HERNÁNDEZ ALONSO, CÉSAR (1982): «La llamada "voz pasiva" en español», *LEA* IV:1 págs. 83-92.

HERNANZ, M. LLUÏSA (1995): «*Bien* y la polaridad positiva en español», estudio inédito, Universidad Autónoma de Barcelona.

HERNANZ, M. LLUÏSA y JOSÉ M.ª BRUCART (1987): *La sintaxis,* Barcelona, Crítica.

HIGGINS, FRANCIS R. (1973): *The Pseudo-cleft Construction in English,* tesis doctoral, MIT. Publicada (en versión no revisada) en Nueva York, Garland, 1979.

HUST, JOEL R. (1977): «The Syntax of the Unpassive Construction in English», *Linguistic Analysis* 3:1, págs. 31-63.

IANNUCCI, DAVID (1979): «Verb Triggers of *Tough* movement», *JL* 15:2, págs. 325-329.

IGARASHI, YOSHIYUKI (1985): «Idiolectal Differences in Judgements of *Tough* Constructions, *Sophia linguistica* 28, págs. 59-66.

IGLESIAS BANGO, MANUEL (1991): *La voz en la gramática española,* Universidad de León.

JACOBSON, PAULINE (1992): «The Lexical Entailment Theory of Control and the *Tough*-Construction», en Ivan A. Sag y Anna Szabolcsi (eds.), *Lexical Matters,* Stanford, Center for the Study of Language and Information, págs. 269-299.

— (1994): «Connectivity in Phrase Structure Grammar», *NLLT* 1:4, págs. 535-581.

JONES, MICHAEL A. (1983): «Getting "tough" with *Wh*-Movement», *JL* 19, págs. 129-159.

KALLIN, HJALMAR (1923): *Étude sur l'expression syntactique du rapport d'agent dans les langues romances,* París, E. Champion.

KAMP, J. A. W. (1975): «Two Theories about Adjectives», en Keenan E. L. (ed.), *Formal Semantics of Natural Language,* Cambridge, Cambridge University Press, págs. 123-155.

KATZ, JERROLD (1964): «Semantic Theory and the Meaning of *Good*», *JPh* 61, págs. 739-966.

— (1966): *The Philosophy of Language,* Nueva York, Harper & Row.

KAYNE, RICHARD S. (1989): «Null Subjects and Clitic Climbing», en O. Jaeggli y K. Safir (eds.), *The Null Subject Parameter,* Dordrecht, Kluver, págs. 239-261.

KEMPCHINSKY, PAULA (1990): «Más sobre el efecto de referencia disjunta del subjuntivo», en I. Bosque (ed.), *Indicativo y subjuntivo,* Madrid, Taurus, págs. 234-258.

KOCK, JOSSE DE (1973): «La "rareté" de *ser* + adjectif verbal passif», *REL* 3:2 págs. 343-67.

LAMIROY, BEATRIZ (1994): «Causatividad, ergatividad y las relaciones entre el léxico y la gramática», en V. Demonte (ed.), *Gramática del español,* El Colegio de México, págs. 411-430.

LAPESA, RAFAEL (1983): «El infinitivo con actualizador en español», en *Serta Philologica F. Lázaro Carreter,* Madrid, Cátedra, vol. 1, págs. 279-314.

LÁZARO CARRETER, FERNANDO (1975): «Sobre la pasiva en español», en *Homenaje al Instituto de Filología y Literaturas Hispánicas "Dr. Amado Alonso" en su cincuentenario (1923-1973).* Cito por la reproducción que aparece en F. Lázaro, *Estudios de lingüística,* Barcelona, Crítica, págs. 61-72.

— (1995): «De nuevo sobre pasividad y atribución en español», En *Homenaje a Félix Monge. Estudios de lingüística hispánica,* Madrid, Gredos, págs. 249-257.

LÁZARO MORA, FERNANDO (1983): «Observaciones sobre *se* medio», en *Serta Philologica F. Lázaro Carreter,* Madrid, Cátedra, vol. 1, págs. 301-307.

LASNIK, HOWARD y ROBERT FIENGO (1974): «Complement Object Deletion», *LI* V:4, págs. 535-571.

LABELLE, MARIE (1992): «Chance of State and Valency», *JL* 28, págs. 375-414.

LEGENDRE, GERALDINE (1986): «Object Raising in French: A Unified Account», *NLLT* 4:2, págs. 137-183.

LEEMAN, DANIELLE (1991): «*Hurler de rage, rayonner de bonheur:* remarques sur une construction en *de*», *LFr* 91, págs. 80-101.

LEVIN, BETH y MALKA RAPPAPORT (1986): «The Formation of Adjectival Passives», *LI* 17:4, págs. 623-661.

LOPE BLANCH, JUAN MANUEL (1972): *Estudios sobre el español de México,* México, Universidad Nacional Autónoma.

MADERO, MARIBEL (1983): «La gradación del adjetivo en el habla culta de la Ciudad de México», *ALM* 21, págs. 71-118.

MALACA CASTELEIRO, JOÃO (1981): *Sintaxe transformacional do adjectivo,* Lisboa, Instituto Nacional de Investigaciones Científicas.

MANACORDA DE ROSETTI, MABEL V. (1969): «La frase verbal pasiva en el sistema español», en Ana María Barrenechea y M. V. Manacorda de Rosetti, *Estudios de gramática estructural,* Buenos Aires, Paidós, págs. 71-90.

MARQUIS, RÉJEAN CANAC (1995): «The Distribution of *A* and *DE* in *Tough* Constructions in French», en K. Zagona (ed.), *Grammatical Theory and Romance Languages,* Amsterdam, John Benjamins, páginas 35-46.

MARTINELL, EMMA (1992): «Estilística en la gradación de los adjetivos», *Actas del X Congreso de la Asociación Internacional de Hispanistas,* Universidad de Barcelona, págs. 1253-1262.

MARTÍNEZ, JOSÉ ANTONIO (1994): *Cuestiones marginadas de gramática española,* Madrid, Istmo.

MASSAM, DIANE (1992): «Null Objects and Non-Thematic Subjects» *JL* 28, págs. 115-137.

MAYORAL, JOSÉ ANTONIO (1982): «Creatividad léxica y lengua poética: las formaciones adverbiales en *-mente*», *Dicenda (Cuadernos de Filología Hispánica de la Universidad Complutense)* 1, págs. 35-53.

MCCONNELL-GINET, SALLY (1979): «On the Deep (and Surface) adjective *Good*», en L. Waugh y F. Coertsem (eds.), *Contribution to Grammatical Studies,* Leiden, Brill, págs. 133-159.

MEL'ČUK, IGOR *et al.* (1984-1992): *Dictionnaire explicatif et combinatoire du français contemporain,* Recherches lexico-sémantiques, vol. 1 (1984), vol. 2 (1988), vol. 3 (1992), Les presses de L'Université de Montréal.

MENÉNDEZ PIDAL, RAMÓN (1904): *Manual de Gramática Histórica española,* cito por la 13.ª edición, Madrid, Espasa Calpe, 1968.

MEYER, BERNARD (1989): «L'hypallage adjectivale», *TraLiLi* (Estrasburgo) 27, págs. 75-94.

MIGUEL APARICIO, ELENA DE (1992): *El aspecto en la sintaxis del español. Perfectividad e impersonalidad,* Madrid, Universidad Autónoma.

MOLHO, MAURICE (1975): *Sistemática del verbo español,* 2 vols. Madrid, Gredos.

MONTALBETTI, MARIO, MAMORU SAITO y LISA TRAVIS (1982): «Three Ways to Get *Tough*», *Papers from the 18th Regional Meeting of The Chicago Linguistic Society,* The University of Chicago, 1982, páginas 348-366.

MONTALBETTI, MARIO y MAMORU SAITO (1983): «On Certain Differences between Spanish and English», *Proceedings of the 13th Meeting of the Nort Eastern Linguistic Society* (NELS 13), Universidad de Massachusetts, Amherst, 1983, págs. 191-198.

NANNI, DEBORAH (1980): «On the Surface Constructions with *Easy*-type Adjectives», *Language* 56:3, páginas 568-581.

NETO, JOSÉ BORGES (1985): «Syncategorematic Words Again», *LI* 16, págs. 151-152.

OMORI, HIROKO (1988): «Adjectival Participle in Spanish», *Sophia Linguistica* 26, págs. 113-119.

PENA, JESÚS (1982); «La voz en español. Intento de caracterización», *Verba* 9, págs. 215-252.

PESETSKY, DAVID (1995): *Zero Syntax,* MIT Press.

PICABIA, LÉLIA (1978): *Les constructions adjetivales en français. Systematique transformationelle,* Ginebra, Droz.

POTTIER, BERNARD (1979): «La voz y la estructura oracional del español», *LEA* I:1, págs. 67-91.

PUSTEJOVSKY, JAMES (1993): «Type Coercion and Lexical Selection», en J. Pustejovsky (ed.) págs. 73-94.

— (1995): *The Generative Lexicon,* MIT Press.

— (ed.) (1993): *Semantics and the Lexicon,* Dordrecht, Kluwer Academic Press.

RAPOSO, EDUARDO (1987): «Case Theory and Infl-to-Comp: The Inflected Infinitive in European Portuguese», *LI* 18:1, págs. 85-109.

REAL ACADEMIA ESPAÑOLA (1931): *Gramática Española,* Madrid.

REIDER, MICHAEL (1993): «On *Tough* Constructions in Spanish», *Hispania* 76, 1, págs. 160-170.

RICHARDSON, JOHN F. (1985): «Agenthood and *Ease*», *Papers from the Parasession on Causatives and Agentivity* (CLS 21:2), Chicago, Chicago Linguistics Society, págs. 241-251.

ROBERTS, IAN (1997): «Restructuring, Head Movement and Locality», *LI* 28:3, págs. 423-460.

ROCA, FRANCESC (1996): *La determinación y la modificación nominal en español,* tesis doctoral inédita, Universidad Autónoma de Barcelona.

ROCA PONS, JOSÉ (1958): *Estudios sobre perífrasis verbales del español,* Madrid, C.S.I.C.

— (1960): *Introducción a la gramática,* Barcelona, Teide.

ROEGIEST, EUGEEN (1980): *Les prépositions* A *et* DE *en espagnol contemporain. Valeurs contextuelles et signification générale,* Gante, Facultad de Letras.

ROJO, GUILLERMO y TOMÁS JIMÉNEZ JULIÁ (1989): *Fundamentos del análisis sintáctico funcional,* Serie Lalia, vol. 2, Universidad de Santiago de Compostela.

SÁEZ DEL ÁLAMO, LUIS ÁNGEL (1993): «En torno al reanálisis», *Cuadernos de Lingüística* (Instituto Universitario Ortega y Gasset) 2, págs. 221-247.

SAFIR, KENNETH (1991): «Evaluative Predicates and the Representation of Implicit Arguments», en R. Freidin (ed.) *Principles and Parameters in Comparative Grammar,* MIT Press, págs. 99-132.

SAMPSON, GEOFFREY (1970): *«Good», LI* 1, págs. 257-260.

SÁNCHEZ LÓPEZ, CRISTINA (1995): «Construcciones concesivas con *para», REL* 25:1, págs. 99-123.

SCHACHTER, PAUL (1981): «Lovely to Look at», *Linguistic Analysis* 8, págs. 431-448.

SEPÚLVEDA BARRIOS, FÉLIX (1988): *La voz pasiva en el español del siglo XVII,* Madrid, Gredos.

SIEGEL, DOROTHY (1973): «Non-Sources of Unpassives», en J. Kimball (ed.), *Syntax and Semantics*, Nueva York, Seminar Press, vol. 2, págs.

SKYDSGAARD, SVEN (1977): *La combinatoria sintáctica del infinitivo español,* Madrid, Castalia, 2 vols.

SLAGER, EMILE (1997): *Pequeño diccionario de construcciones preposicionales*, Madrid, Visor-Libros.

TAKAGAKI, TOSIHIRO (1997): «El participio adjetivo en español», *Lingüística Hispánica* 20, págs. 143-164.

TESNIÈRE, LUCIEN (1951): *Éléments de syntaxe structurale,* París, Klincksieck, cito por la versión española, Madrid, Gredos, 1994.

TRUJILLO, RAMÓN (1988): «Sobre las construcciones pasivas», *LEA X*:2, págs. 237-248.

TULLIO, ÁNGELA DE (1997): «La estructura del sintagma adjetivo: Adjetivo + *DE* + X», en *La Gramática: desarrollos actuales,* coord. por Ofelia Kovacci, *Signo y Seña* (Universidad de Buenos Aires), vol 7, págs. 189-231.

VARELA, SOLEDAD (1992): «Verbal and Adjectival Participles in Spanish», en Christiane Laeufer y Terrel A. Morgan (eds.), *Theoretical Analyses in Romance Linguistics,* Amsterdam, John Benjamins, páginas 219-234.

VENDLER, ZENO (1963): «The Grammar of Goodness», *The Philosophical Review* 72, págs. 446-465.

— (1968): *Adjectives and Nominalizations,* Mouton, La Haya.

WASOW, THOMAS (1977): «Transformations and the lexicon», en P. Culicover y otros (eds.), *Formal Syntax,* Nueva York, Academic Press, págs. 328-360.

WIJK, H. L. A. VAN (1969): «Algunos aspectos morfológicos y sintácticos del habla hondureña», *BFUCH* 20, págs. 113-129.

WILDER, CHRISTOPHER (1991): «*Tough* Movement Constructions», *LBer* 132, págs. 115-132.

WONDER, JOHN P. (1971): «Complementos de adjetivo del genitivo», *Hispania* 54, págs. 114-120.

ZAMORA VICENTE, ALONSO (1950): «Participios sin sufijo en el habla albaceteña», *Filología II,* págs. 342-343.

ZAMPARELLI, ROBERTO (1993a): «Aspects of a ADJP = DP = CP hypothesis», estudio inédito, Universidad de Rochester.

— (1993b): «Pre-Nominal Modifiers, Degree Phrases and the Structure of APs», *Working Papers in Linguistics,* Universidad de Venecia, vol. 3:1, págs. 139-163.

ZIERER, ERNESTO (1974): *The Qualifying Adjective in Spanish,* La Haya, Mouton.

ZIPF, PAUL (1960): «The word *Good»,* incluido en *Semantic Analysis,* Ithaca, Cornell University Press, págs. 200-247.

ZRIBI-HERZ, ANNE (1982): «La construction *'se* moyen' du français et son statut dans le triangle moyen-passif-réflechi», *Linguisticae Investigationes,* VI:2, págs. 345-401.

— (1987): «La réflexivité ergative en français moderne», *FrM* 55, págs. 24-54.

5
LA ESTRUCTURA DEL SINTAGMA NOMINAL: LOS MODIFICADORES DEL NOMBRE (*)

GEMMA RIGAU
Universitat Autònoma de Barcelona

ÍNDICE

(*) Este capítulo constituye una presentación general de la estructura del SN. Cuando las cuestiones aquí tratadas se analicen con más detalle en otros capítulos, así se indicará en el texto.

5.1. Características generales

Los nombres suelen aparecer en la oración acompañados de modificadores les atribuyen propiedades o que les capacitan sea para hacer referencia a entidad del universo del discurso sea para cuantificarlas. Así, los nombres comunes contables (o discontinuos) [→ § 1.2] de (1) aparecen modificados por adjetivos (o sintagmas adjetivos) que especifican o desarrollan sus propiedades [→ Cap. 3]. En (1a), por ejemplo, el adjetivo atribuye la propiedad de «nuevo» al nombre *cartero.* Si tal adjetivo no estuviera presente, el significado de la construcción no sería exactamente el mismo, pero no por ello la oración dejaría de estar bien formada. Otros modificadores, en cambio, resultan imprescindibles en ciertos contextos. Las construcciones nominales que aparecen en (1) son buena prueba de ello.

(1) a. *El nuevo cartero* siempre llama insistentemente.
  b. A veces llega *algún paquete sospechoso.*
  c. Donó *su valiosa colección* a *este museo comarcal.*
  d. Se interesa por *cualquier guardaespaldas forzudo.*

Estas construcciones necesitan de un determinante [→ Cap. 12 y Cap. 13] o de un cuantificador [→ Cap. 16 y Cap. 18] para poder ocupar las posiciones gramaticales de sujeto, complemento directo, indirecto o de régimen verbal. Sin los elementos determinantes *(el, su, este)* o cuantificadores *(algún, cualquier)* de (1) las construcciones nominales quedarían incapacitadas para actuar semánticamente como un argumento del predicado oracional, tal como puede observarse en (2).

(2) a. *Nuevo cartero siempre llama insistentemente.
  b. *A veces llega paquete sospechoso
  c. *Donó valiosa colección a museo comarcal.
  d. *Se interesa por guardaespaldas forzudo.

Las construcciones de (2) sólo serían aceptables en un texto telegráfico o quizá como titular de noticia periodística. Sin el determinante, los sintagmas *nuevo cartero* y *paquete sospechoso* pierden el valor referencial que manifiestan en (1). Lo mismo ocurre en (2c) y (2d), donde los sintagmas nominales también carecen de propiedad extensional. Los determinantes y cuantificadores que aparecen en (1) denotan propiedades extensionales, externas al sintagma, mientras que los modificadores adjetivos *nuevo* o *sospechoso,* etc. expresan propiedades intensionales, internas al sintagma nominal.

Los elementos determinantes o cuantificadores no serán necesarios cuando la construcción nominal no actúe semánticamente como un argumento de un predicado. Este es el caso de los sintagmas nominales utilizados como vocativos *(Cartero, hágame un favor),* interjecciones *(¡Bendito cartero!)* o con función predicativa *(Pedro es cartero).* También en algunos complementos de régimen verbal el SN término de la preposición puede aparecer sin artículo. Decimos *disfrazarse de cartero,* pero no **hablar de cartero.* En el primer caso atendemos a las propiedades expresadas por el nombre cartero, y no a una entidad del universo del discurso.

El nombre y los modificadores que se agrupan a su alrededor para especificar o predicar características intensionales (p. ej., adjetivos como *nuevo* o *sospechoso,* raciones de relativo, etc.) constituyen el SN. Pero para que este SN pueda peñar funciones sintácticas propias de los argumentos del predicado —funcio- de sujeto o complemento— precisará de un especificador que le asigne capa- ad de denotar, de expresar propiedades extensionales. De esta manera puede ablarse de una agrupación mayor a la del SN, encabezada por un determinante *([el [nuevo cartero]])* o un cuantificador *([cuatro [muleros]])*. Algunos autores denominan 'sintagma determinante' a la primera agrupación y 'sintagma cuantificativo' a la segunda.

En *el nuevo cartero,* el artículo asigna capacidad referencial al SN. Así pues, lo legitima desde el punto de vista semántico para funcionar como argumento capaz de saturar un predicado, es decir, proporcionar el elemento nominal del que se predica. Sin embargo, algunos SSNN no parecen precisar de un especificador para su legitimación. Este es el caso de gran parte de los nombres propios *(Pedro, Salamanca)* o de los nombres comunes contables o no contables en ciertas posiciones sintácticas *(comió cerezas, sin agua),* que serán tratados en los §§ 5.2.1.1 y 5.2.1.4, respectivamente.

Algunas construcciones parecen indicar una relación más estrecha de lo que aquí damos a entender entre el modificador posnominal y el determinante. Este es el caso de los sintagmas de (3) y (4).

(3) a. Bosnia merece una paz justa y duradera.
b. *Bosnia merece una paz.
c. Él tiene la cara hinchada.
d. *Él tiene la cara.

(4) a. Me fascina la de Manuel Vicent.
b. *Me fascina la.

Como veremos en el § 5.2.1.3, la presencia del modificador intensional *justa y duradera* en (3a) permite interpretar el sintagma en el que aparece como un sintagma que designa un tipo de paz [→ § 12.2.2]. Esta interpretación legitima la presencia del determinante indefinido ante un nombre abstracto. Muy distinto es el caso de (3c)-(3d). La construcción agramatical (3d) parece indicar que un SN formado por un nombre que designe una parte del cuerpo no puede aparecer como complemento directo del verbo *tener* sin un adjetivo que lo modifique. Sin embargo, no es difícil demostrar que el adjetivo *hinchado* que aparece en (3c) no pertenece al sintagma nominal *la cara,* sino que actúa como un predicado de este. Lo que se afirma en (3c) no es que el sujeto *(él)* tenga la cara, sino que se halla en una situación en la que su cara está hinchada. Obsérvese que es posible cambiar la posición del adjetivo y mantener el significado de (3c): *Él tiene hinchada la cara.* Esto demuestra que *hinchada* no pertenece al sintagma formado por *cara* [→ § 38.3.3]. El caso de (4) se tratará en el § 5.4. Allí se defiende que la relación entre el SP y el artículo es indirecta. En realidad, (4a) contiene un SN con el núcleo elíptico, un nombre recuperable a través del contexto discursivo o conversacional, por ejemplo, el nombre *novela, calva, mirada,* etc. La construcción agramatical de (4b) nos muestra que el determinante *la* no es capaz de legitimar él solo a un nombre elíptico.

Dada su capacidad deíctica y referencial, los pronombres personales pueden ser considerados determinantes [→ §§ 14.2 y 19.1]. Son próximos a los artículos y a los demostrativos, si bien se distinguen de los primeros en que no van acompañados de un SN. [1] Así, la construcción *yo, el rey* está bien formada porque el sintagma *el rey* no actúa como un complemento que especifique o particularice a *yo,* pronombre de por sí suficientemente especificado precisamente por su naturaleza deíctica, sino porque *el rey* actúa como una aposición al pronombre aportando una información ya conocida por el interlocutor [⟶ Cap. 8]. No obstante, las formas de genitivo del pronombre personal sí parecen admitir un SN que los complemente. Se trata de los pronombres *nuestro, vuestro* y de los apocopados *mi, tu, su, ...* que aparecen en lugar del artículo en construcciones como *su marido (= el marido de ella).* Estos pronombres, tradicionalmente llamados 'posesivos', se estudiarán en el § 5.2.1.1.

Asimismo, los pronombres personales tónicos pueden aparecer con un elemento cuantificador adjunto como *todo/todas (todo ello, toda tú, todas ellas),* un adjetivo enfatizador como *sola, mismo (ellas solas, ellas mismas)* [⟶ § 23.3.1.2] o un cuantificador numeral *(ellas tres)* [⟶ § 18.3.1]. Los pronombres átonos, debido a su naturaleza clítica, no pueden aparecer con un elemento adjunto *(*todas las vi).* En casos como *Lo sabe todo* se ve claramente que el cuantificador no se adjuntó al pronombre, sino que está en posición posverbal. [2] A estos cuantificadores que aparecen separados del elemento al que cuantifican se les conoce con el nombre de cuantificadores 'flotantes' (véanse los §§ 5.2.2.1 y 16.3.3). Otros ejemplos son *Los vecinos vinieron todos, Nosotras estuvimos todas.*

Los pronombres personales pueden clasificarse en pronombres deícticos, que señalan las personas participantes en el acto lingüístico, y pronombres que establecen relación anafórica con otros elementos de la oración o discurso. Los deícticos son básicamente los de primera y segunda persona, aunque también los de tercera persona pueden ser usados deícticamente. Los pronombres propiamente anafóricos son los de tercera persona, que establecen relación de identidad semántica con algun antecedente (o subsecuente) discursivo.

Sin embargo, no todos los pronombres no deícticos establecen el mismo tipo de relación anafórica. Unos basan la relación en la identidad referencial, mientras que otros la basan en la identidad de sentido. Los primeros serán los que permitirán establecer relaciones de correferencia: En *Pepe ama a María pero Juan la odia,* el pronombre *la* y *María* refieren a la misma entidad del universo del discurso. En español, todos los pronombres personales anafóricos mantienen relación anafórica de referencia excepto el pronombre neutro *lo.* [3] En *Si Pepe no puede ir, María nos lo comunicará* o en *Juan es listo pero María lo es aún más,* el pronombre *lo* mantiene relación anafórica de sentido con *Pepe no puede ir* y con *listo,* respectivamente. *Lo* recibe la misma significación que dichos constituyentes, pero no se trata de una identidad semántica basada en la referencia, sino en el sentido.

5.2. Determinación y cuantificación del sintagma nominal

Los elementos capaces de determinar o cuantificar un SN son de distinta naturaleza. En ciertos casos, estos elementos pueden coexistir en una misma construc-

---

[1] La tradición gramatical española ha subrayado el origen pronominal del artículo. Bello 1947: cap. XIV integró el artículo y el pronombre personal en la misma clase gramatical. Véase Alarcos 1961: 5-16; 1967: 166-177 para una posición opuesta.

[2] En la oración *Todo lo sabe*, el cuantificador *todo* no se adjunta al pronombre, sino que aparece en posición inicial de oración para así recibir una cierta interpretación enfática. Obsérvese que otros elementos como la negación pueden aparecer entre el cuantificador y el clítico: *Todo no lo sabe.*

[3] Otras lenguas románicas como el catalán, el francés o el italiano disponen de otros pronombres anafóricos de sentido *(en/ne; hi/y/ci).*

ción nominal: *el niño este/*el este niño; los cuatro muleros/*cuatro los muleros/cuatro de los muleros; todos estos niños/*estos todos niños;* etc. En este apartado veremos que las posibilidades de coaparición están sujetas a restricciones de tipo sintáctico y semántico.

Los determinantes concuerdan en género y número con el nombre alrededor del cual se organiza el SN *(esta casa, unos bosques).* No obstante, ante un nombre en singular que empiece por /a/ tónica aparece la forma *el* a pesar del género femenino del nombre, como en *el alma.* Sin embargo, la forma femenina del determinante se mantendrá en las demás formas *(las almas, esta alma, unas almas)* y cuando el artículo definido y el nombre no sean adyacentes *(la torturada alma).* Cuando el nombre núcleo del SN está presente, el artículo indefinido masculino singular aparece en forma apocopada *(un romano/uno de Roma; un cazador furtivo/ uno furtivo).* En cuanto a los cuantificadores, algunos muestran capacidad de concordar en género y número *(poco, poca, pocos, pocas),* otros presentan sólo concordancia de número *(bastante, bastantes),* mientras otros son invariables *(cada).*

5.2.1. Sintagmas nominales definidos y sintagmas nominales indefinidos

La aparición en una oración de los SSNN definidos o determinados y de los SSNN indefinidos o indeterminados está regida por condiciones semántico-pragmáticas. Un SN definido es un sintagma unívocamente identificable por los interlocutores del acto lingüístico [—> § 12.1]. Los SSNN indefinidos, en cambio, aportan información no predecible [—> § 12.2]. Por lo tanto, si presuponemos que la entidad denotada por el sintagma no es conocida por el interlocutor, el SN será indefinido.

En (5a) los SSNN en cursiva aportan información nueva, no predecible para el receptor. El primer SN introduce un elemento del discurso y el segundo introduce otro nuevo. A pesar de estar formados por los mismos constituyentes, no puede establecerse relación anafórica entre estos dos SSNN, contrariamente a lo que ocurre en (5b), donde el SN *el hombre* aporta información predecible y, por lo tanto, se interpreta como correferente al SN *un hombre,* que actúa como su antecedente discursivo.

(5) a. *Un hombre* entró en una iglesia mientras se celebraba la misa vespertina (...) *Un hombre* se dirigió directamente a la sacristía.
b. *Un hombre* entró en una iglesia mientras se celebraba la misa vespertina (...) *El hombre* se dirigió directamente a la sacristía.

Otros SSNN definidos podrían aparecer en la posición del sintagma *el hombre* en (5b). Así pues, *aquel hombre, él* o bien un pronombre elíptico podrían establecer la misma relación anafórica con el antecedente indefinido.

En (5b) la relación anafórica patente entre el SN indefinido y el SN definido legitima la aparición de este último. No obstante, otras relaciones anafóricas menos transparentes pueden permitir también la aparición de un SN definido en el discurso; por ejemplo, una relación anafórica basada en una relación de hiponimia o de sinonimia. Dada la relación de sinonimia que mantienen los nombres *cárcel* y *prisión,* el SN *la prisión* puede quedar legitimado por la introducción previa en el discurso del SN *una cárcel.* El hecho de que el nombre *instrumento* sea hiperónimo del nombre *piano* legitimará la relación anafórica entre el SN definido *el instrumento* y el SN indefinido *un piano,* si este apareció previamente en el discurso.

Asimismo, la relación anafórica entre SN indefinido y SN definido puede establecerse por vía asociativa. Así, a partir del sintagma indefinido *una iglesia* de (5) podemos referirnos a sus partes o actividades con un SN definido (*la sacristía, el cura, la misa,* etc.). También un SN como *las rías* queda legitimado por una relación asociativa en las oraciones *Fui a Galicia y visité las rías* / *Visité las rías de Galicia* [⟶ § 12.1.1].

El contexto situacional es otro factor legitimador de la aparición de un SN definido *(¡Cerrad la puerta!).* Pero quizá el caso más interesante es el del SN definido legitimado a través de un modificador que capacita al interlocutor para identificar la entidad a la que se hace referencia. En la oración *Llamó la chica que vino ayer acompañada de su novio,* la información aportada por la oración de relativo hace predecible la referencia del SN. Otros modificadores como el cuantificador ordinal *primer* o el adjetivo gradativo *mejor,* etc. también son legitimadores de la presencia del determinante definido. Así pues, *el mejor vino* o *el vino más afrutado* son sintagmas nominales definidos porque aportan información conocida: si existen distintos tipos de vino es previsible que haya uno que sea el mejor o uno que sea el más afrutado.

Por sus propiedades semánticas, los nombres abstractos aparecen en SSNN definidos *(la pobreza, la lealtud).* Véase, sin embargo, § 5.2.1.3. Cuando aparecen sin artículo expresan propiedades, como en el ejemplo de Alonso (1951: 143), *Sabiduría no es mera erudición,* donde se habla de lo que es sabiduría y erudición.

En determinados contextos, los SSNN formados por un nombre común e introducidos por un artículo (definido o indefinido) pueden recibir una interpretación específica o no específica [⟶ § 12.3.2]. Los SSNN específicos presuponen la existencia de un referente que responda a la descripción. Veámoslo en (6).

(6) María quiere casarse con un archivero de Salamanca.

El sintagma *un archivero de Salamanca* puede recibir dos interpretaciones, según sea positiva o negativa la presuposición de existencia de un referente concreto que reúna las condiciones de ser archivero de Salamanca y de ser el individuo con quien María quiere casarse. Si el SN es interpretado específicamente, (6) podrá parafrasearse como (7a). Si se trata de un SN no específico, entonces deberá parafrasearse como (7b).

(7) a. María quiere casarse con *un archivero que es de Salamanca.*
b. María quiere casarse con *un archivero que sea de Salamanca.*

En español, la distinción semántica entre SSNN específicos y SSNN no específicos tiene una repercusión clara en la sintaxis. Al sustituir el SP modificador de *Salamanca* por una oración de relativo, aparece el modo indicativo si el sintagma es específico y el subjuntivo si se trata de un sintagma interpretado como no específico [⟶ § 50.1]. Además, un SN indefinido específico puede aparecer reforzado por un modificador del tipo *en concreto, en particular (...un archivero de Salamanca en concreto/en particular)* o por *determinado (...un determinado archivero de Salamanca).* En cambio, si el SN no se interpreta como específico podrá coaparecer con el cuantificador *cualquiera (...un archivero de Salamanca cualquiera).* Más aún, un SN humano no específico en función de complemento directo prescinde de la preposición *a,* marca de acusativo. Compárese *Busco un hombre justo* con *Busco a un hombre justo.* Sólo en el segundo caso se presupone la existencia de un hombre tal que posee la propiedad de ser justo [—> § 28.4]. Asimismo, es interesante señalar que los sintagmas indefinidos sólo admiten sustitutos pronominales definidos cuando son específicos. Así pues, si nos referimos a (6a) podemos decir *María quiere casarse con él,* mientras que para parafrasear (6b) diríamos *María quiere casarse con uno.*

También un SN definido puede recibir interpretación no específica. De ahí que (8a) sea una oración ambigua, como muestran las paráfrasis de (8b) y (8c).

(8) a. María quiere comprarse *el coche más caro.*
b. María quiere comprarse *el coche que es más caro.*
c. María quiere comprarse *el coche que sea más caro.*

Obsérvese que la ambigüedad de (8) desaparecerá si el adjetivo *caro* deja de estar especificado por el modificador de grado. En *María quiere comprarse el coche caro,* la única interpretación posible es la específica.[4] Ello demuestra que el contexto sintáctico es un factor determinante a la hora de interpretar un SN.

Sólo algunos verbos son capaces de crear un contexto de 'opacidad referencial', un contexto en el que un SN resulte ambiguo en relación a su especificidad. Son los verbos *querer, intentar, esperar, buscar, desear,* etc. [—> § 50.1.2]. Así, en *Desea un libro, pero no un libro cualquiera* se está forzando la interpretación específica del SN, lo que se quiere es un determinado libro. También los verbos modales (*poder, deber, tener que,* etc.) son creadores de opacidad (véase el § 5.2.1.4). En *María pudo adquirir un coche japonés* podemos interpretar que María pudo comprar un coche concreto, un coche que era japonés, o bien que pudo comprar un coche que fuera japonés. Asimismo, pueden causar opacidad referencial los tiempos de futuro y condicional, tal como muestra la ambigüedad de (9a) frente a (9b), oración en tiempo pasado y en la que *un archivero de Salamanca* sólo puede recibir interpretación específica:[5]

(9) a. María se casaría con *un archivero de Salamanca.*
b. María se casó con *un archivero de Salamanca.*

En contextos de oración imperativa, en cambio, sólo la interpretación no especifica será posible para un SN indefinido. De ahí que una oración como *¡Cásate con un archivero de Salamanca!* no pueda ser parafraseada por la construcción agramatical **¡Cásate con un determinado archivero de Salamanca!* En este último caso, existe una incompatibilidad entre el modo imperativo de la oración que provoca una interpretación no específica del SN indefinido y el modificador *determinado,* que es causa de una interpretación necesariamente específica. Sobre otras construcciones relacionadas con la interpretación específica / no específica, véanse los §§ 5.2.2 y 5.3.2.2 [—> §§ 12.3.2.3 y 50.1].

5.2.1.1. *Sintagmas nominales definidos sin artículo*

En español, un SN puede recibir interpretación definida —y específica— sin que el artículo definido esté presente. Este es el caso de los SSNN introducidos por un posesivo o un demostrativo [—> Cap. 15] y el de los sintagmas cuyo núcleo es

[4] La ambigüedad se conservaría, en cambio, en el caso de que el SN fuera indefinido, ya que en este tipo de SN la interpretación no específica está menos restringida.

[5] La oración (9a) puede ser parafraseada por (ia) y (ib), mientras que la aparición del modo subjuntivo en la relativa provocaría un resultado agramatical en (9b), tal como se muestra en (ii).

(i) a. María se casaría con *un archivero que es de Salamanca.*
b. María se casaría con *un archivero que fuera de Salamanca.*

(ii) *María se casó con *un archivero que fuera de Salamanca.*

un nombre propio [→ § 2.4.1]. Los determinantes demostrativos se estudian en el § 5.2.1.6.

Un pronombre personal en genitivo puede ocupar la posición de determinante. En tal caso la construcción recibirá interpretación de SN definido. Así, el correspondiente definido del SN indefinido *un amigo suyo* es el SN definido *su amigo,* equivalente a *el amigo suyo,* construcción de uso más restringido,[6] o a *el amigo de {ella/él/ellos/ellas}.* Obsérvese que la expresión de posesión es común a todos estos SSNN *(= {Él/ella/ellos/ellas} tiene(n) un amigo),* sea cual sea la posición y la expresión morfológica del pronombre. Cuando el complemento del nombre no se refiere a personas (o seres animados), es más difícil entonces que aparezca el pronombre en posición posnominal. Así, en *las medidas suyas* cuesta interpretar la construcción como sinónima a *las medidas del armario.* La interpretación preferente es aquella en la que el posesor es animado. Si el pronombre aparece en posición inicial, la referencia a posesores no animados deja de ser rara. En la oración *Su procedencia no me interesa,* el SN *su procedencia* puede significar «la procedencia del armario» [→ § 15.3].

En la mayoría de los dialectos del español actual la presencia del pronombre posesivo en posición prenominal impide la presencia del artículo definido *(*el su amigo/el amigo suyo).* El posesivo, cuando ocupa la posición destinada al determinante, es autosuficiente para dar interpretación definida al SN. Pero no siempre fue así; el español antiguo permitía la coaparición del artículo definido y el pronombre genitivo, como todavía hacen otras lenguas románicas. Aún hoy, en algunos dialectos —en las hablas de León y de Asturias, por ejemplo— el artículo definido y el pronombre preceden al nombre *(la mi casa, el tu perro).* No es posible, en cambio, que el artículo que precede al pronombre sea indefinido *(*una su casa/una casa suya).* Sobre los llamados pronombres posesivos, véase el capítulo 15.[7]

En ciertas construcciones se expresa posesión a pesar de la ausencia del pronombre genitivo en el SN. Son los llamados contextos de posesión inalienable, sintagmas con nombres que denotan partes del cuerpo, términos de parentesco, etc., como los de (10) [→ § 15.6].

(10) a. La nuera trabaja de noche.
b. Su nuera trabaja de noche.
c. Abandonó mujer e hijos.
d. Abandonó a su mujer y a sus hijos.

Desde el punto de vista semántico, las oraciones (10a) y (10c) no difieren mucho de (10b) y (10d), respectivamente. Por su carácter relacional, un nombre de parentesco como *nuera* presupone unos suegros. La oración (10c) no sólo queda legitimada por los nombres de parentesco que componen el complemento directo, sino

[6] Véase Fernández Ramírez 1951: § 121/120.4.

[7] En expresiones como *su casa de usted,* el SP compuesto por el pronombre tónico *usted* y la preposición que lo introduce no actúa como complemento del nombre, sino como elemento adjunto que refuerza y desambigua el poseedor ya expresado por el pronombre átono *su.* Para muchos hablantes, esta reduplicación del pronombre sólo es posible cuando *usted* expresa posesión material. Como se señala en Demonte 1991: 243, *su retrato de usted* significa «el retrato del que usted es dueño», no «el retrato en el que usted está fotografiado». En algunos dialectos, es posible el doblado cuando *su* es pronombre de tercera persona: *su casa de él.* En español antiguo y aún hoy en algunos dialectos, como el español de México, es frecuente la reduplicación del posesivo de tercera persona en posición de determinante con un SN definido: *su madre de Melibea, su boca de Celestina.* Véase Fernández Ramírez 1951: § 120-19.3, n. 190.

también por la coordinación. Obsérvese que no es posible **Abandonó mujer,* ya que los nombres contables necesitan estar o bien determinados o bien cuantificados.[8] Sin embargo, en otros contextos de significado posesivo la aparición del pronombre genitivo provoca agramaticalidad.

(11) a. Me extraerán la muela del juicio.
b. ??(Me) extraerán mi muela del juicio.
c. María se lavó el pelo.
d. ??María (se) lavó su pelo.

La estrategia seguida por el español en (11), y por las lenguas románicas en general, consiste en expresar la posesión a través de un pronombre de dativo, mientras que el nombre que denota una parte del cuerpo aparece determinado por el artículo definido.[9] La oración *Me extraerán una muela del juicio* también es posible, dado que los humanos pueden poseer más de una muela del juicio. Pero una oración como *Me extraerán una dentadura* no es fácil de interpretar, y en cualquier caso no podrá tratarse de una dentadura entendida como una parte del cuerpo humano [⟶ § 15.6].

Por lo que a los nombres propios del español se refiere, la mayoría no precisan de un artículo o determinante definido. A pesar de ello, funcionan como los sintagmas nominales definidos. La razón está en que los nombres propios son utilizados como etiquetas para designar entidades del universo del discurso cuya denotación el emisor presupone que es conocida por su interlocutor. Así pues, la naturaleza semántica del nombre propio hace innecesaria la presencia de un determinante. En aquellos casos en que el nombre propio va acompañado de determinante, como en *La Mancha* o *Las Palmas,* este es siempre un artículo definido con un valor semántico expletivo, es decir, vacío de contenido. El artículo, pues, no es el responsable del carácter definido de la construcción nominal. Obsérvese que no es posible en estas construcciones separar el artículo del nombre propio: **la famosa Mancha, *las acogedoras Palmas* [⟶ §§ 2.4 y 13.5.6]. Sin embargo, en algunos casos puede aparecer el artículo sin que el nombre propio sea recategorizado como un nombre común, tal como se muestra en los ejemplos de (12), tomados de Brucart (1994a: 68).

(12) a. La misma Guadalupe negó esa posibilidad.
b. Guadalupe misma negó esa posibilidad.

La presencia del adjetivo enfatizador *misma* [⟶ § 23.3.1.2] en (12a) o la de un adjetivo calificativo en posición prenominal *(la pequeña Guadalupe)* provoca la aparición del artículo.[10] Algo parecido ocurre en (13b), donde la aparición del prefijo temporal *ex* conlleva también la aparición del artículo.

---

[8] En algunos contextos sintácticos la cuantificación de un nombre contable puede satisfacerse a través de la marca morfológica de pluralidad. Es el caso de *Dejó hijos,* una construcción gramatical, frente a la agramatical **Dejó hijo.* Véase el § 13.4.4.

[9] Dicha estrategia está sujeta a restricciones. Algunos verbos estativos como *odiar* o *amar* no pueden recurrir a ella mientras que otros verbos, como *envidiar,* sí pueden: **Le odio las manos, *Te aman el carácter / Le envidio las manos, Te envidian el carácter* [⟶ §§ 15.7.1 y 30.6.5].

[10] *Propio* es otro adjetivo enfatizador que puede aparecer en construcciones como (12a): *La propia Guadalupe negó esa posibilidad.*

(13) a. Yugoslavia.
b. La ex Yugoslavia.

En contextos coloquiales no es rara la presencia del artículo definido ante los nombres propios de persona *(la Lola, el Pepe).* Se trata de un uso expletivo del artículo [⟶ § 2.4.2]. En otras lenguas románicas este recurso llega a ser obligatorio y en algunas incluso se utiliza un artículo especial para este tipo de nombres propios, por ejemplo, en catalán (*En Pere* «Pedro», *Na Caterina* «Catalina»).

Cuando el determinante es un pronombre posesivo puede darse una interpretación contrastiva. Si se usa un sintagma como *mi Pepe* para distinguir a una persona de otra con el mismo nombre, se está utilizando el nombre propio como un nombre común. Se trata, pues, de una recategorización del nombre como en *los Pepes, Este Pepe que te llama constantemente,* etc. Ahora bien, también es posible que la presencia del posesivo ante un nombre propio no comporte una interpretación contrastiva, pues puede tratarse de una expresión afectiva.

Ciertos nombres comunes de parentesco pueden ser usados como nombres propios, por lo que aparecen sin determinante *(Madre no está, Papá salió),* véase Fernández Ramírez 1951: § 151/150.

5.2.1.2. Determinantes neutros

El español posee más determinantes neutros que otras lenguas románicas, que sólo poseen el demostrativo. Son propios del español el pronombre *ello* [⟶ § 19.3.9] (y la forma pronominal átona *lo*) y el artículo *lo* [⟶ §§ 12.1.3 y 42.3.4]. [11] Tales determinantes carecen de plural. [12] El pronombre se comporta como una categoría intransitiva, sin elemento que lo complemente. Sin embargo, podrá aparecer, como los demás pronombres tónicos, con algún elemento adjunto de carácter enfático o intensificador, como en *ello mismo.* En cambio, el artículo neutro, como los demás artículos definidos del español, debe aparecer siempre con una categoría que lo complemente. Por lo tanto, como se señala en Bosque y Moreno (1990), aunque coexistan sintagmas como *ello mismo* y *lo mismo,* el valor del modificador *mismo* es distinto en uno y otro caso. En el último ejemplo, no actúa como un enfatizador, sino como un restrictor identificativo.

Como artículo, *lo* se combina con un sintagma adjetivo *(lo muy caro, lo más íntimo),* un SP *(lo de tu madre)* o un sintagma cuyo núcleo es un participio *(lo elegido por Juan).* [13] Sin embargo, no todos los participios pueden aparecer en un sintagma determinante introducido por *lo.* Los participios de verbo intransitivo o de régimen preposicional no son fácilmente aceptados. Compárense los ejemplos de (14) con los de (15).

(14) a. *Lo funcionado.
b. *Lo pecado.
c. *Lo insistido.

---

[11] La naturaleza de *lo* ha sido y es motivo de polémica entre los gramáticos del español. Para unos *lo* es artículo —Alarcos (1967), Contreras (1973)—, mientras que para otros es un pronombre —Bello (1847), Fernández Ramírez (1951), Lázaro (1975), Bosque y Moreno (1990)—. Entre los que consideran que es artículo, algunos lo tratan como un elemento 'nominalizador' de adjetivos y construcciones preposicionales o adverbiales, como Alarcos (1967).

[12] Como no existe flexión de género neutro en los adjetivos del español, la concordancia con los sintagmas determinantes neutros se hace en la forma no marcada, en masculino: *Ello es justo, Lo bueno no es despreciado.*

[13] [⟶ § 12.1.3] Sobre *lo* seguido de oración introducida por que, véase el § 7.2.2.3.

(15) a. Lo vendido.
b. Lo teñido.
c. Lo visto.

Los participios de (14a)-(14b) pertenecen a verbos intransitivos y el de (14c) a un verbo con complemento de régimen, mientras que los de (15) pertenecen a verbos transitivos. Sólo estos admiten la voz pasiva, valor que se conserva en (15). Los sintagmas de (15) pueden ser parafraseados por «las cosas que han sido vendidas, teñidas, vistas». De todos modos, si el verbo intransitivo admite un uso transitivo —como es el caso de *andar* o *bailar* en *andar una milla, bailar un vals*—, entonces será posible un sintagma como *lo andado, lo bailado.* Por otro lado, los participios de verbo transitivo [⟶ § 4.4.2] que, debido a sus propiedades semánticas no admitan la voz pasiva, no se combinarán con *lo (*lo tenido),* salvo en alguna construcción ya lexicalizada como *todo lo habido y por haber.* Los participios 'deponentes' o participios de verbos inacusativos [⟶ § 4.4.3] pueden también aparecer en estos sintagmas *(lo llegado),* siempre que sus propiedades semánticas aspectuales lo permitan *(*lo ido)* [⟶ Cap. 25].[14]

Obsérvese que la expresión lexicalizada que acabamos de citar no puede ser parafraseada por la construcción **todo lo habido y lo por haber.* Ello es debido a que *lo,* como los demás artículos del español, no puede incidir sobre SSPP introducidos por una preposición que no sea *de (*lo sobre Roma, *lo contra las reglas, *lo a la puerta / lo de Roma, lo de antes de la guerra, lo de siempre)* (véanse los §§ 5.4 y 43.3).

Bosque y Moreno (1990) distinguen tres valores distintos de *lo: lo* individuativo, que denota entidades no humanas, *lo* cualitativo, denotador de propiedades, y *lo* cuantitativo, denotador de cantidades. Así pues, en la oración *Lo malo de la vida en el campo es el aislamiento,* el sintagma *lo malo de la vida en el campo* se refiere a un aspecto de la vida rural, al aspecto malo. Por lo tanto, se restringe, se individualiza una característica de la vida en el campo. Otros ejemplos de *lo* individuativo son *lo bailado,* donde *bailado* restringe la denotación de *lo,* y *lo de la madera,* donde se expresa una relación entre aquello denotado por el determinante *lo* y lo denotado por el sintagma *la madera*.

En cambio, en una oración como *No dormí por lo angosto de la cama,* se expresa la propiedad de la angostura en un grado alto, propiedad que se predica de *la cama.* El *lo* cualitativo, según Bosque y Moreno (1990), denota una propiedad tomada en su grado extremo. Así pues, el significado del sintagma *lo angosto de la cama* es «la extrema angostura de la cama».

El *lo* denotador de cantidades o *lo* cuantitativo (*lo justo, lo necesario,* etc.) aparece con predicados que se acompañan de complementos de cantidad *(duró lo justo, vale lo suficiente)* o que admiten un adjunto que exprese cantidad *(estudiaré lo imprescindible)*.

Un sintagma encabezado por *lo* también puede relacionarse con una construcción exclamativa directa o indirecta, como en *¡Lo angosta que era tu cama!* o en *Recuerdo lo angostas que son aquellas*

[14] Los versos de Jorge Manrique proporcionan un ejemplo —vigente actualmente— de que el participio pasado introducido por *lo* puede aparecer negado: *si juzgamos sabiamente, | daremos lo no venido | por pasado.*

calles. En estas construcciones el adjetivo *angosta/angostas* concuerda con su sujeto *(tu cama, aquellas calles)* [⟶ §§ 7.4.2, 12.1.2.7 y 62.1.2.4]. En cambio, en las construcciones estudiadas en este apartado, el adjetivo debe aparecer siempre en la forma no marcada. De ahí la agramaticalidad de las construcciones siguientes: **Lo angosta de la cama, *Lo angostas de las calles.*

5.2.1.3. Usos del determinante indefinido

Al estudiar el artículo indefinido *un(o)/una/unos/unas* [⟶ § 12.2] hay que distinguirlo del cuantificador numeral cardinal *un(o)/una,* que se opone a *dos, tres,* etc., y del cuantificador distributivo *un(o)* correlativo de *otro* que hallamos en *(El) uno dice que sí, (el) otro dice que no.* Estas distinciones nos permitirán explicar algunas asimetrías aparentes entre las formas de singular del artículo indefinido y las formas de plural. A primera vista, se diría que las formas plurales pueden aparecer en las mismas posiciones que las formas no plurales, excepto en construcciones partitivas como las de (16e)-(16h). Veámoslo en (16).

(16) a. Un hombre me indicó el camino.
b. Unos hombres me indicaron el camino.
c. Compraré una sábana de lino.
d. Compraré unas sábanas de lino.
e. Un jugador extranjero de los muchos que tiene el Deportivo marcó dos goles.
f. *Unos jugadores extranjeros de los muchos que tiene el Deportivo marcaron dos goles.
g. Entrevistarán a un diputado de los de tu grupo parlamentario.
h. *Entrevistarán a unos diputados de los de tu grupo parlamentario.

En realidad, las oraciones (16e) y (16g) están bien formadas porque *un* actúa como cuantificador numeral cardinal, no porque se trate de un artículo indefinido [⟶ § 12.2.1.1]. La prueba está en que son también oraciones bien formadas las construidas con otros cuantificadores numerales o indefinidos: *tres jugadores extranjeros de los muchos que tiene el Deportivo; algunos diputados de los de tu grupo.* También se da el mismo contraste aparente en (17):

(17) a. Uno de los jugadores extranjeros marcó dos goles.
b. *Unos de los jugadores extranjeros marcaron dos goles.

Uno en (17a) no es artículo indefinido sino cuantificador numeral, como *dos* en *dos de los jugadores extranjeros.* Obsérvese que en los casos en que es posible el artículo indefinido plural también es posible el artículo definido, como puede verse en (18):

(18) a. Unos jugadores extranjeros del Deportivo firmaron el documento.
b. Los jugadores extranjeros del Deportivo firmaron el documento.
c. Reconocí a unas de Ronda.
d. Reconocí a las de Ronda.

Ello nos muestra que no existen restricciones que afecten sólo al artículo indefinido plural. Las condiciones que restringen la aparición de los SSNN indefinidos los afectan por igual, sea cual sea su número. Veamos un ejemplo. Los predicados que predican propiedades permanentes, los llamados 'predicados individuales' [⟶ §§ 3.2.3.1 y 37.2], no aceptan fácilmente un SN indefinido como sujeto: *??Un niño de mi clase es inteligente, *Unas mujeres son altas.*[15] En su lugar diríamos: *Hay un niño inteligente en mi clase, Algunas mujeres son altas,* etc. Sin embargo, si el predicado expresa una propiedad contingente, la aparición del SN indefinido en posición de sujeto está permitida: *Un niño de mi clase tiene fiebre, Unas mujeres tomaban el sol.*

Un caso interesante es el del llamado artículo indefinido ponderativo (véase Alonso 1951: 152), ejemplificado en (19) [⟶ § 7.4.1.1]:

(19) a. Tengo un miedo que me muero.
b. Tiene unos hijos que son insoportables.

La presencia en (19) del elemento posnominal encabezado por *que* resulta obligatoria, puesto que su ausencia convierte la construcción en agramatical, tal como se muestra en (20).

(20) a. *Tengo un miedo.
b. *Tiene unos hijos.

De todos modos, estas oraciones podrían estar bien formadas si se interpretaran como oraciones con entonación suspendida. Pero si no reciben una entonación especial, sólo podrán ser gramaticales con la desaparición del artículo indefinido, como en (21).

(21) a. Tengo miedo.
b. Tiene hijos.

Lo realmente intrigante de estas construcciones es la relación entre el determinante indefinido y el supuesto modificador. En realidad, este último forma parte de una correlación consecutiva. Obsérvese que (19a) es parafraseable por *Tengo tanto miedo que me muero* o por *Tengo un miedo tal que me muero.* En la construcción hay, pues, un cuantificador de grado, que, como *tanto* o *tal* en la paráfrasis, se acompaña de una coda [⟶ §§ 7.4.1.1, 58.2.4 y 58.2.5].[16]

En (19b), *que son insoportables* también debe ser analizado como la coda de un cuantificador consecutivo implícito. De ahí que pueda parafrasearse por *Tiene unos hijos tales que son insoportables* o bien por *Tiene unos hijos tan mal educados que son insoportables. Unos* en (19) no es un cuantificador consecutivo, es simplemente un artículo. La coda de la construcción es la coda de un cuantificador consecutivo implícito. Esta misma interpretación se da con otros nombres que, como los de parentesco *(hijos),* expresan posesión inalienable, nombres que no pueden aparecer introducidos por el artículo indefinido *(*Luce una melena),* y también con nombres concretos continuos *(aire, vino).*[17]

---

[15] Esta oración sería gramatical si interpretáramos *unas* como correlativo de *otras: Unas mujeres son altas, otras no.*

[16] Alcina y Blecua (1975: § 179) denominan «*tal* intensivo» a este uso de *tal.*

[17] Una construcción semánticamente próxima a las de (19) y (22) es la de (i), donde lo increíble no es mi miedo, sino el grado que alcanza mi miedo.

(22) a. Luce una melena que fascina.
b. Allí se respira un aire que provoca náuseas.
c. Nos ofrecieron un vino que levantaba el ánimo del más deprimido.

Bello (1847: 856) y Alonso (1951: 155) señalan la diferencia semántica entre *Juan es holgazán* y *Juan es un holgazán.* El uso de un SN indefinido como atributo expresa un cierto énfasis. En el primer caso se predica una propiedad de Juan, en el segundo se expresa que Juan pertenece a la clase de los holgazanes, que es una de las personas holgazanas. Pero esta segunda construcción suele conllevar una valoración negativa. De ahí que pueda decirse *Juan es {un desagradecido/un indeseable/un infeliz},* pero no *Juan es {un agradecido/un deseable/un feliz}.* Existen, no obstante, algunas excepciones: *Juan es {un valiente/un santo}* (véase Bosque 1989: 109s, Fernández Lagunilla 1983).

En determinados contextos sintácticos no hay lugar para el artículo indefinido [→ § 12.2.2]. Así, en *Me dio la respuesta de siempre* no es posible sustituir el artículo definido por el indefinido *(*Me dio una respuesta de siempre),* aunque en ausencia del modificador *de siempre* ello sería factible *(Me dio la respuesta / Me dio una respuesta).* Algo parecido se observa en *el equipo médico habitual* frente a **un equipo médico habitual.* La presencia del adjetivo *habitual* no es compatible en ciertos casos con el artículo indefinido. Sin embargo, el adjetivo *determinado* —cuando no es sinónimo de *fijo, fijado* o *resuelto*— presenta un funcionamiento opuesto al de los modificadores que acabamos de comentar. Este es un adjetivo compatible únicamente con sintagmas nominales precedidos de artículo indefinido *(*los determinados libros/unos determinados libros, unos libros determinados).* [18] Es evidente que las propiedades semánticas de los modificadores intensionales restringen las posibilidades del SN de aparecer con un determinante definido o indefinido [→ 12.1.2.3]. Compárense ahora las oraciones de (23).

(23) a. Aliñó la ensalada con un aceite excelente.
b. *Aliñó la ensalada con el aceite excelente.
c. *Aliñó la ensalada con un aceite necesario.
d. Aliñó la ensalada con el aceite necesario.

Aceite es un nombre continuo o no contable. Estos nombres sólo pueden aparecer con un adjetivo calificativo de significado superlativo (o adjetivo elativo), si el sintagma es indefinido, como en (23a). En este caso, el SN *un aceite excelente* se interpreta como «un tipo de aceite que era excelente» [→ § 1.2.3.2]. Sin embargo, cuando un adjetivo con significado modal, como *necesario, preciso,* etc., modifica a un nombre continuo, entonces el artículo debe ser definido, como muestran (23c) y (23d). El SN *el aceite necesario* se interpreta en (23d) ya no como un tipo de aceite sino como «la cantidad de aceite necesaria».

(i) Tengo un miedo increíble.

La valoración subjetiva que expresan estas construcciones se da también en la construcción coloquial *Es {de una fineza fantástica / de una dureza insospechada}* (véase Fernández Lagunilla 1983).

[18] *Determinado,* gracias a su significado, puede aparecer en un SN sin determinante siempre que se trate de un SN plural: *determinados autores, determinadas críticas.*

5.2.1.4. *Ausencia del determinante*

A diferencia de otras lenguas románicas como el francés o el italiano, el español actual no conserva el llamado artículo partitivo, formado por <*de* + artículo definido>. En español antiguo se observan casos de este artículo introductor de construcciones nominales con nombre no contable en singular o nombre contable en plural. Fernández Ramírez (1951: § 147/146, n. 345) ofrece algunas muestras de este uso antiguo: *Deje que nos den del pan* [*Autos,* Rouanet, III, 252]; *Et salieron a él de los omnes buenos que morauan en el arraual* [*Primera Crónica General,* 571a, 21]. Este artículo partitivo, como el del francés y del italiano, designaba una parte indeterminada de los miembros de la clase designada por el nombre al que introducía. El español actual no posee un determinante partitivo explícito, pero no por ello se ha perdido la posibilidad de asignar la interpretación partitiva a una construcción nominal. Lo que ha cambiado ha sido la estrategia que sigue la lengua para conseguir tal significado. Diríase que el artículo partitivo actualmente aparece como un artículo sin contenido fonológico explícito. Este determinante implícito, al igual que *del* o *de los* del español antiguo, legitima y da significado de cuantificación indeterminada a las construcciones nominales en posición de sujeto o complemento directo de las oraciones siguientes [→ §§ 13.3.2 y 16.3.2.4]:

(24) a. Pasan coches.
b. En este árbol anidan cigüeñas.
c. Comeremos pan.
d. Cantaremos villancicos.

Los verbos inacusativos como *pasar, salir, venir* admiten sujetos posverbales sin determinante explícito [→ §§ 13.4.1 y 25.3.1.2]. También los admiten algunos verbos intransitivos como *anidar* en contextos locativos, como en el ejemplo (24b) procedente de Torrego 1989. Los verbos transitivos, en cambio, no admiten sujetos posverbales sin determinante (o cuantificador) explícito, a menos que se trate de un nombre propio *(*Cantan un villancico niños)*.

Sin embargo, en el lenguaje periodístico no es extraño encontrar sujetos preverbales sin determinante explícito: *Fuentes eclesiásticas afirman que Roma lo ve con buenos ojos; Jóvenes procedentes del campo se reunirán en Palencia.* Es de notar la importancia del modificador restrictivo en estas construcciones *(*Fuentes afirman...)*. La coordinación es otro procedimiento que permite la ausencia de un determinante explícito: *Empresarios y representantes sindicales se reúnen en Madrid.* Los nombres que expresan relaciones inversas (o de oposición relativa), como los de parentesco, pueden aparecer en la posición de sujeto coordinados y sin determinante: *Padre e hija se sentían incómodos en aquella situación* (ejemplo tomado de Moreno 1991: 282), *Amo y criado se sentían incómodos en aquella situación;* pero ya resultaría mucho más forzado *Panadero y motorista se sentían incómodos en aquella situación*.

Los ejemplos (24c) y (24d) muestran que el complemento directo de un verbo transitivo puede aparecer sin determinante explícito, siempre que se cumplan ciertas condiciones, por ejemplo, que el nombre aparezca en plural si es nombre contable. [19]

---

[19] En *Lleva chaqueta* o *Comeremos pavo,* el nombre ha sufrido recategorización y es utilizado como un nombre continuo.

Para un estudio detallado de las condiciones que rigen la ausencia del determinante, véase el § 13.2.

Algunos verbos transitivos como *lamentar* o *agotar* no aceptan un complemento directo sin determinante (o cuantificador) explícito *(*Juan lamenta hechos, *Agotó fuerzas).* La razón estriba en las propiedades semánticas de este tipo de predicados. *Agotar,* por ejemplo, es un predicado que expresa una situación delimitada; necesita, por lo tanto, un complemento capaz de respetar sus propiedades aspectuales, un complemento como *la sopa, un trabajo,* etc. Tampoco los verbos pronominales aceptan un complemento directo sin determinante (o cuantificador) explícito *(*Me tomé sopa/Tomé sopa).* Asimismo, algunas preposiciones requieren que su complemento lleve el determinante explícito, a no ser que se trate de un nombre propio: **hacia montañas, *desde montañas.* Otras, en cambio, no imponen tal exigencia: *{sin/con} los niños, {sin/con} niños,* etc.

Un SN escueto, es decir, sin determinante o cuantificador explícito, no recibe jamás interpretación específica; de ahí que sean agramaticales construcciones como **Veo a niños* frente a la buena formación de *Veo a unos niños*.

Un caso interesante de ausencia de determinante o cuantificador explícito es el que aparece en oraciones negativas como *No soltó palabra* o *No habrá caso de tiña que se resista a los específicos de esta Casa,* ejemplo este último tomado de Sánchez de Zavala (1976: 201). Estas oraciones se interpretan igual que *No soltó ninguna* (o *ni una*) *palabra* y *No habrá ningún* (o *ni un*) *caso de tiña que se resista a los específicos de esta Casa.* Así pues, el determinante implícito se interpreta dentro del ámbito de la negación de forma paralela al determinante indefinido *una* en *No tiene una peseta,* oración que equivale a *No tiene ni una peseta* [→ § 40.3.2.2].

5.2.1.5. Determinantes con interpretación genérica y de tipo

En español, el artículo definido puede ser utilizado como generalizador, como en *El hombre es mortal, Los hombres son mortales.* En tal caso la designación del sintagma determinante se extiende a la clase denotada por el nombre, la clase humana, no a individuos de la clase. En los ejemplos anteriores, toda la oración tiene un significado genérico [→ §§ 12.3.3 y 13.3], pero puede darse el caso de que sea sólo uno de los argumentos verbales el que se interprete genéricamente, como *los animales* en *Juan amaba a los animales.* Esta oración puede ser paralela a *Juan amaba a todos los animales.* Adviértase, sin embargo, que en este contexto un SN definido singular no podría recibir fácilmente una interpretación genérica: *Juan amaba al animal, Juan amaba la barca.* El complemento directo recibe ahora necesariamente interpretación específica. Tampoco se conseguirá la interpretación genérica con verbos no estativos *(Juan {miraba/perseguía/dibujaba} a los animales).*

La interpretación genérica con el artículo indefinido plural es imposible *(Unos hombres son mortales).* Con el artículo indefinido singular es posible, pero está sujeta a restricciones más severas que el definido. Una oración como *Un dinosaurio está extinguido* no puede ser genérica, mientras que *El dinosaurio está extinguido* sí. Sin embargo, si el predicado expresa pertenencia a una clase, entonces el sujeto puede interpretarse como genérico: *Un dinosaurio era un animal prehistórico, Un hombre es un ser mortal.* Asimismo, la presencia de un verbo modal puede otorgar valor genérico a la oración y, por lo tanto, a un SN indefinido singular, tal como muestran los ejemplos de Hernanz (1990): *Un mono no puede hablar, Un niño tiene que dor-*

mir. [20] En los refranes y las sentencias puede aparecer un SN sin determinante explícito con interpretación genérica: *Casa donde no se madruga es difícil que prospere* (Alonso 1951: 148).

Otras veces, un SN introducido por un determinante puede recibir una interpretación que no coincide exactamente ni con la designación de los miembros de toda la clase ni con la designación de uno (o más) de sus individuos. Se trata de construcciones nominales que designan a un 'tipo' de entidad, no a entidades concretas, como las de (25). [21]

(25) a. En aquella fiesta podías encontrarte con el típico hijo de papá.
b. ¿Sabes que mi hermana se ha comprado el mismo coche?

El típico hijo de papá y *el mismo coche* no se refieren a un hijo de papá concreto ni a un coche específico, tampoco a todos los hijos de papá ni a todos los coches, sino a un tipo de joven y a un tipo de automóvil. Lo mismo ocurre con el SN *la clásica niña bien,* que designa a un tipo de chica. Según Zubizarreta y Vergnaud (1992), el artículo definido en (25) es un artículo expletivo.

Un SN con interpretación de tipo puede estar introducido también por un determinante indefinido, según muestran los ejemplos de (26), tomados de Alcina y Blecua (1975: § 4.76) y de Sánchez de Zavala (1976: 205), o por un determinante no explícito, como en (27).

(26) a. No podían esperar de Paco (...) una salida así.
b. Una casa tan barata no la encuentras ya fácilmente.
(27) a. Amigos así han sido siempre bien recibidos.
b. Leche de esa calidad no se tomaba todos los días.

En (26)-(27), los modificadores restrictivos *así, tan barata* y *de esa calidad* provocan la interpretación de tipo y legitiman la ausencia de determinante explícito.

5.2.1.6. Determinantes demostrativos

El español distingue tres términos de deixis espacial: los adverbios *aquí, ahí, allí,* que se relacionan con los determinantes demostrativos *este, ese, aquel* [→ § 14.3]. Otras lenguas románicas sólo distinguen dos términos. Las formas masculina y femenina del demostrativo pueden combinarse con un SN o aparecer solas. En el primer caso, el SN complementa al demostrativo *(estos campos nevados, aquel triste invierno).* En el segundo caso, el determinante actúa como un pronombre en el sentido de que no requiere complemento *(Aquella es mi hermana, Este no lo sabía).* En construcciones como *Me quedo con esta camisa de cuadros y aquella lisa,* tomada de Hernanz y Brucart (1987: 198), el demostrativo *aquella* se acompaña de un SN cuyo núcleo es implícito, aunque recuperable a través de la coordinación. La presencia del adjetivo y la interpretación semántica de la construcción así lo indican. Otras veces es el contexto discursivo o conversacional el que permite recuperar un nombre implícito: *—¿Qué camisa quieres?, —Aquella roja / Aquella que no tiene cuello.*

---

[20] Cuando *uno/una* es cuantificador, también expresará un significado genérico en determinados contextos, por ejemplo, con un verbo modal: *Con tanto ruido, uno no puede dormir* (véase Hernanz 1990).
[21] Sobre la distinción 'tipo'/'muestra', véase Zubizarreta y Vergnaud 1992.

Obsérvese que en este contexto *aquella roja* sólo puede interpretarse como «aquella camisa roja», nunca como «aquella libreta roja» o «aquella moto roja».

El demostrativo puede coaparecer con el artículo definido o con un cuantificador exclamativo [→ § 12.1.1.5]. En estas ocasiones, el demostrativo aparece en la posición posnominal y asigna un cierto matiz enfático a la construcción *(la chica esa, ¡Qué casa esta!, ¡Tiempos aquellos!)* [→ § 14.3.6].

El demostrativo neutro, como el artículo neutro, no se combina con SSNN. Puede usarse intransitivamente *(Esto no es para ti)* o con un SP *(esto del río, aquello de ayer,* y también *esto de andar descalzo)* o con participios *(aquello pactado, eso marcado).* Cuando el demostrativo neutro selecciona un sintagma adjetivo, el único valor que compartirá con el artículo neutro será el de denotador individuativo (véase el § 5.2.1.2): *eso verde, aquello tan horrible.*

Tal/tales es otro determinante demostrativo, si bien su valor deíctico generalmente se inscribe en el discurso y no en las coordenadas espacio-temporales del acto de enunciación *(Tales palabras le dolieron, Tal es mi posición).* Este determinante puede combinarse con un artículo: *la tal Engracia, el tal* (referido a una persona).

Un SN introducido por un demostrativo puede recibir interpretación de tipo (véanse los §§ 5.2.1.5 y 23.3.1.2), tal como se muestra en (28a), oración paralela a (25b), y en (28b) y (28c), tomadas de Fernández Ramírez 1951: § 127/126, n. 247 y de Bello 1847: 286, respectivamente.

(28) a. ¿Sabes que mi hermana se ha comprado este (mismo) coche?
b. Estos días así no sé qué tienen que todo se agolpa.
c. Esta conducta es muy propia de un hombre de honor.

Sin embargo, cuando el demostrativo aparece en posición posnominal es difícil, si no imposible, obtener la interpretación de 'tipo'. La oración *¿Sabes que mi hermana se ha comprado el coche este?* no se interpreta como sinónima de (28a).

5.2.2. Sintagmas nominales cuantificativos

Los sintagmas de (29) y (30) son sintagmas cuantificativos, sintagmas introducidos por un cuantificador [→ Cap. 16]. El cuantificador requiere un SN explícito en (29), mientras que en (30) actúa como una categoría intransitiva, en el sentido de que no exige la presencia de un SN que lo complemente, aunque sí pueda aparecer con un modificador adjunto, como en *alguien con problemas.*

(29) a. Tres libros.
b. Algunos libros.
c. Ningún libro.
d. Demasiada confianza.

(30) a. Alguien.
b. Nadie.
c. Algo.

Cuando el contexto oracional o discursivo lo permite, los sintagmas cuantificativos de (29) pueden aparecer sin núcleo explícito en el SN. En tales construcciones el nombre será implícito y semánticamente recuperable a través de una relación anafórica. Así, en (31a) necesariamente se interpreta que Juan compró tres libros y en (31b) que Juan no tiene ningún amigo.

(31) a. María compró muchos libros, pero Juan sólo compró tres.
b. María tiene varios amigos, pero Juan no tiene ninguno.

El comportamiento sintáctico de los cuantificadores está relacionado con su naturaleza semántica. Los cuantificadores pueden ser universales (o fuertes) o no universales (o débiles).[22] En (32), *ninguna, toda* y *cada* son cuantificadores universales, ya que involucran la totalidad de las entidades que poseen la propiedad de ser persona [⟶ § 16.2].

(32) a. Ninguna persona.
b. Toda persona.
c. Cada persona.

En cambio, los cuantificadores de (33) son cuantificadores no universales, ya que no involucran la totalidad de las entidades que poseen la propiedad de persona.

(33) a. Algunas personas.
b. Tres personas.
c. Ciertas personas.

Algunos cuantificadores universales como *todos* o *todo el mundo* admiten modificadores que les permiten no involucrar la totalidad de las entidades designadas. Este es el caso de *todos menos uno, casi todos* o *prácticamente todo el mundo.* Sin embargo, **ambos menos uno* o **casi sendos abrigos* son construcciones imposibles.

Los cuantificadores universales no aparecen en las construcciones existenciales o locativas cuyo predicado es *haber,* sólo aparecen si el predicado es *estar* [⟶ § 12.1.2.4].

(34) a. *Allí hay todo el mundo.
b. *Allí habrá cada oveja con su pareja.
c. *Allí había ambos.

(35) a. Todo el mundo está allí.
b. Allí cada oveja estará con su pareja.
c. Ambos estaban allí.

En realidad, los cuantificadores de polaridad negativa como *nadie* o *ninguno* sí pueden aparecer con el predicado *haber,* pero entonces la oración aparece negada: *No hay nadie, No había ningún médico*.

En general, los cuantificadores no universales pueden coaparecer con ambos predicados, tal como se muestra en (36).

(36) a. Allí hay muchos médicos.
b. Allí habrá algún médico.
c. Allí había dos médicos.

---

[22] Para un estudio detallado de las propiedades sintácticas y semánticas de los cuantificadores, así como de la interacción de dos cuantificadores en una misma oración, véase el capítulo 16. Consúltese también Moreno 1987.

d. Muchos médicos estaban allí.
e. Algún médico estará allí.
f. Dos médicos estaban allí.

Es evidente que la interpretación de los sintagmas cuantificativos de (36) varía según aparezcan con uno u otro verbo. Con *estar,* los sintagmas cuantificativos aparecen en posición de sujeto y reciben una interpretación específica. Obsérvese que en (36f), pero no en (36c), podemos añadir el nombre de los médicos, por ejemplo, *el Dr. Puente y el Dr. Ríos.* Algunos cuantificadores no universales incluso pueden aparecer introducidos por un determinante definido: *los dos médicos, estas pocas palabras, las muchas horas de insomnio, las bastantes pocas aptitudes demostradas, las tantas ofertas que le han propuesto*, etc. No son posibles, en cambio, combinaciones como **estos algunos libros, *mi ningún amigo, *las bastantes muchas aptitudes demostradas.* En los ejemplos gramaticales, el cuantificador tiene una función de modificador no restrictivo. Así pues, un adjetivo como *escasas* podría sustituir a *pocas* y los adjetivos *numerosas* e *incontables* podrían aparecer en el lugar de *muchas.* También el artículo indefinido puede preceder a un sintagma cuantificativo, aunque su presencia está algo más restringida que la de los determinantes definidos. Así, son posibles combinaciones como *una cierta sorpresa, unas cincuenta personas* o *unos pocos amigos,* pero no **unos muchos amigos.* Obsérvese que la interpretación de *unas cincuenta personas* no es paralela a la de *las cincuenta personas.* En el primer caso no se trata de «unas personas, que son cincuenta», sino de un conjunto de personas cuyo número se acerca a cincuenta. En cambio, en *unos pocos interesados en ello* sí se da el paralelismo con *los pocos interesados en ello.* Los cuantificadores como *varios, bastantes, demasiado* o *muchos* no se combinan con el artículo indefinido. Sobre las posibles combinaciones entre determinantes y cuantificadores en español, véanse Eguren 1990 y Lorenzo 1995, cap. 2 [→ § 12.1.2].

Los cuantificadores universales nunca podrán aparecer en un sintagma encabezado por un determinante, sea definido o indefinido *(*los ambos, *este todo hombre, *la cada oveja, *unos sendos trajes).*

Al igual que un SN indefinido, la mayoría de los sintagmas cuantificativos con cuantificador no universal pueden recibir interpretación específica o no específica si el contexto es creador de opacidad referencial [→ §§ 12.3.2 y 50.1.2.1]. Una oración como *Quiero leer algunas novelas de terror* puede ser interpretada como la oración *Quiero leer algunas novelas que son de terror* o como *Quiero leer algunas novelas que sean de terror.* Cuando el sintagma cuantificativo está constituido por un cuantificador universal como *ambos, sendos, todo el mundo* no quedará afectado por el hecho de hallarse en un contexto opaco. Oraciones como *Quiero leer ambos poemas líricos* o *Quiero fotografiar a todo el mundo* sólo admiten una interpretación.

El cuantificador *todos/todas,* a pesar de tratarse de un cuantificador universal, parece ser sensible a los contextos de opacidad referencial. En *Quiero leer todas las novelas de terror* podemos parafrasear el sintagma cuantificativo tanto por *todas las novelas que sean de terror* como por *todas las novelas que son de terror.* En el primer caso el sintagma recibe interpretación no específica, mientras que en el segundo la interpretación es específica. En realidad, el cuantificador *todas* cuantifica aquí a un SN definido, *las novelas de terror,* y es este SN definido el que es sensible al contexto opaco creado por el verbo *querer.*

5.2.2.1. *Cuantificadores universales o fuertes*

Los cuantificadores colectivos *todo/toda/todos/todas* y el cuantificador distributivo *cada* son los cuantificadores universales por excelencia [—> § 16.2.1]. Por su posición sintáctica en construcciones como *toda esta gente* o *todos los libros,* al cuantificador colectivo se le denomina 'predeterminante'. Este cuantificador, que también puede aparecer con un pronombre personal de plural *(todos vosotros),* puede funcionar como un cuantificador 'flotante', un cuantificador que aparece separado del SN al que cuantifica, como en *Las mujeres hablaron todas con sus maridos* o en *Nosotros iremos todos.* El cuantificador *todo/toda* no siempre cuantifica un sintagma introducido por un determinante. [23] Al lado de *toda la ciudad/todo el pueblo* tenemos las expresiones *toda ciudad/todo pueblo.* Sólo estas últimas son sinónimas a *todas las ciudades/todos los pueblos. Toda la ciudad/todo el pueblo* equivale a la totalidad de los componentes de la ciudad, del pueblo. [24] *Todo/toda* no puede cuantificar un SN cuyo núcleo sea un nombre continuo *(*toda sal),* como tampoco puede hacerlo el distributivo cada *(*cada sal).* [25] [—> § 1.2.2].

Las construcciones de (37) y (38) ponen de manifiesto que el comportamiento sintáctico-semántico de *todo/toda* cuando no es predeterminante no coincide ni con el del cuantificador *todos* ni con el de *cada.* Como muestra Moreno (1991: 228s), en quien están inspirados los ejemplos de (37), *cantar al unísono* sólo puede predicarse de una totalidad de individuos y no de cada uno de los componentes del conjunto, mientras que *cantar después del otro* sólo puede predicarse de cada miembro por separado, pero no de todos los miembros como una totalidad [—> §§ 1.4.5.3, 16.3.2 y 41.2.6].

(37) a. Todos los niños cantaron al unísono.
b. *Cada uno cantó al unísono.
c. *Todos cantaron después del otro.
d. Cada uno cantó después del otro.

(38) a. *Todo niño canta al unísono.
b. *Todo niño cantó después del otro.

En realidad, el comportamiento de *todo/toda* no predeterminante es paralelo al del cuantificador colectivo *todos/todas* reforzado por el cuantificador distributivo, tal como se puede observar en (39).

(39) a. *Todos y cada uno de los niños cantaron al unísono.
b. *Todos y cada uno de los niños cantaron después del otro.

---

[23] Sobre el uso de *todo* tras del nombre precedido de determinante *(la obra toda / los oficiales y la tripulación toda),* véase —además del § 16.2— Fernández Ramírez (1951: § 200.3). Véase este mismo autor (1951: 172 /174) para las construcciones con *todo cuanto* y *todos los N que / todo lo que.*

[24] *Todo el mundo* funciona como una expresión lexicalizada con valor de cuantificador universal en contextos como (ia), pero no en (ib)

(i) a. Conoce a todo el mundo.
b. Ha recorrido todo el mundo.

[25] En *toda una mujer, toda* no actúa como un cuantificador universal o distributivo, sino como un intensificador de la propiedad expresada por *una mujer.* La función semántica de esta construcción es la de un predicado: *Era toda una mujer.* No son posibles frases como **Todo un director de cine vino ayer,* donde *todo un director de cine* ocupe la posición de sujeto.

c. Todo niño pequeño desafina.
d. Todos y cada uno de los niños pequeños desafinaron.

El sintagma cuantificativo *todo joven,* a diferencia del sintagma *todos los jóvenes,* no puede aparecer como sujeto de un predicado recíproco como *tutearse* o *parecerse* cuando estos aparecen sin un complemento preposicional de tipo *con sus amigos / a sus padres.* Véase en (40).

(40) a. *Todo joven se tutea.
b. *Todo joven se parece.
c. Todos los jóvenes se tutean.
d. Todos los jóvenes se parecen.

Asimismo, el cuantificador *todo* anula la diferencia semántica provinente de la posición del adjetivo en relación al nombre en el interior de un SN, tal como se muestra en el contraste señalado por García Fajardo (1990: 305s) entre los ejemplos de (41) y (42).

(41) a. Van a publicar los trabajos buenos de mis alumnos.
b. Van a publicar los buenos trabajos de mis alumnos.
(42) a. Van a publicar todo trabajo bueno de mis alumnos.
b. Van a publicar todo buen trabajo de mis alumnos.

La diferente posición del adjetivo en (41) provoca una diferencia de significado. En (41a) se entiende que, de los trabajos de mis alumnos, se van a publicar los que son buenos, mientras que (41b) significa que van a publicar los trabajos de mis alumnos y que estos trabajos son buenos [⟶ § 3.5.2]. Ahora bien, entre las oraciones de (42) no existe tal diferencia semántica. En ambos casos se entiende que se van a publicar sólo los trabajos que son buenos. Hay que concluir que el cuantificador *todo* bloquea la interpretación no restrictiva del adjetivo *bueno.*

El cuantificador *cada* aparece con un SN sin determinante *(cada niño rico),* un sintagma cuantificativo introducido por un cuantificador numeral *(cada tres días, cada uno de los niños)* o con pronombres relativos como *cual, quien,* como en *A cada quien su epíteto, a cada cual su latigazo* [*La Vanguardia,* 8-II-1997]. No suele aparecer solo, excepto en expresiones como *dos litros de cada,* donde se sobreentiende «de cada clase o tipo». A diferencia de *todos,* el cuantificador *cada* no puede ser negado *(No todos irán / *No cada niño irá).* Por otro lado, un sintagma cuantificativo introducido por *cada* no acepta fácilmente aparecer en contextos negativos: *Cada maestrillo tiene su librillo / *Cada maestrillo no tiene (su) librillo.* Dado su carácter distributivo, un sintagma cuantificativo introducido por *cada* no podrá ser sujeto de un predicado que predique globalmente de una pluralidad, como *llegar a un acuerdo, hacinarse, amontonarse,* etc.: **Cada participante llegó a un acuerdo, *Cada hoja seca se amontonó.* Pero tampoco será aceptable para un sujeto como *cada niño* o *cada uno* un predicado que no permita la interpretación distributiva. Así pues, son posibles oraciones como *Cada enfermedad tiene su remedio* o *Cada uno tiene un problema,* pero no **Cada niño tiene la gripe,* donde no es posible establecer una correspondencia entre *la gripe* y *cada niño* (véanse López Palma 1985, Sánchez López 1993 y el § 15.4). *Cada uno,* como *todos,* puede aparecer como un cuantificador flotante, es decir, separado del sintagma al que cuantifica: *Los libros están cada uno en su sitio.* Obsérvese que en este caso el SN *libros* aparece en plural y precedido de artículo definido. Véase el § 16.4.3.2.

Ambos / ambas contrasta con *los dos/las dos* en que un sintagma introducido por *los dos* puede ser sujeto de un predicado simétrico *(Las dos amigas se tutean, Los dos amigos se parecen),* mientras que un sintagma introducido por *ambos* no siempre es aceptado por los hablantes como sujeto de un predicado simétrico, a no ser que un SP complemente el predicado. Compárense **Ambas se tutean, ??Ambos se parecen* con *Ambas se tutean con el director, Ambos se parecen a Mario.*

También las oraciones de (43) presentan divergencia semántica.

(43) a. Ambos tienen una casa en el campo.
b. Los dos tienen una casa en el campo.

La oración (43a) significa que el uno y el otro tienen una casa en el campo. La oración (43b) puede recibir la misma interpretación distributiva que (43a), pero también puede significar que las dos personas en cuestión comparten la posesión de una casa en el campo. En otro tipo de contextos, no surge ninguna diferencia semántica según sea el sujeto *ambos* o *los dos,* por ejemplo en *Ambos lo sabían* y *Los dos lo sabían.*

Bello (1847: 82) señala que cuando *ambos* aparece en oración negativa, la negación afecta a uno de los dos miembros designados por *ambos* y no al uno y al otro. Así, *No era grande el talento en ambos* significa que en uno de ellos el talento no era grande, por lo tanto, que uno de los dos tenía más talento.[26] Antiguamente, este cuantificador podía coaparecer con un pronombre tónico plural y con SSNN definidos: *ambos ellos, ambas las cosas* (véase el *DCRLC*).

Otro cuantificador fuerte es el cuantificador distributivo *sendos,* un cuantificador impropio del lenguaje coloquial. Los SSNN que pueden aparecer con este cuantificador son complementos verbales (o preposicionales) y el sujeto de un verbo inacusativo o en voz pasiva. Las oraciones con verbos intransitivos y transitivos no pasivos no pueden legitimar la aparición de *sendos* en la posición de sujeto. Los ejemplos siguientes pertenecen a Bosque (1992):

(44) a. Les cayeron encima sendos sacos de tierra. [Bosque 1992: 79]
b. Nos fueron enviadas sendas cestas de Navidad. [Bosque 1992: 78]
c. *Les funcionaban mal sendos vehículos. [Bosque 1992: 77]
d. Juan, María y Antonio redactaron sendos informes. [Bosque 1992: 67]

En (44a) y (44b) el sintagma introducido por *sendos* es el sujeto de una oración con un verbo inacusativo *(caer)* y de una oración pasiva, respectivamente. En cambio, (44c), cuyo predicado es intransitivo, es una oración agramatical, como también lo sería en el caso de que el sujeto fuera preverbal *(*Sendos vehículos les funcionaban mal).* En la oración (44d) el sintagma cuantificativo es el complemento directo. En todos los casos gramaticales de (44), el sintagma cuantificativo se relaciona con un antecedente de significado plural, los pronombres *les, nos,* o la coordinación de SSNN *Juan, María y Antonio.* Si el antecedente no es plural, *sendos* no queda legitimado *(*Le cayeron encima sendos sacos de tierra).* Véase el § 16.4.3.1 sobre este cuantificador.

5.2.2.2. *Cuantificadores no universales o débiles*

Los cuantificadores no universales pueden ser sensibles al carácter continuo/discontinuo de los SSNN que seleccionan o no serlo. Entre los segundos están los cuantificadores 'multales' *(mucho/mucha/muchos/muchas, más),* los 'paucales' *(poco/poca/pocos/pocas, menos),* los de exceso o defecto *(demasiado, bastante),* etc. En (45),

[26] Sobre el cuantificador arcaizante *entrambos/entrambas,* véase RAE 1973: 240, Bello 1847: 82 y sobre todo el *DCRLC:* voz *ambos.*

estos cuantificadores coaparecen con un SN continuo o no contable, mientras que en (46) coaparecen con un SN discontinuo o contable [—> § 16.2.2].

(45) a. Mucho dinero.
b. Más ropa.
c. Poca gente.
d. Bastante tabaco.
e. Demasiado trabajo.

(46) a. Muchos billetes.
b. Más trajes.
c. Pocas personas.
d. Bastantes cigarrillos.
e. Demasiados oficios.

En ciertas construcciones coloquiales como *tener {mucha cara/mucho morro}* o *ser poco traje para uno,* los nombres *cura, morro* y *traje* han sufrido una recategorización. De ahí que acepten cuantificadores que se combinan con nombres continuos [—> § 1.2.3.5].

Los cuantificadores exclamativos *qué* y *cuánto/cuánta/cuántos/cuántas* aceptan tanto a SSNN continuos como a discontinuos. *Qué* cuantifica las propiedades (o el tipo de propiedades) expresadas por el nombre núcleo del SN, mientras que *cuánto* es cuantificador de cantidad: *¡Qué calor hace!, ¡Qué ojos tienes!, ¡Cuánto humo!, ¡Cuánta fe!, ¡Cuántos libros!* Algo parecido ocurre con el equivalente interrogativo *qué.* En *¿Qué arroz quieres?, ¿Qué esperanza sostiene tu ánimo?* o *¿Qué libros buscas?* se pregunta sobre el tipo de arroz, de esperanza y de libros, mientras que en *¿Cuál quieres?* se pregunta sobre una entidad del universo del discurso. La aparición del cuantificador interrogativo *cuánto* con nombres abstractos, y por lo tanto no contables, es también posible: *Quisiera saber cuánto odio alberga tu corazón* [—> § 1.5.2.3]. Sobre cuantificadores interrogativos y exclamativos, véanse los capítulos 31, 61 y 62. Otros cuantificadores que admiten SSNN continuos y discontinuos son los gradativos comparativos *(más odio que amor, menos libros que películas, mejores libros, tanta soledad)* y los gradativos de exceso o defecto *(demasido ruido, demasiadas pocas obligaciones).* Estos cuantificadores se estudian detalladamente en los capítulos 16 y 17.

Los cuantificadores que sólo se combinan con SSNN formados por nombres continuos son escasos. Se trata de cuantificadores del tipo *algo de, nada de, (ni) gota de, un poco de,* [27] etc. (véanse los §§ 1.2.2, 5.2.2.3 y 16.2.5). Obsérvese que *nada de* y *(ni) gota de* sólo quedan legitimados en contextos negativos: *No creo que quede gota de vino* [28] / **Creo que queda gota de vino.* También *algún/alguna* puede aparecer con un nombre continuo, como en los ejemplos de Fernández Ramírez (1951: § 190): *Podría amasar algún dinero para la vejez; Se iban quedando a alguna distancia.*

La mayoría de los cuantificadores débiles sensibles al carácter continuo/discontinuo del SN seleccionan SSNN con nombre discontinuo. Así, algunos indefinidos

---

[27] En el habla coloquial son posibles variantes como *un {poco/poquito} pan* e incluso *una poca de leche.* Véanse Fernández Ramírez 1951: § 205.3, Alcina y Blecua 1975: 942.

[28] Este ejemplo ha sido extraído de Contreras 1985: 25. En oraciones como *No sabe nada de libros* parece que *nada de* seleccione un SN contable. En realidad, *nada* y *de* no forman una unidad en esta oración. Obsérvese que es posible la oración *No sabe de libros,* mientras que no lo son **No queda de vino* o **No queda nada sobre vino.*

(varios, cualquiera, alguno, ninguno...) [29] y los numerales cardinales *(tres, cinco, once...),* entre otros, aparecen con SSNN contables (véanse los capítulos 16 y 18).

(47) a. Varios libros.
b. *Varia fe.
c. Algún incendio.
d. *Algún humo.
e. Tres jueces.
f. *Tres justicias.

A veces, un nombre discontinuo aparece con un cuantificador que selecciona SSNN continuos. En estos casos, el nombre ha sufrido recategorización como en los sintagmas de (48) [⟶ § 1.5.2.3].

(48) a. Tres bellezas.
b. Alguna injusticia.
c. Cualquier tontería.

El nombre *belleza* en (48) significa «persona bella» o «tipo de belleza», *injusticia* significa «acto injusto» y *tontería* «acto propio de una persona tonta». Así pues, los sintagmas (47d) y (47f) serán gramaticales si son interpretados como «algún tipo de humo» y «tres clases de justicia», respectivamente. Con todo, la recategorización no es siempre posible (véase Bosque 1983). En español, no existen sintagmas como *tres misericordias,* con el significado de «tres personas misericordes», o como *cualquier paciencia,* con el significado de «cualquier acto paciente» o «cualquier tipo de paciencia».

Los cuantificadores *alguien, nadie, algo* y *nada* no se acompañan de SSNN, aunque pueden combinarse con un sintagma adjetivo *(alguien interesado en ello, nada bueno).* Los dos primeros cuantifican a personas, mientras que *algo* y *nada* cuantifican a entidades no animadas. Como otros sintagmas cuantificativos indefinidos y como los numerales, estos cuantificadores pueden acompañarse de un cuantificador adjunto como *más/menos: alguien más, algo más.* Sin embargo, la aparición de *menos* está más limitada. Frente a la gramaticalidad de *Irán siete menos* no es posible **Hablaré con alguien menos.* Los sintagmas cuantificativos constituidos por *nadie, nada, alguien* y *algo* admiten modificadores restrictivos, como una oración relativa: *No veo nada que me guste, Encontré a alguien con quien poder hablar.*

El cuantificador *cualquiera* [⟶ § 16.2.1] sólo queda legitimado en posición de sujeto si la oración posee determinadas propiedades modales, por ejemplo, en oraciones en futuro, en condicional, con verbos modales, exclamativas, genéricas, etc. Compárese *Cualquier niño pudo hacerlo* con **Cualquier niño lo hizo,* y aún *¡Cualquiera le habla!* con **Cualquiera le habló.* [30] Este contraste se mantiene incluso cuando *cualquiera* aparece adjunto al sintagma cuantificativo *(Una profesora cualquiera pudo hacerlo / *Una profesora cualquiera lo hizo).* No rigen tales restricciones cuando el cuantificador *cualquiera* aparece en posición de complemento *(Compraba cualquier cosa, Cogió un libro cualquiera, Pensaba entregarlo a una vecina cualquiera, Lo cambio por cualquier objeto).*

Los cuantificadores indefinidos de polaridad negativa aparecerán en oraciones negativas o como término de una preposición de significado negativo, como *sin.* En

---

[29] *Alguno* y *ninguno* se conocen también como cuantificadores existenciales.

[30] La oración *¡Cualquiera le habla!* se usa para dar a entender que no se le puede hablar, es preferible no dirigirle la palabra. Sobre el origen y los usos de *cualquiera/cualesquiera,* véase Fernández Ramírez 1951: § 197-199.

No tengo ninguna obligación de acompañarte y en *No tengo a nadie* los sintagmas cuantificativos *ninguna obligación de acompañarte* y *nadie* quedan legitimados por la modalidad negativa de la oración. Cuando el cuantificador de polaridad negativa es sujeto y está en posición preverbal, la modalidad negativa de la oración no puede estar expresada por el elemento negativo explícito *no (Nadie me quiere / *Nadie no me quiere)* [→ § 40.1.2]. Por el contrario, si el cuantificador de polaridad negativa está en posición posverbal, aunque sea el sujeto de la oración, la negación debe estar explícitamente expresada *(No me quiere nadie / *Me quiere nadie)*.

El cuantificador de polaridad negativa puede aparecer en posición posnominal, como en *ayuda ninguna* en (49), pero para su legitimación será necesario que el sintagma cuantificativo ocupe una posición posverbal, así como la presencia del adverbio de negación en la oración. [31]

(49) a. No fue necesaria ayuda ninguna.
b. *Ayuda ninguna (no) fue necesaria.

El valor negativo también se consigue en estas mismas condiciones si el cuantificador es *alguno,* tal como se muestra en (50). [32]

(50) a. No fue necesaria ayuda alguna.
b. *Ayuda alguna (no) fue necesaria

Otros sintagmas capaces de funcionar como sintagmas cuantificativos de polaridad negativa en condiciones parecidas a las de (49) y (50) son los ejemplificados en (51).

(51) a. No tengo la menor intención de acompañarte.
b. No tengo la más mínima intención de acompañarte.

El cuantificador indefinido *otro/otra/otros/otras* [→ §§ 16.2.2 y 17.2.1] no expresa cantidad, sino que supone una correlación de entidades. De ahí que admita estar introducido por un determinante definido o coaparecer con un cuantificador indefinido o numeral: *otro, el otro, otro autor, este otro autor, los otros tres autores, algunos otros autores, otros muchos autores, muchos otros autores, otros tantos autores,* etc. Sin embargo, no son posibles combinaciones como **cuatro otros, *otra alguna, *otros bastantes autores* (véase Lorenzo 1995: cap. 2). En algunas expresiones *otro* puede no expresar correlación. Este es el caso del cuantificador *algún que otro,* cuantificador que conlleva interpretación no específica. En este sentido *algún que otro* se opone a *cierto,* cuya presencia provoca la interpretación específica del SN que introduce *(Vio algún que otro amigo / Vio a cierto amigo, Vio a ciertos amigos)*.

La posición de los cuantificadores gradativos comparativos es prenominal *(más libros/*libros más)*. No obstante, si en el mismo sintagma aparece un cuantificador numeral, el comparativo queda desplazado a una posición posnominal. Así, tenemos *cinco novelas más* y *dos vestidos menos,* pero no **cinco más novelas* o **dos menos vestidos.* En el caso de que aparezca la coda del comparativo, ocupará siempre una

[31] En algunos contextos *ningún/ninguna* puede actuar de modo parecido a un cuantificador paucal y dejar de comportarse como un cuantificador de polaridad negativa. Este es el caso de los ejemplos citados en Fernández Ramírez 1951: § 194.3, donde no aparece ninguna marca de negación oracional: *Le desconcertaba el ningún efecto que sobre nosotras hacían sus diatribas, su ninguna esquivez ante el retrato. Ningún* aquí significa «nulo».

[32] También la preposición *sin* puede legitimar este tipo de sintagmas cuantificativos: *sin ayuda ninguna, sin ayuda alguna.* Esta preposición también permite la posición posnominal del cuantificador *bastante: sin prueba bastante.*

posición posnominal *(menos vestidos de los previstos, tres vestidos menos de los previstos)*. Cuando el comparativo es de igualdad no puede combinarse con un numeral cardinal *(*dos libros tantos, *tres libros tantos como cuadros)*.

Los numerales cardinales pueden preceder un cuantificador ordinal *(tres primeros premios, dos segundos premios)*. En un SN definido, el ordinal no puede preceder al cardinal *(*Analicé los terceros siete capítulos de estas novelas / Analicé los siete terceros capítulos de estas novelas)*. En casos como *los primeros veinte años* o *los últimos veinte años,* el numeral cardinal sigue a un adjetivo que expresa un valor temporal o jerárquico *(primero/último)* y no a un cuantificador ordinal.

5.2.2.3. *Construcciones partitivas y pseudopartitivas*

Los nombres de medida y los nombres colectivos pueden funcionar como cuantificadores en construcciones como las de (52) y (53), respectivamente.

(52) a. Dos cucharadas de harina.
b. Un metro de tela.
c. Una docena de huevos.
d. Una rebanada de pan.
e. Tres onzas de chocolate.

(53) a. Un hato de mentiras.
b. Un ramillete de artistas.
c. Un grupo de turistas.

A estas construcciones se las denomina 'pseudopartitivas' por ser próximas a las construcciones partitivas [→ §§ 1.2.3.4 y 16.2.3], construcciones que se refieren a una parte de un todo o conjunto: *la mitad del pastel, muchos de aquellos recuerdos, aquellos de sus habitantes que quieren seguir como hasta ahora,* etc. [33]

En el habla coloquial, actúan como cuantificadores indefinidos creadores de construcciones pseudopartitivas expresiones como *un cacho (de), un puñado (de), la tira (de), un mogollón (de),* entre otros. Asimismo, *una bombona de* introduce un sintagma cuantificativo que expresa cantidad en *Consumimos una bombona de butano al mes,* pero no en *Levantó una bombona de butano,* donde *una bombona de butano* designa un objeto físico. La misma diferencia puede darse entre *un plato de garbanzos* o *un vaso de leche* frente a *un plato de cerámica* o *un vaso de cristal.* Por otro lado, *un manojo de espárragos* o *una ristra de ajos* pueden ser interpretados como sintagmas cuantificativos o como sintagmas determinantes. Pero en *un manojo de espárragos podridos* se da sólo la interpretación cuantificativa, mientras que en *un manojo de espárragos podrido* se da la de sintagma determinante. En la primera construcción, *un manojo* es un cuantificador indefinido que introduce al nombre *espárragos* modificado por *podridos.* En la segunda, *manojo* funciona como un nombre precedido de un determinante *(un)* y seguido de dos modificadores, el complemento *de espárragos* y el SA *podrido.* Cuando un determinante definido introduce

[33] Por su significado, un cuantificador universal no podrá aparecer en una construcción partitiva. Así, son agramaticales sintagmas como **todos de los recuerdos, *cada de mis hermanos.* Pero si *cada* aparece con un cuantificador numeral, la construcción partitiva será posible: *cada uno de mis hermanos, cada tres de mis alumnos.*

la construcción nominal, la interpretación de sintagma cuantificativo no es posible. *Esta ristra de ajos* o *el manojo de espárragos* no son construcciones ambiguas.

El nombre de medida y el colectivo que aparecen en los sintagmas cuantificativos como los de (52) y (53) pueden atraer la concordancia del verbo: *Un grupo de turistas entró en el museo / Un grupo de turistas entraron en el museo.* Lo mismo ocurre en las construcciones partitivas siguientes: *La mayoría de los alumnos aprobó / La mayoría de los alumnos aprobaron, Una parte de mis amigos me llamó / Una parte de mis amigos me llamaron.* [34] Sin embargo, cuando aparece un cuantificador singular en la construcción partitiva en posición de sujeto, el verbo sólo concuerda con el cuantificador (*Cualquiera de mis alumnos respondería esa pregunta, Alguno de mis alumnos lo sabrá / *Cualquiera de mis alumnos responderían esa pregunta, *Alguno de mis alumnos lo sabrán).* Sobre los problemas de concordancia en las construcciones cuantificativas y partitivas, véase el capítulo 42 y el § 1.4.4.

Los cuantificadores gradativos no aparecen en construcciones partitivas (**demasiados de los libros/demasiados libros, *tantos de los hijos/tantos hijos, *más de los bienes/más bienes).* Bello (1847: 88) considera construcciones partitivas las construcciones con superlativo como *la más populosa {de / entre} las ciudades europeas* y aun *la más populosa ciudad europea.* A estos ejemplos podemos añadir construcciones como *un poeta de los más famosos,* sinónima de la construcción partitiva *uno de los más famosos poetas.* Como se vio en el § 5.2.1.3, no es posible una construcción partitiva con el determinante indefinido en plural *unos/unas (*unos de los más famosos poetas, *unos poetas de los más famosos),* en cambio la construcción es gramatical con un numeral o con el cuantificador indefinido *algunos (dos poetas de los más famosos, algunos de los poetas más famosos).* Lorenzo (1995: 215-217) muestra que, a pesar de su proximidad semántica, la construcción *muchas entre estas personas* es distinta de la construcción partitiva *muchas de estas personas.* Obsérvese que en el primer caso no se da la exigencia de concordancia que preside la segunda construcción: *muchos entre estas personas/*muchos de estas personas.* Por otro lado, *muchos* puede ir acompañado de un nombre sólo en la primera construcción: *muchos ancianos entre estas personas/*muchas ancianas de estas personas.*

5.3. Complementos nominales y complementos adjuntos

Una construcción nominal puede aparecer con constituyentes que la complementen. Este es el caso de los sintagmas de (54), donde un sintagma preposicional o un sintagma adjetivo actúan como complementos.

(54) a. El vestido de lana.
b. El vestido blanco.
c. El respeto a los mayores.
d. La pesca sardinera.

Sin embargo, no todos los complementos de (54) mantienen la misma relación con los demás elementos del sintagma al que pertenecen. Mientras los complementos de (54a) y (54b) no son complementos reclamados por el nombre, los de (54c) y (54d) sí lo son. Los complementos *de lana* y *blanco* son complementos adjuntos a la construcción nominal, en cambio, *a los mayores* y *sardinera* son complementos regidos por *respeto* y *pesca,* respectivamente [—> § 6.4.1]. La relación entre estos nombres y sus complementos es paralela a la relación existente entre los verbos *respetar* y *pescar* y su complemento en *Respetamos a los mayores* y *Pescan sardinas.*

---

[34] Sobre construcciones partitivas, véase Hernanz y Brucart 1987: 199s, Brucart 1994b.

En estas construcciones, los sintagmas *los mayores* y *sardinas* son argumentos reclamados por el verbo para poder predicarse de su sujeto [→ §§ 3.3.2 y 6.4.1]. Estos mismos argumentos son los que aparecen en (54c) y (54d), pero ahora complementan a un nombre deverbal, un nombre que conserva la facultad de predicar como el verbo con el que se relaciona léxicamente. Los complementos no reclamados por el nombre son complementos adjuntos cuya función no es la de un argumento sino la de un modificador.

5.3.1. Complementos argumentales

No todos los nombres reclaman argumentos. Los nombres con estructura argumental actúan como predicados y suelen ser nombres relacionados con verbos o adjetivos *(llegada, lucha, humildad, conciencia),* pero también puede tratarse de nombres que no son directamente relacionables con un predicado verbal o adjetivo *(miedo, manía, estrategia)* o incluso nombres que además pueden designar objetos *(regalo, mensaje, fotografía).* Los nombres con estructura argumental se estudian detenidamente en el capítulo 6. Aquí sólo señalaremos sus propiedades más generales y los distinguiremos de los nombres que no seleccionan argumentos.

En las construcciones nominales de (55), los nombres aparecen con los argumentos que han heredado del verbo o adjetivo del que derivan.

(55) a. La lucha de Juan por la libertad.
b. La humildad de Juan.

En (55a), *Juan* es el agente de *lucha,* como lo es en *Juan lucha por la libertad,* mientras que en (55b) se interpreta como el experimentador, la persona que posee la propiedad de la humildad, como en la oración *Juan es humilde.* No obstante estas semejanzas semánticas, *Juan,* que en las oraciones precedentes es el sujeto gramatical, en (55) aparece como un complemento nominal en genitivo. De ahí que pueda estar representado por el pronombre personal en forma genitiva *(su lucha por la libertad, su humildad).* También el complemento de un verbo transitivo puede estar representado en la construcción nominal por un SP introducido por *de* o bien por un pronombre en genitivo, como se muestra en (56).

(56) a. La construcción del puente (por Calatrava).
b. Su construcción.

Del puente y *su* expresan el tema o cosa construida. En otros casos el argumento nominal puede estar introducido por una preposición diferente a *de,* por ejemplo, en *viaje a la Alcarria, interés por ti,* o *el amor a Dios.* Esta última construcción no presenta la ambigüedad de la construcción *el amor de Dios,* un caso de genitivo interpretable como genitivo subjetivo (parafraseable por *el amor que Dios tiene a las criaturas*) o genitivo objetivo (parafraseable por *el amor a Dios*).

Los nombres sin estructura argumental también pueden coaparecer con un SP e incluso con un pronombre en genitivo [→ § 15.2.3].

(57) a. La pelota de Juan.
b. Su pelota.

La diferencia entre las construcciones de (56) y las de (57) estriba en el tipo de relación que se establece entre el nombre y sus complementos. La relación entre *pelota* y *Juan* es más libre, más vaga que la que se establece entre *Juan* y *lucha* o entre *el puente* y *construcción.* En (57) *Juan* o *su* puede identificarse con el propietario de la pelota, pero también con el usuario, con la persona que la sostiene, con el que quiere comprarla, etc. No se trata, pues, de una relación unívoca, de una relación determinada por las propiedades predicativas del nombre.

Esta relación no requerida también puede darse con los nombres con estructura argumental. Así, mientras los complementos de *mensaje* en (58a) son complementos argumentales, complementos que se refieren al agente que lo emitió y a su destinatario, en (58b) el complemento del nombre puede ser interpretado como el poseedor, el reproductor, etc. Lo que es interesante es que en (58b), a diferencia de lo que ocurre en (58a), *mensaje* se interpreta como un nombre designador de un objeto (véase el capítulo 6).

(58) a. El mensaje de los ángeles a los pastores era claro y simple.
b. El mensaje de Juan está en el primer cajón.

Los complementos no argumentales son complementos adjuntos, complementos que se añaden al SN propiamente dicho. En una misma construcción pueden coexistir complementos argumentales y complementos adjuntos, como en *el retrato de Gaspar Melchor de Jovellanos de Goya del Museo del Prado,* donde *Gaspar Melchor de Jovellanos* y *Goya* representan, respectivamente, a la persona retratada y al agente —es decir, a los argumentos del nombre *retrato*—, mientras que *el Museo del Prado* queda excluido de esta relación argumental y pasa a designar al poseedor, al conservador, etc. En *el viaje de Pedro a Mallorca en avión antes de Navidad,* los SSPP *en avión* y *antes de Navidad* son complementos no reclamados por el nombre, mientras que *Pedro* y *a Mallorca* corresponden a los argumentos del predicado *viajar* y del nombre *viaje* con el que se relaciona.

Los complementos argumentales pueden venir expresados por un adjetivo o por una oración completiva. Así, en (59a), el adjetivo *normando* puede sustituirse por el SP *de los normandos* o *de Normandía* e interpretarse como el agente del nombre *ataque* [→ § 3.3]. Sin embargo, en (59b) el adjetivo no expresa ni el agente ni el paciente de la acción de atacar, sino una circunstancia, por lo que resulta más cercano a un complemento adjunto de tipo locativo que a un complemento argumental.

(59) a. El ataque normando.
b. El ataque aéreo.

Cuando el complemento argumental de un nombre tiene valor proposicional se expresa sintácticamente a través de una oración subordinada introducida por preposición, como en (60a) y (60b), o bien a través de un SP que contiene un SN cuyo núcleo es un nombre deverbal, tal como se muestra en (60c).

(60) a. La promesa de que llegarías al Polo Norte.
b. El deseo de llegar al Polo Norte.
c. El anuncio de tu llegada al Polo Norte.

5.3.2. Complementos adjuntos: modificadores restrictivos y no restrictivos

Los complementos adjuntos pueden ser modificadores restrictivos, como los de (61), o modificadores no restrictivos, como los de (62).

(61) a. *El hombre sentado* nos miraba fijamente.
b. *El hombre del sombrero negro* nos miraba fijamente.
c. *El hombre que estaba sentado* nos miraba fijamente.
(62) a. *El hombre, sentado,* nos miraba fijamente.
b. *El hombre, con el sombrero entre las manos,* nos miraba fijamente.
c. *El hombre, que estaba sentado,* nos miraba fijamente.

Los modificadores restrictivos de (61) colaboran en determinar la referencia del sintagma. A través de la información que aportan aseguran la unicidad del sintagma nominal definido. El modificador hace posible la referencia a una entidad del universo del discurso eliminando la vaguedad. En (61a) el participio pasado *sentado* legitimará la presencia del artículo definido en el caso de que se hubiera hablado de varios hombres. Pero para ello es menester que el modificador restrictivo remita a información ya conocida por el interlocutor —sea por el contexto sea por el discurso previo. Un caso de modificador adjunto que sólo puede recibir interpretación restrictiva lo tenemos en la expresión *de marras (el libro de marras).*

Por el contrario, los modificadores de (62) aportan información nueva, información no necesaria para la determinación de la referencia del sintagma nominal [→ § 8.3]. Precisamente porque su misión no es la de colaborar en la referencia del sintagma, los modificadores no restrictivos son los únicos que pueden aparecer con SSNN constituidos por nombre propio: *Pedro, que conocía bien la razón de nuestra presencia, nos miraba fijamente* / **Pedro que conocía bien la razón de nuestra presencia nos miraba fijamente.* El carácter de designador rígido del nombre propio le hace incompatible con cualquier modificador que pretenda restringir su capacidad referencial.

Por otro lado, los cuantificadores distributivos como *cada* y *todo* por lo general aceptan únicamente modificadores restrictivos, como se muestra en (63).

(63) a. Cada detective que intentó esclarecer los hechos acabó en el manicomio.
b. Todo alumno con asignaturas pendientes deberá dirigirse a la ventanilla trece.
c. *Cada detective, a quien contratamos para esclarecer los hechos, acabó en el manicomio.
d. *Todo alumno, que no se presente a examen, se entrevistará con el profesor.

Debido a sus propiedades semánticas, tampoco aceptan modificadores no restrictivos los cuantificadores de polaridad negativa [→ §§ 7.1.3 y 50.1.5].

(64) a. No hay nadie que pueda resolver este problema.
b. *No hay nadie, que pueda resolver este problema.

c. No tienen nada que pueda interesarme.
d. *No tienen nada, que pueda interesarme.

Los modificadores restrictivos son posibles en (64) porque colaboran en la especificación del sintagma cuantificativo. En cambio, los modificadores no restrictivos no son aceptados en (64) porque aportan información suplementaria a elementos del discurso no suficientemente especificados.

Los SSNN introducidos por *todos* pueden coaparecer con modificadores restrictivos y no restrictivos *(Todos los estudiantes (que son) inteligentes han aprobado / Todos los estudiantes (que son) inteligentes, han aprobado).* Sin embargo, cuando el cuantificador *todos* es un cuantificador flotante, este sólo podrá aparecer en el modificador si se trata de un modificador no restrictivo *(Los estudiantes, que son todos inteligentes, han aprobado el curso / *Los estudiantes que son todos inteligentes han aprobado el curso).*

Es interesante observar que un sintagma adjetivo cuyo núcleo esté especificado por un cuantificador de grado como *muy, bastante, poco,* etc. difícilmente podrá actuar como un modificador restrictivo de un sintagma nominal definido *(*la chica bastante atrevida/la chica, bastante atrevida,...).* No obstante, si el nombre es colectivo sí es posible tal modificación *(la gente bastante atrevida/la población poco educada).* Lo mismo ocurre si en lugar del adjetivo aparece un participio *(*la chica muy asustada/la chica, muy asustada,...)* [35] [→ § 8.3]. En cambio, si el especificador es un cuantificador gradativo de desigualdad *(más, menos),* el sintagma adjetivo o de participio sí podrá funcionar como modificador restrictivo de un SN con un nombre no colectivo siempre que su significado sea superlativo y no de comparación *(la chica más inteligente, la chica menos asustada / *la chica más inteligente que Pedro, *la chica menos asustada de que yo)* [→ § 17.3]. Sin embargo, cuando el gradativo es un comparativo de igualdad será necesaria la presencia de un determinante demostrativo para que el sintagma adjetivo o de participio pueda funcionar como modificador restrictivo *(aquella chica tan inteligente/*la chica tan inteligente; esa chica tan asustada/*la chica tan asustada).* Obsérvese que el demostrativo puede legitimar, como modificador restrictivo de un SN no colectivo, a un sintagma adjetivo con un especificador comparativo: *esa chica más inteligente que su hermano, aquellos días más alegres que los de su infancia.*

Los SSNN indefinidos parecen admitir modificadores restrictivos, mientras que no aceptan fácilmente modificadores no restrictivos. De ahí que no sea posible en (65) una oración relativa encabezada por un relativo propio de las oraciones explicativas o no restrictivas, como *la cual* o *las cuales.* [36, 37]

(65) a. *Compré una litografía de Mordillo, la cual te encantará.
b. *He visto tres películas, las cuales no te recomiendo.

Ahora bien, cuando un modificador restrictivo aparece con un SN indefinido no tiene la misma función que cuando aparece con un SN definido. En *Leí un libro que no me gustó* o *Llamó una persona cuyo nombre no recuerdo* la relativa no remite a información ya conocida por el interlocutor como en *el libro que no me gustó* o *la persona cuyo nombre no recuerdo.* El modificador del SN indefinido aporta infor-

---

[35] En la medida en que sea posible dar a la construcción una interpretación genérica, será posible la presencia de un adjetivo especificado por un cuantificador de grado: *Los cuadros muy buenos suelen ser caros.*

[36] Las relativas no restrictivas con antecedente indefinido son posibles cuando el relativo está contenido dentro de un SP, como en el siguiente ejemplo, tomado de Brucart 1992: 115: *Un diario, para el que trabajo desde hace tiempo, publicó la noticia* [→ § 7.1.3].

[37] Ello es extensible a los cuantificadores indefinidos y a los SSNN sin determinante explícito *(Encontró a alguien a quien hacer feliz / *Encontró a alguien, a quien hizo feliz; Conocí a gente muy interesante / *Conocí a gente, que era muy interesante).*

mación nueva. En realidad, el artículo o cuantificador indefinido bloquea la capacidad de colaborar en el establecimiento de la referencia del SN que el modificador podía desarrollar con un determinante definido. Dado que un determinante o cuantificador indefinido introduce un nuevo elemento del discurso, la presencia de un modificador permitirá aportar mayor información sobre dicho elemento, pero no lo hará identificable para nuestro interlocutor. Así pues, la distinción entre modificador restrictivo y modificador no restrictivo queda neutralizada en los SSNN indefinidos. Esto explica que un SA cuyo núcleo esté especificado por un cuantificador de grado como *muy, bastante, poco,* etc., pueda aparecer como adjunto de un SN indefinido, contrariamente a lo que pasa con el SN definido *(una chica muy inteligente/*la chica muy inteligente)* [→ § 12.2.2].

El hecho de que un SN indefinido no acepte fácilmente modificadores no restrictivos no implica que no pueda coaparecer con modificadores parentéticos o incidentales, como en la construcción de participio absoluto de (66a), o con un adjunto con valor causal, como en (66b).

(66) a. Adquirió un palacio renacentista, y restaurado, se instaló en él con toda su familia.
b. Hablaré con un adivino, que todo lo saben.

En realidad, los modificadores de (66) no son modificadores del SN indefinido, sino modificadores oracionales. En (66a) el participio *restaurado* modifica la oración cuyo verbo es *instalarse*. Por otro lado, la concordancia nos indica que en (66b) no nos hallamos ante una oración relativa, sino ante un modificador causal de la oración *Hablaré con un adivino*.

También puede darse el caso de que el SN indefinido aparezca con una construcción nominal apositiva: *Me enamoré de un hombre extraordinario, un hombre que me devolvió la ilusión de vivir.* Asimismo, puede ser que en la aposición no se repita *un hombre* con lo que la oración relativa aparentemente modificaría al SN indefinido como si de un modificador no restrictivo se tratara: *Me enamoré de un hombre extraordinario, que me devolvió la ilusión de vivir.* No obstante, la dificultad de sustituir el relativo *que* por *el cual* nos indica que la relativa es restrictiva *(??Me enamoré de un hombre extraordinario, el cual me devolvió la ilusión de vivir).* Obsérvese además que la supuesta relativa explicativa o no restrictiva sólo es posible si ya aparece un modificador en el SN indefinido (p. ej., *extraordinario*). Compárese **Me enamoré de un hombre, que me devolvió la ilusión de vivir* con las oraciones gramaticales *Me enamoré de un hombre, un hombre que me devolvió la ilusión de vivir* y *Me enamoré de un hombre que me devolvió la ilusión de vivir.*

El modificador de la construcción nominal apositiva puede ser también un SA o un SP: *Un hombre diligente, (un hombre) muy cortés, la propuso en matrimonio; Un hombre diligente, (un hombre) con más de cincuenta años, la propuso en matrimonio.*

5.3.2.1. Complementos expresados por sintagmas preposicionales

Los complementos nominales no reclamados por el nombre y que, por lo tanto, no expresan un valor argumental, pueden estar introducidos por una gran variedad de preposiciones: *ley contra el fraude, casa sin ventanas, piso por alquilar, lápiz de grafito, estilete con punta de plata, esmalte para metales, aguafuerte en relieve, grabado al buril,* etc. Sin embargo, la preposición más usual es la preposición *de,* preposición que puede expresar relaciones de carácter diverso entre el nombre y su complemento (véase Alcina y Blecua 1975: 937-944). Nótese que mientras los complementos de (67) pueden ser sustituidos por un pronombre genitivo prenominal, ello no es posible en las construcciones de (68).

(67) a. La pulpa de la manzana = su pulpa.
b. Los usuarios del metro = sus usuarios.
c. La importancia de los monasterios = su importancia.

(68) a. El mueble del rincón ≠ su mueble.
b. La niña de la estación ≠ su niña.
c. La tarde del sábado ≠ su tarde.

En (67) se expresa una relación de pertenencia o de posesión en un sentido amplio. Así, la de tener importancia es una de las propiedades de los monasterios, la pulpa es una parte de la manzana y los usuarios son parte del metro. En cambio, las construcciones de (68), más que expresar posesión o pertenencia, expresan una relación de simple asociación de entidades. Por lo tanto, podríamos parafrasear (67a) por *la pulpa que tiene la manzana,* mientras que parafrasearemos (68a) por *el mueble que está en el rincón.* Un pronombre en genitivo en posición posnominal podrá expresar también relación de pertenencia o una relación asociativa sobre todo si representa a un SN humano (o animado): *aquella sonrisa suya, una sonrisa mía, el mueble tuyo* (véase el § 15.3).

Otras relaciones expresables a través de un modificador restrictivo introducido por la preposición *de* son la relación de origen *(jamón de Salamanca),* la de materia *(carbón de cáscaras de almendra),* medida, peso o edad *(estantes de dos metros, hombre de cuarenta años),* etc. [38] Es posible la presencia de más de un SP modificador: *modelo de lana para caballero de Italia,* donde los tres SSPP pueden modificar al nombre *modelo.* Sin embargo, es muy frecuente sustituir alguno de los SSPP por un adjetivo o un participio, con lo cual se evitan posibles ambigüedades *(modelo italiano de lana para caballero, modelo procedente de Italia de lana para caballero).*

Existen también expresiones lexicalizadas que a primera vista podrían ser consideradas como sintagmas, cuando en realidad se trata de nombres compuestos. Es el caso de *molino de viento, plato de respeto, hombre de paja, hombre de la calle,* etc. Estas expresiones, a diferencia de las de (67) y (68) no admiten modificadores que no lo sean de toda la construcción. Así, el significado de *el hombre bajito de la calle* o *el hombre de la calle limpia* nada tiene que ver con el significado de *el hombre de la calle* cuando se usa como compuesto, es decir, con un significado próximo de *el ciudadano medio.* Por otro lado, en *molino de viento del norte,* el SP *del norte* no puede modificar a *viento,* sino que debe modificar globalmente al nombre compuesto. Estos hechos indican que estas expresiones funcionan como un elemento nominal a pesar de su estructura sintagmática. Sobre este y otros tipos de nombres compuestos, véase el § 73.8.

Un caso interesante de modificación nominal es el que se ejemplifica en (69).

(69) a. La anciana de los ojos tristes.
b. El caballero de la mano en el pecho.
c. El piso de las paredes rosadas.
d. *La anciana de los ojos.
e. *El caballero de la mano.
f. *El piso de las paredes.

Lo interesante de (69a)-(69c) es el tipo de relación de posesión que manifiestan. Los nombres que intervienen en los SSPP de los ejemplos de (69) son nombres que expresan posesión inalienable. De ahí la agramaticalidad de (69d)-(69f). Un modi-

[38] En el habla coloquial, en ciertos casos puede no estar presente la preposición: *un bocata jamón, la plaza toros.*

ficador restrictivo como *de los ojos* o *de las paredes* no puede participar en la determinación de *anciana* o *piso,* ya que, en principio, tener ojos y tener paredes es propio de todas las ancianas y de todos los pisos, respectivamente. En cambio, al lado de sintagmas como *la mujer de la gabardina gris* o *el salón de los espejos rotos,* sí son posibles *la mujer de la gabardina* o *el salón de los espejos,* ya que los complementos de estas construcciones no están constituidos por nombres que expresen posesión inalienable (véase el § 15.6).

Una construcción próxima a las de (69a)-(69c) es la introducida por un determinante indefinido (o cuantificador numeral o indefinido) del tipo *una anciana de ojos tristes, un piso de habitaciones estrechas.* En estas construcciones no puede aparecer un determinante definido en el SN introducido por *de (*una anciana de los ojos tristes).* En los ejemplos gramaticales de (69), en cambio, el SN complemento puede aparecer sin determinante explícito, pero no puede aparecer con un determinante indefinido *(la anciana de ojos tristes / *la anciana de unos ojos tristes).*

Otro tipo de relación de posesión próxima a los casos anteriormente comentados es la de los sintagmas como *el olfato de perro de Juan,* donde se predica de Juan que tiene el olfato propio de un perro. En cambio, en *el olfato del perro de Juan, olfato del perro* no forma constituyente al margen de *de Juan* ni predica de *Juan.* Obsérvese, además, que *olfato de perro* se mantiene inalterable aunque el sujeto de la predicación sea plural y femenino: **los olfatos de perras de tus vecinas / el olfato de perro de tus vecinas.*

La expresión de una relación atributiva a través de un modificador introducido por la preposición *de* es una estrategia muy productiva en español. Considérense las construcciones de (70). [39]

(70) a. Un horror de manifestación.
b. La ciudad de Toledo.

En (70a) *horror* se predica atributivamente de *manifestación*, paralelamente a *una manifestación de horror.* En ambos sintagmas se expresa que la manifestación fue un horror [→ § 8.4]. Este tipo de construcción, que en (70a) va introducida por un artículo indefinido, admite también un demostrativo pero no admite el artículo definido, a no ser que coaparezca con un modificador restrictivo que colabore en la determinación *(aquel horror de manifestación; esta delicia de vino; el horror de manifestación que han convocado / *el horror de manifestación; la delicia de vino que te regalaron / *la delicia de vino).* En (70b), como en *el pico de Mulhacén, la plaza de Oriente* o *el día de hoy,* existe también una predicación atributiva *(Toledo es (una) ciudad)* y exige estar introducida por un determinante definido *(*una ciudad de Toledo).* Esta construcción, sin embargo, es distinta de la de *la ciudad del Tajo,* ya que *del Tajo* tiene una función restrictiva que no tiene *de Toledo,* aparte de que expresa una relación de pertenencia o posesión. Otros ejemplos próximos a la construcción de (70b) son *la hipótesis de la existencia de una conspiración contra el gobierno* o *la teoría de la evolución de las especies,* en los que se da una relación de predicación atributiva. Así pues, *hipótesis* predica de *la existencia de una conspiración contra el Gobierno,* tal como *teoría* predica de *la evolución de las especies.* [40]

---

[39] Sobre estas construcciones, véanse, entre otros, los estudios de Alarcos (1972), Gutiérrez Ordóñez (1978) e Ynduráin (1972).

[40] Responden también a la construcción ejemplificada en (70) las expresiones de Valle-Inclán citadas por Ynduráin (1972: 615-616): *la rosa roja del remordimiento, el moscardón verdoso de la pesadilla, las víboras mal dormidas del deseo.* En estos sintagmas se da una relación atributiva: el remordimiento es una rosa roja, la pesadilla es un moscardón verdoso, etc.

5.3.2.2. Modificadores adjetivos

Al inicio del § 5.3, veíamos en (54d) *—pesca sardinera—,* el caso de un adjetivo *(sardinera)* que manifiesta una relación argumental. El adjetivo denominal actúa como el tema del nombre deverbal *pesca,* de ahí que sea sustituible por el SP *de sardinas (pesca de sardinas).* La misma función argumental presentan los adjetivos de las construcciones siguientes: *la derrota napoleónica* o *la crítica universitaria al proyecto,* donde el adjetivo se interpreta como el paciente del predicado expresado por *derrota* y el agente de *crítica.* Aparte de los adjetivos argumentales, otros adjetivos designadores de entidades del universo del discurso pueden aparecer en una construcción nominal. Se trata de adjetivos adjuntos cuya función es la de complementar a un nombre modificándolo restrictivamente, como en (71). Véase el § 3.3.

(71) a. Pesca fluvial.
b. Cocina regional.
c. Escultura modernista.
d. Queso holandés.

En (71a) el adjetivo *fluvial* expresa una relación locativa. Los SSNN (71b) y (71c) pueden parafrasearse, respectivamente, por «cocina realizada en la región (o en las regiones), cocina propia de la región» y «escultura realizada en época modernista o siguiendo los cánones del modernismo». Finalmente, en (71d) el adjetivo denominal puede expresar una relación de procedencia geográfica. En todas estas construcciones podemos sustituir el adjetivo por un SP que actuará también como un adjunto nominal.

(72) a. Pesca en el río.
b. Cocina de la región.
c. Escultura del Modernismo.
d. Queso de Holanda.

A los adjetivos argumentales y a los adjetivos de (71), llamados clasificadores, se les suele denominar adjetivos relacionales.[41] La posición sintáctica propia de estos adjetivos es la posnominal, la misma posición que ocupa el SP con el que se relacionan *(*la fluvial pesca/*la del río pesca, *la universitaria crítica/*la de la universidad crítica).* Sin embargo, en algunas ocasiones parece posible la posición prenominal. Así, al lado de *sus crisis nerviosas* o *el amor fraternal* encontramos *sus nerviosas respuestas* o *un fraternal saludo* (véanse Bosque 1989: 121, Hernanz y Brucart 1987: 181). No es difícil mostrar que sólo en el primer caso el adjetivo es un adjetivo relacional *(= de nervios, de los hermanos).* La posición prenominal en este contexto sería agramatical. En el segundo caso, el adjetivo actúa como un adjetivo calificativo, y es propio de estos adjetivos poder ocupar tal posición sintáctica.

No obstante, existen algunas excepciones propias del lenguaje periodístico, en las que un adjetivo relacional referente a una entidad geográfica aparece en posición prenominal: *la salmantina*

---

[41] Sobre estos adjetivos y sus diferencias con los adjetivos calificativos, véase el § 3.3. Consúltense también, Hernanz y Brucart 1987: 165-183 y Bosque 1993a.

Casa de las Conchas, la madrileña calle de Alcalá, la española Lola Flores. En estos casos, el adjetivo pierde el carácter de modificador restrictivo, por lo que puede coaparecer con un nombre propio.

Los adjetivos relacionales, dado que no designan propiedades sino entidades, no admiten especificadores de grado *(bastante, muy, poco)* ni del tipo *casi: *flaqueza bastante corporal, *pesca muy fluvial, *arquitectura poco gaudiniana, *la capital casi francesa.* Algunos adjetivos, no obstante, parecen admitir en ciertos contextos una especificación de grado, tal como se muestra en (73).

(73) a. Situación económica.
b. *Situación muy económica.
c. Precios muy económicos.
d. Precios más económicos.

La razón de la agramaticalidad de (73b) frente a la buena formación de (73c) y (73d) estriba en que en (73a) *económica* es un adjetivo de relación *(= de la economía),* mientras que al modificar a *precios* funciona como un adjetivo calificativo sinónimo de *barato.* Por eso admite un modificador de grado.

En SSNN como *industria textil catalana* coaparecen dos adjetivos relacionales, uno argumental, que representa al tema *(= de tejidos)* y el otro clasificador [→ § 3.3.3]. El argumental debe ocupar la posición adyacente al nombre. Por lo tanto, si alteramos el orden de los adjetivos del primer ejemplo obtenemos una construcción agramatical: **industria catalana textil.* Más interesante resulta la construcción *normativa sanitaria municipal,* ya que si alteramos el orden de los adjetivos, el sintagma sigue siendo gramatical pero para muchos hablantes adquiere un significado distinto: *normativa municipal sanitaria.* Ahora *municipal* se interpreta como el agente de *normativa*, mientras que en la otra construcción puede interpretarse como «relativa al municipio». El adjetivo *sanitaria*, que en el primer ejemplo se interpreta como el tema de *normativa,* en el último ejemplo pasa a significar «relativa a la sanidad».[42] En otras construcciones coaparecen dos adjetivos relacionales clasificadores: *arquitectura militar renacentista* o *pintura religiosa castellana. Militar* y *religiosa* significan «para uso militar» y «para uso religioso», respectivamente. En estos casos es posible alterar el orden de los adjetivos *(arquitectura renacentista militar, pintura castellana religiosa),* aunque sea más frecuente la primera ordenación. Obsérvese, no obstante, que no son posibles construcciones como **pintura de Castilla religiosa* o **arquitectura del Renacimiento militar,* donde *militar* modifica a *arquitectura* y no a *Renacimiento.* Los SSPP deben aparecer dentro del SN después del adjetivo relacional, incluso en el caso de que el SP represente a un argumento del nombre *(normativa sanitaria del municipio/*normativa del municipio sanitaria).*

Puede darse el caso también de que coexistan dos adjetivos argumentales, como en *construcción naval gaditana,* donde *naval* representa el tema de *construcción* y *gaditana* el agente. Una interpretación paralela no es posible, en cambio, para *ataque aéreo alemán,* ya que *aéreo* no puede ser interpretado como el tema, aunque *alemán* pueda interpretarse como el agente. El adjetivo *aéreo* no es aquí un adjetivo argumental, sino clasificador.

La posición sintáctica de los adjetivos calificativos, que designan propiedades de las entidades, es más libre que la de los relacionales [→ § 3.5.1].[43] Así pues,

[42] Véanse otros ejemplos en Bosque 1993a.

[43] Véase el capítulo 3. Consúltense también Demonte 1982 y Hernanz y Brucart 1987: 179-183.

al lado de sintagmas como *una pérdida de confianza irreparable* son posibles los sintagmas *una pérdida irreparable de confianza* o *una irreparable pérdida de confianza.* Sin embargo, cuando el adjetivo va complementado, es decir, cuando se trata de un sintagma adjetivo complejo, entonces ya no es posible la posición prenominal *(su agradable voz/*su agradable de escuchar voz)* ni la posición previa al SP argumental *(*una pérdida desagradable para todos de confianza).* En cambio, la presencia de un especificador de grado en el SA no le impide ocupar la posición prenominal *(sus más duras batallas, una no menos distinguida clientela, la muy heroica ciudad, la ciertamente oscura identidad de Shakespeare).* Ahora bien, no todos los adjetivos calificativos pueden aparecer modificados por un especificador de grado. Sólo pueden aquellos que expresan propiedades graduables, es decir, los adjetivos que establecen relaciones de oposición antonímica. Los siguientes contrastes se deben, pues, a la naturaleza del adjetivo calificativo: **dientes muy inmaculados/dientes muy blancos, *un ser bastante viviente/una persona bastante desanimada.*

Cuando en un SN introducido por un determinante definido un SA calificativo ocupa la posición prenominal, este actúa como modificador no restrictivo, como un modificador que no restringe la referencia del SN. En *sus públicas virtudes* o en *el rico comerciante,* el adjetivo califica al nombre. En cambio, en *sus virtudes públicas* o en *el comerciante rico,* el calificativo colabora además en la determinación referencial del sintagma. Por ello, sólo los adjetivos calificativos prenominales son aceptados por los nombres propios *(la hermosísima María).* Ahora bien, como ya se vio en el § 5.3.2, la distinción entre modificador restrictivo y modificador no restrictivo queda neutralizada si el SN es indefinido: *un rico comerciante, un comerciante rico.* La construcción *el comerciante rico* presupone la existencia de un comerciante rico entre otros comerciantes no ricos. Y esta presuposición tiene que ser compartida con el interlocutor, ya que el SN es definido. En cambio, en *un comerciante rico,* el adjetivo aporta información nueva, por lo que califica al nombre sin colaborar en la determinación referencial del sintagma. Y lo mismo ocurre en *un rico comerciante.* El determinante (o cuantificador) indefinido bloquea el valor restrictivo que el adjetivo posnominal podía desarrollar en un SN definido. [44] Esto explica el contraste entre (74) y (75) [→ § 12.2.2].

(74) a. La hermosísima criatura.
b. *La criatura hermosísima.
c. Su demasiado visible interés.
d. *Su interés demasiado visible.

(75) a. Una hermosísima criatura.
b. Una criatura hermosísima.
c. Cualquier demasiado visible interés.
d. Cualquier interés demasiado visible.

Los SA superlativos (o con especificadores de grado) que ocupen la posición posnominal no quedan legitimados en un SN definido porque no pueden colaborar en la especificación del sintagma. [45] Con los SN sin determinante explícito también pue-

---

[44] En el caso de los 'epítetos', adjetivos que no aportan información nueva, ningún contraste se observa si aparecen en posición prenominal o posnominal en el interior de un SN definido: *el frío hielo, el hielo frío; esta oscura noche, esta noche oscura.*

[45] Los sintagmas de (74b) y (74d) estarían bien formados si el SA apareciera en posición parentética o incidental: *la*

de quedar bloqueada la distinción semántica entre un adjetivo calificativo prenominal y uno posnominal. Este es el caso de las construcciones como *una persona de suaves facciones* y *una persona de facciones suaves*.

No obstante, en contextos referencialmente opacos como el de (76), la presencia de un SA posnominal permite una doble interpretación del SN. De todos modos, los adjetivos elativos (o adjetivos de significado superlativo) como *magnífico, excelente, espléndido, estupendo,* etc., bloquean la interpretación no específica (o no referencial) cuando aparecen en un SN indefinido que se halla en contexto opaco (véase Bosque 1994). Compárense los ejemplos de (76) y (77).

(76) a. María quería casarse con un muchacho madrileño.
b. Juan alquilará un piso grande.
(77) a. María quería casarse con un muchacho excelente.
b. Juan alquilará un piso magnífico.

Las oraciones de (76) son ambiguas: puede ser que María quisiera casarse con un muchacho que fuera madrileño o con un determinado muchacho que era madrileño, y de modo parecido ocurre en (76b). En (77), en cambio, es difícil, por no decir imposible, obtener la interpretación no específica, según la cual (77a) significaría que María quería casarse con un muchacho que fuera excelente y (77b) significaría que Juan alquilará un piso que sea magnífico. Obsérvese la rareza de la construcción *?Juan está buscando un piso estupendo, pero no lo encuentra* frente a *Juan está buscando un piso céntrico, pero no lo encuentra.* Los adjetivos calificativos prenominales (sean elativos o no) no legitiman la interpretación no específica. En *Juan alquilará un céntrico piso* o en *María quiere casarse con un rico comerciante,* el SN indefinido sólo puede referirse a cierto piso o a cierto comerciante (véanse Bosque 1993a, Picallo 1995). [46] Sobre las restricciones de aparición de un adjetivo elativo con un nombre discontinuo, véase § 5.2.1.3.

Algunos adjetivos calificativos cambian su significado según la posición sintáctica que ocupan dentro del SN. Así, en *una vieja amiga* el adjetivo denota un tipo de amistad, mientras que en *una amiga vieja* el adjetivo expresa una propiedad de edad de la persona designada como amiga. En algunos de estos casos, el adjetivo prenominal aparece en forma apocopada: *gran/grande, san/santo, buen/bueno,* etc. [→ § 68.4.1].

Ciertos elementos léxicos presentan la apariencia de un nombre modificado por un adjetivo clasificador o calificativo *(llave inglesa, guardia civil, agujero negro).* Se trata, sin embargo, de nombres compuestos, como prueba el hecho de que sus partes no puedan aparecer modificadas. Expresiones del tipo *llave oxidada inglesa* y *agujero muy negro,* nada tienen que ver ni sintáctica ni semánticamente con los nombres compuestos *llave inglesa* y *agujero negro.* Sólo son posibles los modificadores de toda la construcción *(guardia civil caminera, llave inglesa oxidada).* Véase el capítulo 73.

Cuando un SA calificativo aparece con un adjetivo relacional, el calificativo ocupará o bien la posición prenominal o bien seguirá al relacional *(una desgraciada victoria pírrica, una victoria pírrica desgraciada/*una victoria desgraciada pírrica)* [→ § 3.5.1.1]. Cuando el SA calificativo aparece con un SP, aquel podrá ocupar una posición sintáctica anterior o posterior al SP. Ello dependerá de si se trata de un SA 'pesante', es decir, de estructura compleja, *(cierta presión incómoda en el*

---

criatura, hermosísima,...; su interés, demasiado visible,..., o bien si apareciera en la construcción un modificador restrictivo como, por ejemplo, una oración de relativo o un SP: *la criatura hermosísima que acompañaba a aquel anciano.*

[46] Sobre las repercusiones para la especificidad del sintagma cuantificativo de la coaparición de un adjetivo calificativo prenominal y el cuantificador *todo,* véase el § 5.2.2.1.

costado, cierta presión en el costado muy incómoda, esta presión incómoda en el costado, esta presión en el costado tan incómoda). El SA también podrá ocupar una posición prenominal sin que eso altere el significado, si el SN es indefinido *(cierta incómoda presión en el costado).* Pero si el SN es definido, la posición prenominal va ligada a una interpretación de modificador no restrictivo *(esta incómoda presión en el costado).* En general, un SA no suele aparecer entre los complementos expresados como SSPP *(*la discusión de Pedro desgraciada con su primo, ?un artículo de García Márquez reciente sobre Cuba).* Para una jerarquía de los modificadores del nombre, véase Hernanz y Brucart 1987: 169-170. Cuando en el mismo sintagma coaparecen dos o más SA calificativos, estos pueden estar coordinados *(su pelo largo y liso; su largo y liso pelo; un perro joven pero sarnoso; ¡ilustre y hermosísima María!)* o no *(el vestido corto azul).*

La relación semántica entre el nombre y el SA dependerá de las propiedades del adjetivo. Así, en *una persona fácil de engañar* y *una persona incapaz de engañar,* la relación que se establece entre el nombre *persona* y el SA es distinta. En el primer caso se da a entender que es fácil engañar a esta persona, mientras que en el segundo se dice que esta persona no es capaz de engañar a nadie [⟶ § 4.3.4].

Existen adjetivos que en lugar de denotar entidades, como los relacionales, o expresar propiedades, como los calificativos, expresan una relación temporal, lo que les confiere un valor deíctico. Se trata de adjetivos que, como *próximo, antiguo, actual, último, anterior,* etc. [⟶ § 3.6], que sitúan temporalmente la actividad o el evento expresado por el nombre. Su posición sintáctica dentro del SN no suele repercutir en el significado de la construcción: *un reciente estreno, un estreno reciente; el actual rector, el rector actual.* También existen adjetivos que modifican el aspecto de la actividad o evento expresado por el nombre: *frecuente, periódico, esporádico,* etc. Estos adjetivos no quedan legitimados en contextos en los que el nombre no designe una actividad o evento *(*sus periódicas macetas/sus periódicos mareos).* Asimismo, existen adjetivos con un valor próximo al de un cuantificador: *exacto, escaso, notable, único, entero,* etc. En *el valor escaso de este cuadro* o *en su notable autoridad,* los adjetivos *escaso* y *notable* evalúan cuantitativamente al nombre al que modifican. [47] Otros adjetivos expresan valores modales: *posible, probable, incierto, indudable, puro, mero, dudoso, supuesto, presunto,* etc. Estos adjetivos pueden dividirse en distintas subclases tanto por su comportamiento sintáctico como por su significado. Los adjetivos modales *probable* y *posible* prefieren la posición prenominal *(la muy improbable boda de tu hermano con María / ??la boda muy improbable de tu hermano con María),* aunque aparecen también en posición posnominal cuando el SN no es definido *(una solución posible)* o si se hallan dentro de un SN definido combinado con otro adjetivo como *único/única (la única solución posible). Simple, puro, mero* (o su diminutivo *merito*) y *presunto* pueden ocupar únicamente la posición prenominal [48] [⟶ § 3.6.1].

---

[47] Pertenece a este grupo *entero,* aunque a diferencia de los demás aparece preferentemente en posición posnominal *(la clase entera/*la entera clase).* El adjetivo *solo* actúa como adjetivo calificativo en *un hombre solo* y como evaluador cuantificativo en *su sola presencia.*

[48] En *una boda simple* o en *la afición pura* el adjetivo es calificativo, distinto, pues, del de *una simple boda, una mera boda* o *la pura afición.* También, el adjetivo *cierto* ocupa la posición posnominal *(noticias ciertas),* ya que la posición prenominal es propia del cuantificador *(ciertas noticias).* En posición posnominal, el adjetivo calificativo *dudoso* en *un comportamiento dudoso* expresa un comportamiento que ofrece duda, pero en *una persona dudosa* puede significar una persona que vacila. En este último caso, *dudoso* es un adjetivo calificativo [⟶ § 3.5.2.3].

Mención aparte merece la construcción *la tonta de María* [⟶ § 8.4], en la que el adjetivo calificativo *tonta* se predica atributivamente de *María.* El determinante en estas construcciones es siempre definido: *esta tonta de María/*una tonta de María, ese animal de tu vecino.* En cambio, en *un animal de tu vecino* no existe una relación atributiva, si acaso expresará una relación de posesión paralela a la de *tu vecino tiene animales.* [49] Por lo que al SN precedido por *de* se refiere, debe ser definido *(*el imprudente de un compañero, *el incapaz de alguno de mis hijos)* y con él concordarán el adjetivo y el determinante que introduce la construcción. Obsérvese, además, que el adjetivo de estas construcciones debe ser un adjetivo que exprese valoración. Así pues, no son posibles construcciones como *el verde de tu amigo* o *la escasa de María,* a no ser que *verde* signifique «ecologista» o «libidinoso» y *escasa* sea usado en el sentido de «avara».

5.3.2.3. *Los participios como modificadores nominales*

Pueden modificar un nombre o un SN los participios de presente y de pasado de los verbos transitivos e inacusativos *(una situación cambiante, el presidente saliente, una factura cobrada, aquella carta enviada a Buenos Aires, el camino andado).* En cambio, los participios de los verbos intransitivos no quedan legitimados como modificadores del SN *(*una persona pecada, *un niño gruñido)* [⟶ §§ 4.4.2 y 4.4.3]. Si son posibles sintagmas como *una muerte llorada por todos, el mundo soñado, una vida vivida intensamente,* etc., es porque *llorar, soñar* y *vivir* son verbos que pueden ser usados transitivamente *(llorar una muerte, vivir la vida, soñar un mundo mejor).* Asimismo, la presencia de un participio de presente de verbo intransitivo está sujeto a fuertes restricciones. Si bien es posible el uso como modificador nominal del participio de presente de verbos como *sonreír* o *yacer (niño sonriente, Cristo yacente),* no son aceptables construcciones como **niño llorante* o **persona pecante.* La lengua ofrece en estos casos la posibilidad de obtener adjetivos a partir de estos verbos por vía derivacional: *niño llorón, niño lloroso, persona pecadora.* Sobre los sufijos adjetivadores, véase el § 70.5.

Los participios pasados de los verbos transitivos tienen un significado pasivo, de manera que el nombre modificado se interpreta como el tema o el paciente del participio. Así pues, en *el presidente asesinado, asesinado* predica de *(el) presidente,* que es su paciente. Su agente puede aparecer introducido por la preposición *por (el presidente asesinado por las tropas enemigas).* Algunos adjetivos calificativos coinciden fonológica y morfológicamente con un participio, aunque a veces su significado sea muy distinto, como en los ejemplos de (78), tomados de Bosque (1989: 166).

(78) a. Hombre resuelto.
b. Mujer ocupada.
c. Problema resuelto.
d. Región ocupada.

Sólo (78c) y (78d) contienen un participio pasado, por lo que tienen un sentido pasivo. Otras veces, puede darse ambigüedad, como en *pueblo civilizado* (que es

[49] La presencia de un pronombre genitivo en la posición de determinante no es posible en el español actual *(*su tonto de Juan, *su (= de Juan) tonto).* Sin embargo, Ynduráin (1972: 611) aporta los siguientes ejemplos de Fernando de Rojas: *su andrajo de Melibea, su estiércol de Melibea.* El predicado de estas construcciones suele expresar o adquirir una valoración peyorativa. Así, *el inteligente de tu cuñado* no significa exactamente «tu cuñado es inteligente», sino «tu cuñado se cree inteligente o se las da de inteligente». Existen, sin embargo, excepciones como *la buena de mi hermana* en la oración *La buena de mi hermana me prestó el dinero.* Aquí *buena* no adquiere matiz peyorativo.

civilizado o que ha sido civilizado por alguien) o *edición reducida* (que es reducida o que ha sufrido reducción). Sólo en el caso de que se interprete como un adjetivo, *civilizado* y *reducido* podrán ocupar la posición prenominal y llevar un especificador de grado *(aquel civilizado pueblo, esta edición tan reducida)* [⟶ § 4.4.1]. En realidad, los participios pasados también pueden ocupar posiciones prenominales, aunque a veces requieran la presencia de un modificador aspectual (*recién, ya,* etc.) que refuerce el aspecto delimitado de la situación que expresan.

(79) a. Los presupuestos aprobados.
b. *Los aprobados presupuestos.
c. Los recién aprobados presupuestos.
d. *El estrenado teatro municipal.
e. El por fin estrenado teatro municipal.

Al igual que los adjetivos, los participios no pueden aparecer en posición prenominal si van complementados *(*los recién aprobados por el parlamento presupuestos, *el asesinado por el enemigo presidente).*

En construcciones como *el conocido presentador* o *el apasionante mundo del circo, conocido* y *apasionante* no actúan como participios, sino como adjetivos calificativos, como *popular* o *fantástico* [⟶ § 4.4.5.4.]. [50]

5.3.2.4. *Modificadores oracionales: oraciones sustantivas y oraciones relativas*

Tal como se comentó en el § 5.3.1, cuando el complemento argumental de un nombre tiene valor proposicional puede expresarse sintácticamente como una oración subordinada completiva introducida por una preposición seleccionada por el nombre, como en (80a), o por la preposición *de,* como en (80b) y (80c).

(80) a. El miedo a suspender.
b. El intento de que le llegara a tiempo la convocatoria.
c. El anuncio de que se había desconvocado la reunión.

En (80) el nombre es el que selecciona el modo de su subordinada completiva. Nombres como *miedo, temor, terror,* etc. pueden seleccionar una oración en infinitivo, como en (80a), o en subjuntivo *(el terror a que suspendan, el miedo de que suspendas),* pero no una oración en indicativo *(*el miedo de que suspendes, *el temor a que suspenden).* En cambio, nombres como *anuncio, afirmación, declaración,* etc. —al igual que los verbos de los que derivan— seleccionan para la subordinada finita el modo indicativo, tal como se muestra en (80c). Otros nombres con argumento proposicional no imponen restricción sobre el modo de la subordinada. Este es el caso de *manía (tu manía de no salir de casa, la manía de que le espían, la manía de que los niños lleven sombrero).*

Pero no todas las oraciones que aparecen en un SN corresponden a un argumento proposicional del nombre. Ciertos nombres sin estructura argumental pueden coaparecer con una subordinada sustantiva, como en (81) [⟶ Cap. 33].

---

[50] Sobre los adjetivos perfectivos derivados de participios pasados *(absorto, molesto, trunco)* y sobre los participos lexicalizados *(vino tinto, uvas pasas),* véase Bosque 1989: 172 y las referencias que allí se citan [⟶ § 4.4.1.2].

(81) a. Circula *la noticia de que el presidente va a dimitir.*
b. Defiende *la idea de que no salga la procesión.*
c. *El hecho de que llueva* no me impedirá salir.

En estas construcciones, se establece una relación de atribución entre el nombre núcleo del sintagma y la completiva, que ocupa una posición de complemento adjunto (o de elemento en aposición). En (81a), por ejemplo, entre *(la) noticia* y la completiva *que el presidente va a dimitir,* se establece una predicación parecida a la que comentábamos en el § 5.3.2.1 a propósito de construcciones como *la ciudad de Toledo* o *el día de hoy:* «que el presidente va a dimitir» es una noticia, tiene la propiedad de ser noticia. Al igual que en aquellos sintagmas, el nombre que actúa como núcleo podría suprimirse sin que ello afectara a la gramaticalidad de la oración *(Que llueva no me impedirá salir, Circula que el presidente va a dimitir, Defiende que no salga la procesión).* Estas oraciones prueban, además, que el modo de la completiva viene determinado por el predicado oracional y no por los nombres *noticia, hecho,* etc., ya que no se altera cuando estos no aparecen en la construcción. Asimismo, como en la construcción nominal *la ciudad de Toledo* o *el día de hoy,* el determinante no puede ser indefinido (**una ciudad de Toledo, *algún día de hoy, *un hecho de que llueva, *una solución de sacar el santo en procesión,* etc.) y la preposición que expresa el nexo debe ser siempre la preposición *de*, la preposición menos marcada del español. [51]

La presencia de adjetivos prenominales y posnominales es posible en este tipo de estructuras: *el mero hecho de que llueva, la típica solución de sacar el santo, la solución tradicional de sacar el santo en procesión, la idea infernal de que no salga la procesión,* etc. En estos casos *mero hecho, típica solución, solución tradicional* e *idea infernal* se interpretan como atributo de la completiva.

Las oraciones de relativo pueden actuar como modificadores restrictivos o no restrictivos en una construcción nominal. En los §§ 5.2.1.1 y 5.3.2 se tratan algunas de las principales restricciones que rigen la presencia de este tipo de modificadores. También allí se hace hincapié en la colaboración entre el determinante y la relativa restrictiva a la hora de determinar la referencia del sintagma nominal. Esta colaboración no puede establecerse, en cambio, cuando el nombre es un designador referencial rígido, como un nombre propio o un pronombre personal. Las construcciones como **María que vino ayer* y **yo que soy tu tío* sólo serán gramaticales en el caso de que la relativa sea interpretada como un modificador no restrictivo *(María, que vino ayer,...; yo, que soy tu tío,...).*

En algunas construcciones podría parecer que un pronombre personal clítico definido admite una relativa restrictiva, como en (82).

(82) a. (Las castañas,) démelas que no estén muy tostadas.
b. Cántala bajito, que no te oigan.

En realidad, el pronombre *las* de (82a) no está modificado restrictivamente. La oración *que no estén muy tostadas* es un modificador predicativo que actúa como predicado secundario, como *muy tos-*

---

[51] Otros nombres que en el habla coloquial actúan como los de (81) son *cuento, historia, bulo, rollo,* etc. El nombre *rumor* no parece pertenecer al mismo tipo que *noticia, hecho* o *cuento. Rumor,* que se relaciona con el verbo *rumorear (Se rumorea que va a llover),* puede aparecer sin determinante definido *(Corren algunos rumores de que va a llover).* Sobre las completivas en SSNN, consúltense Leonetti 1993 y el capítulo 33.

tadas en *Démelas muy tostadas* (véase el capítulo 38). En (82b) *que no te oigan* es un adjunto final, cuyo significado es «para que no te oigan», como en *Habla bajito, que no te oigan.*

El español no posee actualmente un clítico partitivo como el de otras lenguas románicas (*ne* / *en* del italiano, del francés o del catalán). En realidad, el partitivo del español es un pronombre no realizado fonéticamente en la mayoría de los dialectos: *Juan tiene libros pero yo no tengo.* El complemento directo del verbo de la segunda oración coordinada es un pronombre no explícito que se interpreta como «libros». En oraciones como *Tengo muchos libros buenos, pero también tengo que no valen nada,* la relativa *que no valen nada* modifica al pronombre no explícito que representa a *libros* y que en otras lenguas románicas aparecería como *ne*/*en.* En algunos dialectos del norte de España serían aceptables oraciones como *Tengo muchos libros buenos, pero también los tengo que no valen nada.* En estos dialectos, el partitivo viene siempre representado por una forma de acusativo. Sobre el uso 'reciclado' de los pronombres de acusativo del español, véase Longa, Lorenzo y Rigau 1996. Otra construcción interesante es la de *Vi a María que bailaba* y *La vi que bailaba,* donde aparentemente una relativa no explicativa modifica a un nombre propio y a un pronombre acusativo (no interpretable como partitivo). Sobre el análisis que conviene a estas construcciones, véanse los §§ 7.1.5-6.

La ausencia de determinante explícito no es óbice para que aparezca una relativa restrictiva o especificativa *(Chepe comió mangos que no estaban maduros; No bebas agua que no sea clara; Hablé con gente que no me conocía)* [⟶ § 50.1.1]. Sin embargo, la presencia de un posesivo en la posición de determinante bloquea la aparición de una relativa restrictiva. Compárese **su hijo que vive en Roma* con las construcciones gramaticales *ese hijo suyo que vive en Roma* o *el hijo de usted que vive en Roma.* Estas y otras restricciones que determinan la legitimación de las oraciones relativas restrictivas se estudian en los §§ 7.2.3.3 y 7.2.5. Véase asimismo Brucart 1994a.

La presencia de una relativa explicativa o no restrictiva en un SN sin determinante explícito no es frecuente. Las construcciones como *No comas setas, que son indigestas* no contienen una relativa explicativa sino un adjunto causal («porque son indigestas»). Se trata del mismo tipo de adjunto que aparece en *Enséñamelo, que quiero verlo* [⟶ § 56.3.2].

El modo de las relativas restrictivas, como ya se vio en el § 5.2.1, puede ser el indicativo o el subjuntivo. Este será posible si la relativa aparece en un contexto de opacidad referencial y su presencia estará relacionada con las propiedades no específicas del SN al que modifica. Compárense las oraciones de (83) y las de (84) [⟶ § 50.1].

(83) a. María se fugará con el hombre que la quiera.
b. María se fugará con un hombre que la quiera.
(84) a. María se fugará con el hombre que la quiere.
b. María se fugará con un hombre que la quiere.

Los SSNN de (84) son específicos (o referenciales), mientras que los de (83) no lo son. La relativa hace patente a través del modo indicativo o subjuntivo la presencia o ausencia de especificidad en el SN, al margen de que este sea definido o indefinido.

Las relativas han de ocupar una posición posnominal *(*estos que ves ahora campos de centeno / estos campos de centeno que ves ahora...; *aquella, con quien estuviste hablando, persona / aquella persona con quien estuviste hablando...).* Suelen aparecer después de los demás complementos y modificadores, dada su complejidad o 'pesantez': *la gorra roja de fieltro para el invierno que tú me compraste en Santander.* Pero, cuando la relativa es restrictiva, también son posibles construcciones como *la gorra roja de fieltro que tú me compraste en Santander para el invierno* o *una gorra que me regalaron ayer de fieltro negro.* No estará bien formada, sin embargo, una construcción en la que el adjetivo vaya detrás de la relativa, a no ser que se trate de un SA complejo, es decir con complemento y/o especificador *(*aquel chico que vino ayer listo... / aquel chico que vino ayer más listo que el hambre...).* Si la relativa es explicativa debe ocupar la posición final, máxime si existen en la construcción modificadores restrictivos, y ello incluso en el caso de que coaparezca con modificadores nominales pesantes o complejos *(*Me llamó la chica, a quien tú ya conoces, de la panadería del barrio / Me llamó la chica de la panadería del barrio, a quien tú ya conoces).*

Cuando la relativa coaparece con una completiva en una construcción nominal, suele ocupar la posición final dentro del SN *(la promesa de que visitaríamos a tu madre que tanto te tranquilizó...),* aunque también puede aparecer antes que la completiva, como en *la promesa que le arrancaste a Juan de que visitaría a su madre...,* donde *de que visitaría a su madre* es el argumento tema del nombre deverbal *promesa,* es decir, la cosa prometida [→ § 33.3]. Cuando la completiva no es un argumento del nombre, sino un elemento adjunto (o en aposición) con el que se establece una relación atributiva, puede coaparecer con una relativa restrictiva siempre que la información aportada por la relativa sea previsible. Por ejemplo, en el habla coloquial se utilizan expresiones como *venir con el cuento, contar historias,* etc. Pues bien, serán posibles SSNN como *el cuento con el que me viniste de que te echarían de la empresa...* o bien *la historia que me contaste de que tu marido ya no te quería...,* pero son difícilmente aceptables construcciones como **la historia que tantas horas de sueño me quitó de que tu hijo estaba enfermo...* o *??el hecho que publicaron de que el presidente pensaba dimitir...* o **el hecho de que el presidente pensaba dimitir que publicaron los periódicos...* Obsérvese que en las construcciones gramaticales es preferible que la oración relativa preceda a la completiva *(??el cuento de que te echarían de la empresa con el que me viniste; ??la historia de que tu marido ya no te quería que me contaste).*

5.3.2.5. *Otros modificadores del sintagma nominal*

Los SSNN pueden aparecer con modificadores adjuntos que expresen lugar o tiempo: *la música en Nicaragua, las tormentas del mes de agosto, la reacción de María al tropezarse con su primer novio.* Los SSPP *en Nicaragua, del mes pasado* y *al tropezarse con su primer novio* actúan como modificadores restrictivos. Sin embargo, en *la entrada de las autoridades en el recinto ferial* el SP *en el recinto ferial* corresponde al argumento locativo seleccionado por el nombre deverbal *entrada.*

Los adjuntos temporales presentan un comportamiento peculiar. Véanse las construcciones de (85).

(85) a. La representación de Aida el año pasado en las Termas de Caracalla.
b. La representación de Aida del año pasado.

El año pasado es un adjunto temporal que cuando establece la temporalidad de una oración aparece sin preposición que lo introduzca, como en *Nevó el año pasado* o en *Josep Carreras actuó en las Termas de Caracalla el año pasado* [⟶ §§ 9.3.1 y 48.1]. Ahora bien, en una construcción nominal en la que el núcleo sea *nevada* no será posible la presencia del adjunto temporal sin preposición *(*la nevada el año pasado/la nevada del año pasado).* Sin embargo, cuando el núcleo es un nombre con estructura argumental, normalmente un nombre deverbal, el adjunto temporal puede aparecer sin preposición, como en (85a). Nótese, sin embargo, que los sintagmas de (85) no reciben la misma interpretación, mientras (85a) expresa un acontecimiento, (85b) expresa un resultado, como se muestra en (86).

(86) a. La representación de Aida el año pasado en las Termas de Caracalla fue seguida por millones de telespectadores.
b. La representación de Aida del año pasado quedó registrada en vídeo.

En (86a) *el año pasado* sitúa temporalmente la representación operística, mientras que en (86b) modifica restrictivamente la puesta en escena de la ópera. Sobre la doble interpretación de ciertos nombres deverbales, véase el capítulo 6.

Otros casos de modificador temporal dentro de una construcción nominal son los de (87), tomados de los medios de comunicación.

(87) a. La juez imputa al hasta el pasado lunes fugitivo un total de siete delitos. [*El País,* 1-III-1995]
b. La en otro tiempo directora del museo.

Los SSPP *hasta el pasado lunes* y *en otro tiempo* modifican no restrictivamente a un nombre que expresa un comportamiento o actividad delimitable en el tiempo. También son posibles modificadores que actúen como delimitadores aspectuales, como *de nuevo* o *ya,* que aparecen en construcciones como *el de nuevo primer ministro* o *la aún presidenta del gobierno turco.* Obsérvese que *de nuevo* atribuye a la actividad expresada por el nombre un valor aspectual iterativo, mientras que *aún* expresa que no ha cesado la actividad de presidenta del gobierno. En cambio, no quedan legitimados dichos modificadores si el nombre no puede ser interpretado como actividad o comportamiento *(*la ya sinceridad, *el de nuevo desmayo).*

En ciertos contextos, los SSNN pueden admitir complementos predicativos que prediquen de uno de los complementos nominales, como en *la operación de María anestesiada,* donde el SA *anestesiada* es un complemento predicativo que predica de *María,* que a su vez es el complemento que expresa el paciente del nombre *operación.* Sobre las condiciones que legitiman la presencia de un complemento predicativo en una construcción nominal, véase Leonetti y Escandell Vidal 1991, así como los §§ 8.5 y 38.2.3, donde se estudian con más detalle este tipo de construcciones. Aquí sólo subrayaremos que, para que un complemento predicativo esté legitimado, es menester que el núcleo del SN sea un nombre que exprese un acontecimiento, como en (88a), un nombre de representación (*pintura, fotografía, dibujo,* etc.), como en (88b), o un nombre que exprese posesión inalienable, como en (88c), pero que no designe relación de parentesco, como en (88d).

(88) a. La llegada de Juan *gravemente herido.*
b. El retrato de Juan *en bañador.*
c. La cara de Juan *convaleciente.*
d. *La hermana de Juan *enfadado.*

A veces una construcción nominal puede aparecer como aposición de un SN [→ §§ 2.4.1.3 y 8.2]. La aposición nominal puede ser restrictiva o no restrictiva (véase RAE 1973: 401-403). En *tu primo, el carpintero* o en *Pepín, el muy diablillo,* los sintagmas *el carpintero* y *el muy diablillo* se predican atributivamente de *tu primo* y de *Pepín,* respectivamente, sin que ello afecte la referencia de la construcción nominal, mientras que en *tu primo carpintero,* el nombre *carpintero* colabora en la determinación referencial del sintagma, con lo que lo modifica restrictivamente. Cuando el segundo elemento de una construcción apositiva es un nombre propio, este aporta la fuerza designadora en construcciones como *el ministro Valdés, tu amiga María* o *el cabo Gata,* pero no en construcciones del tipo *el estilo Tudor, el tren TALGO* o *un cinturón Cartier,* donde el nombre propio tiene una función clasificadora. *El estilo Tudor* es un tipo de estilo artístico como *el tren TALGO* es un tipo de tren, etc. Especialmente interesante es la aposición con nombres de colores con función clasificadora: *unos adornos rojo fuego, los pantalones gris perla. Rojo fuego* y *gris perla,* que no concuerdan aquí con los nombres *adornos* y *pantalones,* son construcciones nominales en aposición. Su función es clasificadora, no calificadora. Sobre los nombres de color en aposición y otras construcciones en las que un nombre actúa como clasificador, véase Bosque 1989: 114-118 [→ §§ 1.7.4, 3.4.2.2, 8.2.2, 67.2.1.5 y 73.2].

En *pez espada, aguanieve* u *hombre rana* no hay aposición sintáctica, sino que se trata de un caso de composición léxica; por lo tanto, el núcleo del sintagma nominal *pez espada enorme* es el nombre *pez espada* [→ § 73.2.2].

En las construcciones nominales pueden aparecer también elementos parentéticos o incidentales, como en los ejemplos de (89) [→ § 8.3].

(89) a. Tu bisabuela, *que en gloria esté,* era una mujer valiente.
b. Visitaremos a María, *a quien Dios bendiga.*
c. Ella, *bendita sea,* le ayudó cuanto pudo.
d. María, *Dios la tenga en su gloria,* nos ayudó siempre.

Las relativas y las construcciones en subjuntivo de (89) expresan un deseo del emisor de la oración. No se trata, pues, de modificadores que prediquen del SN al que se adjuntan o que lo clasifiquen. Una construción claramente exclamativa o una interrogativa son otros de los elementos que pueden aparecer como un modificador parentético o incidental en una construcción nominal: *Ella y su hermano —¡vaya par de gamberros!— tienen atemorizado al barrio; Juan —¿en qué estaría pensando?— la tomó por la maestra.*

5.4. Sintagmas nominales con núcleo elíptico

El núcleo del SN puede estar ausente y quedar sobreentendido por el contexto oracional, discursivo o situacional, como en (90). [52]

(90) a. La catedral de Managua y la de León.
b. Chaqueta, cómprate una de lana.
c. Esta de color azul.
d. El de los mineros es un oficio peligroso.

El núcleo elíptico del segundo sintagma nominal definido de (90a) sólo puede ser interpretado como idéntico al del primer sintagma de la coordinación [—> §§ 12.1.2.5 y 43.3]. Precisamente esta identidad es la que permite la ausencia de un nombre explícito en el segundo SN. En (90b) el núcleo del SN indefinido se interpreta como el SN dislocado a la izquierda de la oración, tema del discurso, mientras que la identidad del núcleo del SN introducido por un demostrativo en (90c) puede ser recuperada por el contexto situacional. El artículo indefinido y el cuantificador *algún* aparecen sin apocopar cuando el núcleo del SN es un nombre elíptico masculino singular: *uno alegre, alguno de la sierra.* Así pues, en *un laxante* el núcleo del SN es explícito, mientras que en *uno laxante* el núcleo es implícito y *laxante* es un adjetivo. [53] Finalmente, las construcciones como (90d) admiten una interpretación catafórica. El núcleo tácito del sintagma *el de los mineros* se interpreta como el nombre que aparece al final de la oración, *oficio.* Sobre estas construcciones, véase Bosque 1993b.

La presencia de un SN con núcleo elíptico está sometida a severas restricciones en español. En primer lugar, si el SN va introducido por el artículo definido, el núcleo del SN podrá ser elíptico sólo si aparece en la construcción un modificador con unas propiedades determinadas. Por ejemplo, un modificador restrictivo como una relativa o un SA pueden legitimar un SN definido con núcleo implícito, pero no podrá un modificador no restrictivo *(la que tú me presentaste; las azules / *la, que tú me presentaste,...; *las, azules,...).* Tampoco los SA con adjetivo elativo o en grado superlativo legitiman el núcleo implícito de un SN precedido por artículo definido, ya que, como se vio en el § 5.3.2.2, este tipo de SA no colabora en la determinación del SN. De ahí la agramaticalidad de **la buenísima, *las magníficas* o **el fantástico* frente a la gramaticalidad de sintagmas que contienen cuantificadores comparativos de desigualdad, como *la menos alegre, la mejor* (véase Hernanz y Brucart 1987: 171).

Por otro lado, sólo los adjetivos en posición posnominal pueden legitimar un nombre elíptico. Es por ello por lo que un sintagma definido como *los polvorientos*

---

[52] Para un estudio detallado de las construcciones nominales con núcleo elíptico, consúltese el § 43.3, así como Brucart 1987: § 3.2 y Hernanz y Brucart 1987: § 5.6. Para un enfoque radicalmente distinto de las construcciones estudiadas en este apartado, véanse Alarcos 1967, Gutiérrez Ordóñez 1991.

[53] A primera vista parece que el artículo indefinido y los cuantificadores numerales e indefinidos pueden legitimar ellos solos un nombre elíptico en posición de objeto directo, dado el contraste entre **Veo las* y *Veo unas, Veo algunas, Veo tres.* En realidad, en otras lenguas románicas próximas al español, como el catalán, el francés o el italiano, en estas últimas construcciones aparece obligatoriamente el pronombre clítico partitivo *en/ne* representando al núcleo del SN: *En veig unes* (cat.), *Ne vedo tre* (it.), etc. También debe aparecer el clítico *en/ne* en las oraciones equivalentes a (90b). El español no conserva una forma explícita para este clítico, pero no parece desencaminado considerar —como en el § 5.3.2.4— que este pronombre actualmente existe aunque sin representación fonológica. Ya se comentó en aquel apartado que, en el español de Asturias y de Galicia, las formas de acusativo suplen esta falta de pronombre partitivo explícito, por ejemplo, en *Autobuses, no los hay nocturnos; Fiebre, no la tiene,* oraciones que en otros dialectos aparecerían sin clítico explícito *(Autobuses, no hay nocturnos; Fiebre, no tiene).* Véase Longa, Lorenzo y Rigau 1996.

se puede interpretar como *los caminos polvorientos,* pero no como *los polvorientos caminos.* Más aún: la presencia de un adjetivo prenominal impide que el nombre sea elíptico, aunque exista en posición posnominal un elemento que pueda actuar como legitimador, como puede comprobarse en una construcción como **la triste canción alemana y la alegre vienesa (= la alegre canción vienesa).* Lo mismo ocurre cuando el SN aparece con artículo indefinido: *una buena* no puede ser paráfrasis de *una buena mujer,* sólo de *una mujer buena.* Para un estudio detallado de estas cuestiones, véase Bernstein 1993. Por otro lado, los adjetivos modales, aspectuales o con un valor cuantificador como *escaso,* estudiados en el § 5.3.2.2, podrán legitimar un nombre elíptico si van introducidos por un especificador de grado comparativo de desigualdad: **la probable/la menos probable, *la frecuente/la más frecuente, *los escasos/los más escasos.* En cambio, los adjetivos con valor temporal o jerárquico suelen legitimar fácilmente un nombre elíptico: *los actuales, el anterior,* etc.

Un SP encabezado por la preposición *de* puede legitimar al núcleo elíptico de un SN precedido por artículo definido, pero no lo legitiman otras preposiciones: *la del manojo de rosas, los de Madrid, el de toda la vida / *los contra todos, *la para ti, *las con hijos.* [54]

Otros elementos definidos que pueden actuar como determinantes, como el pronombre posesivo, no son capaces de legitimar un SN con núcleo elíptico: **su vestido rojo y tu azul, *mis de matemáticas.* La gramaticalidad de la construcción *su vestido y el tuyo* se debe a que *tuyo* aparece, en realidad, a la derecha de un nombre elíptico y no en la posición de determinante. Así las cosas, la posición de *tuyo* no es distinta de la que tiene en construcciones como *el vestido tuyo* (véase Hernanz y Brucart 1987: 192-197). Asimismo, cuantificadores como el distributivo *cada* tampoco pueden legitimar un nombre elíptico: **cada de matemáticas/cada libro de matemáticas.*

[54] En general, tampoco queda legitimado el núcleo tácito de un SN precedido de artículo definido con un modificador SP cuyo núcleo sea la preposición *sin (*la sin bolsillo, *los sin recargo, *el sin empleo),* aunque sean posibles algunas expresiones lexicalizadas referidas a colectivos como *los sin techo* o *los sin empleo* (véase el § 43.3).

REFERENCIAS BIBLIOGRÁFICAS

ALARCOS LLORACH, EMILIO (1961): «Los pronombres personales en español», en E. Alarcos (1970), *Estudios de gramática funcional del español,* Madrid, Gredos, págs. 143-155.
— (1967): «El artículo en español», en E. Alarcos (1970), *Estudios de gramática funcional del español,* Madrid, Gredos, págs. 166-177.
— (1972): «Grupos nominales con /de/ en español», en *Studia Hispanica in Honorem R. Lapesa,* vol. I, Madrid, Gredos y Cátedra - Seminario Menéndez Pidal, págs. 85-91.
ALCINA FRANCH, JUAN y JOSÉ MANUEL BLECUA (1975): *Gramática española*, Barcelona, Ariel.
ALONSO, AMADO (1951): «Estilística y gramática del artículo en español», en *Estudios lingüísticos. Temas españoles,* Madrid, Gredos, 2.ª ed., págs. 125-160.
BELLO, ANDRÉS (1847): *Gramática de la lengua castellana,* Buenos Aires, Editorial Sopena Argentina, 8.ª ed., con notas de R. J. Cuervo, 1970.
BERNSTEIN, JUDY (1993): «The Syntactic Role of Word Markers in Null Constructions», *Probus* 5:1-2, págs. 5-38.
BOSQUE, IGNACIO (1983): «Clases de nombres comunes», en *Serta Philologica F. Lázaro Carreter,* Madrid, Cátedra, págs. 75-88.
— (1989): *Las categorías gramaticales,* Madrid, Síntesis.
— (1992): «Anáforas distributivas: La gramática de *sendos»,* en N. Cartagena y C. Schimitt (eds.) *Miscellanea Antverpiensia,* Tubinga, Max Niemeyer Verlag, págs. 59-92.
— (1993a): «Sobre las diferencias entre los adjetivos relacionales y los calificativos», *Revista Argentina de Lingüística*, 9, págs. 9-48.
— (1993b): «Este es un ejemplo de predicación catafórica», *Cuadernos de Lingüística del Instituto Universitario Ortega y Gasset,* 1, págs. 27-57.
— (1994): «Degree Quantification and Modal Operators in Spanish», manuscrito, Universidad Complutense de Madrid.
— (ed.) (1996): *El sustantivo sin determinación. La ausencia del determinante en la lengua española,* Madrid, Visor.
BOSQUE, IGNACIO y JUAN CARLOS MORENO (1990): «Las construcciones con *lo* y la denotación del neutro», *Lingüística* 2, págs. 5-50.
BRUCART, JOSÉ M.ª (1987): *La elisión sintáctica en español,* Bellaterra, Universitat Autònoma de Barcelona.
— (1992): «Some Asymmetries in the Functioning of Relative Pronouns in Spanish», *CatWPL 2 (1992),* Bellaterra, Universitat Autònoma de Barcelona, págs. 113-143.
— (1994a): «Sobre una incompatibilidad entre posesivos y relativas especificativas», en V. Demonte (ed.) 1994, *Gramática del español,* México, El Colegio de México, págs. 51-86.
— (1994b): «Concordancia *ad sensum* y partitividad en español», manuscrito, Universitat Autònoma de Barcelona.
CONTRERAS, HELES (1973): «Spanish Non-Anaphoric *lo», Linguistics* 111, págs. 5-30.
— (1985): «Spanish Bare NPs and the ECP», en I. Bordelois, H. Contreras y K. Zagona (eds.) (1985), *Generative Studies in Spanish Syntax,* Dordrecht, Foris, págs. 25-49.
CUERVO, RUFINO JOSÉ (1886): *Diccionario de construcción y régimen de la lengua castellana,* Bogotá, Instituto Caro Cuervo, 2.ª ed., 1953 [*DCRLC* en el texto].
DEMONTE, VIOLETA (1982): «El falso problema de la posición del adjetivo. Dos análisis semánticos», en V. Demonte (1991), *Detrás de la palabra. Estudios de gramática del español,* Madrid, Alianza, páginas 256-283.
— (1988): «El 'artículo en lugar del posesivo' y el control de los sintagmas nominales», en V. Demonte (1991), *Detrás de la palabra. Estudios de gramática del español,* Madrid, Alianza, págs. 235-255.
EGUREN, LUIS (1990): «La combinatoria de los determinantes. Hacia la eliminación de las reglas de estructura de oración», *Dicenda* 9, págs. 59-72.
FERNÁNDEZ RAMÍREZ, SALVADOR (1951): *Gramática española. 3.1. El nombre,* Madrid, Arco/Libros, 2.ª ed. preparada por J. Polo, 1986; 3.2. *El pronombre,* Madrid, Arco/Libros, 2.ª ed. preparada por J. Polo, 1987.
FERNÁNDEZ LAGUNILLA, MARINA (1983): «El comportamiento de *un* con sustantivos y adjetivos en función de predicado nominal. Sobre el llamado *un* 'enfático'», en *Serta Philologica F. Lázaro Carreter,* Madrid, Cátedra, págs. 195-208.
GARCÍA FAJARDO, JOSEFINA (1990): «Conformación de estructuras semánticas de oraciones y oraciones», en V. Demonte y B. Garza Cuarón (eds.) (1990), *Estudios de lingüística de España y México,* México, Universidad Nacional Autónoma de México-El Colegio de México, págs. 301-314.

GUTIÉRREZ ORDÓÑEZ, SALVADOR (1978): «Grupos sintagmáticos N de N: Sintaxis y semántica», en *Estudios ofrecidos a Emilio Alarcos Llorach,* vol. III, Oviedo, Universidad de Oviedo, págs. 133-159.

— (1991): «El artículo sí sustantiva», en A. Alonso, B. Garza y J. A. Pascual (eds.) (1994), *II Encuentro de lingüistas y filólogos de España y México,* Salamanca, Ediciones Universidad de Salamanca, páginas 483-507.

HERNANZ, M. LLUÏSA (1990): «En torno a los sujetos arbitrarios: la 2.ª persona del singular», en Demonte, V. & B. Garza Cuarón (eds.) (1990), *Estudios de lingüística de España y México,* México, Universidad Nacional Autónoma de México-El Colegio de México, págs. 151-178.

HERNANZ, M. LLUÏSA y JOSÉ M.ª BRUCART (1987): *La sintaxis,* Barcelona, Crítica.

LÁZARO CARRETER, FERNANDO (1975): «El problema del artículo en español», en F. Lázaro Carreter (1980), *Estudios de lingüística,* Barcelona, Crítica, págs. 27-59.

LEONETTI JUNGL, MANUEL (1993): «Dos tipos de completivas en sintagmas nominales», *Lingüística* 5, págs. 5-40.

LEONETTI JUNGL, MANUEL y M. VICTORIA ESCANDELL VIDAL (1991): «Complementos predicativos en sintagmas nominales», *Verba* 18, págs. 431-450.

LONGA, VÍCTOR MANUEL, GUILLERMO LORENZO y GEMMA RIGAU I OLIVER (1996): «Expressing Modality by Recycling Clitics», *CatWPL* 5:1, págs. 67-79.

LÓPEZ PALMA, ELENA (1985): «Las oraciones distributivas: la gramática de cada», *Dicenda* 4, págs. 57-83.

LORENZO GONZÁLEZ, GUILLERMO (1995): *Geometría de las estructuras nominales. Sintaxis y semántica del SDET,* [= sintagma determinante] Oviedo, Universidad de Oviedo.

MARTÍNEZ, JOSÉ ANTONIO (1994): *Cuestiones marginadas de gramática española,* Madrid, Istmo.

MORENO CABRERA, JUAN CARLOS (1987): «Aspectos lógico-semánticos de los cuantificadores en español», en V. Demonte y M. Fernández Lagunilla (eds.) (1987), *Sintaxis de las lenguas románicas,* Madrid, El Arquero, págs. 408-416.

— (1991): *Curso Universitario de Lingüística General. Tomo I: Teoría de la gramática y sintaxis general,* Madrid, Síntesis.

PICALLO, M. CARME (1995): «A Mark of Specificity in Indefinite Nominals», *CatWPL* 4:1, Bellaterra, Universitat Autònoma de Barcelona, págs. 143-167.

REAL ACADEMIA ESPAÑOLA (1973): *Esbozo de una nueva gramática de la lengua española,* Madrid, Espasa Calpe [RAE 1973 en el texto].

SÁNCHEZ LÓPEZ, CRISTINA (1993): «Movimiento de cuantificadores en la estructura-S: la gramática de *cada uno», Cuadernos de Lingüística del Instituto Ortega y Gasset* 1, Madrid, págs. 249-277.

SÁNCHEZ DE ZAVALA, VÍCTOR (1976): «Sobre una ausencia en castellano», en V. Sánchez de Zavala (ed.) (1976), *Estudios de Gramática Generativa,* Barcelona, Labor, págs. 195-254.

TORREGO, ESTHER (1989): «Unergative-Unaccusative Alternations in Spanish», *MIT WPL* 10, págs. 253-272.

VERGNAUD, JEAN ROGER y M.ª LUISA ZUBIZARRETA (1992): «The Definite Determiner and the Inalienable Constructions in French and in English», *LI* 23, pág, 595-652.

YNDURÁIN, FRANCISCO (1972): «Notas sobre oraciones nominales», en *Studia Hispanica in Honorem R. Lapesa,* vol. I, Madrid, Gredos y Cátedra-Seminario Menéndez Pidal, págs. 609-618.

6
LA ESTRUCTURA DEL SINTAGMA NOMINAL: LAS NOMINALIZACIONES Y OTROS SUSTANTIVOS CON COMPLEMENTOS ARGUMENTALES

M. CARME PICALLO
Universitat Autònoma de Barcelona

ÍNDICE

6.1. Introducción

El presente capítulo tiene como objeto describir varios aspectos sintácticos e interpretativos de los sintagmas nominales. Se estudiarán principalmente aquellas construcciones encabezadas por una 'nominalización', término que designa a los nombres derivados así como al proceso de su formación. Tradicionalmente se habían incluido también bajo este epígrafe una serie de fenómenos que comprendían, además de la formación de nombres derivados, los casos de subordinación sustantiva *(Juan dice que llegará)* y la formación de los llamados infinitivos y adjetivos sustantivados (*el caminar de Juan* y *el interesante* respectivamente) cuyo estudio no se abordará aquí, sino en los capítulos sobre la subordinación sustantiva [→ Caps. 32 a 35], los infinitivos [→ § 36.5] y la elipsis [→ § 43.3]. Nuestra discusión girará alrededor de la relación existente entre la nominalización y la sintaxis de los sintagmas nominales en general.

En los apartados siguientes, se describirá el comportamiento sintáctico de las nominalizaciones teniendo en cuenta, paralelamente, la denotación de dichas construcciones, es decir, los tipos de entidades a las que los sintagmas nominales pueden referirse. La información que contienen la mayor parte de nuestros diccionarios nos indica que los nombres derivados pueden utilizarse, en muchos casos, para nombrar tanto una acción como su efecto [→ §§ 5.3 y 69.1.4]. [1] Esta ambigüedad de algunos nombres nos ha permitido encauzar este estudio dividiendo las construcciones nominales en dos grandes grupos generales: las que tienen como referente un evento o un proceso (algo que ocurre o que tiene lugar en un período de tiempo) y las construcciones que no se refieren a eventos o procesos. Estas últimas pueden denotar un objeto, un estado, una propiedad, o un producto resultante de un acontecimiento o proceso. La división que se propone obedece al hecho de que la sintaxis de los nominales está estrechamente relacionada con sus propiedades denotativas.

Este capítulo está organizado de la forma siguiente: en el § 6.2 se describen varios tipos de nombres derivados y la posible expresión sintáctica o morfológica de sus argumentos; el § 6.3 trata de las variedades sintácticas de las construcciones nominales en relación a sus propiedades denotativas; las expresiones nominales (abrevidamente 'los nominales') en forma pasiva son objeto de la discusión del § 6.4; en el § 6.5 se estudia un tipo de construcción de núcleo intransitivo con interpretación ambigua; los nominales en forma activa se estudian en el § 6.6.

6.2. Las nominalizaciones y sus argumentos

Como se ha mencionado anteriormente, consideraremos nominalizaciones a los nombres derivados. Las entradas léxicas siguientes constituyen, pues, ejemplos de nominalización:

(1) Aterrizaje, descripción, descubrimiento.
(2) Comprador, invento.
(3) Fluidez, adicción.

[1] Por poner tan sólo un ejemplo, bajo el lema *observación* el *DRAE* 1970 incluye la definición «acción o efecto de observar».

Los nombres de (1) y (2) son derivados de bases verbales mientras que (3) ejemplifica nombres derivados de bases adjetivales [⟶ Cap. 69]. En los sintagmas nominales que tienen por núcleo tales elementos, el nombre puede ir acompañado de uno o varios sintagmas preposicionales:

(4) a. El aterrizaje [del avión] [en el aeropuerto].
b. La descripción [de Luis] [de la flora de Las Alpujarras].
c. El descubrimiento [del virus] [por un científico francés].
(5) a. Un comprador [de zapatos].
b. El invento [del profesor Franz].
(6) a. La fluidez [de la conversación].
b. La adicción [de Juan] [a los caramelos de menta].

Aun no conteniendo rasgos temporales, los sintagmas nominales ejemplificados en (4a, b, c) y (6a, b) son construcciones similares a oraciones en lo que concierne a la conexión semántica existente entre el nombre derivado y sus complementos: la relación semántica entre estos y el núcleo nominal es la misma que la que se establece entre un predicado y sus argumentos. Los argumentos del nombre, que aparecen siempre precedidos por una preposición, pueden identificarse con el sujeto y complementos del predicado que sirve de base léxica al nombre derivado. Desde este punto de vista, las expresiones (4a, b, c) y (6a, b) podrían corresponder a oraciones simples como las ejemplificadas en (7a, b, c) y (8a, b) respectivamente:

(7) a. El avión aterriza en el aeropuerto.
b. Luis describe la flora de Las Alpujarras.
c. El virus fue descubierto por un científico francés.
(8) a. La conversación es fluida.
b. Juan es adicto a los caramelos de menta.

Por su parte, los sintagmas nominales (5a, b), cuyos núcleos ejemplifican las tradicionalmente llamadas 'nominalización de sujeto' y 'nominalización de objeto' respectivamente, podrían parafrasearse mediante construcciones de relativo con núcleo elidido [⟶ § 7.2.4] (véase el § 6.4.1.3, para las nominalizaciones de objeto, y el § 6.6.1, para las de sujeto):

(9) a. El que compra zapatos.
b. Lo que ha sido inventado por el profesor Franz.

La expresión sintáctica de los argumentos que semánticamente admiten un nombre derivado es opcional en muchos casos, tal y como nos muestra la gramaticalidad de los ejemplos siguientes, en los cuales se representa la opcionalidad mediante paréntesis:

(10) a. [La crecida (del río)] nos asustó.
b. [El interés (de Luis) (por tus asuntos)] es de agradecer.
c. Se ha publicado [una evaluación (de Ana) (de estos resultados)].
d. [La palidez (de la cara)] puede ser un síntoma de temor.
e. Este impreso debe firmarlo [cualquier avalador (de un crédito)].
f. Hemos saboreado [las conservas (de mi abuela)].

La opción de expresar o no sintácticamente los complementos del nombre podría sugerir inicialmente que los nombres derivados son categorías sintácticamente defectivas cuyos argumentos, aun satisfaciendo las valencias semánticas del núcleo, ejercen la función básica de restringir o modificar la referencia del nominal. El contraste entre los ejemplos (11a) y (11b) podría avalar esta suposición:

(11) a. [Que rompiera *(el cristal)] provocó un accidente.
b. [La rotura (del cristal)] provocó un accidente.

En la subordinada sustantiva del ejemplo (11a) no es posible elidir el argumento seleccionado por el verbo sin incurrir en agramaticalidad. En cambio, en el sintagma nominal (11b) la supresión del argumento del nombre no disminuye la aceptabilidad de la expresión, aun cuando *romper* y *rotura* tengan valencias semánticas similares: la estructura argumental del verbo y su derivado incluye un objeto afectado por el evento o proceso que se nombra.

En este capítulo se mostrará, sin embargo, que la supresión del argumento seleccionado por un nombre derivado no siempre es opcional sino que es un fenómeno estrechamente relacionado con el tipo de entidad que denota el sintagma nominal que lo contiene. Más aún, se verá que la expresión sintáctica o morfológica de la estructura argumental de una entrada léxica nominal está condicionada por el tipo de referente asociado a la construcción.

Antes de proceder a discutir la sintaxis de las construcciones nominales, será necesario examinar muy brevemente los procedimientos gramaticales mediante los cuales se pueden expresar las valencias semánticas de un nombre, ya que se hará mención de dichos procedimientos en los apartados siguientes.

Las funciones semánticas que legitima una entrada léxica nominal pueden satisfacerse por diversos procedimientos que se ejemplifican en las frases siguientes:

(12) [El libro *de Lincoln*] (era interesante).
(13) a. [El descubrimiento *de Juan* de la vacuna contra la pereza] (provocó una hostilidad general).
b. [*Su* aceptación de la idea] (fue bien vista por todos).
c. [Cualquier propuesta *francesa* a favor del desarme] (pasará a discusión).
d. [La redacción del comunicado *por (parte de) un comité*] (duró muchas horas).
e. [Un observa*dor* del acontecimiento] (se presentó a declarar).

En (12) el sintagma nominal está encabezado por un nombre primitivo cuyo complemento, introducido por la preposición *de*, puede interpretarse ambiguamente como el posesor, el autor o el tema del libro. En los ejemplos (13a-e) el núcleo del sintagma nominal es un derivado deverbal y el elemento que aparece subrayado se interpreta como el agente de la nominalización. En (13a), dicha función semántica se satisface mediante el sintagma nominal *Juan* precedido por la preposición *de;* en (13b), mediante el adjetivo posesivo *su;* en (13c), el agente se expresa con el adjetivo de relación *francesa;* en (13d), el agente aparece como complemento de la preposición *por* (o de la locución prepositiva *por parte de).* Finalmente, (13e) nos muestra una 'nominalización de sujeto'. En este último caso, el morfema *-dor* [⟶ § 69.2.13] sufijado a una raíz verbal absorbe esta función semántica.

No todos los argumentos de una entrada léxica nominal pueden expresarse mediante los procedimientos ejemplificados anteriormente. Durante el curso de la discusión se irán examinando las restricciones que operan sobre cada tipo de argumento en relación a la sintaxis de las construcciones nominales.

6.3. La forma sintáctica de los sintagmas nominales y su denotación

A efectos puramente descriptivos, las variedades sintácticas en que puede realizarse una construcción nominal compleja nos permiten dividir a los nombres en tres grandes clases:

(i) Nombres que pueden encabezar sintagmas nominales activos o pasivos.
(ii) Nombres que encabezan sintagmas nominales pasivos.
(iii) Nombres que encabezan sintagmas nominales activos.

La forma de un sintagma nominal, activa o pasiva, [2] condiciona una serie de fenómenos gramaticales e interpretativos. En primer lugar, la activa y la pasiva nominal se asocian, en las lenguas románicas, a distintas propiedades denotativas del sintagma. Estas propiedades se relacionan a su vez con la opcionalidad u obligatoriedad de expresar sintácticamente el argumento seleccionado por el núcleo nominal. Asimismo, la forma (activa o pasiva) en la que se realiza el sintagma nominal selecciona el tipo de determinante que lo introduce y restringe la aparición de adjetivos de relación y cierto tipo de adjuntos, entre otros efectos.

Se examinarán a continuación dos tipos de referentes a los que pueden asociarse las construcciones nominales con núcleos derivados.

6.3.1. Nominales eventivos y nominales resultativos

Algunos sintagmas nominales complejos son semánticamente ambiguos porque pueden denotar dos tipos de entidades distintas (véanse Varela 1977, 1990; Lebeaux 1986; Grimshaw 1988, 1990). Considérense los siguientes ejemplos:

(14) a. La evaluación de los datos de la encuesta.
b. La demostración del teorema de Fermat.
c. El descubrimiento de la estructura del ADN.

Cada una de estas expresiones puede tener dos interpretaciones. Según una de ellas, el referente de los sintagmas nominales (14a, b, c) es un evento o un proceso, ya que las construcciones pueden utilizarse para denotar algo que acontece o que se sitúa en un espacio de tiempo. La lectura eventiva (o de proceso) de (14a, b, c)

---

[2] Los sintagmas nominales activos pueden tener un núcleo transitivo o intransitivo. Los argumentos de estas construcciones en función semántica de posesor, agente y tema aparecen como complementos de la preposición *de (el libro [de María], el descubrimiento [de Juan], el descubrimiento [de la vacuna])*. Los llamados sintagmas nominales pasivos tienen un núcleo transitivo. El agente de la nominalización es el complemento de la preposición *por* o de la locución prepositiva *por parte de (el descubrimiento de la vacuna [por (parte de) Juan])*.

se puede poner de manifiesto si se enmarcan cada uno de los nominales en contextos adecuados. La interpretación eventiva (o de proceso) de un nominal puede quedar resaltada si el sintagma aparece como sujeto de un predicado de los tipos *tener lugar, durar* u *ocurrir:* [3]

(15) a. [La evaluación de los datos de la encuesta] tuvo lugar ayer.
b. [La demostración del teorema de Fermat] duró ocho horas.
c. [El descubrimiento de la estructura del ADN] ocurrió en 1953.

En una segunda interpretación de (14a, b, c), el referente del sintagma nominal es el efecto del evento (o del proceso) que nombra el núcleo derivado. Esta lectura se produce cuando los eventos o procesos de *evaluar, demostrar* o *descubrir* resultan en la obtención de un objeto concreto o abstracto. En estos casos el sintagma nominal denota una *evaluación,* una *demostración* o un *descubrimiento* específicos respectivamente, tal y como se muestra en los siguientes ejemplos:

(16) a. [La evaluación de los datos de la encuesta] se consideró incorrecta.
b. [La demostración del teorema de Fermat] es inconsistente.
c. [El descubrimiento de la estructura del ADN] fue publicado en *Nature*.

En este caso, los sintagmas nominales en función de sujeto no se refieren a acontecimientos sino a los resultados de estos. Este significado se obtiene porque los predicados en los que se enmarcan los sintagmas nominales en (16a, b, c) nos permiten seleccionar esta interpretación. Sólo los productos resultantes de eventos (o de procesos) pueden someterse a consideración, tener la propiedad de la inconsistencia, o ser publicados.

Así pues, algunos sintagmas nominales como los ejemplificados en (14a, b, c) son ambiguos porque pueden nombrar dos tipos de entidades. Llamaremos 'nominales eventivos' a los que denotan eventos o procesos y corresponden a la interpretación que puede obtenerse en los contextos ejemplificados en (15a, b, c). Los 'nominales resultativos' son los que denotan los efectos de eventos (o procesos) y corresponden a la lectura que se obtiene en las construcciones (16a, b, c). Estas dos interpretaciones se corresponden aproximadamente con las tradicionales 'sustantivos de acción' y 'sustantivos de efecto' respectivamente.

Independientemente del contexto predicativo en que pueden enmarcarse, los nominales eventivos y los nominales resultativos se distinguen también por la forma y función de cierto tipo de adjuntos. Prácticamente la mayoría de construcciones nominales pueden incluir como elementos adjuntos algunos sintagmas nominales de tipo adverbial que se refieren a unidades del calendario *(el mes de noviembre, el año próximo, el 4 de julio, el lunes*, etc.) [⟶ § 9.3.1.3] o los deícticos *ahora, ayer* o *mañana,* que se estudian en el § 14.4 y en el capítulo 48. Considérense dichos adjuntos en nominales con interpretación eventiva:

---

[3] Nótese que este tipo de predicados no selecciona únicamente eventos o acontecimientos. También pueden tomar como argumentos sintagmas nombradores de entidades que, por una u otra razón, pueden situarse en períodos de tiempo (véanse también los §§ 1.5.2.4 y 3.6.1): *La cena tuvo lugar ayer; El viaje duró tres días; En invierno, estas enfermedades no ocurren a menudo.*

(17) a. [La demostración del teorema de Pitágoras *ayer por la tarde*] no sorprendió.
b. [La discusión de la Ley de Murphy *el 14 de marzo*] causó sensación.

Las frases *ayer por la tarde* o *el 14 de marzo* en (17a, b) respectivamente pueden ser introducidas sin nexo prepositivo en los nominales eventivos, [4] al igual que en las oraciones con las que el sintagma nominal se relaciona (Martí 1993). Tanto en las oraciones (18a, b) como en los nominales correspondientes (17a, b) la función del adjunto es la de situar un acontecimiento en el tiempo:

(18) a. El teorema de Pitágoras fue demostrado *ayer por la tarde.*
b. Se discutió la Ley de Murphy *el 14 de marzo.*

La aparición de este tipo de adjuntos temporales nos permite distinguir la interpretación eventiva de la resultativa. Los sintagmas nominales de los ejemplos (19a, b), en donde el adjunto se introduce con la preposición *de,* tienen la lectura resultativa por cuanto se refieren al efecto de un evento o un proceso:

(19) a. [La demostración del teorema de Pitágoras <u>de</u> *ayer por la tarde*] nos sorprendió.
b. [La discusión de la Ley de Murphy <u>del</u> *14 de marzo*] causó sensación.

Nótese que la función del adjunto es, en estos casos, la de restringir la referencia de la entidad que denota el sintagma nominal (p. ej. el resultado de un proceso de *demostrar* o de *discutir*) por medio de una unidad de tiempo. [5] Los nominales resultativos (19a, b) se comportan como los nominales que denotan objetos (20a, b, c), con núcleo no derivado, con respecto a la forma y función de este tipo de adjuntos:

(20) a. El traje *de* ayer por la tarde.
b. El libro *del* año pasado.
c. La clase *del* 14 de marzo.

En estos casos, al igual que en los nominales de resultado (19a, b), la frase adjunta temporal simplemente acota la denotación del objeto concreto o abstracto que se nombra, al igual que lo haría, por ejemplo, un adjunto locativo:

(21) a. [La demostración del teorema de Pitágoras <u>de</u> *encima de la mesa*] nos sorprendió.
b. [El libro <u>de</u> *debajo de la cama*] es enorme.

---

[4] Obsérvese que la supresión de los complementos *del teorema de Pitágoras* en (17a) y *de la ley de Murphy* en (17b) induce agramaticalidad:

(i) a. *[La demostración ayer por la tarde] no sorprendió.
b. *[La discusión el 14 de marzo] causó sensación.

Véase el § 6.4.1.2 en donde se discute la agramaticalidad inducida por la supresión del tema / paciente en los nominales eventivos.

[5] La introducción de adjuntos temporales complemento de la preposición *de* no excluye la posibilidad de que el sintagma nominal así modificado pueda ser sujeto de predicados del tipo *tener lugar, durar, prolongarse* u *ocurrir.* Más arriba (§ 6.3.1) se ha apuntado ya que estos predicados no legitiman únicamente sintagmas nominales que denotan eventos, acontecimientos o procesos.

Se puede distinguir, pues, la lectura eventiva de un nominal de su lectura resultativa por la forma y función de las frases temporales adjuntas. En el primer caso, el adjunto sirve para situar en el tiempo el acontecimiento nombrado y puede introducirse sin preposición. En los nominales de resultado, el adjunto restringe la referencia del objeto denotado por la construcción y viene introducido por la preposición *de*.

En la sección siguiente se verá que la interpretación de un sintagma nominal transitivo está relacionada con la forma sintáctica que este adopta cuanto el agente está sintácticamente especificado, independientemente del contexto predicativo o de la forma y función de los adjuntos que pueda incluir.

6.3.2. La activa y la pasiva nominal

En los ejemplos ambiguos del apartado anterior (cf. (14a, b, c)) el tema (es decir, el argumento seleccionado) de la nominalización aparece sintácticamente especificado, aunque no el agente. En algunos nominales transitivos, un agente sintácticamente especificado puede realizarse tanto como complemento de la preposición *de* o como complemento de *por* (o de la locución *por parte de*). En el primer caso se nos muestra la forma activa del nominal (véanse los ejemplos (22a), (23a) y (24a), y en el segundo caso se obtiene un nominal pasivo (ejemplos (22b), (23b) y (24b) (cf. el § 25.4, donde se estudian las pasivas perifrásticas, para otras precisiones):

(22) a. La falsificación *de Juan* de un cuadro de Tintoretto.
b. La falsificación de un cuadro de Tintoretto *por (parte de) Juan*.
(23) a. La descripción *de María* del traje de Antonio.
b. La descripción del traje de Antonio *por (parte de) María*.
(24) a. La traducción *de Emilio* de una carta de Epicuro.
b. La traducción de una carta de Epicuro *por (parte de) Emilio*.

En las lenguas románicas la expresión sintáctica del agente, que corresponde a una u otra variedad (activa o pasiva) del nominal, desambigua la interpretación de una construcción que potencialmente podría referirse tanto a un evento (o acontecimiento) como a su resultado (véanse Ruwet 1972, Cinque 1980, Zubizarreta 1987, Varela 1990 y Picallo 1991, entre otros).

La forma activa del sintagma nominal (cf. (22a), (23a) y (24a)) se corresponde con la lectura resultativa porque la construcción nombra el efecto u objeto obtenido por la acción de *falsificar, descubrir* o *traducir* respectivamente. Las formas pasivas, ejemplificadas en (22b), (23b) y (24b) nombran directamente eventos (o procesos) de *falsificar, descubrir* o *traducir*.

El hecho de que la activa y la pasiva nominal no son formas sinónimas se puede apreciar si se emplazan los dos tipos de construcción en un contexto predicativo que admita como argumento tanto resultados como eventos. Tal es el caso de los predicados del tipo *sorprender, alegrar* o *amargar,* entre otros, que pueden tomar como uno de sus argumentos un sintagma nominal en activa o en pasiva.

(25) [La descripción *de Luis* de la cara de Juan] me amargó el día.
(26) [La descripción de la cara de Juan *por (parte de) Luis*] me amargó el día.

Tanto en (25) como en (26) el sintagma nominal se interpreta como fuente o causa del estado que expresa el verbo *amargar.* Sin embargo, el significado de la oración varía si el sintagma nominal se expresa en forma activa o en forma pasiva. En (25), el sintagma nominal tiene como referente una descripción específica, la de Luis, acerca de la cara de Juan, que resulta de una acción de *describir.* Dicha descripción puede causar amargura por su inexactitud, por ejemplo. En (26), por el contrario, es el propio evento en el que concurre la acción de *describir* la causa de un determinado estado psicológico. Dicho evento puede causar amargura porque no debiera haber ocurrido, por poner otro ejemplo.

En resumen, la alternancia activa / pasiva desambigua el referente de un sintagma nominal transitivo. Un nominal activo, cuyo agente aparece introducido por *de,* denota el efecto o resultado de un evento o proceso. Un nominal pasivo denota el evento (o proceso) mismo. En este último caso el agente aparecerá como complemento de *por* (o *por parte de*) si se realiza sintácticamente.

En los siguientes apartados se discutirán por separado las propiedades gramaticales de los nominales activos y pasivos. Se estudiarán en primer lugar las características de los sintagmas nominales pasivos debido a que son formas sintácticas mucho más restrictivas que los nominales activos.

6.4. Los nominales pasivos como nombradores de eventos de acción

Hay un cierto tipo de sintagmas nominales que aparecen en forma pasiva. Son construcciones complejas encabezadas por nombres deverbales transitivos de los tipos *rehabilitación, construcción, destrucción* o *captura,* entre otros [⟶ §§ 69.2.9 y 69.2.31]. Se trata, muy en general, de nominales que se refieren a eventos, acontecimientos o procesos en los que concurre una acción y en los que se interpreta que el tema o paciente es una entidad que queda 'afectada' en algún sentido por el evento que nombra el núcleo. Considérense los siguientes contrastes:

(27) a. *La construcción *de los albañiles* de una casa.
b. La construcción de una casa *por los albañiles.*
(28) a. *El asesinato de *Ramón Mercader* de Trotsky.
b. El asesinato de Trotsky *por (parte de) Ramón Mercader.*
(29) a. *La postergación *del juez* de la sentencia.
b. La postergación de la sentencia *por (parte de) el juez.*

El agente de estos eventos nombradores de acción debe expresarse mediante un sintagma nominal complemento de *por (parte de)* si está sintácticamente realizado. La construcción es agramatical si el agente aparece como complemento de *de,* es decir, si el nominal está en forma activa, como nos muestra la inaceptabilidad de (27a), (28a) y (29a). El contraste entre (30a) y (30b) nos muestra en cambio que, cuando el Tema no queda afectado por el acontecimiento que se nombra, el agente puede ir introducido por la preposición *de*. Mientras que (30a) es perfectamente aceptable, la agramaticalidad de (30b) es paralela a la de los ejemplos anteriores:

(30) a. La decisión *del juez* [de revisar la sentencia].
b. *La revisión *del juez* [de la sentencia].

Tal y como se ha mencionado anteriormente, las construcciones nominales en pasiva son bastante restrictivas por cuanto deben satisfacer una serie de condiciones relativas tanto a la expresión sintáctica de la estructura argumental del núcleo como al tipo de elementos que este admite como argumentos de la nominalización. Asimismo, la acción que nombran legitima la inclusión de ciertas frases adjuntas que no son posibles en otros tipos de sintagmas nominales. Por otra parte, la función del determinante tiene también características particulares en estas construcciones.

6.4.1. La estructura argumental de los nominales pasivos

6.4.1.1. El agente de la pasiva nominal

En los nominales transitivos eventivos (esto es, nominales pasivos) la expresión sintáctica del agente es opcional, tal y como muestran los siguientes ejemplos:

(31) a. La extinción del fuego (por los bomberos).
b. El hundimiento del yate (por parte de un delincuente).
c. La industrialización de la región (por parte del gobierno).

La ausencia sintáctica del agente no implica su ausencia semántica, ya que un elemento agentivo siempre queda sobreentendido en los nominales de acción, como lo muestra el hecho de que la inclusión de una oración final en infinitivo [→ §§ 5.6.7.1 y 36.3.4.4] es siempre posible en estas construcciones:

(32) a. [La extinción del fuego [para salvar las obras de arte]].
b. [El hundimiento del yate [para extorsionar al capitán]].
c. [La industrialización de la región [para hacer frente a la crisis]].

Los sintagmas nominales ejemplificados en (32a, b, c) con cláusulas de finalidad son equiparables a oraciones pasivas con agente implícito (cf. el § 36.2.2, para los infinitivos con sujeto tácito). Las oraciones pasivas, al igual que sus correspondientes versiones nominalizadas, admiten la inclusión de este tipo de adjuntos:

(33) a. El fuego fue extinguido [para salvar las obras de arte].
b. El yate fue hundido [para extorsionar al capitán].
c. La región fue industrializada [para hacer frente a la crisis].

Si se centra la atención en los ejemplos (32a, b), se observará que la posibilidad de incluir adjuntos de finalidad muestra que se trata de 'nominales pasivos' en donde el agente no está sintácticamente especificado pero queda semánticamente implícito. Su presencia semántica es lo que permite identificar el sintagma nominal como nombrador de evento de acción y con ello se legitima la subordinada final.[6] A este respecto, es interesante prestar atención al hecho de que, cuando incluyen oraciones de finalidad, los sintagmas nominales del tipo *la extinción del fuego* y *el hundimiento del yate* respectivamente, no pueden corresponder interpretativamente a las oraciones incoativas (o medias) ejemplificadas en (34a) y (34b) respectivamente, y que se estudian en el capítulo 26 de esta gramática:

(34) a. El fuego se extingue.
b. El yate se hunde.

Estas oraciones se refieren a eventos pero no implican la existencia de una acción, es decir, el agente está semánticamente ausente. Debido a ello, la inclusión de oraciones subordinadas finales induce agramaticalidad en estas construcciones:[7]

(35) a. *El fuego se extingue [para salvar las obras de arte].
b. *El yate se hunde [para extorsionar al capitán].

La gramaticalidad de (32a) y (32b) indica, pues, la existencia de un agente implícito. Así, el agente de la pasiva nominal es opcional desde el punto de vista sintáctico (al igual que lo es en la pasiva oracional) pero obligatorio desde el punto de vista semántico. La ausencia sintáctica del agente no impide poder interpretar la construcción como un nominal eventivo de acción, tal y como se ha mostrado. Este no es el caso del argumento subcategorizado con la función semántica de tema / paciente, como se verá en el próximo apartado.

6.4.1.2. *El tema / paciente de la pasiva nominal*

La presencia del agente en la pasiva nominal no conlleva la lectura implícita del tema / paciente, tal y como lo muestran los siguientes sintagmas agramaticales:

(36) a. *La industrialización por parte del gobierno.
b. *La repetición por (parte de) el primer violinista.
c. *La solicitud por numerosas personas.

La expresión sintáctica explícita del tema/paciente en los nominales pasivos es siempre necesaria, no sólo para legitimar el elemento agentivo de la construcción sino para propiciar la aparición de cualquier otro argumento que léxicamente admita el núcleo nominal (véanse Varela 1977, Grimshaw 1990 y las referencias allí citadas). El siguiente ejemplo muestra que un locativo seleccionado por el núcleo no puede aparecer sin el tema correspondiente en estas construcciones:

---

[6] Así pues, las subordinadas de finalidad introducidas por *para* quedan legitimadas por una agentividad (implícita o explícita), tal y como lo muestran contrastes como el siguiente:

(i) a. El trabajo de Juan [para decorar el salón].
b. *El sofá de Juan [para decorar el salón].

[7] Estas oraciones serían gramaticales si el clítico *se* se interpretara como un impersonal con valor agentivo y *el fuego* se interpretara como sujeto paciente (construcción conocida como 'pasiva refleja'). No lo son, en cambio, con los predicados incoativos *extinguirse* o *hundirse,* que son los que se utilizan aquí.

(37) La colocación *(de los cuadros) en las paredes por parte de los habitantes de la casa.

Asimismo, en los casos en los que el nominal transitivo legitima la presencia de un argumento con el papel de beneficiario, este tampoco puede aparecer si el tema no está sintácticamente especificado:

(38) a. El envío *(del paquete) a sus destinatarios por parte del remitente.
b. La entrega *(de las llaves) a los compradores por el vendedor.
c. El reparto *(de víveres) a las víctimas por parte de la Cruz Roja.

La pasiva nominal exige, pues, la realización sintáctica del complemento seleccionado por el núcleo (i.e., el tema o paciente). De hecho, la ausencia de este argumento hace imposible la interpretación del sintagma como nominal eventivo, tal y como muestran los siguientes ejemplos:

(39) a. El asesinato (conmovió al mundo).
b. La construcción (nos sorprendió).

Estos sintagmas sin complemento sólo pueden interpretarse como nominales resultativos. El ejemplo (39a) nombra el efecto de la acción de *asesinar* y (39b) el objeto obtenido de un proceso de construir. Es la inclusión explícita del tema / paciente lo que permite la interpretación de nominal eventivo de acción en donde el agente es opcional:

(40) a. [El asesinato *de Trotsky* (por parte de Ramón Mercader)] conmovió al mundo.
b. [La construcción *de la fortaleza* (por parte de la tropa)] nos sorprendió.

En los casos del tipo (40a, b), en donde el tema / paciente está sintácticamente especificado, se podrá incluir en la construcción un adjunto temporal sin preposición o una subordinada final en infinitivo. Los ejemplos del tipo (39a, b) con el tema / paciente elidido requieren un adjunto temporal introducido por una preposición y suelen tener un estatus gramatical algo dudoso con oraciones de finalidad:

(41) a. El asesinato de Trotsky *el 20 de agosto de 1940.*
b. El asesinato *(de) *el 20 de agosto de 1940.*
(42) a. La construcción de la fortaleza *para satisfacer al general.*
b. La construcción *(??para satisfacer al general).*

Como se recordará (véase el § 6.3.1), los adjuntos temporales sin preposición son característicos de los nominales eventivos. Los nominales resultativos exigen que el adjunto temporal vaya introducido por la preposición *de.* La inclusión del adjunto temporal sin preposición no sería posible en (41b), dado que la supresión del argumento seleccionado elimina la posible interpretación eventiva de la construcción. En cuanto a los adjuntos de finalidad, pueden incluirse si el núcleo nominal legitima un agente. Dado que el elemento agentivo podría interpretarse implícitamente, la inclusión de una oración final no parece totalmente inaceptable:

(43) ??La construcción (de la tropa) para satisfacer al general.

En resumen, una condición necesaria (y suficiente) tanto para obtener la interpretación eventiva de un nominal transitivo como para legitimar la presencia de cualquier otro argumento es que el argumento subcategorizado con la función semántica de tema/paciente esté sintácticamente especificado. El tema/paciente también legitima indirectamente la posibilidad de incluir adjuntos temporales sin preposición. En la sección siguiente se verá que existen otras condiciones relativas a la categoría gramatical en la que puede realizarse este argumento en los nominales pasivos.

6.4.1.3. Las restricciones que operan sobre el tema en los nominales pasivos

En los ejemplos gramaticales que se han examinado hasta ahora el tema / paciente aparece siempre en forma de sintagma nominal precedido de la preposición *de* (cf. (37), (38a, b, c,), (40a, b), (41a, b) y (42a, b)). Adicionalmente, el tema de los nominales pasivos puede realizarse como adjetivo posesivo [→ § 15.2]:

(44) a. La producción de queso de bola por los holandeses.
b. *Su* producción por los holandeses.
(45) a. La cría de aves por (parte de) los granjeros del valle.
b. *Su* cría por (parte de) los granjeros del valle.
(46) a. La caza de felinos por (parte de) los indígenas.
b. *Su* caza por (parte de) los indígenas.

Los nominales pasivos (i.e. eventivos) no admiten, en cambio, que el argumento con el papel de tema/paciente se realice mediante un adjetivo de relación (Bosque y Picallo 1996) [→ § 3.3.1]:

(47) a. *La producción *quesera* por los holandeses.
b. *La cría *avícola* por (parte de) los granjeros del valle.
c. *La caza *felina* por los indígenas.

La agramaticalidad inducida por el adjetivo de relación en los nominales pasivos se produce cuando dicho adjetivo posee el papel temático de tema/paciente, es decir, cuando el adjetivo corresponde al argumento seleccionado. Los nominales eventivos no excluyen la presencia de otros adjetivos de relación que aportan otras funciones semánticas a la construcción del tipo «por medio de», «a través de» o «en cuanto a», tal y como muestran los ejemplos siguientes: [8]

(48) a. La producción *manual* de queso de bola por los holandeses.
b. La transmisión *telegráfica* del comunicado por el secretario.
c. El análisis *sintáctico* de esta oración por parte de un lingüista.

---

[8] Un adjetivo de relación en función de agente parece inducir preferentemente la interpretación resultativa. Sin embargo, la lectura eventiva de un nominal transitivo tampoco parece estar totalmente descartada en estos casos. Considérense los siguientes ejemplos:

(i) a. La exportación *holandesa* de tulipanes.
b. La invasión *americana* de Grenada.

La interpretación eventiva de un nominal no es posible mediante una 'nominalización' de objeto. Estas son formas nominales derivadas, relacionadas generalmente con participios verbales, que absorben el papel de tema/paciente mediante un procedimiento morfológico. Las 'nominalizaciones' de objeto nombran efectos o resultados de acciones/procesos [⟶ § 69.1.4] y, por tanto, su ocurrencia en un nominal pasivo (es decir, con el agente precedido de *por*) es siempre agramatical:

(49) a. *El invento por el profesor Franz.
b. *El producto por parte los japoneses.
c. *La conserva por (parte de) la abuela.

Así pues, la interpretación eventiva de un nominal se obtiene mediante la forma pasiva en los nominales transitivos encabezados por un nombrador de acción. Un nominal eventivo exige siempre la expresión sintáctica del argumento seleccionado, al que el núcleo asigna el papel de paciente. Este sólo puede realizarse mediante un sintagma precedido de *de* o un posesivo, pero no mediante una nominalización de objeto o un adjetivo de relación. Como se verá en el § 6.6 estas restricciones no se aplican en los nominales resultativos.

6.4.2. El determinante de la pasiva nominal

El lector atento habrá observado que en los apartados anteriores se ha utilizado invariablemente el artículo definido y singular para ejemplificar los nominales eventivos y mostrar sus propiedades. La razón de este proceder es que este tipo de sintagmas nominales no puede tener un determinante en forma de adjetivo demostrativo, artículo indefinido o cuantificador de los llamados 'débiles' (i.e. *un, algún* y *cierto,* entre otros), tal y como observa Grimshaw (1990) (véase el capítulo 12 para el artículo; el capítulo 14 para los demostrativos y el capítulo 16 para los cuantificadores). Este tipo de determinantes induce la lectura resultativa de un nominal, como muestra la interpretación de los siguientes ejemplos:

(50) a. Aquella traducción de la Eneida.
b. Una crítica del plan docente.
c. Alguna solicitud de empleo.

Los nominales eventivos de acción son generalmente incompatibles con determinantes como los ejemplificados en (50a, b, c):

(51) a. *Aquella rehabilitación del drogadicto por el médico
b. *Alguna destrucción de la evidencia por el testigo.
c. *Un asesinato de César por Bruto.

El artículo definido plural sí puede introducir, en cambio, algunos tipos de nominales eventivos de acción:

(52) a. *Los* asaltos al Palacio de Invierno por los bolcheviques.
b. *Los* bombardeos de Sarajevo por parte del ejército bosnio.
c. *Las* quemas de libros por la Inquisición.

Es interesante prestar atención al hecho de que en este tipo de ejemplos la pluralidad del determinante no implica la existencia de un conjunto de eventos del mismo tipo. En (52a, b, c) no se interpreta que se están efectuando acciones iguales simultáneas sino que, en estos casos, se nombra un único evento en el que concurre una acción (i.e. el evento de *asaltar, bombardear* o *quemar* respectivamente) y la marca de plural indica que la acción nombrada se ha realizado un cierto número de veces en el tiempo. Es decir, la pluralidad del determinante definido tiene una función aspectual en estos casos (Varela 1990).

En resumen, en los apartados precedentes se han mostrado una serie de restricciones propias de los nominales eventivos de acción, tanto con respecto a la legitimación y características de sus elementos 'periféricos' (i.e. determinantes y adjuntos), como respecto a la forma sintáctica del sintagma y la realización de la red temática del núcleo. En español, como en otras lenguas románicas, los nominales eventivos con núcleo transitivo son construcciones pasivas y deben aparecer obligatoriamente con el argumento subcategorizado por el núcleo (i.e. el tema/paciente). Este argumento legitima la presencia de otros argumentos.

El hecho de que los nominales con núcleo transitivo aparezcan en pasiva cuando denotan eventos no implica que los nominales activos no puedan tener nunca esta interpretación. En el siguiente apartado se estudiará un tipo de nominales intransitivos que tiene precisamente esta propiedad.

6.5. Los sintagmas nominales intransitivos con interpretación ambigua

En esta sección se discutirá el comportamiento sintáctico y la denotación de los sintagmas encabezados por nombres derivados de verbos intransitivos de la clase conocida como 'inacusativos' (o 'ergativos') [→ Cap. 25]. El sujeto de este tipo de nominalizaciones aparece introducido por la preposición *de* o puede realizarse como un adjetivo posesivo:

(53) a. La salida <u>del</u> *tren*.
b. *Su* salida.
(54) a. El nacimiento <u>de</u> *Julia*.
b. *Su* nacimiento.

Estas construcciones nominales son similares a las oraciones relacionadas con ellas. Es bien sabido que un predicado intransitivo no puede aparecer en pasiva en las lenguas románicas (cf. **Fue salido por el tren* / **Fue nacido por Julia*). De igual forma, las nominalizaciones de verbos intransitivos aparecen en construcciones activas, no pudiendo aparecer el argumento como complemento de *por* o *por parte de:*

(55) a. *La salida por el tren.
b. *El nacimiento por parte de Julia.

Las construcciones ejemplificadas en (53a, b) y (54a, b) son, sin embargo, interpretativamente ambiguas en el mismo sentido en que lo son los nominales transitivos sin agente sintáctico explícito que se han examinado en el § 6.3.1 (cf. (14a, b, c)) porque pueden tener tanto una lectura eventiva como resultativa. En su interpretación eventiva estos sintagmas pueden incluir adjuntos temporales sin preposición, como en (56a), y pueden aparecer en contextos predicativos del tipo *ocurrir* o *tener lugar,* que admiten eventos como argumentos, como se muestra en (56b):

(56) a. [La salida del tren [ayer por la tarde]].
b. [El nacimiento de Julia] tuvo lugar hace pocas semanas.

En su interpretación resultativa los nominales (53) y (54) pueden legitimar determinantes demostrativos, cuantificacionales o indefinidos, así como adjuntos temporales introducidos por la preposición *de.* Asimismo, pueden figurar como argumentos de predicados que seleccionan nominales con interpretación resultativa. Considérense los siguientes ejemplos:

(57) a. *{Aquella/Una}* salida del tren [*de* ayer por la tarde].
b. [El nacimiento de Julia] fue muy celebrado por la familia.

La interpretación ambigua eventiva / resultativa de un deverbal intransitivo es posible, como ya se ha apuntado, cuando dicho nombre es un derivado de un verbo intransitivo de la clase de los 'inacusativos' (o 'ergativos'). En la sección siguiente se comentarán muy brevemente algunas de las características sintácticas de estos verbos que son relevantes para la presente discusión, en tanto que se pueden relacionar con la ambigüedad interpretativa a que puede dar lugar su nominalización.

6.5.1. La sintaxis de los verbos inacusativos

La clase de los inacusativos incluye verbos de movimiento como *partir, entrar, llegar, salir* o *volver,* así como los del tipo *morir, nacer, disminuir, aumentar* y *crecer* [→ § 25.2.2]. En esta clase pueden incluirse también las formas incoativas (o medias) de algunos predicados transitivos como *romperse, quemarse* o *hundirse* [→ §§ 4.4.3, 13.4.1, 25.2.1.1 y 26.2]. [9]

Desde el punto de vista interpretativo, el sujeto de este tipo de predicados tiene características parecidas al tema / paciente de un verbo transitivo porque dicho sujeto es una entidad que queda afectada o modificada en algún sentido al participar en el evento o proceso que nombra el predicado. Desde el punto de vista sintáctico, el sujeto de un verbo inacusativo comparte asimismo características con el objeto de un predicado transitivo. En español, el argumento de un inacusativo puede formar una construcción de participio absoluto [→ § 39.3] con el verbo, como se muestra en (58a), comportándose así como el complemento de un verbo transitivo, tal y como se ejemplifica en (58b):

(58) a. Llegado Juan, nos pusimos a leer el periódico.
b. Oída la proclama, la gente huyó despavorida.

El sujeto de un verbo inacusativo no se comporta pues como un 'típico' sujeto de verbo transitivo o intransitivo que, como es sabido, no puede formar una construcción de participio absoluto con su predicado:

---

[9] En lenguas románicas como el francés y el italiano la clase de verbos inacusativos selecciona el auxiliar *ser* en lugar del *haber* en los tiempos compuestos (véase Burzio 1986 y las referencias allí citadas).

(59) a. *Gritada Ana, la familia se dio cuenta del desastre.
b. *Comidas nosotras la sopa, empezamos a planear el viaje.

El contraste de gramaticalidad entre (58a, b) y (59a, b) muestra que el sujeto de los verbos inacusativos se comporta como un argumento seleccionado. Aunque es formalmente un sujeto en una construcción activa, es similar al sujeto de la pasiva porque muestra características parecidas, tanto sintácticas como interpretativas.

Aparte de la formación de participios absolutos, las lenguas románicas como el italiano, el francés o el catalán manifiestan otro fenómeno sintáctico que muestra que el sujeto de un verbo inacusativo es un argumento seleccionado. En estas lenguas, existe un clítico partitivo *en*/*ne* (lit. «de ello»/«de ellos»/«de ellas») que puede pronominalizar sólo argumentos seleccionados como serían el complemento directo y los sujetos posverbales de un verbo inacusativo o de un predicado en pasiva. Considérense los ejemplos en catalán (60a, b, c):

(60) a. *En* surten tres. SUJETO V. INACUSATIVO
'de-ellos salen tres' (Salen tres)
b. L'Anna *en* va trencar tres. COMPLEMENTO DIRECTO
'Ana de-ellos rompió tres' (Ana rompió tres)
c. *En* foren presentats tres. SUJETO DE PASIVA
'de-ellos fueron presentados tres' (Fueron presentados tres)

En cambio, el clítico *en*/*ne* es agramatical si pronominaliza el sujeto de un intransitivo no inacusativo o el sujeto de un verbo transitivo, aun en el caso de que estos elementos aparezcan en posición posverbal (cf. (61a, b) también en catalán):

(61) a. (*En) piulaven només tres. SUJETO V. INTRANSITIVO
'(de-ellos) piaban sólo tres' (Piaban sólo tres)
b. (*En) cantaven cançons només tres. SUJETO V. TRANSITIVO
'(de-ellos) cantaban canciones sólo tres' (Cantaban canciones sólo tres)

La relación interpretativa que establece un verbo inacusativo con su sujeto se manifiesta en las correspondientes nominalizaciones. Así, no existen sustantivos del tipo *volvedor, nacedor* o *entrador:* [10]

(62) a. *La volvedora (de Francia).
b. *El nacedor (en una familia peculiar).
c. *Aquel entrador (en edificios singulares).

6.5.2. El sujeto seleccionado de la nominalización

En el § 6.4.1.2 se describía el comportamiento y la interpretación de los nominales transitivos y se observaba que estos pueden denotar eventos sólo si el argumento seleccionado por el núcleo (p. ej. el tema o 'complemento directo' de la nominalización) está sintácticamente especificado. La posible interpretación eventiva de los sintagmas nominales inacusativos con sujeto explícito que se han ejemplificado en (53a, b) y (54a, b) probablemente se produce porque este argumento está selec-

---

[10] En el lenguaje técnico del ciclismo se utiliza la expresión *llegador* en el sentido de «especialista en llegadas». En este caso, la base léxica *llegar* se interpreta como actividad.

cionado por el núcleo nominal, igual que un complemento directo. Podría decirse, pues, que las nominalizaciones con un argumento seleccionado tienen la propiedad de poder denotar eventos. Bajo este prisma, el nominal inacusativo (63a) en su lectura eventiva sería equiparable al nominal pasivo (63b), con la diferencia de que el primero no legitima léxicamente un agente y el segundo sí:

(63) a. La entrada del transatlántico.
b. El descubrimiento de la estructura del ADN (por parte de Watson y Crick).

El sujeto de un nominal inacusativo tiene características sintácticas similares al tema de un nominal pasivo por cuanto los adjetivos de relación parecen incompatibles con la interpretación eventiva de un sintagma nominal con núcleo inacusativo (véase el § 6.4.1.3). Aunque de forma indirecta, hay algunos datos que sugieren que, en los casos en que un nominal inacusativo admite un adjetivo de relación con interpretación agentiva [→ § 3.3.1.1],[11] la realización de este como sujeto de la nominalización parece excluir la lectura eventiva de la construcción, pudiendo obtenerse la interpretación resultativa como interpretación preferente. Una muestra indirecta de ello es que los adjuntos temporales en construcciones inacusativas con adjetivo de relación deben ir introducidos por la preposición *de:*

(64) a. La erupción *volcánica* *(de) el año 1950.
b. La crecida *fluvial* *(de) ayer.
c. La emigración *mexicana* *(de) la pasada década.

Se recordará nuevamente que un adjunto temporal introducido por *de* es característico de los nominales resultativos (véase el § 6.3.1). Por otra parte, en el § 6.4.1.3 se mostraba que los adjetivos de relación en función de tema/paciente eran incompatibles con la pasiva nominal, es decir, inducen agramaticalidad en un nominal eventivo con núcleo transitivo. No es, pues, de extrañar que el sujeto de una nominalización inacusativa, siendo un argumento seleccionado igual que el tema/paciente de un núcleo transitivo, no pueda tampoco aparecer como adjetivo de relación si la construcción denota un evento.

Los datos examinados hasta aquí sugieren que los nominales eventivos en general deben satisfacer dos condiciones con respecto a la estructura argumental de su entrada léxica. En primer lugar, su argumento seleccionado debe expresarse sintácticamente. En segundo lugar, este argumento sólo puede aparecer en 'genitivo', es decir, como adjetivo posesivo o como sintagma nominal precedido de la preposición *de.* Cualquier otra realización morfológica o sintáctica del argumento seleccionado por el núcleo es incompatible con la interpretación eventiva de una nominalización.[12]

---

[11] Se ha observado que muchas nominalizaciones de verbos inacusativos son incompatibles con adjetivos de relación (Giorgi y Longobardi 1990, Picallo 1991). Considérense los siguientes ejemplos:

(i) a. *La desaparición *yugoeslava* del mapa político mundial.
b. *La salida *real* del palacio.
c. ??El nacimiento *imperial.*

[12] A este respecto, los ejemplos (64a, b, c), en los que la supresión de la preposición *de* como introductora del adjunto temporal no es posible, pueden contrastarse con (ia, b, c) en los cuales el adjetivo de relación se ha sustituido por un sintagma nominal:

6.6. Los sintagmas nominales activos con interpretación no eventiva

Bajo esta denominación tan general se incluirán aquí una serie de construcciones nominales que tienen como referente una variedad de entidades tales como objetos, propiedades, estados o resultados (de eventos o de procesos) [→ § 69.1.4]. Desde el punto de vista sintáctico, los nominales no eventivos aparecen siempre en la variedad activa cuando todos sus argumentos están sintácticamente realizados. Se recordará una vez más que la forma activa de un nominal se manifiesta en los casos en que el argumento más prominente de la estructura argumental del nombre, es decir, el elemento que se identifica con el 'sujeto' de la construcción, viene introducido por la preposición *de.*

Se considerarán a continuación distintos tipos de nominales no eventivos. Los ejemplos (65a, b, c) contienen un núcleo deverbal, (65d) muestra un núcleo deadjetival y (65e) está encabezado por un nombre primitivo:

(65) a. [La traducción *de Tierno* del 'Tractatus Logico Philosophicus'] (fue publicada por Alianza).
b. [El silbido *del tren*] (señalaba el inicio de la hora de la siesta).
c. [Aquella preocupación *de María* por los asuntos familiares] (nos afectaba a todos).
d. [La flexibilidad *de la viga*] (ha de ser tenida en cuenta por el constructor del edificio).
e. [Una acuarela *de aquel pintor* de un paisaje granadino] (estaba expuesta en el museo).

Una característica común de los nominales no eventivos es que todos los argumentos que legitima su núcleo (sea este un nombre primitivo o derivado), son opcionales. Un sintagma nominal sin argumentos no se asocia en estos casos a un referente 'nocionalmente' distinto del que se asocia a las construcciones con argumentos sintácticamente realizados. Es decir, en (65a-e) se nombra el mismo 'tipo' de entidad que en (66a-e):

(66) a. [La traducción] fue publicada por Alianza.
b. [El silbido] señalaba el inicio de la hora de la siesta.
c. [Aquella preocupación] nos afectaba a todos.
d. [La flexibilidad] ha de ser tenida en cuenta por el constructor del edificio.
e. [Una acuarela] estaba expuesta en el museo.

Tanto (65a, b) como sus correspondientes versiones sin argumentos (66a, b) son nominales resultativos que se refieren al producto obtenido de un proceso de

---

(i) a. La erupción *del volcán* el año pasado.
b. La crecida *del río* anteayer.
c. La emigración *de los mexicanos* el año 1980.

En estos casos, el único argumento seleccionado por el núcleo nominal inacusativo tiene las mismas propiedades sintácticas que el tema/paciente de una nominalización transitiva (véase el § 6.5.1). La posible interpretación eventiva de la construcción legitima el adjunto temporal sin preposición. Estos casos son, pues, similares a los ejemplos que se han discutido en el § 6.4.1.2.

traducir o al efecto de un evento de *silbar* respectivamente. En (65c) y (66c) se nombra un estado psicológico, en (65d) y (66d) se nombra una propiedad y en (65e) y (66e) un objeto. La función de los argumentos del nombre en los casos de (65) es esencialmente la de restringir la referencia del nominal. Este hecho podría sugerir que los argumentos de un nominal no eventivo tienen el carácter de meros 'participantes', más que de argumentos propiamente dichos, aunque se asocien a una función semántica (véase Rappaport 1983 y Grimshaw 1990).

Sin embargo, su posible estatus semántico de participantes no parece afectar su comportamiento gramatical ya que, en general, los supuestos participantes de una construcción no eventiva se comportan como verdaderos argumentos con respecto a muchos fenómenos propios del componente sintáctico de la gramática. Así, pueden ser antecedentes de una anáfora [→ § 23.3.1], como se muestra en (67a, b) o ejercer de sujeto de una expresión predicativa, como en (68a, b) [→ § 38.2.3]: [13]

(67) a. Un comentario *de Lorca* de *su propia obra*.
b. Esta descripción *del emperador de sí mismo*.

(68) a. [Las decisiones *de Juan* [en estado de embriaguez]].
b. [Aquellas reflexiones *de Don Quijote* [vestido de caballero]].

Entre los participantes de un nominal no eventivo también pueden establecerse relaciones interpretativas que típicamente se asocian a elementos argumentales. Por ejemplo, el posesivo *su* en los ejemplos (69a, b) puede interpretarse como variable lógica ligada a la expresión cuantificada <*cada* SN>: [14]

(69) a. Una solicitud de *cada ciudadano* a *su* (correspondiente) representante.
b. Aquella rocambolesca entrega de *cada paquete* a *su* destinatario.

Las diversas relaciones interpretativas y las funciones gramaticales que se ejemplifican en (67a, b), (68a, b) y (69a, b) muestran que los participantes de un nominal no eventivo se comportan gramaticalmente como argumentos. Por ello, en los apartados siguientes, continuaremos utilizando el término *argumento* para referirnos a los participantes que satisfacen las valencias semánticas de un núcleo nominal en una construcción con interpretación no eventiva.

En los apartados siguientes se comentarán las características sintácticas de algunos tipos de nominales ejemplificados en (65a-e).

6.6.1. Los nominales no eventivos con núcleo transitivo e intransitivo

En apartados anteriores se ha discutido la interpretación ambigua (eventiva o resultativa) a que dan lugar tanto los nominales de núcleo transitivo con objeto

---

[13] Una excepción a esta generalización la constituye el argumento o participante que se asocia al papel temático de Posesor. Este elemento no puede ser antecedente de una anáfora, como se muestra en (i) ni ejercer de sujeto de predicación secundaria tal como se observa en (ii):

(i) *La fotografía de María$_{POS}$ de sí misma$_{TEMA}$ (que hizo Juan).
(ii) *[La estabilidad de Juan$_{POS}$ [contento]] (nos sorprendió).

[14] La interpretación de *su* como variable lógica ligada a la expresión *cada SN* en los ejemplos (69a, b) tiene un efecto distributivo (o pluralizador). En dichos casos, entendemos que existe un cierto número de representantes en (69a) o de varios destinatarios en (69b), aunque el posesivo *su* y el nombre al que acompaña aparezcan en singular.

directo sintácticamente especificado como los nominales monoargumentales de núcleo inacusativo con sujeto explícito (cf. los §§ 6.4 y 6.5 respectivamente).

A este respecto, los sintagmas nominales con núcleo intransitivo puro 'no inacusativo' (derivados de verbos como *silbar, estornudar, gritar, llorar, saltar, luchar* y *gruñir* entre otros) [15] no parecen dar lugar, en general, a la ambigüedad denotativa eventiva/resultativa aun cuando su sujeto esté sintácticamente especificado. Considérense los siguientes ejemplos:

(70) a. El salto de Nijinski.
b. El gruñido del oso.
c. El grito de la multitud.

En estos casos la lectura que se obtiene parece ser únicamente resultativa, es decir, *el salto, el gruñido* y *el grito* respectivamente de los ejemplos anteriores se interpretan como el producto o el efecto obtenido de acciones de *saltar, gruñir* o *gritar,* pero no a los eventos que estas acciones nombran. En este aspecto, los nominales intransitivos se interpretan como los nominales transitivos con tema elidido (71a, b) o como los nominales derivados de verbos inacusativos con sujeto opcional del tipo (71c) que no se refieren a eventos o procesos sino sólo a los resultados de los mismos:

(71) a. La solicitud de Juan.
b. El descubrimiento de Fleming.
c. Aquella entrada triunfal (de Juan).

En los nominales del tipo (71a, b) el argumento en función de sujeto no está seleccionado y se interpreta como el Agente causante del efecto, producto o resultado denotado por el sintagma. También tiene sentido agentivo el sujeto de los nominales intransitivos (no inacusativos) de los tipos ejemplificados en (70a, b, c). La interpretación agentiva de estos argumentos permite la formación de las llamadas 'nominalizaciones de sujeto' características de las entradas léxicas transitivas (72a, b) y las intransitivas no inacusativas (73a, b): [16]

(72) a. El observador.
b. El constructor.
(73) a. El saltador.
b. El llorón.

En el apartado siguiente se examinará con cierto detalle cómo puede manifiestarse sintácticamente la estructura argumental de los nominales no eventivos en general.

---

[15] En este grupo se hallan todos los verbos intransitivos que no pueden formar una construcción de participio absoluto con su sujeto:

(i) a. *Luchados los gladiadores, César salió del circo.
b. *Estornudada Juana, le dimos una aspirina.
c. *Gruñido el oso, los excursionistas echaron a correr.

[16] Como se recordará, las bases léxicas inacusativas no permiten nominalizaciones de sujeto (cf. (62a, b, c)).

6.6.2. La estructura argumental de los nominales no eventivos

Una de las diferencias existentes entre los nominales eventivos y los resultativos parece estar en el hecho de que estos últimos admiten adjetivos de relación con distintas valencias semánticas. Se ha mostrado anteriormente (véanse los §§ 6.4.1.3 y 6.5.2) que los nominales eventivos no permiten que su estructura argumental se satisfaga mediante este tipo de elementos. Los siguientes ejemplos muestran, en cambio, que los nominales resultativos no restringen la realización de sus argumentos mediante adjetivos de relación [⟶ § 3.5.1]:

(74) a. La producción *quesera* de los holandeses.
b. La exportación *azucarera cubana*.
(75) a. El salto *japonés* hacia la superindustrialización.
b. La lucha *kurda* contra el estado turco.

La capacidad de los adjetivos de relación de satisfacer valencias semánticas de una entrada léxica nominal se evidencia por el hecho de que las funciones semánticas que expresan no pueden adjudicarse a otro elemento:

(76) a. *La producción *quesera de Gouda* de los holandeses.
b. *La exportación *azucarera* cubana *de caña*.
c. *La exportación azucarera *cubana antillana*.
(77) a. *El salto *japonés de los asiáticos* hacia la superindustrialización.
b. *La lucha *kurda de las etnias* contra el estado turco. [17]

Estas construcciones son agramaticales porque sólo una de las expresiones que aparece subrayada en cada uno de los ejemplos es semánticamente interpretable, bien como tema (cf. (76a, b)) bien como agente en (cf. (76c) y (77a, b)). El otro elemento queda sin valencia argumental posible y no tiene función semántica o sintáctica alguna en la construcción.

Es interesante señalar aquí el hecho de que los adjetivos de relación no poseen ciertas propiedades sintácticas típicas de los argumentos, en particular, no pueden ser antecedentes de anáforas ni pueden ejercer de sujetos de predicación. Considérese a este respecto el contraste de gramaticalidad entre los siguientes ejemplos y sus correspondientes (67a, b) y (68a, b) en el apartado anterior: [18]

(78) a. *Un comentario *lorquiano* de *su propia obra*.
b. *Esta descripción *imperial* de *sí mismo*.
(79) a. *[Las decisiones *presidenciales* [en estado de embriaguez]].
b. *[Aquellas reflexiones *quijotianas* [vestido de caballero]].

---

[17] Los ejemplos (77a, b) serían aceptables en el supuesto de que los adjetivos *japonés* y *kurdo* respectivamente pudieran interpretarse como adjetivos calificativos. Es decir, si *japonés* se asociara a un modo particular de saltar o *kurdo* a una forma específica de luchar (i.e. «salto al estilo japonés» o «lucha al estilo kurdo»). La posible gramaticalidad de estos ejemplos en la interpretación calificativa del adjetivo es irrelevante para la presente argumentación.

[18] Es posible que los adjetivos de relación no puedan ejercer de antecedente de una anáfora porque no contienen rasgos morfológicos de persona. Asimismo, quizá tampoco pueden ejercer de sujeto de predicación porque sus rasgos flexivos de género y número son asignados por concordancia con el núcleo nominal y no por concordancia con el predicado adjetival.

Los adjetivos de relación sí se comportan, en cambio, como argumentos con respecto a otros procesos sintácticos. Su interacción con los adjetivos posesivos y las restricciones que imponen a su realización son las mismas que las que ejerce cualquier otro argumento del nombre.

En el apartado siguiente se discutirán las características sintácticas e interpretativas de los adjetivos posesivos en general. Ello permitirá a su vez mostrar las restricciones para el posesivo que induce la presencia de otros argumentos del nombre, entre los cuales se cuentan los adjetivos de relación.

6.6.3. Los adjetivos posesivos y otros argumentos del nombre

Con la excepción de los locativos de procedencia (p. ej., *la huida de Egipto*), los argumentos de una nominalización introducidos por la preposición *de* (agente y tema) pueden realizarse como adjetivos posesivos [⟶ § 15.2]:

(80) a. *Su* descubrimiento.
b. *Su* traducción.

En ausencia de un contexto discursivo, se verá que las expresiones (80a, b) son ambiguas ya que el posesivo puede interpretarse como agente o como tema de la nominalización. En el caso de que *su* en (80a, b) se interprete como agente, estas expresiones serían semánticamente equivalentes a (81a, b). En el caso contrario, que *su* en (80a, b) se interprete como tema, los nominales adquirirían un sentido similar a (82a, b) respectivamente:

(81) a. El descubrimiento *de Koch* $_{\text{AGENTE}}$
b. La traducción *de Tierno* $_{\text{AGENTE}}$

(82) a. El descubrimiento *de la tuberculina* $_{\text{TEMA}}$
b. La traducción del *Tractatus* $_{\text{TEMA}}$

Nótese que la interpretación de *su* como tema del núcleo nominal (i.e. en el sentido de (82a, b)) induce a su vez a la ambigüedad de poder interpretar el sintagma nominal tanto en sentido eventivo como en sentido resultativo. Los siguientes ejemplos nos muestran cada una de las posibles lecturas de (80a):

(83) a. [*Su* (= de la tuberculina) descubrimiento] ocurrió en 1890.
b. [*Su* (= de la tuberculina) descubrimiento] permite diagnosticar la tuberculosis.

El hecho de que el sintagma nominal de (83a) se refiere al evento o proceso de *descubrir* y el de (83b) a su efecto u objeto resultante (i.e. al producto obtenido de la ocurrencia del evento / proceso nombrado en (83a)) se puede comprobar observando que sólo en el segundo caso sería posible sustituir el constituyente *su descubrimiento* por una expresión que inequívocamente denota un producto u objeto:

(84) a. *[Esta sustancia] ocurrió en 1890.
b. [Esta sustancia] permite diagnosticar la tuberculosis.

Las ambigüedades interpretativas que pueden provocar ejemplos del tipo (80a, b) tienen lugar únicamente cuando el resto de la red argumental del nombre no está sintácticamente especificada. [19] En el siguiente ejemplo se puede observar que la introducción de un agente introducido por *de* convierte a (80a, b) en construcciones agramaticales:

(85) a. *Su (= de la tuberculina) descubrimiento de Koch.
b. *Su (= del 'Tractatus') traducción de Tierno.

La inaceptabilidad de (85a, b) muestra que la presencia sintáctica del agente en un nominal 'activo' impide la realización del tema / paciente como adjetivo posesivo. Por otra parte, los ejemplos (86b) y (87b) muestran el mismo efecto con un adjetivo de relación. Este elemento con el papel de agente ejerce el mismo efecto bloqueante para el posesivo que un argumento introducido por *de:*

(86) a. La exportación cubana *de caña de azúcar.*
b. **Su* exportación cubana.
(87) a. La invasión americana *de Panamá.*
b. **Su* invasión americana.

En cambio, el efecto inverso no se da. La expresión sintáctica del tema / paciente en la activa nominal no impide que el agente aparezca como posesivo:

(88) a. *Su* descubrimiento de la tuberculina.
b. *Su* producción azucarera.

El agente sintáctico de una construcción nominal resultativa (i.e. un nominal activo) no se comporta como el agente de un nominal eventivo con respecto al posesivo. En el siguiente ejemplo se puede observar que el agente introducido por *por* (o *por parte de*) de la pasiva nominal permite que el tema / paciente de la nominalización se manifieste como posesivo:

(89) a. *Su* descubrimiento por (parte de) Koch.
b. *Su* traducción por (parte de) Tierno.

También es posible la realización de un posesivo con el papel de tema en las llamadas 'nominalizaciones de sujeto' en las cuales el agente se realiza como sufijo de derivación [⟶ § 69.2.13]:

(90) a. El descubri*dor* de la tuberculina.
b. *Su* descubri*dor.*
(91) a. El traduc*tor* del 'Tractatus'.
b. *Su* traduc*tor.*

Se podrían resumir los datos que se acaban de examinar diciendo que, en un nominal activo, la presencia sintáctica del argumento más prominente, el 'sujeto' de la nominalización, bloquea la aparición del 'objeto' (p. ej. el tema/paciente) como adjetivo posesivo. Precisando algo más, el contraste de gramaticalidad entre (85b),

[19] Véase el Capítulo 15 para un análisis algo más detallado de este fenómeno.

(86b) y (87b) *vs.* (88a,b), (89a,b), (90b) y (91b) nos permite llegar a la siguiente generalización: el tema de una nominalización transitiva sólo puede aparecer como posesivo cuando el agente no está sintácticamente realizado o cuando aparece como complemento de *por.* Cabe observar que esta generalización se aplica asimismo a los sintagmas nominales encabezados por nombres primitivos como se verá a continuación.

6.6.4. La jerarquía temática y los sintagmas nominales con núcleo no derivado

En las construcciones que muestran núcleos primitivos se replican los fenómenos observados en el apartado anterior con respecto al posesivo. A este respecto, es ilustrativo observar las restricciones a las que se someten los sintagmas nominales encabezados por nombres de representación tales como *acuarela, dibujo* y *fotografía,* así como *novela* o *poema,* entre otros. Estas entradas léxicas pueden legitimar la presencia de un argumento que se identifica con el creador del objeto que nombra el núcleo (que puede identificarse vagamente con el agente), así como la presencia de otros argumentos que pueden interpretarse como el tema (la cosa representada) y el posesor:

(92) a. Un aguafuerte *de Picasso* $_{\text{AGENTE}}$
b. El dibujo *de un paisaje* $_{\text{TEMA}}$
c. Aquellos cuadros *de Thyssen* $_{\text{POSESOR}}$

Ciertos contextos extralingüísticos, léxicos o discursivos pueden permitir la identificación de los papeles temáticos de diversos argumentos introducidos por *de* (poseedor, agente y tema) en estos tipos de nominales:

(93) La fotografía del coleccionista$_{\text{POS}}$ de Capa$_{\text{AG}}$ de un miliciano herido$_{\text{TEMA}}$

En el apartado anterior se ha visto que el agente impide que el tema se realice como adjetivo posesivo (cf. (85a, b)). En ejemplos del tipo (93), sólo el argumento interpretado como posesor puede aparecer como tal. La agramaticalidad de (94b, c) muestra que ni el agente ni el tema pueden aparecer como posesivo en presencia del posesor:

(94) a. *Su*$_{\text{POS}}$ fotografía de Capa$_{\text{AG}}$ de un miliciano herido$_{\text{TEMA}}$
b. **Su*$_{\text{AG}}$ fotografía del coleccionista$_{\text{POS}}$ de un miliciano herido$_{\text{TEMA}}$
c. **Su*$_{\text{TEMA}}$ fotografía del coleccionista$_{\text{POS}}$ de Capa$_{\text{AG}}$

El orden lineal de los argumentos no causa la agramaticalidad de (94b, c), ya que los elementos introducidos por *de* pueden aparecer en diversos órdenes dentro del sintagma y se obtienen los mismos efectos:

(95) a. La fotografía de un miliciano herido$_{\text{TEMA}}$ de Capa$_{\text{AG}}$ del coleccionista$_{\text{POS}}$
b. **Su*$_{\text{AG}}$ fotografía de un miliciano herido$_{\text{TEMA}}$ del coleccionista$_{\text{POS}}$
c. **Su*$_{\text{TEMA}}$ fotografía de Capa$_{\text{AG}}$ del coleccionista$_{\text{POS}}$

Este fenómeno también se observa cuando cualquiera de los argumentos aparece como adjetivo de relación. Recuérdese [→ § 3.3.3] que estos adjetivos deben ser estrictamente adyacentes al núcleo nominal y preceden a cualquier otro argumento introducido por *de.* En los siguientes ejemplos se muestra que el adjetivo de relación interpretado como agente permite la realización de un posesor como adjetivo posesivo, pero la presencia de un adjetivo de relación interpretado como posesor bloquea la aparición de un posesivo agente:

(96) a. Las novelas $rusas_{AG}$ de mi $madre_{POS}$
b. *Sus*$_{POS}$ novelas $rusas_{AG}$

(97) a. Las novelas $maternas_{POS}$ de los autores $rusos_{AG}$
b. **Sus*$_{AG}$ novelas $maternas_{POS}$

Los contrastes ejemplificados sugieren que los argumentos de un nominal activo se organizan jerárquicamente y que el posesor es el elemento más prominente siguiéndole, en orden de jerarquía, el agente y el tema. La expresión sintáctica de un argumento impide la realización mediante un posesivo de un argumento inferior en la jerarquía temática. Nótese que el fenómeno descrito se aplica cuando los argumentos tienen realización sintáctica. Una nominalización de sujeto no bloquea la realización del tema mediante adjetivo posesivo (cf. (90b) y (91b)). Así, un papel temático superior absorbido morfológicamente por el núcleo nominal permite la realización de un argumento temáticamente inferior por medio de un adjetivo posesivo.

En resumen, en este apartado se ha visto que todos los argumentos de un nominal no eventivo son opcionales. En este aspecto, estas construcciones contrastan con los nominales eventivos que exigen la realización sintáctica del argumento subcategorizado por el núcleo para mantener su denotación de nombrador de evento. Se ha mostrado, asimismo, que los nominales no eventivos pueden expresar su estructura argumental por medio de adjetivos de relación o mediante morfemas de derivación (i.e. 'nominalizaciones de sujeto' y 'nominalizaciones de objeto'). Finalmente, se ha observado que la expresión sintáctica o morfológica de la estructura argumental del nombre tiene efectos distintos para la realización de los argumentos mediante un adjetivo posesivo.

6.6.5. Las nominalizaciones de verbos estativos

Bajo este epígrafe se considerarán aquí las construcciones nominales cuyo núcleo se relaciona derivacionalmente con predicados de los siguientes tipos: [20]

(i) Verbos que denotan estados psicológicos (o de afección) como *amar, temer* y *asustar,* entre otros.
(ii) Verbos de conocimiento y percepción física o intelectual como *ver, recordar* o *conocer.*
(iii) Verbos de medida como *pesar, costar* o *medir.*

[20] Véase Gràcia 1989 y las referencias allí citadas.

6.6.5.1. Las nominalizaciones de afección

Los sintagmas nominales cuyo núcleo se relaciona con 'verbos de afección' (también conocidos como 'verbos psicológicos') pueden legitimar léxicamente dos argumentos, uno de los cuales posee rasgos de animacidad y se identifica con el papel de Experimentante. El otro argumento se identifica con la causa o fuente de dicho estado. Consideremos algunos ejemplos:

(98) a. El temor de Juan a las enfermedades infecciosas.
b. El menosprecio de Ana por los gobernantes deshonestos.
c. La admiración de Pablo por ti.
(99) a. La preocupación de María por sus hijos.
b. El susto de Luis con los gritos de Ana.
c. La inquietud de Antonio por las consecuencias de su acción.

En estos ejemplos el experimentante aparece invariablemente introducido por la preposición *de,* mientras que el argumento identificado con la causa o fuente de la afección puede ir introducido por una variedad de elementos prepositivos (*por, a* o *con,* según el caso). Aunque los nominales (98a, b, c) son sintácticamente semejantes a (99a, b, c), los predicados que les sirven de base léxica presentan distintas características sintácticas.

Las oraciones que corresponderían a ejemplos de los tipos (98a, b, c) son construcciones transitivas en las que el experimentante podría sustituirse por el pronombre *él* / *ella* en concordancia con el verbo, es decir, como sujeto de la construcción. Por su parte, el argumento fuente o causa correspondería a un complemento directo en la oración: [21]

(100) a. Juan teme las enfermedades infecciosas (cf. Él las teme).
b. Ana menosprecia a los gobernantes deshonestos (cf. Ella los menosprecia).
c. Pablo te admira a ti (cf. Él te admira).

Las nominales ejemplificados en (99a, b, c) podrían, en cambio, relacionarse con dos tipos de oraciones que se ejemplifican en (101a, b, c) y (102a, b, c):

(101) a. A María le preocupan sus hijos.
b. A Luis le asustan los gritos de Ana.
c. A Antonio le inquietan las consecuencias de su acción.
(102) a. María se preocupa por sus hijos.
b. Luis se asusta con los gritos de Ana.
c. Antonio se inquieta por las consecuencias de su acción.

En (101) el experimentante aparece en caso dativo, como indica el clítico *le,* y el argumento que recibe la función semántica de fuente o causa concuerda con el verbo (es, por lo tanto, el sujeto de la oración). Los ejemplos de (102) son la versión

[21] Estas oraciones pueden construirse en pasiva (*Las enfermedades infecciosas son temidas por Juan*). Este no es el caso de sus formas nominalizadas (**El temor de las enfermedades infecciosas por Juan*) porque estos nominales no denotan eventos o procesos sino estados.

incoativa de aquellos. La comparación de estos tipos de oraciones con los sintagmas nominales ejemplificados en (99a, b, c), atendiendo en particular a la preposición que introduce el argumento interpretado como fuente/causa, sugiere que las nominalizaciones se relacionan con la forma incoativa del predicado verbal. Si esto es así, es posible que exista una diferencia entre las nominalizaciones de (98a, b, c) y las de (99a, b, c) en cuanto a la relación sintáctica o léxica que se establece entre el núcleo nominal y el experimentante. [22]

Suponiendo que las características léxicas de un predicado se transmiten a su correspondiente nominalización, cabría la posibilidad de que el experimentante fuera un argumento seleccionado en las construcciones del tipo (99a, b, c), ya que la nominalización se relacionaría con un predicado incoativo. Por el contrario, en (98a, b, c) el experimentante no sería un argumento seleccionado por el núcleo.

Un pequeño indicio de que las nominalizaciones de afección del tipo (98a, b, c) pueden ser sintácticamente distintas de las del tipo (99a, b, c) nos lo proporciona la legitimación de adjetivos de relación en ambas construcciones. Las nominalizaciones del tipo *temor* (98a, b, c) admiten libremente que el experimentante aparezca en forma de adjetivo de relación:

(103) a. El temor *checheno* a las invasiones.
b. El menosprecio *ciudadano* por los especuladores.
c. La (proverbial) admiración *inglesa* por la puntualidad.

Por su parte, las nominalizaciones del tipo *preocupación,* que se ejemplifican en (99a, b, c), no parecen comportarse uniformemente en este aspecto. Mientras en algunas construcciones el adjetivo de relación parece admisible, en otras es cuestionable o agramatical:

(104) a. La preocupación *ciudadana* por la crisis económica.
b. ?La inquietud *española* por la devaluación de la peseta.
c. ?La conmoción *argelina* por los atentados integristas.
d. ??El susto *holandés* con las inundaciones del pasado invierno.
e. ??El interés *suizo* por la relojería.

Se recordará que las nominalizaciones de verbos inacusativos tampoco muestran un comportamiento uniforme respecto a la realización de su sujeto mediante un adjetivo de relación (cf. nota 11), hecho que quizá pudiera atribuirse, como en el caso que nos ocupa, al carácter de argumento seleccionado del sujeto de ambas construcciones.

6.6.5.2. Nominalizaciones de verbos de conocimiento, percepción y medida

El sujeto de las nominalizaciones de verbos de conocimiento y percepción parece tener una interpretación semántica algo distinta si el argumento en función de

---

[22] Esta diferencia podría explicar, presumiblemente, el hecho de que la interpretación causativa de los verbos de afección, como en el ejemplo (i), no da lugar a nominalizaciones. Compruébese, a este respecto, la agramaticalidad de (ii):

(i) Juan asustó a María con sus gritos.
(ii) *El {susto/asustamiento} de María por (parte de) Juan con sus gritos.

tema se especifica o no sintácticamente. En los siguientes ejemplos el sujeto de la nominalización podría interpretarse como experimentante:

(105) a. El (profundo) conocimiento de Ana del Código Penal.
b. El recuerdo de Juan de sus años de juventud.

En ausencia del tema, la relación semántica entre el núcleo nominal y el sujeto en las nominalizaciones de percepción intelectual parece asemejarse más a la relación de posesión que a la de experiencia:

(106) a. {El/Los} conocimiento(s) de Ana.
b. {El/Los} recuerdos de Juan.

En este aspecto, las construcciones del tipo (106a, b) presentan cierto parecido con las nominalizaciones de verbos de medida, en las que se nombra una entidad o cualidad que posee el sujeto [→ § 38.3.5]:

(107) a. El peso de la caja.
b. El coste del producto.

Pese a la aparente transitividad de los predicados estativos de peso y medida (p. ej. *La caja pesa dos kilos* / *La caja los pesa*), el complemento de un predicado de medida no se interpreta como un tema/paciente. En Jackendoff 1972: 44 se sugiere que se trata de un argumento equiparable a un locativo, puesto que localiza un punto o valor determinado en una escala en la que se evalúa una propiedad del SN en función de sujeto. [23] En cualquier caso, el objeto de estos predicados carece de propiedades referenciales [24] y no puede aparecer en la nominalización correspondiente:

(108) a. El peso (??de dos kilos) de la caja.
b. El coste (*de cuatro mil pesetas) del producto.

---

[23] Por esta razón dicho argumento puede ser sustituido por expresiones del tipo *mucho, poco* o *bastante* (cf. *La caja pesa mucho).*

[24] El carácter no referencial de este tipo de argumento es probablemente responsable del hecho de que estas construcciones no pueden pasivizarse y muy marginalmente admiten dislocación a la izquierda o a la derecha:

(i) a. *Tres kilos son pesados por el recién nacido.
b. ??Dos pesetas, este caramelo las cuesta.
c. ??Aquella mesa los mide, tres metros.

REFERENCIAS BIBLIOGRÁFICAS

BOSQUE, IGNACIO y M. CARME PICALLO (1996): «Postnominal Adjectives in Spanish DPs», *JL* 32, páginas 349-385.

BURZIO, LUIGI (1986): *Italian Syntax: A Government-Binding Approach,* Dordrecht, Reidel.

CINQUE, GUGLIELMO (1980): «On Extraction from NP in Italian», *JIL* 5, págs. 47-99.

GIORGI, ALESSANDRA y GIUSEPPE LONGOBARDI (1991): *The Syntax of Noun Phrases: Configuration, Parameters and Empty Categories,* Cambridge, Cambridge University Press.

GRÀCIA, M. LLUÏSA (1989): *La teoria temàtica,* Bellaterra, Publicacions de la Universitat Autònoma de Barcelona.

GRIMSHAW, JANE (1988): «Adjuncts and Argument Structure», *Lexicon Generative Working Papers 21 and Center for Cognitive Science Working Papers 36,* Cambridge, Mass., MIT Press.

— (1990): *Argument Structure,* Massachusetts, MIT Press.

JACKENDOFF, RAY (1972): *Semantic Interpretation in Generative Grammar,* Cambridge, Mass., MIT Press.

LEBEAUX, DAVID (1986): «The Interpretation of Derived Nominals», *CLS* 22, págs. 231-247.

MARTÍ, NÚRIA (1993): «Adverbial Modifiers in DP», comunicación presentada en el *Second Workshop on the Syntax of Central Romance Languages,* Barcelona.

PICALLO, M. CARME (1991): «Nominals and Nominalizations in Catalan», *Probus* 3, págs. 279-316.

RAPPAPORT, MALKA (1983): 'On the Nature of Derived Nominals', en L. Levin, M. Rappaport y A. Zaenen (eds.), *Papers in Lexical Functional Grammar,* Indiana University Linguistics Club, Bloomington, páginas 113-142.

RUWET, ALAIN (1972): *Théorie syntactique et syntaxe du français,* París, Ed. du Seuil.

VARELA, SOLEDAD (1977): *Estudios de gramática transformacional: la nominalización en castellano,* tesis doctoral inédita, Universidad Autónoma de Madrid.

— (1990): «Condicionamientos sintácticos en procesos morfológicos de afijación y composición», en *Estudios de lingüística de España y México,* UNAM, Colegio de México, págs. 95-114.

ZUBIZARRETA, M.ª LUISA (1987): *Levels of Representation in the Lexicon and in the Syntax,* Dordrecht, Foris.

7
LA ESTRUCTURA DEL SINTAGMA NOMINAL: LAS ORACIONES DE RELATIVO

JOSÉ M.ª BRUCART
Universitat Autònoma de Barcelona

ÍNDICE

7.1. La estructura general de las cláusulas relativas

7.1.1. Características principales

7.1.1.1. Las cláusulas de relativo son oraciones subordinadas encabezadas por un pronombre, adjetivo o adverbio relativo que actúan como complementos modificadores de un elemento llamado 'antecedente'. Habitualmente, este es un nombre, un grupo nominal o un sintagma nominal, según muestran respectivamente los ejemplos de (1), en los que la subordinada de relativo aparece en cursiva y el elemento nominal antecedente es el constituyente en redonda situado dentro de los corchetes:

(1) a. La casa tenía dos [habitaciones *que daban al parque*].
b. La casa tenía dos [habitaciones *dobles que daban al parque*].
c. La casa tenía [dos habitaciones, *que daban al parque*].

La distinta incidencia de la subordinada relativa en cada una de las oraciones anteriores explica las diferencias de interpretación que se detectan entre los enunciados de (1). En (1a), la cláusula relativa modifica al núcleo nominal *habitaciones,* de forma idéntica a como lo haría cualquier otro complemento especificativo del nombre. Así, funcionalmente, la subordinada equivale a un sintagma adjetivo *(exteriores)* [1] o a un sintagma preposicional *(con vistas al parque)*. Esa misma función especificativa posee la cláusula relativa de (1b), pero en este ejemplo el antecedente no está formado meramente por el nombre *habitaciones*, sino por el grupo nominal *habitaciones dobles.* En ambos casos el comportamiento de la subordinada relativa es equiparable al de los demás tipos de complementos especificativos del nombre, que inciden sobre el núcleo para formar sucesivos grupos nominales. En (1b), el sintagma adjetivo *dobles* forma con el nombre *habitaciones* un grupo nominal que, a su vez, se une a la subordinada relativa para componer un grupo nominal complejo *habitaciones dobles que daban al parque.* Este último, formado por la unión del núcleo con todos sus complementos especificativos, es el constituyente sobre el que ejerce su ámbito el cuantificador numeral cardinal *dos* [⟶ §§ 16.3 y 16.4]. Por lo tanto, la cardinalidad *dos* se atribuye en (1a) a *habitaciones que daban al parque* y en (1b) a *habitaciones dobles que daban al parque,* y no solamente a *habitaciones.* De ahí que en ninguno de los dos ejemplos comentados pueda inferirse que el número total de habitaciones de la casa sea de dos, del mismo modo que en (1b) tampoco se afirma que sean sólo dos sus habitaciones dobles.

La situación es diferente en (1c), donde la inflexión entonacional que se produce al inicio de la subordinada, y que se refleja en la escritura por medio de una coma, actúa como indicio acústico de que el antecedente de la relativa es el SN *dos habitaciones*. En (1c), por lo tanto, *dos* cuantifica solamente al núcleo nominal, lo que explica que de ese enunciado se infiera que el número de habitaciones de la casa es sólo de dos. En este último ejemplo, la cláusula de relativo ya no funciona como modificador especificativo, sino que su comportamiento queda asimilado al de los complementos adjuntos [⟶ § 5.3.2]. La gramática tradicional ha sancionado esta distinción al establecer dos clases funcionales de oraciones de relativo: las 'especificativas' (o 'restrictivas') y las 'explicativas' (o 'incidentales'), de las que se tratará más detalladamente en el § 7.1.3. [2]

---

[1] Atendiendo a su naturaleza prototípica de modificadores nominales, a las relativas se las denomina tradicionalmente 'subordinadas adjetivas'. No obstante, tal etiqueta se acomoda con mayor facilidad a las relativas especificativas (1a, b) que a las explicativas (1c). Estas últimas presentan mayor similitud funcional con las aposiciones, que pueden estar representadas por sintagmas categorialmente diversos [⟶ Cap. 8].

[2] Cuando tras una subordinada como la de (1c) aparece material de la oración matriz, también se produce en la pronunciación una inflexión entonacional al final de la relativa, que se marca asimismo ortográficamente por medio de una coma, tal como sucede en general con todos los elementos apositivos: *Las dos habitaciones, que daban al parque, sufrieron serios desperfectos en el incendio.* Por el contrario, en las relativas especificativas nunca se marca ortográficamente la separación entre subordinada y matriz, pese a que en ocasiones sus límites pueden presentar también inflexión entonacional por coincidir con una frontera de grupo fónico (cf. Navarro Tomás 1944: § 36). En conclusión: a efectos ortográficos, las oraciones de relativo se acogen a las mismas normas que rigen en general para los complementos especificativos y explicativos, ya que sólo estos últimos quedan delimitados ortográficamente por comas.

El conjunto de entidades que pueden servir de antecedente de una relativa no queda limitado a los constituyentes nominales, aunque estos sean los más frecuentes. También pueden cumplir esa función los pronombres personales, los adverbios pronominales y las oraciones, como respectivamente se muestra en (2):

(2) a. [Él, *que no está acostumbrado a perder,*] encajará este revés como una injusticia.
b. Iremos [allá *donde tú digas*].
c. [Improvisó un discurso brillantísimo, *lo cual provocó general admiración*].

A la lista anterior algunos gramáticos añaden los sintagmas preposicionales, en ejemplos como *Iremos de vacaciones [en la primavera, cuando haya terminado este capítulo]*. En el § 7.2 se estudiarán pormenorizadamente todos estos casos.

7.1.1.2. Por lo que respecta a su estructura interna, la cláusula de relativo presenta la característica de ir siempre encabezada por un nexo subordinante que a la vez se vincula anafóricamente al antecedente, actuando como argumento o adjunto dentro de la subordinada. El conjunto de entidades susceptibles de cumplir esta doble función es el formado por el paradigma de los pronombres, adjetivos y adverbios relativos, del que nos ocuparemos por extenso en el § 7.5. La nómina de tales unidades incluye las formas pronominales *que* (precedida eventualmente del artículo determinado) y *quien;* los adjetivos determinativos *cual* (precedido casi siempre del artículo determinado), *cuanto* y *cuyo*, y los adverbios *cuando, como, donde* y *cuan*. Se trata de un paradigma relacionado históricamente con el de los pronombres y adverbios interrogativos. De estos se diferencian fónicamente por su cualidad de formas átonas proclíticas, con la única excepción del relativo *cual* precedido del artículo, que es tónico (véase el cap. 31, sobre las relaciones entre las construcciones interrogativas, relativas y exclamativas). Su peculiar comportamiento sintáctico se muestra en los ejemplos de (3), donde los corchetes delimitan la subordinada relativa y el elemento de enlace aparece en cursiva:

(3) a. El libro [*que* Luis te regaló] es muy interesante.
b. La persona [a *quien* me refiero] no está aquí.
c. La mesa [encima de *la cual* se colocó el crucifijo] perteneció a mi bisabuelo.
d. A la asamblea asistieron 60 delegados, [la mitad de *los cuales* habían sido elegidos recientemente].

En (3a), el pronombre relativo *que* introduce la subordinada y, simultáneamente, actúa como complemento directo del predicado *regaló,* por lo que el valor proposicional de la cláusula relativa equivale al de la oración *Luis te regaló el libro.* La presencia simultánea en el interior de la relativa de otro sintagma que desempeñara la misma función supondría la agramaticalidad de la secuencia resultante (cf. **El libro que Luis te regaló* una pluma *es muy interesante*). Por comodidad expositiva, denominaremos 'hueco' de la relativa a la posición que debe quedar fonéticamente vacía en virtud de la función desempeñada por el pronombre relativo. Así, en el ejemplo anterior el hueco corresponde a la posición de objeto directo del predicado *regalar.* El hecho de que dicha posición haya sido ocupada por el SN *una pluma* provoca la mala formación de la secuencia.

Como es natural, la función que cumple el relativo es independiente de la que desempeña dentro de la oración matriz el SN que lo contiene. Así, en (3a), *el libro que Luis te regaló* actúa como sujeto de la oración atributiva, mientras que el pronombre relativo es, como ya se ha dicho, el complemento directo del predicado *regalar*.

Cuando su función gramatical o semántica así lo requiere, los pronombres, adjetivos y adverbios relativos aparecen precedidos de la preposición correspondiente, tal como sucede en (3b), donde el SP *a quien* actúa como complemento de régimen preposicional del predicado *referirse*. En estos casos, por lo tanto, el primer elemento de la subordinada no es propiamente el pronombre, adjetivo o adverbio relativo, sino el SP encabezado por la preposición de la que aquel es término.[3] Lo mismo sucede cuando el relativo es complemento de un adverbio (3c) o de un nombre, como en la construcción partitiva de (3d), aunque en este último ejemplo también sería posible la anteposición de la coda (cf. *Asistieron 60 delegados, de los cuales la mitad habían sido elegidos recientemente*).[4] En todos estos casos se aplican a las oraciones de relativo las mismas restricciones que rigen en general el orden de palabras en español. Así, por ejemplo, mientras que la oración *Encima de la mesa, se colocó el crucifijo* es perfectamente gramatical, la secuencia **De la mesa, se colocó el crucifijo encima* conculca el mismo principio que obliga a que en (3c) el relativo aparezca precedido del sintagma adverbial.

Sin perjuicio de lo dicho anteriormente, existen algunos relativos que llevan incorporada en su propio contenido léxico la relación semántica que de habitual se expresa por medio de una preposición. En (4) se recogen dos ejemplos característicos de tal fenómeno:

(4) a. El lugar [*donde* lo vi] era poco recomendable.
b. El decreto [*cuya* autoría reivindicas] no existe.

En (4a), el adverbio relativo *donde* expresa la función semántica de ubicación con respecto al predicado *ver* sin que sea necesaria la presencia de la preposición locativa *en* (cf. *Lo vi en un lugar poco recomendable*). La aparición de tal unidad, aunque posible *(El lugar en donde lo vi era poco recomendable),* resulta redundante. En el caso de (4b), el relativo *cuyo* actúa como determinante del núcleo nominal *autoría* y representa la función de complemento del nombre introducido por la preposición *de*. Así, la norma prefiere (4b) a las secuencias *??El decreto la autoría del cual reivindicas no existe* o *??El decreto del cual reivindicas la autoría no existe*. No obstante, la frecuente sustitución del relativo posesivo *cuyo,* sobre todo en la lengua hablada, ha dado pie a la aparición de esquemas alternativos, de los que se tratará en el § 7.5.4.

7.1.1.3. La necesidad de que los pronombres, adjetivos o adverbios relativos aparezcan al frente de la oración subordinada puede derivarse de su carácter de nexos de subordinación: la presencia de tal unidad funciona como marca de que el constituyente que los engloba contiene una subordinada relativa. A diferencia de lo que

---

[3] Ello se debe a que el español no admite preposiciones sin términos adyacentes, a diferencia del inglés, lengua en la que la oración de (3b) podría traducirse *The person who I refer to is not here.* Nótese que en esta última secuencia el pronombre relativo *who* aparece separado de la preposición *to* de la que es término.

[4] Tal característica es general en este tipo de sintagmas del español: *De los 60 delegados del congreso, la mitad habían sido elegidos recientemente.* Denominamos 'coda' al complemento genitivo que en las construcciones partitivas expresa el dominio del que se extrae la parte.

sucede con los pronombres interrogativos y exclamativos, que también deben encabezar sus correspondientes oraciones, la anteposición del elemento relativo no lleva consigo la colocación obligatoria del sujeto de la subordinada en posición posverbal [⟶ Cap. 31]. Son, en todo caso, los factores rítmicos o los principios relacionados con la estructura informativa de la oración los que determinan la colocación del sujeto en las relativas cuando esa función no está representada por el propio elemento relativo (véase el cap. 65 sobre las funciones informativas: tema y foco). El contraste queda patente en los ejemplos de (5-6):

(5) a. El libro *que Luis me regaló* era muy interesante.
b. El libro *que me regaló Luis* era muy interesante.
(6) a. ¿Qué libro te regaló Luis? / *¿Qué libro Luis te regaló?
b. ¡Qué interesante libro te regaló Luis! / *¡Qué interesante libro Luis te regaló!

Es probable que esta disparidad en la colocación del sujeto se deba a las diferencias semánticas que median entre los elementos relativos, por una parte, y los interrogativos y exclamativos, por otra. Estos últimos son operadores que marcan la modalidad del enunciado; en cambio, los primeros carecen de contenido modal (de ahí que no pueda hablarse de una modalidad relativa). Si se supone que la colocación posverbal obligatoria del sujeto es un fenómeno derivado de la presencia en la oración de una modalidad marcada (esto es, no enunciativa), la libertad de posición de tal elemento en las subordinadas relativas queda adecuadamente prevista.[5]

7.1.1.4. Ya se ha comentado que, a diferencia de otros nexos subordinantes, los pronombres, adjetivos y adverbios relativos son unidades bifuncionales, dado que también actúan como argumentos o adjuntos dentro de la subordinada. Por lo tanto, de las cláusulas de (7) que aparecen entre corchetes tan sólo (7a) es una construcción de relativo:

(7) a. La idea [que has expresado] no es compartida por todos.
b. La idea de [que el presidente dimita inmediatamente] no es compartida por todos.

En (7a), la cláusula subordinada actúa como modificador del sustantivo *idea.* El pronombre relativo *que,* además de ejercer la función de nexo subordinante, es el complemento directo del verbo *expresar* y se interpreta en función de la existencia de un antecedente en la oración principal. Por el contrario, en (7b) la forma *que* tiene como única función la de introducir la subordinada y habilitarla para que pueda aparecer como argumento del nombre *idea.* Ni desempeña una función argumental o adjunta con respecto a *dimita* ni, en consecuencia, puede atribuírsele antecedente alguno. No se trata, por lo tanto, de un pronombre relativo, sino de

[5] Otra diferencia importante entre las relativas y las interrogativas deriva de la imposibilidad absoluta de que las primeras incluyan más de un pronombre, adjetivo o adverbio relativo en su interior. En cambio, las interrogativas admiten marginalmente la presencia de varios operadores interrogativos, siempre que uno de ellos encabece la oración y el resto aparezca en las posiciones canónicas correspondientes a la función sintáctica que cada uno desempeña (cf. *¿Quién golpeó a quién?*). Esta posibilidad se da en las llamadas 'interrogativas múltiples' y en las 'interrogativas de eco' [⟶ §§ 31.2.1.5, 31.2.1.6, 61.5.1.1 y 62.3.5].

una conjunción completiva que introduce una oración subordinada sustantiva que ejerce la función de complemento del nombre [⟶ Cap. 33].

La diferencia que media entre las anteriores cláusulas está sustentada en razones de orden semántico. Las construcciones de relativo son modificadores no argumentales del nombre, mientras que las completivas siempre funcionan como argumentos proposicionales de un predicado (de ahí que puedan aparecer como sujeto o complemento directo de un verbo). No todos los nombres tienen la capacidad léxica de seleccionar un argumento proposicional y de asignarle una función semántica.[6] En cambio, cualquier sustantivo puede ser modificado por una cláusula de relativo. Así, *casa,* que no admite la presencia de una subordinada sustantiva entre sus complementos del nombre, acepta sin dificultad la aparición de una cláusula relativa: *La casa que apuntalaron los bomberos amenazaba ruina.*

De la naturaleza no argumental de las oraciones de relativo (es decir, de su carácter 'adjetivo' y no 'sustantivo') deriva la ausencia de una preposición que sirva para marcar la dependencia de la cláusula al núcleo nominal antecedente.[7] Los pares de (8-9) muestran el contraste al que aludimos:

(8) a. La idea [expresada] no es compartida por todos.
b. La idea [que has expresado] no es compartida por todos.
(9) a. La idea *de* [la dimisión del presidente] no es compartida por todos.
b. La idea *de* [que el presidente dimita inmediatamente] no es compartida por todos.

Naturalmente, es posible hallar pronombres, adjetivos o adverbios relativos introducidos por una preposición, pero en esos casos tal elemento forma parte de la propia cláusula subordinada, en contraste con lo que sucede en (9):

(10) La idea [*de la que* me hablaste ayer] me parece de difícil plasmación.

En (10), el SP *de la que* viene seleccionado por el predicado *hablaste* (cf. *Me hablaste* de esa idea *ayer*). Por lo tanto, la función que ejerce la preposición no es la de marcar la dependencia de la subordinada con respecto al núcleo nominal *idea,* sino la de introducir el complemento preposicional de régimen verbal del que el pronombre relativo es término.

7.1.1.5. Hasta aquí se ha dado por supuesto que toda cláusula relativa precisa de un antecedente. Hay, sin embargo, algunos casos en los que la existencia de tal entidad no resulta obvia:

(11) a. El que la hace la paga.
b. Quien más te quiere te hará llorar.

---

[6] Para una clasificación detallada de los sustantivos que rigen completiva, cf. Fernández Ramírez 1951b: § 54 [⟶ § 33.3.2.10].

[7] La presencia de preposición entre el núcleo nominal y la oración completiva dependiente de aquel es un rasgo característico del español. En la mayoría de las lenguas (incluidas algunas tan cercanas tipológicamente como el catalán, el italiano o el francés) tal dependencia se establece sin marca preposicional alguna, a diferencia de lo que sucede cuando el complemento del nombre es un SN. Cabe anotar, no obstante, que este es uno de los contextos del español en que se detecta con mayor frecuencia el 'queísmo'. En cambio, el 'dequeísmo' ante una subordinada relativa es muy infrecuente, aunque Boretti (1991) aporta algunos casos provenientes del español de Rosario (Argentina): *a pesar de que hay alguna ley de que los ampara* [⟶ Cap. 34].

Es evidente que ninguno de los pronombres relativos que aparecen en (11) cuenta con un elemento nominal fonéticamente realizado al que se le pueda atribuir la condición de antecedente. Los diversos tipos de relativas con antecedente elíptico y las distintas opciones para acomodar su análisis a la teoría general serán expuestos en el § 7.2.4.

7.1.1.6. La modalidad de las cláusulas de relativo es asertiva. [8] En consecuencia, el verbo de las relativas aparece casi siempre en indicativo. Sin embargo, también existen oraciones de relativo con el verbo en subjuntivo y en infinitivo, como se muestra en (12):

(12) a. El concursante *que consiga contestar esta pregunta* obtendrá un premio millonario.
b. Necesito alguien *con quien sincerarme.*

La aparición del subjuntivo en (12a) está relacionada con el carácter inespecífico del SN que contiene la relativa. Nótese, en efecto, que en ese ejemplo el hablante no tiene en mente a ningún concursante concreto, sino que se refiere a cualquier concursante que conteste la pregunta (de ahí que el sintagma sea equivalente a *todo concursante que consiga contestar esta pregunta*). En cambio, en la oración *El concursante que consiguió contestar esta pregunta obtuvo un premio millonario* se está hablando de un concursante específico, por lo que la relativa se construye en indicativo. La aparición de una subordinada relativa en subjuntivo es condición suficiente, pero no necesaria, para que el SN que la contiene reciba lectura inespecifíca. El español cuenta con otros medios, además del modo verbal, para expresar tal interpretación. Así, por ejemplo, en la oración *El concursante que consigue contestar esta pregunta obtiene un premio millonario* el SN sujeto también es inespecífico. En este caso, el mecanismo que lleva a interpretar el enunciado como genérico (como prueba la posibilidad de conmutar el artículo determinado por el cuantificador *todo* en el sujeto de la oración) es el uso del presente de indicativo con valor gnómico en la principal y en la subordinada. [9]

Por lo que respecta a (12b), el infinitivo también aparece en un contexto de inespecificidad, pero además comunica a la expresión un valor modal de posibilidad, por lo que es parafraseable por la relativa en subjuntivo *con quien pueda sincerarme.* De los usos y valores que adquiere el subjuntivo en las construcciones relativas se tratará detalladamente en el capítulo 50, en particular en el § 50.1. Las relativas de infinitivo serán objeto de estudio pormenorizado en el § 36.3.3.1.

---

[8] La existencia de relativas con pronombres o adverbios interrogativos *(Trajo un coche que quién sabe cuánto dinero le habría costado)* no constituye excepción a este principio, dado que el valor que adquieren es siempre el de interrogación retórica o exclamación y jamás el de pregunta, por lo que también constituyen una aserción del hablante.

[9] A pesar de que formalmente se trata de un tiempo del paradigma de subjuntivo, el pretérito imperfecto de subjuntivo que aparece en oraciones como *Recordó entonces el sobre azul que dejara al acostarse sobre la desvencijada mesilla* [Delibes, *Aún es de día,* 10] o *Se comenta el discurso que anoche pronunciara el presidente* tiene valor modal de indicativo, por lo que los SSNN que contienen las anteriores oraciones relativas reciben lectura específica, puesto que la forma verbal equivale a un pluscuamperfecto y a un indefinido de indicativo, respectivamente. Ambos ejemplos están tomados de Alarcos (1994: 159), que los califica como usos arcaicos afectados. El primero de ellos se apoya en el valor de pluscuamperfecto de indicativo que en latín tenían las formas del actual imperfecto de subjuntivo en *-ra* [⟶ § 44.5.3].

7.1.2. Las relativas con pronombre pleonástico o reasuntivo

En los parágrafos anteriores hemos aludido al doble valor sintáctico de los elementos relativos, que actúan simultáneamente como nexos subordinantes y como argumentos o adjuntos de la cláusula que ellos mismos introducen. En consecuencia, el sintagma que contiene el pronombre, adjetivo o adverbio relativo es el único representante de la función que este ejerce en la subordinada. En determinadas circunstancias, no obstante, dentro de la cláusula puede aparecer además un pronombre que reitere la función desempeñada por el relativo, tal como sucede en (13b), frente a la versión no reduplicada de (13a):

(13) a. El atracador, *a quien* algunos testigos aseguran haber visto por la zona anteriormente, entró en el banco a cara descubierta.
b. El atracador, *a quien* algunos testigos aseguran haber*lo* visto por la zona anteriormente, entró en el banco a cara descubierta.

En (13a) el sintagma preposicional *a quien* es el único representante de la función de objeto directo de *haber visto.* En (13b), en cambio, concurren en tal función ese mismo sintagma preposicional y el pronombre personal átono *lo.* No obstante, la posibilidad de aparición de un pronombre pleonástico como el de (13b) en las oraciones de relativo está condicionada por factores sintácticos y semánticos, tal como se estudiará a continuación. En general, la norma del español tiende a considerar incorrectas las variantes reduplicadas.

Un segundo patrón de oraciones de relativo con duplicación pronominal, también condenado normativamente, lo constituyen ejemplos como los de (14), propios sobre todo de la lengua coloquial:

(14) a. Iba con un muchacho *que le* dicen el Gordo. [Lope Blanch 1984: 123]
b. Se trata de una idea *que* ayer daba vueltas *sobre ella.* [Lope Blanch 1984: 123]
c. El plan de emergencia, *que con él* piensan resolver la situación,... [Lope Blanch 1984: 126]

La diferencia existente entre los ejemplos de (13) y los de (14) estriba en que en estos últimos el relativo aparece desprovisto de la preposición correspondiente a la función que debería desempeñar dentro de la subordinada (cf. *Se trata de una idea sobre la que ayer daba vueltas*). Tal unidad aparece, en cambio, precediendo al elemento pronominal 'reasuntivo' [10] cuando este se expresa mediante una forma tónica, como sucede en (14b).

En los ejemplos anteriores, el pronombre personal es la única entidad que manifiesta la marca de la función sintáctica que en la variante sin duplicación se atribuiría al relativo. De ahí que, para algunos gramáticos, en las construcciones de (14) se haya producido la escisión de los dos valores que de habitual entraña tal

[10] Denominamos así al pronombre personal que, dentro de la cláusula relativa, remite al antecedente. Preferimos esta denominación a la de «pronombre pleonástico» que, a nuestro entender, no cubre los ejemplos de (14), ya que en ellos la aparición de tal forma no resulta redundante. Sobre estas construcciones, cf. Lope Blanch 1984, Gutiérrez Araus 1985, Trujillo 1990 y Fernández Soriano 1995.

entidad. Según este enfoque, defendido por ejemplo en Lope Blanch 1984, el relativo ha quedado relegado a simple marca de subordinación tras haber perdido su valor propiamente pronominal. [11] Por ello resulta necesaria la aparición de un pronombre dentro de la subordinada que represente la función que, en la variante normativa, debería corresponder al relativo. Un argumento en favor de la tesis de la 'despronominalización' lo constituye el hecho de que el elemento que introduce la relativa en estos casos es siempre *que,* forma desprovista de toda flexión y coincidente con la conjunción introductora de subordinadas completivas. [12]

Una situación similar a la que acabamos de describir se da en el siguiente ejemplo, en el que el relativo posesivo *cuyo* ha sido sustituido por la combinación de *que* y el posesivo *su: Mencionamos aquellos diccionarios* [...] *que su uso en el campo de la docencia es o ha sido generalizado* [Seco, *DDDLE,* s.v. *cuyo*]. Como se estudiará en el § 7.5.4, la frecuente preterición del relativo posesivo *cuyo,* sobre todo en la lengua hablada, ha facilitado la rápida progresión de esta fórmula con elemento reasuntivo.

No deben incluirse en este mismo paradigma de relativas con pronombre reasuntivo las oraciones en las que un pronombre relativo en función de complemento indirecto (precedido, por lo tanto, de la preposición *a*) aparece reduplicado por un pronombre átono dativo, como sucede en los sintagmas de (15):

(15) a. El profesor *a quien* no *le* concedieron la venia docente.
b. Un estudiante *al que* sólo *le* faltaban dos asignaturas para acabar la carrera.
c. Un policía de la brigada criminal *al cual le* entregaron el arma homicida.

Los hablantes que evitan el recurso a los esquemas con pronombre reasuntivo reduplican libremente el relativo en función de complemento indirecto por medio de un pronombre personal átono de dativo sin que la buena formación de las correspondientes oraciones experimente merma de ninguna clase. Nótese que el relativo aparece en (15) precedido de la preposición *a,* lo que establece una separación adicional entre ambas clases. Por todo ello, podría pensarse que las oraciones de (15) se vinculan más propiamente con ejemplos como (13b), que hemos etiquetado como 'relativas con pronombre pleonástico'. No obstante, es necesario señalar que existe una diferencia sustancial entre uno y otro caso, ya que la viabilidad sintáctica de la reduplicación del complemento indirecto por medio de un pronombre clítico se da en español con carácter general en todo tipo de construcciones, como muestran los ejemplos de (16):

(16) a. No *le* concedieron la venia docente *al profesor.*
b. *¿A quién le* faltan dos asignaturas para acabar la carrera?
c. Entregar*le* el arma homicida *al policía* fue un error.

---

[11] En palabras de este autor: «El relativo se "despronominaliza", en efecto, por cuanto que, mediante este desdoblamiento [...], conserva únicamente su función nexual, en tanto la pronominal —es decir, su relación anafórica con el antecedente— queda a cargo del otro morfema [...]» (Lope Blanch 1984: 122, n. 15). En los dos primeros ejemplos de (14) no sólo falta la preposición al frente del relativo, sino también el artículo determinado que ha de precederlo obligatoriamente en estos casos (cf. el § 7.5.1.3). Esa es precisamente la unidad que establece la concordancia de género y número con el antecedente, de modo que su ausencia contribuye a la despronominalización que sufre el relativo en tal tipo de construcciones. Para una crítica de estas tesis bajo el supuesto de que los relativos no son nunca unidades de doble función, véase Trujillo 1990.

[12] Cf. el § 7.5.1.2, donde se da cuenta de las teorías que defienden un análisis común para el *que* relativo y el *que* completivo. La opción de combinar un nexo subordinante y un pronombre personal relacionado anafóricamente con el antecedente es muy común en las lenguas que no poseen un paradigma diferenciado de pronombres relativos. Moreno Cabrera (1991: 659-660) cita el persa como lengua que se ajusta a este patrón. También existen lenguas, como el checo, en las que concurren ambos procedimientos en la formación de las relativas. En las lenguas románicas, el recurso al patrón reduplicativo es frecuente. El caso más extremo es el del rumano, donde tal estrategia constituye el procedimiento canónico de formación de relativas (cf. Smits 1989: 56).

Por lo tanto, a diferencia de los ejemplos de relativos con pronombre reasuntivo, las reduplicaciones de (15) no derivan de la especial naturaleza de la cláusula en que aparecen, sino de condiciones más generales de la sintaxis del español, que permiten tal duplicidad en cualquier tipo de construcción (cfr. el § 19.4, sobre redundancia pronominal).

Tampoco deben considerarse construcciones con pronombre reasuntivo las de (17), dado que la aparición de tales formas pronominales intensivas se da en español en otros contextos:

(17) a. Tenía un coche que estaba *todo él* para el desguace. (Cf. Su coche estaba todo él para el desguace.)
b. Hay profesores que provocan *ellos mismos* la animadversión de sus estudiantes. (Cf. Algunos profesores provocan ellos mismos la animadversión de sus estudiantes.)

7.1.2.1. A continuación, vamos a examinar algunos de los factores que favorecen la aparición de un pronombre personal pleonástico o reasuntivo en el interior de la relativa. En primer lugar, influye positivamente la mayor distancia entre la posición ocupada por el pronombre relativo y el hueco correspondiente a la función representada por aquel, en particular cuando entre uno y otro se interponen fronteras oracionales. Eso sucede cuando la oración al frente de la cual aparece el pronombre relativo es distinta de aquella en la que este ejerce su función gramatical (cf. el § 7.3.4.1). Tal es el caso de (13), en donde el relativo *a quien* se sitúa al frente de la oración cuyo predicado es *asegurar,* pese a que su función sintáctica es la de objeto directo de la cláusula de infinitivo que actúa como subordinada completiva de aquella. En (18) se refleja esquemáticamente la estructura de la relativa. El corchete indica la frontera oracional entre matriz y subordinada y [_] representa el hueco correspondiente a la función desempeñada por el relativo:

(18) *A quien* algunos testigos aseguran [haber visto [_] por la zona anteriormente...

La prueba de que el alejamiento entre relativo y hueco acrecienta la aceptabilidad de las construcciones con pronombre reasuntivo la proporciona la comparación entre (13b) y una secuencia como *??el atracador, a quien lo vieron por la zona anteriormente...,* igualmente extranormativa, pero menos aceptable para la mayoría de los hablantes.[13] En esta última secuencia, pronombre y hueco son menos distantes, dado que se hallan en la misma oración. De ahí que la inserción del pronombre reasuntivo sea en este caso menos frecuente.

Además, cuando la oración que se interpone entre relativo y hueco aparece encabezada o seleccionada por ciertos elementos, la dificultad de vincular ambas posiciones se incrementa. En tal circunstancia, la aparición del pronombre reasuntivo es el medio más habitual de reforzar la relación entre ellas. Las unidades que aumentan la opacidad son algunos operadores de modalidad, como los pronombres y adverbios interrogativos y exclamativos (19a); los sustantivos que seleccionan su-

[13] Como se señala en el § 7.1.2.2, secuencias como la que se acaba de mencionar no son inéditas en aquellas variantes que hacen un uso más libre de los procedimientos de reduplicación en las relativas. Por otra parte, en la variante rioplatense del español, en la que el objeto directo admite la duplicación pronominal si tiene valor específico *(Lo vieron al atracador por la zona anteriormente),* una secuencia como la que comentamos es perfectamente natural. No obstante, como ya indicamos con respecto a la duplicación del complemento indirecto en la variedad estándar, en este último caso se trata de un fenómeno general, no inducido específicamente por la estructura de las oraciones relativas.

bordinadas completivas (como *posibilidad* en (19b)), o los operadores que convierten a las relativas de (19c-e) en oraciones con interpretación genérica. [14]

(19) a. El hombre *que* no sabes cuándo *lo* viste. [Fernández Soriano 1995: 109]
b. Un chico *que* hemos excluido la posibilidad de admitir*lo* en nuestro club. [Fernández Soriano 1995: 118]
c. Un libro *que* quien lo compra *lo* lee con gusto... [Fernández Soriano 1995: 123]
d. Es un libro *que,* si lo compras, *lo* lees con gusto.
e. Es un libro *que lo* compras y *lo* lees con gusto.

Es necesario señalar, por otra parte, que en (19c, d) la aparición del pronombre pleonástico viene además favorecida por la presencia entre el relativo y el hueco de una cláusula que incluye un pronombre correferente con el antecedente. De hecho, si tal subordinada se coloca al final de la relativa, la aparición del pronombre reasuntivo resulta menos compulsiva. Así, *Es un libro que lee con gusto quien lo compra* o *Es un libro que lees con gusto si lo compras* suenan más naturales que las secuencias que resultarían al suprimir el pronombre pleonástico en (19c, d).

7.1.2.2. Aunque en menor medida que en los anteriores contextos, la aparición de pronombres reasuntivos se da asimismo con cierta frecuencia en las relativas explicativas, tal como señala Trujillo (1990). Los ejemplos de (20) atestiguan tal tendencia:

(20) a. He descubierto a Javier Gurruchaga, que nadie lo quería. [Díaz, *La radio en España 1923-1997,* 415]
b. Tuvo éxito en Radio España [...] el *Consultorio femenino de Marta Regina,* que lo escribía un barbado abogado, muy lírico y sentido. [Díaz, *La radio en España 1923-1997,* 281]
c. [...] Su auto, que lo cuida como a las niñas de sus ojos. [Lope Blanch, 1984: 122]
d. Hace lo que le dice su hermano mayor, que lo respeta como un padre. [Lope Blanch 1984: 122]

Debe notarse que en los ejemplos anteriores el pronombre reasuntivo aparece colindante o muy cercano al relativo, por lo que su presencia no puede atribuirse a factores de distanciamiento entre relativo y hueco, como los que concurrían en (19). La tendencia a la reduplicación se debe aquí posiblemente a la autonomía sintáctica de las relativas explicativas, que actúan como modificadores apositivos, frente a las especificativas, que al funcionar como complementos restrictivos del antecedente presentan un grado de integración con este mucho mayor. Esta diferencia se trasluce

[14] La genericidad de las relativas de (19c-e) se pone de manifiesto en el hecho de que estas oraciones no refieren a un conjunto discreto de acontecimientos de comprar y leer, sino a un número ilimitado de ellos. De ahí que esas mismas oraciones permitan la presencia de cuantificadores universales como *todo* o *siempre* sin que se altere su significado: *Un libro que todo el que lo compra lo lee siempre con gusto.* Gramaticalmente, la genericidad se marca en estas oraciones por el uso del presente gnómico, de la segunda persona del verbo con valor generalizador o del relativo *quien* sin antecedente expreso.

en la entonación: mientras que las relativas especificativas se integran en el grupo fónico que contiene al antecedente, las explicativas forman un grupo fónico independiente. En tal situación, algunos hablantes prefieren recurrir a la mayor fuerza del pronombre personal en la remisión anafórica para asegurar la relación con el antecedente. Benot (1910: 236) muestra que esta práctica se da en algunos escritores clásicos, como Cervantes. Se trata de ejemplos como *Sanchica* [...] *gana cada día ocho maravedís horros, que los va echando en una alcancía para ayudar de su ajuar.*

7.1.2.3. Otro contexto que parece facilitar la aparición de las variantes con pronombre reasuntivo es el que corresponde a relativas especificativas incluidas en SSNN indeterminados:

(21) a. Es un libro que me lo recomendó el profesor. [Trujillo 1990: 30]
b. Tenía algunas novelas que no las habíamos visto nunca. [Trujillo 1990: 30]
c. Son dos chicas que Teresa las estima mucho. [Lope Blanch 1984: 122]
d. No interesa hacer una estatua que [luego] nadie la ve. [Lope Blanch 1984: 125]

Trujillo (1990) señala que el pronombre reasuntivo aporta aquí la marca de definitud de la que carece el antecedente, por lo que su presencia resulta menos redundante de lo que supondría su aparición en sintagmas definidos. Así, (21a) resulta más aceptable que la correspondiente versión con sintagma nominal definido: *??Es el libro que me lo recomendó el profesor.*

Conviene notar, por otra parte, la frecuencia con la que este mismo fenómeno afecta a las relativas que Fernández Ramírez (1951a: § 167) denomina 'consecutivas' y que se caracterizan por el valor de cuantificación cualitativa que adquiere el artículo que precede al antecedente. En ellas, la subordinada constituye un grupo fónico autónomo precedido de un tonema ascendente (anticadencia o semianticadencia), a pesar de que en la escritura tal frontera no suele marcarse con una coma:

(22) a. Tienes una hija (↑) que no te la mereces.
b. Hace un sol (↑) que no lo disfrutábamos desde hacía tiempo.
c. Es una persona (↑) que no la verás nunca triste.

Probablemente, la mayor independencia de la relativa con respecto al antecedente favorece aquí la aparición del pronombre reasuntivo. Sobre estas construcciones, que para algunos lingüistas no son relativas, volveremos en el § 7.1.6.

7.1.2.4. El fácil acceso de los hablantes al patrón reduplicativo, atestiguado en la mayoría de las lenguas y disponible como único esquema para las relativas en muchas de ellas, se manifiesta en la frecuente sustitución del adjetivo relativo posesivo *cuyo(s)-cuya(s)* por la fórmula analítica <*que* + posesivo>, que corresponde al desdoblamiento funcional señalado más arriba:

(23) a. Esta es una cuestión que su defecto fundamental fue... [Cortés Rodríguez 1987: 303]
b. Yo tengo una hermana de mi madre en Almería que el marido ya es teniente de la Guardia Civil retirado. [Cortés Rodríguez 1987: 304]
c. Hay un viejito que los hijos de él salen a pescar. [Lope Blanch 1984: 126]

En (23), el relativo *cuyo* ha sido sustituido por la combinación de *que* con tres elementos reasuntivos capaces de expresar la posesión en español: el posesivo *su,* el artículo determinado con valor de posesión inalienable y el sintagma genitivo *de él* (véase el cap. 15, sobre los posesivos y las relaciones posesivas).

7.1.2.5. En conclusión: pese a que el único patrón admitido por la norma del español es el que impide que la función desempeñada por el relativo aparezca reiterada por medio de un pronombre personal inserto en la subordinada, las variantes duplicadas se atestiguan con frecuencia, especialmente en la lengua hablada. En sus versiones más avanzadas, el pronombre reasuntivo pasa a asumir la función que de otro modo desempeñaría el relativo, como lo prueba el hecho de que sea aquel el elemento que actúa como término de la correspondiente preposición. Así, en lugar de *Me hablas de un asunto sobre el que yo no puedo opinar,* Lope Blanch (1984: 126) registra en el habla madrileña la correspondiente oración con pronombre reasuntivo: *Me hablas de un asunto que yo no puedo opinar sobre él.* Por otra parte, cuando la relación entre el relativo y su hueco queda bloqueada por la interposición de ciertas entidades, la aparición de un pronombre reasuntivo es el mejor medio de garantizar la aceptabilidad del enunciado, como se ha mostrado en el § 7.1.2.1.

7.1.3. Tipos de cláusulas relativas: especificativas (o restrictivas) y explicativas (o incidentales)

Al presentar las características definitorias de las subordinadas relativas (cf. el § 7.1.1), hemos distinguido dos clases, en función del diferente tipo de antecedente de cada una de ellas y del distinto tipo de incidencia que, consecuentemente, ejercen en el SN que los contiene: las 'relativas especificativas' (también llamadas 'restrictivas', 'determinativas' o 'atributivas') y las 'explicativas' (denominadas asimismo 'incidentales' o 'apositivas').

Aunque no faltan en la bibliografía críticas a la clasificación bipartita de las relativas, según tendremos oportunidad de estudiar en el § 7.1.3.9, la anterior distinción está bien asentada en la tradición gramatical desde que fuera introducida por los gramáticos de Port-Royal en su *Logique* (1662), dentro del marco general de la teoría de la determinación nominal. Bello (1847: §§ 306-307; 1073-1074) no sólo recoge la oposición en los mismos términos semánticos utilizados por aquellos, sino que, para otorgarle un estatuto gramatical más diáfano, propone considerar que la relación entre la oración matriz y la cláusula relativa es diferente en cada caso. Así, a las especificativas propone denominarlas 'subordinadas', mientras que a las explicativas las llama 'incidentes'. Según este gramático, la distinta naturaleza de unas y otras se pone de manifiesto en el mayor grado de autonomía de las segundas: «El relativo que acarrea la proposición incidente hace en cierto modo el oficio de la conjunción *y;* y la proposición, no obstante el vínculo material que la enlaza con otra, pertenece a la clase de las independientes [...]» (Bello 1847: § 1073). Para ilustrar la relación parafrástica entre incidentes y coordinadas, Bello aduce el ejemplo *Las señoras, que deseaban descansar, se retiraron,* que equivale a *Las señoras deseaban descansar y se retiraron.* Esta idea se incorporará más tarde a la doctrina gramatical de la Academia. En RAE 1928: § 350d, a la proximidad entre relativas explicativas y coordinadas se añade la vinculación semántica de las primeras con las subordinadas adverbiales. Así, se señala que la oración *Los aliados, que no quisieron someterse, fueron pasados a cuchillo* equivale a *Los aliados, porque no quisieron someterse, fueron pasados a cuchillo,* en donde la relativa explicativa ha sido sustituida por una construcción causal.

7.1.3.1. A continuación, vamos a considerar con algún detenimiento el contraste que se manifiesta en los ejemplos de (24), aducidos anteriormente en (1):

(24) a. La casa tenía dos habitaciones que daban al parque. (=1a)
b. La casa tenía dos habitaciones, que daban al parque. (=1c)

Las dos oraciones de (24) presentan diferencias entonacionales e interpretativas. Con respecto a las primeras, en (24a) la oración de relativo no forma grupo fónico propio, por lo que en su elocución todo el SN que contiene a la relativa forma una misma unidad melódica. En consecuencia, la única frontera de grupo fónico susceptible de aparecer en el interior de tal oración debería situarse entre el verbo de la oración principal y su complemento directo *(La casa tenía ↑ dos habitaciones que daban al parque).* En cambio, en (24b) la subordinada forma un grupo fónico propio precedido de un tonema de semicadencia o suspensión, tal como es común a todos los constituyentes parentéticos e incidentales. Por lo tanto, el enunciado puede ser emitido con dos unidades melódicas *(La casa tenía dos habitaciones ⊥ que daban al parque ↓)* o bien con tres *(La casa tenía ↑ dos habitaciones ⊥ que daban al parque ↓),* pero en ambos casos la relativa conforma un grupo fónico propio. Esta diferencia entonacional se plasma ortográficamente en la colocación de marcas de puntuación en los márgenes de la subordinada explicativa (habitualmente comas, pero también a veces paréntesis o rayas).[15] El contraste descrito es el mismo que presentan las dos clases de modificadores nominales: los especificativos *(La casa tenía dos habitaciones con vistas al parque)* y los explicativos o incidentales *(La casa tenía dos habitaciones, ambas con vistas al parque).* En consecuencia, la distinta plasmación fónica de los dos tipos de cláusulas relativas no es sino una consecuencia de su distinta naturaleza como modificadores nominales.

7.1.3.2. Lo mismo puede decirse con respecto a las diferencias interpretativas que se detectan en (24) y que ya se han comentado de pasada en el § 7.1.1. Los modificadores especificativos inciden sobre el núcleo nominal, al que añaden rasgos intensionales, reduciendo la extensión del conjunto de elementos designado (de ahí la denominación de 'restrictivos' que también reciben). Posteriormente, el grupo nominal así formado se actualiza mediante su relación con los determinantes y cuantificadores que contenga el SN, que adquiere de este modo su valor extensional definitivo. Este proceso composicional de formación del significado en el interior

[15] Cuando entre el antecedente y la relativa se interpone un inciso parentético, la normativa ortográfica relativa a este último tipo de construcciones lleva a colocar una coma al inicio de la subordinada, incluso en el caso de que se trate de una relativa especificativa. Fernández Ramírez (1951a § 165) aduce el siguiente ejemplo de Galdós: *Hombre amabilísimo, y el más zalamero, creo yo, que existe en el mundo* [*Las tormentas,* VIII, 69]. Un modo de evitar el conflicto entre ambas normas hubiera consistido en aislar el inciso mediante rayas: *Hombre amabilísimo, y el más zalamero —creo yo— que existe en el mundo.*

del SN explica que los determinantes y los cuantificadores incluyan bajo su ámbito a los complementos especificativos, ya que estos forman parte del grupo nominal sobre el que aquellos inciden. Así, del mismo modo que en la oración *En esta casa hay dos habitaciones exteriores* se interpreta que el numeral *dos* cuantifica a *habitaciones exteriores* y no solamente a *habitaciones,* en la correspondiente versión con relativa especificativa *(En esta casa hay dos habitaciones que dan al exterior)* hemos de convenir que la cardinalidad *dos* se asigna a todo el grupo nominal *habitaciones que dan al exterior* y no meramente al núcleo nominal *habitaciones.* La prueba de que *habitaciones que dan al exterior* forma un constituyente unitario en esta oración la proporcionan ejemplos de coordinación con elipsis como *En esta casa hay tres habitaciones que dan al exterior y en aquella, cuatro.* Nótese que para la recta interpretación del segundo miembro coordinado debe reponerse el grupo nominal que incluye a la relativa especificativa.

Así pues, las relativas especificativas ejercen la función de complemento restrictivo del nombre o grupo nominal que actúa como antecedente y, en consecuencia, inciden sobre unidades intensionales, dando lugar a su vez a entidades de la misma clase que deben ser posteriormente actualizadas, ya que sólo de este modo adquieren su valor extensional. De ahí que su ausencia suponga alterar la denotación del SN en el que se integran.

Por el contrario, la función de las relativas explicativas, como la de todos los complementos adjuntos del SN, no consiste en restringir la extensión del SN, sino en aportar información adicional sobre la entidad designada por aquel a través de una predicación de segundo orden que se superpone a la principal. Por lo tanto, su antecedente es todo el SN, una categoría con valor extensional. Esta naturaleza de modificador externo del SN explica que, a efectos de lo designado por el antecedente, la relativa explicativa sea totalmente prescindible. Así, en todo contexto en el que (24b) sea verdadero, el enunciado resultante de suprimir la cláusula relativa también lo será (es decir, habrá de ser cierto que la casa tenga dos habitaciones). [16] En cambio, eso no puede garantizarse en (24a), dado que en este caso la relativa participa de manera crucial en la designación del SN, por lo que de esta oración no puede inferirse que el número de habitaciones de la casa sea solamente de dos. Por otra parte, la relación parafrástica que es posible establecer en ocasiones entre las relativas explicativas y otras estructuras coordinadas o subordinadas deriva del hecho de que constituyen una segunda predicación sobre el antecedente, que actúa como vínculo de ambas. [17]

7.1.3.3. Una consecuencia que se sigue de todo lo anterior es que las relativas especificativas no pueden aparecer en SSNN cuyo núcleo nominal denote por sí solo entidades referenciales. Eso sucede con los nombres propios y con los pronombres

[16] Naturalmente, eso no implica que la cláusula explicativa no aporte información al contenido proposicional del enunciado. En un contexto adecuado, el contenido de la relativa puede cambiar el valor veritativo del enunciado. Supongamos que una casa tiene dos habitaciones, ambas interiores. En tal situación, el enunciado de (24b) sería falso, a pesar de que la información contenida en la oración principal es verdadera. Por otra parte, de la naturaleza explicativa de estas cláusulas no se deduce que hayan de referir una circunstancia previamente conocida por el oyente, según parece sugerir Lenz (1920: § 188). En términos de la información transmitida, el único principio que parece afectar a estas cláusulas es que no pueden constituir la única novedad comunicada por el enunciado en el que se integran.

[17] Tal relación, no obstante, no siempre es tan natural como la que se observa en los ejemplos de Bello y de la RAE reproducidos más arriba. Así, una oración como *Vivo en Barcelona, que es la segunda capital de España,* tomada de Benot 1910: 229, no admite fácilmente la paráfrasis coordinada ni la causal.

personales, que a diferencia de los nombres comunes designan directamente a su referente, sin la ayuda de determinantes ni complementos especificativos. Tal restricción no afecta, como es lógico, a las relativas explicativas, que no participan en la determinación del referente del SN al que complementan. Los contrastes de (25) reflejan el diverso comportamiento de ambas clases de relativas:

(25) a. *Luis que estaba en desacuerdo con la propuesta fue destituido fulminantemente.
b. Luis, que estaba en desacuerdo con la propuesta, fue destituido fulminantemente.
c. *Yo que acababa de incorporarme a la reunión ignoraba lo sucedido.
d. Yo, que acababa de incorporarme a la reunión, ignoraba lo sucedido.

No constituye excepción a la regla anterior la buena formación de las oraciones de (26):

(26) a. *El Luis que más me gusta* es el que sabe sobreponerse a cualquier dificultad.
b. *La India que obtuvo la independencia hace medio siglo* no tiene mucho que ver con la actual.
c. *El Artemio que conociste en México* no tenía nada que ver con el personaje de Carlos Fuentes.

En los ejemplos anteriores, el nombre propio puede ir acompañado de determinante y de una cláusula de relativo especificativa porque ha perdido la propiedad de designar sin más mediación a un referente único [⟶ § 2.4.2]. Así, en (26a) la individualidad de Luis queda segmentada en función de las distintas personalidades derivadas de su carácter. Una de ellas, precisamente la mencionada en el ejemplo comentado, es la de la persona que se sobrepone a las dificultades. Dado que se supone que existen otras en el mismo individuo, para referirse a aquella es preciso recurrir a los procedimientos de especificación y determinación que son habituales en el SN. Algo similar sucede en (26b), puesto que las entidades históricas pueden segmentarse en diferentes etapas o momentos de su historia. A diferencia de (26a), en (26c) la selección no se produce entre las distintas apariencias de un mismo individuo, sino entre todos los individuos que tienen como rasgo común el llamarse Artemio. De nuevo, el nombre propio se usa como designador de una clase de individuos, y no en su valor denotativo prototípico. Por lo tanto, en los ejemplos anteriores, el núcleo nominal se usa con el valor intensional que caracteriza a los nombres comunes y es precisamente este uso el que le habilita para recibir los procedimientos de especificación y determinación característicos de aquellos. Nótese que el cambio de las relativas especificativas de (26a, c) en explicativas daría lugar a secuencias mal formadas, puesto que el núcleo nominal, al verse desprovisto de su modificador especificativo, ya no quedaría legitimado para aparecer con determinante. El núcleo nominal de (26b), como sucede con algunos nombres geográficos, sí que lo está, pero la oración sería semánticamente anómala por contradictoria.

Por su parte, los pronombres personales son elementos deícticos que designan directamente a las personas del discurso. A diferencia de otras unidades deícticas que pueden llevar complementos especificativos, como los demostrativos (cf. *este edificio que ves a la derecha*), [18] los pronombres

[18] Alcina y Blecua (1975: § 8.1.2.4b) denominan 'especificativas redundantes' a las que repiten 'una especificación expresada por otros procedimientos gramaticales subrayándola'. Tal sería el caso del ejemplo *este edificio que ves a la derecha,* en donde el carácter ostensivo del demostrativo haría redundante la especificación introducida por la subordinada. En el enfoque que hemos presentando, la relativa no modifica a *este edificio,* sino solamente al núcleo nominal *edificio.* Posteriormente, el demostrativo determina ostensivamente al grupo nominal, que queda de ese modo actualizado por deixis. Por lo tanto, la entidad sobre la que incide aquí la relativa es del mismo tipo que en los demás casos, por lo que no cabe atribuirle carácter redundante. Un argumento adicional lo proporciona el hecho de que la oración *Este edificio que tienes ante ti lo adquirió tu padre hace doce años* es mucho más aceptable que su correspondiente versión explicativa *(??Este*

personales actúan siempre como núcleos del SN y no admiten ni determinantes ni modificadores restrictivos. Por lo tanto, sólo las relativas explicativas pueden acompañarlos, como muestra el contraste de (25c, d).

En Rivero 1982: 38 se aduce, no obstante, el siguiente ejemplo como prueba de que la modificación restrictiva de un pronombre personal es posible: *Tú que estás enfermo, tómate la medicina.* Sin embargo, no es seguro que la oración anterior contenga una verdadera cláusula de relativo especificativa. Una posibilidad plausible es que se trate de una relativa explicativa. Que la habitual ruptura entonacional que precede a toda relativa explicativa pueda faltar opcionalmente en la elocución podría deberse precisamente al hecho de que en estas oraciones tal mecanismo fónico resulte redundante, al quedar neutralizado el contraste especificativa-explicativa en favor de esta última. De hecho, la proximidad semántica que ese ejemplo manifiesta con la subordinada causal que aparece en *Tú tómate la medicina, que estás enfermo* parece abogar también por su interpretación como explicativa, dado que estas son las únicas relativas que expresan una predicación superpuesta a la principal.

A priori, podría suponerse que la modificación especificativa de los pronombres personales de segunda y tercera persona (y aun de primera persona del plural) es lógicamente posible, puesto que en determinados contextos diferentes individuos pueden ser identificados como interlocutores o terceras personas. Así, dada una situación en la que el hablante se dirige a dos oyentes, la oración *Tú que estás a la derecha, cierra la ventana, por favor* serviría para seleccionar cuál de los interlocutores debe cumplir lo solicitado. Pero hay algunas pruebas de que tal interpretación es errónea. En primer lugar, porque este tipo de subordinadas puede aparecer con el pronombre de primera persona, que nunca se presta a confusión referencial (cf. *Yo que estoy a la derecha, ya me encargo de cerrar la ventana*). En segundo lugar, porque, si el pronombre fuera susceptible de especificación, debería admitir también complementos restrictivos no oracionales. Sin embargo, tal posibilidad está severamente vedada: **Tú de la derecha, cierra la ventana, por favor.* En cambio, si el elemento modificador es un sintagma explicativo, la construcción es correcta: *Tú, el de la derecha, cierra la ventana, por favor.* El contraste anterior resulta esclarecedor, dado que un SN nunca puede actuar directamente como complemento especificativo de un núcleo nominal.

7.1.3.4. Otra diferencia entre explicativas y especificativas que también deriva de su diferente nivel de incidencia es la que se observa en los casos de antecedente oracional:

(27) a. Finalmente, abandonó la reunión, *que fue lo más prudente.*
b. Decidió mantener su reclamación, *lo cual le iba a producir posteriormente sinsabores sin cuento.*
c. El aeropuerto estaba bajo mínimos, *lo que provocó varias cancelaciones de vuelo.*

En los ejemplos anteriores, el antecedente del relativo no es uno de los SSNN de la oración matriz, sino la proposición que encabeza el predicado principal. Así, en (27a) lo más prudente fue *abandonar la reunión;* [19] en (27b) lo que le produjo sinsabores sin cuento fue *haber decidido mantener su reclamación,* y en (27c) lo que provocó cancelaciones de vuelo fue *que el aeropuerto estuviera bajo mínimos.* La

---

edificio, que tienes ante ti, lo adquirió tu padre hace doce años). El análisis presentado anteriormente prevé que la versión explicativa de estas oraciones será la más redundante, dado que en ella la relativa se predica de un SN antecedente que incluye el demostrativo.

[19] Nótese, de paso, que el adverbio *finalmente,* que actúa como conector con el discurso previo, no forma parte del antecedente. De hecho, en estas construcciones los elementos adjuntos pueden integrarse dentro del antecedente o no, en función de su colocación en la oración y del contenido de la subordinada explicativa: en *A las seis, finalmente, abandonó la reunión, que es lo que hubiera debido hacer mucho antes* resulta obvio que el adjunto temporal tampoco forma parte del antecedente. En general, la colocación de los adjuntos al frente de la oración facilita su consideración como elementos externos al antecedente. Cf. el § 7.2.2.2.

posibilidad de contar con un antecedente oracional queda limitada a las relativas explicativas. Ello deriva de la propia naturaleza semántica del constituyente oración, que puede aparecer como argumento seleccionado por un predicado (cf. *Que llegaras tarde supondría que te impusieran una multa,* en donde el predicado *suponer* selecciona dos oraciones subordinadas sustantivas) o ser reproducido como argumento de otra predicación a través de formas pronominales (cf. *Eres muy ingenioso y eso te va a atraer enemistades,* con un demostrativo que remite al contenido proposicional del primer miembro de la coordinación). Por lo tanto, en las condiciones oportunas, las oraciones están habilitadas para asumir funciones argumentales dentro de otra predicación. De ahí la posibilidad de que, al igual que sucede con el resto de los argumentos, puedan incorporar como adjuntos oraciones de relativo explicativas a las cuales sirven, a su vez, de antecedente: *Eres muy ingenioso, lo que te va a atraer enemistades.* Por el contrario, las relativas especificativas no pueden contar con antecedentes oracionales, puesto que no se relacionan con argumentos, sino con entidades intensionales de orden inferior. De las restricciones que actúan en la selección de los relativos con antecedente oracional nos ocuparemos en el § 7.2.2.

7.1.3.5. Las relativas explicativas rechazan las construcciones de infinitivo y sólo muy esporádicamente admiten el subjuntivo, como muestra la mala formación de los ejemplos de (28):

(28) a. *Al fin hallamos el camino, por donde escapar.
b. *Todavía no he conocido al presidente, que no quiera que su equipo gane.

En el primer caso, la mayor independencia sintáctica de que gozan las explicativas exige que su temporalidad se exprese a través de formas verbales finitas. Por lo que respecta a su resistencia al subjuntivo, ello deriva del valor inespecífico que comunican las relativas en tal modo al SN, lo que las inhabilita para relacionarse con entidades definidas extensionalmente. Como esa es precisamente la naturaleza del antecedente de las relativas explicativas, resulta lógico que tal clase de subordinadas sea incompatible con el subjuntivo. Entre los contados casos que admiten explicativas en subjuntivo figuran ejemplos como *??El programa necesita otro presentador, que sepa transmitir credibilidad.* Aquí, la presencia del determinante *otro* en el SN antecedente y la lectura inespecífica que este último recibe en virtud de su dependencia de un predicado intensional como *necesitar* son los factores que facilitan la aparición de la relativa explicativa en subjuntivo. Nótese que la inserción de la relativa como especificativa comportaría un cambio semántico, ya que entonces debería suponerse que el presentador que se desea sustituir también posee la cualidad descrita en la subordinada, algo que no se infiere del contenido de la anterior oración. No obstante, conviene señalar que en este ejemplo muchos hablantes preferirían colocar dentro del inciso explicativo un antecedente inespecífico para la relativa, como *cualquiera* o *alguien: El programa necesita otro presentador, alguien que sepa transmitir credibilidad.* De este modo, la subordinada pasaría a ser especificativa.

Aletá (1990: 113; 163) presenta otra clase de oraciones explicativas en subjuntivo, que expresan condiciones sobre un antecedente inespecífico: *Hoy en día un crío, que disponga de dinero, claro está, se recorre el mundo* o *Un libro, que sea bueno ¡por supuesto!, ayuda a triunfar.* Estas oraciones presentan la condición como lógicamente imprescindible para que la predicación principal pueda ser verdadera, por lo que equivalen a una prótasis condicional *(si dispone de dinero* o *siempre que disponga de dinero).* Esta es, precisamente, la diferencia que media con la correspondiente versión especificativa, que interpreta la restricción como más contingente. Su entonación presenta una fuerte inflexión en los límites, similar a la que caracteriza a los incisos parentéticos. La frecuente presencia en el interior de la subordinada de operadores incidentales de carácter modal como *por supuesto* o *claro está* avala el carácter indispensable de la condición expresada por la subordinada. La escritura permite en estos casos el recurso a las rayas: *Hoy en día un crío —que disponga de dinero, claro está— se recorre el mundo.* [20]

7.1.3.6. Leonetti (1990: 73-74) menciona otra diferencia basada también en razones semánticas. Sólo las cláusulas especificativas pueden concurrir con antecedentes inespecíficos [→ § 12.3.2.1].

(29) a. No ha venido ningún inspector que haya autorizado el suministro de gas. / *No ha venido ningún inspector, que {haya/ha} autorizado el suministro de gas.
b. No he visto a nadie que piense así. / *No he visto a nadie, que {piense/piensa} así.
c. Todo lingüista que oye un anacoluto se indigna. / *Todo lingüista, que oye un anacoluto, se indigna.

En los ejemplos de (29), el antecedente de la relativa es un sintagma no referencial, puesto que no se alude a ningún individuo específico. Como las relativas explicativas se vinculan siempre a un antecedente dotado de propiedades extensionales, la relación de correferencia entre relativo y antecedente es aquí imposible. En cambio, las oraciones especificativas que aparecen en (29) expresan condiciones que se añaden a lo expresado por el núcleo del antecedente, por lo que cumplen su habitual función restrictiva. Así, (29a) puede enunciarse con propiedad en un contexto en el que el inspector haya venido y se haya negado a expedir la autorización reclamada [→ § 50.1].

7.1.3.7. Cinque (1988: § 9.1.1.14o) señala una asimetría entre ambas clases cuando el antecedente es coordinado [→ § 42.5]: mientras que las explicativas admiten que los determinantes de cada uno de los miembros de la coordinación sean de distinta clase, las especificativas requieren que el grado de determinación de cada componente de la coordinación sea idéntico: [21]

(30) a. Un dragaminas y una corbeta que acababan de cruzar el Estrecho de Gibraltar se dirigieron inmediatamente al lugar del suceso.

---

[20] Otras excepciones, como *a quien Dios tenga en su seno* o *que Dios guarde muchos años,* que aparecen como cláusulas explicativas con antecedente referencial, parecen estar limitadas a unos pocos esquemas convencionalmente fijados, con valor modal desiderativo.

[21] Podría pensarse que (30a) muestra que el antecedente de las relativas especificativas debe incluir el determinante del SN en el que se insertan, dado que la subordinada incide sobre los dos miembros coordinados. Smits (1989: 107-130) argumenta en contra de tal supuesto. Volveremos sobre este asunto en el § 7.2.1.4.

b. *El dragaminas y una corbeta que acababan de cruzar el Estrecho de Gibraltar se dirigieron inmediatamente al lugar del suceso.
c. El dragaminas y una corbeta, que acababan de cruzar el Estrecho de Gibraltar, se dirigieron inmediatamente al lugar del suceso.

En (30a), los determinantes de los miembros de la coordinación pertenecen a la misma clase y, en consecuencia, es posible colocar una relativa especificativa que restrinja a ambos conjuntos. Por el contrario, la diversa naturaleza de los determinantes presentes en (30b) provoca la agramaticalidad de la secuencia. Finalmente, (30c) muestra que es posible colocar una relativa explicativa referida a dos antecedentes con determinantes de distinta clase. Este requisito de congruencia sobre los determinantes que presentan las especificativas tiene que ver con el hecho de que se trata de cláusulas que quedan bajo el ámbito de incidencia de aquellos.

7.1.3.8. Un contraste importante entre especificativas y explicativas es el que se refiere a las diferencias de comportamiento que manifiestan los pronombres, adjetivos y adverbios relativos al aparecer en uno y otro tipo de subordinada. Aquí nos limitaremos a presentar muy sucintamente el problema, que será estudiado con mayor detenimiento en el § 7.5. Para ilustrar la complejidad de este fenómeno, comenzaremos mostrando el diverso funcionamiento de los pronombres relativos *quien* y *el cual* cuando se integran en relativas especificativas con antecedente léxico:

(31) a. *El periodista quien dio la noticia en primicia lleva tres días desaparecido. / El periodista, quien dio la noticia en primicia, lleva tres días desaparecido.
b. El periodista a quien se atribuye la divulgación del rumor lleva tres días desaparecido. / El periodista, a quien se atribuye la divulgación del rumor, lleva tres días desaparecido.
c. *He llevado a reparar la pluma la cual hacía tiempo que no escribía bien. / He llevado a reparar la pluma, la cual hacía tiempo que no escribía bien.
d. Donó al museo la pluma con la cual solía escribir todas sus novelas. / Donó al museo la pluma, con la cual solía escribir todas sus novelas.

Como muestran las anteriores asimetrías, los pronombres relativos *el cual* y *quien* sólo pueden aparecer en las cláusulas especificativas con antecedente léxico cuando actúan como término de preposición. En cambio, tal restricción no opera en las explicativas, como se deduce de la gramaticalidad del segundo ejemplo de cada uno de los pares de (31).

Por otra parte, si se atiende al contraste de (32) se comprueba que sólo en las cláusulas especificativas puede aparecer el relativo *que* como término de ciertas preposiciones (como *con*) sin la concurrencia del artículo:

(32) a. Donó al museo la pluma con que solía escribir todas sus novelas. / Donó al museo la pluma con la que solía escribir todas sus novelas.

b. *Donó al museo la pluma, con que solía escribir todas sus novelas. / Donó al museo la pluma, con la que solía escribir todas sus novelas.

7.1.3.9. Como ya se ha dicho, la distinción entre dos variedades de subordinadas relativas (las especificativas y las explicativas) está sólidamente establecida en la tradición gramatical y en su favor pueden aportarse argumentos de índole gramatical y semántica. Fueron precisamente estos últimos los que llevaron a los lógicos de Port-Royal a proponer la distinción que nos ocupa. Recordemos que las diferencias interpretativas entre ambos tipos de subordinadas se basan en contrastes como el de (33), que proporciona Porto Dapena (1997a: 28):

(33) a. Los alumnos que estaban distraídos no entendieron la explicación del profesor.
b. Los alumnos, que estaban distraídos, no entendieron la explicación del profesor.

En (33b) se habla de todos los alumnos y en (33a) tan sólo de una parte de ellos: del grupo de los distraídos. En virtud de esta diferencia, algunos investigadores han propuesto caracterizar semánticamente a las especificativas como cláusulas que presuponen la existencia en el universo discursivo de entidades de la misma clase que no cumplen la restricción introducida por la subordinada. Es decir: que en (33a) se presupone la existencia de por lo menos un alumno atento en el universo de individuos al que alude el sujeto de esa oración. En efecto: si tal situación no se cumple, lo correcto es recurrir a la relativa explicativa de (33b), en la que el adjetivo *distraídos* se predica de todo el conjunto de alumnos fijado en el discurso previo. Nótese que (33b) puede ser cierta incluso en un contexto en el que aluda a un subconjunto propio de los alumnos del curso. No obstante, para que ello sea factible, la extensión de tal conjunto tiene que haber sido unívocamente fijada en el contexto discursivo previo. Tal sucedería, por ejemplo, si estuviéramos hablando de tres de los estudiantes del curso que fueron conminados a asistir a una clase de recuperación y de los motivos de tal medida.

Sin embargo, no siempre es posible admitir que las especificativas introducen la presuposición existencial a la que nos acabamos de referir. En algunos casos, el propio contenido de la oración principal la cancela, como en *El único tren de esta línea es el que llega a Canfranc a última hora de la tarde.* En otros contextos, la relativa especificativa puede aparecer sin que de ella pueda deducirse la existencia en el discurso de otras entidades que, perteneciendo a la clase designada por el nombre, no cumplan la restricción impuesta por la cláusula subordinada. Así, *Tráeme el cenicero que he dejado encima de la mesa, por favor* puede ser utilizada sin que sea necesario haber aludido previamente a otros ceniceros. Lo mismo sucede en contextos de presentación *(Ha venido un policía que ha preguntado por ti)* o cuando la relativa expresa una valoración subjetiva *(Decidió recibir al hombre que tan buena impresión le había causado).* En general, cuando el SN en el que se incluye la relativa especificativa es indeterminado, la presuposición de existencia de un conjunto complementario de entidades que no se atienen a lo señalado por la subordinada queda fuertemente debilitada. En ello influyen, además, otros aspectos, como la función que desempeñe en la oración el SN que incluye la relativa y la propia estructura informativa del enunciado.

Algunos lingüistas se han basado en la existencia de oraciones con cláusula especificativa que no introducen la presuposición del conjunto complementario para criticar la tradicional distinción entre especificativas y explicativas y para proponer la escisión de las primeras en varias clases. [22] Tal crítica parte de la idea de que las relativas especificativas que no introducen la presuposición del conjunto complementario de entidades no son verdaderamente restrictivas, dado que no sirven para reducir la extensión de lo denotado por el SN. Así, en *Tráeme el cenicero que he dejado encima de la mesa,* la relativa no sería restrictiva si sólo hubiera un cenicero en el contexto, puesto que en tal caso la oración sería equivalente a *Tráeme el cenicero,* sin cláusula relativa alguna, o a *Tráeme el cenicero, que he dejado encima de la mesa,* con cláusula explicativa. Ahora bien: tal argumento parte de la idea de que las cláusulas especificativas inciden sobre entidades ya definidas extensionalmente (es decir, supone que el antecedente de la especificativa no es sólo el núcleo nominal, sino también su determinante y sus cuantificadores). En cambio, si se postula que sólo modifican

[22] Cf. Aletá 1990: § 3 para un estudio pormenorizado de los problemas a los que aquí se alude.

al núcleo del SN, el problema ya no se plantea, dado que en ese caso su incidencia se efectúa siempre sobre unidades intensionales (*cenicero,* en el ejemplo anterior). Por lo tanto, la relativa en este nivel opera como una restricción sobre el conjunto potencial de *ceniceros* de cualquier clase, ampliando su intensión.

7.1.3.10. Otra fuente de críticas hacia la división de las relativas en explicativas y especificativas tiene su origen en la frecuencia con que dicha oposición queda semánticamente neutralizada. No nos referimos aquí a los casos en los que el contraste entre ambas clases queda anulado porque una de las dos construcciones no es factible (como sucede con las restricciones sobre el antecedente de las especificativas, a las que nos hemos referido en los parágrafos anteriores), sino a aquellos ejemplos en los que, siendo en principio posibles ambas construcciones, no parece detectarse diferencia en el uso entre una y otra. Tal sucede a menudo con los SSNN indeterminados [⟶ § 12.2]:

(34) a. Un individuo que vestía con desaliño se dirigió a nosotros.
b. Un individuo, que vestía con desaliño, se dirigió a nosotros.

Es cierto que los enunciados de (34) son intercambiables en casi todos los contextos. Pero la permutabilidad pragmática entre ambos no implica que se trate de dos oraciones semánticamente idénticas, ya que, como se ha comentado reiteradamente, los procedimientos de composicionalidad que corresponden a una y otra clase de subordinadas son distintos. Prueba de ello es que bastaría introducir en (34) un operador como *también* para que la libre alternancia de ambas quedara anulada. Así, en *También se dirigió a nosotros un individuo, que vestía con desaliño* se supone que no ha habido otros individuos que se hayan dirigido a nosotros. En cambio, en la correspondiente versión especificativa no es lícito deducir tal conclusión. Esta diferencia tiene su origen en el hecho de que el determinante *un* incide sobre grupos nominales distintos en cada caso: en la versión explicativa se introduce la existencia de 'un individuo' en el universo discursivo, mientras que en la especificativa lo que se denota es la existencia de 'un individuo que vestía con desaliño', descripción que no prejuzga, pero tampoco descarta, la existencia de otras personas siempre que su vestir no fuera desaliñado. En conclusión: las distintas propiedades que muestran las cláusulas de relativo especificativas y explicativas responden a su diferente nivel de incidencia en la configuración de los SSNN. Se trata, por lo tanto, de una distinción estructural bien cimentada, de la que se derivan diferencias importantes, como las que se han estudiado en los anteriores apartados del § 7.1.3.

7.1.4. El nivel de dependencia de las relativas. Las relativas yuxtapuestas

De la caracterización de las relativas presentada hasta aquí se deduce que conforman estructuras subordinadas a un antecedente. Habitualmente, el antecedente es un elemento de una oración superior, como en (35a), o bien toda la oración matriz, como en (35b):

(35) a. El pianista *que acompañaba a la orquesta* es discípulo de Richter.
b. El pianista es discípulo de Richter, *lo cual constituye toda una garantía.*

En los dos casos anteriores puede decirse que la relativa es una oración subordinada a otra principal, puesto que está contenida en ella. Sin embargo, es necesario recordar que, excepto en los casos de (35b), limitados a una subclase de las explicativas, la relativa no se integra en la oración matriz directamente como un argumento o adjunto del predicado, sino a través de su relación de modificador especificativo o incidental con un antecedente infraoracional.

Eso implica que, para que una relativa pueda aparecer en un enunciado gramatical, no es estrictamente necesario que en él se contenga otra oración, sino que basta que aparezca el sintagma cuyo núcleo actúa como antecedente del relativo. En tal situación, la relativa aparece como cláusula inserta en un fragmento infraoracional cuya buena formación depende de que el contexto discursivo legitime la concurrencia como enunciado independiente del sintagma que la engloba: *El coche que siempre deseó,* en un folleto publicitario de una marca de automóviles.

Además, las relativas libres (cf. el § 7.2.4.3) pueden aparecer como único representante léxico de fragmentos infraoracionales si se dan las mismas condiciones discursivas señaladas en el párrafo anterior: *A quien pueda interesar,* como encabezamiento de un escrito dirigido a un destinatario genérico. El valor de tales construcciones es el de proyecciones sintagmáticas infraoracionales (SSNN, SSPP o SSAdv) y no el de oraciones, como lo prueba el hecho de que las secuencias que forman designan entidades semánticas de orden inferior a las predicaciones, como individuos, objetos, momentos o lugares.

Finalmente, en condiciones bastante estrictas, existe la posibilidad de que la sola relativa pueda conformar un enunciado independiente de carácter proposicional, siempre que el antecedente aparezca en el enunciado anterior. Tal sucede, por ejemplo, en la siguiente secuencia, donde la subordinada forma un enunciado yuxtapuesto al que contiene el antecedente: *Se deshizo en excusas. Que nadie le había pedido, por cierto.* A estas últimas construcciones las denominaremos 'relativas yuxtapuestas', dado que, a diferencia de los anteriores ejemplos, no es posible concebirlas como relativas especificativas con antecedente elíptico. De las características de todas estas clases de enunciados nos ocuparemos en los restantes apartados del presente epígrafe.

7.1.4.1. Las oraciones de relativo pueden formar parte, así pues, de fragmentos infraoracionales, como ocurre frecuentemente en los títulos [⟶ § 39.2.3]. En algunos casos, estos incluyen el antecedente léxico, como en la zarzuela *El rey que rabió* o en los poemas *Andarivel que oscila sobre zanjas,* de Roberto Albandoz, y *Las cosas como son,* de Gabriel Celaya. En otros, el antecedente es identificable sólo a través de su determinante, como en la novela de Jesús Fernández Santos *La que no tiene nombre,* o bien es totalmente elíptico, como sucede en el poema *Donde habite el olvido,* de Luis Cernuda. El carácter infraproposicional de estos fragmentos se pone de manifiesto en el hecho de que no designan predicaciones, sino entidades de orden inferior, como individuos, objetos o lugares.

La aparición de relativas incluidas en fragmentos también es frecuente en el diálogo, principalmente cuando el hablante responde a alguna pregunta de su interlocutor formulada a través de una oración interrogativa parcial. Tal sucede, por ejemplo, en la novela *Plan de evasión,* de Adolfo Bioy Casares, cuando el presunto conspirador Dreyfus recibe al teniente de navío Nevers y le pregunta por una carta:

(36) —¿Qué carta?
—La carta que llevó en nombre del gobernador. [A. Bioy Casares, *Plan de evasión,* § 24]

Las relativas explicativas comparten también con frecuencia estos mismos contextos. Así, en uno de los excursos gastronómicos de *La Rosa de Alejandría,* de Manuel Vázquez Montalbán, se describe la preparación de un cóctel a base de ron y plátano. El improvisado camarero muestra a su interlocutor el racimo de plátanos que va a utilizar, agitándolos: *—De los pequeños, que son los buenos* [M. Vázquez Montalbán, *La Rosa de Alejandría,* 85].

7.1.4.2. También deben ser considerados fragmentos infraoracionales, y no oraciones independientes, las relativas sin antecedente léxico que, formando un enunciado independiente, denotan entidades no proposicionales (individuos, objetos, lugares o lapsos de tiempo). Ello se debe a que tales construcciones son SSNN con un núcleo nominal elíptico que actúa como antecedente (cf. el § 7.2.4.3). No se trata, pues, de relativas yuxtapuestas, sino de sintagmas infraoracionales que contienen una cláusula relativa especificativa. Así, los ejemplos de (37) son respuestas posibles a preguntas sobre individuos *(¿Quién ha podido apoyar semejante propuesta?)* o sobre lugares *(¿Dónde será la fiesta?):*

(37) a. Quien todavía no conoce al presidente.
b. Donde vive ahora Luisa.

A diferencia de los relativos que encabezan las anteriores construcciones, el pronombre *el cual* no admite antecedente elíptico (cf. **El cual llegó tarde fue Luis*), por lo que nunca puede formar fragmentos de esta clase. Como veremos en el § 7.1.4.4, cuando una relativa encabezada por tal pronombre forma un enunciado independiente, este adquiere valor proposicional. Por lo tanto, dichas construcciones deben considerarse oraciones de relativo yuxtapuestas y no SSNN con núcleo elíptico. Finalmente, conviene señalar que los ejemplos de (37) admiten también una lectura proposicional (esto es, de relativa yuxtapuesta), siempre que aparezcan inmediatamente después de una oración que contenga el antecedente léxico del relativo:

(38) a. Sería injusto culpar del desaguisado a Rosell. Quien, por otra parte, todavía no conoce al presidente.
b. Seguramente, le gustaría trasladarse a Sitges. Donde, por otra parte, vive ahora Luisa.

Nótese que la interpolación del inciso *por otra parte* sólo es posible cuando la relativa tiene valor proposicional, no cuando denota entidades de orden inferior, como en (37). Además, tal unidad refuerza el carácter parentético de las relativas de (38), facilitando así su aparición como yuxtapuestas.

7.1.4.3. La posibilidad de que la relativa aparezca aislada de su antecedente como enunciado independiente en yuxtaposición paratáctica está sometida a condiciones bastante severas. La principal es que el antecedente figure al final del enunciado precedente, inmediatamente antes del elemento relativo. Por lo tanto, se cumple el mismo requisito de adyacencia entre antecedente y relativa que rige en general para las construcciones relativas ordinarias a pesar de que en estos ejemplos ambas unidades están separadas por una inflexión de frontera de enunciado.[23]

Los relativos que manifiestan menor capacidad para encabezar relativas yuxtapuestas son aquellos cuya falta de contenido propio o de flexión les impide reproducir los rasgos del antecedente. El caso más paradigmático es el de la forma *que,* cuyo funcionamiento autónomo está fuertemente limitado por su carácter invariable y su falta de rasgos léxicos. De ahí que no pueda funcionar jamás como relativo con antecedente elíptico (cf. **Que vino anoche fue Luis,* frente a *Quien vino anoche fue Luis*) y que, sometido al régimen de ciertas preposiciones, necesite de la concurrencia del artículo determinado, que reproduce los rasgos gramaticales del antecedente: *el edificio ante el que se detuvo,* en oposición a la agramaticalidad de **el edificio ante que se detuvo.* Por lo tanto, resulta lógico que las relativas encabezadas por *que* no precedido del artículo o de otro determinante que represente al antecedente resulten muy poco frecuentes como enunciados en yuxtaposición paratáctica. Sin embargo, la proximidad existente entre la modificación incidental y la yuxtaposición facilita tal trasiego si se dan circunstancias específicas.

[23] No obstante, hay algunos casos en los que la condición de adyacencia entre antecedente y relativo queda mitigada, como en *Me llamó tu primo ayer. Que, por cierto, no sabía que hoy era tu cumpleaños.* Estos ejemplos se estudiarán en el § 7.3.1.5, al tratar de los distintos tipos de relativas extrapuestas.

Entre los contextos en que se atestiguan tales construcciones figuran los títulos. En algunos casos su uso destaca el carácter elusivo del antecedente (como sucede en *Que giran entre las islas,* antología de poemas de Lázaro Santana) o se refiere a él a través de mostración deíctica (*Que trata de España,* de Blas de Otero) o anafórica (como ocurre en el encabezamiento de algunos capítulos de *El Quijote: Capítulo primero. Que trata de la condición y ejercicio del famoso hidalgo don Quijote de la Mancha*). El carácter incompleto de estas construcciones cuando van desprovistas de cualquier mención al antecedente se pone de manifiesto en el título del poemario *...que van a dar en la mar,* de Jorge Guillén, en donde se reproduce el célebre octosílabo manriqueño sin mención del antecedente. La colocación de los puntos suspensivos alude aquí al carácter implícito de tal unidad.

En contextos de discurso trabado, la aparición de este tipo de construcciones se da principalmente con cláusulas explicativas, aunque se trata en todo caso de usos esporádicos, propios sobre todo de los registros literarios. A veces, el recurso se ve facilitado por la concurrencia de otro constituyente incidental que separa antecedente y subordinada: *He visto ciudades —me corrigió—. Que no es lo mismo* [Cercas, *El vientre,* 16]. En el ejemplo siguiente, la relativa aparece yuxtapuesta debido a que el adverbio pronominal *así* está ocupando la posición habitual de aquella: *...; que hay gente así. Que les tienes que explicar la de cosas que se aprenden...* [A. Sopeña Monsalve, *El florido pensil,* 127]. En otras ocasiones, la colocación de la relativa en yuxtaposición paratáctica parece derivar del interés de diferenciar el relato objetivo de acotaciones subjetivas o irónicas, tal como muestra el siguiente ejemplo con pronombre reasuntivo: *...y se lio la guerra. Que los que no llevan gafas la llaman civil...* [A. Sopeña Monsalve, *El florido pensil,* 201]. Finalmente, dentro de este apartado pueden incluirse los pasajes en los que la cláusula relativa yuxtapuesta amplía o corrige por contraste lo expresado en otra inmediatamente anterior situada en su posición canónica: *...en la medida en que algún día se viera definitivamente desposeída de la otra figura, cualquiera que fuese —conflictiva y desazonante, que yo le había atribuido. Que yo le atribuiré* [J. Marías, *Todas las almas,* 73].

Un contexto que facilita la colocación de las relativas en yuxtaposición paratáctica (normalmente, con valor especificativo) es el de las acumulaciones enumerativas. Este procedimiento es frecuentemente utilizado en textos publicitarios en los que se da la lista de las características ventajosas del producto anunciado o la de las necesidades que cubre. El siguiente fragmento constituye una muestra de esta variedad:

(39) Esta es la nueva imagen del ICO. Una institución que apoya el esfuerzo y la iniciativa. Que, desde el presente, apuesta por el futuro. Que, a través de bancos especializados, da servicio a la empresa, potencia la pesca y la agricultura, apoya a las corporaciones locales y comunidades autónomas y promueve la vivienda e instalaciones turísticas. [*Anuario 1989 de El País,* 9]

En el diálogo, la relativa puede aparecer como enunciado independiente cuando el interlocutor que la emite es distinto del que ha introducido el antecedente. El cambio de turno facilita el que la relativa aparezca como enunciado en yuxtaposición paratáctica. En ocasiones se trata de una apostilla valorativa:

(40) —Bien, señor Méndez. El nuevo ministro de Economía examina la situación del país y se alarma ante la faena que le espera.
—Que no es moco de pavo. [M. Benedetti, *Despistes y franquezas,* 73]

En otros casos, la relativa expresa una condición impuesta por el hablante sobre la designación del antecedente, que es una entidad inespecífica introducida en el turno anterior por el interlocutor. Debido a ello, en estos pasajes el verbo aparece en subjuntivo.[24] Así sucede en el siguiente ejemplo, citado por Fernández Ramírez (1951b: § 57):

---

[24] Este tipo de construcciones es idéntico al que se mencionó al final del § 7.1.3.5.

(41) Que nos suban una lata de sardinas [...].
—¿De qué precio?
—Que cuesten una peseta o seis reales [...]. [R. Gómez de la Serna, *Ramonismo,* 116]

Cuando el relativo *que* va precedido de preposición, para que sea posible la construcción yuxtapuesta es imprescindible la presencia del artículo determinado, tal como sucede en las relativas explicativas (cf. el § 7.5.1.4): *No pretendo censurar a tus vecinos. Con los que, por otra parte, mantengo una relación excelente.*

7.1.4.4. El relativo que con mayor facilidad se adapta a la construcción en yuxtaposición paratáctica es el formado por la combinación del artículo con el adjetivo *cual.* Este pronombre complejo, que no acepta antecedentes elípticos (cf. el contraste entre *El que vino anoche fue Pepe* y **El cual vino anoche fue Pepe* [25]), admite en cambio la construcción yuxtapositiva con bastante naturalidad, probablemente debido a su independencia fónica y a que el artículo reproduce los rasgos gramaticales del antecedente. Esta última unidad, por otra parte, debe aparecer en el enunciado inmediatamente anterior, preferentemente en una posición adyacente a la de la cláusula relativa yuxtapuesta. Así, de las dos variantes de (42), la segunda es preferible:

(42) a. ??Luis también faltó a la reunión. Al cual, por cierto, le han impuesto una fuerte multa por ello.
b. También faltó a la reunión Luis. Al cual, por cierto, le han impuesto una fuerte multa por ello.

La presencia obligatoria del artículo determinado al frente de este relativo le habilita para quedar sometido a régimen preposicional. Por otra parte, su naturaleza tónica, que contrasta con la de los demás miembros de su paradigma, lo convierte en el único relativo que puede actuar como término de preposiciones y locuciones preposicionales de carácter tónico y como sujeto de cláusulas absolutas. Tal característica, sin embargo, no es específica de su aparición en las construcciones yuxtapuestas y, por lo tanto, será estudiada en el epígrafe dedicado al funcionamiento general de este pronombre (§ 7.5.2). No obstante, sí que conviene señalar aquí que, cuando este relativo aparece en el interior de cláusulas absolutas, la tendencia más natural lleva a la separación de antecedente y relativa en dos enunciados distintos, debido al conflicto derivado de la doble dependencia que en estos ejemplos mantiene la cláusula absoluta: por una parte, la que proviene de la condición relativa de su sujeto, que vincula a aquella con la oración anterior; por otra, la que contrae, en virtud de su carácter subordinado y de sus características aspectuales, con la oración temporalizada que le sigue (cf. Cap. 39, sobre predicación y cláusulas absolutas). La relación que predomina suele ser esta última y, por consiguiente, la relativa aparece escindida de su antecedente. Así sucede en (43):

(43) De modo que resolvimos prolongar la cocción del maleficio, con objeto de darle buena consistencia. Hecho lo cual apelmazamos la crema en una olla, y descansamos. [H. Quiroga, *El Simún y otros relatos,* 89]

[25] Nótese, de paso, que el tipo de entidad que denotan las secuencias *el que vino anoche* y *el cual vino anoche* es absolutamente distinto: mientras que la primera refiere a un individuo, la segunda tiene valor proposicional. Como se estudiará más adelante (cf. los §§ 7.5.1-7.5.2), la diferencia tiene su origen en la distinta estructura de ambas construcciones.

De los usos yuxtapuestos de <artículo + *cual*>, el más frecuente es sin duda el que corresponde a la variante neutra de tal pronombre. Recuérdese que, cuando tal situación se da en las relativas canónicas, el antecedente es toda la oración (o bien una parte de su predicación, como se ha señalado en la nota 19). La relativa explicativa se vincula en este caso directamente a la principal, y no a través de uno de sus argumentos o adjuntos. Por consiguiente, la relación entre ambas oraciones es más inmediata que en los demás casos y más parecida a la que se da en los ejemplos de coordinación o yuxtaposición. De ahí que sean las cláusulas con antecedente oracional las que más frecuentemente accedan a la construcción que estamos examinando:

(44) Señores magistrados, señor Fiscal, no admito como motivo último del caso que nos ocupa los celos del acusado, puesto que no existían. Lo cual, sin embargo, no desbarata ni mucho menos el sutil razonamiento del señor Fiscal. [G. Torrente Ballester, *La muerte del decano,* 147]

No son insólitas, sin embargo, las oraciones yuxtapuestas encabezadas por las demás formas de este pronombre relativo. El siguiente párrafo, referido a la proliferación de las faltas de ortografía, constituye un ejemplo de ello:

(45) Por lo demás, es defecto tan generalizado que analizar los resultados en un pequeño grupo minimizaría el problema. El cual presenta síntomas muy alarmantes desde hace algunos años. [F. Lázaro Carreter, *El dardo en la palabra,* 116]

En todos estos ejemplos, el relativo podría ser sustituido por un demostrativo sin que se produjera menoscabo ni alteración significativa del contenido de la oración. Hay, sin embargo, una diferencia importante entre el comportamiento sintáctico de ambas unidades: el relativo posee menor libertad de colocación que el demostrativo. Así, por ejemplo, mientras que sería posible sustituir en (45) el relativo por el demostrativo *este* y anteponer el verbo *(Presenta este síntomas...),* tal permuta no es posible si se mantiene la forma original *(*Presenta el cual síntomas...).* Por lo tanto, a pesar de la mayor libertad aparente de las cláusulas yuxtapuestas de relativo, el comportamiento de los pronombres que las encabezan se acoge a las mismas restricciones de colocación que caracterizan al resto de las relativas. En el caso concreto del pronombre <artículo + *cual*>, tal unidad debe ocupar la primera posición absoluta de la cláusula o bien formar parte del constituyente que la encabeza (lo que ocurre cuando el pronombre relativo es término de preposición o sujeto de cláusula absoluta).

Dado el carácter adjetivo de la forma *cual* y la aparición obligatoria del artículo determinado, no debe extrañar que en algunos casos este sintagma relativo complejo admita en su interior la aparición de un núcleo sustantivo que reproduce el valor del antecedente 'para evitar anfibologías y cuando el antecedente está demasiado alejado del pronombre', como señalan Alcina y Blecua (1975: § 8.3.3.2). Cuervo (*DCRLC* II: s.v. *cual,* 2d) indica que este procedimiento es 'más usado de los antiguos que de los modernos, y no siempre con igual oportunidad'. Los dos ejemplos que siguen muestran la construcción que comentamos:

(46) a. Encontró [el elefante] con un niño de teta, el cual tomó con la trompa, y púsolo encima de un tejado para librarlo del peligro. *El cual niño* lloraba y daba gritos... [L. de Granada, *Introducción al símbolo de la fe,* 1, 14, § 3; tomado de Cuervo, *DCRLC,* s.v. *cual,* 2d]

b. ¡Caballero, este sermón hay que mojarle! Con la cual noticia la muchedumbre [...] empezó a revolverse, a gruñir y a carraspear. [J. M. Pereda, *Don Gonzalo González de la Gonzalera,* 211; tomado de Alcina y Blecua 1975: § 8.3.3.2]

Se trata, en efecto, de un recurso poco frecuente en la lengua actual, que prefiere otros giros de valor similar.

7.1.4.5. El más habitual consiste en la repetición del sustantivo antecedente al inicio del enunciado seguido de una relativa especificativa. Denominaremos a esta construcción 'relativa con antecedente reasuntivo yuxtapuesto'. En ella, el antecedente reiterado aparece desprovisto de determinante o bien con artículo indeterminado: *Todavía late en las relaciones hispano-británicas el problema de la reivindicación de Gibraltar. Problema que ya no condiciona como antaño el diálogo entre ambas naciones, pero que sigue dificultando una comunicación más fluida.* En la anterior oración, el antecedente en segunda mención podría ir acompañado del artículo indeterminado *(un problema...).* En otros casos, no se repite el antecedente, sino que se coloca un nombre que resume o reitera alguna idea introducida en la primera oración. Así, por ejemplo, en aras de un estilo más ágil, el ejemplo anterior admitiría la sustitución de *problema* en cualquiera de sus dos concurrencias por el sustantivo *contencioso.* Del mismo modo, frente a la fórmula recogida en (46b), que suena arcaica, la lengua actual prefiere la anteposición del antecedente reasuntivo: *Noticia con la cual la muchedumbre empezó a revolverse, a gruñir y a carraspear.* Todas estas estrategias de reiteración facilitan el carácter independiente del enunciado que contiene la relativa.

En el caso de que el antecedente vaya acompañado de otros determinantes o modificadores, estos pueden colocarse entre el nombre y la relativa, en aposición al primero:

(47) a. Palabras que provocaron honda conmoción en el auditorio.

b. Palabras, estas, que provocaron honda conmoción en el auditorio.

c. Palabras, las del presidente, que provocaron honda conmoción en el auditorio.

d. Palabras, las suyas, que provocaron honda conmoción en el auditorio.

La lengua actual prefiere este recurso al de las relativas yuxtapuestas propiamente dichas. Nótese que los enunciados de (47) ya no son oraciones, sino que forman SSNN en los que la relativa actúa en su valor prototípico de modificador. La ausencia de determinante al frente del nombre que encabeza estos enunciados permite explicar que, pese a su carácter nominal, tengan valor predicativo (como sucede con el atributo de la oración *Estas fueron palabras que provocaron honda conmoción en el auditorio*).[26]

7.1.4.6. El último grupo de relativas yuxtapuestas que examinaremos es el encabezado por el relativo posesivo *cuyo.* Se trata de una unidad que contrae doble dependencia: como relativo, con su antecedente, que alude al poseedor, y, como posesivo, con el núcleo nominal al que determina, que expresa el tipo de entidad poseída. Sus morfemas de género y de número concuerdan con este último, conforme a la regla general que establece la concordancia del determinante con su núcleo en el SN. Así, en el SN *el autor cuya obra fue galardonada con el premio de la crítica,* el relativo *cuya* concuerda con *obra,* no con el antecedente *autor.* Por lo tanto, podría pensarse que la falta de morfemas gramaticales que vinculen a este relativo con su antecedende debería inhabilitarlo para encabezar relativas yuxtapuestas. A pesar de ello, ejemplos como el siguiente, citado por Cuervo (*DCRLC* II, s.v. *cuyo,* 1aζ), muestran la viabilidad de tales construcciones:

(48) Sienten así el glorioso san Bernardo en la epístola séptima, y san Gregorio Nazianceno en la oración doce. Cuyas palabras por ser aún más expresas, para satisfacción del lector pondré sin añadir ni quitar. [J. Márquez, *El gobernador cristiano,* 1.10]

El acceso de este relativo a las construcciones yuxtapuestas se debe a que es el único miembro del paradigma cuya función en la subordinada no depende nunca directamente del predicado de esta, sino de uno de sus argumentos o adjuntos nominales. Así, en (48), *cuyas* no ejerce una función con respecto a *pondré,* sino con respecto a *palabras,* núcleo nominal al que simultáneamente complementa y determina. Eso implica que la integridad gramatical de la cláusula queda absolutamente garantizada en estos casos, dado que el relativo no es argumento ni adjunto del predicado de la subordinada. De ahí que, a efectos de buena formación gramatical, las oraciones de (48) sean tan correctas como las relativas con antecedente reasuntivo yuxtapuesto. Nótese que mediante una pequeña modificación es posible convertir (48) en una construcción de este último tipo: *Palabras, las suyas, que para satisfacción del lector pondré sin añadir ni quitar.*[27]

7.1.4.7. El carácter de enunciado independiente de las relativas yuxtapuestas y su naturaleza predicativa plantea el problema de determinar si se deben considerar cláusulas subordinadas o bien si se trata de oraciones principales. La resolución de esta disyuntiva depende en gran parte de los criterios que se hagan servir para establecer la distinción entre ambos tipos de oraciones. Desde luego, desde el punto de vista de su distribución, las relativas yuxtapuestas carecen de libertad, por cuanto su aparición depende de la existencia de un antecedente en el enunciado inmediatamente anterior. Además, la rígida colocación del pronombre relativo que las encabeza y la necesidad de adyacencia lineal con el antecedente llevan a pensar que se trata de oraciones subordinadas. No obstante, el contraste de (49), en el que el

[26] En el español de México es frecuente el uso de *mismo que* como nexo introductor de relativas explicativas, con un valor equivalente a *el cual: Rechazó las maniobras contra Polonia, mismas que violan las cartas de las Naciones Unidas* (Lope Blanch 1984: 121). La fórmula parece idéntica a la de los casos anteriormente señalados, con la única particularidad de que el elemento léxico que se coloca ante el nexo *que* es el adjetivo identificativo *mismo,* que remite anafóricamente al antecedente.

[27] Es probable que la construcción relativa con antecedente reasuntivo yuxtapuesto esté en el origen de un uso del relativo *cuyo* censurado por Bello (1847: § 1050) y por la RAE (1973: § 3.20.9b). Se trata de ejemplos en los que el relativo pierde su valor posesivo para quedar reducido a mero nexo subordinante (cf. el § 7.5.4):

(i) El maligno espíritu contesta al exorcista: ¿Por qué me torcues bárbara tan mente? En cuyo verso se burló a un tiempo Lope del abuso indicado y de la manía de prohijar voces latinas. [F. Martínez de la Rosa, *Anotaciones a la poética,* 2.13; tomado de Cuervo, *DCRLC,* s.v. *cuyo,* 1aι]

Nótese la proximidad entre estos usos, llamados impropios, de *cuyo* y la correspondiente construcción con antecedente reasuntivo yuxtapuesto: *verso en el que se burló...*

pronombre relativo puede ser conmutado por un demostrativo, muestra
está muy próximo al de otras oraciones principales:

(49) a. También faltó a la reunión Luis. Al cual, por cierto, le han impu una fuerte multa por ello.
b. También faltó a la reunión Luis. A este, por cierto, le han impuesto una fuerte multa por ello.

7.1.5. Las relativas pseudoapositivas

Autores como D'Introno (1979: cap. 15), Martínez (1989: § 4.8.2) y Ojea (1992: § 4.5) afirman que las oraciones en cursiva de (50) constituyen una clase particular de relativas, a la que denominan 'relativas apositivas', no estrictamente asimilable a las especificativas ni a las explicativas: [28]

(50) a. Los venezolanos, *{los/aquellos} que tienen dinero,* viajan al exterior. [D'Introno 1979: 219]
b. Los niños, *los que estaban cansados,* se durmieron. [Martínez 1989: 177]
c. Me burlo de los japoneses, de *los que no saben hablar español.* [D'Introno 1979: 219]

Según los mencionados lingüistas, las características que definen a esta clase son las siguientes: sus fronteras están delimitadas por inflexiones tonales, por lo que constituyen un grupo fónico independiente; son introducidas por un artículo determinado o un demostrativo; pueden ir precedidas de la misma preposición que rige al antecedente, como sucede en (50c); admiten ir precedidas por adverbios que expresan restricción, como *sólo, al menos* o *únicamente,* y, en fin, aceptan la extraposición mejor que las demás cláusulas relativas (cf. *Los niños se durmieron; únicamente los que estaban cansados, claro*). Desde el punto de vista semántico, se trata de cláusulas que restringen la denotación de su antecedente. Así, en (50a), la cualidad de viajar al exterior no se predica de todos los venezolanos, sino solamente de aquellos que tienen dinero. De ahí que D'Introno las considere incluidas en el grupo de las restrictivas.

No obstante, de un análisis detallado de su estructura se deduce que las relativas que se contienen en tales construcciones no son sino especificativas que restringen a un núcleo nominal elíptico. Compárense los ejemplos de (51), que reproducen los esquemas de (50):

(51) a. Los venezolanos, aquellos que tienen dinero, viajan al exterior.
b. Los venezolanos, los que tienen dinero, viajan al exterior.
c. Los venezolanos —sólo los venezolanos que tienen dinero, claro— viajan al exterior.
d. Los venezolanos, los pocos que tienen dinero, viajan al exterior.

---

[28] Como se señaló en el § 7.1.3, la etiqueta 'relativas apositivas' se utiliza en la tradición anglosajona para designar a las explicativas. Naturalmente, en la acepción que proponen los tres autores mencionados se alude a otro tipo de construcciones relativas. Para D'Introno (1979: § 15.2), las relativas apositivas son una subclase de las restrictivas. Sin embargo, este autor recoge también el análisis que aquí se defenderá: «las R[estrictivas] se subdividen en dos grupos, atributivas y apositivas, con características sintácticas bastante distintas. Quisiera, sin embargo, insistir sobre la hipótesis de que las apositivas son en realidad atributivas dependientes de un SN o un SP en el que se elide el N» (D'Introno 1979: 221). Ojea (1992) también postula la especificidad de esta clase de relativas, aunque afirma que su valor es el de un sintagma determinante (equivalente a lo que para nosotros es un SN) o un SP. La autora concilia ambos supuestos mediante la idea de que la cláusula que aparece en estas construcciones es una relativa con antecedente elíptico. Su análisis se diferencia del nuestro (y del que sugiere el propio D'Introno) por el hecho de que considera que el determinante que encabeza estas construcciones forma parte de la cláusula relativa. Las pruebas que se aducirán en (51) y (52) argumentan en contra de esta idea. Finalmente, para Martínez (1989: § 4.8.2), las apositivas son un tercer tipo de cláusulas relativas, al mismo nivel que las especificativas y las explicativas. La denominación de 'relativas pseudoapositivas' que utilizamos en este capítulo deriva de los argumentos que muestran que tales subordinadas no son apositivas, sino especificativas.

ue el constituyente que aparece entre rayas en (51c) no es una oración de relativo, uyo núcleo es *venezolanos.* La relativa está incluida dentro de ese SN y ejerce la función cador especificativo del núcleo nominal. Por su parte, (51d) muestra la posibilidad de ar adjetivos como *pocos* entre el determinante y la relativa, lo que significa que la secuencia *ue* de (51b) no forma constituyente unitario. Por lo tanto, tampoco es posible suponer que el nstituyente entre comas es una oración de relativo, sino que forma también un SN, que en este caso presenta un núcleo elíptico. De nuevo, la relativa *que tienen dinero* actúa como modificador especificativo dentro de ese SN. La situación es asimismo clara en (51a), dado que el demostrativo no puede formar parte de la relativa, sino que actúa como determinante dentro del SN que la contiene.

Una prueba adicional del carácter no unitario de la secuencia <artículo + relativo> de (51b) la proporciona el contraste de (52):

(52) a. Las resoluciones judiciales, sólo aquellas con las que mi cliente nunca ha estado de acuerdo, serán inmediatamente recurridas ante la instancia superior.
b. *Las resoluciones judiciales, sólo con las que mi cliente nunca ha estado de acuerdo, serán inmediatamente recurridas ante la instancia superior.
c. Las resoluciones judiciales, sólo las que van contra los intereses de mi cliente, serán inmediatamente recurridas ante la instancia superior.

Tal como se estudiará en el § 7.5.1.1, Bello (1847, §§ 323-325) propone distinguir dos orígenes distintos en la combinación de artículo determinado y *que* relativo. En un caso, la secuencia no es unitaria, pues debe suponerse que el artículo está sustantivado y actúa como antecedente del relativo, siendo por lo tanto externo a la cláusula subordinada. [29] En el otro, el artículo no hace sino reiterar el género y el número del antecedente, por lo que ambas formas componen una misma entidad en el análisis. Tal sucede cuando el relativo es término de preposición, ya que entonces el antecedente precede al artículo. Pues bien: lo que muestra el contraste de (52) es que el adverbio *sólo* puede colocarse inmediatamente antes del sintagma que contiene el antecedente, pero no puede preceder a la cláusula relativa. Así, en (52b), la relativa introducida por el SP *con las que* no admite la concurrencia de este adverbio [⟶ §§ 11.7.1 y 16.6]. [30] Por otra parte, si esta última entidad se suprimiera, la relativa debería interpretarse como explicativa, y no como apositiva, puesto que en tal ejemplo la subordinada no restringiría la denotación del SN antecedente. La buena formación de (52c), en fin, prueba que el artículo determinado que sigue al adverbio no forma parte de la relativa, sino que pertenece a la proyección de su antecedente. Por lo tanto, para construir una relativa apositiva que contenga tal unidad hay que recurrir a la inserción de un demostrativo que represente al antecedente, como en (52a).

Finalmente, la posibilidad de insertar *sólo* ante un SP en oraciones como *Me burlo de los japoneses, sólo de los que no saben hablar español* (cf. 50c) deriva del hecho de que en este caso la preposición es externa a la relativa, ya que está seleccionada por el predicado de la oración principal *(burlarse de)*. En consecuencia, el artículo que le sigue está vinculado con el antecedente elíptico, no con el pronombre relativo.

Así pues, las características que se suelen adscribir a las relativas apositivas y que hemos enumerado más arriba no atañen a la relativa en sí, sino a la proyección del antecedente de esta. Tal entidad es un SN que actúa como aposición, pero nunca una oración de relativo. La subordinada incluida en ella es especificativa, como corresponde efectivamente a su valor semántico.

Por lo que se refiere a los demás relativos, el análisis aquí propuesto prevé correctamente sus posibilidades de aparición en cláusulas relativas pseudoapositivas. Ya se ha dicho anteriormente que el relativo formado por la combinación del artículo con *cual* no admite antecedentes elípticos. Por lo tanto, sólo podrá formar relativas pseudoapositivas cuando el SN apositivo del que forman parte

[29] Bello considera que en estos contextos el artículo tiene valor pronominal, por lo que puede actuar de antecedente del relativo. Cf. el § 7.2.4.2, donde se presenta esta teoría.

[30] La buena formación de oraciones como *Sólo en México he visto una cosa semejante* muestra que la agramaticalidad de (52b) no puede achacarse a la aparición de *sólo* ante un SP.

estas cláusulas aparezca representado por alguna otra entidad léxica. De ello deriva la distribución de los datos de (53):

(53) a. Las resoluciones judiciales de este magistrado, las cuales van contra los intereses de mi cliente, serán inmediatamente recurridas ante la instancia superior.
b. *Las resoluciones judiciales de este magistrado, sólo las cuales van contra los intereses de mi cliente, serán inmediatamente recurridas ante la instancia superior.
c. *Las resoluciones judiciales de este magistrado, sólo aquellas las cuales van contra los intereses de mi cliente, serán inmediatamente recurridas ante la instancia superior.
d. Las resoluciones judiciales de este magistrado, sólo aquellas con las cuales mi cliente nunca ha estado de acuerdo, serán inmediatamente recurridas ante la instancia superior.

La relativa de (53a) es explicativa. El antecedente de *las cuales* es *las resoluciones judiciales de este magistrado.* La oración es gramatical, pese a que el uso de este relativo en las explicativas cuando no va precedido de preposición degrada ligeramente la aceptabilidad del enunciado (cf. el § 7.5.2), ya que el español prefiere en estos casos el recurso al pronombre *que.* En cambio, la agramaticalidad de (53b) es radical. El motivo es claro: ya se ha visto que las relativas no admiten la anteposición de *sólo,* por lo que la cláusula no puede ser interpretada como puramente explicativa. Por lo tanto, la única posibilidad consistiría en otorgarle la lectura de relativa pseudoapositiva. Pero eso no es posible porque la secuencia entre comas no contiene ningún representante léxico del antecedente de la relativa. Sí que aparece tal unidad en (53c), pero la oración sigue siendo agramatical porque este relativo sólo puede formar parte de cláusulas especificativas cuando va precedido de preposición (cf. **la noticia la cual difunde la televisión*). De ahí que (53d) esté bien formada, pues se cumplen todos los requisitos mencionados anteriormente: el SN apositivo cuenta con un representante léxico distinto de la relativa especificativa (el demostrativo *aquellas*) y el pronombre relativo va precedido de preposición.

Por lo que respecta al relativo *quien,* sus posibilidades de aparición en las pseudoapositivas son mucho mayores, ya que este pronombre admite un antecedente elíptico. Eso permite prever la distribución que presentan los datos de (54):

(54) a. Los venezolanos, al menos aquellos quienes tienen dinero, viajan frecuentemente al exterior.
b. Los venezolanos, al menos quienes tienen dinero, viajan frecuentemente al exterior.
c. ??Los venezolanos, al menos con quienes he podido conversar, viajan frecuentemente al exterior.

La anteposición de la locución adverbial *al menos* al frente del constituyente entre comas de (54) impone la lectura de relativa pseudoapositiva. En (54a) aparece un demostrativo como antecedente de la relativa especificativa, pero su ausencia no provoca merma de gramaticalidad, como muestra (54b). Ello se debe a que el inciso puede ser interpretado igualmente como un SN gracias a la capacidad del relativo *quien* para identificar antecedentes elípticos. Nótese que la categoría del constituyente explicativo de estas oraciones nunca puede ser la de oración, pues en tal caso ni admitiría la inserción del adverbio ni designaría un conjunto de individuos. El hecho de que no todos los hablantes del español acepten la buena formación de (54c) deriva de la mayor dificultad del relativo *quienes* para aparecer sin antecente léxico cuando es término de una preposición (cf. el § 7.2.4.4 para un análisis detallado de estos casos).

Finalmente, el comportamiento de *cuyo(s)-cuya(s)* en las relativas pseudoapositivas deriva de su peculiar valor como relativo posesivo y de su incapacidad para admitir antecedentes elípticos, por lo que en estas construcciones exige siempre la aparición de un representante léxico del SN apositivo: *Algunos magistrados, al menos aquellos cuyas resoluciones han perjudicado gravemente a mi cliente, serán denunciados.*

En conclusión: creemos que las pseudoapositivas no constituyen un patrón particular dentro de la clase de las relativas, sino que son oraciones especificativas que modifican al núcleo elíptico de un SN en aposición explicativa con un argumento o adjunto de la oración principal. Por lo tanto, su supuesto comportamiento híbrido entre las especificativas y las explicativas no es tal: lo que de especificativo tienen estas oraciones lo aporta exclusivamente la relativa, mientras que el carácter explicativo no corresponde a esta, sino al SN en aposición.

7.1.6. Las relativas predicativas

Como se ha argumentado en el § 7.1.3, la distinción entre relativas especificativas y explicativas proviene de la distinta naturaleza del antecedente sobre el que incide cada una de estas clases. En el primer caso, la relación es la propia de los complementos especificativos del nombre; en el segundo, la que caracteriza a los elementos incidentales adjuntados al SN. No obstante, dada la tradicional vinculación de relativas y adjetivos, basada en pruebas de conmutación como las presentadas en (55a, b), *a priori* cabría predecir la existencia de un tercer tipo de relación entre la relativa y su antecedente: la de predicación, tal como la manifiesta el SA en (55c, d), donde desempeña respectivamente las funciones de atributo y complemento predicativo. Sin embargo, la mala formación de las correspondientes secuencias cuando incluyen una relativa muestra que el paralelismo entre ambas categorías no alcanza a este tipo de construcciones:

(55) a. Los estudiantes que asistían por vez primera a un acto académico no reconocieron al Decano. / Los estudiantes novatos no reconocieron al Decano.
b. Los estudiantes, que asistían por vez primera a un acto académico, no reconocieron al Decano. / Los estudiantes, novatos, no reconocieron al Decano.
c. *Los estudiantes eran que asistían por vez primera a un acto académico. / Los estudiantes eran novatos.
d. *El Decano consideraba a los estudiantes que asistían por vez primera a un acto académico. / El Decano consideraba a los estudiantes novatos.

En la segunda parte de (55c), el adjetivo *novatos* es el predicado nominal que selecciona al SN sujeto *los estudiantes* [⟶ Cap. 37]. La relación que mantiene con este sintagma es, por lo tanto, absolutamente distinta de la que vincula a tales unidades en las dos oraciones que le preceden. En (55a), como complemento restrictivo que es, el adjetivo incide sobre el núcleo nominal *estudiantes* y el resultado de tal relación es un grupo nominal complejo *estudiantes novatos.* En (55b), la relación ya se establece entre dos sintagmas completos (el SN *los estudiantes* y el SA *novatos*), por lo que del enlace de ambos se obtiene una predicación. Pero se trata de una relación predicativa incidental, desligada por lo tanto de la predicación principal de la oración y subordinada al SN que actúa como antecedente. En (55c) el SA constituye el predicado principal de la oración, aunque en virtud de su carencia de rasgos temporales necesite de la presencia de la cópula para poder formar oración. Finalmente, en (55d), el predicado principal es el verbo *considerar,* pero uno de los argumentos seleccionados por este es una predicación secundaria, cuyo núcleo es el adjetivo, que a su vez selecciona al SN *los estudiantes* [⟶ § 38.3].

Como muestran (55c, d), las oraciones de relativo no acceden con facilidad a la condición de atributos ni a la de complementos predicativos. El motivo de ello no es diáfano, pero pueden aventurarse algunas hipótesis. [31] Nótese, en primer lugar, que el estatuto de las oraciones de relativo

[31] Desde una perspectiva distinta, López García (1994: I, § 14.5) se plantea esta misma cuestión.

como predicados no resulta totalmente claro: son construcciones oracionales y, por lo tanto, constituyen en sí mismas predicaciones en cuyo interior ya está inserta la idea del antecedente, dado que el pronombre relativo que lo representa cumple una función gramatical dentro de la subordinada. Pero, para que la relativa pueda insertarse en una oración principal es independientemente necesario que la predicación que esta última contiene seleccione a su vez al antecedente de la relativa como uno de sus argumentos o adjuntos. De ahí que, de las dos funciones que hemos mencionado, sea la de atributo la que con mayor dificultad pueda ser desempeñada por las cláusulas de relativo, dado que es obvio que la cópula no selecciona al sujeto de la oración atributiva.

En los apartados que siguen estudiaremos algunos casos en que una cláusula relativa parece desempeñar funciones de complemento predicativo o atributo. Debe advertirse que no incluimos dentro del grupo de las relativas predicativas a las relativas con antecedente elíptico que actúan como atributo o complemento predicativo, puesto que se trata de subordinadas contenidas en un SN, como prueba el valor no proposicional que adoptan, ya que designan objetos o individuos. Las oraciones de (56) ejemplifican este último grupo:

(56) a. Luis es *quien tiene la culpa de todo.*
b. Luis es *al que me refiero.*
c. Lo vieron junto a *quien lo había amenazado reiteradamente.*

La función de la relativa en (56a, b) es la de atributo (o predicado nominal) del correspondiente sujeto, pero en los dos casos es necesario suponer que el relativo tiene un antecedente vacío (cf. *Luis es la persona que tiene la culpa de todo* y *Luis es la persona a la que me refiero*). En (56c), la relativa aparece como término de la locución prepositiva *junto a,* con la que forma un complemento predicativo del objeto directo. De nuevo, la paráfrasis con antecedente explícito muestra que la relativa actúa aquí como único representante léxico de un SN de núcleo elíptico: *Lo vieron junto a la persona que lo había amenazado reiteradamente.* Por lo tanto, las oraciones de relativo que aparecen en (56) están insertas en SSNN y sólo en virtud de ello pueden acceder a la condición de atributos y complementos predicativos.

La gran irregularidad de muchos de los patrones que presentaremos en los próximos apartados, así como el hecho de que no todos los hablantes admitan la buena formación de estas oraciones, ha llevado a algunos gramáticos, especialmente a los de orientación generativista, a bautizarlas con el calificativo de 'construcciones pseudorrelativas'. [32] Con tal etiqueta se quiere resaltar su carácter claramente diferenciado de las especificativas y explicativas, las dos clases que tradicionalmente han monopolizado el estudio de las relativas.

Por otra parte, debe advertirse que la clasificación de algunas de las construcciones que presentaremos a continuación es controvertida, puesto que algunos gramáticos defienden que no se trata de relativas, sino de oraciones consecutivas, como se señalará oportunamente.

7.1.6.1. En primer lugar, examinaremos algunos contextos en los que las oraciones de relativo parecen concurrir en función de complemento predicativo. El primero

[32] Se trata de una denominación que incluye, además, las construcciones ecuacionales, que no serán estudiadas en este capítulo (véase el cap. 66, que trata de las perífrasis de relativo) y, en algunos autores, también las relativas enfáticas (cf. el § 7.4.2). Entre los trabajos que utilizan el término de 'pseudorrelativas' para referirse a las relativas predicativas figuran Cinque 1988, Smits 1989 y Campos 1994. Por su parte, la denominación 'relativas predicativas' aparece atestiguada en la tradición francesa, como señala Muller (1996: § 2.2).

de ellos está compuesto por oraciones con el predicado existencial *haber* [→ §§ 12.1.2.4 y 27.3.4]:

(57) a. Hay días que se hacen interminables.
b. Hay opiniones con las que no es fácil estar de acuerdo.
c. Hay personas a quienes es mejor no tratar.

A primera vista, podría parecer que las relativas que se incluyen en las construcciones de (57) no presentan ninguna particularidad destacable y que se trata de cláusulas especificativas del correspondiente núcleo nominal. Sin embargo, tal análisis plantea varios problemas. El primero se refiere al carácter de elemento no prescindible que adopta en estos casos la relativa (cf. *??Hay días*), al contrario de lo que ocurre habitualmente con especificativas y explicativas. Por otra parte, la posibilidad de pronominalizar el SN sin que la relativa quede integrada en el pronombre demuestra que ambos constituyentes tienen un grado de independencia mayor que el que caracteriza a las otras clases: *Los hay que se hacen interminables, Las hay con las que no es fácil estar de acuerdo, Las hay a quienes es mejor no tratar.* Por último, pese a la considerable rigidez de estos esquemas de predicación existencial, no resulta imposible separar ambos constituyentes *(Algunos hay que se hacen interminables, Algunas hay con las que no es fácil estar de acuerdo).* [33] Fernández Ramírez (1951a: § 157) cita el siguiente pasaje de Ortega y Gasset, en el que la relativa aparece encabezada por el pronombre *el cual,* una forma que sólo puede introducir relativas especificativas si va precedida de preposición: *Porque aún hay gentes* las cuales *exigen que les hagamos ver todo claro* [...] [*Meditaciones del Quijote,* II, 62]. Un modo de reducir esta aparente anomalía consiste en analizar la anterior relativa como predicativa. En tal caso, el elemento sobre el que incide la relativa es todo el SN y no solamente el núcleo nominal de este, como siempre sucede en las especificativas. De ahí que la forma *las cuales* pueda concurrir sin la presencia de una preposición que la rija.

Por otra parte, la función de la relativa en los anteriores ejemplos no puede ser asimilada a la de las cláusulas explicativas, puesto que su presencia es, como ya hemos visto, necesaria para la buena formación del enunciado. Entonacionalmente, también existen diferencias con las dos clases prototípicas de relativas: por una parte, las cláusulas subordinadas que estamos estudiando pueden formar opcionalmente un grupo fónico propio. Pero, cuando así sucede, el tonema que las separa del antecedente es ascendente (anticadencia o semianticadencia), mientras que en el caso de las explicativas esa misma frontera se marca con un tonema suspensivo o descendente (semicadencia). Por lo tanto, cabe concluir que estas relativas ejemplifican un tercer tipo de relación con respecto al antecedente: la de predicación. Desde el

---

[33] Sin duda, en el carácter predicativo de la relación entre el SN y la relativa influye decisivamente la naturaleza inespecífica de aquel. Cuando el objeto directo de estas mismas construcciones impone una lectura específica, la relativa no puede interpretarse como predicativa. Nótese, a este respecto, el contraste entre (i) y (ii):

(i) En el patio sólo había dos niños que jugaban al fútbol.
(ii) En el patio sólo había dos niños que jugaran al fútbol.

Mientras que en (i) admite sólo lecturas específicas del SN, ya sea la propiamente referencial o la cuantificacional (cf. Leonetti 1990: § 4.3), (ii) impone la interpretación inespecífica. Pues bien: sólo en este último caso es posible separar la relativa del SN sobre el que ejerce predicación *(Que jugaran al fútbol, sólo había en el patio dos niños).* Cf. el § 7.3.1.2, en donde se discuten más extensamente las construcciones con relativa inespecífica tematizada.

punto de vista de la función que desempeñan, se trata de complementos predicativos del objeto directo, categoría con la que forman una predicación secundaria seleccionada por el predicado existencial *haber*.

7.1.6.2. Otro contexto que facilita la aparición de relativas predicativas es el que corresponde a algunos predicados intensionales, como *querer, buscar* o *necesitar,* cuyo objeto directo adquiere valor inespecífico, de modo que la subordinada debe aparecer en subjuntivo o en infinitivo. Según se verá, la aparición de las relativas predicativas en estos esquemas está sometida a fuertes restricciones. La prueba del carácter predicativo de la relativa la proporciona la posibilidad de desligarla del antecedente cuando se produce la pronominalización de este: [34]

(58) a. Quiere un médico que conozca bien la medicina china. (≃ Lo quiere que conozca bien la medicina china)
b. Buscan profesores con quienes conversar en ruso. (≃ Los buscan con quienes conversar en ruso)
c. Necesitan una prueba que sea fiable. (≃ La necesitan que sea fiable)

Otros predicados intensionales, como *desear* o *pedir,* no parecen aceptar este tipo de relativas, como se pone de manifiesto en la mala formación de secuencias como **Lo desean que sepa ruso* o **Lo pidieron que fuera barato.* De cualquier modo, el patrón que estamos estudiando es bastante irregular, por lo que está sometido a variación dialectal y diastrática. Algunos hablantes, que aceptan como perfectamente naturales los enunciados que encabezan los ejemplos de (58), rechazan en cambio las pronominalizaciones que figuran a su lado. Eso parece indicar que conciben la relativa correspondiente como especificativa y no como predicativa. Del mismo modo, la tolerancia hacia estas construcciones en aquellos hablantes que las aceptan está mediatizada por factores léxicos. Así, *querer* y *buscar* son los predicados que con mayor facilidad las admiten, frente a *necesitar,* que entra en ellas de manera más forzada.

7.1.6.3. Una clase bien definida de predicados que admite la presencia de relativas en función de complemento predicativo del objeto es el formado por los verbos de percepción sensorial, como *ver, oír* o *escuchar* [⟶ § 38.3.2]. A ellos pueden añadirse los predicados que pueden denotar la percepción mental de individuos u objetos, como *imaginar:*

(59) a. La vi que salía de la oficina a las seis.
b. Lo oí que cantaba algunos *lieder* de Schubert.
c. Lo escuché que se quejaba amargamente del trato recibido.
d. Me la imagino que viene hacia mí sonriendo.

[34] En los contados casos en que el pronombre relativo puede desempeñar funciones distintas de la de sujeto, este esquema impone la presencia de pronombres reasuntivos: *??Lo quiero que lo conozca todo el mundo* es preferible a **Lo quiero a quien conozca todo el mundo.* No es predicativa la relativa que aparece en oraciones como *Los bolígrafos, los quiero de los que cuestan menos de 100 pesetas,* dado que el complemento predicativo del objeto directo es todo el SP partitivo *de los que cuestan menos de 100 pesetas.* Por lo tanto, la relativa es una especificativa con antecedente nominal elíptico.

Las oraciones anteriores no deben ser confundidas con otras en las que el verbo principal rige una subordinada sustantiva de complemento directo (*Vi que ella salía de la oficina a las seis; Oí que él cantaba algunos lieder de Schubert,* etc.). La diferencia fundamental entre ambas clases consiste en que lo percibido en una y otra son entidades distintas. En (59), el objeto de la percepción es siempre un individuo, mientras que en las construcciones con subordinada sustantiva lo percibido es una situación o un acontecimiento. Eso da lugar a diferencias nítidas de significado en algunos casos. Así, se puede emitir el enunciado *veo que Luis viene a la fiesta en su nuevo coche* aunque el emisor no haya visto en ningún momento a Luis conduciendo el nuevo vehículo camino de la fiesta. Ni tan siquiera es necesario que tal desplazamiento se esté produciendo. Basta, por ejemplo, con que vea la lista de vehículos que han solicitado acreditación para el acontecimiento e identifique en ella el modelo del nuevo coche de Luis. En cambio, para utilizar verazmente el enunciado *Veo a Luis que viene a la fiesta en su nuevo coche* es necesario haber percibido a Luis en algún momento de su traslado a la fiesta en el nuevo vehículo. [35]

Las diferencias a que nos acabamos de referir parecen indicar que, pese a su aparente proximidad, las construcciones de verbos de percepción con relativa predicativa son estructuralmente distintas de las completivas correspondientes. Por ello no parece adecuado interpretar las primeras como meras variantes de las segundas. Según tal análisis, la disposición que presentan los constituyentes de una oración como *Vi a Luis que iba a la fiesta en su nuevo coche* resultaría de la anticipación *(prolepsis)* del sujeto de la subordinada completiva que actúa como objeto directo del predicado principal. En cambio, si se supone que la subordinada del anterior ejemplo es una relativa predicativa, las diferencias que hemos señalado se deducen de la diferente estructura de ambos esquemas.

7.1.6.4. Otro contexto en el que las relativas pueden desempeñar la función de complemento predicativo es el formado por predicaciones secundarias encabezadas por la preposición *con* [→ §§ 38.2.1.6 y 39.3.2]. Esta unidad selecciona un SN que puede ir acompañado opcionalmente de un complemento predicativo: *Con María que se presenta aquí cada dos por tres, resulta difícil concentrarse en el estudio.* Naturalmente, en estas construcciones no es posible recurrir a la prueba de la pronominalización del antecedente para detectar el carácter predicativo de la relativa, dado que la función desempeñada por aquel es la de término de la preposición *con.* Pero el hecho de que tales cláusulas modifiquen a un nombre propio lleva a descartar que se trate de relativas especificativas. Tampoco se trata de una explicativa, ya que la oración anterior no dice que con María sea difícil concentrarse, sino que son precisamente sus continuas interrupciones las que dificultan tal actividad. Por lo tanto, la relativa no denota aquí una información accesoria, sino que incide directamente en el contenido veritativo de la predicación principal.

7.1.6.5. Los restantes contextos de relativas predicativas que vamos a estudiar son aún más controvertidos, pues plantean importantes problemas de clasificación. El primero es el formado por verbos transitivos que admiten un complemento predicativo del objeto que expresa el estado de este al producirse el acontecimiento descrito por el predicado principal. Es característico de estas construcciones el valor intensivo que adquiere la oración:

---

[35] La diferencia entre ambas construcciones también se pone de manifiesto en la distinta relación temporal existente entre el tiempo de la principal y el de la subordinada. La construcción predicativa, al implicar percepción física del individuo en el momento de producirse el acontecimiento, exige que el verbo de la relativa exprese coincidencia temporal con el de la principal. De ahí el contraste entre *He visto a Luis que iba a la fiesta en su nuevo coche* y **He visto a Luis que había ido a la fiesta en su nuevo coche,* ya que sólo en el primer caso el acto de percepción coincide con algún momento del desplazamiento de Luis.

(60) a. Dejaron a Luis que no lo hubiera reconocido ni su madre.
b. La encontraron que se debatía entre la vida y la muerte.
c. Lo escribió que apenas se podía leer.
d. La sinfonía, la han tocado que parecía un mero agregado de episodios incidentales.

La sustitución de la relativa predicativa por otros complementos categorialmente distintos mejoraría el grado de aceptabilidad de las oraciones anteriores: *Lo dejaron irreconocible; Lo encontraron debatiéndose entre la vida y la muerte; Lo escribió casi ilegible; La tocaron como un mero agregado de episodios incidentales.* Además, estos ejemplos plantean el problema de determinar si la subordinada es una verdadera relativa o si se trata más bien de la apódosis de una construcción consecutiva con prótasis intensiva sobrentendida (cf. *Lo dejaron tan cambiado que no lo hubiera reconocido ni su madre*). De hecho, la obligatoria aparición del clítico de objeto directo dentro de la cláusula subordinada en el primero de estos ejemplos podría avalar la naturaleza consecutiva y no relativa de la oración subordinada. Sin embargo, no puede descartarse que se trate de un pronombre reasuntivo como los que hemos estudiado en el § 7.1.2 y que su aparición obligatoria derive de la vinculación estructural menos estrecha que existe en las predicativas entre antecedente y relativa, al no formar ambos constituyentes un SN, sino una predicación.

Fernández Ramírez (1951a: § 167) denomina a estas construcciones 'relativas consecutivas', considerándolas un subgrupo de las especificativas, y señala que su característica formal más destacada es que la subordinada puede componer un grupo fónico propio, precedido de un tonema de anticadencia o semianticadencia. Otros autores, como Álvarez Menéndez (1989, 1995), por el contrario, argumentan en favor de la pertenencia de estas cláusulas a las consecutivas y asocian su particular configuración melódica a la independencia fónica que manifiesta la apódosis de esta clase de oraciones. Desde esta perspectiva, el tonema que precede a la cláusula subordinada marcaría la existencia de una prótasis intensiva eludida *(Dejaron a Luis tan cambiado que no lo hubiera reconocido ni su madre).* No obstante, oraciones como las de (61), que admiten el mismo patrón entonacional, contienen un nexo inequívocamente relativo:

(61) a. Tiene un hijo (↑) con el que no sabe qué hacer. [Álvarez Menéndez 1989: 174]
b. Lleva a menudo una chaqueta (↑) cuyo color resulta difícil de adivinar.
c. Muestra unos humos (↑) contra los que tarde o temprano deberemos luchar.

Es cierto que, a diferencia de las oraciones de (60), las de (61) no admiten la pronominalización del antecedente *(*Lo tiene con el que no sabe qué hacer; *La lleva cuyo color resulta difícil de adivinar; *Los muestra contra los que tarde o temprano deberemos luchar),* pero ello es debido al carácter enfático que adquiere en estas construcciones el artículo indeterminado, por lo que el SN no designa propiamente una entidad referencial, sino más bien un tipo de individuo o de objeto (cf. la similitud de las anteriores construcciones con otras en las que el nombre aparece acompañado del adjetivo *típico: Lleva a menudo la típica chaqueta cuyo color resulta difícil de adivinar.*) Nótese que en estos casos tampoco es factible la pronominalización cuando la relativa contiene un pronombre reasuntivo: **Lo tiene que no sabe qué hacer con él.* En cambio, parece posible en ciertos contextos separar antecedente y relativa: *Uno tiene con el que no sabe qué hacer; Una lleva a menudo cuyo color resulta difícil de adivinar.* Ejemplos como *¿Qué tiene Gaudí que apasiona a los orientales?* [*La Vanguardia*, 21-IX-1997, 20] o *¿A quién conoces que sepa ruso?* presentan al antecedente separado de la relativa, lo que parece avalar el carácter predicativo de esta.[36] Sobre el problema de la delimitación entre relativas y consecutivas volveremos en los §§ 7.1.6.7 y 7.4.1.1.

7.1.6.6. Constituyen una continuación natural del grupo de construcciones estudiado en el apartado anterior las formadas por predicados de todas las clases que admiten la concurrencia de un complemento predicativo del sujeto:

[36] La primera de las oraciones anteriores no debe confundirse con otra similar en la que la relativa es explicativa y el antecedente es Gaudí: *¿qué tiene Gaudí, que apasiona a los orientales?*

(62) a. Luis salió de la reunión que no quiso hablar con nadie.
b. Los ciclistas llegaron al final de la etapa que no podían con su alma.
c. Nació que parecía un príncipe.
d. Canta que emociona.

A este grupo le son aplicables las mismas reservas mencionadas en el apartado anterior. Nótese, por otra parte, que la prueba utilizada hasta ahora para detectar el carácter predicativo de las relativas no es factible aquí, dado que el antecedente es en estos casos el sujeto de la oración. Sin embargo, la posibilidad de que la cláusula subordinada quede desligada linealmente de su antecedente muestra claramente que no puede tratarse de una relativa especificativa o explicativa.

7.1.6.7. Finalmente, examinaremos el comportamiento de las relativas predicativas en función de atributo. Las construcciones candidatas a formar parte de este grupo son del tipo de (63): [37]

(63) a. El café está que arde. [Alarcos 1994: § 359]
b. Juan está que muerde. [Alarcos 1963: 195]
c. Luis está que no sabe qué hacer.
d. Se quedó que parecía famélico.

El análisis de las oraciones anteriores ha sido objeto de controversia frecuente entre los gramáticos. Para Alarcos (1963) las cláusulas que se incluyen en ellas son relativas, [38] mientras que para autores como Gutiérrez Ordóñez (1986: § 5.1), Martínez (1994: § 4.10.2) o Álvarez Menéndez (1989: cap. IV; 1995) se trata de construcciones consecutivas con prótasis intensiva implícita [⟶ § 58.2.6].

Debe observarse, no obstante, que la posibilidad de obtener oraciones como las de (63) no se extiende a todos los contextos en los que es posible encontrar una consecutiva bimembre en función de atributo. En particular, los esquemas de (63) son incompatibles con el verbo *ser,* mientras que las consecutivas canónicas pueden concurrir con él libremente:

(64) a. Los dos concursantes eran tan inteligentes que amedrentaban a sus contrincantes.
b. *Los dos concursantes eran que amendrentaban a sus contrincantes.

Así pues, las cláusulas que aparecen en (63) sólo son compatibles con verbos copulativos de aspecto perfectivo, lo que significa que las cualidades expresadas a través de las cláusulas que estamos estudiando han de ser episódicas y no permanentes. El hecho de que tal restricción no afecte a las consecutivas bimembres lleva a pensar que entre ambos tipos de construcciones existen diferencias importantes. Nótese que esa misma selección de predicados episódicos se lleva a cabo en otros tipos de relativas predicativas, como en las que aparecen con verbos de percepción (cf. *Entonces vi que Pedro era el médico de guardia del hospital./ *Entonces vi a Pedro que era el médico de guardia del hospital*).

7.1.6.8. En resumen: en este apartado hemos estudiado el comportamiento de un conjunto de relativas que no se adecuan a la tradicional dicotomía entre especifi-

---

[37] Independientemente de los problemas que plantea la identificación de las cláusulas de (63) como relativas predicativas, creemos que no pertenecen en ningún caso a tal clase las subordinadas que aparecen en oraciones como *En esta foto parece que habla* [Alarcos 1963: 195] o *La señora parece que sufre* [Alarcos 1994: § 359]. La falta de concordancia que manifiesta el supuesto sujeto de la copulativa con el verbo principal (cf. *Las señoras parece que sufren,* frente a **Las señoras parecen que sufren*) muestra que tal sintagma es un elemento tematizado seleccionado en el interior de la oración subordinada [⟶ §§ 36.2.4 y 37.7]. Por lo tanto, la cláusula que aparece en estas oraciones es una subordinada sustantiva y no una relativa.

[38] «[...] No es necesario suponer elipsis en construcciones como *En esta foto parece QUE HABLA, Juan está QUE MUERDE,* donde *que habla* y *que muerde* pueden ser referidos, como cualquier atributo, por /lo/ *(Lo parece, Lo está).* Tampoco, en oraciones como *Sirvieron la sopa que abrasaba,* hace falta interpolar elementos eludidos (por ejemplo, *tan caliente que abrasaba*), pues la construcción es paralela a la de *Sirvieron la sopa fría,* donde *fría* es claro atributo del implemento *sopa.* El hecho de ser *que abrasaba* más afectivo o expresivo que el adjetivo normal *caliente* no es asunto ya de estructura ni función gramaticales» (Alarcos 1963: 195).

cativas y explicativas. Su característica común consiste en funcionar como predicados y no como modificadores del antecedente. Su mayor independencia estructural se pone de manifiesto en la posibilidad de separarlas de aquel. En ocasiones, tal separación es patente *(El jefe está que trina);* en otras, se obtiene mediante la pronominalización *(A sus hijos, los lleva que parecen príncipes).* Es probable que la vinculación menos rígida entre ambos constituyentes sea el motivo de que la subordinada tienda a adoptar la variante con pronombre reasuntivo *(Lo dejaron que no lo hubiera reconocido ni su madre).* Funcionalmente, las relativas predicativas actúan como complementos predicativos del objeto directo o del sujeto o bien como atributos perfectivos de oraciones copulativas. Algunos de los grupos examinados en los anteriores apartados tienen naturaleza claramente relativa (como las construcciones de predicación secundaria con *haber* impersonal, con predicados intensionales o con verbos de percepción física), mientras que el análisis de otros resulta controvertido, dado que la naturaleza de la presunta cláusula relativa puede asimilarse a la de las apódosis consecutivas (cf. el § 58.2 para este punto de vista).

7.2. El antecedente de las relativas

7.2.1. Su naturaleza

7.2.1.1. Como se ha expuesto en el § 7.1.1, el engarce de la cláusula relativa en la unidad de orden superior que la contiene se produce en virtud de la relación anafórica que mantiene el pronombre, adjetivo o adverbio relativo con un elemento externo a la subordinada, llamado antecedente. [39] Desde el punto de vista semántico, el antecedente es la entidad de la que se predica el contenido de la subordinada. La tradición gramatical ha tendido a considerar que los antecedentes de las relativas especificativas y explicativas no son de índole diferente, de modo que en un par como (65) el antecedente sería en ambos casos el SN *el texto:*

(65) a. El corrector revisó el texto que le había sido remitido por la redacción.
b. El corrector revisó el texto, que le había sido remitido por la redacción.

No obstante, a lo largo del § 7.1 hemos argumentado que el antecedente de especificativas y explicativas diverge sustancialmente: mientras que en las primeras se trata de entidades de carácter intensional (es decir, no actualizadas), en las segundas tiene valor extensional. Ello deriva de la distinta naturaleza funcional de una y otra clase de relativas, según trasluce su propia denominación: modificadores del núcleo nominal las especificativas y adjuntos incidentales del SN las explicativas. En

[39] El carácter externo del antecedente deriva del hecho de que tal unidad está vinculada a una predicación de orden superior. No obstante, Kayne (1994) ha propuesto un análisis para las relativas especificativas en el que el sustantivo o grupo nominal antecedente está contenido dentro de la propia subordinada. Según tal enfoque, el elemento externo de engarce con la relativa no es el núcleo nominal, sino su determinante o cuantificador, que toma bajo su ámbito a la subordinada. De este modo, la frontera entre principal y subordinada en (65a) estaría situada entre el artículo *el* y el sustantivo *texto.* En este capítulo no vamos a adoptar tal propuesta, aunque nos interesa señalar que la estructura jerárquica de constituyentes que de ella se deduce es idéntica a la que hasta ahora hemos presentado, por lo que el proceso composicional de obtención del significado en uno y otro caso sería esencialmente el mismo.

virtud de tal diferencia, el antecedente de la relativa en (65a) es el núcleo nominal *texto,* frente a (65b), en donde tal función es desempeñada por todo el SN *(el texto).* La ventaja fundamental de este enfoque es que permite deducir algunos contrastes importantes que separan a las especificativas de las explicativas, tal como se ha razonado en los distintos apartados del § 7.1.3. [40] A todos estos argumentos cabe añadir la naturalidad con la que este análisis prevé la buena formación de las especificativas que Alcina y Blecua (1975) denominan 'redundantes' (cf. n. 18), a pesar de su carácter aparentemente no restrictivo.

7.2.1.2. Otra prueba en favor de la idea de que el antecedente de las especificativas no incluye el determinante la proporcionan los contrastes entre (66) y (67), aducidos en Browning 1987: 130:

(66) a. *Había las mujeres en el jardín.
b. *Juan tenía los celos.
c. *Se lograron los progresos.
(67) a. Las mujeres que había en el jardín eran todas diplomáticas.
b. Los celos que tenía Juan se debían a la actitud despectiva de María.
c. Los progresos que se lograron fueron bien valorados por la opinión pública.

La mala formación de (66) deriva de la naturaleza definida de los respectivos argumentos internos (objetos directos en los dos primeros casos y sujeto de predicado no acusativo en el tercero). Este fenómeno, conocido en la bibliografía como 'efecto de definitud' [⟶ §§ 12.1 y 27.3.4], tiene su origen en las propiedades características de ciertos predicados. Así, *haber* es un predicado que aporta información nueva en el discurso, por lo que impone el requisito de indefinitud a su argumento interno. Algo similar sucede en los otros dos ejemplos, si bien los verbos que en ellos aparecen admiten argumentos internos definidos en otras circunstancias (cf. *Juan tenía el despacho en la calle Alcalá* o *Los progresos se lograron con gran dificultad*). No nos compete aquí tratar de las condiciones que legitiman tales construcciones, sino que nuestro interés se circunscribe a notar la aparición del efecto de definitud en ejemplos como (66).

Si el antecedente de las relativas especificativas fuera todo el SN, el contenido predicativo de las subordinadas que aparecen en (67) reproduciría exactamente el de las secuencias de (66). Sin embargo, las oraciones de (67) son gramaticales, en contraste con las anteriores. Un modo de explicar esta asimetría consiste en suponer que los pronombres relativos de (67) no tienen como antecedente todo el SN definido de la principal, sino sólo su núcleo nominal, carente de tal rasgo, por lo que en tales construcciones no se produce contravención alguna del efecto de definitud. En cambio, las correspondientes relativas explicativas son agramaticales, dado que tales subordinadas sí que tienen como antecedente todo el SN: [41] **Las mujeres, que había en el jardín, eran todas diplomáticas; Los celos, que tenía Juan, se debían a la actitud despectiva de María; *Los progresos, que se lograron, fueron bien valorados por la opinión pública.* Una teoría alternativa a la que acabamos de exponer, que se basara en el carácter necesariamente temático de la información vehiculada por las relativas especificativas y que derivara de ello los contrastes de (66-67), tropezaría con la dificultad de explicar la mala formación de sus correspondientes versiones explicativas.

7.2.1.3. Por otra parte, el contraste de (68) queda igualmente previsto:

---

[40] Hall-Partee (1975: 231), Hernanz y Brucart (1987: cap. 5), Smits (1989: § 3.1.1), Ojea (1992) y Brucart (1994b) presentan argumentos en favor de la distinta naturaleza del antecedente en especificativas y explicativas.

[41] El grado de aceptabilidad de la última secuencia mejora al añadir en la subordinada una entidad indeterminada relacionada con el sujeto paciente: *?Los progresos —que desde luego algunos se lograron— fueron bien recibidos por la opinión pública.* Pese a su carácter marginal, esta última oración es más aceptable que la versión sin el indefinido *algunos,* aunque la presencia de este origine un conflicto con los rasgos de definitud del antecedente de la relativa. Este desajuste es el que explica el carácter de inciso parentético que adopta la relativa en el ejemplo anterior.

(68) a. Tiene celos.
b. *Tiene los celos.
c. Tiene los celos que se esperaba que tuviera.
d. Tiene los celos que tenía hace un año.

En (68), la presencia de la relativa especificativa (o la de cualquier otro modificador nominal con una función similar) es esencial a la hora de legitimar el SN determinado que actúa como objeto de la oración principal. El motivo de tal asimetría radica en el carácter no contable del sustantivo *celos* [⟶ §§ 1.2-3]. El SN *celos* de (68a) tiene meramente valor existencial, sin que quede expresa la cuantificación de tal entidad. La presencia del artículo determinado en este caso sólo es posible si la entidad aparece delimitada. Así, en (68c, d) la relativa delimita cualitativa o cuantitativamente la lectura del SN, que en tal caso pasa a designar una cierta clase o magnitud de celos. Pues bien: lo que muestran los ejemplos anteriores es que el determinante no incide meramente sobre el núcleo nominal, que en todos los ejemplos anteriores es idéntico, sino sobre todo el grupo nominal formado por la unión de aquel con sus complementos especificativos. Son estos últimos, por lo tanto, los que legitiman la aparición del artículo en (68). Eso quiere decir que las secuencias *celos que se esperaba que tuviera* y *celos que tenía hace un año* forman constituyente, lo que vuelve a redundar en la idea de que el determinante no forma parte del antecedente de las relativas especificativas.

7.2.1.4. Un aparente contraejemplo a la teoría de los antecedentes que acabamos de presentar, presentado originariamente en Vergnaud (1974), lo proporcionan las construcciones en las que una oración relativa especificativa incide sobre varios antecedentes coordinados, cada uno de los cuales posee su propio determinante [⟶ §§ 41.2.2.4 y 42.10.1]:

(69) a. Un dragaminas y una corbeta que acababan de cruzar el Estrecho de Gibraltar.
b. Los estudiantes y los profesores que pertenecen a esa universidad.

En (69a), es obvio que la relativa no modifica tan sólo al segundo miembro de la coordinación, sino a ambos, como prueba el carácter plural del verbo que contiene. A su vez, (69b) admite dos lecturas: una en la que sólo pertenecen a esa universidad los profesores y otra en la que la relativa incide sobre los dos miembros de la coordinación. En esta última interpretación, que es la lectura pragmáticamente más plausible de este ejemplo, se habla de estudiantes y profesores de una determinada universidad. De acuerdo con la teoría presentada hasta aquí, el antecedente de (69a) debería ser *dragaminas y corbeta*, y el de la segunda lectura de (69b), *estudiantes y profesores,* sin inclusión en ninguno de los dos casos de los correspondientes determinantes. Pero tales secuencias no forman constituyente lineal en esos ejemplos, dada la presencia del segundo determinante entre ambos núcleos nominales coordinados. Como se señala en Brucart 1987, el problema anterior no afecta solamente a las oraciones de relativo, sino a toda clase de modificadores nominales. Así, sintagmas como *los estudiantes y los profesores de esa universidad* o *los estudiantes y los profesores universitarios* vuelven a plantear el mismo problema, pues los complementos especificativos pueden afectar a los dos miembros de la coordinación. Un modo de resolver el problema planteado consiste en suponer que las estructuras coordinadas añaden a las habituales relaciones de linealidad y jerarquía que caracterizan a las construcciones sintácticas una tercera relación, la de paralelismo, de modo que un complemento puede serlo de varios núcleos no adyacentes siempre que estos sean constituyentes paralelos en una estructura coordinada. En las anteriores construcciones, los núcleos coordinados ejercen idéntica función, por lo que pueden tener asociados complementos que los afecten globalmente.[42] De este modo, los ejemplos de (69) pueden ser acogidos dentro del análisis de las relativas propuesto hasta aquí.

7.2.1.5. Finalmente, por lo que respecta a las relativas que hemos denominado predicativas (cf. el § 7.1.6), cabe señalar que su incidencia se ejerce sobre entidades extensionales, como lo demuestra

[42] El mismo fenómeno se da en casos como *El Ministro de Economía propuso y el Consejo de Ministros aprobó el nuevo decreto sobre las pensiones,* en donde el objeto directo complementa a los predicados *propuso* y *aprobó.* Williams (1978) y Goodall (1987) presentan análisis detallados de este tipo de estructuras coordinadas.

el que puedan tener como antecedente nombres propios y pronombres personales: *Vi a María que salía de la oficina; Los había con los que era preferible no discutir.* Por lo tanto, el antecedente en estos casos es todo el SN y no meramente el núcleo nominal.

En los siguientes apartados estudiaremos aquellos casos en que el antecedente de la relativa o bien no es de naturaleza nominal o bien no aparece realizado léxicamente.

7.2.2. Las relativas con antecedente oracional

7.2.2.1. Como es bien sabido, el contenido de una predicación puede ser incorporado como argumento de otra mediante procedimientos diversos, tal como se muestra en (70):

(70) a. Luis creyó *que su madre no vendría.*
b. Luis desoyó los consejos de su madre y *eso* le ocasionó muchos disgustos.
c. Luis desoyó los consejos de su madre, *lo que* le ocasionó muchos disgustos.

En (70a), la subordinada se inserta como argumento de la principal por medio de la presencia de la conjunción completiva *que,* que actúa semánticamente como un operador que habilita a una oración para desempeñar la función de argumento. El procedimiento seguido en (70b) es distinto: la forma pronominal neutra *eso* alude anafóricamente al contenido del primer miembro de la coordinación. Finalmente, en (70c) la segunda predicación aparece como adjunto subordinado de la primera mediante la presencia de un pronombre relativo que remite al contenido proposicional de la oración principal. Según muestran los ejemplos anteriores, el valor de los pronombres que remiten a una oración es directamente argumental, de modo que no admiten complementos especificativos de ninguna clase. [43] Ello implica que las relativas especificativas no pueden tener antecedentes oracionales, ya que no se vinculan directamente con argumentos, sino con unidades intensionales de orden inferior. Por lo que respecta a las relativas que hemos denominado 'predicativas' (cf. el § 7.1.6), tampoco les está permitido relacionarse con antecedentes oracionales, dada la imposibilidad de que tales entidades puedan incorporar complementos predicativos.

7.2.2.2. Como se ha señalado anteriormente (cf. la nota 19 de este mismo capítulo), la remisión a un antecedente oracional en la relativa no siempre implica la inclusión de todos los elementos de la correspondiente oración matriz. Así, en una oración como *Luis abandonó la reunión, que fue lo mismo que hizo poco después Antonia* es evidente que el sujeto de la principal no puede formar parte del antecedente de la subordinada. En este caso, la aparición de la proforma verbal *hacerlo* en la subordinada permite que se interprete que sólo el predicado de la principal *(abandonar la reunión)* actúa como antecedente de la relativa explicativa. En otros casos, el propio contenido de la subordinada lleva a descartar la inclusión en el antecedente de un determinado elemento de la matriz. Así sucede con el objeto directo en la oración *La Compañía de Radio y TV de Galicia cerró 1995 sin déficit, lo que ocurre por primera vez en su historia* [*El Periódico,* 1-II-96, 57]. Resulta evidente que en el ejemplo anterior lo que se afirma no es que por primera vez se haya cerrado

[43] Los pronombres neutros no sólo remiten a oraciones, sino también a predicaciones nominalizadas *(Necesitaba su aprobación, lo que no le iba a ser fácil de conseguir)* o a sustantivos concretos cuando desempeñan valor predicativo *(Temía que le retiraran el pasaporte, lo que más apreciaba en aquella situación de inseguridad).*

1995 sin pérdidas, sino que por primera vez en la historia de la compañía se ha producido un resultado no deficitario. De hecho, esta flexibilidad a la hora de interpretar la remisión anafórica a un antecedente oracional no es exclusiva de las relativas, sino que se reproduce en otros casos. Así, sería posible comunicar el mismo contenido anterior a través de una estructura coordinada: *La Compañía de Radio y TV de Galicia cerró 1995 sin déficit y eso es la primera vez que ocurre en su historia.* Por lo tanto, el vínculo anafórico que se establece entre un pronombre y un antecedente oracional es menos estricto que el que caracteriza la relación entre un pronombre y un SN no proposicional. [44] Probablemente, ello se debe al hecho de que los pronombres neutros pueden asociarse a cualquiera de los niveles de predicación que están presentes en la oración: el predicado verbal propiamente dicho; la predicación básica, desprovista de los adjuntos o de alguno de sus complementos, o la predicación oracional completa.

7.2.2.3. Desde el punto de vista formal, la posibilidad de contar con un antecedente oracional está sometida a condiciones de legitimación bastante estrictas. Con la única excepción que estudiaremos más adelante, tal relación exige la presencia al frente de la subordinada de una entidad que fije el valor neutro del antecedente, como ponen de manifiesto los siguientes ejemplos:

(71) a. Presentó el recurso fuera de plazo, *lo* que provocó que no fuera admitido.
b. Se deduce del comportamiento del público que el interés de la representación va a más, *lo* que en teatro es bueno. [*El Periódico,* 2-II-96, 56]
c. Pretendía pasar desapercibido, por *lo* cual había intentado cambiar su fisonomía.
d. Presentó una querella ante el juzgado de guardia, *lo mismo* que había hecho poco antes su compañera.

La ausencia del artículo neutro en cualquiera de los anteriores ejemplos convertiría en agramaticales las correspondientes secuencias. Como ya se ha señalado, el estatuto del artículo en los ejemplos de (71) es contrapuesto: mientras que el adjetivo relativo *cual* requiere la presencia de tal entidad en toda circunstancia, el relativo *que* puede aparecer en otros contextos similares sin él. Por lo tanto, es la particular naturaleza del antecedente lo que impone aquí tal restricción. Otra posibilidad consiste en la colocación al frente de la relativa explicativa de un pronombre o sustantivo capaz de remitir anafóricamente a la oración antecedente:

(72) a. Hugh Grant se excede en gestos y carantoñas, *algo* que está afectando a casi todos los actores de comedia. [*El Periódico,* 8-XII-95, 50]
b. Estas actuaciones no modifican en absoluto el Plan Especial, *cosa* que sí sucede con la ordenación recientemente aprobada. [*El Periódico,* 2-VI-96, 7]
c. El magistrado había cometido prevaricación, *circunstancia* que explica su repentino cese.

[44] Los SSNN con valor proposicional tienen mayor tendencia que las oraciones a imponer su contenido literal como antecedente de la subordinada. No obstante, en condiciones favorables, también admiten que alguno de sus elementos no se integre en tal entidad. Así, en la versión nominalizada del último ejemplo *(La compañía informó del cierre sin déficit del ejercicio de 1995, lo que sucede por primera vez en su historia),* la información relativa a la anualidad debe ser excluida del antecedente, ya sea este la oración principal o el SN con valor proposicional.

A la vista de los anteriores ejemplos cabe preguntarse si las oraciones relativas que en ellos se contienen deben ser consideradas explicativas o si no funcionan más propiamente como especificativas de un SN que actúa como aposición de la oración principal. En todas las oraciones del (72) parece necesario optar por la segunda posibilidad, dado que no resulta lógico incluir dentro de la lista de los pronombres relativos del español las formas complejas *algo que, cosa que* y *acontecimiento que.* Además, en esos ejemplos es posible conmutar la relativa por otro modificador no oracional: *algo cada vez más frecuente en los actores de comedia, cosa distinta de lo acontecido con la ordenación recientemente aprobada* o *circunstancia determinante de su repentino cese,* respectivamente.

En los ejemplos de (71), la cuestión es un poco más difícil de resolver. Por una parte, en (71c) el artículo neutro aparece junto al adjetivo relativo *cual* y forma con él un relativo complejo. El hecho de que la preposición, cuya presencia viene impuesta por el predicado de la subordinada, aparezca delante del artículo es indicio claro de que esta última unidad no puede interpretarse como antecedente, sino como integrante de la cláusula relativa. Ese mismo contraste puede aplicarse con idéntico resultado a las oraciones de (71a, b), encabezadas por *lo que:* cuando concurre una preposición seleccionada por el predicado de la relativa, se coloca delante del artículo y, por lo tanto, este no puede concebirse como externo a la subordinada: *Presentó el recurso fuera de plazo, con lo que provocó que no fuera admitido a trámite.* Debe señalarse además que los ejemplos de (71a-c) admiten la conmutación de *lo que* por *lo cual,* algo que no es posible en las relativas especificativas, como muestra el contraste entre *Lo que me preocupa es su silencio* y **Lo cual me preocupa es su silencio.* Así pues, cabe concluir que las subordinadas de (71a-c) son relativas explicativas. En cambio, no resulta posible encontrar ejemplos en los que la preposición regida por el predicado de la relativa preceda a *lo mismo,* como muestra el contraste de (73):

(73) a. Finalmente, consiguió mejorar la situación de sus negocios, lo mismo por lo que habían luchado tan vigorosamente sus antepasados.
b. *Finalmente, consiguió mejorar la situación de sus negocios, por lo mismo que habían luchado tan vigorosamente sus antepasados.

Por lo tanto, debe suponerse que en este caso la forma *lo mismo* es exterior a la subordinada. En consecuencia, la relativa de (71d) es especificativa, a diferencia de lo que sucede en los demás ejemplos de (71).

7.2.2.4. En las construcciones del apartado anterior, la relación entre la subordinada y la oración matriz se establece a través de dos procedimientos: por la concurrencia en la propia subordinada del artículo neutro *lo,* que remite al antecedente oracional, o por medio de la presencia entre la principal y la subordinada de un pronombre o sustantivo que actúa como antecedente de la relativa y que remite a la oración matriz mediante una relación apositiva. Tal es el caso del pronombre *algo* o de los sustantivos *cosa, acontecimiento, circunstancia* o *hecho,* susceptibles de recibir una interpretación proposicional. Como ya se ha señalado (cf. el § 7.1.4.5), en este contexto la relativa no es explicativa, sino especificativa del pronombre o sustantivo que actúa como intermediario de la oración matriz. Las posibilidades de que una relativa explicativa se relacione directamente con una oración antecedente sin la presencia de alguna de las entidades que acabamos de enumerar son muy limitadas y quedan circunscritas fundamentalmente a ciertos casos en los que el predicado de la relativa es un verbo copulativo:

(74) a. Luego se puso a divagar sobre temas intrascendentes, que es lo único que sabe hacer en estos casos.
b. No sabe si invertir en renta fija, que resulta más seguro, o arriesgarse en la bolsa.

En (74), la presencia de un atributo capaz de seleccionar un argumento proposicional en la misma oración subordinada es lo que permite garantizar la conexión del relativo con su antecedente oracional. Por otra parte, la aparición del artículo neutro ante el relativo está condicionada por la forma que adopta el atributo. Así, en (74a) el atributo está encabezado por *lo,* lo que impide su aparición al frente del relativo (*[...], *lo que es lo único que sabe hacer en estos casos*). En (74b), en cambio, el relativo podría incorporar tal entidad, dado que el atributo no la presenta ([...], *lo que resulta más seguro*), o bien podría añadirse a este último ([...], *que resulta lo más seguro*), pero en ningún caso podría aparecer duplicado (*[...], *lo que resulta lo más seguro*).[45]

En conclusión: la posibilidad de que una relativa explicativa con antecedente oracional vaya encabezada por *que* está bastante restringida. Así, para muchos hablantes del español, el ejemplo *Colón descubre América en 1492, que fue una de las mayores hazañas de la humanidad,* tomado de Porto Dapena (1997a: 12), no cumple los requisitos que impone la naturaleza oracional del antecedente. En cambio, la presencia del artículo neutro ante el relativo legitimaría la construcción.

7.2.2.5. Otro contexto en el que el pronombre *que* situado en una relativa explicativa puede remitir sin más mediación a un antecedente oracional es el formado por subordinadas que, conteniendo verbos de dicción, modifican a una principal que reproduce un discurso literal:

(75) a. «Sólo sé que no sé nada», que dijo Sócrates.
b. «Cada oveja con su pareja», que dice el refrán.

Se trata de un esquema estilísticamente marcado, que suele asociarse a frases sentenciosas, citas célebres o dichos formulares que el hablante aduce con el objetivo de aplicarlos a una situación concreta. A diferencia de las construcciones canónicas en estilo directo o indirecto [⟶ Cap. 55], la que comentamos no tiene como objeto el informar al oyente de otras proferencias emitidas previamente. De hecho, en las oraciones de (75) no se presupone que el oyente desconozca el enunciado referido. Lo que se produce, pues, no es la mención novedosa de una proferencia previa, sino su uso aplicado a una situación que se juzga pareja a la que llevó a su primera emisión.

Un contenido muy similar al de las construcciones anteriores es el que aparece en las oraciones de (76):

(76) a. Como dice tu hermana, «cada uno en su casa y Dios en la de todos».
b. «Mal de muchos, consuelo de tontos», como dice el refrán.
c. Lo que dice tu hermana: «cada uno en su casa y Dios en la de todos».

---

[45] Esta restricción afecta a las relativas explicativas, pero no a las especificativas: *Lo que resulta lo más seguro es que no vengas a la fiesta.* Nótese que en este caso la relativa es semilibre, por lo que el primer *lo* es externo a la subordinada (cf. el § 7.2.4.2).

El hecho de que los relativos que aparecen en (76) admitan antecedentes léxicamente vacíos permite que el enunciado al que se refieren pueda aparecer tras la relativa. En realidad, esa es la posición más normal para estas construcciones. Como muestra (76b), el relativo *como* admite también su colocación tras el enunciado. En el caso de (76c), no existe alternativa: la secuencia *«Cada uno en su casa y Dios en la de todos», lo que dice tu hermana* es agramatical. Debe señalarse, además, que el espectro de situaciones en que se pueden utilizar las oraciones de (75) es más limitado que el asociado con las de (76), dado que estas últimas pueden expresar meramente el acuerdo del hablante con lo formulado en el enunciado referido: *Como dice tu hermana, a tu padre no hay quien lo aguante.* Nótese que, en este caso, el hablante no aplica a otra situación lo referido como proferencia ajena, sino que se limita a mostrar su conformidad con el juicio contenido en el enunciado.

7.2.3. Las relativas con otros antecedentes léxicos no nominales

7.2.3.1. Como consecuencia lógica de su distribución, similar a la de los sustantivos, los pronombres pueden actuar igualmente como antecedentes de una relativa. Por lo que respecta a los pronombres personales, ya se ha señalado (cf. el § 7.1.3.3) que, dada su naturaleza denotativa, no pueden servir de antecedente a las relativas especificativas. No existe problema, en cambio, para que desempeñen tales funciones respecto de explicativas y predicativas, como se muestra respectivamente en (77):

(77) a. *Ellos,* para quienes nada valía el dinero, nos ofrecían de nuevo un ejemplo de desprendida generosidad.
b. *Los* había que habían preferido irse al campo a descansar.

Las relativas explicativas no admiten que el antecedente sea un pronombre personal átono, a diferencia de lo que sucede con las predicativas. Así, mientras que la oración *Lo interrogaron a él, que era el principal sospechoso* es perfectamente gramatical gracias a la aparición del pronombre tónico de tercera persona, la secuencia desprovista de tal unidad está mal formada: **Lo interrogaron, que era el principal sospechoso.* Resulta natural asociar este comportamiento con el hecho de que las explicativas son modificadores de un SN, lo que en español impone severas condiciones de adyacencia entre antecedente y relativa. Este requisito entra en conflicto con la naturaleza de los pronombres personales átonos, que deben aparecer como formas clíticas afijadas al verbo y que no admiten modificadores de ninguna clase. En cambio, las relativas predicativas no actúan como modificadores de un SN, sino como complemento predicativo de su antecedente: del mismo modo que en español puede decirse *Lo vi muy preocupado,* es posible tener oraciones como *Lo vi que palidecía,* en las que el complemento predicativo es una relativa.

7.2.3.2. Por su parte, las unidades que la tradición gramatical denomina adjetivos y pronombres determinativos [46] pueden tomar indistintamente relativas de todas las clases, según muestran los ejemplos de (78):

---

[46] Tradicionalmente, estas unidades han sido analizadas como integrantes de dos paradigmas diferentes: el de los adjetivos y el de los pronombres determinativos. Según ese enfoque, el demostrativo *este* es un adjetivo determinativo en *Este libro se venderá mucho,* mientras que adquiere naturaleza pronominal cuando no aparece ningún sustantivo junto a él *(Este se venderá mucho).* Existe, sin embargo, la posibilidad de otorgar un análisis categorial unitario a todas estas formas. Para ello, es necesario suponer que en el segundo caso hay un sustantivo elíptico junto al demostrativo, con lo que la función de este sería también la de determinante de un núcleo nominal (en términos tradicionales, 'adjetiva'). Bosque (1989: § 2.4) trata en detalle de las distintas posibilidades de análisis de estas entidades (véase el § 43.3.2 de esta obra).

(78) a. Tres capítulos en los que aparecían afirmaciones polémicas han sido retocados.
b. Algunos capítulos, en los que aparecían afirmaciones polémicas, han sido retocados.
c. Aquellos en los que aparecían afirmaciones polémicas han sido retocados.
d. Otros, en los que aparecían afirmaciones polémicas, han sido retocados.

Podría aducirse que la posibilidad de que los llamados pronombres determinativos aparezcan complementados por relativas especificativas compromete la teoría defendida hasta aquí, según la cual este tipo de subordinadas no admiten antecedentes con valor extensional. No obstante, aun en el caso de que se admita la naturaleza pronominal de tales entidades (cuestión ampliamente debatida, como se ha señalado en la nota inmediatamente anterior), es necesario distinguirlas de los pronombres personales, dado que, a diferencia de ellos, aceptan toda clase de complementos especificativos: *algunos con poca experiencia, aquellos más caros.* Por lo tanto, en construcciones como las de (78c), la relativa modifica a un elemento intensional, ya sea este el propio pronombre determinativo, ya el núcleo nominal elíptico al que aquel determina, en función de la teoría que se elija para el análisis de estas unidades.

7.2.3.3. Algunas entidades pertenecientes a la clase de los determinativos no pueden combinarse con las oraciones de relativo cuando ejercen función pronominal (esto es, cuando no están acompañadas de un sustantivo léxicamente realizado). En (79) se muestran algunos de estos contrastes:

(79) a. Su padre, a quien conocí en la infancia, había sido un célebre cantante de ópera.
b. *Su, a quien conocí en la infancia, había sido un célebre cantante de ópera.
c. Cierto cliente que había protestado por el trato recibido fue amenazado por un empleado.
d. *Cierto que había protestado por el trato recibido fue amenazado por un empleado.
e. *Cierto, que había protestado por el trato recibido, fue amenazado por un empleado.

Una característica de todos estos ejemplos es que las unidades que no pueden combinarse directamente con una relativa (como los posesivos átonos o el indefinido *cierto*) tampoco admiten la concurrencia de otros modificadores especificativos o explicativos cuando el núcleo nominal no aparece explícito. No obstante, el motivo de la mala formación de las secuencias agramaticales de (79) es diverso. Por lo que atañe al posesivo átono, es precisamente su carácter clítico lo que le impide combinarse con la relativa explicativa en (79b): en tal situación, el antecedente no puede formar grupo fónico independiente, como resulta obligatorio en este tipo de cláusulas.[47] Un modo de superar tal problema consiste en recurrir al posesivo tónico *(El suyo, a quien conocí en la infancia, había sido un famoso cantante de ópera).* La causa de la agramaticalidad de (79d, e) tiene que ver, como indican Fernández Ramírez (1951a: § 208, n. 925) y la RAE (1973: § 2.8.3.10.º), con la absoluta carencia de rasgos anafóricos del indefinido *cierto,* lo que impide la omisión del sustantivo.

7.2.3.4. Un aspecto controvertido en el análisis de las relativas afecta a la posibilidad de que los sintagmas preposicionales puedan actuar como antecedentes de

[47] La agramaticalidad de las combinaciones de posesivos átonos con relativas especificativas, vayan acompañados o no del correspondiente núcleo nominal, tiene un origen distinto, como se estudiará en el § 7.2.5 [⟶ § 15.2.1].

estas oraciones. Eso parece suceder en oraciones en que la subordinada aparece introducida por un relativo de carácter adverbial, como *cuando, como* y *donde:*

(80) a. Iremos de vacaciones *en la primavera,* cuando haya terminado este capítulo.
b. La placa fue hallada *en la casa de Comillas,* donde vivió en su juventud.
c. Lo cocinó *con canela,* como su madre le había enseñado a prepararlo.

La primera característica digna de comentario de los anteriores ejemplos es que se trata siempre de relativas explicativas. De las tres oraciones de (80), tan sólo la segunda admitiría una versión especificativa *(La placa fue hallada en la casa de Comillas donde vivió en su juventud),* pero en tal caso el antecedente sería incontestablemente el grupo nominal *casa de Comillas,* al que la subordinada modificaría restrictivamente.

Porto Dapena (1997a: 50-51) supone que en los ejemplos de (80), en cambio, el antecedente puede ser el sintagma preposicional. En concreto, este autor afirma que caben dos análisis en una oración como *En el pueblo, donde nació, no había ni siquiera luz eléctrica,* según que el antecedente sea el SP *en el pueblo* o el SN *el pueblo,* y señala con acierto que en el primer caso la relativa se interpreta, no en su valor de modificador explicativo habitual, sino como una aposición del SP. Las pruebas en que se sostiene tal hipótesis son de base semántica: en estos casos «toda la oración —no el adverbio relativo solo— tiene idéntica referencia que el antecedente, aunque de alguna manera lo concrete o amplíe semánticamente» (Porto Dapena 1997a: 49). De ello derivan dos pruebas formales: (a) es posible intercalar entre ambos SSPP expresiones de equivalencia como *esto es, o sea* o *es decir: En el pueblo, es decir: donde nació, no había ni siquiera luz eléctrica,* y (b) se puede eliminar el antecedente y conectar directamente la oración de relativo como adjunto del verbo principal: *Donde nació no había ni siquiera luz eléctrica.*

En algunas construcciones esta lectura apositiva parece la única posible. Tal es el caso del siguiente ejemplo, que aduce el mismo autor (Porto Dapena 1997a: 49): *Me gusta salir muy temprano, cuando no hay tráfico en las calles,* en donde resulta obvio que no hay ningún SN que pueda servir como antecedente de *cuando.* Así pues, los casos en los que la relativa se asocia a todo el SP son aquellos en que actúa como una aposición equifuncional. [48] En cambio, cuando el adverbio pronominal tiene como antecedente el SN, se trata de una relativa explicativa común.

Volviendo a los ejemplos de (80), en los dos primeros casos existe la posibilidad de atribuirle a la relativa el doble análisis que acabamos de comentar. En cambio, (80c) sólo admite la interpretación apositiva, dado que es obvio que el SN *canela* no puede concebirse como antecedente de *como,* ya que este relativo sólo puede remitir a algún predicado de la oración antecedente. [49] Recuérdese que en el § 7.2.2

---

[48] Denominamos así a la aposición que reitera la función del término primario *(Se dirigió a los senadores, a los verdaderos padres de la patria),* para diferenciarla de la aposición explicativa propiamente dicha *(Se dirigió a los senadores, los verdaderos padres de la patria).* Otro modo de distinguir ambos esquemas sería considerar al primero como un caso de 'yuxtaposición' y reservar la denominación de 'aposición' para el segundo.

[49] Nótese que la gama de sustantivos que pueden actuar como antecedentes léxicos de *como* relativo *(modo, manera* y *forma)* pueden adquirir valor proposicional: *Lo hizo de este modo; Habló de la siguiente manera; Razonó de esta forma.* Ello parece avalar su análisis como relativo capaz de remitir a toda clase de predicados (no sólo los de modo, como se

hemos visto que en las construcciones relativas que remiten a antecedentes oracionales se utilizaban con frecuencia los esquemas apositivos. En el caso de *como,* la única particularidad consiste en el hecho de que se trata de un relativo susceptible de aparecer con antecedente elíptico, por lo que no precisa de ninguna entidad externa a él para poder formar una aposición explicativa.

Lo que queda por determinar ahora es si en la construcción apositiva cuyas principales características acabamos de presentar puede decirse propiamente que el antecedente de la relativa es el SP que actúa como término primario. A nuestro entender, no es así, puesto que la relativa que aparece en estos contextos es una relativa especificativa con antecedente elíptico y no una relativa explicativa. En efecto: si el antecedente de la relativa en estos casos fuera todo el SP que actúa como término primario de la relación apositiva, su eliminación debería dar lugar a una secuencia agramatical. Sin embargo, como ya hemos señalado, eso no es así. Es más: en estas construcciones es posible invertir el orden de los elementos que componen la aposición *(Iremos de vacaciones cuando haya terminado este capítulo, en primavera),* una permuta que resultaría imposible si el antecedente de la relativa fuera el otro miembro de la aposición. Por lo tanto, debe concluirse que estos ejemplos no son sino una variante de las construcciones estudiadas en el § 7.1.5 y que, como ya vimos, son relativas especificativas que entran en una relación de aposición con otro constituyente y cuyo antecedente se encuentra en el interior del mismo miembro apositivo del que forman parte. Lo característico de las construcciones aquí tratadas es que el antecedente es elíptico y que el tipo semántico de la relativa coincide con el del otro miembro de la aposición. Nótese que cuando no sucede así, la construcción es inequívocamente explicativa, ya que la interpretación apositiva no es posible: *La placa se colocará en la casa de Comillas, adonde se trasladó el homenajeado en su juventud.*

Este último ejemplo demuestra que el hecho de que el relativo lleve incorporada en su propio contenido léxico la relación semántica y funcional que habitualmente se expresa por medio de una preposición no implica que el antecedente deba acomodarse a ese mismo valor semántico. Como ya se ha comentado, la función del relativo y la del antecedente son independientes. Así, el adverbio pronominal *adonde* expresa la relación semántica de dirección, noción ausente en la oración que contiene el antecedente. Pese a ello, el SN *la casa de Comillas* puede desempeñar tal función: *La casa de Comillas, adonde se trasladó en su juventud, fue lugar de reposo y reflexión.* No hay problema alguno, por tanto, en suponer que en (80a, b), además de la interpretación apositiva ya señalada, se da simultáneamente una interpretación en la que *cuando* y *donde* tienen como antecedentes sendos SSNN: *la primavera* y *la casa de Comillas,* respectivamente.

7.2.4. Las relativas con antecedente elíptico

7.2.4.1. Características y clases

Según se desprende de la propia naturaleza de la cláusula relativa, la existencia de un antecedente es consustancial con este tipo de subordinadas. La necesidad de tal entidad no deriva de requisitos de selección semántica (recuérdese que las relativas no son unidades seleccionadas por un núcleo externo), sino del hecho de que

---

suele señalar en la tradición gramatical). Así, en *Luis prefiere las películas de vaqueros, como María,* el adverbio relativo remite al predicado de la oración anterior. Cf. el § 7.5.6.3.

tales oraciones introducen una predicación que sirve para modificar a un elemento externo, que es precisamente el antecedente. En la mayoría de los ejemplos estudiados hasta ahora, el antecedente aparecía realizado léxicamente. Sin embargo, existen construcciones en las que la relativa modifica a un elemento que no tiene realización fonética. Las siguientes oraciones ejemplifican tal fenómeno:

(81) a. El que te dijo eso no conoce las raíces del conflicto.
b. Quien te dijo eso no conoce las raíces del conflicto.

Pese a la casi perfecta relación de paráfrasis existente entre ambas oraciones, la estructura de una y otra es sensiblemente distinta. En (81a), la subordinada aparece introducida por el relativo *que* y el artículo determinado que lo precede es externo a la relativa, como prueba el hecho de que entre ambas unidades pueda inserirse un sustantivo como *individuo.* Dado que la relativa es aquí inequívocamente especificativa, la falta de un nombre que actúe como núcleo del SN que contiene a la subordinada implica la ausencia de un antecedente fónico. Sin embargo, tal omisión está paliada por la presencia del artículo determinado, que informa acerca de los rasgos de género y número del antecedente elíptico. Por el contrario, en (81b), la relativa es el único representante fónico del SN sujeto de la oración principal. Por lo tanto, no es una entidad exterior a la subordinada la que informa del tipo de entidad que debe concebirse como antecedente, sino que es el propio pronombre relativo el que, desde el interior de la subordinada, delimita, en virtud de sus propios rasgos léxicos, el valor de aquel. Se trata, pues, de dos tipos distintos de construcción, por más que ambos tengan en común la falta de realización léxica del antecedente. Para distinguirlos convenientemente, denominaremos al primer esquema 'relativas semilibres' y al segundo, 'relativas libres', términos procedentes de la tradición anglosajona (cf. Smits 1989: § 3.3).

7.2.4.2. Las relativas semilibres

El español permite la omisión del núcleo nominal en un SN siempre que el determinante aparezca realizado fonéticamente [→ §§ 12.1.2.5 y 43.3.2]. Además, según se muestra en (82), los complementos especificativos pueden aparecer también realizados léxicamente en la construcción de núcleo elíptico: [50]

(82) a. Aquella mina de sal de Polonia era espectacular.
b. Aquella de Polonia era espectacular.
c. Aquella mina de sal que visitamos en Polonia era espectacular.
d. Aquella que visitamos en Polonia era espectacular.
e. La que visitamos en Polonia era espectacular.

Del mismo modo que en (82b) es posible elidir el grupo nominal *mina de sal,* que actúa como núcleo del SN, y dejar como únicos representantes léxicos del SN al determinante demostrativo y al SP que actúa como complemento especificativo del

[50] Cuando el determinante es el artículo determinado, el complemento especificativo debe aparecer obligatoriamente en las construcciones de núcleo elíptico. Ello se debe a que el carácter clítico del artículo exige que tal unidad apoye su pronunciación en alguna otra entidad perteneciente al SN.

núcleo, en (82d, e) se puede omitir la misma entidad ante una relativa especificativa. Este procedimiento de elipsis es, así pues, general en español y se puede producir siempre que el sustantivo elidido aparezca debidamente determinado por un artículo (como sucede en (82e)) [51] o por un adjetivo determinativo (como el demostrativo de los demás ejemplos). Sin esa unidad, la construcción sería agramatical. Además, como es lógico, para la cabal interpretación del enunciado resulta necesario que el oyente identifique la entidad elidida, por lo que esta habrá de estar presente en el contexto discursivo inmediato. Por lo tanto, (82b, d, e) sólo tendrán la misma lectura de (82a) si son proferidas en una situación en la que se esté hablando de minas de sal.

Una restricción adicional sobre estas construcciones es la que afecta a la combinación del artículo determinado con un modificador encabezado por una preposición. Tal concurrencia sólo es posible con la preposición *de.* Por el contrario, con el resto de adjetivos determinativos tal limitación no se da:

(83) a. Aquella de galerías concéntricas era espectacular.
b. La de galerías concéntricas era espectacular.
c. Aquella con galerías concéntricas era espectacular.
d. *La con galerías concéntricas era espectacular.

Los siguientes sintagmas en cursiva, en los que entre la relativa y el núcleo nominal elíptico se interpone una preposición *de* que marca el carácter de complemento del nombre de la subordinada, parecen indicar que las relativas semilibres aceptan igualmente estos contextos:

(84) a. El marido de Luisa y *el de quien tú ya sabes* pertenecen a la misma sociedad recreativa.
b. La situación de ahora y *la de cuando estalló la guerra* no son parangonables.
c. La memoria de la candidata que ganó el concurso y *la de la que lo perdió* no eran tan desiguales.

No obstante, un análisis más detenido de la estructura de los anteriores sintagmas muestra que el término de la preposición *de* no es en estos ejemplos una relativa semilibre. Así, en (84a), *quien tú ya sabes* es una relativa libre (cf. § 7.2.4.3) y, por lo tanto, forma un SN con núcleo elíptico que actúa como complemento del nombre del núcleo nominal elíptico equivalente a *marido.* Sólo de ese modo puede justificarse el que la relativa actúe aquí como único representante léxico de un argumento. En (84b) se da la misma situación, puesto que *cuando estalló la guerra* es una relativa libre. Finalmente, en (84c), la situación es un poco más compleja, pero tampoco puede decirse con propiedad que el término de la preposición sea una relativa semilibre. Nótese que tal función está desempeñada por la secuencia *la que lo perdió,* que es un SN que contiene una relativa con un antecedente elíptico equivalente a *candidata.* La relativa ejerce, pues, de modificador especificativo de ese núcleo nominal elíptico y no de término de la preposición *de,* función que desempeña el SN que contiene a la subordinada. Todo ello resulta lógico, dado que las relativas semilibres no pueden desempeñar por sí mismas funciones argumentales. De ahí que no sea posible atestiguarlas en el desempeño de la función de complemento del nombre, ya sea este elíptico o no.

El único contexto en el que una relativa semilibre puede aparecer encabezada por una preposición es aquel en el que esta toma como término al relativo; es decir, cuando es el verbo de la subordinada el que la selecciona, como ocurre en (85a, b). Pero si la entidad que actúa como determinante del antecedente es el artículo, tales casos son siempre agramaticales en español: entre este y el pronombre relativo no puede interponerse ninguna otra unidad. Los ejemplos de (85) muestran el contraste señalado: [52]

---

[51] En otras lenguas románicas, como el francés y el italiano, el artículo determinado no puede aparecer en esta clase de construcciones elípticas, función en la que es sustituido por el demostrativo.

[52] Hay, no obstante, testimonio literario de los esquemas que en (85) se consideran agramaticales. Alarcos (1994:

(85) a. Aquella de (la) que te hablé era espectacular.
b. Aquella respecto de la cual albergaba serias dudas era espectacular.
c. *La de (la) que te hablé era espectacular.
d. *La respecto de la cual albergaba serias dudas era espectacular.

En consecuencia, la nómina de pronombres relativos que pueden aparecer en las relativas semilibres encabezadas por el artículo es sumamente reducida. Como ya se ha dicho, *que* puede comparecer siempre que no vaya precedido de preposición o locución prepositiva. Los relativos *quien* y *el cual* no pueden aparecer nunca en las relativas semilibres, dado que los únicos contextos en los que pueden encabezar una especificativa son precisamente aquellos en los que funcionan como término de preposición (cf. el § 7.5). El relativo posesivo *cuyo* tampoco puede aparecer en estos contextos, seguramente debido al hecho de que expresa intrínsecamente la relación de complemento del nombre, equivalente a la de un SP encabezado por *de:* así, la buena formación de *el diputado que acabas de mencionar y aquel cuyo nombre has olvidado* contrasta con la agramaticalidad de **el diputado que acabas de mencionar y el cuyo nombre has olvidado.* [53] Finalmente, los relativos adverbiales tampoco admiten los contextos que estamos estudiando, dado que asimismo desempeñan funciones equivalentes a las de un SP: **El momento cuando llegó y el cuando decidió marchar fueron igualmente inoportunos; *El modo como se comportó no tuvo nada que ver con el como debería haberse comportado.*

Con respecto a las relativas semilibres, existen en la tradición gramatical española varias propuestas distintas de análisis. Según una de ellas, debe sobreentenderse la presencia de un núcleo elíptico de valor sustantivo, que actúa como antecedente de la cláusula relativa. Otra, en cambio, evita recurrir a la elipsis y prefiere suponer que en estos ejemplos el núcleo del sintagma es el elemento determinativo que lo encabeza. Así, el demostrativo sería en tales contextos un pronombre y no un adjetivo, por lo que estaría habilitado para funcionar como núcleo del SN. Naturalmente, si se acepta esta idea, carece de sentido etiquetar a las relativas que en ellas pueden aparecer como 'relativas con antecedente elíptico', puesto que tal función sería desempeñada por el pronombre determinativo correspondiente. Más difícil parece incluir dentro de este mismo enfoque los ejemplos en que la entidad que aparece inmediatamente delante de la relativa es el artículo determinado. Para algunos gramáticos, esas serían precisamente las únicas oraciones en las que cabría hablar de relativas semilibres. También existen, no obstante, teorías que intentan integrar al artículo dentro de la categoría de los pronombres [⟶ § 12.1.1.6]. Así, Bello (1847: § 273) propone considerarlo como una variante átona del pronombre personal de tercera persona, por lo que también podría desempeñar la función nuclear en los anteriores sintagmas. La principal dificultad que plantea el análisis pronominal de todas estas unidades, y especialmente el del artículo, es que en él se las considera antecedentes de la correspondiente relativa. Eso suscita un conflicto entre la naturaleza típicamente extensional de tales entidades y el carácter de la relativa, que al ser especificativa requiere un antecedente intensional.

7.2.4.3. *Las relativas libres*

A diferencia de las construcciones que acabamos de estudiar, las relativas libres se caracterizan por ser el único representante fónico del SN en el que se insertan. De hecho, la falta de un antecedente explícito lleva a plantearse si el constituyente

---

§ 403) aporta ejemplos de Ortega y Gasset, Pérez Galdós y Leopoldo Alas en los que entre artículo y relativo se interpone una preposición. Pero el mismo gramático indica que tales construcciones son sistemáticamente evitadas por los hablantes, por lo que en una oración como *La capilla desde la que oían misa* [...] *estaba separada sólo por una verja de la en que se habían escondido los trasnochadores* [L. Alas, *La Regenta,* 498], «hoy se prefiere recurrir al demostrativo para representar al antecedente elidido *(de aquella en que se habían...)*».

[53] Cuervo (*DCRLC* II, s.v. *cuyo,* 1c) aporta un ejemplo del siglo XVI en el que *cuyo* aparece en una relativa semilibre, precedido además de preposición: *Fue [aquel linaje] uno de los en cuya mano estuvo la mayor parte de lo que entonces se sabía en el mundo* [D. Hurtado de Mendoza, *De la guerra de Granada,* 104[1]]. No obstante, Cuervo señala que tales construcciones son excepcionales, incluso para la época referida.

en cursiva de (86), además de ser una oración subordinada de relativo, debe ser analizado en un nivel superior del análisis como SN:

(86) a. *Quien dice esto* miente.
b. Decidió ignorar a *quienes lo insultaban.*
c. *Donde vive tu hermano* es demasiado lejos para ir de vacaciones.
d. *Como lo dijo* me pareció demasiado brusco.

Un repaso atento de los contextos en los que estas construcciones pueden aparecer demuestra, sin embargo, que su distribución corresponde a la de los SSNN y no a la de las oraciones. Así, el predicado *mentir* de (86a) selecciona inequívocamente individuos, y no acontecimientos. De ahí que el constituyente en cursiva pueda ser sustituido por un nombre de persona (*Luis,* por ejemplo). Por otra parte, todas las relativas libres de (86) pueden ser conmutadas por SSNN que contengan una relativa especificativa: *la persona que dice esto, las personas que lo insultaban, el lugar donde vive tu hermano, la forma como lo dijo.* Por lo tanto, el análisis de estas construcciones debe reflejar que la relativa se integra en un SN cuyo núcleo elíptico puede ser identificado gracias a los rasgos léxicos que contiene el pronombre relativo. Son, en efecto, los rasgos del pronombre relativo *quien* los que llevan a interpretar que en (86a, b) el SN que contiene la relativa refiere a una persona, del mismo modo que el contenido de los relativos *donde* y *como* de (86c, d) designa un lugar y un modo, respectivamente.

Así pues, cualquier SN con núcleo léxico puede ser conmutado por una relativa libre siempre que el pronombre relativo que la encabece sea capaz de identificar los rasgos del antecedente vacío. El español no cuenta con pronombres relativos lo suficientemente ricos en rasgos léxicos como para cubrir todos los tipos de entidad que puede representar un SN. Como hemos visto en los ejemplos anteriores, *quien* refiere a individuos humanos. En cambio, no es posible construir relativas libres que designen objetos o individuos no humanos (con la única excepción de los valores cubiertos por los adverbios relativos). Ello se debe a que el pronombre *que,* que cubre todo el espectro de entidades que pueden ser designadas por un SN, no posee rasgos léxicos lo suficientemente ricos como para poder encabezar relativas libres. Por lo tanto, el único recurso para representar tales valores en construcciones con núcleo elíptico es el de recurrir a una relativa semilibre, construcción en la que el determinante aporta los rasgos gramaticales del antecedente: *La que más me ha gustado ha sido la película de Kieslowski.*

Tampoco el pronombre relativo *el cual* está habilitado para encabezar tales construcciones, pese a su flexión de número y a la obligatoria concurrencia del artículo: **El cual llegó tarde es tu hermano.* Probablemente, la falta de autonomía referencial de este pronombre se debe al hecho de que tal relativo complejo procede de la unión del adjetivo *cual* con el artículo determinado. El valor adjetivo de la primera forma se pone de manifiesto en los ejemplos en que el antecedente aparece repetido junto al relativo. Se trata de casos como el que cita Cuervo (*DCRLC* II, s.v. *cual,* 2d), tomado de *El Quijote* [2.16]: *A grandes voces llamó a Sancho que viniese a darle la celada; el cual Sancho, oyéndose llamar, dejó a los pastores.* En el uso actual de este pronombre no es habitual la reiteración del antecedente en el interior de la relativa. Es posible que tal omisión esté favorecida por la presencia del artículo, cuya función, como señala Ojea (1992: 99), no sería la de remitir al antecedente externo, sino la de identificar el núcleo elíptico del propio sintagma relativo. Eso explica, además, la obligatoria aparición del artículo en el interior de la relativa, y no en una posición externa a ella, como sucede en las relativas semilibres. Sobre la naturaleza de este relativo complejo volveremos en el § 7.5.2.

El relativo posesivo *cuyo* tampoco está habilitado para encabezar relativas libres: **Cuya hermana conociste ayer vive en el tercer piso.* Probablemente, el motivo de tal incapacidad radica en el hecho de que los rasgos gramaticales flexivos de esta unidad no concuerdan con el antecedente poseedor, sino con el núcleo de su sintagma, que designa la entidad poseída.

Los adverbios relativos, por el contrario, poseen rasgos léxicos que permiten identificar el antecedente: *cuando* designa un momento o un intervalo temporal, *donde* alude a un lugar y *como* expresa un modo o manera. En todos estos casos el contenido del antecedente está tan delimitado léxicamente que en la mayor parte de las ocasiones aparece elíptico, de modo que las relativas libres son el tipo de construcción más frecuente de los adverbios relativos. Por lo que respecta a las funciones gramaticales que tales construcciones desempeñan en el seno de la oración principal, estas suelen ser de carácter circunstancial, tal como corresponde a su naturaleza temporal, locativa y modal. No obstante, también pueden servir de argumentos de ciertos predicados, como en (86c, d), donde la relativa libre es el sujeto de la predicación principal. En (87), en cambio, la función que corresponde al sintagma que contiene la relativa libre es la de adjunto circunstancial de la oración principal:

(87) a. Encontraron petróleo *donde menos se lo esperaban.*
b. Lo hará *cuando pueda.*
c. Lo hará *como pueda.*

El lógico predominio de la función de adjunto circunstancial de los sintagmas que contienen relativas libres encabezadas por un adverbio ha llevado a muchos gramáticos a considerar que estas construcciones son de naturaleza adverbial (cf., p. ej., Porto Dapena (1997b: 37-38)).[54] Pero tal caracterización parece manifiestamente inadecuada en ejemplos como (86c, d), donde, a pesar de que la subordinada está encabezada por un adverbio relativo, el constituyente que engloba al antecedente desempeña la función de sujeto de la oración principal. No debe confundirse, pues, la función de la subordinada, que siempre es la de delimitador de un antecedente elíptico, con la del propio antecedente, que puede desempeñar funciones diversas respecto de la predicación principal, por más que la adverbial sea la más frecuente.

El análisis que se acaba de esbozar se sustenta en la idea de que las relativas libres son construcciones que modifican a un antecedente elíptico cuyo contenido tiene relación léxica con el pronombre o adverbio relativo que encabeza la subordinada. El hecho de que incluso las relativas libres encabezadas por un adverbio puedan aparecer en construcciones con antecedente explícito *(el modo como lo hizo, el lugar donde lo dejó, el momento cuando decidió actuar)* avala la idea de que la única particularidad de esta clase de subordinadas reside en la frecuente omisión del antecedente. El contenido de la entidad omitida es equivalente en estos casos al de otros adverbios pronominales no relativos que aluden a las mismas nociones de modo, lugar y tiempo expresadas por tales construcciones *(así, allí, entonces).* Dada la íntima relación semántica existente entre el pronombre o adverbio relativo que encabeza la relativa libre y el antecedente implícito, muchos lingüistas (siguiendo a Bello (1847: § 328)) consideran que el antecedente está incluido ('envuelto', en palabras del gramático venezolano) en el mismo pronombre o adverbio relativo, que de este

[54] Tal doctrina aparece expuesta en RAE 1928: § 401 en una formulación todavía más extrema: «Si digo: *Esta es la casa* EN QUE *nací,* enuncio una oración de relativo; y si substituyo en ella el complemento circunstancial *en que* por el adverbio *donde,* y digo: *Esta es la casa* DONDE *nací,* enuncio una subordinada adverbial [...]». La misma idea defiende Gili Gaya (1943: § 241), que incluye entre las adverbiales de lugar la subordinada que aparece en la oración *No conocía la ciudad adonde habíamos llegado,* y en RAE (1973: § 3.21.2), que reproduce literalmente el párrafo citado al comienzo de esta nota. Algunas gramáticas posteriores, sin embargo, se muestran disconformes con el anterior análisis, por cuanto la presencia de un antecedente léxico en los dos casos referidos prueba que la relativa tiene la misma función de modificador especificativo del antecedente nominal. Así lo indican Alcina y Blecua (1975: § 8.3.5.5), quienes reservan la denominación de 'subordinada adverbial' para los casos de relativas libres que desempeñan tal función o para los de las relativas que modifican a un antecedente de ese mismo valor. Alarcos (1994: §§ 425-427), en fin, limita la denominación de 'adverbiales' a las relativas libres de carácter locativo, temporal o modal.

modo cumpliría una triple función: antecedente, nexo de subordinación y argumento o adjunto de la relativa. A nuestro modo de ver, la ventaja de prescindir de la noción de un antecedente vacío en estas construcciones se ve contrarrestada por la necesidad de duplicar en tal caso el paradigma de los pronombres y adverbios relativos que pueden concurrir al frente de una relativa libre: como tales entidades también admiten la presencia de un antecedente léxico, habría que reconocer la existencia, por ejemplo, de dos pronombres relativos *quien,* uno que llevaría envuelto a su antecedente y otro propiamente anafórico. En todo caso, se adopte o no la teoría de la inclusión del antecedente en la relativa libre, debe deslindarse cuidadosamente la función que desempeña el antecedente de la que corresponde a la subordinada.[55]

7.2.4.4. El encaje de las preposiciones en las relativas libres

Al estudiar las relativas semilibres, ya nos hemos referido a las restricciones a que está sometida la presencia de una preposición ante el pronombre relativo. En las relativas libres el problema queda amplificado debido a que, al ser la subordinada el único constituyente con realización léxica, puede darse *a priori* la concurrencia de dos preposiciones: una correspondiente al sintagma encabezado por el antecedente, externa por lo tanto a la relativa, y otra dentro de ella, asociada al pronombre o adverbio relativo. El contraste de (88) ilustra la situación descrita:

(88) a. Me entrevisté con la persona *a quien le diste el encargo.*
b. *Me entrevisté con *a quien le diste el encargo.*

La sucesión de dos preposiciones al frente de una relativa libre resulta siempre agramatical en español, como sucede en (88b). Por lo tanto, el único modo de expresar el contenido de una oración de esas características consiste en dar cuerpo léxico al antecedente, como ocurre en (88a).[56] Así pues, las relativas libres admiten como máximo la aparición de una preposición ante el pronombre o adverbio relativo que las encabeza. Además, el encaje de tal preposición está sometido a requisitos adicionales, que estudiaremos a continuación.[57]

El primer caso que consideraremos es el referido a las construcciones de doble encaje, como las ejemplificadas en (89):

(89) a. He soñado con quien te peleaste ayer.
b. Vengo de donde sale la manifestación.
c. Nunca te olvides de quienes nadie se preocupa.

En los ejemplos de (89), la preposición que precede al pronombre o adverbio relativo aparece doblemente seleccionada. Por una parte, su presencia corresponde al

---

[55] Alcina y Blecua (1975: § 8.3.5.5) señalan que algunas gramáticas distinguen en las relativas libres entre antecedente 'sobreentendido' (esto es, elíptico o implícito) y antecedente 'envuelto'. Estos últimos adoptarían siempre una lectura genérica *(Quien diga eso miente),* mientras que los primeros remitirían a una interpretación específica *(Quien dijo eso mintió).* No obstante, creemos que el contraste no deriva de la diferente naturaleza del antecedente o del pronombre relativo, sino de otras características de la oración, como el uso de indicativo o subjuntivo en la subordinada.

[56] Existen otras posibilidades de mejorar la aceptabilidad de (88b), pero conculcan la norma. Estriban en eliminar la preposición *a,* ya sea conservando el mismo pronombre relativo *(*Me entrevisté con quien le diste el encargo),* ya sea reemplazándolo por el relativo *el que (?*Me entrevisté con el que le diste el encargo).* Nótese que en este caso la pérdida de la preposición queda compensada por la presencia del clítico de dativo en el interior de la subordinada, de modo que el patrón resultante se ajusta al de las relativas con pronombre reasuntivo, estudiadas en el § 7.1.2.

[57] Para un estudio detallado de los aspectos de encaje de las preposiciones en las relativas libres, cf. Suñer 1984.

régimen del verbo de la oración principal *(soñar con, venir de, olvidarse de)* [→ Cap. 29]. Por otra, es igualmente seleccionada en el interior de la predicación subordinada *(pelearse con, salir de, preocuparse de).* Como se ha comentado anteriormente, el español no admite la concurrencia de dos preposiciones sucesivas en estas construcciones. Pero cuando ambas resultan ser homólogas, la construcción resultante es gramatical, siempre que las dos preposiciones queden fonéticamente reducidas a una sola. Para que se produzca tal simplificación no es necesario que la función desempeñada por los respectivos sintagmas preposicionales sea la misma. Basta con que haya identidad léxica entre ambas. Así, en *Ayer vi a quien le compraste este piso,* la reducción es factible, pese a que la preposición actúa como índice de dos funciones gramaticales distintas: objeto directo del predicado principal *ver* y objeto indirecto de la relativa libre. Naturalmente, la posibilidad de que se produzca el encaje por reducción de las preposiciones concurrentes queda limitada al caso de que ambas sean idénticas. Por lo tanto, en ejemplos como (88b) tal operación no es factible.

El encaje de una sola preposición en las relativas libres también está sometido a condiciones bastante estrictas. En el caso de que la preposición corresponda al antecedente elíptico (esto es, cuando es externa a la relativa), la construcción es gramatical:

(90) a. Luchó contra *quienes se le opusieron.*
b. Me acuerdo de *cuando escribíamos en la escuela con pluma y tintero.*
c. El proyectil fue a impactar en *donde podía producir mayor destrozo.*
d. La principal preocupación de *quien nos examinaba* era evitar que copiáramos.

Finalmente, hay que considerar los ejemplos en los que la preposición está en el interior de la relativa. Este es el contexto sobre el que actúan restricciones más complejas. Si la relativa libre forma parte del sujeto preverbal de la oración principal, la construcción es gramatical, siempre que el tipo de entidad designado sea el apropiado para ejercer tal función:

(91) a. *Con quien me quiero casar* vive a la vuelta. [Suñer 1984: 365]
b. *A donde va Luis* es demasiado frío para pasar las vacaciones.
c. *En quien más confiaba* me traicionó.

Es necesario señalar, no obstante, que hay hablantes que no consideran aceptables estas oraciones y que muchos otros ejemplos correspondientes al esquema ejemplificado en (91) son rechazados incluso por quienes aprueban las oraciones anteriores. Así, no siempre es posible sustituir la relativa libre de (91a) por otra cualquiera potencialmente designadora de un individuo: secuencias como *??De quien me olvidé vive a la vuelta* o *??A quien nunca nombro vive a la vuelta* resultan mucho más marginales que (91a). Se trata, pues, de un esquema defectivo, sometido a un amplio margen de variación.

Cuando la relativa libre encabezada por una preposición está inserta en un sintagma que desempeña en la principal cualquier otra función distinta de la de sujeto, la construcción resultante es casi siempre agramatical. El motivo de la mala formación radica en que a la preposición que lleva internamente la subordinada debe unirse la que manifiesta la función del sintagma que contiene el antecedente, por lo que se produce el conflicto de duplicidad preposicional ya mencionado anteriormente. Constituyen una excepción a esta tendencia los contados contextos en que el objeto directo de persona, debido a su carácter inespecífico, admite la falta de la preposición *a* [→ Cap. 28]. Las correspondientes oraciones con relativa libre son en tal caso gramaticales, como se muestra en (92):

(92) a. No tiene con quien salir.
b. Andrea tiene de quien burlarse en su clase. [Suñer 1984: 365]
c. Finalmente ha encontrado en quien fijarse.

Como se deduce de los anteriores ejemplos, este tipo de relativas libres tiene la particularidad de construirse en infinitivo. Ello se debe al hecho de que el verbo principal selecciona un objeto directo de carácter inespecífico. La colocación del verbo en modo indicativo supondría que el objeto directo recibiera una lectura específica y, como ya hemos comentado, en tal caso la construcción sería agramatical debido a que la obligatoria presencia de la *a* de acusativo volvería a plantear un conflicto de duplicidad de preposiciones (cf. **Encontró a en quien se había fijado aquel día* o **Encontró en quien se había fijado aquel día*). De modo un tanto marginal, también sería posible en estos casos la presencia del subjuntivo, modo que marca igualmente la inespecificidad de la entidad denotada por el sintagma que contiene la relativa libre: *?No encontraba con quien pudiéramos salir.*

7.2.5. La incompatibilidad entre los posesivos prenominales y las relativas especificativas

7.2.5.1. El español posee un paradigma de posesivos átonos prenominales que llevan incorporada la noción de definitud [→ §§ 15.2 y 15.3]. Los ejemplos de (93) ilustran el contraste entre esta clase de posesivos y los posnominales:

(93) a. Alojó a su amigo en casa.
b. Alojó a un amigo suyo en casa.

En general, si el posesivo está inserto en un SN definido, la forma que tiende a seleccionarse es la prenominal. Sintagmas como *el amigo suyo* son también posibles, pero su uso es mucho menos frecuente que el del sintagma correspondiente con el posesivo átono *(su amigo)*. Sin embargo, la concurrencia en un mismo SN de un posesivo prenominal y de una oración de relativo especificativa provoca una clara degradación en la gramaticalidad de la oración correspondiente:

(94) a. *?*Su libro con el que estudiamos el año pasado* estaba un tanto desfasado.
b. ?*Lo primero que leí fue *tu trabajo en el que criticas la política del gobierno.*
c. *?*Mi prohibición que acabáis de quebrantar* estaba dictada por la prudencia.

En cambio, cuando la relativa es explicativa, no se observa mengua alguna en la gramaticalidad de la oración:

(95) a. *Su libro, con el que estudiamos el año pasado,* estaba un tanto desfasado.
b. Lo primero que leí fue *tu trabajo, en el que criticas la política del gobierno.*
c. *Mi prohibición, que acabáis de quebrantar,* estaba dictada por la prudencia.

Un modo de evitar la mala formación de las oraciones de (94) consiste en colocar el artículo determinado al frente del SN y relegar al posesivo a una posición posnominal, lo que implica la necesidad de recurrir al paradigma de formas tónicas: [58]

(96) a. *El libro suyo con el que estudiamos el año pasado* estaba un tanto desfasado.
b. Lo primero que leímos fue *el trabajo tuyo en el que criticas la política del gobierno.*
c. *La prohibición mía que acabáis de quebrantar* estaba dictada por la prudencia.

La restricción descrita no se da cuando el núcleo nominal aparece acompañado de otros modificadores especificativos distintos de las oraciones de relativo. Así, sintagmas como *su libro del año pasado, su trabajo sobre la política del gobierno* o *mi prohibición de que salierais* son perfectamente gramaticales. De ello se deduce que el conflicto que presentan las oraciones de (94) está vinculado a la presencia del posesivo prenominal en el antecedente de la subordinada.

Para comprender el motivo de una restricción aparentemente tan caprichosa, es necesario plantearse qué diferencia a los posesivos prenominales de los otros posesivos y del resto de los modificadores especificativos del nombre. En primer lugar, conviene destacar una característica común a todos los posesivos: su carácter de argumentos, como pone de manifiesto la posibilidad de conmutarlos por un SP complemento del nombre. Así, en la oración *El caniche de Luis enfermó,* el SN sujeto contiene dos argumentos: el que forma todo el constituyente y el que corresponde al SN *Luis*. Este último desempeña la función temática de poseedor con respecto al núcleo nominal *caniche,* en virtud de la presencia de la marca preposicional de genitivo que le precede. A su vez, el SN completo se interpreta como argumento del predicado *enfermar.* Parece obvio que en las oraciones *Su caniche enfermó* y *Un caniche suyo enfermó,* el posesivo representa al argumento poseedor que en la anterior oración estaba realizado por medio del SN *Luis.* En consecuencia, todos los posesivos son modificadores especificativos del núcleo nominal del que dependen sintácticamente. También lo son las oraciones de relativo especificativas, pero estas,

[58] Cf. Brucart 1994b para un análisis de este fenómeno en términos de la gramática generativa. Fernández Ramírez (1951a: § 121.4) se refiere a esta incompatibilidad al tratar de la alternancia *su coche/el coche suyo,* cuando señala que el segundo esquema «es casi normal cuando la fórmula va acompañada de una prolongación relativa» y cita el siguiente ejemplo de Pardo Bazán: *Tales son los gestos míos que reproduce Rafaelín* [*La sirena negra,* XII, 172]. La misma incompatibilidad se detecta en otras lenguas, como el francés, inglés, italiano o catalán.

debido a su naturaleza oracional, se caracterizan por ocupar siempre la posición más externa entre los diversos complementos especificativos del nombre, tal como pone de manifiesto la diferencia de gramaticalidad que se observa en los sintagmas de (97):

(97) a. Las opiniones del Papa sobre el aborto que tanta polémica han desatado.
b. *Las opiniones que tanta polémica han desatado del Papa sobre el aborto.
c. *Las opiniones del Papa que tanta polémica han desatado sobre el aborto.[59]

La tendencia de las relativas especificativas a constituirse en el modificador nominal más externo implica que todos los demás complementos especificativos del nombre forman parte del antecedente de aquellas. Por lo tanto, cuando un posesivo comparte con una relativa la función de especificar a un mismo núcleo nominal, debe incluirse, en virtud de su naturaleza argumental, dentro del antecedente de la subordinada. Pero, por otra parte, ya hemos señalado que el antecedente de las relativas especificativas no incluye en ningún caso a los determinantes o especificadores del núcleo nominal: entidades como el artículo, los demostrativos o los cuantificadores son externas al antecedente.

Los posesivos átonos son, así pues, entidades híbridas, puesto que a la función de modificador especificativo que desempeñan respecto del núcleo nominal, derivada de su naturaleza argumental, agregan su naturaleza de determinantes definidos, como se deduce de su propia interpretación y de su incompatibilidad con el artículo determinado (cf. *su coche,* frente a **el su coche*[60]). De esta doble naturaleza de los posesivos átonos deriva el conflicto que dificulta su aparición con las relativas especificativas. Como determinantes que son, no pueden formar parte del antecedente de tal clase de subordinadas. Pero, al mismo tiempo, en su calidad de modificadores especificativos del núcleo nominal, deben figurar en él, ya que la entidad sobre la que incide la subordinada debe incluir todos los complementos del núcleo nominal. El único modo de superar el dilema consiste en recurrir al posesivo posnominal, que no lleva agregada la función de determinante, y colocar independientemente al frente del SN una marca de definitud (como el artículo o un demostrativo). Tal es la solución adoptada en los ejemplos de (96). Nótese que el conflicto descrito no afecta en absoluto a las relativas explicativas, dado que tales construcciones incluyen dentro del antecedente a todas las unidades que componen el SN, incluidos los determinantes. Eso permite prever la buena formación de los sintagmas de (95). La incompatibilidad que estamos estudiando constituye un argumento en favor de la idea de que el antecedente de las relativas especificativas es de naturaleza diferente al de las explicativas. El hecho de que sólo en las especificativas se manifieste el fenómeno avala tal distinción.

---

[59] El juicio de agramaticalidad de (97c) se refiere a la interpretación en la que el SP *sobre el aborto* es complemento del núcleo nominal *opiniones* y no del predicado *desatar* o del sustantivo *polémica.*

[60] En el español medieval, los posesivos átonos podían aparecer entre el artículo determinado y el núcleo nominal. Según Lapesa (1980: § 72.1), tal uso va quedando relegado al habla popular en el siglo XVI. En RAE 1973: § 3.10.10c se indica que estas construcciones se conservan como dialectales en zonas de Asturias, León y Santander. Sintagmas como *el tu nombre* o *el tu reino,* que han pervivido hasta hace algunos años como fórmulas en el *Padrenuestro,* han sido sustituidas, dado que se sienten como construcciones fijas de valor arcaizante o dialectal [⟶ §§ 12.1.2.2 y 15.2].

7.2.5.2. La degradación gramatical que produce la concurrencia de un posesivo átono con una relativa especificativa es considerable y no sólo se manifiesta en español. Sin embargo, hay algunos contextos en los que la sustitución de aquel por la combinación de artículo determinado y posesivo tónico no mejora la aceptabilidad de la secuencia originaria. Incluso en algunos casos la construcción con posesivo prenominal puede ser preferible, a pesar de su estatuto marginal. Eso sucede especialmente cuando el posesivo designa entidades de posesión inalienable, como en los sintagmas de (98):

(98) a. ?Su hijo que vive en Alemania todavía no ha cumplido los cuarenta.
b. ??El hijo suyo que vive en Alemania todavía no ha cumplido los cuarenta.

El motivo de la baja aceptabilidad de (98b) tiene que ver con la tendencia del español a asignarle al artículo determinado valor posesivo cuando el SN en el que actúa como determinante designa entidades que se conciben como inalienables [⟶ § 15.6.1]. En tales casos, la aparición del posesivo es superflua, como muestra el contraste entre *Ha ido a visitar al hijo que vive en Alemania* y *?Ha ido a visitar a su hijo que vive en Alemania.* No obstante, para que el artículo pueda adoptar la lectura posesiva es necesario que en la oración aparezca independientemente una entidad que indique la persona del poseedor. Tal unidad puede ser un dativo *(Le temblaban las manos)* [⟶ § 30.6.5.2] o, como en el caso anterior, el sujeto de la oración. Cuando no aparece la entidad que fija la interpretación posesiva del artículo, es necesario recurrir al posesivo. Eso explica el contraste entre *Tenía la cara ovalada,* en donde el artículo recibe lectura posesiva gracias a la existencia de un sujeto implícito de tercera persona que indica la persona del poseedor, y *Su cara era ovalada,* con recurso al posesivo debido a la falta de otro elemento que señale la información relativa al poseedor. Pues bien: del mismo modo, el hecho de que (98a) sea preferible a (98b) deriva de la dificultad de otorgarle al artículo una interpretación posesiva. Nótese que el posesivo posnominal no puede funcionar como entidad que fije la interpretación posesiva del artículo, como muestra la mala formación de **La cara suya era ovalada* o **El hijo suyo vivía en Alemania.* En cambio, en *Ha ido a visitar al hijo que vive en Alemania,* el artículo puede recibir interpretación posesiva siempre que se conciba al poseedor como correferente con el sujeto implícito de la oración.

Finalmente, sintagmas como *??El artículo suyo que escribió el verano pasado,* pese a que se ajustan a los requisitos que impone la incompatibilidad que estamos estudiando en este parágrafo, resultan tan inaceptables como las correspondientes construcciones con posesivo átono. En este caso, el motivo de la desviación tiene que ver con el carácter redundante de la información aportada por el posesivo. Nótese, en efecto, que la autoría del artículo se deduce independientemente del contenido de la subordinada relativa, ya que el sujeto de esta designa la persona del autor. De ahí que sea preferible la omisión del posesivo: *El artículo que escribió el verano pasado.*

7.2.6. La concordancia del relativo con el antecedente

7.2.6.1. Algunos casos de ambigüedad

Como se ha indicado reiteradamente a lo largo del capítulo, la interpretación de las relativas depende de manera crucial de la identificación del antecedente, que es la entidad de la que se predica el contenido de la subordinada. En este apartado abordaremos el estudio de algunos ejemplos en que la relativa cuenta con más de un candidato para la función de antecedente. Lo que nos interesa aquí es examinar las condiciones gramaticales que permiten la aparición de tal ambigüedad, aunque conviene señalar que habitualmente la elección del antecedente adecuado no ofrece dificultades, dado que el contexto en que se emiten los enunciados permite dilucidar cuál es la opción interpretativa más plausible en cada caso.

El motivo de que pueda haber más de un antecedente para una misma relativa deriva del carácter recursivo de las lenguas naturales. Gracias a esta propiedad, un constituyente puede aparecer en el seno de otro de su misma naturaleza. Así, un SN puede contener en su interior otros SSNN *(la sobrina de la vecina)* y una oración puede incluir otra incrustada dentro de ella *(Luis quiere que María dimita)*. Eso provoca que las relativas de (99) admitan dos antecedentes distintos en cada caso:

(99) a. Le pidió que le perdonara, que era lo mejor que podía hacer.
b. El hijo de un amigo mío que trabaja en los Juzgados ha sido procesado por tráfico de drogas.
c. El gobernador visitó el hospital de la ciudad donde nació.

En (99a), la relativa explicativa ha de tener un antecedente oracional. Pero hay dos candidatos para tal función: toda la oración matriz o bien tan sólo la subordinada completiva. Naturalmente, la interpretación cambia, ya que en el primer caso el hablante piensa que lo mejor que puede hacer la persona de cuya proferencia se nos informa es pedir perdón, mientras que en el segundo lo que se juzga óptimo es la concesión del perdón por parte de la persona ofendida. Por su parte, en (99b) el antecedente de la relativa especificativa puede ser cualquiera de los dos grupos nominales que preceden inmediatamente al pronombre relativo *(hijo de un amigo mío* y *amigo mío)*. De la elección de uno u otro derivan también en este caso diferencias interpretativas, dado que el individuo del que se asevera que trabaja en los juzgados es distinto en cada una de las opciones. Finalmente, en (99c), el adverbio relativo *donde* puede tomar como antecedente todo el grupo nominal *hospital de la ciudad* o bien simplemente el nombre *ciudad*.

La lengua escrita no ofrece en estos casos un recurso gráfico para deslindar una lectura de otra, por lo que el único procedimiento de discriminación consiste en recurrir al contexto enunciativo o pragmático del enunciado. En la lengua hablada, en (99b) puede utilizarse como estrategia diacrítica la diferente colocación de una frontera interna de grupo fónico en el SN que contiene la subordinada. De este modo, la elocución de la oración podría distinguir entre los dos patrones de (100), en donde las flechas indican el tonema correspondiente:

(100) a. El hijo de un amigo mío → que trabaja en los Juzgados ↑ ha sido procesado por tráfico de drogas ↓
b. El hijo → de un amigo mío que trabaja en los Juzgados ↑ ha sido procesado por tráfico de drogas ↓

En (100a), el grupo nominal *hijo de un amigo mío* aparece integrado en un mismo grupo fónico, por lo que debe interpretarse que ese es el antecedente de la relativa. En cambio, en (100b) la existencia de una frontera de grupo fónico en el interior de la misma secuencia obliga a suponer que en este caso el antecedente es *amigo mío.*

En los ejemplos anteriores, los antecedentes potenciales comparten los mismos rasgos gramaticales de género y número. Si no se da tal coincidencia, la ambigüedad queda eliminada en el caso de que existan en la relativa rasgos de concordancia con el antecedente que decanten la interpretación. Tales rasgos pueden aparecer en el propio pronombre relativo o en alguna otra unidad que mantenga relación de correferencia o de predicación con él:

(101) a. En esta relativa existen rasgos de concordancia con el antecedente que decantan la interpretación.

b. La hija de un amigo mío que fue contratada recientemente para presentar un programa de televisión está en tratamiento psiquiátrico por estrés.

c. La hija de un amigo mío, a la cual le ofrecieron un contrato millonario para presentar un programa de televisión, está en tratamiento psiquiátrico por estrés.

En (101a) el número plural que presenta el predicado de la relativa es decisivo a la hora de identificar como antecedente el grupo nominal *rasgos de concordancia con el antecedente*. La concordancia entre predicado y antecedente se da aquí por propiedad transitiva: el predicado concuerda con su sujeto, que es el pronombre relativo, y este con el antecedente. En (101b) sucede algo similar: es la concordancia de género del participio pasivo lo que fija el valor del antecedente a través de la misma relación transitiva arriba señalada. Finalmente, en (101c) son los propios rasgos del pronombre relativo los que sirven para identificar unívocamente el antecedente.

Los pronombres, adjetivos y adverbios relativos presentan grandes diferencias en sus propiedades flexivas. El relativo más común *(que)* carece de toda flexión y, por lo tanto, está desprovisto de la capacidad discriminadora que tienen otros miembros del paradigma. No obstante, el hecho de que tienda a combinarse con el artículo determinado cuando está sometido a régimen preposicional compensa tal carencia. Así, en una oración como *El gobernador visitó el hospital de la ciudad en la que nació,* la combinación de artículo y pronombre relativo identifica unívocamente el antecedente. *Cual* tiene flexión de número y, además, su sistemática combinación con el artículo determinado cuando desempeña funciones pronominales otorga a la secuencia rasgos de género: *El gobernador visitó el hospital de la ciudad en el cual nació* admite únicamente la lectura complementaria a la del ejemplo anterior. *Quien* sólo presenta flexión de número, aunque su capacidad anafórica queda limitada léxicamente a la remisión a antecedentes humanos (o, por lo menos, animados). *Cuyo* es el relativo con mayores propiedades flexivas, dado que su paradigma distingue cuatro formas diferentes, con morfemas de género y número. Sin embargo, su carácter de adjetivo le lleva a concordar no con el antecedente, sino con el sustantivo al que modifica. De ahí que los efectos de ambigüedad que estamos estudiando puedan presentarse incluso en el caso de que los antecedentes potenciales diverjan en sus morfemas de género o número: *El marido de una amiga mía cuyo contrato televisivo ha sido rescindido por falta de audiencia está en tratamiento psiquiátrico.* Finalmente, los adverbios relativos, como es consustancial a su propia naturaleza categorial, carecen de cualquier rasgo flexivo, por lo que su capacidad para discriminar antecedentes deriva únicamente de la información léxica que incorporan como entidades que aluden a momentos, lugares o maneras.

7.2.6.2. La concordancia de persona

A pesar de su naturaleza pronominal, los relativos no presentan en ningún caso flexión de persona, por lo que, cuando ejercen la función de sujeto, su predicado adopta la persona gramatical que corresponde al antecedente: *Me multaron a mí, que jamás he cometido infracción de ninguna clase.* En la anterior oración, el verbo de la subordinada se conjuga en primera persona del singular gracias a la relación transitiva que conecta al predicado con el antecedente, a través del relativo *que.*

El contraste que presenta Smits (1989: § 3.1.2), y que reproducimos a continuación, deriva de la diferente naturaleza de la relativa en uno y otro caso:

(102) a. Yo, que me porté bien, pude salir temprano.
b. *Yo, la que me porté bien, pude salir temprano.
c. Yo, la que se portó bien, pude salir temprano.

En (102a), el antecedente de la relativa explicativa es el pronombre de primera persona del singular y esta entidad impone la concordancia en el verbo de la subordinada. En cambio, en (102b, c) la subordinada es una relativa semilibre y cuenta, por lo tanto, con una entidad que reproduce los rasgos gramaticales del antecedente elíptico: el artículo determinado. De ahí la concordancia en tercera persona. No obstante, conviene señalar que la atracción que ejercen sobre la concordancia de persona los pronombres de primera y segunda persona es fuerte y que en casos similares con relativas semilibres los hablantes admiten que el verbo de la subordinada aparezca en primera o segunda persona. Tal tendencia se pone de manifiesto especialmente cuando el pronombre personal que aparece en la principal es de primera o segunda persona del plural. En esos casos, la única concordancia posible es la que vincula al verbo de la subordinada con el pronombre personal: [61]

(103) a. *Nosotras, las que se portaron bien, pudimos salir temprano.
b. Nosotras, las que nos portamos bien, pudimos salir temprano.

Otro contexto en el que se dan estos fenómenos de atracción de la concordancia por parte de los pronombres de primera y segunda persona lo proveen las oraciones ecuativas que tienen como atributo una relativa semilibre (104a, b) o libre (104c, d) [→ §§ 42.1 y 65.2.2.1]:

(104) a. Yo soy el que lo afirma. / Yo soy el que lo afirmo.
b. *Vosotros sois los que lo afirman. / Vosotros sois los que lo afirmáis.
c. Yo soy quien lo afirma. / Yo soy quien lo afirmo.
d. *Nosotros somos quienes lo afirman. / Nosotros somos quienes lo afirmamos.

Bello (1847: § 849), pese a reconocer que deben autorizarse ambos usos, se muestra partidario del que considera más lógico y conforme a la razón: aquel que conjuga el verbo en la tercera persona. Sin embargo, en (104) se reproduce la mala formación de la concordancia en tercera persona cuando, a través de la relación del atributo con el sujeto, el antecedente remite a pronombres de primera y segunda persona del plural. En tales casos, la única construcción posible es precisamente la que implica concordancia a distancia con el sujeto de la oración principal.

[61] Salvá (1830: § 11.2.5) es uno de los contados gramáticos que reparan en esta diferencia. Es probable que la mayor fuerza de atracción de los pronombres de 1.ª y 2.ª persona del plural provenga del hecho de que denotan otros individuos además de aquel que designan primariamente (el hablante y el oyente, respectivamente).

La situación descrita cambia levemente cuando se produce la inversión de los elementos de la atributiva, de modo que el atributo que contiene a la relativa se coloca al frente de la oración y el sujeto pronominal aparece tras la cópula. Tal inversión suele responder a consideraciones discursivas e implica la conversión del sujeto en 'foco' de la oración [⟶ §§ 64.3 y 65.2.2]. En tal circunstancia, la tendencia a usar la tercera persona se ve facilitada por el hecho de que el pronombre personal, al aparecer en posición posverbal, representa la información nueva transmitida por el enunciado. Nótese que la concordancia de la relativa con el pronombre convertiría en redundante la aportación informativa del pronombre:[62]

(105) a. Quien eso afirma soy yo. / ??Quien eso afirmo soy yo.
b. El que eso afirma soy yo. / ??El que eso afirmo soy yo.

Por lo que respecta a las oraciones con sujeto pronominal plural, el conflicto que se plantea en este caso es que ninguna de las dos opciones está exenta de problemas graves. Por un lado *??Quienes eso afirmamos somos nosotros* resulta redundante,[63] mientras que **Quienes eso afirman somos nosotros* plantea el conflicto al que nos hemos referido más arriba.

7.2.6.3. *Algunos casos de silepsis en las construcciones partitivas*

El poder de atracción del sujeto de la atributiva en los contextos que estamos estudiando llega a alterar la concordancia de número en las construcciones partitivas. Así sucede en (106b):

(106) a. Yo soy de los que creen que el mejor desprecio es no hacer aprecio.
b. *Yo soy de los que {creo / cree} que el mejor desprecio es no hacer aprecio.

En la anterior oración, la relativa semilibre aparece en el seno de un sintagma con valor partitivo introducido por la preposición *de*. Dicho sintagma refiere a un conjunto de individuos del que se extrae un elemento, representado en la oración por el pronombre de 1.ª persona del singular. El antecedente de la subordinada es un nombre elíptico cuyos rasgos flexivos se ponen de manifiesto por la presencia del artículo. Es importante señalar que no existe correferencia entre el antecedente de la relativa y el sujeto de la atributiva, como se deduce de la divergencia de ambas entidades con respecto al número. Por lo tanto, la única concordancia gramatical es la de (106a), con el verbo en tercera persona del plural. No obstante, muchos hablantes propenden a concordar el verbo de la relativa con el sujeto de la atributiva, pese a la falta de correferencia entre los sujetos de ambas oraciones. Un ejemplo de esta tendencia lo proporciona el siguiente enunciado, extraído de *El Periódico* [2-VI-1996, 117]: *Usted es de los que ha dejado el pabellón muy alto.*

Los casos de silepsis [⟶ § 42.1.3] que estamos estudiando afectan a las construcciones partitivas en general, independientemente del carácter atributivo de la oración principal. Compárense los siguientes ejemplos:

---

[62] Tal problema no se suscita cuando el pronombre encabeza la oración, ya que entonces aquel se interpreta como 'tema' —esto es, como información compartida con el oyente—, mientras que el atributo se concibe como 'rema' o información novedosa aportada por el hablante.

[63] Sin la redundancia señalada, la oración sería perfectamente aceptable: *Quienes eso afirmamos somos un grupo de socios del Barcelona en desacuerdo con la política del presidente.* Nótese que, pese a la falta del pronombre personal, no es posible colocar en la anterior oración el verbo de la relativa en tercera persona: **Quienes eso afirman somos un grupo de socios del Barcelona.* En cambio, sí que estaría bien formada *Entre quienes eso afirman estamos nosotros,* pero en este caso ya no hay relación de coextensividad entre el conjunto de individuos designado por el sintagma que contiene a la relativa libre y el que corresponde al pronombre personal *nosotros.*

(107) a. Uno de los periodistas, que firmó el manifiesto, fue inmediatamente despedido.
b. Uno de los periodistas que firmó el manifiesto fue inmediatamente despedido.
c. *Uno de los que firmó el manifiesto fue inmediatamente despedido.
d. Uno de ellos que firmó el manifiesto fue inmediatamente despedido.

La relativa de (107a) es explicativa y su antecedente es el SN *uno de los periodistas.* La concordancia, por tanto, debe establecerse en singular. La posibilidad de prescindir de la relativa sin que se resienta la gramaticalidad de la oración resultante prueba que esta oración está bien formada. En (107b), la subordinada modifica al núcleo del sujeto de la oración principal, y no a *periodistas,* por lo que el verbo de la relativa se conjuga en singular. La oración es gramatical siempre que el SN *los periodistas* aluda a un conjunto discursivamente fijado y se presuponga que alguno de los individuos que lo componen no ha firmado el manifiesto. La buena formación de (107b) está avalada por la posibilidad de sustituir tal SN por un pronombre personal tónico, como sucede en (107d). En cambio, en (107c) la situación es distinta, dado que el carácter clítico del artículo determinado le impide poder actuar como complemento genitivo del núcleo nominal si no va acompañado de la relativa. La prueba de ello es la imposibilidad de eliminar en este caso la subordinada. Así pues, la relativa modifica en este ejemplo al complemento del nombre y no al núcleo del sujeto. En consecuencia, la concordancia debería ser en plural, como corresponde a los rasgos del antecedente: *Uno de los que firmaron el manifiesto fue inmediatamente despedido.*

No obstante, enunciados como (107c) no son insólitos en el habla ni aun en la lengua escrita. Bello (1847: § 849), en una nota añadida en la quinta edición (1860), tras calificar estos casos de silepsis de 'construcción absurda', aporta un ejemplo de Cervantes que presenta tal fenómeno en una oración en la que la relativa cuenta con un antecedente nominal explícito (el núcleo del SN superlativo que funciona como coda genitiva de la construcción partitiva): *Sancho Panza es uno de los más graciosos escuderos que jamás sirvió a caballero andante.*

7.2.6.4. *Una alternancia prosódicamente condicionada*

En el apartado anterior hemos estudiado un caso en el que el carácter átono del artículo determinado resultaba fundamental a la hora de determiar el antecedente de la subordinada relativa. Ahora analizaremos algunas construcciones partitivas con cláusula de relativo en las que el pronombre *el cual* no puede ser reemplazado por *el que* y *quien,* en contra de lo que es común cuando tales unidades funcionan como término de preposición. Los ejemplos de (108) muestran la habitual posibilidad de conmutación de estas tres formas:

(108) a. Los forasteros con los que habían mantenido una disputa los denunciaron.
b. Los forasteros con quienes habían mantenido una disputa los denunciaron.
c. Los forasteros con los cuales habían mantenido una disputa los denunciaron.

Por el contrario, los ejemplos de (109a, b) no tienen la misma interpretación que (109c):

(109) a. Fueron elegidos seis senadores, la mitad de los que habían logrado escaño hace dos años.
b. Fueron elegidos seis senadores, la mitad de quienes habían logrado escaño hace dos años.
c. Fueron elegidos seis senadores, la mitad de los cuales habían logrado escaño hace dos años.

De (109a, b) se obtiene la implicación de que hace dos años fueron doce los senadores elegidos.[64] En cambio, en (109c) lo que se afirma es meramente que tres de los elegidos en los recientes comicios ya habían obtenido escaño dos años antes. Por lo tanto, de esta última oración no es posible deducir cuántos fueron los senadores de la anterior legislatura, a diferencia de los ejemplos anteriores.

El contraste que acabamos de describir no se sustenta en las diferencias de significado que pueda haber entre los tres relativos de (109), que a la vista de los datos de (108) es obvio que no pueden ser importantes, sino que tiene su origen en diferencias prosódicas: frente a todos los demás relativos, que son átonos, *el cual* es tónico. En (109c) la subordinada es una relativa explicativa cuyo pronombre actúa como complemento del nombre del núcleo de la construcción partitiva. Así pues, el SN *la mitad de los cuales* es el sujeto de la relativa y su aparición al frente de la subordinada deriva del hecho de que tal sintagma contiene el pronombre relativo (cf. el § 7.1.1.2). También sería posible la anteposición del SP, sin que hubiera cambio de significado: *de los cuales la mitad habían obtenido escaño hace dos años.* El antecedente de la relativa es el SN *seis senadores,* lo que supone que son tres los que repiten mandato.

A priori, la misma estructura de (109c) debería ser accesible a las otras dos oraciones. Pero existe una dificultad insuperable para ello: los relativos *el que* y *quienes* no pueden funcionar como complementos del nombre de *mitad,* puesto que su carácter átono les obliga a contar a su derecha con algún elemento tónico con el que formen constituyente y al que puedan afijarse prosódicamente. Por lo tanto, las secuencias *la mitad de los que* y *la mitad de quienes* no pueden ser constituyente en tales oraciones, dado que presentan formas clíticas sin afijar. Existe un modo de superar tal limitación: colocar al frente de la relativa los SSPP *de los que* y *de quienes,* de manera que la pronunciación de esta secuencia átona se apoye en el SN *la mitad,* una entidad con la que forma constituyente: *Fueron elegidos seis senadores socialistas, de los que* (o *de quienes*) *la mitad habían obtenido escaño hace dos años.* Las anteriores oraciones reciben la interpretación de (109c) y no la de (109a, b), pese a la aparente similitud que existe entre ellas. El efecto crucial que desencadena la anteposición del SP relativo en los casos anteriores radica en que, al marcar el inicio de la subordinada, integran dentro de ella al SN *la mitad.* Por lo tanto, la secuencia entre comas es en tal caso una relativa explicativa, que recibe la misma interpretación que (109c). Ya hemos visto que tal interpretación no está al alcance de (109a, b). La cuestión que debe plantearse a continuación es la de cómo obtienen su lectura estas dos últimas oraciones.

La característica diferencial de (109a, b) consiste en que el SN *la mitad* queda fuera de la relativa. La subordinada no actúa en estos ejemplos como explicativa, sino como relativa semilibre en (109a) y libre en (109b). En el primer caso, el antecedente es el núcleo nominal cuyo determinante es el artículo *los.* Por lo tanto, el constituyente entre comas es un SN que actúa como aposición explicativa del SN *seis senadores socialistas.* Debido a su carácter fraccionario, el sustantivo *mitad* selecciona un complemento del nombre que representa el conjunto de elementos del que se extrae la parte señalada por el núcleo de la construcción. Tal complemento genitivo puede contener un SN con núcleo léxico *(la mitad de los parlamentarios que habían obtenido escaño hace dos años),* un SN con núcleo elíptico (como sucede en (109a)) o un SN con núcleo elíptico y relativa libre (como ocurre en (109b)). En conclusión: en los casos que estamos estudiando la relativa no tiene como antecedente al SN *seis senadores socialistas,* sino a un núcleo nominal elíptico que funciona como complemento del nombre *mitad.* Una prueba adicional en favor de este análisis la proporciona la doble concordancia de número que admiten los predicados de un sujeto colectivo de carácter partitivo (cf. *La mitad había sido elegida dos años antes* o *la mitad habían sido elegidos dos años antes*). Pues bien: sólo en (109c) es posible tal alternancia: *la mitad de los cuales había(n) obtenido escaño hace dos años.* En (109a, b) no es posible la concordancia en singular del verbo de la relativa (cf. **la*

---

[64] Es probable que también existan diferencias de significado entre (109a) y (109b). En el primer caso no es necesario presuponer que los senadores elegidos ahora ya habían obtenido escaño dos años antes. Por lo tanto, *los que habían obtenido escaño hace dos años* puede referirse estrictamente a la cantidad de senadores socialistas de la anterior legislatura. En cambio, en (109b) *quienes habían obtenido escaño hace dos años* tiende a interpretarse en el sentido de que los recientemente elegidos formaban ya parte del anterior grupo de senadores socialistas. Esta diferencia se pone igualmente de manifiesto en el siguiente contraste: *Los que vinieron fueron unos cincuenta* frente a *?*Quienes vinieron fueron unos cincuenta.*

mitad de {los que/quienes} había obtenido escaño hace dos años) por la sencilla razón de que la subordinada no tiene como sujeto al SN *la mitad,* sino a los relativos *que* y *quienes.*

Resta, en fin, plantear una última cuestión, referente a (109c): ¿por qué en tal oración no es posible simultáneamente la interpretación que corresponde a las dos oraciones anteriores? La respuesta es clara: el relativo *el cual* no puede aparecer en relativas libres o semilibres, según se ha visto en los §§ 7.2.4.2 y 7.2.4.3. Por lo tanto, no puede encabezar una subordinada relativa que actúe como complemento del nombre *mitad.*

7.3. Procesos sintácticos que afectan a las cláusulas relativas

7.3.1. La extraposición de las cláusulas relativas

7.3.1.1. La rígida naturaleza anafórica de los pronombres, adjetivos y adverbios relativos condiciona severamente la colocación de las subordinadas por ellos encabezadas. La regla general a la que se suele ajustar este tipo de construcciones impone adyacencia lineal estricta entre la relativa y su antecedente, que debe precederla inmediatamente. Tal falta de independencia posicional se debe a que los pronombres y adverbios relativos tienen menor fuerza en la remisión anafórica que los demás pronombres, cuyos antecedentes pueden aparecer distanciados, tanto en la anáfora propiamente dicha como en la catáfora: [65]

(110) a. *Luis* faltó a la reunión y *lo* multaron por ello.
b. Sabía que iban a multar*lo,* pero *Luis* decidió no acudir.
c. **Luis* también faltó a la reunión, *al que* multaron por ello.
d. También faltó a la reunión *Luis, al que* multaron por ello.
e. Sabía que iban a multar *al que* faltara a la reunión, pero *Luis* decidió no acudir.

El par de (110a, b) muestra que los pronombres personales admiten tanto la remisión anafórica como la catafórica. Por su parte, (110c) es agramatical porque el relativo no aparece adyacente al antecedente, como se pone de manifiesto por contraste en (110d), que es una oración bien formada. Podría pensarse que la gramaticalidad de (110e), construida sobre el patrón de (110b), constituye un argumento en favor de la posibilidad de remisión catafórica de los relativos, pero debe notarse que el antecedente del relativo en esta oración es genérico, por lo que de ninguna manera puede interpretarse que haya relación de correferencia entre este y *Luis.* Así pues, la de (110e) es una relativa semilibre con un antecedente léxico vacío equivalente al sustantivo *persona.*

En este apartado nos centraremos en el estudio de aquellos casos en que el principio general que acabamos de mencionar queda conculcado: es decir, cuando entre antecedente y relativa puede interponerse otro material de la oración principal. Como se verá en los epígrafes que siguen, tal situación se limita a tres contextos:

---

[65] Algunos gramáticos consideran que el pronombre relativo tiene valor catafórico en oraciones como *A quien no quiere ver es a Marisa.* Sin embargo, creemos que en ellas no se da propiamente catáfora, ya que la relación de correferencia entre los dos constituyentes de la perífrasis de relativo [⟶ Cap. 65] se expresa a través de la predicación atributiva, que identifica ambos referentes. Por lo tanto, en la anterior oración, la subordinada encabezada por *quien* es una relativa libre (cf. el § 7.2.4.3) y la identidad de referencia entre *quien* y *Marisa* se obtiene por los mismos medios que permiten vincular a sujeto y atributo en *Marisa es la hermana de Luis.*

las relativas predicativas, las especificativas con antecedente indeterminado y las explicativas que incluyen un inciso parentético.

7.3.1.2. Como se ha estudiado en el § 7.1.6, las relativas predicativas desempeñan la función de complemento predicativo o atributo de un SN seleccionado por el predicado de la oración matriz. Sus posibilidades de aparición coinciden parcialmente con las de los demás elementos capaces de desempeñar tales funciones, lo que significa que no siempre han de concurrir adyacentes al argumento sobre el que ejercen predicación. Así, en algunas de estas construcciones es admisible la pronominalización del antecedente: *Personas, siempre las habrá con las que no sea fácil vivir en armonía; A tu hermana, la oí que ensayaba la defensa de la tesis.* También existe a veces la posibilidad de intercalar entre antecedente y relativa otro material de la oración matriz: *Hay ocasiones en la vida cotidiana en las que uno no sabe cómo actuar,* en donde el SP *en la vida cotidiana* es adjunto del predicado principal (cf. *En la vida cotidiana, hay ocasiones en las que uno no sabe cómo actuar*). No obstante, la colocación de este tipo de subordinadas está sometida a condiciones más restrictivas que las que corresponden a los complementos predicativos y atributos en general. En particular, debe satisfacerse el requisito de que la relativa aparezca detrás del antecedente. El contraste de (111) ilustra la diferencia que comentamos:

(111) a. Vi a María llorando de emoción. / Vi llorando de emoción a María.
b. Vi a María que lloraba de emoción. / *Vi que lloraba de emoción a María.

La única excepción aparente al principio que acabamos de formular la constituyen las relativas en subjuntivo en construcciones como (112):

(112) a. Que sepan hablar fluidamente ruso, en la clase sólo hay dos alumnos.
b. Que lloraran de emoción al recibir el premio, sólo recuerdo haber visto a María y a Julia.

No obstante, hay sólidos motivos para pensar que en las oraciones anteriores los antecedentes de la relativa no son los SSNN *dos alumnos* y *María y Julia,* respectivamente. Una prueba de ello la proporciona el hecho de que en (112b) no sea posible colocar la subordinada tras el SN *María:* **Sólo recuerdo haber visto a María y a Julia que lloraran de emoción al recibir el premio.* El motivo de la mala formación de la anterior secuencia reside en la incompatibilidad entre el tipo de antecedente que requieren las relativas en subjuntivo (que debe ser inespecífico) y la naturaleza del único candidato para ejercer tal función: el SN coordinado *María y Julia,* con valor intrínsecamente específico. Por lo tanto, cabe suponer que en (112b) el antecedente de la relativa no es ese SN, sino un sustantivo elíptico de carácter inespecífico equivalente a *personas.* De hecho, tal sustantivo puede aparecer explícitamente: *Personas que lloraran de emoción al recibir el premio, sólo recuerdo a María y a Julia.* En el caso de (112a), la relativa puede aparecer a la derecha del SN *dos alumnos: En la clase sólo hay dos alumnos que sepan hablar fluidamente ruso.* Ello se debe a que tal SN admite indistintamente la lectura específica y la inespecífica (cf. nota 33) y, por lo tanto, es un antecedente adecuado de la relativa. No obstante, parece lógico pensar que, del mismo modo que en (112b) *María y Julia* no es el antecedente de la subordinada, en (112a) tampoco ejerce tal función el SN *dos alumnos,* sino un elemento elíptico de naturaleza inespecífica. En favor de esta idea puede aducirse la posibilidad de escindir los dos componentes de tal SN: *Alumnos que sepan hablar ruso fluidamente, en la clase sólo hay dos.* Así pues, puede concluirse que en las oraciones de (112) la relativa alude a una entidad inespecífica identificada posteriormente por el hablante en la oración principal. Por lo tanto, tales construcciones no constituyen una excepción a la regla general que impone que las relativas aparezcan a la derecha de su antecedente.

7.3.1.3. En general, las relativas explicativas y especificativas aparecen en el seno del SN que contiene a su antecedente. Por lo tanto, sus posibilidades de desplazamiento dentro de la oración están fuertemente limitadas. Uno de los contados casos en que tan rígida distribución queda aliviada es el que afecta a las relativas especificativas que modifican a SSNN indeterminados que ejercen la función de sujeto u objeto. En tales contextos cabe la posibilidad de interpolar entre la relativa y su antecedente material que no corresponde a la subordinada, sino a la principal:

(113) a. Le entregué una lista a María que contenía los nombres de todos los inscritos.
b. Escribió una columna en la prensa la semana pasada en la que se quejaba amargamente de su situación.
c. De repente, apareció un individuo en la reunión que parecía sacado de una película de terror.

En los ejemplos de (113) la relativa especificativa aparece separada de su antecedente por un elemento de la principal: el complemento indirecto, un adjunto temporal y un adjunto locativo, respectivamente. En estos casos se habla de 'extraposición' de la relativa, que se sitúa en posición final, fuera del SN que contiene el antecedente. Naturalmente, la subordinada podría seguir inmeditamente al antecedente en todos estos casos: *Le entregué a María una lista que contenía los nombres de todos los inscritos,* etc. De hecho, este es el orden más habitual, pero las versiones extrapuestas de (113) son igualmente aceptables. No sucedería lo mismo si el SN que contiene al antecedente fuera determinado. En tal caso, las construcciones extrapuestas son siempre agramaticales: **Le entregué la lista a María que contenía los nombres de todos los inscritos; *Escribió la columna en la prensa la semana pasada en la que se quejaba amargamente de su situación; *De repente, apareció el individuo en la reunión que parecía sacado de una película de terror.* Otra característica destacada de las construcciones extrapuestas es que el SN que contiene al antecedente debe ocupar una posición posverbal, como se muestra en (114):

(114) a. De repente, apareció en la sala un individuo que parecía sacado de una película de terror.
b. De repente, apareció un individuo en la sala que parecía sacado de una película de terror.
c. De repente, un individuo que parecía sacado de una película de terror apareció en la sala.
d. *De repente, un individuo apareció en la sala que parecía sacado de una película de terror.

Todo el complejo conjunto de restricciones impuesto por la extraposición de las relativas tiene que ver probablemente con el hecho de que tal fenómeno está relacionado con el reparto de las funciones discursivas en la oración. En particular, el desplazamiento de la relativa especificativa a la posición final, desgajada de su antecedente, parece constituir un caso particular de focalización de este elemento, que queda así realzado como componente más prominente del rema. De ahí que entre (114a) y (114b) medie una diferencia de matiz importante. En esta última lo que el hablante destaca no es tanto el hecho mismo de la irrupción del individuo como su peculiar fisonomía. En cambio, (114a) añade a esa misma lectura otra en la que tal característica se utiliza sencillamente como un rasgo puramente descriptivo para identificar al individuo en cuestión. Las restricciones sobre la colocación del SN que contiene el antecedente y sobre la clase de determinante de este derivan, pues, del carácter focalizado de la subordinada extrapuesta y de la naturaleza remática que esta impone al antecedente.

7.3.1.4. La extraposición de las relativas especificativas no es posible en el español actual cuando forman parte de un SN determinado. No obstante, Cuervo aporta múltiples ejemplos que demuestran que en otra época tal fenómeno era factible cuando el antecedente era el demostrativo *aquel,* construcción que atribuye a influencia culta: «a estilo latino, *aquel* se separa elegantemente del relativo, quedando yuxtapuestas, y no intercalada una en otra, las proposiciones en que cada uno figura» (Cuervo, *DCRLC* I, s.v. *aquel:* 1dα). He aquí algunos de los ejemplos que aduce:

(115) a. Aquel decimos ser mejor médico, que mejor cura y más enfermos sana. [L. de Granada, *Introducción al símbolo de la fe,* 5.2.28, § 1; tomado de Cuervo, *DCRLC,* s.v. *aquel:* 1dα]
b. Aquella gloria es segura, que nace de la generosidad y se contiene dentro de la razón y el poder. [D. Saavedra Fajardo, *Empresas,* 15; tomado de Cuervo, *DCRLC,* s.v. *aquel:* 1dα]
c. Aquella ánima ha de desmayar y caer, la cual no recibe la Santa Eucaristía. [J. de Ávila, *Eucaristía,* 9; tomado de Cuervo, *DCRLC* II, s.v. *cual:* 2fγ]

7.3.1.5. La posibilidad de extraposición de las relativas explicativas está muy restringida. Para que tal configuración resulte gramatical es necesario que entre el antecedente y la cláusula extrapuesta no se interponga ningún elemento que pueda ser confundido con aquel y que la subordinada contenga un inciso parentético que refuerce su interpretación como enunciado incidental:

(116) a. Me llamó tu primo ayer, que —por cierto— no sabía que hoy era tu cumpleaños.
b. ??Tu primo me llamó ayer, que —por cierto— no sabía que hoy era tu cumpleaños.
c. ??Me llamó tu primo ayer, que no sabía que hoy era tu cumpleaños.

7.3.2. La coordinación de las cláusulas relativas

7.3.2.1. La posibilidad de coordinar cláusulas relativas está sometida a las mismas condiciones que rigen la coordinación en español [→ Cap. 41]. En este apartado nos limitaremos a señalar algunas restricciones que atañen específicamente a esta clase de subordinadas.

La primera característica digna de mención es que las oraciones de relativo especificativas y predicativas pueden coordinarse con SSAA, SSPP y cláusulas de participio, siempre que estos desempeñen la misma función que la subordinada. En estos casos, la relativa tiende a ser el último miembro de la coordinación:

(117) a. Era un hombre *atento y que gustaba de dedicar tiempo a sus amigos.*
b. Era un hombre *con mucha vitalidad y que solía practicar a menudo el deporte.*
c. Me la imagino *sonriente y que viene hacia mí corriendo.*

En cambio, las relativas explicativas aceptan la coordinación heterocategorial con más dificultad: *?*Aquel hombre, atento y que gustaba de dedicar tiempo a sus amigos, era querido por todos.*

El requisito de equifuncionalidad que impone la coordinación obliga a que, en los casos en que una relativa se coordina con otra oración, esta deba pertenecer también a la misma clase:

(118) a. Era un hombre *que conocía sus limitaciones, pero al que todos admiraban.*
b. Es un libro *que se publicó el año pasado y que leí durante el verano.*
c. Se trata de una persona *cuyo padre se exilió en México y que regresó al país recientemente.*

Como muestra (118c), no sólo pueden coordinarse las relativas encabezadas por el mismo nexo de subordinación, sino también las que contienen nexos distintos. Tampoco es necesario que la función sintáctica desempeñada por el relativo dentro de la subordinada sea la misma: en todos los ejemplos de (118) se coordinan oraciones en las que tal unidad ejerce función distinta.

7.3.2.2. Cuando la función gramatical del relativo en las oraciones coordinadas es la misma, puede evitarse su repetición, colocándolo únicamente al frente del primer miembro:

(119) a. La película *que a nosotros nos gustó y a Luis le pareció aburrida* fue *Martín H(ache),* de Aristaráin.
b. Cecilia es una profesional *que trabaja con denuedo y cumple todas sus obligaciones puntualmente.*
c. Aquel es el barrio *donde vive Luis y trabaja María.*

Para que se pueda omitir un pronombre o adverbio relativo en una estructura coordinada es necesario, además, que exista cierto grado de paralelismo entre el contenido de los distintos miembros, de modo que sea congruente el utilizarlos conjuntamente como caracterizadores de la entidad a la que se aplican. Así, el SN de (120a) resulta mucho más aceptable que el de (120b):

(120) a. Aquella película que descalificaron en Venecia y luego premiaron en Cannes.
b. ??Aquella película que premiaron en Cannes y vimos en un cine de Londres.
c. Aquella película que premiaron en Cannes y que vimos en un cine de Londres.

Si se da el requisito de congruencia semántica entre las relativas coordinadas, la colocación de un único nexo puede efectuarse incluso en el caso de que represente diferentes funciones gramaticales, siempre que la forma del relativo que encabeza la subordinada se ajuste a todas ellas: *Una película que descalificaron en Venecia y después obtuvo el primer premio en Cannes,* en donde el relativo es objeto directo de la primera oración y sujeto de la segunda.

La omisión del pronombre o adverbio relativo a partir del segundo miembro coordinado resulta obligatoria cuando las relativas libres o semilibres coordinadas designan a un único individuo u objeto:

(121) a. Quien bien tiene y mal escoge, por mal que le venga no se enoje. [RAE 1928: 369]
b. Tu hermano es de los que mucho abarcan y poco aprietan.

En (121a), el relativo es la entidad que identifica al antecedente elíptico. Su repetición al frente del segundo miembro coordinado implicaría la existencia de otro antecedente de iguales características, con lo que el SN coordinado referiría a dos clases de individuos, y no a una sola. Por su parte, (121b) incluye una relativa semilibre cuyo antecedente aparece identificado por el artículo determinado que precede al pronombre relativo. La reiteración de *los que* al frente del segundo miembro coordinado implicaría, igualmente, designar dos clases de individuos (la de los que mucho abarcan y la de los que poco aprietan). Tal como está construida, (121b) alude a una única clase (la de los que aúnan ambas cualidades). De hecho, las diferencias que comentamos son idénticas a las que permiten distinguir entre el sintagma *el tío de Luis y padre de Julia,* que designa una única persona, y *el tío de Luis y el padre de Julia,* que refiere a dos individuos.

7.3.2.3. Queda por explicar, en fin, el contraste existente entre los sintagmas de (122):

(122) a. El consejero que llegó tarde y se fue en seguida.
b. El consejero que llegó tarde y que se fue en seguida.
c. El que llegó tarde y se fue en seguida.
d. ?*El que llegó tarde y que se fue en seguida.
e. Aquel que llegó tarde y se fue en seguida.
f. Aquel que llegó tarde y que se fue en seguida.

Como se deduce de (122a, b), la repetición del pronombre relativo cuando existe un antecedente nominal explícito es opcional, sin que la elección de una u otra posibilidad aporte diferencias de significado importantes. Lo mismo sucede en (122e, f), donde la relativa semilibre cuenta con un demostrativo que identifica al antecedente. En cambio, el contraste entre (122c, d) muestra que el artículo determinado, debido seguramente a su carácter clítico, no tiene la suficiente fuerza como para identificar el antecedente del segundo pronombre relativo. En tal caso, por lo tanto, debe omitirse el relativo del segundo miembro de la coordinación o bien duplicarse el artículo *(el que llegó tarde y el que se fue en seguida),* aunque, como hemos comentado, esta última posibilidad presupone la existencia de dos individuos y no de uno solo. [66]

7.3.2.4. El adjetivo relativo *cuyo* concuerda con el sustantivo al que determina, y no con el antecedente al que remite: *Eran innumerables las empresas de cuyo consejo de administración formaba parte.* Además, su naturaleza clítica lo hace depender prosódicamente del primer miembro en casos de coordinación como el siguiente, citado por Cuervo (*DCRLC* II, s.v. *cuyo:* 1bε): *Ni aman a quien tanto amor en esta obra les mostró, ni aborrecen el pecado, por cuyo odio y remedio tales cosas padeció* [L. de Granada, *Introducción al símbolo de la fe,* 5.3.1]. En el anterior ejemplo podría haberse duplicado el relativo *(por cuyo odio y por cuyo remedio),* pero en ningún caso podría haberse colocado en plural, concordando con los dos miembros coordinados: *(*por cuyos odio y remedio).*

[66] Un modo de cancelar tal presuposición consiste en atribuir a ambos sintagmas un mismo referente por medio de una predicación: *El que llegó tarde y el que se fue en seguida resultó ser la misma persona.*

7.3.3. La acumulación de las cláusulas relativas

7.3.3.1. La concurrencia de relativas en la misma oración

La concurrencia de varias cláusulas de relativo en una misma oración es bastante frecuente. Tal sucede, por ejemplo, cuando cada una de las subordinadas toma como antecedente un elemento nominal distinto: *Dicen los que han estado allí que es el cuarto donde habita la mujer de Pedro Páramo, una pobrecita loca que le tiene miedo a la oscuridad* [J. Rulfo, *Pedro Páramo,* 91]. Las tres relativas de este texto son especificativas. Cumplen, por lo tanto, la función de modificar a un núcleo nominal. La primera es una relativa semilibre que toma como antecedente una entidad elíptica cuyos rasgos gramaticales quedan identificados por el artículo *los.* El sintagma así obtenido funciona como sujeto del predicado de la oración. La segunda está introducida por el adverbio relativo *donde* y toma como antecedente al sustantivo *cuarto.* En fin, la tercera especifica al grupo nominal *pobrecita loca,* núcleo de un sintagma que actúa como aposición explicativa del SN *la mujer de Pedro Páramo.*

7.3.3.2. La concurrencia de relativas en el mismo sintagma nominal

En el interior de un mismo SN es también posible la aparición de varias relativas referidas a núcleos nominales distintos: *Su único y posterior embarazo* [...] *acabó tristemente en una clínica desde donde nos escribió una conmovedora misiva que todavía conservo entre mis papeles* [J. Goytisolo, *En los reinos de taifa,* 203]. En este pasaje, la segunda relativa, cuyo antecedente es el grupo nominal *conmovedora misiva,* está incrustada dentro de la oración relativa superior, que tiene como antecedente al nombre *clínica.* De este modo, el SN *una clínica desde donde nos escribió una conmovedora misiva que todavía conservo entre mis papeles* incluye dos relativas con antecedentes distintos.

La presencia de más de una relativa en un mismo SN sin que entre ellas medie relación de inclusión también es factible: *Han despedido a un abogado del bufete en el que trabaja mi hija que utilizaba un falso título de doctor.* En la oración anterior, la primera subordinada relativa modifica al nombre *bufete,* mientras que la segunda toma como antecedente el grupo nominal complejo *abogado del bufete en el que trabaja mi hija.* A diferencia del ejemplo del párrafo anterior, ninguna de las dos subordinadas incluye en su interior algún elemento de la otra.

Otra posibilidad es que varias relativas incidan sobre el mismo elemento nominal. De hecho, la existencia de tres subclases de relativas (las especificativas, las explicativas y las predicativas) llevaría a suponer que es posible construir ejemplos en los que una subordinada de cada clase incida sobre el mismo elemento. Recuérdese, no obstante, que la naturaleza del antecedente no es siempre la misma: mientras que las especificativas son modificadores de un nombre o de un grupo nominal (esto es, unidades de valor intensional), las explicativas y las predicativas ejercen su función sobre sintagmas enteros, extensionalmente definidos, por lo que no se puede hablar con estricta propiedad de identidad de antecedente en ejemplos como el siguiente: *Por la cámara de vídeo, acabo de ver al atracador que lleva una pistola, que está acorralado en el piso inferior por la policía, que trataba de escapar por el conducto del aire acondicionado.*

Pese a que no es un dechado de estilo, la anterior oración tiene la interesante particularidad de incluir una relativa de cada clase vinculada al mismo argumento de la oración principal. La primera es una especificativa (su antecedente es, por lo tanto, el nombre *atracador*) que forma parte del SN objeto directo del predicado principal de la oración. A su vez, el SN *el atracador que lleva una pistola* contiene un incremento explicativo en forma de relativa, oración a la que tal SN sirve de antecedente. Finalmente, la presencia de un predicado de percepción (cf. el § 7.1.6.3) hace posible la aparición de otra relativa que ejerce la función de complemento predicativo del objeto directo. En consecuencia, el antecedente de esta última subordinada es todo el SN que, incluyendo a la relativa explicativa, desempeña la función de objeto directo de *ver.* No hay, por lo tanto, identidad estricta entre los antecedentes de las anteriores relativas, pero no es menos cierto que todas ellas están vinculadas a diferentes niveles de un mismo sintagma.

El diferente nivel de dependencia de especificativas y explicativas permite prever que, en los casos en que un SN contenga ambos tipos de subordinada, la explicativa deberá ocupar la posición más externa: *Reinaba una niebla que mojaba mucho, a la que llamaban rocío peruano* [P. Baroja, *La estrella del capitán Chimista,* 118]. Por otra parte, la necesidad de que la explicativa constituya un grupo fónico autónomo, en oposición al carácter prosódicamente dependiente de las especificativas (cf. el § 7.1.3.1), lleva a situar igualmente a estas últimas por delante de las explicativas.

7.3.3.3. Las relativas superpuestas

Del mismo modo que un núcleo nominal puede contar con más de un modificador especificativo (como sucede en *filosofía racionalista francesa,* en donde racionalista especifica a *filosofía* y *francesa* ejerce esa misma función con respecto al complejo *filosofía racionalista*), existe la posibilidad de que varias relativas especificativas actúen como modificadores sucesivos de un mismo núcleo nominal. Los ejemplos de (123) presentan tal característica:

(123) a. Los *estudiantes que hayan suspendido el examen que quieran presentarse a la convocatoria de septiembre* deberán entregar un trabajo sobre un tema del programa.
b. El *violinista que toca en la Filarmónica con el que tu hermana está saliendo últimamente* es un tal Philips.
c. Aquel *libro con el que estudiábamos matemáticas que nos traía de cabeza* lo acaban de reeditar.

A estas relativas que aparecen como modificadores sucesivos de un mismo núcleo nominal las denominaremos 'superpuestas'. Pese a que las relativas superpuestas son sin duda gramaticales, su grado de aceptabilidad es bajo, debido a la dificultad que supone para el hablante la identificación de un antecedente que contiene otro dominio oracional. De ahí que la lengua tienda a evitar tales construcciones por medio de procedimientos diversos. Uno de los más socorridos consiste en coordinar las dos subordinadas: *Los estudiantes que hayan suspendido el examen y (que) quieran presentarse a la convocatoria de septiembre...* Mediante esta operación se consigue que el antecedente de las dos relativas sea el mismo: el núcleo nominal *estudiantes,* desprovisto de cualquier otro modificador. [67] Otra posibilidad estriba en sustituir la primera relativa por una cláusula subordinada de distinta especie: *Los estudiantes que, habiendo suspendido el examen, quieran presentarse a la convocatoria de septiembre...*

En puridad, las siguientes oraciones no contienen relativas superpuestas, pese a que tales patrones se suelen aducir como ejemplo paradigmático de tal construcción:

(124) a. Hay empresarios que regentan florecientes negocios que nunca han aceptado pagar impuestos.

[67] Semánticamente, la coordinación corresponde aquí a la intersección de conjuntos, mientras que la modificación especificativa equivale a la selección de subconjuntos (de modo que, en el ejemplo de las relativas superpuestas, del conjunto de estudiantes suspendidos se selecciona el subconjunto de los que tienen la intención de presentarse en septiembre). A efectos interpretativos, sin embargo, no hay diferencia significativa entre los dos sintagmas, pese a que los procedimientos sintácticos utilizados divergen considerablemente. En ello influye de manera crucial el carácter intensional de estas unidades. Nótese que es el artículo la entidad que determina la extensión del conjunto de individuos designado en ambos casos. La falta de tal unidad ante el segundo miembro de la coordinación es lo que permite que ambos sintagmas tengan la misma lectura. No la tendrían, por el contrario, si el artículo apareciera duplicado: *Los estudiantes que hayan suspendido y los que quieran presentarse a la convocatoria de septiembre* no designa el mismo conjunto de individuos, dado que incluye potencialmente estudiantes no suspendidos previamente.

b. Con estos niños que tienes que no paran de pelearse, es imposible descansar.
c. Dejaron al cliente que pidió un corte de pelo moderno que no lo hubiera reconocido ni su madre.

Según el análisis que hemos propuesto en el § 7.1.6 para las relativas predicativas, la función de las dos subordinadas en las oraciones de (124) es distinta: mientras que la primera especifica al núcleo nominal, la segunda funciona como complemento predicativo del SN antecedente. Así pues, las dos subordinadas desempeñan una función distinta, por lo que no cabe hablar propiamente de superposición.[68]

En otros casos, las posibilidades de superposición de las relativas están favorecidas por la presencia de ciertas unidades léxicas que legitiman su aparición. Así, en las oraciones de (125), la concurrencia de las dos relativas superpuestas está favorecida por la presencia de los superlativos léxicos *única* y *primer:*

(125) a. Ana es la única mujer con la que he estado con la que volvería. [*Diari de Tarragona,* 8-VIII-1997, 55]
b. El primer ciclista que corría sin rueda lenticular que llegó a la meta se clasificó en octava posición.

En virtud del carácter partitivo de los superlativos relativos (cf. los §§ 7.4.1.3 y 17.3), la primera subordinada se interpreta como el dominio del que se extrae el individuo del que se predica la cualidad en grado extremo. Sería posible, en efecto, deslindar ambas relativas, vinculándolas a antecedentes distintos: *De las mujeres con las que he estado, Ana es la única con la que volvería; De los ciclistas que corrían sin rueda lenticular, el primero que llegó a la meta se clasificó en séptima posición.* Nótese, por otra parte, que el antecedente de la primera subordinada no puede ser *única mujer* ni *primer ciclista,* sino tan sólo el núcleo nominal, dado que resulta obvio que lo que se afirma en la oración no es que el hablante haya estado con una única mujer o que el ciclista en cuestión haya sido el primero en correr sin rueda lenticular.

Con la única excepción señalada en la nota 68, las predicativas no pueden aparecer superpuestas. Por lo tanto, el único recurso para que en una misma oración puedan concurrir dos relativas ejerciendo tal función consiste en la coordinación: *Vi a María que salía de la reunión y que se dirigía rápidamente hacia el aparcamiento.* Por lo que respecta a las relativas explicativas, su función de modificadores incidentales les impide también aparecer superpuestas. En efecto: la concurrencia de varias subordinadas de tal clase sobre un mismo SN en ningún caso puede producir el

[68] No obstante, a este respecto el comportamiento de (124a) es distinto, como se deduce de la posibilidad de que ambas cláusulas relativas puedan concurrir con el antecedente pronominalizado: *Los hay que regentan florecientes negocios que nunca han aceptado pagar impuestos.* Así pues, (124a) admite dos análisis: en uno, la primera relativa es especificativa y la segunda predicativa y en el otro ambas son relativas predicativas, de modo que la primera subordinada representa el núcleo de la predicación secundaria seleccionada por el predicado existencial *hay* y la segunda actúa como complemento predicativo del objeto directo *empresarios.* En esta última interpretación, las dos relativas son remáticas, mientras que en la primera tan sólo lo es la segunda. Nótese que a partir de la oración *Allí hay empresarios que regentan florecientes negocios que nunca han querido pagar impuestos,* en la que el adverbio pronominal *allí* actúa como predicado locativo seleccionado por *hay,* ya no es posible desligar a la primera relativa de la pronominalización: **Allí los hay que regentan florecientes negocios que nunca han pagado impuestos.* La mala formación de la anterior secuencia deriva del hecho de que la presencia de un predicado locativo seleccionado por *hay* impide que la primera relativa pueda recibir una lectura predicativa.

efecto de restringir su denotación. Por lo tanto, la única opción accesible consiste en la coordinación o en la yuxtaposición de tales cláusulas, como se muestra en (126):

(126) a. Junto al chófer viajaba otra persona, que no resultó herida y que está siendo interrogada por la policía vasca como testigo del suceso. [*El Periódico,* 22-XII-1995, 19]

b. Perdida la fe en el señor B[...], que se presentaba como la alternativa y que aparece también como un sujeto de mucho cuidado, quedaba la esperanza del señor P[...], martillo de corruptos y regenerador de la vida italiana, que orientaba sus pasos hacia la política. [*El Periódico,* 22-XII-1995, 3]

En este último ejemplo se atestiguan los dos tipos de relación a que nos estamos refiriendo: al SN *el señor B* se le añaden dos relativas explicativas coordinadas, mientras que la vinculada al SN *el señor P* aparece yuxtapuesta a *martillo de corruptos y regenerador de la vida italiana,* un SN con valor predicativo que actúa como aposición explicativa de ese mismo antecedente.

7.3.4. Los dominios de la relativización

7.3.4.1. Relativas simples y complejas

Como es sabido, el sintagma que contiene el pronombre, adjetivo o adverbio relativo debe ocupar la primera posición de la oración subordinada, debido a que aquella unidad actúa como nexo introductor de la cláusula relativa. Lo más frecuente es que esta contenga un único verbo. En tal caso, el relativo suele ejercer la función de argumento o adjunto de ese predicado. Otra posibilidad es que el relativo sea el complemento de alguno de los argumentos o adjuntos del verbo de la subordinada, de modo que su relación con este último sea de segundo orden. Finalmente, cabe la posibilidad de que el verbo de la subordinada contenga argumentos o adjuntos oracionales. Entonces, el relativo puede estar vinculado a cualquiera de las oraciones que componen la subordinada. Los sintagmas de (127) reflejan las posibilidades mencionadas:

(127) a. Un libro que me recomendó el profesor.

b. Un libro cuyo autor acaba de obtener el Premio Cervantes.

c. Un libro que propone que la gente deje de estar obsesionada por la dieta.

d. Un libro que sería conveniente que leyeras.

e. Un libro que el profesor cree que deberíamos leer.

En (127a), el relativo es el objeto directo del verbo *recomendar.* Actúa, pues, como argumento del predicado de la subordinada. En (127b), en cambio, el adjetivo relativo *cuyo* no se relaciona directamente con el verbo *obtener,* sino con el sujeto de este, de cuyo núcleo nominal *autor* es complemento. En (127c, d, e) la relativa contiene más de un dominio de predicación verbal. En la primera, el relativo funciona como sujeto de *proponer,* que es el predicado más prominente de la subordinada. Por el contrario, en (127d, e) el relativo no está vinculado con los predicados *ser conveniente* y *creer,* que son los más altos de las respectivas subordinadas. En (127d) el pronombre relativo actúa como objeto directo del verbo *leer,* en el interior de la subordinada que ejerce la función de sujeto del predicado *ser conveniente.* Finalmente, en (127e) la función del relativo es también la de objeto directo de *leer,* en el seno de una subordinada completiva que actúa como objeto directo del predicado *creer.* En estos dos últimos casos, por lo tanto, entre el pronombre relativo y el hueco correspondiente (señalado por [_]; cf. el § 7.1.1.2) se interponen límites oracionales, como se refleja en (128):

(128) a. Un libro [*que* sería conveniente [que leyeras [_]]].
b. Un libro [*que* el profesor cree [que deberíamos [leer [_]]]].

A las relativas en las que median fronteras oracionales entre el hueco y el elemento relativo las denominaremos 'relativas complejas'. [69] Los pronombres, adjetivos y adverbios relativos no son las únicas unidades que pueden ser promovidas al frente de una oración superior a aquella en la que son seleccionados. Tal característica la comparten con los interrogativos y los exclamativos (véase el capítulo 31, que trata de las relaciones entre las construcciones interrogativas, relativas y exclamativas):

(129) a. La película [*que* Luis nos recomendó [que viéramos [_]]].
b. *¿Qué película* nos recomendó Luis [que viéramos [_]?
c. *¡Qué extraordinaria película* nos recomendó Luis [que viéramos [_]!

El número de fronteras oracionales entre el relativo y el hueco puede ser superior a una, si bien la aceptabilidad de tales construcciones se degrada a medida que se añaden nuevas proposiciones incluyentes. Así, en *Ojalá me regale la pulsera que creo que dijeron que sabe que me gusta* (tomado de Kovacci 1979: 145) son tres los límites que separan al relativo de su hueco.

7.3.4.2. Restricciones sobre la formación de las relativas complejas

La posibilidad de construir relativas complejas depende de diversos factores. Por una parte, influyen poderosamente las características léxicas de los predicados de la subordinada que median entre el relativo y la oración en la que este ejerce su función sintáctica. La mayoría de los verbos que seleccionan una completiva permite la colocación al frente de su oración de un relativo vinculado a la subordinada. No obstante, en ciertos casos tales construcciones resultan poco aceptables o incluso agramaticales:

(130) a. Sucedió que Luis había llevado el coche al taller de reparación. / *El coche que sucedió que Luis había llevado al taller de reparación era el de su tío.
b. Luis concluyó que habías traicionado a tu amigo. / ?*El amigo que Luis concluyó que habías traicionado jamás se ha quejado de tu comportamiento.

[69] Con mayor propiedad, Kovacci (1979) las llama 'proposiciones de relativo extrapuesto'. Aquí no se utilizará tal denominación para evitar cualquier confusión con el término 'relativa extrapuesta', utilizado en el § 7.3.1.

En (130a), bastaría sustituir el predicado matriz *suceder* por *resultar* para que la oración de relativo fuera gramatical *(El coche que resultó que Luis había llevado al taller de reparación era el de su tío)*. Lo mismo sucedería en (130b) si se conmutara *concluir* por *creer (El amigo que Luis creyó que habías traicionado jamás se ha quejado de tu comportamiento)*.

También se dan restricciones estructurales sobre la posibilidad de construir relativas complejas. La primera a la que nos referiremos afecta a todos los predicados transitivos que admiten un sujeto oracional. Se trata de verbos causativos con valor implicativo: *implicar, suponer, evitar,* etc. Cuando el sujeto de tales predicados es oracional, no es posible construir una relativa compleja cuyo antecedente sea alguno de los elementos de la subordinada completiva de sujeto:

(131) a. Que le presentaras la petición de divorcio frenaría toda posibilidad de solución amistosa. / *La petición de divorcio que que le presentaras frenaría toda posibilidad de solución amistosa debería estar muy bien argumentada.
b. Criticar acerbamente su libro acentuaría su paranoia. / *El libro que criticar acerbamente acentuaría su paranoia es el que acaba de publicar en su propia colección.
c. Que renunciara ahora al cargo implicaría que se convocaran nuevas elecciones. / *Las nuevas elecciones que que renunciara al cargo implicaría que se convocaran serían muy reñidas.

Como se deduce de (131), la aparición de un sujeto oracional impide la formación de la relativa compleja tanto si esta se forma a partir de algún elemento del sujeto (131a, b) como si el relativo corresponde al complemento directo (131c). Por el contrario, cuando tales predicados cuentan con un sujeto no oracional, la relativa compleja obtenida a partir de un elemento del complemento directo oracional es factible: *Las nuevas elecciones que su renuncia al cargo implicaría que se convocaran serían muy reñidas.* Nótese que en esta oración el sujeto del verbo matriz de la relativa es un SN *(su renuncia al cargo)* y no una oración. [70]

Otro contexto que impide la formación de relativas complejas es el de las subordinadas adverbiales: ningún elemento perteneciente a una de tales oraciones puede ser relativizado. En (132a, b) se han tratado infructuosamente de relativizar sendos argumentos de una subordinada adverbial (final, en el primer ejemplo; causal, en el segundo):

(132) a. Salí de la habitación para no pelearme con tu padre. / *Tu padre, con quien salí de la habitación para no pelearme, es una persona colérica.
b. Ella se enfadó porque no la presentaron al invitado. / *El invitado, a quien ella se enfadó porque no la presentaron, no parecía muy feliz con la compañía.

También está absolutamente vedada la posibilidad de relativizar un elemento perteneciente a una subordinada relativa. Así, de (133a) no puede obtenerse, mediante relativización, (133b):

(133) a. La computadora que compró María era un modelo obsoleto.
b. *María, que la computadora que compró era un modelo obsoleto, denunciará al vendedor.

Otros dominios que plantean ocasionalmente problemas para la relativización compleja son los formados por las interrogativas y exclamativas indirectas y por las completivas dependientes de un

[70] Los predicados no acusativos (o deponentes) no presentan tal restricción, aunque acepten un sujeto oracional, debido a que tal elemento no es argumento externo, sino interno y, por lo tanto, se comporta a estos efectos como el objeto directo de los verbos transitivos [⟶ § 25.1.2]. Así, una relativa compleja como *El chico, al que creo que sería un error despedir ahora, ha mejorado mucho su rendimiento* está bien formada, pese a que el relativo es el objeto directo de la oración de infinitivo que funciona como sujeto del predicado *ser un error.* Nótese, incidentalmente, que si la oración de infinitivo se antepone a su predicado *(?? el chico, al que creo que despedir ahora sería un error),* la relativa suena más forzada y tiende a requerir la presencia del correspondiente pronombre pleonástico o reasuntivo: *el chico, al que creo que despedirlo ahora sería un error.* Tampoco plantea problemas la relativización de elementos situados en oraciones completivas de sujeto dependientes de predicados psicológicos no acusativos, como *gustar: Ese deporte que nunca me ha gustado que practicaras se ha confirmado que es peligroso para la salud.*

nombre o de un adjetivo. Con respecto al primer contexto, el español admite con bastante liberalidad la formación de relativas complejas, como muestran los ejemplos de (134):

(134) a. Ese libro que no sabes cuándo podrás leer ha sido un éxito en todo el mundo.
b. María, a la que me pregunto qué le habría dado Luis, estaba exultante.
c. Esa casa adonde María no sabe si irá finalmente a vivir vale una millonada.

Por lo que respecta a las completivas dependientes de un SN o de un SA, el resultado oscila entre distintos grados de aceptabilidad:

(135) a. El examen que ese profesor está dispuesto a aplazar debería haberse celebrado el jueves.
b. ??Ese chico, que tu madre tiene la opinión de que no te mereces, es una bellísima persona.

En la buena formación de este tipo de cláusulas influyen otros factores complejos, como la función que representa el elemento relativizado (los argumentos tienden a superar mejor esta prueba que los adjuntos) y el grado de cohesión léxica del complejo formado por el verbo principal y el sintagma que selecciona la completiva.

7.3.4.3. Las relativas discontinuas

Kovacci (1979) presenta un tipo de relativas que se caracterizan por llevar intercalado un elemento parentético formado por un verbo presuposicional o asertivo. Los siguientes ejemplos están tomados del trabajo de esta autora:

(136) a. Describió el personaje que, creo, va a interpretar Greta. [Kovacci 1979:146]
b. No hay rastros del líquido que, dice, se derramó. [Kovacci 1979: 146]
c. José viajó en el tren que, dice, salía a las siete. [Kovacci 1979: 146]

Al contener un predicado parentético [⟶ § 55.2.1.1], estas oraciones mantienen un estrecho paralelismo con las correspondientes relativas complejas:

(137) a. Describió el personaje que creo que va a interpretar Greta.
b. No hay restos del líquido que dice que se derramó.
c. José viajó en el tren que dice que salía a las siete.

No obstante, pese a la innegable similitud del contenido de ambas oraciones, Kovacci (1979) muestra que, cuando el predicado parentético aparece en una persona distinta de la primera, las condiciones de verdad de ambos esquemas no son idénticas. Así, el contenido proposicional de la relativa de (137c) puede ser negado por el hablante sin que este incurra en contradicción: *José viajó en el tren que dice que salía a las siete, pero que en realidad sale a las seis.* En cambio, la adición de la adversativa en (136c) daría lugar a una secuencia contradictoria: *?*José viajó en el tren que, dice, salía a las siete, pero que en realidad sale a las seis.* El motivo del contraste tiene que ver con la diferente estructura de constituyentes de uno y otro ejemplo. En (136c) *el tren que salía a las siete* forma un constituyente de la aserción formulada por el hablante, por lo que la rectificación de la hora de salida deriva en contradicción. Por el contrario, en (137c) el anterior SN no forma constituyente y, en consecuencia, la proposición que incluye la hora de salida del tren no pertenece a las aserciones del hablante, sino a las atribuidas a José. Por lo tanto, en este caso el hablante se limita a comunicar una afirmación de una tercera persona. Es cierto que la presencia del predicado parentético en (136c) debería descargar al hablante de la responsabilidad de lo asertado en la relativa, pero el hecho de que tal elemento no forme constituyente con la subordinada obstaculiza tal posibilidad.

7.3.4.4. Funciones no relativizables

En español, la mayoría de las funciones gramaticales admiten la relativización. En consecuencia, centraremos nuestra atención en aquellas que rechazan tal procedimiento sintáctico y en las que imponen condiciones para aceptarlo.

La función de término de preposición sólo puede ser relativizada si va acompañada de la correspondiente preposición. Así, debe decirse *El decreto contra el que interpusieron recurso* y no **El decreto que interpusieron recurso contra.* Esta restricción es general en español y afecta a todas las preposiciones, átonas y tónicas, dado que jamás admiten quedar desprovistas de su término.

La relativización tampoco puede separar a un adverbio de su complemento. Por lo tanto, la subordinada debe ser encabezada en tales casos por todo el sintagma adverbial: *La mesa encima de la cual dejó el libro,* frente a **La mesa, de la cual dejó el libro encima.* Se incluyen en este apartado locuciones como *respecto de: El decreto respecto del cual los socialistas han mostrado su disconformidad.* Son habitualmente relativizables los complementos de un adjetivo cuando este actúa como atributo de la oración, siempre que vayan acompañados de la correspondiente preposición: *El voleibol, al que mi hermano es muy aficionado, me aburre soberanamente.* Como puede verse, el SP queda en estos ejemplos separado del adjetivo que lo selecciona.

El sujeto de las cláusulas de participio absoluto puede ser relativizado: *Dicho lo cual, el orador recibió un emocionado aplauso.* En estas construcciones, que adoptan a menudo la forma de relativas yuxtapuestas (cf. el § 7.1.4.4), el participio debe aparecer delante del sintagma relativo, ya que se aplica la regla del español que impone la precedencia de la forma verbal: *Dicho esto, el orador recibió un emocionado aplauso* (sería agramatical **esto dicho...*). El español clásico, en cambio, admitía el orden relativo-participio, como atestiguan los siguientes ejemplos, aportados por Cuervo (*DCRLC,* s.v. *cual:* 2aυ):

(138) a. Estas y otras muchas cosas hubo de aqueste bienaventurado casamiento de parte de la Virgen sagrada, las cuales dejadas á que el espíritu del Señor las enseñe, hablaremos de otras. [J. de Ávila, *Tratado de San José,* 5.77]
b. Trabando de las correas las arrojó [las armas] gran trecho de sí. Lo cual visto por D. Quijote, alzó los ojos al cielo. [M. de Cervantes, *El Quijote:* I, 3, pág. 2602)]

No admiten la relativización los SSNN seleccionados por *salvo, excepto* e *incluso,* adverbios derivados de participios: **Luisa, salvo la cual todo el mundo vendrá al concierto, se ha disculpado a última hora.* [71]

Tampoco pueden aparecer relativizados los sintagmas que actúan como segundo término de la comparación: **Pedro, que (que el cual) Luis es más listo, no pudo superar en ningún momento a su adversario en la oposición.* [72]

La relativización de un complemento del nombre está sometida a múltiples restricciones. Los elementos de esta naturaleza más proclives a admitir la relativización son los SSPP encabezados por la preposición *de* cuando expresan una relación posesiva (incluidos los casos en que tales complementos actúan como genitivo subjetivo u objetivo del núcleo nominal). Como es sabido, el español cuenta con un adjetivo posesivo relativo *(cuyo),* capaz de representar tales relaciones cuando el sintagma en el que aparece es definido:

(139) a. Esa novela, de la que acaban de salir varias traducciones a idiomas extranjeros, ha tenido gran éxito.
b. Tu amigo, cuyas aventuras conozco perfectamente, es un cretino.

---

[71] Esta restricción no afecta, como es lógico, a la posibilidad de seleccionar SSNN que contengan una relativa libre o semilibre: *Salvo quien tú ya sabes, todos iremos al concierto; Excepto los que hayan recibido aviso previo en contrario, nos reuniremos a las seis ante la Catedral.*

[72] Cumple expresar la misma caución de la nota anterior, dado que tal función puede ser desempeñada por SSNN compuestos por una relativa libre o semilibre: *Los que lo odian son muchos más que quienes lo adoran.* Alcoba (1985) señala que la locución prepositiva *respecto a* permite que el segundo término de la comparación pueda expresarse mediante un relativo en ejemplos como *La niña respecto a la cual Juan es más alto canta en el coro.*

Si en el seno de un SN aparecen realizados simultáneamente un genitivo subjetivo y otro objetivo, no es posible la relativización de este último. Así, a partir del SN *la descripción de María del asesino,* donde María es quien ha realizado la descripción, no es posible obtener **Al asesino, cuya descripción de María ha sido diáfana, se le está buscando intensamente.* En cambio, si el genitivo subjetivo se troca en complemento agente, la relativización del paciente es posible: *Al asesino, cuya descripción por parte de María ha sido diáfana, se le está buscando intensamente.* [73]

La posibilidad de relativización de los complementos nominales introducidos por otras preposiciones depende de diversos factores, que no estudiaremos aquí en detalle. Entre ellos se encuentran el grado de animacidad de la entidad relativizada, el carácter definido o indefinido del SN que contiene el hueco del relativo, el grado de cohesión léxica existente entre el verbo y ese mismo SN, etc. Los ejemplos de (140) reflejan algunos de estos contrastes:

(140) a. *El atleta, a quien la entrega de una medalla suscitó gran expectación, recibió el aplauso unánime del público. / La entrega de una medalla al atleta suscitó gran expectación.
b. Aquel hombre, sobre el cual no tuvo empacho en expresar sus opiniones, era una pobre víctima.
c. *La armería a la cual perpetraron un asalto fue saqueada. / Perpetraron un asalto a la armería.

En algunos casos, la aceptabilidad de la correspondiente construcción mejora cuando todo el SN se coloca al frente de la subordinada. Así, a pesar de su carácter marginal, la oración *?El juego, la tendencia al cual siempre le he criticado, ha acabado arruinándolo* es preferible a la secuencia en la que el SP relativo aparece desgajado del SN que lo selecciona: **El juego, al cual siempre le he criticado la tendencia, ha acabado arruinándolo.*

Las codas genitivas de las construcciones partitivas no pueden ser relativizadas a través del adjetivo *cuyo,* por lo que debe recurrirse a otras formas relativas:

(141) a. *Los diputados, cuya mayoría votó la ley, disfrutarán ahora de un período vacacional.
b. Los diputados, la mayoría de los cuales votó la ley, disfrutarán ahora de un período vacacional.
c. ?Los diputados, de los cuales la mayoría votó la ley, disfrutarán ahora de un período vacacional.
d. *Los diputados la mayoría de los cuales votó la ley disfrutarán de vacaciones.

Las construcciones partitivas relativizadas, por otra parte, sólo pueden aparecer en relativas explicativas, como muestra (141d). Seguramente, esta restricción tiene que ver con la existencia de una cuantificación en el interior de la subordinada que afecta al SN que contiene al antecedente. Nótese que tal contraste se reproduce en (142):

(142) a. *Los inspectores que eran tres registraron minuciosamente el despacho.
b. Los inspectores, que eran tres, registraron minuciosamente el despacho.

Para transformar (142a) en gramatical es necesario situar el cuantificador delante del antecedente: *Los tres inspectores registraron...* Del mismo modo, el contenido de la partitiva especificativa de (141e) debe comunicarse colocando el cuantificador ante el antecedente de la relativa especificativa: *La mayoría de los diputados que votaron la ley disfrutarán...*

[73] Sobre los complementos preposicionales del nombre pueden consultarse Fernández Ramírez 1951a: § 3.78 y Escandell 1995: 61.

7.4. La relación entre las cláusulas relativas y la gradación

7.4.1. La participación de las relativas en estructuras complejas

7.4.1.1. Relativas y consecutivas

Las cláusulas relativas aparecen con frecuencia como componente de algunos patrones sintácticos más complejos. En el § 7.1.6.5 tratamos de la controvertida relación que las relativas predicativas mantienen con los esquemas consecutivos (véase también el § 58.2). En ellos, la relativa funciona como apódosis de una prótasis que incluye al antecedente, el cual recibe una cuantificación de carácter intensivo. Se trata de ejemplos como los siguientes, que ya fueron aducidos en aquel epígrafe:

(143) a. Tiene un hijo ↑ con el que no sabe qué hacer. [Álvarez Menéndez 1989: 174]
b. Lleva a menudo una chaqueta ↑ cuyo color resulta difícil de adivinar.
c. Muestra unos humos ↑ contra los que tarde o temprano deberemos luchar.

El operador enfático que introduce la ponderación en la prótasis de estos ejemplos es el artículo *un.* El hecho de que la apódosis de la correlación consecutiva vaya encabezada por un pronombre relativo distinto de *que* parece una prueba fehaciente de la naturaleza relativa de tales segmentos. Más difícil es aportar pruebas en favor de ese mismo carácter cuando el nexo introductor de la apódosis es *que.* Desde luego, resulta problemático defender tal naturaleza en los casos en que la apódosis no parece contener ningún elemento correferente con el SN que debería actuar como antecedente. Se trata de ejemplos como los siguientes, extraídos de Álvarez Menéndez 1989: 160: [74]

(144) a. Llovía que era una desesperación.
b. Todos roncaban que era una delicia.
c. Tiene un despiste que no quieras saber.
d. Das unos cortes que lo dejas a uno patidifuso.

En cambio, en construcciones como *Sea un círculo que pase por todos los puntos de este polígono* (traducido de Muller 1996: 146), que también presentan el patrón intensivo propio de las consecutivas, la apódosis parece incontestablemente relativa, como prueba la posibilidad de conmutar *que* por otros pronombres relativos: *Sea un círculo en el que se inscriba un pentágono.*

---

[74] No obstante, todas las apódosis de los ejemplos de (144) muestran cierta vinculación con algún elemento de su correspondiente prótasis. En (144a) se remite al predicado *llover,* que es la entidad que recibe la cuantificación intensiva (cf. *Era una desesperación que lloviera tanto*); en (144b) sucede algo similar: *Era una delicia cómo roncaban;* en (144c) el antecedente parece ser el SN intensivo: *No quieras saber el despiste que tiene;* en (144d), en fin, la entidad compartida por ambas cláusulas es el sujeto de segunda persona. En este último caso la peculiaridad consiste en que el vínculo no se establece con el SN intensivo, sino con otro argumento de la prótasis. En cambio, en *Das unos cortes que lo dejan a uno patidifuso* el antecedente vuelve a coincidir con el SN intensivo de la principal.

7.4.1.2. *Relativas y comparativas*

Las oraciones relativas aparecen asimismo como integrantes del segundo término de la comparación en las subordinadas comparativas, según muestran los ejemplos de (145):

(145) a. Luis ha trabajado más de *lo que todos podíamos suponer.*
b. Asistieron más estudiantes de *los que era previsible.*
c. No era tan incompetente *como María había dado a entender.*

El análisis pormenorizado de la presencia de las relativas en esta clase de subordinadas será abordado en el capítulo dedicado a las oraciones comparativas [⟶ Cap. 17].

7.4.1.3. *Las relativas en los sintagmas nominales comparativos y superlativos*

Las cláusulas relativas forman también parte de SSNN comparativos y superlativos, como los que aparecen en cursiva en los siguientes ejemplos: [75]

(146) a. El amor es *el tema sobre el que los poetas han escrito más versos.*
b. Esos dos chicos son *los que estudian más de toda la clase.*
c. El candidato *que votaron más miembros de la comisión* fue Luis.
d. Luis es *el que ha visitado países más exóticos de todos nosotros.*

(147) a. *El que estudia más que Luis* es Roberto.
b. Era *un alumno que estudiaba más que todos los otros de la clase.*
c. *El candidato que se defendió con más vehemencia que Luis* fue Pedro.

Los SSNN en cursiva de (146) son superlativos y los de (147), comparativos. La característica común de todos ellos consiste en la presencia en el interior de la cláusula relativa de un elemento cuantificado que se toma como base para predicar del individuo designado por todo el SN una cualidad en grado comparativo o superlativo. Cualquier elemento de la subordinada puede recibir tal cuantificación. Así, las entidades afectadas pueden ser un argumento (el complemento directo, en (146a), y el sujeto, en (146c)); un adjunto (147c); el propio predicado (146b), o incluso un modificador de un argumento (146d). Existe igualmente la posibilidad de que más de un elemento de la relativa aparezca cuantificado *(El que contestó más preguntas en menos tiempo fue el segundo concursante).*

Los SSNN superlativos [⟶ § 17.3] se distinguen de los comparativos en cuatro aspectos formales. En primer lugar, como consecuencia lógica del carácter singular de la propiedad que se predica de ellos, exigen la presencia del artículo determinado y rechazan cualquier otro determinante, incluidos los demostrativos *(*estos alumnos que estudian más de toda la clase).* Por el contrario, los SSNN comparativos admiten cualquier clase de determinante (cf. *aquel alumno que estudiaba más que sus compañeros*).

Tanto los SSNN superlativos como los comparativos aceptan la presencia de una coda que exprese el dominio con respecto al cual se predica la cualidad atribuida al individuo que designan. [76] La segunda diferencia formal que media entre superlativos y comparativos atañe al distinto tipo de coda que aceptan. Mientras que los superlativos las construyen con *de,* los comparativos las forman con *que* en las comparativas de desigualdad y con *como* en las de igualdad. Por lo tanto, el sintagma de (148a) es superlativo y el de (148b), comparativo:

---

[75] La información contenida en este parágrafo y en el siguiente procede de Bosque y Brucart 1991.

[76] En las comparativas, la denominación tradicional de la coda es 'segundo término de la comparación'. No existe, en cambio, una etiqueta específica para la coda de las superlativas. Obviamente, la anterior no les es aplicable, dado que no se trata de comparativas. Bello (1847: § 1025) llama a estos superlativos 'partitivos'. La función de la coda superlativa es, en efecto, idéntica a la que desempeña el complemento genitivo de las construcciones partitivas.

(148) a. El que ha viajado más de todos nosotros.
b. El que ha viajado más que todos nosotros.

Una prueba semántica de la diferencia existente entre los dos sintagmas anteriores la proporciona el hecho de que el sintagma *todos nosotros* remita en cada caso a un conjunto diferente de individuos, dado que en (148a) se incluye en él a la persona de la que se predica la cualidad de haber viajado más, mientras que en (148b) se le excluye de tal clase. Eso explica que sólo en (148b) pueda añadirse a la coda el adjetivo *juntos*.

El tercer punto de divergencia entre ambas construcciones atañe a la posibilidad de colocar el sintagma cuantificado, sea cual sea su función en la subordinada, inmediatamente detrás del nexo relativo que la encabeza y, por lo tanto, por delante del verbo. Esta posibilidad sólo está al alcance de los SSNN superlativos:

(149) a. El aspirante que más puntos obtuvo de todos fue Luis. / El aspirante que obtuvo más puntos de todos fue Luis.
b. *El aspirante que más puntos obtuvo que María fue Luis. / El aspirante que obtuvo más puntos que María fue Luis.

Cuando la atribución de la propiedad superlativa se realiza a través de la cuantificación de más de un elemento de la subordinada, existe la posibilidad de anteponerlos todos ellos al verbo: *El que en menos tiempo más preguntas contestó fue Luis.*

La última diferencia entre los SSNN superlativos y comparativos a la que aludiremos se refiere al contrapuesto comportamiento de la negación en uno y otro tipo de construcciones. Mientras que las comparativas la admiten sin problemas *(Despediremos al que no venda más enciclopedias que Luis),* las superlativas la rechazan sin excepción *(*Despediré a los que no vendan más enciclopedias de todos vosotros).*

Pese a que no resultan frecuentes, son gramaticales los sintagmas superlativos que incluyen en el interior de la relativa, además de la propiedad extrema que les es característica, una comparación. Así, si suponemos que Pepe resolvió tres problemas en un concurso de televisión y que se trata de mejorar esa marca en el siguiente programa, el presentador podría dirigirse a los nuevos concursantes diciendo *De todos ustedes, el que consiga resolver más problemas que Pepe en menos tiempo habrá ganado el concurso.* En la anterior construcción, el cuantificador que legitima la aparición de la coda comparativa es *más problemas,* mientras que el sintagma *en menos tiempo* es el que expresa la cualidad extrema y el que legitima la aparición de la coda superlativa. Otro modo, mucho más frecuente, de colocar una estructura comparativa dentro de un SN superlativo consiste en situar un superlativo léxico junto al núcleo de todo el SN y mantener la comparación en el interior de la cláusula relativa:

(150) a. El primero que consiga resolver más problemas que Pepe de todos ustedes habrá ganado el concurso.
b. El único que sabe más matemáticas que Luis de todos nosotros es Pedro.

En las anteriores oraciones, los superlativos léxicos *primero* y *único* son las unidades que legitiman la coda partitiva.

7.4.1.4. Variantes dialectales en los sintagmas nominales superlativos

Como se ha visto en el anterior epígrafe, los elementos cuantificados de las relativas insertas en SSNN superlativos pueden anteponerse al verbo de la subordinada, independientemente de la función que desempeñen dentro de esta. Existen algunas variedades del español en las que el cuantificador puede situarse por delante del propio nexo relativo. Kany (1945: 364) informa de este fenómeno en Argentina, Chile y Puerto Rico. No obstante, donde parece tener mayor vigor es en el Caribe y en las Islas Canarias. En (151) se muestran algunos ejemplos correspondientes a esta variante:

(151) a. El más viejo no es *el más que sabe.* [Kany 1945: 364]
b. Eso es *lo más que me gusta de Antonio.*

En esta variedad [⟶ § 17.3.2, n. 98], la anteposición sólo es viable si el cuantificador es la única unidad de su sintagma, de modo que no se diría **El más viejo es el más historias que sabe* ni **El más viejo es el más que sabe historias.* En tal caso debe recurrirse a las secuencias admitidas por el español estándar: *El más viejo es el que más historias sabe* o *el que sabe más historias.*

Una segunda variedad dialectal de este mismo fenómeno, más extrema, se da en algunas zonas de las Islas Canarias (principalmente en las islas de Tenerife y La Palma).[77] Presenta las mismas características de la anterior, pero admite la anteposición del sintagma cuantificado que expresa la cualidad en grado extremo sin restricciones:

(152) a. Con *el más amistad que tengo* es con Pedro.
b. Ellos son *los más lejos que viven.*
c. *El más sinfonías que compuso* fue Haydn.

Una característica común de las dos variedades que acabamos de describir es que la anteposición que les es característica sólo puede llevarse a cabo cuando el núcleo del SN superlativo es elíptico. Así, no es gramatical en el primer dialecto **El chico más que sabe* ni en el segundo **El chico más historias que sabe.* Tampoco es posible situar delante del nexo relativo más de un elemento cuantificado: **El más respuestas en menos tiempo que dio.* Finalmente, la entidad antepuesta no puede ser el sujeto de la subordinada: en la variante extrema del español de Canarias, un sintagma como *el más gente que vio* sólo es gramatical en la interpretación en la que el sintagma cuantificado *más gente* es objeto directo.

7.4.1.5. Las relativas en función de coda superlativa

Las cláusulas relativas pueden desempeñar directamente la función de coda de los SSNN superlativos, dado que su carácter proposicional las habilita para ser interpretadas como dominio del que se extrae el individuo del que se predica la cualidad en grado extremo. Es obvia la relación existente entre *la mejor película de terror que he visto este año* y *la mejor película de terror de las que he visto este año.* En el segundo caso, la coda superlativa aparece introducida por la preposición *de,* como es habitual. En la primera oración, en cambio, la subordinada relativa se interpreta como coda al aludir a un conjunto de objetos del que forma parte aquel que se selecciona como mejor. Es frecuente que, en su función de codas superlativas, las relativas se construyan en subjuntivo, dado que de este modo aluden a dominios genéricos y, en consecuencia, más inclusivos: *la mejor película que haya visto nunca.*

7.4.2. Las relativas enfáticas

7.4.2.1. Descripción

Tradicionalmente, se ha considerado que la subordinada que aparece en los siguientes ejemplos tiene naturaleza relativa:[78]

---

[77] Alvar (1959), Catalán (1964), Lorenzo (1976) y Álvarez Martínez (1987) ofrecen datos de estas realizaciones, aunque no suelen diferenciarlos de los correspondientes a la primera variante, que también está presente, aunque de manera mucho más profusa, en todo el archipiélago.

[78] Utilizamos la denominación 'relativas enfáticas' pese a que la naturaleza relativa de la subordinada de estas construcciones es discutible. Cf. Bello 1847: § 981; Fernández Ramírez 1951a: §§ 159-160; Alarcos 1962; Alcina y Blecua 1975: § 3.4.5.3; Plann 1980; 1982; 1984; Bosque 1984; Gutiérrez Ordóñez 1986: cap. VIII; Álvarez Martínez 1986; Solà 1987; Torrego 1988; Martínez 1989, y Brucart 1992; 1993.

(153) a. Juan nos explicó lo difícil *que es entender ese artículo.* [Plann 1982: 10]
b. Es increíble los disparates *que dice.*
c. Me pregunto la cara *que pondrá al ver esto.*
d. ¡Lo fuertes *que eran*! [Alarcos 1962]
e. Una idea de lo difícilmente *que se consigue ese permiso* la da el hecho de que en este año todavía no se haya otorgado ninguno.

El patrón anterior se caracteriza por incluir una oración subordinada que contiene el nexo *que.* Este, a su vez, aparece precedido por un sintagma encabezado por alguna de las formas del artículo determinado. La importancia de esta última unidad se pone de manifiesto en el hecho de que su cambio por cualquier otro determinante induce la agramaticalidad de la secuencia: **Es increíble algunos disparates que dice.* Un modo de explicar la importancia que adquiere el artículo en estas oraciones consiste en atribuirle el valor enfático que es característico de todas ellas [⟶ §§ 12.1.3, 12.1.2.7 y 62.1.2.4]. Como indica Alarcos (1962: 189), al comentar el ejemplo de (153d): «Parece [...] que el artículo /lo/ no sólo efectúa una 'determinación', sino que añade una como estimación o gradación implícita, lo cual, por otra parte, es propio también de los otros artículos».

Otra particularidad de las oraciones que estamos analizando es que el sintagma que precede a la subordinada puede contener no sólo sustantivos (como suele ser característico de los antecedentes de las relativas especificativas), sino también adjetivos (153a, d) e incluso adverbios (153e). Cuando el elemento que sigue al artículo no es un sustantivo, aquel adopta invariablemente género neutro, mientras que este se coloca en la forma correspondiente a su función en la subordinada: **Es increíble las jóvenes que están* o **Es increíble lo joven que están,* frente a *Es increíble lo jóvenes que están,* donde *jóvenes,* como atributo que es de la subordinada, concuerda con el sujeto plural de la oración atributiva.[79]

Por lo que se refiere al segmento analizado tradicionalmente como cláusula relativa, su comportamiento es también peculiar. En primer lugar, *que* es el nexo introductor típico de estas construcciones, quedando descartados todos los demás pronombres relativos [⟶ § 35.2.6]:

(154) a. Ignoro el dinero que habrá pagado por esas fotos.
b. *Ignoro el dinero con el cual habrá pagado esas fotos.

Además, a pesar de su presunto carácter de relativa especificativa, la subordinada jamás es prescindible en estos contextos: **Me pregunto la cara.* Ello se debe a que el predicado que selecciona al supuesto antecedente no es el de la oración matriz, sino únicamente el de la subordinada. Así, en el ejemplo anterior *la cara* no es un argumento de *preguntar,* sino exclusivamente de *poner,* que es el verbo de la subordinada (cf. *¿Qué cara pondrá al ver esto?*). Lo que selecciona *preguntar* como objeto directo es toda la secuencia que le sigue y que incluye a la subordinada: *Eso me pregunto, la cara que pondrá al ver esto,* en donde el sintagma extrapuesto es correferente con el pronombre *eso.* La pronominalización, como puede verse, no

[79] Tal característica diferencia el funcionamiento enfático del artículo neutro del que manifiesta cuando su valor es meramente descriptivo (cf. Bosque y Moreno 1990). En este último caso, no puede ir acompañado de adverbios *(*Lo difícilmente es lo más meritorio)* y los adjetivos que aparecen junto a él adoptan invariablemente la flexión en masculino singular, la forma por defecto del sistema: *Lo meritorio de estas personas es su agilidad mental.*

corresponde a lo que se esperaría si toda la construcción fuera un SN, sino que funciona como si tal constituyente fuera oracional: *Yo también me lo pregunto,* y no **Yo también me la pregunto.*

Por otra parte, la existencia de oraciones exclamativas independientes como *¡La cara que puso al verte!,* en las que el sintagma que encabeza la construcción está seleccionado por el predicado *poner,* se explica por la presencia del artículo como operador enfático, lo que dota a la secuencia del contenido exclamativo que le es característico. Nótese, a estos efectos, el contraste entre *¡La cara que tiene!* y *¡Una cara que tiene!* [80]

Otro aspecto llamativo de las relativas enfáticas es la falta de concordancia ('silepsis') que aparentemente inducen en ejemplos como (153b), donde el predicado y el atributo aparecen en singular, mientras que el supuesto sujeto *(los disparates)* adopta el plural. [81] Tal problema dejaría de existir si se considerara que la relativa enfática es en realidad una interrogativa o exclamativa indirecta, pues entonces lo previsible sería precisamente la concordancia en 3.ª persona del singular.

Así pues, la distribución de la secuencia encabezada por el artículo determinado no es la propia de un SN, sino la de una oración interrogativa o exclamativa. Desde el punto de vista interpretativo, el contenido de estas construcciones puede caracterizarse como enfático, intensivo o cuantificacional. En efecto: en todos ellos es posible sustituir tal constituyente por una interrogativa o exclamativa, como se ha hecho en (155) respecto de los ejemplos de (153): [82]

(155) a. Juan nos explicó *cuán difícil es entender ese artículo.*
b. Es increíble *qué disparates dice.*
c. Me pregunto *qué cara pondrá al ver esto.*
d. *¡Cuán fuertes eran!*
e. Una idea de *cuán difícilmente se consigue ese permiso* la da el hecho de que en este año todavía no se haya otorgado ninguno.

Finalmente, el paralelismo entre las relativas enfáticas y las interrogativas y exclamativas se pone también de manifiesto en la tendencia del sujeto a aparecer en posición posverbal cuando no es el elemento enfatizado: *¡La cara que tiene Luis!,* frente a **¡La cara que Luis tiene!* Como ya se ha señalado (cf. el § 7.1.1.3), las relativas canónicas no manifiestan tal tendencia.

A efectos expositivos utilizaremos la denominación 'relativa enfática' al referirnos a las construcciones de (153), pero tal etiqueta incluirá no sólo el constituyente en-

---

[80] El artículo indeterminado puede tomar también valor enfático, pero precisa de la presencia de un predicado valorativo en el interior de su sintagma para legitimar tal lectura: *¡Tiene una cara más dura!* Otra posibilidad es que tal operador enfático quede omitido, pero entonces es necesario que se dé un tonema de suspensión al final del sintagma para que el valor enfático quede legitimado: *Tiene una cara...*

[81] La oración *Los disparates que dice son increíbles* es también gramatical, pero la subordinada que contiene no corresponde al patrón que estamos estudiando, sino que coincide con el de las relativas especificativas normales. Una prueba formal de que tal oración no se ajusta al esquema de las relativas enfáticas la proporciona la posibilidad de colocar en su sujeto cualquier tipo de determinante: *Algunos disparates que dice son increíbles; Todos los disparates que dice son increíbles.* Por otra parte, tampoco existe identidad de interpretación entre las dos oraciones que estamos analizando. Mientras que en la secuencia con concordancia la cualidad de *increíble* se atribuye a los disparates emitidos, en la relativa enfática tal cualidad se predica del hecho de su emisión.

[82] El adverbio *cuán* es muy poco usado en el español hablado. Se le suele sustituir por el artículo de la construcción de relativa enfática o por otras fórmulas cuantificacionales, como *hasta qué punto: Una idea de hasta qué punto es difícil conseguir ese permiso la da el hecho de que en este año todavía no se haya otorgado ninguno.*

cabezado por el nexo *que,* sino también el sintagma que contiene al artículo determinado y al presunto antecedente. Entre ambos se da una relación de solidaridad que los convierte en mutuamente imprescindibles. Como se estudiará en el próximo epígrafe, hay análisis que ponen en duda la naturaleza relativa de la subordinada en estos ejemplos y defienden, por el contrario, que estos segmentos son construcciones completivas con prolepsis por focalización del elemento enfático.

La productividad del patrón sintáctico que estamos estudiando es tan notable en español que se integra en esquemas propios de la subordinación adverbial y en algunos casos sobrepasa las propias posibilidades de las interrogativas y exclamativas indirectas:

(156) a. Por *lo triste que estaba,* deduzco que está arrepentido de lo que hizo.
b. Entre *lo rápidamente que habla* y *lo mal que se explica,* no se le entiende.
c. Dado *lo mucho que trabaja,* le convienen unas vacaciones.
d. Con *lo mucho que sabe,* nada debe temer.
e. De *(lo) novato que era,* temblaba.
f. Según *los años que tenga,* pagará más o menos por la póliza de seguros.
g. Pese a *lo aprensivo que es,* se ha portado valientemente.

Las anteriores oraciones presentan la característica de contar con una entidad (habitualmente, una preposición) que selecciona a la relativa enfática. El valor adverbial asociado a tales oraciones (causal, en (156a-e); modal, en (156f), y concesivo, en (156g)) deriva del contenido léxico de la unidad que selecciona a la subordinada. Esta mantiene el valor enfático que la caracteriza. En los ejemplos de (157), la lectura concesiva se obtiene de la combinación del valor causal de la preposición *por* con el énfasis propio de las construcciones estudiadas: [83]

(157) a. Por *(más) obcecados que se pongan,* no tienen razón.
b. Por *mucho que te cueste,* debes decirle la verdad.

En los ejemplos de (157) podría ponerse en duda la presencia de una relativa enfática, dado que el elemento que precede al nexo *que* no lleva incorporado el artículo que suele ser característico de tal esquema. No obstante, creemos que el paralelismo formal y semántico entre estas subordinadas y las anteriores lleva a concluir que las construcciones de (157) no son sino una mera variante del patrón de las relativas enfáticas y que la ausencia del artículo queda compensada por la existencia de un operador enfático, explícito o implícito, en el elemento que sufre prolepsis.

7.4.2.2. Interpretaciones cualitativas y cuantitativas

En el anterior epígrafe se ha señalado que las relativas enfáticas coinciden en su distribución con las interrogativas indirectas y con las exclamativas directas e indirectas. Por lo tanto, su interpretación oscila entre ambos valores, según el contexto sintáctico en el que aparezcan. En la mayoría

[83] La relación entre ambas clases de subordinadas se pone de manifiesto en la existencia de paráfrasis entre *Porque me lo pida mucho, no se lo voy a dar* y *Por mucho que me lo pida, no se lo voy a dar.* Gutiérrez Ordóñez (1986: § VIII.8.1-2) estudia la vinculación existente entre causales, concesivas y construcciones enfáticas.

de las ocasiones, el predicado de la oración matriz impone unívocamente el tipo de interpretació que debe asignarse a la relativa enfática [⟶ §§ 35.6.2 y 62.4.5]:

(158) a. No te puedes imaginar la intervención que tuvo en el congreso.
b. No recuerdo exactamente las veces que se lo dije.

La relativa enfática recibe en (158a) una lectura exclamativa cualitativa, que puede adoptar según el contexto valor ponderativo ('la relevante intervención') o peyorativo ('la lamentable intervención'). Un modo de fijar una de las dos interpretaciones consistiría en colocar algún adjetivo junto al sustantivo, tal como hemos hecho en las glosas anteriores. Por su parte, el predicado de (158b) impone una interpretación interrogativa cuantitativa ('cuántas veces').

Hay predicados que, al no tener la capacidad de seleccionar interrogativas o exclamativas indirectas, no pueden aparecer con relativas enfáticas. Así, en la oración *Grabó en vídeo la intervención que tuvo en el congreso,* el objeto directo contiene una relativa especificativa no enfática, como prueba la pronominalización: *La grabó en vídeo.* En otras ocasiones, el mismo predicado da lugar a interpretaciones diferentes en función de la forma que adopte:

(159) a. No sé las veces que se lo he dicho.
b. No sé la de veces que se lo he dicho.
c. No sabes las veces que se lo he dicho.
d. No sabes la de veces que se lo he dicho.

En (159b, d) aparece la construcción enfática <*la de* + N>, que siempre recibe lectura cuantitativa exclamativa (equivalente en los ejemplos anteriores a «muchas veces»). La extrañeza de una oración como *?*No sé exactamente la de veces que se lo he dicho* se debe a que el adverbio fija una lectura interrogativa que no puede ser admitida por el SN *la de veces.* Fernández Ramírez (1951a: § 160) y Torrego (1988) señalan que esta construcción es elíptica, con un núcleo nominal vacío asimilable al sustantivo *cantidad.* Por su parte, las relativas enfáticas de (159a, c) presentan diferencias de interpretación: mientras que la primera puede recibir indistintamente una lectura interrogativa o exclamativa cuantitativa, la segunda tiende a interpretarse como exclamativa por motivos pragmáticos.

Existen también enunciados que admiten simultáneamente la lectura no enfática y toda la gama de las enfáticas. En *Tendrías que ver los artículos que ha escrito Raquel* [Plann 1984: 103], el objeto directo puede interpretarse descriptivamente *(Como bibliografía básica para tu trabajo, tendrías que ver los artículos que ha escrito Raquel)* o enfáticamente. En esta última lectura admite todas las variantes posibles: la interrogativa cuantitativa *(cuántos artículos ha escrito Raquel);* la interrogativa cualitativa *(cuáles son los artículos que ha escrito Raquel);* la exclamativa cualitativa, con sus dos variantes: la ponderativa *(qué excelentes artículos)* y la peyorativa *(qué lamentables artículos),* y la exclamativa cuantitativa *(los muchos artículos),* aunque en esta última lectura sería preferible la construcción elíptica: *La de artículos que ha escrito Raquel.*

7.4.2.3. Su análisis: ¿relativas o completivas?

Si bien la tradición gramatical ha tendido a considerar relativas a las subordinadas que estamos estudiando, no es menos cierto que las dificultades que entraña dicho análisis no han pasado desapercibidas. Citaremos, a modo de ejemplo, algunos pasajes que así lo demuestran. Cuervo (*DCRLC* s.v. *el,* 4b) se percata de la relación existente entre las relativas enfáticas y las interrogativas: «Es mucho más común en nuestra lengua convertir la proposición interrogativa en relativa que modifica al sustantivo trasladado de la proposición subordinada a la principal: 'Dígame qué camino he de seguir' pasa a 'Dígame el camino que he de seguir'». Por su parte, Alcina y Blecua (1975: § 3.4.5.3) indican que el artículo enfático incide sobre toda la subordinada: «la función sustantivadora [del artículo] se ejerce no sólo sobre el adjetivo o adverbio sino sobre la totalidad del enunciado». Finalmente, Fernández Ramírez (1951a: § 160, n. 456), al tratar de las exclamativas independientes que se ajustan al patrón aquí estudiado, añade en una nota lo siguiente: «Llamo convencionalmente y provisionalmente 'relativo' al *que* de estas construcciones en todos los casos».

...ese a que el carácter inconcluso de la obra no permite aventurar cuál hubiera sido su decisión final con respecto a la naturaleza del *que* de las relativas enfáticas, no parece arriesgado, a la vista de la afirmación anterior, suponer que Fernández Ramírez albergaba serias dudas acerca del supuesto carácter relativo de la subordinada.

El principal problema que se plantea al analizar estas subordinadas como relativas radica en que de ese modo no quedan reflejadas de modo satisfactorio las propiedades de selección del predicado principal. Recuérdese que se trata de verbos que subcategorizan oraciones y no sintagmas nominales, adjetivales o adverbiales. Por lo tanto, resulta problemático suponer que el sintagma encabezado por el artículo enfático es la entidad que actúa como antecedente de la relativa, puesto que el que lo selecciona no es el predicado de la oración matriz, sino el de la subordinada [⟶ § 35.2.6]. Eso explica, por otra parte, la imposibilidad de omitir tal cláusula. Así, en (160) el SN enfático *las exposiciones* es argumento de *organizar,* no de *saber:*

(160) a. No sé las exposiciones que ha organizado este pintor hasta ahora.
b. *No sé las exposiciones.

La posibilidad de recurrir a la idea de que en estas cláusulas se ha producido una prolepsis (anticipación) del elemento enfatizado desde el interior de la relativa permite explicar el vínculo selectivo existente entre tal sintagma y la subordinada, pero vuelve a plantear el problema de la relación entre el predicado matriz y la relativa enfática: ni el verbo selecciona al sintagma enfatizado ni tampoco puede seleccionar a la relativa, puesto que las relativas no son argumentos y, en consecuencia, no pueden ser objeto de selección por los predicados.

La última posibilidad de análisis consiste en insistir en la idea de la anticipación del sintagma enfático, pero vinculándolo no a una subordinada relativa, sino a una completiva. [84] La ventaja principal de esta opción es que consigue reflejar de modo adecuado la relación existente entre el predicado matriz y la subordinada. Esta queda caracterizada como interrogativa o exclamativa indirecta, en virtud de la presencia en primera posición del sintagma enfático, del mismo modo que los pronombres interrogativos o exclamativos ocupan también la primera posición de sus respectivas oraciones. La forma *que,* que ya no se concibe como un pronombre relativo sino como una conjunción completiva, marca el carácter dependiente de la subordinada con respecto al verbo principal. [85]

El análisis completivo de estas oraciones permite ofrecer una explicación satisfactoria para el conjunto de características que desde la óptica del análisis de relativa resultaban idiosincrásicas: la ausencia de todo nexo distinto de *que* se debe precisamente a que tales subordinadas son completivas, por lo que de ningún modo pueden admitir pronombres o adverbios relativos en su encabezamiento; la obligatoriedad de la subordinada es lógica, dado que se trata de uno de los argumentos

[84] Tal análisis aparece propuesto en Plann 1984, Bosque 1984 y Brucart 1992; 1993.

[85] La misma entidad puede aparecer también opcionalmente en las exclamativas introducidas por un pronombre de tal clase, siempre que este vaya acompañado de alguna otra unidad: *María comentó que qué guapa que estaba Luisa aquella tarde,* en donde el primer *que* completivo es el que se asocia al discurso indirecto [⟶ Cap. 55] y el segundo, el que corresponde a la exclamativa indirecta. También puede presentarse en las exclamativas independientes [⟶ § 31.3.1.1]: *¡Qué guapa que estaba María aquella tarde!* En estas últimas, la presencia de *que* está asociada a la existencia de una modalidad marcada. Por el contrario, las interrogativas no admiten nunca la concurrencia de esta forma con el correspondiente pronombre o adverbio interrogativo.

del predicado matriz; la pronominalización por *lo* deriva de que ese es precisamente el pronombre que conmuta con oraciones completivas; la supuesta silepsis en oraciones como *Es increíble los disparates que dice* ya no es tal, dado que el sujeto del predicado principal es una subordinada completiva enfática; y, finalmente, la tendencia a la inversión del orden sujeto-verbo refleja el comportamiento habitual de las exclamativas e interrogativas indirectas.

Los ejemplos de (156) y (157) no resultan problemáticos para este análisis, puesto que es habitual que otras entidades distintas de los verbos, como los sustantivos o las preposiciones, puedan seleccionar oraciones completivas. Por otra parte, se evita tener que suponer que las oraciones de (161) pertenecen a esquemas sintácticos absolutamente distintos, puesto que en el caso de que el segmento introducido por *que* fuera una relativa, sólo (161a) tendría carácter oracional, quedando relegados los otros dos ejemplos a la consideración de sintagmas infraoracionales que contienen una subordinada relativa. En cambio, en el análisis que niega el carácter relativo de estas construcciones, los tres ejemplos de (161) son oracionales y el elemento *que* no es sino un marcador de modalidad exclamativa:

(161) a. ¡Qué felices parecen!
b. ¡Qué felices que parecen!
c. ¡Lo felices que parecen!

7.4.2.4. Las relativas desencajadas

El análisis completivo de las relativas enfáticas tiene una importante ventaja adicional: da cuenta de modo satisfactorio de un conjunto de oraciones que han sido objeto de atención reiterada de la tradición gramatical por las dificultades que plantean. Se trata de las construcciones en cursiva de (162), que denominaremos 'relativas desencajadas' [⟶ § 62.4.5.5]:[86]

(162) a. Imagínate *en las tonterías que habrá pensado.*
b. Al fin ves *con la gente que tratas.*
c. Fíjate *por las calles que nos lleva.*
d. *¡A qué extremos que hemos llegado!* [Bosque 1984: 11c]
e. *¡De la de apuros que nos ha sacado Luis!*

El aspecto problemático de las anteriores oraciones tiene que ver de nuevo con el desajuste entre las relaciones de selección y el orden que presenta la secuencia en cursiva. Nótese que, en todos los ejemplos de (162), la preposición que encabeza tal constituyente está seleccionada por el predicado de la cláusula que contiene la forma *que.* Pero si tal cláusula fuera una relativa, la preposición debería preceder al pronombre *que* y no al antecedente, que sería externo a ella.

Bello (1847: § 1165) caracteriza las propiedades de estas construcciones: «En las interrogaciones indirectas y en las exclamativas de ambas clases es notable el giro que por un idiotismo de nuestra lengua podemos dar al artículo definido y al relativo *que,* precedido de preposición: '¡De los extravíos que es capaz una imaginación exaltada!'. El orden natural sería *¡los extravíos de que...!* o *¡de qué extravíos!* 'Sé al blanco que tiras' (Cervantes) [...] Se podría decir en el mismo sentido *a qué blanco* [...]; pero si se dijese *el blanco a que* [...] despojaríamos a la oración de la énfasis que caracteriza a las frases interrogativas y exclamatorias». Así pues, las relativas desencajadas son también construcciones enfáticas, como muestra el siguiente par:

(163) a. Estoy mirando el blanco al que tira.
b. Estoy mirando al blanco que tira.

[86] Esta etiqueta traduce el término inglés *non-matching relatives,* utilizado en Plann 1984.

Sólo (163b) implica que se está intentando discernir cuál es el blanco que sirve de objetivo al .irador. En cambio, (163a) reporta meramente la percepción física del blanco de los disparos.

Cuando la relativa desencajada aparece seleccionada, el verbo principal debe pertenecer a la clase de los predicados que rigen interrogativa o exclamativa indirecta. Así, *ver* admite esta clase de construcciones, mientras que *saludar* la rechaza:

(164) a. Así ves con la gente que tratas. / Así ves a la gente con la que tratas.
b. *Así saludas con la gente que tratas. / Así saludas a la gente con la que tratas.

La dificultad de encontrar un análisis de estas oraciones que no recurriera al difícilmente justificable expediente de suponer que la preposición se ha desplazado lejos de su término llevó a algunos gramáticos a condenar el uso de este patrón genuino del español, atestiguado en todas las épocas. Así, por ejemplo, Benot (1910: cap. III.1.V) da cuenta de ellas en un capítulo titulado «Aberraciones». Tras señalar que el orden lógico de la frase *Sé a lo que vienes* debería ser **Sé lo a que vienes,* reconoce que los hablantes optan unánimemente en este caso por la primera versión, y concluye: «Hay, pues, aberraciones que no consienten el análisis». Pero si se adopta el análisis de completiva, la posición que ocupa la preposición es precisamente la que le corresponde, puesto que su término ya no es el relativo *que,* sino el elemento enfático que se sitúa en la primera posición de la subordinada.

7.4.2.5. Algunas construcciones vinculadas

El esquema de las relativas enfáticas es tan productivo en español que se da también, con ligeras variantes y diverso rendimiento, en otras construcciones. De algunas de ellas daremos rápida noticia a continuación.

En primer lugar, nos referiremos a una variedad de relativas desencajadas que presenta la característica de duplicar la preposición que expresa el régimen del elemento enfatizado. Se trata de oraciones como *Veníos conmigo y veréis en el engaño en que estáis* [Cervantes, *La entretenida,* 2: 207], ejemplo aducido por Cuervo (*DCRLC* III: s.v. *el,* 4cγ). Como puede comprobarse, la preposición *en,* que corresponde al régimen del verbo subordinado, aparece ante *que* y ante el antecedente. Pese a que Cuervo califica a este esquema de «giro desaliñado que no sería aceptable hoy», tales construcciones están atestiguadas en todas las épocas y siguen vivas en la actualidad, por más que su frecuencia sea menor que la correspondiente a las relativas desencajadas propiamente dichas. Así, una secuencia como *Imagínate en las tonterías en que habrá pensado* constituye una forma intermedia entre la correspondiente relativa canónica *(Imagínate las tonterías en que habrá pensado)* y la relativa desencajada asociada *(Imagínate en las tonterías que habrá pensado).* Los gramáticos que han estudiado este esquema mixto han tendido a ver en él, lógicamente, el resultado de un cruce entre las dos estructuras anteriores. Otra posibilidad sería asociar las relativas desencajadas con duplicación a otro patrón enfático del español que requiere la repetición de la preposición presente en la cláusula subordinada. Se trata de las perífrasis relativas con preposición (también denominadas 'ecuacionales') [⟶ Cap. 65]. En estas construcciones, también de carácter enfático, el foco de la oración debe reproducir la preposición que encabeza la cláusula relativa que funciona como presuposición: *Con quien fue al cine fue con María.* La característica común que parecen compartir ambos esquemas es la identificación enfática de un constituyente mediante el procedimiento de duplicar la preposición asociada a este. No obstante, también hay diferencias obvias entre los dos patrones: las relativas desencajadas con duplicación son construcciones que actúan en contextos de subordinación completiva, mientras que las perífrasis ecuacionales de relativo contienen sin duda alguna cláusulas relativas y conforman estructuras atributivas.

Gutiérrez Ordóñez (1986: cap. VIII.10) estudia otra construcción enfática, consistente en la anteposición de un adjetivo, opcionalmente precedido de un cuantificador de grado *tan,* y seguido de *como: Juan, (tan) bueno como era, ...* [Gutiérrez Ordóñez 1986: 255]. La función de tales secuencias es siempre la de inciso parentético en el interior de una oración en la que se nombra al individuo u objeto del que se predica la cualidad enfatizada.[87] La forma *como* que aparece siste-

[87] Esa misma construcción puede usarse como inciso independiente en el diálogo. Así, la secuencia *¡Tan sano como estaba siempre!* puede ser emitida por un interlocutor al conocer la noticia del fallecimiento de una persona.

máticamente en este esquema se suele considerar relativa, pero tal análisis vuelve problemas ya señalados en los apartados anteriores. Una posibilidad es que se trate conjunción que introduce la subordinada completiva de la oración *Lo vi como salía de disfrazado de policía.* Otra, quizás más plausible, sería considerarla una conjunción causal, proximidad entre el ejemplo anterior y *Juan, como era tan bueno,* [...]. Una variante de esta construcción se obtiene por medio de la anteposición de la preposición *de* [⟶ § 58.5]: *De bueno {como/que} era, todos le tomaban el pelo,* equivalente a otros giros de valor causal: *Todos le tomaban el pelo por ser tan bueno.* El análisis con anteposición del sintagma enfático tiene la ventaja de prever sin dificultad la existencia de ejemplos como *fiel como había sido siempre a la tradición,* [...], en el que aparece un complemento del adjetivo desgajado del núcleo que lo selecciona. Sería problemático explicar tal separación en el análisis que considera que esta construcción es una relativa, puesto que el complemento aparecería en una oración distinta de la del núcleo. En cambio, en el análisis de completiva, la separación de ambos constituyentes es idéntica a la que se registra habitualmente en las oraciones interrogativas o exclamativas: *¡Qué fiel había sido siempre a la tradición!*

Mucho menor rendimiento en el habla tienen secuencias como las de (165), estudiadas también en Gutiérrez Ordóñez (1986: cap. VIII. 11-12):

(165) a. El discurso, *pronunciado que fue por el orador,* suscitó reacciones opuestas.
b. Gallo, *gobernador civil que fue de Barcelona,* llevaba muchos años retirado de la política.

Lo característico de las dos construcciones anteriores es que aparecen en oraciones en las que el verbo flexionado es atributivo. Además, el elemento que encabeza la construcción enfática es un participio (165a) y un sustantivo o grupo nominal que funciona como atributo (165b). Ninguno de ellos admite determinantes o cuantificadores (cf. **tan pronunciado que fue, *un gobernador civil que fue*). Se trata de patrones propios de registros formales escritos, por lo que tienen sabor arcaizante cuando se usan en el habla. Su función, por otra parte, es estrictamente la de inciso parentético, y en ningún caso pueden yuxtaponerse a su antecedente. Su obligatoria dependencia de otro SN y la rigidez de su distribución son pruebas de que se trata de verdaderas relativas con un elemento enfático antepuesto. Las correspondientes variantes no enfáticas *(que fue pronunciado por el orador* y *que fue gobernador civil de Barcelona)* muestran que su origen es claramente relativo. El valor de (165a) es perfectivo y equivale a la combinación de la correspondiente secuencia canónica con un operador aspectual como *una vez* o *tan pronto como.* El contenido de (165b) es más difícil de describir, pero también parece relacionado con la idea de aspecto perfectivo, dado que la construcción no admite tiempos verbales que expresen una cualidad vigente en el momento del habla *(*gobernador civil que es de Barcelona).*

Ya hemos visto que las construcciones enfáticas anteriores presentan un grado considerable de fijación y que han sido relegadas en la lengua hablada. Un estadio todavía más fosilizado es el que manifiesta la secuencia *lo que es* cuando funciona como operador que toma como ámbito al sintagma que aparece en primera posición del enunciado en ejemplos como *Lo que es María, no piensa pedir perdón,* secuencia que podría parafrasearse como *María, desde luego, no piensa pedir perdón.* [88] La prueba del carácter fijo de este elemento, propio del nivel coloquial, la proporciona el hecho de que el verbo que contiene no admita ningún tipo de flexión: *Lo que es yo, no pienso pedir perdón* (frente a **Lo que soy yo, no pienso pedir perdón*). Semánticamente, *lo que es* actúa como un operador modal que toma como término al tema de la oración. Por lo tanto, cualquier elemento tematizado puede quedar bajo su ámbito, independientemente de la función que represente: *Lo que es a María, le han hecho la pascua; Lo que es ayer, no vendimos ni una escoba.* Otra fórmula parecida, aunque muestra mayor libertad posicional y focaliza atributos y complementos predicativos, es *Lo que se dice: no es lo que se dice listo,* que equivale a *No es precisamente listo.*

[88] Cortés Parazuelos (1996) estudia brevemente de este esquema.

nombres, adjetivos y adverbios relativos

…no ya se mencionó en el § 7.1.3.8, el funcionamiento sintáctico de los di… nexos relativos está sometido a múltiples restricciones, que derivan de requi…s de índole léxica y sintáctica. En los próximos apartados se estudiarán por se…arado las distintas unidades que componen el paradigma de los relativos, atendiendo principalmente a las características que condicionan el comportamiento sintáctico de cada una de ellas.[89]

7.5.1. El *que* relativo

La forma *que* es el relativo de uso más general en español: puede aparecer tanto en las cláusulas especificativas como en las explicativas y es la única que está capacitada para desempeñar en ambas cualquier función sintáctica (precedida, eventualmente, de la correspondiente preposición y del artículo determinado). Además, es el nexo por antonomasia de las relativas predicativas (cf. el § 7.1.6) y de las relativas con pronombre reasuntivo (cf. el § 7.1.2), hasta el punto de que en la mayoría de estos usos no es posible su conmutación por ningún otro pronombre o adverbio relativo. Se trata, así pues, del nexo relativo por defecto del español.

Desde el punto de vista morfológico, carece de rasgos de flexión, lo que lo distingue del resto de pronombres y adjetivos relativos. Además, sus únicos rasgos léxicos son los que derivan de su doble condición de subordinante y de elemento de remisión anafórica. Eso lo diferencia de otros pronombres y adjetivos relativos y de todos los adverbios de la misma clase, que incorporan un contenido léxico adicional al que los habilita como nexos de las correspondientes subordinadas. Por ello, su conmutación por los adverbios relativos sólo es posible si le precede una preposición que manifieste la clase de relación que aquellos expresan sin más intermedio:

(166) a. El lugar *donde* lo encontraron era poco accesible. / El lugar *en el que* lo encontraron era poco accesible.
b. El momento *cuando* se decidió a hablar no fue el más oportuno. / El momento *en el que* se decidió a hablar no fue el más oportuno.
c. El modo *como* actuó fue improcedente. / El modo *en que* actuó fue improcedente.

Como la mayoría de los relativos, *que* es una entidad átona proclítica, por lo que no puede aparecer nunca como última unidad de un grupo fónico. En los contados casos en que el pronombre relativo debe ocupar tal posición, *que* es sustituido obligatoriamente por el único relativo tónico (la forma compleja *el cual*). En el § 7.2.6.4 se han estudiado algunos ejemplos de este fenómeno relacionados con las

[89] Las asimetrías en el comportamiento de estas unidades están recogidas en Bello 1847: §§ 303-332 y 1073-1085, Fernández Ramírez 1951a: cap. X, Alcina y Blecua 1975: cap. 8, RAE 1973: § 3.20, Alarcos 1994: caps. X y XXIX y Porto Dapena 1997b. Sobre la sintaxis histórica de los relativos, cf. Ridruejo 1977, Rivero 1984; 1986a; 1986b y Elvira 1986; 1989. El análisis teórico de la distribución de los relativos ha sido abordado principalmente desde la gramática generativa. Los trabajos pioneros son Kayne 1976, para el francés, y Cinque 1978; 1982, para el italiano. Con respecto al español, cf. Rivero 1982, Schroten 1984, Ojea 1992 y Brucart 1992; 1994a.

construcciones partitivas y en el § 7.5.2.1 se abordarán otros casos similares en los que el relativo aparece como término de una preposición tónica.

La carencia de morfemas flexivos y de rasgos descriptivos propios inhabilitan a *que* para formar relativas libres. Puede, en cambio, aparecer con un antecedente elíptico siempre que su determinante o cuantificador esté fonéticamente realizado, formando de este modo una relativa semilibre (§ 7.2.4.2): *Los que más habían protestado acabaron votando a favor; Cuatro que habían protestado mucho acabaron votando a favor.*

Como lógica contrapartida de su incapacidad para identificar a un antecedente implícito, su transparencia referencial le convierte en el candidato idóneo para encabezar relativas especificativas cuando estas cuentan con un antecedente explícito, ya que en tales contextos es el relativo menos redundante, al no reiterar los rasgos gramaticales presentes en aquel. En el caso de que entre antecedente y relativo no se interponga preposición, *que* es el único pronombre relativo posible, dado que *quien* y *el cual* quedan descartados por innecesariamente redundantes:

(167) a. El hombre que vino te dejó esta carta.
b. *El hombre el cual vino te dejó esta carta.
c. *El hombre quien vino te dejó esta carta.

Que el motivo de la mala formación de (167b, c) está relacionado con la duplicación de los rasgos gramaticales del antecedente parecen demostrarlo los contrastes de (168):

(168) a. El escritor al que premiaron anoche vendrá a nuestra tertulia próximamente.
b. El escritor que premiaron anoche vendrá a nuestra tertulia próximamente.
c. *El escritor a que premiaron anoche vendrá a nuestra tertulia próximamente.
d. *El escritor el que premiaron anoche vendrá a nuestra tertulia próximamente.

Los ejemplos anteriores ponen de manifiesto dos características notables del comportamiento sintáctico del *que* relativo. En primer lugar, la posibilidad de ir precedido del artículo determinado en los casos en que la función que desempeña deba incorporar una preposición. El artículo reproduce los rasgos del antecedente, pero no debe ser confundido con él. Así, en (168a) el antecedente es el sustantivo *escritor.* Como se estudiará en el § 7.5.1.3, la presencia del artículo es en estos casos la estrategia más habitual e incluso puede llegar a ser obligatoria, en función de cuál sea la preposición de la que es término el relativo.

Por otra parte, (168b, c) muestran que el *que* relativo puede funcionar como complemento directo en el interior de la subordinada sin necesidad de que aparezca la preposición *a* que es característica de tal función cuando la entidad que la desempeña es animada y específica. Así, frente a la obligatoriedad de tal marca en *Anoche premiaron al escritor,* la relativa con *que* no permite la presencia de la preposición cuando el relativo no va precedido del artículo. En cambio, si este aparece, la única secuencia correcta es la que contiene la preposición, como muestra la agramaticalidad de (168d).

Un modo de explicar los datos anteriores consiste en atribuir la mala formación de (168d) a la innecesaria reiteración de los rasgos gramaticales del antecedente. En cambio, la posibilidad de que el artículo preceda al relativo se da siempre que entre este y el antecedente se interpone una preposición o locución preposicional. La distribución de los datos de (167) obedece a estos mismos principios, aunque la entidad reproductora de los rasgos del antecedente no es aquí el artículo, sino los morfemas flexivos de los propios pronombres *el cual* y *quien*. La previsión que se deduce lógicamente es que tales entidades, por lo tanto, sólo podrán aparecer en relativas especificativas cuando estén separadas del antecedente por una preposición.

7.5.1.1. El doble origen de la secuencia <artículo determinado + *que* relativo>

De lo dicho en el apartado anterior se desprende que la secuencia <artículo determinado + *que*> de los ejemplos de (169) corresponde a dos estructuras diferentes:

(169) a. Los estudiantes que faltaron fueron más que *los que asistieron.*
b. El traje *con el que asistió al acto* era inefable.

Nótese que en (169a) el antecedente elíptico está situado entre el artículo y *que,* como prueba la posibilidad de insertar entre ambos el sustantivo *estudiantes.* Por lo tanto, el artículo es en este caso externo a la relativa. Por el contrario, en (169b) es imposible intercalar el antecedente entre artículo y relativo, ya que aparece explícito delante de la preposición. Como esta última está seleccionada por el verbo de la subordinada, debe concluirse que en (169b) el artículo está en el interior de la relativa.

Bello (1847: §§ 323-327) ya se percató de esta diferencia: «Las expresiones *el que, la que, los que, las que, lo que,* se deben considerar unas veces como compuestas de dos palabras distintas, y otras como equivalentes a una sola palabra. [...] En el primer caso el artículo está sustantivado y sirve de antecedente al relativo. [...] En el segundo caso el artículo no es más que una forma del relativo, por medio de la cual se determina si es sustantivo o adjetivo, y cuál es, en cuanto adjetivo, su género y número». [90] La mayor independencia de artículo y relativo en la primera combinación se pone de manifiesto en el hecho de que sólo en tal contexto es posible conmutar el artículo por otros determinantes o cuantificadores: *Los estudiantes que faltaron fueron más que aquellos que asistieron.*

Pese a la importante diferencia mencionada, no resulta difícil determinar qué tiene en común la función del artículo en uno y otro caso: el reproducir los rasgos gramaticales de un antecedente que no está léxicamente realizado en la cláusula en la que aquellos aparecen. En el primer caso, al remitir desde la oración matriz a una entidad presente en una oración anterior, el artículo permite que la subordinada

[90] Recuérdese que para Bello el artículo adquiere carácter pronominal cuando actúa como antecedente del relativo (cf. el § 7.2.4.2). En cambio, cuando forma unidad con *que,* conserva su valor de artículo determinado. Para distinguir ambos usos ortográficamente, Bello llega a proponer que en este último valor la secuencia de artículo y *que* se escriba como una sola palabra: *elque, laque,* tal como se hace en francés con *lequel, laquelle.*

se configure como relativa semilibre. En el segundo, reproduce dentro de la subordinada los rasgos del antecedente, que aparece realizado en la oración principal.

La existencia de muestras de *que* con y sin artículo ha llevado a algunos gramáticos a suponer que se trata de dos pronombres relativos distintos. Bello (1847), como hemos visto, se muestra partidario de tal opción. En cambio, otros lingüistas prefieren ver en ambos usos dos variantes de la misma unidad. Esta será la postura adoptada en el presente trabajo, dada la distribución casi complementaria que manifiestan ambas realizaciones. Como ya se ha señalado, la presencia del artículo en el interior de la relativa se asocia en este análisis a la necesidad de reproducir los rasgos del antecedente en los contextos en que este se ve separado del pronombre relativo por la presencia de una preposición.

7.5.1.2. Su relación con el que *completivo*

A partir de Gómez Hermosilla (1835), en la tradición gramatical española ha sido frecuente vincular la función desempeñada por el *que* relativo con la que lleva a cabo la conjunción completiva homóloga. Según el autor mencionado, una oración como *Deseo que vengas* equivale a *Deseo esto: que vengas.* [91] Salvá (1830: § 0.16), aunque no la adopta en el cuerpo de su gramática, considera esencialmente correcta tal identificación, y Bello (1847: cap. XVI) trata ambas unidades en el mismo capítulo. En época más reciente, a partir de las propuestas de Kayne (1976) para el francés y de Cinque (1978; 1982) para el italiano, la identificación del *que* relativo con el completivo ha tomado nuevo vigor, aunque su relación se enfoca desde una perspectiva diferente. Según este nuevo análisis, la única función que puede desempeñar esta entidad, en todos sus usos, es la de nexo de subordinación. Lo característico de las construcciones en que participa el *que* llamado relativo sería la existencia al frente de la cláusula de un operador relativo vacío que representaría en la subordinada al argumento o adjunto relacionado con el antecedente. Este enfoque permite acoger de modo más satisfactorio las construcciones relativas con pronombre pleonástico, estudiadas en el § 7.1.2. Así, la aparición de secuencias extranormativas como *Me hablas de un asunto que yo no puedo opinar sobre él* no correspondería a un supuesto proceso de despronominalización de *que,* sino a la sustitución del operador relativo vacío por el correspondiente constituyente léxico en el interior de la subordinada. La función de *que* seguiría siendo la misma: estrictamente la de nexo subordinante. También las relativas enfáticas (cf. el § 7.4.2) reciben un análisis más iluminador: recuérdese que la forma *que* obligatoriamente presente en tales construcciones se comporta como un subordinante completivo, no como un verdadero pronombre relativo. Por otra parte, las múltiples asimetrías que diferencian el comportamiento del *que* relativo del de los demás pronombres de tal clase derivarían del hecho de que la estrategia de relativización con el subordinante *que* y el operador relativo vacío es la más económica. En fin, la naturaleza de esta entidad, carente por completo de rasgos flexivos, también facilita su distinción del resto de los pronombres y adjetivos relativos, dotados de morfemas de flexión.

La aplicación del análisis de *que* subordinante al español se debe a Rivero (1980; 1982). Esta autora propone diferenciar dos variantes de *que* en construcción relativa, según que esta entidad vaya precedida o no de preposición. En este último caso, se trata del subordinante por antonomasia del español y su única función es servir como nexo introductor de la cláusula relativa. En cambio, cuando la subordinada va introducida por un *que* precedido de preposición (ya sea con o sin artículo intermediario), tal unidad es un verdadero pronombre relativo. [92] Esta propuesta recoge la distinción establecida por Bello (1847), ya que sólo en los casos de relativización oblicua la secuencia <artículo determinado + *que*> forma constituyente.

---

[91] La paráfrasis propuesta en Gómez Hermosilla 1835 no es exactamente esta, sino otra más compleja: *Deseo una cosa y esta cosa es la siguiente: vendrás.* No obstante, lo que interesa señalar aquí es el valor anafórico que se atribuye a la conjunción completiva, idéntico al que corresponde a los relativos.

[92] La posibilidad de aparecer precedido de preposición es una característica que singulariza al *que* relativo del español de sus equivalentes en francés, italiano o inglés, en donde la relativización oblicua no puede darse nunca con una forma idéntica a la del subordinante completivo.

El aspecto más problemático del anterior enfoque radica en el análisis no unitario que se otorga al *que* relativo, ya que se le trata ora como subordinante, ora como verdadero pronombre relativo. Por otra parte, la existencia en el español de Canarias de construcciones superlativas como *Con el más confianza que tengo es con Luis* (cf. el § 7.4.1.4) indica que en la relativa oblicua la preposición no forma constituyente unitario con *que,* dado que entre ambas unidades puede colocarse el sintagma cuantificado *más confianza.* Un modo de generalizar el análisis de *que* subordinante a todos los contextos relativos consiste en suponer que en español el operador relativo vacío que lleva aparejado el *que* subordinante también puede aparecer como término de preposición. Desde esta perspectiva, la presencia del artículo determinado en tales construcciones resulta de la conveniencia de colocar en la subordinada una entidad que reitere los rasgos del elemento antecedente al no encontrarse éste adyacente al operador relativo. El hecho de que tal operación sea posible en español y no en otras lenguas que usan la estrategia de construir subordinadas relativas encabezadas por el subordinante completivo se debe atribuir a la mayor fuerza anafórica del artículo en español, que se pone de manifiesto en su capacidad para encabezar sintagmas con núcleo elíptico *(el que te regalé; el de María; el nuevo).* Por lo que respecta a los casos en que entre preposición y *que* no se interpone el artículo, se trata de una construcción ampliamente defectiva y sometida a restricciones peculiares que garantizan la identificación del antecedente, como se estudiará en el próximo epígrafe.

7.5.1.3. Presencia y ausencia del artículo en las relativas oblicuas

En las relativas oblicuas con *que,* el español admite en algunos casos la ausencia del artículo determinado entre la preposición y el relativo:

(170) a. El libro con el que me obsequió estudia la pintura de Frida Kahlo.
b. El libro con que me obsequió estudia la pintura de Frida Kahlo.

No obstante, la productividad de los dos patrones ejemplificados en (170) es muy distinta: mientras que el que incluye el artículo puede aparecer con todas las preposiciones y con todo tipo de antecedentes, el esquema de (170b) está sometido a múltiples restricciones. De hecho, el único caso en que parece preferirse la relativa oblicua sin artículo se da cuando el relativo alude a un antecedente de carácter predicativo, como sucede con los sintagmas que expresan modo o manera. Estos elementos suelen ser relativizados por medio del adverbio relativo *como,* pero también admiten la construcción preposicional con *que:*

(171) a. El modo {en/con} que fuimos tratados fue humillante.
b. ??El modo {en/con} el que fuimos tratados fue humillante.

En el resto de los casos, la relativa oblicua con artículo determinado es siempre preferida a la que prescinde de él. Además, para que esta última sea factible deben darse tres condiciones.

La primera es que el sintagma que contiene al antecedente de la relativa sea de naturaleza definida, como muestran los contrastes de (172):

(172) a. Le regalé la pluma con que había escrito algunas de mis novelas.
b. *Le regalé una pluma con que había escrito algunas de mis novelas.
c. Le regalé una pluma con la que había escrito algunas de mis novelas.

Es posible que esta restricción derive del carácter intrínsecamente determinado del relativo, al ser este un elemento de segunda mención. En los casos en que el antecedente forma parte de un sintagma definido, el relativo no necesita reiterar tal carácter. En cambio, cuando el antecedente está contenido en un sintagma no definido, es necesario marcar el carácter definido de la mención anafórica que lleva a cabo el relativo. [93]

La segunda condición para que sea factible obtener una relativa oblicua sin artículo determinado atañe a la polaridad de la subordinada, que no puede ser negativa:

(173) a. *Mi padre me prestó el dinero de que yo no disponía.
b. Mi padre me prestó el dinero del que yo no disponía.

Finalmente, la tercera restricción compete a la preposición que encabeza la subordinada: sólo un subconjunto restringido de ellas puede aparecer en las relativas oblicuas sin concurrir con el artículo determinado. Se trata de *a, con, de* y *en* (y, en mucha menor medida, de *por*): [94]

(174) a. La novela a que se refiere fue escrita al comienzo de su carrera.
b. El abrazo con que me despidió fue emocionante.
c. Le dio todo el dinero de que disponía.
d. La casa en que vive no es demasiado lujosa.
e. El ideal por que luchaban era inasequible.

No resulta fácil determinar cuáles son los factores que contribuyen a delimitar la lista anterior. Algunas gramáticas mencionan criterios de índole silábica: las preposiciones bisilábicas y las locuciones preposicionales rechazan la omisión del artículo, debido quizás a que su mayor consistencia fonética hace que interfieran en la relación entre el relativo y el antecedente, lo que obliga a colocar el artículo determinado para compensar su efecto de opacidad. También se alude frecuentemente a la homonimia que resultaría en el caso de que preposiciones como *para, desde* o *hasta* aparecieran colindantes a *que* en una cláusula relativa: tal secuencia podría ser confundida con las locuciones conjuntivas que introducen subordinadas adverbiales (cf. *No hay un ideal para el que merezca la pena luchar,* en donde la subordinada es una relativa, frente a *No hay un ideal para que merezca la pena luchar,* con cláusula adverbial final).

Es posible asimismo que en la selección de las preposiciones que pueden aparecer en las relativas oblicuas sin la intermediación del artículo influyan también criterios léxico-semánticos. Ya hemos aludido al comienzo de este apartado al hecho

---

[93] Es posible, no obstante, que esta restricción sobre el carácter definido del antecedente de las relativas oblicuas sin artículo no haya sido general en todas las épocas. Bello (1847: § 1075) cita el siguiente ejemplo de Gil y Zárate: *Procuraban dar a la historia un tono poético de que en estos últimos tiempos se ha despojado.* También pueden encontrarse testimonios semejantes en Cuervo (*DCRLC* VII, s.v. *que,* 1aγγ): *Este es un común peligro en que se ven los varones recogidos y virtuosos* [L. de Granada, *Vida de Bartolomé de los mártires,* 10: 6. 602[1]].

[94] Martínez (1989: 155) agrega a esta lista *sobre.* Alarcos (1994: § 141) aduce un ejemplo de Francisco Ayala que corresponde, en efecto, a tal preposición: *La ideología sobre que se apoyaron las independencias* [*Recuerdos y olvidos,* 336]. También Fernández Ramírez (1951a: vol. 3.2, § 167.2) atestigua tal uso en Unamuno, autor del que asimismo aporta una relativa oblicua sin artículo encabezada por *ante: ¿Y qué sino la incertidumbre, la duda, la voz de la razón, era el abismo, el «gouffre» terrible ante que temblaba Pascal?* [*Del sentimiento trágico de la vida,* VI, 119]. No obstante, estas preposiciones (como todas las bisilábicas) tienden a requerir la presencia del artículo definido en el español actual.

de que antecedentes como *modo, manera* y *forma* tienden a requerir la construcción sin artículo, lo que está probablemente relacionado con la naturaleza predicativa de tales elementos (cf. *Nos trató de forma indigna - La forma indigna en que nos trató*). Una diferencia similar existe entre *Escribe con el bolígrafo* y *Escribe con bolígrafo,* en donde el SN de la segunda oración no tiene valor referencial, al no aludir a ningún bolígrafo en concreto.

Resta, en fin, señalar que no todos los contextos en que aparecen las preposiciones capacitadas para encabezar relativas oblicuas con *que* sin artículo admiten con igual naturalidad dichas construcciones. Así, en el ejemplo (168c) ya hemos señalado que la *a* de acusativo no puede formar parte de ellas. Tampoco la *a* de dativo se acomoda fácilmente a este contexto: **La persona a que entregaron el libro.* [95] Sea como fuere, debe advertirse que este fenómeno es uno de los más complejos de la gramática española y que está sometido a un considerable margen de variación diatópica e incluso idiolectal.

Las gramáticas del español recogen la tendencia a suprimir la preposición que encabeza la relativa oblicua sin artículo cuando la misma entidad aparece también ante el antecedente como consecuencia del régimen del verbo principal. Así, en lugar de *Unos vamos vestidos con los mismos vestidos con los que representamos,* que es la versión correspondiente a la norma, en Cervantes [*El Quijote,* II: 13] se encuentra *Unos vamos vestidos con los mismos vestidos que representamos,* con omisión de la preposición que corresponde al relativo. [96] Nótese que no es posible acomodar estas oraciones al patrón de las relativas desencajadas, estudiadas en el § 7.4.2.4, pues en este caso ni se trata de construcciones enfáticas ni puede suponerse que la subordinada tiene valor completivo. La reducción de preposiciones afecta especialmente a los complementos locativos y temporales: *En el lugar que fue fundada Roma, no se veían más que colinas desiertas...* [Bello 1847: § 964]. En muchos de los casos referidos a complementos temporales, no obstante, la omisión de la preposición está probablemente justificada por el hecho de que tal función puede ser desempeñada por sintagmas nominales. Así, en el ejemplo de Delibes aducido en Alarcos (1994: § 142): *Incluso las noches que no cenaba sufría pesadillas* [*Cartas de amor de un sexagenario voluptuoso,* 19], el relativo puede ser sustituido por un SN en una oración independiente: *Esas noches no cenaba.* Bello (1847: § 964) indica que la elipsis de la preposición que toma como término al relativo está en el origen de la formación de locuciones adscritas a la subordinación adverbial: *a medida que, al tiempo que, en el grado que.*

7.5.1.4. Su funcionamiento en las relativas explicativas

La hegemonía de *que* como introductor de las relativas se mantiene en las explicativas, si bien la mayor independencia de estas con respecto al antecedente facilita la aparición de otros nexos relativos allá donde en las especificativas sólo

[95] No obstante, este es un aspecto controvertido. Martínez (1989: 154) considera gramatical un ejemplo similar: *La señora a que se pasó el aviso.* Porto Dapena (1997b: § 1.5), por el contrario, descarta estas construcciones, pues opina que el *que* precedido de preposición no puede referir a personas, afirmación también contenida en Fernández Ramírez 1951a: § 166.1. Alarcos (1994: 104) aporta un ejemplo en el que el relativo funciona como dativo, pero el antecedente es no animado: *No vio terminada la obra a que consagró tanto esfuerzo.* En cambio, cuando el elemento animado desempeña otras funciones distintas de las de complemento indirecto, muchos hablantes admiten que pueda ser representado en las relativas oblicuas por *que* sin artículo: *La persona a que me refería no era esa.*

[96] El ejemplo está tomado de RAE 1928, § 353a. Es posible que la elisión de la preposición correspondiente a la relativa esté favorecida por la presencia de *mismo* con valor catafórico: *nos fuimos en el mismo coche que vinimos.* El vínculo entre esta entidad de la principal y la relativa parece fuera de duda, dado que si faltara esta el adjetivo recibiría entonces una interpretación anafórica. Por otra parte, la existencia de oraciones como *Vinimos en el mismo coche que María* (cf. **Vinimos en el coche que María*) muestra la aptitud de *mismo* para relacionarse con segmentos de contenido proposicional.

que es posible. Esa misma diferencia estructural entre ambas clases de relativas explica la distribución de los datos de (175):

(175) a. Los asistentes que querían participar en el coloquio esperaron hasta el final.
b. Los asistentes, que querían participar en el coloquio, esperaron hasta el final.
c. *Los asistentes los que querían participar en el coloquio esperaron hasta el final.
d. Los asistentes, los que querían participar en el coloquio, esperaron hasta el final.

En el anterior paradigma, el primer par muestra la capacidad de *que* para encabezar relativas de ambas clases. El contraste del segundo par merece un comentario más pormenorizado. Recuérdese que la mala formación de (175c) se asociaba con el carácter redundante de la información aportada por el artículo con respecto a los rasgos presentes en el antecedente. La imposibilidad de aparición de *quien* y *el cual* en ese contexto podía atribuirse a los mismos motivos. Dado que los dos pronombres que acabamos de mencionar pueden encabezar relativas explicativas no oblicuas, parecería lógico concluir que en (175d) la secuencia *el que* es homóloga a la que aparece en las especificativas oblicuas, como en *el coloquio en* el que *deseaban participar los congresistas.* Si así fuera, *el que* debería ser conmutable por *quien* o *el cual,* tal como sucede en las especificativas oblicuas, y la interpretación de (175d) debería ser, además, idéntica a la de (175b). Sin embargo, la mayoría de los hablantes del español no asigna a (175d) la lectura correspondiente a las tres construcciones que acabamos de mencionar. Tales hablantes interpretan que el inciso explicativo de (175d) no es una relativa explicativa, sino un SN apositivo que contiene una relativa especificativa, según el patrón estudiado en el § 7.1.5 al tratar de las relativas pseudoapositivas. El artículo, por lo tanto, es externo a la subordinada, como muestra la posibilidad de conmutarlo por un demostrativo *(Los asistentes, aquellos que querían participar en el coloquio, esperaron hasta el final)* o de intercalar un adjetivo *(los pocos que querían participar en el coloquio)* o añadir un adverbio *(sólo los que querían participar en el coloquio).* Semánticamente, el constituyente incidental delimita la extensión del SN sujeto, algo que no está al alcance de las relativas explicativas. Por lo tanto, en la variedad más común del español, el único modo de obtener una relativa explicativa no oblicua con *que* es el que corresponde a (175b).

No obstante, en algunas variantes del español de América (por ejemplo, en Argentina) también se puede asignar a (175d) la lectura de relativa explicativa, de modo que *los que* se interpreta como equivalente a *los cuales* o *quienes.* En tal interpretación, el artículo está en el interior de la subordinada y, por lo tanto, no admite las pruebas de conmutación e intercalación que caracterizaban a la otra lectura. Los siguientes ejemplos literarios atestiguan este uso:

(176) a. [...] hasta que nadie entienda cuál es la causa que se debate, ahogada en un mar de sellos y de rúbricas, los que se repiten como si el expediente se hubiera llenado de espejos laberínticos que copian las idénticas fórmulas latinas y los rostros iguales de los jueces. [M. Mujica Laínez, *Misteriosa Buenos Aires,* X, 58]
b. Mi padre había conseguido llegar a la primera fila repartiendo fotos de sus artistas, autógrafos de Ava Gardner, Lana Turner, Gary Cooper, los que llevaba siempre en la valija para salir de las situaciones difíciles. [O. Soriano, *La hora sin sombra,* 6, 41]

Por lo que se refiere a las relativas oblicuas con *que,* la menor vinculación estructural existente en las explicativas entre el relativo y su antecedente, tal como pone de manifiesto la frontera obligatoria de grupo fónico entre ambos, lleva a imponer la aparición del artículo determinado ante *que* para facilitar la correcta identificación del SN antecedente:

(177) a. La empresa en que trabajo desde hace dos años se dedica a la chacinería.
b. *La empresa, en que trabajo desde hace dos años, se dedica a la chacinería.
c. La empresa, en la que trabajo desde hace dos años, se dedica a la chacinería.

7.5.2. El relativo *el cual*

El relativo complejo *el cual* presenta características que lo distinguen nítidamente del resto de las unidades de su paradigma. Morfológicamente, se trata de una entidad dotada de flexión de número y, en virtud de la presencia del artículo, de género: *{el/la/lo} cual - {los/las} cuales.* El alto grado de fusión entre sus dos componentes se pone de manifiesto en la imposibilidad de intercalar ninguna otra entidad *(*los muchos cuales). Cual* es un adjetivo, pero el complejo *el cual* actúa como un SN con núcleo habitualmente vacío por coincidencia con el antecedente.

Pese a contener rasgos flexivos de concordancia de género y número con su antecedente, *el cual* está léxicamente incapacitado para aparecer en relativas con núcleo elíptico, ya sean libres o semilibres (cf. los §§ 7.2.4.2.-7.2.4.3), lo que lo diferencia del resto de los pronombres y adverbios relativos: **El cual llegó tarde fue Pedro.* [97] Además, tampoco puede formar parte de las relativas especificativas con antecedente explícito cuando no funciona como término de preposición, dado que se produce el conflicto de redundancia de rasgos que ya se comentó a raíz del ejemplo (167b):

(178) a. *Ese es un tema el cual ha estudiado a fondo.
b. Ese es un tema sobre el cual tiene varios artículos.

Frente a estos aspectos, en los que está en desventaja comparativa con otras entidades relativas, *el cual* posee dos propiedades que le otorgan la exclusividad en ciertos contextos. La primera y principal es que se trata, como ya se ha señalado, del único relativo tónico, lo que le permite aparecer en final de grupo fónico, posición en la que no puede concurrir ninguna otra entidad de su misma clase: *Los estudiantes, la inmensa mayoría de los cuales había decidido apoyar la protesta, se dirigieron al rectorado.* Por otra parte, es el único relativo que puede incluir en el interior de su propio sintagma el antecedente reiterado o un sustantivo que, manteniendo relación léxica con él, reproduzca su contenido. Ello se debe a la naturaleza

---

[97] En el § 7.2.4.3 hemos expuesto la idea de Ojea (1992: 99), según la cual la incapacidad del artículo para remitir a un antecedente externo elíptico se debe a que la función de tal entidad en este caso consiste en identificar el núcleo elíptico del propio sintagma relativo.

adjetiva de *cual* y a que, a diferencia de *cuyo,* concuerda con el antecedente. Los siguientes ejemplos, tomados de RAE 1928: § 362, presentan tal característica:

(179) a. Vieron a un hombre del mismo talle y figura que Sancho Panza les había pintado cuando les contó el cuento de Cardenio, el cual hombre, cuando los vio, sin sobresaltarse estuvo quedo. [Cervantes, *El Quijote,* I: 27]

b. Todos deseaban sosegar al conde de Urgel para que no alterase la paz de aquellos Estados, con el cual intento le otorgaron todo lo que los procuradores pidieron. [J. de Mariana, *Historia general de España,* XX: 5]

No obstante, pese a que la posibilidad de reiteración del antecedente en el interior de este sintagma relativo sigue vigente, la utilización de tal estrategia es muy esporádica, ya que habitualmente se opta por la anteposición del antecedente duplicado (tal como se ha expuesto en el § 7.1.4.5). Así, frente a la formulación que presenta (179b), hoy se preferiría introducir tal cambio de orden en la cláusula relativa: *Intento con el cual le otorgaron todo lo que los procuradores pidieron.*

La naturaleza tónica de *el cual* le otorga una independencia fónica que lo hace especialmente adecuado para aparecer en aquellos contextos en los que la relación con el antecedente es estructuralmente más compleja. Así, por ejemplo, aparece con frecuencia al frente de las relativas yuxtapuestas, conformando un enunciado independiente del que contiene al antecedente y actuando como conector discursivo de carácter anafórico (cf. el § 7.1.4.4).[98] También suele recurrirse a él cuando el antecedente es un SN complejo de cuyo núcleo queda distanciado el relativo. En el siguiente pasaje, publicado por *El Periódico* [1-II-1996, 8] se puede observar el contraste entre *que* y *el cual* en las relativas explicativas: *Ambulancias y bomberos corrían al escenario de la tragedia fácilmente identificable por la columna de humo que causó la explosión, el cual se propagó a otros edificios vecinos, que quedaron parcialmente destruidos y entre los cuales también se produjeron numerosas víctimas.* En la oración anterior, el redactor ha optado por utilizar el relativo *el cual* cuando el núcleo del antecedente está alejado del pronombre. Ello sucede en la primera relativa explicativa, dado que entre ambas unidades se interpone una relativa especificativa,[99] y en la última, puesto que el relativo queda separado del núcleo del antecedente por la cláusula que forma el primer miembro de la coordinación. Además, en el primer caso los rasgos de género presentes en *el cual* permiten descartar otros antecedentes potenciales (los SSNN encabezados por *columna* y *explosión*). Por el contrario, en la segunda relativa explicativa, en donde el nexo elegido ha sido *que,* la proximidad

---

[98] Este es el valor de la fórmula *lo cual que,* coloquialismo reputado como vulgar: *Vuestra Eminencia Ilustrísima es la que ha dicho que la Benina sisaba; lo cual que no es verdad* [B. Pérez Galdós, *Misericordia,* 44]. En este ejemplo, tomado de Alcina y Blecua 1975: § 8.3.3.5, la presencia de *que* refuerza la autonomía del enunciado relativo frente al que contiene el antecedente. En el español estándar se diría *cosa que, algo que* o, simplemente, se omitiría *que.*

[99] Entre las dos primeras relativas del anterior ejemplo se produce un cruce de antecedentes que provoca una cierta degradación en el enunciado. En efecto: mientras que el antecedente de la primera relativa (especificativa) es el grupo nominal *columna de humo,* el de la segunda (explicativa) es tan sólo el sustantivo *humo.* Por lo tanto, el antecedente de *el cual* no aparece colindante con la subordinada, dado que entre ambos se interpone otra relativa que no forma parte de aquel. Se da, pues, una contravención del principio general que impone adyacencia estricta entre relativo y antecedente. Es precisamente la mayor fuerza de remisión anafórica del relativo *el cual* lo que permite paliar el problema estructural que plantea tal construcción.

entre relativo y antecedente es mucho mayor, y además no hay ningún otro SN que pueda interpretarse como antecedente.

Por otra parte, el mayor peso fónico de *el cual* lo convierte en un elemento especialmente apto para encabezar relativas situadas al final de la oración matriz, que suelen tener un valor continuativo o conclusivo con respecto a la predicación principal. Eso es lo que sucede con las dos últimas relativas del ejemplo anterior, que contienen las consecuencias del acontecimiento descrito por el verbo principal. En cambio, esa misma densidad fónica lo convierte en poco adecuado para la mera descripción de las propiedades de un objeto o individuo: *??Tu hermano, el cual no habla inglés, tendrá dificultades para asistir a ese curso.*

7.5.2.1. Posiciones en las que el cual *no es conmutable por otro relativo*

Ya se ha señalado que el carácter tónico de *el cual* lo convierte en una entidad susceptible de aparecer en el margen derecho de un grupo fónico. Por lo tanto, es el único pronombre relativo que puede concurrir como complemento genitivo no extrapuesto de sintagmas partitivos *(tres de los cuales),* sujeto de cláusulas absolutas *(dicho lo cual)* y término de locuciones prepositivas *(a consecuencia de, en torno a, gracias a, en virtud de, pese a, en favor de, por medio de los cuales).*

En el español culto, la función de complemento genitivo del nombre queda reservada al adjetivo relativo *cuyo* cuando el SN subordinante es determinado. Sin embargo, el progresivo desuso en que está cayendo esta última forma, sobre todo en la lengua hablada, le confiere a *el cual* la posibilidad de aparecer en tales contextos. Estas construcciones también se atestiguan esporádicamente en la escritura: *El distrito resuelve un viejo problema de espacio, para la solución del cual se habían barajado otras hipótesis* [*El Periódico,* 30-IX-1996, 64]. Cuando el sintagma subordinante es indeterminado, *el cual* recupera su exclusividad en los casos en que el relativo aparece detrás del núcleo nominal regente: *El objetivo sería el caza europeo Efa 2000, dos prototipos del cual estaban ese día en un hangar del aeropuerto turinés* [*El Periódico,* 29-X-1996, 14]. En el § 7.3.4.4 se han estudiado con mayor detalle las restricciones que operan sobre la relativización de los complementos del nombre. De todos modos, debe reiterarse que la exclusividad de *el cual* en los contextos aducidos hasta ahora afecta únicamente a la posición final de grupo fónico. En los casos en que el complemento genitivo puede aparecer al frente de la subordinada, desgajado del resto del SN a cuyo núcleo complementa, *el cual* entra en libre competencia con otros relativos: *Ese escritor, del cual acaban de salir varias traducciones al español, ha tenido un éxito espectacular.* Aquí el relativo funciona como complemento del nombre del SN *varias traducciones al español.* Pero, al aparecer situado fuera de tal sintagma, no ocupa la posición final de grupo fónico que lo caracterizaba en los demás ejemplos. Por lo tanto, en la oración anterior, *el cual* puede ser conmutado por *el que* o *quien.*

En la función de término de preposición, *el cual* puede alternar con otros pronombres relativos, pese a que las gramáticas señalan que las preposiciones bisilábicas suelen elegirlo frente a sus potenciales competidores. Así, en RAE 1973: § 3.20.7d se afirma que preposiciones como *para* tienden a emparejarse con el relativo tónico. No obstante, el sintagma *la empresa para la que trabajo* está tan bien formado como su correspondiente versión con *la cual.* En cambio, en el caso de que el relativo actúe como término de la preposición *según* o como complemento de un adverbio *(dentro de, debajo de, alrededor de),* la elección del relativo tónico es casi obligatoria. Cuervo (*DCRLC* II, s.v. *cual:* 2b.2.º) describe el motivo de tal restricción: «no puede *que* ir precedido de preposiciones o complementos que tengan acento, aunque este sea débil, porque al apoyarlos en el relativo sería menester acentuarlo». En otras palabras: ni el término de una preposición tónica ni el complemento de un adverbio pueden ser átonos. *Según* es la única preposición tónica del español [⟶ §§ 9.2.5.1 y 10.18.3], por lo que debe construirse obligatoriamente con *el cual* cuando selecciona un pronombre relativo: *El informe según el cual las plazas de aparcamiento en Barcelona han bajado de precio contiene errores de bulto.* [100] Por lo que respecta a los adverbios que admiten un complemento, se trata de unidades tónicas, por lo que aplican la misma restricción que opera con la preposición *según.* La buena formación del enunciado *Según los que quiera* como respuesta a la pregunta *¿Qué precio tienen?,* ejemplo aducido en Butt y Benjamin 1988: § 29.5, no constituye contravención del principio anterior, puesto que en este caso el término de la preposición *según* no es únicamente el relativo, sino toda la oración *los que quiera,* un constituyente de naturaleza tónica. Nótese, en efecto, que aquí no es ni tan siquiera posible conmutar *los que* por *los cuales (*según los cuales quiera)* porque *los que quiera* es una relativa enfática con interpretación interrogativa cuantitativa (cf. el § 7.4.2), equivalente por lo tanto a una interrogativa indirecta: *según cuántos quiera.*

7.5.2.2. Cual *no precedido del artículo determinado*

Fernández Ramírez (1951a: § 163, n. 481) señala que en español antiguo el adjetivo relativo *qual* podía por sí solo, sin el auxilio del artículo, remitir a un SN antecedente. Tal uso, sin embargo, no se atestigua en el español clásico, período en el que la forma compleja ya se había impuesto. No obstante, el adjetivo relativo simple *cual* conservó la capacidad para remitir a entidades con valor predicativo y no referencial. En palabras de Alcina y Blecua (1975: § 8.3.3.1), «contrasta dos acciones, cualidades o nombres poniéndolos en paralelo por su modo o intensidad». Los antecedentes de este relativo pueden ser adjetivos *(Es lozana cual una rosa)* y adverbios *(Lo hizo tal cual se le dijo),* pero también sintagmas nominales que denoten tipos o propiedades en lugar de individuos. Al comentar el siguiente ejemplo de Mariana: *Sepultáronle en una sepultura llana y grosera, cuales en aquel tiempo se usaban* [*Historia de España,* XII: 10], en RAE 1928: § 422c se dice que *cual* se refiere «no al sustantivo, sino a las cualidades o modificaciones indicadas por el adjetivo». Nótese, en efecto, que en el ejemplo anterior el SN antecedente denota un tipo, pues tal oración es parafraseable por *Lo sepultaron en la típica sepultura llana y grosera que en aquel tiempo se usaba.* La necesidad de que el antecedente de *cual* sea una entidad con valor predicativo explica la frecuente correlación entre este adjetivo relativo y el operador *tal,* que convierte en no referencial al SN en el que va inserto: *Cuales palabras te dije, tal corazón te hice* [Cuervo, *DCRLC* II, s.v. *cual:* 1aα]. La naturaleza predicativa de *tal* en estas construcciones queda patente en los casos en que funciona como atributo: *Cual es el señor, tales son los criados* [Cuervo, *DCRLC* II, s.v. *cual:* 1aβ]. También es lógica la correlación entre *cual* y *así,* dado que este adverbio se ajusta al valor predicativo requerido para designar cualidades y tipos (cf. *Luis es así; Un hombre así no merece consideración*). El valor prototípico que *cual* transmite a los SSNN sobre los que incide lo convierte en entidad apropiada para formar parte de refranes y sentencias, dado que generalmente estos predican de tipos o clases y no de individuos. No obstante, debe señalarse que el uso de esta entidad en el

---

[100] Hemos constatado, no obstante, que algunos hablantes admiten la presencia de *el que* tras *según,* sobre todo cuando tal complemento está seleccionado por el predicado y el relativo aparece contiguo al verbo: *La ley según la que se rige el derecho administrativo es de nueva planta.* Cuando el sujeto se interpone entre el relativo y el verbo, los hablantes que admiten la construcción con *el que* tienden a convertir en tónico dicho pronombre relativo ([ké]): *La opinión según la que el Barcelona no tiene este año una buena plantilla empieza a ser compartida por los aficionados.* De todos modos, la gran mayoría de los hablantes recurren sistemáticamente en todos estos contextos al relativo *el cual.*

español actual es sumamente limitado. En la mayoría de sus valores ha sido sustituida por *como (Es lozana como una rosa).* Se conserva en construcciones como *Déjalo tal cual está,* pero debe señalarse que en este caso los dos miembros de la correlación son invariables (se diría *Déjalos tal cual están,* y no **Déjalos tales cuales están*), debido a que *tal* equivale aquí al adverbio *así.* Pero incluso en estos casos la lengua hablada prefiere el recurso a *como: Déjalos como están.* Como indican Alcina y Blecua (1975: § 8.3.3.1), el uso del adjetivo relativo *cual* ha quedado relegado a la poesía y a la prosa poética, por lo que en los restantes registros tiene valor arcaizante.

7.5.3. El relativo *quien*

El comportamiento sintáctico del pronombre relativo *quien* está condicionado por la inclusión en él del rasgo léxico «humano», que limita los contextos en que puede aparecer. Es, pues, el único pronombre relativo del español que incluye un rasgo selectivo de carácter léxico, dado que el resto de los miembros de su paradigma admiten indistintamente un antecedente de persona o cosa. Sus propiedades flexivas son limitadas, pues sólo muestra distinción de número *(quien/quienes)* [101] y en ningún caso admite la concurrencia del artículo determinado ni puede ir precedido del cuantificador *tod-o/a-(s).* Pero la característica más relevante es su capacidad para identificar antecedentes elípticos, como ya se vio en el § 7.2.4.3, al abordar el estudio de las relativas libres.

En las relativas especificativas, cuando lleva antecedente expreso, no puede desempeñar la función de sujeto, al plantearse la misma redundancia de rasgos que inhabilita a *el que* y *el cual* en ese contexto. En cambio, puede desempeñar esa misma función en las relativas explicativas:

(180) a. *Los congresistas quienes llegaron anoche fueron alojados provisionalmente.
b. Los congresistas, quienes llegaron anoche, fueron alojados provisionalmente.

Naturalmente, cuando el antecedente está léxicamente omitido, *quien* puede funcionar como sujeto de la relativa especificativa, al no concurrir ya la circunstancia de redundancia de rasgos que obliga a descartar (180a): *Quienes llegaron anoche fueron alojados provisionalmente.*

La presencia del rasgo «humano» en el contenido de *quien* explica que este relativo deba incorporar la preposición *a* cuando desempeña la función de objeto directo: **El autor quien vimos en el teatro...* En este aspecto se diferencia de *que,* que rechaza la aparición de tal marca de acusativo cuando no va precedido del artículo (cf. el § 7.5.1): *El autor que vimos en el teatro.* Frecuentemente, el campo referencial de *quien* se amplía para dar cabida a antecedentes que, sin ser propiamente humanos, y ni siquiera animados, designan entidades susceptibles de personificación. Tal sucede especialmente cuando se trata de instituciones sociales, como

[101] Sólo a partir de mediados del s. XVI empezó a usarse la forma plural, de modo que es posible encontrar usos literarios de este pronombre que hoy suenan discordantes. Menéndez Pidal (1904: § 101) indica que a Ambrosio de Salazar todavía le parecía vulgar la forma *quienes* en 1622. Seco *(DDDLE* s.v. *quien)* aporta un verso de Celaya que muestra el mismo uso: *porque apenas si nos dejan | decir que somos quien somos* [*Poesía urgente,* 49]. En la lengua hablada el fenómeno también se da esporádicamente: *Las personas a quien se (les) ha comunicado el embarque deben dirigirse a la puerta número 10.*

en el siguiente enunciado, emitido en el *Telediario 1* de TVE el 22 de febrero de 1983: *El comité de empresa, quien esta tarde...* [Fontanillo y Riesco 1990: 85]. Debe observarse, no obstante, que los casos más frecuentes de relación entre el relativo *quien* y elementos no humanos se dan en el seno de estructuras atributivas o de perífrasis de relativo, como en (181):

(181) a. Si las compañías no pudieran hacer frente a sus deudas, al final sería el propio Estado quien las asumiría. [*El Periódico,* 1-X-1996, 35]
b. No nos damos cuenta de que a quien hay que declarar la guerra es a la pobreza. [*El Periódico,* 1-X-1996, 5]

Es cierto que en los ejemplos anteriores la norma preferiría el uso de *el que,* [102] pero no se puede decir con propiedad que los antecedentes de *quien* sean *el propio Estado* y *la pobreza,* puesto que la relativa forma en los dos casos un constituyente no inserto en tales SSNN. La relación entre estas unidades y el pronombre relativo se da por la predicación atributiva que se establece entre ambos. Ambas subordinadas son, por consiguiente, relativas libres.

Fuera de los casos en que *quien* remite a corporaciones y organismos sociales, no es frecuente que este pronombre tome como antecedente otro tipo de entidades inanimadas. En la actualidad, suena extraño un ejemplo como el siguiente de Jovellanos, aducido en Cuervo (*DCRLC* VII, s.v. *quien:* 1b): *Estas palabras, con quienes se junta* [el artículo], *son las que le hacen referirse a mayor o menor número de individuos* [G. M. de Jovellanos, *Plan de instrucción pública,* 4.216].

El relativo *quien* es átono y, por lo tanto, le están vedados los contextos en los que *el cual* posee exclusividad en virtud de su naturaleza tónica. Esas posiciones fueron estudiadas en el § 7.5.2.1. Fuera de ellas, está en desventaja con respecto a *el que* por su especialización en antecedentes personales y con respecto a *el cual* porque el mayor importe fónico de este lo convierte en preferido cuando no sigue inmediatamente al núcleo del antecedente. Ambos competidores, además, tienen la ventaja de contener morfemas de género, de los que carece *quien.* Sin embargo, existe un contexto en el que *quien* no puede ser sustituido por ningún otro pronombre relativo. Se trata de oraciones como las siguientes:

(182) a. Hay quien te desea mal. [Plann 1980: 113]
b. No encontré quien me atendiera.
c. Allí me pondré en contacto con quien me pueda informar de la situación.

En (182), el pronombre relativo es una entidad inespecífica que actúa como variable lógica de carácter existencial. De ahí que pueda ser sustituido únicamente por pronombres indefinidos como *alguien* o *nadie: Hay alguien que te desea mal; No encontré nadie que me atendiera; Hablaré con alguien que pueda informarme.* El motivo por el que no es posible conmutar en este caso la forma *quien* por *el que* reside en que el carácter definido de este último es incompatible con la naturaleza semánticamente

[102] Obsérvese, sin embargo, que en el caso de (181b) la sustitución daría lugar a una secuencia fónica poco aceptable: *No nos damos cuenta de que a la que hay que declarar la guerra es a la pobreza.*

indefinida de la variable representada por *quien.* Un aspecto interesante de esta restricción es que opera solamente en contextos de rección léxica (complemento directo y término de preposición, por ejemplo) y no en la posición de sujeto, en la que la alternancia entre ambos relativos es factible, pese a que el valor semántico del correspondiente argumento es igualmente el de variable lógica: *El que pueda informarme, que se ponga en contacto conmigo.*

7.5.4. El relativo posesivo *cuyo*

El adjetivo *cuyo* pertenece simultáneamente al paradigma de los relativos y al de los posesivos [→ § 15.5]. Pese a que presenta flexión de género y de número, *cuyo(s)-a(s)* no concuerda con el antecedente, que designa el poseedor, sino con el núcleo de su SN, que representa la entidad poseída: *El autor cuya novela fue premiada estaba exultante.* En el ejemplo anterior, el adjetivo relativo *cuya* concierta con *novela* en virtud de la regla general de concordancia entre determinante y núcleo del SN, pero alude al antecedente *autor,* estableciendo entre ambos términos una relación posesiva *(la novela del autor).* [103] En este aspecto, *cuyo* se comporta como el resto de los posesivos: un sintagma como *su casa* puede referir a varios poseedores, mientras que *sus casas* puede remitir a uno solo. La diferencia con respecto al otro adjetivo relativo *(cual),* que sí mantiene concordancia con el antecedente, se debe a que *cual* aparece en el seno de un SN cuyo núcleo, habitualmente elíptico, reitera los rasgos de aquel, como prueban los contados casos en que tal elemento aparece realizado léxicamente (cf. los ejemplos de (179) en el § 7.5.2). De este modo, sin conculcar la regla que le impele a concordar con su núcleo nominal, *cual* concierta también, por propiedad transitiva, con el antecedente.

La distribución de *cuyo* es similar a la del posesivo átono prenominal *su* [→ § 15.2]. Como este, *cuyo* sólo puede aparecer al frente de SSNN determinados. Cuando el elemento poseído es indeterminado, es sustituido por SSPP encabezados por *de:*

(183) a. Esta es la novela {de la cual/de la que} acaban de aparecer varias traducciones a idiomas extranjeros.
b. Esta es la novela cuya traducción al francés acaba de aparecer.

Como señalan Alcina y Blecua (1975: § 8.3.2), «las construcciones con *cuyo* [...] se presentan en la lengua actual en franco retroceso ante otras soluciones». Así, aunque en la lengua culta (183b) sigue siendo la realización mayoritaria y la más correcta, en la escritura también pueden encontrarse esporádicamente las correspondientes versiones con *del que* o *del cual: Esta es la novela de la cual* (o *de la que*) *se acaba de publicar la traducción al francés.* [104] Por otra parte, en la lengua coloquial se recurre a menudo a la construcción con forma reasuntiva *(la novela de*

---

[103] El valor genitivo de esta unidad está ligado a su propia procedencia, ya que su étimo es la forma latina *cuius,* genitivo singular del relativo *qui - quæ - quod.*

[104] En estos contextos no se acepta *de quien.* Así, la RAE (1928: § 372e) —que admite como correcto el siguiente ejemplo de Coloma: *Pudo pasar el río con facilidad y cercar la ciudad por todas partes; el presidio de la cual era tan débil, que apenas podía M. de Guillein guarnecer con él las puertas* [*Guerra de los Estados Bajos,* 5]— no considera aceptable un sintagma como *los clientes, de quienes defendemos los derechos.*

la que se acaba de publicar su traducción al francés o *la novela que se acaba de publicar su traducción al francés).*

No todos los complementos nominales que se construyen con la preposición *de* son relativizables a través de *cuyo.* En general, la gama de relaciones semánticas que cubre este adjetivo relativo coincide con la correspondiente al posesivo *su.* Según Fernández Ramírez (1951a: § 168.2), son refractarios a tal construcción los complementos de materia *(*la madera cuya mesa,* frente a *la mesa de madera),* los denominativos *(*Barcelona, cuya ciudad...* como resultado de la relativización del complemento genitivo de *la ciudad de Barcelona),* los distintivos *(*el abrigo gris, cuyo hombre...,* en oposición a *el hombre del abrigo gris)* y los de cualidad *(*el día cuyo santo,* frente a *el santo del día).* Tampoco se pueden integrar las relaciones partitivas: **Los senadores, cuya mayoría había aprobado la resolución, decidieron suspender la sesión.*

El carácter recesivo de *cuyo* se pone de manifiesto también en la pérdida de algunos de sus valores originarios. En RAE 1928: § 369 todavía se considera vivo el uso de este relativo posesivo en función de atributo: *Aquel cuya fuere la viña, guárdela.* Nótese que en la anterior oración, el relativo aparece como única realización de su sintagma, desgajado del SN sujeto de la subordinada. Hoy, sin embargo, se diría *aquel de quien* o *aquel del cual,* puesto que *cuyo* ha perdido la posibilidad de desempeñar una función fuera del SN que contiene la entidad poseída.

Tampoco es habitual en la actualidad que pueda tomar oraciones como antecedente. En el siguiente ejemplo de Coloma, aportado por RAE (1928: § 372a): *Vino al fin a servir al señor don Juan, llevando consigo a la devoción del rey la importante plaza de Gravelingas, en cuyo agradecimiento le confirmó todos sus cargos* [*Guerra de los Estados Bajos,* 8], hoy se diría *en agradecimiento de lo cual.* No obstante, como residuo de tal valor, han quedado fijadas algunas expresiones en las que participa *cuyo* y que son de uso frecuente. Se trata de sintagmas como *por cuya causa, por cuya razón, por cuyo motivo, a cuyo fin, a cuyo efecto, con cuyo objeto, en cuyo caso,* en los que el relativo remite, a veces de forma difusa, a algún contenido proposicional del contexto inmediatamente anterior: *Si no pudiera prestar juramento hoy, allegados de Netanyahu pronosticaban la toma de posesión para 'cualquier otro día de la semana', en cuyo caso seguiría en funciones el Gobierno de transición que preside Simón Peres* [*El Periódico,* 17-VI-1996, 32]. En la anterior oración, *cuyo* remite al contenido del SN con valor proposicional que precede: «en el caso de que la toma de posesión se efectuara cualquier otro día de la semana». Bello (1847: § 1051) criticó el uso de *cuyo* en estas expresiones, dado que no expresa una relación propiamente posesiva. En todas ellas el relativo puede ser sustituido por un demostrativo o por elementos anafóricos como *tal:* así, en el ejemplo anterior podría decirse *en ese caso* o *en tal caso.* La diferencia con respecto al uso de *cuyo* consiste en que las demás unidades no enlazan tan íntimamente la oración principal con la subordinada. Otra posibilidad consiste en anteponer el sustantivo y hacerlo seguir de un relativo precedido de preposición: *razón por la cual,* en lugar de *por cuya razón.*

Finalmente, nos referiremos a un uso en el que *cuyo* pierde su valor propio de argumento posesivo y queda relegado a la función de mero conector anafórico equivalente a *el cual.* Se trata de ejemplos como *Dos hombres cruzan el río montados en buenas caballerías, cuyos hombres traen armas,* que RAE (1928: § 372d) califica de disparate y que, desde la acerba crítica que les dedica Bello (1847: § 1050), han sido objeto de interdicción normativa en todas las épocas. [105]

7.5.5. El relativo cuantificador *cuanto*

Dos son las propiedades fundamentales de *cuanto.* Por una parte, como relativo que es, ejerce remisión anafórica a un antecedente explícito o implícito. Por otra, actúa como cuantificador impreciso (cardinal o de grado) de la entidad sobre la que incide en la cláusula subordinada, que puede ser un sustantivo, un adjetivo, un adverbio o el predicado entero [⟶ § 16.2.4]. Además, su naturaleza cuantificacional impone que el antecedente sea igualmente un sintagma cuantificado. De ahí que establezca frecuente correlación con *tanto.* Esta propiedad lo diferencia del resto de los relativos, ya que en las cláusulas especificativas no se limita a tener como antecedente al núcleo de un SN, sino que toma como tal todo el sintagma cuantificado. Como adjetivo, *cuanto* admite flexión de género y de número: *cuanto(s)-cuanta(s).* En cambio, en sus usos adverbiales es, lógicamente, invariable *(cuanto):* [106]

(184) a. Obtuvo tantos trofeos cuantos campeonatos ganó.
b. Obtuvo tantos trofeos cuantos mereció.
c. Cuanto ocurre carece de sentido. [Alcina y Blecua 1975: § 8.3.4.1]
d. Quedaba la bienaventurada Virgen tan llena de deseos cuanto corta y flaca en las fuerzas. [D. de Yepes, *Vida de Santa Teresa,* I: 10; tomado de RAE 1928: § 423a]
e. Porque tanto no te amé cuanto agora te aborrezco. [G. Gil Polo, *La Diana enamorada,* 4; tomado de RAE 1928: § 423d]

En (184a), *cuantos* remite al sintagma cuantificado *tantos trofeos,* estableciéndose entre los dos SSNN en que se integran una relación de correlación recíproca (a cada campeonato le corresponde un trofeo). Hoy, no obstante, se diría con preferencia *Obtuvo tantos trofeos como campeonatos ganó.* En (184b) la correlación se establece entre dos series de entidades idénticas (los trofeos merecidos y los obtenidos), por lo que el relativo aparece como única realización léxica del segundo SN. En (184c), *cuanto* encabeza una relativa libre que actúa como sujeto de la oración principal. El relativo es equivalente aquí a la secuencia *todo lo que.* Finalmente, en (184d, e) el relativo funciona con valor adverbial, cuantificando a un adjetivo y a todo el predicado, respectivamente.

En la lengua literaria es frecuente encontrar ejemplos en que la cláusula de *cuanto* precede a la que contiene el antecedente: *Cuantos fueren mis años, tantos serán mis tormentos* [L. de Góngora, *Soneto XLI;* tomado de RAE 1928: § 423b]. La colocación de los dos sintagmas cuantificados *(cuantos... tantos)* al frente de sendos grupos fónicos realza el valor correlativo del enunciado. [107] En la lengua actual, se tiende a preferir el orden que aparece representado en los ejemplos de (184). No obstante, no resulta inédita la disposición inversa: *Cuanto más me adula, tanto más lo desprecio* [RAE 1928: § 168a]. Con respecto al uso que tuvo en el castellano clásico, la utilización de *cuanto* ha disminuido en la época actual, según indican Alcina y Blecua (1975: § 8.3.4).

En todos los ejemplos anteriores, *cuanto* forma parte de cláusulas especificativas. La posibilidad de que aparezca en relativas explicativas es objeto de controversia. Alcina y Blecua (1975: § 8.3.4.1) aportan el siguiente ejemplo: *Los invasores, cuantos entraron en la aldea, estaban rendidos.* Es indudable que el enunciado entre comas del ejemplo anterior tiene valor explicativo, pero no está tan claro que se trate de una relativa explicativa propiamente dicha. Nótese que cuando el supuesto antecedente va precedido de preposición tal marca debe reiterarse al frente de la relativa: *Finalmente, consiguieron desembarazarse de los invasores, de cuantos entraron en la aldea.* La falta de *de*

---

[105] Kany (1945: 168) informa de que en Nuevo México el relativo *cuyo* puede sustituir a *que.* Según Espinosa (1911-1913), tal uso aparece incluso en los periódicos locales: *las leyes cuyas la comisión acaba de revisar.*

[106] La forma apocopada invariable *cuan* se coloca cuando el elemento cuantificado es un adjetivo o un adverbio: *Es el hombre tan temeroso de su daño cuan amigo de su provecho* [L. de Granada, *Adiciones al Memorial,* 1.1, § 5; tomado de Cuervo, *DCRLC* II, s.v. *cuanto:* 1aζ]. No obstante, Cuervo señala la tendencia a reponer la forma completa en muchos de tales contextos.

[107] De hecho, también es posible separar antecedente y sintagma relativo y colocar a ambos, por este orden, al frente de sus respectivos grupos fónicos: *Tantos trofeos obtuvo cuantos campeonatos ganó.*

al frente del constituyente explicativo provocaría la agramaticalidad de la oración, algo que no sucede en las verdaderas relativas explicativas. Por lo tanto, en la oración anterior el SP entre comas forma una aposición que incluye una relativa libre, tal como sucedía con algunos ejemplos estudiados en el § 7.2.3.4. El mismo análisis, con la obvia diferencia de que la aposición es en este caso un SN, puede asignarse a la primera oración mencionada en este mismo párrafo. Así pues, no parece que las relativas encabezadas por *cuanto* puedan actuar propiamente como cláusulas explicativas. Una prueba clara de ello es la agramaticalidad que se deriva de colocar el cuantificador *tanto,* que como ya hemos visto es el correlato habitual de *cuanto,* al frente del SN que presuntamente actúa como antecedente de la relativa explicativa: **Tantos invasores, cuantos entraron en la aldea, estaban rendidos.* Seguramente, es la necesidad de entrar en correlación cuantitativa con otro elemento de la oración lo que impide que *cuanto* pueda formar relativas explicativas, ya que el carácter incidental de dichas cláusulas rompería el necesario paralelismo entre los dos correlatos.

Otro aspecto problemático de las cláusulas relativas encabezadas por *cuanto* estriba en determinar cuál es la estructura que corresponde a los ejemplos de (185), tomados de Martínez 1989: § 4.7.2:

(185) a. Acudieron tantos cuantos niños fueron invitados.
b. Acudieron todos cuantos niños fueron invitados.

Según Martínez (1989), en (185) *tantos* y *todos* no funcionan como antecedentes de *cuantos niños,* sino como adyacentes del propio sintagma relativo. La justificación de este análisis se basa en que *tantos* y *todos* no pueden contraer función distinta de la desempeñada por el sintagma relativo, lo que muestra que no son argumentos independientes del verbo de la oración matriz: **Acudieron tantos a cuantos niños invitaron; *Acudieron todos a cuantos niños invitaron.* La conclusión es, pues, que en (185) *cuantos* carece de antecedente léxico (es decir, que se trata de sendas relativas libres). La situación cambia radicalmente cuando *tanto* concurre con un sustantivo *(Acudieron tantos niños cuantos fueron invitados),* puesto que en tal caso sí que estaría habilitado tal sintagma para actuar como antecedente del relativo.

El análisis que propondremos aquí es distinto, aunque coincide con el anterior en un aspecto importante: en (185b), *todos* es un adyacente del sintagma relativo *cuantos niños* y, por lo tanto, está en el interior de la subordinada, que pertenece a la clase de las relativas libres. Nótese, en efecto, que no es posible colocar el sustantivo tras *todo,* a diferencia de lo que sucede con *tantos:* **Acudieron todos los niños cuantos fueron invitados.* [108] En cambio, creemos que en (185a) la estructura es distinta: *tantos* está fuera de la relativa y actúa como antecedente. La ventaja de este análisis es que otorga la misma estructura a las dos oraciones de (185):

(186) a. Acudieron tantos niños cuantos fueron invitados.
b. Acudieron tantos cuantos niños fueron invitados.

Naturalmente, para defender este enfoque, es necesario explicar por qué *tantos* no puede contraer función distinta de la desempeñada por *cuantos* en (185b). En primer lugar, es necesario señalar que tal restricción no afecta tan sólo a la segunda oración de (185), sino también a la primera: **Acudieron tantos niños a cuantos invitamos.* Por lo tanto, si tal argumento mostrara que *tantos* en (185b) no es externo a la relativa, lo mismo debería ocurrir en (185a), algo que es difícil de defender, dada la presencia de un antecedente explícito *niños.* Por otra parte, la restricción mencionada no atañe a las funciones desempeñadas por ambos constituyentes, dada la buena formación de oraciones como *Me fueron devueltas tantas cuantas cartas escribí,* en donde el primer miembro de la correlación es sujeto de la oración principal y el segundo, objeto de la relativa. El fenómeno afecta tan sólo a las marcas preposicionales que se colocan ante los miembros de la correlación. Se trata de un caso de encaje de preposiciones, similar al estudiado en el § 7.2.4.4. Así, el primer miembro puede estar dotado de cualquier marca preposicional: *Se olvidó de tantos cuantos compromisos había asumido.* Por el contrario, el segundo miembro no puede ir precedido de marca

[108] Fernández Ramírez (1951a: § 172.2, n. 594) también opina que en la secuencia *todo cuanto, todo* funciona como término secundario del relativo.

preposicional alguna: **Volvió a asumir tantos compromisos de cuantos se había olvidado,* frente a *Volvió a asumir tantos compromisos cuantos había olvidado.*

7.5.6. Los adverbios relativos

Además de los pronombres y adjetivos relativos, el español cuenta con un conjunto de adverbios que comparten las dos notas características de aquellos: son entidades que remiten anafóricamente a un argumento o adjunto de la oración matriz y desempeñan a la vez la función de adjuntos del predicado de la subordinada. El antecedente de todos ellos puede ser explícito, como se muestra en (187), aunque suelen actuar encabezando relativas libres, como en (188):

(187) a. La estación *donde* nos bajamos del tren fue la de Sigüenza.
b. Este traje lo llevaba el día *cuando* se casó.
c. Lo hizo de la manera *como* se lo habían mandado.
(188) a. Allí fue *donde* nos bajamos del tren
b. Este traje lo llevaba *cuando* se casó.
c. Lo hizo *como* se lo habían mandado.

Los adverbios que forman este paradigma son el locativo *donde* (con su variante *adonde*), el temporal *cuando* y el modal *como.* De la capacidad de estas entidades para formar relativas libres se ha tratado en el § 7.2.4.3. A las anteriores unidades, algunos autores agregan como miembros del mismo paradigma el adverbio temporal *mientras* y los modales *según* y *conforme.*

7.5.6.1. Donde

Donde es un adverbio relativo que expresa locación: [109] *Estaba donde lo dejé.* Además, acompañado de las correspondientes preposiciones *(a, de, desde, hacia, hasta, para, por)* denota todas las gamas del movimiento, desde el origen hasta la meta: *Vino desde donde estaba* (origen); *Vino hacia donde yo estaba* (dirección); *Vino a donde yo estaba* (meta). Pese a que en su sentido propio *donde* ya expresa por sí solo locación, puede ir acompañado de la preposición *en: Estaba en donde lo dejé.* Este uso preposicional pleonástico es, según indica Cuervo (*DCRLC* II, s.v. *donde:* 2bγ), más frecuente en el español actual que en el clásico. En contextos en los que el predicado selecciona inequívocamente una meta, *donde* también puede representar por sus solos medios esta noción: *Iré donde me digas.*

Hasta aquí, todos los ejemplos aducidos corresponden a relativas libres. Sin embargo, *donde* admite antecedentes explícitos, que han de ser congruentes con la idea de locación que le es propia. Tales antecedentes pueden ser sustantivos *(La casa donde vivía estaba en Chamberí)* o adverbios pronominales de lugar *(Allá donde estés tú estaré yo). Donde* puede entrar en correlación con los adverbios pronominales

[109] Su valor originario era el de movimiento desde el origen: *Como su marido la llevase a Alba, donde era natural...* [Sta. Teresa, *Libro de las Fundaciones,* 20; tomado de Cuervo, *DCRLC* II, s.v. *donde:* 1aα]. En el registro culto del español actual esta acepción se ha perdido por completo. Kany (1945: 451) atestigua, no obstante, algunos usos derivados de tal valor en la América hispana: *¿Dónde sabes que eso es cierto?* Seguramente tiene este mismo origen el *donde* equivalente a *como* causal que el mismo autor localiza en Chile: *Donde no tomé el desayuno, no me siento bien* [Kany 1945: 452].

locativos, colocándose entonces la relativa delante de la oración principal: *Donde estés tú, allá estaré yo.* Las gramáticas suelen interpretar que en la oración anterior *allá* continúa siendo el antecedente de *donde.* Sin embargo, creemos que la subordinada del ejemplo anterior es una relativa libre con antecedente implícito. La prueba de ello es que el adverbio puede duplicarse para pasar a ocupar, esta vez sí, la función de antecedente: *Allá donde estés tú, allá estaré yo.*

Cuando *donde* lleva como antecedente un sustantivo, alterna con los relativos *(el) que* y *el cual* precedidos de la preposición *en.* En cambio, cuando su antecedente está elíptico o es un adverbio pronominal, la conmutación no es factible.

El valor fundamental de *donde* es locativo, pero pueden producirse esporádicamente desplazamientos metafóricos desde esta noción original a otros contenidos. Así, como suele ser frecuente en otras entidades locativas, *donde* puede pasar a designar valores temporales: *Es en estos momentos donde el fabricante de automóviles debe hacer una profunda autocrítica...* [*El País Semanal,* 11-V-1980, 30; tomado de Pruñonosa-Tomás, 1990: 94]. No obstante, el uso regular de *donde* con valor temporal sólo se da, según Seco (*DDDLE* s.v. *donde),* en el habla popular y rústica y con mayor frecuencia en América que en España. Kany (1945: 452) aduce el siguiente ejemplo, procedente de Chile: *Yo iba muy tranquilo, donde el caballo se espantó y me echó al suelo.* Lope Blanch (1984: 121) señala igualmente que son frecuentes los usos no locativos de *donde* en el español mexicano: *Es la única cuestión en donde todos estamos de acuerdo.* Según este mismo autor, *donde* es el nexo relativo más empleado en México después de *que.*

También es metafórico el desplazamiento que se produce desde la noción locativa de origen a la de causa en los casos en que *donde* tiene un antecedente proposicional (sea este toda una oración, un SN o un pronombre neutro): *No asistió a la reunión, de donde deduzco que no recibió la convocatoria.*

La forma compleja *adonde* procede de la fusión de la preposición *a* de dirección y el adverbio locativo *donde.* Pese a que Bello (1847: § 396) se mostró partidario de unificar gráficamente la combinación de *donde* con otras preposiciones *(en, de* y *por), adonde* es la única forma sintética admitida en la norma ortográfica del español. Sin embargo, su aceptación no ha implicado la desaparición de la forma analítica homófona *(a donde).* La recomendación de la Academia es que se escriba la forma sintética cuando la preposición corresponde sólo a la relativa y la analítica si pertenece a la principal. Así, si la relativa de la oración *Nos dirigimos al lugar donde se celebraba la manifestación* se transforma en una relativa libre por omisión del antecedente, la forma correcta de escribirla sería *Nos dirigimos a donde se celebraba la manifestación,* puesto que la preposición *a* viene impuesta por la rección del verbo principal. En los casos de encaje preposicional, en los que la preposición pertenece a ambos predicados *(Nos dirigimos a donde teníamos que ir),* debe escribirse *a donde,* pues lo substancial es que el predicado *dirigirse* selecciona tal marca preposicional.[110] Dadas las reglas que limitan la presencia de preposiciones al frente de la subordinada en las relativas libres (cf. el § 7.2.4.4), los únicos contextos en los que puede aparecer la forma *adonde* son aquellos en los que el adverbio relativo cuenta con un antecedente léxico: *Estamos todavía en el lugar adonde pensábamos*

---

[110] Con buen criterio gramatical, Cuervo (*DCRLC* I, s.v. *adonde:* 1bζ) señala que la posibilidad de utilizar la forma *adonde* debería quedar limitada a los casos en que la preposición denota movimiento. Según tal pincipio, debe escribirse *El edificio frente a donde se produjo la explosión quedó derruido.*

haber llegado ayer. De todos modos, y pese a que la norma ortográfica es diáfana, del cotejo de los ejemplos aducidos en Cuervo *(DCRLC,* s.v. *adonde* y *donde)* se pone de manifiesto que ambas realizaciones están atestiguadas literariamente en los usos proscritos.

En el habla coloquial de algunas zonas de España y especialmente de América, el adverbio *donde* puede tomar como complemento un SN, manteniendo la idea de locación: *El choque se produjo donde el quiosco de periódicos.* En la anterior oración, el constituyente *donde el quiosco de periódicos* localiza espacialmente el acontecimiento expresado por el predicado. Algunos gramáticos interpretan que en esta construcción *donde* actúa con valor plenamente preposicional, dado que selecciona un SN. Otros, en cambio, prefieren suponer que tal entidad sigue teniendo su valor relativo originario y que se ha producido en la subordinada la omisión de un predicado de localización *(donde está el quiosco de periódicos).* En el uso que comentamos, *donde* no sólo puede seleccionar lugares, sino que se combina con SSNN que no expresan propiamente tal noción. Así, en el ejemplo anterior podría haberse dicho *donde los periódicos.* También es frecuente encontrarlo con nombres de persona, aludiendo a la localización momentánea o habitual del individuo designado. En este último caso refiere frecuentemente al domicilio: *Ya no podía hacer el viaje a dejar su canasto donde los Vives los domingos* [J. Donoso, *Este domingo,* 40]. Kany (1945: 422-424) localiza el influjo de esta construcción en toda la América de habla hispana, si bien en México y Argentina su frecuencia es menor.

La forma *do,* equivalente en su significado a *donde,* es en la actualidad un arcaísmo utilizado tan sólo de manera muy esporádica en el estilo poético.

7.5.6.2. Cuando

Cuando es un adverbio relativo con valor temporal de coincidencia [→ § 48.5.1]. Su comportamiento sintáctico es similar al de *donde,* aunque presenta menores posibilidades de aparecer con antecedentes realizados léxicamente. Los sustantivos que aceptan tal función deben contener rasgos léxicos compatibles con el carácter temporal de este adverbio relativo (*momento, hora, día, periodo,* etc.): *Todavía recuerdo el día cuando dimitió Suárez.* En estos contextos es siempre conmutable por *que, en (el) que* o *en el cual: Todavía recuerdo el día que dimitió Suárez* o *en (el) que dimitió Suárez.* Las formas anteriores son largamente preferidas cuando la relativa es especificativa. *Cuando* puede aparecer también tras un adverbio pronominal como *hoy, ahora* o *entonces,* pero sólo en cláusulas explicativas, ya que en las especificativas se usa exclusivamente *que: Hoy, cuando consigas el permiso, podrás volver a tu tierra* (cf. el § 7.2.3.4, donde se ha discutido la estructura de estas construcciones).

En la mayoría de las ocasiones, *cuando* encabeza una relativa libre [→ § 7.2.4.3]: *Cuando consigas el permiso, podrás volver a tu casa.* El análisis de estas oraciones ha sido objeto de largo debate en la gramática del español, pues la mayoría de los autores defienden el carácter adverbial de las subordinadas encabezadas por *cuando* sin antecedente léxico (cf., p. ej., Martínez 1989), excepto en los casos en que tal cláusula equivale a un sustantivo *(Cuando llegó fue el mejor momento de mi vida).* Sin embargo, el frecuente desempeño de funciones adverbiales por parte de los SSNN con valor temporal en español (cf. *El jueves podrás volver a tu casa*) permite interpretar todas estas construcciones como relativas libres, sin necesidad de establecer entre ellas distinciones categoriales de ninguna especie.

Como sucede con frecuencia con los demás adverbios relativos, *cuando* puede entrar en correlación con otros adverbios, como *entonces: Cuando me hayas pedido disculpas, entonces hablaremos.* Pese a que algunos gramáticos consideran que en estos casos el relativo cuenta con un antecedente (el adverbio que entra en correlación con él), la disposición de ambos elementos lleva a pensar que la subordinada es en realidad una relativa libre. Con predicados de percepción e intelección, las relativas libres encabezadas por *cuando* pueden desempeñar la función de complemento directo *(Aún recuerdo cuando leíste el discurso en el ateneo; Vi cuando el atracador salía de la tienda)* y de complemento predicativo del objeto directo *(La vi cuando salía del metro).* También pueden aparecer como complemento de un nombre *(el diploma de cuando te graduaste en Harvard),* de un adjetivo *(preparado para cuando deba marcharse),* de un adverbio *(Además de cuando hizo la mili, ha estado en Melilla otras dos veces)* y de una preposición *(Para cuando te vayas, ya habrá llegado el buen tiempo).*

Cuando también puede formar un constituyente infraoracional junto a un SN o un SA: [111]

(189) a. Cuando la guerra, el número de oficiales en el ejército era de quince mil.
b. Cuando joven, prefería jugar al tenis.

A diferencia de lo que sucede con las construcciones equivalentes con *donde,* que tienen un marcado carácter dialectal y que son propias de registros coloquiales, las estructuras de (189) pertenecen al registro culto y son de uso general en el dominio hablado del español. El análisis de estos sintagmas plantea problemas complejos. En (189b) puede suponerse que hay un verbo elíptico *(Cuando era joven)* y que el constituyente encabezado por *cuando* es de carácter oracional. Pero atribuir esa misma explicación a (189a) resulta más problemático, puesto que no es tan sencillo reponer el predicado ausente. Eso ha llevado a algunos gramáticos a suponer que, cuando selecciona un SN, *cuando* se comporta como una preposición (de modo similar a lo que sucede, por ejemplo, con *durante*).

Bosque (1989: § 10.3.1) presenta un análisis distinto, que tiene la ventaja de considerar que *cuando* es siempre un adverbio relativo. La propuesta consiste en suponer que esta unidad tiene la capacidad de seleccionar, como núcleo de un sintagma adverbial, oraciones o sintagmas nominales como complemento. Según tal análisis, por lo tanto, *cuando* no es propiamente un adjunto de la oración subordinada, sino el elemento que la selecciona, poniéndola en relación de coincidencia temporal con la oración principal. El elemento seleccionado puede ser también un SN, siempre que denote una entidad susceptible de ser adscrita a unas coordenadas temporales: [112] así, *la guerra* parece un complemento más apropiado que *la casa,* aunque este último también sería aceptable en una situación en la que tal edificio pudiera ponerse en relación con un determinado momento (por ejemplo, el de su compra). Sea cual sea el análisis que se adopte, *cuando* presenta importantes similitudes con la clase de los adverbios relativos, como se ha indicado al comienzo de este parágrafo, por lo que parece recomendable no desgajarlo de tal paradigma. Por otra parte, dado que su valor semántico en los diferentes entornos sintácticos en que puede aparecer es sensiblemente el mismo, tampoco conviene atribuir las notables diferencias que se dan entre aquellos a la existencia de dos categorías homófonas: un adverbio relativo y una preposición.

---

[111] Sobre la construcción <*cuando* + SN>, cf. Aliaga y Escandell 1988.

[112] El hecho de que la subordinada encabezada por *cuando* admita la aparición de otro adjunto temporal en su interior constituye un argumento en favor de este análisis: *Cuando llegó María a las seis, Luis ya estaba en casa.* Bosque (1989) aduce un argumento adicional: en la secuencia *cuando dijiste que te ibas, cuando* debe interpretarse como adjunto de *dijiste,* y no de *te ibas,* según correspondería a la lectura de relativa compleja (cf. el § 7.3.4.1). Como indica el mismo autor, esta restricción no se da con el adverbio interrogativo correspondiente: *¿Cuándo dijiste que te ibas?* admite las dos interpretaciones mencionadas. La diferencia estaría vinculada, en la propuesta que comentamos, a la distinta estructura de ambas construcciones: un sintagma adverbial en el caso de la relativa y una oración en el caso de la interrogativa. La anterior característica distingue a *cuando* de *donde* y *como: Donde dijiste que te ibas* y *Como dijiste que había que hacerlo* pueden recibir la interpretación de relativa compleja.

De los valores causales, condicionales y concesivos que adopta *cuando* en algunos contextos, se tratará en los capítulos dedicados a cada una de estas clases de oraciones [⟶ Caps. 56, 57 y 58].

7.5.6.3. Como

Las gramáticas lo caracterizan como un adverbio relativo de naturaleza modal. Su función fundamental es, en efecto, la de introducir cláusulas que expresan una circunstancia modal de la oración principal: [113] *Lo hice como me había recomendado.* La anterior oración indica que el modo como algo fue hecho se acomodó exactamente a la manera como alguien había recomendado al hablante que se hiciera. Como sucede con todos los adverbios relativos, su uso más frecuente es como nexo que encabeza una relativa libre. No obstante, también admite antecedentes léxicos. Los únicos sustantivos que puede modificar *como* son aquellos cuyo significado es congruente con la noción que le es propia: *modo, manera* y *forma,* principalmente: *La manera como contestó a aquel periodista provocó protestas entre los asistentes a la conferencia de prensa.*

Además, las relativas con *como* pueden remitir al adverbio pronominal *así: Lo hice así, como me había recomendado.* [114] El adverbio relativo *como* cubre toda la gama de contenidos que pueden ser representados por el adverbio *así.* Por lo tanto, cualquier sintagma que exprese un complemento de modo puede ser incrementado con una relativa introducida por *como,* ya sea este un adverbio *(Lo hizo discretamente, como se le había recomendado)* o un sintagma preposicional *(Lo abrió con mucha precaución, como hay que manipular todo paquete sospechoso).* La naturaleza de la relación que se establece en estos casos entre la relativa y el complemento modal que la precede ya ha sido estudiada en el § 7.2.3.4. Allí se ha argumentado que la relación entre ambos es de aposición o yuxtaposición más que de subordinación. La posibilidad de conmutar su orden abunda en esta idea: *Siempre dormía como durmió su padre, con el alma escondida* [G. García Márquez, *Crónica de una muerte anunciada,* 12; tomado de Cano Aguilar 1995: 34]. La misma característica explica la frecuencia con que *como* entra en correlación con *así: Así es la política en las aldeas como en las ciudades populares* [B. Pérez Galdós, *Zumalacárregui,* 137; tomado de Alcina y Blecua 1975: § 8.2.3.1].

Sin embargo, la capacidad remisora de *como* va más allá de la posibilidad de aludir a circunstancias modales. También puede reproducir entidades predicativas de la oración principal:

(190) a. Ahora vivía sola, como siempre había deseado estar.
b. Aquel día lo vio triste, como no lo había visto nunca antes.

En los ejemplos anteriores, el elemento al que alude el adverbio relativo es un sintagma adjetivo. Su función en la subordinada es la de atributo en (190a) y com-

---

[113] Sobre el complejo funcionamiento de este adverbio, cf. Alcina y Blecua 1975: § 8.2. Sobre su evolución histórica, cf. Cano Aguilar 1995.

[114] En la correlación *así como... así,* la relativa especifica al primer adverbio: *Así como el malo recibe aquí el castigo de sus maldades, así el bueno el galardón de sus merecimientos* [L. de Granada, *Guía de pecadores,* 1.24, § 1; tomado de Cuervo, *DCRLC* I, s.v. *así,* § 6eα].

plemento predicativo del objeto directo en (190b). En ocasiones, cuando el relativo desempeña la función de atributo, puede aparecer el pronombre reasuntivo *lo* (cf. el § 7.1.2): *No era una noticia definitiva, como podía serlo la de la Paquita* [C. J. Cela, *La colmena,* 98; tomado de Cano Aguilar 1995: § 4.1.1]. También en estos contextos es posible conmutar la posición de la relativa con la del sintagma adjetivo: *Ahora vivía como siempre había deseado estar, sola y sin compromisos familiares.*

Su capacidad para representar entidades predicativas le permite remitir a predicados verbales o a predicaciones oracionales, convirtiéndolos en argumentos o adjuntos de la relativa:

(191) a. Finalmente, publicó la noticia, como habían hecho los otros periódicos.
b. Avisó a la policía, como le había recomendado su abogado.

El sintagma verbal *hacerlo* tiene la capacidad de remitir al predicado de la oración anterior *(Le ordenaron publicar la noticia, y lo hizo).* En (191a), la forma pronominal *lo* ha sido sustituida por el nexo relativo *como,* que ejerce la misma función anafórica que cabe atribuir al pronombre personal. La presencia en la relativa de un sujeto léxico implica que la entidad a la que se alude a través de *como* es el SV. En (191b), en cambio, es toda la oración anterior la que se integra como argumento de la relativa por medio de la remisión anafórica de este adverbio relativo. [115]

Cuando la cláusula encabezada por *como* actúa como relativa libre, puede desempeñar las funciones de atributo *(La ceremonia será como tú digas)* y de complemento predicativo *(Los niños dejaron la sala como ya os podéis imaginar).* Como señala Cano Aguilar (1995: § 4.1.2.1), es muy frecuente la elisión en la subordinada del predicado de la principal para evitar su repetición (cf. *La ceremonia será como tú digas que sea*).

La capacidad de *como* para remitir a contenidos proposicionales explica la frecuente aparición de este tipo de cláusulas como introductoras de enunciados que corresponden a puntos de vista ajenos respecto de los cuales el hablante muestra su conformidad: *Como dijo tu hermana, eso no tiene justificación.* Además, la libertad posicional que les proporciona su naturaleza de relativas libres, les permite aparecer también como incisos parentéticos en el interior del enunciado al que se refieren: *Eso sería, como se suele decir, vestir a un santo para desnudar a otro.*

Con mayor frecuencia que *cuando, como* puede encabezar enunciados carentes de verbo. En muchos casos puede aducirse, no obstante, que el constituyente que forma sigue teniendo naturaleza oracional, puesto que es posible identificar la forma verbal omitida por redundante: *Fuma como tu padre* equivale a «fuma como fuma tu padre», como prueba la posibilidad de que el predicado aparezca en el caso de que aporte una información temporal distinta de la que contiene el verbo principal: *Fuma como fumaba tu padre.* Un contexto donde es frecuente que la cons-

---

[115] Las relativas encabezadas por *como* sólo pueden remitir a una predicación negativa si son explicativas, como muestra el contraste entre *No lo hizo como era de esperar* y *No lo hizo, como era de esperar.* En el primer caso la relativa libre es especificativa y, como todos los elementos del predicado, queda bajo el ámbito del operador negativo. Por lo tanto, de la lectura de tal ejemplo se desprende la presuposición de que la acción a la que se refiere el predicado fue llevada a cabo, si bien de manera distinta a la esperada (cf. *Era de esperar que lo hiciera de otro modo*). Por el contrario, en la variante explicativa, la relativa queda fuera del ámbito del operador negativo, por lo que el antecedente es toda la predicación principal, incluido aquel (cf. *Era de esperar que no lo hiciera*).

trucción encabezada por *como* carezca de verbo es el de las comparativas de igualdad [→ § 17.1.3], en las que *como* encabeza el segundo término de la comparación: *Fuma tantos puros como tu padre.* En estas construcciones, entra en correlación con el cuantificador presente en la oración principal, que es el que legitima la interpretación comparativa. En cambio, *como* no puede participar en las comparativas de desigualdad debido a que su presencia siempre implica, como señalan Alcina y Blecua (1975: § 8.2), igualación entre dos términos.

Más difícil resulta defender el estatuto oracional del constituyente encabezado por *como* en construcciones como *Yo, como padre, te lo aconsejo* o *Usaba la cama como improvisado escritorio.* En estos casos, *como* equivale a «en calidad de» y se combina con entidades que se interpretan predicativamente. Nótese, en efecto, que no sería posible convertir los SSNN *padre* e *improvisado escritorio* en definidos, puesto que perderían la capacidad de actuar como predicados. No parece que en estos casos sea posible reponer un verbo en el interior de tales constituyentes.[116] Algunas gramáticas recurren en estos casos a la misma idea que ya discutimos al tratar de los usos no oracionales de *cuando:* la existencia de un *como* 'preposicional', capaz de seleccionar elementos predicativos como los anteriormente señalados. Un análisis alternativo para dar cuenta de estas construcciones sería idéntico al que Bosque (1989: § 10.3.1) propone para *cuando,* que tiene la ventaja de preservar la naturaleza de adverbio relativo de *como.* Nótese, en efecto, que la capacidad de remisión a un miembro de la predicación principal sigue presente en todos estos ejemplos.[117]

7.5.6.4. *Otros posibles miembros de esta clase*

A veces se incluyen en el paradigma de los adverbios relativos del español otras entidades que, a diferencia de las ya estudiadas, no pueden aparecer en cláusulas especificativas con antecedente léxico. Se trata del adverbio temporal *mientras* y de los modales *según* y *conforme.*

Mientras denota duración en la simultaneidad: *Salió a pasear mientras reparaban la avería.* Como señalan Alcina y Blecua (1975: § 8.5.2.1), la diferencia que existe entre *Leía el periódico cuando comía* y *Leía el periódico mientras comía* atañe a que, mientras que la primera oración expresa la mera coincidencia de ambas acciones, la segunda indica que tal coincidencia se extiende en toda la duración de la comida. Según Bello (1847: § 408), el uso de *mientras* como adverbio relativo procede de la evolución del complejo *mientras que,* en el que la primera unidad sería una preposición y la segunda, el nexo relativo por defecto. En favor de su carácter originario de preposición, Bello aduce los casos en que *mientras* toma como término un demostrativo neutro *(mientras tanto)* o incluso un sustantivo *(mientras la cena).* En su uso como adverbio relativo es átono.

Según y *conforme* expresan correspondencia o paralelismo entre dos elementos pertenecientes a proposiciones diferentes: *Según sean las ventas, así serán los beneficios; Lo hice conforme se me recomendó.* Ambos adverbios relativos proceden de la evolución de locuciones en las que ejercían función distinta. *Según* es una preposición [→ §§ 9.2.5.1 y 10.18.3] que podía tomar como término un relativo neutro *(según lo que dice tu hermano).* La elisión del nexo *que* da lugar al uso de *según* como adverbio relativo: *Según dice tu hermano.* Además, es frecuente, como sucede en otras construcciones con adverbios relativos, la omisión del verbo: *Según tu hermano, no deberíamos ir de vacaciones.*

---

[116] Contra lo que pudiera parecer, la mera intercalación del verbo *ser* no basta para convertir al constituyente encabezado por *como* en una relativa oracional que vehicule el mismo contenido. Así, por ejemplo, si tal operación se lleva a cabo en la oración *Yo, como padre, te lo aconsejo,* el valor de la subordinada cambia, dado que se obtiene una lectura causal de la que la oración original está desprovista: *Yo, como soy padre, te lo aconsejo.* De hecho, para recuperar el contenido inicial habría que recurrir a una relativa enfática encabezada por el atributo: *Yo, como padre que soy, te lo aconsejo.* En cuanto a la oración *Usaba la cama como improvisado escritorio,* resulta todavía más difícil trocar en oracional el constituyente introducido por *como.*

[117] Hay, no obstante, otros usos de *como* en los que el valor relativo originario de este adverbio parece haberse perdido por completo. Tal es el caso del *como* que encabeza subordinadas causales *(Como no venían, nos fuimos)* o condicionales *(Como no vengas, nos iremos),* en donde ya no se da la relación de remisión anafórica que caracteriza los usos propiamente relativos de tal partícula ni esta desempeña una función en la oración que introduce.

Procedente de la inmovilización del adjetivo homólogo, *conforme* es un adverbio que tiene la capacidad de seleccionar una relativa libre encabezada por *como: Conforme a como quedamos, el primer pago se efectuará a final de mes* [→ § 9.2.4.3]. La evolución que lo convierte en adverbio relativo implica la elisión del relativo *como* y de la preposición que lo introducía: *Conforme quedamos, el primer pago se efectuará a final de mes.*

Bello (1847: §§ 410, 1221) incorpora asimismo al paradigma de los adverbios relativos el *si* condicional y el *aunque* concesivo. No obstante, la dificultad de asignar a estas unidades una función en la subordinada que encabezan ha llevado a la mayoría de los gramáticos a tratarlas como conjunciones de subordinación. Su funcionamiento sintáctico se estudiará en los capítulos 57 y 59, respectivamente.

7.5.7. Los relativos indefinidos

Algunos pronombres, adjetivos y adverbios relativos se agrupan con la tercera persona del singular del presente de subjuntivo del verbo *querer* para formar una serie de indefinidos compuestos [→ § 73.8.5]: *cualquiera, quienquiera, comoquiera* y *dondequiera* (con su variante *adondequiera).* [118] En el anterior paradigma debe integrarse igualmente *cuando quiera,* pese a que el *DRAE* prescribe en este caso la separación de los miembros del compuesto en la escritura. [119] El carácter sintácticamente unitario de estas entidades se pone de manifiesto por el hecho de que el verbo *querer* ha perdido en ellas su capacidad para seleccionar argumentos. Eso permite contraponer los ejemplos de (192):

(192) a. Que venga cuando quiera.
b. Cuando quiera que venga, será bien recibida.

En (192a), el adverbio relativo y el verbo *quiera* no forman compuesto, como muestra la posibilidad de intercalar un sujeto *(Que venga cuando ella quiera)* o la de modificar la persona del verbo *(Que vengan cuando quieran).* Por el contrario, en (192b) esos cambios no son posibles (cf. **Cuando ella quiera que venga, será bien recibida; *Cuando quieran que vengan, serán bien recibidas*), puesto que dicha forma verbal ha perdido su independencia sintáctica para pasar a ser una mera marca de inespecificidad, de modo que la interpretación de (192b) es equivalente a «sea cual sea el momento en el que venga, será bien recibida».

Según Rivero (1988), el valor de estos compuestos en el español del s. XIII era doble, ya que podían encabezar la relativa sin la presencia del nexo *que.* Así, en una oración como *Pierda [el matador] quanto quier oviere* [*Fuero de Escalona,* 490; tomado de Cuervo, *DCRLC* II, s.v. *cuanto:* 663], el complejo *quanto quier* encabeza una relativa libre. En cambio, en el siguiente ejemplo del s. XV, la cláusula subordinada aparece introducida por *que: Mucho más deleytable debia ser el trabajo virtuoso que la vida sin virtud, quanto quier que fuese deleytable* [H. del Pulgar, *Claros varones de Castilla,* 4: 42; tomado de Cuervo, *DCRLC* II, s.v. *cuanto:* 660]. Según Rivero (1988), los ejemplos anteriores muestran la doble función que caracterizaba a tales entidades en el español antiguo: como relativos y como indefinidos, respectivamente. [120]

---

[118] *Cualquiera* y *quienquiera* admiten flexión de número en el primer miembro del compuesto: *cualesquiera* y *quienesquiera.* Tales formas son, sin embargo, eminentemente literarias. Además, la serie contaba con formas apocopadas, de las que sólo se conservan en el español actual *cualquier* y *doquier* (esta última, exclusivamente en la locución *por doquier,* ya que el uso de este relativo indefinido se siente hoy como arcaico). La distribución de *cualquier* y *cualquiera* depende de la posición sintáctica ocupada por tal entidad: *cualquier* se usa únicamente cuando precede a un núcleo nominal: *Cualquier solución es arriesgada.* Las formas de plural no admiten la apócope.

[119] Lo mismo sucede con *cuanto quiera,* forma muy poco usada en el español actual y que en los escritores clásicos suele adoptar valor concesivo: *Cuanto quiera que sean buenas las obras, son de ningún valor si no están adornadas con humildad* [A. Venegas, *Agonía del tránsito de la muerte,* § 3.10; tomado de Cuervo, *DCRLC* II, s.v. *cuanto,* § 7]. Otras formas pertenecientes al mismo paradigma, como *quequiera, quiquiera* o *qualsequiera,* existentes en el español medieval, han desaparecido por completo (cf. Rivero 1988). También está históricamente relacionada con la serie anterior la forma *siquiera.* La existencia de tal entidad milita en favor de la teoría de Bello, que atribuye al *si* condicional naturaleza de adverbio relativo.

[120] El español medieval poseyó una segunda serie de compuestos con valor indefinido, hoy totalmente desaparecida, formada por la combinación de dos relativos, el segundo de los cuales era siempre el nexo *que. Queque* y *qualque* fueron los dos principales representantes de este esquema.

En el español actual, el tratamiento gramatical que se suele atribuir a los compuestos que estamos estudiando es el de indefinidos, no el de relativos. Sin embargo, con la única excepción de *cualquiera,* que es la entidad que muestra mayor independencia sintáctica, los demás miembros del paradigma precisan de la presencia de una subordinada encabezada por *que* que señala el dominio del que se extrae la entidad inespecífica denotada por el indefinido: [121]

(193) a. Quienquiera que lo lea lo hallará desproporcionado.
b. Comoquiera que se llame, lo localizaremos.
c. Cuando quiera que llegue, será bien recibido.
d. Dondequiera que esté, le deseo la mejor suerte.

La supresión de la cláusula encabezada por *que* en las anteriores oraciones provocaría secuencias agramaticales. Además, debe señalarse que el único nexo que admite la subordinada en estos casos es *que* y que tal entidad no puede ir precedida de preposición alguna: **Quienquiera con (el) que trabaje lo juzgará un poco holgazán.* Otra particularidad interesante de estas construcciones es que la preposición correspondiente al régimen de la cláusula subordinada aparece delante del indefinido relativo: *Con quienquiera que trabajes, te sentirás a gusto.* Nótese que la presencia de la preposición *con* no responde solo a la selección del predicado principal *(sentirse a gusto con),* sino también a la del verbo de la subordinada *(trabajar con).* La concurrencia de preposiciones ante el indefinido está sometida a los mismos efectos de encaje ya descritos al abordar las relativas libres (cf. el § 7.2.4.4): **No te olvides nunca de con quienquiera que trabajes.*

Todos los fenómenos anteriores (obligatoriedad de la subordinada, exclusividad de *que* como nexo introductor y colocación de la preposición ante el supuesto antecedente) llevan a pensar que las construcciones de (193) mantienen una estrecha relación estructural con el esquema característico de las relativas enfáticas. Un modo de explicar el conjunto de fenómenos arriba descrito consiste en suponer que el nexo *que* que aparece en estas oraciones es en realidad una conjunción completiva, resultado de la selección del verbo *quiera,* [122] y que el relativo que encabeza el compuesto corresponde a un argumento o adjunto seleccionado por el predicado de la subordinada. Se trataría, pues, de un caso de relativa compleja (cf. el § 7.3.4.1), con la única particularidad de que el nexo relativo que debe encabezarla ha de afijarse a la forma verbal en subjuntivo para constituir un compuesto. El valor de *quiera* en estas construcciones es el de marcador de inespecificidad, pese a que en el esquema originario la cláusula subordinada corresponde a la selección de tal predicado (de ahí que la relativa deba llevar el verbo en subjuntivo).

Con respecto a los demás relativos indefinidos, *cualquiera* manifiesta un comportamiento mucho más independiente. En primer lugar, ha conservado la naturaleza adjetiva del relativo del que deriva, por lo que puede aparecer como determinante o modificador de un núcleo nominal léxico *(Dáselo a cualquier estudiante; Dáselo a un estudiante cualquiera)* o implícito *(Dáselo a cualquiera)* [⟶ §§ 16.2.1 y 16.3-4]. Es obvio que en estas construcciones ha perdido todo valor relativo en favor de su naturaleza de adjetivo indefinido. De ahí que, cuando funciona como tal, no presente las restricciones que caracterizan a los demás relativos compuestos: como ya se ha visto, puede aparecer sin cláusula subordinada *(Cualquiera lo hubiera hecho mejor);* admite relativas encabezadas por cualquier nexo, y la preposición toma a este último como término, y no al sintagma indefinido *(Cualquier persona con la que hables te confirmará este extremo).* Todas estas pruebas separan el funcionamiento sintáctico de cualquiera del que caracteriza a los miembros del paradigma de (193).

No obstante, *cualquiera* no ha perdido absolutamente su capacidad para encabezar relativas libres con valor inespecífico. Los ejemplos de (194) muestran que tal valor todavía se conserva en algunas construcciones, sobre todo cuando esta unidad aparece sin un núcleo nominal léxico:

---

[121] Esta restricción no parece vigente en el español clásico, ya que Cuervo aduce múltiples ejemplos en los que los indefinidos relativos se construyen sin relativa restrictiva: *el pasar placeres quien quiera lo hace* [Ávila, *Epístolas,* 2:6.498; cit. Cuervo, *DCRLC* VII, s.v. *quienquiera,* αα]. Tampoco es obligatoria la aparición de la subordinada en la locución *por doquier* («por todas partes»), que todavía se utiliza hoy en el registro culto: *se oían gritos por doquier.*

[122] Fernández Ramírez (1951a: § 199.2, n. 846) señala tal posibilidad: «tanto en la secuencia *cual quiera que sea* como en la adverbial *como quiera que sea* es posible que haya funcionado en su origen como conjunción que introduce la subordinada *sea*».

(194) a. Con cualquiera que trabajes, te sentirás a gusto.
b. Con cualquiera que hables te lo confirmará.
c. A cualquiera que se lo digas, se desmaya.

En (194a), la preposición que precede a *cualquiera* pertenece al régimen de ambos predicados de la oración, lo que da lugar a una relativa libre encajada. Más extrema es la situación en (194b, c), ya que el indefinido aparece como término de una preposición seleccionada únicamente por la subordinada. En estos dos últimos casos se trata, pues, de sendas relativas libres desencajadas que forman parte del sujeto de la oración matriz (cf. los ejemplos de (86) en el § 7.2.4.3). También mantiene *cualquiera* su valor relativo originario en las construcciones concesivas mencionadas en Fernández Ramírez (1951a: § 199): *La salud de las democracias, cualesquiera que sean su tipo y su grado, depende de* [...]. [J. Ortega y Gasset, *La rebelión de las masas,* XIV: 1276]. Como argumenta el citado gramático (Fernández Ramírez 1951a: § 199, n. 846), «si consideramos a *que* como único relativo en esta agrupación, ¿cuál es la naturaleza gramatical de su antecedente?» Nótese, en efecto, que el valor semántico que corresponde al constituyente entre comas es inequívocamente proposicional, lo que no se compadece con la idea de que su núcleo sea el indefinido, que actuaría como antecedente de la subordinada. En cambio, si *cualesquiera* forma parte de la relativa, la naturaleza del constituyente entre comas pasa a ser oracional, con lo que desapare el problema aludido. [123] Así pues, pese a que su evolución le ha llevado a desempeñar funciones de indefinido que se apartan de su origen relativo, *cualquiera* mantiene todavía la posibilidad de encabezar subordinadas relativas.

[123] Otro procedimiento para formar relativas libres de valor indefinido consiste en la reiteración en la subordinada del verbo en subjuntivo de la principal. Tales esquemas tienen valor concesivo y pueden aparecer indistintamente como prótasis *(Sea cual sea el resultado final, el partido habrá salido fortalecido),* como apódosis *(El decreto será mal recibido por la oposición, diga lo que diga el ministro)* o como inciso parentético *(El resultado final, sea cual fuere, favorecerá al secretario general).* Nótese que en las anteriores construcciones el verbo en subjuntivo de la oración matriz debe ocupar la primera posición de grupo fónico: **El resultado final sea cual fuere, el partido habrá salido fortalecido.* Cf. Fernández Ramírez 1951: § 199.3.

TEXTOS CITADOS

[El asterisco indica las referencias indirectas]

*Leopoldo Alas: *La Regenta,* Madrid, Alianza, 1966.
Anuario 1989 de El País, Madrid, El País, 1989.
*Juan de Ávila: *Epístolas,* en *Epistolario espiritual,* Madrid, Espasa Calpe, 1912.
*— *Eucaristía,* en *Epistolario espiritual,* Madrid, Espasa Calpe, 1912.
*— *Tratado de San José,* en *Epistolario espiritual,* Madrid, Espasa Calpe, 1912.
*Francisco Ayala: *Recuerdos y olvidos,* Madrid, Alianza, 1988.
Pío Baroja: *La estrella del capitán Chimista,* Barcelona, Seix Barral, 1986.
Mario Benedetti: *Despistes y franquezas,* Madrid, Alfaguara, 1990.
Adolfo Bioy Casares: *Plan de evasión,* Barcelona, Seix Barral, 1986.
*Camilo José Cela: *La colmena,* Barcelona, Noguer, 1977.
*Gabriel Celaya: *Poesía urgente,* Buenos Aires, Losada, 1960.
Javier Cercas: *El vientre de la ballena,* Barcelona, Tusquets, 1997.
*Miguel de Cervantes: *El ingenioso hidalgo don Quijote de la Mancha,* Madrid, BAE I, 1846.
*— *La entretenida,* en *Comedias,* 2 vols., Madrid, 1749.
*Carlos Coloma: *Guerra de los Estados Bajos,* Madrid, BAE XXVIII.
*Miguel Delibes: *Cartas de amor de un sexagenario voluptuoso,* Barcelona, Destino, 1983.
*— *Aún es de día,* Barcelona, Destino, 1949.
Lorenzo Díaz: *La radio en España 1923-1997,* Madrid, Alianza, 1997.
José Donoso: *Este domingo,* Barcelona, Bruguera, 1980.
**Fuero de Escalona* (1226), en Tomás Muñoz y Romero, *Colección de Fueros municipales,* Madrid, 1847.
*Gabriel García Márquez: *Crónica de una muerte anunciada,* Barcelona, Bruguera, 1981.
*Gaspar Gil Polo: *La Diana enamorada,* Madrid, 1778.
*Ramón Gómez de la Serna: *Ramonismo,* Madrid, Espasa Calpe, 1923.
*Luis de Góngora: *Obras poéticas,* Nueva York, 1921.
Juan Goytisolo: *En los reinos de taifa,* Barcelona, Seix Barral, 1986.
*Luis de Granada: *Introducción al símbolo de la fe,* Madrid, BAE VI, 1927.
*— *Vida de Bartolomé de los mártires,* Madrid, BAE VI, 1927.
*— *Adiciones al Memorial,* Madrid, BAE VIII.
*— *Guía de pecadores,* Madrid, BAE XI.
Diego Hurtado de Mendoza: *De la guerra de Granada,* Valencia, Benito Monfort, 1776.
Melchor Gaspar de Jovellanos: *Plan de instrucción pública,* en *Obras publicadas e inéditas,* Madrid, BAE L, 1859.
Fernando Lázaro Carreter: *El dardo en la palabra,* Barcelona, Galaxia Gutemberg-Círculo de Lectores.
*Juan de Mariana: *Historia general de España,* Madrid, Ibarra, 2 vols., 1780.
Javier Marías: *Todas las almas,* Barcelona, RBA, 1994.
*Juan Márquez: *El gobernador cristiano,* Madrid, 1773.
Manuel Mujica Laínez: *Misteriosa Buenos Aires,* Barcelona, Seix Barral, 1986.
Francisco Martínez de la Rosa: *Anotaciones a la Poética,* en *Obras,* 5 vols., París, 1844-45.
*José Ortega y Gasset: *Meditaciones del Quijote,* Madrid, Artes de la Ilustración, 1921.
*— *La rebelión de las masas,* Madrid, Revista de Occidente, 1936. [Cit. por la ed. en *Obras,* II, Madrid, Espasa Calpe, 1943.]
*Emilia Pardo Bazán: *La sirena negra,* Madrid, Archivos, 1908.
*José M.ª de Pereda: *Don Gonzalo González de la Gonzalera,* Madrid, Tello, 1889.
*Benito Pérez Galdós: *Misericordia,* París, Thomas Nelson, 1913.
*— *Zumalacárregui,* Madrid, Hernando, 1949.
El Periódico de Catalunya, edición electrónica de los diarios de 1996, 4 discos compactos, Barcelona, 1996.
*Hernando del Pulgar: *Claros varones de Castilla,* Madrid, 1789.

Horacio Quiroga: *El Simún y otros relatos,* Barcelona, Seix Barral, 1986.
Juan Rulfo: *Pedro Páramo. El llano en llamas,* Barcelona, Seix Barral, 1983.
*Diego de Saavedra Fajardo: *Empresas,* Madrid, BAE XXV.
Andrés Sopeña Monsalve: *El florido pensil,* Barcelona, Crítica, 1994.
Osvaldo Soriano: *La hora sin sombra,* Buenos Aires, Norma, 1995.
*Teresa de Jesús: *Libro de las fundaciones,* Madrid, BAE LIII.
Gonzalo Torrente Ballester: *La muerte del Decano,* Barcelona, RBA, 1994.
*Miguel de Unamuno: *Del sentimiento trágico de la vida en los hombres y en los pueblos,* Madrid, Espasa Calpe, 1938.
Manuel Vázquez Montalbán: *La Rosa de Alejandría,* Barcelona, Seix Barral, 1984.
*Alejo Venegas: *Agonía del tránsito de la muerte,* en *Tesoro de escritores místicos españoles,* París, 1847.
*Diego de Yepes: *Vida de Santa Teresa,* Madrid, 1785.

REFERENCIAS BIBLIOGRÁFICAS

ALARCOS LLORACH, EMILIO (1962): «¡Lo fuertes que eran!», en *Strenæ. Homenaje al profesor García Blanco,* Salamanca, Universidad de Salamanca. [Cit. por la reed. en Alarcos (1973), págs. 178-191.]

— (1963): «Español *que*», *Archivum,* XIII. [Cit. por la reed. en Alarcos (1973), págs. 192-206.]

— (1973): *Estudios de gramática funcional del español,* Madrid, Gredos.

— (1994): *Gramática de la lengua española,* Madrid, Espasa Calpe.

ALCINA FRANCH, JUAN y JOSÉ M.ª BLECUA (1975): *Gramática española,* Barcelona, Ariel.

ALCOBA RUEDA, SANTIAGO (1985): 'Estrategias de relativización y jerarquía de accesibilidad en español', *REL* 15:1, págs. 97-116.

ALETÁ ALCUBIERRE, ENRIQUE (1990): *Estudios sobre las oraciones de relativo,* Zaragoza, Universidad de Zaragoza.

ALIAGA, FRANCISCO y M. VICTORIA ESCANDELL VIDAL (1988): «*Cuando* + SN: Algunos problemas sintácticos», en Carlos Martín Vide (editor), *Lenguajes naturales y lenguajes formales,* III.2, Barcelona, Universidad de Barcelona, págs. 389-401.

ALVAR, MANUEL (1959): *El español hablado en Tenerife,* Madrid, C.S.I.C.

ÁLVAREZ MARTÍNEZ, M.ª ÁNGELES (1986): *El artículo como entidad funcional en el español de hoy*, Madrid, Gredos.

— (1987): *Rasgos gramaticales del español en Canarias*, La Laguna, Instituto de Estudios Canarios.

ÁLVAREZ MENÉNDEZ, ALFREDO IGNACIO (1989): *Las construcciones consecutivas en español. Estudio funcional sobre la oración compuesta*, Oviedo, Universidad de Oviedo.

— (1995): *Las construcciones consecutivas,* Madrid, Arco/Libros.

BELLO, ANDRÉS (1847): *Gramática de la lengua castellana destinada al uso de los americanos*, ed. crítica de R. Trujillo con las notas de R. J. Cuervo, Madrid, Arco/Libros, 1988.

BENOT, EDUARDO (1910): *Arte de hablar. Gramática filosófica de la lengua castellana*, Barcelona, Anthropos, 1991.

BOK-BENNEMA, REINEKE (1990): «On the COMP of Relatives», en J. Mascaró & M. Nespor (eds.), *Grammar in Progress. GLOW Essays for Henk van Riemsdijk*, Dordrecht, Foris, págs. 51-59.

BORETTI, SUSANA (1991): «(Des)uso preposicional ante 'que' relativo», en C. Hernández *et alii* (eds.), *El español de América*, I, Salamanca, Junta de Castilla y León, págs. 445-454.

BOSQUE, IGNACIO (1984): «Sobre la sintaxis de las oraciones exclamativas», *Hispanic Linguistics*, 1, páginas 283-304.

— (1989): *Las categorías gramaticales,* Madrid, Síntesis.

BOSQUE, IGNACIO y JOSÉ M.ª BRUCART (1991): «QP Raising in Spanish Superlatives», texto multicopiado, UCM/UAB.

BOSQUE, IGNACIO y JUAN CARLOS MORENO (1990): «Las construcciones con *lo* y la denotación del neutro», *Lingüística* 2, págs. 5-50.

BROWNING, MARGARET A. (1987): *Null Operator Constructions,* Cambridge (Mass.), tesis doctoral del MIT.

BRUCART, JOSÉ M.ª (1987): «Sobre la representación sintáctica de las estructuras coordinadas», *REL* 17:1, págs. 105-129.

— (1992): «Sobre el análisis de las construcciones enfáticas con artículo y cláusula de relativo», en E. Alarcos *et alii, Gramma-temas,* 1, págs. 39-63.

— (1993): «Sobre la estructura de SComp en español», en A. Viana (ed.), *Sintaxi. Teoria i perspectives,* Lleida, Pagès, págs. 59-102.

— (1994a): «El funcionamiento sintáctico de los relativos en español», en A. Alonso, B. Garza y J. A. Pascual (eds.), *II Encuentro de lingüistas y filólogos de España y México,* Salamanca, Universidad de Salamanca, págs. 443-469.

— (1994b), «Sobre una incompatibilidad entre posesivos y relativas especificativas», en V. Demonte (ed.), *Gramática del español,* México, El Colegio de México, págs. 51-86.

BUTT, JOHN y CARMEN BENJAMIN (1988): *A New Reference Grammar of Modern Spanish,* Londres, Edward Arnold.

CAMPOS, HÉCTOR (1994): «Seudo-elevación y seudo-relativas en español», en V. Demonte (ed.), *Gramática del español,* México, El Colegio de México, págs. 201-236.

CANO AGUILAR, RAFAEL (1995): *Sintaxis histórica de la comparación en español. La historia de* como, Sevilla, Universidad de Sevilla.

CATALÁN MENÉNDEZ-PIDAL, DIEGO (1964): «El español en Canarias», en *Presente y futuro de la lengua española,* I, Madrid, Instituto de Cultura Hispánica, págs. 239-280. [Cit. por la reed. en D. Catalán Menéndez-Pidal (1989): *El español. Orígenes de su diversidad,* Madrid, Paraninfo, págs. 145-201.]

Cinque, Guglielmo (1988): «La frase relativa», en L. Renzi (ed.), *Grande grammatica i sultazione,* I, Roma, Il Mulino, págs. 443-503.

Cortés Palazuelos, M.ª Helena (1996): «Lo que es a ellos, ¡lo difícil que les resulta!», en M. E. Prado, J. Le Men & F. J. Grande (eds.), *Tendencias actuales en la enseñanza del españo lengua extranjera,* II, León, Universidad de León, págs. 97-103.

Cortés Rodríguez, Luis (1987): «El 'que' relativo y su antecedente en la lengua hablada», *REL* 17, págs. 301-325.

Cuervo, Rufino José (1951-1994): *Diccionario de construcción y régimen de la lengua castellana,* 8 vols., Santafé de Bogotá, Instituto Caro y Cuervo. [*DCRLC* en el texto.]

D'Introno, Francesco (1979): *Sintaxis transformacional del español,* Madrid, Cátedra.

Elvira, Javier (1986): «Observaciones sobre el uso de *el que* y otros grupos relativos en español medieval», *Dicenda* 5, págs. 183-194.

— (1989): «*Qui* y *quien* con antecedente en español antiguo», *NRFH* XXXVII, págs. 1-18.

Escandell Vidal, M. Victoria (1995): *Los complementos del nombre,* Madrid, Arco/Libros.

Espinosa, Aurelio M. (1911-1913): «Studies in New Mexican Spanish, II. Morphology», *Revue de Dialectologie Romane* III (págs. 251-286); IV (págs. 241-256), y V (págs. 142-172).

Fernández Ramírez, Salvador (1951a): *Gramática española, I: Los sonidos, el nombre y el pronombre,* Madrid, Revista de Occidente. [Cit. por la reed. en 3 vols. de J. Polo, Madrid, Arco/Libros, 1986-1987.]

— (1951b): *Gramática española, 4: El verbo y la oración,* vol. ordenado y completado por I. Bosque, Madrid, Arco/Libros, 1986.

Fernández Soriano, Olga (1995): «Pronombres reasuntivos y doblado de clíticos», en P. Goenaga (ed.), *De Grammatica Generativa,* Gasteiz-Donostia, Universidad del País Vasco, págs. 109-128.

Fontanillo, Enrique y M.ª Isabel Riesco (1990): *Teleperversión de la lengua,* Barcelona, Anthropos.

Gili Gaya, Samuel (1943): *Curso superior de sintaxis española,* Barcelona, Biblograf, 1969[9].

Gómez Hermosilla, José M.ª (1835): *Principios de gramática general,* Madrid, Imprenta Nacional, 1841[3].

Goodall, Grant (1987): *Parallel Structures in Syntax,* Cambridge, Cambridge University Press.

Gutiérrez Araus, M.ª Luz (1985): «Sobre la elisión de preposición ante relativo», *LEA* VII:1, páginas 15-36.

Gutiérrez Ordóñez, Salvador (1986): *Variaciones sobre la atribución,* León, Universidad de León.

Hernanz, M. Lluïsa y José M.ª Brucart (1987): *La sintaxis, I: Principios generales. La oración simple,* Barcelona, Crítica.

Kany, Charles E. (1945): *American-Spanish Syntax,* Chicago, University of Chicago Press. [Citamos por la ed. española, *Sintaxis hispanoamericana,* Madrid, Gredos, 1963.]

Kayne, Richard S. (1976): «French Relative *que*», en M. Luján & F. Hensey (eds.), *Current Studies in Romance Linguistics,* Washington, Georgetown University Press, págs. 255-299.

— (1994): *The Antisymmetry of Syntax,* Cambridge (Mass.), MIT Press.

Kovacci, Ofelia (1979): «Proposiciones relativas discontinuas, extraposición del relativo y la distribución de los modos en la inclusión sustantiva», *Revista Universitaria de Letras* (Mar del Plata), I.2. [Citado por la reed. en O. Kovacci, *Estudios de gramática española,* Buenos Aires, Edicial, 1994, págs. 141-161.]

Lapesa, Rafael (1980): *Historia de la lengua española,* Madrid, Gredos.

Lenz, Rodolfo (1920): *La oración y sus partes. Estudios de gramática general y castellana,* Santiago de Chile, Nascimento, 1944.

Leonetti Jungl, Manuel (1990): *El artículo y la referencia,* Madrid, Taurus.

Lope Blanch, Juan Manuel (1984): «Despronominalización de los relativos», *Hispanic Linguistics,* I, págs. 257- 272. [Cit. por la reed. en J. M. Lope Blanch (1986): *Estudios de lingüística española,* México, UNAM, págs. 119-136.]

López García, Ángel (1994): *Gramática del español. I. La oración compuesta,* Madrid, Arco/Libros.

Lorenzo Ramos, Antonio (1976): *El habla de Los Silos,* Madrid, CECA.

Martínez, José Antonio (1989): *El pronombre, II: Numerales, Indefinidos y Relativos,* Madrid, Arco/Libros.

— (1994): *Cuestiones marginadas de gramática española,* Madrid, Istmo.

Menéndez Pidal, Ramón (1904): *Manual de gramática histórica española,* Madrid, Espasa Calpe, 1977[15].

Moreno Cabrera, Juan Carlos (1991): *Curso universitario de lingüística general, I: Teoría de la gramática y sintaxis general,* Madrid, Síntesis.

Muller, Claude (1996): *La subordination en français. Le schème corrélatif,* París, Armand Colin.

Navarro Tomás, Tomás (1944): *Manual de entonación española,* Madrid, Guadarrama, 1974[4].

Ana (1992): *Los sintagmas relativos en inglés y en español,* Oviedo, Universidad de Oviedo.
rbara Hall (1975): «Montague Grammar and Transformational Grammar», *LI* 6, págs. 203-

o, Carmen (ed.) (1995): *El complemento directo preposicional,* Madrid, Visor.
n, Susan (1980): *Relative Clauses in Spanish without Overt Antecedents and Related Constructions,* Berkeley, University of California Press.
— (1982): «Indirect Questions in Spanish», *LI* 13, págs. 297-312.
— (1984): «Cláusulas cuantificadas», *Verba* 11, págs. 101-128.
Porto Dapena, José Álvaro (1997a): *Oraciones de relativo,* Madrid, Arco/Libros.
— (1997b): *Relativos e interrogativos,* Madrid, Arco/Libros.
Pruñonosa-Tomás, Manuel (1990): *De la cláusula relativa. Los relativos* donde *y* cuando, Valencia, Universidad de Valencia.
Real Academia Española (1928): *Gramática de la lengua española,* Madrid, Hernando. [RAE 1928 en el texto.]
— (1973): *Esbozo de una nueva gramática de la lengua española,* Madrid, Espasa Calpe. [RAE 1973 en el texto.]
Ridruejo, Emilio (1977): «El pronombre *qui* en los poemas de Gonzalo de Berceo», *Berceo* (Logroño) 93, págs. 3-33.
Rivero, M.ª Luisa (1980): «*That*-Relatives and Deletion in COMP in Spanish», *Cahiers Linguistiques d'Ottawa* 9, págs. 383-399.
— (1982): «Las relativas restrictivas con *que*», *NRFH* 31, págs. 195-234. [Reed. en M. L. Rivero (1991): págs. 35-77.]
— (1984): «Diachronic Syntax and Learnability: Free Relatives in 13th-Century Spanish», *JL* 20, páginas 81-129. [Versión española en M. L. Rivero (1991): págs. 127-178.]
— (1986a): «Dialects and Diachronic Syntax: Free Relatives in Old Spanish», *JL* 22, págs. 443-454. [Versión española en M. L. Rivero (1991): págs. 179-192.]
— (1986b): «Sintaxis diacrónica: relativas y pronombres átonos en español», *Revista Argentina de Lingüística,* 2, págs. 343-360. [Reed. en M. L. Rivero (1991): págs. 193-208.]
— (1988), «La sintaxis de *qual quiere* y sus variantes en el español antiguo», *NRFH* XXXVI, págs. 47-73. [Reeditado en M. L. Rivero (1991): págs. 209-235.]
— (1991): *Las construcciones de relativo,* Madrid, Taurus.
Salvá, Vicente (1830): *Gramática de la lengua castellana,* Madrid, Arco/Libros, 1988.
Schroten, Jan (1984): «Two Approaches to the Distribution of Spanish Relative Pronouns», en J. Mascaró *et alii* (eds.): *Estudis gramaticals,* 1, págs. 295-327.
Seco, Manuel (1961): *Diccionario de dudas y dificultades de la lengua española,* Madrid, Espasa Calpe, 1986[9]. [*DDDLE* en el texto.]
Smits, Rik J. C. (1989): *Eurogrammar. The Relative and Cleft Constructions of the Germanic and Romance Languages,* Dordrecht, Foris.
Solà, Joan (1987): «'Ara ja sé el que no sé' (Les pseudo-relatives en català)», en J. Solà, *Qüestions controvertides de sintaxi catalana,* Barcelona, Edicions 62, págs. 217-238.
Suñer, Margarita (1984): «Free Relatives and the Matching Parameter», *LingR* 3, págs. 363-387.
Torrego, Esther (1988): «Operadores en las exclamativas con artículo determinado de valor cuantitativo», *NRFH* 36, págs. 109-122.
Trujillo, Ramón (1990): «Sobre la supuesta despronominalización del relativo», *ELUA* 6, págs. 23-45.
Vergnaud, Jean-Roger (1974): *French Relative Clauses,* Cambridge (Mass.), tesis doctoral del MIT.
Williams, Edwin (1978): «Across-the-Board Rule Application», *LI* 9, págs. 31-43.

8
LA APOSICIÓN Y OTRAS RELACIONES DE PREDICACIÓN EN EL SINTAGMA NOMINAL

AVEL·LINA SUÑER GRATACÓS
Universitat de Girona

ÍNDICE

8.1. Introducción

Aunque el término 'aposición' suele aplicarse al resultado de yuxtaponer dos elementos, generalmente de naturaleza nominal, esta noción gramatical posee límites acaso difusos puesto que las construcciones apositivas incluyen un conjunto de fenómenos diversos que van desde compuestos léxicos como *mujer objeto* o *peso pluma*, pasando por la estructura de la frase nominal *(Jalisco, la provincia del gran Rulfo)*, hasta la interpolación de incisos nominales por motivos discursivos. En todos los casos citados una expresión nominal establece con un antecedente una relación predicativa. [1]

El nombre mismo del fenómeno, *appositio*, del latín *apponere* —equivalente a «colocar junto a»— nos indica ya que suele existir adyacencia entre los términos en aposición. [2] Esta circunstancia no es casual, no responde únicamente al mero deseo de un hablante de colocar contiguos dos elementos, sino que es manifestación de la relación predicativa que necesariamente debe mediar entre los dos miembros en aposición. Las aposiciones introducirían, pues, una predicación secundaria (cf. Stowell 1983) de carácter nominal [→ §§ 38.1 y 73.2.2], usada para especificar o explicar otra palabra de la misma especie. Así se ilustra en (1) y en (2):

(1) a. Un coche bomba.
b. Una mujer objeto.
c. Una visita relámpago.
d. Una oferta estrella.

(2) a. Stephane Grapelli, el genio del violín.
b. Jalisco, la provincia del gran Rulfo.
c. Laura y María, sus hijas.
d. Macondo, la región imaginaria recreada por García Márquez.

El significado de *coche* en (1a) queda limitado por el nombre en aposición *bomba*, y ocurre lo mismo con el nombre *mujer* de (1b) respecto a la aposición *objeto*, situación que se reproduce en cada uno de los ejemplos de este grupo [→ § 73.2]. En (2) los hechos son distintos. Aquí los términos en aposición *el genio del violín, la provincia del gran Rulfo, sus hijas* o *la región imaginaria recreada por García Márquez* no restringen el significado de sus respectivos antecedentes sino que explican mediante una paráfrasis nominal algunas de sus propiedades intrínsecas. Se habla en estos segundos casos de aposiciones 'explicativas', 'no restrictivas' o 'descriptivas', mientras que para ejemplos como los de (1) se usa la etiqueta de aposición 'especificativa' o 'restrictiva'. Esta distinción, apuntada en Salvá 1830, y desarrollada

---

[1] El término *appositio*, se viene utilizando desde Quintiliano y aparece ya en Nebrija y Correas. La tradición gramatical española se ha ocupado extensamente de la aposición. Destaca por su exhaustividad el estado de la cuestión que propone De Paula Pombar (1983: 7-40).

[2] La necesidad de adyacencia entre los términos en aposición es una propiedad que aparece destacada ya en Nebrija 1492: 283. En sus propias palabras: «...cuando un nombre sustantivo se añade a otro sustantivo sin conjuncion alguna, como diziendo *io estuve en Toledo ciudad de España*: i llamase aposicion que quiere decir postura de una cosa a otra o sobre otra». Esta propiedad de los nombres sustantivos en aposición los equipara al adjetivo «porque siempre se arrima al sustantivo» (Nebrija 1492: 211), y contrasta con el comportamiento usual del sustantivo: «Substantivo se llama porque está por si mesmo: et no se arrima a otro ninguno. como diziendo *ombre bueno. ombre* es sustantivo: por que puede estar por si mesmo. *bueno* adjectivo: porque no puede estar por si: sin que se arrime al sustantivo» (Nebrija 1492: 211). Incide en la misma cuestión Correas (1627: 74) «La epitheke ó apposizion, es allegada, ó arrimada postura tras otra cosa, quando después de un nombre sustantivo se añade y pone otro...».

por Bello (1847), se hace extensiva a las relativas y a los adjetivos y se reproducirá sin grandes cambios en la mayoría de gramáticas posteriores.[3]

Si la aposición constituye un único grupo fónico, recibirá el nombre de 'aposición unimembre' (ejemplos de (1)), mientras que si aparece segmentada en dos grupos fónicos se denominará 'aposición bimembre' (ejemplos de (2)).

Generalmente puede establecerse una correlación entre el vínculo semántico 'restrictivo' o 'no restrictivo' que mantiene el elemento en aposición con su antecedente y la disposición fónica 'unimembre' o 'bimembre' de la construcción apositiva. Así, la mayoría de aposiciones no restrictivas serán bimembres, mientras que las restrictivas tenderán a aparecer en un único grupo fónico. Ahora bien, en ciertas ocasiones la mencionada correspondencia entre criterios fónicos y semánticos se desdibuja[4] por lo que en este capítulo se optará por la dicotomía restrictiva-no restrictiva.

La ruptura entonacional que se produce entre los dos miembros de las aposiciones no restrictivas acostumbra a representarse gráficamente mediante un signo de puntuación, generalmente una coma, aunque se observa cierta libertad en los escritores puesto que encontramos, junto al uso preferente de las comas, los dos puntos, guiones, paréntesis y puntos. En los ejemplos siguientes vemos casos de las cinco opciones citadas:

(3) a. Totem y tabú, *mi primer encuentro con Freud*.
b. BMW, *el placer de conducir*.
c. Gamallo, *el general rebelde*, ocupó sin disparar un tiro una Región abandonada en los primeros días de diciembre, ... [J. Benet, *VR*, 286]

(4) a. ...Hoy sólo dispone de un refugio: *el almacén de bebidas y trastos viejos*, ... [J. Marsé, *UTT*, 255].[5]
b. La Carlota y la Pura son dos productos de secano: *dos hembras corpulentas morenazas*, ascéticas, bravías y grandilocuentes. [C. J. Cela, *TH*, 221-22]
c. Hoy en el País Vasco sigue ocurriendo lo mismo: *las personas bajan la voz en los bares cuando hablan de política*. [*El País*, 15-VII-1996]

(5) a. ... Un cierto comienzo de prosperidad, una afluencia desusada de buenas familias *—las que inventaron el veraneo—*, un clima de altura. [J. Benet, *VR*, 122]

---

[3] Cf. el § 7.1.3 para esta distinción en las relativas y, para los adjetivos, el § 3.2.3.3.

[4] En Martínez 1994: 174 y ss. se exploran las diversas denominaciones que se han aplicado, los tipos de construcciones apositivas y los problemas que surgen al intentar establecer correspondencias. Tampoco coincide con la dualidad 'restrictiva' y 'no restrictiva' la clasificación entre 'aposiciones comentario' y 'aposiciones identificadoras' propuesta en Lapesa 1996: 127-128. De acuerdo con este autor «la *aposición comentario* supone una clasificación o una valoración y por lo tanto se usa sin artículo: "Las Indias, *refugio* y *amparo* de los desesperados de España, *yglesia* de los alçados..., *engaño* común de muchos y remedio particular de pocos" (Cervantes, *Celoso extr.*, 148); "Tu proyecto, *intento nobilísimo*, está condenado al fracaso"; "Luis, *miembro* de aquella sociedad, conoció mejor los hechos". La 'aposición identificadora' lleva actualizadores: "Juanita, *aquella* niña que venía a vernos hace años"; "Lo sé por Antonio, *tu primo*"; "he hablado con Don Pedro, el *director* de la compañía"». (Lapesa 1996: 127-128). Como se verá en el § 8.3 algunas de las consideradas por Lapesa 'aposiciones comentario', concretamente las que aparecen como nombres escuetos, pueden funcionar como incisos predicativos y poseen propiedades distintas a las aposiciones. Del carácter valorativo de algunos elementos predicativos se hablará en el § 8.4. Nótese, sin embargo, que todos los casos citados por Lapesa tienen dos grupos fónicos, por lo que la clasificación propuesta por este autor se haría exclusivamente sobre el grupo de las aposiciones bimembres.

[5] Los ejemplos de (4), (5) y (6) están tomados de los trabajos de De Paula Pombar (1983) y Martínez (1994).

b. ... Ni vestirse ella —*tu bisabuela*— de Escarlata O'Hara en la temporada de ópera del teatro Wood... [A. Grosso, *FM*, 210]
c. ... pero todos —*clientes y profesionales*— preferían la luz rosa... [L. Martín Santos, *TS*, 165]
d. ... no se transmiten en el tiempo ni siquiera se reproducen porque algo —*la costumbre, el instinto*, quizá— se preocupará de silenciar y relegar a un tiempo de ficción. [J. Benet, *VR*, 93]

(6) a. La mano de Pedro fina, pero no tanto como hubiera sido si él fuera un hábil quirurgo dispuesto a seguir los derroteros triunfales que la otra vieja *(la de la pensión)* soñaba, transmitió por sus nervios sensitivos hasta el alma encogida del muchacho una clara repulsión. [L. Martín Santos, *TS*, 152]
b. Ahora Luis divagaba sobre los problemas sexuales de la juventud española (*un nuevo error*, gravísimo esta vez)... [J. Marsé, *UTT*, 222]

(7) a. Me fui a la ciudad. *Un horno*. Pero me sumergí en él con cierto placer. [L. Sciascia, *TM*, 71]
b. Alfa Romeo. *La pasión de conducir.*
c. Panasonic. *El futuro de la imagen.*

8.2. Predicación, equivalencia funcional y correferencia entre los términos en aposición

Además de ser adyacentes, algunos autores han sugerido que los términos en aposición tienen que ser equivalentes en cuanto a la función que desempeñan en la frase, y deben poseer cierto grado de correferencia.

La primera de las propiedades señaladas explica por qué el pronombre átono *te* de la frase siguiente no es una aposición del sujeto *tú*, aunque, evidentemente sea correferente a él.

(8) *Tú te* crees muy listo ¿verdad?

Si se parte de la premisa de la equifuncionalidad, se entiende fácilmente que en algunas aposiciones explicativas el término en aposición pueda aparecer en los mismos contextos en que hallamos a su antecedente. Así ocurriría, por ejemplo, en (9) o en (10), donde los términos en aposición *el genio del violín* o *la hija del presidente de los Estados Unidos* pueden desempeñar la función de sujetos de sus respectivas frases, del mismo modo que los sintagmas nominales *Stephane Grapelli* o *Chelsea Clinton.*

(9) a. *Stephane Grapelli, el genio del violín*, murió a finales del 1997.
b. *Stephane Grapelli* murió a finales del 1997.
c. *El genio del violín* murió a finales del 1997.

(10) a. *Chelsea Clinton, la hija del presidente de los Estados Unidos*, acompañará a sus padres en el viaje oficial a Egipto.
b. *La hija del presidente de los Estados Unidos* acompañará a sus padres en el viaje oficial a Egipto.
c. *Chelsea Clinton* acompañará a sus padres en el viaje oficial a Egipto.

Podría afirmarse que tanto *Stephane Grapelli* como *el genio del violín* en (9), o *Chelsea Clinton* y *la hija del presidente de los Estados Unidos* en (10) pueden desempeñar indistintamente la función de sujeto porque existe correferencia entre los dos miembros de cada par. Esta equivalencia queda puesta de relieve en oraciones copulativas identificativas como (11) y (12), que permiten que cualquiera de los dos términos desempeñe la función de sujeto o de atributo indistintamente.

(11) a. *Stephane Grapelli* es *el genio del violín.*
b. *El genio del violín* es *Stephane Grapelli.*
(12) a. *Chelsea Clinton* es *la hija del presidente de los Estados Unidos.*
b. *La hija del presidente de los Estados Unidos* es *Chelsea Clinton.*

Sin embargo, hablar de correferencia entre el sujeto y el atributo de una oración atributiva identificativa plantea problemas.[6] Aunque el verbo copulativo establece una especie de equiparación entre ambos elementos, estos no son referencialmente equivalentes en todos los contextos. Por ejemplo, solamente *el genio del violín* admite la conmutación por *lo* en una frase como (13a). En el caso paralelo de (13b), si se intenta la substitución del nombre propio *Stephane Grapelli* por el mismo pronombre, el resultado es claramente anómalo. Y lo mismo ocurre con *Chelsea Clinton* y *la hija del presidente de los Estados Unidos* en (14).

(13) a. Para mí, Stephane Grapelli es *el genio del violín* aunque evidentemente para ti puede no ser*lo*.
b. *Para mí, el genio del violín es *Stephane Grapelli* aunque evidentemente para ti puede no ser*lo*.
(14) a. *Chelsea Clinton* es *la hija del presidente de los Estados Unidos* pero seguramente en algunas ocasiones hubiera deseado no ser*lo*.
b. **La hija del presidente de los Estados Unidos* es *Chelsea Clinton* pero seguramente en algunas ocasiones hubiera deseado no ser*lo*.

Se observan asimetrías parecidas en construcciones ecuativas usadas para dar realce al sujeto. En *Es Stephane Grapelli quien es el genio del violín* sólo *Stephane Grapelli* puede aparecer escindido, como prueba la malformación de la frase paralela **Es el genio del violín quien es Stephane Grapelli.* Evidentemente se produce el mismo fenómeno respecto al par *Chelsea Clinton* y *la hija del presidente de los Estados Unidos*. De todo lo anterior puede deducirse que un nombre propio no puede desempeñar la función de predicado [→ § 37.4.1].[7]

Existen además razones discursivas que vuelven a avalar esta diferencia. Por ejemplo, una frase como (11b) puede ser una respuesta adecuada a una pregunta como *¿Quién es el genio del violín?*; sin embargo, no puede decirse lo mismo de la frase de (11a). El mismo paralelismo puede establecerse respecto al par de oraciones de (12) y la pregunta *¿Quién es la hija del presidente de los Estados Unidos?*

---

[6] Los ejemplos de (11a) y (12a) serían oraciones copulativas rectas, mientras que en los casos de b) estaríamos ante copulativas inversas, en las que el elemento poscopular especifica un referente. Sobre la peculiar estructura de las oraciones copulativas y sus diferentes interpretaciones consúltese Moreno 1984 o los estudios de Moro (1991a, 1991b y 1997), así como el capítulo 37 de esta gramática, en particular, los §§ 37.3.4 y 37.4.2.

[7] Aunque véase en el § 8.2.2.1 el comportamiento peculiar de ciertos nombres propios como *Siena, Burdeos, Prusia, Giotto* o *Van Gogh* que pueden actuar como predicados junto a nombres de color.

En vista de lo anterior, concluiremos que *Stephane Grapelli* y *el genio del violín*, por un lado, o *Chelsea Clinton* y *la hija del presidente de los Estados Unidos* por otro, pueden desempeñar indistintamente la función de sujetos en (9) y en (10) respectivamente, no porque los dos miembros de cada uno de los pares se refieran a la misma realidad extralingüística, cosa que evidentemente ocurre en muchos contextos, sino por razones formales, básicamente porque se trata de sintagmas nominales que establecen una relación de concordancia con el predicado.

Queda pendiente la cuestión de si los elementos que aparecen en una aposición no restrictiva son equivalentes desde un punto de vista funcional. Los hechos que presentábamos en (9) y en (10) podrían inducir a pensar que sí. Ahora bien, este planteamiento tiene una serie de puntos débiles. Por ejemplo, si ambos elementos tuvieran la misma función, el significado del sintagma resultante sería el resultado de sumar los referentes de cada uno de los segmentos, como ocurre en una estructura coordinada. Sin embargo, un sintagma coordinado como el sujeto de la oración de (15a) desencadena una concordancia en plural del verbo *llegar* que muestra el valor aditivo de la coordinación. Este hecho contrasta claramente con la oración (15b), cuyo sujeto, la construcción apositiva, *Miquel, el padre de Laura* se refiere a una única persona y, por lo tanto, el verbo concuerda en singular.

(15) a. *Miquel y el padre de Laura* siempre llegan tarde.
b. *Miquel, el padre de Laura*, siempre llega tarde.

Las fronteras entre aposición y coordinación, nítidas en ejemplos como los anteriores, se desdibujan si el segmento en aposición no aparece precedido por un artículo determinado. Nótese, por ejemplo, que en el sintagma coordinado *el nieto y el heredero de Giovanni Agnelli* se designa a dos personas distintas, mientras que *el nieto y heredero de Giovanni Agnelli* deben compartir necesariamente la misma referencia [→ §§ 41.2.2.4 y 41.2.3.1]. Obsérvese también que el significado de este último sintagma coordinado tiene una interpretación paralela a la que correspondería al sintagma en aposición *el nieto, (el) heredero de Giovanni Agnelli*. Es lo que vemos también en las oraciones de (16) y (17), y en las de (18) y (19):

(16) a. La conocida actriz y *la amiga del difunto* serán las beneficiarias del testamento.
b. La conocida actriz y *amiga del difunto* será la beneficiaria del testamento.

(17) a. La conocida actriz, *la amiga del difunto*, será la beneficiaria del testamento.
b. La conocida actriz, *amiga del difunto*, será la beneficiaria del testamento.

(18) a. Cicciolina, la diputada radical italiana y *la actriz porno*, compartieron fiesta nocturna el pasado miércoles en Marbella con la ex emperatriz del Irán, Soraya.
b. Cicciolina, la diputada radical italiana y *actriz porno*, compartió fiesta nocturna el pasado miércoles en Marbella con la ex emperatriz del Irán, Soraya. [*El País*, 31-VII-1987, 44] [8]

---

[8] Este ejemplo está tomado de Martínez 1994: 208.

(19) a. Cicciolina, la diputada radical italiana, *la actriz porno*, compartió fiesta nocturna el pasado miércoles con la ex emperatriz del Irán, Soraya.
b. Cicciolina, la diputada radical italiana, *actriz porno*, compartió fiesta nocturna el pasado miércoles en Marbella con la ex emperatriz del Irán, Soraya.

En (16) el sujeto es una estructura coordinada, mientras que en (17) nos encontramos con una aposición. Vemos que sólo en (16a) se habla de dos personas y que en (16b), a pesar de que se utiliza la coordinación, esta sirve para sumar dos propiedades, la de ser *conocida actriz* por un lado, y la de ser *amiga del difunto* por otro. El carácter aditivo que conlleva el uso de la coordinación copulativa no se refleja obteniendo como resultado dos personas, sino en la suma de dos propiedades atribuibles a una única persona, identificada mediante el artículo determinado. Una explicación paralela podría darse para los ejemplos de (18) y (19).

En ocasiones, la indefinición entre segmentos coordinados o en aposición puede dar lugar a la presencia de ambigüedades, sobre todo cuando aparecen citadas series de elementos. En una frase como (20a), por ejemplo, los padrinos, pueden ser tanto dos personas como tres. En el primer caso, interpretamos que *el padre de la novia* lleva como aposición el segmento *el barón Juan von Knobloch del Alcázar* y que por lo tanto se refiere a la misma persona, mientras que en el segundo, cada uno de los segmentos designa a una persona distinta. En cambio, si omitimos el artículo de *el padre de la novia*, sólo podemos interpretar el segmento resultante como una aposición; por consiguiente, en un ejemplo como (20b) los padrinos son dos personas.

(20) a. Fueron padrinos *el barón Juan von Knobloch del Alcázar, el padre de la novia y Doña Carmen Carrasco Ferrer.*
b. Fueron padrinos *el barón Juan von Knobloch del Alcázar, padre de la novia, y Doña Carmen Carrasco Ferrer.*

La aposición comparte también propiedades con la coordinación disyuntiva [→ § 41.3]. Estos casos son también sensibles al carácter determinado del segundo elemento. Obsérvense los siguientes ejemplos:

(21) a. *Miguel o su hermano* sabrán decirte qué debes hacer para sacar este virus de tu ordenador.
b. El *protagonista* o *personaje principal de la fábula* es Hércules.

En (21a) no podemos asumir que los términos *Miguel o su hermano* estén en aposición. Se refieren ambos a entidades claramente diferenciadas y no hay ninguna relación de predicación entre ellos. Sin embargo, nótese que un segmento como *personaje principal de la fábula* parece comportarse como un término en aposición. De hecho, podemos omitir la conjunción *o* y el significado de la oración no variaría sensiblemente *(El protagonista, personaje principal de la fábula, es Hércules)*, mientras que si hacemos lo mismo en (21a) obtenemos una oración incongruente *(*Miguel, su hermano, sabrán qué debes hacer...)*.

8.2.1. La naturaleza de la relación predicativa entre los términos en aposición

En los ejemplos de (22) el segmento *el padre de Windows 95* establece con el nombre *Bill Gates* el mismo tipo de relación semántica, independientemente de que se trate de una aposición como en (22a) o de un atributo nominal como en (22b).

(22) a. Bill Gates, *el padre de Windows 95.*
b. Bill Gates es *el padre de Windows 95.*

En ambos casos se identifica el predicado *el padre de Windows 95* con el nombre propio *Bill Gates*, aunque sólo en la oración de (22b) esta operación se realiza con un verbo copulativo como intermediario. [9]

La malformación de las secuencias de (23), que indicamos mediante el símbolo #, es atribuible justamente a que los términos en aposición aportan predicaciones falsas a sus antecedentes, mientras que los enunciados paralelos de (24) ilustran predicaciones verdaderas.

(23) a. #La luna, *el centro de nuestro sistema solar.*
b. #Amsterdam, *la capital de Italia.*
(24) a. El sol, *el centro de nuestro sistema solar.*
b. Roma, *la capital de Italia.*

Obsérvese que puede establecerse una correlación entre los enunciados de (23) y los de (24) y las oraciones atributivas de (25) y (26). Tan sinsentido es la secuencia en aposición (23a) como la correspondiente oración atributiva de (25a). Y la razón es la misma en ambos casos: el predicado, sea este una aposición o un atributo nominal no resulta coherente desde un punto de vista semántico con el nombre al cual se refiere. El mismo paralelismo puede establecerse entre la buena formación de las aposiciones de (24) y las oraciones atributivas de (26).

(25) a. #La luna es el centro de nuestro sistema solar.
b. #Amsterdam es la capital de Italia.
(26) a. El sol es el centro de nuestro sistema solar.
b. Roma es la capital de Italia.

La correlación que se ha establecido entre nombres en aposición y atributos nominales puede extenderse también a atributos adjetivos como *eufórico* en la oración *Bill Gates estaba eufórico*, respecto al mismo elemento en función de predicado incidental o adjetivo destacado en *Gates, eufórico, dijo que Microsoft barrería del mapa a Macintosh* (se hablará de incisos adjetivales y participiales en el § 8.3.1).

8.2.2. Tipos de aposiciones según los niveles gramaticales en que se establece la relación apositiva: del léxico al discurso

Aludíamos al principio de este capítulo al carácter escurridizo de la relación apositiva. Parte de la dificultad en acotar el concepto puede atribuirse a que la

[9] En el lenguaje publicitario es muy frecuente omitir el verbo copulativo en secuencias como *Coca Cola, la chispa de la vida, Audi, el placer de conducir* o *Parker, la escritura*. La omisión de la cópula provoca que la predicación tenga cierto alcance atemporal, efecto estético buscado indudablemente por los publicistas para dar contundencia al mensaje. En estos casos se percibe claramente el parentesco existente entre oraciones atributivas y aposiciones.

aposición permite manifestar una relación predicativa entre dos términos en distintos niveles gramaticales.

Como vimos en el § 8.2.1, en algunas aposiciones es fácil poner de manifiesto la relación predicativa que une a ambos elementos. Basta con formar una oración atributiva con un significado equivalente. Sin embargo, del hecho de no poder realizar esta operación no debe concluirse necesariamente que no existe una relación predicativa entre ambos términos. [10] Lo que suele ocurrir en muchos de estos casos es que el proceso de yuxtaponer dos nombres se ha producido en el léxico y que la palabra resultante, un compuesto [⟶ § 73.2.2], tiene un grado de cohesión interna que no permite en muchas ocasiones la disgregación de los dos elementos que la constituyen. Sin embargo resulta evidente que en *cena tertulia, buque escuela* o *mujer soldado* nos estamos refiriendo a una cena a la cual atribuimos la propiedad de ser también una tertulia, a un buque que a la vez es escuela o a una mujer que es también soldado.

El grado de cohesión léxica entre los integrantes de estos grupos apositivos es variable. Así como en *el rey filósofo* o *mi tío abuelo* ambos elementos conservan cierta independencia puesto que añaden la *-s*, desinencia del plural, a ambos nombres, *los reyes filósofos* o *mis tíos abuelos*, hay casos como *hombre rana, bebé probeta, mujer objeto, visita relámpago, cuerpo Danone, curso piloto* o *papel moneda* que flexionan únicamente el primero de los nombres, *hombres rana, bebés probeta, mujeres objeto, visitas relámpago, cuerpos Danone, cursos piloto* o *papeles moneda*, indicio este de que la operación de cohesión léxica, si bien más avanzada que en los casos anteriores, no se ha consolidado totalmente.

Martínez (1994: 191) apunta que en estos casos existe la tendencia a considerar el acompañante nominal en aposición como un modificador adjetivo, por lo que no resulta difícil encontrar al lado de ejemplos como los citados anteriormente *bebés probetas, pájaros moscas, cursos pilotos*. Este autor señala también que el nombre en aposición no sólo se acomoda en ocasiones al número impuesto por el primer elemento sino también al género. Los ejemplos que propone dicho autor son los siguientes:

(27) a. El perro canelo. / La cordera canela.
b. Entre nomás capitán. Sí, esa, la puerta cafecita.

El grado de cohesión léxica entre los integrantes del sintagma puede medirse también por la posibilidad de interponer modificadores entre ambos. Encontrar enunciados como *un rey verdaderamente filósofo* o *un pintor eventualmente poeta* resulta perfectamente posible, pero no puede decirse lo mismo de un **cine muy club* o **unos bebés esencialmente probetas*. Contribuyen también a ratificar esta observación, ejemplos como *un rey filósofo de vía estrecha* o *un pintor poeta a ratos*, donde los modificadores pospuestos *de vía estrecha* y *a ratos* son claramente incrementos de los nombres en aposición, *filósofo* y *poeta* respectivamente, y no de todo el conjunto. Por el contrario, en *papel moneda de curso legal, paso cebra en muy mal estado* o *radio novela desastrosa* resulta evidente que los modificadores *de curso legal, de-*

[10] De hecho algunas estructuras claramente atributivas tampoco admiten la inserción de una cópula. Piénsese por ejemplo en *Lo hacía más viejo* o *Tiene las piernas cortas*, donde no son posibles las paráfrasis **Hacía que era más viejo* o **Tiene que las piernas son cortas*. Tampoco es posible parafrasear mediante una oración atributiva ciertas aposiciones sin actualizador como *Tu proyecto, intento nobilísimo, está condenado al fracaso... (*Tu proyecto es intento nobilísimo)*.

sastrosa o *en muy mal estado* no se refieren únicamente al segundo de los nombres sino al conjunto *papel moneda, radio novela* o *paso cebra*.

Debe mencionarse finalmente que el proceso de composición que vemos en estos casos ha culminado en ejemplos como *coliflor, cine club, carricoche* o *ferrocarril* [→ § 73.2], cuyos respectivos plurales *(coliflores, cine clubs, carricoches* y *ferrocarriles)* muestran claramente que los procesos flexivos afectan a todo el conjunto.[11]

Otro factor que delata la cohesión entre los dos nombres es el grado de separabilidad. Resulta obvio que *tío* y *tío abuelo* no designan el mismo tipo de persona, sin embargo podemos prescindir del modificador en aposición *abuelo*, del mismo modo que podríamos silenciar los modificadores restrictivos *de América* o *americano* en los sintagmas *mi tío de América* o *mi tío americano* respectivamente. La supresión del elemento en aposición en construcciones con mayor grado de cohesión léxica, o bien no es viable como en *carricoche* o *coliflor*, o acarrea una pérdida de significado que no puede atribuirse al mero hecho de suprimir un modificador, sino a haber roto la unidad de un compuesto léxico. Así ocurriría por ejemplo en *papel (moneda)* o *año (luz)*.

8.2.2.1. Sustantivos en aposición: los límites entre la morfología y la sintaxis

Se ha señalado en ocasiones la indefinición categorial de algunos nombres en aposición. Vacilaciones como *el perro canelo/la cordera canela*, aducidas por Martínez (1994: 191) parecerían corroborar que nombres como *canela* pueden tener usos sustantivos en *canela en rama* o *un pellizco de canela* y, eventualmente, usos adjetivos como en los ejemplos propuestos por Martínez. Alternancias como *canelo/canela* podrían resultar incluso anecdóticas si no fueran el reflejo del comportamiento peculiar de los nombres de color y otros tipos de sustantivos en aposición.

Los nombres de color en español pueden aparecer como adjetivos en *un guante blanco, un coche rojo, una libretita negra* o *uno verde*, pero también como sustantivos en *un gris claro, un verde oscuro, un rojo chillón* o *un negro mate*. En estos últimos ejemplos, *claro, oscuro, chillón* o *mate* son claramente adjetivos y, como tales, resultaría plausible que concordaran en plural con el nombre de color al cual acompañan si el contexto así lo requiriera [→ §§ 1.7.4 y 3.4.2.2].

(28) a. Allá a lo lejos el paisaje se iba difuminando en unos verdes oscuros hasta llegar casi al negro.
b. Con lo discreto que es y se ha comprado un sofá de unos rojos chillones que te duelen los ojos al mirarlo.

Además de modificadores adjetivos como *claro, oscuro, brillante* o *mate* contribuyen a precisar la gama cromática de los nombres de color, nombres de animales, frutos, minerales, objetos o nombres geográficos como *fresa, botella, pistacho, beren-*

[11] El paralelismo que establecíamos entre predicados nominales en aposición como *el socio de Miquel* en Carles, *el socio de Miquel* y adjetivos incidentales como *inquieto* en *Miquel, inquieto, no paraba de fumar* puede trasladarse también al léxico. Nótese que puede establecerse la misma correlación entre compuestos como *carricoche* o *ferrocarril* (N+N) con *pelirrojo, cariacontecido, patizambo* o *boquiabierto* (N+A). Sobre el origen de la *i* que media, entre *pelo* y *rojo* puede resultar útil consultar García Lozano 1993. Las características generales de estos compuestos aparecen explicadas en el mismo artículo, pero véanse también Martinell 1984 para el español, Darmesteter 1875 y Benveniste 1966 para el francés, y Ferrater 1979: 55-62 para el catalán.

jena, hueso, yerba, sangre, agua, Burdeos, butano, fuego, azucena, cromo, rata, salmón, cobalto, Siena, turquesa y otros muchos. [12] En estos casos se atribuye a los nombres de color las propiedades cromáticas del objeto designado por el nombre en aposición. Así en *un vestido azul turquesa* se predica del nombre *azul* la propiedad de ser de un determinado tono, el propio de las turquesas. Algo parecido ocurriría en los ejemplos siguientes:

(29) a. Un traje chaqueta *rojo {fuego/sangre}.*
b. Un fondo *azul {cielo/cobalto}.*
c. Una carpeta *amarillo {limón/cromo}.*
d. Un mantel *verde {agua, botella/pistacho}.*
e. Un vestido *gris {rata/perla}.*

En estos casos, *rojo, azul, amarillo, verde* o *gris* se usan claramente como sustantivos y no pueden acomodarse a la concordancia en plural impuesta por los sustantivos núcleos de la construcción, respectivamente *traje, fondo, carpeta, mantel* o *vestido*.

(30) a. Unos trajes chaquetas *{rojo/*rojos} fuego.*
b. Unos fondos *{azul/*azules} cielo.*
c. Unas carpetas *{amarillo/*amarillos} limón.*
d. Unos manteles *{verde/*verdes} agua.*
e. Unos vestidos *{gris/*grises} perla.*

El grado de cohesión léxica que alcanzan segmentos como *verde botella, gris perla* o *amarillo limón* no llega a la formación de un compuesto, [13] como nos demuestran ejemplos como los siguientes en los que se pueden interponer elementos entre los dos nombres en aposición o incluso coordinar el segundo de ellos con un tercero.

(31) a. Un abrigo rojo *tirando a* fuego.
b. Una cortina gris *casi* perla.
c. Un fondo azul *entre* turquesa *y cielo.*

Ninguna de estas operaciones sería posible con verdaderos compuestos como **un traje tirando a chaqueta, *un bebé casi probeta* o **un cine entre club y fórum.*

---

[12] La lista de posibilidades aumenta de acuerdo con la creatividad de hablantes y escritores. En Rebollo Torío 1978 aparece una selección de casos extraídos de la literatura:

(i) a. Estamos asombrados y contentos de que haya recuperado el *verde fiesta* que ayer, regado por el sol, perdió. [R. Nieto, *LSB*, 11]
b. Te pondría una cocarda *amarillo pánico* aquí y otra *encarnao sonrojo* aquí. [C. Arniches, *TC*, 145]
c. Uno, en *verde irrisión*, y otro en *amarillo congoja*: dos tonos que están ahora de moda. [C. Arniches, *TC*, 557]
d. ... te derriba tu propio dolor sobre el que saltan todas la mujeres desnudas que conoces (...), las de color *rojo sangre*, las de color *naranja veneno*, las de color *amarillo agonía*, las de color *verde yerba*, las de color *azul ciruela*, las de color *blanco hueso*,... [C. J. Cela, *ODT*, 3]

Nótese que en algunos casos como *verde irrisión, amarillo congoja* o *amarillo pánico*, el término en aposición reviste tintes metafóricos.

[13] En este punto puede seguirse la argumentación de Bosque 1989: 114 y ss. Consúltense también Fernández Ramírez 1951: 53-57 y Rebollo Torío 1978.

Una palabra compuesta prototípica tampoco podría formarse a partir de la combinación de nombres propios o expresiones referenciales. Sin embargo no es difícil encontrar, como apunta Bosque (1989: 115) ejemplos como *un amarillo Van Gogh* o *un azul Giotto*, hecho que vuelve a corroborar la naturaleza sintáctica, que no léxica, de estas aposiciones.

La vacilación que aparece en los pares de ejemplos siguientes:

(32) a. Dos camisas *rosa*.
b. Dos camisas *rosas*.

(33) a. Dos sillones *granate*.
b. Dos sillones *granates*.

y que no hallamos en *dos corbatas {*azul, azules}* o *dos flores {*amarillo, amarillas}* se debe a que *rosa* o *granate* en (32) y en (33) identifican objetos físicos y pueden usarse como aposiciones que predican una propiedad, en este caso el color, de *corbatas* o *sillones* respectivamente. Con *azul* y *amarillo* no ocurre lo mismo y por sí solos no pueden aparecer en aposición respecto al nombre al que acompañan, por lo que la concordancia con este resulta preceptiva. Sin embargo sí pueden aparecer en aposición cuando ellos, a su vez, resultan modificados. Es lo que vemos en *dos corbatas azul turquesa* o *dos flores amarillo limón*.

El mismo tipo de relación semántica que introducen los nombres de color puede encontrarse también en otros ámbitos en los que el sustantivo en aposición contribuye a clasificar el nombre al que se refiere dentro de un estilo, clase, tipo, talla, modelo, marca u otro tipo de nociones similares. Se encontrarían dentro de este grupo ejemplos como *una mesa (estilo) Richelieu, una moto BMW (modelo) K100, una falda (talla) XL, un billete (clase) turista* o *una lavadora (marca) Miele* [—> §§ 1.7.4 y 2.4.1.4].

Tendrían una estructura parecida a los casos que acabamos de ver secuencias de carácter metalingüístico como las siguientes:

(34) La letra f. / El símbolo +. / La frase contigo al fin del mundo. / El número 9.

o aquellas en que un nombre propio ayuda a concretar la referencia del objeto, lugar o individuo especificado por el primer sustantivo [—> § 2.4.1.3].

(35) El actor Pepe Isbert. / El novelista Delibes. / El pintor Miquel Barceló. / El monte Olimpo. / El río Neuquén. / La calle Balmes.

Tanto en (34) como en (35) podemos desglosar la relación predicativa mediante una paráfrasis atributiva. En las frases de (36) queda claro que la relación de predicación es inclusiva puesto que se incluye el objeto o individuo designado por el nombre propio dentro de la clase o tipo especificada por el nombre común.

(36) Delibes es un novelista. / 9 es un número. / Contigo al fin del mundo es una frase. / Neuquén es un río. / Balmes es una calle.

En algunos casos es posible omitir el nombre común puesto que la simple mención del hipónimo permite inferir la clase o tipo en la que se incluye. [14] Así, al lado de *la letra f, el símbolo +*

[14] Obsérvese que *río Neuquén* y *Neuquén río* contrastan justamente porque el nombre *río* tiene valor restrictivo en la segunda de las construcciones, por lo que contribuye a precisar entre dos entidades, la ciudad y el río, que comparten el mismo nombre. Lo mismo ocurre en *el pintor Saura* y *el Saura pintor*. En el segundo de los casos, *pintor* contribuye a distinguir entre dos o más entidades designadas por el nombre propio *Saura: el Saura pintor* y *el Saura director de cine*.

o *el actor Pepe Isbert* encontramos *(la) f,* + o *Pepe Isbert*. Con los nombres de ríos, obsérvese que la presencia del artículo, opcional o francamente prescindible en muchos casos, se convierte en obligatoria [⟶ § 2.4.2]. Hablaremos, pues, *del Amazonas, el Neuquén, el Sena* o *el Ebro*, y no de sus correlatos sin artículo, aunque serán justamente estas formas escuetas las que deban aparecer en la construcción de carácter direccional *Ebro arriba* o *Danubio abajo*, y no **el Ebro arriba* o **el Danubio abajo.* [15]

Ninguno de los ejemplos que se han citado hasta ahora en este apartado debe confundirse con otros aparentemente similares pero que encubren relaciones sintácticas distintas a la aposición, como por ejemplo los que pueden encontrarse en folletos publicitarios, en listas de supermercados o similares, como *Colacao / envase dos quilos* o *Langostinos Huelva paquete dos quilos*, a los que cabe sumar otros parecidos, propios de un registro muy coloquial *bocata jamón, chulo piscinas, cara culo* o *chupito vodka*. Si se comparan estos ejemplos con sus respectivas expansiones: *un envase de dos quilos de Colacao, un paquete de dos quilos de langostinos de Huelva, un bocata de jamón*, etc., puede detectarse fácilmente que, si bien la elisión de preposiciones, típica de este registro, los conduce a secuencias <N+N>, estas no son verdaderas aposiciones. En todos los casos las preposiciones omitidas encubrían relaciones de complementación. [16] Por este motivo es posible reinsertar la preposición elidida, situación que contrasta con todos los casos de verdadera aposición <N+N> que se han examinado dentro de este apartado, **el color de verde,* [17] **la marca de Miele, *la letra de f* o **el actor de Pepe Isbert.* [18]

8.2.2.2. Aposiciones léxicas con términos metafóricos y elementos cuantificadores

Portolés (1994) señala que en muchas ocasiones el atributo nominal puede adquirir valores metafóricos. Así sucede por ejemplo en *Juan es un lince*, donde, equiparando a esa persona con un animal, en realidad le atribuimos unas propiedades características de éste. Son metáforas que el uso ha consagrado como habituales pero cuya estructura es equivalente a cualquiera salida de la pluma de Góngora o de Quevedo.

Es muy frecuente también que el término en aposición de un grupo léxico formado por dos nombres pase a tener un valor metafórico. Es lo que vemos, por ejemplo, en *visita relámpago, bebé probeta* u *hombre rana* [⟶ § 73.2.2]. Evidentemente, no nos estamos refiriendo aquí a «una visita que es un relámpago», a «un bebé que es una probeta» o a «un hombre que es una rana» sino a un visita que tiene alguna propiedad del relámpago, como por ejemplo su brevedad, a un bebé que tiene la característica de haber sido concebido en una probeta o a un hombre que tiene el aspecto o alguna de las propiedades de una rana. [19]

Este procedimiento restrictivo se emplea comúnmente para distinguir miembros de una misma familia, *Alvar padre* y *Alvar hijo, Blecua padre* y *Blecua hijo*, o *Marías padre y Marías hijo.*

[15] En Bartra y Suñer 1992 se estudia la naturaleza de estas construcciones y su relación con preposiciones, adverbios y locuciones prepositivas.

[16] Consúltese el artículo de Martinell (1984), en el que se exploran los procesos que culminan con la formación de compuestos a partir de estructuras de complementación, predicación y coordinación.

[17] Ejemplos como *de color de rosa, de color de perla, de color de miel* y otros citados en Fernández Ramírez 1951: 55-6 parecen desmentir este punto. Del hecho de que las versiones con *de* sólo sean posible con nombres que designan objetos físicos (*rosa, perla, miel*, etc. pero no *azul, amarillo* u otros similares) parece desprenderse que quizá nos hallemos ante una construcción distinta de la anterior en la que el nombre del objeto siga designando al objeto propiamente y no se tomen únicamente sus propiedades cromáticas. En este sentido, ejemplos como los anteriores serían similares a *el color de la aurora, el verde de las primeras hojas, el azul del cielo de desierto, el color de la arena*.

[18] Debe descartarse la lectura atributivo-valorativa de este ejemplo, *Pepe Isbert es un (gran) actor* (tema que se tratará en el § 8.4) y también la posesiva, *Pepe Isbert tiene un actor*, no pertinentes para lo que aquí se argumenta.

[19] En Alcina y Blecua 1975 se propone el ejemplo, extraído de Pardo Bazán, *Ni una liebre brincaría por ahí sin que sus ojos linces de cazador la avizorasen*, en el que el nombre *lince* entra a formar parte de una aposición restrictiva. Nótese que el valor metafórico que tiene aquí esta palabra es el mismo que aparecía en estructuras atributivas como *Juan es un lince* citadas al principio de este epígrafe. Obsérvese también que en este caso la aposición *lince* concuerda en plural con el nombre *ojos*.

A veces la desemantización del término en aposición conduce a valores equivalentes a la cuantificación. Es lo que podría decirse por ejemplo de *padre, estrella, cumbre* o *bomba* en los ejemplos siguientes:

(37) a. Se da la vida padre.
b. ¿Ha visto nuestra oferta estrella?
c. Y ahora llega el momento cumbre de este asunto.
d. Tengo una noticia bomba.

En estos casos el nombre en aposición podría ser equivalente a elementos como el adjetivo *gran*, a prefijos como *super* u otros tipos de procedimientos intensificadores:[20] *Se da la gran vida, ¿Ha visto nuestra superoferta?, Y ahora llega el gran momento de este asunto* o *Tengo una gran noticia*.

En ejemplos como *situación límite, momento clave, hora punta* y, en cierto modo *ciudad monstruo*, se observa también un cierto valor cuantitativo aportado por los nombres *límite, clave, punta* o *monstruo*, como si se tomara en ellos no su significado intrínseco, sino la propiedad de designar el punto culminante en un proceso. A pesar de ello, no se encuentran fácilmente correlatos intensificadores como los que se proponían para nombres en aposición como *padre* o *estrella* que vimos anteriormente. Sin embargo su valor como elementos que indican grado extremo queda en evidencia al aceptar modificadores de tipo adverbial [→ § 4.2.3], como los que aparecen destacados en cursiva en los ejemplos siguientes:

(38) a. ?Situación *extremadadamente* límite.
b. Momento *claramente* clave.
c. ?Hora *indudablemente* punta.

Algo parecido ocurre en aposiciones que son el resultado de reduplicar nombres continuos[21] como *café, lana* o *caviar* en frases como las siguientes:

(39) a. Los jerseis de *lana lana* tienen que lavarse con mucho cuidado para que no encojan.
b. Ponme *café café* y no ese sucedáneo que tienes escondido por ahí.
c. Era una fiesta de alto copete, sirvieron *caviar caviar*.

El efecto conseguido es de intensificación cualitativa, como nos demuestran las paráfrasis de (40):

(40) a. Los jerseis de {lana auténtica/lana al cien por cien/lana de verdad/pura lana} tienen que lavarse con mucho cuidado para que no encojan.

---

[20] En *día perro* o *vida perra*, la cuantificación aportada por la aposición tiene valor peyorativo o negativo.

[21] Ejemplos como *Yo vivo en Barcelona Barcelona* donde se reduplica un nombre propio, que por naturaleza es discontinuo, podrían poner en duda esta afirmación. Sin embargo, en el ejemplo citado *Barcelona* tiene en cierto modo una interpretación similar a la de un nombre continuo. La frase en cuestión significa que *Yo vivo en la auténtica Barcelona y no, por ejemplo, en las ciudades que forman parte de su cinturón industrial*. Las bases gramaticales de la reduplicación pueden consultarse en Marantz 1982, mientras que en Moravscisk 1978 se estudia este fenómeno desde un punto de vista tipológico. En Escandell 1991 y en Roca y Suñer 1997 se propone un patrón común para los esquemas reduplicativos del español.

b. Ponme {café auténtico/café al cien por cien/café de verdad} y no ese sucedáneo que tienes escondido por ahí.
c. Era una fiesta de alto copete, sirvieron {caviar auténtico/caviar al cien por cien/caviar de verdad}.

8.2.2.3. Aposiciones sintácticas. Series de elementos en aposición

Cuando la aposición va entre pausas tiene, en ocasiones, una clara finalidad estilística o retórica. Permite aportar más información sobre un determiando núcleo nominal sin sobrecargarlo de modificadores. Es lo que ocurre en ejemplos como los siguientes,[22] casos que algunos autores como De Paula Pombar (1983, 146-148) denominan 'aposiciones reiterativas'.

(41) a. Cuanto veía por los ojos, al escapar por la calle, confundíase en su interior con *recuerdos de otro tiempo, recuerdos vagos perdidos en unos días todos lluviosos, tristes*, [...] [R. M. del Valle-Inclán, *Los cruzados de la causa*, 69; tomado de Alcina y Blecua 1975: 951-952]
b. Regentaba una tienda, *tienda (esta) que olía a bacalao seco*.
c. El sol de Madrid, *ese sol que saca ronchas en la piel*, se encargaba de desinfectar aquella madriguera. [P. Baroja, *La busca*, 74; tomado de Alcina y Blecua 1975: 952]
d. Recuerdo vagamente que había allí un muchacho de unos quince años, *un muchacho huraño y de ojos huidizos que estaba empleado como mozo*.
e. El tío Rolo mira el cielo rojizo por donde se desplazan nubes, *nubes que dan la impresión de que toda la ciudad es una hoguera inmensa*. [A. Estévez, *TEER*, 71]

Este tipo de aposiciones, que en Alcina y Blecua 1975: 950 reciben el nombre de 'aposiciones predicativas', se caracterizan porque el segundo miembro debe aparecer acompañado siempre de un modificador. **Cuanto veía con los ojos, al escapar por la calle, confundíase en su interior con los recuerdos de otro tiempo, recuerdos*, formada a partir de (41a), sería una oración incongruente por este motivo. Reiterar la palabra *recuerdos* no tiene ninguna finalidad, puesto que no sirve como soporte para introducir un nuevo modificador.

Una variante de la aposición predicativa es la que puede formarse con hiperónimos o pronombres, generalmente demostrativos.

(42) a. Te pedía *esto*: un poco de comprensión.
b. Para sorprenderle preparé *una tarta*: una Selva Negra.
c. De pronto, salió *uno de los presentes*: un hombre con un abrigo gris.
d. Y así se pasaba el tiempo hasta *las doce*, hora en que le traían a Don Eduardo su almuerzo. [B. Pérez Galdós, *Misericordia*, 104][23]

---

[22] Algunos ejemplos de este apartado están extraidos de la selección propuesta en Alcina y Blecua 1975: 951-952 y en Martínez 1994: 224.
[23] El ejemplo (42d) está tomado de Alcina y Blecua 1975: 954.

e. Vio que los familiares salían llorando, hecho que le hizo sospechar un desenlace fatal.

En algunos de estos casos, a diferencia de lo que hemos visto en otro tipos de aposiciones, no es necesaria la adyacencia entre los términos en aposición.

(43) a. *Esto* te pedía: un poco de comprensión.
b. *Una tarta* preparé para sorprenderle: una Selva Negra.
c. *Uno de los presentes* salió de pronto: un hombre con un abrigo gris.

La razón de este comportamiento reside posiblemente en dos hechos relacionados: por un lado, el carácter anafórico de uno de los segmentos (si se trata de pronombres o hiperónimos) y, por otro, su prominencia desde un punto de vista sintáctico.[24]

En ocasiones, la aposición puede tener forma de enumeración o de serie coordinada de elementos cuando el nombre al que se refiere está en plural o tiene un significado colectivo. También a la inversa: un grupo de elementos coordinados puede recibir como aposición un nombre que englobe todo el conjunto.

(44) a. Cucharón había reunido, lleno de mimo, todos los papeles: *partida de nacimiento, certificado de penales, cédula de vecindad (...) y tres fotografías tipo carnet*. [C. J. Cela, *MdV*, 58][25]
b. La picada es una de los ingredientes básicos de la cocina catalana. Puede mejorar cualquier plato, *desde un buen asado, o un estofado, hasta cualquier guiso con pescado*.
c. Han llegado Laura y María, *sus hijas*.
d. Ludovico Ariosto imaginó que un paladín descubre en la luna todo lo que se pierde en la tierra, *las lágrimas y suspiros de los amantes, el tiempo malgastado en el juego, los proyectos inútiles y los no saciados anhelos*. [J. L. Borges, prólogo a *CM* de R. Bradbury]

8.2.2.4. Aposiciones como tema o rema del discurso

En aposiciones como las de (45), *Neil Armstrong, el primer hombre que pisó la luna* o su homóloga *El primer hombre que pisó la luna, Neil Armstrong*, que tienen carácter identificativo, podemos preguntarnos si tienen una interpretación equivalente desde un punto de vista discursivo (véase también el § 8.2.2).

(45) a. Neil Armstrong, el primer hombre que pisó la luna, fue entrevistado ayer por *El País*.
b. El primer hombre que pisó la luna, Neil Armstrong, fue entrevistado ayer por *El País*.

Resulta obvio que ambas expresiones serían intercambiables en muchos actos de habla, pero también es cierto que la información que aportan puede tener en

[24] En algunos casos podría tratarse de una predicación de carácter catafórico en la línea de lo sugerido por Bosque (1993).
[25] Ejemplo tomado de Alcina y Blecua 1975: 954.

ocasiones un valor discursivo distinto. En (45a), *Neil Armstrong* tiene valor temático y podría conectar con un discurso anterior en el que se hablara de su persona o de los astronautas americanos. En (45b), en cambio, la información temática la introduce *el primer hombre que pisó la luna*, por lo que el discurso previo a esta expresión bien podría ser una explicación sobre el satélite de la Tierra [→ § 64.2].

Buena prueba del valor discursivo que muchas veces ha sido adjudicado a las aposiciones la constituyen aquellas expresiones que funcionan como marcadores explícitos de la relación apositiva, sobre todo si esta no es restrictiva. Se trata de segmentos como *es decir, o lo que es lo mismo, o sea, más conocido como, en otras palabras, en otros términos, como sabes, si no me equivoco, esto es, vamos, o séase, a saber, por el cual entiendo, en suma, en pocas palabras, para ser más preciso, {significando / entendiendo} con ello, igual a, semejante a, por ejemplo, principalmente, o, en última instancia, después de todo, por lo general, más bien*, entre otras muchas [→ §§ 63.1.3.2 y 63.4]. Algunas de ellas aparecen ilustradas en (46).

(46) a. Todos los que condenamos la violencia, *en suma, todos los que estamos aquí*, sabemos bien que esto no tiene una solución fácil.
b. Norma Jean Baker, *más conocida como Marilyn*, murió en 1963.
c. El protagonista *o personaje principal de la fábula* es Hércules.
d. En todo caso, quiero adoptar su punto de vista, *o sea, el concepto de los ejercicios espirituales como mortificación*. [L. Sciascia, *TM*, 65]
e. Simón *o Don Simón como se hace llamar ahora*, se dignará en pasar a saludarnos esta semana.
f. Tu primo, *alias 'El manitas'*, nos sacará de este apuro.
g. Paco, *perdón*, el señor director es quien decide estas cuestiones.
h. El piercing, *«anillado» en español*, está de moda entre los jóvenes.
i. 'Pues mira, aquí te presento a estos señores. O sea lo más escogido de la parroquia *¿sabes?* lo mejorcito que alterna por aquí. [R. Sánchez Ferlosio, *EJ*, 192]
j. La condesa Pujol de Salas, *de soltera* Emmanuela Monvoisin, ha tenido una niña, segunda de sus hijos.

Cabe destacar que los conectores discursivos que aparecen en (46) tienen naturalezas muy distintas. En algunos casos como *a saber, o lo que es lo mismo* y *o sea* nos avanzan que va a seguir una enumeración o una explicación de lo dicho anteriormente. Un comentario como *en español* del ejemplo (46h) indica que sigue una traducción. Casos como *de soltera* en el ejemplo (46j) son más complejos, indican que lo designado por el término en aposición sólo es válido en un período determinado de tiempo.

El valor discursivo de tales elementos queda de relieve porque su aparición depende del contexto extralingüístico que enmarca la frase. Resultaría forzado que en un diálogo nuestro interlocutor nos presentara a una tercera persona como *Este es Arturo, es decir mi amigo de Nápoles*. Sin embargo el elemento discursivo es perfectamente natural en otro acto de habla en el que fuera necesario hacer evidente la correspondencia entre *Arturo* y *mi amigo de Nápoles*, como por ejemplo en: *Arturo, es decir mi amigo de Nápoles, llegará mañana en el Talgo.* [26]

---

[26] Sobre el valor discursivo de algunas aposiciones no restrictivas, consúltese Blakemore 1994.

Como se ha visto, la aposición es un mecanismo que permite introducir en cualquier nivel gramatical un nombre o un sintagma nominal a modo de comentario de otro nombre. Esta operación puede realizarse reiteradamente como ilustra el ejemplo de (47).

(47) Para ir a la fiesta, me pondré el traje chaqueta rojo fuego, ¿sabes? el de las solapas de terciopelo negro.

En (47) el compuesto *traje chaqueta*, aposición formada en el léxico, recibe la modificación del adjetivo *rojo* que, a su vez, lleva la aposición *fuego*. A todo este conjunto se le agrega la aposición no restrictiva *el de las solapas de terciopelo negro* precedida por el elemento discursivo *¿sabes?* La aposición ha tenido lugar en el componente léxico en *traje chaqueta*, en la sintaxis, si se trata de la construcción *rojo fuego*, pero, en cambio, en *¿sabes? el de las solapas de terciopelo negro*, el valor es claramente discursivo.

8.2.3. Concordancias y discordancias entre los términos en aposición

La concordancia suele ser una de las manifestaciones formales más evidentes de la relación predicativa [⟶ § 42.7]. Por este motivo es muy frecuente que los dos términos en aposición concuerden en género y en número, y que mayoritariamente observen las pautas propuestas por las 'reglas generales de la concordancia gramatical'[⟶ §§ 42.1.8, 42.7 y 42.12]. Es decir: la unión de varios singulares da lugar a un plural; en la confluencia de géneros predomina el masculino sobre el femenino y en la de personas, la primera sobre la segunda y esta sobre la tercera.

(48) a. Stephane Grapelli, el genio del violín.
b. El comandante Ernesto Guevara, el Che.
c. El patrón oro.
d. Los montes Pirineos.
e. Su hermano cura.
f. Yo, el que ha llegado primero, doy fe de ello.
g. Tú, el estudiante sabelotodo, seguro que respondiste bien.

También resultan numerosos los casos de discordancia, debidos en su mayor parte al carácter inherente del género en el sustantivo. Tal comportamiento no es exclusivo de los dos términos en aposición sino que se reproduce en otras construcciones predicativas, como por ejemplo las oraciones atributivas.

(49) a. Louis Armstrong, una figura mítica del jazz.
b. Miró el cigarro, la única partícula viva de la sombra, que debió agotarse, porque describiendo una parábola luminosa cruzó la ventana y cayó fuera. [27]
c. Me fui a la ciudad. Un horno. Pero me sumergí en él con cierto placer. [L. Sciascia, *TM*, 71]
d. El tatami, estera que cubre los suelos de muchas casas japonesas.
e. No conseguirá ver la línea de demarcación, el límite.
f. Años luz.
g. Anís Las Cadenas.

---

[27] Ejemplo tomado de la selección propuesta por De Paula Pombar (1983: 141).

8.2.4. Aposiciones no nominales e incisos

Como se ha detallado al inicio, las aposiciones que se dan entre categorías nominales son, si no las más frecuentes, al menos las más estudiadas por las gramáticas. Sin embargo, propiedades que hemos aislado en los casos de aposición nominal, como la adyacencia estricta o cierto grado de compatibilidad semántica entre los elementos en aposición, están presentes también en construcciones no nominales. En ocasiones, la expansión apositiva a un sintagma nominal puede ser un infinitivo o una completiva, como vemos en los ejemplos siguientes:

(50) a. La castidad es *la forma más sublime que puede alcanzar el amor propio: convertir la propia vida en arte*. [L. Sciascia, *TM*, 62]
b. Bueno, ya no me faltaba más que *eso, que yo le tuviera miedo a él o al diablo*. [I. Aldecoa, *CC*, 308]
c. Pero hija, luego tienes ese *don, que le caes en gracia a la gente, y uno no puede por menos de aguantarte las cosas*. [R. Sánchez Ferlosio, *EJ*, 53]

En estos casos puede admitirse sin problemas que el infinitivo *convertir la propia vida en arte* de (50a), o las completivas de (50b) y (50c), son aposiciones referidas al elemento nominal que las precede inmediatamente. De hecho todos estos ejemplos aceptan sin dificultad una oración atributiva como paráfrasis *(La forma más sublime que puede alcanzar el amor propio es convertir la propia vida en arte)*, lo que confirma el carácter predicativo del segmento en aposición.

Ahora bien, en otros casos ninguno de los dos elementos es nominal. Esta es la situación que vemos en los sintagmas preposicionales de (51):

(51) a. Al final apareció *con su hermano, con Pedro*.
b. Siempre estás hablando *de lo mismo, de la maldita política*.
c. Estamos hartos *de tu actitud para con nosotros, de que siempre nos des esquinazo*.
d. *Puntualmente*, al cabo de una hora, los huéspedes aparecieron en la explanada. [L. Sciascia, *TM*, 60]

o en los verbos y sintagmas verbales de (52):

(52) a. *Nos lo escamoteó completamente*, vamos, *nos lo ocultó*.
b. *Gritaba, se desgañitaba*, pero, como le conocíamos, nadie le hacía caso.
c. Se le veía feliz, andaba *canturreando, gorgoriteando* por lo bajo.

En los ejemplos anteriores se respetan ciertos requisitos estructurales comunes a los casos de aposición que se han visto hasta ahora: los dos elementos deben ser de la misma categoría o equiparables funcionalmente y deben poseer cierto grado de afinidad semántica. Sin embargo, si el término 'aposición' se aplica restrictivamente sólo a aquellos segmentos que establezcan una relación predicativa con un nombre o elemento nominal adyacente, ejemplos como (51) o (52) no son propiamente aposiciones puesto que no es posible establecer una predicación con un 'sujeto' que no sea un elemento nominal. (50) y (51) ilustran, pues, casos de 'incisos' referidos a un antecedente no nominal. Algunos segmentos apositivos como *tu mejor amigo* en la construcción no restrictiva *Javier, tu mejor amigo* serían también incisos en el sentido de que aparecen desgajados del cuerpo de la frase mediante una ruptura entonacional, pero, además, establecerían con su antecedente *Luis* una relación de predicación.

Por regla general, incisos como los reseñados en (51) y (52) suelen ser explicativos, meros comentarios o paráfrasis del sintagma que aparece inmediatamente antes. Sin embargo, existe un grupo de incisos de tipo adverbial que no se ajusta necesariamente a este esquema y que plantea interesantes problemas de clasificación. La fórmula que presentan en su mayoría es la de un adverbio, generalmente un deíctico, seguido por otro adverbio o por otro tipo de sintagma que ofrece una paráfrasis del deíctico:

(53) a. Hazlo *así, como te digo*.
b. Se marchó *hacia las siete, justo a la puesta del sol*.
c. *Ayer, día 25 de febrero del 1993*, firmé el contrato.[28]
d. *Allí, a su lado*, se sentía seguro.
e. Nos marcharemos *enseguida, justo a las tres*.

En ocasiones no queda claro que se trate de aposiciones explicativas porque no hay pausa ni ruptura entonacional entre los dos elementos [→ § 9.3.2.3].

(54) a. Lo compré *ahí enfrente*.
b. Ponlo *allí atrás*.
c. *Aquí en casa* estaremos bien.
d. *Aquí cerca* hay un estanco.
e. Te veré *mañana jueves*.

Ocurre en estos casos un fenómeno curioso que corrobora la singularidad de estos ejemplos: si el deíctico no aparece junto a su aposición, puede tener un significado independiente de esta. Así ocurre en los ejemplos de (55), paralelos a los de (54):

(55) a. *Ahí* lo compré *enfrente*.
b. *Allí* ponlo *atrás*.
c. *En casa*, estaremos bien *aquí*.
e. *Aquí* hay un estanco *cerca*.

La razón de tal comportamiento puede atribuirse a la actualización del referente del deíctico en cada acto de habla en el que se incluye. En el caso de (54a) el adverbio *ahí* designaría un lugar en el que se incluiría lo designado por el segmento *enfrente*. Encontramos la misma relación de inclusión en un ejemplo como (54c), donde *aquí* designa un lugar como el salón, por ejemplo, pero en todo caso, dentro de un lugar mayor, como *en casa*. Confirma esta propiedad la malformación

---

[28] Nótese que si se suprime el adverbio *ayer* en el ejemplo (53c) *día 25 de febrero de 1993* debe aparecer acompañado por el artículo determinado para que se pueda interpretar como complemento circunstancial de tiempo. En caso contrario la secuencia resultante es agramatical.

de (56), donde se ha invertido la relación de inclusión lógica que teníamos en (54) o (55).

(56) a. ??*Enfrente* lo compré *ahí*.
b. ??*Cerca* hay un estanco *aquí*.

Este comportamiento no es exclusivo únicamente de los deícticos, sino que lo comparten todas las series de complementos circunstanciales de lugar y de tiempo según se detalla en Bartra y Brucart 1982 o Hernanz y Brucart 1987: 281.

8.3. Adyacencia y elementos incidentales. Los incisos predicativos

La necesidad de adyacencia nos permite trazar una línea divisoria entre las aposiciones, que son siempre nombres o elementos nominales contiguos al término del cual son predicados, y otros tipos de elementos que circunstancialmente pueden aparecer adyacentes al nombre.

En una primera aproximación podría suponerse que los elementos en cursiva de (57) son aposiciones de *Baudelaire*, sin embargo, sólo *el poeta maldito* debe permanecer junto a este, mientras que *enfermo de sífilis* no necesita ocupar una posición adjunta al sintagma nominal, como demuestran claramente los ejemplos de (58). El mismo contraste puede observarse respecto a *inquieto* y *el futuro padre* en los ejemplos de (59) y (60).

(57) a. Baudelaire, *el poeta maldito*, murió en la más extrema pobreza.
b. Baudelaire, *enfermo de sífilis*, murió en la más extrema pobreza.
(58) a. *Baudelaire murió en la más extrema pobreza, *el poeta maldito*.
b. Baudelaire murió en la más extrema pobreza, *enfermo de sífilis*.
(59) a. Pedro, *inquieto*, se fumaba un cigarrillo tras otro.
b. Pedro, *el futuro padre*, se fumaba un cigarrillo tras otro.
(60) a. Pedro se fumaba un cigarrillo tras otro, *inquieto*.
b. *Pedro se fumaba un cigarrillo tras otro, *el futuro padre*.

Segmentos como *enfermo de sífilis* o *inquieto* no son aposiciones como *el poeta maldito* o *el futuro padre*, sino incisos que introducen una predicación incidental y que, como cualquier determinación circunstancial se caracterizan por su movilidad dentro de la frase. [29]

8.3.1. Incisos adjetivales y participiales

Lapesa (1996) caracterizó muy atinadamente los predicados incidentales frente a los atributos [⟶ Caps. 3 y 37] y construcciones absolutas [⟶ los §§ 39.3 y 46.4.1]. Según este autor «...llamaremos adjetivo incidental al que sin estar en construcción absoluta, tiene respecto al resto de la frase cierta autonomía, marcada for-

[29] Los límites entre aposición e incidentalidad se exploran en Grevisse 1936: 520-22, De Paula Pombar 1983: 66-72, Escandell y Leonetti 1989, Martínez 1994: 209-214 y 225-284 y Rodríguez Espiñeira 1995. En Álvarez Menéndez 1988 se estudian las conexiones existentes entre adverbios y otros elementos en función incidental.

malmente por su libertad de colocación y por estar separado mediante pausas. No está ligado al nombre tan estrechamente como el adjetivo atributivo, ni tiene con el verbo la clara conexión del predicativo. A diferencia del absoluto, se refiere al sujeto, al objeto directo, indirecto o a un complemento circunstancial. La cualidad, estado o actividad que denota no delimita al término referido, y no es, por lo tanto, indispensable para el sentido lógico de la oración; pero pone de relieve, a modo de comentario o información oracional destacados, la causa, el modo, el fin u otras circunstancias de la acción del verbo, sin constituir propiamente complemento de él, sino como suboración autónoma condensada. Puede anteponerse al cuerpo de la oración, interrumpirla como paréntesis, o añadirse después» (Lapesa 1990: 190).

Pueden actuar como elementos incidentales adjetivos como *enfermo de sífilis* o *inquieto*, que vimos en las frases de (57) y (59) respectivamente, participios: *aliñadas con aceite, sal y pimienta* y *vestida de negro*, en (61), nombres: *hombre avanzado a su tiempo* y *ciudad portuaria*, en (62), y otros tipos de categorías como sintagmas preposicionales o adverbios [30] [→ § 39.3].

(61) a. *Aliñados con aceite, sal y pimienta*, estos tomates estarán riquísimos.
b. *Vestida de negro*, pareces más delgada.

(62) a. *Hombre avanzado a su tiempo*, Galileo no fue comprendido hasta siglos más tarde.
b. *Ciudad portuaria*, Buenos Aires conoció una gran expansión en el período de entreguerras.

Aunque todos los segmentos en cursiva de los ejemplos anteriores son predicados incidentales, existen diferencias de comportamiento, atribuibles con toda seguridad al tipo de categoría en la que se encarna la predicación. Así, descubrimos, por ejemplo, que los participios (y, en menor medida, los adjetivos), evidentemente relacionados con construcciones absolutas, gozan de mayor libertad de ubicación que los nombres. Pueden aparecer al inicio de la frase, interrumpiéndola como un paréntesis, o al final. Así lo corroboran los ejemplos siguientes:

(63) a. *Vestido para la ocasión*, el novio llegó puntual a la cita.
b. El novio, *vestido para la ocasión*, llegó puntual a la cita.
c. El novio llegó puntual a la cita, *vestido para la ocasión*.

(64) a. En el cielo, *enlutada como viuda ideal*, la luna dejaba caer la tenue sonrisa de su luz sobre la ruda y aulladora tribu.
b. En el cielo, la luna, *enlutada como viuda ideal*, dejaba caer la tenue sonrisa de su luz sobre la ruda y aulladora tribu. [R. M. del Valle-Inclán, *SE*, 37]
c. En el cielo, la luna dejaba caer, *enlutada como viuda ideal*, la tenue sonrisa de su luz sobre la ruda y aulladora tribu.

(65) a. *Inmóvil, siempre correcto, como esculpido en mármol sobre su propio mausoleo*, el cardenal yacía asaeteado en diagonal por los rayos del sol que se filtraban por la rejilla vagamente azul del cenador. [J. Marsé, *UTT*, 178]

[30] En Álvarez Menéndez 1988 se detalla qué tipo de características deben poseer los adverbios y sintagmas preposicionales con valor incidental.

b. El cardenal, *inmóvil, siempre correcto, como esculpido en mármol sobre su propio mausoleo*, yacía asaeteado en diagonal por los rayos del sol que se filtraban por la rejilla vagamente azul del cenador.
c. El cardenal yacía asaeteado en diagonal por los rayos del sol que se filtraban por la rejilla vagamente azul del cenador, *inmóvil, siempre correcto, como esculpido en mármol sobre su propio mausoleo.*

Asimismo, los adjetivos y participios incidentales pueden cargarse de valores adverbiales. Valores que parecen reposar en una relación temporal de anterioridad establecida entre la cláusula matriz y el participio incidental en cuestión (Cf. el capítulo 48, sobre adverbios de tiempo y oraciones temporales). La anterioridad queda puesta de relieve en frases como (66) donde, evidentemente, la locura del preso es posterior a su condena y lo mismo ocurre con la muerte del piloto respecto a su accidente.

(66) a. *Condenado a cadena perpetua*, el preso acabó volviéndose loco.
b. *Atrapado en su coche en llamas*, el piloto de carreras murió quemado.

El esquema temporal de anterioridad permite que se desencadenen interpretaciones adverbiales ligadas a esta temporalidad. En (66b) el elemento incidental puede ser interpretado como la causa de la muerte del piloto. En otras ocasiones, sobre todo si el elemento incidental aparece matizado mediante modificadores, la lectura puede ser condicional [⟶ § 57.5.3]. Es lo que ocurre por ejemplo en (67).

(67) a. *Vestida de negro*, pareces más delgada.
b. *Tratado con bondad*, Pedro no es tan rebelde.
c. *Calladito*, estás más guapo.

Si se da una contraposición significativa entre lo expresado por el elemento incidental y el cuerpo principal de la oración, aparece entonces una lectura concesiva [⟶ § 59.5.3]. Esta contraposición significativa puede darse por la presencia de elementos gramaticales como nexos *(aunque, si bien)*, la negación o la disyunción, como en (68a) y (68b), o por un simple contraste semántico entre segmento incidental y el resto de la oración, como ocurre en (68c) o (68d).

(68) a. *Aunque respetuoso y comedido por regla general*, aquel día Pedro se pasó de la raya.
b. *Prohibido o no*, yo pienso entrar.
c. *(Aunque) magnánimo con sus enemigos*, Julio César se comportó como un tirano con su familia.
d. *(Aunque) generoso consigo mismo*, con los demás Pedro es muy roñica.

Otra diferencia observable entre predicados incidentales y aposiciones reside en su distinto comportamiento frente a sujetos y objetos. Como vemos a partir de los contrastes de (69), (70) y (71), no existe ningún impedimento para tener aposiciones referidas a diversos tipos de complementos, en tanto que los elementos incidentales parecen preferir los sujetos.

(69) a. ¿Han leído a Baudelaire, *el poeta maldito?*
b. *¿Han leído a Baudelaire, *enfermo de sífilis?*

(70) a. ¿Tienen algún libro de Baudelaire, *el poeta maldito?*
b. *¿Tienen algún libro de Baudelaire, *enfermo de sífilis?*

(71) a. Algo de todo esto, ya lo verás, te espera en Jalisco, *la provincia del gran Rulfo*. [E. Vila-Matas, *El País*, 15-VII-1996, 36]
b. *Algo de todo esto te espera en Jalisco, ya lo verás, *celebrada por el gran Rulfo*.

8.3.2. Incisos nominales

La frontera trazada entre aposición e incidentalidad se refleja también en el tipo de categoría que desempeña preferentemente una u otra función. Así como se desprende de la naturaleza de adjetivos y participios el adquirir valores incidentales [→ §§ 3.2.2 y 4.4.1], la función apositiva parece circunscribirse al sustantivo. A pesar de esta tendencia, el sustantivo también puede funcionar como un inciso nominal si aparece utilizado como singular o como plural escueto, es decir, cuando no va introducido por un artículo. Esa sería la situación que ilustran ejemplos como los siguientes:

(72) a. *Orador notable*, Ático era un escritor mediocre.
b. *Poeta maldito*, Baudelaire murió en la más extrema pobreza.
c. *Aprendiz voraz*, Borges comenzó a estudiar japonés a los ochenta años.
d. *Lector asiduo de prensa sensacionalista*, Sherlock Holmes conocía al dedillo todos los crímenes cometidos en Europa en el siglo XIX.
e. *Nombre mítico en la historia del rock*, los Rolling Stones comienzan una nueva gira mundial.
f. *Ciudad portuaria*, Buenos Aires conoció una gran expansión en el período de entreguerras.

Los incisos nominales no gozan de la misma movilidad en el seno de la frase que los adjetivos o, sobre todo, los participios con la misma función. En realidad, sólo pueden aparecer antepuestos al nombre al cual se refieren, o bien pospuestos.

(73) a. *Hombre de pocas palabras*, Juan prefirió actuar.
b. Juan, *hombre de pocas palabras*, prefirió actuar.
c. *Juan prefirió actuar, *hombre de pocas palabras*.

(74) a. *Poeta maldito*, Baudelaire murió en la más extrema pobreza.
b. Baudelaire, *poeta maldito*, murió en la más extrema pobreza.
c. *Baudelaire murió en la más extrema pobreza, *poeta maldito*.

A primera vista, podría pensarse que los segmentos en cursiva de (74) deberían comportarse de modo parecido a sus correlatos precedidos de artículo, sea este determinado o indeterminado, *Baudelaire, {el, un} poeta maldito* o *{el, un} poeta maldito, Baudelaire*. Sin embargo tal suposición resulta inadecuada por los motivos que pasamos a esbozar.

En primer lugar, y tal como ocurría con los adjetivos incidentales, los sustantivos sin determinación [→ Cap. 13] pueden anteponerse a la oración como si fueran una cláusula absoluta e incluso en ocasiones pueden incluir determinaciones circunstanciales de lugar o tiempo, propiedades vetadas por lo general a los nombres precedidos por el artículo determinado.

(75) a. *Jugador del Barcelona durante aquella temporada*, Ronaldo recibió ofertas multimillonarias para hacer publicidad.
b. *Esposa del marqués de Marinaleda por aquel entonces*, Isabel de Pomés fue condenada por estafa.

Otra peculiaridad de los incisos nominales es la de exigir un adjetivo u otro modificador. Obsérvese que ejemplos como los siguientes resultarían extraños sin los modificadores y complementos que señalamos en cursiva, mientras que no es difícil hallar adjetivos o participios desempeñando esta función en solitario.

(76) a. Orador *notable*, Ático era sin embargo un escritor mediocre.
b. Amigo *fiel*, Luis permaneció a su lado en los momentos difíciles.
c. Donjuán *impenitente*, Miguel siempre cede a la tentación.
d. Padre *comprensivo*, Ernesto no tiene ningún problema en dejar el coche a sus hijas.

Tanto adjetivos (véase (77b)) como nombres incidentales (véase (77a)) comparten la posibilidad de referirse a elementos tácitos, situación que no podemos encontrar en los casos de aposición donde el antecedente siempre tiene que estar presente.

(77) a. *Amigo fiel*, estuvo a su lado en los momentos difíciles.
b. *Atento y considerado como siempre*, estuvo a su lado en los momentos difíciles.

Como ocurría con adjetivos y participios, también los incisos nominales pueden cargarse de valores adverbiales. El valor causal del inciso *amigo fiel* en (77a) da fe de ello.

Martínez (1994: 250) señala a propósito de los ejemplos siguientes que los segmentos destacados en cursiva podrían ser incisos nominales con valor concesivo.

(78) a. *Don Francisco de Quevedo y Villegas*, y no venciste a la muerte.
b. *Cayetana de Alba*, y no la dejaron pasar.
c. ¿*Lola Flores*, y paga religiosamente a Hacienda?

Resulta obvio que los nombres propios de estas frases presentan en todos los casos una contraposición significativa con el resto de la oración, lo que da lugar a una interpretación concesiva. Sin embargo, la ruptura entonacional que las caracteriza, el hecho de que presenten en todos los casos modalidad exclamativa o interrogativa y, sobre todo, que el nombre presuntamente incidental se vincule a la oración mediante el nexo *y* hacen pensar que quizá se trate de prótasis concesivas en las que se ha elidido la cópula.

En ocasiones el inciso nominal aparece introducido por partículas como *en tanto que, como, de* o *en cuanto*, entre otras.

(79) a. *De monja*, hizo milagros.
b. *En tanto que tutor de este niño*, no voy a permitir esta injusticia.
c. *Como enemiga declarada*, conviene castigarla.
d. *Como mujer de mundo que es*, hace rato que está enterada de que a Eugenia y a Javier hay que convidarlos juntos.

En estos casos, la secuencia deja de tener el tono elevado, a veces casi pedante, que caracteriza a los incisos nominales que hemos visto hasta ahora. Además, el segmento incidental goza de mayor movilidad dentro de la frase que lo alberga. Este hecho permite suponer que las partículas introductorias mencionadas deben aportar algún valor, posiblemente aspectual o temporal, que se suma a la predicación aportada por el nombre. [31]

El comportamiento de los incisos nominales frente a procesos como la focalización [→ §§ 11.7, 16.6 y 64.3] permite también establecer diferencias con las aposiciones. Nótese respecto a los casos de (80) que, si se focaliza el antecedente, no puede hacerse lo mismo con el nombre incidental y tampoco es posible a la inversa. Dado que los procesos de focalización pueden afectar únicamente a un constituyente por frase, puede deducirse de la agramaticalidad de ejemplos como los siguientes que los nombres incidentales no forman un bloque homogéneo con el nombre al cual se refieren, sino que introducen una predicación similar a la que aportaría una cláusula absoluta. [32]

(80) a. *ORADOR NOTABLE, ÁTICO era un escritor mediocre.
b. *Fue SHERLOCK HOLMES, LECTOR ASIDUO DE PRENSA SENSACIONALISTA, quien conocía al dedillo los crímenes cometidos en Europa durante el siglo XIX.
c. *APRENDIZ VORAZ, BORGES sí aprendió japonés a los ochenta años.

Debe decirse finalmente que, aunque los elementos incidentales pueden diferenciarse claramente de las aposiciones por los motivos que se han expuesto, no se comportan como un bloque unitario. Segmentos como los señalados en las frases siguientes tienen sin duda valor incidental. Sin embargo, a poco que se ahonde en su análisis van surgiendo divergencias. Por ejemplo, gozan de distintos grados de autonomía respecto al nombre al cual se refieren: *el muy imbécil* de (81a) nunca podrá aparecer en posición inicial puesto que debe establecer una relación anafórica con el sujeto *Juan*, restricción esta que no es necesaria con los incisos nominales que hemos visto, ni tampoco en *menudo fresco* en (81b) o *vaya par de calamidades* en (81c). Estas secuencias ocasionan una ruptura entonacional muy marcada que tampoco aparece en todos los elementos incidentales. (Se estudiarán otros tipos de incisos predicativos en el capítulo 38.)

---

[31] Sobre esta cuestión consúltese Suñer 1990: cap. II.

[32] La viabilidad de ejemplos como los de (i) (cf. (80)) nos demuestra que una oración puede albergar a un nombre y a su aposición estando ambos focalizados.

(i) a. JUAN, TU VECINO, es un caradura (y no tu pobre hermano Juan).
b. Fue JUAN, TU VECINO, quien lo embrolló todo (y no tu pobre hermano Juan).
c. JUAN, TU VECINO, sí que se las apaña bien (y no tu pobre hermano Juan).

(81) a. Juan, *el muy imbécil*, lo echó todo a perder.
b. Tu novio, *¡menudo fresco!*, apareció dos horas tarde.
c. Juan y Luis, *¡vaya par de calamidades!*, estuvieron riéndose todo el rato.

8.4. Construcciones como *la ciudad de Toledo* y *el tonto de Juan*: la anteposición de predicados dentro del sintagma nominal

Dentro de los apartados destinados a la aposición, algunas gramáticas incluyen ejemplos como (82) y (83) bajo la etiqueta de 'aposición indirecta':

(82) a. La ciudad de Toledo.
b. El día de hoy.
c. El mes de febrero.
d. La calle de Alcalá.
e. La teoría de la evolución de las especies.
f. El hecho de mentir ante el tribunal.
(83) a. Una pena de película.
b. La lista de María.
c. El bueno de Luis.
d. El aguafiestas de tu hermano.
e. Esa loca de Clara.
f. El pesado del vecino.

En rigor, en estos casos, no podría hablarse de aposición porque ni ambos términos están yuxtapuestos, sino que se conectan mediante la preposición *de*, [33] ni el elemento que funciona como predicado sigue a su antecedente. Sin embargo, lo que sí resulta evidente es que estos sintagmas albergan una relación atributiva, hecho que queda de relieve con las paráfrasis siguientes [→ §§ 13.4.7 y 37.2]:

(84) a. Toledo es (una) ciudad.
b. Hoy es (un) día.
c. Febrero es (un) mes.
d. Alcalá es (una) calle.
e. La evolución de las especies es (una) teoría.
f. Mentir ante el tribunal es (un) hecho.
(85) a. (La) película es (una) pena.
b. María es lista.
c. Luis es bueno.
d. Tu hermano es un aguafiestas.
e. Clara es una loca.
f. El vecino es un pesado.

---

[33] De hecho, muchas de las construcciones con *de* proceden de genitivos latinos. Bassols (1992: 58) habla en estos casos de 'genitivos explicativos o aposicionales'. Según este autor, son particularmente frecuentes con palabras como *vox, nomem, virtus* o *res*, y también con apelativos geográficos: *urbs Romae* en vez de *urbs Roma*. El uso del genitivo, que ha persistido hasta la actualidad, era de cuño popular en sus orígenes, y fue poco grato a los escritores clasicistas. Nebrija (1492: 92) los censura como expresiones incorrectas: «Mas aqui no quiero dissimular el error que se comete en nuestra lengua, i e alli passo a la latina, diziendo *mes de enero, dia de martes, ora de tercia, ciudad de Sevilla, villa de Medina, rio de Duero, isla de Calez*; porque el mes no es de enero sino el mesmo es enero, ni el dia es de martes sino el es martes...». Véanse también las referencias a este problema en Cuervo 1954, vol II: 791 y ss. y Meyer Lübke 1890-1906, vol. III: 272.

En ejemplos como *la ciudad de Toledo* o *una pena de película* pueden establecerse paralelismos con *Toledo ciudad* o *una película de pena*, con los predicados pospuestos. Ahora bien, tales correspondencias no son sistemáticas en muchos casos o bien se producen cambios de significado. Podría decirse, por ejemplo, que *la ciudad de Toledo* y *Toledo* pueden aparecer indistintamente en muchos contextos, sin embargo no puede decirse lo mismo de *Toledo ciudad* porque ahí la aposición *ciudad* tiene carácter restrictivo y contrasta con otros sintagmas, por ejemplo con *Toledo provincia*.

Ejemplos como (82f), cuyo núcleo es el sustantivo *hecho*, tienen propiedades peculiares frente a otros sintagmas de cuño parecido como (86) [⟶ § 33.3]. Esto explicaría, de acuerdo con Bosque (1989: 76-78), que en estos ejemplos pueda vacilarse entre dos interpretaciones, mientras que eso no ocurre con el sintagma nominal que aparece en (87).

(86) a. El deseo de hablar de tu primo. *[Ambiguo]*
b. El miedo de hablar de tu primo. *[Ambiguo]*
c. La manía de hablar de tu primo. *[Ambiguo]*
d. La intención de hablar de tu primo. *[Ambiguo]*
(87) El hecho de hablar de tu primo. *[No ambiguo]*

Los sintagmas de (86) son ambiguos porque el sintagma *de tu primo* puede ser el complemento de régimen del verbo *hablar*, pero también puede interpretarse como argumento externo de los sustantivos *deseo, miedo, manía* o *intención*. Y es justamente esta segunda interpretación la que está vetada en el ejemplo de (87). De ahí el contraste entre (88) y (89).

(88) a. El deseo de tu primo de hablar.
b. El miedo de tu primo de hablar.
c. La manía de tu primo de hablar.
d. La intención de tu primo de hablar.
(89) *El hecho de tu primo de hablar.

En Bosque 1990: 25-27 se argumenta que ciertas propiedades que tiene la *consecutio temporum* en ejemplos como (87) pueden explicarse fácilmente si se consideran construcciones apositivas, en vez de estructuras de núcleo nominal con un complemento restrictivo (que sí serían pertinentes, en cambio, para ejemplos como los de (86)). Se entendería, pues, que «el ser un hecho» se predica de la accción *hablar de tu primo*.

Volviendo a los sintagmas de (83), la relación atributiva que media entre el predicado antepuesto y su complemento en genitivo permite explicar fácilmente la concordancia [⟶ § 42.7]. Esta es productiva tanto en género como en número si el predicado implicado en la construcción es un adjetivo, como ocurre con *tonto* en los ejemplos siguientes, que varía de acuerdo con el género y el número impuestos por el genitivo.

(90) a. El tonto del vecino.
b. La tonta de la vecina.
c. Los tontos de los vecinos.
d. Las tontas de las vecinas.

Si el predicado antepuesto es un nombre, puede haber discordancias como en *el gallina de Juan, el pelota de González* o *la cerebrito de tu hermana*. Nótese, sin embargo, que en estos casos el artículo que precede a la construcción se acomoda al género impuesto por el sujeto en genitivo. La situación es algo distinta en los ejemplos que relacionamos en (90'), en los que el sujeto en genitivo no concuerda necesariamente con el nombre que funciona como predicado, ni con el artículo indefinido que precede a toda la construcción [⟶ § 12.2].

(90') a. Un horror de película.
b. Un asco de croquetas.
c. Una calamidad de marido.
d. Un encanto de mujer.

Esta situación no es anómala, puesto que podemos encontrarla también en las correspondientes paráfrasis atributivas como *Esta película es un horror* o *Estas croquetas son un asco* y se debe seguramente al carácter abstracto del sustantivo que funciona como predicado.

El determinante que encabeza las construcciones citadas tiene un comportamiento muy peculiar: no sólo establece una correlación de concordancia con el sujeto en genitivo sino que, además, es sensible su carácter específico. Así podremos hablar de *este loco de Juan, el pesado de tu vecino* o *la calamidad de su hijo* pero no de **un loco de Juan, *un pesado de su vecino* o **una calamidad de su hijo.* [34] Asimismo, tampoco son viables **el loco de amigo, *el pesado de vecino* o **esta calamidad de hijo*, aunque para estos últimos ejemplos la situación cambia radicalmente si *amigo, vecino* e *hijo* aparecen acompañados por una oración de relativo restrictiva [—› § 7.1.3].

(91) a. El loco de amigo **(que siempre te embarca en proyectos quiméricos)* acaba de entrar y se dirige hacia nosotros.
b. El pesado de vecino **(que siempre escucha la radio a todo volumen)* se ha ido de vacaciones.
c. —¿Sabes lo que acaba de hacer esta calamidad de hijo **(que tienes)?*

El comportamiento que vemos en los ejemplos anteriores no puede reproducirse con ningún otro tipo de complemento restrictivo. No son posibles, pues, **el loco de amigo sueco, *el pesado de vecino del quinto* o **esta calamidad de hijo de Luis*, cosa que hace pensar que la peculiaridad de los segmentos que presentamos en (91) no tiene que ver tanto con la presencia de modificadores de carácter restrictivo como con la relación especial que entablan las oraciones de relativo con el artículo inicial.

Destaca también en estas construcciones la escasa relevancia sintáctica y semántica del presunto núcleo. A diferencia de enunciados con interpretación posesiva, con los que a menudo pueden confundirse, no es posible intercambiar el complemento genitivo por un adjetivo posesivo. *Su burro* sólo puede interpretarse como «Juan posee un burro» pero no «Juan es un burro». Tampoco puede elidirse cuando aparece por segunda vez en series coordinadas. *El burro de Juan y el de Pedro* se referirá por consiguiente a los dos animales que poseen Juan y Pedro. [35]

Tampoco son equivalentes las propiedades referenciales de los núcleos de estas construcciones a las de los núcleos que aparecen, por ejemplo, en estructuras posesivas. En este sentido, obsérvese que el pronombre reflexivo *se* tiene como ante-

[34] Evidentemente debe descartarse para ejemplos como los anteriores la lectura posesiva, no pertinente para lo que aquí se señala.

[35] Curiosamente el uso apositivo de estas construcciones, que ya existía en latín en ejemplos como *monstrum hominis*, de acuerdo con Lombard (1931), se censura en la gramática de Nebrija (1492: 211) con estas palabras: «dedonde se sigue que no es amphibolia aquello en que solemos burlar en nuestra lengua diziendo *el asno de Sancho*, porque a la verdad no quiere ni puede dezir que Sancho es asno sino que el asno es de Sancho». Sobre esta cuestión consúltese también Lapesa 1964.

cedente en (92a) al sintagma *el hermano de Juan*, sujeto de la frase, mientras que en (92b) el pronombre reflexivo elige como antecedente a *Juan*, el complemento en genitivo.

(92) a. *El hermano*$_i$ *de Juan se*$_i$ peina.
b. El tonto de *Juan*$_i$ *se*$_i$ peina.

Visto lo anterior, no es de extrañar que las relaciones entre pronombres átonos no reflexivos y sus respectivos antecedentes tampoco sigan en estas construcciones los patrones establecidos. El pronombre *lo* en (93a) puede elegir como antecedente al nombre *Juan* dado que este, si bien se encuentra inserto dentro del sujeto de la construcción, no ocupa su posición nuclear. En (93b), en cambio, esta relación anafórica es completamente imposible.

(93) a. El hermano de *Juan*$_i$ *lo*$_i$ peina.
b. *El tonto de *Juan*$_i$ *lo*$_i$ peina.

Se confirma con ejemplos como los precedentes que el peso significativo de estas construcciones nominales atributivas no recae en el elemento que aparentemente ocupa la posición nuclear sino en el nombre en genitivo que lo acompaña. La concordancia *ad sensum* que establecen los atributos que aparecen en las oraciones siguientes vuelve a confirmar este punto.

(94) a. Esta maravilla de secretario que tienes siempre está {enfermo/*enferma}.
b. El ángel de tu mujer no sé si estará {*dispuesto/dispuesta} a prepararnos la cena si llegamos tan tarde.
c. Esta perla de vigilante nocturno que hemos contratado siempre está {dormido/*dormida}.

Lo mismo ocurre cuando se establece una relación anafórica con un pronombre. El complemento en genitivo tiende a ser interpretado como el verdadero antecedente de la construcción.

(95) a. Esta maravilla de secretario que tienes nos dijo que siempre acaban despidiéndo {lo/*la} de todos los sitios.
b. El ángel de tu mujer siempre te recuerda que nunca {*lo/la} sacas a cenar.
c. Esta perla de vigilante nocturno que has contratado, siempre que {lo/*la} veo está echando un sueñecito.

8.4.1. Características de los predicados valorativos

La anteposición del predicado en los sintagmas de (83) puede achacarse a las características semántico-aspectuales del propio predicado. En todos los casos se trata de predicados valorativos [→ §§ 1.7.3.2, 3.4.2.2, 12.2.2.1, 37.2.2.3 y 39.2.2].[36]

[36] Las características de los nombres valorativos aparecen descritas en Bello 1847: 78, que los llama «nombres o ajetivos que expresan compasión, desprecio, vituperio», Alinei 1971, Milner 1978, 1982 y también en Suñer 1990: cap. III y 1998.

Se denominan de este modo aquellos predicados que, junto a su significado denotativo, o incluso suplantando a este, poseen una connotación afectiva. Dan cuenta de la pérdida del valor denotativo de algunos predicados valorativos los ejemplos que se proponen a continuación, donde dos predicados de este tipo se oponen semánticamente mediante una disyuntiva.

(96) a. Juan es un imbécil y no un idiota.
b. Luis es un burro y no un tonto. [37]

Los contextos en los que puede aparecer un predicado de este tipo, además de las construcciones nominales atributivas que hemos examinado, son muy diversos. Algunos de ellos se detallan a continuación:

a) Los predicados valorativos pueden usarse fácilmente como insultos o epítetos [→ § 62.1.2.7], a diferencia de lo que ocurre con los predicados que carecen de tal valor. Los ejemplos que aparecen a continuación ilustran este punto:

(97) a. ¡Picapleitos!/*¡Abogado!
b. ¡Chupatintas!/*¡Oficinista!
c. ¡Matasanos!/*¡Médico!
d. ¡Tacaño!/*¡Alto!
e. ¡Cretino!/*¡Rubio!
f. ¡Animal!/*¡Decente!

b) Asimismo los predicados valorativos pueden aparecer en las construcciones conocidas como atributos precedidos por el artículo *un* enfático. [38]

(98) a. Eres {un sacamuelas/*un dentista}.
b. Es {una metomentodo/*una abogada}.
c. Somos {unos cobardes/*unos alcaldes}.
d. Son {unos matasanos/*unos médicos}.
e. Eres {un listo/*un inteligente}.
f. Es {un caradura/*un traductor}.

Si en esta misma construcción añadimos un adjetivo valorativo al elemento que desempeña la función de atributo, las secuencias resultantes son perfectamente aceptables puesto que todo el sintagma acaba siendo portador de una connotación [→ §§ 13.4.7 y 37.2.2].

(99) a. Eres un abogado *{sensacional/desastroso}.
b. Luis es un calvo *{adorable/guapísimo}.
c. Miguelón es un ciclista *{fuera de serie/excepcional}.
d. Es un conductor *{suicida/muy poco prudente}.
e. Juan es un feo *{simpático/muy atractivo}.
f. Es un escritor *{ininteligible/pretencioso}.

---

[37] Evidentemente que si se tratase de términos médicos, algunos de estos apelativos *(cretino, mongólico, idiota,...)* tendrían acepciones denotativas referidas a distintos tipos de discapacidades mentales.

[38] Sobre este tipo de construcción consúltese Fernández Lagunilla 1983.

c) Los predicados valorativos pueden aparecer en una enorme variedad de oraciones exclamativas como las de (100). Las secuencias de (101), en las que concurren predicados no valorativos constituyen otra vez el contrapunto agramatical. Naturalmente, estas combinaciones son posibles si se fuerzan los paradigmas con propósitos irónicos o expresivos.

(100) a. ¡Si serás {animal/caradura/imbécil}!
b. ¡{Fresco / gallina/franchute/tacaño}, más que {fresco/gallina/franchute/tacaño}!
c. ¡{Vaya/Menudo} pedante, tu novio!
d. ¡Mira que eres {malpensado/torpe/tontorrón/sinvergüenza}!

(101) a. *¡Si serás {abogado/secretaria/alpinista}!
b. *¡{Alto/joven/violinista}, más que {alto/joven/violinista}!
c. *¡Menudo alto, tu novio!
d. *¡Mira que eres {rubio/alcalde}!

Algunos predicados valorativos poseen esta propiedad de manera intrínseca (*carcamal, cafre, estúpido, maravilla, encanto, caradura, chivato, tonto, gamberro, picapleitos* (cf. *abogado*), *chupatintas* (cf. *oficinista*), *matasanos* (cf. *médico*), etc.), en tanto que otros pueden adquirirla mediante procedimientos gramaticales bastante diversos, como los que se relacionan a continuación:

a) Algunos primitivos carecen de connotaciones, pero la adjunción de un sufijo intensificador los convierte en derivados valorativos [—> § 71.8]. En estos casos se considerará que el poseedor del rasgo es el sufijo. Palabras como *actorzuelo, mujerzuela, picaronzuelo, ricachón, fortachón, actorazo, viejazo, poetastro, blandengue, flacucha, feúcha, gentuza, actorcito, tontaina, grandullón* o *mujerona* pueden aparecer en los típicos contextos reservados para los predicados valorativos, contextos que no hubieran sido asequibles en el caso de tratarse de las palabras primitivas, como las construcciones predicativas de pseudonúcleo nominal que aparecen a continuación.

(102) a. El padrazo de Juan. / #El padre de Juan.
b. El medicucho de Luis. / #El médico de Luis.
c. El {guaperas/guapito} de su primo. / #??El guapo de tu primo.
d. El vejestorio de mi casera. / #??La vieja de mi casera.
e. El solterón de tu tío. / #El soltero de tu tío.

b) Puede obtenerse el mismo efecto mediante la adición de un adjetivo valorativo antepuesto como *condenado, maldito, jodido, falso, pobre, valiente* y pocos más, de un prefijo (*cuasi, semi, medio*, etc.) o cualquier complemento valorativo pospuesto (adjetivos, oraciones de relativo, sintagmas preposicionales, etc.):

(103) a. El *(maldito) estructuralista de Ferdinand.
b. El *(condenado) demócrata de Pepe.
c. La *(medio) monja de Teresa.
d. El generativista *({furibundo/redomado}) de Noam.
e. El abogado *({de tres al cuarto/de mierda/de las narices/de pacotilla/que se las sabe todas}) de Perry.
f. El juez *(de padre y muy señor mío) de don Cosme.

c) La inserción de los segmentos partitivos tales como {*cacho* o *pedazo (de)*} produce, en la lengua coloquial, el mismo resultado.

(104) a. El *(cacho) torero de Paco Ordóñez.
b. *El (pedazo de) mujer de tu cuñada.

d) Hay otros procedimientos intensificadores aparentemente diversos. Tal vez el rasgo común que unifique a los integrantes de esta copiosa lista sea su valor similar a la de un prefijo. Algunos de ellos son acumulables en un mismo primitivo [→ § 76.2.5.1]. La adición de un prefijo a una palabra previamente prefijada vuelve a potenciar el aspecto valorativo que quizá un uso excesivo había erosionado en la palabra anterior. Así, tenemos prefijos como *re-, rete-, rede-, requete-, rerre-, recontra-, requetecontra-*, etc., que dan origen a series como *rebueno, retebueno, redebueno, requetebueno, rerrebueno, requetecontrabueno, recontracansado, requetecontracansado*, etc. También pueden desempeñar el mismo papel prefijos de origen culto griego o latino, como *archi-, extra-, super, ultra-* o *sobre-*. Vocablos como *supermodesto, superrefina, archimaniática, sobrealimentado, ultraconservador*, entre otros, pueden aparecer en los contextos reservados para los predicados valorativos. En estos casos se puede suponer que el portador de la valoración es el prefijo.

(105) a. El *(requete-)catedrático de Juan.
b. El *{hiper-/super-/mega-} juez de Baltasar.
c. El *(señor) futbolista de Ronaldo.
d. El *(rey de los) portero-s de Zubizarreta.
e. El *(don) perfecto de Juan.

Cabe señalar que no siempre se precisa una marca léxica o sintáctica para desencadenar una interpretación valorativa. En ocasiones, basta un simple contexto valorativo. El hecho de que *fascista, estalinista, leninista*, etc. se hayan cargado de connotaciones hasta llegar a convertirse en una denominación despectiva, equiparable en este sentido a *cretino* o a *tonto*, y opuesto a *demócrata* o *progresista*, convertidos a su vez en designaciones positivas, permite que estos nombres puedan acceder a los mismos contextos sintácticos que los elementos que poseen inherentemente el rasgo valorativo. Las razones de la aparición de una carga valorativa no son, pues, estrictamente léxicas o sintácticas, sino semántico-pragmáticas. Los criterios que rigen la presencia de una valoración son objetivos en el caso de ser inherentes léxicamente a un vocablo, pero son subjetivos respecto a un individuo o a una comunidad si se trata de una cuestión cultural [→ § 1.7.3.2]. Palabras como *castrista, comunista, maoísta* o *ateo* pueden revestir tintes negativos en una sociedad capitalista católica, pero ser perfectamente neutros en Cuba o en China. *Estalinista, leninista, trostkysta*, etc., nacieron como designaciones neutras, pero el paso del tiempo y el progresivo arrinconamiento de tales sistemas políticos ha dado paso a una valoración negativa. El carácter mutable de las connotaciones asociadas a las palabras, y su estrecho vínculo con la vida social y cultural de una comunidad, provoca que exista una gran variación dialectal dentro del grupo de predicados valorativos. Kany (1960: cap. XI) reseña algunos nombres con una connotación de excelencia presentes en distintas variedades del español americano.

(106) a. ¡Cipote, esta mujer! (Col.)
b. ¡{Macanuda/Fenómena}, tu maestra! (Arg.)
c. ¡Churrasco, este fulano! (Arg.)
d. ¡Una línea, este estudiante! (Chil., Ven., PR.)
e. ¡Un mang(az)o, esta señora! (Méx.)
f. ¡Un palo, este hombre! (Ec., Ven., Col., Pan.)
g. ¡Un {penco/pencón}, esta muchacha! (Col., Guat.)

Los predicados valorativos son portadores de una noción de estado permanente o de homogeneidad en la duración [⟶ § 3.2.3.1 y § 37.2]. Por ese motivo pueden aparecer como atributos del verbo *ser* y no de *estar*. Un predicado contingente, aquel que se combina con *estar*, es capaz de adquirir cariz inherente si se lo combina con determinados modificadores aspectuales que rectifiquen el valor estativo propio del predicado. De este modo puede aparecer en ciertos contextos reservados para predicados inherentes como por ejemplo las oraciones exclamativas de (108), que sin esta modificación hubieran sido inaccesibles como ocurre con (107).

(107) a. *¡Tumbado en el sofá, el holgazán de tu hermano!
b. *¡Contento, ese exigente de mi jefe!
c. *¡Borracho, tu amigo Luis!

(108) a. ¡Siempre tumbado en el sofá, el holgazán de tu hermano!
b. ¡Nunca contento, ese exigente de mi jefe!
c. ¡Eternamente borracho, tu amigo Luis!

8.4.2. Anteposición de predicados en otros sintagmas

La anteposición del predicado no aparece únicamente en sintagmas nominales como los que acaban de tratarse en el apartado anterior. De hecho, es un fenómeno general que puede afectar a cualquier predicado no verbal siempre que cumpla una serie de propiedades básicamente de tipo semántico o aspectual. Vimos que predicados como *pelota* o *caradura* en *el pelota de González* o *el caradura de Luis* podían anteponerse gracias a su carácter valorativo. Ocurre algo parecido en las frases nominales exclamativas de (109):

(109) a. ¡Menudo caradura, tu amigo Luis!
b. ¡Muy ricos estos langostinos!
c. ¡Vaya fresco, tu novio!
d. ¡Qué insensatez confiar nuestra seguridad a la protección de una potencia extranjera! [Bello 1847: § 72]

o en los enunciados exclamativos que incluyen predicados (adverbios o sintagmas preposicionales) con valor direccional:

(110) a. ¡Al infierno con tus estúpidas manías!
b. ¡Abajo con el dictador!
c. ¡Al cuerno con tus sutilezas!

En los sintagmas adjetivos de (111) el predicado también puede anteponerse y da lugar a construcciones de acusativo griego o de relación [⟶ § 4.3.6.1]:

(111) a. Corto de vista.
b. Enjuto de rostro.

c. Era Amadís un hombre *alto de cuerpo, blanco de rostro, bien puesto de barba*, aunque negra, de vista entre blanda y rigurosa. [Cervantes, *El Quijote*; tomado de Suñer 1990: 429]
d. Fue Roldán de mediana estatura, *ancho de espaldas*, algo estevado, *moreno de rostro* y barbitaheño. [Cervantes, *El Quijote*; tomado de Suñer 1990: 429]
e. Uno de los sastres, *pequeño de cuerpo, redondo de cara*, malas barbas y peores hechos, no hacía sino decir: ... [F. Quevedo; tomado de Suñer 1990: 429]
f. Son, pues, estas damas *mal sacadas de cuerpo, levantadas de hombros, cortas de cuello, grandes de cabeza, angostas de frente, ceñudas de cejas, hendidas de ojos, anchas de narices, largas de boca, copiosísimas de tetas, abundantísimas de nalgas, levantadas de barriga, espaciosas de cintura, gruesas de pelo, toscas de mano y abiertas de pata*. [E. de Salazar, *C*]

Estas secuencias adjetivas se relacionan claramente con sintagmas preposicionales que envuelven una predicación. Así tenemos los dobletes, *enjuto de rostro* y *de rostro enjuto, estrecho de pecho* y *de pecho estrecho*. En ambos casos el sujeto de la construcción, *rostro* o *pecho* en los ejemplos anteriores, debe ser un singular o un plural escueto, sin determinante. De ahí que *enjuto del rostro* o *estrecho del pecho* y sus correlatos *del rostro enjuto* o *del pecho estrecho* sean construcciones no bien formadas o no posean el mismo valor. Este sujeto debe designar además una característica inalienable respecto del nombre al cual se refiere el sintagma adjetivo. Por ejemplo, en *un hombre cargado de espaldas*, el sustantivo *espaldas* debe aludir obligatoriamente a las espaldas del hombre en cuestión. No son posibles, pues, **un hombre cargado de mis espaldas* o **un hombre cargado de las espaldas de Luis*, ni tampoco, **un hombre cargado de sus espaldas*, entendiendo que el posesivo *sus* está relacionado con *hombre* [—> §15.6]. [39] No obstante, este último ejemplo sí es posible en ciertas variedades del español mexicano que reduplican el posesivo.

8.5. Complementos predicativos dentro de los sintagmas nominales

En la frase *Maradona se presentó ante el público vestido con la camiseta del Boca* puede distinguirse, además del sujeto *Maradona*, y del predicado *se presentó ante el público*, el incremento *vestido con la camiseta del Boca*. Dicho elemento se conoce comúnmente con el nombre de 'complemento predicativo' y tiene la particularidad de expresar una predicación adicional a la aportada por el verbo principal y sus complementos [—> § 38.2]. En el caso citado, el complemento predicativo se refiere claramente al sujeto *Maradona* y, por lo tanto, el participio *vestido* concuerda en género y número con este. Evidentemente la concordancia del elemento predicativo con el sujeto oracional sólo podrá materializarse en caso de tratarse de adjetivos y participios. La falta de concordancia entre el sintagma *con gafas oscuras* respecto a *Maradona* en *Maradona se presentó ante el público con gafas oscuras* no delata que este segmento sea incapaz de predicar una propiedad respecto a *Maradona*, sino que esta relación predicativa no puede expresarse formalmente mediante la concordancia al ser el elemento predicativo un sintagma preposicional. [40]

Así como a una oración puede agregársele un complemento predicativo, a algunos sintagmas nominales, microcosmos oracionales de acuerdo con teorías recientes, [41] también puede sumárseles este tipo de elemento predicativo [—> § 38.2.3].

---

[39] En Frei 1972 y en Suñer 1990: cap. III pueden hallarse más detalles sobre esta construcción.

[40] Sin embargo existen predicados precedidos por preposición que mantienen la concordancia con sus respectivos sujetos. Se trata de casos como *De pequeño era más arisco, Pasó por tonto, Trabaja de camarero, ¿Me tomas por idiota?* Estas construcciones se estudian en Suñer 1990: cap. II y en el capítulo 38 de esta gramática.

[41] Consúltense Giorgi y Longobardi 1991 y Picallo 1992.

Ocurriría por ejemplo con *la presentación ante el público de Maradona vestido con la camiseta del Boca*, correlato nominal de la oración que analizábamos antes, y con los sintagmas de (112), cuyas correspondencias oracionales quedan puestas de relieve en (113). [42]

(112) a. Su descripción de Juan en pijama nos hizo reír.
b. La visión de Diana de Gales moribunda perturbó a mucha gente.
c. La entrada de Luis vestido de mujer era digna de verse.
d. La mirada de Juan encolerizado la detuvo.
e. Es imprescindible la captura de ese animal vivo.

(113) a. Describió a Juan en pijama.
b. Vieron a Diana de Gales moribunda.
c. Luis entró vestido de mujer.
d. Juan la miró encolerizado.
e. Capturaron a ese animal vivo.

Ahora bien, no todos los nombres pueden acompañarse de complementos predicativos como nos demuestra la malformación de (114):

(114) a. *El cuarto de Juan en pijama estaba desordenado.
b. *Encontraron el bolso de Diana de Gales moribunda.
c. *¿Has visto los zapatos de Luis vestido de mujer?
d. *El coche de Juan encolerizado está aparcado enfrente.
e. *Se perdió el collar de ese animal vivo.

Podría pensarse que un complemento predicativo sólo puede aparecer con un nombre si este es un nombre deverbal, una forma nominal relacionada con verbo. Sin embargo, las cosas son bastante más complejas, ya que no todas las nominalizaciones pueden albergar un complemento predicativo. De acuerdo con la distinción establecida por Grimshaw (1990), y desarrollada para el catalán por Picallo (1992), los nombres deverbales son sistemáticamente ambiguos entre una lectura eventiva en la que se designa un proceso y otra de resultado, que hace referencia al producto obtenido a partir de este proceso. [43] Con lecturas eventivas es frecuente encontrar complementos predicativos referidos tanto al agente como al tema del proceso descrito por el nombre. Sin embargo, la aparición de complementos predicativos referidos al tema topa con dificultades si la interpretación del nombre deverbal es la de resultado. Como se verá en el capítulo 38 de esta gramática, tampoco todas las nominalizaciones que designan un proceso pueden acompañarse de un complemento predicativo; sólo aquellas que se refieren a eventos durativos y que describen el proceso localizado en un punto determinado, por regla general el de su culminación.

Existen nombres de representación como *foto, cuadro, retrato*, etc., no necesariamente vinculados a un verbo como en el caso de los deverbales, que exhiben propiedades parecidas a estos en cuanto a la posibilidad de admitir complementos predicativos. Así ocurre en las secuencias de (115):

---

[42] Algunos ejemplos y las líneas maestras de la argumentación que detallamos en este apartado están inspiradas en Escandell y Leonetti 1991: 431 y ss.

[43] Lo que refleja parcialmente la etiqueta tradicional «acción y efecto de». Sobre esta cuestión consúltese Picallo (1992).

(115) a. Las fotos de Boris Yeltsin *borracho* dieron la vuelta al mundo.
b. El cuadro de María *disfrazada de hombre* es el que más me gusta.

También ciertos nombres relacionales como *cara, nariz, cintura, aspecto, orejas, peso* o *altura* en los ejemplos de (116) admiten la presencia de complementos predicativos.

(116) a. La *cara* de Juan contento.
b. La *nariz* de Luis borracho.
c. La *cintura* de Carmen embarazada.
d. El *aspecto* de Juan disfrazado de mujer.
e. Las *orejas* de Miguel pelado al cero.
f. El *peso* del boxeador desnudo.
g. La *altura* de Pepe descalzo.

Cara, nariz, cintura o *aspecto* son nombres relacionales, a diferencia de otros como por ejemplo *mesa, casa* o *bolígrafo*, porque establecen un vínculo de posesión inalienable con los genitivos que aparecen junto a ellos y podría decirse, en este sentido, que tales complementos tienen carácter argumental o que están previstos en la estructura temática de dicho nombre. Eso explicaría la buena formación de *la nariz de Juan borracho*, en contraste con **los zapatos de Juan borracho*, puesto que sólo en el primer caso se alude a una propiedad inalienable, ligada sustancialmente a *Juan*.

Los nombres de relación admiten lecturas arbitrarias cuando el contexto no proporciona un antecedente adecuado al argumento implícito incluido dentro del sintagma nominal. Así ocurre por ejemplo en (117):

(117) a. Si quieres ser azafata, lo primero que te pedirán es la altura *descalza*.
b. Para saber la categoría de un boxeador, lo que cuenta es el peso *desnudo*.

De todo lo expuesto en este apartado se deduce que la posibilidad de incluir complementos predicativos dentro de un sintagma nominal, claro indicio de la similitud entre oraciones y sintagmas nominales, va ligada al carácter transitivo de los nombres que aparecen como núcleos de la construcción. Comparten el hecho de regir complementos tanto los nombres deverbales, ligados léxicamente a verbos, como los nombres de representación o los relacionales. Y será en todos los casos este complemento el que recibirá la propiedad atribuida por el complemento predicativo. Sin embargo, ejemplos como los siguientes, cuyos núcleos son nombres relacionales que designan parentescos, indican que la afirmación anterior, aunque sustancialmente cierta, debe matizarse.

(118) a. *El hermano de Juan *borracho*.
b. *El padre de Ernesto *enfermo*.

Ejemplos como los anteriores no hacen más que corroborar la semejanza existente entre oraciones y sintagmas nominales. Hernanz (1988: 26) destaca que no pueden aparecer complementos predicativos en oraciones cuyo predicado principal sea estativo:

(119) a. *María adora la música de Mozart *entusiasmada*.
b. *Juan sabe francés *ilusionado*.
c. *María mide dos metros *contenta*.[44]

Como ocurre en las oraciones anteriores, donde un complemento predicativo, que expresa una propiedad contingente, entra en conflicto con el carácter estativo del predicado principal, los nombres *hermano* o *padre* de (118) designan relaciones de tipo inherente y son incompatibles desde un punto de vista aspectual con complementos predicativos como *borracho* o *enfermo*. En otras palabras, el contraste entre *la nariz de Juan borracho* y **el hermano de Juan borracho* se debe a que circunstancialmente, mientras está borracho, la nariz de Juan puede encontrarse en un determinado estado; sin embargo resulta incoherente suponer que únicamente mientras está borracho Juan tiene un hermano. En este sentido la malformación de *el hermano de Juan borracho* contrasta con una secuencia como *los amigos de Félix borracho*, que podría interpretarse adecuadamente siempre que la propiedad de ser amigo de Félix fuera contingente al hecho de estar borracho.

[44] Obsérvese que el ejemplo de (119c) sería agramatical si el verbo *medir* se interpreta como estativo, o sea, si nos referimos a la altura de María. En cambio podría ser plausible en una lectura agentiva, en la que se aludiera al hecho de que María está midiendo dos metros de tela o de papel.

TEXTOS CITADOS

CC: Ignacio Aldecoa: *Cuentos Completos*, Madrid, Alianza Editorial, 1973.
CM: Ray Bradbury: *Crónicas marcianas*, Madrid, Emecé, 1951.
EJ: Rafael Sánchez Ferlosio: *El Jarama*, Barcelona, Destino, 1956.
FM: Alfonso Grosso: *Florido Mayo*, Madrid, Alfaguara, 1973.
SE: Ramón María del Valle-Inclán: *Sonata de estío*, Madrid, Austral, 1903
TEER: Abilio Estévez: *Tuyo es el reino*, Barcelona, Tusquets, 1997.
TH: Camilo José Cela: *Tribunal de hambrientos*, Madrid, Noguer, 1964.
TM: Leonardo Sciascia: *Todo Modo*, Barcelona, Bruguera, 1989.
TS: Luis Martín Santos: *Tiempo de Silencio*, Barcelona, Seix Barral, 1966.
UTT: Juan Marsé: *Últimas tardes con Teresa*, Barcelona, Seix Barral, 1966.
VR: Juan Benet: *Volverás a Región*, Barcelona, Destino, 1967.

REFERENCIAS BIBLIOGRÁFICAS

ALCINA FRANCH, JUAN y JOSÉ MANUEL BLECUA (1975): *Gramática española*, Barcelona, Ariel.

ALINEI, MARIO (1971): «Il tipo sintagmatico quel matto di Giorgio» en Medici y Simone eds. *Atti del convegno internazionale di studi* (Roma 29-30 de noviembre 1969), Roma, Editorial Bulzoni.

ÁLVAREZ MENÉNDEZ, ALFREDO IGNACIO (1988): «El adverbio y la función incidental», *Verba* 15, págs. 215-236.

BARTRA, ANNA y JOSÉ M.ª BRUCART (1982): «Alguns arguments a favor de la categoría sintáctica sintagma predicatiu», *Els Marges* 24, págs. 91-113.

BARTRA, ANNA y AVEL·LINA SUÑER (1992): «Functional Categories Meet Adverbs», *CatWPL* 2, págs. 45-86.

BASSOLS DE CLIMENT, M. (1992): *Sintaxis Latina*, Madrid, C.S.I.C.

BELLO, ANDRÉS (1847): *Gramática de la lengua castellana*, Madrid, Arco/Libros, 1988.

BENVENISTE, ÉMILE (1966): «Fondements syntaxiques de la composition nominale», en *Problèmes de Linguistique générale*, Paris, Gallimard, págs. 145-162.

BLAKEMORE, DIANE (1994): «Are Apposition Markers Discourse Markers?», *JL* 32, págs. 325-347.

BOSQUE, IGNACIO (1989): *Las categorías gramaticales*, Madrid, Síntesis.

— (1990): *Indicativo y subjuntivo*, Madrid, Taurus.

— (1993): «Este es un ejemplo de predicación catafórica», en *Cuadernos de lingüística del Intituto Universitario Ortega y Gasset* 1, págs. 27-57.

— (ed.) (1996): *El sustantivo sin determinación*, Madrid, Visor Libros.

CORREAS, GONZALO DE (1627): *Arte kastellana*, edición de Manuel Taboada Cid, Santiago de Compostela, 1984.

DARMESTETER, A. (1875): *Traité de la formation des mots composé dans la langue française comparée aux autres langues romanes et au latin*, Librairie Honoré Champion, París, 1967.

ESCANDELL VIDAL, M. VICTORIA (1991): «Sobre las reduplicaciones léxicas», *LEA* XIII, págs. 71-84.

ESCANDELL VIDAL, M. VICTORIA y MANUEL LEONETTI JUNGL (1989): «Notas sobre la aposición nominal», *RFE* LXIX, págs. 163-172.

— (1991): «Complementos predicativos en Sintagmas Nominales», *Verba* 18, págs. 431-450.

FERNÁNDEZ RAMÍREZ, SALVADOR (1951): *Gramática española. 3.1. El nombre* (Segunda edición preparada por J. Polo); Madrid, Arco/Libros, 1987.

FERNÁNDEZ LAGUNILLA, MARINA (1983): «El comportamiento de *un* con sustantivos y adjetivos en función de predicado nominal. Sobre el llamado *un* 'enfático'», en *Serta Philologica F. Lázaro Carreter*, Madrid, Cátedra, págs. 195-208.

FERRATER, GABRIEL (1979): «La composició nominal» en *Sobre el llenguatge*, Barcelona, Quaderns Crema, págs. 55-62.

FREI, HENRI (1972): «Sylvie est jolie des yeux», *Mélanges de linguistique offerts à Ch. Bally*, primera edición 1939, Ginebra, Skatline Reprints 1972.

GARCÍA LOZANO, FRANCISCO (1993): «Los compuestos de sustantivo + adjetivo del tipo *pelirrojo*» en S. Varela (1993): *La formación de palabras*, Madrid, Taurus, págs. 205-214.

GIORGI, ALEXANDRA y GIUSEPPE LONGOBARDI (1991): *The Syntax of Noun Phrases*, Cambridge, Cambridge University Press.

GREVISSE, MAURICE (1936): *Le bon usage*. París, Duculot, 1993, edición de A. Goosse.

GRIMSHAW, JANE (1990): *Argument Structure*, Cambridge, MIT Press.

HERNANZ, M. LLUÏSA (1988): «En torno a la sintaxis y a la semántica de los complementos predicativos en español» en C. Sánchez y A. Suñer (eds.) (1988): *Estudis de Sintaxi*, Publicacions de la Universitat de Girona, Girona.

HERNANZ, M. LLUÏSA y JOSÉ M.ª BRUCART (1987): *La sintaxis*, Barcelona, Crítica.

KANY, CHARLES E. (1960): *American-Spanish Semantics*, Berkeley y Los Ángeles, University of California Press.

LAPESA, RAFAEL (1964): «Los casos latinos: restos sintácticos y sustitutos del español», *BRAE* XLIV, páginas 57-105.

— (1996): «El sustantivo sin actualizador en español», en Bosque (ed.) (1996), págs. 121-137.

LOMBARD, ALF (1931): «Li fel d'anemis, Ce fripon de valet», *Studier i modern Spraketenskap utqivna av. Nyfilologiska sällskapet i Stockholm* XI, págs. 149-215.

MARANTZ, ALEC (1982): «Re reduplication», *LI* 13, págs. 483-545.

MARTINELL, EMMA (1984): «De la complementación a la composición en el sintagma nominal», *REL* 14, págs. 223-244.

MARTÍNEZ, JOSÉ ANTONIO (1994): «Las construcciones apositivas en español» en *Cuestiones marginadas de gramática española*, Itsmo, Madrid. págs. 173-224.
MEYER-LÜBKE, WILHELM (1890-1906): *Grammaire des langues romanes*, París, Welter.
MILNER, JEAN CLAUDE (1978): *De la syntaxe à l'interprétation*. París, Éditions du Seuil.
— (1982): *Ordres et raisons de langue*, Paris, Éditions du Seuil.
MORAVSCISK, EDITH A. (1978): «Reduplicative Constructions» en J. H. Greenberg (ed.) *Universals of Human Language*, vol III: *Word Structure*, Stanford, Stanford University Press.
MORENO CABRERA, JUAN CARLOS (1984): «Atribución, ecuación y especificación: tres aspectos de la cópula en español», *REL* 12, págs. 229-245.
MORO, ANDREA (1991a): «The Raising of Predicates: Copula, Expletives and Existence», *MIT WPL* 15, págs. 119-181.
— (1991b): «The Anomaly of Copular Sentences», *University of Venice Working Papers in Linguistics*.
— (1997): *The Raising of Predicates*, Cambridge, Cambridge University Press.
NEBRIJA, ANTONIO DE (1492): *Gramática de la Lengua Castellana*, Edición de Antonio Quilis, Madrid, 1980.
PAULA POMBAR, M.ª NIEVES DE (1983): «Contribución al estudio de la aposición en el español actual», *Verba*, Anejo 20, Universidad de Santiago de Compostela.
PICALLO, M. CARME (1992): «Nominals and Nominalizations in Catalan», *Probus* 3, págs. 279-316.
PORTOLÉS, JOSÉ (1994): «La metáfora y la lingüística: los atributos metafóricos con un enfático», en V. Demonte (ed.) (1994) *Gramática del español*, México, Centro de Estudios Lingüísticos y literarios, El Colegio de México.
REBOLLO TORIO, MIGUEL ÁNGEL (1978): «Consideraciones sincrónicas sobre la formación del plural en el adjetivo», *AEF* I, págs. 150-161.
ROCA, FRANCESC y AVEL·LINA SUÑER (1997): *Reduplicación y tipos de cuantificación en español*, comunicación presentada en el XXVII Simposio de la Sociedad Española de Lingüística.
RODRÍGUEZ ESPIÑEIRA, M.ª JOSÉ (1991): «Los adjetivos incidentales como subtipo de los adjetivos predicativos» *Verba* 18, págs. 255-274.
SALVÁ, VICENTE (1830): *Gramática de la lengua castellana según ahora se habla*, Valencia, Librería de los SS. Mallen y sobrinos, 5.ª edición, 1840.
STOWELL, TIM (1983): «Subjects Across Categories», *LingR* 2, págs. 285-312.
SUÑER, AVEL·LINA (1990): *La predicación secundaria en español*, tesis doctoral de la UAB.
— (1998): «Sujetos pospuestos», aparecerá en *Verba*.

9
CLASES DE PARTÍCULAS: PREPOSICIÓN, CONJUNCIÓN Y ADVERBIO

M.ª Victoria Pavón Lucero
Instituto Universitario Ortega y Gasset, Universidad Carlos III de Madrid,
Universidad Pontificia de Comillas

ÍNDICE

9.1. Introducción [1]

La preposición, el adverbio y la conjunción presentan una serie de características comunes que han llevado a incluirlos tradicionalmente en una misma metaclase, la de las partículas. En primer lugar, estas tres clases de palabras son, desde un punto de vista morfológico, invariables. [2] En segundo lugar, se trata de elementos sintácticos encargados de establecer relaciones entre oraciones o entre partes de la oración. Por último, si bien en muchas ocasiones los constituyentes encabezados por las diversas clases de partículas aparecen como complementos seleccionados por determinados tipos de verbos (p. ej.: *Ocurrió {a las cuatro/entonces/mientras estábamos de viaje}*), existe una función sintáctica que en la mayoría de los casos aparece realizada por tales tipos de constituyentes: la de 'complemento circunstancial'.

El 'complemento circunstancial' (también denominado 'adjunto' o 'adjunto circunstancial') es un tipo de complemento no seleccionado, es decir, no exigido por las características sintáctico-semánticas de los elementos a los que modifica. Estos elementos suelen ser el sintagma verbal *(Juan y Luis [tuvieron un accidente en ese mismo lugar])* o la oración *(A las cuatro, todos los empleados habían salido ya de la oficina)*, aunque también pueden ser modificados por un complemento circunstancial otros elementos que poseen una estructura semántica eventiva, como las nominalizaciones [—> Cap. 6] *(El descubrimiento de América en 1492)*. El complemento circunstancial expresa, de ahí su denominación, las circunstancias de tiempo, lugar y modo en que tiene lugar un evento, o bien las causas que lo motivan, su finalidad, etc. (véase, para una definición y clasificación de los complementos circunstanciales, RAE 1973: §§ 3.4.3 y 3.4.9). La función de complemento circunstancial, además de por las construcciones encabezadas por las diferentes clases de partículas, sólo puede ser desempeñada por un reducido grupo de sintagmas nominales temporales (*el año pasado, el lunes,* etc. —véase el § 9.3.1.3).

La preposición es una clase de palabras encargada de establecer una relación de modificación o subordinación entre dos constituyentes. [3] El primero de ellos (el elemento rector o modificado) puede pertenecer a diferentes clases de palabras, y puede ser un núcleo *(el libro de mi amigo, consistir en algo)* o un constituyente sintagmático *(comprar una casa en Madrid)*. El segundo (el elemento subordinado) es habitualmente un sustantivo (cf. RAE 1973: § 3.11.3), aunque, como veremos en el § 9.2.2, también puede tratarse de otras categorías gramaticales.

El adverbio se suele definir como la clase de palabras que modifica al verbo (o a la oración), al adjetivo o a otros adverbios (véase, por ejemplo, Bello 1847: § 64), si bien existen ciertos adverbios (los de la clase de *incluso, casi,* etc.) que pueden modificar prácticamente a cualquier tipo de categoría gramatical. [4] A diferencia de la preposición y la conjunción, la mayoría de los adverbios no introducen un segundo término de relación (se exceptúan los estudiados en el § 9.3.1), pero encierran en

---

[1] Sobre las relaciones existentes entre las diferentes clases de partículas, así como los problemas que presenta su caracterización y delimitación, véanse Bosque 1989, Jacobsson 1977 y Huddleston 1984 (estos dos últimos sobre el inglés). Por otra parte, puede encontrarse un buen resumen de los diferentes criterios utilizados para su clasificación y caracterización a lo largo de la tradición gramatical española en Gómez Asencio 1981 y 1985, Calero Vaquera 1986 y Ramajo Caño 1987.

[2] La invariabilidad de las partículas ha de entenderse sólo como incapacidad para admitir morfemas flexivos y derivativos, pues en caso contrario no encajarían en este grupo determinadas clases de adverbios, que admiten diminutivos *(despacito, cerquita)* o superlativos *(cerquísima, lejísimos)* [—> § 11.1.2].

[3] Véase el capítulo 10 de esta misma obra y la bibliografía allí citada. Como obra de conjunto sobre los diferentes valores de las preposiciones y sus alteraciones en el uso actual destacamos García Yebra 1988.

[4] El adverbio se estudia en el capítulo 11 de esta misma obra.

una sola palabra el valor de elemento de relación de la preposición y la conjunción junto con el valor de sus respectivos términos (compárese, por ejemplo, a *entonces* con *en ese momento* o *en cuanto salió de su casa*).

En cuanto a las conjunciones, constituyen una clase de palabras cuya misión es relacionar oraciones o elementos de una oración. El tipo de relación que establecen puede ser de coordinación ('conjunciones coordinantes') o de subordinación ('conjunciones subordinantes'). En el primer caso, las conjunciones pueden enlazar diferentes tipos de elementos (véase el § 9.4.1); en el segundo caso, el segundo término de la relación ha de ser obligatoriamente una oración.

Debido, probablemente, a la invariabilidad morfológica de los elementos que integran la metaclase de las partículas, no existe para ellas un mecanismo derivativo de formación de nuevas palabras. Existe, sin embargo, un mecanismo sintáctico, la reestructuración o reanálisis, que da lugar a la formación de las llamadas locuciones prepositivas, conjuntivas y adverbiales [→ § 67.3].

El único mecanismo morfológico de formación de adverbios es la adjunción del sufijo *-mente* a la forma femenina de determinados adjetivos *(agradable-mente; excepcional-mente)*. Por otra parte, numerosas partículas se han formado por el paso de determinados elementos léxicos de una categoría gramatical a otra. Así, por ejemplo, tenemos preposiciones que derivan de participios activos o pasivos, como *durante* o *excepto* (véase el § 9.2.5.2). Asimismo, existen adverbios formados a partir de adjetivos neutralizados, como *rápido (Conduce muy rápido)* o *alto (No hables tan alto)*.

Podemos definir una 'locución' como la expresión constituida por varias palabras, con una forma fija, que se utiliza en el habla como pieza única y que presenta el comportamiento típico de una determinada categoría gramatical; en el caso que nos ocupa, de una preposición, una conjunción o un adverbio. El concepto de locución, sin embargo, se suele utilizar en dos sentidos diferentes. En un sentido amplio, el único criterio para determinar la existencia de una locución sería que la expresión, en su conjunto, presente el comportamiento típico de una preposición, una conjunción o un adverbio. En un sentido estricto, la locución debe haber dado lugar a una verdadera unidad léxica, perteneciente a una de las categorías preposición, conjunción o adverbio. En este caso, el criterio para determinar la existencia de una locución sería que esta no posea una estructura interna productiva, es decir, que los elementos que la componen no encabecen sus propios sintagmas. Como veremos (§§ 9.2.4, 9.3.3 y 9.4.5), dentro de los elementos que integran las clases de las locuciones prepositivas, adverbiales y conjuntivas podemos encontrar diversos grados de fijación y gramaticalización.

Al comienzo de este apartado hemos señalado la existencia de una serie de características comunes a las tres clases de partículas. Existen, asimismo, algunos elementos cuyas peculiares características muestran aún mayores vínculos entre ellas. Por lo que respecta a preposiciones y adverbios, está la clase ya mencionada de los 'adverbios nominales' (§ 9.3.1) que, al igual que las preposiciones, pueden tener un término explícito; también se ha señalado que adverbios del tipo de *arriba, abajo,* etc. funcionan en determinados casos como 'preposiciones pospuestas' (§ 9.3.2.1); por otra parte, numerosas locuciones adverbiales están formadas a partir de una preposición seguida de un nombre o un elemento equivalente (§ 9.2.4.2). También entre preposiciones y conjunciones se puede observar una estrecha relación: las preposiciones y las conjunciones subordinantes tienen en común el establecer relaciones de subordinación (§ 9.4.2); asimismo, ciertas preposiciones presentan usos que las aproximan al valor de las conjunciones coordinantes (§ 9.2.6); numerosas locuciones conjuntivas, por último, están formadas a partir de una preposición o una locución preposicional (§ 9.4.5.1). Con respecto a la conjunción y el adverbio, existe un grupo de adverbios, los relativos, que llevan a cabo una función similar a la de las conjunciones subordinantes, al introducir una oración subordinada a un elemento de la oración principal (§ 9.4.3); por otro lado, un amplio grupo de locuciones conjuntivas están formadas a partir de adverbios (§ 9.4.5.2).

En este capítulo nos ocuparemos de las cuestiones señaladas hasta aquí. Comenzaremos por estudiar la preposición (§ 9.2), la estructura y función de los constituyentes a los que da lugar, algunos aspectos relativos a la delimitación de los elementos que forman parte de esta clase y sus relaciones con las conjunciones coordinantes. A continuación estudiaremos, a propósito del adverbio (§ 9.3), aquellos elementos que presentan características comunes con la preposición (y también con otras clases de palabras, como el nombre) y las principales características de las locuciones adverbiales. Para terminar (§ 9.4), nos ocuparemos de las conjunciones: revisaremos sus relaciones con otras clases de partículas y los principales procedimientos de formación de locuciones conjuntivas.

9.2. La preposición. Aspectos sintácticos y relaciones con otras clases de partículas

9.2.1. Introducción

En el capítulo 10 de esta obra se estudian los significados y usos fundamentales de las preposiciones del español. En este apartado nos vamos a centrar únicamente en el estudio de los principales aspectos de la sintaxis de la preposición y sus relaciones con otras clases de partículas. Revisaremos primero la estructura del sintagma preposicional (§ 9.2.2) y los casos de combinación de preposiciones (§ 9.2.3); a continuación nos centraremos en el estudio de las locuciones prepositivas del español (§ 9.2.4), de las peculiaridades del grupo de partículas *(según, durante, mediante, no obstante, no embargante, excepto, salvo, menos* e *incluso)* a las que denominaremos 'preposiciones imperfectas' (§ 9.2.5), y terminaremos examinando determinados usos de ciertas preposiciones *(entre, con* y *hasta)* que permiten establecer una estrecha relación entre ellas y las conjunciones coordinantes (§ 9.2.6). Se estudian diversos tipos de complementos preposicionales en los §§ 4.3, 5.3 y 32.4, así como en el cap. 29.

9.2.2. La estructura del sintagma preposicional

La preposición es una clase de palabras que establece una relación de subordinación entre dos partes de la oración. La preposición forma, junto con su término, una unidad sintagmática, denominada 'frase o sintagma preposicional', que puede desempeñar diversas funciones dentro de la oración y de otros constituyentes. Puede ser, en primer lugar, complemento de un nombre [⟶ § 5.3]. Lo más común en este caso es que dicho sintagma esté introducido por la preposición *de,* aunque no es esta la única posibilidad. Así, por ejemplo, los nombres deverbales [⟶ Caps. 6 y 69] pueden heredar la preposición regida por el verbo del que derivan:

(1) a. La chica *de ayer*.
b. Su preocupación *por ti*.

Asimismo, pueden llevar un complemento preposicional algunos adjetivos [→ § 4.3] y adverbios (para estos últimos, véase, más adelante, el § 9.3.1). También en estos casos es *de* la preposición más común, pero no la única posible, sobre todo en el caso de los adjetivos:

(2) a. Lejos *de su casa*.
b. Enfermo *de viruela*.
c. Similar *a su hermano*.
d. Conforme *con su actitud*.

Muchos de los complementos verbales aparecen también encabezados por preposición. Entre los que están seleccionados semánticamente por el verbo, el objeto indirecto [→ § 24.3] aparece obligatoriamente introducido por la preposición *a*, (3a), mientras que el objeto directo, (3b), va precedido por esta misma preposición sólo bajo determinadas condiciones estructurales y semánticas [→ Cap. 28]. Por otra parte, numerosos verbos seleccionan un complemento de régimen preposicional [→ Cap. 29], (3c):

(3) a. Ofrecieron vino *a los invitados*.
b. He conocido *a Inés*.
c. Soñaba *con su novio*.

Por último, el sintagma preposicional también puede desempeñar la función de complemento circunstancial y adjunto (§ 9.1) y, como tal, puede modificar al sintagma verbal, (4a), o a toda la oración, (4b):

(4) a. La criticaron *por sus excesos*.
b. *Por la cara que trae*, no le debe de haber ido muy bien en el examen.

En español, la preposición es un elemento átono y clítico, y en ningún caso puede aparecer sin un término explícito.

Es frecuente encontrar casos en que se coordinan dos o más preposiciones [→ § 41.2.3.5]: *Se venden bebidas [con y sin alcohol]* o *Trabaja [por y para su familia]*. En tales construcciones, el análisis correcto del sintagma preposicional parece ser *[[con y sin] alcohol]*, y no *[[con —] y [sin alcohol]]*. Sólo el primer análisis permite excluir otros casos en que es agramatical la aparición de una preposición sin su término, como **[[con alcohol] y [sin —]]*.

Asimismo, aunque resultan extrañas, es posible encontrar secuencias, generalmente sancionadas en las obras de corte normativo, como la siguiente:[5] *??Está pendiente de y trabaja para su familia*. Este tipo de construcciones pueden ser explicadas por reanálisis de la preposición y el elemento que la rige (adjetivo en el ejemplo, al que se uniría, también por reanálisis, el verbo copulativo): *[[[Está pendiente de] y [trabaja para]] su familia]*.

9.2.2.1. Todas las preposiciones, sin excepción, pueden llevar como término un sintagma nominal y, de hecho, es esta categoría la que con mayor frecuencia aparece

[5] Véase, por ejemplo, Gómez Torrego 1995: 356.

desempeñando esa función. No es, sin embargo, la única, y a continuación vamos a considerar, precisamente, qué otras clases de elementos sintácticos pueden aparecer en el término de la preposición. No nos ocuparemos aquí de la posibilidad de que la preposición tenga como término un sintagma preposicional, aspecto que dejaremos para el § 9.2.3.2.

En numerosas ocasiones se ha considerado que el único elemento que puede aparecer en el término de la preposición es el nombre o sustantivo. Así, la RAE (1973: § 3.11.3) señala que debe tratarse de «un sustantivo o una palabra o locución equivalente». En el mismo sentido, Gili Gaya (1943: § 186) afirma: «Por el solo hecho de ser término de una preposición se sustantivan todos los vocablos o expresiones». Un criterio algo más amplio, manifestaba la RAE (1931) al hablar únicamente de «significación equivalente» a la del sustantivo. Uno de los autores que mantienen una postura diferente en este punto es Bello, quien señala que también pueden ser término de la preposición los adjetivos («sirviendo como de epítetos o predicados» —§ 69—) y otro complemento (el conjunto formado por la preposición y su término).

Las preposiciones admiten una 'oración subordinada sustantiva' en su término, pero con algunas restricciones: quedan excluidas todas las preposiciones con significado locativo, así como *durante* (véase el § 9.2.5.2). La oración subordinada puede contener un infinitivo o un verbo finito precedido de la conjunción subordinante *que*:

(5) a. Lo castigaron *{por haberse portado mal/porque se había portado mal}.* [6]
b. El hecho de *{estar aquí/que estés aquí}.*

Como hemos señalado, las preposiciones locativas no pueden tener como término una oración. Preposiciones que tienen doble significado, locativo y temporal, admiten una subordinada sustantiva como término sólo en este último sentido (según la RAE (1931: § 404), sin embargo, en construcciones como (6a) y (7a) *que* es un adverbio relativo temporal). Preposiciones que sólo tienen un significado locativo, como *bajo*, nunca admiten un término oracional.

(6) a. Se quedó aquí hasta que llegué.
b. *Llegó hasta que pudo.
(7) a. No he salido de casa desde que llegué de vacaciones.
b. *He venido desde que vivía.
(8) *Lo he dejado bajo que tú pusiste los libros el otro día.

La razón parece ser la siguiente: una preposición locativa sólo puede llevar como término un sintagma que denote un objeto físico, mientras que el término de una preposición temporal puede expresar un tiempo o un evento: una subordinada sustantiva puede denotar un evento y, probablemente, un tiempo (de ahí la gramaticalidad de los ejemplos anteriormente vistos), pero no un lugar. Por otra parte, vemos a continuación como algunas preposiciones originariamente locativas admiten ser usadas con un sentido figurado; en tal caso, su término debe expresar un contenido proposicional, por lo que es perfectamente gramatical que, categorialmente, se corresponda con una oración:

---

[6] Se puede objetar que aquí *porque* es una conjunción subordinante. No por ello, sin embargo, *por* habría perdido su carácter de preposición, ya que nos encontramos ante un caso de recategorización o reanálisis de la preposición y la conjunción subordinante *que*. Véanse al respecto el § 9.4.5.1 y Bosque 1987.

(9) a. *Lo dejé sobre que tú pusiste los libros.
b. Están hablando sobre que Juan y María han decidido casarse.

(10) a. *Atravesaron por entre que vivimos.
b. Entre que tú no paras de hablar y que me duele la cabeza...

Por último, una preposición temporal como *durante* tampoco puede llevar como término una subordinada sustantiva, mientras que otras preposiciones temporales, como *desde* y *hasta*, sí lo admiten.

(11) a. {Durante/Desde/Hasta} la reunión.
b. {*Durante/*Desde/*Hasta} que transcurrió la reunión.
c. {*Durante/Desde/Hasta} que empezó la reunión.

También puede hallarse en el término de una preposición un 'sintagma adjetivo'. En tales casos, dicho sintagma establece una predicación secundaria con respecto a un elemento de la oración [→ § 38.3.2.4]. Este tipo de SSPP pueden ser complementos seleccionados o no.[7]

Entre los seleccionados se encuentran los complementos de verbos como *jactarse* y *presumir*. Estos verbos seleccionan un complemento encabezado por *de*, preposición que, a su vez, lleva como término un predicado secundario que puede estar representado categorialmente por un SA. Así, en construcciones como *Pablo {se jacta/presume} de valiente*, entre *Pablo* y *valiente* hay una relación similar a la que se da entre sujeto y predicado en construcciones atributivas. También el verbo *tener*, en una de sus acepciones, selecciona un complemento encabezado por la preposición *por*. Esta lleva como término un predicado secundario que, categorialmente, puede corresponderse con un SA: *Lo tienen por {tonto/el hombre más tonto del mundo}*.

En otras ocasiones el complemento predicativo no está seleccionado. Se trata de las estructuras causales con [*por* + SA] o [*de* + SA] [→ § 58.5]:

(12) a. Le dieron una medalla *por valiente*.
b. Siempre le engañan *de bueno que es*.

Además de las categorías señaladas, la preposición puede llevar como término un pronombre o un adverbio.

Todas las clases de pronombres pueden aparecer como término de la preposición: demostrativos, indefinidos, numerales... Si aparece un posesivo con función anafórica, debe ir obligatoriamente acompañado del artículo:

(13) a. Se lo dijo *por eso*.
b. No quiere hablar *con nadie*.
c. Creo que tendré suficiente *con tres*.
d. Quiero tres *{de los tuyos/*de tuyos}*.

Cuando el pronombre personal es término de una preposición, el de primera y segunda persona del singular, así como el reflexivo de tercera persona, aparecen

[7] La RAE (1973: 437) señala casos en que el adjetivo está sustantivado, luego en realidad estaríamos ante la estructura [P SN]: *está entre los santos; pagar justos por pecadores; entre bobos anda el juego; clases para principiantes; Vi la gran merced que hace Dios a quien pone en compañía de buenos* [Santa Teresa, *Vida*, cap. II].

bajo una forma especial, el 'caso terminal' u 'oblicuo' *(Hazlo por mí; Juan siempre habla de sí mismo)*. Asimismo, cuando cualquiera de ellos es término de la preposición *con*, se funden con esta en una sola palabra, a la que se añade obligatoriamente la terminación *-go* (procedente de *cum* latino): *Ni contigo ni sin ti.*

Con respecto a los adverbios, pueden ser término de preposición todos los incluidos en la amplia clase de los pronominales o deícticos [→ Cap. 14], con excepción del adverbio de modo *así (La chica de ayer, Fueron por ahí*; pero **el vestido de así)*. De un grupo de estos adverbios, los nominales transitivos e intransitivos, nos ocuparemos más adelante en este mismo capítulo (cf. los §§ 9.3.1-2).

9.2.2.2. Las preposiciones españolas, y los sintagmas preposicionales que encabezan, admiten un número muy restringido de modificadores. Con la excepción de algunas fórmulas fijas (como *estar muy de moda*) rechazan los cuantificadores de grado. Sí admiten, sin embargo, los adverbios de foco (del tipo de *hasta, casi, incluso, justamente, exactamente,* etc.):

(14) a. Me lo encuentro *hasta en la sopa*.
b. Se paró *exactamente bajo las escaleras*.

Existen, asimismo, ciertas construcciones en las que un SP modifica a otro SP. Veamos, en primer lugar, ejemplos como los siguientes:

(15) a. Han construido un depósito [a veinte metros [sobre el nivel del mar]].
b. [A veinte metros [tras el granero]] empieza la tierra de nadie.
c. Oropesa está [a mitad de camino [entre Madrid y Cáceres]].

En este tipo de construcciones, los SSPP *a veinte metros* y *a mitad de camino* modifican a los SSPP *sobre el nivel del mar, tras el granero* y *entre Madrid y Cáceres.* Un análisis alternativo a este sería aquel según el cual se trata en cada caso de constituyentes independientes. Pero, de ser así, cualquiera de ellos estaría capacitado para encabezar una oración interrogativa, cosa que, como muestran los siguientes ejemplos, da lugar a construcciones agramaticales:

(16) a. *¿{Dónde/Sobre qué} han construido un depósito a veinte metros?
b. *¿A qué altitud han construido un depósito sobre el nivel del mar?
(17) a. *¿{Dónde/Tras qué} empieza la tierra de nadie a veinte metros?
b. *¿A qué distancia empieza la tierra de nadie tras el granero?
(18) a. *¿Entre qué ciudades está Oropesa a mitad de camino?
b. *¿A qué distancia está Oropesa entre Madrid y Cáceres?

Los dos SSPP, por lo tanto, están unidos en un constituyente de nivel superior. De ellos, el que está introducido por la preposición locativa parece ser el núcleo, y no el que expresa distancia: cuando suprimimos el primero debemos entender obligatoriamente un punto de referencia que, si no aparece en el contexto lingüístico, se interpreta como el lugar de la enunciación (cf. 19b, 20b, 21b); cuando suprimimos el segundo, sin embargo, no es necesario sobreentender nada (cf. 19a, 20a, 21a):

(19) a. Han construido un depósito sobre el nivel del mar.
b. Han construido un depósito a veinte metros.
(20) a. Tras el granero empieza la tierra de nadie.
b. A veinte metros empieza la tierra de nadie.
(21) a. Oropesa está entre Madrid y Cáceres.
b. Oropesa está a mitad de camino.

Un análisis similar a este pueden recibir las construcciones formadas con preposiciones que se usan habitualmente en correlación mutua, como *a* y *de*, por un lado, y *desde* y *hasta*, por otro. Estas preposiciones dan lugar a construcciones que expresan extensión espacial o temporal, como las siguientes:

(22) a. El niño corrió de un extremo del parque al otro.
b. La conferencia duró desde las cuatro hasta las seis.

Dos hechos parecen mostrar que, en este tipo de construcciones, las dos preposiciones forman parte de un mismo constituyente. En primer lugar, dicho constituyente puede ser antecedente de una oración de relativo explicativa, como ocurre en los dos ejemplos de (23). En segundo lugar, ninguna de las preposiciones, por separado, puede encabezar con su término una construcción interrogativa cuando la otra está presente (cf. (24) y (25)):

(23) a. El niño corrió de un extremo del parque al otro, lo cual es mucha distancia.
b. La conferencia duró desde las cuatro hasta las seis, lo cual es mucho tiempo.
(24) a. *¿De dónde corrió el niño al otro (extremo del parque)?
b. *¿A dónde corrió el niño de un extremo del parque?
(25) a. *¿Desde qué hora duró la conferencia hasta las seis?
b. *¿Hasta qué hora duró la conferencia desde las cuatro?

La estructura interna de estos sintagmas preposicionales parece ser, por lo tanto, la siguiente: [SP *[de/desde...] [a/hasta...]*] (donde el SP encabezado por *{desde/de}* y el encabezado por *{a/hasta}* forman juntos, un constituyente superior, también SP). Hay al menos un dato que nos hace pensar que, en ella, el constituyente nuclear es el SP encabezado por *a/hasta*, que está modificado por el encabezado por *de/desde*. Ello explicaría por qué se puede omitir este último, pero no el primero, como muestran los siguientes ejemplos. Es decir, para marcar, en un caso, el trayecto recorrido y, en otro, la duración temporal, lo pertinente es el límite final de ambas. El límite inicial puede estar expresado en el SP modificador o sobreentenderse:

(26) a. *El niño corrió de un extremo del parque.
b. El niño corrió al otro (extremo del parque).
(27) a. *La conferencia duró desde las cuatro.
b. La conferencia duró hasta las seis.

Las preposiciones *a* y *de*, por otra parte, dan lugar a un segundo tipo de construcciones, que está constituido por expresiones de distancia como la siguiente: *Juan vive a tres kilómetros de Madrid*. Al igual que ocurría en los ejemplos anteriormente vistos, en este caso puede ser sobreentendido, y por tanto no estar presente, el constituyente *de Madrid*, pero no el constituyente *a tres kilómetros*.

(28) a. *Juan vive de Madrid.
b. Juan vive a tres kilómetros.

Rizzi (1988), estudiando construcciones similares del italiano, señala dos posibles estructuras para esta construcción. En la primera de ellas, el SP *de Madrid* sería complemento del nombre de medida, *kilómetros*. Sin embargo, hay un dato que parece indicar que *tres kilómetros de Madrid* no forma un único constituyente, y es que no podría aparecer en el sujeto de una oracion copulativa identificativa [⟶ §§ 37.3 y 37.4] o de una perífrasis de relativo [⟶ Cap. 65]: **Tres kilómetros de Madrid {no es mucha distancia/es donde vive Juan}*. La segunda posibilidad señalada por Rizzi (1988) es considerar que la preposición *de* toma en este caso dos argumentos, al igual que, por ejemplo, el verbo *distar*:

(29) a. [Dista [tres kilómetros] [de Madrid]].
b. [A [tres kilómetros] [de Madrid]].

Si se omite el SP *de Madrid*, en ambos casos la construcción resultante es gramatical, pero el punto de referencia expresado por dicho sintagma se interpretaría pragmáticamente como el lugar del enunciado, o bien se recuperaría anafóricamente, como en el siguiente ejemplo: *¿Te acuerdas de Madrid? Pues Juan vive a tres kilómetros.*

9.2.3. Combinación de preposiciones [8]

Como se ha señalado en el § 9.2.2, las preposiciones llevan habitualmente como término un sintagma nominal. Sin embargo, existen en nuestra lengua numerosos casos de combinación de preposiciones, es decir, construcciones en que una preposición aparece seguida, a su vez, de otra preposición. Como veremos, sólo algunas de ellas se corresponden con la estructura [SP [SP]].

9.2.3.1. Concatenación de preposiciones

Vamos a comenzar por revisar, precisamente, los que constituyen casos aparentes de combinación de preposiciones, es decir, aquellos que no se corresponden con la estructura recién indicada. [9] Entre ellos podemos señalar varios tipos.

Tenemos, en primer lugar, las construcciones en que se hace un uso adverbial de la partícula *hasta*. En estos casos, de los que recogemos algunos ejemplos en (30), *hasta* no es la preposición que indica el límite final de una determinada trayectoria, espacial o temporal, sino un adverbio, de significado y función similar a *incluso*, que puede anteponerse a cualquier tipo de categoría sintagmática, entre ellas, a un sintagma preposicional. No se observan restricciones en cuanto al tipo de sintagmas preposicionales que pueden ser modificados por esta partícula y, así, encontramos sintagmas preposicionales que desempeñan la función de adjuntos locativos, (30a), temporales, (30b), finales, (30c), e incluso sintagmas preposicionales seleccionados léxicamente, (30d):

(30) a. Lo veo *hasta en la sopa.*
b. Lleva gabardina *hasta en verano.*
c. Aquí hay que pedir permiso *hasta para toser.*
d. Se mete *hasta con su padre.*

Existen, por otra parte, construcciones en que el término de la preposición es una locución adverbial encabezada, a su vez, por una preposición. En tales circunstancias, el término de la preposición no es propiamente un sintagma preposicional, sino un adverbio (véase el § 9.2.2.1). En (31) podemos ver ejemplos en que determinadas locuciones adverbiales temporales son término de preposiciones espaciotemporales, como *desde, hasta* o *para*; esta última preposición, con valor final, también puede tomar como complemento una locución adverbial, como muestran los ejemplos de (32); en (33), por último, vemos ejemplos de locuciones adverbiales como término de la preposición *de* que encabeza los complementos nominales:

---

[8] Bosque (1993) se ocupa de este tema, centrándose, fundamentalmente, en el estudio de los sintagmas preposicionales en que una preposición de origen, trayecto, etc., lleva como término un sintagma encabezado por una preposición locativa. El autor enumera diferentes casos de falsas combinaciones de preposición tras preposición. Con respecto a la semántica de las relaciones espaciales, fundamental para este tema, véanse Jackendoff 1986 y 1990 y Vandeloise 1986.

[9] Muchos de los aspectos que aquí se señalan están estudiados en Bosque 1993, de donde hemos extraído, asimismo, numerosos ejemplos.

(31) a. Estoy haciendo gestiones *desde por la mañana*.
b. No volveré a verle *hasta por la noche.*
c. Tengo que terminar el trabajo *para por la tarde.*
d. Las condiciones del contrato *para en lo sucesivo.* [Bosque 1993: 137]

(32) a. Guárdalo *para por si acaso*. [Bosque 1993: 137]
b. Un abrigo *para de día*. [Bosque 1993: 137]

(33) a. Un día *de entre semana*. [Bosque 1993: 136]
b. Este es el traje *de por la noche*.

En otros casos, las dos preposiciones constituyen una locución adverbial o forman parte de ella. Un ejemplo del primero de estos casos es la locución *por contra* («por el contrario») que aparece en (34a); prueba de que en ella la preposición *contra* no encabeza un sintagma preposicional es que aparece sin término, algo imposible en cualquier otra circunstancia *(*No me gusta ese proyecto, así que voy a votar contra)*. Del segundo caso, por otra parte, damos ejemplos en (34b) y (34c).

(34) a. En la taberna, *por contra,* había cierta animación. [Miguel Delibes, *Las ratas*; tomado del *AGLE*]
b. Una buena novela, un buen cuento, o una buena obra teatral no constituyen *de por sí* una garantía. [*ABC*, 27-VI-1954; tomado del *AGLE*]
c. *Por de pronto*, vamos a dejarlo tal como está.

Algunas preposiciones locativas aparecen en ocasiones seguidas de *de*. En este tipo de construcciones, esta preposición no posee una función específica. Parece tratarse, por el contrario, de casos de ultracorrección por analogía con los adverbios locativos correspondientes (véase el § 9.3.1): *sobre/encima de; bajo/debajo de*; etc. [10] Hay, asimismo, un preposición, *contra*, que no tiene equivalente entre los adverbios nominales y cuyo uso con *de* puede deberse a analogía con otras preposiciones o bien al contagio de la locución *en contra de*:

(35) a. Vi dos hombres sentados frente a frente, *ante de* otra mesa. [Serafín Estébanez Calderón, *Escenas andaluzas*; tomado del *AGLE*]
b. Y por ningún medio que ellos hicieron *contra* de los soldados, jamás los soldados los quisieron dejar pasar. [Cereceda, *Campañas*; tomado del *AGLE*]
c. Después, las medias de algodón, y *sobre de* estas, las medias de seda. [Federico Gamboa, *Santa*; tomado de Kany 1945: 409]
d. Hacía algunas indicaciones y se iba, *tras de* mirarlas muy fijo. [Marta Brunet, *Bestia dañina*; tomado de Kany 1945: 403]

Un último caso que vamos a revisar aquí es el de la combinación de las preposiciones *con* y *para*. Esta última preposición encabeza frecuentemente construcciones que representan al beneficiario de una determinada acción, como ocurre en (36a); (36b), por otra parte, nos muestra que existe un uso similar de *con*:

---

[10] Véase la nota 142 de Cuervo a la gramática de Bello (1847). También se refiere a este tipo de construcciones Kany 1945.

(36) a. Ha sido un ángel *para mí*.
b. Se ha portado muy bien *conmigo*.

En numerosas construcciones, de las que ofrecemos algunos ejemplos en (37), se utilizan ambas preposiciones:

(37) a. Afable *para con* los humildes. [*DUE* II: 832]
b. Los deberes *para con* Dios. [*DUE* II: 832]
c. Las buenas disposiciones de aquella familia *para con*migo. [C. M. Cortezo, *Paseos de un solitario*; tomado del *AGLE*]
d. Se ofrecía tan generosa en sus ideales *para con* el prójimo. [*ABC*, 21-IV-1953; tomado del *AGLE*]

En construcciones como las anteriores se puede suprimir cualquiera de las dos preposiciones sin que su significado se altere notablemente. Sin embargo, en algunos casos la omisión de *con* provoca la ambigüedad de la construcción, pues la preposición *para* puede tener tanto el valor señalado como el de «en opinión de»:

(38) a. Fue una gran deferencia para (con) los periodistas. [Ricardo García López, *De la ceca a la meca*; tomado del *AGLE*]
b. Era muy rudo {para conmigo/para mí}.

En otros casos, la supresión de *para* hace que el sintagma preposicional se interprete como comitativo:

(39) a. Amor (para) con él. [Juan Mir y Noguera, *Prontuario de hispanismo y barbarismo*; tomado del *AGLE*]
b. Tenemos todo nuestro respeto (para) con las escuelas primarias. [*Conferencia de Metropolitanos*, 29-9-1952; tomado del *AGLE*]

Por último, la preposición *para*, con significado final o adversativo, a veces lleva como término un predicado, que expresa ubicación u otro tipo de estado y que puede estar representado categorialmente por un sintagma preposicional. Este tipo de construcciones son propias del habla coloquial y no son aceptadas por todos los hablantes.

(40) a. Los bizcochos los quiero para con chocolate.
b. He comprado este cuadro para sobre la chimenea.
c. Para sin estudios, no es mal muchacho.

Obsérvese que en estos casos el término de *para* equivale semánticamente a una oración: «para tomarlos con chocolate», «para ponerlo sobre la chimenea», «para no tener estudios».

9.2.3.2. El sintagma preposicional como término de la preposición

Entre las construcciones en que una preposición toma por complemento un sintagma preposicional, el grupo más numeroso está constituido por una serie de preposiciones que seleccionan un término locativo. De las diferentes construcciones que se van a estudiar a continuación, algunas son consideradas agramaticales, o de dudosa gramaticalidad, por muchos hablantes. En el § 9.3.1 volveremos sobre este aspecto, a propósito del contraste existente, en este sentido, entre las preposiciones y los adverbios nominales correspondientes. Aquí nos vamos a limitar a reflejar las diferentes posibilidades combinatorias.

Entre las preposiciones que pueden llevar como término un sintagma preposicional locativo tenemos, en primer lugar, la preposición *de*, bien cuando, con el verbo *ser* o con verbos de movimiento, expresa origen (véanse (41a) y (41b)), bien cuando encabeza complementos nominales (como sucede en (41c)):

(41) a. María es *de por* ese barrio.
b. Salió *de tras* un matorral. [*DUE* II: 832]
c. Dame el libro *de sobre* la mesa.

Otras preposiciones que admiten este tipo de término son las preposiciones *desde* y *hasta*, que expresan, respectivamente, el origen y el límite final de una trayectoria espacial, así como la preposición de trayecto *por* (construcción esta última no admitida por todos los hablantes):

(42) a. Se lanzó *desde sobre* el tejado.
b. Llegó arrastrándose *hasta bajo* la escalera.
c. ?Le pasó una nota *por bajo* la mesa.

Una preposición locativa nunca lleva como término un sintagma preposicional encabezado por otra preposición locativa *(*Ponlo tras sobre la mesa; *Está sobre ante la cama)*. Por otra parte, las preposiciones que admiten como término un sintagma preposicional locativo rechazan los encabezados por la preposición *en: *Fue caminando hasta en el río; *Subía arrastrándose por en la montaña*.

Como hemos señalado anteriormente, existe un claro contraste entre los adverbios nominales que revisaremos en el § 9.3.1 y las preposiciones locativas cuando encabezan sintagmas que aparecen como término de preposición, siendo las construcciones con los primeros sensiblemente mejores que las segundas. Sin embargo, de entre las preposiciones, *entre*, que no tiene equivalente entre los adverbios nominales, es la única que, cuando aparece seleccionada por otra preposición, da lugar a construcciones perfectamente gramaticales como las que recogemos en (43). Como muestra, asimismo, (43b), cuando la primera preposición es *por*, se puede suprimir sin que la construcción sufra un cambio apreciable de significado:

(43) a. Lo sacó de entre la basura.
b. Iban caminando (por) entre la maleza.

Un caso diferente es el de la preposición *por*, que, con verbos de movimiento, indica la finalidad o el objetivo de dicho movimiento. En estos casos, los sintagmas encabezados por dicha preposición suelen aparecer precedidos de la preposición de origen *de* o de la de destino *a*. Este último caso sólo es frecuente en España [→ § 10.13.13]:

(44) a. Vengo *de por* agua.
b. Lo mandó *a por* vino.
c. Fui *a por* su abrigo.

En estas circunstancias, la preposición *a* se puede suprimir sin apenas producir una alteración de significado, como ilustran (45a) y (45b); sólo determinadas construcciones, como (45c), resultan ambiguas entre la interpretación de finalidad u objetivo y la de causa. Cuando se suprime la preposición *de*, sin embargo, se produce un cambio sensible de significado y la construcción con *por* sólo puede interpretarse como destino del movimiento; así ocurre en (45d) (compárese con (44a)):

(45) a. Fui por su abrigo.
b. Lo mandó por vino.
c. He venido por mi hermana pequeña.
d. Vengo por agua.

9.2.4. Locuciones prepositivas [11]

Podemos definir el concepto de 'locución prepositiva' como una expresión constituida por varias palabras, con una forma fija, que se utiliza en el habla como una pieza única y que presenta el comportamiento típico de una preposición. Utilizando el término 'locución prepositiva' en un sentido amplio, entendemos como tal cualquier expresión que, en su conjunto, presenta el comportamiento típico de una preposición (expresa el mismo tipo de relaciones, aparece en los mismos contextos sintácticos y alterna con preposiciones de significado similar). Si, por el contrario, lo entendemos en un sentido estricto, la locución debe haber dado lugar a una verdadera unidad léxica, perteneciente a la categoría preposición. En este caso, no poseerá una estructura interna productiva, para lo cual deben cumplirse dos requisitos: el de la fijación o invariabilidad y el de la cohesión o inseparabilidad.

La mayoría de las locuciones prepositivas del español están formadas sobre la base de un sustantivo. Dichas locuciones responden a dos tipos de estructura: <N+P> (*frente a; cara a;* etc.) y <P+N+P> (*con relación a; a propósito de;* etc.). Como veremos, este grupo de locuciones oscilan entre los dos sentidos que anteriormente hemos dado al término, presentando diferentes grados de fijación y cohesión. En un sentido estricto, diríamos que una locución prepositiva ha dado lugar a una nueva pieza léxica cuando se cumplen los siguientes requisitos: a) la no existencia de un sintagma nominal; b) la fijación y cohesión interna de la locución, y c) el comportamiento sintáctico paralelo al de las preposiciones.

9.2.4.1. Locuciones formadas según el modelo <nombre + preposición>

Pertenecen a este grupo locuciones como *cara a, camino de, esquina a, frente a, gracias a, merced a, orilla de, riberas de, rostro a, rumbo a*, etc. (véase el Apéndice I.1 —§ 9.5—). Como veremos a continuación, la mayoría de ellas parecen haber dado lugar a verdaderas piezas léxicas, pertenecientes a la categoría 'preposición'.

El nombre que forma parte de estas locuciones no da lugar a un sintagma nominal, y prueba de ello es que no admite las expansiones propias de este tipo de

[11] Sánchez Carretero (1986), para el español, y Gaatone (1976) y Gross (1981), para el francés, se ocupan de los diferentes criterios que permiten determinar cuándo una determinada secuencia de palabras constituye una locución prepositiva.

sintagmas. Así, los ejemplos de (46a) muestran que no admiten el artículo ni los demostrativos, los de (46b) que rechazan la presencia de adjetivos y cuantificadores nominales, y los de (46c) que no hay alternancia entre el complemento del nombre, precedido de la preposición *de* (cuando es el caso) y los posesivos:

(46) a. *Lo pusieron la cara a la pared.
a′. *Salieron el camino de Madrid.
a″. *Partieron ese rumbo.
b. *Iban camino serpenteante de la montaña.
b′. *Lo pusieron cara aburrida a la pared.
b″. *Lo hicieron muchas gracias a tu ayuda.
c. *Iban su camino.
c′. *Dejaron el barco su orilla.

Con respecto al grado de fijación de estas locuciones, en algunos casos encontramos alternancias, sobre todo en la preposición que forma parte de ellas, pero en la mayoría de los casos se trata de variantes formales de una misma unidad léxica: *camino {a/de} Madrid, orilla {a/de} la mar*. Por otra parte, la locución *cara a* alterna con otra que pertenece al grupo que estudiaremos en el § 9.2.4.2, *de cara a.*

Existen diferencias entre los elementos que integran este tipo de locuciones prepositivas con respecto a su cohesión interna. Como muestra (47a, a′), algunas admiten la coordinación de dos constituyentes encabezados por la preposición que forma parte de ellas; en (47b, b′), sin embargo, vemos que tal tipo de coordinación es imposible con otras locuciones y es preferible que no se suprima el primer elemento de la locución:

(47) a. No sé si se fueron camino de Madrid o de Sevilla.
a′. Gracias a su ayuda y a nuestros esfuerzos, conseguimos superar la situación.
b. *El colegio debe estar frente a la iglesia o al ayuntamiento.
b′. *Ahora mismo no recuerdo si lo dejé junto a la mesa o a la televisión.

Por otra parte, ninguna de estas locuciones admite la inserción de un modificador entre el nombre y la preposición que las componen:

(48) a. *Se ha comprado un piso frente, justamente, a tu casa.
b. ??Gracias, sin embargo, a su ayuda, conseguimos superar la situación.
c. *Se marcharon camino, precisamente, de tu casa.

El comportamiento sintáctico de estas locuciones, finalmente, es paralelo al de las preposiciones. Como podemos apreciar por los ejemplos de (49a-c), son conmutables por otras preposiciones de significado similar. Asimismo, al igual que las preposiciones, admiten un número muy restringido de modificadores: los ejemplos de (49d-g) muestran que admiten ser modificadas por adverbios de foco, pero no por cuantificadores de grado; en los ejemplos de (50a, b) se puede observar que, al igual que ocurre con las preposiciones, el complemento de estas locuciones no puede ser omitido; los datos de (50c-f) muestran, por último, que el término de este tipo de locuciones no puede encabezar una oración de relativo, pero sí todo el constituyente por ellas introducido:

(49) a. Se paró {frente a/ante} ella.
b. Lo consiguieron {gracias a/por} ti.
c. Se han ido {camino de/hacia} la playa.
d. Vive justo frente a tu casa.
e. Se han ido exactamente camino de Madrid.
f. *Talavera está más camino de Extremadura que Toledo.
g. *La producción aumentó muy gracias a los esfuerzos realizados.

(50) a. *¿Sabes dónde está la catedral? Pues el ayuntamiento está frente.
b. *No vive en Madrid, pero vive camino.
c. *Esas son las circunstancias a las cuales pudo volver a su país gracias.
d. Esas son las circunstancias gracias a las cuales pudo volver a su país.
e. *Esa es la ciudad de la cual íbamos camino.
f. Esa es la ciudad camino de la cual íbamos.

9.2.4.2. Locuciones formadas según el modelo <preposición + nombre + preposición>

Dentro de este grupo se incluyen una gran cantidad de locuciones que, en principio, pueden responder a dos posibles estructuras, las que se recogen en (51a) y (51b):

(51) a. [[P+N+P] [Término]]
b. [P [N [P [Término]]]]

La estructura (51a) representa el grado más alto de gramaticalización o lexicalización, mientras que la estructura (51b) se correspondería con la estructura normal de un SP. Para determinar cuándo nos encontramos ante una u otra, podemos utilizar los mismos criterios vistos en el § 9.2.4.1. Así, podemos decir que una determinada locución se ha gramaticalizado completamente cuando a) el nombre que forma parte de ella no da lugar a un sintagma nominal; b) presenta un alto grado de fijación; c) está internamente cohesionada; y d) su comportamiento sintáctico es paralelo al de las preposiciones.

Como vamos a ver a continuación, dentro de las locuciones prepositivas formadas según el esquema <P+N+P> podemos encontrarnos con algunas que presentan un alto grado de gramaticalización, por lo que dan lugar a construcciones que se corresponden con la estructura (51a). Otro grupo de locuciones presentan algunas características que las relacionan con la estructura (51a), pero también otras que se corresponden más bien con la estructura (51b). Por último, existen locuciones que parecen guardar relación enteramente con la estructura (51b); nos encontraríamos en este caso ante grupos de palabras que poseen una determinada estructura sintagmática, pero que se utilizan en el habla de forma más o menos estable.

A continuación vamos a revisar las principales características de este tipo de locuciones. En el Apéndice I.2 (§ 9.5) puede encontrar el lector una amplia lista de ellas, aunque, para no alargar innecesariamente estas páginas, ejemplificaremos únicamente con un número restringido.

A) Como hemos señalado, un grupo de las locuciones que en este apartado se estudian presentan un alto grado de gramaticalización, por lo que dan lugar a construcciones que se corresponden con la estructura (51 a) ([[P+N+P] [Término]]).

El nombre que forma parte de este tipo de locuciones no da lugar a un sintagma nominal: como muestran los ejemplos de (52), la mayoría de ellas no admiten artículos; como ilustra (53), por otra parte, rechazan también otros determinantes; por último, los ejemplos de (54) y (55) muestran que este tipo de locuciones no admiten posesivos ni adjetivos:

(52) a. *A la consecuencia del terremoto, las comunicaciones quedaron cortadas.
b. *A la petición del interesado, se ha decidido convocar una nueva reunión.
c. *Es necesario prepararse de la cara a afrontar los nuevos retos tecnológicos.

(53) a. {A causa de su actitud/*a esa causa}.
b. El establecimiento cerró {por orden del juez/*por esa orden}.

(54) a. *Creo que Juan no va a venir a la fiesta, pero, *a su excepción*, vendrá todo el mundo.
b. *Todavía no conocemos los resultados, pero estamos *en su espera*.

(55) a. **A única excepción* de Juan, vendrá todo el mundo a la fiesta.
b. *La huelga fue convocada *al solo objeto* de defender los intereses de los trabajadores.
c. *Esas afirmaciones las hizo *a exclusivo propósito* de los rumores que corrían.

Estas locuciones muestran un alto grado de fijación, y sólo algunas de ellas presentan variantes *(a través de/al través de; a filo de/al filo de; de acuerdo {a/con}; en razón {a/de}; en relación {a/con}; so {capa/color/pena/pretexto}de)*. Asimismo, están altamente cohesionadas. Como vemos en (56), no se puede coordinar dos nombres dentro de ellas. Con respecto a la coordinación de dos (o más) constituyentes encabezados por la última preposición que las compone, resulta en muchos casos claramente agramatical, aunque en otros los juicios de gramaticalidad son menos claros, como muestran los ejemplos de (57). Algo muy similar sucede con respecto a la posibilidad de que los componentes de la locución sean separados por la inserción de un modificador, como se puede ver en (58):

(56) a. *Los costes corren a expensas o cargo de los demandantes.
b. *Los acontecimientos se aceleraron a partir y pesar de la comparecencia del presidente en el parlamento.

(57) a. ?/*Los atracaron a punta de pistola y de navaja.
b. ?/*De cara a aumentar la producción y a conseguir mayores beneficios.

c. ?Mi decisión la tomaré en función de las necesidades y de los intereses de los alumnos.

(58) a. ?Decidieron cambiar de programa en vista, claro está, de los resultados de las encuestas.

b. ??Esto hay que hacerlo a base, sobre todo, de mucha paciencia.

Por último, los ejemplos de (59) y (60) muestran claramente que el término de estas locuciones no puede ser omitido ni encabezar una oración de relativo, al igual que sucede con las preposiciones. Son conmutables por ellas cuando el significado es similar, tal como se ve en (61):

(59) a. *Si quieres cruzar el bosque, esta carretera va a través.

b. *Si eso es lo estipulado, hay que actuar de conformidad.

(60) a. *Ese es el pueblo al cual va en dirección esta carretera.

b. Ese es el pueblo en dirección al cual va esta carretera.

c. *Esos son los poderes de los cuales el juez actuó en uso.

d. Esos son los poderes en uso de los cuales actuó el juez.

(61) a. Los perjudicados se unieron {al objeto de/para} plantear sus reivindicaciones.

b. La reunión se celebrará {a mediados d(e)/en} el mes de mayo.

c. El proyecto se vino abajo {a causa de/por} la actitud de algunos de los participantes.

En definitiva, este tipo de locuciones presentan un comportamiento muy similar al de las formadas a partir del modelo <N+P>, estudiadas en el apartado anterior y parecen constituir verdaderas unidades léxicas complejas, pertenecientes a la categoría preposición.

B) Un segundo grupo de locuciones formadas sobre el modelo <P+N+P> parece presentar un grado intermedio de gramaticalización, pues los elementos que lo integran poseen características que los relacionan tanto con la estructura (51a) como con la estructura (51b). Los nombres que forman parte de este tipo de locuciones admiten algunas expansiones propias de los sintagmas nominales, pero con ciertas restricciones. Como vemos en (62), en algunos casos hay alternancias entre la presencia y ausencia del artículo; en los ejemplos de (63) vemos, por otra parte, que las locuciones que terminan con la preposición *de* permiten la sustitución del constituyente por esta encabezado por un posesivo; sin embargo, (64) nos muestra que el nombre que forma parte de este tipo de locuciones no puede ir modificado por un adjetivo, y (65), que rechaza la presencia de cuantificadores nominales:

(62) a. Carga todos sus gastos a (la) cuenta de la empresa.

b. Salió en (el) lugar de su hermano.

c. La policía debe actuar siempre en (el) nombre de la ley.

(63) a. Actuó {a espaldas de sus padres/a sus espaldas}.

b. Lo supieron {de boca de los interesados/de su boca}.

c. Salió {en defensa de sus familiares/en su defensa}.

(64) a. *Se comporta a semejanza exacta de sus padres.

b. *Hizo un discurso en descarado elogio del presidente.

c. *Los documentos están en absoluto poder mío.

(65) a. *No se atreve a hacerlo por mucho miedo a fracasar.
b. *Puedes utilizar ese argumento en mucho apoyo de tu hipótesis.

Estas locuciones no están fuertemente cohesionadas. Como indican los ejemplos de (66), no se admite la coordinación de dos nombres en el interior de ellas, pero sí la coordinación de dos constituyentes encabezados por la última preposición que las integra, tal como muestra (67). Por otra parte, las construcciones recogidas en (68) sugieren que estas locuciones admiten la separación de los elementos que las componen por la inserción de un modificador:

(66) a. ??Está escribiendo una oda en alabanza y honor de su benefactor.
b. *Actúan en detrimento y descrédito de sus jefes.

(67) a. Huyó en busca de paz y de tranquilidad.
b. La biblioteca debe estar al servicio de los alumnos y también de los profesores.
c. Están trabajando intensamente con vistas a finalizar el proyecto y a ponerlo en práctica cuanto antes.

(68) a. Estoy a favor, sobre todo, de terminar cuanto antes con esta situación.
b. ?Es el que está a la derecha, justamente, de tu hermana.
c. ?Debes actuar en beneficio, únicamente, de la comunidad.

A diferencia, asimismo, de las locuciones del grupo anterior, estas admiten la omisión del complemento, en lo cual se diferencian claramente de las preposiciones (véase (69)). Dicho complemento, sin embargo, no puede encabezar una oración de relativo, pero sí todo el constituyente de la locución, según se puede apreciar por los contrastes de (70). En esto se comportan de forma similar a las preposiciones, con las que alternan cuando tienen un significado similar, según muestra (71):

(69) a. Vivimos al lado (de Juan).
b. No sé si votar a favor o en contra (de esa ley).
c. Llegas a tiempo (de ver el partido).

(70) a. *La gloria de la cual fueron en busca.
b. La gloria en busca de la cual fueron.
c. *Los invitados de los cuales dieron una fiesta en honor.
d. Los invitados en honor de los cuales dieron una fiesta.

(71) a. La papelera está {al lado de/bajo} la mesa.
b. El tren va {en dirección a/hacia} Madrid.
c. He votado {en contra de/contra} la segunda propuesta.

En conclusión, las locuciones de este tipo presentan un grado intermedio de gramaticalización y están a medio camino entre las estructuras (51a) y (51b). En primer lugar, el nombre que forma parte de ellas admite ciertas expansiones propias de los sintagmas nominales, pero muy restringidas. En segundo lugar, presentan un grado muy bajo de cohesión: la primera preposición que las integra parece formar una unidad junto con el nombre, pero no junto con la segunda preposición. Por último, el término de estas locuciones, junto con la preposición que lo precede inmediatamente, puede ser sustituido por un posesivo y puede, asimismo, ser omitido, a diferencia de lo que ocurre con las preposiciones del español. Todas estas características las acercan al grupo de los adverbios nominales que serán estudiados en el § 9.3.1, cuyo origen es una secuencia de preposición seguida de un elemento nominal, generalmente un sustantivo.

C) La tercera y última clase que podemos distinguir dentro del grupo de locuciones que aquí estamos estudiando da lugar a construcciones que se corresponden con la estructura (51b); no constituyen, por lo tanto, una unidad léxica, sino que forman parte de una estructura sintagmática <P+SN>.

En la mayoría de los casos, el nombre que forma parte de este tipo de locuciones va precedido de artículo o lo admite, como muestran las construcciones de (72). Más aún, los ejemplos de (73) nos indican que el artículo alterna en ellas no sólo con los posesivos, sino también con demostrativos, cosa que no ocurría en ninguno de los grupos revisados anteriormente. En (74), por otra parte, comprobamos que el nombre puede ir modificado por adjetivos:

(72) a. Fui a verle con (la) idea de decirle que me dejara en paz.
b. Lo dejó en (las) manos del destino.
c. En (la) opinión de Juan, no deberíamos hacer eso.
(73) a. En opinión de Juan. / En su opinión.
b. En el interior de la casa. / En su interior.
c. Con el fin de que vengas. / Con ese fin.
d. En (el) caso de que no estuviera aquí. / En ese caso.
(74) a. Con el solo pretexto de verle.
b. En el mismo momento de salir.

Construcciones como las anteriores muestran que este tipo de locuciones no están fuertemente fijadas. Asimismo, admiten una cierta creatividad y se permiten alternancias de sustantivos, verbos o adjetivos de significado similar: *desde la {perspectiva/óptica} de la acusación; en {brazos/manos} del destino*. Por otra parte, estas locuciones carecen de cohesión, y así, se puede hacer en ellas coordinaciones de sintagmas nominales o de adjetivos y oraciones de relativo, como muestran los ejemplos de (75). Las construcciones recogidas en (76) indican que también se pueden coordinar constituyentes encabezados por la segunda preposición que forma parte de ellas, y los ejemplos de (77) hacen ver que los elementos integrantes de la locución pueden ser separados por la inserción de un modificador:

(75) a. Con el propósito o el pretexto de ayudarnos.
b. No sé si está en el interior o el exterior de la casa.
(76) a. Lo tendrás en el plazo de veinte o tal vez de treinta días.
b. Salí temprano con idea de ser el primero y de estar allí cuando él llegara.
(77) a. Con excepción, únicamente, de María.
b. ?Se lo daremos en el plazo, exactamente, de quince días.

Por último, el término de la supuesta locución puede ser omitido (véase, asimismo, (73c, d), donde aparece un demostrativo): *No quería decírtelo, pero me veo en la necesidad*.

En conclusión, las locuciones que forman parte de este grupo se corresponden con la estructura (51b), y ello por las siguientes razones: no son locuciones fijas ni cohesionadas; el nombre o pronombre que forma parte de ellas se proyecta dando lugar a un verdadero sintagma nominal y, por último, el término puede ser omitido sin que ello provoque la agramaticalidad de la construcción.

.2.4.3. *Otros tipos de locuciones prepositivas*

Además de las locuciones prepositivas estudiadas en los apartados anteriores, existen otras que están formadas sobre la base de elementos distintos del nombre. Son, básicamente, las que revisamos a continuación.

A) En primer lugar, hay una serie de locuciones formadas según el modelo <Adjetivo / Participio + P>: *conforme a, debido a, junto a, referente a* o *tocante a*. En general, se puede decir de ellas que están gramaticalizadas, puesto que las construcciones a que dan lugar no constituyen sintagmas adjetivales o participiales. Así, por ejemplo, los adjetivos o participios que les han dado origen no presentan fenómenos de concordancia: **Las obras se realizaron conformes a lo estipulado; *La caseta del perro está junta al garaje.* Muchos de los elementos que integran este tipo de locuciones, sin embargo, parece que mantienen dos funciones, la adjetival o participial originaria, junto con la prepositiva. Así, en construcciones como (78a) y (79a), *debido, referente* y *tocante* se predican de nombres con los que concuerdan en plural. En (78b) y (79b), sin embargo, *debido a, referente a* y *tocante a* son elementos de relación:

(78) a. Esos errores son debidos a su falta de disciplina.
 b. Debido a su falta de disciplina, cometió muchos errores.

(79) a. Los asuntos {referentes/tocantes} a la última reunión se discutirán más adelante.
 b. Referente a lo que me preguntabas antes, te puedo decir que aún no se ha discutido.

En ocasiones, hay variaciones formales que van unidas a un cambio de función o de significado. Así ocurre con las variantes *conforme con/conforme a*: la segunda de ellas constituye una verdadera locución prepositiva; la primera, sin embargo, alterna este valor con el adjetival: *Pedro y Ana están conformes {con/*a} lo que les dijimos; *los asuntos se han llevado conformes {con/a} lo establecido.* Existen también las variantes *junto a* y *junto con*, pero mientras que la primera tiene un significado locativo, «al lado de» *(El ayuntamiento está junto a la iglesia),* la segunda tiene un significado comitativo, «en unión de» *(Lo hicieron junto con sus hermanos).*

También formada sobre una base adjetival, pero encabezada por la preposición *a*, tenemos la locución *a salvo de.* Al igual que las locuciones anteriores, el adjetivo que forma parte de ella no admite cambios formales *(Las pusieron a {salvo/*salvas} de los piratas)* pero, a diferencia de ellas, el término puede ser omitido *(Las pusieron a salvo).*

B) Un pequeño grupo de locuciones prepositivas están formadas según el modelo <P + *lo* + adjetivo/oración de relativo>. Las locuciones de este tipo presentan un grado muy bajo de cohesión. En ellas, el pronombre *lo* puede ser modificado por cuantificadores como *todo*:

(80) a. Hicieron un viaje a todo lo largo de la cordillera.
 b. En todo lo referente a mi madre, déjame actuar a mí.

Asimismo, admiten una cierta creatividad y se permiten alternancias de sustantivos, verbos o adjetivos de significado similar: *{en/por} lo que {se refiere/toca/respecta} a; en lo {referente/tocante} a.* También es posible la coordinación de los elementos que integran la locución: adjetivos, (81a), verbos, cuando contienen una oración de relativo, (81b), y también pueden tener un término coordinado, (81c):

(81) a. Hicieron un viaje a lo largo y ancho del país.
 b. En lo que se refiere o toca a ese asunto, mejor será que te abstengas de opinar.
 c. Por lo que toca a sus asuntos y a los de mi familia, no tenemos que preocuparnos.

C) Por último, vamos a señalar una serie de esquemas, en general poco productivos, que dan lugar también a la formación de locuciones preposicionales.

— Adverbios de diverso tipo (cuantitativos, locativos, etc.) combinados con preposiciones: *fuera de; lejos de; a más de; en cuanto a; por encima de; por entremedias de*; etc. [12]

— Combinaciones de preposiciones: *por bajo de; por contra de* (estudiada más arriba, en el § 9.2.4.2).

— Combinaciones de verbo y preposición. Hay unas pocas locuciones formadas por un infinitivo precedido y seguido de preposición: *a juzgar por, a partir de, a pesar de*. En esta última, que presenta un grado bajo de cohesión, el infinitivo está sustantivado, como muestra la posibilidad de sustituir el complemento con *de* por un posesivo *(a su pesar)*. Por otra parte, la locución *pese a* está formada a partir de una forma conjugada.

— Con *como* seguido de sustantivo (véase el § 9.4.3.2) se forman las locuciones *como consecuencia de, como resultado de.*

9.2.5. Preposiciones imperfectas

Bajo la denominación de 'preposiciones imperfectas' [13] agrupamos aquí un conjunto de partículas que habitualmente no se clasifican dentro del grupo de las preposiciones, pero que presentan semejanzas con esta clase gramatical, junto con algunos rasgos que las diferencian de ella: *durante, mediante, obstante, embargante, excepto, salvo, menos* e *incluso*. Vamos a incluir también la partícula *según* que, a diferencia de las anteriores, se coloca habitualmente dentro de la lista de las preposiciones del español. [14] Todas las partículas anteriormente señaladas tienen en común una característica que las distingue del resto de las preposiciones: no imponen el caso oblicuo a los pronombres que toman como término. A continuación vamos a revisar algunas de sus peculiaridades dividiéndolas en grupos de comportamiento homogéneo.

9.2.5.1. Según

Comencemos por prestar atención al comportamiento de *según* [→ § 10.18.3]. Como ya hemos mencionado, es esta la única de las partículas anteriormente señaladas que aparece regularmente entre la lista de las preposiciones del español. Sin embargo, *según* posee al menos dos características que la distinguen claramente de otras preposiciones. En primer lugar, como ya ha sido mencionado, no rige caso oblicuo, sino nominativo *(según {tú/*ti})*; en segundo lugar, es la única, entre las preposiciones, que es tónica y, además, posee acento gráfico.

La partícula *según* toma habitualmente como complemento un sintagma nominal. En tal caso, puede expresar diferentes valores. El primero de ellos es el de conformidad, que se ilustra en (82); con este significado, puede ser sustituida por las locuciones *conforme a, de acuerdo con*. El segundo es aquel en el cual introduce

---

[12] Obsérvese la diferencia de significado existente entre el uso adverbial (que será revisado más adelante, en el § 9.3.1) y el uso de *fuera de* y *lejos de* como locuciones preposicionales. El significado locativo que les es propio en el primer caso *(Está fuera de la casa; Vive lejos de Madrid)* sufre una traslación al plano nocional, de tal manera que *fuera de* pasa a significar 'aparte de' *(Fuera de los estudios, no tiene ninguna otra preocupación)* y *lejos de* tiene un significado negativo, equivalente al de la preposición *sin (Lejos de pensar en ello, actuó como si no hubiera ocurrido nada)*. La omisión del término hace que sea imposible cualquier significado distinto del locativo *(Fuera, no tiene ninguna otra preocupación; Lejos, actuó como si no hubiera ocurrido nada).*

[13] Cf. Bello 1847: § 1184.

[14] Véanse, por ejemplo, RAE 1973: § 3.11.5 y Marcos Marín 1987: § 15.1.1. Alarcos (1994: § 284), sin embargo, excluye explícitamente *según* del grupo de las preposiciones.

un nombre que representa a una fuente de información o de opinión, ejemplificado en (83):

(82) a. Vive según sus principios.
b. Su actuación se ha llevado a cabo en todo momento según la ley.

(83) a. Según ese profesor, mañana no habrá clase.
b. Según tú, lo que hizo no tiene ningún valor, ¿no?

En los ejemplos de (82), el constituyente encabezado por *según* es un complemento modal seleccionado. En los de (83), sin embargo, *según* introduce un elemento periférico a la oración que, como vemos, aparece separado de esta por una pausa; puede ir, asimismo, intercalado dentro de ella, como una construcción parentética:

(84) a. Mañana, según ese profesor, no habrá clase.
b. Lo que hizo, según tú, no tienen ningún valor, ¿no?

Al igual que ocurre habitualmente con las preposiciones, la partícula *según*, junto con su complemento, puede introducir una oración de relativo, dando lugar a construcciones como *La hipótesis según la cual el cerebro de la mujer es diferente al del hombre*. Obsérvese, sin embargo, que en muchos casos el término de *según* contiene un verbo, sin que ello conlleve un cambio de significado o de función. En estas circunstancias, el comportamiento de esta partícula es más próximo al de las conjunciones subordinantes que al de las preposiciones, puesto que la oración que lleva por término tiene su verbo en forma personal y no va encabezada por la conjunción subordinante *que*:

(85) a. *Según dice ese profesor*, mañana no habrá clase.
b. Su actuación se ha llevado a cabo en todo momento *según dicta la ley*.

En estos casos, *según* adquiere un valor similar al de *como* (véase el § 9.4.3.2), pero sus relaciones con esta partícula van más allá. Así, *según* admite un uso, documentado sobre todo en el español clásico y poco habitual en el de nuestros días, en el cual lleva como término un elemento predicativo (que puede ser un adjetivo o participio) referido, generalmente, al sujeto:

(86) a. ... atrevíme a ello pensando que me harías merced no *segund* quien la pedía, más *segund tú* que la havies de dar. [Diego de San Pedro, *Cárcel de amor*; tomado de Cano Aguilar (1982: 215)]
b. Yo hize lo que devía *segund piadosa* y tengo lo que merezco *segund desdichada*. [Íd.: 216]

Según puede también introducir una oración subordinada modal. En este uso, *según* puede tener un valor enteramente equivalente a *como* o bien un significado similar al de la locución *a medida que*, como ilustran, respectivamente, (87a) y (87b). Como muestran, por otra parte (88a) y (88b), la oración subordinada puede ir precedida de la conjunción subordinante *que*, lo cual es lo esperable si *según* es, efectivamente, una preposición. Este tipo de construcciones, sin embargo, son extrañas en la lengua de hoy en día. Asimismo, a diferencia también de lo que ocurre con otras preposiciones, no alternan con las oraciones de infinitivo, como prueba la agramaticalidad de (89):

(87) a. Lo hicieron según les ordenaron.
b. Según nos íbamos alejando de la casa, el cielo se ponía más y más oscuro.

(88) a. Según (que) lo prueba la experiencia. [RAE 1973: § 3.21.5.B)]
b. Según que nos elevamos sobre la superficie de la tierra, se adelgaza más y más el aire. [Bello 1847: § 986]

(89) b. *Según elevarnos sobre la tierra, vamos viendo el mundo cada vez más pequeño.

También con un valor modal encontramos las locuciones *según y como* y *según y conforme* (cf. Apéndice III.7.a) —§ 9.5—), la primera de las cuales puede aparecer también sin un término explícito. Lo mismo sucede con *según*, como muestra (90b), lo cual es una nueva característica de esta partícula que la aparta de otras preposiciones:

(90) a. Se lo diré según y {como/conforme} tú me lo dices.
b. —¿Lo harás?
—{Según/Según y como}.

9.2.5.2. Durante, mediante, no obstante *y* no embargante

El segundo grupo de 'preposiciones imperfectas' está constituido por las partículas *durante, mediante, no obstante* y *no embargante*. Todas ellas son, en su origen, participios activos que han perdido la capacidad de concordar con sustantivos (lo cual explica el origen de la locución fosilizada *Dios mediante*, con sustantivo antepuesto), aunque se pueden encontrar ejemplos con concordancia hasta estadios muy recientes de nuestra lengua:

(91) a. Lo que después se hace *mediantes* los actos exteriores, es la ejecución desta determinación de la voluntad. [Palacios Rubios, *Esfuerzo bélico heroico*; tomado de Cuervo, n. 143]
b. *No obstantes* estos impedimentos, plugo a la sabiduría soberana alumbrar las tinieblas de mi entendimiento. [Pedro de Alcalá, *Ubi supra*; tomado de Cuervo, n. 143]

Algunas de estas partículas tienen variantes en las que aparecen seguidas de preposición, probablemente por contagio con otras locuciones prepositivas. Así, la existencia de *no obstante de, no embargante de* puede ser explicada por influencia de las locuciones *a pesar de* y *sin embargo de*; asimismo, *mediante a* puede ser explicado por contagio de la locución *en atención a*. Por último, *no obstante*, sin término, funciona como conjunción ilativa, expresando oposición entre el sentido de dos oraciones: *Me dijo que estaría en casa; no obstante, sería mejor llamar.*

Ninguna de estas partículas admite, como señalábamos, un término en caso oblicuo, pero, a diferencia de otras, tampoco admiten como complemento un pronombre en caso nominativo. Esta particularidad puede ser explicada teniendo en cuenta su significado, puesto que no seleccionan complementos de persona:

(92) a. *Durante tú.
b. *Mediante mi hermano.
c. *No {obstante/embargante} mis padres.

Las partículas *durante* y *mediante* no admiten normalmente llevar como complemento una oración (en el caso de la primera de estas partículas, existe la conjunción *mientras*, con el mismo significado, pero especializada en el enlace de oraciones). *No obstante*, seguida de la conjunción subordinante *que*, encabeza construcciones adversativas o consecutivas, aunque su uso es poco frecuente; en este mismo uso, puede también tomar por complemento una oración de infinitivo:

(93) a. *Nos dieron la noticia *durante que* estábamos reunidos.
b. *Lo conseguiremos *mediante que* vayas tú a verle.
c. No obstante que se quedó sin conocimiento. [*DDDLE*: 275]
d. No obstante haberle dicho que no lo hiciera, lo hizo.

Tampoco aceptan estas partículas llevar como complemento un sintagma preposicional, según muestra la agramaticalidad de las construcciones de (94a) a (94c). Los ejemplos (94d), (94e) y (94f), por último, muestran que, al igual que otras preposiciones, pueden encabezar, junto con su término, una oración de relativo:

(94) a. *Durante de 6 a 7.
b. *Mediante sin ayuda.
c. *No {obstante/embargante} con muchas dificultades.
d. La noche *durante la cual* murió.
e. Las ayudas *mediante las cuales* podremos acabar el proyecto.
f. Los obstáculos *no obstante los cuales* pudimos terminar felizmente.

9.2.5.3. Excepto, salvo *y* menos

Vamos a revisar ahora el comportamiento de las partículas *excepto, salvo* y *menos* [→ §§ 10.18.2 y 43.2.3.5]. Las dos primeras proceden de participios pasivos y, como tales, en la lengua antigua (y aun en la actual, con un tono arcaizante) concordaban con el sustantivo:

(95) a. Llamo yo aquí letras consonantes a todas las del ABC, *esceptas* las cinco vocales. [Pedro de Alcalá, *Arte para ligeramente saber la lengua arábiga*; tomado de Cuervo, n. 143]
b. Hasta la más íntima intimidad de cada individuo, *salvas* contadas excepciones, quedará perturbada y falsificada. [José Ortega y Gasset, *La rebelión de las masas*; tomado del *AGLE*]

Como el resto de las partículas que estamos estudiando, estas no asignan caso oblicuo, sino nominativo, a su término: *Irán todos, {excepto/salvo/menos} yo*. A diferencia también de las preposiciones, no pueden ser extraídas junto con su término: **Juan es el chico {excepto/salvo/menos} el cual irán todos a la fiesta*.

Otra peculiaridad de estas partículas que las distingue de las preposiciones es que no establecen una relación de subordinación, sino que ligan elementos análogos; ambos elementos, deben ser explícitos:

(96) a. Irán todos {excepto/salvo/menos} yo.
b. *Irán excepto yo.

c. Cumplió todos los encargos, {excepto/menos/salvo} uno muy difícil.
d. *Cumplió excepto un encargo muy difícil.

Hay, sin embargo, dos excepciones. La primera de ellas se da cuando el elemento implícito es el objeto indirecto, generalmente en contextos negativos; [15] la segunda, cuando llevan como término un complemento circunstancial:

(97) a. No dieron muchos regalos, {excepto/salvo/?menos} a los niños.
b. El Congreso se celebró sin contratiempos, {excepto/salvo/menos} el primer día.
c. Le gustaba mucho pasear por el jardín, {excepto/salvo/menos} cuando hacía frío.

Al igual que las preposiciones, y a diferencia de las conjunciones, las partículas *excepto* y *salvo* pueden llevar como término una oración encabezada por la conjunción subordinante *que*, adquiriendo entonces un valor concesivo:

(98) a. El Congreso se celebró sin contratiempos, {excepto/salvo/*menos} que el primer día la reunión empezó con dos horas de retraso.

Otra diferencia que opone *menos* al resto de las partículas de este grupo es que puede aparecer precediendo al último elemento de una serie coordinativa, con un sentido de énfasis negativo: *No podía decírselo ni a sus compañeros ni a sus amigos, y menos a sus padres.*

Estas partículas pueden relacionar diversos tipos de sintagmas (véase (99a-c)), y pueden ser antepuestas, junto con su término, al resto de la oración, como se puede ver en (99f):

(99) a. Le gusta la música de todo tipo, excepto barroca.
b. Tiene una casa con casi todo, salvo con pisicina.
c. Compró todos los muebles, excepto las sillas.
d. Aquí hace mucho frío; {excepto/salvo/menos} en verano, la temperatura es muy baja.
f. {Excepto/salvo/menos} Juan, irán todos a la fiesta.

9.2.5.4. La relación de incluso *con las preposiciones imperfectas*

Vamos a revisar brevemente el comportamiento de la partícula *incluso*, perteneciente a la clase de los adverbios de foco, por las similitudes que guarda con las partículas anteriormente revisadas. Al igual que ellas, tiene su origen en un participio pasivo y en la lengua antigua solía concordar con el elemento al que modifica. También podemos encontrar algún caso en la lengua moderna, si bien con un claro carácter arcaizante:

(100) En el mundo moderno toda filosofía procede de Kant, *inclusa* la que le niega y contradice su influencia. [Marcelino Menéndez Pelayo, *Ensayos de crítica filosófica*; tomado de RAE 1973: § 3.16.16f]

Al igual, asimismo, que las partículas anteriores, *incluso* no asigna caso oblicuo a su término, sino nominativo: *Iremos todos, incluso tú*. En otros varios aspectos guarda semejanzas con *excepto, salvo* y *mientras*, pero también presenta diferencias con ellas.

[15] Aunque no siempre: *Juan pide siempre muchas cosas, excepto a los Reyes Magos* (ejemplo proporcionado por Ignacio Bosque).

Así, al igual que estas partículas, *incluso* no subordina, sino que liga elementos análogos. Sin embargo, el primer elemento aparece frecuentemente implícito, sin que se observen restricciones en este sentido. En este caso, cuando el sintagma al que precede *incluso* aparece en posición de sujeto, el verbo debe concordar con él:

(101) a. Compró todo lo que había, incluso una máquina de café antigua.
b. Compró incluso una máquina de café antigua.
c. Iremos todos, incluso tú.
d. *Iremos incluso tú.
e. Irás incluso tú.

Recordemos que *excepto, salvo* y *menos* pueden aparecer sin el primer término explícito cuando introducen un complemento circunstancial o cuando se trata de un objeto indirecto que cae dentro del ámbito de la negación. En este último caso, la aparición de *incluso* da lugar a construcciones agramaticales; en tales circunstancias debe usarse la partícula *ni siquiera* (compárese los siguientes ejemplos con los de (97)):

(102) a. El Congreso se celebró sin contratiempos, incluso el primer día.
b. Le gustaba mucho pasear por el parque, incluso cuando hacía frío.
c. Dieron muchos regalos, incluso a los niños.
d. No dieron muchos regalos, {ni siquiera/*incluso} a los niños.

Por otra parte, *incluso*, seguido de la conjunción *que*, no da lugar a una partícula subordinante. Puede preceder a una oración encabezada por tal conjunción, pero sólo cuando esta es complemento de otra unidad léxica (generalmente un verbo) o cuando establece una relación entre dos complementos de otra unidad léxica, como se ilustra, respectivamente, en (103b) y (103c):

(103) a. *Incluso que llegues a tiempo, la fiesta no se va a celebrar.
b. Quiere *incluso que* vayamos a recibirlo.
c. Dijo muchas tonterías, *incluso que* se iría de casa si no le dejaban en paz.

Frente a la agramaticalidad de una construcción como (103a), existe, la locución *incluso si* que introduce oraciones subordinadas concesivo-condicionales [⟶ §§ 57.9.2 y 59.4.1]: *Incluso si llegas a tiempo, la fiesta no se va a celebrar.*

También puede tratarse de una oración de infinitivo o una oración finita sin *que*, pero en este último caso no está subordinada:

(104) a. Quería incluso comprarle él el billete.
b. Incluso quería comprarle él el billete.

En realidad, *incluso* puede preceder a cualquier tipo de constituyente; además de los que ya hemos visto, puede preceder a un sintagma preposicional y a un sintagma adjetival:

(105) a. Tiene una casa muy bonita, incluso con piscina.
b. Puedes llamarme incluso a la una.
c. Le gusta la paella incluso sosa.

A diferencia de *excepto, salvo* y *menos*, los constituyentes encabezados por *incluso* no pueden ser antepuestos al resto de la oración y separados de ella por pausa, sobre todo cuando *incluso* relaciona dos términos, el primero de los cuales permanece en el interior de la oración (véase (106a)). Por otra parte, al igual en esto que las partículas anteriores, no puede encabezar, junto con su término, una oración de relativo:

(106) a. *Incluso Juan, irán todos a la fiesta.
b. *Juan es el chico incluso el cual irán todos a la fiesta.

En todos los aspectos anteriormente revisados, el comportamiento de *incluso* es similar al de la partícula *hasta* en su uso adverbial, como partícula enfática. De hecho, podemos parafrasear las construcciones anteriormente señaladas con esta última partícula. Las restricciones son comunes para ambas, como podemos ver en los siguientes ejemplos:

(107) a. Compró (todo lo que había,) hasta una máquina de café antigua.
b. Irás hasta tú.
c. Le gustaba mucho pasear por el parque, hasta cuando hacía frío.
d. Quiere hasta que vayamos a recibirlo.
e. Quería hasta comprarle él el billete.
f. Hasta quería comprarle él el billete.
g. Le gusta la paella hasta sosa.

La única diferencia entre *incluso* y *hasta* es que la primera puede posponerse; la segunda da lugar en este caso a construcciones agramaticales:

(108) a. Puedes llamarme a la una, incluso.
b. *Puedes llamarme a la una, hasta.

9.2.6. Preposiciones y conjunciones coordinantes [16]

La función característica de las preposiciones es subordinar un término a otro. Existen, sin embargo, algunas preposiciones que, en determinadas construcciones, parecen llevar a cabo una función similar a la de las conjunciones coordinantes; estas son las preposiciones *entre* y *con*, así como las preposiciones correlativas *desde... hasta*....

9.2.6.1. Entre

La preposición *entre* toma habitualmente como término un nombre singular no contable, como vemos en (109a), un nombre contable en plural, como muestra (109b), o bien dos nombres en singular enlazados por la conjunción copulativa *y*, tal como se ilustra en (109c) [→ § 1.4.5.1]:

(109) a. Entre la arena. / Entre la maleza.
b. Entre los árboles.
c. Entre la mesa y la cama.

Como muestran (110a) y (110b), por otra parte, no es posible coordinar dos pronombres en caso oblicuo, siendo en tal caso necesario el doblado de la preposición, tal como vemos en (111a) y (111b):

(110) a. *Lo hizo por ti y mí.
b. *Arrastraba la desgracia tras sí y ella.
(111) a. Lo hizo por ti y por mí.
b. Arrastraba la desgracia tras sí y tras ella.

---

[16] Para un estudio de conjunto de diferentes casos de sujeto con preposición, véase Cano Aguilar 1982. En Martínez 1992 se estudian los usos 'coordinativos' de *hasta* y en Martínez 1977-78, los de *entre*. De esta última partícula, así como de *con* en catalán (con datos muy similares a los del español que aquí vamos a señalar) se ocupa Rigau 1990. En este apartado seguimos muy de cerca las ideas y los datos presentados en los trabajos señalados.

Esta última posibilidad queda excluida con *entre*, puesto que en tal caso cada miembro de la coordinación no tendría sentido por separado, al ser equivalentes a un nombre contable en singular (véase (112)):

(112) a. *Hay un abismo entre ti y mí.
b. *Hay un abismo entre ti y entre mí.

La agramaticalidad de (112a) obedece a las mismas razones que determinan la de (110a) y (110b). (112b) es agramatical, asimismo, por la misma razón que lo son **Hay un abismo entre ti* o **La cartera debe estar entre mí*. La única excepción, en este caso, es la de aquellas construcciones en que la preposición *entre*, seguida de un pronombre personal, tiene un valor equivalente a «para {mis/tus/sus/...} adentros»: *Ayer, entre mí, pensaba que todo esto no tiene sentido.*

Por razones como las señaladas anteriormente, cuando la preposición *entre* lleva como término dos pronombres personales coordinados, estos aparecen en caso nominativo *(entre tú y yo)*. A lo largo de la historia de nuestra lengua ha habido, sin embargo, muchas vacilaciones en este sentido, y así encontramos, por ejemplo, casos en que *entre* lleva como término dos pronombres oblicuos coordinados o un pronombre oblicuo y un sintagma nominal, o bien un pronombre en caso nominativo y otro en caso oblicuo coordinados [⟶ § 10.9.1]:

(113) a. La amistad que *entre ti y mí* se afirma no ha menester preámbulos. [Fernando de Rojas, *La Celestina*; tomado de Cuervo, n. 142]
b. Ya sabes el deudo que hay *entre ti y Elicia*. [Fernando de Rojas, *La Celestina*; tomado de Cuervo, n. 142]
c. *Entre él y mí* no hay secretos. [Tirso de Molina, *La huerta de Juan Fernández*; tomado de Cuervo, n. 142]

La construcción que aquí nos interesa fundamentalmente es aquella en que un constituyente encabezado por esta partícula aparece en la posición del sujeto [⟶ § 41.2.6.2]. Puesto que en la mayoría de los casos es inviable la existencia de un sujeto con preposición en español, se ha señalado que aquí la correlación *entre... y...* constituye una locución coordinativa, algo que se ve avalado por el uso del caso nominativo: *Entre tú y yo subiremos los paquetes*. Asimismo, existe cierta alternancia con construcciones en que lo que aparece es un elemento adverbial como *conjuntamente* o *en colaboración*, por lo que podría verse aquí un uso adverbial de *entre*. Sin embargo, a continuación vamos a exponer una serie de razones que nos llevan a descartar cualquiera de estas dos posibilidades. No es apropiado, por lo tanto, que en este tipo de construcciones *entre* pierde su carácter preposicional. Finalmente, mostraremos que el sintagma preposicional encabezado por esta partícula desempeña la función de atributo de un sujeto implícito.

Entre este tipo de construcciones y aquellas en que los dos términos aparecen enlazados por la conjunción copulativa *y* existen importantes diferencias interpretativas. Observemos, por ejemplo, el siguiente par de oraciones:

(114) a. Entre Pablo y yo subimos los paquetes.
b. Pablo y yo subimos los paquetes.

La oración (114a) tiene una sola interpretación, aquella según la cual hay un solo conjunto de paquetes, que dos personas subieron en colaboración. La oración (114b), sin embargo, es ambigua, pues, junto a esta interpretación, admite otra según la cual cada una de las personas implicadas subió su propio conjunto de paquetes.

La construcción con *entre* lleva, por lo tanto, asociada la idea de colaboración. De ahí que sólo pueda utilizarse con predicados que expresan una determinada actividad que conduce a un resultado [⟶ § 41.2.6.2]. Si no es así, la construcción resultante es agramatical, cosa que no ocurre con la conjunción copulativa *y*:

(115) a. Pedro y yo cantamos muy bien.
b. *Entre Pedro y yo cantamos muy bien.
c. Tomás e Inma salieron a la calle.
d. *Entre Tomás e Inma salieron a la calle.
e. Antonio y Carmen han estado enfermos.
f. *Entre Antonio y Carmen han estado enfermos.

Las construcciones agramaticales recogidas en (115) se convierten en gramaticales si añadimos un sintagma cuantitativo que modifique aspectualmente al predicado y lo convierta en iterativo, expresando entonces que una misma situación se ha producido un número determinado de veces:

(116) a. Entre Pedro y yo cantamos ocho canciones.
b. Entre Tomás e Inma salieron a la calle cuatro veces.
c. Entre Antonio y Carmen han estado enfermos diez veces.

El sintagma cuantitativo debe ir siempre encabezado por un cuantificador numeral, quedando excluidos los indefinidos:

(117) a. *Entre Pedro y yo cantamos canciones.
b. *Entre Tomás e Inma salieron a la calle varias veces.
c. *Entre Antonio y Carmen han estado enfermos algunas veces.

Además de las diferencias interpretativas señaladas anteriormente, existe otro argumento en contra de considerar a la secuencia *entre... y...* una locución coordinante. En numerosas ocasiones, en el término de la preposición *entre* no aparecen dos constituyentes enlazados por *y*, sino un sintagma nominal cuantificado, por lo que no puede hablarse de coordinación:

(118) a. *Entre todos* la mataron.
b. La levantaron *entre seis personas*.

Como mencionábamos más arriba, cabe considerar que *entre* funcione en estas construcciones como un elemento adverbial, pues de hecho existe alternancia entre este elemento y adverbios o sintagmas preposicionales como *conjuntamente* o *en colaboración: Lo hicieron entre todos; Lo hicieron todos {conjuntamente/en colaboración}*. Sin embargo, *entre* debe preceder obligatoriamente al sintagma nominal al que modifica, a diferencia del adverbio o el sintagma preposicional:

(119) a. Todos lo hicieron {conjuntamente/en colaboración}.
b. *Todos lo hicieron entre.

Por último, vamos a señalar dos argumentos que muestran que los sintagmas preposicionales encabezados por *entre* no funcionan verdaderamente como sujeto, sino, probablemente, como atributos o predicados secundarios de un sujeto implícito

[⟶ § 41.2.6.2]. [17] El primero de ellos es que el sintagma preposicional puede coaparecer con un sujeto explícito:

(120) a. Los estudiantes subieron las maletas entre todos.
b. Pedro y Juan hicieron la cena entre los dos.

El segundo es que, en perífrasis de relativo, el sintagma preposicional con *entre* no puede ser correferencial con una construcción encabezada por el pronombre relativo *quien*, pero sí con una oración de relativo encabezada por *como*:

(121) a. Entre tú y yo fue como subimos el equipaje.
b. *Entre tú y yo fuimos quienes subimos el equipaje.
c. Entre todos fue como la mataron.
d. *Entre todos fueron quienes la mataron.

9.2.6.2. Desde... hasta...

Los sintagmas preposicionales constituidos por las preposiciones correlativas *desde... hasta...* [⟶ § 48.7] tienen habitualmente un valor espacio-temporal, donde *desde* expresa el límite inicial y *hasta* el límite final de una determinada trayectoria espacial o temporal. Este tipo de sintagmas preposicionales pueden, por lo tanto, cumplir la función de complementos o adjuntos locativos o temporales, como ocurre, respectivamente, en los ejemplos de (122) y (123):

(122) a. La llanura se extiende desde mi pueblo hasta el suyo.
b. La conferencia duró desde las cuatro hasta las seis.
(123) a. Caminaron desde Madrid hasta Guadalajara.
b. Trabaja desde la mañana hasta la noche.

Sin embargo, construcciones encabezadas por *desde... hasta...* pueden cumplir otras muchas funciones en la oración, incluso las que habitualmente no cumplen los sintagmas preposicionales, como son la función de sujeto o de objeto directo:

(124) a. Desde el botones hasta el director general estaban de acuerdo en eso.
b. Se compró desde un patito de goma hasta un modelo de Christian Dior.

Una posible explicación para este tipo de construcciones sería considerar que, en ellas, *desde... hasta...* desempeña la misma función de una conjunción coordinante; es decir, se trataría de una locución coordinante discontinua. Sin embargo, al igual que ocurría con la preposición *entre*, podemos señalar la existencia de marcadas diferencias interpretativas entre las construcciones introducidas por estas preposiciones y las encabezadas por la conjunción copulativa *y*. Compárense, por ejemplo, las construcciones de (124) con las siguientes:

[17] Cf. Martínez 1977-78.

(125) a. El botones y el director general estaban de acuerdo en eso.
b. Se compró un patito de goma y un modelo de Christian Dior.

En las construcciones de (124), los términos de *desde* y *hasta* expresan, respectivamente, los dos polos opuestos de una determinada gradación, pero, desde un punto de vista semántico, están incluidos también los puntos intermedios. Es decir, en (124a) interpretamos que no sólo están de acuerdo el botones y el director general, sino también todas las personas que jerárquicamente están situadas entre ambos; en (124b), interpretamos que alguien compró más cosas, además del patito de goma y el modelo de Christian Dior y que estos elementos representan, únicamente, el artículo más barato y el más caro que pagó. En las construcciones de (125), por el contrario, no se sobreentienden más elementos que aquellos que están unidos por la conjunción copulativa.

Las construcciones con *desde... hasta...*, que, como hemos señalado, expresan los dos extremos de un continuo (sobreentendiéndose los puntos intermedios) tienen un valor cuantitativo. A veces incluso se puede establecer una relación de correferencia u oposición con otros cuantificadores, como *todos* o *cuanto quiso* en las construcciones de (126):

(126) a. *Todos* estaban de acuerdo en eso; *desde* el botones *hasta* el director general.
b. Se compró *cuanto quiso; desde* un patito de goma *hasta* un modelo de Christian Dior.

En otras construcciones, el elemento cuantificado no está expreso, pero se sobreentiende. Así ocurre en los ejemplos de (127a) y (127b), donde podemos sobreentender, respectivamente, «a todo el mundo» y «en cualquier sitio». En estas mismas construcciones, a diferencia de lo que ocurre habitualmente en su uso prepositivo, *desde* y *hasta* llevan como término un sintagma preposicional:

(127) a. Tutea *desde a los alumnos hasta a los profesores*. [Martínez 1994: 85]
b. Este sería capaz de dormir *desde en un pajar hasta en una estación de metro.*

El valor adverbial de *hasta*, como partícula intensificadora (con el mismo significado de *incluso*; véase el § 9.2.5.4), se puede explicar partiendo de este uso, por omisión de *desde*, como se ve en (128a), pero hay algunas diferencias entre ambos tipos de construcción, reflejadas en (128b) a (128d). Si el constituyente encabezado por *desde... hasta...* aparece en posición de sujeto, concuerda con el verbo en plural; cuando *desde* no aparece, el verbo concuerda con el término de *hasta*, en número y persona:

(128) a. Tiene una casa (desde con cancha de tenis) hasta con piscina.
b. Desde el director hasta el último botones estaba*n* de acuerdo.
c. Hasta el último botones estaba de acuerdo.
d. Hasta los botones estaba*n* de acuerdo.

Otros usos adverbiales de *hasta* aparecen reflejados en (129). En (129a) y (129b), *hasta* modifica a un sintagma nominal cuantificado, expresando el límite de una cantidad (con un valor similar a *por lo menos* o *como mucho*). En (129c) y (129d), por otra parte, aparece un uso de esta partícula peculiar del español de América [⟶ § 10.11]. Estas construcciones se parafrasean, respectivamente, como «no llegó hasta las siete» o «no lo encontró hasta el lunes». Para Dominicy (1982), en estos casos *hasta* es un adverbio equivalente a *sólo* o *únicamente*. Kany (1945), sin embargo, considera que en ellas hay una negación implícita:

(129) a. Se comería hasta diez pasteles.
b. Te puedo esperar hasta dos horas; no más.
c. Llegó hasta las siete.
d. Lo encontró hasta el lunes.

Kany (1945) apoya su hipótesis en el hecho de que estas construcciones son más frecuentes cuando el constituyente encabezado por *hasta* precede al verbo: *Hasta las ocho saldrá*. Así, considera que *hasta*, por su uso frecuente con negación ha adquirido el mismo valor negativo que palabras como *nadie* o sintagmas como *en mi vida*, que, cuando aparecen antepuestos al verbo, provocan la omisión del adverbio negativo: *No lo dijo nadie / Nadie lo dijo; No lo he visto en mi vida / En mi vida lo he visto.*

9.2.6.3. Con

Vamos a refererirnos, por último, a un uso peculiar de la preposición *con*. La proximidad semántica existente entre construcciones con coordinación y otras en las que aparece un sintagma encabezado por esta preposición queda patente en ejemplos como los siguientes:

(130) a. María salió a la calle con Elena.
b. María y Elena salieron a la calle.
c. Ana bailó con Miguel toda la noche.
d. Ana y Miguel bailaron toda la noche.

Sin embargo, las construcciones de uno y otro tipo no son enteramente equivalentes. Observemos los siguientes contrastes:

(131) a. *María salió a la calle con Elena juntas.
b. María y Elena salieron a la calle juntas.
c. *Ana bailó con Miguel toda la noche juntos.
d. Ana y Miguel bailaron toda la noche juntos.

Construcciones como (131a) y (131c) se excluyen por redundantes, puesto que el significado de la preposición *con* ya lleva implícito el significado que añade *juntos* a la oración. En (131b) y (131d), sin embargo, *juntos/as* especifica cómo se lleva a cabo la acción señalada en el predicado. Un contraste similar observamos en las siguientes oraciones:

(132) a. ??María salió a la calle con Elena cada una por su lado.
b. María y Elena salieron a la calle cada una por su lado.
c. *Ana bailó con Miguel toda la noche cada uno por su lado.
d. Ana y Miguel bailaron toda la noche cada uno por su lado.

Nuevamente, la construcción con la preposición *con* queda excluida, pero en este caso porque su presencia se contradice con la del predicado *cada uno/a por su lado*. Sin embargo, la construcción con la conjunción copulativa es en sí misma ambigua; puede expresar tanto que los miembros coordinados llevaron a cabo la acción conjuntamente como que cada uno de ellos la realizó por separado, y en este caso el predicado *cada uno/a por su lado* excluye la primera interpretación.

Las construcciones con la preposición *con* se diferencian, asimismo, de las que contienen la conjunción copulativa por no poder aparecer con predicados estativos, puesto que este tipo de predicados excluyen la idea de conjunción o cooperación:

(133) a. Pablo y Ana tienen fiebre.
b. *Pablo tiene fiebre con Ana.
c. Pablo y Ana son hermanos.
d. *Pablo es hermano con Ana.

Una última diferencia es que en las construcciones en que hay una coordinación dentro del sujeto, este concuerda en plural con el verbo. En aquellas formadas sobre la preposición *con*, sin embargo, el término de la preposición no cuenta a efectos de concordancia con el verbo (véanse los ejemplos de (130)). Sin embargo, desde las más antiguas manifestaciones de nuestra lengua existen construcciones en las que aparecen dos sintagmas nominales enlazados por la preposición *con* en la posición de sujeto:

(134) a. El padre con las fijas lloran de coraçon. [*Poema de Mio Cid*; tomado de RAE 1973: 501]
b. ...la muerte con todo su escuadrón volante volvieron a su carreta y prosiguieron su viaje. [Miguel de Cervantes, *El Quijote*; tomado de RAE 1973: 501]

Lo que determina la diferencia entre el uso coordinativo y el subordinativo de *con* en estructuras de este tipo es la presencia o ausencia de concordancia con el verbo. En los ejemplos de (134), como vemos, el verbo concuerda en plural con el sujeto, lo cual significa que el término de la preposición cuenta a efectos de concordancia con el verbo, algo difícilmente explicable si la preposición cumpliera en estos casos su habitual misión subordinante. Este tipo de construcciones son también frecuentes en la lengua actual, sobre todo en el registro culto. En ellas, el sintagma encabezado por *con* debe aparecer siempre dentro del sujeto, precediendo al verbo. Si no es así, el sujeto debe concordar con el verbo en singular (salvo si se trata de un sujeto plural):

(135) a. La madre con el hijo fueron arrojados a las llamas. [Bello 1847: § 838]
b. *La madre fueron arrojados a las llamas con el hijo.
c. La madre fue arrojada a las llamas con el hijo.

Hay, sin embargo, una construcción peculiar del español de América [⟶ § 41.2.6.4], en la cual el sujeto concuerda en plural con el verbo aun cuando el sintagma preposicional encabezado por *con* se encuentre en posición posverbal:

(136) a. Nos encontramos con un amigo en este lugar.
b. Durante los días subsiguientes hablamos mucho con Ferrier. [Eduardo Mallea, *La bahía del silencio*; tomado de Kany 1945: 314]

c. La cocinita la compramos con tu papá en un paseíto que fuimos a dar hoy en la mañana. [Teresa Arévalo, *Gente menuda*; tomado de Kany 1945: 314]

En este tipo de oraciones, la referencia del sujeto plural implícito incluye al hablante junto con la persona a que refiere el sintagma nominal término de *con*. Parafraseándolas en el dialecto estándar, significarían, respectivamente, «un amigo y yo nos encontramos...», «Ferrier y yo hablamos mucho» y «tu papá y yo compramos la cocinita».

En estas construcciones, sin embargo, nunca puede aparecer un elemento explícito en la posición de sujeto, tanto si se trata de un nombre como si se trata de un pronombre. Así, una construcción como (137a) tendría la interpretación habitual en el español estándar («un grupo de personas, entre las que se incluye el hablante, se encuentra con otra persona»); (137b), por otra parte, es agramatical:

(137) a. Nosotros nos encontramos con un amigo en este lugar.
b. *Ana compraron la cocina con Antonio.

9.3. El adverbio. Su relación con la preposición y otras clases de palabras

En el capítulo 11 de esta obra se lleva a cabo un detallado estudio del adverbio, sus clases y sus funciones dentro de la oración. Allí se revisan, asimismo, las relaciones que el adverbio establece con otras clases de palabras [→ § 11.2]. En este apartado nos vamos a ocupar específicamente de las relaciones que pueden establecerse entre el adverbio y la preposición (más adelante, en el § 9.4.3, se examinará la relación de algunas clases de adverbios con la conjunción) y, secundariamente, con otras clases de palabras, como el nombre. Para ello estudiaremos, en primer lugar (§ 9.3.1), el grupo de los adverbios nominales (con características comunes tanto con las preposiciones como con los nombres), que incluye elementos como *encima, debajo, delante*, etc.; a continuación revisaremos algunas estructuras constituidas por un adverbio precedido de un elemento nominal, en las cuales se ha visto en ocasiones construcciones con preposición pospuesta (§ 9.3.2); por último, nos ocuparemos del estudio de las locuciones adverbiales (§ 9.3.3), formadas en su mayor parte por esquemas sintácticos en los que interviene una preposición.

9.3.1. Los adverbios nominales

El grupo de los que hemos denominado 'adverbios nominales' está integrado, en primer lugar, por los adverbios locativos *encima, debajo, delante, detrás, dentro, fuera, enfrente, alrededor, cerca* y *lejos* y, en segundo lugar, por los temporales *antes* y *después* [→ §§ 14.4.1 y 48.6]. [18] Todos ellos poseen características que los relacionan con

[18] Sobre el tema específico de los adverbios nominales del español, así como sobre sus relaciones con las preposiciones, véanse Pottier 1962, Plann 1986 y 1988, Bosque 1989: § 10.5, Campos 1991, Bartra y Suñer 1992, Pavón 1995 y Pavón y Morimoto 1995. Heinämäki 1972 y Lysebraate 1982 se ocupan, respectivamente, de *before* (equivalente de *antes* en inglés) y *depuis* (equivalente de *desde* en francés). Para *cerca* y *lejos*, así como otros casos de adverbios seguidos de complemento y expresiones de distancia, véanse los trabajos de Gunnarson 1986 y 1993. Martínez 1985, por otra parte, lleva a cabo un detallado estudio descriptivo de los sintagmas nominales adverbiales del español. Asimismo, Bresnan y Grimshaw 1978, Larson 1985, 1987 y McCawley 1988 se han ocupado de este tipo de sintagmas nominales en inglés, con un enfoque generativista.

las preposiciones, pero también otras que los apartan de esta última clase de palabras y los vinculan con el nombre, de ahí la denominación que les hemos asignado.

9.3.1.1. Los adverbios nominales y las preposiciones

Los adverbios nominales y las preposiciones guardan una indudable relación semántica; unos y otras expresan relaciones espaciales y temporales y, de hecho, existe una estrecha correspondencia entre algunos de estos adverbios y una serie de preposiciones locativas.

(138) encima/sobre
debajo/bajo
delante/ante
detrás/tras
enfrente/frente a

Por otra parte, el adverbio *dentro* y la preposición *en*, alternan en numerosos contextos, pero el valor de la preposición es mucho más amplio y menos específico que el del adverbio. Por ejemplo, una construcción como *dentro del armario* puede considerarse equivalente desde un punto de vista semántico a *en el armario*; sin embargo, construcciones como *en Madrid* o *en la hierba* no son parafraseables por *dentro de Madrid* y *dentro de la hierba*, respectivamente.

También existen semejanzas en la estructura interna de las construcciones encabezadas por una y otra clase de partículas. En primer lugar, a diferencia de otros adverbios, los nominales llevan un término. Compáreselos, por ejemplo, con otros locativos como *aquí, ahí, allí* o *arriba, abajo*, etc. (véanse los §§ 9.3.2 y 14.4) o con otros adverbios temporales como *ahora, entonces, mañana*, etc.

En segundo lugar, los adverbios nominales y las preposiciones imponen restricciones similares sobre los elementos sintácticos que pueden llevar como término. Así, por ejemplo, el término tanto de los adverbios nominales como de las preposiciones locativas puede ser un sintagma nominal, pero no una oración:

(139) a. {Delante de/Ante} la catedral.
b. *{Delante de/Ante} que visitamos ayer.

La excepción a esta regla la constituyen aquellos casos en que determinadas preposiciones o adverbios sufren un cambio de significado y pierden su valor espacial; así ocurre con la preposición *sobre* en (140a) o con el adverbio *encima* en (140b) (véase, sobre este último, el § 9.5.2.1):

(140) a. Estaban hablando sobre que Juan y María van a divorciarse.
b. Encima de que le ayudo, me lo echa en cara.

Pero también hay diferencias entre una y otra clase de palabras; así, sólo las preposiciones locativas pueden expresar también relaciones temporales, como muestran los contrastes recogidos en (141) y (142): [19]

---

[19] Sólo hay una excepción, que es la del adverbio *dentro*. Véase, en esta misma obra, el § 10.8.2.1.

(141) a. Tras la llegada de sus familiares, estuvo un tiempo sin salir de casa.
b. Bajo la dominación romana, la Península Ibérica fue dividida en varias provincias.

(142) a. *Detrás de la llegada de sus familiares, estuvo un tiempo sin salir de casa.
b. *Debajo de la dominación romana, la Península Ibérica fue dividida en varias provincias.

Los adverbios temporales no tienen equivalente semántico entre las preposiciones, pero podemos comparar su comportamiento con el de otras preposiciones que también expresan relaciones temporales. Como en el caso de estas últimas, el término de los adverbios locativos puede ser tanto un sintagma nominal como una oración con verbo en forma finita y encabezada por la conjunción *que*, como reflejan los ejemplos de (143) y (144) (véanse también los §§ 9.4.5.2 y 48.6):

(143) a. No llegó hasta las tres.
b. Ha estado fuera desde las ocho.
c. Se marchó después de las cuatro.
d. Se fue a dar una vuelta antes de las cinco.

(144) a. Te esperó hasta que le dijeron que no vendrías.
b. No ha vuelto a dirigirme la palabra desde que discutimos.
c. Antes de que digas nada, escúchame.
d. Se quedó muy deprimido después de que su proyecto fuera rechazado.

Sin embargo, las preposiciones temporales no suelen admitir una oración de infinitivo como complemento, a diferencia de los adverbios nominales, como muestra el contraste entre los ejemplos de (145) y los de (146) (*desde* no admite la construcción con infinitivo en ningún caso; *hasta* la admite cuando al significado temporal se añade un matiz final-consecutivo). Asimismo, las construcciones recogidas en (147) muestran que las preposiciones temporales admiten como complemento un adverbio temporal como *entonces*, pero no un demostrativo como *eso*, justamente lo contrario de lo que ocurre con los adverbios *antes* y *después*:

(145) a. Se marchó después de cenar.
b. Se puso a llorar antes de decir nada.

(146) a. *No he vuelto a verle desde discutir con él.
b. *A Luisa no le gustaba el bacalao hasta comerlo en mi casa.
c. Tienes tres paradas hasta llegar a Sol. [20]

(147) a. Yo ya le había visto antes de {eso/*entonces}.
b. Después de {eso/*entonces}, no me quedaron ganas de volver a discutir con él.
c. No se fue hasta {entonces/*eso}.
d. Desde {entonces/*eso}, comenzó a actuar como una persona absolutamente normal.

[20] Debemos el ejemplo a Violeta Demonte.

Además de las diferencias ya apuntadas entre los adverbios nominales y las preposiciones, existen otras mucho más relevantes. La primera de ellas es que el término de los adverbios nominales, pero no el de las preposiciones, puede no estar explícito [⟶ § 14.4.5.1]:

(148) a. Vamos a mi casa; está muy cerca.
b. Lo veremos después.
c. No lo pongas encima; déjalo debajo.
d. *No lo pongas sobre; déjalo bajo.

Una posible explicación para este contraste sería atribuir a estos elementos sintácticos una doble categoría; serían adverbios cuando aparecen sin complemento y, seguidos de la preposición *de*, darían lugar a una locución prepositiva.[21] Existen, sin embargo, una serie de razones que nos llevan a excluir esta posibilidad. En primer lugar, tanto el adverbio sin complemento como los sintagmas en que aparece seguido de él alternan en las mismas posiciones sintácticas sin que se produzca un cambio de significado ni de función:

(149) a. Déjalo encima (de la mesa).
b. Se van a comprar un piso enfrente (de tu casa).
c. Se casaron el 4 de mayo, pero vivían juntos desde mucho antes (de esa fecha).

Sí hay, sin embargo, cambio de significado y de función en otras construcciones. Así, *alrededor de* funciona como cuantificador en *Habría alrededor de cien personas. Encima* da lugar a la locución adversativa *por encima de* («a pesar de»): *Lo haré {por encima de quien sea / por encima de todo}* (ejemplos tomados del *DDDLE*: 172). *Dentro*, por otra parte, admite también un significado temporal: *Te lo entregaré dentro de dos semanas*; en este tipo de construcciones, el complemento de *dentro* no se puede suprimir, pues en tal caso la construcción perdería su valor temporal *(Te lo entregaré dentro).*

En segundo lugar, el adverbio y la preposición *de* pueden aparecer separados, bien por coordinación, bien por la inserción de un modificador entre ambos:

(150) a. No sé si iremos antes o después de la cena.
b. Pues ahora mismo no sé si está más cerca de tu casa o de la mía.
c. Se paró delante, precisamente, de tu puerta.
d. Vive enfrentito mismo de tu casa.

Otra diferencia entre los adverbios nominales y las preposiciones correspondientes tiene que ver con su distribución. Las construcciones encabezadas por unas y otros alternan en numerosas posiciones, ya sea como adjuntos o como complementos seleccionados por determinados verbos:

(151) a. Se paró {ante/delante de} tu puerta.
b. Pon el jarrón {sobre/encima d(e)} el piano.

[21] Véase, por ejemplo, Alarcos 1994: § 280.

Sin embargo, cuando son término de una preposición que selecciona un complemento locativo, las construcciones con adverbios nominales resultan mucho más naturales que las construcciones con las preposiciones correspondientes (aunque hay diferencias en los juicios de los hablantes sobre la gramaticalidad de las construcciones con preposición, el contraste con los adverbios es admitido sin excepciones):

(152) a. Hay que cortar los arbustos de {detrás de/??tras} la casa.
b. Se ha roto el jarrón de {encima de/??sobre} la mesa.
c. Se lanzó desde {encima de/??sobre} el tejado.
d. Pasó por {delante de/??ante} tu puerta.

Los adverbios *cerca* y *lejos* admiten la cuantificación de grado y la comparación, lo cual permite establecer un contraste no sólo entre ellos y las preposiciones, que en ningún caso admiten tal tipo de modificación, sino también entre ellos y el resto de los adverbios nominales que expresan relaciones espaciales:

(153) a. Lo dejó muy cerca de la mesa.
b. Vivo más cerca de Madrid que de Toledo.
(154) a. *Lo dejó muy {encima de/sobre} la mesa.
b. *El seto está más {detrás de/tras} la casa que el árbol.

Cerca y *lejos* presentan, asimismo, otras peculiaridades con respecto al resto de los adverbios nominales muy relacionadas con esta. En primer lugar, el cuantificador, junto con el adverbio, puede introducir una construcción de tipo ponderativo o exclamativo, quedando el complemento *in situ*:

(155) a. ¡*Qué lejos* está *de* saber la verdad!
b. Con *lo cerca* que vive *de* ti, no entiendo por qué no os veis más a menudo.

Asimismo, el término del adverbio puede encabezar una oración de relativo:

(156) a. Esa era la playa de la que vivíamos cerca.
b. María es una persona de la que yo, la verdad, me siento muy lejos.

La posibilidad de aparecer en este tipo de construcciones parece estar estrechamente relacionada con la capacidad de estos adverbios de ser cuantificados. Prueba de ello es que existe otro adverbio, *encima*, que admite un segundo sentido, en el cual puede ser modificado por el cuantificador de grado, como se muestra en (157a). Pues bien, con este sentido, pero no con el locativo originario, admite aparecer en oraciones del tipo de las de (156), como muestra el contraste entre (157b) y (157c):

(157) a. Siempre tengo que estar muy encima de Ana para que arregle la habitación.
b. *Esta es la mesa de la que puse el libro encima.
c. Es de mi hija Ana de quien siempre tengo que estar encima.

Por último, los adverbios temporales *antes* y *después* son comparativos léxicos. De ahí que puedan ser modificados por el neutro *mucho* o por sintagmas nominales cuantificados (véase también el § 9.4.5.2):

(158) a. Llegó *mucho después* que tú.
b. El equipo de sonido se estropeó *media hora antes de que* empezara el concierto.

9.3.1.2. Los adverbios nominales y los nombres

Como indica la denominación que les hemos asignado, los adverbios nominales guardan grandes similitudes con los nombres. La primera de ellas afecta a un fenómeno ya mencionado en el epígrafe anterior: los adverbios nominales, a diferencia de las preposiciones correspondientes, y al igual en esto que los nombres, resultan perfectamente naturales como término de una preposición. Una segunda y fundamental semejanza es que el complemento de los adverbios nominales, al igual que el complemento de los nombres, ha de ir precedido por la preposición *de*.

Es frecuente, sin embargo, la omisión de dicha preposición en la lengua coloquial. En estadios anteriores del español, algunos de estos adverbios se utilizaban sin preposición. Uno de ellos es *delante*, con el que la ausencia de la preposición *de* puede explicarse por proceder, a su vez, de una preposición latina *(ante)*:

(159) Cuando bien conmigo pienso, mui esclarecida Reina, i pongo *delante los ojos* el antiguedad de todas las cosas... [A. de Nebrija, *Gramática de la lengua castellana*, 5]

En la lengua coloquial actual, por otra parte, se trata de un fenómeno muy frecuente. A continuación ofrecemos dos ejemplos de obras literarias que tratan de reproducir el habla coloquial:

(160) a. *Dentro unas horas* traigo a Pedro. [Francisco Espínola, *Raza ciega*; tomado de Kany 1945: 409]
b. *Delante los cachorros*... muere la pobre loca. [Augusto Guzmán, *Prisionero de guerra*; tomado de Kany 1945: 409]

Este fenómeno, sin embargo, puede recibir una explicación fonética: la preposición *de*, átona, se funde en la pronunciación con el adverbio; entonces se produce la pérdida de la *-d-* intervocálica y, por último, la vocal *e* de la preposición se asimila a la última vocal del adverbio. Prueba de ello es que este fenómeno no se suele producir cuando el adverbio acaba en consonante, y tampoco cuando el complemento es un pronombre: **detrás la casa; *encima mí.*

La otra gran semejanza que los adverbios nominales guardan con los nombres es que el complemento con *de* puede ser sustituido por un posesivo:

(161) a. Iba corriendo detrás suyo.
b. Estoy harta de verte delante mío.

Asimismo, estos adverbios dan lugar a construcciones con dativo posesivo [→ §§ 15.7.1 y 30.6.5] paralelas a otras en que, en lugar de adverbios, tenemos sintagmas nominales:

(162) a. Le lavó el pelo.
b. Le puso un puñal en la mano.
(163) a. Le corría detrás. *(Sólo en algunos dialectos)*
b. Le puso un sombrero encima.

Hasta aquí hemos señalado las principales semejanzas existentes entre los adverbios locativos y los nombres. También hemos de señalar que unos y otros presentan una serie de diferencias. La primera de ellas es que los adverbios nominales nunca pueden ser modificados por un posesivo antepuesto a ellos; en el caso de los nombres, por el contrario, es obligatorio que así sea (salvo en construcciones especiales como *un amigo mío*) y, así, encontramos contrastes como los ejemplificados en (164).

(164) a. Encima de ti. / *En la casa de ti.
b. Encima tuyo. / *En la casa tuya.
c. *Tu encima. / En tu casa.

El adverbio *alrededor* parece estar más próximo a los nombres en este sentido, pues es perfectamente normal una construcción como *a su alrededor*. Existe, asimismo, el nombre *los alrededores*. Por otra parte, en zonas como Bolivia, Ecuador y el sur de Colombia se documenta un tipo de construcción en la que los adverbios nominales parecen comportarse enteramente como nombres, por lo que pueden llevar el posesivo antepuesto: *No debo decir nada de él en su delante* [Alcides Arguedas, *Vida criolla*; tomado de Kany 1945: 67]; *Sigan por acá, indios, por mi detrás* [Augusto Guzmán, *Prisionero de guerra*; tomado de Kany 1945: 67]. Asimismo, pueden ser término de la preposición *en*, cosa imposible en los restantes dialectos *(*en encima tuyo)*. A veces, incluso se mezclan ambos tipos de construcción, con preposición antepuesta y posesivo pospuesto: *En delante mío no se dice esas cosas* [César Andrade y Cordero, *Barro de siglos*; tomado de Kany 1945: 68].

Por otra parte, los adverbios nominales no admiten expansiones propias de los nombres. Así, rechazan los artículos, demostrativos, adjetivos y cuantificadores nominales *(*el dentro de la casa; *dentro oscuro de la casa; *ese delante; *muchos encimas de las mesas)*.

Existe una última diferencia entre los adverbios nominales y los nombres: los adverbios nominales realizan habitualmente la función de adjuntos, pero se suele considerar que los sintagmas nominales, para desempeñar dicha función, deben ir precedidos por una preposición. Hay, sin embargo, una serie de sintagmas nominales que presentan un comportamiento atípico en este sentido. Son los que aquí hemos denominado 'sintagmas nominales adverbiales', y a los cuales dedicaremos el apartado siguiente.

9.3.1.3. Los sintagmas nominales adverbiales

Los sintagmas nominales adverbiales, a diferencia de otros sintagmas nominales, y al igual que los adverbios, pueden desempeñar la función de adjunto sin ir precedidos de una preposición. No suelen estar seleccionados léxicamente, pueden aparecer con prácticamente cualquier tipo de verbo, e indican las coordenadas temporales en que tiene lugar una acción o un evento [⟶ § 48.1].

Los nombres que dan lugar a sintagmas nominales adverbiales en español pueden ser de diversos tipos: [22]

A) Los nombres de los días de la semana, así como el sustantivo *víspera*, sólo necesitan de la presencia del artículo para dar lugar a un sintagma nominal de este tipo:

(165) a. Iremos a verle *el lunes*.
b. Dijo que llegaría *el domingo* y se presentó *la víspera*.

[22] Cf. Martínez 1981.

B) Otros nombres, como *vez, semana, día, mes* necesitan la presencia de un demostrativo o bien de un adjetivo, una oración de relativo o un complemento con *de*:

(166) a. {Esta vez/*la vez}, hablaré claramente.
b. El mes *(que viene) nos iremos de vacaciones.
c. Había ido a verle la semana *(anterior).
d. No se puede hacer propaganda electoral el día *(de las elecciones).

C) Los nombres anteriores pueden encabezar también sintagmas nominales cuantitativos. En tal caso no expresan las coordenadas temporales en que se localiza un evento, sino la duración de dicho evento:

(167) a. Lo vi dos veces.
b. Estuvo de vacaciones tres semanas.

Sin embargo, nombres como *segundo, minuto* u *hora* pueden expresar cuantificación del tiempo, pero no localización temporal:

(168) a. Lo vi un minuto.
b. Estuvo fuera tres horas.
c. *El accidente tuvo lugar esa hora.
d. *Pedro llegó ese minuto.

D) Los nombres de los meses del año no pueden encabezar sintagmas nominales temporales *(*Lo vi enero)*. Estos sustantivos se comportan como los nombres propios [⟶ Cap. 2] y, así, no admiten artículos ni modificadores *(*El enero fue muy frío; *Enero frío es un mes que no me gusta)*. Sin embargo, parece que pueden recategorizarse como nombres comunes en determinadas construcciones [⟶ § 2.2.3]. En tal caso admiten artículo, pueden ser modificados por adjetivos y dan lugar a sintagmas nominales adverbiales temporales:

(169) Lo vi *el enero pasado*.

En lenguas distintas del español se puede encontrar más tipos de sintagmas nominales adverbiales. En inglés, por ejemplo, existen sintagmas nominales modales sin preposición (*I did it my way* «lo hice a mi manera») y, en francés, sintagmas nominales direccionales (*Il se fit conduire Avenue Junot* «se hizo llevar a la Avenida Junot»). Por otra parte, dentro del ámbito de la lengua española hay diferencias dialectales respecto a los tipos de sustantivos temporales que pueden ser núcleo de este tipo de sintagmas [⟶ § 10.8.2.2].

Como hemos visto, en español existen tanto sintagmas nominales adverbiales como adverbios nominales temporales; existen, por otra parte, adverbios nominales locativos, pero no sintagmas nominales adverbiales locativos. Los nombres denotan objetos, pero los adverbios nominales denotan lugares. Así, en construcciones como las siguientes, el sintagma adverbial *encima de la colina* se refiere a un lugar, pero el sintagma nominal *la colina* hace referencia a un objeto, de ahí el contraste existente entre ellas:

(170) a. La colina tomaba un color dorado con el sol de media tarde.
b. *Encima de la colina tomaba un color dorado con el sol de media tarde.

Para que un nombre de objeto sea entendido como lugar es necesaria la presencia de una preposición locativa, como *en*. En cambio, en el caso del adverbio nominal, dicha preposición sería redundante:

(171) a. (*En) encima de la colina es donde construyeron la casa.
b. *(En) la colina es donde construyeron la casa.

Como hemos mostrado en las líneas precedentes, se puede conseguir, con mecanismos gramaticales (determinantes y complementos), que un sintagma nominal cuyo núcleo es un nombre temporal exprese ubicación en el tiempo, pero no que un nombre de objeto físico exprese ubicación espacial.

9.3.2. Construcciones con adverbio y elemento nominal antepuesto [23]

Las preposiciones del español, así como las de otras muchas lenguas, llevan su término a la derecha. La tradición gramatical clásica, forjada en torno a lenguas como el latín y el griego, que siguen en esto el mismo paradigma, acuñó el término 'preposición', que significa, precisamente, posición anterior. Existen, sin embargo, en nuestra lengua, al menos dos tipos de construcciones en que se ha señalado la presencia de una preposición pospuesta. [24] Se trata, en primer lugar, de las construcciones formadas con adverbios como *arriba, abajo, adentro*, etc. y un nombre antepuesto *(cuesta arriba, río abajo, mar adentro)* y, en segundo lugar, de las del tipo *días antes, meses después*. Unas y otras serán revisadas, respectivamente, en los §§ 9.3.2.1 y 9.3.2.2. En un último apartado (§ 9.3.2.3) nos ocuparemos de una serie de estructuras que presentan un esquema formal aparentemente muy similar al de las anteriores: las formadas por un adverbio deíctico antepuesto a adverbios como *arriba* o *encima (ahí arriba; aquí encima)*. Todas estas estructuras tienen en común el que en ellas aparece un adverbio precedido de un elemento nominal (los adverbios deícticos tienen propiedades nominales [→ § 14.4]), pero, como veremos, ni por su estructura interna ni por las propiedades que en ellas presenta el adverbio pueden ser consideradas sintagmas preposicionales con 'preposición pospuesta'.

9.3.2.1. Las construcciones del tipo cuesta arriba

El grupo de adverbios locativos integrado por *arriba, abajo, adelante, atrás, adentro* y *afuera*, a los que denominaremos 'adverbios nominales intransitivos' [→ § 14.4.5.1], guarda grandes similitudes semánticas con los adverbios transitivos revisados en el § 9.3.1. De hecho, puede establecerse el siguiente parlalelismo entre unos y otros:

(172) arriba/encima
abajo/debajo
adelante/delante
atrás/detrás
adentro/dentro
afuera/fuera.

---

[23] Sobre las construcciones con los adverbios del tipo de *arriba*, que serán revisadas en el § 9.3.2.1, véanse Plann 1988 y Bartra y Suñer 1992. En Martínez 1988 se estudian las diferencias existentes entre estas estructuras y las del tipo de *meses antes*, de las que nos ocuparemos en el § 9.3.2.2. Asimismo, véase Martínez 1985 para construcciones como *aquí dentro*, estudiadas en el § 9.3.2.3.

[24] Bello (1847: § 1182) señala que, en estas construcciones, los adverbios implicados «toman el carácter, aunque no el lugar de la preposición, posponiéndose al nombre». Véase también Alcina y Blecua 1975.

Al igual que los adverbios nominales transitivos, estos son expresiones de ubicación espacial y unos y otros alternan en similares contextos:

—Ambos tipos de adverbios constituyen un antecedente adecuado para los deícticos *aquí, ahí, allí*, así como para el relativo *donde*:

(173) a. Juan está {encima del tejado/arriba} y Elena también está allí.
b. {Encima de la mesa/Arriba} es donde lo he puesto.

— Asimismo, unos y otros pueden funcionar como complementos locativos seleccionados (véase (174)) y también como adjuntos (véase (175)):

(174) a. La ropa está {adentro/dentro del armario}.
b. Ponlo {arriba/encima de la estantería}.
(175) a. Estuvieron hablando un rato {abajo/debajo de los castaños}.

— Los adverbios del tipo que aquí estamos revisando poseen también propiedades nominales y así dan lugar a construcciones perfectamente gramaticales cuando aparecen como término de una preposición:

(176) a. Me quedé un rato hablando con el vecino de abajo.
b. Lo lanzó desde atrás.
c. Pasó por arriba.

Estos adverbios también presentan, sin embargo, una serie de diferencias con los estudiados en el § 9.3.1:

— En primer lugar, a diferencia de los adverbios transitivos correspondientes, aunque al igual en esto que *cerca* y *lejos*, admiten la cuantificación de grado y la comparación:

(177) a. Está muy arriba y no lo alcanzo.
b. Antonio se quedó más atrás que tú.

— En segundo lugar, sólo en determinadas variedades dialectales, fundamentalmente en el español de América, estos adverbios toman un complemento con *de*:

(178) a. La anudó fuertemente al muslo *arriba* del balazo. [Mariano Azuela, *Los de abajo*; tomado de Kany 1945: 403]
b. Mi cuerpo se ha quedado *atrás de* mí. [Julio Cortázar, *Rayuela*; tomado del *DDDLE*: 57]

En estas mismas variedades dialectales, y al igual que ocurre habitualmente con los adverbios transitivos, el complemento con *de* de estos adverbios puede ser sustituido por un posesivo:

(179) ¿Vos no sentís a veces como si *adentro tuyo* tuvieras un inquilino que te dice cosas? [Quino, *Mafalda*; tomado del *DDDLE*: 18]

— Por último, estos adverbios, pero no los estudiados en el § 9.3.1, dan lugar al tipo de construcción que aquí nos ocupa: *cuesta arriba, río abajo, mar adentro* [→ § 39.3.3].

A pesar de que este tipo de adverbios ha recibido en ocasiones la denominación de 'preposiciones pospuestas', las construcciones a que dan lugar presentan al menos dos importantes diferencias con los sintagmas preposicionales.

a) En ellas no existe un verdadero sintagma nominal. Un primer indicio de ello nos lo proporciona el hecho de que el nombre que las compone no admita el artículo ni tampoco la variación morfemática singular-plural:

(180) a. *El mar adentro.
b. *Cuestas arriba.

La existencia de alternancias como *escaleras arriba - escalera arriba* no constituye una excepción. El nombre *escaleras*, al igual que otros como *tijeras, tenazas*, etc., admite el singular o el plural sin que ello implique una distinción de número.

Asimismo, el nombre que forma parte de este tipo de construcciones no admite las expansiones propias de los sintagmas nominales, como la presencia de demostrativos, posesivos o adjetivos:

(181) a. *Marta salió corriendo *esas escaleras* abajo.
b. *Iba *tu calle* arriba.
c. *El barco se alejó *mar revuelto* adentro.

b) Los adverbios nominales intransitivos no poseen las características propias de las preposiciones del español, y no sólo por su posición con respecto al término, sino también por el hecho de que este último puede no estar expreso o porque no le asignan caso oblicuo, como muestra la agramaticalidad de **{mí/ti/sí} arriba*.

Por otra parte, la construcción con sustantivo antepuesto no parece ser una expansión sintáctica del adverbio aislado:

a) En primer lugar, en las variantes dialectales en que este admite un complemento con *de*, la construcción resultante expresa, al igual que el adverbio sin complemento, *lugar en donde*; la construcción con sustantivo antepuesto, sin embargo, expresa *lugar por donde*; de ahí los contrastes ejemplificados, respectivamente, en (182) y (183):

(182) ¿Dónde está el libro?
a. —Arriba (de la mesa).
b. —#Mesa arriba.
(183) ¿Por dónde se han ido?
a. —#Abajo (de la calle).
b. —Calle abajo.

La construcción posposicional puede expresar 'lugar en donde' de forma secundaria, cuando admite una interpretación como «en un punto indeterminado de una trayectoria que va a lo largo de un determinado objeto o lugar (*mar, calle,* etc.)»: *Abandonaron el barco río abajo; Cuando estás mar adentro, el mundo se ve muy diferente.*

b) En segundo lugar, las construcciones con adverbio sin complemento, por un lado, y las construcciones con sustantivo antepuesto, por otro, tienen diferente interpretación. Así, tenemos que, con verbos de movimiento, las primeras se interpretan como el lugar por donde se lleva a cabo el movimiento o bien el destino de dicho movimiento, tal como ocurre en los ejemplos de (184); sin embargo, con los mismos verbos, las construcciones con sustantivo antepuesto expresan al mismo tiempo la dirección (no el destino) del movimiento y el lugar por donde se realiza, como muestran los ejemplos de (185):

(184) a. Corrieron abajo.
b. Iban arriba.
(185) a. Corrieron calle abajo.
b. Iban calle arriba.

c) Por último, a diferencia de lo que ocurre cuando el adverbio aparece aislado, las construcciones con sustantivo antepuesto no admiten la cuantificación de grado:

(186) a. Caminaban muy arriba.
b. *Caminaban muy calle arriba.

Las construcciones con adverbios del tipo de *arriba* y sustantivo antepuesto presentan características propias de las palabras compuestas. En primer lugar, en ellas parece que nos encontramos ante dos núcleos en contacto, puesto que ninguna de las palabras que las componen da lugar a su propio sintagma. Por un lado, hemos visto que la construcción no puede ser modificada por el cuantificador de grado; podemos añadir que tampoco es posible que este modifique directamente al adverbio:

(187) a. *Calle muy arriba.
b. *Río muy abajo.
c. *Mar más adentro.

También hemos visto que el nombre que forma parte de ellas no encabeza un sintagma nominal. Asimismo, no es posible la coordinación ni de dos nombres ni de dos adverbios:

(188) a. *Calle arriba y abajo.
b. *Calle y río abajo.

Por otra parte, muchas de estas construcciones, al igual que las palabras compuestas, poseen un único acento. Así, junto a expresiones cuyos componentes conservan su individualidad fonética, como *río abajo* o *mar adentro* (*/río abáxo/ /már adéntro/*), nos encontramos con otras que tienen un único acento y se pronuncian como si de una sola palabra se tratase. Tal es el caso de *cuesta arriba* (*/kuestaríba/*)

o de *boca abajo* (/*bocabáxo*/). Como vemos por el siguiente ejemplo, esta cohesión se manifiesta gráficamente en ocasiones:

(189) No pudieron reconocerlo al pasar porque cayó *bocabajo*. [Guillermo Cabrera Infante, *Vista del amanecer en el trópico*; tomado de Martínez 1988: 16]

Por último, muchas de las expresiones formadas sobre este esquema no poseen un significado composicional, es decir, su significado no se deduce del de cada uno de sus componentes junto con la estructura sintáctica en que se integran. Veamos algunos ejemplos de ello:

— La expresión *cuesta arriba* mantiene su significado composicional en una construcción como *Íbamos cuesta arriba* («por la cuesta hacia arriba»); sin embargo, en una oración como *He aparcado el coche cuesta arriba* ya no expresa la idea de dirección y lugar por donde, sino que adquiere un significado de manera: expresa la 'forma' en que ha sido aparcado el coche.

— Una expresión como *patas arriba* es un adverbio modal cuyo significado («de manera desordenada, caótica») no se deduce composicionalmente, entre otras razones, porque no se suele aplicar a objetos que tengan patas: *Tiene la habitación toda patas arriba*.

— Algo muy similar ocurre con la expresión *boca abajo*. En primer lugar, esta construcción no se parafrasea como «por la boca hacia abajo», sino como «con la boca hacia abajo». En segundo lugar, puede predicarse de objetos que no tienen boca: *Puso la foto boca abajo*. Es cierto que esta expresión admite un valor direccional, pero en contextos muy limitados. Por ejemplo, hablando de una hormiga que anduviera por la cara de un elefante podríamos decir que *Iba boca abajo*.

9.3.2.2. Las construcciones del tipo días antes

Las construcciones formadas según este esquema sólo son posibles con los adverbios temporales *antes* y *después* [⟶ § 48.6] así como con los revisados en el § 9.3.2.1. Su núcleo es el adverbio, que, o bien es un comparativo léxico (como *antes* y *después*) o bien está modificado por un comparativo, explícito o implícito. El sintagma nominal, en ellas, modifica a ese elemento comparativo.

Estas construcciones, como hemos indicado, se forman con núcleos que deben ir necesariamente modificados por un adverbio comparativo. En construcciones como (190a), el comparativo aparece explícito; los ejemplos de (190b) y (190c) están formados sobre los adverbios nominales *antes* y *después* [⟶ § 48.6], que son comparativos léxicos; en una construcción como (190d), por último, el comparativo no está expreso, pero se sobreentiende:

(190) a. Treinta metros más atrás.
b. Tres meses antes.
c. Dos días después.
d. Páginas atrás.

El término de la comparación, por otra parte, puede aparecer explícito:

(191) a. Subió dos metros más arriba que yo.
b. Su madre llegó una semana antes de lo que pensaba.

El sintagma nominal antepuesto puede llevar un cuantificador numeral o indefinido, o también estar constituido por un nombre en plural sin determinante. En este último caso, el adverbio comparativo suele estar implícito:

(192) a. María vive tres casas más atrás.
b. Deberías colocarlos algunos centímetros más arriba.
(193) a. Años (??más) atrás, su padre no había sabido aconsejarle.
b. Lo que dijimos líneas (?más) arriba también sirve para esta situación.

Construcciones enteramente equivalentes a estas se forman, asimismo, con los deícticos *acá* y *allá* que, a diferencia de *aquí, ahí* y *allí*, admiten la cuantificación de grado y la comparación *(más acá; muy allá)* [→ § 14.4]:

(194) a. Colócalo unos centímetros más acá.
b. Llévatelo unos pasos más allá.

9.3.2.3. Las construcciones del tipo aquí encima

Hemos incluido aquí un último grupo de construcciones que tiene en común con las anteriores el estar formadas por un adverbio nominal precedido de un elemento también con rasgos nominales: un adverbio deíctico (sobre las propiedades nominales de estos elementos, véanse, en esta misma obra, los §§ 8.2.4 y 14.4): *aquí cerca; allá lejos; ahí encima; aquí atrás.* [25] A diferencia de un sintagma como *cerca de aquí*, donde *cerca* identifica una entidad locativa para la que el deíctico sirve como punto de referencia, en *aquí cerca* es el deíctico el que realiza la identificación, que aparece precisada por *cerca*, de forma similar a lo que ocurre en las aposiciones especificativas [→ § 14.4.4.3]. [26]

Como hemos señalado, en estas construcciones el constituyente que aparece en primer lugar debe ser necesariamente un adverbio deíctico y no un sintagma nominal: *aquí dentro/*tu casa dentro.*

Estas construcciones poseen características que las distinguen de otros usos de los adverbios del tipo de *arriba, cerca* o *encima*. Cuando están formadas con un adverbio nominal de los estudiados en el § 9.3.1, la aparición del término da lugar a construcciones como las de (195), sensiblemente peores que aquellas en que el témino no aparece. Las expresiones en que el adverbio aparece seguido de un complemento con *de* son, por otra parte, perfectamente gramaticales cuando se trata de aposiciones explicativas que, como la recogida en (196b), aparecen separadas del deíctico mediante una pausa:

---

[25] Y también con algunas de las locuciones prepositivas de las estudiadas en el § 9.4.2.4, aquellas que presentan un grado intermedio de lexicalización, una de cuyas características es la posibilidad de que su término no aparezca expreso: *Viven aquí al lado; Ponlo ahí a la derecha.*

[26] Cf. Martínez 1985.

(195) a. ??Déjalo ahí encima de la mesa.
b. ??Vive aquí cerca de mi casa.

(196) a. Déjalo ahí, encima de la mesa.
b. Vive aquí, cerca de mi casa.

Cuando *cerca* y *lejos* aparecen en este tipo de construcciones, no admiten las modificaciones propias de su uso habitual y, así, no pueden ser modificados por el cuantificador de grado:

(197) a. Vive aquí cerca.
b. *Vive aquí muy cerca.

Al igual que antes, construcciones similares a estas son gramaticales cuando se trata de aposiciones explicativas. En tal caso, *cerca* y *lejos* aparecen separados del deíctico por una pausa, pueden ir modificados por el cuantificador de grado e, igualmente, pueden ir seguidos de un complemento con *de: Vive aquí, muy cerca del Alcázar.*

Por último, cuando lo que aparece en la construcción es uno de los adverbios *arriba, abajo*, etc., existe una clara diferencia en la interpretación de estas construcciones con respecto a aquellas que contienen un sustantivo antepuesto. Las primeras expresan 'lugar en donde' o bien el destino de un determinado movimiento; las segundas, como hemos visto más arriba, expresan al mismo tiempo el lugar por donde se lleva a cabo el movimiento junto con su dirección:

(198) a. Ponlo ahí arriba.
b. Iban ahí arriba.
c. ??Ponlo calle arriba.
d. Iban calle arriba.

9.3.3. Las locuciones adverbiales

La mayoría de las locuciones adverbiales están formadas a partir de una preposición que tiene por término un nombre, el cual puede estar a su vez modificado por determinantes y/o adjetivos u otros complementos. Algunas de estas locuciones conservan una cierta productividad. Se trata fundamentalmente de una productividad de tipo léxico, por la que el nombre o adjetivo que forma parte de ellas puede variar, dando lugar a diversas locuciones formadas sobre un mismo esquema sintáctico. Sin embargo, una gran parte de ellas son invariables, todas están fuertemente cohesionadas y el nombre que las integra no admite las expansiones propias de los sintagmas nominales.

No es este, sin embargo, el único patrón sintáctico que podemos encontrar en el grupo de las locuciones adverbiales. En el Apéndice II (§ 9.5) hemos llevado a cabo una clasificación de estas locuciones en función de los patrones sintácticos que han dado lugar a ellas:

A) En un primer grupo, el más numeroso, hemos incluido las que están formadas por una preposición seguida de un elemento nominal o adjetival. Entre ellas se encuentran las formadas con un nombre, a las que nos referíamos más arriba, pero también hemos incluido otros patrones sintácticos. La variación tiene que ver, fundamentalmente, con las clases de elementos que aparecen como término de la preposición:

— Adjetivos (generalmente en la forma femenina) precedidos de artículo *(a la antigua, a la larga, por las buenas)*
— Adjetivos en femenino plural *(a oscuras, a secas)*
— Adjetivos o participios en femenino singular *(a menudo, de inmediato, por completo)*
— Pronombres (en este grupo hemos incluido también las locuciones formadas con el neutro *lo* seguido de adjetivo —*a lo grande, de lo lindo*— sin entrar a considerar si en su origen se trata de pronombre o artículo)
— Infinitivos (en algunos casos, con complementos típicamente nominales, que indicarían que está sustantivado —*a pedir de boca, a todo correr*—; en locuciones como *a más no poder*, sin embargo, los adverbios que aparecen son modificadores verbales)
— Otros elementos de diverso tipo que parecen estar sustantivados por el artículo *(al por mayor; del todo)*.

B) Un segundo grupo está constituido por locuciones formadas con más de una preposición: por combinación de preposiciones *(de por sí, por de pronto)* o con preposiciones correlativas *(de día en día, de sol a sol)*.
C) El tercer grupo lo constituyen las locuciones adverbiales formadas según el esquema <N+P+N> *(año tras año, frente a frente)*.
D) En el cuarto y último grupo hemos incluido diversos esquemas sintácticos:

— En algunos casos aparece un elemento de tipo nominal, pero no interviene preposición alguna, como en aquellas locuciones formadas por un nombre generalmente precedido de determinante *(acto seguido, una barbaridad)* [27] o las formadas por *lo* seguido de adjetivo masculino singular *(lo justo, lo indecible)*
— También encontramos locuciones adverbiales formadas por adverbios o sintagmas adverbiales, precedidos de preposición *(por ahora, de acá para allá)* o no *(después de todo,* [28] *más o menos)*.

A continuación vamos a revisar con algo de detalle algunas de las principales locuciones adverbiales del español. Vamos a establecer una primera clasificación de ellas desde un punto de vista formal: en función del esquema sintáctico al que responden. A su vez, dentro de cada grupo estableceremos una primera clasificación en función de la preposición que forma parte de ellas y, por último, en función de los diversos tipos de relaciones que pueden expresar. De esta forma, tenemos los siguientes grupos de locuciones adverbiales:

— El primero de ellos responde al esquema <P+N>: en ellas aparece una preposición seguida de una frase nominal o una estructura equivalente, fundamentalmente un adjetivo, un participio o una frase encabezada por el neutro *lo*.
— En el segundo grupo de locuciones adverbiales incluimos, por una parte, las formadas por combinación de preposiciones y, por otra, las que están formadas por preposiciones correlativas y responden a un esquema <P+N+P+N>.
— El tercer y último grupo está compuesto por fórmulas nominales duplicadas que se corresponden con el patrón <N+P+N>, siendo los dos nombres idénticos.

[27] Dentro de este grupo, locuciones como *una barbaridad* tienen valor cuantitativo, y pueden modificar a un verbo *(Durmió una barbaridad)* o entrar en construcción partitiva con un nombre *(Tiene una barbaridad de amigos)*.

[28] *Después de todo* es locución adverbial en su uso como conector discursivo con valor conclusivo *(Le perdoné, porque, después de todo, no era mala persona)*, pero no cuando se trata de la proyección del adverbio temporal *después*, que pertenece al grupo de los revisados en el § 9.3.1 *(Primero iremos de compras, luego comeremos, tomaremos café y, después de todo (eso), iremos al cine)*.

9.3.3.1. Locuciones formadas por una preposición seguida de nombre u otros elementos análogos

Dentro del primer grupo de locuciones adverbiales, es decir, las que están formadas por una preposición seguida de un nombre o frase nominal, existen algunos patrones sintácticos de una gran productividad. El primero de ellos es el que corresponde a una serie de locuciones modales formadas según el esquema <*a la* + *adjetivo*>. Con mucha frecuencia, el adjetivo que en ellas aparece es un adjetivo de nacionalidad, y según este modelo se forman locuciones como *a la francesa, a la española, a la italiana*, etc. Muchas de las locuciones así formadas funcionan habitualmente como adjetivos, dando lugar a expresiones como *tortilla a la española* o *pulpo a la gallega*. Otras locuciones adverbiales formadas a partir de adjetivos distintos de los de nacionalidad son *a la antigua, a la inversa, a la desesperada*, etc. En todos estos tipos de locuciones parece sobreentenderse un núcleo sustantivo implícito, el nombre *manera* («a la manera {española/francesa/antigua/etc.}»). Sin embargo, en ellas no existe un sintagma nominal, como prueba el hecho de que el adjetivo no alterne con otros modificadores nominales, como un complemento con *de* o una oración de relativo:

(199) a. *A la que tu sabes.
b. *A la de mi madre.

Un esquema bastante similar a este es <*a lo* + *adjetivo*>, que da lugar también a locuciones modales como *a lo grande, a lo tonto, a lo bruto*. En algún caso, como ocurre en *a lo bestia*, en lugar de un adjetivo aparece un nombre. Con este mismo esquema, pero con un nombre propio de persona en lugar del adjetivo, se forman locuciones con el significado de «a la manera en que suele hacerlo una determinada persona». Este tipo de locuciones presentan el comportamiento típico de los adjetivos y, así, pueden aparecer directamente adyacentes al nombre o funcionar como complementos predicativos (véanse, respectivamente, (200a) y (200b)):

(200) a. Se ha comprado una gabardina *a lo Humphrey Bogart*.
b. Se pinta los ojos *a lo Marilyn Monroe*.

Estas locuciones no responden a una estructura productiva en que la preposición tome como complemento una frase encabezada por el pronombre neutro *lo*. Como muestran los ejemplos de (201), en estas últimas construcciones, *lo* puede ser modificado no sólo por un adjetivo, sino por una oración de relativo. Asimismo, cuando se trata de un adjetivo, puede estar en grado superlativo. Ni una cosa ni otra es posible, sin embargo, en las locuciones adverbiales del tipo que estamos revisando, como muestra la agramaticalidad de los ejemplos de (202):

(201) a. *Lo más importante* es esto.
b. *Lo que más importa* es esto.
(202) a. *Lo has hecho a lo más tonto.
b. *Siempre actúa a lo más bruto.
c. *Actuó a lo que yo te decía.
d. *Van a celebrarlo a lo que decíamos ayer.

Otras locuciones adverbiales encabezadas por la preposición *a* que mantienen un cierto grado de productividad son las siguientes:

— En primer lugar, las temporales formadas con el cuantificador *cada* seguido de un nombre de intervalo de tiempo: *a cada rato, a cada instante, a cada momento, a cada nada* (esta última utilizada en América). Nuevamente, en estas locuciones no existe un verdadero sintagma nominal, como muestra el hecho de que no exista alternancia con otros cuantificadores:

(203) a. *Me está molestando *a todos los momentos*.
b. *Viene a verme *a todos los instantes*.

— En segundo lugar, las locuciones modales *a empujones, a golpes, a patadas, a puñetazos,* etc. tampoco responden a la estructura de un sintagma preposicional, puesto que en ellas el nombre, que debe ir obligatoriamente en plural y sin artículo, no da lugar a un verdadero sintagma nominal:

(204) a. *Lo sacó *a un puñetazo.*
b. *Aquello terminó *a las patadas que suele dar él.*

Con la preposición *de* se forman locuciones temporales que expresan las diversas fases del día: *de día, de noche, de mañana, de madrugada*. A pesar de la variabilidad léxica de estas locuciones, tampoco se corresponden con la estructura de un sintagma preposicional. Como muestra (205a), el nombre que forma parte de ellas no constituye un verdadero sintagma nominal; por otra parte, en (205b) vemos que este tipo de locuciones admite un tipo de modificación imposible con un sintagma preposicional: la cuantificación de grado:

(205) a. *Esas ruinas hay que verlas *de día soleado*.
b. Ya es muy de noche.

La preposición *en*, seguida de un nombre de medio de locomoción, da lugar a locuciones como *en tren, en autobús, en coche, en avión*. En este caso, sin embargo, es posible que nos encontremos ante verdaderos sintagmas preposicionales. Las locuciones anteriores, con nombre en singular y sin artículo, expresan un modo genérico de realizar una acción [→ § 10.5.4.3]. Sin embargo, en construcciones muy similares el nombre puede ir modificado por artículos, adjetivos u otros modificadores nominales, con un valor referencial específico:

(206) a. Se marchó en el tren de las tres y cuarto.
b. Hemos ido en el coche que alquilamos la semana pasada.

La preposición *por*, por último, seguida de los nombres de las diferentes partes del día, precedidos, a su vez, de artículos, da lugar a las locuciones *por la mañana, por la tarde* y *por la noche*. En el español clásico y el español de América, en estas mismas locuciones se utiliza, en lugar de *por*, la preposición *en*:

(207) a. Me conviene y me importa quedar mañana *en la tarde* libre de tener quien me siga y me persiga. [Miguel de Cervantes, *El vizcaíno fingido*; tomado del *DDDLE*: 170-171]
b. Una lanza que le habían dado *en la mañana*. [Arturo Uslar Pietri, *Las lanzas coloradas*; tomado del *DDDLE*: 170]

A diferencia de otras locuciones, en estas el nombre va obligatoriamente precedido del artículo. Ello no quiere decir, sin embargo, que constituya un sintagma nominal, puesto que no admite otros modificadores, como adjetivos o complementos con *de*:

(208) a. **Por la mañana fría* llovió muchísimo.
b. *Fuimos a verlo *por la tarde de ayer.*

A continuación, vamos a señalar otras locuciones adverbiales que, a diferencia de las anteriores, no responden a esquemas productivos. Dichas locuciones serán clasificadas por la preposición que las encabeza y, dentro de cada grupo, en función de su valor semántico.

La preposición *a* encabeza, en primer lugar, una serie de locuciones temporales como *a menudo, a veces, a diario* (en América también *diario*), *a las tantas, al instante, al momento*. En América se utilizan, asimismo, las locuciones temporales *a las cansadas* (zonas del Río de la Plata, Puerto Rico, Perú y México), sinónima de *a las tantas, al tiro* (frecuente en Chile y también Bolivia, Argentina, Perú, Ecuador y América Central) y *al grito* (Río de la Plata), ambas con el significado de «al momento»:

(209) a. *A las cansadas*, llegó la policía con el médico. [Ricardo Güiraldes, *Don Segundo Sombra*; tomado de Kany 1945: 333]
b. Voy a volver *al tirito*. [Antonio Acevedo Hernández, *De pura cepa*; citado en Kany 1945: 336]

Entre las locuciones modales encabezadas por esta preposición tenemos, por otra parte, *al azar, a pie, a caballo, a diestro y siniestro, a bocajarro, a traición, a todo correr* (en zonas del Río de la Plata, Chile y Perú, *a la disparada*), *a hurtadillas, a gatas, a ciegas, a tontas y a locas, a tientas, a derechas, a medias, a oscuras, a solas, a secas*:

(210) a. El participante fue elegido *al azar*.
b. Entraron *a hurtadillas* en la casa.
c. ...se paró ante un espejo, se miró, alisó *a la disparada* la parte derecha del peinado. [Eduardo Mallea, *Fiesta en noviembre*; tomado de Kany 1945: 331]

Otras locuciones adverbiales formadas con la preposición *a* son las cuantitativas *a puñados, a mares* y *a cántaros*, y los conectores discursivos *al fin* y *al fin y al cabo*.

La preposición *con* encabeza conectores discursivos adversativos como *con todo, con todo y con eso* y *con todo y eso*.

La preposición *de* encabeza una serie de locuciones modales como *de corrido, de buena gana, de repente* (que en ciertas zonas de América adquiere el significado de «a lo mejor») y *de golpe*. También introduce las locuciones afirmativas *de verdad, de veras, de fijo* y *de seguro* (*a la fija* en el Río de la Plata, Chile, Perú y Colombia) y la temporal *de inmediato*:

(211) a. Recitó la lección *de corrido*.
b. Esta, *a la fija*, mañana va a denunciarnos. [Víctor Pérez Petit, *Entre los pastos*; tomado de Kany 1945: 332]
c. Te lo traeré *de inmediato*.

Con la preposición *en* se forman las locuciones adverbiales modales *en serio, en broma, en confianza, en fila, en orden, en serie, en conjunto, en vano* (*al ñudo* en la zona del Río de la Plata), la temporal *en seguida* (*seguido o de seguido* en América) y las negativas *en absoluto* y *en mi vida* (que admite variaciones en el posesivo: *en su vida, en la vida*) [→ § 10.8.2.2]:

(212) a. Pensó que era *al ñudo* buscar su caburé. [Ricardo Güiraldes, *Don Segundo Sombra*; tomado de Kany 1945: 334]
b. Quiero que me respondas *en seguida*.
c. No quiero verlo *en absoluto*.

La preposición *entre* da lugar a la formación de la locución temporal *entre tanto*. Conviene señalar, asimismo, el uso peculiar que se hace de esta partícula en América, donde sustituye al adverbio *cuanto* en construcciones como la siguiente: *Entre más quiero, menos me dan* [*DDDLE*: 178].

Con la preposición *por* se forman las locuciones modales *por correo* [29], *por señas, por todo lo alto, por la tremenda* y *por las buenas*, las temporales *por lo pronto, por de pronto, por el pronto* y la causal *por si acaso* (*por las dudas* en América). Asimismo, se forma con esta preposición la partícula adverbial *por poco* (*por pocos* en zonas de Centroamérica), equivalente de *casi*:

(213) a. Lo soltó así, *por las buenas*.
b. Traigo la escopeta *por las dudas*. [Florencio Sánchez, *La gringa*; tomado de Kany 1945: 373]
c. *Por poco* nos matamos en el accidente.

La preposición *sin*, por último, interviene en la formación de las locuciones afirmativas *sin duda* y *sin lugar a dudas*.

9.3.3.2. Locuciones formadas con más de una preposición

Dentro de la segunda clase de locuciones adverbiales hemos incluido, en primer lugar, un grupo no demasiado amplio de locuciones formadas por combinación de preposiciones. Entre ellas se encuentran una serie de locuciones utilizadas principalmente en el español de América que comienzan con las preposiciones *de a: de a {buenas/malas}* («por las {buenas/malas}»), *de a caballo* («a caballo»), *de a de balde* («de balde»), *de a de veras o de de veras* («de veras»), *de a pie* («a pie»), *de a poco* («poco a poco»), *de a ratos* («a ratos») y *de aprisa* («con prisa»):

(214) a. ¡No ves que voy *de a pie*! [Ricardo Güiraldes, *Don Segundo Sombra*; tomado de Kany 1945: 415]
b. Estos indios son así. *De a buenas* no te han de obedecer. ... Si no se le trata *de a malas*, el indio se subleva. [Óscar Cerruto, *Aluvión de fuego*; tomado de Kany 1945: 415]

[29] Esta locución, al igual que *en tren* o *en barco*, parece ser un sintagma preposicional pleno. Como me indica I. Bosque, se puede decir *por correo aéreo* y *por correo o por otro medio* [→ § 10.5.4.3].

c. *De a de veras* no quería. [José de La Cuadra, *Los Sangurimas*; tomado de Kany 1945: 416]

La locución *de por sí* («por naturaleza») admite variaciones con respecto al pronombre, como muestra (215), aunque lo más frecuente es que aparezca sólo en la tercera persona del singular:

(215) David me dijo que no leyera versos. Que yo ya era *de por mí* demasiado sentimental. [Carmen Martín Gaite, *Ritmo lento*; tomado del *DDDLE*: 538]

Pertenece también a este primer grupo la locución *por contra*, a la que ya nos hemos referido en el § 9.2.3.1.

En segundo lugar, tenemos las locuciones adverbiales formadas por correlación de preposiciones, según un esquema como el siguiente: <P+N+P+N>. Entre estas locuciones están las formadas con la secuencia de preposiciones *de... en...*: *de cuando en cuando, de vez en cuando, de vez en vez, de cuando en vez, de día en día, de hora en hora*. En ellas pueden aparecer también otros nombres de unidades temporales, por lo que estas locuciones presentan una cierta productividad. Sin embargo, la imposibilidad de que dichos nombres aparezcan modificados nos hace concluir que tampoco constituyen un sintagma nominal:

(216) a. Las expectativas aumentaban de día en día.
b. *Las expectativas aumentaban de una hora en otra.
c. ??Las Olimpiadas se celebran de año bisiesto en año bisiesto.

9.3.3.3. Locuciones con fórmulas nominales duplicadas

El último grupo de locuciones adverbiales está constituido por fórmulas nominales duplicadas que presentan la estructura <N+P+N>, donde el primero y el segundo nombre son iguales.

Entre ellas hay una serie de locuciones que equivalen a construcciones con adjetivos o pronombres distributivos. En algunos casos, como el de la locución *mano sobre mano*, el significado cambia de la locución a la construcción distributiva. En el primer caso se trata de una locución modal cuyo significado sería, más o menos, «sin hacer nada». La construcción distributiva, sin embargo, hace referencia a una determinada postura:

(217) a. Están todo el día mano sobre mano.
b. Están todo el día una mano sobre (la) otra.

Las locuciones temporales formadas sobre la preposición *tras* pueden formarse con cualquier nombre de unidad o medida temporal, por lo que tienen una gran productividad: *día tras día, hora tras hora, invierno tras invierno, año tras año,* etc. Estas construcciones alternan, sin cambio de significado, con las formadas con los distributivos *uno... otro...*:

(218) a. Lo veía crecer {día tras día/un día tras otro}.
b. Su salud se iba debilitando {invierno tras invierno/un invierno tras otro}.

Otras locuciones, sin embargo, no alternan con las formadas a partir de los pronombres distributivos. Entre ellas están *cara a cara, cuerpo a cuerpo, frente a frente, mano a mano, poco a poco, pared con pared, ojo por ojo (y diente por diente), ce por be*. Algunas locuciones de este tipo, con el significado de «detenidamente» o «por todos los N», presentan una cierta productividad: *uno por uno, uno a uno, casa por casa, punto por punto*, etc.:

(219) a. Lo revisó *punto por punto*.
b. Lo buscaron *casa por casa*.
c. ...la sombra crecía y avanzaba invadiendo las tierras, ascendiendo las lomas, *matorral a matorral*, hasta adentrarse por completo. [R. Sánchez Ferlosio, *El Jarama*, 227]

Finalmente, tenemos las locuciones temporales, que también admiten gran variedad de sustantivos, del tipo de *día a día, hora por hora, año a año*, etc. A pesar de la gran variabilidad que presentan estas locuciones, y como ocurría en otros casos ya revisados, los nombres que las constituyen no forman un sintagma nominal: **un año a otro; *este año a aquel*.

9.4. La conjunción

9.4.1. Introducción

Las conjunciones constituyen una clase de palabras cuya misión es enlazar oraciones o elementos de una oración. Tradicionalmente, se distinguen dentro de ellas dos grupos: las 'conjunciones coordinantes', que enlazan elementos análogos (oraciones o partes de la oración), y las 'conjunciones subordinantes', que subordinan una oración a otra oración o a un elemento de otra oración. Las conjunciones coordinantes se clasifican, a su vez, en función del tipo de relación que expresan: copulativas [→ § 41.2], disyuntivas [→ § 41.3], adversativas [→ §§ 41.4 y 59.6] y distributivas [→ § 41.2.7]. Con respecto a las conjunciones subordinantes, podemos distinguir, por una parte, la conjunción *que*, que introduce oraciones sustantivas que funcionan como complemento de verbos, nombres, adjetivos, adverbios y preposiciones [→ Cap. 32] (véase (220)) y, por otra, las conjunciones subordinantes que introducen las llamadas oraciones adverbiales impropias (véase (221)):

(220) a. Dice que *vendrá mañana*.
b. La idea de que *venga mañana*.
c. Estoy pendiente de que *me den los resultados*.
d. Antes de que *te diga nada*.
e. Para que *lo sepas*.
(221) a. Iré si *me lo piden*.
b. Le llamaré en cuanto *sepa algo*.

Además de por las características comunes a la metaclase de las partículas, señaladas en el § 9.1, las conjunciones se relacionan en varios aspectos con las otras dos clases de partículas. La delimitación entre preposición y conjunción habitualmente se establece en función de dos variables: por una parte, la distinción entre coordinación y subordinación [⟶ Cap. 41 y Cap. 54] y, por otra, la categoría gramatical del 'término'. [30] Sin embargo, con respecto a la primera podemos establecer una estrecha relación entre conjunciones subordinantes y preposiciones, que también subordinan. Con respecto a la categoría gramatical del término, se suele considerar misión privativa de las conjunciones el enlace de oraciones, pero las preposiciones también pueden llevar como término una oración, si bien en este caso debe tratarse de una oración de infinitivo o una oración introducida por la conjunción *que*. Asimismo, aquí podemos establecer un nuevo nexo entre las preposiciones y un tipo de conjunciones, en este caso las coordinantes, puesto que ambas clases de partículas, a diferencia de las conjunciones subordinantes, pueden llevar como término constituyentes de nivel inferior al de la oración. Las relaciones existentes entre las dos clases de conjunciones y las preposiciones quedan resumidas en el siguiente cuadro:

	RELACIÓN SINTÁCTICA ENTRE LOS ELEMENTOS ENLAZADOS		CATEGORÍA GRAMATICAL DEL TÉRMINO	
	COORDINACIÓN	SUBORDINACIÓN	ORACIÓN	CONSTITUYENTE INFERIOR A LA ORACIÓN
Conjunción coordinante	+	–	+	+
Conjunción subordinante	–	+	+	–
Preposición	–	+	+	+

Por otra parte, existe un grupo de adverbios que presentan una indudable relación con las conjunciones: los adverbios relativos [⟶ § 7.5.6] e interrogativos [⟶ § 61.4.1]. Los primeros, además de la función que, como adverbios, cumplen dentro de la oración subordinada, desempeñan un cometido similar al de las conjunciones subordinantes, puesto que, en algún sentido, subordinan una oración a otra. Los segundos, por otra parte, introducen, al igual que la conjunción subordinante *que*, oraciones que funcionan como complementos de un elemento de la oración principal, las oraciones interrogativas indirectas [⟶ Cap. 35] *(Me pregunto quién habrá llegado)*.

En diferentes capítulos de esta obra se estudian las construcciones en que intervienen conjunciones coordinantes (capítulos 41 y 59) y subordinantes (capítulos 32-34 para las oraciones subordinadas sustantivas, en las que desempeña un papel fundamental la conjunción *que*, y capítulos 56-59 para las construcciones que entrarían dentro del campo de la llamada 'subordinación adverbial impropia'). Aquí vamos a ocuparnos fundamentalmente de las relaciones existentes entre las conjuncio-

[30] Adoptaremos esta denominación, tomada del ámbito de la preposición, para referirnos también al segundo elemento de la relación establecida por las conjunciones, es decir, aquel que va inmediatamente precedido por la conjunción.

nes y otras clases de partículas, así como de los principales aspectos formales de las unidades léxicas que integran la clase de las conjunciones. En este sentido, las conjunciones subordinantes y, concretamente, las que establecen relaciones de tipo 'adverbial' en sentido amplio (causales, condicionales, etc.) presentan una particularidad destacable: existen muy pocos elementos léxicos simples que podamos incluir dentro de esta clase: la partícula condicional *si*, la causal *como*, la concesiva *aunque* (originalmente formada a partir de un adverbio y *que*) y, tal vez, la causal *porque* (al menos unitaria respecto a la grafía, pero véase el § 9.4.5.1). La mayoría de las conjunciones subordinantes que introducen oraciones de este tipo son locuciones conjuntivas con diversos orígenes: formadas a partir de una preposición seguida de la conjunción subordinante *que (para que)*; a partir de un adverbio seguido, igualmente, de la conjunción subordinante o del relativo *que (así que, antes de que, siempre que...)*, a partir de la suma de dos adverbios *(no bien)*, etc. En todos estos casos, cabe preguntarse si realmente podemos decir que esas locuciones son conjunciones o, por el contrario, la preposición, el adverbio u otros elementos que las encabezan son realmente el núcleo de la construcción.

De los diferentes aspectos señalados nos ocuparemos en este apartado. Comenzaremos por revisar las relaciones existentes entre las conjunciones subordinantes y las preposiciones (§ 9.4.2; para las relaciones existentes entre las conjunciones coordinantes y las preposiciones, véase, más arriba, el § 9.2.6, así como el capítulo 41 de esta misma obra —§§ 41.2.6.2 y 41.2.6.4—) y entre las conjunciones subordinantes y los adverbios relativos (§ 9.4.3); dedicaremos también una sección a revisar los valores de la partícula *si* (§ 9.4.4) y, por último, estudiaremos las locuciones conjuntivas (§ 9.4.5).

9.4.2. Las conjunciones subordinantes y las preposiciones

Como acabamos de ver, la distinción entre preposiciones y conjunciones se ha establecido tradicionalmente en función de dos variables: por una parte, el criterio de la coordinación frente a la subordinación y, por otra, la categoría gramatical del término de cada una de estas clases de partículas. Sin embargo, como anticipábamos en el § 9.4.1, ninguna de estas dos variables permite establecer una diferenciación nítida entre ellas.

Con respecto a la primera variable, conjunciones subordinantes y preposiciones se relacionan entre sí porque ambas clases de partículas subordinan un término a otro, al tiempo que se oponen a las conjunciones coordinantes, que enlazan constituyentes situados en un mismo nivel sintáctico. En función de la segunda variable, las conjunciones coordinantes se relacionan no sólo con las subordinantes, que sólo introducen oraciones, sino también con las preposiciones, que introducen constituyentes jerárquicamente inferiores a la oración, al mismo tiempo que se diferencian de una y otra clase de partículas. En definitiva, el criterio de la categoría gramatical del término no permite establecer una distinción clara entre preposiciones y conjunciones ni tampoco sustentar un nexo sólido entre conjunciones coordinantes y subordinantes. Por otra parte, el criterio de la coordinación frente a la subordinación sí nos lleva a establecer una distinción más nítida, pero entre preposiciones y conjunciones subordinantes, por una parte, y conjunciones coordinantes, por otra, rompiendo por lo tanto la unidad tradicional de la categoría conjunción.

Por otra parte, como también hemos visto en el § 9.4.1, dentro de las conjunciones subordinantes podemos distinguir dos grupos en virtud de la función que los constituyentes por ellas encabezados realizan con respecto a la oración principal. Por un lado, la conjunción subordinante *que* y, por otro, las conjunciones que introducen las oraciones subordinadas antes mencionadas que, a diferencia de *que*, poseen contenido léxico y encabezan constituyentes que desempeñan la función de complemento circunstancial o de adjunto:

(222) a. *En cuanto se enteró de lo que había ocurrido,* se decidió a demandar a la compañía.
b. No cambiará de opinión *aunque todo el mundo se ponga en su contra*.

Este último tipo de conjunciones presentan características que, al mismo tiempo que las apartan de la conjunción *que*, las relacionan con las preposiciones [31]:

a) Poseen contenido semántico.
b) Expresan en muchos casos relaciones semánticas que también pueden ser expresadas por preposiciones o locuciones preposicionales: causales *(por, porque, puesto que)*, concesivas *(a pesar de, aunque)*, temporales *(durante, mientras)*, etc.
c) Los constituyentes encabezados por las conjunciones subordinantes adverbiales desempeñan la función de adjunto, al igual que muchos sintagmas preposicionales.

Las principales diferencias entre las conjunciones subordinantes y las preposiciones tienen que ver con la categoría gramatical del término de cada una de ellas:

a) La preposición lleva habitualmente como término un nombre, un pronombre, un adverbio *(hasta entonces)* o una oración sustantiva, es decir, una oración con verbo en infinitivo o bien con verbo en forma finita y encabezada por la conjunción subordinante *que (para verte; sin que nadie lo supiera)*. La conjunción subordinante adverbial, sin embargo, sólo puede llevar como término una oración *(si no quieres ir, no vayas; *si tu negativa, no vayas)*.
b) Este tipo de conjunciones se diferencian de las preposiciones aun cuando el complemento de estas últimas es una oración: en primer lugar, rechazan las oraciones de infinitivo *(*Mientras cocinar, voy a escuchar la radio)*; en segundo lugar, la oración que las conjunciones llevan como término no puede ir introducida por *que (*Si que no quieres ir)*, si bien es cierto que existen una gran cantidad de locuciones conjuntivas que llevan incorporado este último elemento. De ellas nos ocuparemos en el § 9.4.5.1.

9.4.3. Las conjunciones subordinantes y los adverbios relativos

Los relativos son un grupo de adverbios que presentan semejanzas, aunque también diferencias, con las conjunciones. Al igual que ellas, y al igual, en concreto, que las conjunciones subordinantes,

---

[31] De hecho, se ha considerado en ocasiones que las conjunciones subordinantes con contenido léxico son una clase particular de preposiciones. Esta hipótesis aparece expresada y justificada, desde una perspectiva generativista, en los estudios de Jackendoff (1973 y 1977), Emonds (1985 y 1987) y Larson (1990), sobre datos del inglés. Para una revisión de dicha hipótesis sobre datos del español, véase Pavón 1995. Sobre otros aspectos de la sintaxis de las oraciones subordinadas en francés, Kayne 1976 y Lorian 1978.

se encargan del enlace de oraciones y establecen entre ellas una relación de dependencia. Sin embargo, como adverbios que son, tienen un valor anafórico y desempeñan una determinada función dentro de la oración que introducen. Hay, asimismo, otra diferencia entre los adverbios relativos y las conjunciones subordinantes: en español existe un adverbio relativo locativo, *donde*, pero no existe ninguna conjunción subordinante locativa.

En determinadas construcciones, los adverbios relativos, solos o formando parte de una locución, presentan valores semánticos y sintácticos que se desvían del relativo originario (temporal, locativo o modal). En estos casos, su comportamiento es muy cercano al de las conjunciones subordinantes.[32] Los apartados siguientes estarán dedicados a describir esos valores.

9.4.3.1. Cuando[33]

Las construcciones encabezadas por *cuando* admiten valores distintos del meramente temporal [⟶ § 48.5.1], si bien pueden ser considerados translaciones de este. Así, por ejemplo, pueden tener un significado condicional [⟶ § 57.9.3], como muestra (223a); con este mismo significado es habitual el uso de la locución *siempre y cuando* (véase (223b)). Por otra parte, la locución *cuando no*, que se emplea como conector discursivo en construcciones como la de (223c), tiene el mismo valor que *si no*. Construcciones como (223d), por último, tienen un valor intermedio entre el condicional y el causal [⟶ § 57.9.1]:

(223) a. *Cuando* les faltase el valor que es propio de los hombres, no les faltaría la ferocidad de que son capaces los brutos. [Solís, *Conquista de México*; tomado de RAE 1973: § 3.22.6a)]
b. Podrás salir a jugar *siempre y cuando* termines pronto los deberes.
c. *Cuando no*, aquí estoy yo para responder. [*DUE* I: 818]
d. *Cuando* tú lo dices, será verdad.

La locución *aun cuando*, por otra parte, tiene valor concesivo [⟶ § 59.3.5.1]. En determinadas construcciones, parece no tratarse de una locución lexicalizada: *aun* puede ser sustituido por una partícula equivalente, como *incluso*, y *cuando* puede ser parafraseado como «en el momento que...» (en una oración como (224a), asimismo, el uso de *cuando*, seguido del adverbio *más*, es similar al de otros relativos: *el que más, el chico que más,* etc.; en (224b), por otra parte, *aun cuando* puede ser sustituido por *aunque*):

(224) a. La vida del hombre está llena de cuidados y zozobras, aun cuando más nos halaga la fortuna. [Bello 1847: § 1218]
b. Aun cuando todos conspiren a un fin, es necesario que obren de concierto para que alcancen lo que se proponen. [Bello 1847: § 1218]

En otros casos, sin embargo, sí parece haber verdadera lexicalización de la locución *aun cuando*. Así sucede en un ejemplo como (225), donde *aun cuando* puede ser sustituido por *aunque*, pero no por *incluso cuando*:

(225) Aun cuando ha llegado bueno, se resiente de las fatigas del viaje. [Bello 1847: § 1218]

9.4.3.2. Los valores de como

La partícula *como* posee, en el español actual, una gran variedad de usos, como adverbio relativo y conjunción.

A) Como adverbio relativo [⟶ § 7.5.6.3] su antecedente puede ser un sustantivo o un adverbio de modo, (226), aunque con mucha frecuencia no hay un antecedente expreso, (227).

---

[32] E, incluso, al de las preposiciones. Véase, en esta misma obra, el § 7.5.6.

[33] Este adverbio relativo se estudia en el § 7.5.6.2 de esta obra. Véase también Carrasco (1992), quien, con un enfoque generativista, discute que esta partícula, en ciertos usos, sea verdaderamente un adverbio relativo.

(226) a. Por *la forma como* lo ha dicho, deduzco que está enfadado.
b. *El modo como* esto pasó te contaré más despacio cuando otra vez nos veamos. [Miguel de Cervantes, *La Galatea*; tomado de RAE 1973: § 3.21.5A]
c. Tienes que hacerlo *así, como* yo te he indicado.
d. Se portó *valientemente, como* correspondía a su fama.

(227) a. Se portó como correspondía a su fama.
b. Tienes que hacerlo como yo te he indicado.
c. Por como lo ha dicho, deduzco que está enfadado.

Cuando el verbo es el mismo en las dos oraciones, principal y subordinada, se suprime en esta última: *Habla como un delincuente*. En otras ocasiones, *como* no aparece seguido de una oración, sino de otro tipo de constituyentes, frecuentemente constituyentes encabezados por la preposición *para* o las partículas *si* o *que*. En tales casos se puede sobreentender una oración implícita a la que se subordinaría el término de *como* («como los cerraría para...»; «como lo haría si...») [⟶ § 17.1.3]:

(228) a. Cerró los ojos lentamente, como para concentrarse.
b. Habla como si estuviera enferma.

A diferencia de *como si, como que* rige indicativo. Las construcciones introducidas por esta última locución generalmente aparecen como complemento de verbos del tipo de *parecer;* probablemente en construcciones como (229a), el complemento de este verbo es la oración encabezada por *que*, modificada por *como* en un uso adverbial que revisaremos más adelante (§ 9.4.3.2E)). Como muestra (229b), sin embargo, en la lengua coloquial *como que* se utiliza de la misma forma que *como si*:

(229) a. Parecía *como que* el cielo se estaba cayendo.
b. Él firmó *como que* había recibido esa cantidad. [*DUE* I: 684]

Con este valor se relaciona, probablemente, el uso de *como que* en oraciones principales para expresar probabilidad, muy extendido en América Central, el Caribe, Perú y Ecuador (más adelante, al tratar del valor causal de *como*, nos referiremos a otros usos de *como que*):

(230) a. Ya Melquiades *como que* está perdiendo los libros. [Rómulo Gallegos, *Doña Bárbara*; tomado de Kany 1945: 445]
b. *Como que* tocan el zaguán; anda a ver quién es. [Lisandro Sandoval, *Semántica guatemalense o diccionario de guatemaltequismos*; tomado de Kany 1945: 445]

B) La partícula *como* admite un uso comparativo [⟶ § 17.1] que en ocasiones resulta difícil distinguir del modal. Como adverbio relativo de modo, *como* introduce una oración que modifica o explica el significado de un antecedente implícito o explícito. En su uso comparativo, *como* pone en parangón dos oraciones; generalmente, en la subordinada sólo aparece el término de la comparación y no la oración completa:

(231) a. Lo hizo *como tú*.
b. Trata a su padre *como a su perro*.

En oraciones comparativas de cantidad del tipo de (232a) y (232b), *como* introduce el segundo término de la comparación de igualdad, en correlación con *tan* o *tanto*. Probablemente de aquí procede el uso coordinativo de la locución *tanto... como...*, ejemplificado en (233a) y (233b). Obsérvese que, en este caso, *tanto* ya no es un cuantificador que modifica al nombre, puesto que no concuerda con él, de ahí la agramaticalidad de (233c) [⟶ § 17.1.3]:

(232) a. Tiene tantos libros como tú.
b. Es tan alto como su padre.

(233) a. Tanto Juan como María irán a la fiesta.
b. Tanto tus hijos como los suyos.
c. *Tantos tus hijos como los suyos.

C) Otro valor de *como* es el causal [⟶ § 56.4.2.2]. En este caso rige tanto indicativo como subjuntivo, si bien este último modo es poco frecuente en la lengua actual:

(234) a. Como {viese/veía} que los acontecimientos no se desarrollaban según lo previsto, decidió pasar inadvertido.
b. Como se estaba haciendo tarde, se volvió a su casa.

En su valor causal, *como* parece estar en distribución complementaria con *porque*. Esta última partícula se utiliza sólo cuando la oración que introduce aparece a continuación de la principal; las oraciones encabezadas por *como*, por el contrario, deben aparecer siempre en posición inicial [⟶ § 56.4]:

(235) a. {Como/??Porque} se estaba haciendo tarde, se volvió a su casa.
b. Se volvió a su casa {porque/*como} se estaba haciendo tarde.

También introducen oraciones subordinadas causales las locuciones *como que* y *como quiera que*:

(236) a. Los [cabezales] de la rapaza eran ásperos, morenos, llenos de... remiendos, *como que* los hizo la madre para su casamiento. [Gabriel Miró, *Dentro del cercado*; tomado del *DDDLE*: 105]
b. *Como quiera que* este carbón despide un humo espeso, ... resulta de aquí que el aire que en ella se respira es muy perjudicial. [Leandro F. de Moratín, *Obras póstumas*; tomado de RAE 1973: § 3.22.2.2g]

En la lengua coloquial, *como que* causal puede aparecer en oraciones principales, para introducir una réplica a algo dicho por el interlocutor. También, como muestra (237b), puede tener valor concesivo o, como se ve en (237c), un sentido irónico, para expresar algo que no va a suceder:

(237) a. —Tienes cara de sueño.
—¡*Como que* no he dormido!
b. —Tienes cara de sueño.
—¡*Como que* me voy a dormir!
c. —Voy a pedirle el coche a mi padre.
—¡*Como que* te lo va a dejar!

Como admite, por último, una serie de valores estrechamente relacionados con el causal. El primero de ellos es el condicional, ejemplificado en (238) [⟶ § 57.6.2]. *Como* puede introducir, asimismo, oraciones temporales que expresan sucesión inmediata. Este uso es poco frecuente en la lengua actual, y puede confundirse con el causal. Se suele emplear, en lugar de *como*, las locuciones *así como* y *tan pronto como* (véanse ejemplos de todo ello en (239)). Finalmente, modificando a un adjetivo o participio utilizado con valor absoluto, *como* da lugar a construcciones con valor causal o concesivo, representadas en (240):

(238) a. Como no te calles, te voy a echar de clase.
b. Estaba dispuesto a echarle como no se callara.
(239) a. Como llegamos a la posada, se dispuso la cena. [*DDDLE*: 104]
b. *Así como* entró en la venta, conoció a Don Quijote. [Miguel de Cervantes, *El Quijote*; tomado del *DDDLE*: 104]
c. *Tan pronto como* lo supo, corrió a buscarle.

(240) a. *Cansado como llegará*, se dormirá enseguida. [*DUE* I: 684]
b. *Escaso de tiempo como estaba*, todavía se detuvo a hablar conmigo. [*DUE* I: 684]

D) Como equivalente o sustituto de la conjunción subordinante *que, como* puede introducir oraciones completivas. Este uso, que se documenta desde el *Poema de Mio Cid*, es actualmente muy frecuente con el verbo *ver*:

(241) a. Mandaré commo i vayan ifantes de Carrión. [*Poema de Mio Cid*; tomado de Alvar y Pottier 1983: 329]
b. Ordenó el señor de la casa como se llamase un cirujano famoso de la ciudad. [Cervantes, sin referencia; tomado de Bello 1847: § 1233]

E) En numerosas construcciones, *como* no aparece seguido de una oración, sino de otro tipo de constituyentes. Un uso muy frecuente de esta partícula es aquel en que aparece seguida de un predicado referido a un elemento de la oración, generalmente el sujeto, con el significado de «en calidad de», «con carácter de»:

(242) a. Trabaja como camarera.
b. Te lo digo como amigo.

Seguido de un nombre, tiene un valor explicativo y se usa frecuentemente para introducir ejemplos:

(243) a. Las ciudades grandes, como Madrid o Barcelona.
b. Siempre anda diciendo cosas raras, como que el fin del mundo está a punto de llegar.

Con un valor adverbial similar al de *casi, incluso* o *hasta*, puede anteponerse a cualquier tipo de constituyente. En tal caso expresa aproximación y precede frecuentemente a numerales:

(244) a. Llegaron como cien personas.
b. Sabe como a limón.

Por último, seguido de *también* y *tampoco* tiene un valor cercano al de las conjunciones copulativas *y* o *ni*:

(245) a. El padre, *como también* el hijo, se enrolaron en el ejército.
b. No me es simpática esa chica, *como tampoco* su hermana.

9.4.4. La partícula *si*

En el conjunto de las partículas del español nos encontramos ante numerosos casos de homonimia, es decir, partículas con un mismo significante que desempeñan funciones diversas y poseen diferentes significados. Uno de estos casos es el de la partícula *si*.

En primer lugar, tenemos el *si* condicional.[34] Con este valor, su término no siempre es una oración completa, aunque generalmente se sobreentiende un verbo. Así, tenemos el conector *si no*, que refiere anafóricamente a lo expresado en una oración anterior: *Tienes que estudiar más; si no, no vas a aprobar el examen* («si no estudias más...»).

Hay una construcción, frecuente sólo en el lenguaje literario, en la cual *si* puede aparecer seguida de cualquier tipo de constituyente, sobreentendiéndose el resto de la oración. Generalmente, la construcción con *si* aparece en correlación con un interrogativo, y es la explicación de una oración interrogativa indirecta. Este uso, reflejado en (246a, b), es muy cercano al de *si* como partícula interrogativa que vemos en (246c):

[34] Remitimos al capítulo 57 de esta obra para lo relativo a los valores del *si* condicional.

(246) a. No sé dónde ponerlo; si en el cajón, se me va a olvidar; si fuera, se puede estropear.
b. Nunca sabe cómo comportarse; si bien, lo toman por tonto; si mal, por un malvado.
c. —¿Cómo te ha salido el examen?
—No sé si bien o mal.

En la lengua coloquial, por otra parte, *si* tiene un uso exclamativo. En tal caso, no hay apódosis, y la construcción se suele emplear para introducir una réplica o una objeción a lo dicho por el interlocutor. Frencuentemente, *si* aparece en estos casos precedida de *pero* [—> § 62.1.2.6]:

(247) a. —¡Cállate!
—¡Pero si no he dicho nada!
b. —Es un viaje demasiado largo.
—¡Si sólo dura dos semanas!

Por otra parte está el *si* que introduce las oraciones interrogativas indirectas totales: *Me preguntó si iba a ir* [—> § 35.1.2]. Bello (1847; § 415) establecía una estrecha relación entre el *si* condicional y el *si* interrogativo, similar a la relación existente en el adverbio relativo *donde* y el interrogativo *dónde*. Según este autor, *si* es un adverbio modal que puede ser usado como relativo o interrogativo. Un tercer miembro de la relación sería el *sí* afirmativo, que para Bello es un adverbio demostrativo modal, equiparable al locativo *aquí*. Para reflejar el paralelismo entre *si* y los locativos, Bello ofrece los dos siguientes ejemplos:

(248) ¡Ay Dios! ¿*Si* será posible que he ya hallado lugar que sirva de sepultura a la pesada carga de este cuerpo que tan contra mi voluntad sostengo? *Sí* será, *si* la soledad de estas selvas no me miente. [Cervantes, sin referencia; tomado de Bello 1847: § 415]
(249) ¿*Dónde* tendrá al fin sepultura la pesada carga de este cuerpo? *Aquí* la tendrá sin duda, *donde* la soledad de estas selvas me la ofrece. [Bello 1847: § 415]

Si presenta el comportamiento típico de otros elementos (adverbios y pronombres) interrogativos en oraciones indirectas: al igual que ellos y a diferencia de las conjunciones subordinantes, puede ir seguido de una oración de infinitivo, como se ilustra en los ejemplos de (243) [—> § 35.5.2]:

(250) a. *Me dijo que ir al cine.
b. No sabía {dónde/cómo} ir.
c. No sabía si ir.

A diferencia de otros interrogativos, sin embargo, no suele aparecer expreso, en la lengua actual, en oraciones interrogativas directas:

(251) a. ¿ ??(Si) ha llegado tu hermano?
b. ¿Quién ha llegado?
c. ¿Cómo ha llegado?

Sí aparece, sin embargo, en oraciones interrogativas directas dubitativas y de posibilidad y también en algunas oraciones exclamativas:

(252) a. ¿Si estaré yo equivocado? [RAE 1973: § 3.2.6e]
b. ¡Si será bestia!

Por último, *si* posee también un valor concesivo [—> § 59.4.1], derivado del condicional, y poco usado en la lengua actual (véase (253a)). Esta partícula, por otra parte, da lugar a la formación de una serie de locuciones adverbiales en el español de América. Entre ellas están *si más* ('casi; por poco'), que aparece frecuentemente bajo la forma diminutiva *simasito* y *si no*, que en estos dialectos adquiere el valor de 'sí; por supuesto; cómo no':

(253) a. No dijera él una mentira, *si* le asaetearan. [Bello 1847: § 1271]
b. *Simasito* me caso con Ambrosio. [Lisandro Sandoval, *Semántica guatemalense o diccionario de guatemaltequismos*; tomado de Kany 1945: 374]
c. —¿Lo conoces?
—*¡Si no!* Es mi casero. [José Diez-Canseco, *Estampas mulatas*, tomado de Kany 1945: 480]

9.4.5. Las locuciones conjuntivas [35]

9.4.5.1. Locuciones conjuntivas formadas según los modelos <preposición + que*>, <preposición + nombre +* de *+* que*> y <preposición + nombre +* que*>* [36]

Existe un amplio número de locuciones conjuntivas formadas a partir de una preposición y la conjunción subordinante *que*, con la interposición en ocasiones de un nombre entre ambas. Ante este tipo de locuciones cabe preguntarse, como hemos hecho en otros apartados (§§ 9.2.4 y 9.3.3) con respecto a las locuciones prepositivas y adverbiales, si nos encontramos ante verdaderas unidades léxicas complejas o, por el contrario, estamos ante diferentes tipos de sintagmas preposicionales que incluyen en su término una oración sustantiva.

Veamos, en primer lugar, aquellas locuciones formadas a partir de una preposición seguida de la conjunción subordinante *que*. Entre ellas tenemos las causales *de que* y *porque*, la condicional *con que* (también veremos, aunque no se ajusta exactamente a este esquema, el valor condicional de la preposición *de* seguida de infinitivo), la consecutiva *conque*, las finales *a que* y *para que* y las temporales *desde que* y *hasta que*. Las construcciones encabezadas por este tipo de locuciones pueden responder a una de las dos siguientes estructuras:

(254) a. [$_{SP}$ P [*que* ...]]
b. [$_{SX}$ [P+*que*] ...]

Podemos señalar, en principio, una serie de argumentos que irían a favor de la estructura (254b). [37] En primer lugar, la preposición y la conjunción *que* parecen formar una unidad cohesionada, como muestra el hecho de que no puedan ser separadas, por ejemplo, por la coordinación de dos oraciones. Esto es algo que no sucede, sin embargo, cuando la oración con *que* es complemento de otras categorías gramaticales, como el verbo:

(255) a. *No salió *porque* quería quedarse en casa *y que* no le apetecía ver a sus amigos.

---

[35] Sobre el origen y la evolución de las locuciones conjuntivas en las diferentes lenguas romances, véanse Herman 1963 y Dardel 1983. En Chetrit 1976 se tratan específicamente las locuciones temporales del francés y en Eberenz 1982, las del español.

[36] Sobre el aspecto concreto de la secuencia de preposición y conjunción subordinante *que*, véase Bosque 1987. En Gaatone 1980 y Gross 1988 se analizan diversas locuciones conjuntivas del francés, con observaciones que pueden ser aplicables al español. Igualmente válidas pueden ser las observaciones de Heinämäki (1974) sobre los conectores temporales del inglés, si bien su estudio se centra en los aspectos semánticos.

[37] Cf. Bosque 1987.

b. *No he vuelto a verle *desde que* nos encontramos en Valencia *y que* me dijo que iba a casarse.
c. *Creo que* me voy a quedar en casa *y que* voy a estudiar un poco más.

Asimismo, en el término de la preposición no se pueden coordinar un sintagma nominal, adverbio o pronombre con una oración encabezada por *que*, algo que, nuevamente, no sucede en el complemento de un verbo:

(256) a. *Suspendió el examen por su inseguridad y que no se había esforzado demasiado.
b. *Te lo he traído para eso y que me des tu opinión.
c. Quiero un crédito y que me lo den ahora mismo.
d. Dijo eso y que, por favor, no le molestaran más.

También hay, sin embargo, un fuerte argumento a favor de la estructura (254a), como es el hecho de que en este tipo de construcciones exista alternancia entre la oración introducida por *que* y otros constituyentes, como un sintagma nominal, un pronombre, un adverbio o una oración de infinitivo, sin que se produzca un cambio de significado o de función:

(257) a. No puedo hacerlo sin {su consentimiento/que me dé su consentimiento/tener su consentimiento.
b. No fue por {eso/que no quiso/tener un compromiso anterior}.
c. Te esperaré hasta {entonces/que llegues}.

Sin embargo, el comportamiento de estas locuciones no es uniforme en este sentido:

— Existe, en primer lugar, un grupo en que la preposición puede ir seguida por un sintagma nominal o un pronombre y por una oración de infinitivo, además de por una oración con que. A él pertenecen *sin, por* (véanse, respectivamente (257a) y (257b)), *para* y *con* (258):

(258) a. Lo quiero para {que lo vea mi hermano/tenerlo/eso}.
b. Con {una palabra tuya/que hubieras dicho algo/haber dicho tú algo}, todo se habría solucionado.

— Un segundo grupo de preposiciones admiten como término una oración con *que* y un sintagma nominal o un adverbio, pero rechazan las oraciones de infinitivo. Se trata, como se señalaba en el § 9.2.2, de las preposiciones *desde* y *hasta*, en su valor temporal:

(259) a. Ha estado en paro desde {que lo despidieron de aquella empresa/entonces/*ser despedido de aquella empresa}.
b. Le estuvo doliendo la cabeza hasta {que se tomó una aspirina/entonces/*tomarse una aspirina}.

— En tercer lugar, la preposición *a* con valor final admite como término tanto una oración con *que* como una oración de infinitivo, pero rechaza los sintagmas nominales. Esta preposición encabeza oraciones subordinadas con valor final cuando es complemento de un verbo de movimiento. Si, en tales circunstancias, aparece un sintagma nominal en el término de la preposición, sólo puede recibir la interpretación de lugar de destino del movimiento, por lo que sólo puede tratarse de un nombre de objeto o lugar:

(260) a. Fue a {que le aconsejara/pedirle consejo/*su consejo}.
b. Fue a su casa.

— La locución *de que* con valor temporal-causal (dialectal), así como la consecutiva *conque* no admiten la sustitución de la oración encabezada por *que* por ningún otro tipo de constituyente, por lo que parece que, en estos casos, sí se puede hablar de verdaderas unidades léxicas:

(261) a. De {que le dijeron que no podía ir/*decirle que no podía ir/*esa certeza}, se marchó inmediatamente.
b. No hemos podido conseguir las ayudas necesarias, con{que tendremos que abandonar el proyecto/*tener que abandonar el proyecto/*la necesidad de abandonar el proyecto}.

— Por último, la preposición *de* introduce construcciones con valor condicional sólo cuando lleva como término una oración de infinitivo [⟶ § 57.5.1.1]:

(262) a. De {haberlo sabido antes/*que lo hubiera sabido antes}, te lo habría dicho.

Examinaremos ahora un segundo grupo de locuciones conjuntivas que, en este caso, están formadas según el esquema <P+N+P+*que*>. En este grupo están incluidas, entre otras, las locuciones causales *a causa de que, en vista de que* y *por razón de que* [⟶ §§ 56.4.1 y 56.4.1.3], la concesiva *a pesar de que*, las condicionales *en caso de que* y *con tal (de) que* [⟶ § 57.6.3], la final *a fin de que* [⟶ § 56.7.4.1] y las temporales *en tanto que* y *entre tanto que*.

Para este grupo de locuciones caben varias posibilidades de análisis. Podríamos encontrarnos, en primer lugar, ante locuciones conjuntivas con un grado pleno de lexicalización. Una segunda posibilidad es que en ellas haya una locución prepositiva que lleva como término una oración con *que*. Por último, es también posible que estas locuciones no estén lexicalizadas en absoluto y respondan, por lo tanto, a una estructura como la siguiente:

(263) [$_{SP}$ P [$_{SN}$ N [P *que* ...]]]

Existen, en primer lugar, algunas locuciones que admiten las expansiones propias del nombre que forma parte de ellas, por lo que parecen responder a la estructura (263); entre ellas están la causal *por razón de que* y la condicional *en caso de que*:

— El nombre que forma parte de estas locuciones admite artículos y demostrativos:

(264) a. Se suspendió el examen por (la) razón de que los alumnos no habían sido convocados a tiempo.
b. En (el) caso de que yo no esté, deja el mensaje en el contestador.
(265) a. Se supendió el examen por esa razón.
b. En ese caso, deja el mensaje en el contestador.

Sin embargo, sólo en el caso de que el artículo esté presente es posible la presencia de adjetivos:

(266) Se suspendió el examen por *(la) absurda razón de que hacía mal tiempo.
(267) En *(el) hipotético caso de que yo no estuviera, déjame una nota.

— La locución *en caso de que* sólo admite como término una oración; sin embargo, *por razón de* admite también un sintagma nominal:

(268) a. En caso de {que llegues a tiempo/*tu llegada a tiempo}, no es necesario que me avises.
b. Le atendieron el primero por razón de {su edad/que llegaba muy malherido}.

En otros casos, parece que nos encontramos ante locuciones prepositivas con diversos grados de lexicalización que pueden llevar como término una oración encabezada por la conjunción subordinante *que*.

Entre ellas tenemos, en primer lugar, las locuciones causales *en vista de que* y *a causa de que* y la final *a fin de que*. El nombre que forma parte de estas locuciones no admite artículos, demostrativos ni posesivos:

(269) a. En *(la) vista de que no llegaba nadie, comenzaron la función sin público.
b. A *(la) causa de que había estado enfermo muchos años, le costaba llevar una vida normal.
c. *Al fin de que no hubiera más incidentes, se suspendió el partido.
(270) a. *En esa vista/*En su vista.
b. *A esa causa/*A su causa.
c. *A ese fin/*A su fin.

Sin embargo, el constituyente encabezado por *de* puede ser separado del resto de la locución, por ejemplo por coordinación; no ocurre lo mismo, sin embargo, con el constituyente que empieza con *que*:

(271) a. {En vista/A causa} de que por allí no pasaba nadie y *(de) que se hacía muy tarde, decidió volver a casa.
b. He traído el proyecto a fin de que lo leas y *(de) que empecemos a trabajar ya.

Con respecto a la posibilidad de sustituir la oración introducida por *que* por un sintagma nominal, la única locución que no la admite es *a fin de*:

(272) a. En vista del rumbo que tomaban los acontecimientos, dieron marcha atrás.
b. A causa de la actitud de algunos participantes, hubo que suspender la concentración.
c. *He traído el proyecto a fin de tu aprobación.

La única de estas locuciones que no admite la sustitución de la oración con *que* y verbo en forma finita por una oración de infinitivo es la causal *en vista de*:

(273) a. Se encontraba un poco débil a causa de haber estado enfermo mucho tiempo.
b. Se reunieron a fin de tomar una decisión.
c. *En vista de no haber acuerdo, se dieron por terminadas las negociaciones.

La locución concesiva *a pesar de que* [→ § 59.3.5.6], parece estar también formada a partir de una locución prepositiva con un grado intermedio de lexicalización. Por una parte, el nombre que forma parte de ella admite los posesivos *(a {mi/tu/su} pesar)*; sin embargo, no admite artículos, demostrativos ni ser modificado por adjetivos, como muestran los datos de (274). Al igual que las locuciones revisadas anteriormente, admite la coordinación del constituyente encabezado por *de*, pero no la de dos oraciones introducidas por la conjunción subordinante *que* (véase 275)). Por último, como se puede ver en (276), en las construcciones con esta locución se puede sustituir la oración encabezada por *que* por un sintagma nominal o por una oración de infinitivo:

(274) a. *A pesar doloroso de que nadie le apoyaba, seguía luchando por sus ideas.
b. *Al pesar de que se está superando la crisis, el paro sigue en aumento.
c. *A ese pesar, lo haré.

(275) A pesar de que las ventas han bajado y *(de) que la recuperación no se prevé inminente, se puede salvar la situación.

(276) a. A pesar de su arrogancia, resultaba atractivo.
b. A pesar de haberse puesto tan nervioso, le dieron el trabajo.

En la locución *con tal de que* no aparece un sintagma nominal, sino un demostrativo neutro cualitativo: *Te lo daré con tal de que te marches*. El demostrativo que forma parte de esta locución no alterna con el sintagma nominal y prueba de ello es que no puede aparecer modificando a un nombre: **Te lo daré con tal condición de que te marches*. Por otra parte, la oración encabezada por *que* alterna con las construcciones de infinitivo, pero no con los sintagmas nominales:

(277) a. Con tal de que me ayudes.
b. Con tal de ayudarte.
c. *Con tal de tu ayuda.

Con otro demostrativo, en este caso cuantitativo, se forman las locuciones *en tanto que* y *entre tanto que*, con valor temporal. Estas locuciones se corresponden con un esquema distinto, <P + N (o elemento nominal) + *que*>, sin que sea posible introducir una preposición entre el elemento nominal y *que (*en tanto de que; *entre tanto de que): Salió sin ser visto {en tanto/entre tanto} que en su casa dormían la siesta*. Al igual que ocurría con la locución anteriormente revisada, el elemento cuantitativo no alterna con un sintagma nominal: **Salió sin ser visto {en/entre} tanto tiempo que en su casa dormían la siesta*. Estas locuciones presentan un alto grado de lexicalización y en ellas la oración iniciada por *que* no alterna ni con los sintagmas nominales ni con las oraciones de infinitivo.

(278) a. *Voy a escuchar música {en tanto/entre tanto} descansar.
b. *Voy a escuchar música {en tanto/entre tanto} el descanso.

Sobre el esquema <P + N + *que*> se forman también las locuciones consecutivas *de forma que, de manera que, de modo que, de suerte que*, que se revisan en el § 58.3 de esta obra, así como la temporal *a medida que*. Con un cuantificador indefinido en lugar de un nombre, tenemos la locución *a menos que*.

9.4.5.2. Locuciones conjuntivas formadas según los esquemas <adverbio + que*> y <adverbio +* de *+* que*>*

Entre las locuciones conjuntivas del español, muchas de ellas están formadas a partir de un adverbio seguido de la conjunción subordinante *que*. Caben dos posibles análisis para este tipo de unidades: una primera posibilidad es que estas construcciones constituyan sintagmas adverbiales en los que una oración encabezada por *que* desempeña la función de complemento o modificador del adverbio; la segunda posibilidad es que estas locuciones estén gramaticalizadas y constituyan, por lo tanto, verdaderas unidades léxicas. A continuación vamos a revisar las principales locuciones de este tipo dividiéndolas en dos grupos, según la oración encabezada por *que* vaya o no precedida de la preposición *de*.

A) El modelo <adverbio + *de* + *que*>

Las locuciones de este tipo parten de una estructura en la que un adverbio toma como complemento, precedido de la preposición *de*, una oración con la conjunción subordinante *que*. Se trataría, pues, de adverbios con un comportamiento sintáctico similar al de los estudiados en el § 9.3.1. La alternancia de la oración encabezada por *que* con otro tipo de constituyentes en la posición de complemento del adverbio parece indicar, sin embargo, que estas locuciones mantienen su estructura originaria. A continuación examinaremos el comportamiento de los principales adverbios que dan lugar a este tipo de locuciones.

{Además/aparte} (de que)

Los adverbios *además* y *aparte* suelen funcionar como conectores oracionales [→ §§ 63.3.2.2 y 63.3.2.4], indicando que lo que se dice en la oración a la que modifican intensifica o se añade a lo señalado en la oración anterior. Respectivamente, pueden ser parafraseados como «por añadidura» y «por otra parte»: *Le dieron el premio y, {además/aparte}, le hicieron un regalo*. Hay, sin embargo, una diferencia entre ellos, y es que sólo el adverbio *aparte* puede ser utilizado también como adverbio de modo, cumpliendo la función de predicado primario o secundario: *Pon el dinero {aparte/*además}; Eso está {aparte/*además}*. Uno y otro adverbio pueden tomar un complemento precedido de la preposición *de*. Puede tratarse de un adjetivo, como vemos en (279a), de un sintagma nominal, como ocurre en (279b) o de cualquier otro constituyente (un sintagma preposicional en (279c)) que se contrasta con uno similar de la oración en que se incluye el sintagma encabezado por el adverbio:

(279) a. {Además/aparte} de inteligente, es guapo.
b. {Además/aparte} de Marta, llegó su hermana.

c. {Además/aparte} de con un martillo, puedes hacerlo con una piedra.

Desde un punto de vista semántico equivalen, en estos casos, a una conjunción coordinante y, de hecho, pueden ser parafraseados por «y también». Sin embargo, su comportamiento sintáctico no es igual al de la conjunción copulativa; los constituyentes encabezados por *además* y *aparte* pueden ir situados al comienzo o al final de la oración, a diferencia de los encabezados por *y también*, que sólo pueden estar situados al final de la misma.

(280) a. Tiene casas por todo el mundo, {además/aparte} de en Madrid.
b. {Además/aparte} de en Madrid, tiene casas por todo el mundo.
c. Tiene casas por todo el mundo, y también en Madrid.
d. *Y también en Madrid, tiene casas por todo el mundo.

Estos dos adverbios, por último, admiten llevar como complemento una oración. Puede tratarse no sólo de una oración finita encabezada por la conjunción subordinante *que*, sino también de una oración de infinitivo:

(281) a. {Además/aparte} de que no sabe hacer nada, es un pesado.
b. {Además/aparte} de no saber hacer nada, es un pesado.

Encima (de que)

Aparte de su valor espacial originario (§ 9.3.1), este adverbio posee un segundo valor, equivalente de *además*, como muestra (282a). Al igual que este último adverbio, *encima* puede ir seguido de una oración introducido por *que*; dicha oración suele ir precedida de la preposición *de*, que frecuentemente se suprime en la lengua coloquial:

(282) a. Le robaron y, {encima/además}, le molieron a palos.
b. Encima (de) que no hace nada, es un exigente.

A diferencia de *además* y *aparte, encima* rechaza tomar como complemento sintagmas nominales o preposicionales y tampoco tiene el valor coordinativo que observábamos en estos adverbios:

(283) a. *Encima de su testarudez, es un ingenuo.
b. *Encima de con un martillo, puedes hacerlo con una piedra.
c. *Encima de en Madrid, tiene casas por todo el mundo.

Sin embargo, el complemento de *encima* puede ser no sólo una oración con *que* (véase 282b), sino también una oración de infinitivo, e incluso un adjetivo que se contrasta con un predicado en la oración principal. Esta alternancia muestra que *además de que* no es una locución gramaticalizada, sino que responde a una estructura cuyo núcleo es *encima*, que selecciona como complemento unidades predicativas:

(284) a. Encima de no hacer nada, es un exigente.
b. Encima de vago, es un borracho.

Enseguida (de que)

El adverbio *enseguida* tiene un significado temporal similar al de *inmediatamente*. Asimismo, puede tomar como complemento una oración encabezada por la conjunción subordinante *que* y en tal caso se parafrasea como «inmediatamente después de»; dicho complemento va precedido por *de*, preposición que en la lengua coloquial frecuentemente se omite:

(285) a. Tráemelo enseguida.
b. Entregué la solicitud y me contestaron enseguida.
c. Salió corriendo enseguida (de) que se lo dijeron.

Tampoco parece haber aquí un proceso de gramaticalización completo. El complemento de *enseguida* no puede ser un sintagma nominal, ni temporal ni eventivo, pero sí puede tratarse de una oración de infinitivo:

(286) a. *Se marchó enseguida de las nueve.
b. *Se marchó enseguida de la cena.
c. —¿Y a qué hora es esto?
—Enseguida de cenar. [Juan Antonio de Zunzunegui, *La úlcera*; tomado del *DDDLE*: 336)]

{Antes/después} (de que)

Estos adverbios poseen un doble carácter: por una parte, como adverbios temporales, ubican las coordenadas temporales de un evento por relación con otro evento o con un determinado instante [→ § 48.6]; por otra parte, como comparativos léxicos, introducen construcciones comparativas en las que se parafrasean como «más {pronto/tarde} que...». Como consecuencia, *antes* y *después* pueden aparecer en dos tipos de construcciones.

En primer lugar, pueden tomar un complemento precedido de la preposición *de* (véase el § 9.3.1). Dicho complemento puede estar explícito o implícito:

(287) a. Ya lo había visto antes (de salir).
b. Se lo dijeron después (de la cena).

Como otros adverbios nominales, pueden aparecer como complemento de un nombre precedidos de la preposición *de*, como muestra (288a), cada vez se está extendiendo más, sin embargo, su uso adjetival, reflejado en (288b), en el que modifican directamente a un nombre de periodo de tiempo, como lo harían los adjetivos *anterior* y *posterior*:

(288) a. La chica de antes.
b. El día después.

En segundo lugar, *antes* y *después* pueden encabezar, como señalábamos, construcciones comparativas. En tal caso, introducen un término de comparación precedido por la conjunción *que*. Dicho término es un constituyente, de cualquier categoría y función, que se compara con uno similar de la oración principal; en (289a) y (289b) se trata, respectivamente, del sujeto y el objeto directo. Por otra parte, la agramaticalidad de (289c) muestra que la construcción comparativa y la prepositiva son incompatibles, a diferencia de lo que ocurre con adverbios locativos como *cerca* o *lejos*, según muestra (289d) [→ § 17.1.3]:

(289) a. Juan llegó *después que* Pedro.
b. Leyó la novela *antes que* el libro de poemas.
c. *Pedro llegó *mucho {antes/después} de la reunión que yo*.
d. La fuente está *mucho más {cerca/lejos} de la casa que el árbol*.

Cuando se trata de un sintagma nominal o un pronombre personal, existe la doble posibilidad de que este vaya precedido de *que* o *de*. En este último caso, los adverbios no se interpretan exactamente como temporales y resultan equivalentes a los locativos *delante* y *detrás: Pedro entró {antes/después} de ti*. Esta doble posibilidad existe también cuando *antes* y *después* introducen una oración: puede tratarse de una oración con *que* precedida de la preposición *de* o, según el modelo de las construcciones comparativas, de una oración directamente introducida por *que*. Cuando se trata de una oración de infinitivo, sin embargo, debe ir siempre precedida de la preposición:

(290) a. María se enteró antes (de) que nadie lo supiera.
b. Se quedó más tranquilo después (de) que lo hubo dicho.
c. Se quedó más tranquilo después *(de) haberlo dicho.

Lo mismo sucede cuando *antes* lleva como término *nada*. En tal caso da lugar a locuciones adverbiales con el significado de «en primer lugar» *(Antes {de/que} nada, lamento decirte que tu propuesta no ha sido admitida)*. Existe, por otra parte, la locución *después de todo*, con el significado de «en resumen», «al fin y al cabo», etc.: *Después de todo, las cosas no han ido tan mal como pensábamos.*

La construcción comparativa con *antes* puede perder su significado temporal y encabezar construcciones contrastivas en las que esta partícula tiene un significado equivalente a «más» o «más bien». En tales casos, el término de la conjunción *que* puede ser una oración de infinitivo:

(291) a. Haría cualquier cosa *antes que* defraudarle.
b. Preferiría cualquier cosa *antes que* {la deshonra / trabajar}.
c. Con voz *antes* basta y ronca *que* sutil y delicada. [Bello 1847: § 1206]
d. No daba espacio de un bocado a otro, pues *antes* los engullía *que* los tragaba. [Bello 1847: § 1206]

Existen, por otra parte, una serie de locuciones ilativas, también con un valor contrastivo, formadas a partir de este adverbio, como *antes bien, antes al contrario, antes por el contrario*. Asimismo, están las locuciones adverbiales *antes no*, que, con el significado de «casi, por poco», se usa fundamentalmente en América y *cuanto antes*, con el significado de «lo más pronto posible»:

(292) a. No estoy contento con el resultado; *antes bien*, me ha decepcionado. [*DUE* I: 193]
b. El muchacho cayó y recibió un gran golpe; *antes no* se desnucó. [Alfonso Valle, *Diccionario del habla nicaragüense*; tomado de Kany 1945: 375]
c. Vámonos *cuanto antes*.

B) El esquema <adverbio + *que*>

Para las locuciones formadas sobre este esquema (*así que, luego que, siempre que,* etc.) caben, en principio, dos posibles análisis. Puede tratarse de una nueva unidad léxica, una conjunción subordinante compleja. O podemos encontrarnos en realidad ante un sintagma adverbial, en el que la oración encabezada por *que* modifica al adverbio.

No parece que en estos casos estemos ante oraciones sustantivas, puesto que este tipo de oraciones suelen estar seleccionadas y estos adverbios no seleccionan complementos. Se trataría, probablemente, de una oración de relativo. *Que* sería, entonces, un pronombre relativo que, en estos casos refiere anafóricamente a un adverbio y no a un sustantivo, como es habitual en él (cf. RAE 1931). Los dos criterios básicos que podemos utilizar para decidir entre uno y otro análisis se revisan a continuación.

En primer lugar, si la construcción encabezada por este tipo de locuciones es un sintagma adverbial, su significado y función no debe variar con respecto a aquellas construcciones en que el adverbio aparece aislado. Por otra parte, si la locución se ha lexicalizado es previsible que presente una fuerte cohesión entre los elementos que la integran. Sin embargo, en muchas ocasiones el comportamiento de estas locuciones con respecto a uno y otro criterio no ofrece resultados homogéneos.

Comenzando por aquellos casos que presentan un menor grado de lexicalización, tenemos, en primer lugar, las locuciones *siempre que* y *luego que*.

Siempre que encabeza oraciones temporales, si bien, cuando la oración principal y la subordinada hacen referencia al futuro, estas construcciones suelen adquirir un valor condicional [→ § 57.9.3], como ocurre en (293b), ambigua entre esta última interpretación y la puramente temporal:

(293) a. Siempre que lo veíamos, nos preguntaba si podía acompañarnos.
b. Podrás salir a jugar siempre que ordenes antes tu habitación.

Utilizado de forma aislada, *siempre* es un adverbio temporal que cumple la misma función que cuando va seguido de una oración: *Siempre nos preguntaba si podía acompañarnos*. Por otra parte, en ambos tipos de construcción el adverbio admite los mismos modificadores, como *no* o *casi: {No/Casi} siempre me saluda con corrección; {No/Casi} siempre que nos vemos me saluda con corrección*. Hay, sin embargo, algunas diferencias. La oración añade un grado mayor de especificidad a lo significado por el adverbio: cuando este no está modificado, indica que lo expresado en la oración principal se cumple en cualquier caso; cuando aparece la oración subordinada, el contenido de la principal sólo se cumple si se da la circunstancia en ella descrita. De ahí que sólo en este último caso sea posible la interpretación condicional. Por lo que respecta a la cohesión interna de la locución, parece que no es muy grande, como muestra la posibilidad de coordinar dos oraciones encabezadas por *que: Siempre que está deprimido o que, simplemente, quiere hablar con alguien, me llama por teléfono.*

La locución *luego que* encabeza oraciones temporales que expresan sucesión inmediata. Usado aisladamente, *luego* es, asimismo, un adverbio temporal que posee un significado similar al de *después*. La principal diferencia entre uno y otro uso es que *luego que* significa «inmediatamente después (de) que», mientras que el adverbio, aislado, significa «más tarde», sin especificarse el tiempo que media entre una y otra acción:

(294) a. Luego que le dijeron lo que había ocurrido, se puso en contacto con sus padres.
b. Llamó a la puerta y luego salió corriendo.

Aunque en este caso resulta mucho menos natural, la oración que sigue a *luego* puede ir precedida por la preposición *de*, al igual que ocurre, por ejemplo, con la oración complemento de *antes* y *después*. Cuando aparece dicha preposición, como muestra (283b), incluso es posible que se trate de una oración de infinitivo (de hecho, en este caso la preposición es obligatoria). El comportamiento de *luego* es, en estas construcciones, similar al de los adverbios estudiados en el § 9.3.1. A diferencia de muchos de estos adverbios, sin embargo, *luego* no admite en su complemento los sintagmas nominales, tanto si son temporales como eventivos, tal como muestra la agramaticalidad de (295c):

(295) a. Luego de que lo vio, se acercó a saludarle.
b. Luego de haberlo visto, se acercó a saludarle.
c. *Fue a verlo luego de {las nueve/la cena}.

Aunque en su formación no interviene ningún adverbio, podrían incluirse aquí las locuciones formadas a partir de algunos sintagmas nominales adverbiales. Entre ellas tenemos, en primer lugar, *cada vez que*. Este tipo de construcciones, sin embargo, sólo alternan con aquellas en que el sintagma *cada vez* no va seguido de una oración subordinada cuando en la principal hay una idea de gradación, como ocurre en (296a). Si en esta misma construcción *cada vez* aparece aislado y se suprime el adverbio *más* en la principal, el resultado, como refleja (296b), es de dudosa gramaticalidad. Lo mismo ocurre si en una oración como (296c), donde no hay gradación, se suprime la oración subordinada con *que*:

(296) a. Cada vez (que lo veo) me parece más antipático.
b. Cada vez ?(que lo veo) me parece antipático.
c. Cada vez ??(que oigo decir algo así), no puedo evitar enfadarme.

Cada vez que, por otra parte, no constituye una locución cohesionada, como muestra el hecho de que puedan hacerse coordinaciones del constituyente encabezado por *que: Cada vez que lo veía, o que alguien le daba noticias suyas, se ponía muy triste*.

También es problemático el caso de *una vez que*. Por una parte, existe el sintagma nominal adverbial *una vez*, que puede ir seguido de una oración de relativo, como ocurre en (297a), oración que se parafrasearía como «en cierta ocasión estaba con él... y me comentó que...»; por otra, *una vez que*, en oraciones como (297b), parece funcionar como una locución conjuntiva temporal, independiente del uso anterior, y la construcción se parafrasearía como «cuando lo vio, se quedó...». Sólo en este caso la oración subordinada admite el pretérito anterior, como muestra el contraste entre (297c) y (297d):

(297) a. Una vez que estuve con él en casa de sus padres, me comentó que su trabajo no le gustaba nada.
b. Una vez que lo vio, se quedó más tranquilo.
c. ??Una vez que hube estado con él en casa de sus padres, me comentó que su trabajo no le gustaba nada.
d. Una vez que lo hubo visto, se quedó más tranquilo.

Existen, sin embargo, dos datos que indican que *una vez que* no constituye una locución cohesionada. En primer lugar, *una vez* puede modificar cláusulas absolutas con participio con un valor muy similar al de las construcciones que aquí estamos revisando, como muestra el paralelismo entre (298a) y (298b); hay, sin embargo, una diferencia entre ambos tipos de construcción y es que la supresión de *una vez* con la cláusula absoluta no altera la gramaticalidad ni el sentido de la construcción, mientras que su supresión con la oración finita da lugar a una secuencia agramatical, como refleja el contraste entre (298b) y (298c). Por otra parte, el constituyente encabezado por *que* admite la coordinación, como vemos en (298d):

(298) a. Una vez que murió el perro, se acabó la rabia.
b. (Una vez) muerto el perro, se acabó la rabia.
c. *Que murió el perro, se acabó la rabia.
d. Una vez que recibió la carta y que se puso a leerla, cambió completamente de actitud.

En algunas ocasiones, elementos no temporales, seguidos de *que*, dan lugar a locuciones temporales. Tal es el caso del ordinal *primero*, si bien es cierto que, en construcciones como (299b) este elemento tiene un valor muy próximo al del adverbio temporal *antes*. *Primero que*, sin embargo, parece constituir una locución cohesionada, como muestra el hecho de que no admita la coordinación de dos constituyentes encabezados por *que* (véase (299c)):

(299) a. Primero que lo diga, vas a tener que esperar mucho.
b. Me reuniré con ellos enseguida, pero primero quiero terminar esta carta.
c. *Primero que se convenza y que lo diga, vas a tener que esperar mucho.

En otras ocasiones, elementos temporales dan lugar a locuciones no temporales. Este es el caso de *ahora que*. En oraciones como (300a), esta locución encabeza construcciones que mantienen el valor temporal de *ahora*. Sin embargo, en otros casos, como (300b), las construcciones encabezadas por esta locución, en realidad, parecen constituir modismos con el significado de «por cierto» o «a propósito» [→ § 63.2.4], si bien es cierto que admiten una cierta productividad, pues se pueden construir con diferentes verbos (*ahora que te veo, ahora que lo dices, ahora que te encuentro*, etc.). En este último caso, por otra parte, no se admite la coordinación de constituyentes encabezados por *que*:

(300) a. Ahora que te veo y que por fin podemos hablar tranquilos, me gustaría comentarte lo que pasó en la reunión.
b. Ahora que lo dices, ¿sabes a quién vi ayer?
c. *Ahora que lo dices y que me acuerdo, ¿sabes a quién vi ayer?

Por otra parte, el adverbio *ya* da lugar a la locución conjuntiva causal *ya que*. Usado de forma aislada, *ya* tiene un valor temporal: indica que lo expresado en la oración ha sido realizado en un momento anterior a un punto de referencia temporal, que puede ser el momento del habla, como vemos en (301a) u otro momento pasado o futuro, como ocurre en (301b) y (301c); con oraciones negativas, como (301d), tiene un significado próximo a «en ese momento»:

(301) a. Ya ha llegado.
b. Cuando llegué, ya había salido.
c. Cuando llegues, ya me habré marchado.
d. Cuando llegues, ya no estaré aquí.

Con un verbo en futuro, por otra parte, *ya* aporta a la oración un matiz expresivo de esperanza, promesa o amenaza:

(302) a. Ya encontrarás trabajo.
b. Ya te llamaré.
c. Ya te llegará a ti el turno, ya.

La locución conjuntiva *ya que*, sin embargo, tiene un valor causal y, en ocasiones, aunque es un uso raro hoy en día, condicional, rigiendo en tal caso un verbo en subjuntivo [⟶ § 56.4.2.2]. Uno y otro valor se ejemplifican, respectivamente, en (303a) y (303b):

(303) a. Ya que nadie respondía a nuestras llamadas, decidimos entrar en la casa.
b. Ya que no me case, me han de dar una parte del reino. [*DUE* II: 1562]

Que en estos casos no nos encontramos ante expansiones del adverbio temporal *ya* lo muestra el hecho de que la supresión de la oración subordinada en los ejemplos anteriores, si se mantiene la pausa entre ella y la principal, da lugar a construcciones agramaticales. Si dicha pausa no se mantiene, se pierde, respectivamente, el valor causal y condicional:

(304) a. *Ya, decidimos entrar en la casa.
b. *Ya, me han de dar una parte del reino.
c. Ya decidimos entrar en la casa.
d. Ya me han de dar una parte del reino.

Sin embargo, esta locución no parece estar cohesionada, puesto que pueden coordinarse dos constituyentes encabezados por *que: Ya que no le has dicho nada y que, según parece, no tienes intención de decírselo, es mejor que te vayas*.

Otras locuciones presentan un alto grado de lexicalización. Entre ellas destaca *aunque*, cuyos componentes se han fusionado hasta tal punto que ya no se piensa en ella como una conjunción compuesta. Esta partícula admite dos valores, concesivo y adversativo [⟶ §§ 59.2-3]. En su valor concesivo, el constituyente encabezado por esta partícula puede preceder o seguir a la oración principal, como muestra la gramaticalidad tanto de (305a) como de (305b). Su término puede ser, en ocasiones, un adjetivo, participio o cualquier otro constituyente con valor predicativo, como ocurre en (305c). Esta partícula, asimismo, puede regir tanto indicativo como subjuntivo, según observamos en (305d):

(305) a. Aunque todos le aconsejaban lo contrario, decidió llegar hasta el final.
b. Decidió llegar hasta el final, aunque todos le aconsejaban lo contrario.
c. Aunque {cansado/sin fuerzas}, trabajaba sin parar.
d. Aunque {llueve/llueva}, tengo que ir.

Este tipo de construcciones alternan con otras encabezadas por el adverbio *aun*, seguido de una oración con verbo en gerundio. En estos casos, sin embargo, este adverbio parece estar modificando a la oración en gerundio, puesto que, si bien su presencia ayuda a dejar más claro el valor adversativo, puede ser eliminado sin que la construcción resultante sea agramatical:

(306) a. (Aun) aconsejándole todos lo contrario, decidió llegar hasta el final.
b. (Aun) estando cansado, trabajaba sin parar.

Otras locuciones conjuntivas formadas a partir de un adverbio seguido de *que* son *bien que* y *así que*. En este caso, el adverbio que las origina es modal, por lo que se produce un cambio de significado, no siendo equivalentes el adverbio aislado y la construcción encabezada por la locución conjuntiva. Con respecto a la locución *bien que*, poco usada actualmente, rige subjuntivo; existe, asimismo, la locución adversativa *bien es verdad que*, de significado muy similar, que va seguida de un indicativo. El adverbio *bien*, por otra parte, interviene en la formación de otras locuciones adversativas, como *si bien*:

(307) a. Bien que hubiese grande escasez de provisiones, no nos faltaba lo necesario. [Bello 1847: § 1229]
b. El camino de la derecha es llano, derecho y cómodo; bien es verdad que no le faltan lodazales y ciénagas en tiempo de lluvias. [Bello 1847: § 1229]
c. El camino de la derecha es llano..., si bien no le faltan lodazales y ciénagas en tiempo de lluvias.

La locución *así que*, por otra parte, tiene dos valores, consecutivo ((308a)) y temporal (sucesión inmediata) ((308b)):

(308) a. No pude hablar con él, así que todavía no lo sabe.
b. Así que lo vio, se abalanzó sobre él.

En su valor consecutivo, *así que* puede ser sustituido por *así es que*, de donde probablemente procede, por omisión del verbo copulativo. Respecto al origen de *así es que*, puede verse en él un uso anáforico de *así*, referido a la oración anterior («de esta manera sucede que...»).

9.4.5.3. *Otras locuciones conjuntivas*

Con los patrones examinados en los apartados anteriores no se agotan todos los que podemos encontrar en las locuciones conjuntivas del español. Además de las revisadas en el § 9.4.5.2, existen otras locuciones formadas a partir de adverbios: por combinación de adverbios (*antes no, así como* —§ 9.4.3.2—, *aun cuando* —§ 9.4.3.1—, *cuando no* —§ 9.4.3.1—, *cuanto más, mientras más, tan pronto como* —§ 9.4.3.2—, etc.), por combinación de adverbios y otras partículas (*{*aun/incluso*}* si, ni siquiera si, como que, como para (que), como si, como quiera que —estas cuatro últimas estudiadas en el § 9.4.3.2— *si bien, si más, si no* —estas dos últimas revisadas en el § 9.4.4— etc.) y por coordinación de adverbios o de adverbios y otras partículas (*según y como, según y conforme* —§ 9.2.5.1— *siempre y cuando* —§ 9.4.3.1—, etc.)

También en algunos casos intervienen en la formación de locuciones conjuntivas elementos ajenos a la metaclase de las partículas, fundamentalmente verbos: con formas conjugadas se forman locuciones como *así es que* o *pese a (que)*; sobre la base de un participio en la forma de masculino singular se forman, por último, las locuciones causales *dado que, puesto que, supuesto que* y *visto que*.

9.5. Apéndices: locuciones prepositivas, adverbiales y conjuntivas

I. LOCUCIONES PREPOSITIVAS

1. Formadas según el esquema <nombre + preposición>

camino de (§ 9.2.4.1)
cara a (§ 9.2.4.1)
esquina a (§ 9.2.4.1)
frente a (§ 9.2.4.1)
gracias a (§ 9.2.4.1)
merced a (§ 9.2.4.1)
orilla de (§ 9.2.4.1)
respecto de (§ 9.2.4.1)
riberas de (§ 9.2.4.1)
rostro a (§ 9.2.4.1)
rumbo a (§ 9.2.4.1)

2. Formadas según el esquema <preposición + nombre + preposición> y similares

a) Con nombre sin determinantes ni complementos:

a base de (§ 9.2.4.2)
a beneficio de
a cambio de
a cargo de (§ 9.2.4.2)
a causa de (§§ 9.2.4.2, 9.4.5.2)
a consecuencia de (§§ 9.2.4.2, 9.4.5.2)
a costa de
a criterio de
a cuenta de (§ 9.2.4.2)
a demanda de
a despecho de
a diferencia de
a disposición de
a efectos de
a ejemplo de
a espaldas de (§ 9.2.4.2)
a excepción de (§ 9.2.4.2)
a excusa de
a expensas de (§ 9.2.4.2)
a falta de
a favor de (§ 9.2.4.2)
a filo de (§ 9.2.4.2)
a fin de (§ 9.4.5.2)
a fuer de
a fuerza de
a gusto de
a hombros de
a instancias de
a juicio de
a modo de
a manos de
a mediados de (§ 9.2.4.2)
a merced de
a nivel de
a nombre de
a orillas de
a pesar de (§ 9.4.5.2)
a petición de (§ 9.2.4.2)
a principios de
a propósito de (§ 9.2.4.2)
a punta de (§ 9.2.4.2)
a punto de
a raíz de
a ras de
a razón de
a resultas de
a riesgo de
a ruegos de
a satisfacción de
a semejanza de (§ 9.2.4.2)
a tenor de
a tiempo de (§ 9.2.4.2)
a tiro de
a título de
a través de (§ 9.2.4.2)
a vista de
con arreglo a
con base a
con cargo a
con esperanza de
con excepción de (§ 9.2.4.2)
con ganas de
con idea de (§ 9.2.4.2)
con honores de
con intención de
con menoscabo de
con miras a
con motivo de
con objeto de (§ 9.4.5.2)
con ocasión de
con perjuicio de
con referencia a
con relación a
con respecto a
con rumbo a
con visos de
con vistas a (§ 9.2.4.2)
de acuerdo {a / con (§ 9.2.4.2)
de boca de (§ 9.2.4.2)
de cara a (§ 9.2.4.2)
de conformidad con (§ 9.2.4.2)
de espaldas a
de parte de
de regreso a
de resultas de
de través a
de vuelta {a / de}
en alabanza de (§ 9.2.4.2)
en alas de
en apoyo de (§ 9.2.4.2)
en aras de
en atención a
en base a
en beneficio de (§ 9.2.4.2)
en bien de
en boca de
en brazos de (§ 9.2.4.2)
en busca de (§ 9.2.4.2)
en calidad de
en caso de (§§ 9.2.4.2, 9.4.5.2)
en combinación con
en compañía de
en competencia con
en consideración a
en consonancia con
en contacto con
en contra de (§§ 9.2.3.1, 9.2.4.2)
en contraste con
en cuestión de
en defecto de
en defensa de (§ 9.2.4.2)
en demanda de
en descargo de
en descrédito de (§ 9.2.4.2)
en desdoro de
en detrimento de (§ 9.2.4.2)

en dirección a (§ 9.2.4.2)
en disposición de
en elogio de (§ 9.2.4.2)
en espera de (§ 9.2.4.2)
en expresión de
en favor de
en forma de
en frente de
en función de (§ 9.2.4.2)
en gracia {a / de}
en honor {a / de} (§ 9.2.4.2)
en lugar de (§ 9.2.4.2)
en manos de (§ 9.2.4.2)
en materia de
en medio de
en mitad de
en nombre de (§ 9.2.4.2)
en obsequio a
en obsequio de
en opinión de (§ 9.2.4.2)
en orden a
en pago de
en petición de
en pie de
en poder de (§ 9.2.4.2)
en pos de
en posesión de
en prejuicio de
en presencia de
en prevención de
en pro de
en provecho de
en prueba de
en pugna por
en punto a
en razón {a / de} (§ 9.2.4.2)
en relación {a / con}
en representación de
en seguida de
en señal de
en servicio de
en solicitud de
en son de
en sustitución de
en tiempo de
en torno a / entorno a
en torno de
en trance de
en unión de
en uso de (§ 9.2.4.2)
en vez de
en vías de
en virtud de
en vísperas de
en vista de (§§ 9.2.4.2, 9.4.5.2)
entre medias de / entremedias de
por amor de
por boca de
por causa de
por cima de
por conducto de
por cuenta de
por culpa de
por espacio de
por falta de
por frente de
por indicación de
por intermedio de
por mandado de
por mandato de
por mediación de
por medio de
por miedo a (§ 9.2.4.2)
por mor de
por motivo {a / de}
por obra de
por orden de
por parte de
por razón de (§ 9.4.5.2)
por temor a
por vía de
por virtud de
so capa de (§ 9.2.4.2)
so color de (§ 9.2.4.2)
so pena de / sopena de (§ 9.2.4.2)
so pretexto de (§ 9.2.4.2)

b) Con nombre precedido de artículo:

a la altura de
a la cabeza de
a la derecha de (§ 9.2.4.2)
a la espera de
a la hora de
a la izquierda de
a la manera de
a la medida de
a la orilla de
a la par de
a la usanza de
a la vera de
a la vez de
a la vista de
a la vuelta de
a la zaga de
al abrigo de
al alcance de
al amparo de
al arrimo de
al borde de
al cabo de
al calor de
al compás de
al contacto de
al corriente de
al encuentro de
al estilo de
al exterior de
al filo de (§ 9.2.4.2)
al fondo de
al frente de
al lado de (§ 9.2.4.2)
al mando de
al margen de
al modo de
al objeto de (§§ 9.2.4.2, 9.4.5.2)
al par de
al pie de
al punto de
al principio de
al servicio de (§ 9.2.4.2)
al son de
al término de
al tiempo de
al través de
bajo la protección de
bajo pretexto de
con el fin de (§ 9.2.4.2)
con el pretexto de (§ 9.2.4.2)
con el propósito de
con la diferencia de
con la disculpa de
con (la) idea de
con la mira de
contra la voluntad de
de la mano de
del lado de
del otro lado de
desde la perspectiva de (§ 9.2.4.2)
en el caso de
en el centro de
en el comienzo de
en el exterior de (§ 9.2.4.2)
en el interior de (§ 9.2.4.2)
en el momento de
en el plazo de (§ 9.2.4.2)
en el término de
en la medida de
en la necesidad de (§ 9.2.4.2)
en la urgencia de

c) Con nombre modificado por un adjetivo:

a ambos lados de
al otro lado de
en (íntimo) contacto con

d) <Preposición + {adjetivo/participio} + preposición>

a salvo de

3. Formadas según el esquema <adjetivo/participio + preposición>

conforme a (§ 9.2.4.3)
debido a (§ 9.2.4.3)
junto a (§ 9.2.4.3)
referente a (§ 9.2.4.3)
tocante a (§ 9.2.4.3)

4. Formadas con el pronombre *lo* seguido de adjetivo u oración de relativo

a lo ancho de
a lo largo de (§ 9.2.4.3)
en lo alto de
en lo que se refiere a (§ 9.2.4.3)
en lo que toca a (§ 9.2.4.3)
en lo referente a (§ 9.2.4.3)
en lo tocante a
por lo que respecta a (§ 9.2.4.3)
por lo que se refiere a (§ 9.2.4.3)

5. Formadas con adverbios

a) Adverbio seguido de preposición

fuera de (§ 9.2.4.3)
lejos de (§ 9.2.4.3)

b) <Preposición + adverbio + preposición>

a más de (§ 9.2.4.3)
en cuanto a (§ 9.2.4.3)
por encima de (§ 9.2.4.3)
por entremedias de (§ 9.2.4.3)

6. Formadas por combinación de preposiciones

por bajo de (§ 9.2.4.3)
por contra de (§§ 9.2.4.2, 9.2.4.3)

7. Formadas por combinación de verbo y preposiciones

a juzgar por (§ 9.2.4.3)
a partir de (§ 9.2.4.3)
a pesar de (§ 9.2.4.3)
pese a (§ 9.2.4.3)

8. Formadas con *como* seguido de sustantivo

como consecuencia de (§ 9.2.4.3)
como resultado de (§ 9.2.4.3)

II. LOCUCIONES ADVERBIALES:

1. Formadas por preposición seguida de un elemento nominal o adjetival

a) <Preposición + nombre>

a bocajarro (§ 9.3.3.1)
a caballo (§ 9.3.3.1)
a cántaros (§ 9.3.3.1)
a chorros
a conciencia
a cuestas
a discreción
a disgusto
a empellones
a empujones (§ 9.3.3.1)
a fondo
a garrotazos
a gatas
a golpes (§ 9.3.3.1)
a gritos
a hurtadillas (§ 9.3.3.1)
a machamartillo
a mano
a mansalva
a mares (§ 9.3.3.1)
a miles
a patadas (§ 9.3.3.1)
a penas/apenas
a pie
a plazos
a porrillo
a pulso
a puñados (§ 9.3.3.1)
a puñetazos (§ 9.3.3.1)
a quemarropa
a rachas
a rastras
a regañadientes
a tiempo
a tientas (§ 9.3.3.1)
a tiros
a torrentes
a traición (§ 9.3.3.1)
a trechos
a veces (§ 9.3.3.1)
con anterioridad
con diligencia (con diligencia y tino)
con embeleso
con esmero
con extremo
con facilidad
con fijeza
con frecuencia
con humildad (con humildad y sencillez)
con rabia
con recelo
con seguridad
con tiempo
de día (§ 9.2.3.1, § 9.3.3.1)
de frente
de golpe (§ 9.3.3.1)
de hinojos
de lado
de madrugada (§§ 9.2.3.1, 9.3.3.1)
de memoria
de noche (§§ 9.2.3.1, 9.3.3.1)
de ordinario
de pasada
de paso
de perlas
de pie
de prisa / deprisa
de puntillas
de refilón
de reojo
de repente (§ 9.3.3.1)
de rodillas
de sobra
de sopetón
de veras (§ 9.3.3.1)
de verdad (§ 9.3.3.1)
de tránsito
en abreviatura
en abundancia
en {autobús/avión/coche/tren...} (§ 9.3.3.1)
en broma (§ 9.3.3.1)
en cabeza
en conjunto
en consecuencia
en demasía
en efecto
en exceso
en extremo
en fila (§ 9.3.3.1)
en fin
en jarras
en justicia
en miniatura
en orden (§ 9.3.3.1)
en parte
en pie
en principio
en realidad
en resumen
en rigor
en secreto
en serie (§ 9.3.3.1)
en síntesis
en teoría
en verdad
en vilo
entre medias/entremedias
por añadidura
por casualidad
por contraste
por correo (§ 9.3.3.1)
por excelencia
por fin
por fortuna
por fuerza
por señas (§ 9.3.3.1)
por sorpresa
por ventura
sin cuidado
sin duda (§ 9.3.3.1)
sin fin
sin prisas
sobre manera/sobremanera

b) Con nombre precedido de artículo u otro determinante:

a cada {instante/momento/rato/...} (§ 9.3.3.1)
a la bartola
la birlonga
a la fija
a la greña
a la letra
a la perfección
a la sazón

a la vez
a la vista
a {mis/tus/sus/...} anchas
a {mis/tus/sus/...} ojos
a su vez
a toda marcha
a toda prisa
a todo lujo
a todo trapo
al aire libre
al azar (§ 9.3.3.1)
al cabo
al céntimo
al cuidado
al dedillo
al fin (§ 9.3.3.1)
al galope
al grito (§ 9.3.3.1)
al igual
al instante (§ 9.3.3.1)
al momento (§ 9.3.3.1)
al ñudo
al pairo
al principio
al pronto
al punto
al retortero
al revés
al tiro (§ 9.3.3.1)
con el alba
con el día
con el tiempo
con los años
con mucho gusto
de (todo) corazón
de ninguna manera
de un tirón
de una vez
del revés
en el acto
en la {mañana/noche/tarde...} (§ 9.3.3.1)
en mi entender
en {mi/tu/su...} vida (§ 9.3.3.1)
en el fondo
en otros términos
en un periquete
por aquel entonces
por la {mañana/noche/tarde/...} (§§ 9.2.3.1, 9.3.3.1)
por un casual
por los codos
por mi gusto

c) Con nombre modificado por un adjetivo u otro complemento:

a campo traviesa
a carrera tendida
a duras penas
a grandes rasgos
a media ración
a ojos vistas
a pierna tendida
a primera vista
a ratos perdidos
a renglón seguido
a salto de mata
a sangre fría
con gran sopresa
de buena gana (§ 9.3.3.1)
de mala forma
en grado sumo
en última instancia
en último término
en gran parte
en primer lugar
en su mayor parte
en último término
por término medio
sin lugar a dudas (§ 9.3.3.1)

d) Con coordinación de nombres:

mar y cielo
a tontas y a locas
de puño y letra

e) Con coordinación de sintagmas preposicionales:

al fin y al cabo

f) <Preposición + adjetivo femenino precedido de artículo>

a la antigua (§ 9.3.3.1)
a la buena de dios
a la desesperada (§ 9.3.3.1)
a la disparada (§ 9.3.3.1)
a la {española/francesa/gallega/...} (§ 9.3.3.1)
a la inversa (§ 9.3.3.1)
a la larga (§ 9.3.3.1)
a la redonda
a las cansadas (§ 9.3.3.1)
a las tantas (§ 9.3.3.1)
por la tremenda (§ 9.3.3.1)
por las buenas (§ 9.3.3.1)

g) <Preposición + adjetivo femenino plural>

a ciegas (§ 9.3.3.1)
a derechas (§ 9.3.3.1)
a medias (§ 9.3.3.1)
a oscuras (§ 9.3.3.1)
a secas (§ 9.3.3.1)
a solas (§ 9.3.3.1)

h) <Preposición + adjetivo o participio masculino singular>

a diario (§ 9.3.3.1)
a diestro y siniestro (§ 9.3.3.1)
a menudo (§ 9.3.3.1)
de balde
de cierto
de corrido (§ 9.3.3.1)
de inmediato (§ 9.3.3.1)
de largo
de lleno
de nuevo
de plano
de pronto
de seguido (§ 9.3.3.1)
de seguro (§ 9.3.3.1)
de súbito
de vacío
en absoluto (§ 9.3.3.1)
en abstracto
en balde
en definitiva
en general
en particular
en serio (§ 9.3.3.1)
por alto
por cierto
por completo (§ 9.3.3)
por descontado
por entero

i) <Preposición + *lo* + nombre o adjetivo>

a lo bestia (§ 9.3.3.1)
a lo boticario
a lo bruto (§ 9.3.3.1)
a lo grande (§ 9.3.3.1)
a lo loco
a lo sumo
a lo tonto (§ 9.3.3.1)
a lo vivo
de lo lindo (§ 9.3.3)
de lo más
en lo sucesivo (§ 9.2.3.1)
por lo bajo
por lo común
por lo demás
por lo general
por lo pronto (§ 9.3.3.1)
por lo remoto
por todo lo alto (§ 9.3.3.1)

j) Preposición seguida de otros pronombres:

ante todo
con todo (§ 9.3.3.1)
con todo y con eso (§ 9.3.3.1)
con todo y eso (§ 9.3.3.1)
en eso
en estas
en esto
por poco (§ 9.3.3.1)
sobre todo

k) <Preposición + infinitivo>

a cegar
a más no poder (§ 9.3.3)
a morir
a pedir de boca (§ 9.3.3)
a rabiar
a todo correr (§ 9.3.3.1)
de morirse

l) Preposición seguida de elementos sustantivados de diverso tipo:

al por mayor (§ 9.3.3)
al por menudo
del todo (§ 9.3.3)

2. Locuciones formadas con más de una preposición

a) Con combinación de preposiciones:

de a {buenas/malas} (§ 9.3.3.2)
de a caballo (§ 9.3.3.2)
de a de balde (§ 9.3.3.2)
de a de veras (§ 9.3.3.2)
de a pie (§ 9.3.3.2)
de a poco (§ 9.3.3.2)
de a prisa (§ 9.3.3.2)
de a ratos (§ 9.3.3.2)
de de veras (§ 9.3.3.2)
de por sí (§§ 9.2.3.1, 9.3.3.2)
por contra (§§ 9.2.3.1, 9.3.3.2)
por de pronto (§§ 9.2.3.1, 9.3.3.2)

b) Con preposiciones correlativas:

de cuando en cuando (§ 9.3.3.2)
de dos en dos
de cuando en vez (§ 9.3.3.2)
de día en día (§ 9.3.3.2)
de hora en hora (§ 9.3.3.2)

de la mañana a la noche
de sol a sol (§ 9.3.3)
de trecho en trecho
de un momento a otro
de vez en cuando (§ 9.3.3.2)
de vez en vez (§ 9.3.3.2)

3. Locuciones formadas según el esquema <nombre + preposición + nombre>

a por a y b por b
año tras año (§ 9.3.3.3)
cara a cara (§ 9.3.3.3)
casa por casa (§ 9.3.3.3)
ce por be (§ 9.3.3.3)
cuerpo a cuerpo (§ 9.3.3.3)
curva a curva
día a día (§ 9.3.3.3)
día tras día
frente a frente (§ 9.3.3.3)
hoja a hoja
hora tras hora (§ 9.3.3.3)
mano a mano (§ 9.3.3.3)
mano sobre mano (§ 9.3.3.3)
noche a noche
ojo por ojo (y diente por diente) (§ 9.3.3.3)
pared con pared
poco a poco (§ 9.3.3.3)
punto por punto (§ 9.3.3.3)
uno a uno (§ 9.3.3.3)
uno por uno (§ 9.3.3.3)

4. Locuciones formadas con otros esquemas

a) Sintagma nominal sin preposición:

acto seguido (§ 9.3.3)
cada poco
toda mi vida
un día
un rato
una barbaridad (de) (§ 9.3.3.3)
una miaja (de)
una pizca (de)
la mar (de)

b) <*Lo* + adjetivo>

Lo justo (§ 9.3.3)
Lo indecible (§ 9.3.3)
Lo suyo

c) <Preposición + adverbio>

a más y mejor
de cerca
de siempre
desde luego
desde siempre
desde ya
en adelante
entre tanto (§ 9.3.3)
hasta aquí (temporal)
para entonces
por ahí
por ahora (§ 9.3.3)
por delante
por entonces
por hoy
hoy por hoy
sin más ni más

d) Con preposiciones correlativas y adverbios:

de acá para allá
de aquí para allá

e) Formadas por un sintagma adverbial o por coordinación de adverbios:

después de todo (§ 9.3.3)
más o menos (§ 9.3.3)
más tarde o más temprano
ni más ni menos

III. LOCUCIONES CONJUNTIVAS

1. Formadas según el esquema <preposición + *que*>

A que (§ 9.4.5.1)
Con que/Conque (§ 9.4.5.1)
De que (§ 9.4.5.1)
Desde que (§ 9.4.5.1)
Hasta que (§ 9.4.5.1)
Para que (§ 9.4.5.1)
Porque (§ 9.4.5.1)
Sin que (§ 9.4.5.1)

2. Formadas según el esquema <preposición + nombre + *que*>

A medida que (§ 9.4.5.1)
A menos que (§ 9.4.5.1)
De forma que (§ 9.4.5.1)
De manera que (§ 9.4.5.1)
De modo que (§ 9.4.5.1)
De suerte que (§ 9.4.5.1)
En tanto que (§ 9.4.5.1)
Entre tanto que (§ 9.4.5.1)

3. Formadas según el esquema <preposición + nombre + preposición + *que*>

(Aun) a despecho de (que)
(Aun) a riesgo de (que)
(Aun) a sabiendas de (que)
A causa de (que) (§ 9.4.5.1)
A consecuencia de (que)
A fin de (que) (§ 9.4.5.1)
A pesar de (que) (§ 9.4.5.1)
Al objeto de (que)
Con objeto de (que)
Con tal (de) (que) (§ 9.4.5.1)
En caso de (que) (§ 9.4.5.1)
En vista de (que) (§ 9.4.5.1)
Por razón de (que) (§ 9.4.5.1)

4. Formadas según el esquema <adverbio + *que*>

Ahora que (§ 9.4.5.2)
Así que (§ 9.4.5.2)
Bien que (§ 9.4.5.2)
Como que (§§ 9.4.3.2, 9.4.5.3)
Cuanto más que (§ 9.4.5.2)
Luego que (§ 9.4.5.2)
Mientras que (§ 9.4.5.2)
Siempre que (§ 9.4.5.2)
Ya que (§ 9.4.5.2)

5. Formadas según el esquema <sintagma nominal + *que*>

Cada vez que (§ 9.4.5.2)
Primero que (§ 9.4.5.2)
Una vez que (§ 9.4.5.2)

6. Formadas según el esquema <adverbio + *de* + *que*>

Además de que (§ 9.4.5.2)
Antes (de) que (§ 9.4.5.2)
Aparte de que (§ 9.4.5.2)
Después (de) que (§ 9.4.5.2)
Encima de que (§ 9.4.5.2)
Enseguida (de) que (§ 9.4.5.2)

7. Otras locuciones conjuntivas

a) Formadas con adverbios u otras partículas:

Antes no (§ 9.4.5.2)
Así como (§§ 9.4.3.2, 9.4.5.3)
Aun cuando (§§ 9.4.3.1, 9.4.5.3)
{Aun/Incluso} si (§ 9.4.5.3)
Como para (que) (§§ 9.4.3.2, 9.4.5.3)
Como si (§§ 9.4.3.2, 9.4.5.3)
Cuando no (§§ 9.4.3.2, 9.4.5.3)
Cuanto más (§ 9.4.5.3)
Mientras más (§ 9.4.5.3)
Ni siquiera si (§ 9.4.5.3)
Según y como (§§ 9.2.5.1, 9.4.5.3)
Según y conforme (§§ 9.2.5.1, 9.4.5.3)
Si bien (§ 9.4.5.2)
Si más (§§ 9.4.4, 9.4.5.3)
Si no (§§ 9.4.4, 9.4.5.3)
Siempre y cuando (§§ 9.4.3.1, 9.4.5.3)
Tan pronto como (§ 9.4.5.3)

b) Formadas a partir de formas verbales:

Así es que (§§ 9.4.5.2-3)
Pese a (que) (§ 9.4.5.3)
Dado que (§ 9.4.5.3)
Puesto que (§ 9.4.5.3)
Supuesto que (§ 9.4.5.3)
Visto que (§ 9.4.5.3)

TEXTOS CITADOS

IGNACIO BOSQUE, MAITE RIVERO y JOSÉ ANTONIO MILLÁN (en preparación): *Archivo gramatical de la lengua española de Salvador Fernández Ramírez*, Alcalá de Henares, Instituto Cervantes. [AGLE en el texto]

GABRIEL GARCÍA MÁRQUEZ: *El coronel no tiene quien le escriba*, Madrid, Alianza, 1993.

ANTONIO DE NEBRIJA: *Gramática de la lengua castellana* (1492), ed. de I. Gónzalez-Llubera, Oxford University Press, 1926.

RAFAEL SÁNCHEZ FERLOSIO: *El Jarama*, Barcelona, Destino, 15.ª ed., 1994.

REFERENCIAS BIBLIOGRÁFICAS

ALARCOS LLORACH, EMILIO (1994): *Gramática de la Lengua Española*, Madrid, Espasa Calpe.

ALCINA FRANCH, JUAN y JOSÉ MANUEL BLECUA (1975): *Gramática española*, Buenos Aires, Losada.

ALVAR, MANUEL y BERNARD POTTIER (1983): *Morfología histórica del español*, Madrid, Gredos.

BARTRA KAUFMANN, ANNA y AVEL·LINA SUÑER (1992): «Functional Projections Meet Adverbs», *CatWPL* 2, págs. 45-85.

BELLO, ANDRÉS (1847): *Gramática de la lengua castellana destinada al uso de los americanos*, edición crítica de Ramón Trujillo, Cabildo Insular de Tenerife, 1981.

BOSQUE, IGNACIO (1987): «Constricciones morfológicas sobre la coordinación», *LEA* 9, págs. 83-100.

— (1989): *Las categorías gramaticales*, Madrid, Síntesis.

— (1993): «Preposición tras preposición», en *Homenaje al Profesor Ramón Trujillo*, Tenerife, Editorial Montesinos, págs. 133-155.

BRESNAN, JOAN y JANE GRIMSHAW (1978): «The Syntax of Free Relatives in English», *LI* 9, págs. 331-391.

CALERO VAQUERA, M.ª LUISA (1986): *Historia de la gramática española (1847-1920)*, Madrid, Gredos.

CAMPOS, HÉCTOR (1991): «Preposition Stranding in Spanish?», *LI* 22, págs. 741-750.

CANO AGUILAR, RAFAEL (1982): «Sujeto con preposición en español y cuestiones conexas», en *RFE* 62, págs. 211-258.

CARRASCO, ÁNGELES (1992): «De por qué *cuando* no puede ser considerado relativo», en C. Martín Vide, editor, *Lenguajes naturales y lenguajes formales*, VIII, págs. 245-252.

CHETRIT, JOSEPH (1976): *Syntaxe de la phrase complexe a subordonné temporelle. Étude descriptive*, París, Klincksieck.

CUERVO, RUFINO JOSÉ (1988): «Notas a la Gramática de Andrés Bello», en *Gramática de la lengua castellana destinada al uso de los americanos. Con las notas de Rufino José Cuervo*, estudio y edición de Ramón Trujillo, Madrid, Arco/Libros. [Citado como Cuervo, con referencia a la nota.]

DARDEL, ROBERT DE (1983): *Esquisse structurale des subordonnants conjonctionnels en roman commun*, Ginebra, Librairie Droz.

DOMINICY, MARC (1982): «La evolución del español *hasta* en Hispanoamérica», *ALM* 20, págs. 41-90.

EBERENZ, ROLF (1982): «Las conjunciones temporales del español. Esbozo del sistema actual y de la trayectoria histórica en la norma peninsular», *BRAE* 62: 226, págs. 289-385.

EMONDS, JOSEPH E. (1985): *A Unified Theory of Syntactic Categories*, Dordrecht, Foris.

— (1987): «Parts of Speech in Generative Grammar», *Linguistic Analysis* 17: 1-2, págs. 3-42.

GAATONE, DAVID (1976): «Locutions prépositives et groupes prépositionnels. Observations sur la syntaxe de certains groupes prépositionnels», *Linguistics* 167, págs. 15-33.

— (1980): «Conjonctions et locutions conjonctives en Français», *FoLi* 14:2, págs. 195-211.

GARCÍA YEBRA, VALENTÍN (1988): *Claudicación en el uso de preposiciones*, Madrid, Gredos.

GILI GAYA, SAMUEL (1943): *Curso superior de sintaxis española*, 13.ª edición, Barcelona, Biblograf, 1980.

GÓMEZ ASENCIO, JOSÉ (1981): *Gramática y categorías verbales en la tradición española (1771-1847)*, Ediciones de la Universidad de Salamanca.

— (1985): *Subclases de palabras en la tradición española (1771-1847)*, Ediciones de la Universidad de Salamanca.

GÓMEZ TORREGO, LEONARDO (1995): *Manual de español correcto*, vol. II, Madrid, Arco/Libros, 6.ª edición.

GROSS, GASTON (1981): «Les prépositions composées», en Schwarze, C. (ed.), *Analyse des prépositions*, Tubinga, Niemeyer, págs. 29-39.

— (1988): «Réflexions sur la notion de locution conjonctive», *LFr* 77, págs. 19-36.

GUNNARSON, KJELL-ÅKE (1986): «*Loin de X, près de X et parallèlement a X:* syntagmes prépositionnels, adjectivaux ou adverbiaux?», *FrM* 54:1-2, págs. 1-23.

— (1993): «Expresions of Distance, Prepositions and Theory of Theta-Roles», *Nordic Journal of Linguistics* 16, págs. 3-32.

HEINÄMÄKI, ORVOKKI TELLERVO (1972): «Before», *CLS* 8, págs. 139-151.

— (1974): *Semantics of English Temporal Connectives*, tesis doctoral, University of Texas at Austin.

HERMANN, JEAN (1963): *La formation du systeme roman des conjonctions de subordination*, Berlín, Akademie-Verlag.

HUDDLESTON, RODNEY (1984): *Introduction to the Grammar of English*, Cambridge University Press.

JACKENDOFF, RAY S. (1973): «The Base Rules for Prepositional Phrases», en Anderson y Kiparsky (eds.), *A Festschrift for Morris Hale*, Nueva York, Holt, Rinehart & Winston, págs. 345-356.

— (1977): *X-Bar Syntax: A Study on Phrase Structure*, Cambridge, Mass., MIT Press.

JACOBSSON, BENGT (1977): «Adverbs, Prepositions and Conjunctions in English: a Study in Gradience», *SL* 21: 1, págs. 38-64.

KANY, CHARLES E. (1945): *American-Spanish Syntax*, Chicago, University of Chicago Press. [Citamos por la traducción al español: *Sintaxis hispanoamericana*, versión española de M. Blanco Álvarez, Madrid, Gredos, 1976].

KAYNE, RICHARD S. (1976): «French relative *que*», en M. Luján y F. Hensey (eds.), *Current Studies in Romance Linguistics*, Washington, Georgetown University Press, págs. 255-299.

KENISTON, HAYWARD (1964): *Spanish Syntax List*, Nueva York, Holt, Reinhart & Winston.

LARSON, RICHARD K. (1985): 'Bare-NP Adverbs', *LI* 16: 4, págs. 595-621.

— (1987): «'Missing Prepositions' and the Analysis of English Free Relative Clauses», *LI* 18: 2, páginas 239-266.

— (1990): «Extraction and Multiple Selection in PP», *LingR* 7, págs. 169-182.

LORIAN, A. (1978): «La substantive attelée», *RLiR* 42: 167-168, págs. 324-354.

LYSEBRAATE, HANNEMOR (1982): 'Les constructions en *depuis* en français moderne', *RRo* 17:1, págs. 62-73.

MARCOS MARÍN, FRANCISCO (1987): *Curso de gramática española*, Madrid, Cincel.

MARTÍNEZ, JOSÉ ANTONIO (1977-78): «*Entre tú y yo*: ¿sujeto con preposición?», *Archivum*, 27-28, páginas 381-396. Reeditado en Martínez (1994), págs. 381-396.

— (1981): «Acerca de la transposición y el aditamento sin preposición», *Archivum* 31-32, págs. 493-512.

— (1985): «Las construcciones apositivas en español», en *Philologica Hispaniensia in honorem Manuel Alvar*, Gredos, Madrid, págs. 453-467. Citamos por la versión publicada en Martínez (1994), páginas 173-224.

— (1988): «Sobre una construcción del español, que son dos», *Verba* 15, págs. 265-287.

— (1992): «Tres hipótesis sobre el origen histórico de la 'partícula' *hasta*», en *Actas del II Congreso Internacional de Historia de la Lengua Española*, Madrid, Pabellón de España, págs. 611-630.

— (1994): *Cuestiones marginadas de gramática española*, Madrid, Istmo.

MCCAWLEY, JAMES D. (1988): «Adverbial NPs: Bare or Clad in See-Through Garb?», *Language*, 64, 3, págs. 583-590.

MOLINER, MARÍA (1981): *Diccionario de uso del español,* Madrid, Gredos. [*DUE* en el texto.]

PAVÓN LUCERO, M.ª VICTORIA (1995): *Clases de partículas y estructura de constituyentes*, tesis doctoral, Universidad Complutense de Madrid / Instituto Universitario Ortega y Gasset.

PAVÓN LUCERO, M.ª VICTORIA y YUKO MORIMOTO (1995): «Adverbios locativos del español: perfectividad e imperfectividad en la categoría conceptual de Lugar», en C. Martín Vide (ed.), *Lenguajes naturales y lenguajes formales* XI, págs. 495-502.

PLANN, SUSAN (1986): «Sustantive: A Neutralized Syntactic Cathegory in Spanish», en I. Bordelois, H. Contreras y K. Zagona (eds.), *Generative Studies in Spanish Syntax*, Dordrecht, Foris, págs. 12-142.

— (1988): «Prepositions, Postpositions and Sustantives», *Hispania* 71, págs. 920-926.

POTTIER, BERNARD (1962): *Systematique des éléments de relation*, París, Klincksieck.

RAMAJO CAÑO, ANTONIO (1987): *Las gramáticas de la lengua castellana desde Nebrija a Correas*, Ediciones de la Universidad de Salamanca.

REAL ACADEMIA ESPAÑOLA (1931): *Gramática de la lengua española*, Madrid, Espasa Calpe. [RAE 1931 en el texto.]

— (1973): *Esbozo de una nueva gramática de la lengua española*, Madrid, Espasa Calpe. [RAE 1973 en el texto.]

RIGAU I OLIVER, GEMMA (1990): «The Semantic Nature of Some Romance Prepositions», en J. Mascaró y M. Nespor (eds.), *Grammar in Progress*, Dordrecht, Foris, págs. 363-373.

RIZZI, LUIGI (1988): «Il sintagma preposizionale», en L. Renzi (ed.), *Grande grammatica italiana di consultazione*, cap. 10, Bolonia, Il Mulino.

SÁNCHEZ CARRETERO, FRANCISCO ANTONIO (1986): *Aspectos sintácticos de algunas locuciones prepositivas*, memoria de licenciatura, Universidad Complutense de Madrid.

SECO, MANUEL (1986): *Diccionario de dudas y dificultades de la lengua española*, 9.ª edición, Espasa Calpe, Madrid. [*DDDLE* en el texto.]

VANDELOISE, CLAUDE (1986): *L'espace en français: Semántique des prépositions spatiales*, Editions du Seuil, París. Existe también traducción al inglés: *Spatial Prepositions. A Case Study from French*, Chicago University Press.

10
LAS PREPOSICIONES

JACQUES DE BRUYNE
Rijksuniversiteit Antwerpen y Rijksuniversiteit Gent

ÍNDICE

10.1. Introducción

En otras partes de esta obra se estudian diferentes aspectos de la gramática de las preposiciones, fundamentalmente su relación con otras clases de partículas y los complementos preposicionales que introducen (capítulos 4, 9, 29 y 32). [1] En estos casos, las frases prepositivas complementan a los verbos, los sustantivos y los adjetivos. [2] El objetivo de este capítulo es describir los significados básicos de las preposiciones simples del español, incidiendo en algunos casos en sus variaciones en el uso.

10.2. La preposición *ante*

10.2.1. Lugar

En su función principal, *ante* indica lugar. Puede emplearse en vez de expresiones como *delante de*, *en presencia de* o *frente a*, tanto en sentido físico como figurado. [3]

(1) a. Decenas de polacos hacen cola ante una lechería. [*El País,* 4-XII-1980: 3]
b. Pedro era el hombre con quien soñó ante sus compañeras de colegio. [A. Bryce Echenique, *Tantas veces Pedro,* 137]
c. Misión permanente de Chile ante la Unesco. [Comunicación personal de Jorge Edwards]
d. Juro ante Dios que es verdad cuanto he manifestado. [Marsá 1986: § 7.2.4]

10.2.2. Preferencia (con posibles implicaciones temporales) [4]

Con este sentido, *ante* puede utilizarse en frases como *ante todas (las) cosas* o *ante todo.* Son construcciones fijadas que equivalen a «principalmente», «en primer lugar».

---

[1] No se tratan aquí las preposiciones *a* y *de,* cuyos principales valores y usos se estudian en otros capítulos de esta obra. Sobre la preposición *a,* véase el capítulo 28 para los casos en que aparece precediendo al objeto directo, y los capítulos 24 (expecialmente, el § 24.3.4) y 30 (especialmente, el § 30.3.3) para la preposición *a* que precede al objeto indirecto (sobre el dativo posesivo, véase también el § 15.7.1). Los complementos de régimen verbal introducidos por esta y otras preposiciones se estudian en el capítulo 29, y en el capítulo 56 (§ 56.7.4) se revisan las construcciones finales encabezadas por *a.* Con respecto a la preposición *de,* su uso como preposición introductora de los complementos del nombre se estudia en los capítulos 5, 6, 15 y 33, y como introductora de ciertas aposiciones, en el § 8.4; también puede esta preposición introducir complementos del adjetivo (capítulo 4) y de ciertos adverbios (§§ 9.3.1 y 11.1-2). Sobre el uso de *de* en construcciones comparativas, véase el capítulo 17; para los complementos de régimen verbal, el capítulo 29 y para los complementos predicativos introducidos por esta preposición, el capítulo 38 (§§ 38.2.1.6 y 38.3.4.2). Por último, los casos de queísmo y dequeísmo se revisan en el capítulo 34.

[2] Estos aspectos se abordan, respectivamente, en los capítulos 29; 5, 6 y 15; 4.

[3] Ciertos autores recomiendan incluso esta sustitución, por presentar como ventaja su mayor economía (cf. Marsá, 1986: § 7.2.4). Según Moliner (*DUE* I: 191), con el significado de «delante de» o «en presencia de», «en sentido material se emplea con cierta solemnidad o en lenguaje literario, por ejemplo en frases como *Se prosternó ante el rey* o *Ante mí se extendía un paisaje maravilloso*». Para Alarcos (1994: 216), *ante* es una de las preposiciones que se utilizan con naturalidad en la lengua escrita o cuidada, pero son raras en el uso coloquial, donde «en lugar de *ante* aparece el adverbio *delante (de)*».

[4] Utilizamos esta formulación matizada teniendo en cuenta el comentario de Morera (1988: 343) según el cual «en el universo temporal no se emplea *ante,* sino la locución preposicional correspondiente *antes de*». Sin embargo, no se puede negar cierta referencia temporal a la locución *en primer lugar,* que el *DRAE* 1992: 901 y 1181 menciona como equivalente de «primeramente», y este adverbio se define como «previamente», «anticipadamente», «antes de todo».

10.2.3. Causa

En ejemplos como los siguientes, *ante* podría sustituirse por palabras o locuciones como *por, a causa de,* etc. [5]

(2) a. Ante esa grosera impertinencia, el alcalde le puso una multa de 100 pesetas. [J. A. de Zunzunegui, *La úlcera,* 184]
b. En la foto (...) se los ve eufóricos, excitados ante la idea de beber el whisky y de pisar la casa del millonario yanqui. [J. Edwards, *Persona non grata,* 135]
c. El guardia le reiteró que sería enviado a prisión, ante lo cual el joven cobró miedo. [*ABC,* 10-II-1980: 46]

10.2.4. *Ante* y *contra*

Sobre todo en noticias referentes a acontecimientos deportivos puede encontrarse un empleo de *ante* equivalente a *contra.* [6]

(3) a. España perdió ante Checoslovaquia su pase a la final. [*El Norte de Castilla,* 12-VIII-1989: 33]
b. España pierde ante Yugoslavia. [Oído en TVE, 24-VI-1991]

Aunque este uso de *ante* conlleve fundamentalmente idea de rivalidad o antagonismo, desde una determinada perspectiva está presente el concepto de 'lugar' indicado en el § 10.2.1: los contrincantes se enfrentan en un campo.

10.2.5. Comparación

El *DRAE* (1992: 105) indica que *ante* puede utilizarse con el sentido de «en comparación», «respecto de». Este uso se encuentra sobre todo en frases que conllevan idea de oposición o contraste.

(4) a. Ante este frío, cualquier cosa puede llamarse calor. [Morera 1988: 343]
b. Cualquier otra belleza palidece ante la suya. [*DUE* I: 191]

10.2.6. *Ante* en palabras compuestas

Tanto con valor temporal como de lugar, *ante* figura con frecuencia como prefijo (o prefijoide) en *composita* que pueden pertenecer a distintas categorías de palabras, como por ejemplo: *anteanoche, anteayer, (el) antebrazo, antedatar, antediluviano, (los) antepasados, anteponer, (la) antesala,* etc.

---

[5] Véase también (13c).
[6] En tales casos, en la traducción a otros idiomas se emplearía a menudo un equivalente del español *contra:* alemán *gegen;* francés *contre;* inglés *against;* neerlandés *tegen;* etc.

10.3. La preposición *bajo*

Esta preposición expresa posición o situación inferior; dependencia o sometimiento (también en sentido figurado).

(5) a. Tres grados bajo cero. [RAE 1973: 3.11.5c]
b. Quedó sepultado bajo un montón de arena. [Marsá 1986: § 7.2.5]
c. Bajo tutela. / Bajo pena de muerte. [*DRAE* 1992: 178]
d. Vivió muchos años bajo amenaza de muerte. [Morera 1988: 337]

El significado de «situación inferior» de *bajo* puede desarrollar un sentido 'instrumental' y adquiere entonces matiz causal.

(6) a. Murió bajo las flechas de los indios. [Morera 1988: 340]
b. Cayó bajo los golpes del otro púgil. [Morera 1988: 340]

La locución prepositiva *bajo de* es propia de la lengua literaria y se emplea exclusivamente con el sentido de lugar (posición inferior). [7]

(7) a. Y he venido a vivir mis días aquí, bajo de tus pies blancos. [Gabriela Mistral, *Desolación;* tomado del *DDDLE:* 67]
b. Se oculta su impiedad bajo (de) hermosas apariencias. [VOX 1987: 134] [8]

ABC (1993: 90) censura el uso de *bajo* en frases como *'bajo' la ley que establece la prohibición de...* y recomienda *por la ley que establece...* (con, como variantes, *según, de acuerdo con, de conformidad con, conforme a, a tenor de*). [9]

El *DDDLE*: 67 califica el citado tipo de construcción con *bajo* de 'inadecuado', con la observación de que es típico del español de América y se explica por influjo del inglés. También Morera (1988: 338) menciona dicho empleo (al que atribuye matiz de 'adecuación') como anglicismo y corriente sobre todo en la América hispanohablante, añadiendo que «no faltan ejemplos en el español peninsular».

Asimismo, *ABC* (1993: 90) rechaza las construcciones *bajo el prisma de, bajo el punto de vista* y *bajo la base,* recomendando su sustitución por *a través del prisma de, desde el punto de vista de, sobre la base de.* El *DDDLE*: 67 y 305 comparte la critica mencionada en cuanto a *bajo la base de* y *bajo el prisma de,* pero se muestra menos severo respecto de la expresión *bajo el punto de vista,* advirtiendo que «no es construcción tan descabellada como algunos creen» (pág. 67). Se cita un ejemplo encontrado en Bello 1847, pero termina el comentario con la observación de que «la norma actual prefiere *desde el punto de vista*» (pág. 67). Según Moliner (*DUE* I: 330), se usa a veces *bajo el punto de vista* por *desde el punto de vista,* pero «la legitimidad de esta expresión es discutida». Morera (1988: 335) cita expresiones del tipo comentado aludiendo a las críticas que acaban de mencionarse, pero con la observación de que el empleo de *bajo* no ha de considerarse impropio.

ABC (1993: 121), por último, censura la locución *bajo el pretexto de* y señala como aconsejable *con el pretexto de* o *so pretexto de*.

10.4. La preposición *cabe*

Cabe significa «junto a», «cerca de».

---

[7] Véase el § 9.2.3 de esta obra. También el *DDDLE*: 67.
[8] En la obra citada se señala que el uso de la preposición *de* se explica por contaminación con la expresión *debajo de*.
[9] En el mismo sentido, Efe 1985: 103.

(8) a. Vive en la plaza mayor, cabe la iglesia. [Marsá (1986: § 7.2.6)]
b. (El verdadero Alicante no es) el que está cabe los aledaños de Valencia. [Azorín, *Confesiones;* tomado del *DDDLE*: 78]

En el español moderno, *cabe* se emplea muy rara vez. Se considera voz anticuada que se encuentra tan sólo en la lengua literaria (aunque con escasa frecuencia) y en algunas zonas rurales. [10] Puede, asimismo, utilizarse con función estilística. [11]

Seco (*DDDLE:* 78) señala el empleo incorrecto de *cabe a,* probablemente por influjo de *junto a* (señala un ejemplo de A. Álvarez Solís, *Destino: Nosotros suponemos a su elector cejijunto cabe a las urnas*) [⟶ § 9.2.4.1].

10.5. La preposición *con*

10.5.1. Compañía, colaboración, concurrencia, reciprocidad [⟶ §§ 23.3.3 y 38.2.1.6]

(9) a. Vino con mi padre. [*DDDLE:* 108]
b. Sus hijos trabajan con él en la labor de la tierra. [Morera 1988: 413] [12]
c. Era tan frugal que sólo comía pan con queso. [Marsá 1986: § 7.2.7]
d. Me escribo con ella. [*DUE* I: 704]

Donde significa «concurrencia», *con* puede utilizarse con el significado de «{en/a} casa de», «{en/a} la tienda de», etc. [13] Este valor es frecuente sobre todo en el español de América.

(10) a. Me voy cansado de mi residencia en este lugar y cada día siento más deseo de volverme con usted. [Juan Valera, *Pepita Jiménez;* tomado de Morera 1988: 406]
b. Pedro jamás regresó con ella. [Juan Rulfo, *Pedro Páramo,* 23]
c. Llévenme con Fernanda —alcanzó a decir. [G. García Márquez, *Cien años de soledad,* 238]
d. ¿Dónde compraste eso? —Con don Darío. [*DDDLE*: 108]

---

[10] Véanse *DUE* I: 438, *DDDLE*: 78, RAE 1973: 3.11.5d, Marsá 1986: § 7.2.6, *El País* 1993: 121 (con la observación de que «actualmente se usa poco en los medios de comunicación», comentario que, por el empleo de *poco,* parece menos radical que el de las fuentes citadas anteriormente). Alarcos (1994: 215) califica a *cabe* de «arcaizante» y cita, en nota, una frase encontrada en Ortega y Gasset precedida del comentario: «resulta ligeramente afectada, o con intención irónica». Tres datos significativos respecto de la rareza del empleo de esta palabra son que 1) ya en 1847, Bello (1847) consideró a *cabe* en su gramática como «enteramente anticuada» (pág. 336), 2) es la única preposición que cita sin ejemplo la RAE (1973: § 3.11.5d) y 3) en una obra exhaustiva como la de Morera (1988: 143 y ss.) (en cuyo título figura significativamente la expresión *español moderno*) la partícula no se recoge en la sustancial *Tercera Parte,* en la que se examinan detalladamente los distintos valores y funciones de las preposiciones.

[11] Como se deduce de ciertos comentarios del tipo de 'arcaísmo deliberado' (RAE 1973: § 3.11.5d) y «en alguna obra literaria de gusto arcaizante» (Marsá 1986: 160).

[12] El autor observa que «con el verbo *trabajar,* el sentido de 'colaboración' se trueca por el de 'fin'-v. gr. *El jornalero trabaja con don Salvador*» (Morera 1988: 413).

[13] Alemán *bei,* francés *chez,* inglés *by, near, with,* neerlandés *bij.*

Puede mencionarse en este apartado la estructura para con, que indica una modalidad peculiar de 'compañía' o 'acompañamiento': *Era bueno para con sus nietos* (Morera 1988: 427) [→ § 9.2.3].

10.5.2. Instrumento, medio o modo, aportación

(11) a. Se defendió con el puñal. [*DDDLE:* 108]
b. El éxito sólo se consigue con esfuerzo. [Marsá 1986: § 7.2.7]
c. Con mucho gusto. [*DUE* I: 704]
d. Contribuía con el cuarenta por ciento. [Miguel de Unamuno, *Paz en la guerra;* tomado de Morera 1988: 411]

En este apartado puede incluirse un sintagma como *cumplir con,* donde, como advierte Morera (1988: 414), la preposición «desarrolla el sentido de *actuar conforme a»: cumplir con su deber* [→ § 29.2.1.4].

10.5.3. Contenido o adherencia

(12) a. Un barco con víveres. [*DDDLE:* 108]
b. Un vestido con adornos. [*DUE* I: 704]

10.5.4. Causa

(13) a. Se desgasta con el roce. [*DUE* I: 704]
b. Me desperté con el alboroto. [Morera 1988: 429]

También puede interpretarse la función de *con* como causal en una frase como la siguiente, en que la preposición parece equivaler a *por* (como introductor de complemento agente). [14]

(14) El presidente del Real Madrid, ante la delicada situación creada *con* las declaraciones de Gil, reunió el pasado martes a su función directiva. [*El País,* 4-II-1988; tomado de Körner 1989: 160 [15]]

10.5.5. *Con* y *contra*

Un valor comparable al de *ante* señalado en el § 10.2.4 tiene la preposición *con* en frases como las siguientes:

[14] Refiriéndose a Bolivia, Kany (1945: 406) menciona como «empleo antiguo» un uso de *con* «como sustituto del moderno *por»,* señalando los siguientes ejemplos:

(i) Hágame pegar con su hijo.
(ii) Con esa vieja se había hecho conquistar.

En todos los ejemplos señalados por el autor se trata de un complemento agente animado.

[15] Véanse también los comentarios y otros ejemplos aducidos por el autor.

(15) a. Y el día que perdamos con Portugal aquí habrá que matar a alguien. [E. Romero, *La paz empieza nunca,* 310]
b. Boris Becker perdió con Schapers en el Open de Australia. [*Diario 16,* 29-XI-1985: 46]
(El contexto enseña que Becker perdió 'contra' el holandés; rigurosamente hablando, la frase citada podría aludir también a un partido de tenis de dobles, perdido por la pareja Becker/Schapers.)

Este uso de *con* se explica tal vez por una asociación inconsciente que se establece con expresiones como *jugar con, un partido con,* etc.

10.5.6. *Con* por *a*

Típico de algunas regiones del español de América [16] es el uso de *con* por *a* tras verbos como *presentar, recomendar, quejarse, llevar, venir, ir, llegar, volver, mandar* y semejantes.

(16) a. ¿Me puedes presentar con él? [Kany 1945: 405]
b. Llévame con él [Kany 1945: 404] [17]

Seco *(DDDLE)* advierte que este uso también se da esporádicamente en la lengua vulgar de la Península: *Recomiéndame con tu tío* (*DDDLE:* 109) [→ §§ 29.2.2 y 29.5].

10.5.7. <*Con* + infinitivo>

Seguido de infinitivo, *con* equivale a menudo a *aunque* y tiene entonces valor adversativo o concesivo [→ §§ 36.3.4.7 y 59.5.1.2].

(17) a. ¡No me han arruinado las mujeres, con haberlas amado tanto! [R. M.ª del Valle-Inclán, *Luces de Bohemia*, 134]
b. Quiero dar a entender con esto que el hecho de querer ser escritor, con ser importante, no lo es todo. [M. Delibes, *Vivir al día,* 150]

<*Con* + infinitivo> también puede expresar valor modal, con lo cual tenemos una variante sintáctica peculiar de la función mencionada antes en el § 10.5.2. Cuando este sentido se combina con un matiz temporal-condicional, como sucede en (18b), la construcción implica idea de limitación, significando algo así como «basta con», «hay solamente que». Como variante enfatizante puede utilizarse *con sólo* (o, más raramente, *sólo con* o *sólo),* según se ejemplifica en (18c):

(18) a. Ángel me decía: «Come; con no comer no arreglas nada». [M. Delibes, *Cinco horas con Mario,* 18]

---

[16] Kany (1945: 404) indica sobre todo México y la América Central.

[17] Kany (1945: 404) opina que «el uso de *con* tal vez provenga del deseo de distinguir más fácilmente entre el complemento directo y el complemento indirecto o entre el complemento con *a* para expresar movimiento y el complemento directo personal introducido por una *a* —es decir, un deseo de evitar la ambigüedad y a menudo la cacofonía provocada por dos *aes* seguidas».

b. Con dar la vuelta a la esquina, verá usted la zapatería. [Pío Baroja, tomado de Coste y Redondo 1965: 476]
c. Desde el primer momento, con sólo ver el aspecto de la habitación, se había sentido extraño. [J. M.ª Gironella, *Los cipreses creen en Dios,* 217]

10.5.8. Observaciones

ABC (1993: 87) recomienda el uso de *con* en expresiones donde se emplea a veces otra preposición; así, *con la mayor brevedad* y *con objeto de,* frente a *a la mayor brevedad* y *al objeto de,* respectivamente. [18]

En la construcción usual, los verbos *soñar* y *contar* seleccionan *con.* Sin embargo, puede encontrarse también *soñar en* [19] y en varios países de lengua española se utiliza a veces *soñar* como transitivo, en frases como *Me soñaste* en vez de *Soñaste conmigo.* [20] Morera (1988: 387) advierte que el verbo puede encontrase como transitivo, pero sólo si el objeto directo es una oración, como en *Soñé que me querías.* [21]
En el español peninsular, el verbo *obsequiar* no se construye con un objeto directo de cosa, sino que rige la preposición *con.* En cambio, en la modalidad americana esta estructura es de uso corriente. [22]

(19) a. Obsequiar a alguien con unas flores. [*DDDLE:* 275]
b. Él me obsequió este libro. [Kany 1945: 407]

De una manera general, en la lengua coloquial se nota a veces una omisión de *con,* así como de otras preposiciones. [23]
Morera (1988: 408) observa que «con el verbo *ser* como regente, si el atributo denota relación interpersonal —p. ej. *amigo, primo, hermano,* etc.— y el régimen es un nombre personal, la noción de 'acompañamiento positivo' de *con* desarrolla el sentido 'relación afectiva o de consanguinidad'».

(20) a. Julio es compañero con mi sobrino. [Morera 1988: 408]
b. Es hermano con fulano. [Morera 1988: 408]

Kany (1945: 314), por último, señala el uso de *con* en frases del tipo *Cantamos con él* (con el significado de «él y yo cantamos») en las que se atribuye a *con* el valor conjuntivo de *y* [→ §§ 9.2.6.3 y 41.2.6.4].

10.6. La preposición *contra*

Contra indica hostilidad, oposición o contrariedad en sentido recto o figurado.

---

[18] Véase también lo dicho antes en el § 10.3 acerca de *con el pretexto de.*
[19] Cf. *DDDLE*: 349 y, sobre todo, las observaciones de Morera (1988: 386) acerca de las diferencias semánticas que implica el uso de ambas preposiciones.
[20] Cf. Kany 1945: 19, 23 y 407.
[21] [Sobre las variaciones en el régimen de este verbo, véase también el § 29.2.2.4.]
[22] Morera (1988: 424) se refiere a «parte de Hispanoamérica» sin más precisión. Kany (1945: 406-407) no establece la restricción mencionada y cita ejemplos de la región del Río de la Plata, Chile, Colombia, El Salvador, Guatemala y México.
[23] Cf. Vigara Tauste 1992: 209-212.

(21) a. Se hizo famoso por su lucha contra el invasor. [Marsá 1986: § 7.2.9]
b. Fui allí contra mi voluntad. [*DUE* I: 747]
c. Compramos en la farmacia unas pastillas contra la gripe. [Morera 1988: 243]

También puede implicar esta preposición un matiz locativo. En tal caso expresa la posición de una cosa apoyada en otra vertical o equivale a «enfrente de» o «mirando hacia».

(22) a. El ladrón apoyó la escalera contra el muro exterior. [Marsá 1986: § 7.2.9]
b. Esta habitación está contra el Norte. [RAE 1973: 3.11.5.j]

En el español americano también puede expresar lugar. Kany (1945: 407) lo menciona con el valor de «junto a»,[24] con la observación de que con esta función se encuentra asimismo en la España provincial (Salamanca y León).

Contra puede significar «a cambio de».

(23) Entrega de un objeto contra recibo. [*DRAE* 1992: 391]

Por último, en una frase como la siguiente tiene aparentemente sentido temporal (aproximativo). Por el contexto en que figura dicho uso (no frecuente), parece propio de regiones rurales.

(24) —¿Lloverá?
El hombre estiró los labios.
—De momento, no. Contra la tarde es posible que truene. [M. Delibes, *El disputado voto del señor Cayo,* 62]

10.7. La preposición *desde*

Desde indica principio de tiempo o lugar, en sentido recto o figurado [→ § 48.7].

(25) a. Desde el mes pasado no le he visto. [*DUE* I: 928]
b. Está aquí desde ayer. [Moreno de Alba 1992: 355]
c. Desde Madrid hasta Aranjuez hay siete leguas. [Morera 1988: 249]
d. Desde el primero hasta el último. [*DDDLE:* 143]

En los casos citados podría encontrarse *de* en vez de *desde,* pero entonces se perdería la noción de extensión «a partir de un punto inicial absoluto», como advierte Morera (1988: 248-249).

Digno de observación es un uso curioso de *desde,* típico del español americano, en casos donde la palabra no tiene ningún valor semántico.

[24] El autor señala que «a menudo en los poetas gauchescos» y «también en otras regiones» (Kany 1945: 407), sin mayor precisión. Para Chile, indica un uso de *contra* como equivalente de *para* y *en* (con el comentario de que el último significado «se halla también en otras partes» —misma pág.—).

(26) a. Llegó desde ayer. [Moreno de Alba 1992: 355] [25]
b. Desde el lunes llegó. [Lapesa 1980: 592] [26]
c. El tomo se publicó desde abril. [Kany 1945: 421]

10.8. La preposición *en*

10.8.1. Lugar

10.8.1.1. *En* es una preposición de coincidencia espacial en sentido amplio.

(27) a. Cenaré en casa. [*DUE* I: 1091]
b. Guarde el dinero en la caja fuerte. [Marsá 1986: § 7.2.14]

Con sentido de lugar se encuentra también en secuencias en las que se elide el nombre de lugar y se menciona el posesor o el acompañante. [27]

28 a. Estaba medio pensionista en las monjas del Sagrado Corazón. [J. A. de Zunzunegui, *Ramón o la vida baldía,* 100]
b. ¿Cómo dices?... ¿Que estuviste en la modista? También yo. [*La Codorniz. Antología 1941-1944,* 168]
c. Cenamos con los hermanos Peña y sus mujeres *en Juanito Kojúa.* [M. Delibes, *Un año de mi vida,* 165] («... en el restaurante de...»)

10.8.1.2. Sabido es que con verbos de movimiento se utiliza generalmente la preposición *a.* [28] Tratándose de verbos que denotan penetración (como *entrar, ingresar, meter(se), penetrar,* etc.), la situación es matizada. En el español europeo se utiliza principalmente la preposición *en,* (29a, b), mientras que en la América hispanohablante se prefiere *a,* (29c, d). [29]

(29) a. Entró en la iglesia. [RAE 1973: 3.11.5i]
b. Penetrar en la casa. [*DDDLE:* 286]
c. Cuando los nazis entraron a París. [P. Neruda, *Confieso que he vivido,* 66]
d. Métanse ustedes dos a mi cama, le dijo a Céline. [A. Bryce Echenique, *Tantas veces Pedro,* 103]

---

[25] Según este lingüista mexicano, la presencia de *desde* se debería a que con ello se desea hacer hincapié en el tiempo transcurrido a partir de la acción. Cf., en el mismo sentido, Kany 1945: 421.

[26] Lapesa señala que dicho uso se encuentra en México, América Central y Colombia y observa que se halla un empleo parecido en un texto de Santa Teresa de 1580.

[27] Equivalen al alemán *bei,* francés *chez,* inglés *by, near, with,* neerlandés *bij.* Sin embargo, en una frase como la siguiente no sería posible dicha traducción: *Estuve en los toros* [M. Delibes, *Un año de mi vida,* 52].

[28] Absolutamente inusual hoy es una construcción como *ir en casa de alguno* por *ir a casa de alguno.* El *DDDLE*: 88 observa que la frase con *en* es un uso muy antiguo que se conserva en el habla popular y rústica. Véanse también Morera 1988: 366, Gili y Gaya 1943: § 191 y Vigara Tauste 1992: 285.

[29] Sin embargo, no parece tratarse de una regla absoluta. En una obra del autor uruguayo Juan Carlos Onetti leemos: *A las nueve y cuarto entró en el dormitorio* [*Dejemos hablar al viento,* 20]. Es verdad, sin embargo, que Onetti vivió mucho tiempo en España y sería interesante poder averiguar dónde residía el autor cuando escribió el libro citado. También en textos antiguos españoles se encuentra *entrar a.*

e. El reconocimieto médico es al viejo estilo: tocar timbre, *entrar a* una sala de espera y someterse a cinco horas de exámenes médicos. [*Cambio 16,* 21-V-1978, 109]

Como muestra (29e), no obstante, también en el español europeo es posible encontrar *entrar a,* pero con un matiz especial de dirección, es decir, que alude al comienzo de la acción de entrar. [30]

10.8.1.3. Un problema peculiar de competencia entre las preposiciones *a* y *en* se plantea en frases en las que se halla un complemento adverbial de lugar que en principio no implica movimiento, pero relacionable con un verbo o construcción donde sí puede sobreentenderse dicho concepto.

(30) a. La fui a despedir al aeropuerto. [J. Goytisolo, *En los reinos de Taifa,* 42]
b. ¿Qué vienes a buscar a esta casa? [A. Casona, *La dama del alba,* 146]
c. Quiero invitarte a dormir a mi casa. [J. Rulfo, *Pedro Páramo,* 49]

El empleo de la preposición *a* con verbos o expresiones que no denotan movimiento y que normalmente se construyen con *en* (*despedirse en un aeropuerto, buscar algo en una casa, dormir en la casa de alguien,* etc.) se explica por una especie de 'atracción' ejercida por un verbo de movimiento utilizado anteriormente en la frase (en (30c) la idea de desplazamiento es implícita). Sin embargo, el uso de *a* en vez del *en* esperable no es obligatorio, como se evidencia en los ejemplos siguientes.

(31) a. Mira, vamos a terminar de discutir esto en mi cuarto. [C. Laforet, *Nada,* 207]
b. Casilda se marchó a vivir definitivamente en París. [J. Donoso, *La misteriosa desaparición de la marquesita de Loria,* 196]

El empleo de *a* puede relacionarse con la construcción de la frase, según la forma en que el hablante ordena el mensaje. Así, por ejemplo, en el caso mencionado de (31a) sería obligatoria la preposición *a* si el complemento de lugar se colocara inmediatamente detrás del verbo de movimiento: *Mira, vamos a mi cuarto a terminar de discutir eso* (en tal caso, *a mi cuarto* sería complemento de *vamos,* mientras que, en (31a), *en mi cuarto* es complemento de *discutir*) [→ §§ 36.3.4.4, 41.1.5.1 y 51.3.2.1].

10.8.1.4. También se emplea *en* con verbos del tipo *acostarse, caer, sentarse, tumbarse,* etc., que expresan el término de un movimiento.

(32) a. Me sentaré en un banco.
b. El niño se acostó en la cama de sus padres.

---

[30] Véase al respecto *DDDLE* 1986: 177, con la observación de que «la construcción con *a* es muy antigua» (con sólo un ejemplo del *Poema del Cid,* v. 12). Moliner (*DUE* I: 1145) menciona la construcción <*entrar a* + infinitivo> con el sentido de principiar: *entrar a reinar.*

c. Tumbarse en un sofá.
d. Cayó en tierra. [*DDDLE*: 170] [31]

10.8.1.5. Matiz de movimiento se expresa asimismo en frases formadas con *dar en,* como *El aire me da en la cara, Mi hermano ha dado en esas manías,* así como en verbos que indican cambio de estado o situación, como *cambiar, convertir, mudar, transformar*, etc. [32]

10.8.2. Tiempo

10.8.2.1. *En* indica el tiempo durante el cual ocurre una acción [⟶ § 48.1.2.2].

(33) a. Hizo el trabajo en dos horas. [Marsá 1986: § 7.2.14]
b. Nació en 1920. [*DDDLE:* 170]

El *DDDLE*: 170-171 advierte que *en la mañana, en la tarde, en la noche* son construcciones normales en América, frente a las de España *por la mañana, por la tarde, por la noche,* con la observación de que el uso de *en* era normal en el español clásico [⟶ § 9.3.3.1].

Efe (1985: 119) censura el uso de *en* en frases donde se indica un lapso de tiempo, del tipo *Vuelvo en quince minutos,* y recomienda *dentro de* o *antes de.* [33] En realidad, el uso del giro se hace cada día más frecuente y a algunos les podría parecer cuestionable el rechazo de la construcción recriminada. En el ejemplo siguiente, de autor americano (chileno) se observa la combinacion de *en* y *más:*

(34) Creí que ya te habías ido —dijo ella.
Me voy en dos horas más —dijo Juan José. [J. Edwards, *Persona non grata,* 26]

10.8.2.2. Una combinación del tipo <*en (+ todo)* + sustantivo que indica un lapso de tiempo *(año, día, mañana, noche, vida...)*> siempre indica negación [⟶ § 48.1.2]. Suele anteponerse al verbo y (como es el caso para palabras negativas como *nada, nadie, ninguno, nunca,* etc. colocadas delante del verbo) se utilizan sin la partícula *no*.

(35) a. En toda la tarde agarró una rata. [M. Delibes, *Las ratas,* 73]
b. En tu vida has trabajado, Pedro. [A. Bryce Echenique, *Tantas veces Pedro,* 134]
c. Casi me respondió: «En la vida», que es una forma habanera de declarar que nunca se ha oído y mucho menos conocido a semejante persona. [G. Cabrera Infante, *La Habana para un infante difunto,* 545-546]

---

[31] El autor observa que podría decirse también *cayó a tierra,* pero aludiendo al movimiento y no a su final.
[32] Cf. Morera 1988: 369-371, con más comentarios y ejemplos [⟶ §§ 29.2.1.3 y 29.2.2.3].
[33] En el mismo sentido, el *DDDLE*: 170 señala que se trata de una construcción influida por el inglés, que conviene evitar en favor de la claridad y la exactitud (*en* significaría «durante»; *dentro de* es «al cabo de») y que está más extendida en América que en España.

Una construcción comparable puede utilizarse en complementos adverbiales que indican lugar.

(36) a. En parte alguna se le puede encontrar. [Bello 1847: 322]
b. En el mundo se ha visto una criatura más perversa. [Bello 1847: 322]

También la locución adverbial modal *en absoluto* (con *absolutamente* como variante americana) se emplea frecuentemente con valor negativo.

(37) a. Dices, por ejemplo, que soy perezoso. En absoluto. [Luis Buñuel, *Mi último suspiro*, 75]
b. ¿Tienes veinte pesos que prestarme? —Absolutamente. [Kany 1945: 518]

En el habla popular de muchas regiones americanas se omite la preposición *en* delante de sustantivos como *ocasión, momento, instante,* etc. [—> § 9.3.1.3].

(38) a. Esta ocasión eché el resto. [*DDDLE:* 17]
b. Dos moscas que pasaban ese momento. [*DDDLE:* 17]

10.8.3. Modo, manera, medio o instrumento

(39) a. Conserva la ropa en naftalina. [Marsá 1986: § 7.2.14]
b. Pimientos en vinagre. / Trucha en adobo. [Morera 1988: 380-381]
c. Hablar en español. / Viajar en tren. [*DDDLE*: 170]

Este mismo significado aparece en locuciones adverbiales como *en broma, en confianza, en conjunto, en cueros, en fila, en general, en huelga, en mangas de camisa, en orden, en particular, en secreto, en serie,* etc. [34]

En la lengua literaria se encuentra a veces un giro que consiste en un uso de *en* por *como* (delante de sustantivos que indican cargo, profesión, etc.):

(40) Vive en príncipe. [*DDDLE:* 171] [35]

Valor modal se halla también en frases en realidad elípticas donde hay que sobreentender *el papel de,* como por ejemplo en anuncios de películas del tipo *Lucía Bosé en George Sand, Christopher Sandhorst en Frédéric Chopin* (*en* = «en el papel de»). [36]

Como relacionados con los matices indicados pueden citarse los conceptos de forma o formato, precio, especialidad o aspecto, así como materia.

---

[34] *ABC* (1993: 102-103) desaconseja el uso de una serie de expresiones con *en.* Se menciona una serie de ellas a continuación, con algunas de las construcciones recomendadas entre paréntesis: *a base de (tomando como base), en calidad de (como), en conformidad con (de conformidad con), en orden a (para), en profundidad (profundamente, a fondo), en razón de (debido a, a causa de), en solitario* (uso superfluo de *en*), etc. Las locuciones adverbiales formadas a partir de un sintagma preposicional son estudiadas, en esta misma obra, en el § 9.3.3.1.

[35] Señala el autor que se trata de un galicismo. Sin calificarlo como tal, Morera (1988: 397) señala también algunos ejemplos de este uso.

[36] Cf. De Bruyne 1993: 317.

(41) a. El cuchillo termina en punta. [Marsá 1986: § 7.2.14]
b. Le vendí mi cronómetro en ciento noventa pesos. [P. Baroja, *Los pilotos de altura,* 171]
c. Perito en la materia. / La supera en belleza. [*DDDLE:* 170]

El uso de *en* para denotar materia no es el más normal en español. Esta noción corresponde a la preposición *de,* es decir, que hablaremos de *un vestido de lana, una estatua de bronce, un cubo de plástico,* más bien que de *un vestido en lana,* etc. No obstante, en algunos casos, por motivos de claridad, será conveniente el empleo de *en,* como *botella de un litro en plástico, bolsa para la compra en nylon,* etc. [37]

10.8.4. <*Confiar, creer, esperar...* + *en*>

En se emplea con verbos que significan «aplicar o fijar el pensamiento en algo» o que denotan indecisión, como *confiar, creer, meditar, pensar, reflexionar..., dudar, vacilar,* etc. [→ §§ 29.2.1.3 y 29.2.2.3].

(42) a. Dejó de creer en Dios siendo muy joven. [Marsá 1986: § 7.2.14]
b. Vacila en aceptar el contrato. [*DUE* II: 1431]

Obsérvese que muchos de estos verbos pueden usarse como transitivos o construirse con otra preposición, generalmente con cambio de sentido más o menos importante. Así, por ejemplo, *creer a mi hermano* significa otorgarle crédito en lo que dice, mientras que *creer en mi hermano* expresa una creencia mucho más extensa, que abarca no sólo lo que dice, sino también su talento, su rectitud, todo el complejo de sus cualidades. [38]

Adviértase que en varios países hispanohablantes de América, *pensar* puede utilizarse como transitivo, en construcciones como *Te pienso mucho,* en vez de *Pienso mucho en ti.* [39] No es imposible encontrar construcciones parecidas en el español europeo: *¿Y no pensaste nunca irte cura?* [C. J. Cela, *Mazurca para dos muertos,* 102]. En cambio, el uso de *pensar* transitivo donde equivale a *creer* no plantea esta clase de problema: *Lo pienso también, Pensaba que estabas enfermo.* Sobre *soñar en,* véase lo dicho antes en el § 10.5.8.

10.8.5. <*En* + {gerundio/infinitivo}>

Sabido es que el infinitivo [→ § 36.3.4] puede construirse con diferentes preposiciones (*a, de, en por, sin,* etc.). En cambio, el gerundio [→ § 53.3-4] sólo puede combinarse con *en.*

La estructura <*en* + gerundio>, llamada a veces 'gerundio preposicional', [40] en la lengua antigua denotaba simultaneidad (matiz presente también en (43c)). En el español moderno indica anterioridad inmediata (RAE 1973: § 3.16.6c).

---

[37] Comentario y ejemplos del *DDDLE*: 170.

[38] Ejemplo y comentario de Gili y Gaya (1943: § 191). Véase también Morera 1988: 385-386 y 389.

[39] Cf. Kany 1945: 23.

[40] Véase, para esta problemática, De los Mozos 1973. En realidad, el término es algo ambiguo, puesto que también se utiliza para indicar otra construcción, completamente distinta, del tipo *Vivo pasando la catedral* (que equivale a *Vivo tras la catedral* —ejemplo y comentario de Gili y Gaya (1943: § 149)—. Véase también el apartado «Gerundio preposicional» en Martínez Amador 1961: 687.

(43) a. En llegando el verano, don Evaristo se ponía una chaqueta blanca. [J. M. Pemán, *Ensayos andaluces,* 179]
b. En dorándose, a la boca. [A. Cunqueiro, *La cocina cristiana de occidente,* 38]
c. En llegando al pueblo hube mucha soledad. [J. A. Vallejo-Nágera, *Concierto para instrumentos desafinados,* 18]

Aparte de esta función temporal, en el español actual <*en* + gerundio> se encuentra con una relativa frecuencia con valor condicional, a veces también causal o restrictivo.

(44) a. En teniendo con qué alimentarnos y con qué cubrirnos, estemos contentos. [M. Delibes, *Cinco horas con Mario,* 47]
b. Lo único que tengo es gaseosa para los jóvenes, en no queriendo. [R. Sánchez Ferlosio, *El Jarama,* 22]
c. (El matrimonio) Es cosa de quererse. Y, en habiendo esto, todo lo demás sale sobrando. [Juan Rulfo, *Pedro Páramo,* 58]
d. En sabiendo que están bien y contentos, ya tengo bastante. [*DUE* I: 1394]

Por otra parte, mediante la construcción <*en* + infinitivo> se forman oraciones adverbiales modales.

(45) a. Gastó tres minutos en contárselo todo. [Marsá 1986: § 7.2.14]
b. No hay inconveniente en concederlo. [RAE 1973: 3.11.5i]

10.9. La preposición *entre*

10.9.1. Situación o estado

Entre denota situación en medio de dos o más personas, animales o cosas, tanto en sentido material como figurado [⟶ § 1.4.5.1].

(46) a. Sentamos al invitado entre el presidente y su esposa. [Marsá 1986: § 7.2.15]
b. El toro cruzó entre las dos vallas. [Morera 1988: 348]
c. Se sentía entre la espada y la pared. [Marsá 1986: § 7.2.15]

Cuando en el término de esta preposición se combinan un pronombre personal de primera o segunda persona y un sustantivo, la lengua antigua prefería las formas *mí* o *ti.* Actualmente, sin embargo, se tiende a usar siempre el nominativo, al igual que cuando se combinan dos pronombres [⟶ § 41.2.3.2].

(47) a. Pongo perpetua enemistad entre ti y la mujer. [*Biblia, Génesis,* 3, 15; tomado de *DDDLE:* 177]
b. Entre mí y el mundo a mi alrededor se había roto un velo. [Manzanares, traducción de Hesse, *Lobo;* tomado de *DDDLE*: 177]
c. Entre tú y ellos hay un abismo. [*DDDLE:* 177]

d. Me agobió la barrera de tanto sedimento como he ido almacenando entre yo y los demás. [C. Martín Gaite, *Retahílas;* tomado de *DDDLE:* 177]

Entre puede emplearse con el sentido de «dentro de».[41]

(48) a. Dije entre mí. [*DDDLE:* 178]
b. Mejor entre su casa. [M. A. Carrera, *Costumbres de Guatemala,* 22][42]

10.9.2. Cooperación

Entre puede expresar cooperación en un grupo o conjunto [⟶ §§ 9.2.6.1 y 41.2.6.2].

(49) a. Entre Dagobert y don Fausto le tranquilizaron. [P. Baroja, *Los pilotos de altura,* 138]
b. Entre todos me arrastraron hasta el molino de trigo. [J. Goytisolo, *Duelo en el paraíso,* 136]

En frases donde los elementos unidos por *y* son pronombres o pronombres personales combinados con sustantivo, los pronombres casi siempre toman la forma de sujeto.[43]

(50) a. Entre tú y yo.
b. Entre ella, tú y Juana haríais el trabajo. [A. Grosso, *Los invitados,* 153]
c. Tuvimos que sostenerlo entre el médico y yo. [Marsá 1986: § 7.2.15)][44]

10.9.3. Tiempo

Entre indica intervalo de un momento a otro: *Entre las nueve y las diez de la mañana* (Seco, *DDDLE*: 177). Matiz temporal se encuentra también en la frase *entre semana* (con referencia a los días hábiles), así como en la combinación <*entre* + sustantivo + *y* + sustantivo>.[45]

---

[41] Según el *DDDLE*: 178 se trata de un arcaísmo. Este autor observa que el uso indicado se conserva en algunas regiones de España (sin mayor precisión, salvo un ejemplo referido a Granada) así como en el habla popular de varios países americanos, entre ellos Argentina, Colombia, Venezuela y Centroamérica, en frases como *Está entre el baúl.* Sin embargo, el *DRAE* (1992: 601) cita sin comentario restrictivo alguno la frase *Tal pensaba yo entre mí* y Kany (1945: 427) presenta la frase *Pensé entre mí* como de «lengua normal». Véase también Morera 1988: 352, con los ejemplos *Dije entre mí* y *Pensé entre mí,* y Alarcos 1994: 214, donde se cita como ejemplo *Me dije entre mí.*

[42] Véase también lo señalado más adelante, en el § 10.9.3 [⟶ Cap. 1, n. 62 y n. 83].

[43] Véanse, sin embargo, el comentario y los ejemplos que facilita respecto de la combinación de *entre* con pronombres personales Morera (1988: 361).

[44] Respecto a la controversia que existe entre los gramáticos acerca de la verdadera función de *entre* en estos casos, véase Morera 1988: 356-357 [⟶ § 9.2.6.1].

[45] Tal giro implica la idea de 'dos' y, efectivamente, en la traducción a otros idiomas se utilizará por lo general el equivalente del numeral citado.

(51) a. Entre semana podría ir todas las tardes, una vez terminadas las clases. [J. M. Gironella, *Los cipreses creen en Dios,* 279]
b. La suegra suspiraba entre sorbo y sorbo de Vichy. [C. J. Cela, *El gallego y su cuadrilla,* 279]
c. Casi siempre entre amor y amor, comían desnudos en la cama. [G. García Márquez, *Cien años de soledad,* 357]

En casi todas las regiones del español de América (nivel popular) es corriente el uso de *entre* con el valor de «dentro de» temporal. [46]

(52) a. Entre un mes vendré a verte, [Kany 1945: 428]
b. Ellos serán mi sostén entre unos años. [M. A. Carrera, *Costumbres de Guatemala*, 19]

Kany (1945: 428) observa que «en áreas limitadas» con frecuencia se emplea *entre* por *a* en ciertas locuciones como *entre veces* por *a veces, entre las ocho* por *a las ocho,* etc.
El *DDDLE*: 178 menciona «el uso regional en España y popular en algunos países de América» de *entre,* como adverbio, en vez de *cuanto,* en construcciones correlativas [⟶ § 7.5.5].

(53) Entre más quiero, menos me dan. [*DDDLE:* 178]

10.10. La preposición *hacia*

10.10.1. Dirección, movimiento, lugar, orientación

Hacia expresa las ideas indicadas en sentido material o figurado, a menudo de manera aproximativa.

(54) a. Tomó en sus manos la barbilla de María y, atrayendo a la muchacha *hacia sí*, le dio un beso. [J. M. Gironella, *Los cipreses creen en Dios,* 61]
b. La muchacha siente *hacia Pablo* un agradecimiento profundo. [C. J. Cela, *Garito de hospicianos,* 206]
c. Yo creo que vive *hacia Antonio Martín,* pero no sé más. [C. J. Cela, *San Camilo, 1936,* 341]
d. Hubiera preferido tener una casa en Nantucket, *hacia el océano.* [M. Vázquez Montalbán, *Galíndez*]

10.10.2. Tiempo

La indicación temporal se hace de manera aproximada.

(55) a. La explosión se produjo hacia las dos de la madrugada. [Marsá 1986: § 7.2.16]
b. Hacia San Segundo caían todos los años por el pueblo los extremeños. [M. Delibes, *Las ratas,* 77]

[46] Cf. Kany 1945: 427. Véase también lo ya dicho al respecto en el § 10.9.1.

10.11. La preposición *hasta*

Indica el término de lugar, acción, cantidad o tiempo [→ § 48.7.2].

(56) a. Llegaremos hasta la frontera. [*DUE* II: 21]
b. No cejó en su empeño hasta conseguirlo. [Marsá 1986: § 7.2.17]
c. Gastaré hasta cien pesetas. [*DDDLE:* 219]
d. Se despidió hasta la noche. [RAE 1973: § 3.11.5.1]

En México, América Central y Colombia se usa *hasta* con un sentido de «sólo», «no antes» [→ § 9.2.6.2]. [47]

(57) a. Por esta razón decidió atacar al enemigo donde estaba, pero *hasta el día siguiente.* [J. Ibargüengoitia, *Los conspiradores*, 174]
b. Hasta las tres iré. [*DDDLE:* 219]

En casos parecidos, en el español general se añadirá la partícula *no* delante del verbo: *Hasta las tres no iré* (o *No iré hasta las tres*) [→ § 40.3.4].

También en el español de América se encuentra un uso vacío de *hasta.* Se trata de un empleo comparable al de *desde,* mencionado antes en el § 10.7. *Hasta* es superfluo en frases como:

(58) a. Hasta las doce almorcé. [Lapesa 1980: 592] [48] (es decir, «a las doce almorcé».)
b. Hasta ahora oigo que «pisto» no es palabra castellana. [Kany 1945: 432] [49]

En algunos casos, la preposición parece indicar el comienzo de una acción (es decir, lo contrario de su sentido habitual, que se refiere al término de la acción). Equivale entonces a *desde, a partir de.*

(59) a. ¿Hasta ahora te das cuenta que te equivocaste? [Haensch 1994: 170]
b. Hasta el lunes habrá clases en la escuela. [Kany 1945: 431-432] [50]

La palabra *hasta* se utiliza también con valor adverbial y denota entonces límite ponderativo (así como *aun, incluso* e *inclusive*). La diferencia entre la función prepositiva y la adverbial se nota al comparar frases como *Subieron hasta la cima* y *Hasta subieron a la cima* y al considerar la forma distinta del pronombre personal en cada caso: *Llegaron hasta mí,* pero *Hasta yo me asusté* [51] [→ § 9.2.6.2].

---

[47] Cf. *DDDLE*: 219. Kany (1945: 428-429) observa al respecto: «En algunas zonas se está haciendo un esfuerzo por limitar (este uso) a la conversación cotidiana y para que se emplee la forma normal en la escritura seria y oficial. En otras partes incluso se ha metido en el discurso literario serio».

[48] El autor señala que este uso se encuentra en México, América Central y Colombia.

[49] Este autor cita también ejemplos referidos a Chile.

[50] Con la observación de que la frase significa «desde el lunes habrá clases en la escuela». Se advierte también que en la mitad norte de Hispanoamérica la preposición «ha usurpado en muchos casos un lugar semejante al de uno de los significados de *recién* en la mitad sur» (Kany 1945: 433).

[51] Comentario y ejemplos de Alarcos (1994: 219).

10.12. La preposición *para*

El empleo correcto de las preposiciones *para* y *por* es uno de los puntos más problemáticos de la lengua española para los no hispanohablantes. Ellos tienen la impresión de que en ciertos casos las dos palabras pueden usarse indistintamente. [52] En realidad, *para* y *por* no son casi nunca verdaderos sinónimos, es decir, que tan sólo en contados casos pueden ser intercambiables. [53]

10.12.1. Finalidad, aptitud, destino que se da a las cosas [—> §§ 24.3.4 y 30.3.3]. [54]

(60) a. El gobierno ha realizado gastos enormes para la construcción de sus bases. [*La Vanguardia,* 20-I-1963, 5]
b. Todo lo recaudado será para los pobres. [Marsá 1986: § 7.2.18]
c. En las calles madrileñas cada vez hay menos sitio para aparcar. [*ABC,* 16-V-1978]
d. Tela buena para camisas. [RAE 1973: § 3.11.5.11]

Cuando indica finalidad o motivo, *para* puede ir precedido de *como* [—> § 9.4.3.2]. La frase puede teñirse entonces de matiz causal.

(61) a. No fueron lo bastante discretos y misteriosos como para impedir una ampliación de la sociedad. [C. J. Cela, *Garito de hospicianos,* 105]
b. Tengo un catarro como para meterme en la cama. [*DUE* I: 684] [55]
c. Aragón era suficientemente mundano como para convivir bien con Deferre, cacique político de la región de Marsella. [J. Edwards, *Adiós, poeta...,* 247]

Seguido de un infinitivo o unido a la conjunción *que* (con un verbo en subjuntivo), *para* introduce oraciones finales [—> §§ 36.3.4.4 y 56.7].

(62) a. Salí un momento para dar un recado al conserje. [Marsá 1986: § 7.2.19]
b. Repito mi mandato para que no lo olvides. [RAE 1973: § 3.11.5.11]

La construcción *estar para* (alguna vez *ser para*), sobre todo en frases negativas o de significado negativo, expresa desgana, inoportunidad o inaptitud.

---

[52] Acaso tal impresión se fortalece por el hecho de que ambas preposiciones a veces se traducen por la misma palabra: alemán *für;* francés *pour;* inglés *for;* neerlandés *voor.*

[53] Pueden resultar ilustrativas unas frases como las siguientes, en las que se utilizan conjuntamente o yuxtapuestas *para* y *por:*

(i) Te daré dos decilitros por el mismo precio y por ser para ti. [J. Rulfo, *Pedro Páramo,* 174]
(ii) Pero él sí estaba dispuesto a seguirla a donde fuera, a vivir por ella y para ella. [P. Baroja, *Locuras de carnaval,* 958]
(iii) Vivir «para» las mujeres era morir «por» las mujeres. [E. Jardiel Poncela, *Obras completas,* 867]

[54] Obsérvese que con verbos de movimiento la finalidad se expresa generalmente mediante la preposición *a: He venido a decirte que...*

[55] Con el comentario de *como para* «expresa que la acción o cosa de que se ha hablado antes merece o justifica lo que se dice a continuación» (*DUE* I: 684), lo cual se ilustra también en (61c).

(63) a. Pensábamos hacerlo en seguida porque ni yo ni ella estamos para perder el tiempo. [J. A. de Zunzunegui, *El hijo hecho a contrata,* 108]
b. Hay años en que no está uno para nada. [F. Díaz-Plaja, *El español y los siete pecados capitales*, 249][56]
c. No soy para eso. [VOX 1987: 1001]
d. Antonio es para todo. [*DDDLE:* 283]

10.12.2. Movimiento

Con este valor (relacionable con el de finalidad), *para* equivale más o menos a «con dirección a», es decir, que el término del movimiento se expresa de manera menos directa y concreta de lo que es el caso si se utiliza la preposición *a.* En cambio, *para* tiene aquí un sentido de orientación espacial comparable al de *hacia* (tal vez con la particularidad de que *para* puede implicar un matiz de intencionalidad no presente en *hacia*).[57]

(64) a. —¡Pero siéntense y tomen algo!
—No, no, que es tardísimo, vamos para casa. [J. A. de Zunzunegui, *La vida como es,* 540]
b. El hombre del puro mira para el viajero. [C. J. Cela, *Viaje a la Alcarria,* 29]
c. Cuando terminó de atarlos, viró las puntas de alambre para la tierra. [Morera 1988: 227]

10.12.3. Tiempo o plazo

Como la preposición *por, para* puede utilizarse en frases temporales.[58] Según la RAE (1973: § 3.11.5.11), *para* indica el tiempo o plazo determinado.

(65) a. Lo dejaremos para mañana. [RAE 1973: § 3.11.5.11]
b. La boda se ha señalado para el día 6 de marzo. [*DDDLE*: 283]

En realidad, la preposición expresa también tiempo aproximado (aunque con término determinado). *Para* tiene aquí un sentido parecido al de *hacia* (y de *sobre,* si se refiere a un término que denota cantidad, como en (66b)).

(66) a. Miraba también los árboles y pensaba: «Para setiembre se les caerán las hojas y yo no lo veré». [R. J. Sender, *Siete domingos rojos,* 230]
b. Vendré para las cinco. [Morera 1988: 225]

Un matiz temporal peculiar se encuentra en la estructura verbal *estar para,* que denota inminencia de algún hecho.[59]

---

[56] Sobre otro sentido de *estar para,* véase, más adelante, el § 10.12.3.
[57] Véase al respecto Morera 1988: 227.
[58] Véase también lo dicho más adelante en el § 10.13.3.
[59] Véase también, más adelante, el § 10.13.10, donde se comenta la frase *estar por*.

(67) a. Llegué a la estación cuando el tren estaba para salir. [Marsá 1986: § 7.2.18]
b. La fortaleza estaba para rendirse. [*DUE* II: 633]

Para puede expresar duración de la situación creada por la acción del verbo.

(68) Se lo he prestado para una semana. [*DUE* II: 633] [60]

El *DDDLE*: 283 observa que un giro como *cinco minutos para las ocho,* en lugar de *las ocho menos cinco,* es anglicismo en España («puesto de moda por algunos locutores de radio») pero se usa «[illegible] normal en algunos países de América». Señala un ejemplo del escritor chileno Jorge [illegible] *[illegible] de carne y hueso],* en el que no se utiliza la voz minutos: *Llegué a la pensión [illegible] para las ocho.*

10.12.4 Relación de [illegible] personas, cosas o situaciones con otras

Con este valor, *para* puede [illegible] idea de cierta desproporción o de algo sorprendente, no inmediatamente esperado [→ § [illegible]]

(69) a. *Para principiante no lo ha hecho mal.* [illegible]
b. *[illegible] obispo era guapo, sin duda.* [M. Mayoral, *[illegible]*, 67]
c. Todavía le pagan demasiado para lo que trabaja. [*DUE* II: [illegible]]

El concepto de relación se expresa también en la combinación *para con,* que significa «en el trato con», «con respecto a» [→ § [illegible] 3].

(70) a. [illegible] unos años [illegible] reunión de solidaridad para con el pueblo [illegible] Chile se celebró en [illegible] [J. [illegible]tázar, *Nicaragua tan violentamente dulce,* 83]
b. Mis hermanos (...) no tienen responsabilidad para con la [illegible] [E. [illegible]ghez, *Camina o revienta,* 501-502]

10.12.5 Observaciones

10.12.5.1. [illegible] popular o en textos que la reproducen se encuentra con frecue[illegible] [illegible] *pa* o [illegible] cuando la palabra siguiente empieza por vocal, como en (7[illegible]

(71) a. *[illegible] pa' los [illegible]* [F. Vizcaíno Casas, *...Y al tercer año resucitó*[illegible]
b. Tu hijo [illegible] han dicho [illegible] p'alante. [J. A. de Zunzunegui, [illegible] 595]
c. Un amigo (cubano) me [illegible] que despertaba [illegible] las mañanas y «La Revolución, ¡qué jodedera!», [illegible] para [illegible] adentros, [illegible]tituía, (...) y decidía (...) que había que «echarle, [illegible] decían los [illegible]nos, «echarle p'alante» [J. Edwards, *Adiós, po*[illegible]

10.12.5.2. Kany (194[illegible]) [illegible] unos [illegible] (muy) locales de *para,* típicos de[illegible] Se trata de [illegible] de equivalentes [illegible] *paralm* y *paralmás,* todos de esca[illegible]

[60] Posible sería también *por una semana,* pero según [illegible] esta construcción [illegible] (que implicaría el uso de *para*).

fica. Da ejemplos como: *La cholita parió un chico para don Gómez* (es decir, «de don Gómez»); *Josefa está para el campo* («en el campo»); *¡Qué juego para entretenido!* («más entretenido»).

10.13. La preposición *por*

Por es la más plurifuncional de todas las preposiciones españolas. Los sintagmas por ella encabezados pueden expresar los valores que se señalan a continuación.

10.13.1. Agente de la voz pasiva

Normalmente, *por* introduce el complemento agente en frases pasivas, ya sea perifrásticas o pasivas reflejas [→ §§ 4.4.5.1, 25.4 y 26.3].

(72) a. El Conde había sido visto por el Cholo Mendoza pocos días antes. [A. Carpentier, *El recurso del método,* 307]
b. Javier (es) un hombre acostumbrado a ser servido por mujeres. [R. Montero, *Crónica del desamor,* 59]
c. Fue desheredado por su padre. [*DUE* II: 804]

Aunque ciertos gramáticos desaconsejan el uso de frases de pasiva refleja con complemento agente o consideran este giro propio de la lengua familiar, [61] este tipo de construcción es cada día más frecuente y se encuentra en textos de doctrina gramatical.

(73) a. La primera fase de la 'operación piloto' se firmará en el próximo mes de septiembre por todos los organismos implicados. [Casa Grande, 1983: 1]
b. Se firmó la paz por los embajadores. [Gili y Gaya 1943: 57]
c. Desde hace tiempo, al estar muy agotado el presente volumen, se me ha propuesto su reimpresión por algunas editoriales. [Lázaro Carreter 1985: 35] [62]
d. Se discute por algunos la legitimidad de algunas de las preguntas. [Salvador 1992: 25]

Algunos de estos giros de pasiva refleja (sobre todo si no se expresa el complemento agente) pueden parecer sorprendentes a no hispanohablantes, porque la estructura sintáctica posiblemente cause en ellos la impresión de que el sujeto ejerce en sí mismo la acción indicada por el verbo.

(74) A veces ocurre que un jugador se va a operar por otro médico. [*Heraldo de Aragón,* 22-9-1977, 17]

La preposición *por* desempeña también la función indicadora de complemento agente en frases elípticas como *doctor por la Universidad de León, diputado por Valladolid*.

---

[61] Cf., por ejemplo, Coste y Redondo 1966: 484. Cartagena y Gauger (1989, I: 418) opinan que no se puede poner en tela de juicio la gramaticalidad de esta construcción, pero la califican de *umgangssprachlich* («coloquial»).

[62] Este ejemplo es quizá menos directamente ilustrativo que los anteriores: *por algunas editoriales* puede referirse a la frase verbal *se me ha propuesto,* pero en principio también puede depender de *reimpresión*.

El complemento agente puede introducirse también por *de* (construcción que es poco frecuente y se considera ahora anticuada[63]) o *con* (véase lo dicho en el § 10.5.4) [→ § 4.4.5.1].

10.13.2. Finalidad

La RAE (1973: § 3.11.5m) advierte que «en tal caso su significado está muy próximo al de la preposición *para*».[64] Tal formulación parece insinuar que la sinonimia no es absoluta, pero no se facilita ninguna precisión al respecto.[65] En realidad, en los ejemplos que citamos a continuación se podría evidentemente sustituir una preposición por otra, prácticamente sin cambio de sentido. Quizá el uso de *por* implique a veces en la mente del hablante un leve matiz causal.

(75) a. Hay veces que una ríe por no llorar. [M. Delibes, *Cinco horas con Mario,* 262]
b. El niño se esfuerza por levantar la piedra. [*DUE* I: 1193][66]
c. Matar a catorce hombres por protegerme resulta excesivo, ¿no crees? [A. Vázquez Figueroa, *Tuareg,* 133]

Un ejemplo aclarador en cuanto a la (casi) permutabilidad de *para* y *por* (con función final-causal) se encuentra en el empleo de una preposición por otra en (76b). El punto de partida es (76a), el texto estereotipado de unos letreros que se ven con frecuencia en bares u otros establecimientos mercantiles y que sirve para indicar el día de cierre semanal.

(76) a. Cerrado por descanso del personal.
b. Cerramos los miércoles para descanso de los clientes. [Texto de un cartel visto en marzo de 1995.]

Una posible equivalencia de *para* y *por* se ilustra en una frase como la siguiente, en la que figuran las dos palabras en secuencias idénticas y donde las preposiciones serían absolutamente intercambiables, aunque en el contexto dado pudieran leerse desde perspectivas distintas.

(77) —Se han formado ya las comisiones.
—¿Quiénes son?
—Presiden Rius, por los tejidos; Marín para las sedas y Moixó para el yute y derivados. [I. Agustí, *El viudo Rius,* 90][67]

---

[63] Cf., por ejemplo, *DDDLE*: 133 y Gili y Gaya 1943: 255.

[64] Al referirse a la posible función final de *por,* Moliner (*DUE* II: 804) observa que no es la más propia de esta preposición, «pues ese significado corresponde en español específicamente a *para*». Véase también nuestro ejemplo (86).

[65] Véase, al respecto, Morera 1988 y Delbecque 1994. Moliner (*DUE* II: 804) menciona la equivalencia entre *para* y *por* sin reserva o restricción, con dos ejemplos en que *por* parece incondicionalmente permutable por *para* [→ § 56.7.1.2].

[66] Con la frase *Tengo que esforzarme para no dormirme* inmediatamente después.

[67] *Por los tejidos* podría interpretarse como «delegados *por* los representantes de los tejidos», o sea, *por* sería elemento introductor de complemento agente; *para el yute* sería «para representar a los fabricantes de yute», es decir, tendría un claro valor de finalidad.

Fin u objeto se expresa también mediante la frase *ir por* (con la variante *ir a por*).[68] Obsérvese que aquí *por* no podría reemplazarse por *para*.

(78) Espere, voy por la llave. [J. Fernández Santos, *Los bravos,* 109]

10.13.3. Duración o tiempo

(79) a. Como yo lo conocía *por años* como un hombre de izquierdas, no le di mayor importancia al asunto. [P. Neruda, *Confieso que he vivido,* 466]
b. (Era una) zarzuela que invadió *por entonces* toda España. [M. Aub, *Campo del moro,* 45]
c. Trabajamos *por la mañana.* [Morera 1988: 322][69]

Ya se ha observado antes que también *para* se usa con valor temporal (§ 10.12.4). La diferencia esencial entre las frases con *por* y *para* consiste en que la primera preposición expresa tiempo aproximado, lo cual se ilustra gráficamente en el ejemplo siguiente.[70]

(80) a. Vendré por Navidad.

```
    ◄- - - - - - ►   ◄- - - - - - ►
- - - - - - - - - - - - x - - - - - - - - - - - -
                      25 – 12
```

b. Vendré para Navidad.

```
- - - - - - - - - - - - ►
- - - - - - - - - - - - x - - - - - - - - - - - -
                      25 – 12
```

Por Navidad abarca un espacio temporal que comienza antes y termina después del 25 de diciembre. *Vendré para Navidad* significa, en cambio, que de todas formas estaré el día indicado (aunque la llegada puede ocurrir antes). En la conocida novela *Las ratas,* de Miguel Delibes, encontramos una gama de frases, en que *para* y *por* expresan los matices indicados. Por ejemplo:

(81) a. Por San Severo se fue la cellisca y bajaron las nieblas (...) Para San Andrés Corsino el tiempo despejó. [M. Delibes, *Las ratas,* 61]

[68] Para el uso de *a por* véase más adelante el § 10.13.13.2.
[69] Al citar este ejemplo, el autor insiste en la necesidad de que la noción temporal indique duración, es decir, que no se admitirían frases del tipo **Trabajamos por las tres,* que denotan el concepto 'puntual'.
[70] Cf. RAE 1973: § 3.11.5m.

b. El Centenario le dijo por el Santo Ángel que la nieve estaba próxima y para San Victoriano, o sea, cinco días más tarde, los copos empezaron a descolgarse. [M. Delibes, *Las ratas,* 71]

10.13.4. Valor espacial

Por desarrolla entonces el sentido de lugar (a menudo aproximado), tránsito o parte.

(82) a. Busqué por otro sitio. [F. Umbral, *La noche que llegué al café Gijón,* 41]
b. Iremos a Portugal por Salamanca. [*DUE* II: 41]
c. Le agarró por las solapas. [*DDDLE:* 293]

10.13.5. Causa o motivo

La preposición *por* aparece con este significado en construcciones como las siguientes:

(83) a. El Rey no ha sido fumador empedernido, en parte por el Protocolo y, sobre todo, por su afición a los deportes. [*Cambio 16,* 21-V-1978]
b. 55 M.P.H. Por su seguridad no exceda esta velocidad. [Texto de unas señales de tráfico de Puerto Rico]
c. (Clemencia) se ruboriza por nada. [A. Cunqueiro, *La cocina cristiana de occidente,* 47]

La función causal explica también el uso de *por* en palabras y locuciones como *porque, (el) porqué, por que, ¿por qué?,* [71] *por ello, por esto,* etc., así como en la frase *preguntar por,* en verbos que expresan elección (como *optar, decidirse, votar,* etc.) [→ §§ 29.2.2.1 y 29.2.2.5] y ciertas fórmulas corrientes empleadas para brindar.

(84) a. Lo primero que haré al llegar será preguntar por él. [G. García Márquez, *Cien años de soledad,* 257]
b. ¡Por ti y por mí! [*La Codorniz. Antología 1941-1944,* 352]
c. —*¿Por quién votó* el señor Stuart en las elecciones de junio?
—¿Y usted?
—*Voté a* Esquerra Republicana de Catalunya. [M. Vázquez Montalbán, *Los mares del sur,* 56] [72]
d. Brindo por el buen éxito de la expedición. [*DUE* II: 804]

[71] Estas formas se confunden con frecuencia. *Porque* es conjunción causal (o final) y se escribe en una palabra; *porqué* es un sustantivo masculino *(el porqué)* que tiene forma plural *(los porqués); por que* es combinación ocasional de la preposición *por* y el relativo *que; ¿por qué?* es locución interrogativa que se utiliza en preguntas directas o indirectas, así como en frases que Moliner (*DUE* II: 90) califica de «explicaciones indirectas», como por ejemplo en *Por qué perdimos la guerra,* título de una obra de C. Rojas.

[72] Obsérvese que *votar* también puede encontrarse con la preposición *a.* El *DDDLE*: 379 advierte que la construcción *votar comunista* (sin preposición) sólo debe utilizarse como eslogan publicitario. Nótese que los verbos de elección indican un sentido próximo también al de «en favor de», comentado más adelante en el § 10.13.8.

Muchas veces se usa un *por* causal en frases elípticas en las que puede sobreentenderse una forma de *ser* (o eventualmente *estar)*:

(85) a. Claro es que Kafka estaba enfermo, tuberculoso, había sido perseguido *por judío.* [M. Peñuelas, *Conversaciones con Ramón J. Sender,* 133]
b. —Los gomeros son los que más oportunidades tienen en la Loto.
—¿Por afortunados?
—No, *por primitivos.* [J. Tapia, *Chistes de gallegos, catalanes, madrileños, andaluces... y otras hierbas nacionales,* 79]

En el lenguaje familiar, en frases interrogativas, *¿por?* equivale a *¿por qué?*

(86) a. No me esperes hoy. —¿Por...? [*DUE* II: 805]
b. —Hoy no salgo.
—¿Por?
—Porque está enfermo mi hermano. [Beinhauer 1968: 338]

El posible valor causal de *por* explica su uso en frases que expresan un sentimiento (afecto, amor, dolor, admiración, interés, aversión, etc.) o esfuerzo [→ § 29.2.1.5].

(87) a. Está loca por usted a su manera. [R. J. Sender, *La luna de los perros*, 127]
b. Mira, no quiero que sufras por ella. [A. Buero Vallejo, *Historia de una escalera,* 42]
c. Apelo al horror que sentís por las ratas, la pobreza, los virus, la miseria. [F. Grande, *Agenda flamenca,* 59]
d. A esas horas (...) sólo dos o tres valijeros se afanaban por contratar clientes. [E. Alonso, *Villahermosa,* 9]

Es frecuente el uso del sintagma <*por* + infinitivo> con valor causal [→ §§ 36.3.4.3 y 56.4].

(88) a. Se va a poner tuberculosa o anémica por no comer. [J. Jiménez Lozano, *La boda de Ángela,* 50]
b. Un día el reuma te roerá los huesos por vivir bajo tierra. [M. Delibes, *Las ratas,* 109]
c. Me duele la cabeza por haber estudiado tanto. [Morera 1988: 301]

Se explican también como causales las construcciones en las que se repite el verbo, del tipo *gritaba por gritar, hablar por hablar,* etc. [73]

A veces parecen combinarse en el sintagma indicado valor causal y final. [74]

---

[73] Cf. Morera 1988: 305.
[74] Véase también lo dicho al respecto en el § 10.13.2.

(89) a. (Metí el periódico en la chaqueta) Para leerlo en el viaje, me dije mentalmente, por justificarme a mí mismo el gesto. [F. Umbral, *Las ninfas,* 246-247] [75]
b. Trabajo por (para) ganar el pan. [Morera 1988: 301]

10.13.6. Medio o modo

La preposición *por* introduce sintagmas que expresan medio o modo en construcciones como las de (90).

(90) a. Llamar por teléfono. [RAE 1973: § 3.11.5m]
b. Se casaron en Zürich por lo civil. [C. José Cela, *San Camilo,* 1936, 69]
c. Lo he recibido por correo. [*DUE* II: 804]

En este orden de ideas también puede mencionarse la locución elíptica *conocido por* («conocido por el nombre de»): *En toda Villachica, las tres solteronas —Rosario, Purificación y Dolorcitas— son conocidas generalmente por «las niñas», a secas* [J. M.ª Pemán, *Ensayos andaluces,* 70].

Después de advertir que «el apartado modal es el más heterogéneo de la preposición *por*», Morera (1988: 298) observa que con el valor mencionado se encuentra con frecuencia la palabra seguida de adjetivo, en frases como *por completo, por las buenas,* etc. [→ § 9.3.3.1].

10.13.7. Precio, cambio o trueque, cuantía

Cuando la preposición denota precio, cambio o trueque, se usa en un sentido relacionable con el de valor causal comentado antes.

(91) a. El cuadro «La bañista» de Renoir, vendido por 86 millones de pesetas. [*El País,* 4-XII-1980, 30]
b. ¡¡¡La vida entera por un abrigo de piel!!! [M. Mihura, *Tres sombreros de copa,* 115]
c. Estornudó Paulina por dos veces. [R. Sánchez Ferlosio, *El Jarama,* 295]

Por se encuentra también con valor distributivo o de reparto (como equivalente de voces latinas o latinizantes que podrían utilizarse como traducción de *por* en otros idiomas), así como en términos que se refieren a las matemáticas.

(92) a. Pocos españoles podían gastarse las trescientas pesetas por barba que costaba el cine. [F. Vizcaíno Casas, *...Y al tercer año resucitó,* 59]
b. Tres por cuatro, doce. [Marsá 1986: § 7.2.21]
c. Tiene un diez por ciento de comisión. [Marsá 1986: § 7.2.21]

---

[75] *...por justificarme...* podría sustituirse por *para justificarme.*

En referencias a velocidad se usa generalmente *por,* como *100 kilómetros por hora.* [76]

10.13.8. *Por* con los significados de «en lugar de», «en favor de»

(93) a. Si no paga, yo pagaré por él. [RAE 1973: § 3.11.5m]
b. Hay que tomar partido por los Cadillacs, o por la gente sin zapatos. [P. Neruda, *Confieso que he vivido*]
c. La gente nueva está por la píldora, el aborto, el amor libre y punto. [M. Delibes, *El disputado voto del señor Cayo,* 69] [77]

10.13.9. Equivalencia

Con este significado, *por* aparece en frases como las siguientes:

(94) a. Pocos soldados buenos valen por un ejército. [RAE 1973: § 3.11.5m]
b. Le reconoció como hijo. [*DDDLE:* 294]

Un sentido análogo se encuentra en expresiones de opinión o consideración, *como dar(se) por, reconocer por, tener por, tomar por,* etc. [→ §§ 29.4 y 38.3.4.2].

(95) a. Parece haber dado por zanjada la cuestión. [C. Martín Gaite, *El cuarto de atrás,* 101]
b. Le tengo por una persona inteligente. [Marsá 1986: § 7.2.21]
c. La quiero por esposa. [Morera 1988: 299] [78]
d. Le tomé por criado. [RAE 1973: § 3.11.5m]

Otros significados, tal vez relacionables con el campo semántico de la equivalencia, tiene *por* cuando expresa la idea de «por lo que respecta a» o en combinaciones (eventualmente elípticas, como en (96c)) con un pronombre personal que expresan o implican nociones como «de acuerdo», «encantado» o «no hay inconveniente».

(96) a. —Si le molesta hablar de eso, no he dicho nada.
—¿Por qué? Por mí encantado. [J. M.ª Gironella, *Los cipreses creen en Dios,* 136]
b. —¿Le parece a usted que compremos un cuarto de kilo de higos, para acompañar la sangría?
—¡Por mí! [C. J. Cela, *Nuevo viaje a La Alcarria,* 179]
c. Esto, ¿lo dices por mi hermano Pedro?

---

[76] En *El País* 1993: 121 se señala que a veces se encuentra la preposición *a,* con artículo definido interpuesto: *100 kilómetros a la hora.*

[77] La frase <*estar por* + sustantivo> expresa idea de «en favor de» *(Estoy por la paz y el desarme; La mayoría estuvo por el candidato local)* (cf. Morera, 1988: 313). Adviértase, sin embargo, que la combinación *estar por* seguida de infinitivo puede indicar otros matices, como veremos en el § 10.14.10.

[78] En la observación de que en esta frase «es tenuemente perceptible» un sentido final.

d. Por el tribunal no hay inconveniente en que se suspendan los ejercicios. [*DUE* II: 804]

10.13.10. <*Estar por* + infinitivo>

10.13.10.1. Delante de un infinitivo, la preposición *por* puede usarse con un valor próximo al de *sin* (seguida de infinitivo). En ambos casos se expresa la idea de que algo (todavía) no se ha realizado. Sin embargo, las dos construcciones no son totalmente equivalentes. [79]

No sería posible utilizar indistintamente *por* o *sin* en todos los casos. La primera preposición parece orientarse más bien hacia el futuro, implicando matices como «lo que es conveniente que se haga» o «lo que es esperable». *Sin,* en cambio, a menudo se refiere a que algo (todavía) no se ha hecho (por cierto descuido o negligencia), es decir, un sentido que puede conectarse con el significado primitivo-privativo de la voz.

(97) a. Puede decirse que está todo por decir; mejor, que está todo por hacer. [J. Ortega y Gasset, *Estudios sobre el amor,* 33] [80]
b. Fechas conmemoradas o por conmemorar. [Título de un artículo de J. Gállego en *Ínsula*]

Véanse también locuciones como *todos los artistas habidos y por haber, los años por venir,* etc.

A diferencia de los ejemplos recogidos en (99b, c), serían intercambiables *por* y *sin* en frases como *La casa está por barrer, La carta está por escribir.*

10.13.10.2. Aparte de la función comentada en el apartado anterior, el sintagma <*estar por* + infinitivo> puede indicar actitud de vacilación, quizá con inclinación de hacer lo que expresa el infinitivo [→ § 51.3.2.7]. Los dos verbos tienen el mismo sujeto (que siempre es animado). [81]

(98) a. Estuve por salir al jardín y mandar a callar a los niños. [Morera 1988: 312]
b. Estoy por evadirlo. [M. Summers, *Politikk,* 182]

A veces —sobre todo en el español de América— el sintagma tiene un sentido próximo al de <*estar para* + infinitivo> (citado en el § 10.12.4), que denota un matiz más de tiempo (inminencia) que de intención o inclinación: *Ella estaba por morirse* (Juan Rulfo, *Pedro Páramo,* 7).

[79] Como lo podría hacer creer la presentación algo lacónica que encontramos en la RAE 1973: § 3.11.5m. Véase también Gili y Gaya 1943: 191.

[80] No sería imposible el uso de *sin,* en vez de *por,* pero con el cambio de matiz indicado antes.

[81] Llama la atención que en la mayoría de los ejemplos de que disponemos en nuestro fichero el sujeto es de primera persona de singular. En algún que otro caso se halla un verbo en tercera persona, pero no encontramos ninguna frase con sujeto de segunda persona.

10.13.11. *Por* en frases concesivas

Seguido de adjetivo, adverbio o locución adverbial y la conjunción *que, por* se emplea en oraciones adverbiales concesivas.[82]

(99) a. Señores; por doloroso que nos resulte a todos, reconozcamos que el Real Madrid siempre llena los estadios. [F. Vizcaíno Casas, *...Y al tercer año resucitó,* 50]
b. Por más que traté de hacer ver al hijo cuáles eran sus obligaciones, nada conseguí.
c. Por muy tarde que llegue estaremos todavía aquí. [*DUE* II: 805]

10.13.12. *Por* en exclamaciones patéticas o de impaciencia o protesta y en conjuros[83]

(100) a. ¡Por mi madre que lo vi, padre! [F. Vizcaíno Casas, *...Y al tercer año resucitó,* 211]
b. Es lo que acostumbraba a hacer siempre con las cosas importantes, y esta sí lo es, ¡por Cristo! [S. Lorén, *El pantano,* 11]
c. ¡Por los clavos de Cristo! [*DRAE* 1992: 345]

10.13.13. Uso expletivo

10.13.13.1. El *DUE* II: 805 menciona un uso expletivo de *por* precediendo a otra preposición. Así, *por ante* significa lo mismo que *ante* y se encuentra usado, por ejemplo, en algunos documentos notariales: *por ante mí. Por bajo* (o *debajo*) significa lo mismo que *bajo* (o *debajo de*).

Comparable parece el caso de *por entre* (en lugar de, simplemente, *entre*), en una frase como *pasear por entre los árboles* (Morera 1988: 288). El uso de *por* es también superfluo delante de numeral, en frases como *Gacel disparó por tres veces* [A. Vázquez Figueroa, *Tuareg,* 247].

10.13.13.2. Un caso muy discutido es el de la legitimidad del sintagma < verbo de movimiento + *a por*>, en el que según varios gramáticos sobra la primera preposición.

La RAE (1931: 441) censuraba el giro por solecismo. Un juicio más matizado se encuentra en RAE 1973, que se refiere a la construcción en dos ocasiones. En la primera la califica —sin otro comentario— de «preposición compuesta» (§ 1.5.4.10), mientras que en la segunda se observa que «la conversación culta de España suele sentir (la locución) como vulgar y procura evitarla» (§ 3.11.2f).[84] En

[82] En este tipo de oraciones, el uso del modo subjuntivo o indicativo plantea un problema específico que no viene al caso aquí [⟶ §§ 50.2.3 y 59.3.6].

[83] Véase también al respecto Morera 1988: 296-297.

[84] Véase también el comentario de Moliner (*DUE,* II: 805), que advierte que «no faltan gramáticos y escritores (...) que no encuentran fundada esa condenación o que no se someten a ella».

realidad, *a por* se encuentra cada día con mayor frecuencia, aunque está prácticamente ausente del español de América.[85]

(101) a. Cuenta única hasta el 13 %. Déjelo todo y entre a por ella. [Texto de un eslogan publicitario]
b. ¡A por los trescientos diputados! [E. Romero, *La paz empieza nunca,* 56]
c. Doña Consuelo iba a la barra a por su tacita de café. [F. Umbral, *La noche que llegué al café Gijón,* 127]
d. —¿Qué, ya está usted por aquí?
—Vengo a por unas truchas. [M. Delibes, *Vivir al día,* 122]

La frecuencia actual de la estructura *a por* es tal que parece más que probable que dentro de poco la locución será usual también en un nivel de lengua superior al (implícitamente) indicado por la Academia. En este orden de ideas, puede señalarse que ciertos lingüistas justifican el empleo de la construcción, sobre todo basándose en el hecho de que *a por* permite evitar ambigüedades. Así, Lorenzo (1971: 50-51 y 151) observa que *Vine por ti* es equívoco, mientras que no prestan a confusión frases como *Vine a causa de ti* (o *por tu causa*) o *Vine a por ti* («vine a buscarte»).[86]

10.13.14. Otros usos de *por*

Bajo la calificación de «usos de *por* de difícil asignación a cualquiera de los significados enumerados», el *DUE* II: 805 cita una serie de locuciones: *por cierto, por de contado, por demás, por junto, por poco,* etc.

10.14. La preposición *sin*

10.14.1. *Sin* denota privación o carencia [→ § 40.6.2].

(102) a. Lo consiguieron sin la ayuda de nadie. [Marsá 1986: § 7.2.23]
b. Un cartel (...) anunciaba el espectáculo musical *Sin bragas y a lo loco.* [A. Muñoz Molina, *Los misterios de Madrid,* 134]
c. Un obrero sin trabajo. [*DUE* II: 1170]

Equivale en algunos casos a «fuera de», «sin contar»,[87] como ilustra (103a); por otra parte, en (103b) vemos que, precedido de la negación *no,* equivale a una afirmación atenuada:

---

[85] Cf. RAE 1973: § 3.11.2f y *DDDLE* 1986: 7. Puede considerarse significativo al respecto que Kany (1945) no mencione el uso de la construcción en el «Índice alfabético» de su estudio sobre la sintaxis hispanoamericana.

[86] Para el *DDDLE*: 6 «no hay (...) razón seria para censurar este uso, tan legítimo como otras combinaciones de preposiciones», con la reflexión de que «es evidente la ventaja expresiva que posee *a por*». Marsá (1986: § 7.2.21) no censura el giro (al mencionar el ejemplo *Ve a por tabaco*) y también Morera (1988: 308) menciona el empleo sin criticarlo. Alarcos (1994: 222) hace el siguiente comentario: «Aunque es muy frecuente en la lengua oral, se evita a veces en la expresión culta el uso de la combinación *a por*».

[87] El *DDDLE* 1986: 345 considera este uso anticuado; Marsá (1986: § 7.2.23) no lo indica; la RAE (1973: § 3.11.5o), el *DUE* II: 1170 y Morera (1988) lo mencionan sin comentario restrictivo.

(103) a. Me costó tres mil pesetas sin los portes. [*DUE* II: 1170]
b. Lo tomé no sin repugnancia. [*DUE* II: 1170]

10.14.2. En muchos casos *sin* va seguido de infinitivo. La construcción puede tener el valor ya indicado de privación o carencia [→ § 36.3.4.5].

(104) a. Trabajaba sin cesar. [RAE 1973: § 3.11.5.*o*]
b. Se tumbaban en cualquier parte, sin importarles mucho que... [A. Roa Bastos, *El trueno entre las hojas,* 230]
c. El gobernador miró sin querer el retrato de su mujer. [J. M.ª Gironella, *Ha estallado la paz,* 625] [88]

Sobre todo en el habla coloquial es frecuente el giro <*sin* + infinitivo> en función adjetiva, para indicar que una acción (todavía) no se ha realizado [→ § 4.3.4.3].

(105) a. Déjame decirte que le encontré sin afeitar, cosa rarísima en él. [M. Aub, *Campo del moro,* 233]
b. La escalera sigue sucia y pobre, los cristales de las ventanas, sin lavar. [A. Buero Vallejo, *Historia de una escalera,* 29]
c. Una cuenta sin pagar, un libro sin traducir... [Beinhauer 1968: 274] [89]
d. Fue a ponérselo y estaba sin planchar y cepillar. [J. A. de Zunzunegui, *El hijo hecho a contrata,* 106] [90]

Sobre la diferencia entre <*por* + infinitivo> y <*sin* + infinitivo>, véase lo dicho en el § 10.13.11.

También en el nivel de lengua indicado (coloquial) se emplea el sintagma <*sin* + infinitivo> con el sentido de un imperativo (atenuado).

(106) a. ¿A quién vas a agarrar tú, idiota?
—Sin insultar. [S. Lorén, *El baile de Pan,* 131]
b. ¡Pero, hombre, señor director, sin empujar! [C. J. Cela, *Los sueños vanos, los ángeles curiosos,* 244]

<*Sin* + infinitivo> se encuentra también en oraciones independientes o yuxtapuestas, de carácter elíptico y con posible connotación afectiva, en las que el infinitivo se utiliza en lugar de una forma conjugada.

(107) a. Y Carmina sin venir. [A. Bueno Vallejo, *Historia de una escalera,* 25]
b. Durante la guerra don Juan entró en España bajo el nombre de Juan López y yo sin enterarme. [J. M.ª Gironella, *Ha estallado la paz,* 505]

---

[88] La expresión *sin querer* es sinónimo de «involuntariamente».
[89] Con más ejemplos; el autor señala el valor pasivo del infinitivo en este tipo de construcciones.
[90] Como muestra este ejemplo, no hace falta repetir la preposición si va seguida de más de un infinitivo.

Las dos frases con infinitivo podrían sustituirse respectivamente por *Y Carmina (que) no venía y ...y yo (ni siquiera) me enteré.*

10.15. La preposición *so*

So significa «bajo» o «debajo de». Es exclusivamente de uso literario y sólo se emplea en locuciones con los nombres *capa, color, pena, pretexto.* [91]

(108) a. Entró en la casa so pretexto de revisar la calefacción. [Marsá 1986: § 7.2.24]
b. So color de extensión universitaria. [Eugenio d'Ors, *Museo;* tomado de *DDDLE:* 346]

So pena puede utilizarse con el sentido de «a menos que»: *No puedes dormir aquí, so pena de que te resignes a dormir en el suelo* (*DUE* II: 691).

El *DDDLE:* 346 advierte que «excepcionalmente» se antepone a otros sustantivos, con los siguientes ejemplos: *so el arco de mi cejo* [Antonio Machado, *Poesías completas*]; *so los robles de Vizcaya* [R. de Basterra, *Antología poética*].

Recuérdese lo ya dicho en el § 10.3 acerca de la locución *so pretexto de.* No debe confundirse la preposición *so* con una forma homonímica, que es la contracción de *señor (> seó > so),* que se antepone a adjetivos o sustantivos despectivos para reforzar su significado, en expresiones insultantes como *so idiota(s), so cretino(s),* etc.: *¿Pero qué te has creído, so boba?* [J. L. Castillo Puche, *Con la muerte al hombro,* 152]. Es interesante este ejemplo porque demuestra la evidente gramaticalización de la forma: aunque derivado de *señor, so* se encuentra también delante de nombres femeninos. [92]

10.16. La preposición *sobre*

10.16.1. Lugar, situación

Sobre indica lugar y puede significar punto de apoyo (o, en lo figurado, garantía de un préstamo, como en (109b)), mayor elevación en lo material y mayor dignidad o autoridad en sentido traslaticio.

(109) a. Dejé el libro sobre la mesa. [RAE 1973: § 3.11.5q]
b. Presta sobre alhajas. [*DDDLE:* 346]
c. La casa está sólo a diez metros sobre el nivel del mar. [Marsá 1986: § 7.2.25]
d. Sobre él tiene un jefe. [*DUE* II: 1181]

La locución *sobre todo* significa «principalmente». *Sobre* tiene también valor locativo en combinaciones con el verbo *dar.*

---

[91] Cf. *DDDLE* 1986: 346. Según Moliner (*DUE* II: 1179) «se emplea corrientemente» en *so pena de.* El diccionario VOX (1987: 1015) cita como ejemplo literario arcaizante *so las aguas del mar.* Ni Morera (1988) ni Alarcos (1994) citan *so* en su lista de preposiciones [⟶ § 9.2.4.2].

[92] Para un complemento de explicación, véase Beinhauer 1968: 47.

(110) a. Las ventanas dan sobre el Guadarrama. [*DUE* II: 1181]
b. La fachada da sobre la playa. [*DUE* II: 1181]

Con un verbo de movimiento, *sobre* implica a menudo idea de ataque, violencia u hostilidad.

(111) a. Vino sobre nosotros una lluvia de piedras. [*DUE* II: 1181]
b. Porque sobre él se echaron los ofendidos en masa. [Pío Baroja, *Juventud, egolatría;* citado por Morera (1988: 326)]

También equivale *sobre* a «además de». En este caso puede ir seguido de infinitivo.

(112) a. Le dio mil pesetas sobre lo estipulado. [*DUE* II: 1181]
b. Se necesita, sobre ser torero, ser un gran actor. [C. J. Cela, *Toreo de salón,* 55-56]

Delante de infinitivo no es imposible encontrar *sobre de.* Algunos consideran incorrecta esta construcción (de todas formas poco frecuente); para otros es exclusivamente de la lengua literaria. [93]

10.16.2. Cercanía

Como modalidad particular del concepto 'lugar', *sobre* puede expresar cercanía o proximidad.

(113) a. La vanguardia está ya sobre el enemigo. [*DDDLE:* 347]
b. Zamora está sobre el Duero. [RAE 1973: § 3.11.5q]

En relación con este valor de *sobre* puede recordarse que se ha censurado el topónimo *Francfort sobre el Main* [94] (generalmente) por galicismo. Moliner (*DUE* II: 1181) advierte que no faltan antecedentes en español de uso de *sobre* para expresar situación al lado de un río y, aunque se trata de una estructura sintáctica distinta, puede señalarse al respecto el ejemplo (113b).

10.16.3. Aproximación

A menudo se trata de frases en las que *sobre* precede a palabras que indican cantidad o números.

(114) a. El tren llegará sobre las nueve y media. [Marsá 1986: § 7.2.25]
b. Pesa sobre los cien quilos. [J. D. Luque, *Las preposiciones, valores generales y valores idiomáticos;* tomado de Morera 1988: 331]

Véase también (116), donde al valor aproximativo se añade un matiz temporal.

---

[93] Véase al respecto De Bruyne 1993: 472.
[94] O mejor: *Francfort del Meno.* Véase *El País* 1993: 244.

10.16.4. Tema o asunto

Sobre equivale a «acerca de» cuando anuncia el asunto o tema de que se trata.

(115) a. Habló sobre los orígenes de la novela. [*DUE* II: 1181]
b. Dio varias conferencias sobre economía política. [Marsá 1986: § 7.2.25]

Con sustantivos que expresan carga o gravamen, como por ejemplo *censo, impuesto, imposición, tributo,* etc., la preposición significa «en relación con», en frases como *impuesto sobre la renta, un censo sobre un edificio,* etc.

10.16.5. Repetición, acumulación

Sobre adquiere este valor (posiblemente con matiz temporal) cuando se encuentra entre dos sustantivos (en singular o plural), repetición uno de otro, en construcciones del tipo *crueldad sobre crueldades, torpeza sobre torpeza, preocupaciones sobre preocupaciones.* [95]

10.16.6. Valor temporal

La preposición tiene valor temporal (de posterioridad) en una frase como *sobre comida* (véase *DDDLE:* 346). Este específico significado se observa también en composiciones como *sobremesa, sobreparto, sobresiesta,* etc., donde *sobre* funciona como prefijo [→ §§ 73.1.4 y 76.5]. Según Moliner (*DUE* II: 1181), dichas palabras pueden también escribirse separadas: *sobre mesa, sobre parto, sobre siesta*. En cambio, en otros casos *sobre* se utiliza como prefijo con el sentido de «con exceso», en formaciones como *sobrealimentar, sobrecargar, sobrevalorar.* Aquí la separación indicada antes no sería posible.
Valor temporal aproximativo tiene *sobre* en:

(116) Vino sobre la tarde. [Vicente Salvá, *Gramática de la lengua castellana;* tomado de Morera 1988: 332]

10.16.7. Usos fijados

Sobre se utiliza en una serie de locuciones adverbiales y frases idiomáticas como *sobre seguro, sobre aviso, tomar sobre sí, estar sobre sí, va sobre mi conciencia* (todas citadas en RAE 1973: § 3.11.5q).

10.16.8. Otros usos de *sobre*

Se suele censurar el empleo de *sobre* en lugar de *de* (o *de cada*) cuando precede a la expresión del número total del que se toma sólo una parte. Se trata de un calco del francés.

---

[95] Cf. Morera 1988: 328-329.

(117) a. Padecen esta enfermedad uno de diez españoles. [*ABC* 1993: 126]
(y no *...uno sobre diez...*)
b. 40 de 70 estudiantes fueron suspendidos. [*DDDLE:* 347]
(y no *...40 sobre 70...*).[96]

Igualmente desaconsejables se consideran las expresiones *sobre medida* (o *medidas), sobre encargo,* en vez de *a la medida, por encargo.* Moliner (*DUE* II: 1181) y Seco (*DDDLE:* 347) califican las construcciones con *sobre* de galicismos.

(118) a. Mandó hacer ropas sobre medida. [G. García Márquez, *El amor en los tiempos del cólera;* tomado del *DDDLE:* 347]
b. Petit-Point. Trabajos sobre encargo. [*ABC,* 2-III-1972; tomado del *DDDLE:* 347)]

Otro uso impropio de *sobre,* frecuente en la prensa deportiva, se halla en frases como *El árbitro señaló una falta sobre López.* Debe decirse: *El árbitro señaló una falta cometida contra López* (comentario y único ejemplo del *DDDLE:* 347).

Véase también lo ya dicho antes en el § 10.16.2 acerca de *Francfort sobre el Main.*

10.17. La preposición *tras*

Esta preposición, así como la locución *tras de,*[97] se usa casi exclusivamente en la lengua literaria. Puede denotar tiempo y espacio, equivaliendo respectivamente a *detrás de* o *después de.* Junto con el verbo *ir* u otro semejante, *tras o tras de* significan «perseguir» o «pretender», mientras que las combinaciones con *andar* o *estar* son sinónimos de «esforzarse por conseguir».

(119) a. Vivo tras la catedral. [Gili y Gaya 1943: 199]
b. Sisita deja tras de sí una estela de maridos, niños, amores imposibles y deudas. [F. Umbral, *Crónica de esa guapa gente,* 154]
c. Tras dar secamente las buenas noches iba la muchacha a entrar en la cueva, pero Pascual la detuvo. [J. Izcaray, *La hondonada,* 47]
d. He estado tras de ti más de dos años. [M. Vargas Llosa, *La ciudad y los perros,* 242]
e. Estamos tras un piso del que nos han hablado. [*DUE* II: 1369]

Seguidos de infinitivo, aparte del matiz temporal ya indicado, *tras* o *tras de* pueden usarse también por *además de.* En esta acepción, *tras de* se encuentra asimismo delante de un sustantivo o adjetivo.

(120) a. Tras (de) ser culpado, es el que más levanta el grito. [RAE 1973: § 3.11.5r]
b. Tras de cornudo, apaleado. [*DUE* II: 1369]

---

[96] Véase también *DUE* II: 1181.

[97] Alarcos (1994: 216) explica *tras de* por la sinonimia con *detrás de* y *después de* [➤ § 9.2.3].

10.18. Preposiciones dudosas

10.18.1. *Pro*

La RAE (1973) advierte que esta preposición «se usa muy poco». [98] *Pro* significa «en favor de».

(121) a. Se organizó una suscripción pro víctimas de las inundaciones. [*DDDLE:* 305]
b. La comisión pro amnistía. [*ABC* 1993: 121] [99]

El *DUE* (II: 487) menciona las expresiones *campaña pro paz, asociación pro ciegos.*

Puede haber duda acerca de la auténtica función de *pro* en combinaciones como las mencionadas y la pregunta es si es preposición o prefijo. Véase al respecto Rainer 1993: 358. [100] Este autor considera frecuente el uso de la estructura <*pro* + sustantivo>, para formar neologismos de valor adjetivo.

Con el significado de «en favor de» se usa también la locución prepositiva *en pro de: Habló en pro de una simplificación de los trámites* [*DDDLE:* 306].

10.18.2. *Salvo*

Sólo desde la 21.ª edición (de 1992) el *DRAE* califica la palabra *salvo* de preposición (pág. 1303), como equivalente de «fuera de», «con excepción de», «excepto». [101] *Salvo* presenta la particularidad de que, cuando precede a los pronombres personales de primera y segunda persona de singular, estos toman las formas de sujeto, es decir, *yo, tú* (y no *mí, ti,* habituales detrás de preposición).

(122) a. Salvo excepciones, a ella no le agradaban los curas. [M. Delibes, *Señora de rojo sobre fondo gris,* 124]
b. Todos estaban presentes salvo yo. [De Bruyne 1993: 168]

De la misma manera se construyen las palabras *excepto* y *menos,* que tienen el mismo sentido que *salvo.* [102]

---

[98] Ello se confirma por el hecho de que no se encuentra en la lista de preposiciones que comenta Marsá (1986: §§ 7.2.1-7.2.26). Tampoco la menciona en su extenso estudio Morera (1988: 143-440) ni la cita como tal en su última edición el *DRAE* (1992: 1184) —en cambio, se recoge la voz como preposición en las ediciones anteriores, de 1984 y 1970—. Para Alarcos (1994: 217) «se trata de un cultismo de uso limitado a ciertas fórmulas como *cupón pro ciegos, manifestación pro amnistía* y difícil de separar del prefijo *pro*» [⟶ § 72.2.3].

[99] Con la observación de que con esta partícula es incorrecto el uso del guión *(pro-amnistía).*

[100] Con la pertinente reflexión «daβ *pro* auch orthographisch oft wie ein Präfix behandelt wird» [«que *pro* también es usado a menudo ortográficamente como un prefijo»] (en formaciones —entre otras— como *prosoviético* y *proamericano*).

[101] Es digno de observación que la RAE (1973) negaba a *salvo* el estatuto de preposición, citando la palabra en un apartado titulado «partículas incluyentes y excluyentes» (§ 1.5.4a.9.ª). Obsérvese que en las dos ediciones que cronológicamente ciñen al *Esbozo, salvo* no se recoge como preposición (1970: 1175; 1984, II: 1216). En Bello 1847: 336 y 528, *salvo* figura en una lista de palabras (junto a *excepto, durante, mediante, obstante* y *embargante*) que se llaman preposiciones 'imperfectas' [⟶ § 9.2.5]. Ni Morera (1988: 143-440) ni Alarcos (1994: 223-226) recogen *salvo* en sus listas de preposiciones. Alarcos (1994: 216-217) considera a *salvo,* junto con *excepto* e *incluso,* «adjetivos inmovilizados en masculino singular». El *DDDLE*: 335 señala expresamente que *salvo* es preposición y «no adverbio, como dice la Academia».

[102] El *DRAE* (1992: 656 y 959) también califica a estas palabras de preposiciones. El *DDDLE*: 192 sólo cita *excepto*

En realidad parece algo problemática la pertenencia de *salvo* (así como *excepto* y *menos*) a la categoría de las preposiciones. En construcciones como las de (122), el comportamiento sintáctico de estas palabras es (o puede parecer) de preposición, al ser su término un sintagma nominal. Sin embargo, en (123), donde modifican a un sintagma preposicional, su comportamiento se aproxima al del adverbio [→ § 9.2.5.3].

(123) a. En Londres conozco a poca gente, salvo a mis clientes. [I. Agustí, *El viudo Rius,* 99]
b. Recibió felicitaciones de todos salvo de su hermana. [*DUE* II: 1097]

10.18.3. *Según*

Según indica conformidad o dependencia.

(124) a. Todo ocurrió según tus predicciones. [*DUE* II: 1126]
b. Según haga frío o calor iremos a la playa o al campo. [Morera 1988: 439]

Según puede utilizarse también con valor temporal, con carácter puntual o durativo (en este caso con el matiz de «a medida que» o «conforme»).

(125) a. Según llegó, lo detuvieron. [Morera 1988: 440]
b. Nos comíamos las patatas según las iban sacando de la sartén. [*DUE* II: 1126]

Delante de un nombre de persona o de un pronombre personal, expresa idea de «en conformidad con la opinión de». Obsérvese que se construye con las formas de sujeto *yo* y *tú* (y no *mí* y *ti*) cuando precede a los pronombres personales de primera y segunda persona del singular [→ § 9.2.5.1].

(126) a. Según él no hay nadie honrado. [*DUE* II: 1126]
b. ¿Según tú, una mujer, si no puede casarse, no tiene más remedio que entrar en el convento? [C. Laforet, *Nada,* 101]

Alarcos (1994: 217) no recoge *según* en el inventario de preposiciones, «porque es unidad tónica (y no átona como las otras) y puede aparecer aislada, por ejemplo en respuestas: *—¿Qué harías en esos casos? —Según*».

10.18.4. *Vía* y *versus*

10.18.4.1. *Vía* no se recoge como preposición en la lexicografía tradicional española ni en los estudios especializados o la doctrina gramatical. [103] En cambio, sí la en-

como preposición. Como ya se ha señalado en la nota 123, Alarcos (1994) considera a *excepto* adjetivo inmovilizado en masculino singular. A continuación este autor menciona a *menos* entre los cuantificadores.

[103] Como tal no figura en el *DRAE,* ni en el *DUE* ni en el VOX. Moliner (*DUE* II: 1518) cita el ejemplo que mencionamos en (128b), pero en una rúbrica que trata de *vía* como sustantivo. Tampoco se menciona en Morera (1988),

contramos en el *DDDLE* (1986: 376), con el comentario de que «el nombre *vía,* 'camino', hoy se usa a menudo como preposición, equivaliendo a 'por' o 'pasando por' (y que) es un nombre extranjero». A continuación, el *DDDLE* cita también como locuciones prepositivas *en vías de* («en camino de») y *por vía de* (con el sentido de «a manera de») con los siguientes ejemplos:

(127) a. El conflicto está en vías de solución. [*DDDLE:* 376]
b. Por vía de ejemplo, le conté la anécdota de Napoleón. [*DDDLE:* 376]

En realidad, esta partícula se utiliza con una cierta frecuencia (para indicar lugar, véase (128)), casi hasta convertirse en una palabra de moda (no solamente en español).[104]

(128) Salieron para París vía Hendaya. [*DUE* II: 1518]

10.18.4.2. *Versus* tampoco se halla en el *DUE* ni en el *DRAE,* pero la menciona el VOX (1987: 1125): «*prep.* Contra, en lenguaje forense»; con la observación de que «es anglicismo e incorrecto su empleo por *frente a:* capitalismo versus socialismo». El *DDDLE* (1986: 374) califica este uso de «copia del inglés debida a esnobismo», señalando que en español se dice *frente a. Versus* no se recoge en el *Esbozo* (RAE 1973) ni en Alarcos (1994) o Morera (1988).

Las observaciones que encontramos en algunos libros de estilo de periódicos importantes parecen indicar que la palabra no es infrecuente. *El País* (1993: 402-403) es el que facilita el comentario más circunstanciado: «Expresión latina que en un contexto anglosajón toma el significado de *contra* o *frente a.* Así se emplea en el lenguaje jurídico y en el de los enfrentamientos deportivos. No debe utilizarse nunca en este sentido. En latín y en castellano *versus* significa 'hacia' (*Cristo versus Arizona,* C. J. Cela[105]). No debe emplearse en un texto noticioso». Las obras análogas de Efe (1985: 155) y *ABC* (1993: 130) se contentan con la observación de que hay que emplear *contra.*

10.19. Observaciones finales

10.19.1. El empleo de las preposiciones constituye en español un problema extenso y complejo. Es evidente que en las notas que preceden —por falta de espacio— no ha podido comentarse detalladamente toda la variada gama de matices que presenta el tema.

Un aspecto peculiar consiste en las posibilidades de equivalencia o conmutación. Así, por ejemplo, en una frase como *Vendrá sobre las cinco,* la idea de tiempo aproximado podría expresarse por otros recursos: *sobre* puede sustituirse por la preposición *hacia* o por la locución temporal *a eso de.*

RAE (1973), Alarcos (1994) y Marsá (1986). Este último autor menciona la palabra, pero aparentemente sólo como sustantivo.

[104] Lo cual puede deducirse implícitamente del hecho de que *ABC* (1993: 130) prohíbe a sus colaboradores que la utilicen: «*Vía.* Este sustantivo se usa a menudo como preposición para indicar *por, con escala en, pasando por: Madrid-Londres vía París.* Escríbase siempre *por*».

[105] Se refiere a una novela que se publicó en 1988.

Por otra parte, el cambio de preposición delante de una misma palabra básica puede modificar el sentido del conjunto, como es el caso en las locuciones adverbiales *de balde* y *en balde* (con el significado, respectivamente, de «gratuitamente» y «en vano»: *estar de balde* equivale a «estar de más, estar ocioso» [106]).

10.19.2. Es digna de observación la facilidad con la que en español —a diferencia de otras lenguas, sobre todo germánicas— se combinan dos o incluso tres preposiciones [→ § 9.2.3]. [107]

(129) a. ¿Es usted *de por* aquí?
—Más bien de un poco más allá —dije finamente. [W. Fernández Flórez, *Las gafas del diablo,* 109]
b. Tuvimos que dejar la calle a unos soldados *de a caballo.* [R. del Valle-Inclán, *Sonata de otoño y sonata de invierno,* 100]
c. *Desde por entre la espesura* nos acechaban sin ser vistos. [RAE 1973: § 3.11.2f]

En su última edición normativa, la RAE (1931: 441) censuraba (por «solecismo» —junto al uso de *a por-*) la yuxtaposición de las preposiciones *con* y *sin,* advirtiendo que en vez de *Se vende un reloj con o sin cadena* hay que decir *con su cadena o sin ella.* En realidad, en el español actual es frecuente el sintagma indicado y es verdad que sonaría algo raro *con alcohol y sin él* en un texto como el siguiente:

(130) Vermouth de la casa con y sin alcohol. [Texto de un letrero]

10.19.3. Ocasionalmente se han hecho más arriba algunas observaciones relacionadas con un determinado registro de lengua en cuanto al uso de ciertas preposiciones. Nuestros comentarios forzosamente han sido limitados y concisos. Puede resultar sugerente la lectura del apartado que dedica Vigara Tauste (1992: 202- 212 y 285-288) al cambio en el empleo de preposiciones en la lengua coloquial.

10.19.4. En materia de uso de preposiciones existen ciertas diferencias entre el español atlántico y el peninsular, pero no son muy numerosas ni, en general, esenciales. [108] Sería interesante estudiar al respecto los datos que facilitan los diccionarios de americanismos.

Un indicio —es verdad que de significación relativa— que parece confirmar lo anteriormente dicho se desprende de un rápido sondeo que realizamos con una obra de la categoría señalada como base, el *Diccionario de americanismos* de M. A. Morínigo (1985). En esta obra, a pesar del hecho de que, excepto en unos pocos casos, [109] las preposiciones son palabras con evidente valor léxico, de todas las partículas mencionadas en nuestras notas tan sólo se recogen dos y con escasísima presencia (al menos por lo que respecta a la función preposicional): *contra,* con el

---

[106] Cf. *DRAE* 1992: 179. Véase también, para esta y otras varias particularidades y pormenores, Morera 1988: 179.

[107] Anteriormente ya se han comentado algunas 'unidades preposicionales' del tipo de *para con* (§ 10.12.4) y *a por* (§ 10.13.13.2).

[108] En el debido lugar hemos llamado la atención sobre los fenómenos que presentaban cierto interés, como, por ejemplo, las construcciones del tipo entrar *{a/en},* un posible uso 'vacío' de *desde* y *hasta,* etc.

[109] Piénsese, por ejemplo, en lo dicho antes acerca de *desde* y *hasta* en los §§ 10.7 y 10.11.

significado de «de contra, por añadidura» —sin precisión geográfica— (pág. 149) y *desde* (Arg., Par. y Urug.) con los significados «desde ya, desde este momento, ahora mismo» (pág. 214).

Una constatación de mayor relevancia es que en un estudio específico y extenso como el de Kany (1945) no son muchas las observaciones de tipo general (es decir, válidas para todo el territorio americano) sobre los aspectos funcional-diferenciales en materia de uso de las preposiciones.

Una conclusión convergente parece deducirse implícitamente de la brevedad del apartado que dedica el americanista Haensch (1994) al tema. En el primer párrafo se recuerda el (conocido) empleo de *a* en vez de *en* con verbos de movimiento que denotan penetración (como *entrar, ingresar, meter,* etc.). A continuación, bajo el titulillo «Otros casos de diferente construcción», se facilita una corta lista de ejemplos:

(131)	**América**	**España**
	impuesto *al* valor añadido (Arg.)	impuesto *sobre* el valor añadido
	salir *a* vacaciones (CR)	salir *de* vacaciones
	ayer *en* la noche, *en* la tarde (CR)	ayer *por* la noche, *por* la tarde
	jugar cartas, ajedrez, etc. (Bol., Pe., Ec., Col., Ven., CR, Nic., Guat., Salv., Méx., RD)	jugar *a* las cartas, *al* ajedrez (también en Arg., Urug., Par., PR. Cu., Pan.)
	meterse *de* fraile, *de* monja (Col.)	meterse *a* fraile, *a* monja [110]

Mientras que en E., Arg., Urug., Ec., Ven., Nic., Guat., Salv., Cu. se dice *jurar la bandera* (los soldados), se usa *jurar a la bandera* en Par., Chi., Bol., Pe., CR, RD. Ambas construcciones se usan en Méx.; en Col. se usa *jurar bandera* (Haensch, 1994: 169-170).

Finalmente, en la rúbrica «Preposiciones típicamente americanas» puede leerse: «*Donde* se ha convertido en América en preposición en casos como *Vamos a almorzar donde María, Voy donde el médico* y corresponde al francés *chez,* al alemán *bei, zu.* Tenemos documentado este uso para Chi., Pe., Ec., Col., Ven., toda Centroamérica, RD» (Haensch, 1994: 170). Sin embargo, puede observarse al respecto que a pesar del plural utilizado ('preposiciones') se comenta un solo caso (el de *donde*) y además la pregunta es si se trata de un uso típica y exclusivamente americano. En un texto (ya bastante antiguo) de un escritor español encontramos el siguiente ejemplo, manifiestamente con el valor indicado por el lingüista alemán:

(132) Se tiró de la cama y fue donde ella. [J. A. de Zunzunegui, *La vida como es,* 424]

---

[110] Los dos primeros ejemplos que siguen (uno de autor americano, otro español) ilustran lo dicho por Haensch acerca del uso de *a* y *de* con el verbo *meter.* El tercero (español) completa algo el comentario del investigador alemán en cuanto demuestra que no es imposible encontrar el verbo citado sin preposición:

(i) Parecía que te ibas a meter de cura —dijo Pluto. [M. Vargas Llosa, *La ciudad y los perros,* 180]
(ii) Al salir del cuartel, Gregorio Mayoral se metió a peón de albañil. [C. J. Cela, *Viaje a La Alcarria,* 263]
(iii) Mi tía Cecilia, a la muerte de la Joshepa, la criada vieja, decidió meterse monja. [P. Baroja, *La sensualidad pervertida,* 986]

El *DDDLE*: 260 menciona «*meterse a fraile* (más frecuente, *meterse fraile*)». Este autor no cita una posible construcción con *de.* En la última edición del *DRAE* (1992: 966), sólo se recoge el uso con *a* y el giro sin preposición, pero sin indicar criterio de frecuencia. En el *DUE* II: 405 se encuentran las tres construcciones, sin referencia al español de América y con la observación de que la construcción con *a* a menudo implica matiz peyorativo.

TEXTOS CITADOS

ABC, periódicos del 16-V-1978 y 10-II-1980, Madrid.
IGNACIO AGUSTÍ: *El viudo Rius,* Barcelona, Argos, 1945.
EDUARDO ALONSO: *Villahermosa*, Madrid, Espasa Calpe, 1993.
MAX AUB: *Campo del moro,* México, Joaquín Mortiz, 1963.
PÍO BAROJA: *Locuras de carnaval,* en *Obras completas, 1946-1951,* tomo VI, Madrid, Biblioteca Nueva, 1935.
— *La sensualidad pervertida,* en *Obras completas, 1946-1951,* tomo II, Madrid, Biblioteca Nueva, 1920.
— *Los últimos románticos,* Madrid, Espasa Calpe, 1957.
— *Los pilotos de altura,* Madrid, Espasa Calpe, 1959.
ALFREDO BRYCE ECHENIQUE: *Tantas veces Pedro,* Madrid, Cátedra, 1981.
LUIS BUÑUEL: *Mi último suspiro*, Barcelona, Plaza y Janés, 1982.
ANTONIO BUERO VALLEJO: *Historia de una escalera,* Madrid, Ed. Escelicer, 1966.
GUILLERMO CABRERA INFANTE: *La Habana para un infante difunto,* Barcelona-Caracas-México, Seix Barral, 1979.
Cambio 16, 21-V-1978, Madrid.
ALEJO CARPENTIER: *El recurso del método,* México-España-Argentina, Siglo XXI Editores, 1976.
MARIO ALBERTO CARRERA: *Constumbres de Guatemala,* Guatemala, Librerías Artemis y Edinter, 1986.
Casa grande, número del 29-VII-1983 de una revista publicada en Salamanca.
ALEJANDRO CASONA: *La dama del alba,* Estudio y edición de J. Rodríguez Richart, Madrid, Alcalá, 1968.
JOSÉ LUIS CASTILLO PUCHE: *Con la muerte al hombro,* Madrid, Biblioteca Nueva, 1951.
CAMILO JOSÉ CELA: *Garito de hospicianos,* Barcelona, Noguer, 1963.
— *La colmena,* Barcelona-Madrid, Noguer, 1963.
— *El gallego y su cuadrilla,* Barcelona, Destino, 1967.
— *Viaje a La Alcarria,* Madrid, Espasa Calpe, 1967.
— *San Camilo, 1936,* Madrid-Barcelona, Alfaguara, 1969.
— *Toreo de salón,* Barcelona, Lumen, 1972.
— *Los sueños vanos, los ángeles curiosos,* Barcelona, Argos Vergara, 1979.
— *Mazurca para dos muertos,* Barcelona, Seix Barral, 1983.
— *Cristo versus Arizona,* Barcelona, Seix Barral, 1988.
— *Nuevo viaje a La Alcarria,* Barcelona, Plaza y Janés, 1989.
JULIO CORTÁZAR: *Nicaragua tan violentamente dulce,* Barcelona, Muchnik, 1984.
ÁLVARO CUNQUEIRO: *La cocina cristiana de occidente,* Barcelona, Tusquets, 1991.
MIGUEL DELIBES: *Vivir al día,* Barcelona, Destino, 1968.
— *Las ratas,* Barcelona, Destino, 1968.
— *Cinco horas con Mario,* Barcelona, Destino, 1969.
— *Un año de mi vida,* Barcelona, Destino, 1972.
— *El disputado voto del señor Cayo,* Barcelona, Destino, 1978.
— *Señora de rojo sobre fondo gris,* Barcelona, Destino, 1991.
Diario 16, periódico del 29-XI-1985, Madrid.
FERNANDO DÍAZ-PLAJA: *El español y los siete pecados capitales,* Madrid, Alianza, 1966.
JOSÉ DONOSO: *La misteriosa desaparición de la marquesita de Loria,* Barcelona-Caracas-México, Seix Barral, 1980.
JORGE EDWARDS: *Persona non grata,* Barcelona, Tusquets, 1973, 1985 y 1991.
— *Adiós, poeta...,* Barcelona, Tusquets, 1990.
— *Fantasmas de carne y hueso,* Barcelona, Tusquets, 1993.
El Norte de Castilla, periódico del 12-VIII-1989, Valladolid.
El País, periódico del 4-XII-1980.
WENCESLAO FERNÁNDEZ FLOREZ: *Las gafas del diablo,* Madrid, Espasa Calpe, 1967.
JESÚS FERNÁNDEZ SANTOS: *Los bravos,* Barcelona, Destino, 1977.
JULIÁN GÁLLEGO: «Fechas conmemoradas o por conmemorar», *Ínsula,* julio-agosto, 1982.
GABRIEL GARCÍA MÁRQUEZ: *Cien años de soledad,* Barcelona, Plaza y Janés, 1977.

JOSÉ M.ª GIRONELLA: *Los cipreses creen en Dios,* Barcelona, Planeta, 1953.
— *Ha estallado la paz,* Barcelona, Planeta, 1966.
JUAN GOYTISOLO: *Duelo en el paraíso,* Barcelona, Destino, 1960.
— *En los reinos de Taifa,* Barcelona, Seix Barral, 1986.
FÉLIX GRANDE: *Agenda flamenca,* Sevilla, Editoriales Andaluzas Unidas, 1985.
ALFONSO GROSSO: *Los invitados,* Barcelona, Planeta, 1978.
Heraldo de Aragón, periódico del 22-IX-1977.
JORGE IBARGÜENGOITIA: *Los conspiradores,* Barcelona, Argos, 1981.
JESÚS IZCARAY: *La hondonada,* México, Palomar, 1961.
ENRIQUE JARDIEL PONCELA: *Obras completas,* Barcelona, Ahr, 1969.
JOSÉ JIMÉNEZ LOZANO: *La boda de Ángela,* Barcelona, Seix Barral.
La Codorniz, Antología 1941-1944, Madrid, Arnao, 1987.
CARMEN LAFORET: *Nada,* Barcelona, Destino, 1966.
La Vanguardia, periódico del 20-I-1963, Barcelona.
LORÉN, SANTIAGO: *El baile de Pan,* Barcelona, Planeta, 1960.
— *El pantano,* Barcelona, Plaza y Janés, 1967.
CARMEN MARTÍN GAITE: *El cuarto de atrás,* Barcelona, Destino, 1981.
MARINA MAYORAL: *Recóndita armonía,* Madrid, Santillana, 1994.
MIGUEL MIHURA: *Tres sombreros de copa,* Edición de Jorge Rodríguez Padrón, Madrid, Cátedra, 1981.
ROSA MONTERO: *Crónica del desamor,* Madrid, Debate, 1979.
RAFAEL H. MORENO-DURÁN: *El toque de Diana,* Barcelona, Montesinos, 1981.
ANTONIO MUÑOZ MOLINA: *Los misterios de Madrid,* Barcelona, Seix Barral, 1992.
PABLO NERUDA: *Confieso que he vivido. Memorias,* Barcelona, Seix Barral, 1976.
JUAN CARLOS ONETTI: *Dejemos hablar al viento,* Barcelona, Bruguera Alfaguara, 1979.
JOSÉ ORTEGA y GASSET: *Estudios sobre el amor,* Madrid, Revista de Occidente, 1979.
JOSÉ M.ª PEMÁN: *Ensayos andaluces,* Barcelona, Planeta, 1972.
MARCELINO PEÑUELAS: *Conversaciones con Ramón J. Sender,* Madrid, Magisterio Español, 1969.
AUGUSTO ROA BASTOS: *El trueno entre las hojas,* Barcelona, Bruguera, 1977.
CARLOS ROJAS: *Por qué perdimos la guerra,* Barcelona, Nauta, 1970.
EMILIO ROMERO: *La paz empieza nunca,* Barcelona, Planeta, 1968.
ELEUTERIO, SÁNCHEZ, ALIAS «EL LUTE»: *Camina o revienta,* Madrid, *Cuadernos para el Diálogo,* 1977.
RAFAEL SÁNCHEZ FERLOSIO: *El Jarama,* Barcelona, Destino, 1971.
RAMÓN JOSÉ SENDER: *La luna de los perros,* Barcelona, Destino, 1969.
— *Siete domingos rojos,* Buenos Aires, Proyección, 1970.
MANUEL SUMMERS: *Politikk,* Madrid, Sedmay, 1975.
JAVIER TAPIA: *Chistes de gallegos, catalanes, madrileños, andaluces... y otras hierbas nacionales,* Madrid, Temas de Hoy, 1993.
FRANCISCO UMBRAL: *Las ninfas,* Barcelona, Destino, 1976.
— *La noche que llegué al café Gijón,* Barcelona, Destino, 1977.
— *Crónica de esa guapa gente,* Barcelona, Planeta, 1991.
RAMÓN M.ª DEL VALLE-INCLÁN: *Sonata de otoño y Sonata de invierno,* Madrid, Espasa Calpe, 1963.
— *Luces de Bohemia,* Madrid, Espasa Calpe, 1981.
JUAN ANTONIO VALLEJO-NÁGERA: *Concierto para instrumentos desafinados,* Barcelona, Argos Vergara, 1980.
MARIO VARGAS LLOSA: *La ciudad y los perros,* Madrid, Aguilar, 1973.
ALBERTO VÁZQUEZ FIGUEROA: *Tuareg,* Barcelona, Plaza y Janés, 1992.
MANUEL VÁZQUEZ MONTALBÁN: *Los mares del sur,* Barcelona, Planeta, 1979.
— *Galíndez,* Barcelona, Seix Barral, 1990.
FERNANDO VIZCAÍNO CASAS: *...Y al tercer año resucitó,* Barcelona, Planeta, 1978.
JUAN ANTONIO DE ZUNZUNEGUI: *Ramón o la vida baldía,* Madrid, Espasa Calpe, 1952.
— *La vida como es,* Barcelona, Noguer, 1954.
— *El hijo hecho a contrata,* Barcelona, Noguer, 1956.
— *La úlcera,* Madrid, Espasa Calpe, 1959.

REFERENCIAS BIBLIOGRÁFICAS

ABC (1993): *Libro de estilo,* Barcelona, Ariel.

ALARCOS LLORACH, EMILIO (1994): *Gramática de la lengua española,* Madrid, Espasa Calpe.

BEINHAUER, WERNER (1968): *El español coloquial,* Madrid, Gredos.

BELLO, ANDRÉS (1847): *Gramática de la lengua castellana destinada al uso de los americanos* (con las notas de Rufino J. Cuervo), Caracas, Ediciones del Ministerio de Educación.

CARTAGENA, NELSON y HANS-MARTIN GAUGER (1989): *Vergleichende Grammatik Spanisch-Deutsch,* 2 vols., Mannheim/Wien/Zurich, Duenverlag.

COSTE, JEAN y AUGUSTÍN REDONDO (1965): *Syntaxe de l'espagnol moderne (enseignement supérieur),* París, Sedes.

BRUYNE, JACQUES DE (1993): *Spanische Grammatik,* Tubinga, Niemeyer.

DELBECQUE, NICOLE (1994): «*POR* ou *PARA:* des relations entre causalité et finalité dans la phrase espagnole», *Revue de linguistique romane 58:19.*

EFE (1985): *Manual de español urgente,* Madrid, Cátedra.

EL PAÍS (1993): *Libro de estilo,* Madrid, Ed. El País.

GILI Y GAYA, SAMUEL (1943): *Curso superior de sintaxis española,* Barcelona, Biblograf, 1964.

HAENSCH, GÜNTHER (1994): «Español de América / Español de Europa», Bruselas-Luxemburgo, Terminologie et production n.º 1, Commission européenne, Service de Traduction.

KANY, CHARLES E. (1945): *American-Spanish Syntax,* Chicago, University of Chicago Press [Citamos por la traducción al español, *Sintaxis hispanoamericana,* Madrid, Gredos, 1969].

KÖRNER, KARL-HERMAN (1989): «Der Agensausdruck beim Reflexpassiv im Spanischen aus Syntaxtypologischer Perspektive», *Variatio Linguarum-Festschrift zum 60. Geburtstag von Gustav Ineichen,* Wiesbaden, F. Steiner Verlag.

LAPESA, RAFAEL (1980): *Historia de la lengua española,* Madrid, Gredos.

LÁZARO CARRETER, FERNANDO (1985): *Las ideas lingüísticas en España durante el siglo XVIII*, Barcelona, Crítica.

LORENZO, EMILIO (1971): *El español de hoy, lengua en ebullición*, Madrid, Gredos.

MARSÁ, FRANCISCO (1986): *Diccionario normativo y guía práctica de la lengua española*, Barcelona, Ariel.

MARTÍNEZ AMADOR, EMILIO (1961): *Diccionario gramatical,* Barcelona, Sopena.

MOLINER, MARÍA (1966-1967): *Diccionario de uso del español,* Madrid, Gredos. [*DUE* en el texto.]

MORENO DE ALBA, JOSÉ CARLOS (1992): *Minucias del lenguaje,* México, Fondo de Cultura Económica.

MORERA, MARCIAL (1988): *Estructura semántica del sistema preposicional del español moderno y sus campos de usos,* Puerto del Rosario, Servicio de publicaciones del Excmo. Cabildo Insular de Fuerteventura.

MORÍNIGO, MARCOS A. (1985): *Diccionario de americanismos,* Barcelona, Muchnik.

MOZOS MOCHA, SANTIAGO DE LOS (1973): *El gerundio preposicional,* Universidad de Salamanca.

RAINER, FRANZ (1993): *Spanische Wortbildungslehre,* Tubinga, Niemeyer.

REAL ACADEMIA ESPAÑOLA (1771): *Gramática de la lengua española,* Joachin de Ibarra. [RAE 1771 en el texto.]

— (1931): *Gramática de la lengua española,* Madrid, Espasa Calpe, 1962. [RAE 1931 en el texto.]

— (1973): *Esbozo de una nueva gramática de la lengua española,* Madrid, Espasa Calpe. [RAE 1973 en el texto.]

— (1992): *Diccionario de la lengua española,* 21.ª edición, Madrid, Espasa Calpe. [*DRAE* en el texto.]

SALVADOR, GREGORIO (1992): *Política lingüística y sentido común,* Madrid, Istmo.

SECO, MANUEL (1986): *Diccionario de dudas y dificultades de la lengua española,* Madrid, Aguilar. [*DDDLE* en el texto.]

VIGARA TAUSTE, ANA M.ª (1992): *Morfosintaxis del español coloquial,* Madrid, Gredos.

VOX (1987): *Diccionario general ilustrado de la lengua española,* Nueva redacción dirigida por Manuel Alvar Ezquerra, Barcelona, Biblograf.

11
El ADVERBIO

OFELIA KOVACCI
Universidad de Buenos Aires, CONICET

ÍNDICE

11.1. Categoría y forma

11.1.1. Clases de adverbios. Sistema semántico

De acuerdo con el modo de significar, Alcina Franch y Blecua (1975: § 4.9.0.1) reconocen adverbios de base léxica —palabras sinsemánticas: «que significan por sí mismas» (Alcina y Blecua 1975: § 4.0.1 y 4.9.0)— y adverbios pronominales. [1] De acuerdo con esta división básica distinguimos dos clases de adverbios en el español: léxicos y pronominales. [2]

A) Léxicos

a) calificativos, que comprenden los adverbios propios: *bien, mal, peor,* etc.; adverbios en *-mente*: *claramente, rápidamente;* adverbios adjetivales: *(hablar) fuerte, (trabajar) duro*;
b) de lugar: *cerca, lejos, arriba, abajo, adentro,* etc.; de tiempo: *antes, después, luego,* etc.; todos ellos son transitivos, es decir, pueden llevar complemento prepositivo: *cerca de mí; antes de las cuatro;* y pueden ser términos de preposición (suele decirse que esta es una propiedad «nominal» de estos adverbios): *Lo vi de lejos; Lo dejaron para después* [—> § 9.3.1];
c) temporales intransitivos: *temprano, tarde, pronto;*
d) modales: *quizá(s), acaso.*

B) Pronominales

a) deícticos: espaciales: *aquí, ahí, allí, acá, allá;* temporales: *ahora, entonces, hoy, ayer; anteayer, mañana, anoche;* de modo: *así;* cuantitativo: *tanto* [—> § 14.4];
b) cuantitativos: *poco, mucho, bastante, demasiado, casi* [—> § 16.5]; cuantitativos temporales; *siempre, nunca, jamás* [—> § 48.1.2]; cuantitativos aspectuales; *todavía, aún, ya* [—> § 48.5.1];
c) numerales: *primero, segundo, medio;* etc.
d) identificativo: *mismo;* identificativos polares: *sí, no, también, tampoco* [—> § 40.1];
e) relativos: *donde, cuando* [—> §§ 7.5.6-7]; interrogativos o exclamativos: *dónde, cuándo* [—> Caps. 31, 35, 61 y 62]; etc.

Además de las unidades enumeradas hay que agregar las locuciones (o modos) adverbiales [—> § 9.3.3] (Corpas Pastor 1997: § 3.4.3): *en realidad, sin duda, largo y tendido, lisa y llanamente, en vano, en absoluto, de repente, en seguida, al pie de la letra,* etc. En lo que sigue trataremos en particular los adverbios en *-mente.*

11.1.2. Caracteres morfológicos generales

Desde el punto de vista morfológico los adverbios son palabras invariables, ya que no flexionan, y por lo tanto no contraen conexiones sintácticas de concordancia

---

[1] R. Seco (1980: § 81) reconoce ambas clases como nominales y pronominales, respectivamente.

[2] Sin seguir estrictamente la presentación de los autores. A esta clasificación suele superponerse otra (R. Seco 1980: § 80): adverbios que indican cualidades ('calificativos') y adverbios que indican circunstancias ('determinativos': todos los restantes).

o rección. Comparten esta característica con otras palabras, como las preposiciones y las conjunciones, todas comprendidas en la denominación tradicional de 'partículas' [⟶ Cap. 9], definidas precisamente por oposición a las palabras que se caracterizan por flexionar y contraer conexiones sintácticas en las categorías de género, número, caso, persona, tiempo, aspecto o modo. Pero adverbios de varias clases pueden exhibir procesos de derivación: toman sufijos diminutivos: *cerquita, despacito, prontito; (habla) bajito, (vino) rapidito;* o superlativos: *tardísimo, lejísimos; (habló) clarísimo, (vuela) altísimo.* En cuanto a los adverbios en *-mente,* el adjetivo sobre el que se forman puede ser un superlativo *(clarísimamente, agilísimamente, libérrimamente),* un derivado no apreciativo *(gozosamente, caballerescamente),* un compuesto *(malsanamente, clarividentemente),* un parasintético *(malhumoradamente, endurecidamente).*

La derivación diminutiva de los adverbios se emplea en casi todos los dialectos del español (Kany 1945: 267), si bien en algunos con mayor extensión que en otros; frente a los casos generales antes mencionados, aparecen algunos de distribución más circunscripta; por ejemplo, *detrasito de unos matojos* [J. Rulfo, *Relatos,* 16]; *abajito de la nalga* [J. Rulfo, *Relatos,* 18]; *afuerita de la cárcel* [J. Rulfo, *Relatos,* 29]; *enfrentito de aquella figurita dorada* [J. Rulfo, *Relatos,* 74]; [3] *ahorita* [*Muestras del habla culta de Bogotá,* 29]; *ahoritica* [*Muestras del habla culta de Bogotá,* 54]; *casitico (< casi), lueguichicho (< luego),* citados por Kany para Costa Rica y Chile, respectivamente; *reciencito* (Argent.); *acasito (< acá), áhi más allacito, allacito, ahorita, ahoritita, apenitas, apenititas, apeninitas, apenitititas, abajito, arribita, enfrentito, casito (< casi)* (Canarias), registrados en Corrales Zumbado *et al.* 1992.

11.1.2.1. Adverbios en -mente

Los adverbios en *-mente* del español [⟶ §§ 4.2 y 67.2.3.1] se originan en la construcción sintáctica latina, de valor adverbial, formada por *mente,* ablativo del sustantivo femenino *mens, mentis* 'mente, ánimo, intención', y un adjetivo concordado antepuesto. [4]

Muchos adverbios del español provienen de formas adverbiales latinas: a) adverbios: *cerca (< circa), hoy (< hodie), ya (< iam);* b) combinaciones sintácticas, entre ellas: preposición y adverbio: *demás (< demagis), después (< de-ex-post);* dos adverbios: *aquí (< eccum hīc), jamás (< iam magis);* adjetivo y sustantivo: *hogaño (< hoc anno), todavía (< tota via);* una oración: el adverbio *quizá* se origina en la oración latina *qui sapit* ('quién sabe'). [5]

El latín formaba adverbios mediante varios sufijos (Karlsson 1981: § 2), entre ellos *-e,* en palabras como *bene, male, tarde,* (conservadas sin cambio en italiano; esp. *bien, mal, tarde*), *longe* ('largamente', esp. ant. *lueñe*). Con el sufijo *-o,* tema de acusativos neutros de adjetivos o del ablativo neutro de sustantivos, también formó adverbios, procedimiento que pasó al romance: *(hablar) bajo / claro,* etc. (cf. italiano *piano, chiaro,* etc.; francés *bas, clair*), y se extendió a adjetivos de otras terminaciones *(fuerte, diferente, fácil).* Del español arcaico Lapesa (1980: § 57_1) cita: *Violos el rey, fermoso sonrisava.* Otros sufijos adverbiales del latín, como *(i)ter, -tim, -(i)tus,* no se conservaron.

Grandgent (1928: § 41) señala que la construcción endocéntrica adverbial latina de <adjetivo + *mente*> se usó primero «para denotar un estado de ánimo, como *forti mente, obstinata mente, jocunda mente [...]*» (cf. Lapesa 1980: § 13). Luego —continúa Grandgent— «pasó a emplearse en

---

[3] Para otros ejemplos de México, cf. McWilliams 1954: 79-80; y de México y Nicaragua, Álvarez Martínez 1994: 11.

[4] Para los procedimientos de formación de adverbios en diversas lenguas, véanse Tesnière 1994: II, §§ 202, 203, 205, Huang 1975: cap. II, Karlsson 1981: § 1.

[5] Para estos aspectos, y los que siguen, cf. Menéndez Pidal 1962: § 128_2; Grandgent 1928: § 40-47.

un sentido más general: *pari mente.* Más tarde, tal vez terminado ya el período del latín vulgar, *mente* se usó con algunos adjetivos que podían formar un adverbio de modo», como *sola mente.* En la Romania el rumano no conservó la construcción, pero en otras lenguas *mente* también a veces se añade a adverbios, como en el francés *comment* y el italiano *insiememente*.

El español antiguo contaba con el sustantivo *guisa* (germ. *wīsa*), que formaba también construcciones endocéntricas de valor adverbial: «*Lloráronle muy fiera guisa,* como en alemán *gleicherweise, folgenderweise,* y en inglés *otherwise, anywise*» (Menéndez Pidal 1962: § 128_3). [6]

En español los adverbios en *-mente* poseen varias propiedades en común con los compuestos endocéntricos [→ §§ 67.2.1.3, 73.1.2 y 73.2.1] (Bosque 1987: 96) —era igualmente endocéntrica la construcción sintáctica de origen— y su esquema morfológico es altamente productivo. Su primer constituyente es un adjetivo, fijado en singular y en la forma femenina si flexiona en género: *vagamente (< vago, -a), atentamente (< atento, -a); amablemente (< amable), fielmente (< fiel).* Respecto de otras palabras compuestas estos adverbios tienen, sin embargo, un rasgo peculiar: son las únicas que conservan el acento de intensidad en ambos componentes (RAE 1973: § 1.5.6; Canellada y Kuhlmann Madsen 1987: § 5.1.7). [7] Por otra parte, cuando los adverbios se coordinan, el núcleo *-mente* puede elidirse en todos los miembros de la construcción, excepto en el último: *(trabajar) lenta Ø pero constantemente* (cf. *trabajar *lentamente pero constante*); *(contestar) clara Ø, franca Ø y rotundamente.* El mismo proceso se observa en el período comparativo: *(hablar) {más ampulosa Ø que profundamente / tan clara como sinceramente}.* Exhiben también esta propiedad algunos compuestos endocéntricos (Bosque 1987: 95 y 97): *(países) centro Ø y sudamericanos; (datos) tanto macro Ø como microeconómicos; (consonantes) pre Ø o postpalatales (*prepalatales o post)* [→ § 76.2.5.2].

Bello, al tratar la formación de palabras (1847: § 90), se refiere a la 'composición' como una estructura en la que «aparecen dos o más palabras que se usan fuera de la composición, ya sea que se altere la forma de alguna de las palabras concurrentes, de todas ellas o de ninguna», y agrega: «los adverbios *buenamente, malamente, doctamente, torpemente* [se componen] de los adjetivos *buena, mala, docta, torpe* y el sustantivo *mente,* que toma en tales compuestos la significación de manera o forma». Alonso y Henríquez Ureña (1955: § 217) y M. Seco (1972: § 14.3.3) también tratan los adverbios en *-mente* como compuestos con este carácter.

Acerca de la naturaleza morfológica de los adverbios en *-mente* se han propuesto también otras interpretaciones: a) frase, b) forma flexional, c) derivado, d) compuesto en relación de predicación.

a) Bello, en otro lugar de su *Gramática* (1847: § 369), describe estos adverbios como «frases sustantivas adverbializadas; o si se quiere, complementos en que se calla la preposición»; [8] y reitera que «*mente* en estas frases significa manera o forma», de modo que, por ejemplo, *sabiamente* significa *de una manera sabia.* Lenz (1935: §§ 146 y 139) caracteriza las formaciones como «frases adverbiales en ablativo», integradas por el adjetivo concordado con el ablativo femenino latino *-mente*. Alcina Franch y Blecua (1975: § 4.9.1.1) los consideran compuestos cuya naturaleza es de «frase absoluta». También la *Gramática* de la RAE (1931: § 171b, c) se remonta a las construcciones latinas y afirma que los adverbios terminados en *-mente* se traducen mediante complementos. Gregores (1960: 22-26) no difiere básicamente de esta posición, excepto en que caracteriza la relación

[6] Según Hernández González (1992: 499, 502-503), el adverbio en *-wise* se usó en el siglo XIII en lengua literaria. La autora registra un inventario reducido de construcciones con los adjetivos *otra, fiera,* y menor aún con *nulla* y *sobeia*.

[7] Siguiendo las reglas de acentuación ortográfica el adjetivo lleva tilde si es agudo o esdrújulo: *cortésmente, próximamente*.

[8] Este concepto aparece en la *Gramática* de Port-Royal, donde se afirma que la mayoría de los adverbios significan en una sola palabra (como *sapienter* «sabiamente») lo que no se podría expresar sino por una preposición y un nombre *(cum sapientia);* (cf. *Grammaire génerale et raisonnée,* Parte II, cap. XII).

fija e invariable de los constituyentes del adverbio en *-mente* como exocéntrica: el adjetivo y el sustantivo son interdependientes y ninguno puede desempeñar individualmente la función de la construcción entera, rasgos todos que caracterizan también expresiones exocéntricas del tipo *a duras penas,* o *a pie juntillas,* conocidas tradicionalmente como 'locuciones adverbiales'. Puede objetarse que estas no admiten un proceso de elisión en la coordinación *(*a duras penas y pie juntillas).* En Hockett 1971: § 28.5, en cuya traducción y adaptación intervino Gregores, se señala que la construcción exocéntrica de estos compuestos es distinta de la de otros tipos de construcción exocéntrica, por lo cual forma «una construcción marginal» que designa como «adverbial en *mente»,* cuyo comportamiento en la coordinación se halla «en el límite entre morfología y sintaxis»; por estos rasgos los adverbios en *-mente* serían *«compuestos frasales».* Para la RAE (1973: § 2.4.10), por las «particularidades acentuales, morfológicas y sintácticas, y además por el hecho de afectar a toda una clase extensa de palabras, la formación en *-mente* se separa de la composición y la derivación».

b) Alarcos Llorach (1951: §§ 50, 75, 85), siguiendo a Hjelmslev (1928: § 72), considera que *-mente* representa el «caso adverbial» de los adjetivos, ya que es la expresión de un morfema regido por el verbo *(Es celebrado justamente).* El autor se basa exclusivamente en el criterio de la rección, «base de toda definición funcional o formal» (Alarcos Llorach 1951: § 78); por ejemplo, los pronombres demostrativos *este, ese, aquel* tienen caso locativo *(aquí, ahí, allí),* caso temporal *(ahora, entonces),* regidos por preposición, y caso modal *(así).* De acuerdo con el criterio mencionado, habría que suponer que todas las bases léxicas nominales tienen un caso que es «sincretismo de los casos posibles en el castellano» (Alarcos Llorach 1951: § 78), sólo que nunca marcado.[9]

c) La interpretación del elemento *-mente* como un sufijo de derivación de adverbios a partir de adjetivos ha sido sostenida por Varela Ortega (1990: §§ 4.5.1, 4.5.1.1) considerando el tipo de derivación en la que el sufijo es un morfema que cambia la categoría léxica de la palabra base sin cambiar su estructura argumental. También lo incluyen en la derivación, entre otros, Egea (1979: § 2.1), Karlsson (1981: § 1.4.2), Bosque (1989: § 6.2), Alarcos Llorach (1970: 244 y 1994: § 177), Lang (1992: § 6.4),[10] Miranda (1994: § 3.2.4.4), Rainer (1996: 86-87). En esta interpretación no se tiene en cuenta o se minimiza el hecho de que en el español los sufijos de derivación preceden a los de flexión *(clara: clarita),* o siguen a la base sin la marca de género *(malo/a: maldad).*

d) Zagona (1990: 9) reconoce la construcción como un compuesto constituido por palabras independientes, hecho que se pone en evidencia con la marca de género-número del adjetivo, la posibilidad de omitir *-mente* en la coordinación (cf. *directa* Ø o *indirectamente),* y el esquema prosódico de los dos acentos; pero no lo considera un compuesto endocéntrico, pues ni *mente* ni el adjetivo pueden ser claramente núcleos (Zagona 1990: 16-19). Puesto que los adjetivos comparten con los verbos la capacidad de tener sujeto como argumento, en este compuesto se permite, a la manera de los sujetos nulos (o tácitos), la omisión de *-mente* en la coordinación, en virtud de la riqueza de inflexión del predicado (aquí el femenino singular del adjetivo). De acuerdo con este análisis (Zagona 1990: 20 y 29) se trata de una relación sujeto *(mente)* y predicado (el adjetivo). Cf. la interpretación de Alcina Franch y Blecua (1975: §§ 4.9.1.1 y 7.3.6) como «frase absoluta», antes mencionada en (a).

No todos los adjetivos pueden entrar en las formaciones en *-mente.*[11] Se excluyen los llamados tradicionalmente adjetivos pronominales, excepto algunos casos particulares. Así, sobre los numerales ordinales se forma *primeramente;* si bien el *DRAE* (1992) registra *segundamente* y *cuartamente* como adverbios antiguos, y *terceramente* como «poco usado». De los múltiplos son usuales *doblemente, triplemente.*

---

[9] En lenguas que tienen declinación casual se forman adverbios a partir de un caso del adjetivo o del sustantivo. Así, en latín la desinencia *-e* de muchos adverbios es un antiguo instrumental (*longe* «largamente» < *longus, -i,* «largo»); del ablativo también se forman adverbios (abl. *pedibus* «a pie» < *pes, -dis* «pie»). Gregores (1960: págs. 6-13) presenta varias objeciones a la hipótesis de la flexión.

[10] Si bien también observa que la combinación de *-mente* con bases adjetivas, por su estructura fija y su productividad, permite que «pueda considerarse un tipo de flexión» (Lang 1992: § 6.4).

[11] Véanse Lenz 1935: § 146, Egea 1979: §§ 2.1 y 2.2, Varela Ortega 1990: § 4.5.1.1, García-Page 1991b, *passim.* Estudios basados en encuestas de habla culta son Rojas 1980-1981 y Vigueras Ávila 1983, y de habla popular, Arjona Iglesias 1991; los tres presentan recuentos.

Con el indefinido *otro,* el identificativo *mismo* y el demostrativo *tal* se han acuñado, según el *DRAE* (1992), *otramente* «de otra suerte», *mismamente* «cabalmente, precisamente» (calificado como «familiar») y *talmente* «de tal manera, así, en tal forma».

Los adverbios cuya acogida en el *DRAE* señalamos no son generales, y pueden tener, según los dialectos o sociolectos, y según la época, diferente grado de adecuación, como en los ejemplos siguientes:

(1) ([El retrato] fue muy celebrado por María y Aniceto.) —*Talmente* la niña— decían entusiasmados. [G. Salvador, *Casualidades*, 178]
(2) Como mi caso, pocos. [...] *Talmente* el colmo de la desventura. [A. Zamora Vicente, *Voces sin rostro,* 145]
(3) El retablo parece *mismamente* una representación del cielo. [TV, Madrid, 1995]
(4) 'stá mal *sindudamente;* pero válgame Dios que yo no he buscao el plaito... [R. Güiraldes, *Don Segundo Sombra,* 135)]

El texto (1) corresponde al habla del casero de una finca en la provincia de Toledo; (2) y (3) representan habla coloquial madrileña; (4) reproduce lengua rural bonaerense de las primeras décadas del siglo XX. [12]

Se excluyen de la construcción con *-mente* los adjetivos determinativos o relacionales [→ § 3.3.1], que señalan origen, pertenencia, cargo *(*inglesamente, *presidencialmente)* y los calificativos que expresan cualidades físicas o materiales *(*verdemente, *viejamente, *canosamente).* El adverbio *duramente* no puede aplicarse a objetos materiales *(*El roble crece duramente),* pero se aplica a acciones *(trabajar duramente),* o como cualidad anímica con el significado «con severidad excesiva» *(Lo trató duramente).* Con algunos adjetivos derivados las restricciones señaladas se observan en pares que oponen cualidad física a cualidad no física, o referencia material a no material; con sufijo *-ble: *lavablemente, *comestiblemente/amablemente, confiablemente;* con *-oso; *ososamente/gozosamente;* con *-al: *papalmente/patriarcalmente.*

Los adjetivos deverbales en *-ble, -do* y *-nte* [→ § 70.5] presentan comportamientos variables respecto de la adverbialización en *-mente*, ya que un grupo la admite sólo si lleva prefijos negativos: **evitablemente/inevitablemente, *interrumpidamente/ininterrumpidamente, *continentemente/incontinentemente,* mientras que otros no exhiben esa restricción: *agradablemente, desagradablemente, aquietadamente, corrientemente*.

Respecto de este último fenómeno, Varela Ortega (1990: § 4.5.1.1) señala que el proceso de lexicalización de los adjetivos en los que la idea verbal queda casi totalmente desdibujada favorece la adverbialización, y que este hecho depende de distinciones aspectuales en los adjetivos.

En obras literarias se observa mayor libertad en la formación de los adverbios en *-mente,* [13] en unos casos como neologismos, y en otros como recurso expresivo

[12] M. Seco *(DDDLE)* considera que *mismamente* es de nivel vulgar. «Adecuadamente —señala— lo pone Galdós en boca de un hombre inculto: *Tráteme la señora mismamente como a un chiquillo (Torquemada)*». El novelista empleaba el término como parte de la caracterización lingüística de personajes incultos y groseros; así: *Si el premio de horrorosa no hay quien se lo quite, y yo mismamente, al par de ella, soy como... las diosas del* Olímpido [Galdós, *Nazarín,* 45]. Seco además identifica como regional el uso adverbial de *mismo* con el valor de *justo, justamente, cabalmente,* y cita: *«Mismo parecía que estábamos entre caballeros»* [C. J. Cela, *Lazarillo*].

[13] Salvá en 1830 consideraba como autoridad al uso, «el cual admite a *desgraciadamente* y *santamente,* y no ha querido

extremo que se aparta de las normas gramaticales. En este último carácter los siguientes textos incluyen acuñaciones cuyo primer constituyente es un sustantivo (5a), un adjetivo que denota origen (b), un adjetivo que designa cualidad física (c, d), un pronombre posesivo (e) y un cuantitativo existencial (f): [14]

(5) a. He pensado a menudo en todo esto | *mujermente* agobiada de plumeros. [M.ª E. Walsh]
b. Que nada [en la obra de los compositores venezolanos] suene a cosa exótica. Que lo venezolano, al sonar *venezolanamente,* tenga siempre un sentido universal. [A. Carpentier, *Ese músico que llevo dentro,* 14]
c. tan *verdemente* pensativo. [Dámaso Alonso]
d. En el pórtico de un salón *purpúreamente* alfombrado y con doradas incrustaciones en las paredes, gritó su nombre. [A. Bioy Casares, *Plan de evasión,* 12]
e. Tu vida | maneja los prodigios | tan *tuyamente* como | el calor de tus ojos. [Pedro Salinas]
f. Flotáis *nadamente* detrás de aquesa membrana. [César Vallejo]

11.1.2.2. Adverbios adjetivales

Estos adverbios tienen la forma de un adjetivo en singular con el sufijo masculino si el adjetivo es de dos terminaciones. En su mayoría alternan con el adverbio en *-mente*, y contrastan con el adjetivo predicativo:

(6) a. La chica juega *{limpio/limpiamente}* todas las partidas.
b. La chica juega *limpia/limpiamente)* todas las partidas.

En (6a) ambos adverbios son equivalentes en su significado: «sin trampas» (*DUE* II, *s.v.*), y se relacionan con el verbo (cf. *juego limpio*). En (6b) *limpia:* «sin mancha o suciedad», es un adjetivo predicativo concordado con el sujeto [→ § 38.2.1.1], y no tiene equivalencia semántica [15] ni funcional con el adverbio en *-mente* (cf. *la chica limpia/*juego limpio*).

Es reducida la cantidad de adverbios en *-mente* que se corresponden con adverbios cortos: *María lloraba {desconsoladamente/*desconsolado}; Escuchan {atentamente/*atento}; Llueve {torrencialmente/*torrencial}; Todo terminó {lamentablemente/ *lamentable}.* A la inversa, algunos adverbios adjetivales no se corresponden con la forma en *-mente*, como: *volar {alto/*altamente}; pensar {distinto/*distintamente},* porque el segundo se emplea con otro significado: *alto* tiene valor espacial en el ejem-

---

aún dar entrada a *malhadadamente* y *beatamente»* (1988: 284). Lenz (1935: § 146) señalaba que las restricciones no responden a reglas absolutas, puesto que, por ejemplo, el uso admite *primeramente,* pero no existe **cuartamente.*

Es necesario tener en cuenta que los juicios de gramaticalidad pueden variar de acuerdo con la diferenciación dialectal, la diacronía, etc. —como se ha señalado—, o según los contextos en que se coloca un adverbio. Las formaciones *romboidalmente* y *financieramente* (anómalas para García-Page 1991b: 150), son normales, a nuestro criterio, en *Córtese la masa romboidalmente* y en *El Banco auxiliará financieramente a la empresa*.

[14] El ejemplo (a) está citado en Domínguez de Rodríguez Pasqués 1970: 297-298; (c) y (f) en García-Page 1991b: 159 y 152, respectivamente; (e) en Mayoral 1982: 38.

[15] *Limpia* y *limpio* (o *limpiamente*) se oponen como cualidad física (o material) y cualidad no física (no material).

plo, y *altamente,* «en extremo», intensifica cualidades *(altamente recomendable); distinto* es «diferente» y *distintamente* es «claramente» *(Oyó distintamente un estampido).* En el caso de *lavar más blanco* [16] la conmutación no es posible porque no existe **blancamente.* Por otra parte, el uso de los adverbios adjetivales está sujeto, en general, a su colocación con determinados verbos. Se distinguen varios casos: [17]

a) Algunos tienen capacidad combinatoria amplia: a *primero, rápido, pronto* convienen verbos de varios campos semánticos, como *llegar, escribir, pensar, hablar, trabajar, enterarse (de), conocer, poseer, abrir, subir.*

b) Otros adverbios aparecen con verbos de un campo semántico determinado. Con verbos de habla, como *decir, hablar, conversar, pronunciar, llamar, cantar,* son compatibles *alto, bajo, quedo, fuerte, recio,* que se refieren al grado de intensidad del sonido emitido, y *claro,* a su precisión articulatoria o su inteligibilidad. El significado de un adverbio particular, además, puede restringir sus posibilidades combinatorias: no hay compatibilidad semántica en **musitar recio* ni en **gritar quedo;* o, en cambio, puede extender la compatibilidad a otros campos semánticos: *claro* se refiere a la percepción sensorial con *ver* u *oír,* y *fuerte* a la intensidad de diversos fenómenos. En (7) los adverbios que se coordinan caracterizan aspectos diferentes de los conceptos verbales:

(7) a. —Perdone usted, cobrador— pronuncié *alto, claro* y despacio [...] [C. Martín Gaite, *El balneario,* 9]
b. Llovía *fuerte* y *continuo,* uno de esos chaparrones tormentosos que meten ruido y mojan. [G. Torrente Ballester, *Las islas extraordinarias,* 78]

c) Con valor espacial, *alto* y *bajo* se construyen con verbos locativos y de movimiento: *poner, colocar, volar, subir, arrojar.* Los adverbios direccionales *recto, derecho* son compatibles con *salir, venir, ir* (cf. *Sigan todo recto, tuerzan a la izquierda* [C. Martín Gaite, *El balneario,* 23]; *Mejor ir por la izquierda; se sale más derecho* [C. Martín Gaite, *El balneario,* 42]). *Hondo* se aplica con significado espacial concreto con *penetrar, calar, enterrar, clavar (algo), respirar,* o con sentido figurado: *Me hirió muy hondo con sus palabras.*

d) Algunos adverbios adjetivales tienen posibilidades combinatorias más restringidas: *{pensar/opinar/tratar} (una cosa) distinto; trabajar duro* «con mucho esfuerzo», *{pegar/dar} duro* «con violencia»; *mirar {fijo/sesgado}; {agradecer/alegrarse} infinito; {hablar/conversar} largo* —y la locución *largo y tendido*— con referencia a la duración de las acciones. Con *pasar(lo), sentirse, ir (a uno),* aparecen *bárbaro* «estupendamente» y *fenomenal.* Este adverbio alterna con el sustantivo *fenómeno,* uso extendido coloquialmente a otros sustantivos: *(pasarlo) bomba* (Lorenzo 1994: 326, 72; cf. *Hay que creer que lo pasabais fenómeno, bomba* [A. Zamora Vicente, *Voces sin rostro,* 48]); también se emplean *horrores/un horror* (*Se divierten horrores* [*El habla culta de la ciudad de México,* 93]). A diferencia de los adverbios en *-mente* y los adjetivales, los de origen sustantivo no aceptan cuantificadores de grado o intensificadores: *trabajar {más duro/duramente}, mirar bien fijo, hablar {razonablemente/excesivamente bajo}, *pasarlo {muy/completamente} fenómeno.*

---

[16] Citado por Lorenzo ya en 1965; en Lorenzo 1994: 72.

[17] Para este aspecto, cf. Alcina Franch y Blecua 1975: § 4.9.1.2; Bosque 1989: § 6.3.

Los cuantificadores e intensificadores deben satisfacer requisitos de compatibilidad semántica; así, el significado de *infinito* (e *infinitamente*) los rechaza: *(agradecer) *muy infinitamente; {*muy/ *poco} infinito, {*completamente/*razonablemente/*excesivamente} infinito.* En cuanto al uso adverbial de sustantivos, Lorenzo (1994: 72) cita también *Lo pasan jamón* [C. J. Cela], *un periódico que está pipa* [P. F. G, *ABC*]. En proceso de gramaticalización más avanzado está *bomba,* que por ello permite algún cuantificador: *(pasarlo) bien bomba.* Estos usos se recogen en textos literarios que se proponen representar el habla coloquial de Madrid:

(8) Pues mira, hay que creer que lo pasabais *fenómeno, bomba,* ya ya lo veo. [A. Zamora Vicente, *Voces sin rostro,* 48]

e) En los casos anteriores el adverbio indica maneras de jugar, volar, hablar, trabajar, etc. Otras combinaciones no se interpretan del mismo modo, pues constituyen locuciones verbales: *pisar firme, pisar fuerte,* [18] *hilar {fino/delgado}.* [19] Los adverbios no pueden conmutarse por la forma en *-mente* sin afectar su significado metafórico: así, en (9a, b) las locuciones, intransitivas, se refieren al comportamiento del sujeto y no admiten sustitución por la forma en *-mente*; en (9c, d) *pisar,* transitivo, conserva su sentido literal de «apretar (algo) con los pies» y señala un modo de pisar. Diferencias similares se ilustran en (10):

(9) a. Rosendo Juárez, el Pegador, era de los que *pisaban más fuerte* por Villa Santa Rita. [J. L. Borges, *Obras Completas,* I, 329]
b. Necesitamos una persona con carácter, alguien que *pise firme* e inspire confianza en los demás. [Varela y Kubarth 1994: 109]
c. *Pisaban {fuerte/fuertemente}* las uvas para extraerles el zumo.
d. *Pisan firme* para no resbalar.

(10) a. No *hiles tan fino:* no hubo segunda intención en mis palabras.
b. No *hilaba tan {fino/finamente}* esa lana. Le gustaban las hebras más gruesas.

La locución *jugar limpio* (6a), que con el significado «jugar sin trampas ni engaños» (*DRAE* 1992) tiene una forma sintáctica que permite el complemento de régimen *(jugar limpio al tute),* en diferente contexto es una locución incompatible con el régimen preposicional, y tiene el significado «proceder en un negocio con lealtad y buena fe» (*DRAE* 1992):

(11) Yo creo que mi socio no *juega limpio,* porque aunque los negocios van bien, cada vez hay menos dinero en caja. [Varela y Kubarth 1994: 150]

En las locuciones, el adverbio también puede llevar cuantificadores de grado: *pisar {más/muy} fuerte, hilar {muy/demasiado} fino, jugar poco limpio.* Por otra parte, las locuciones de (9a, b) y (10a), a diferencia de (9c, d) y (10b), no permiten la disociación del adverbio: por ejemplo, no pueden responder a las preguntas *¿Cómo pisan?, ¿Cómo hilas? {*Fuerte/*Fino},* ni pueden entrar en construcciones de relieve con *ser* y pronombre relativo: **Es firme como pisa, *No es tan fino como debes hilar.*

[18] Esta construcción tiene básicamente el significado que Varela y Kubarth (1994: 109) señalan para *pisar firme:* «actuar con decisión y seguridad en sí mismo»; pero *pisar fuerte* agrega la connotación negativa de provocar un respeto temeroso (Argent.).

[19] *Hilar delgado* es «discurrir con sutileza», según el *DRAE* 1992; igual significado tiene *hilar fino.*

Este comportamiento se debe a que el adverbio forma, junto con el verbo, un predicado complejo [⟶ §§ 38.3.1 y 73.8.3] y, por lo tanto, no se puede disociar.

Muchos adverbios adjetivales no tienen vigencia general. Algunos, que se han dejado de usar en España, se conservan en zonas de América (Cuervo 1939: §§ 435, 472; Kany 1945: 32-34); por ejemplo: *(cantar, irle a uno) lindo* «bien» (Argent., Urug.), *(irle a uno, cantar) bonito* «bien» (Chile, Perú, Col., Guat., Rep. Dom., Cuba), *(conversar, beber) sabroso* (Col., Venez., Nicar., Méx.), *(errar, cantar, doler) feo* «mal» (Argent., Col., Perú, C. Rica, Méx.). Otros, como *diario, fácil,* [20] *sano,* se usan en la Península y en algunos dialectos americanos:

(12) El servicio de autoexpreso circula lunes, miércoles y viernes y *diario* del 17-XII-94 al 9-I-95. [Horario de trenes Madrid-Galicia, RENFE, Madrid] / *Diario* entraba a un restaurant y, zuá, le soltaba al maitre su eterno: «Tráigame usted un plátano [...] [A. Bryce Echenique, *ABC,* 19-III-95, 58]; *Diario* se abre el aula, y *diario* están... van los niños. [*El habla culta de la ciudad de México,* 93]

(13) Tres mil pesetas te las presta *fácil.* [C. J. Cela, *La colmena*] [21] / La parte del tronco fuede pincharse *fácil.* [*La Nación Cocina,* 9-III-96, 4] / La tarta se hace *fácil.* [TV, Madrid, 26-IV-95]

(14) Da gusto comer *sano.* [TV, Madrid, 26-IV-95] / Recetas para comer *sano, nutritivo y sabroso.* [TV, Buenos Aires, 22-IV-96]

(15) Van al cine *seguido* [frecuentemente]. (Argent.) / Sentíanse las balas [...] cada vez más *seguido* [...] [J. Rulfo, *Relatos,* 14] [22]

Los ejemplos (13) y (14) generalmente son coloquiales, lo mismo que el peninsular *fatal* «rematadamente mal» (*DRAE* 1992): *Sí soy yo. Te oigo fatal.* [A. Grandes, *Te llamaré Viernes,* 357]. Algunos coloquialismos suelen recogerse en el registro periodístico *(sonreír) tupido* «mucho» [*La Nación,* 14-VI-96: 7]. Otros casos pueden corresponder a un registro rural: *(equivocarse, errar) fiero* «malamente», «completamente» (Argent.), *formal: No, formal, ténganmelo a ese maula* [R. Güiraldes, *Don Segundo Sombra,* 51]. En lengua subestándar puede oírse *exprofesamente* (Argent.). [23] En varias regiones de América (*DRAE* 1992; Kany 1945: 323-326) *recién* es modificador verbal *(Llegó recién).*

11.2. Relaciones y diferencias con otras clases de palabras

11.2.1. Adverbio y adjetivo

En los párrafos anteriores hemos observado la relación morfológica que existe entre los adjetivos y los adverbios: los adjetivos componen los adverbios en *-mente* en su forma femenina, si la tienen, o, de lo contrario, en la forma de la base léxica; y fijados en la forma masculina, si la permiten, o con la forma de la base, funcionan como adverbios adjetivales.

---

[20] Cuervo (1939: § 472) registraba este adverbio como «usual en lo antiguo y en lo moderno», y añadía: «hoy tiene su poquito de vulgaridad».

[21] Citado por Beinhauer (1963: 228), quien señalaba como tendencia del español contemporáneo el uso generalizado del «adjetivo en función adverbial».

[22] Puede tener también valor espacial: *Tira usted por este pasillo todo seguido* [...] [C. Martín Gaite, *El balneario,* 42].

[23] M. Seco (*DDDLE:* 194) también lo registra en España, aclarando que «no tiene ninguna razón de ser», puesto que significa lo mismo que la locución latina *ex profeso.* Otros ejemplos de adverbios de los tipos considerados aparecen en De Mello 1992, con porcentajes de frecuencia según las ciudades. Pero el autor incluye varios casos de adjetivos predicativos (*apurada, dramática, tranquilísima, felices,* entre otros).

a) Tanto los adjetivos como los adverbios admiten modificadores. Los adverbios en *-mente* modifican adjetivos *(información altamente comprometedora),* adverbios adjetivales *(hablar absolutamente claro)* y adverbios léxicos *(llegar ligeramente tarde).* Pero los adverbios en *-mente* no pueden ser modificados inmediatamente por otros de igual formación: **extremadamente lentamente* [⟶ § 4.2].

Esta característica no proviene de una restricción del sistema, sino de la norma del español, que puede estar motivada por la longitud de las palabras y por la homofonía de las terminaciones.[24] En inglés los adverbios en *-ly* pueden aparecer en secuencias endocéntricas en las que el primero es un intensificador del segundo (el núcleo): *extremely slowly* traduce nuestro ejemplo anómalo español; pero con las demás clases de adverbios se tiende a evitar la construcción, en parte por motivos estilísticos: *??deliberately carelessly* (Quirk *et al.* 1985: § 8.79; cf. 8.150). En francés también se evita la construcción de un adverbio en *-ment* con un modificador de igual forma *(*parfaitement sincèrement)* por razones de eufonía (Nilsson-Ehle 1941: § 7). En el italiano, Lonzi (1991: 345) no la considera una construcción plenamente aceptable *(??Si muoveva estremamente lentamente).*

b) Muchos adjetivos rigen complementos y forman con ellos sintagmas adjetivos [⟶ § 4.3]. En un grupo estos no alternan con el adverbio en *-mente* correspondiente (16), mientras que en el otro grupo el adjetivo alterna con el adverbio y este admite el mismo complemento del adjetivo (17), formando con él un sintagma adverbial (cf. Bosque 1989: § 6.4):

(16) *Respetuoso (*respetuosamente)* de los demás, *atento (*atentamente)* a los ruidos, *obediente (*obedientemente)* a la ley, *suave (*suavemente)* al tacto, *celoso (*celosamente)* en el cumplimiento de sus obligaciones.

(17) a. Pusimos las sillas *{paralelas/paralelamente} a* la pared.
b. El convenio es *contrario a* nuestro interés. / Procede *contrariamente a* nuestro interés.
c. El ala nueva del edificio es *{simétrica/análoga} a* la otra. / Construirán la nueva ala del edificio *{simétricamente/análogamente} a* la otra.
d. Trataremos una propuesta *independiente de* la anterior. / Trataremos esta propuesta *independientemente de* la anterior.

Los adjetivos y los adverbios de (17), pero no los de (16), tienen en común la referencia a dos o más objetos o hechos relacionados (de acuerdo con los conceptos que expresan los adjetivos y los adverbios particulares).[25] Esto se evidencia en la imposibilidad o en la anomalía de que los 'adjetivos simétricos' que indican relaciones, físicas o no, aparezcan en singular sin el complemento, referidos a individuos: **La silla está paralela; *El convenio es contrario; *El ala es {simétrica/análoga};* en cambio, en plural o con respecto a una coordinación (ambas estructuras sintácticas indican los objetos o los hechos relacionados), no son anómalos: *Las sillas están paralelas* (p. ej., en filas); *El convenio y nuestro interés son contrarios; Las dos alas son {simétricas/análogas}* [⟶ § 4.3.5.4]. En el caso de *independiente* «sin relación con

[24] La retórica lo ha tenido en cuenta: «Cuando no está justificada literariamente —como las rimas y las asonancias en poesía [...]— la repetición de los fines de palabra produce, en el discurso ordinario, molestas cacofonías» (Mortara Garavelli 1991: 266).

[25] Gunnarson (1986: § 2.3) señala que los sintagmas denotan posiciones relativas en el espacio o el tiempo, o relaciones de comparación o de concomitancia. Alcina Franch y Blecua (1975: § 4.9.1.1) consideran que los adverbios en *-mente* no «suelen» ser núcleo de grupo debido a su naturaleza de frase absoluta; pero reconocen casos como *proporcional (a).*

otras cosas», [26] el significado no impide su uso desnudo, aunque la especificación de «las otras cosas» queda implícita: *Esta propuesta es independiente.* Estos comportamientos de los adjetivos son heredados por los 'adverbios simétricos' correspondientes [sobre los predicados simétricos véanse los §§ 1.4.4, 4.3.5.4, 16.3.2.2, 23.4 y 41.2.6]:

(18) a. José se comporta *paralelamente a* los demás. / Todos —José y los demás— se comportan *paralelamente.*
b. Las dos alas del edificio se construyeron *{simétricamente/análogamente}.*
c. Esta propuesta y la anterior se tratarán *independientemente.*

Los adjetivos base de los adverbios que tratamos admiten cuantificadores de grado, siempre que no haya incompatibilidad semántica con aquellos, y forman sintagmas adjetivos: *El comportamiento de José es más o menos paralelo al de los otros; Las dos alas no son muy simétricas; Esta propuesta es bastante independiente de la anterior.* Los adverbios correspondientes pueden recibir los mismos modificadores (cf. García-Page 1991a: § 3.7), formando sintagmas adverbiales:

(19) a. José y los demás se comportan *más o menos paralelamente.*
b. Las dos alas del edificio no fueron construidas *muy {simétricamente/análogamente}.*
c. Esta propuesta se trató *bastante independientemente de la anterior.*

El comportamiento paralelo de los adjetivos y los adverbios de este grupo permite reconocerlos como núcleos de sintagmas cuando van acompañados de modificadores. Bosque (1989: § 6.4) ofrece otro análisis de los que consideramos sintagmas adverbiales: los trata como sintagmas preposítivos, «formados históricamente a partir de adverbios»; y Nøjgaard (1993: II, § 702) da por sentado que adverbios del tipo *(con)juntamente + con* forman preposiciones compuestas en el francés. Según este punto de vista *paralelamente a* debería tener un comportamiento semejante al de *a lo largo de* o el de *frente a.* La supuesta imposibilidad de que los adverbios se construyan con cuantificadores de grado sería un argumento en favor de esta hipótesis, ya que las preposiciones y las frases prepositivas no admiten esos modificadores *(*muy bajo la mesa; *más sobre el piano; *bastante frente a la casa),* excepto que se trate de locuciones *(muy de mañana; muy de madrugada).* Pero los ejemplos (18) y (19) contradicen este argumento, como lo hacen también otros comportamientos sintácticos que muestran la distinta naturaleza del sintagma adverbial y el prepositivo (Gunnarson 1986: §§ 2.3 y 5.2; García-Page 1991a: § 3.7); entre esos comportamientos está la posibilidad de disociar el primero, pero no el segundo, insertándolos en el contexto lo *{más/menos} ... posible:*

(20) a. Es necesario colocarse *lo más paralelamente posible a* la pared.
b. *Es necesario colocarse *lo más a lo largo posible de* la pared.
c. *Es preciso colocarse *lo más frente posible a* la pared.
d. *Siéntate *lo más junto posible a* mí.

(21) a. Hay que levantar esta ala *lo más simétricamente posible a* la otra.
b. *María investiga *lo más junto posible con* Teresa.
c. *Hay que informarse *lo más acerca posible de* los sucesos.
d. *Nos pondremos *lo más bajo posible* los árboles.

Un caso similar es el comportamiento de adjetivos y adverbios que expresan concomitancia: *junto, juntamente:*

---

[26] Moliner (*DUE* I: 890) define *dependiente:* «Estar una cosa con otra en tal relación que esta otra determina que aquella se realice o no se realice [...]»

(22) a. María y Teresa investigan *{juntas/juntamente}*.
b. *María investiga *junta con* Teresa.
c. María investiga *juntamente con* Teresa. / *María investiga *juntamente*.

Según Moliner (*DUE* II: 200) el adjetivo *junto, -a* en singular «sólo es aplicable a 'todo', a 'cantidad' o a un nombre colectivo». Esta definición se satisface con la coordinación del sujeto en (22a), donde cabe también el adverbio. Pero a diferencia de los ejemplos de (17) estas restricciones semánticas impiden en (22b) la aparición del adjetivo referido a un sujeto individual singular porque se contraría el significado de pluralidad de individuos de *junt-*, aun cuando la noción de concomitancia esté presente en el complemento. Dichas restricciones no operan, en cambio, con respecto al adverbio en *-mente* de (22c), que satisface el requisito de concomitancia (Nøjgaard 1993: II, § 701) del adjetivo mediante el complemento.

Entre los demás adverbios en *-mente* del tipo que hemos tratado están: *anteriormente (a), posteriormente (a), perpendicularmente (a), proporcionalmente (a), separadamente (de), opuestamente (a), conjuntamente (con).*

c) Algunos adjetivos, como *escaso* y *exacto,* y los adverbios correspondientes, aparecen en sintagmas que indican medida, cuantificados con numerales (Bosque 1989: § 6.4):

(23) a. La cinta mide *{escasamente/*escaso} un* metro. / La cinta mide *un* metro *{escaso/escasamente}*.
b. El metro *{escaso/*escasamente}* que mide la cinta. / El *{escaso/*escasamente}* metro que mide la cinta.
c. La tortuga avanzó *{escasos/escasamente}* dos metros. / La tortuga avanzó *dos* metros *{escasos/escasamente}*.
d. La tortuga avanzó *dos {escasos/*escasamente}* metros.
e. Los *dos {escasos/*escasamente}* metros que avanzó. / Los *dos* metros *{escasos/*escasamente}* que avanzó.

Otros sustantivos: *centímetro, milímetro, gramo, hora, minuto, segundo,* etc., pueden formar los sintagmas de medida [⟶ §§ 1.2.3.4 y 16.7], siguiendo pautas similares a las de (23). De estas se deducen las funciones de los adjetivos y de los adverbios, que no son equivalentes. El adjetivo *escaso* modifica al sustantivo, como lo muestra su anteposición inmediata en los ejemplos (23b, e) —donde el adverbio *escasamente* está excluido— o al sintagma formado por <numeral + sustantivo> en (23c). En cambio, el adverbio incide sobre el numeral, ya que puede preceder incluso a *un,* posición vedada al adjetivo, como se muestra en (23a). En las demás posiciones ambos pueden alternar sin perder las dependencias estructurales indicadas.

El adverbio *exactamente* coincide con *escasamente* en su distribución (*exactamente* una hora). No coincide con *escaso,* en cambio, el adjetivo *exacto* cuando se antepone al sustantivo:

(24) a. Pesa *{exactamente/*exactos} cinco* kilos.
b. Pesa *cinco kilos {exactamente/exactos}*.

c. Los *cinco {*exactos/*exactamente}* kilos que pesa.
d. El *{*exacto/*exactamente}* kilo que pesa.

Ello se debe al significado de cada palabra: *escaso* aporta una información nueva [27] que se integra con la del sustantivo para designar un objeto diferente del que designa el sustantivo solo *(dos escasos metros ≠ dos metros);* en cambio, *exacto* es redundante, ya que indica, aplicado a un nombre de medida, que «la cantidad de que se trata es la expresada». [28]

d) Los sustantivos de 'título' [⟶ §§ 37.2.2.2 y 62.8.5.2] que designan cargos de personas, ocupaciones, dignidades, etc., u otros estados, pueden recibir adjetivos y adverbios que señalen la situación temporal de los estados:

(25) a. El *actual director* del Museo proyecta su ampliación.
b. El *{actualmente/hoy} director* del Museo proyecta su ampliación.
c. El *{antiguo/antiguamente/entonces/antes}* hotel fue más tarde un banco hasta su demolición.

Señala Bosque (1989: § 6.7) que en estos casos el adjetivo no puede funcionar como predicativo (o predicado nominal): **El director del Museo es actual;* y (25c) no se corresponde semánticamente con «el hotel es antiguo». Ello se debe a que los modificadores no son atribuciones de las personas o entidades, sino de su inserción en un momento o periodo [⟶ § 3.6.1.3]. Por consiguiente, se establece un cotejo implícito (25a, b) con el momento del hablar, o explícito en el contexto con otro eje temporal: *antiguo/antiguamente/antes/entonces* se contraponen a *más tarde* (25c).

Las construcciones de (25) se diferencian de otras en las que los mismos adjetivos no sitúan temporalmente, sino que califican individuos; el adjetivo de *Cuando va a la ciudad se aloja en el antiguo hotel Plaza* se corresponde con la atribución predicativa: *El hotel es antiguo.*

e) Otro caso de alternancia de adjetivo y adverbio es la construcción del tipo *el día {antes / después}* [⟶ § 9.3.1.3], donde el adverbio puede conmutarse por el adjetivo correspondiente (Martínez 1994a: § 3.2.5). El sustantivo es nombre de unidad de tiempo; el adverbio y el adjetivo son comparativos locativos. Se trata de una construcción sustantiva con artículo, y en ella el adverbio o el adjetivo no son omisibles si la construcción funciona como modificador circunstancial del verbo (26a), (27a, b), ya que el texto queda mal formado:

(26) a. La *noche {antes/anterior}* llovió. / *La noche llovió.
b. La noche *{antes/anterior}* fue lluviosa. / La noche fue lluviosa.
(27) a. El *día después* de estos episodios llegó Juan. / *El día llegó Juan.
b. El *día {posterior/siguiente}* a estos episodios llegó Juan. / *El {día/año} llegó Juan.
c. El *día {después/siguiente}* era lunes. / El día era lunes.

---

[27] *Escaso* es «falto de algo, aunque muy poco, para estar completo» (*DUE* I: 1177).

[28] Definición de Moliner (*DUE* I: 1246), quien agrega: «sin faltar ni sobrar absolutamente nada». Para este punto véase Bosque 1989: § 6.7. Los adverbios *justo/justamente* se distribuyen como *exactamente,* excepto tras el sustantivo, posición en la que no son sinónimos de *exactamente* (cf. el § 11.6).

11.2.2. Adverbio y preposición

Algunos de los que consideramos adverbios han sido clasificados por Nebrija (1492: Cap. XV) como preposiciones [→ § 9.3.1]; tal es el caso de *cerca* y *encima,* que, según el autor, son preposiciones que «se aiuntan con genitivo», es decir, admiten un complemento con *de.* Bosque (1492: § 10.5) compara el comportamiento de cada palabra y llega a la conclusión de que *encima* responde al criterio de Nebrija, pero no *cerca* o *lejos.*

Uno de los rasgos en que se basa Bosque para establecer la comparación es la posibilidad de extracción del complemento en cada caso: *la ciudad de la que ya estamos cerca* y **la mesa de la que dejé el libro encima.* La imposibilidad de extraer el complemento de *encima* sería indicio de su calidad de «preposición de genitivo», frente a *cerca,* que no pertenecería al mismo grupo de palabras. No obstante, el cotejo citado no permite llegar a esta conclusión, por el hecho de que la estructura de la proposición relativa no es la misma en ambos ejemplos. Si en cambio se añade al primero una proposición con la estructura propia del segundo, se obtiene: **la ciudad de la que (cual) dejé el coche cerca,* y a la inversa: *la alfombra de la que (cual) ya estamos encima.* En suma, la extracción posible no depende de las unidades léxicas *cerca* y *encima,* y queda por probar la hipótesis de que una o la otra no es adverbio.

11.2.3. Adverbio y sustantivo

a) Algunos adverbios pronominales deícticos, precisamente por su carácter pronominal, pueden funcionar también como subclases de sustantivos o de adjetivos. Bello (1847: §§ 380, 381, 385) señalaba que el significado de los adverbios demostrativos [→ 14.4] «se resuelve en complementos» con los pronombres *este, ese, aquel* (por ejemplo: *Está aquí* = «en este lugar»; *Viene ahora* = «en este momento»).[29] Es el caso de los deícticos temporales, que pueden aparecer en aposición con sustantivos *(hoy domingo, mañana lunes);* y de los locativos y temporales,[30] que suelen funcionar como el sujeto de oraciones [→ §§ 27.2-3]: *Aquí es un bonito lugar* (cf. *Este lugar es un bonito lugar*); *Ahí es demasiado cerca para acampar; Hoy es domingo; Hoy y mañana son feriados; Anteayer fue muy caluroso* (cf. *El martes fue muy caluroso*); así como del deíctico de modo, que puede funcionar como adjetivo: *Quiero una tela así para la cortina; un hombre así.*

En el habla popular (Fernández Ramírez 1951: § 111.2; Beinhauer 1963: 294) se observa la deixis *ad oculos* de la tercera persona efectuada por *aquí,* a veces con un sintagma nominal en aposición, otras veces sola: *¿Fueron a buscar al doctor, ustedes? ¡Fuimos nosotros...! ¡Nosotros, aquí el señor, y el señor...!* [J. Cortázar, *Los premios,* 398]; Beinhauer (1963: 294) cita: *Porque aquí (y señaló a Lulú con el garrote) ha llamado a mi señora zorra...* [Baroja], y aporta un ejemplo en función de término de preposición: «Alvarito (cogiendo a Celia del brazo): *Yo me voy con aquí.*» [Arniches y Abati]. Kany (1945: 269) registra el uso de *acá* con igual valor en Costa Rica, Santo Domingo y Cuba: *Cuando acá y yo nos casamos* (C. Rica).

b) Las construcciones del tipo *un día antes (*anterior), horas después,* que aparecen en textos como *Llegó {un día antes/horas después},* presentan ante el adverbio

[29] Cf. también Fernández Ramírez 1951: 3.2, § 102).
[30] Cf. Kovacci 1961: § 84; Alarcos Llorach 1970: 241. Otros argumentos sobre la función sustantiva de los deícticos locativos y temporales, en Rodríguez Ramalle 1995: *passim.*

un sustantivo que denota tiempo, cuantificado [⟶ § 9.3.2.2]. A diferencia del caso ilustrado en (26) y (27), las expresiones no admiten artículo, el adverbio no alterna con un adjetivo, y la construcción sustantiva puede omitirse; en efecto, del contenido de los ejemplos se sigue *Llegó antes, Llegó después.* Este hecho indica que el adverbio es el núcleo y el constituyente nominal su modificador.

También pueden aparecer los adverbios *tarde* y *temprano,* como en *Llegó una hora {tarde/temprano}* (implicación: *Llegó {tarde/temprano});* pero en otros contextos deben constituir un sintagma comparativo: *Volvió dos horas más tarde; Se irá media hora más temprano* (implicación: *Volvió más tarde; Se irá más temprano).*

c) Los sintagmas del tipo *escaleras abajo, escaleras arriba, campo afuera, mar adentro,* tienen valor direccional especificado por el adverbio *(*mar lejos / allá)* y funcionan como circunstanciales *(Corrió escaleras abajo; Galopa campo afuera)* [⟶ § 9.3.2.1]. El sustantivo, que puede ser nombre propio de lugar *(Duero abajo),* no admite determinante *(*Se aleja el mar adentro),* ni el adverbio puede formar una construcción comparativa *(*campo más afuera).* Ninguno de los constituyentes es omisible: **Corrió escaleras;* en cuanto a *Corrió abajo,* si bien es gramaticalmente posible, no conserva el significado direccional. [31] La estructura de los sintagmas tiene, pues, carácter de fórmula.

d) Las expresiones *boca abajo, cabeza abajo, patas arriba, manos arriba* tienen significado modal, ya que pueden estar en aposición con *así (Puso todo así: patas arriba)* [⟶ §§ 9.3.2.1 y 39.3.3]. Están emparentadas con construcciones absolutas: *(con) la cabeza abajo* (Martínez 1994a, § 3.4); pero se trata de locuciones (cf. *DUE,* por *boca, cabeza,* etc.).

e) El adverbio *absolutamente* puede acompañar un sustantivo con valor de totalidad, en la afirmación y la negación: *En el hombre todo es factible de modificar. Todo absolutamente* [*El habla culta de Caracas,* 203]; *No podemos pedirle al niño nada. Absolutamente nada.* [*El habla culta de Caracas,* 200.]

f) El adverbio *bien* con algunos sustantivos forma compuestos. Se nota la diferencia entre *niño bueno* y *niño* o *niña bien,* (también *niños bien)* «joven de familia acomodada un tanto vacuo y presuntuoso» (*DRAE* 1992: 1020). Este uso adjetivo se extiende a *gente bien* «fina», *un tío bien* «estupendo», *un traje bien* «de primera calidad» (Beinhauer 1963: 274) [⟶ Cap. 4, n. 4].

11.2.4. Adverbio, verbo, nominalización

La nominalización de sintagmas verbales puede adoptar dos formas: la del sustantivo deverbal [⟶ Cap. 69] y la de infinitivo eventivo [⟶ § 36.5]. [32] Cuando el sintagma verbal incluye adverbios, estos pueden ser heredados por la nominalización de acuerdo con ciertas restricciones. Así, en los dos tipos de construcción se mantienen los adverbios deícticos espaciales y temporales, y los prepositivos: *El viento silbaba {allí/afuera/anoche} > el silbido del viento {allí/afuera/anoche}: el silbar del viento {allí/afuera/anoche}.* De los adverbios en *-mente* se conserva el adjetivo: *Regresó sorpresivamente ayer> su sorpresivo regreso ayer; Callaba obstinadamente > su callar*

---

[31] En los puntos c) y d) coincidimos con Martínez 1994a: §§ 3.2 y 3.3, donde se amplía la bibliografía con mención de otros análisis.

[32] Véase Demonte y Varela 1997, *passim.* La construcción se distingue del infinitivo proposicional, que conserva el régimen verbal: [...] *Al congregar [yo] esos datos armónicamente, me encontré con personas reconstituidas [...]* [A. Bioy Casares, *La invención de Morel,* 86].

obstinado [M. Andújar, *Vísperas,* 133]; *Rosalía andaba suavemente* > *el suave andar de Rosalía* [M. Andújar, *Vísperas,* 192].

11.3. Clases de adverbios según su función

Brøndal (1948: 52) señalaba que el adverbio ha sido considerado la clase de palabras más heterogénea y hasta confusa, difícil de delimitar y clasificar. Su caracterización, hasta tiempos recientes, ha oscilado entre criterios morfológicos, sintácticos y semánticos —o los ha sumado— sin la base de un sistema claramente establecido (con alguna excepción, como la que representa Varrón).

El adverbio fue reconocido entre los griegos como una clase de palabras o parte de la oración con posterioridad a Aristóteles, y en el manual *Arte de la gramática* de Dionisio de Tracia se define como la parte indeclinable de la oración referida al verbo y que se agrega a él (pág. 72); no obstante, dentro de las palabras indeclinables, Dionisio de Tracia distingue el adverbio de las preposiciones y las conjunciones por su función sintáctica, y al enumerar los significados que expresa el adverbio incluye interjecciones. Esta caracterización del adverbio es en esencia la que adopta Nebrija en su *Gramática* (1492: Libro Tercero, I y XVI). [33] La tradición que considera sólo categorías morfológicas diferenciadoras, que, como en el caso de Varrón (Libros VIII.IV; X.II) para el latín, permiten reconocer clases de palabras por oposiciones sistemáticas: nombre (con caso), verbo (con tiempo), participio (con caso y tiempo), partículas (sin caso ni tiempo), también se vale de algún criterio adicional (Hockett 1971: §26.2), ya sintáctico, ya semántico, para distinguir subclases; así las partículas comprenden preposiciones, conjunciones y adverbios según sus posiciones relativas en la oración. Sánchez de las Brozas (1587: Libro I.XIII), sin desconocer a Varrón (excepto con respecto al participio), adopta una clasificación tripartita de nombre, verbo y partícula, y la sostiene de acuerdo con las partes de la oración que propuso Aristóteles en las *Categoriae* (*onoma,* nombre; *rhema,* verbo y *syndesmoi,* conjunción), y con las tres que reconocen los hebreos y los árabes; por «razones de claridad» se remonta a Platón *(De ente),* para quien nombre es la clase que enuncia las cosas permanentes, y verbo la que se refiere a lo que fluye, mientras que las partículas responden al modo por el cual se explica «la disposición de los asuntos»: la preposición, que lo hace con los nombres, el adverbio, con los verbos, indicando la cualidad *(bien)* o el tiempo *(hoy),* [34] y finalmente, puesto que «las oraciones necesitan de ataduras entre sí», están las conjunciones. En I.XVII señala que el adverbio es «como adjetivo y modo de los verbos», y se une a otras partes de la oración: adjetivos *(muy sabio),* complementos *(muy de mañana),* sustantivos *(siempre dulzura).* [35]

Dentro de estas posiciones, ha variado el tratamiento del adverbio en las gramáticas del español. La de la RAE recogía la caracterización de Nebrija hasta 1870, cuando amplía la función del adverbio extendiéndola a las palabras que tengan un sentido calificativo o atributivo. Ya en la *Gramática* de Salvá (1830) el adverbio modifica cualquier parte de la oración, excepto las interjecciones y las conjunciones (§ 10.2); es decir, modifica al nombre (adjetivo), el verbo, otro adverbio y un complemento completo *(más hacia el bosque).*

El aspecto morfológico es insuficiente por sí solo para caracterizar a la categoría. Desde el punto de vista sintáctico, en cambio, es posible establecer un ordenamiento sistemático del adverbio, considerando las estructuras de las que forma parte.

---

[33] Si bien Nebrija señala que «con los griegos» no distingue la interjección del adverbio, conoce una tradición más compleja, grecolatina.

[34] Para el Brocense la interjección no es una de las partes de la oración porque no existe por convención, según la doctrina aristotélica, sino por naturaleza.

[35] Para la historia de las definiciones véanse Brøndal 1948: parte I, Ramajo Caño 1987: §§ 2.2 y 7 y Calero Vaquera 1986: parte II, § VII.

Entre las gramáticas del español, Bello 1847: nota I, con lógica equiparable a la de Varrón, integra el adverbio en una «clasificación de oficios gramaticales». A partir del sustantivo como palabra dominante, los dos modificadores directos de aquel (adjetivo y verbo) son «signos de segundo orden», y es de orden inferior (tercero) el adverbio, que modifica modificadores: el adjetivo y el verbo, y además otro adverbio (Bello 1847: § 64) y el complemento (Bello 1847: § 483). Este sistema jerárquico de oficios gramaticales es en esencia equiparable al de los tres rangos de Jespersen (1924: VII).

Hemos visto (§ 11.1.2.1) que Alarcos Llorach (1951: § 75) consideraba a los adverbios una categoría nominal, por ser capaces, según el criterio de Hjelmslev (1928: § 72), de aceptar morfemas casuales. Si bien advierte el autor danés que para demostrarlo no es conveniente tomar como objeto de estudio una lengua en la que el sistema casual esté poco manifiesto —sería la situación del español—, como principio de gramática general establece dos categorías funcionales: nombres, que son susceptibles de llevar morfemas casuales, y verbos, que no lo son. Los adverbios entran, pues, en la categoría de nombre, junto con el sustantivo y el adjetivo, y puede existir «cierta alternancia» de las tres clases en cuanto a las funciones que desempeñan en el sintagma; Hjelmslev apoya esta afirmación en fenómenos como el de los adverbios adjetivales (cf. el § 11.1.2.2) y los que tratamos en § 11.2.1. Dentro de esta línea, que requiere la noción de 'transposición', están Álvarez Martínez (1986), Martínez (1994b: 222-223; 304-305); cf. también el concepto de 'traslación' de Tesnière (1994: §§ 152.1; 202.9-15; 206).

La caracterización por oficios gramaticales ha ido refinándose. Lenz (1935: § 145) señala expresamente que los adverbios también pueden modificar a la oración entera (§ 147), como los 'adverbios modales', que expresan «la clase de juicio a que pertenece una oración» (§ 145): *sí, no, quizás, ciertamente, necesariamente,* etc. R. Seco (1980: § 82) incorpora también a su clasificación adverbios oracionales, en coincidencia con Lenz.

Barrenechea (1963), define las palabras de acuerdo con tres criterios sintácticos: a) funciones 'privativas' (1963: § 2.21), con las que deslinda sustantivos, adjetivos, coordinantes, subordinantes, y palabras de dos funciones simultáneas: relacionantes y verboides; b) función 'obligatoria', que define al verbo frente al sustantivo y al adjetivo, con los que comparte la función de predicado (1963: § 3.11); y c) funciones privativas más función no privativa 'fundamental'. El tercer criterio es el que define la categoría de adverbio (1963: § 3.14), caracterizada porque exhibe algunos miembros (adverbios de cantidad) con las funciones privativas de modificadores de adjetivo y de otro adverbio o construcciones equivalentes (*muy (bonito), poco (antes), tan (de mañana),* etc.), mientras que la mayoría de los miembros de la categoría cumple una función fundamental: la de modificar al verbo únicamente como circunstancial; y aunque comparte esta función con sustantivos *(Llegó {ayer/ese día/el lunes}),* estos modifican al verbo en otras funciones vedadas al adverbio (objeto directo, predicativo, etc.). Barrenechea menciona la función de «modificador de núcleo oracional» (1963: § 2.2), pero no la incluye en la definición por no ser privativa del adverbio, ya que la comparte con sintagmas sustantivos (cf. nuestra función de 'circunstancial de marco': § 11.3.3). Alarcos Llorach (1970) reconoce adverbios que forman marco (*aquí, entonces;* Alarcos Llorach 1970: 221) y los que imponen un ámbito operativo (*no, quizá;* Alarcos Llorach 1970: 223) y los «atributos oracionales» (tipo *ciertamente, desgraciadamente,* cuando constituyen unidad fónica independiente; Alarcos Llorach 1970: 224). También M. Seco (1972: § 12.2.1) se refiere a adverbios como *evidentemente,* que pueden dominar el ámbito de la oración.

La función de este último tipo tuvo reconocimiento expreso con anterioridad en la gramática alemana, inglesa y francesa, y ha dado lugar a denominaciones registradas por Nilsson-Ehle (1941: págs. 14-15), como 'adverbios de oración': *Satzadverbien* (en Mätzner 1843: § 256), 'modificadores de oración': *sentence-modifying adverbs* (Sweet 1892: § 357), 'de modalidad': *de modalité* (Brunot 1922: 507 y ss.). De manera sistemática estas funciones se han estudiado en las últimas décadas tanto por lingüistas como por filósofos y lógicos. En efecto, en virtud de la multiplicidad de relaciones estructurales que los adverbios contraen en ese carácter, deben añadirse a una categorización más completa del adverbio.

El deslinde de las clases de adverbios (en particular en *-mente*) se apoya en la diversidad de comportamientos sintácticos que ofrecen. Los adverbios funcionan en varios niveles de estructuración, a partir de la oración, entendida como unidad delimitada por una figura tonal, es decir, la línea de entonación comprendida entre silencio inicial y juntura terminal (Alcina Franch y Blecua 1975: § 2.8.2.5), representados con el signo #:

(28) #El pianista canadiense tocó magistralmente las Variaciones Goldberg.#

En ella se distinguen dos componentes: 1) un componente sintáctico o constituyente, y 2) un componente modal o exponente. El primero realiza el *dictum,* es decir, el contenido representativo de la oración, y el segundo realiza gramaticalmente el *modus,* que comprende a) la modalidad, o actitud del hablante ante el contenido representativo (aseverativa, interrogativa, dubitativa desiderativa, exhortativa, exclamativa) [⟶ §§ 49.1.1-2] y b) la polaridad. En oraciones como (28) se manifiesta la actitud aseverativa mediante la entonación horizontal y el modo indicativo del verbo; y, manteniéndose el mismo *dictum,* (28) contrasta con otras actitudes por rasgos de entonación, modo verbal, orden de palabras, indicadores de actitud (interrogativa: *¿Tocó magistralmente el pianista canadiense las V. G.?;* dubitativa: *El pianista canadiense tal vez haya tocado magistralmente las V. G.;* etc.); por otra parte, en (28) y en sus variaciones modales, la falta de marca negativa indica la polaridad afirmativa [⟶ § 40.1.1]. El componente sintáctico se organiza en una estructura bimembre de sujeto y predicado. El predicado contiene las demás funciones relacionadas directamente con el verbo: objeto directo, objeto indirecto, circunstancial, agente y predicativo. La fórmula de relieve con *ser* y relativo llamada 'perífrasis de relativo',[36] [⟶ Cap. 65] puede destacar todas las funciones mencionadas (Kovacci 1991: § 3), y conforma las respectivas paráfrasis de relieve.

La oración se convierte en una proposición de relativo, y se predica de ella, mediante el verbo *ser,* uno de sus constituyentes originarios, el que queda duplicado por el relativo en la proposición. Con respecto a (28):

(29) a. {El que/Quien} tocó magistralmente las V. G. fue el pianista canadiense. *(Sujeto)*
b. Lo que hizo el pianista canadiense fue tocar magistralmente las V. G. *(Predicado)*
c. Lo que el pianista canadiense tocó magistralmente fueron las V. G. *(Objeto directo)*
d. Fue magistralmente como el pianista canadiense tocó las V. G. *(Circunstancial)*

El constituyente puesto de relieve ocupa el 'foco' de la construcción. No es posible el relieve de funciones no vinculadas directamente con un verbo, como, por ejemplo en (28), *canadiense,* que es parte del sintagma sujeto *el pianista canadiense:* **Era canadiense el que (?) el pianista tocó...,* ni las que forman estructuras complejas por coordinación *(El cielo está despejado y la visibilidad es excelente)* o por adjunción (*Esto —lo he pensado posteriormente—, fue muy torpe* [A. Bioy Casares, *La invención de Morel,* 55]), porque los constituyentes, como tales, no se vinculan con verbo; no

[36] Se la denomina también fórmula perifrástica de relativo (Fernández Ramírez 1951: § 112.2, n. 128). Esta y otras paráfrasis se emplean como operaciones de comprobación de determinadas relaciones funcionales. Para listados de las varias paráfrasis que se han propuesto para aplicar a adverbios, cf. Bartsch 1976: 16-18, Mørdrup 1976: § 1.0.1, Pecoraro y Pisacane 1984: § 2, Nøjgaard 1992: I, cap. II.

obstante, por su posición en la jerarquía de funciones oracionales, por sus dependencias y oposiciones, estos casos forman parte de las funciones 'nucleares' de la oración (Kovacci 1989). Las funciones nucleares realizan el *dictum*.

Tampoco aceptan la fórmula de relieve otros constituyentes:

(30) a. *Culinariamente,* María sigue los consejos de su madre.
b. *Es culinariamente como María sigue los consejos de su madre.

El adverbio en (30) no cumple, pues, una función nuclear. Su función es 'periférica' (Kovacci 1989: § 6), lo mismo que en (31):

(31) a. Carlos, *probablemente,* estaba bostezando o tenía vuelta la cabeza a otro lado con indiferencia. [C. Martín Gaite, *El balneario,* 5]
b. *Era probablemente como Carlos estaba bostezando o tenía vuelta la cabeza a otro lado.

Por otra parte, si en (28) se suprime el adverbio *magistralmente,* no se afecta el valor de verdad del resto; en efecto, la oración implica: *El pianista canadiense tocó las V. G.* En cambio, en (30) la omisión de *culinariamente* falsearía el valor de verdad del *dictum;* y la supresión de *probablemente* en (31) modificaría el *modus,* ya que la actitud del hablante cambiaría de dubitativa a aseverativa.

A partir de esta caracterización general se integran dos grupos de adverbios: nucleares y periféricos. Son 'nucleares' los de §§ 11.3.1 [37] y 11.3.2, a saber, los adverbios relacionados con el predicado, así como los de § 11.7.3, que funcionan como modificadores de sintagmas adjetivos y adverbiales. Son 'periféricos' los de § 11.4, que son externos al *dictum* y modifican a las funciones nucleares en su conjunto, y los de § 11.5, que manifiestan el *modus* o se vinculan con él. Tanto los adverbios nucleares como los periféricos se dividen en subclases de acuerdo con sus respectivas propiedades, relacionadas con diferentes estructuras de la oración.

11.3.1. Adverbios en oraciones unimembres y bimembres sin verbo

11.3.1.1. Oraciones unimembres

Los adverbios pueden formar estructuras oracionales unimembres. [38]. Un caso frecuente es el de las oraciones exclamativas del tipo *¡Bien!, ¡Muy bien!;* o *¡Qué tarde!, ¡Qué temprano!,* que exteriorizan una amplia gama de valores subjetivos, positivos o negativos [⟶ § 62.1.2]. Forman otro grupo las oraciones exclamativas exhortativas, con las que se puede manifestar una gradación que va del mandato al consejo, de la petición al ruego: *¡Atrás!, ¡Más despacio!, ¡Pronto!* Este tipo puede formar parte de estructuras oracionales complejas, como las que se integran con vocativos: *Adelante, compañeros [...]* [M. Delibes, *El príncipe destronado,* 27].

---

[37] Las estructuras de los §§ 11.3.1.1 y 11.3.1.2 no permiten la paráfrasis de relieve, precisamente por la ausencia de verbo; pero por las oposiciones del sistema (como bimembre/unimembre; predicado verbal/predicado sin verbo) se integran como funciones nucleares.

[38] Cf. Jespersen 1924: 308; RAE 1973: § 3.1.4. Para este apartado y el siguiente, cf. Kovacci 1989: § 3.

11.3.1.2. Predicados y construcciones paralelas

Los adverbios pueden funcionar como predicados de oraciones [→ § 39.2]: *Petróleo y alimentos, adelante* [*La Nación,* 3-II-96, Secc. 2; 1]; *Ginés se retiró del mostrador a través de un estrecho pasillo [...] Fuera la lluvia y gentes entregadas a la espera [...]* [M. Vázquez Montalbán, *La rosa de Alejandría,* 70]; *La lluvia volvía de nuevo. Primero unos goterones calientes y anchos; luego, unos alfileres agresivos, después, la noche total* [M. Alvar, *El envés de la hoja,* 128]; *¿No se quieren convencer? ¡Allá ustedes!* [C. J. Cela, *La colmena,* 174].

Existen además construcciones oracionales bimembres paralelas en las que se enfrentan dos adverbios, o un adverbio con un complemento, ninguno de los dos interpretable como sujeto: *¡Siempre adelante!; ¡Fuera con eso!* [A. M.ª Matute, *El tiempo,* 151].

Los predicados adverbiales (así como los nominales puros) aparecen en lenguas que no tienen verbo equivalente a *ser* o *estar,* o cuyo uso está gramaticalmente restringido. En ruso el verbo cópula no se usa en el presente: *gde kniga?,* lit. «¿dónde (el) libro?»; *tut kniga, a tam gazeta* «aquí (el) libro, y allá (el) periódico». Cf. el latín *sursum corda* «arriba (los) corazones». En cuanto al adverbio en construcción paralela, Jespersen (1924: 308) señala en el inglés casos como *Away with you!*

11.3.2. Adverbios de predicado

Cumplen la función de circunstancial los adverbios de modo o manera, de lugar, de tiempo y de cantidad. Los circunstanciales pueden ser obligatorios cuando realizan papeles semánticos exigidos por la estructura argumental del verbo. Pero en la mayoría de los casos se trata de modificadores facultativos, no exigidos por el significado del verbo: no son, pues, argumentales (Lonzi 1991: § 3.1.1) y suelen denominarse también 'adverbios internos al sintagma verbal'.

Las siguientes oraciones están bien formadas:

(32) a. Llegó temprano.
b. Llegó silenciosamente.
c. Llegó.

Desde el punto de vista semántico las dos primeras implican la última; es decir, de *Llegó temprano* o *Llegó silenciosamente* se sigue lógicamente que «llegó». Esta propiedad indica que los adverbios *temprano* y *silenciosamente* son modificadores circunstanciales facultativos del verbo *llegar.* También son oraciones bien formadas:

(33) a. Mi abuelo vive aquí.
b. Mi abuelo vive modestamente.
c. Mi abuelo vive.

Pero, a diferencia de (32), las dos primeras no implican la última, ya que el verbo *vivir* aparece en tres acepciones diferentes, respectivamente: «habitar», «llevar cierto género de vida» y «estar vivo» (*DUE* II); y estas acepciones se distinguen por la presencia de determinados modificadores o por su ausencia. Los circunstanciales en las oraciones (33a) y (33b) son exigidos por los significados respectivos del verbo, de modo que su presencia en el sintagma es obligatoria; puede pensarse, por consiguiente, que se trata de argumentos y no de modificadores circunstanciales.

11.3.2.1. Circunstanciales obligatorios

Muchos verbos o acepciones particulares requieren obligatoriamente adverbios (o construcciones funcionalmente equivalentes). Cumplen estas funciones argumentales: a) adverbios de lugar con verbos como *ser (La fiesta es aquí), estar (aquí, cerca), poner, colocar, situar* ([algo] *afuera*), *habitar, alojarse, radicarse (allá);* b) adverbios de tiempo con *ser, (La fiesta será temprano);* c) adverbios de modo o manera en casos como:

(34) *(Com)portarse, desenvolverse, desempeñarse (bien, mal, correctamente;* cf. **Juan se comporta). / Vestir* ([alguien] *elegantemente, bien, llamativamente;* cf. **María viste) / Tratar* (*bien, mejor, desconsideradamente* [a alguien]). */ Vivir (bien, fastuosamente). / Estar, sentirse (bien, estupendamente). / Pronunciar (correctamente, claramente). / Salir, resultar (bien, mal). / Llevar (bien, magníficamente* [sus años, sus estudios]; cf. **Pedro lleva sus años; *Pedro lleva magníficamente). / Interpretar* (*bien, correctamente* [un texto]), *interpretar* (*favorablemente, negativamente* [mis palabras, el gesto]). [39]

Burton-Roberts (1991: 165 y 172) señala que la función de los adverbios como modificadores del verbo se caracteriza por ser optativa, de modo que la obligatoriedad es excepcional. Reconoce en el inglés únicamente dos excepciones: una acepción de *treat* 'tratar' (bien o mal), y *behave* '(com)portarse' (por ejemplo: *mal,* ya que *behave,* sin adverbio, significa 'comportarse bien, correctamente').

Los adverbios de modo responden a la pregunta *¿cómo?,* se representan mediante el relativo *como* (cf. (29d)) y admiten una paráfrasis con la expresión <*de {modo/manera}* + el adjetivo base del adverbio en *-mente*>. Entre las características sintácticas que permiten distinguir las clases de adverbios están las posiciones que pueden ocupar en el sintagma. El adverbio obligatorio ocupa típicamente la posición posverbal inmediata al verbo (35a), aunque también puede aparecer en posición final tras el verbo y otro(s) modificador(es) (35b). No puede aparecer en posición medial, específicamente entre el sujeto y el verbo (35c); pero en determinadas condiciones puede ocupar la posición inicial de la oración. En este caso lleva unidad melódica propia y la cima melódica si es respuesta a una pregunta (35e), si es foco de contraste [→ Caps. 64 y 65] (36a), o en la exclamación retórica, en la que la anteposición, acompañada de la figura tonal exclamativa, niega implícitamente el significado del adverbio y le da el valor opuesto dentro de su campo semántico (37) [→ § 40.4.2]; en cambio, el adverbio antepuesto no lleva la cima melódica cuando el foco de contraste recae en otro constituyente (36b):

(35) a. El niño habla correctamente.
b. El niño habla en japonés correctamente.
c. *El niño correctamente habla.

[39] Según Moliner (*DUE* I), *interpretar* significa, respectivamente: «acertar con el verdadero significado de una cosa o equivocarlo» y «dar buen o mal sentido a las palabras, actitud, gestos, etc., de alguien».

d. *Correctamente el niño habla.
e. (¿Cómo habla el niño?) - CORRECTAMENTE habla (el niño).

(36) a. SENCILLAMENTE vive Juan (no ostentosamente).
b. Sencillamente vive JUAN (no Pedro).

(37) a. ¡MAGNÍFICAMENTE nos han tratado!
b. ¡PRUDENTEMENTE te estás portando!

El circunstancial obligatorio se encuentra en el ámbito de la negación y de la interrogación cuando es el foco de la oración:

(38) a. El niño *no* habla *correctamente*.
b. CORRECTAMENTE *no* habla el niño.
c. *No* es *correctamente* como habla el niño.

(39) a. ¿El niño habla *correctamente?*
b. ¿CORRECTAMENTE habla el niño?
c. ¿Es *correctamente* como habla el niño?

Las oraciones (38a, b) admiten la paráfrasis de relativo (38c), donde el adverbio se focaliza bajo la negación. El adverbio en el foco interrogativo de la paráfrasis (39b) refleja la posición focal que ocupa en las oraciones (39a, b). Estas tres interrogaciones pueden tener por respuestas: *Sí, (habla) correctamente* / *No, (habla) incorrectamente.* Para las oraciones (37) no es posible una contraparte negada explícitamente porque lo impide la estructura retórica, que actúa, precisamente, como activador o inductor negativo (Bosque 1980: § 3.3.4) [→ § 40.4.3].

Los adverbios adjetivales, así como *bien* y *mal* para algunos hablantes, admiten con dificultad la posición final del predicado, tras el verbo y otro modificador (40):

(40) a. Miguel pronuncia *bien* esa palabra. / ?Miguel pronuncia esa palabra *bien*.
b. Los locutores hablan *pésimo*. [*Muestras del habla culta de Bogotá*, 33] / ??Los locutores hablan por televisión *pésimo*.

11.3.2.2. Circunstanciales facultativos

Pueden cumplir esta función los adverbios de modo o manera y los de cantidad, y, con restricciones, los de lugar y de tiempo.

A. Los 'adverbios de modo' son de tres clases: 1) de acción y agente (orientados hacia el sujeto o el complemento agente), 2) de acción, y 3) de resultado (orientados hacia el objeto).

1) Entre los adverbios 'de acción y agente'[40] están: *tristemente, alegremente, silenciosamente, cordialmente, rápidamente, apresuradamente, afanosamente, torpemente, descaradamente, amorosamente, cuidadosamente, gozosamente, despectivamente, so-*

[40] Cf. Lonzi 1991: II, § [illegible] Mørdrup (1976: 110) y Nøjgaard (1995: III, § 725) los denominan 'adverbios de manera del sujeto' *(sujet-manière)*.

carronamente, sumisamente, severamente, preocupadamente, respetuosamente, magistralmente.

Estos adverbios se construyen generalmente con verbos de acción, y tienen dos funciones: a) califican la acción en su desarrollo, como se comprueba en la paráfrasis coordinativa (41b), en la que el adverbio modifica al proverbo de acción *hacer;* y b) también califican al agente [(cf. el § 38.2.1.1 para complementos predicativos orientados al sujeto)]:

(41) a. Alberto contemplaba *{atentamente/silenciosamente}* los cuadros.
b. Alberto contemplaba los cuadros y lo hacía *{atentamente/silenciosamente}*.

Los adjetivos correspondientes a adverbios del tipo *atentamente* o *silenciosamente* son compatibles tanto con la nominalización de los verbos a los que los adverbios modifican, como con los respectivos sujetos de esos verbos: en (41a) se trata de una «contemplación atenta/silenciosa»; y, por otra parte, se indica una cualidad del sujeto en su condición de agente, de manera que puede establecerse el paralelismo estructural con el adjetivo predicativo *(Alberto contemplaba {atento/silencioso} los cuadros),* o con una paráfrasis que muestre la cualidad del agente en relación con la acción: *Estaba {atento/silencioso} al contemplar.*

Con iguales características estos adverbios también pueden aparecer con verbos de proceso *(Juan comprendió rápidamente las instrucciones)* y de estado *(Tiene orgullosamente una medalla del Mérito Civil)*.

Los adverbios de agente, igual que los obligatorios, ocupan típicamente la posición posverbal; pero también aparecen en posición inicial (42a), final (42b, c) y medial (42d). Tanto la posición inicial como la medial se pueden caracterizar como parentéticas (Lonzi 1991: II, § 3.1.3.9) por llevar unidad melódica propia, pero no la cima mélodica de la oración. En la construcción pasiva el adverbio sólo ocupa posiciones posverbales inmediata o mediata, y puede intercalarse en la frase verbal <*ser* + participio>, siempre con referencia al complemento agente (42e.):

(42) a. *{Atentamente/silenciosamente},* Alberto contemplaba los cuadros.
b. Alberto contemplaba los cuadros *{atentamente/silenciosamente}*.
c. Los dos niños se sentaron en el suelo *tímidamente.* [M. Delibes, *El príncipe destronado,* 150]
d. Alberto, *{atentamente/silenciosamente},* contemplaba los cuadros.
e. Los cuadros eran *atentamente* contemplados por Alberto. / Los cuadros eran contemplados por Alberto *silenciosamente*.

Los adverbios agentivos en posición posverbal final pueden ser el foco de la oración interrogativa restrictiva (43a) y en la alternativa (43b). En posiciones preverbales reciben la cima melódica en la pregunta restrictiva (44a), mientras que en la alternativa (44b) la coordinación disyuntiva actúa como marca de foco asociada a la figura tonal interrogativa:

(43) a. ¿Los dos niños se sentaron en el suelo *tímidamente*?
b. ¿Se sientan en el suelo *tímidamente o atrevidamente*?

(44) a. Los dos niños, ¿TÍMIDAMENTE se sentaron en el suelo? / ¿TÍMIDAMENTE los dos niños se sentaron en el suelo?
b. ¿*Tímidamente o atrevidamente* se sientan en el suelo?

El adverbio se halla en el ámbito de la negación sólo en posición posverbal si lleva la cima melódica de la oración, como lo muestra la relación de implicación: es el caso de (45a), que implica (45b). El adverbio negado también constituye el foco en la paráfrasis de relieve con <*ser* + relativo> (45c), que se corresponde con (45a), y ofrece la base de la construcción contrastiva proporcionada por la coordinación adversativa exclusiva (45d):

(45) a. Los dos niños *no* se sentaron *tímidamente*.
b. Los dos niños se sentaron.
c. No era *tímidamente* como los dos niños se sentaron.
d. Los dos niños *no* se sentaron *tímidamente, sino atrevidamente*.

Por otra parte, los adverbios negativos, formados con los prefijos *in-* y *des-* [→ § 76.5.3], como *desatentamente, deslealmente, desapasionadamente, descuidadamente, indócilmente, imprudentemente, insensiblemente, injustamente,* pueden ocupar la posición inicial precedidos inmediatamente de la negación. El efecto es que la oración (46a) equivale a (46b) en lo que respecta al ámbito de la negación, y ambas oraciones se corresponden con la paráfrasis (46c) y la implicación (46d):

(46) a. *No injustamente* se ha recordado al barítono Gerard Souzay. [*Clásica* 1996: 92, 69]
b. *No* se ha recordado *injustamente* al barítono Gerard Souzay.
c. *No* ha sido *injustamente* como se ha recordado al barítono Gerard Souzay.
d. Se ha recordado al barítono Gerard Souzay.

2) Los 'adverbios de acción' se comportan como los de acción y agente, pero los adjetivos correspondientes no pueden aplicarse al agente. En (47) se trata de un «ponerse en pie dificultoso», o de un «trazado fácil»; pero no se puede decir que alguien es (o está) «dificultoso al ponerse en pie», ni «pesado al subir». En cambio, es posible la paráfrasis (47e): [41]

(47) a. La niña salió de debajo de la mesa como un perro que captara los vientos de una pieza y se puso *dificultosamente* en pie. [M. Delibes, *El príncipe destronado,* 10]
b. Elisa trazó *fácilmente* la circunferencia.
c. Elisa *no* trazó *fácilmente* la circunferencia.
d. [...] ahí tiene su casa, su hogar. Sube *pesadamente* la escalera y abre la puerta. [J. L. Borges, *Obras Completas,* II, 55]
e. (No) fue fácil para Elisa trazar la circunferencia.

[41] Los adverbios no son calificativos del agente; sin embargo, lo caracterizan como productor de la acción o como afectado por ella. Lonzi (1991: § 3.1.3.4) los incluye como excepciones entre los de acción y agente. Cf. Vendler 1987: 301 y 305 sobre adverbios «de facilidad».

Entre los adverbios de acción se cuentan: (hacer algo) *arduamente/agotadoramente/dolorosamente;* (respirar) *angustiosamente;* (marchar) *fatigosamente/trabajosamente/laboriosamente/dificultosamente/difícilmente.*

Dentro de este grupo también se cuentan los que pueden expresar una apreciación del hablante (Nilsson-Ehle 1941: § 22) o de otra perspectiva externa, causada por la realización de la acción o el proceso verbal: *asombrosamente, pasmosamente, repulsivamente, inesperadamente, admirablemente, cómicamente,* etc. Los adjetivos correspondientes a estos adverbios se definen con giros que así lo indican; entre ellos: «que (no) se puede/que causa/digno de (lo que indica la base)». En los ejemplos de (48) se trata de una «ejecución digna de ser admirada», un «movimiento que no puede percibirse», un «negrear que causa lástima»:

(48) a. María ejecutó *admirablemente* la sonata.
 b. Mueve los labios *imperceptiblemente.*
 c. [...] divisó la madeja desmayada del Moro negreando *lastimosamente.* [M. Delibes, *El príncipe destronado,* 22]

3) Los 'adverbios resultativos' [42] modifican verbos de acción, proceso o estado, considerados globalmente en su cumplimiento total, de modo que califican este resultado [(cf. el § 38.2.2 para los complementos predicativos resultativos)]. De (49c) resulta «un saber o conocimiento {perfecto/parcial/detallado}» acerca de un tema, o de (49d) resulta «un razonamiento adecuado». En otros casos, el resultado puede relacionarse con un paciente, un experimentante o un complementante. Así, en (49a) el adverbio indica una manera de herir (el texto implica: «le causaron una herida grave»), y a la vez produce un resultado en el experimentante («el hombre está grave»); en (49b) se trata de una «escritura completa» y se ofrece una correspondencia estructural con el complementante («escribir completa la palabra»); en (49e), el adverbio afecta al paciente («cura definitiva del asma» / «el asma se cura definitivamente»). Además de estas diferencias con respecto a los adverbios de agente y de acción, los adverbios resultativos se distinguen desde el punto de vista sintáctico porque también se construyen con verbos de estado (49c) y de proceso (49e), y presentan restricciones de posición, pues son incompatibles con las posiciones preverbales (50):

(49) a. Hirieron *gravemente* al hombre.
 b. [...] estamos en una cultura de especialistas del... del... del señor que sabe poner los puntos sobre las íes, pero que no sabe escribir *completamente* la palabra. [*Muestras del habla culta de Bogotá,* 30]
 c. {Sabe/conoce} *{perfectamente/parcialmente/detalladamente}* la hidrografía de Europa.
 d. Razona *adecuadamente.*
 e. Alguien, un oscuro médico del interior, vino un día a Montevideo, convocó a una conferencia de prensa, y anunció que había descubierto una droga que curaba *definitivamente* el asma [...] [M. Benedetti, *La vecina orilla,* 28]
 f. Se conmovió *{profundamente/ligeramente}* con tu gesto.

(50) a. *{Gravemente/Mortalmente}, hirieron al hombre.
 b. *El señor, {completamente/bien}, escribe la palabra.
 c. El señor escribe la palabra {completamente/exactamente/*bien}.

---

[42] Lonzi (1991: II, 3.1.3.4); Nilsson-Ehle (1941: §§ 89-97). Nøjgaard (1995: § 728) los denomina 'adverbios de manera del objeto' *(objet-manière).*

d. *{Perfectamente/parcialmente}, sabe la hidrografía de Europa.
e. *Definitivamente, la droga curaba el asma. / *La droga, definitivamente, curaba el asma. / *Definitivamente, el asma se curaba.
f. *Profundamente se conmovió con tu gesto.

Los adverbios resultativos, sin embargo, pueden anteponerse en contextos contrastivos si llevan la cima melódica: *CLARAMENTE Mario oía las campanas: NO confusamente*.

Otros adverbios resultativos son: *convenientemente, completamente, fragmentariamente, totalmente, integralmente, superficialmente, bien, felizmente, mal, a medias,* (enfermar) *gravemente/seriamente,* (decorar) *lujosamente,* (escribir) *legiblemente*.

Con el verbo *saber,* de valor semifactivo usado con proposiciones completivas (Kiparsky y Kiparsky 1976: 40-41), sólo pueden aparecer adverbios de totalidad y de significado positivo en función de intensificadores (Quirk *et al.,* 1985: §§ 8.104-105; cf. el § 11.7.3): *Sabe {bien/perfectamente/*parcialmente} que estamos aquí* (cf. 49c). La negación del intensificador es anómala: **No sabe {bien/perfectamente} que estamos aquí,* a diferencia del empleo del adverbio como resultativo; en efecto, en (49c) puede negarse: *No sabe {perfectamente/parcialmente} la hidrografía de Europa.*

Además de las tres clases señaladas, dentro de los adverbios de modo podemos incluir otros como los que se describen a continuación.

Muchos adverbios en *-mente* que funcionan como circunstanciales de modo, expresan simultáneamente otras nociones circunstanciales.[43] Se corresponden con sintagmas prepositivos cuyo término es el sustantivo correspondiente, e indican esas nociones en forma analítica; no obstante, tanto los adverbios como estos sintagmas se representan con el relativo *como* en la paráfrasis de relieve *(Es {hereditariamente/por herencia} como recibieron ...)*:[44]

(51) CAUSA: Recibir *hereditariamente* una cosa *(por herencia).* / Encontrar algo *casualmente (por casualidad).* / Salvarse *milagrosamente (por milagro).* / Apartarse *instintivamente (por instinto).*

(52) INSTRUMENTO: Elaborar algo *manualmente (con las manos).* / Comunicarse *telefónicamente (por teléfono)* (*Nunca dejaron de relacionarse epistolarmente Kosmas y Bíclaro [...]* [J. Perucho, *Las sombras del mundo,* 55])

(53) MEDIO: Producir *industrialmente (mediante la industria).* / *Calcular mentalmente (con la mente);* (*[...] acabamos de aplicar experimentalmente en el Instituto Weismann esta idea [...]* [*Investigación y Ciencia,* n.º 224, 1995, 12])

Un comportamiento sintáctico semejante tienen adverbios de modo como *filialmente, aristocráticamente, magistralmente, dictatorialmente,* etc., emparentados con sustantivos, que añaden una noción de comparación (Nilsson-Ehle, 1941: § 78), ya presente en el adjetivo base, y se corresponden con cláusulas comparativas:

[43] Quirk *et al.* (1985: § 8.81), llaman a estas amalgamas «*semantic blends*»; cf. también Nøjgaard (1995: III, § 714), quien los denomina «semiactanciels».

[44] En algunos casos la paráfrasis <«*de modo/manera*» + adjetivo> no es posible: **Se comunicó de manera telefónica.*

(54) a. Por encima de todo ello planeaba *angélicamente [como un ángel]* don Félix. [*El País,* 26-III-95, 13]
b. Él consultó un papel, me saludó *militarmente [como un militar]* y el coche arrancó. [G. Torrente Ballester, *Las islas extraordinarias,* 27]

Adverbios como los de los ejemplos (18) a (22) (cf. el § 11.2.1b)) están léxicamente cuantificados, y presuponen un contexto que ofrezca relación entre dos o más objetos, acciones, estados, etc. Los adverbios *mutuamente, recíprocamente* [→ 23.3.3], también están cuantificados (Nøjgaard 1993: II, § 702) y requieren un contexto plural (cf: **Quico se quitaba la palabra de la boca mutuamente*):

(55) a. Quico y Juan se quitaban la palabra de la boca, se acusaban *mutuamente* [...] [M. Delibes, *El príncipe destronado,* 33]
b. Los ciudadanos deberían tener el derecho de optar entre dos fuerzas políticas que no se odiaran ni se excluyeran *recíprocamente.* [*La Nación,* 11-2-96: 9]

El único adverbio pronominal de modo es *así.* Puede efectuar una deixis *ad oculos* (56a), o es anafórico (56b) o catafórico (56c):

(56) a. No me contestes *así.*
b. Mi mejor amigo era *lo que usted ha dicho,* quiero decir que lo llamaron *así* muchas veces. [J. Marías, *Cuando fui mortal,* 182]
c. ...me gusta permanecer *así, durmiendo todavía pero muy cerca del despertar.* [A. Muñoz Molina, *El jinete polaco,* 389]

B. Los 'adverbios de cantidad' son típicamente facultativos. Pueden responder a la pregunta *¿cuánto?* y representarse mediante los pronombres relativos *cuanto* y *lo que* (o *como*). Su inventario se reduce a los adverbios pronominales *mucho, poco, bastante, demasiado, tanto, más, menos* [→ §§ 16.5 y 16.7].[45] Ordinariamente el adverbio ocupa la posición posverbal inmediata (57a, b). Su anteposición, además de atraer la cima melódica de la oración si es el foco, exige igual contigüidad respecto del verbo,[46] de modo que puede haber inversión del orden de los constituyentes (57c), excepto con topicalización de alguno (el sujeto en 57d). Con las mismas restricciones de colocación los adverbios pueden ser el foco de la interrogación. La negación afecta al adverbio en ambas posiciones (58a-c), y admite las paráfrasis (58d), comunes a los tres casos:

(57) a. Tú has madrugado *mucho* hoy.
b. ?Tú has madrugado hoy *mucho.*

---

[45] En francés, según Nøjgaard (1995: § 130), *gros* («fuerte») es adverbio de cantidad con verbos como *jouer, risquer* («jugar», «arriesgar»). En español, el adverbio *fuerte,* con verbos como *jugar* y *apostar* no es de cantidad, sino de modo; no puede responder a la pregunta *¿cuánto jugaste?* y se focaliza sólo con *como: Es fuerte como juega.*

[46] Este puede estar incrementado con un clítico, como en *Mucho se ha distanciado de sus seguidores el corredor finlandés.*

c. MUCHO has madrugado tú hoy, ¿eh, Quico? [M. Delibes, *El príncipe destronado,* 18] / Mucho has madrugado tú HOY.
d. Tú, *mucho* has madrugado hoy.

(58) a. ...*no* tardarán *demasiado* en salir. [J. Marías, *Cuando fui mortal,* 190]
b. *Demasiado no* tardarán en salir.
c. Ellos, *demasiado no* tardarán en salir.
d. *No* será *demasiado {lo que/cuanto (*como)}* tardarán en salir. / Tardarán en salir, pero *no demasiado.*

Poco y *un poco* pertenecen al mismo campo semántico (Coseriu 1977: 217), pero se sitúan en polos opuestos (Leech 1977: 127- 131), negativo y positivo, respectivamente:

– ⟶ ⟵ +

nada/en absoluto - poco/un poco - bastante - mucho

La pertenencia a distintos polos tiene implicaciones sintácticas en la coordinación adversativa con *pero* con el primer miembro negado [⟶ § 41.4.2], que sólo puede hacerse en el orden gradual indicado por las flechas: *No es que no haya trabajado nada, pero trabajó poco (*un poco); No trabajó mucho, pero trabajó un poco (*poco)* (cf. Kovacci 1986: 191-202). Por este carácter, en su comportamiento sintáctico como circunstancial, cada adverbio exige, para que el texto esté bien formado semánticamente, distinto conector de coordinación: *Vino a ayudarme para adelantar el trabajo, pero (*y) lo adelantamos poco. / Vino a ayudarme para adelantar el trabajo, y (*pero) lo adelantamos un poco.*

Para otros aspectos y puntos de vista en la consideración de este par de adverbios, véanse Ducrot 1972: 191-220, Bosque 1980: § 3.3.3.1, Anscombre y Ducrot 1994: 225-228.

Adverbios del tipo *grandemente, considerablemente, enormemente* [⟶ § 4.2.2], no son de cantidad, sino de modo; si bien alternan con *mucho* y pueden ser respuesta a *¿cuánto?,* sólo pueden focalizarse con *como:*

(59) a. Aumentó *considerablemente* el número de inscritos en los cursos.
b. Fue *considerablemente como (*lo que/*cuanto)* aumentó el número de inscritos en los cursos.

C. Los 'adverbios de lugar' son circunstanciales en posición posverbal. Responden a la pregunta *¿dónde?* y se representan con el relativo *donde.* El inventario comprende, además de estos, a) los adverbios pronominales deícticos, subjetivos [⟶ § 14.4]:[47] *aquí, ahí, allí, acá, allá,* que pueden efectuar señalamiento *ad oculos* (60a), o funcionar como anafóricos (60b) o catafóricos (60c); y b) los adverbios léxicos prepositivos[48] [⟶ §§ 9.3.1 y 9.3.2] *(a)dentro, (a)fuera, abajo, debajo, arriba, (a)delante, detrás, atrás, enfrente, alrededor, lejos, cerca,* que admiten un complemento con *de* para especificar un punto de referencia de la ubicación. Estos últimos pueden seguir, en aposición, a los deícticos (60c). Los adverbios, en la posición indicada, se encuentran en el ámbito de la negación (61).[49]

---

[47] Según Lenz (1935: § 143), son subjetivos «porque se refieren más o menos claramente a las tres personas gramaticales». Son objetivos los adverbios que no cumplen esta condición.

[48] Alcina Franch y Blecua (1975: § 4.9.0) los caracterizan como prepositivos por su comportamiento sintáctico; Nøjgaard (1993: § 657) los llama relacionales debido a las relaciones semánticas que expresan mediante los complementos, o por presuposición.

[49] Para la diferencia entre *No hay que trazar una línea aquí* y *Aquí no hay que trazar una línea,* véase el § 11.3.3.

(60) a. Hay que trazar una línea *aquí*.
b. Edgar Varèse había nacido *en Europa* y se había formado *allí*.
c. Desde que [los rusos y los americanos] subieron *allí arriba*, el invierno es verano y el verano es invierno. [M. Vázquez Montalbán, *La rosa de Alejandría*, 8]
d. —¿No estarán los demonios *detrás de* eso? —apuntó al extraño artefacto de hierro y cristal. [M. Delibes, *El príncipe destronado*, 131]

(61) *No* hay que trazar una línea *aquí*. / *No* es *aquí* donde hay que trazar una línea. / Hay que trazar una línea, pero *no aquí*.

En la lengua escrita el español emplea como adverbios prepositivos sin complemento las voces latinas *supra, infra,* cuya referencia es exclusivamente textual (anafórica y catafórica, respectivamente), e *ibidem,* para citas dentro de textos.

Los adverbios en *-mente* que están emparentados con sustantivos y denotan locación espacial, como *localmente, mundialmente, continentalmente, subterráneamente, exteriormente,* [50] no se comportan uniformemente como locativos (Nilsson-Ehle 1941: §§ 197-200; Nøjgaard 1993: §§ 647, 648), sino como adverbios de modo: no responden en la mayoría de los casos a la pregunta *¿dónde?,* no aceptan la duplicación con el relativo *(por) donde* en construcción con ser (62a, b), y equivalen a sintagmas prepositivos que sí cumplen función locativa (62c). Con los verbos con los que sí prevalece la idea espacial responden también aceptando la paráfrasis de relativo con *como* (63).

(62) a. El oscuro médico del interior fue [...] propuesto *continentalmente* para el Nobel de medicina. [M. Benedetti, *La vecina orilla,* 29]
b. Es *continentalmente como (*donde)* fue propuesto el oscuro médico...
c. El oscuro médico fue propuesto *en el ámbito continental*. / Fue *en el ámbito continental donde (*como)* fue propuesto el oscuro médico.

(63) a. La noticia se propagó *continentalmente*.
b. Fue *continentalmente como (*por donde)* se propagó la noticia.
c. Fue *por el continente por donde (*como)* se propagó la noticia.

Para Nilsson-Ehle (1941: § 196) los adverbios no son sinónimos de los complementos *en el continente, en el exterior,* etc., por el hecho de que en el adverbio no prevalece la noción espacial, sino la de cómo se establece esa relación.

Los adverbios que denotan dirección, como *verticalmente, oblicuamente, perpendicularmente, circularmente,* admiten cuantificación *(Ponlo más oblicuamente; Colóquense bien circularmente),* y se comportan como circunstanciales de modo (cf. 64c, d):

---

[50] Los tres primeros adverbios pueden definirse como <«de manera que abarca el ámbito de» + el adjetivo base>; *subterráneamente* significa «por debajo de tierra» (*DUE* II), y *exteriormente,* «por la parte de fuera» (*DUE* II). Estos últimos se aplican también a locación psíquica.

(64) a. ... se agachó *lateralmente* a recoger su servilleta. [J. Marías, *Cuando fui mortal,* 183]
b. ... ascendió un poco y después se deslizó *horizontalmente* por unos carriles que debían de ser ondulados. [G. Torrente Ballester, *Las islas extraordinarias,* 35]
c. Fue *lateralmente como* (*por donde) se agachó...
d. *¿Cómo (*por dónde)* se deslizó por los carriles...?

D. Los 'adverbios de tiempo' [→ Cap. 48] se corresponden con la pregunta *¿cuándo?* y se representan con el relativo *cuando.* Como los de lugar, los adverbios de tiempo son circunstanciales en posición posverbal, (65a), donde se encuentran en el ámbito de la negación, (65b) y pueden ser el foco de la interrogación, (65c). El inventario incluye 1) adverbios pronominales deícticos, subjetivos: *ahora, entonces* (este último tanto con valor de anterioridad como de posterioridad respecto del momento del hablar), *ayer, hoy, mañana;* [51] 2) adverbios objetivos: a) los pronominales indefinidos *siempre, nunca;* [52] b) adverbios léxicos y compuestos en *-mente*, que se comportan como relacionales de distancia temporal indefinida. En el grupo b) unos admiten un complemento prepositivo para fijar el punto de referencia de la relación que establecen: *antes (de), anteriormente (a), precedentemente (a), después (de), luego (de), posteriormente (a),* y (excepto *luego)* aceptan cuantificadores: *poco antes, muy anteriormente;* en el mismo grupo otros adverbios no admiten el complemento: *antaño, antiguamente, originariamente;* y además *últimamente, próximamente, recientemente,* [53] *pronto, temprano, tarde* (66). Estos últimos se construyen con cuantificadores e intensivos: *{muy/más} recientemente, bastante pronto, muy tarde.*

(65) a. Se reanudará *hoy* el diálogo en el Perú. [*La Nación,* 22-II-97, 4] / ¿Cuándo se reanudará...?
b. No se reanudará *{hoy/temprano}* el diálogo... / No será *{hoy/temprano}* cuando se {reanudará/reanude} el diálogo en el Perú?... (sino *{mañana/tarde}*).
c. ¿Se reanudará *{hoy/próximamente}* el diálogo en el Perú? (Sí, se reanudará *hoy.* / No, se reanudará *mañana.*)

(66) a. La corriente turística no empezó a aumentar *últimamente,* sino *anteriormente* a 1990. [*La Prensa*, 24-XII-93, 8]
b. Homero no pretende contar nada nuevo. [...] El tema poético existe previamente de una vez para siempre: se trata sólo de actualizarlo [...] [J. Ortega y Gasset, *Meditaciones del Quijote,* 86]
c. *Próximamente* se dará a conocer la lista de cursos de verano.
d. Se reanudará *{pronto/temprano/tarde} el diálogo.*

Algunos adverbios indican el modo como se producen temporalmente diferentes sucesos relacionados: *simultáneamente, inmediatamente, alternativamente, sucesivamente,* y no pueden interpretarse con mención de un objeto (suceso, etc.) única-

[51] Estos adverbios deben contraer relaciones de compatibilidad semántica con el tiempo verbal, que es también una categoría deíctica: *Llegará mañana; Llega {ahora/hoy}; *Se irá ayer.* Cf. los §§ 11.3.3 y 48.1.3.

[52] La cuantificación absoluta impide que sean el foco en la paráfrasis de relieve.

[53] Los tres últimos pueden entrar en el sistema deíctico subjetivo. Como observa Nilsson-Ehle (1941: § 192) para el francés, también en español *próximamente* se usa con valor subjetivo, mientras que *posteriormente* sólo puede ser objetivo.

mente singular (67). Otros adverbios, también de modo, caracterizan acciones, procesos o estados, ya en relación con el aspecto de la oración ya con la Aktionsart de la base verbal [→ Cap. 46]. Así, son inceptivos: *bruscamente, súbitamente, repentinamente;* resultativos: *momentáneamente, temporariamente, progresivamente, definitivamente;* durativos: *continuamente, ininterrumpidamente, permanentemente;* puntuales: *instantáneamente;* iterativos: *repetidamente* (68).

(67) a. No recordaba luego cómo descendió *simultáneamente* a los sótanos de la Casa de las Torres y a las honduras submarinas de su propia alma [...] [A. Muñoz Molina, *El jinete polaco,* 101]
b. *Descendió simultáneamente a la Casa de las Torres.
c. Mamá hacía extraños visajes con los ojos y sonreía y apretaba los labios *alternativamente* [...] [M. Delibes, *El príncipe destronado,* 145]
d. *Sonrió alternativamente.

(68) a. La Vito suspiró. La asaltó *repentinamente* una idea. [M. Delibes, *El príncipe destronado,* 43]
b. La sonrisa de la Señora se cerró *instantáneamente* [...] [M. Delibes, *El príncipe destronado,* 21]
c. Xavier vivía temporalmente en casa de su suegro con su mujer Éliane [...] [J. Marías, *Cuando fui mortal,* 113]

Los adverbios durativos otorgan valor iterativo al predicado desinente: *Canta continuamente el estribillo de moda,* y especifican el valor durativo no iterativo de predicados permanentes: *La fuente mana continuamente* [*DUE* I: 746]. [54]

11.3.3. Adverbios de marco

Son adverbios, generalmente circunstanciales, externos al predicado si están en posiciones preverbales. Puede acompañarlos una unidad melódica, rasgo que les permite ocupar la posición inicial en la oración u otras posiciones parentéticas. Desde el punto de vista semántico establecen un marco espacial o temporal respecto de la predicación entera, [55] y se hallan fuera del ámbito de la interrogación y de la negación. Por estos caracteres los 'circunstanciales de marco' son también tópicos, o temas, y en este sentido relativizan el contenido informativo de manera semejante a como lo hacen los adverbios limitadores nocionales (§ 11.4.2) y algunos topicalizadores (§ 11.4.4), entre otros. En (69a) el adverbio de lugar es circunstancial (es el foco de la interrogación); pero actúa como marco en (69b), donde no lo es; en (70a) el adverbio es circunstancial y está bajo la negación, y es marco en (70b): la

[54] A una pregunta total afirmativa sin adverbio facultativo de modo, cantidad, lugar o tiempo, se puede responder sólo con él, generalmente siguiendo a la afirmación prooracional:

(i) a. (—¿Los niños se sentaron en el suelo?)
—Sí, *tímidamente.*
b. (—¿Hay que trazar una línea?)
—Sí, *aquí.*

[55] Quirk *et al.* (1985: § 8.15) los denominan «*scene-setting*» o tema, y Nøjgaard (1993: § 505), circunstanciales «escénicos». Porto Dapena (1995: § 1.6) señala que el circunstancial y el marco son funciones diferentes y las aseveraciones que los contienen responden a distintas preguntas, como se ilustra en (69a) y (69b), respectivamente.

negación no afecta al adverbio sino al verbo. Los adverbios de marco son compatibles con otro adverbio del mismo paradigma en función de circunstancial, y este es el que contrae relación con la interrogación (71a), y con la negación (71b):

(69) a. Voy a trabajar *aquí.* / ¿Vas a trabajar *aquí*? / *¿Dónde* vas a trabajar?
b. *Aquí,* ¿vas a trabajar? / *Aquí,* ¿vas a trabajar o vas a jugar?
(70) a. *No* voy a trabajar *afuera.* / *No* es *afuera* donde voy a trabajar. / Voy a trabajar, pero *no afuera.*
b. Afuera *no voy a trabajar* (sino a pasear).
(71) a. —*Allí, ¿dónde* tiene oficinas la compañía? —*Cerca* de la ópera. / —*¿Dónde* tiene oficinas la compañía, *allí*? —*Cerca* de la ópera.
b. *Allí* la compañía no tiene oficinas *cerca* de la ópera. / La compañía, *allí,* no tiene oficinas *cerca* de la ópera (sino en el aeropuerto).

En contextos contrastivos, o como réplica, el marco puede llevar la cima melódica y ser el foco de la paráfrasis de relieve duplicado por el relativo:

(72) ¿Dijiste que ALLÍ la compañía no tiene oficinas cerca de la ópera?
(73) Sí. Es ALLÍ donde la compañía no tiene las oficinas cerca de la ópera.

Los adverbios de tiempo (excepto los pronominales indefinidos) tienen comportamientos paralelos a los de lugar. Pueden funcionar como circunstanciales si están en el ámbito de la interrogación (74a) y de la negación (74b) y llevan la cima melódica, o bien funcionan como marco (75).[56] Los adverbios *actualmente* y *entretanto* sólo pueden aparecer como marco (76); el segundo está cuantificado y pone en relación un suceso con otros:

(74) a. ¿Nos veremos *mañana*?
b. No nos veremos *mañana.*
(75) a. *Mañana,* ¿nos veremos?
b. *Ahora* las verbenas ya no son verbenas, qué va. En mi tiempo había que verlas. [A. Zamora Vicente, *Voces sin rostro,* 45][57]
c. Es muy maja, lo reconozco. [...] Y *últimamente* no trabaja tanto aquí como antes. [M. Vázquez Montalbán, *La Rosa de Alejandría,* 96]
d. Pero anda usted muy distraído *últimamente.* [M. Vázquez Montalbán, *La Rosa de Alejandría,* 104]
e. *Tarde,* no trabaja tanto como antes.
(76) a. *Actualmente* en España hay casi tres millones de contratos temporales. [*ABC,* 2-II-1995, 37.]
b. Los hombres salieron exhaustos. Faustine estuvo un rato más en el agua. *Entretanto,* los marineros habían desembarcado. [A. Bioy Casares, *La invención de Morel,* 71]

---

[56] En esta función los adverbios deícticos pueden modificar algunas relaciones con el tiempo verbal respecto de su función como circunstanciales: *Ayer llega María y me dice...*

[57] La presencia de *ya* no afecta la descripción: este adverbio se puede omitir sin variar sustancialmente el contenido. La segunda oración de (75b) puede interpretarse como ponderativa, con valor próximo a la modalidad exclamativa: *En mi tiempo, ¡había que verlas!;* claramente, el marco temporal *en mi tiempo* (en este caso un sintagma adverbial, o adverbios como *antes, entonces)* queda fuera de esa modalidad.

En la lengua escrita el uso de las comas para señalar la delimitación de una unidad melódica suele ser inestable (Nøjgaard 1995: § 844). Tal el caso de la ausencia de coma para representar el carácter parentético de *últimamente* en (75d), oración cuya lectura requiere una entonación organizada en dos unidades melódicas.

La aparición del marco temporal puede estar impuesta sintácticamente por transiciones de un relato, manifestadas por recursos gramaticales. Algunas posibilidades son las siguientes: a) aparece sólo el segundo marco, que indica diferencia de tiempo y aspecto: presente habitual y pretérito puntual (77a); o, manteniendo la sucesión del mismo tiempo y el mismo aspecto, se establece una diferencia de polaridad afirmación-negación (77b); b) ambos segmentos del texto llevan marco, sea que los tiempos difieran contrastivamente (77c), (77d), o que el segundo marco efectúe una deixis contextual (77e):

(77) a. [La mujer] mira los atardeceres todas las tardes; yo, escondido, estoy mirándola. *Ayer, hoy* de nuevo, descubrí que mis noches y días esperan esa hora. [A. Bioy Casares, *La invención de Morel,* 26]

b. Vino con el horroroso tenista. [...] Oí algunas exclamaciones francesas. *Después* no hablaron. Estuvieron como súbitamente entristecidos, mirando el mar. [A. Bioy Casares, *La invención de Morel,* 45]

c. *Antes*, no se me ocurría que un acto pudiera traerme buena o mala suerte. *Ahora* repito, de noche, el nombre de Faustine. [A. Bioy Casares, *La invención de Morel,* 105]

d. *Fantasmas imperfectos:* [58] *Primero* no los encontraba. *Ahora* creo haber dado con sus discos. [A. Bioy Casares, *La invención de Morel,* 120]

e. *Ahora* dejaré de escribir para dedicarme, serenamente, a encontrar la manera de que estos motores se detengan. *Entonces* [59] la brecha se abrirá de nuevo. [A. Bioy Casares, *La invención de Morel,* 110]

En otros casos el adverbio de marco puede omitirse: en (78) no lo exige ninguna transición tempo-aspectual ni de polaridad; pero el autor ha separado los segmentos con punto aparte, y la aparición del adverbio tiene por función reforzar la conexión textual:

(78) Después de un rato volvió el hombre de los dientes [salidos] [...] Salieron Faustine, Dora, la mujer vieja.
Después no quedaron sino Alec, el de los dientes, Stoever e Irene.

Los adverbios temporales pueden establecer marcos de orden de la sucesión de hechos, con la serie *primero, seguidamente/luego/después, finalmente* [→ § 63.2.3.1]. Pueden caracterizar todos los puntos de la sucesión (79a, b), o solamente el último (79c):

(79) a. *Primero* fuimos, a buena velocidad, por la gran avenida. *Luego* se desvió y empezamos a meternos por una zona desconocida [...] [G. Torrente Ballester, *Las islas extraordinarias,* 109]

b. *Primero* desaparece la pasión, *luego* el amor, hasta desaparece la costumbre de verse. *Finalmente* se esfuman las cuentas corrientes. [M. Vázquez Montalbán, *La Rosa de Alejandría,* 15]

c. Hubo idas y vueltas en el Senado. *Finalmente,* [...] se le recortaron las alas al recurso. [*La Nación,* 12-X-95, 9]

---

[58] En cursiva en el original, como un tema en una enumeración de aclaraciones.

[59] En este texto *entonces,* además del señalamiento anafórico que efectúa, expresa consecuencia. Este último valor del adverbio es el único que manifiesta en el siguiente caso (cf. el § 11.6): *Pero todo esto, que razono juiciosamente, significa que Faustine ha muerto [...] Entonces la vida es intolerable para mí.* [A. Bioy Casares, *La invención de Morel,* 116.]

11.4. Adverbios externos al *dictum*

Estos adverbios cumplen la función periférica de modificar al *dictum*, es decir, al contenido representativo de la oración [→ § 63.6]. [60] No son omisibles los limitadores de frecuencia (§ 11.4.1) y los limitadores nocionales (§ 11.4.2), ya que afectan el alcance del valor de verdad del *dictum*. Son omisibles [61] los evaluativos emotivos (§ 11.4.3), los de conocimiento y percepción (§ 11.4.3.2), los evaluativos no emotivos (§ 11.4.3.3) y de la actuación del agente (§ 11.4.3.4), los de voluntad (§ 11.4.3.5), y los de necesidad y obligación (§ 11.4.3.6).

11.4.1. Adverbios de frecuencia

Denotan iteración, están cuantificados existencialmente [62] y sólo se predican de acciones, procesos o estados, repetidos o repetibles (80) [→ § 48.1.2.4]; no es el caso, por ejemplo, de sucesos únicos (81a) o de acciones perfectivas singulares (81b):

(80) a. Son cortesanos de tiempo completo, pero *ocasionalmente* utilizan otro ropaje. [*La Nación*, 2-X-94, 9]
b. *Habitualmente* esta clase de tela se seca rápido.
c. María *raramente* está enferma.

(81) a. *Mensualmente* José recibe {sus honorarios/#su título de bachiller}.
b. *Javier edificó esta casa, *frecuentemente*.

11.4.1.1. Frecuencia indeterminada

Adverbios como *habitualmente, comúnmente, frecuentemente, esporádicamente, ocasionalmente, infrecuentemente, raramente, excepcionalmente,* se refieren a la repetición indeterminada (no contable de manera fija) de eventos o de hechos, repeticiones separadas por intervalos de duración también indeterminada. Forman un campo gradual en el que cada término se sitúa en la dimensión 'frecuencia' con relación al número de repeticiones o a la duración de los intervalos; asimismo, admiten gradación externa (excepto en el extremo positivo): *demasiado frecuentemente, muy ocasionalmente, bastante excepcionalmente,* etc.

Por su comportamiento sintáctico pueden aparecer como circunstanciales o como adverbios periféricos, externos al *dictum*.

A) En posición posverbal, (82a), funcionan como 'circunstanciales', ya que son el foco de la paráfrasis con *ser* y el relativo *como*, (82b). La oración afirmativa que

---

[60] Para una reseña crítica de conjunto de varias clases de estos adverbios, así como los de § 11.5, véase Fuentes Rodríguez 1991. Schneider (1995: *passim*) ofrece un modelo trimodular (morfológico, sintáctico y semántico) para diferenciar adverbios como *completamente, probablemente, intencionalmente* (cf. el § 11.3.2: resultativos y los §§ 11.4.3.4 y 11.5.1). Con respecto a las indicaciones bibliográficas que damos en los respectivos apartados, los listados de adverbios no siempre coinciden con los nuestros, y pueden diferir entre los distintos autores.

[61] Este carácter significa que al omitirlos el *dictum* permanece bien formado, sin que se modifique su valor de verdad. McConnell-Ginet (1982: 182) también señala este rasgo de los adverbios de oración, los que —dice— «con pocas excepciones son superfluos».

[62] Lázaro Mora (1987: 260), siguiendo a Quirk *et al.* (1972: § 8.61) y a Egea (1997: 320), los llama «frecuentativos indefinidos». Adverbios como *siempre* y *nunca* pueden considerarse cuantificados universalmente (Leech 1970: § 7.2.4) y no indican frecuencia. Cf. Bellert 1977: 341-342; Kovacci 1986: § 3.

los contiene implica la predicación sin el adverbio: de (82a) se sigue (82c) y la coordinación copulativa de relieve (82d); pueden ser el foco de la negación (Bellert 1977: 341) [⟶ §§ 40.2.2 y 40.2.4] ilustrado en la paráfrasis de relativo (83a, b), de la expansión coordinativa adversativa en que se niega el adverbio, (83c), y de la expansión (83d) (cf. 82d):

(82) a. María nos {llama/telefonea} *frecuentemente.*
b. Es *frecuentemente* como nos llama María.
c. María nos {llama/telefonea}.
d. María nos llama y (lo hace) frecuentemente.

(83) a. A pesar de la importancia que Cortázar daba a la poesía, y a su poesía, *no* se lo cita *frecuentemente* como poeta. [J. Loubet, «*Negro el diez,* poema de Julio Cortázar», 78]
b. *No* es *frecuentemente* como se lo cita en calidad de poeta.
c. Se lo cita como poeta, pero no (se lo hace) *frecuentemente.*
d. No se lo cita frecuentemente como poeta, pero se lo cita (a veces).

Los adverbios de frecuencia indeterminada siguen la pauta descrita en el § 11.3.2.3: pueden ser respuesta a la pregunta total o a una oración que equivalga a ella: *(—Y usted trabaja para él.) —Ocasionalmente.* [A. Pérez-Reverte, *El club Dumas,* 203]. Esta respuesta puede ser suplida por los adverbios de los §§ 11.4.1.2 y 11.4.2; por ejemplo: *—Quincenalmente./Técnicamente.*

El carácter gradual agrupa los adverbios de frecuencia en dos polos: positivo y negativo. La gradación en el polo positivo (cf. (84)) permite que sus miembros entren en la coordinación adversativa con el esquema *no... pero (sí),* sólo en el orden descendente de la gradación, pues no se niega la dimensión 'frecuencia', sino la diferencia de grado mayor (Kovacci 1982-1984: § 2.2):

(84) a. No fuma *{habitualmente/normalmente},* pero sí *{frecuentemente/ocasionalmente/*?infrecuentemente}.*
b. No nos visita *frecuentemente,* pero sí *{ocasionalmente/*?raramente}.*
c. *No fuma *{frecuentemente/ocasionalmente/raramente},* pero sí *{habitualmente/normalmente}.*

B) Cuando son circunstanciales (ejemplos (82) y (83)) caracterizan la periodicidad temporal del *evento* descrito por el predicado. En cambio, en posiciones parentéticas los mismos adverbios delimitan, en relación con la frecuencia, el alcance de lo aseverado en el *dictum;* esto es, indican la periodicidad temporal de ese *hecho.* Las oraciones (85a, b) y (86a) no implican el texto sin el adverbio, pues este limita el valor de verdad de aquel. En el texto afirmativo se comportan de manera semejante a los circunstanciales de marco (85), pero aceptan la paráfrasis donde la oración se convierte en una proposición sustantiva con *que* y se predica de ella, mediante el verbo *ser,* el adjetivo correspondiente al adverbio (o la expresión <*un hecho* + adjetivo>) (85c). Con negación, se sustraen al ámbito de esta, como ilustra la paráfrasis (86b):

(85) a. *Frecuentemente,* los lectores de las novelas de la serie Carvalho me interrogan sobre el porqué de la a veces desmedida afición a la cocina del señor Carvalho. [M. Vázquez Montalbán, *Las recetas de Carvalho,* 7]
b. Cuando se escribe la biografía de un artista, *habitualmente* se detalla también su discografía. [*Clásica*, n.º 92, 1996, 24]
c. Es *{habitual/un hecho habitual}* que se detalle también su discografía.

(86) a. *Ocasionalmente,* Julia no nos llamaba. / Julia, *ocasionalmente,* no nos llamaba.
b. Era *un hecho ocasional* que Julia no nos llamara.

Estos comportamientos se deben a que el adverbio ocupa una función sintáctica 'periférica', e incide sobre el resto de la oración. Los adverbios del polo negativo pueden actuar como inductores negativos, (87a) [—> § 40.4.4]:

(87) a. *{Raramente/Excepcionalmente}* pega un ojo antes de medianoche.
b. *{*Habitualmente/*Frecuentemente/*Ocasionalmente}* pega un ojo antes de medianoche.

En esta función, y por su naturaleza semántica gradual, el adverbio pone en juego relaciones comparativas con respecto a otros grados de la escala; así, (86a) puede insertarse en la expansión (88a), donde el grado bajo positivo de frecuencia, *ocasionalmente,* permite la contraposición con el grado máximo que manifiesta *habitualmente,* comportamiento también permitido a los adverbios del polo negativo (88b). El grado alto positivo puede contraponerse con el mismo adverbio (88c):

(88) a. *Habitualmente,* Julia nos llamaba todas las noches, pero *ocasionalmente* no lo hacía.
b. *Comúnmente,* María no cocina; *{excepcionalmente/raramente},* sin embargo, prepara platos exquisitos.
c. *Frecuentemente* miente; pero *frecuentemente* dice verdades como puños. [Cf. Lázaro Mora 1987: 262]

Los adverbios de frecuencia indeterminada en su función periférica también se sustraen al ámbito de las modalidades no asertivas: interrogativa (89a), exhortativa (90a), desiderativa (91a), dubitativa (92a); pero como circunstanciales, se incluyen en todas las modalidades (ejemplos b):

(89) a. **Frecuentemente,* ¿(no) ibas al teatro?
b. ¿Ibas al teatro *frecuentemente*? / ¿No ibas al teatro *frecuentemente*?

(90) a. **Frecuentemente,* ¡ve al teatro! / **Frecuentemente,* no vayas al teatro.
b. ¡Ve más *frecuentemente* al teatro! / No vayas tan *infrecuentemente* al teatro.

(91) a. **Frecuentemente,* ¡ojalá que (no) llueva!
b. ¡Ojalá que llueva más *frecuentemente*! / ¡Ojalá que no llueva tan *frecuentemente*!

(92) a. **Frecuentemente,* habrá venido a la ciudad.
b. Conoce muy bien la ciudad: habrá venido *frecuentemente*.

Se ha observado (Rivara 1980: 151) que en contextos genéricos los adverbios de frecuencia, que marcan un conjunto de momentos de tiempo, se corresponden con otras formas de cuantificación existencial que se refieren a conjuntos de objetos: la oración *Ocasionalmente, las recetas de Pablo incluyen arroz* se corresponde con *Algunas recetas de Pablo incluyen arroz;* y *Raramente las recetas de Pablo incluyen arroz* se corresponde con *Pocas recetas de Pablo incluyen arroz.*

11.4.1.2. Frecuencia determinada

Estos adverbios en *-mente* forman una taxonomía ordenada sobre la jerarquía de las unidades de tiempo: *diariamente, cotidianamente, semanalmente, quincenalmente, mensualmente, bimestralmente, trimestralmente, cuatrimestralmente, semestralmente, anualmente, bienalmente, quinquenalmente.* [63] No forman un campo gradual ni admiten gradación externa *({*muy/*demasiado} anualmente).* Denotan frecuencia determinada: indican períodos regulares (contables de manera fija: días, meses, etc.), y la cuantificación de la frecuencia es universal: *diariamente,* por ejemplo, equivale a *todos los días* o *cada día.*

A) En posición posverbal los adverbios de frecuencia determinada funcionan como 'circunstanciales'. Pueden ser el foco de la negación, de modo que las oraciones (93a, b) implican (93c); responden a la interrogación con *cuándo* y aceptan la paráfrasis de relativo con *como* o con *cuando* (93d):

(93) a. [Los lectores] sufren *cotidianamente* con nuestros errores tipográficos y gramaticales. [*El País,* Madrid, 26-III-95, 14]
b. Los lectores *no* sufren *{cotidianamente/semanalmente}* con nuestros errores tipográficos y gramaticales (sino de cuando en cuando).
c. Los lectores sufren con nuestros errores [...].
d. Es *semanalmente {cuando/como}* los lectores sufren con nuestros errores.

B) En posición parentética son 'modificadores del núcleo oracional' (es decir, la oración entendida como unidad de predicación) y afectan su valor de verdad; así, las oraciones (94a, b) no implican el texto sin el adverbio; no admiten la paráfrasis en la que el adjetivo correspondiente al adverbio se predica del núcleo oracional (94c), ni es posible el núcleo oracional negativo, [64] excepto en la construccion adversativa exclusiva (94d):

(94) a. *Semanalmente* da dos clases de sánscrito.
b. La revista es quincenal, pero *mensualmente* incluye un disco compacto.
c. *Es semanal que dé dos clases de sánscrito. / *Es un hecho semanal que dé dos clases de sánscrito.
d. *Semanalmente* no da dos clases de sánscrito, sino tres. / **Semanalmente* no da dos clases de sánscrito.

---

[63] Otros adverbios *(centenariamente, milenariamente)* indican la duración expresada en la base del adjetivo *(centuria, milenio),* y no equivalen a *cada X,* sino a *durante un X:*

(i) Ya *milenariamente,* la Navidad es todo un signo de bondad (...) [*La Prensa,* 24-XII-93; 8]

[64] Parece ser una inconsistencia lógica establecer la frecuencia universal de hechos inexistentes. El texto solamente sería posible como réplica.

11.4.2. Adverbios nocionales o 'de punto de vista'

Adverbios como *geográficamente, teóricamente, filosóficamente, culturalmente, políticamente, humanamente, técnicamente, ortográficamente,* [65] que aparecen en posiciones parentéticas (cf. (95a) y (96b)), no son omisibles, ya que su supresión altera el valor de verdad del texto: (95b) no es implicación de (95a). [66] No pueden ser foco de la paráfrasis de relativo (95c) ni guardan correspondencia parafrástica con el adjetivo correspondiente en función de predicativo (95d), pero admiten la conmutación por la expresión <*desde el punto de vista* + adjetivo (o complemento con sustantivo)> (95e) [→ § 4.2.3]:

(95) a. *Armónicamente,* fue Scriabin uno de los grandes innovadores de este siglo. [A. Carpentier, *Ese músico que llevo dentro,* 65]
b. Fue Scriabin uno de los grandes innovadores de este siglo.
c. *Es armónicamente como Scriabin fue uno de los grandes innovadores de este siglo.
d. *Es armónico que Scriabin fuera uno de los grandes innovadores de este siglo.
e. Desde el punto de vista {armónico/de la armonía}, fue Scriabin uno de los grandes innovadores de nuestro siglo.

El adverbio es un limitador nocional: precisa el alcance del *dictum,* y lo presenta como válido sólo para el dominio nocional que señala (cf. Nilsson-Ehle 1941: § 215):

(96) a. Canadá es el ejemplo paradigmático de la falsedad de la teoría dependentista; *políticamente* es un dominio británico, *económicamente* depende del capitalismo norteamericano, *culturalmente* de los ingleses y franceses, y no obstante es uno de los países más ricos del mundo, con una democracia estable y cuya clase obrera está entre las cinco con mayor nivel de vida en el mundo entero. [J. J. Sebreli, *El asedio a la modernidad,* 321]
b. Canadá es un dominio británico, *políticamente;* depende, *económicamente,* del capitalismo norteamericano [...].

El limitador es indiferente a la polaridad afirmación/negación y a distintas actitudes del hablante, y este comportamiento muestra que su función sintáctica es la de modificador del núcleo oracional:

(97) a. —*Musicalmente,* ¿están muy de espaldas Moscú y San Petersburgo?
—Como considero que *musicalmente* no hay escuelas, no pienso que haya una en Moscú y otra en San Petersburgo. [*Scherzo,* n.º 91, 1995, 44]

---

[65] Los adjetivos derivan de sustantivos: *geografía, filosofía,* etc. Cf. Nilsson-Ehle 1941: 213-220; Ernst 1985; Kovacci 1986: § 4.

[66] En música, *armónicamente* se refiere al «arte de formar y enlazar los acordes» (*DRAE* 1992); en (95a) este adverbio no es conmutable por *con armonía.* Cf. (100).

b. ¡Si *musicalmente* hubieran tenido contacto esas escuelas!
c. *Teológicamente* cabría tal vez contestar: el libro es de la escuela de Mahayana [...] [J. L. Borges, *Obras Completas,* II, 120]
d. Sigue, *culinariamente,* los consejos de tu madre.

El núcleo oracional puede establecer el dominio complementario del señalado por el limitador, cuando este aparece en construcción exceptiva [⟶ §§ 9.2.5.3, 10.18.2 y 40.2.2]:

(98) El informe está bien escrito, *{excepto/salvo/menos} ortográficamente.*

En (98) se afirma que el informe está bien escrito desde los demás puntos de vista posibles: sintáctico, léxico, etcétera.

En las distintas posiciones señaladas para los limitadores, puede aparecer una fórmula formada por un adverbio seguido del gerundio *hablando,* de valor próximo al condicional que se halla en el ámbito de los modificadores del *dictum*:

(99) a. [...] la campaña, *publicitariamente hablando,* hasta el momento es una campaña gris y de poca originalidad. [*El habla culta de Santiago de Chile,* I, 386]
b. [...] lo que no creo que un segundo idioma deba coartar nunca es la expresión oral o escrita *sintácticamente hablando*, [*El habla culta de San Juan,* 371]
c. *Parlamentariamente hablando,* la batalla por la televisión digital no tuvo vencedores ni vencidos en el Congreso. [*La Vanguardia,* 14-II-1997, 9]

El hecho de que sin variar su valor funcional la construcción alterne con el adverbio sólo, indica que el gerundio es expletivo. Así lo ha visto Nilsson-Ehle (1941: § 219) al estudiar igual fórmula en el francés, señalando la imposibilidad de interpretar el adverbio como circunstancial de modo del gerundio; en efecto, en (99a) *publicitariamente hablando* no significa «hablando de manera publicitaria», (99b) *vocal y musicalmente hablando* no es «hablando de manera vocal y musical», ni *parlamentariamente hablando* es «hablando de manera parlamentaria».

Adverbios homónimos de los limitadores nocionales, a veces con cambio de significado, pueden funcionar como 'circunstanciales' de modo en posición posverbal (100a): [67] pueden ser el foco de la negación y la interrogación (100b), y de la paráfrasis de relativo (100d); las predicaciones (a, b) implican el texto sin el adverbio (100c):

(100) a. El exterior y el interior de la sala del teatro se complementan *armónicamente* y reflejan los rasgos más familiares de la ciudad. [*Clásica* n.º 101, 1996, 54]
b. El exterior y el interior de la sala *no* se complementan *armónicamente* [...] / ¿Se complementan *armónicamente* [...]?
c. El exterior y el interior de la sala se complementan.
d. Es *armónicamente como* se complementan el exterior y el interior [...]

[67] En este caso el adverbio no señala un dominio nocional como (99a), y a diferencia de este, admite la sustitución por un complemento con el sustantivo emparentado: Se complementan con armonía. Cf. el contraste señalado por Nilsson-Ehle (1941, § 214): *tratar humanamente a alguien* («de manera humana»), y *Haremos lo que humanamente se puede hacer* («según la capacidad o poder del hombre»).

11.4.3. Adverbios evaluativos

11.4.3.1. Adverbios emotivos (juicio subjetivo del emisor frente al dictum)

Un grupo de adverbios omisibles es el de los valorativos emotivos, con los que el emisor evalúa subjetivamente el *dictum* como un hecho. Se trata de un grupo numeroso, que incluye los siguientes: *absurdamente, afortunadamente, asombrosamente, curiosamente, desafortunadamente, desgraciadamente, extrañamente, felizmente, increíblemente, irónicamente, lamentablemente, paradójicamente, sorprendentemente.* Aparecen en todas las posiciones parentéticas[68] (101), por lo cual quedan fuera del dominio de la negación (101a). Su núcleo oracional es aseverativo (101), aseverativo exclamativo (102a) o una interrogación retórica (102c). Las oraciones implican el texto sin el adverbio, como (102b) respecto de (102a):

(101) a. A partir del viernes a primera hora, empezó a inquietarme el teléfono. *Felizmente,* nada ocurrió —salvo el rencor inevitable que me inspiró aquel hombre [...] [J. L. Borges, *Obras Completas,* I, 622]
b. Nada ocurrió, *felizmente.*
c. Traía puesta, *increíblemente,* la misma blusa que el viernes. [G. Salvador, *Casualidades,* 14]

(102) a. *Lamentablemente,* ¡qué poco se ejecutan estas bellísimas piezas!
b. ¡Qué poco se ejecutan estas bellísimas piezas!
c. [...] *desgraciadamente,* en primer año, ¿qué puede hacer un alumno para ello [mejorar la expresión oral]? No hay un... no hay un curso, no hay una ayudantía donde se le facilite eso tampoco. [*El habla culta de Santiago de Chile,* 46]

Admiten la paráfrasis con <*ser* + atributo (o predicado nominal)> (el adjetivo o sustantivo cognado) precedido o no de la expresión <*un hecho* + proposición completiva en subjuntivo> (regido por el rasgo emotivo del predicado [⟶ §§ 33.3.2.8 y 49.4.6]): (103a) y (103b) se corresponden respectivamente, con (101a, b), y (101c). También aceptan las paráfrasis coordinativas en las que el primer constituyente es el núcleo oracional y el segundo tiene como sujeto un demostrativo o los relativos *lo que/lo cual,* que representan al primer coordinado, y como predicado la construcción <*ser* + atributo> cognado del adverbio; en (104) y (105) se parafrasean las oraciones (101a, b) y (101c); las referencias de los pronombres se pueden explicitar con las descripciones respectivas del *dictum:*

(103) a. {Es/Era} *(*feliz) una felicidad* que nada ocurriera. / {Es/Era} *un hecho feliz* que nada ocurriera.
b. {Es/Era} *increíble* que trajera puesta la misma blusa que el viernes.

(104) a. Nada ocurrió, y *{esto/eso} —que nada ocurriera—* es una felicidad.
b. Traía puesta la misma blusa del viernes y *{esto/eso} —el traer la misma blusa—* es increíble.

(105) a. Nada ocurrió, *lo que* es una felicidad.
b. Traía puesta la misma blusa del viernes, *lo cual* es un hecho increíble.

---

[68] Cf. la ajustada caracterización de Alarcos Llorach 1970: 224.

El adjetivo *feliz* en función de predicativo no admite proposición completiva como sujeto, motivo por el cual la paráfrasis adecuada recurre al sustantivo *felicidad.* Igual proceso ocurre con *desgraciadamente, Es una desgracia.* Por otra parte, el adverbio *felizmente,* lo mismo que otros de la misma clase, en posición no parentética puede modificar al verbo como circunstancial de modo: *Nada ocurrió felizmente (todo fue desdichado);* y en este caso equivale a *con felicidad.*

Otros adverbios valorativos, como *lamentablemente, extrañamente, sorprendentemente, asombrosamente,* además de la paráfrasis con adjetivo, admiten otra con verbo: *lamento (que), (me) extraña (que),* etc.

Las paráfrasis de las oraciones exclamativas con pronombre exclamativo (cf. 102a) emplean el pronombre o la construcción *lo... que* supliendo la entonación exclamativa (106a). En cuanto a la interrogación retórica (cf. 102c), se resuelve (106b) con la aseveración correspondiente, de polaridad inversa (Bello 1847: § 1146; Bosque 1980: 96):

(106) a. Es lamentable *{cuán/qué}* poco se ejecutan estas bellísimas piezas. / Es un hecho lamentable *lo poco que* se ejecutan [...]
b. Es una desgracia que en primer año nada pueda hacer un alumno para ello.

Las paráfrasis de (103) y (106) convierten a los adverbios en predicados modales factivos emotivos (Kiparsky y Kiparsky 1976: 73), con los cuales la verdad del *dictum* es una presuposición; y este carácter está en correlación con el hecho de que el adverbio sólo puede aparecer con aserciones. Por otra parte, el rasgo 'emotivo' de las bases adjetivas o sustantivas, permite una paráfrasis alternativa de relieve: en lugar de la paráfrasis de predicativo con *ser* el predicado puede ser nominal, acompañado de un pronombre exclamativo [⟶ § 39.2.2]; para los ejemplos (103):

(107) a. ¡Qué felicidad que nada ocurriera!
b. ¡Qué increíble que trajera la misma blusa del viernes!

Los adverbios emotivos permiten también una paráfrasis con predicado nominal exclamativo;[69] para (101a) y (101c) [⟶ § 62.4]:

(108) a. ¡Qué felicidad que nada ocurriera!
b. ¡Qué increíble que trajera la misma blusa del viernes!

La valoración subjetiva del *dictum* que efectúan estos adverbios puede identificarse con la esfera del emisor (101a, c) y (109a) cuando no lleva marca especial, o puede referirse a otro ego (Quirk *et al.* 1985: § 8.133), caso en que se indica expresamente (109b); asimismo, la indicación aparece en textos que puedan dar lugar a ambigüedad (109c, d):

(109) a. *Felizmente,* al cabo de unas noches de insomnio, me trabajó otra vez el olvido. [J. L. Borges, *Obras Completas,* I, 626]
b. *Afortunadamente para ti,* eres un gran farsante. [P. Baroja, *La feria de los discretos,* 44]
c. *Afortunadamente para mí,* Amaranta se dignó recibirme. [B. Pérez Galdós, *Bailén,* 62]
d. *Afortunadamente para ella,* Amaranta se dignó recibirme.

Los adverbios valorativos pueden emplearse como respuestas, en particular los que contraen una relación antonímica, como *felizmente* (positiva)/*desdichadamente* (negativa):

[69] Ello se debe a la afinidad semántica entre los adverbios emotivos y la exclamación. Los adverbios que carecen de ese rasgo no admiten la paráfrasis: *Posiblemente escriban: Es posible que escriban: *¡Qué posible que escriban!; Indudablemente, llovía: Es indudable que llovía: *Qué indudable que llovía!,* etc.

(110) a. —¿Han vuelto los vecinos? / —Me han dicho que han vuelto los vecinos.
—(Sí), *{felizmente/lamentablemente}*.
—No, *{felizmente/lamentablemente}*.

Esta posibilidad se extiende a todos los adverbios evaluativos (§§ 11.4.3.2-11.4.3.6); por ejemplo: *(—Leí en el Star que tú vas para Panamá.) —Correcto.* [*El habla culta de San Juan,* 233].

11.4.3.2. Adverbios de conocimiento y percepción (evaluación verificable de la verdad del dictum)

El adverbio de conocimiento *notoriamente* y los de percepción *visiblemente, perceptiblemente, manifiestamente, ostensiblemente* se construyen con aseveraciones y ofrecen una base evaluativa, posiblemente comprobable, con respecto a la verdad del *dictum* [→ § 63.6.2]. Son omisibles y pueden ocupar todas las posiciones parentéticas (111a, b). Admiten la paráfrasis con ser y predicativo con proposición completiva en indicativo (regido por los rasgos semánticos indicados), respectivamente (112a, b), y en ella la correlación temporal entre el predicado y la proposición varía, de acuerdo con el significado léxico de la base adjetiva; la misma pauta se observa en la paráfrasis coordinativa, junto con la mayor restricción en el empleo de los demostrativos (113):

(111) a. [...] *notoriamente* no hay clasificación del universo que no sea arbitraria y conjetural. [J. L. Borges, *Obras Completas,* II, 86]
b. Eran un hombre y una mujer, ambos con cara de jorobados. El hombre lo era, *visiblemente,* aunque sin exceso. [G. Torrente Ballester, *Las islas extraordinarias,* 17]
c. Yo, *notoriamente,* no le resultaba simpático. / Yo no le resultaba simpático, *notoriamente*.

(112) a. *Es* notorio que no hay clasificación del universo que no sea arbitraria y conjetural.
b. *{Es/Era}* notorio que yo no le resultaba simpático.
c. *Era (*es)* visible que el hombre era jorobado [...].

(113) a. No hay clasificación del universo que [...], *{lo cual/y esto/y eso}* es notorio. Yo no le resultaba simpático, *{lo cual/y esto/y eso} era* notorio.
b. El hombre era jorobado, *{lo cual/y eso (*esto)} era (*es)* visible.

El significado de las bases adjetivas, algunas emparentadas con verbos *(ver, percibir),* y las paráfrasis (112) indican que los adverbios se relacionan con predicados modales factivos no emotivos (Kiparsky y Kiparsky 1976: 73). En rigor, teniendo en cuenta la salvedad indicada por los autores (1976: 39, nota 3), dichos predicados se denominan semifactivos.

11.4.3.3. Adverbios epistémicos (juicio subjetivo frente a una proposición citada)

Con adverbios como *correctamente, incorrectamente, equivocadamente, erróneamente, falsamente,* el emisor evalúa subjetivamente el valor de verdad de una proposición completiva [70] aseverativa dependiente de verbos de reporte o de opinión, ateniéndose a la conformidad o no conformidad con una norma; con *exageradamente, desproporcionadamente, desmedidamente,* evalúa respecto del exceso en la medida. El responsable de la proposición citada es el sujeto de la oración (114a-d) o bien el agente o experimentante implícito de las oraciones pasivas sin agente expreso (114e). Los adverbios son omisibles: las oraciones que los contienen implican el texto sin el adverbio; aparecen en las posiciones inicial y preverbal parentética, y delante de la proposición:

(114) a. El alumno, *correctamente,* afirma que la ballena es un mamífero.
b. *Incorrectamente,* el alumno dice que la ballena es un pez.
c. *Exageradamente,* María sostiene que Héctor es un genio.
d. Alfredo cree *erróneamente* que la reunión se ha suspendido.
e. Se supone *equivocadamente* que Delia traerá los discos.

Las oraciones admiten las paráfrasis coordinativas en las que el segundo constituyente reproduce la proposición con un pronombre demostrativo o un relativo (115a, b), como lo muestra la expansión tras el demostrativo (115c) y la imposibilidad de que el pronombre reproduzca el resto de la oración (115d). [71] Pero como la proposición es un 'objeto *effectum',* el adverbio también se refiere al verbo incluyente, hecho que se manifiesta en la nominalización: *afirmación correcta; dicho incorrecto; creencia errónea.*

(115) a. El alumno {afirma/dice} que la ballena es un mamífero, *y {esto/eso}* es correcto.
b. Alfredo cree que la reunión se ha suspendido, *lo cual* es erróneo.
c. El alumno dice que la ballena es un mamífero *y {esto/eso} —que la ballena es un mamífero—* es correcto.
d. María sostiene que Héctor es un genio, *y esto —{que es un genio/ *que María lo sostiene}—* es exagerado.

El verbo *negar,* del grupo de los verbos de reporte, al rasgo 'decir' suma el rasgo 'negación', y este se aplica a la proposición incluida. Ello se muestra en el hecho de que con adverbios evaluativos del valor de verdad de la proposición, la paráfrasis coordinativa puede disociar el rasgo 'decir' de la negación lexicalizada (116b):

(116) a. Incorrectamente, *niega* que el pingüino sea un ave.
b. *Dice* que el pingüino *no* es un ave, y esto es incorrecto.

El ámbito de los adverbios evaluativos no emotivos puede afectar a un predicativo obligatorio [⟶ § 38.3]; (117a, b) permiten las paráfrasis que así lo muestran:

(117) a. Podrían tomar *erróneamente* mis observaciones como interesadas. [*La Prensa,* 21-II-1994; 16]
b. *Exageradamente,* María calificó a Héctor de genio.

---

[70] Lehrer (1975: 489) ha identificado esta función del grupo de adverbios del tipo «correcto»/«incorrecto», a los que llama «adverbios orientados hacia el complemento». Cf. Kovacci (1980-1981: § 4). Adoptamos la denominación 'epistémicos' sugerida por Violeta Demonte e Ignacio Bosque.

[71] Los adverbios *equivocadamente, falsamente, exageradamente,* admiten una paráfrasis con el adjetivo atribuido al sujeto: *Antonio está equivocado al creer que...; Juan es {falso/exagerado} al decir que...*

c. Podrían tomar mis observaciones como interesadas, y *esto —que sean interesadas—* es erróneo.
d. María calificó a Héctor de genio, *lo cual —{que sea un genio/*que María lo calificó}—* es exagerado.

Los del tipo «correcto»/«incorrecto», excepto *falsamente,* y los de exceso de medida también pueden ser evaluativos de una oración (cf. aquí § 11.4.3.4).

11.4.3.4. Adverbios de necesidad y obligación (evaluación del dictum *en cuanto a su necesidad u obligación)*

En este grupo se cuentan los adverbios *forzosamente, fatalmente, inevitablemente, necesariamente, indefectiblemente, irremediablemente, irreparablemente,* y la locución *por fuerza,* que modifican al *dictum* evaluándolo con respecto a la necesidad u obligación de que ocurra. [72] Pueden ocupar todas las posiciones parentéticas (118a-c), y se corresponden con el predicativo en la paráfrasis con *ser* y proposición completiva; cf. (118d) en relación con (118a).

(118) a. *Inevitablemente,* el río hizo que yo pensara en el tiempo. [J. L. Borges, *Obras Completas,* III, 11]
b. Un comité de lectura optaría *fatalmente* por soluciones de prudencia [...] [*Mundo Científico* n.º 183, 1997, 881]
c. Un comité de lectura optaría por la prudencia, *irremediablemente.*
d. Era inevitable que el río hiciera que yo pensara en el tiempo.

El adverbio no es afectado por una negación en el *dictum* (119a); pero puede estar negado mediata o inmediatamente (119b, c). En este caso el adverbio no es omisible, ya que afecta el valor de verdad del *dictum:* (119d) no es implicación de (119c):

(119) a. *Forzosamente,* el comité de lectura no optaría por recomendar la publicación.
b. ¿[...] tienes una preparación tal vez mejor que la nuestra con respecto a salud, o *no* [la tienes] *necesariamente?* [*El habla culta de la ciudad de La Paz,* 217]
c. Claro, esto cuesta muchísimo dinero [...] Pero *no necesariamente* [...] representa así unos gastos tremendos. [*El habla culta de San Juan,* 129]
d. Claro, esto cuesta muchísimo dinero. Pero representa así unos gastos tremendos.

Otra función de estos adverbios es la de reforzador de las modalidades obligativas (120a) y de necesidad (120c), manifestadas con frases verbales como <*{tener que/haber que/deber}* + infinitivo> [→ § 51.3.1.3]. No obstante, el límite entre ambos valores no siempre es neto, como ilustra (120b): [73]

---

[72] Borillo (1976: 78, 81) incluye estos adverbios en el grupo de los que llama 'asertivos', junto con los que aquí tratamos en los §§ 11.5.1.1 y 11.5.1.3, tratándolos como 'modalizadores de la aserción'.

[73] La diferenciación clara entre necesidad y obligación depende de diversos factores léxicos y gramaticales. En el caso de (128c) el verbo meteorológico impone el valor de necesidad.

(120) a. ¿El estudiante *tiene forzosamente que tomar* todo eso [...]? [*El habla de la ciudad de La Paz,* 156]
b. [...] este texto apunta hacia futuros textos, en los cuales *necesariamente se deberán apurar* algunas hipótesis [...] [E. Trías, *El artista y la ciudad,* 236]
c. *Indefectiblemente tendría que dejar de llover* para que María se decida a salir.

Los adverbios *irremediablemente, irremisiblemente, irreparablemente,* pueden funcionar como circunstanciales: [74] *La tormenta no dañó los techos irreparablemente.*

11.4.3.5. Adverbios evaluativos de la actuación del sujeto

Integran este grupo adverbios como *inteligentemente, sagazmente, tontamente, hábilmente, torpemente, razonablemente, esperanzadamente, generosamente, astutamente, cautelosamente, prudentemente, imprudentemente, ingenuamente, neciamente, sabiamente, lúcidamente, correctamente,* en posiciones parentéticas, por lo cual quedan fuera del alcance de la negación. Son omisibles sin que varíe el valor de verdad del *dictum,* y expresan una evaluación del hablante respecto de la actuación del sujeto personal como agente que puede optar por realizar o no la acción [75] (121). Admiten una paráfrasis específica: <*ser* + atributo (*por parte de* Sujeto) + proposición completiva de infinitivo> (122a-c); en esta, el predicativo puede atribuir el adjetivo a la expresión *un acto* (122d), giro que se vuelve necesario con algunos adjetivos —frecuentemente derivados en *-oso* o en *-ado*— (122e): [76]

(121) a. Preví, *lúcidamente,* que mi desidia optaría por [el porvenir] b. [J. L. Borges, *Obras Completas,* I, 622]
b. [...] *prudentemente,* limita el pensador francés [el «cuadro clínico»] al célebre pasaje. [E. Trías, *El artista y la ciudad,* 108]
c. *{Inteligentemente/temerosamente/esperanzadamente/correctamente},* María no firmó el contrato.

(122) a. Fue lúcido de mi parte prever que mi desidia optaría por b.
b. Es prudente de parte del pensador francés limitar el «cuadro clínico» al célebre pasaje.
c. Fue {inteligente/correcto (*temeroso/*esperanzado)} por parte de María no firmar el contrato.

---

[74] Cf. López García-Molíns 1977: 186.

[75] Cf. Dik 1989: § 12.2.3; Huang (1975:14) también considera que el adverbio indica una opción deliberada del agente respecto de la acción. Véanse también los trabajos de Mørdrup (1976: 107-109), quien los llama «adverbios del sujeto de la oración»; Bellert (1977: 339-340), que los describe como «adverbios orientados hacia el sujeto»; Lonzi (1991: § 4.4.1.4), Quirk *et al.* (1985: § 8.129) y Swan (1990: 28). Egea (1979: 302) ofrece un listado de estos adverbios a los que llama valorativos (grupo B), cuyo significado común sería «plena *concientización (awareness)* en la realización de los actos».

[76] Las peculiaridades semánticas de algunos adverbios hacen modificar la forma de la paráfrasis; por ejemplo el empleo de un sustantivo en lugar del adjetivo:

(i) a. Tímidamente, María no firmó el contrato.
b. *Fue tímido por parte de María no firmar el contrato.
c. Fue un acto de timidez por parte de María no firmar el contrato.

d. Fue un acto lúcido de mi parte prever que [...]
e. Fue un acto {temeroso/esperanzado/correcto} por parte de María [...]

Entre los adverbios evaluativos de la actuación del sujeto como agente, sólo pueden evaluar también el valor de verdad o de exceso de una proposición completiva dependiente de verbos de reporte o de opinión los tratados en el § 11.4.3.3 (cf. (114a) y (115c)): *Luis dice {correctamente/ prudentemente/tímidamente} que 3 es número impar: Luis dice que 3 es número impar, y esto —que 3 es número impar— es {correcto/*prudente/*tímido}.*

Entre los verbos de acción con los que normalmente aparecen los adverbios evaluativos de la actuación del agente, están los causativos léxicos: *comenzar, terminar, disminuir, cambiar,* etc. (123a), con la particularidad de que su derivación desactivadora (123b), es decir, sin agente, hereda los adverbios (cf. Quirk *et al.* 1985: § 8.129). Un proceso similar se produce con otras estructuras, como la predicación causativa con lugar de destino (123c) que implica la predicación de estado (123d) —su derivación resultativa—, y faculta en esta la aparición del adverbio evaluativo en ausencia del agente. En la oración pasiva (Lonzi 1991: § 4.4.1.4) el adverbio puede aparecer sin agente expreso, (123e):

(123) a. *Negligentemente,* los fabricantes no han {mejorado/cambiado} las normas de calidad.
b. *Negligentemente,* las normas de calidad no han {mejorado/cambiado}.
c. *Sensatamente,* Juan puso su dinero en la caja fuerte.
d. *Sensatamente,* el dinero (de Juan) está en la caja fuerte.
e. *Imprudentemente,* las normas de calidad {no se han mejorado/no han sido mejoradas}.

Estos adverbios también pueden funcionar como circunstanciales de modo integrados en el predicado y bajo el ámbito de la negación (124a), frente al adverbio orientado hacia el sujeto agente (124b), que se encuentra fuera de dicho ámbito. En (124a) el adverbio es de acción y agente (cf. el § 11.3.2.2,1), pero no todos los de este grupo pueden funcionar como valorativos (125):

(124) a. Elena *no* actuó *audazmente.* / *Elena audazmente no actuó.
b. Elena no actuó, *audazmente.* / Elena, audazmente, no actuó.
(125) a. *Atentamente,* Antonio contemplaba los cuadros.
b. *Era atento por parte de Antonio contemplar los cuadros.

Las paráfrasis con *ser* o *estar* responden a la capacidad funcional de cada adverbio. Los valorativos adoptan *ser* en la paráfrasis (122); los circunstanciales admiten otra con *estar: Antonio estaba atento al contemplar los cuadros* (cf. (125)).

Huang (1975: 14, 45, 61) y Nøjgaard (1995: § 730) ven una relación causal entre el adverbio valorativo y el resto de la oración, pero atribuyen la expresión de la causa de diferente manera. Para Huang (1975: 45) una oración como *Juan tontamente no llamó a María* se corresponde con la paráfrasis *Juan fue tonto, puesto que no llamó a María,* en la que la proposición causal expresa la razón o causa de la aseveración con la que el emisor evalúa al sujeto mediante el adjetivo; Huang parece representar de esta manera el hecho de que el adverbio evaluativo es una aserción y el resto de la oración una presuposición. Nøjgaard, a la inversa, interpreta que el adverbio indica la razón de lo dicho en el otro constituyente; la oración *Prudentemente, Federico se quedó en su casa* podría parafrasearse: *Como es prudente, Federico se quedó en su casa,* ya que —dice— la razón que mueve al sujeto deriva de una cualidad permanente de carácter. Esta interpretación no podría justificar que se pueda decir sin contradicción: *Prudentemente, María firmó el contrato A, e imprudentemente, firmó el contrato B.*

Algunos de los adverbios evaluativos de la actuación de agente pueden aparecer en oraciones exhortativas, y aunque no son agramaticales paráfrasis del tipo «que sea prudente de tu parte...» (cf. (122)), admiten otra particular, coordinativa de dos constituyentes exhortativos (126b), de empleo más probable:

(126) a. *Prudentemente,* no hables de más.
b. Sé prudente y no hables de más.

11.4.3.6. Adverbios de voluntad

Un grupo de adverbios que indican voluntad y sus opuestos: *voluntariamente, involuntariamente, deliberadamente, intencionalmente, premeditadamente, irreflexivamente,* [77] se comportan ya como los circunstanciales de acción, ya de manera próxima a los evaluativos (§ 11.4.3.4). En la primera función, la oración afirmativa con el adverbio (127a) implica el texto sin el adverbio (127b). Como circunstancial, el adverbio entra en el ámbito de la negación (127c); por consiguiente, las oraciones se parafrasean con la fórmula de relieve con ser y relativo (127d). Como adverbio evaluativo, es omisible y se halla fuera del *dictum:* ocupa posiciones parentéticas (128a), no es afectado por la negación (128b), no admite la paráfrasis de (127d), pero acepta otra, similar a las de (122), en la que el sustantivo *acto* se sustituye por *actitud,* especialmente con un *dictum* negativo (128c).

(127) a. Pedro ha roto la carta *deliberadamente.*
b. Pedro ha roto la carta.
c. Pedro *no* ha roto la carta *deliberadamente.*
d. (No) ha sido deliberadamente como ha roto la carta
(128) a. *Deliberadamente,* Pedro ha roto la carta. / Ha roto la carta, *deliberadamente.*
b. *Deliberadamente,* Pedro no ha roto la carta.
c. Ha sido una actitud deliberada de (parte de) Pedro (no) romper la carta.

11.4.4. Adverbios como tópicos: *personalmente*

El adverbio *personalmente* puede actuar como tópico [78] de funciones no adverbiales, argumentales [—> § 63.6]. La función de tópico o tema exige al adverbio la correferencia con un constituyente nominal, sujeto u objeto indirecto, que puede a su vez coincidir con la referencia al emisor: en (129a) ocupa el lugar del sujeto y coincide con la primera persona del verbo, y en (130a) coincide con la del objeto indirecto. Los ejemplos (b) ilustran la forma alternativa que puede tener el tópico

[77] Egea 1979: 300-301; Quirk *et al.* 1985: §§ 8.93-8.94; Vendler 1987: 304-305.

[78] Cf. Contreras 1978: 98 y ss.; esta función también se denomina 'tematización' (Hernanz y Brucart 1987: § 3.5).

para indicar el contraste de persona en la secuencia textual,[79] y los ejemplos (c) la correspondencia con un topicalizador como *por lo que respecta a:*[80]

(129) a. Hay que admitir que como asmático tuvo que luchar con su propia alternativa [...] *Personalmente,* me pronuncié por la opción tradicionalista [...] [M. Benedetti, *La vecina orilla,* 29]
b. Yo me pronuncié por la opción tradicionalista.
c. Por lo que a mí respecta, me pronuncié por la opción tradicionalista.

(130) a. Hasta ahora hay que admitir que los partidarios del *statu quo* se lucen más que nosotros. [...] *Personalmente* me gustaría seguir buscando un paso [...] [J. Cortázar, *Los premios,* 261]
b. A mí me gustaría seguir buscando un paso.
c. Por lo que a mí respecta, me gustaría seguir buscando un paso.

El objeto indirecto topicalizado con el adverbio *personalmente* de ordinario aparece con verbos de afección (como *gustar,* en (130a)) y manifiesta su 'experimentante'. Dicho objeto indirecto comparte propiedades con los sujetos, como se observa en verbos de afección que admiten ambas construcciones: *Personalmente, me interesa la música renacentista / Personalmente, me intereso por la música renacentista.* El adverbio puede ocupar diversas posiciones parentéticas, y duplicar al elemento topicalizado, caso en el que la paráfrasis con topicalizador requiere la posición inicial:

(131) a. (—Me gustaría saber si usted prefiere los gatos o los perros.) —Yo, *personalmente,* prefiero los perros. [E. Jardiel Poncela, *El amor del gato y el perro,* 101]
b. *Personalmente,* yo prefiero los perros.
c. Por lo que a mí respecta, yo prefiero los perros. / *Yo, por lo que a mí respecta, prefiero los perros.

No es exclusiva la relación de *personalmente* con la primera persona (132), y a semejanza de los adverbios orientados hacia el receptor (§ 11.5.2.1), puede emplearse en la interrogación (133):

(132) a. Quédese el doctorcito (que nunca fue *personalmente* asmático, ni siquiera asmatiforme) con su ingenua panacea. [M. Benedetti, *La vecina orilla,* 29]
b. Quédese el doctorcito (que nunca fue asmático él mismo...), con su ingenua panacea.

(133) a. Usted, *personalmente,* ¿prefiere los gatos o los perros?
b. En lo que a usted respecta, ¿prefiere los gatos o los perros?

En (132a) la presencia del relativo *que* impide, a diferencia de (131c), la construcción con el topicalizador, ya que no se puede anteponer a aquel; la paráfrasis, es pues, la duplicación del sujeto con el pronombre personal (132b). Sin el relativo que inicia el paréntesis en (132a), la construcción permitiría la presencia del topicalizador: *Quédese el doctorcito (por lo que a él respecta, nunca fue asmático) con su ingenua panacea.*

---

[79] Para la presencia o la elipsis del sujeto, cf. Enríquez 1984: *passim* y el capítulo 20 de esta gramática.

[80] Otros topicalizadores son: *en cuanto a, concerniente a, en lo que toca a,* etc.

El adverbio *personalmente* también puede cumplir la función de circunstancial, y en tal caso es foco de la paráfrasis de relativo; presenta varias acepciones:

(134) a. Este departamento ha respondido *personalmente* a cada uno de los lectores que se han quejado. [*El País,* Madrid, 26-III-1995, 14]
b. Ha sido personalmente [«individualmente»] como este departamento ha respondido a cada uno de los lectores.

(135) a. Pregunté *personalmente* si había mejores tarifas disponibles. [*La Nación,* 3-II-1996, 5.ª Sec., 8]
b. Fue personalmente [«no por medio de un representante»] como pregunté [...]

11.5. Adverbios del *modus*

Los adverbios del *modus* conforman dos grupos: 1) los relacionados con la modalidad como a) actitud del hablante frente al *dictum* (aseverativa, dubitativa, etc.) (§ 11.5.1.1), y b) el valor de verdad del *dictum* (§ 11.5.1.2); 2) los relacionados con la actitud del emisor frente a la enunciación: a) su propia disposición como hablante (§ 11.5.2.1) y b) su interpretación del código empleado (§ 11.5.2.2).

11.5.1. Adverbios relacionados con la modalidad

11.5.1.1. Indicadores y reforzadores de actitud

Como 'indicadores de actitud' los adverbios *seguramente,* [81] *probablemente, tal vez, posiblemente, difícilmente, quizá(s) acaso,* tienen la capacidad de indicar, sin otra marca, la modalidad dubitativa en una oración [→ § 63.6.2.3]. [82] Su omisión acarrea el contraste mínimo entre esa actitud del hablante y la declarativa, ilustrado en (136a) y (136b), respectivamente:

(136) a. [...] *probablemente* llevaba una interesante o amena vida social. [J. Marías, *Cuando fui mortal,* 109]
b. Llevaba una interesante o amena vida social.

En (136a) *probablemente* puede conmutarse por los demás indicadores, excepto *difícilmente.* Desde el punto de vista semántico todos conforman una escala continua de duda, desde su grado máximo, que se aproxima a la negación *(difícilmente)* hasta la aproximación a la certeza [83] *(seguramente).* El grado máximo y los grados intermedios también admiten gradación externa mediante cuantificadores *(poco/muy probablemente; muy posiblemente; muy difícilmente).* Los miembros de la escala se diferencian en la aceptación de los modos verbales: seguramente, en el polo positivo, se construye con indicativo; *difícilmente,* en el polo negativo, rige subjuntivo, tiempos

[81] *Seguramente* indica «gran probabilidad, aunque no seguridad, de la cosa que se afirma» (*DUE* II); Barrenechea (1979: 47) señala que no se relaciona con *seguro,* sino con *casi seguro.*

[82] Bellert (1977: 343) y Venier (1991: § 3.1) los denominan adverbios 'modales', junto con los del § 11.5.1.3 cf. Kovacci (1980-1981: § 1). Para Nøjgaard (1993: II, § 409) son 'asertivos restrictivos de incertidumbre'; Swan (1981) considera modales estos adverbios, el resto de los del § 11.5 y los del § 11.4.3.1.

[83] La certeza se entiende como «seguridad» (*DUE* I: 588): «Manera de saber o de afirmar una cosa, cuando no se tiene ninguna duda sobre ella».

futuros de indicativo y modo potencial; los demás adverbios admiten indicativo o subjuntivo, marcando grados dentro del polo positivo. Con indicativo todos pueden preceder al verbo o seguirlo (137), salvo *difícilmente* (139a, b); [84] que tampoco sigue al modo potencial (139c, d); con subjuntivo sólo pueden precederlo (138):

(137) a. *Seguramente* creyó que no había nadie en el jardín [...] [J. Ferrero, *El efecto Doppler,* 15]
b. Creyó, *{seguramente/posiblemente/tal vez},* que no había nadie en el jardín. / Creyó que no había nadie en el jardín, *{seguramente/posiblemente/tal vez}.*
c. [...] se dice de la Medicina que nadie sabe nada [...] Los problemas psicológicos se hallan en el mismo caso, *quizá* [...]. [E. Jardiel Poncela, *El amor del gato y del perro,* 91]

(138) a. *Posiblemente...* [él] no quiera decir en el diario que ya no trabaja ahí... [*El habla culta de la ciudad de Buenos Aires,* II, 204]
b. *Él no quiera decir en el diario que ya no trabaja ahí, *{posiblemente/probablemente}.*
c. Difícilmente el tema de las Variaciones de Brahms haya pertenecido a Haydn. [*Clásica,* n.º 75, 1994, 49]
d. *El tema [...] haya pertenecido a Haydn, *difícilmente.*

(139) a. Basta leer tres o cuatro poemas para conocer su mundo. *Difícilmente* encontraremos nuevos recursos que nos sorprendan. [*La Nación,* 28-I-1996, Sec. 6, 4]
b. *Encontraremos nuevos recursos que nos sorprendan, *difícilmente.*
c. [Los cardenales] *difícilmente* votarían a un hombre que se ha manifestado crítico contra la línea de su predecesor. [*ABC,* 14-III-1995, 64]
d. *[...] votarían *difícilmente* a un hombre que se ha manifestado [...]

Los adverbios en *-mente* [85] se corresponden con predicados modales, cuyo sujeto es el *dictum:* las oraciones (140) son las paráfrasis respectivas de (136a), (137a), (138a) y (138c):

(140) a. Es probable que llevara una interesante o amena vida social.
b. Es casi seguro que creyó que no había nadie en el jardín.
c. Es posible que no quiera decir en el diario que ya no trabaja ahí.
d. Es difícil que el tema de las *Variaciones* de Brahms haya pertenecido a Haydn.

El adverbio *seguramente* admite la función de predicado del *dictum,* este en la forma de proposición sustantiva con *que* (141): [86]

---

[84] En esta posición el adverbio no es índice de actitud, sino su homónimo («con dificultad»), que funciona como circunstancial: *[El director de escena] puede imponer una ley que en ocasiones casa difícilmente con la partitura.* [*ABC Cultural,* 24-II-1995, 41]

[85] Con los demás indicadores de actitud la relación se comprueba conmutándolos por adverbios en *-mente.*

[86] El empleo de esta construcción se ve favorecido si se corrobora o se coteja otro enunciado; (141a) es precedido por (ia), y (141b) por (ib):

(i) a. [...] le enseñan al reo labores manuales, para que pueda desempeñarse solo.
b. [...] a mí me queda muy difícil conceptuar sobre las... los problemas que se viven cuando uno está sujeto a un [...] tipo de situación como esta.

(141) a. [...] *seguramente* que [alguien con antecedentes penales] va a tener montones de problemas para poder emplearse [...] [*El habla culta de Santiago de Chile,* 6]
b. *Seguramente* que tú has podido confrontar más de cerca los problemas que has tenido con eh ... en el trabajo y en tu casa [...] [*Muestras del habla culta de Bogotá,* 39]

Aunque sólo en algunos dialectos, también se encuentra en esta función el adverbio *probablemente:*

(142) (—En el periódico *El Mundo* donde más cuesta poner un anuncio es en la página deportiva.) —*Probablemente que* en los otros periódicos igual. [*El habla culta de San Juan,* 233]

Todos los adverbios admiten un *dictum* afirmativo o negativo (cf. (136a), (138a)), y la afirmación o la negación se interpretan según su valor literal, excepto en el caso de *difícilmente.* Con este índice la interpretación de la polaridad del *dictum* se invierte y el adverbio se corresponde [87] con otro de grado alto positivo, relación que se registra entre los pares (143a, b) y (143c, d):

(143) a. *Difícilmente* valga la pena intentarlo.
b. *Muy probablemente* no valga la pena intentarlo.
c. *Difícilmente* no valga la pena intentarlo.
d. *Muy probablemente* valga la pena intentarlo.

Difícilmente es un activador o inductor negativo (Bosque 1980: § 1.2) [→ § 40.4]. A este carácter responden las restricciones de posición, de combinación con los modos verbales ya observadas y de inversión de la polaridad del *dictum,* y la posibilidad de su construcción con términos de polaridad negativa (Bosque 1980: § 1) sin la presencia de *no* u otras palabras negativas:

(144) a. *Difícilmente (*probablemente/*quizá) habrá movido Juan un dedo por nadie.* / (Juan no ha movido un dedo por nadie. / *Juan ha movido un dedo por nadie.)
b. *Difícilmente (*posiblemente/*tal vez)* tendrán el menor interés en el asunto. / (No tienen el menor interés en el asunto. / *Tienen el menor interés en el asunto.)

La correlación general de tiempos y modos señalada para *difícilmente* se extiende, para algunos hablantes, a otros tiempos del indicativo (145a); por otra parte, *mal,* como sinónimo de *difícilmente* se construye con indicativo (145b):

(145) a. Krystian Zimmerman no es compositor, por lo que *difícilmente* me *sirve* esta vía de conocimiento. [*Scherzo,* n.º 9, 1995, 4]
b. *Mal* puedo yo saberlo. [*DRAE* 1992: 916]

[87] Sin que la correspondencia implique sinonimia estricta.

Como reforzadores se emplean en el habla coloquial de algunas regiones los adverbios *fácilmente* y *fácil* «probablemente» (146a). Además de los adverbios mencionados son índices de actitud dubitativa algunas locuciones de uso coloquial (*a lo mejor* «tal vez») o dialectal (*capaz que, por ahí [por ái]* ≈ *[por aí]* «a lo mejor»). Moliner (*DUE* II: 382), registra *a lo mejor* sin indicación de uso; M. Seco (*DDDLE:* 258) señala que en la lengua coloquial se emplea más que sus equivalentes; *capaz que*, según Kany (1945: 421) y Seco (*DDDLE:* 85), es coloquial en algunos países de América; en cuanto a *por ahí,* se usa con igual calificación en la Argentina. Todas las locuciones rigen indicativo (146b-d):

(146) a. Ahora *fácilmente* tendrá cuarenta años. / Ahora, *fácil,* tendrá cuarenta años.
b. Lo que yo no creía era que el mulato hubiera muerto y que el café estuviese envenenado. [...] *A lo mejor* estaba equivocado. [G. Torrente Ballester, *La islas extraordinarias,* 40]
c. *Capaz que* me secuestran o me acribillan la semana que viene, cruz diablo, y me voy al purgatorio sin haber tenido siquiera este disfrute [de fumar]. [M. Benedetti, *La vecina orilla,* 59]
d. Nos quedamos de una pieza cuando supimos (oralmente, *por ahí* no lo hemos escrito correctamente), que en el «convite» se sirvió «quinoa». [*La Nación,* 5-X-1997, 2]

En presencia de marcas gramaticales que por sí solas manifiestan actitud dubitativa, como el modo potencial (147a), algunas frases verbales (147b) o la apódosis de un período condicional (147c), los adverbios del polo positivo funcionan como 'reforzadores' de la modalidad, y pueden omitirse sin variarla:

(147) a. *Seguramente* ya *habrá hablado* con todos los comensales... [J. Ferrero, *El efecto Doppler,* 103]
b. [...] no lo recuerdo, pero *seguramente* no *debía haber*[88] ascensor [...] [*El habla culta de la ciudad de Buenos Aires,* I, 196]
c. Si se hubiera presentado al concurso, *posiblemente habría ganado.*

Los indicadores de actitud dubitativa pueden aparecer como respuestas: *(-¿Ya habló con todos los comensales?) —Probablemente.* En esta función textual también pueden aparecer los adverbios de los §§ 11.5.1.2 y 11.5.1.3.

11.5.1.2. Adverbios restrictivos del valor de verdad de la aserción

Son adverbios como *supuestamente, presuntamente, presumiblemente, aparentemente, virtualmente, prácticamente, verosímilmente,* no se construyen con *dictum* interrogativo, desiderativo ni exhortativo. Expresan las nociones de apariencia o suposición,[89] y no son omisibles: no implican el texto sin el adverbio, ya que afectan el valor veritativo del *dictum;* así, en (148) a (150) los ejemplos (b) no son implicaciones de (a), puesto que aquellos efectúan aserciones plenas, no restrictas:

---

[88] Cf. Gómez Torrego 1988: §§ 5.2.1.1-2 acerca de la confusión entre <*deber de* + infinitivo> y <*deber* + infinitivo>.

[89] Algunos autores los agrupan con los de duda (Nøjgaard 1995, II: § 967), dentro de la clase de los que llaman 'asertivos'. Pero su comportamiento gramatical es diferente.

(148) a. [...] ya no ostenta el cargo desde el que *presuntamente* cometió los delitos. [*ABC*, 31-I-1995, 37]
b. Ya no ostenta el cargo desde el cual cometió los delitos.
(149) a. No contesta; *aparentemente* no está en la casa.
b. No contesta; no está en la casa.
(150) a. [...] *virtualmente*, Quevedo no es inferior a nadie, pero no ha dado con un símbolo que se apodere de la imaginación de la gente. [J. L. Borges, *Obras Completas*, II, 38]
b. Quevedo no es inferior a nadie [...]

Los adverbios restrictivos de la aserción son compatibles con un *dictum* afirmativo (148a) o negativo (149a), (150a). No comparten la naturaleza escalar continua de los de duda y, a diferencia de los grados intermedios de estos *(probablemente, posiblemente)*, no admiten gradación externa *(*muy aparentemente, *muy presuntamente)*, excepto *verosímilmente;* ni aceptan el modo subjuntivo:

(151) a. **Aparentemente* no esté en la casa.
b. **Virtualmente* Quevedo no sea inferior a nadie.

Si bien sería posible encontrar textos como *el cargo desde el que presuntamente cometiera los delitos*, esta forma en *-ra* no depende de la aparición del adverbio, ya que también es posible: *el cargo desde el que cometiera los delitos.* Se trata de un uso censurado ya por Bello (1847: § 720) como un arcaísmo abusivamente empleado con el valor de los pretéritos imperfecto, perfecto simple y perfecto compuesto de indicativo (cf. también Alonso y Henríquez Ureña 1939: § 199), que se presenta, como observa M. Seco (*DDDLE:* 303), en proposiciones introducidas por relativos.

Los adverbios restrictivos de la aserción se corresponden con predicados, pero contrariamente a los adverbios de duda en *-mente*, no guardan una relación uniforme con adjetivos; para conformar la paráfrasis correspondiente, sólo *verosímilmente* tiene adjetivo cognado (153b), mientras que *supuestamente, presuntamente, aparentemente*, se relacionan con verbos.[90] Así, (152a, b) son las paráfrasis respectivas de (148a) y (149a), y (153b) la de (153a)[91]:

(152) a. {Se presume/Presumo} que cometió los delitos desde el cargo.
b. No contesta; parece que no está en la casa.
(153) a. Wells, *verosímilmente*, desconocía el texto de Coleridge. [J. L. Borges, *Obras Completas*, II, 18]
b. Es verosímil que Wells desconociera el texto de Coleridge.

La alternativa en la paráfrasis (152) señala dos interpretaciones posibles del valor del adverbio: la primera, —puesto que (148) es una información periodística—, con la forma pasiva impersonal atribuye la responsabilidad de la restricción a una fuente indeterminada, y la segunda, con la forma activa de primera persona, asignaría la responsabilidad al emisor. En (154) el emisor, que en el *dictum* se incluye en el *tú* de generalización [⟶ § 27.2.2.1], expone la restricción proveniente de una fuente indeterminada:

---

[90] Moliner (*DUE* I: 207; II: 640) registra como términos relacionados: *parecer* (en uso terciopersonal: «haber síntomas o indicios» de lo que expresa una proposición con *que*), *apariencias* («indicios»; «señales»), *al parecer* («según las apariencias»). En el *DRAE* 1992, *en apariencia* se relaciona con «aparentemente, al parecer».
[91] *Virtualmente* carece de un término relacionado apto para la paráfrasis.

(154) a. [...] los materiales también tienen su expresión; la piedra tiene su expresión, tiene su idioma; [...] y *supuestamente* tú tienes que conocerlo. Y [...] la escuela solamente te da una noción, una pasada, una miscelánea [...] [*El habla culta de Santiago de Chile,* I: 430]

b. ... y se supone que tú tienes que conocerlo.

Los adverbios restrictivos no aceptan la función de predicado del *dictum:*

(155) a. *{*Aparentemente*/*Presuntamente*/*Supuestamente*} que no está en la casa.

b. *{*Verosímilmente*/*Prácticamente*/*Virtualmente*} que conocía el libro.

El grado de realidad atribuido al referente del *dictum* puede contrastarse en construcciones correctivas, y se manifiesta con dos grados de fuerza restrictiva en correspondencia con dos conjuntos de adverbios. La mayor fuerza restrictiva *(supuestamente, presuntamente, aparentemente)* puede introducir el cotejo con la menor *(presumiblemente, virtualmente, verosímilmente),* y con la rectificación irrestricta [92] (explícita en la locución *en realidad*), dentro de estructuras que contienen elementos de oposición, tales como el período concesivo o la inclusión de una proposición relativa restrictiva. Ambos grupos de adverbios no pueden intercambiarse libremente (156d) y (157b); el primer grupo admite las dos formas correctivas, como en (156a, b), y el segundo no admite la rectificación irrestricta (156c), (157a):

(156) a. Aunque *supuestamente* nos decían la verdad, *presumiblemente* mentían.

b. Aunque *presuntamente* nos decían la verdad, {*realmente*/*en realidad*} mentían.

c. *Aunque *presumiblemente* nos decían la verdad, *(en realidad)* mentían.

d. *Aunque *en realidad* nos mentían, *presuntamente* decían la verdad.

(157) a. Las personas que {*aparentemente*/(**verosímilmente*)} nos decían la verdad, *(en realidad)* mentían.

b. *Las personas que *en realidad* nos decían la verdad, {*aparentemente*/*verosímilmente*} mentían.

11.5.1.3. Reforzadores del valor de verdad de la aserción

Adverbios como *indudablemente, indiscutiblemente, incuestionablemente, innegablemente, ciertamente, verdaderamente, evidentemente, obviamente,* y locuciones como *sin duda, en verdad, en realidad,* acompañados de unidad melódica pueden ocupar diversas posiciones en oraciones aseverativas. [93] La aserción que estas efectúan es independiente de la presencia del adverbio, cuya función es reforzadora, como lo prueba el hecho de que (158a) y (159a) —donde los adverbios pueden sustituirse por cualquiera de los demás— implican, respectivamente, (158b) y (159b):

[92] Cf. el trabajo de Nøjgaard (1993: II, § 454), quien sugiere esta última prueba de compatibilidad.

[93] Para Nøjgaard (1993, III: § 967) son adverbios asertivos de certeza (como *ciertamente, evidentemente*) y de certeza con doble negación (como *indudablemente, incuestionablemente*).

(158) a. Las inversiones, *{indiscutiblemente/verdaderamente}*, han aumentado.
b. Las inversiones han aumentado.

(159) a. En [Tony Buddenbrook] aparece [...] el *leitmotiv* Ojos Soñadores, que *obviamente* describe su fisionomía. [E. Trías, *El artista y la ciudad,* 218]
b. El *leitmotiv* Ojos Soñadores describe su fisionomía.

Estos adverbios se corresponden con predicados, y admiten paráfrasis aseverativas en presente con <*ser* + atributo + proposición completiva sujeto en indicativo> [→ § 32.2.2] (proposición que coincide con la implicación); (160a, b) son las paráfrasis respectivas de (158a) y (159a); también permiten una paráfrasis coordinativa con un demostrativo referido a la actitud implícita (161a), pero no con un relativo, que representa el *dictum* (161b): [94]

(160) a. Es indiscutible que las inversiones han aumentado. / La verdad es que las inversiones han aumentado.
b. Es obvio que el *leitmotiv* Ojos Soñadores describe su fisionomía.

(161) a. Las inversiones han aumentado, y *esto (*eso)* es {indiscutible/la (pura) verdad}.
b. Las inversiones han aumentado, **lo cual* es {indiscutible/la pura verdad}.

El demostrativo no representa al *dictum,* sino únicamente al *modus,* como se comprueba al explicitar la referencia del pronombre con las descripciones respectivas de la modalidad, mientras que no son posibles las descripciones del *dictum* (cf. el § 11.4.3):

(162) a. Las inversiones han aumentado, y *esto —{*el aumento de las inversiones/*el que las inversiones hayan aumentado}—* es indiscutible.
b. Las inversiones han aumentado, y *esto —mi aseveración—* es indiscutible.

(163) a. El *leitmotiv* Ojos Soñadores describe su fisionomía, y esto —*la descripción— es obvio.
b. El *leitmotiv* Ojos Soñadores describe su fisionomía y *esto —mi aserto—* es obvio.

Con el valor de *evidentemente, obviamente,* pueden aparecer los adverbios *naturalmente* y *claro:*

(164) a. (—¿Esquí acuático?) —Esquí acuático, *claro.* [*El habla culta de la ciudad de México,* 49]
b. Hoy en día, *naturalmente,* esa esquina no existe: ahí pasa una avenida que se llama Urdaneta. [*El habla culta de Caracas,* 207]

El refuerzo del valor de verdad es compatible con la aserción indirecta efectuada por la interrogación retórica (165), y con la aserción condicionada, como en la apódosis de un período condicional (166) o en otros contextos hipotéticos (167a, b); únicamente en este último caso es posible el subjuntivo (167c):

---

[94] Cf. Bello 1847: § 325: el relativo reproduce «todo el concepto de la proposición principal».

(165) *Innegablemente,* ¿quién, sino él, podía haberlo hecho?

(166) Si Segundo Segura, el limpia, fuese culto, sería, sin duda, lector de Vázquez Mella. [C. J. Cela, *La colmena,* 17]

(167) a. *Incuestionablemente,* sería magnífico que pudieran hacer el viaje.
b. [...] por cualquiera de los dos caminos se llegaría *indudablemente* a nuestro objetivo, que es el descubrimiento de las funciones que unas formas u otras desempeñan [...] [Lorenzo 1994, 274]
c. Por cualquiera de los dos caminos *indudablemente* se hubiera llegado a nuestro objetivo.

Los adverbios *realmente, decididamente, definitivamente,* [95] se emplean como refuerzos de la aserción (168), equivalentes a *evidentemente, indudablemente.* En esta función *realmente* no admite la continuación *no en apariencia.*

(168) a. Desde chico, siempre tuve esa vocación de... de la ingeniería química. Ahora pues... aquí, en México, *realmente,* pues... se requieren más ingenieros. [*El habla culta de la ciudad de México,* 22]
b. La línea consta de un número infinito de puntos; el plano, de un número infinito de líneas [...] No, *decididamente,* no es este, *more geometrico,* el mejor modo de iniciar mi relato. [J. L. Borges, *Obras Completas,* III, 68]

Adverbios como *ciertamente, verdaderamente, realmente* pueden sumar valor correctivo o confirmativo. En el primer caso aparecen (excepto *decididamente*) en una comparación explícita o implícita entre apariencia y realidad (169); [96] en el segundo caso corroboran un segmento de discurso anterior (170a), función en la que también aparece *efectivamente* (170b), adverbio exclusivo de esta función (cf. (170b)); *decididamente* es compatible con una apódosis consecutiva (171a) y con conectores que explicitan la relación (171b):

(169) a. Para tranquilizarlo y tranquilizarme, fingí un aplomo que *ciertamente* no sentía. [J. L. Borges, *Obras Completas,* III, 12]
b. Para tranquilizarlo y tranquilizarme, fingí un aplomo que **efectivamente* no sentía.

(170) a. (—Fue en [el] cincuenta y tres; estuvimos en Europa.) —¡Ah, sí! *Ciertamente;* ya habíamos ido a Europa. [*El habla culta de la ciudad de México,* 103]
b. El barroco atemorizaba: era el reino de la confusión y el mal gusto. [..] No dudo de que *efectivamente* haya sido el barroco un estilo de rebuscada complejidad. [J. Ortega y Gasset, *Meditaciones del Quijote,* 148]

(171) a. Comprendo una vez más que el arte moderno exige el bálsamo de la risa, el *scherzo.* ¡*Decididamente,* tiene la palabra Goldoni! [J. L. Borges, *Obras Completas,* I, 619]
b. [...] {Así que/Entonces}, decididamente, tiene la palabra Goldoni.

---

[95] Se parafrasean con adjetivos cognados si los tienen, o con los de otros adverbios del grupo.

[96] Cf. tambien la oposición suposición/realidad en (169).

En la correlación textual los adverbios pueden funcionar como predicados adverbiales de proposiciones completivas, salvo *efectivamente, decididamente, realmente y verdaderamente* (172a, b). También pueden seguir a una interrogación como refuerzos de respuestas afirmativas (172c) o negativas (173a, b), y en este carácter, si la respuesta negativa contraría la polaridad manifiesta en la pregunta, se excluyen *efectivamente, verdaderamente y realmente* (173c):

(172) a. *Evidentemente que* nuestra labor hoy día, producto de la mampara [en el taxi] es mucho más triste y aburrida. [*El País,* (Montevideo), 15-III-1996, 16]
b. (¿Corresponde la presencia del crucifijo en las escuelas?) Si tal presencia es parte de una enseñanza de tipo confesional, *indudablemente que* sí. [*La Nación,* 17-IX-1995, 8]
c. (¿Corresponde esa presencia?) (Sí,) *{ciertamente/obviamente/decididamente/efectivamente}.*

(173) a. ¿Es esto un bosque? *Ciertamente que* no: estos son los árboles que veo de un bosque. [J. Ortega y Gasset, *Meditaciones del Quijote,* 34]
b. ¿Es esto un bosque? *{Indudablemente/Evidentemente/Decididamente},* no.
c. ¿Es esto un bosque? *{*Efectivamente/*Verdaderamente/*Realmente},* no.

11.5.2. Adverbios de enunciación

11.5.2.1. Adverbios orientados hacia el emisor o el receptor

En esta clase se cuentan los adverbios *francamente, sinceramente, honradamente, honestamente, categóricamente, lisa y llanamente,* [97] los que pueden omitirse sin afectar ni al *dictum* ni al *modus* [→ § 63.6]. Ocupan las posiciones inicial, medial (preverbal o posverbal) y final con unidad melódica propia (174), y quedan fuera del ámbito de la negación (174c, d):

(174) a. Nuestra situación era única y, *francamente,* no estábamos preparados. [J. L. Borges, *Obras Completas,* III, 14]
b. [...] los grandes arquitectos, todos, son personas de cuarenta, cincuenta años [...] *honestamente* yo creo que me falta mucho. [*El habla culta de Santiago de Chile,* I, 427]
c. Yo, *honestamente,* creo que me falta mucho.
d. [...] no sé cómo soy, [...] realmente no sé, *sinceramente.* [*El habla culta de Santiago de Chile,* I, 80]

---

[97] Bartsch (1976: 62) los denomina 'parentéticos', y Bellert (1977: 349) 'adverbios pragmáticos', junto con los que tratamos en el § 11.5.5; para Quirk *et al.* (1985: § 8.124) son 'disjuntos de estilo', y también para Schreiber (1972: *passim*) y Koktová (1986: 75). Lonzi (1991: § 4.4.1.2) los llama 'de acto lingüístico', y Nøjgaard (1993: III, § 966) los incluye como ilocutivos entre los enunciativos.

No admiten la paráfrasis de <*ser* + atributo> *(*Es franco que no estábamos preparados)* ni las oraciones coordinativas con adjetivos cognados *(Yo creo que me falta mucho, {*y esto/lo cual} es honesto).*

En cambio admiten paráfrasis específicas que no aceptan los restantes adverbios periféricos: el adverbio mismo puede modificar como circunstancial al verbo realizativo que describe el 'acto de decir',[98] o bien los adjetivos se refieren al sujeto de primera persona como predicativos calificativos del 'enunciador o dicente', es decir, describen su disposición de ánimo respecto del decir. Así, (175a-c) son paráfrasis de (174a), (175d) lo es de (174b); en cuanto a (175e), paráfrasis de (174d), es una expresión coloquial frecuente:

(175) a. *Digo francamente* que no estábamos preparados.
b. Soy franco al {decir/manifestar} que no estábamos preparados.
c. *Soy franco y {digo/declaro}* que no estábamos preparados.
d. *Soy honesto:* yo creo que me falta mucho.
e. (Te/Le) voy a ser sincero: realmente no sé cómo soy.

Los adverbios *confidencialmente* y *reservadamente* admiten solamente la paráfrasis del adverbio como circunstancial de un verbo realizativo de 'decir':

(176) a. (—¿Con cuáles directores ha trabajado más a gusto?) —*Confidencialmente,* ¡con ninguno! [*Scherzo,* 91, 45]
b. *Digo confidencialmente* que (no he trabajado a gusto) con ningún director.

La paráfrasis (176b) se explica por el hecho de que *confidencialmente* o *reservadamente* se aplican «a la manera de decir una cosa a alguien» (*DUE* II: 1013). Una construcción como *No he trabajado a gusto con ningún director, y esto es confidencial* es una estructura bien formada, pero no se corresponde con el valor del adverbio en (176), ya que el adjetivo se aplica al contenido comunicado: al *dictum,* y no califica al emisor: **Soy {confidencial/reservado} al decir...* Nøjgaard (1993: II, § 439) considera que *confidencialmente* efectúa un comentario metacomunicativo acerca de las condiciones en que se establece la relación emisor-receptor.

Por otra parte, la locución *lisa y llanamente* no puede parafrasearse con adjetivos, y ofrece variantes dialectales:

(177) ¿Por qué yo trato de marginarme un poco después que me gradúo en la Escuela Técnica? Bueno, *simple y llanamente,* porque... no veo ninguna comu... comunicación directa [...] [*El habla culta de Caracas,* 270]

Todos los adverbios orientados hacia el hablante o emisor son compatibles con la modalidad dubitativa (178), con la exclamativa (176) y (179), y con la interrogación retórica (180); con modalidad exhortativa aparecen aquellos que denotan decisión terminante (181), mientras que *francamente, sinceramente, honradamente,*[99] se construyen con modalidad desiderativa (182):

---

[98] La función de circunstancial es frecuente: *Yo le digo muy honestamente que no he sentido ninguna desventaja de ser mujer para escribir.* [*El habla de la ciudad de La Paz,* 34]

[99] Cf. *DUE* I: 1336 para las diferencias de significado entre *sinceramente* y *francamente,* y el matiz de rudeza que puede tener el segundo.

(178) *{Sinceramente/Honradamente/Categóricamente},* no querría estar en su lugar.

(179) *{Francamente/Honradamente/Categóricamente},* ¡buen susto nos han dado!

(180) *{Francamente/Confidencialmente/Lisa y llanamente},* ¿a quién puede gustarle este adefesio?

(181) a. *{Categóricamente/Decididamente/Lisa y llanamente},* ¡a callar!/ya te callas/haz lo que te digo.

b. *{*Sinceramente/*honradamente},* ¡te vas de inmediato! / ¡a callar!

(182) a. *Sinceramente,* {ojalá vuelva pronto/que Dios lo ayude}.

b. *{Francamente/Honradamente},* (que) con su pan se lo coma.

Los adverbios orientados hacia el hablante del grupo de *francamente* no son compatibles con oraciones genéricas universales: **Francamente, los elefantes son herbívoros,* **Honradamente, dos más dos suman cuatro.* Anscombre (1995: 304-305) lo observa con una subclase de las oraciones genéricas, las 'tipificantes (a priori)', que «presentan una generalidad como probable»: *??Sinceramente, los gatos cazan durante la noche,* lo mismo que en paremias empleadas con ese valor generalizador: *??Francamente, por la boca muere el pez.* El autor no se pronuncia en cuanto a las oraciones genéricas 'tipificantes locales', que, sin embargo, tienen igual comportamiento: **Honradamente, los perros son fieles a su amo.*

La orientación hacia el receptor se manifiesta con la interrogación no retórica (183a), caso en que las paráfrasis con verbos de decir remiten a la segunda persona como 'dicente' (183b, c):

(183) a. *{Francamente/Honradamente/Confidencialmente},* ¿te vas a la Polinesia?

b. *Sé {franco/honrado}* y di si te vas a la Polinesia.

c. *Dime {francamente/confidencialmente}* si te vas a la Polinesia.

Esta construcción puede resultar ambigua entre atribuir el adverbio al emisor o al receptor, en particular con *francamente, sinceramente, honradamente.* En casos como *Francamente, ¿te gusta este libro?,* el emisor, al mismo tiempo que solicita la franqueza del interlocutor en la respuesta, puede indicar que es franco al formular la pregunta, frente a formas de interrogar «que podrían pasar por hipócritas o dolosas» (cf. Berrendonner 1987: 170).

Entre los adverbios del 'decir' pueden aparecer aisladamente como respuestas los de decisión terminante, aunque con restricciones: *(—¿Debo salir ya?) —{Categóricamente/Decididamente/??Lisa y llanamente}.* En este aspecto, *francamente* exhibe un uso peculiar; con relación a expresiones que sugieren un juicio negativo del hablante, el interlocutor puede manifestar su acuerdo [100] con el adverbio acompañado de entonación exclamativa: *(—Me molesta que Juan proceda de ese modo.) —¡Francamente!*

[100] Según Nøjgaard (1993: II, § 442), en francés el adverbio puede ser, en cambio, una expresión de rechazo: *(—Tu aurais pu lui donner mille francs.) —Franchement!*

11.5.2.2. Función metalingüística: adverbios de enunciación orientados hacia el código

Adverbios como *(más) precisamente, textualmente, resumidamente, incidentalmente,* marcan una función metalingüística [→ § 63.4].[101] Con ellos se caracterizan aspectos formales del texto: el emisor suministra información sobre el código empleado y orienta la interpretación del segmento que afectan. Al referirse a la forma del texto, estos adverbios interpretativos (Nøjgaard 1993: II, § 412) tienen un valor relacional ya entre elementos de la oración, ya interoracional, pero se hallan fuera de la jerarquía funcional (Gülich y Kotschi, 1983: 310) del *dictum,* pues se refieren al *modus.* Tienen unidad melódica propia, y se colocan en posición inicial, medial o final del tramo del texto comprendido en su ámbito. Su situación con respecto a la jerarquía funcional se pone de manifiesto en el hecho de que no los afecta la negación ni la interrogación; sólo se niega o interroga la expresión metalingüística:

(184) a. Todo ese conjunto de caracteres *no* es, resumidamente, *cultura fronteriza.*
b. Todo ese conjunto de caracteres, ¿es, incidentalmente, *cultura fronteriza*?

Los adverbios 'reformuladores rectificativos' y 'aclaratorios', entre ellos *exactamente, rigurosamente, concretamente, aproximadamente, escuetamente, idiomáticamente* (por lo general precedidos del cuantitativo *más*), *mejor* y las locuciones *más bien* y *grosso modo,* especifican el grado de precisión, exactitud o adecuación de la expresión[102] empleada por un emisor, respecto de otra expresión precedente:

(185) a. María afirma que ella no es una cantante de ópera, sino, *más precisamente, «una cantante».* Se protege así contra los encasillamientos. [*Música & CD,* 3, 1995, 6]
b. No es una cantante de ópera, sino *«una cantante», más precisamente.*
c. En el mundo de García Márquez el amor [...] es el mundo del primer día o, *más exactamente, la noche primordial.* [O. Paz, «La máscara y la transparencia», 11]
d. Viene al caso recordar la célebre opinión sobre las Naciones Unidas que se resumen en la expresión «Jaw, jaw, is better than war, war» *[aprox. «La cháchara es mejor que la guerra»]* [...] [Leech 1977: 85]

Afectan al segundo constituyente en la coordinación adversativa exclusiva (185a, b) y en la disyuntiva de equivalencia (185c), donde el coordinante *o* puede conmutarse por la locución aclaratoria *es decir.* La relación de equivalencia aparece en (185d) —como forma de la traducción— en construcción apositiva, y también admite el coordinante de equivalencia *(... war, war, es decir, aproximadamente...).*

En todos los casos son posibles paráfrasis con *verba dicendi,* como: «digo / dicho / expresado más precisamente/concretamente», «traduzco aproximadamente» (185d), «trancribo así (= *sic*) / literalmente». Estas paráfrasis son similares a las que

[101] Cf. Jakobson 1960: 352-353, acerca de la función del lenguaje centrada en el código.
[102] Aquí señalada en cursiva junto con el adverbio.

corresponden a los adverbios orientados hacia el hablante o el oyente; pero mientras que estos describen una cualidad del hablante o el oyente como dicentes, o una característica de la comunicación misma, los adverbios interpretativos describen las selecciones del código lingüístico con que el emisor construye partes del mensaje.

Otro grupo de adverbios interpretativos son los 'reformuladores de equivalencia' *literalmente* y *textualmente,* que precisan la fidelidad respecto de la cita de un texto; y en el caso de *sic,* se da a entender además que la expresión precedente no sólo está fielmente transcrita, sino que asimismo muestra, a juicio del emisor, alguna anomalía o particularidad digna de destacarse:

(186) a. La misma estructura se encuentra en ruso en la expresión: *ot nechego delat',* [por ocio, *lit. «del (hecho de) no hacer nada»*] [...] [Tesnière 1959, II: § 223. 9]
b. Mis primeras anotaciones son de 1986: «...donde se encuentra el pozo xx..., *mismo que se encuentra [sic]* abandonado» [...] [Lorenzo 1994: 234]

Otros adverbios, como *sumariamente, sintéticamente, resumidamente, en resumen, en suma,* introducen una expresión metalingüística de modo semántico (Leech 1977: 386); es decir, entre los reformuladores son 'recapitulativos' de un texto [→ § 63.4.5], con indicación de su menor extensión relativa:

(187) a. El planteo político es la opción entre el bienestar inmediato, pero inestable, en el presente, y el bienestar mediato, pero consolidado, en el futuro. Optar, *sintéticamente, entre Escila y Caribdis.*
b. Goya representa —como acaso España— una forma paradójica de la cultura: la cultura salvaje, la cultura sin ayer, sin progresión, sin seguridad; la cultura en perpetua lucha con lo elemental [...] *En suma, cultura fronteriza.* [J. Ortega y Gasset, *Meditaciones del Quijote,* 65]

El tercer grupo de adverbios interpretativos comprende los 'ordenadores' [→ § 63.2.3] [103] *primero, segundo,* etc., que aparecen en serie y explicitan un ordenamiento del texto; operan como señales de sucesión temporal del texto mismo, o de la gradación jerárquica de sus partes u otros rasgos de la disposición de la expresión:

(188) Hay anomalía, *primero,* en emprender la comparación sin cuidarse de declarar explícitamente lo comparado *(yo); segundo,* en que se elide una virtual forma verbal [...]; *tercero,* esta elipsis favorece la serie suelta de las comparaciones [...] [A. Alonso, *Poesía y estilo de Pablo Neruda,* 313-325]

Por último, con los adverbios interpretativos 'incidentales' el emisor introduce una explicación o comentario marginal respecto del tema central que desarrolla; se trata del adverbio *incidentalmente* y locuciones como *de paso, entre paréntesis.* En

[103] También un ordenamiento alfabético, convencional, del tipo *a), b),* etc., posible también con caracteres griegos.

(189) el tema central es el contenido de un libro y su autor, y el adverbio *incidentalmente* señala como secundarios, pero relacionados, datos bibliográficos; en (190) el autor, que expone en el texto su interpretación del contenido de una obra literaria, con *de paso* inicia una nota a pie de página (*), donde se desvía de ese asunto para introducir un comentario sobre la recepción de la obra:

(189) Les recomiendo a todos, la lectura del libro de Seymour Paupert, que se llama *Mind Storms.* Es un libro de lectura entretenida, fácil; de fácil lectura pero profundo. El señor, o el Dr. Paupert, es un matemático de profesión [...] Este libro, *incidentalmente, está publicado por... Basic Books. Fue publicado en el ochenta en Nueva York.* [104] [*El habla culta de San Juan,* 440]

(190) El tema de Bioy Casares no es cósmico sino metafísico: el cuerpo es imaginario y obedecemos a la tiranía de un fantasma. [...] corremos tras las sombras pero nosotros también somos sombras*.
**De paso:* a pesar de que este autor ha escrito dos novelas, *La invención de Morel* y *El sueño de los héroes,* que pueden llamarse sin exageración *perfectas* (¿o por eso mismo?), nuestra crítica las ha desdeñado [...] [O. Paz, «La máscara y la transparencia», 11]

Por otra parte, como los adverbios orientados hacia el emisor o el receptor, los interpretativos también pueden estar orientados hacia el receptor, y admiten paráfrasis del tipo «di(me) más {exactamente/sintéticamente...}» (cf. (191)):

(191) a. Ya has hablado de todos los centros turísticos conocidos. *Más exactamente,* ¿adónde te gustaría ir?
b. No he podido asistir a la reunión. *Sintéticamente:* ¿qué resolvieron?

11.5.2.3. Adverbios construidos con formas verbales no finitas

Infinitivos y gerundios aceptan las construcciones propias de los respectivos verbos, pero en el orden sintagmático de los constituyentes la posición inicial les corresponde a esos verboides en la mayoría de los casos. Si la construcción no es miembro de una coordinación, los únicos elementos que pueden precederla son los adverbios focalizadores (192a-c), aun cuando la proposición verboidal sea término de algunas preposiciones (192d, e). Pero las restricciones indicadas no valen para el infinitivo o gerundio que contrae coordinación como miembro no inicial; en (193) pueden aparecer otros adverbios (del predicado, del *modus*, o del *dictum)* como *quizá, aparentemente, evidentemente, correctamente, necesariamente, ingenuamente, continuamente, literalmente:*

(192) a. *Solamente ver a Juan* ya me pone de mal humor.
b. Me pongo de mal humor *sólo viendo tanto desorden.*
c. Me saca de quicio *{principalmente/precisamente} ver a esa persona.*
d. Cuando contestas el teléfono, por *solo responder «Hola, Susana»* puedes ganar un premio.
e. *Con solo llover un poco* ya María no sale.

(193) a. Decirlo tú en galés y *seguramente poder traducirlo yo,* causará asombro.
b. Diciéndolo tú y *sorpresivamente repitiéndolo yo,* lograremos convencerlos.

Los participios aceptan sin restricciones los adverbios, antepuestos o pospuestos:

---

[104] La hablante se encarga de indicar a continuación el retorno al tema central: *El Dr. Paupert, vuelvo de nuevo a él, es un matemático que estudió y trabajó con Piaget [...].*

(194) a. En la estación, [...] la máscara antigás *colgada reglamentariamente* al cuello, se despidió con un abrazo [...] [A. Muñoz Molina, *El jinete polaco,* 95]
b. [...] la difícil situación de no contar con un partido de gobierno y uno de oposición *suficientemente separados y definidos.* [*La Nación,* 23-XI-1993, 10]
j. [...] conservan su talón de Aquiles, *voluntariamente buscado y mantenido* [...] [G. Torrente Ballester, *Las islas extraordinarias,* 72]

11.6. Adverbios conjuntivos

Algunos adverbios se comportan como clases de conectores [→ §§ 63.3.2-3]; [105] establecen o explicitan un nexo semántico [106] entre constituyentes coordinados o subordinados. Un grupo es el de los reforzadores o matizadores [107] de la coordinación, como *consecuentemente, entonces, así, además, también, tampoco,* y locuciones como *en consecuencia, por consiguiente;* se caracterizan sintácticamente por seguir a un coordinante o a la marca prosódica de coordinación, con unidad melódica propia que les permite libertad de posición dentro del segundo miembro coordinado; en (195a) *consecuentemente* es el matizador consecutivo de la coordinación copulativa *(y),* y (195b) reforzador de la coordinación consecutiva *(así que)* [→ § 63.3.3]. Puesto que las marcas de coordinación —sean conectores léxicos o juntura prosódica— también pueden operar semánticamente entre oraciones, los reforzadores-matizadores se hallan asimismo en esta situación y, en el caso de la ausencia de coordinante léxico, prevalece su valor de matizadores de la yuxtaposición coordinativa (196):

(195) a. No me dijeron nada. Le di gracias a Dios como no te puedes imaginar, y *consecuentemente...* pues... salí airoso de esa ocasión. [*El habla culta de la ciudad de México,* 18]
b. No me dijeron nada, así que, *consecuentemente,* salí airoso de esa ocasión.

(196) a. Se trata, según la definición de Boulez, de una «melodía abstracta» [...] Los tipos formales clásicos, *consecuentemente,* no se encuentran menos abstraídos. [*Música & CD,* 1, 1995, 20]
b. [...] esta arena que no tiene nada, nada de vida, va como tomando distintas tonalidades, distintos coloridos, según las horas del día. Entonces, jamás es el mismo paisaje. [*El habla culta de Santiago de Chile,* 192]
c. [..] era, de todos los que pensé, el título más eufónico. Era, *además,* el título de uno de los ensayos primeros. [E. Trías, *El artista y la ciudad,* 12]

---

[105] Entre otros autores, los tratan Bellert (1977: 348), Quirk *et al.* (1985: §§ 8.134-147); Lonzi (1991: § 5).

[106] En la coordinación las relaciones semánticas entre los constituyentes pueden estar, en general, indicadas en el *dictum* de aquellos, y el conector sólo las especifica *(Llovía y no tenía paraguas, así que (*pero) me mojé).* En otros casos, es el coordinante el que permite interpretar la relación mutua de los miembros coordinados: *Hace frío, pero sale; Hace frío, así que sale.*

[107] Son reforzadores los que comparten la misma dimensión semántica con el coordinante *(y/además; así que/por consiguiente),* y matizadores los que pertenecen a distintas dimensiones *(y/por consiguiente; pero/además).* Estos conceptos, así como el de 'cuasi- coordinante', se deben a A. M. Barrenechea y M. Manacorda de Rosetti.

La relación es independiente de la modalidad; además de la aseveración, como en los casos anteriores, (197a) precede a la interrogación y (197b) sigue a una exhortación:

(197) a. [Los programas de la televisión española] dejan un poco de cultura... ¿cierto? *Entonces,* ¿por qué no nos atiborran de esas cosas, verdad? [*El habla culta de Santiago de Chile,* 171]
b. La TV española ofrece programas culturales. Veamos algunos, *entonces*.

El adverbio *así* funciona como matizador consecutivo cuando está integrado en la unidad melódica del segundo constituyente, y por ello no puede desplazarse:

(198) a. Ven a la oficina, *así* ves los documentos.
b. *Ven a la oficina, y ves los documentos, *así*.

Respecto de la polaridad, con los adverbios ejemplificados —(195) y (196)— la relación es indiferente. Pero con *también* y *tampoco,* por ser términos de polaridad afirmativa y negativa, respectivamente, se establecen restricciones combinatorias acordes; ambos son reforzadores [108] copulativos (199a) o matizadores de otros tipos de coordinación (199b-d), y presuponen un constituyente previo de igual polaridad. Su ámbito operativo afecta categorías y unidades que aceptan coordinación: sustantivos (199b), verbos (199c), adverbios (199a), proposiciones (199d), e incluso relaciones interoracionales (199b, c):

(199) a. Vino ayer, y *también* hoy. / No vino ayer y *tampoco* hoy.
b. [...] papá es un hombre grandote y le tenían miedo. *También* yo le tenía miedo [...] [M. Benedetti, *La vecina orilla,* 17]
c. No sabía nada de eso; me limité a deducirlo de la novela. [...] *Tampoco* sé por qué te diriges a mí en plural. [A. Pérez-Reverte, *El club Dumas,* 465]
d. Vino Juan, pero *también* estuvo María.

También y *tampoco* son adverbios relacionales, pues respectivamente, en una afirmación o una negación ya expresadas, incluyen un miembro nuevo también afectado por ellas (*DUE* II: 1257, 1258). El carácter relacional de *tampoco* [⟶ § 40.6.3] permite su aparición, sin el requisito de una negación explícita previa, en estructuras que establecen una relación comparativa. (200a) y (200b) son períodos condicionales de equiparación (Kovacci 1997: 266), en los que la apódosis contiene modismos de polaridad negativa que niegan el extremo de una escala (Bosque 1980: 130), y se cotejan con la afirmación de un adjetivo valorativo en la prótasis. La estructura coordinativa de (200c) presenta la misma relación:

(200) a. [...] dijo que si él era un escritor mediocre, *tampoco* Dumas era gran cosa. [A. Pérez-Reverte, *El club Dumas,* 450]
b. Si Juan es un jugador excelente, Pedro *tampoco* se queda atrás.
c. Juan es un jugador excelente, pero Pedro *tampoco* es manco.

---

[108] Cf. nota 107, y Green 1974: 241-246.

El adverbio *menos* puede funcionar como cuasi-coordinante adversativo exceptivo: sin acumularse con un coordinante precede al segundo coordinado (201a), y en bloque con él puede colocarse delante del primero (201b) o al final del texto (201c): [109]

(201) a. Todo el mundo, *menos* nosotros, ganará con el gallo.
b. *Menos* nosotros, todo el mundo ganará con el gallo.
c. Todo el mundo ganará con el gallo, *menos* nosotros. [G. García Márquez, *El coronel no tiene quien le escriba,* 92]

Con la función de coordinante adversativo restrictivo, similar a la de *pero,* se forman las locuciones *sólo que* y *únicamente que:*

(202) a. [...] la presencia pura de la Ausencia desvelaría la Verdad, *sólo que* esa presencia sería la misma Muerte. [E. Trías, *El artista y la ciudad,* 35]
b. Fíjate que oportunidades he tenido; *únicamente que* por cuestiones de trabajo no... lo he podido hacer. [*El habla culta de la ciudad de México,* 26]

Los conectores continuativos son iniciales de oración, pero no de discurso; no se acumulan con coordinantes y llevan unidad melódica propia. *Ahora* y su variante *ahora bien* (203) son 'transicionales'; [→ §§ 63.2.4 y 63.3.4] introducen un tema nuevo, una ampliación, una variante, etc.:

(203) a. [...] cuando está viviendo una vida o... bastante ajustada [...] los problemas de los demás los tira a un lado, ¿no? *Ahora,* si uno tiene oportunidades y... cierta posición holgada, probablemente de palabra diga que va a ayudar a los demás [...] [*El habla culta de Caracas,* 271]
b. Lo que hay entre las cosas es el contenido del concepto. *Ahora bien,* entre las cosas hay, por lo pronto, sus límites. [J. Ortega y Gasset, *Meditaciones del Quijote,* 61]

Precisamente y *justamente* son continuativos 'digresivos': a diferencia de *ahora (bien)* identifican el contexto precedente —monologal o dialogal— como tópico del miembro que encabezan, y este puede orientarse hacia la especificación (204), o hacia la contradicción u oposición (205) respecto del tópico [→ § 63.2.4]. Con los valores señalados también funcionan *casualmente* [110] y las locuciones *a propósito* y *por cierto,* con las que los adverbios en *-mente* forman paradigma (206):

---

[109] Otros cuasi-coordinantes exceptivos *(excepto, salvo)* no tienen origen en adverbios, como tampoco lo tiene el cuasi-coordinante inclusivo *incluso,* que tiene el mismo comportamiento de *menos* en el sintagma.

[110] Moliner (*DUE* I: 553) califica este uso del adverbio *casualmente* de «popular»; el *DRAE* (1992) no incorpora esta acepción. Kany (1945: 289) ofrece varios ejemplos de uso americano (Arg., Urug., Chile, Col., Méx.) sin calificación particular.

(204) a. También me gusta pescar dorados. *Precisamente,* en pocos días pienso ir al Paraná de las Palmas, aunque tengo mala suerte con la pesca. [*Alturas,* n.º 4, 1997]

b. (Y hay una cosa más todavía que a mí me gusta mucho y es el competir pero sin querer destruir al... al competidor.) —Bueno, *precisamente,* el... el deporte... una de las cosas que enseña, es el respeto hacia la la lo antagónico, al individuo... [*El habla culta de San Juan,* 227]

(205) a. El cristal lo han debido de romper los chicos. —*Justamente,* hoy no han estado por aquí. [*DUE* II: 203]

b. (Está lloviendo. ¿Me prestas tu paraguas?) —*Precisamente,* lo dejé olvidado en la oficina.

(206) a. [...] yo sé que se están haciendo unas cosas. [...] *Casualmente* yo visité una escuela elemental de un distrito cercano [...] da gusto ver cuántos estudios hay en esa escuela. [*El habla culta de San Juan,* 363]

b. Hoy hace un calor inaguantable. *Por cierto:* ¿dónde está el ventilador? [Varela y Kubarth 1994, 54]

Adverbios como *contrariamente, inversamente, opuestamente,* aparecen en períodos concesivos encabezando la prótasis, modificadora del *modus* de la apódosis:

(207) *Contrariamente* a lo que se dio en decir, Mozart no encaró la composición de *Così fan tutte* sin entusiasmo. [*Música & CD,* 1, 1995, 94]

11.7. Focalización e intensificación

11.7.1. Focalizadores

Se caracterizan por tener en su ámbito sustantivos, adjetivos, adverbios, verbos y sintagmas de distintos tipos y extensión; cf. (208) a (212) [→ § 16.6].[111] No se corresponden con predicados superiores (208b), no son el foco en la paráfrasis <*ser* + relativo> (208d), sino que acompañan al constituyente que sí lo es (208c), (209b), (210b). Son afectados por la negación cuando están en su ámbito, como lo muestra la paráfrasis de relativo, en la que la negación incide en el foco (211):

(208) a. [...] finge interesarse *únicamente por ciertas convenciones sagradas* [...] [J. Ortega y Gasset, *Meditaciones del Quijote,* 26]

b. *Es únicamente que finge interesarse por ciertas convenciones sagradas.

c. Es *únicamente por ciertas convenciones sagradas* por lo que finge interesarse.

d. *Es únicamente como finge interesarse por ciertas convenciones.

(209) a. Dicha mejora se puede alcanzar *principalmente mediante dos estrategias diferentes* (...) [*Investigación y Ciencia,* n.º 245, 1997, 36]

[111] Se escribe en cursiva el focalizador y el elemento focalizado.

b. Es *principalmente mediante dos estrategias diferentes* como se puede alcanzar dicha mejora.

(210) a. Ese impulso es *propiamente Deseo* [...] [E. Trías, *El artista y la ciudad,* 51]

b. Es *propiamente Deseo* lo que ese impulso es.

(211) a. No se interesa *{únicamente/particularmente} por esas convenciones.*

b. No es *{únicamente/particularmente} por esas convenciones* por lo que se interesa (sino por muchas otras cosas).

c. Ese impulso *no* es *propiamente Deseo.*

d. *No es propiamente Deseo* lo que ese impulso es (sino otra cosa).

De acuerdo con su funcionamiento sintáctico-semántico, se distinguen los restrictivos exclusivos, los particularizadores (Quirk *et al.* 1985: § 8.116) y los identificativos (Nøjgaard 1993: §§ 370, 372).

A) Son focalizadores 'exclusivos' *solamente (sólo), únicamente, exclusivamente, puramente, meramente, simplemente, sencillamente.* Se trata de cuantificadores negativos; habilitan la presencia de algunos términos de polaridad negativa: *Sólo Juan cree semejantes disparates* (cf. **Juan cree semejantes disparates;* Bosque 1980: § 3.3.3.2). Por otra parte, por su carácter de cuantificadores exclusivos contribuyen al carácter de «listado exhaustivo» (Kuno 1972, 269, 274, 296; Koktová 1986: 5) propio de la focalización, pues excluyen a los demás miembros del paradigma semántico al que pertenece el miembro afectado. Según la interpretación clásica, que se remonta a la lógica medieval, oraciones como (212a) implican (212b) y (212c) conjuntamente: [112]

(212) a. *Sólo Dios* (cuyas preferencias estéticas ignoramos) puede otorgar la palma final. [J. L. Borges, *Obras Completas,* II, 435]

b. Dios [...] puede otorgar la palma final.

c. Nadie que no sea Dios [...] puede otorgar la palma final. / Nadie, excepto Dios, [...] puede otorgar la palma final.

Es posible la sinonimia denotativa (Leech 1977: 42) al conmutar el adverbio por la coordinación de una expresión negativa exclusiva del tipo *y nadie más/y nada más/y no otra cosa/nadie, excepto...* (cf. 212c), etc., expresiones que se adaptan a rasgos semánticos (por ejemplo: personal, no personal, etc.) del elemento focalizado (213b), (214b):

(213) a. Yo escuché ambas versiones y no opiné, *solamente lo lamenté.* [J. Marías, *Cuando fui mortal,* 122] [113]

b. [...] no opiné; lo lamenté y *nada más.*

(214) a. La historia de la subasta de Londres era *puramente anecdótica* [...] [J. Marías, *Cuando fui mortal,* 178]

b. La historia de la subasta de Londres era anecdótica *y no otra cosa.*

---

[112] La relación semántica entre las tres oraciones ha sido muy debatida; cf., entre otros, Bosque (1980: § 3.3.3.2), quien considera que la segunda oración es una presuposición (lógica) de *sólo* y la tercera una aseveración, si bien muestra que este análisis no basta para describir en todos los casos el funcionamiento del adverbio como activador negativo. Horn (1997) ofrece una extensa reseña del tratamiento del tema en estudios medievales y en trabajos contemporáneos, entre ellos sucesivos análisis propios.

[113] Respecto de la puntuación de este ejemplo, cabe señalar que alternativas más acordes con la oposición conceptual que expresa, pueden ser los dos puntos o el punto y coma: *Yo escuché ambas versiones y no opiné: solamente lo lamenté. / [...] y no opiné; solamente lo lamenté.*

El adverbio puede hallarse bajo la negación (215a) junto con el elemento focalizado (215b, c), eliminándose así su carácter exclusivo. Se conserva la implicación positiva (cf. (212b)), pero no la negativa (del tipo de (212c)), de modo que la continuación del texto permite la inserción del matizador aditivo *también* para indicar otros remedios para la educación (215d):

(215) a. La educación no se remedia *únicamente con dinero,* hay que crear mecanismos [...] [*Muestras del habla culta de Bogotá,* 16]
b. No es únicamente con dinero como se remedia la educación.
c. *No es únicamente como se remedia con dinero [...]
d. La educación no se remedia únicamente con dinero: también hay que crear...

Esta estructura ha dado origen al coordinante copulativo correlativo *no sólo... sino (que) (también/además/asimismo):*

(216) a. [...] quince o veinte son los países cuyas costas forman las fronteras del Mediterráneo. Un mar que *no sólo* es camino *sino* un ir y venir [...] [Rosa Regás, *Desde el mar,* 9]
b. [...] la educación *no sólo* debe estar orientada a la universidad clásica [...] *sino que también* debe abrirse a una serie de otros campos [...] [*El habla culta de Santiago de Chile,* 141]

El adverbio, antepuesto, en ningún caso de (208) y (211)-(215) genera ambigüedad con respecto a su ámbito operativo, pues está en contacto con el elemento focalizado, y no hay otros constituyentes disponibles para ser foco. Pero el foco puede ser mediato, como se comprueba en (217a, c), sinónimos de (217b, d), respectivamente, donde el segmento focalizado, con entonación normal del texto, lleva la cima melódica y es el final de unidades sintácticas mayores: del primer miembro de una coordinación de sintagmas verbales en (217a) y de la oración en (217c). O bien es foco otro constituyente situado a la derecha, si lleva cima melódica contrastiva (217e) (cf. McCawley 1996: *passim*):

(217) a. Le arropó de nuevo de forma que *únicamente* asomaran por el embozo *los ojos y el gran flequillo rubio* y, finalmente, le besó en la frente [...] [M. Delibes, *El príncipe destronado,* 162]
b. Le arropó de nuevo, de forma que asomaran por el embozo *únicamente los ojos y el gran flequillo rubio* (y ninguna otra cosa).
c. Seguramente, *sólo* se permitía visitar las pirámides *por rigurosa invitación.* [T. Moix, *La herida de la esfinge,* 29]
d. Seguramente se permitía visitar las pirámides *sólo por rigurosa invitación* (y no de otra manera).
e. Seguramente *sólo* se permitía visitar *las pirámides* por rigurosa invitación (no los templos).

Excepto *meramente,* el adverbio puede seguir al elemento que focaliza: (218d), (218f). En algunos casos —especialmente en la lengua escrita— su ámbito puede quedar ambiguo; así en (219) puede interpretarse que *sencillamente* opera prospectivamente *(sencillamente, por la universidad)* o retrospectivamente *(jugarse cualquier cosa, sencillamente):*

(218) a. La invisibilidad, el hallarse oculto, no es un carácter *meramente negativo* [...] [J. Ortega y Gasset, *Meditaciones del Quijote,* 36]
b. *[...] no es un carácter *negativo meramente*.
c. [...] a María la veía *solamente en su casa* [...] [J. Marías, *Cuando fui mortal,* 95]
d. A María la veía *en su casa solamente*.
e. Entonces, la calidad de egresado *simplemente es una etapa* [...] [*El habla culta de Santiago de Chile,* 428]
f. Entonces, la calidad de egresado es *una etapa, simplemente*.
(219) a. [...] hay un sector que no pertenece a organizaciones políticas, que está dispuesto a jugarse cualquier cosa, *sencillamente,* por la universidad. [*El habla culta de San Juan,* 16]

En algunas regiones de América el adverbio *nomás,* generalmente pospuesto, tiene varios usos; [114] (220a) muestra su equivalencia con *no más, solamente* y (220b) con *precisamente* («raro en las Antillas»; Kany 1945: 314); con adverbios de tiempo y lugar equivale a *mismo* o expresiones adverbiales de proximidad (*ahora no más:* «ahora mismo», «en seguida»; *ahí nomás:* «ahí mismo», «ahí cerca»; Ib.); en (220c) con oraciones exhortativas, considerado elemento enfático, tiene significados variados, entre otros «sin reparo», «con confianza», «pues» («frecuente en Sudamérica, menos frecuente en Centroamérica y las Antillas, y raro en México»; Kany 1945: 315):

(220) a. Sólo quería platicar con ella, *nomás* por pasar el rato. [J. Rulfo, *Relatos,* 83]
b. Así *nomás* es. [Vidal de Battini 1964: 193]
c. Siéntese *nomás*.

El adverbio *mero* tiene un uso peculiar en México y en América Central (Kany 1945: 37-38): puede significar *justamente, justo, precisamente, exactamente, mismo* (pospuesto) (221a). Precedido de *ya,* según Kany, presenta también otros valores: *luego, en seguida, en un tris, casi;* a veces es difícil de precisar el significado del adverbio en un texto, como en (221b):

(221) a. [...] aquí estaban ya, *mero* enfrente de nosotros, todos desguarnecidos. [J. Rulfo, *Relatos,* 13]
b. [...] maté como doce [tuzas]. Ya *mero* me daban ganas de ponerse a escarbar para sacarlas [...] [J. J. Arreola, *Confabulario definitivo,* 218]

El adverbio *recién,* combinado con adverbios de tiempo o construcciones equivalentes, se emplea con el significado de *sólo, solamente* en varias regiones de América: [115]

(222) a. [...] *recién entonces* aniquiló a quienes habían devorado a [...] [L. Cadogan, *Diccionario mbyá-guaraní-castellano,* 18]
b. Por el momento se toman todos los trabajos. *Recién ahora* le acabamos de decir que no a uno [...] [*El habla culta de la ciudad de Buenos Aires,* II, 90]

B) Son adverbios focalizadores 'particularizadores' [116] *particularmente, especialmente,* [117] *específicamente, principalmente, mayormente, máxime* y locuciones como *en*

[114] Cf. Kany 1945: 313-316; *DRAE* 1992: 1023, donde la distribución geográfica indicada para los usos difiere de la de Kany; Vidal de Battini 1964: 193; Academia Argentina de Letras 1997: 108.

[115] Kany (1945: 324-326) recoge ejemplos de la Argentina, Uruguay, Paraguay, Chile, Bolivia, Perú, Ecuador, Costa Rica y México; cf. también Vidal de Battini 1964: 191.

[116] Cf. Quirk *et al.* 1985: § 8.116; los adverbios de este apartado (§ 11.7), Nøjgaard (1993: II, §§ 367, 372) los considera comparativos restrictivos o identificadores parciales.

[117] Estos dos adverbios y la locución en particular, a diferencia de todos los demás focalizadores, admiten la modificación con *muy: muy {especialmente/particularmente/en particular}; *muy {principalmente/mayormente/máxime}.*

particular, sobre todo, que señalan el predominio del elemento en foco. Cancelan, pues, el carácter de listado exhaustivo de la información contenida en el foco (Koktová 1986: § 6.2); por consiguiente, de la construcción en que intervienen no se sigue *y {no/nada/nadie} más,* pues no se excluyen otros miembros del universo o conjunto involucrado. Así en (223a) el estudio del aymara y el quechua se propone para todo alumno, pero con el adverbio se destacan, como predominantes, algunos miembros de ese conjunto (los alumnos que escogen idioma extranjero); en (223b) la locución adverbial singulariza una de las ciencias naturales; y en (223c), principalmente implica que existen más estrategias, aunque de menor importancia.

(223) a. [...] queremos dar al alumno, *especialmente al que escoge idioma extranjero,* [...] la posibilidad de estudiar algo de aymara o de quechua. [*El habla de la ciudad de La Paz,* 159]

b. Sus cualidades y aficiones le inclinaban hacia las ciencias naturales y *en particular hacia la física.* [*Investigación y Ciencia,* n.º 224, 1995, 16]

c. Dicha mejora se puede alcanzar *principalmente mediante dos estrategias diferentes* [...] [*Investigación y Ciencia,* n.º 245, 1997, 36]

Desde el punto de vista sintáctico (223b) muestra que se trata de una relación de coordinación, en la que se presenta tanto el elemento predominante (segundo constituyente) como el universo del que aquel forma parte (primer constituyente). Igual relación ofrece (223a) por yuxtaposición, ya que admite la inserción del coordinante copulativo *(...dar al alumno, y especialmente al que escoge...).* A diferencia de los casos de coordinación, que pueden ofrecer explícitamente el conjunto (o clase, etc.) y el subconjunto (el miembro de la clase, etc.), o el todo y la parte, en (223c) con el adverbio se asevera una parte (dos estrategias), y se presupone el conjunto (varias estrategias).

Los rasgos sintácticos y semánticos descritos tienen su correlato en el hecho de que estos adverbios no son omisibles: su supresión modifica el valor veritativo del texto. Así, en (223a), la construcción se convierte en apositiva —por consiguiente, de términos correferenciales—: se identifica el alumno mencionado como el que escoge idioma extranjero; en (223b) la física no pertenecerá a las ciencias naturales, y en (220c) no habrá más que dos estrategias diferentes.

Quirk *et al.* (1985: § 17.73) interpretan los casos (223a, b) como construcciones apositivas, y el adverbio como un indicador de la relación (Quirk *et al.* 1985: § 17.87). Aunque los autores definen las unidades en aposición como «normalmente» correferenciales (Quirk *et al.* 1985: § 17.65), admiten una escala semántica apositiva —que va de la equivalencia a la desigualdad—, en la que la particularización es la relación «menos apositiva» (Quirk *et al.* 1985: §17.74), por lo cual debe llevar marca (el adverbio). Los autores admiten también que en la que llaman 'aposición coordinativa' (Quirk *et al.* 1985: §§ 10.39, 17.80) pueda intercalarse el coordinante copulativo, pero no ofrecen ningún ejemplo semejante a (223a, b).

A diferencia de los adverbios exclusivos, la negación no afecta el significado de los particularizadores, y los que se construyen con *muy* pueden producir ambigüedad en cuanto a su ámbito, como se observa en las paráfrasis (224b, c) de (224a).[118]

---

[118] La interpretación de (224c) puede corresponderse con una juntura tras el adverbio, correlativa de un fonéticamente moderado refuerzo acentual de aquel. En este caso la función del adverbio es la de circunstancial.

Este comportamiento no difiere en la estructura coordinada, aunque en ella el adverbio acepte la anteposición inmediata de la negación, ni en las respuestas, ya que se trata de casos normales de elipsis (225):

(224) a. El proyecto *no* interesó *particularmente a los alumnos*.
b. *No es particularmente a los alumnos* a quienes interesó el proyecto.
c. *No es particularmente* como el proyecto interesó a los alumnos.

(225) a. Se inclinaba hacia las ciencias naturales, pero *no* [se inclinaba] *particularmente hacia la física*.
b. (¿Se inclinaba hacia la física?) —*No particularmente.* (= No [se inclinaba] particularmente [hacia la física].)

El adverbio puede aparecer pospuesto al foco entre junturas (*al que escoge idioma extranjero, especialmente; Se puede alcanzar mediante dos estrategias diferentes, principalmente;* etc.), y en esta posición parentética puede producirse la ambigüedad ya señalada para los focalizadores restrictivos. Se exceptúa el adverbio *máxime,* que siempre se antepone:

(226) a. Otro género que a mi juicio es un poco difícil [...], es el ensayo. *Máxime el ensayo moderno* [...] [*El habla culta de San Juan,* 357]
b. [...] no me gustaría malograrles el viaje a los demás, *máxime cuando parecen pasarlo bastante bien.* [J. Cortázar, *Los premios,* 261]

C) Los adverbios 'identificativos', *exactamente, justamente, justo, precisamente,* son omisibles, y su función es de refuerzo (227). La negación no los afecta directamente, sino que entran en su ámbito junto con el constituyente que destacan; en (228a) el adverbio se halla en el foco negado de la fórmula de relieve <*ser* + relativo>, y en (228b) se incluye en un modismo de polaridad negativa:

(227) a. [...] yo te podría contar ahora un montón de historias que terminan *exactamente al revés.* [A. Grandes, *Te llamaré Viernes,* 100]
b. [Algunas nubes] conservan una composición muy parecida a la que tendrían *justo después de la gran explosión.* [*Investigación y Ciencia,* n.º 245, 1997, 13]

(228) a. [...] lo que se ha perdido *no* es *exactamente el* [lenguaje] *bogotano;* el bogotano sigue existiendo. Se ha perdido la sofisticación [...] [*Muestras del habla culta de Bogotá,* 32]
b. José acaba de perder un negocio importante y *no está precisamente para fiestas*.

Mero se emplea en México con el valor de estos adverbios (229). La locución *tan luego,* en lugar de *precisamente, justamente* (230), es común en la Argentina y el Uruguay (cf. Kany 1945: 289):

(229) [...] aquí estaban ya, *mero* enfrente de nosotros, todos desguarnecidos. [J. Rulfo, *Relatos,* 13]

(230) A mí, *tan luego,* hablarme de Francisco Real. [J. L. Borges, *Obras Completas,* I, 329]

Los adverbios identificativos también aparecen con valor relacional; pero a diferencia de su comportamiento en la función conectiva, *precisamente, justamente, justo,* así como *mismo,* pospuesto, en carácter de reforzadores encabezan un constituyente argumental, generalmente en función temática, [119] y mediante una paráfrasis: *el año cincuenta y tres: ese año* (231a); *haber soñado: esa sensación* (228b):

(231) a. [Vivo en esta casa desde] el año cincuenta y tres. [...] *Precisamente ese año* es cuando empecé a escribir mi primera novela [...] [C. Martín Gaite, *El cuarto de atrás,* 47]
b. (Que no estoy tan segura de haber soñado esa historia.) —Pues atrévase a contarla, partiendo *justamente de esa sensación.* [C. Martín Gaite, *El cuarto de atrás,* 197]

11.7.2. Ámbito de los adverbios

Los adverbios de función periférica, los externos al *dictum* (§ 11.4) y los del *modus* (§ 11.5), pueden tener un alcance operativo más reducido que la oración o una proposición; su ámbito puede afectar a ciertos constituyentes que la integran: palabras, sintagmas preposicionales, etc. (232). Admiten paráfrasis semejantes a las que los caracterizan cuando su alcance es mayor; los ejemplos de (233) se corresponden con los primeros:

(232) a. Si no se cumple esta propiedad, entonces [los haces de luz] se comportan como *espectralmente impuros.* [*Investigación y Ciencia,* n.º 224, 1995, 71]
b. [...] crío la esperanza de la cercanía benigna de esta mujer *indudablemente hermosa.* [A. Bioy Casares, *La invención de Morel,* 27]
c. El poema [de Cortázar], *verosímilmente su trabajo postrero,* data de los últimos meses de 1983. [J. Loubet, *«Negro el diez...»,* 77]

(233) a. [...] se comportan como impuros desde el punto de vista espectral (de su espectro).
b. [...] la cercanía benigna de esta mujer *hermosa* (y esto es indudable).
c. El poema de Cortázar, (es verosímil que sea su trabajo postrero), data [...]

Esta construcción [→ § 4.2.3] es frecuente con incidencia en adjetivos o construcciones equivalentes: [120] (gesto) *habitualmente automático,* (resultado) *económicamente pobre,* (niña) *prudentemente discreta,* (sonrisa) *visiblemente forzada,* (nota) *erróneamente informada,* (actitud) *deliberadamente antipática,* (material) *necesariamente resistente,* (libro) *probablemente interesante,* (persona) *supuestamente veraz,* (detalle) *aparentemente sin importancia,* (juicio) *indudablemente acertado,* (conducta) *asombrosa y, francamente, incorrecta.*

---

[119] Cf. Danes 1974: 112 para los conceptos de elección y progresión temáticas entre oraciones.

[120] Para Quirk *et al.* (1985: §§ 99-103) en esta construcción los adverbios son 'enfatizadores', y tienen efecto en el valor de verdad del constituyente que está en su ámbito.

11.7.3. Intensificadores

En los sintagmas adjetivos y adverbiales actúan como intensificadores los adverbios cuantitativos de grado y los no cuantitativos de grado [→ § 16.5]. La intensidad se refiere a la gradación cuantitativa o cualitativa del contenido léxico del adverbio o el adjetivo que admiten la modificación [121] (cf. **obra {muy/excesivamente} sinfónica*).

Los adverbios cuantitativos preceden al adverbio o al adjetivo [→ § 4.2], y tienen restricciones de coocurrencia. Por ejemplo, *{muy/mucho}, bien, tan(to), algo, bastante, demasiado* no admiten ser modificados por el intensificador *muy:* (se levanta) *muy de mañana;* (están) *(*muy) bien lejos: {muy/bien} limpio; (*muy) algo tarde: (*muy) algo perezoso; (*muy) demasiado pronto: bastante confuso. Un poco* no recibe ningún modificador. *Poco, menos, más,* admiten modificación con algunos de los demás adverbios de la serie: *{muy/tan/bastante} poco inteligentemente;* (alumno) *{muy/tan/bastante} poco estudioso; bastante menos cerca; mucho más interesante.*

El adverbio *harto* funciona sólo como intensificador, ante adverbios o adjetivos: (problema) *harto más difícil;* (problema) *harto dificultoso.*

La construcción *muy mucho* es registrada por Kany (1945: 312) como un arcaísmo rústico en Ecuador y en la Argentina: *Me quiso muy mucho* (Argent.).

Los adverbios de grado son adverbios en *-mente,* que también preceden a su núcleo: como adverbios de modo son resultativos, y algunos tienen el rasgo cuantitativo en su base adjetiva (cf. aquí § 11.3.2.2B), o bien actúan como ellos (*verdaderamente, ligeramente,* entre otros); en grados positivos y en el extremo negativo no admiten gradación cuantitativa externa. El grado máximo positivo comprende los adverbios de totalidad: *(*muy) totalmente, plenamente, enteramente, absolutamente* (feliz/bien), *verdaderamente, realmente* (alegre/mal), y otros que no indican totalidad: *enormemente, sensiblemente, considerablemente* (superiores/más lejos), *extraordinariamente, fabulosamente, desmesuradamente* (rico), *terriblemente, mortalmente* (monótono), *altamente* (significativo). Representan el grado medio adverbios como *suficientemente* (alto), *medianamente* (eficaz), respectivamente positivo y neutro. En el polo negativo la gradación descendente admite refuerzo externo: *ligeramente* (pálido), *relativamente* (grueso), *(muy) escasamente, discretamente* (interesante). El representante extremo del polo negativo es *(*muy) mínimamente* (aceptable).

Con el verbo *saber,* de valor semifactivo acompañado de proposición completiva, el adverbio *perfectamente* actúa como su intensificador: *Sabe perfectamente que debo salir* (cf. el § 11.3.2.2A3).

Otros adverbios funcionan en el sintagma adjetivo o adverbial con el significado que tienen como circunstanciales, y por consiguiente, no pueden considerarse intensificadores: *definitivamente libre; inmediatamente superior; fácilmente recordable.*

Por otra parte, la modificación adverbial del adjetivo puede dar lugar a la creatividad individual, como ocurre en algunos textos literarios, en los que el adverbio adquiere significados asociativos peculiares (cf. Leech 1977: 62):

---

[121] Quirk *et al.* (1985: §§ 104-115) ofrecen una clasificación semántica de estos adverbios, que básicamente sigue Egea (1979: cap. 3) a partir de otras obras de los autores, especialmente *A Grammar of Contemporary English,* 1972. Cf. también Lonzi 1991: §§ 2.1-2.2.2.

(234) a. *Precipitadamente pálido;* (manifestaciones) *tenazmente difuntas;* (mirada) *largamente verde.* [Pablo Neruda, tomado de Alonso 1966: 121]

b. Ireneo es *tranquilamente argentino* e ignora y desdeña por igual a todos los extranjeros. [A. Bioy Casares, *La trama celeste,* 96]

TEXTOS CITADOS

ABC, Madrid.

AMADO ALONSO: *Poesía y estilo de Pablo Neruda,* Buenos Aires, Editorial Sudamericana, 1966.

MANUEL ALVAR: *El envés de la hoja,* Zaragoza, Institución «Fernando el Católico», 1982.

Alturas, Buenos Aires.

MANUEL ANDÚJAR: *Vísperas.* I, *Llanura,* Madrid, Alianza Editorial, 1975.

JUAN JOSÉ ARREOLA: *Confabulario definitivo,* edición de Carmen de Mora, Madrid, Cátedra, 1986.

PÍO BAROJA: *La feria de los discretos,* Madrid, Alianza Editorial, 1973.

MARIO BENEDETTI: *La vecina orilla,* Madrid, Alianza Editorial, 1994.

ADOLFO BIOY CASARES: *La trama celeste,* Buenos Aires, Sur, 1948.

— *La invención de Morel,* Barcelona, Seix Barral, Literatura Contemporánea, 1985.

— *Plan de evasión,* Barcelona, Edhasa, 1990.

JORGE LUIS BORGES: *Obras Completas,* I, II, III, Buenos Aires, Emecé Editores, 1989.

LEÓN CADOGAN: *Diccionario mbyá-guaraní-castellano,* Asunción, Biblioteca Paraguaya de Antropología, Vol. XVII, 1992.

ALEJO CARPENTIER: *Ese músico que llevo dentro,* Madrid, Alianza Editorial, 1987.

CAMILO JOSÉ CELA: *La colmena,* Buenos Aires, Clásicos Castalia e Hyspamérica, 1986.

Clásica, Buenos Aires.

JULIO CORTÁZAR: *Los premios,* Buenos Aires, Editorial Sudamericana, 1960.

MIGUEL DELIBES: *El príncipe destronado,* Barcelona, Ediciones Destino, Colección Destinolibro, 1983.

El habla culta de Caracas. Materiales para su estudio, Caracas, Universidad Central de Venezuela, Instituto de Filología «Andrés Bello», 1979.

El habla culta de la ciudad de Buenos Aires. Materiales para su estudio, I y II, Buenos Aires, Universidad de Buenos Aires, Facultad de Filosofía y Letras, Instituto de Filología y Literaturas Hispánicas «Dr. Amado Alonso», 1987.

El habla culta de la ciudad de México. Materiales para su estudio, México, Universidad Nacional Autónoma, Centro de Lingüística Hispánica, 1971.

El habla culta de San Juan. Materiales para su estudio, editado por Amparo Morales y María Vaquero, Río Piedras, Universidad de Puerto Rico, 1990.

El habla culta de Santiago de Chile. Materiales para su estudio (= Anejo N.º 2 del Boletín de Filología), editado por Ambrosio Rabanales y Lidia Contreras, Santiago, Chile, Universidad de Chile, Facultad de Filosofía y Letras, Departamento de Lingüística y Filología, 1979.

El habla de la ciudad de La Paz. Materiales para su estudio, selección y corrección de muestras de Nila G. Marrone, La Paz, Bolivia, Ediciones Signo, 1992.

El País, Madrid.

El País, Montevideo.

JESÚS FERRERO: *El efecto Doppler,* Barcelona, Plaza y Janés, 1993.

GABRIEL GARCÍA MÁRQUEZ: *El coronel no tiene quien le escriba,* Madrid, Alianza Editorial, 1993.

ALMUDENA GRANDES: *Te llamaré Viernes,* Barcelona, Tusquets Editores, 1994.

RICARDO GÜIRALDES: *Don Segundo Sombra,* Buenos Aires, Editorial Losada, 1952.

Investigación y Ciencia, Barcelona.

ENRIQUE JARDIEL PONCELA: *El amor del gato y del perro,* en Medardo Fraile (editor), *Teatro español en un acto (1940-1952),* Madrid, Cátedra, 1989.

La Nación, Buenos Aires.

La Prensa, Buenos Aires.

La Vanguardia, Barcelona.

JORGELINA LOUBET: «"Negro el diez", poema de Julio Cortázar», *Boletín de la Academia Argentina de Letras (BAAL),* LIX, págs. 77-81, 1994.

JAVIER MARÍAS: *Cuando fui mortal,* Madrid, Alfaguara, 1996.

CARMEN MARTÍN GAITE: *El cuarto de atrás,* Barcelona, Destino, 1981.

— *El balneario,* Madrid, Alianza Editorial, 1993.

ANA MARÍA MATUTE: *El tiempo,* Barcelona, Destino, 1981.
TERENCI MOIX: *La herida de la esfinge,* Barcelona, Planeta, 1994.
Muestras del habla culta de Bogotá, Transcripción y revisión de Alonso González G. e Hilda Otálora de Fernández, Bogotá, Instituto Caro y Cuervo, 1985.
Mundo Científico, Barcelona.
ANTONIO MUÑOZ MOLINA: *El jinete polaco,* Madrid, Planeta, Biblioteca del Sur, 1991.
Música & CD, Buenos Aires.
JOSÉ ORTEGA Y GASSET: *Meditaciones del Quijote*, Madrid, Revista de Occidente en Alianza Editorial, 1981.
OCTAVIO PAZ: «La máscara y la transparencia», Prólogo de Carlos Fuentes, *Cuerpos y ofrendas,* Madrid, Alianza Editorial, 1981, págs. 7-15.
BENITO PÉREZ GALDÓS: *Bailén,* Madrid, Alianza Hernando, 1982.
— *Nazarín,* Buenos Aires, Hyspamérica, 1983.
ARTURO PÉREZ-REVERTE: *El club Dumas,* Madrid, Alfaguara, 1993.
JUAN PERUCHO: *Las sombras del mundo,* Madrid, Alianza Editorial, 1995.
ROSA REGÁS: *Desde el mar,* Madrid, Alianza Editorial, 1997.
JUAN RULFO: *Relatos,* Madrid, Alianza Editorial, 1994.
GREGORIO SALVADOR: *Casualidades,* Madrid, Espasa Calpe, 1994.
Scherzo, Madrid.
JUAN JOSÉ SEBRELI: *El asedio a la modernidad,* Buenos Aires, Editorial Sudamericana, 1991.
GONZALO TORRENTE BALLESTER: *Las islas extraordinarias,* Madrid, Planeta, 1994.
EUGENIO TRÍAS: *El artista y la ciudad,* Barcelona, Editorial Anagrama, 1997.
MANUEL VÁZQUEZ MONTALBÁN: *Las recetas de Carvalho,* Barcelona, Planeta, 1990.
— *La rosa de Alejandría,* Barcelona, Planeta, 1993.
ALONSO ZAMORA VICENTE: *Voces sin rostro,* Madrid, Espasa Calpe, 1989.

REFERENCIAS BIBLIOGRÁFICAS

ACADEMIA ARGENTINA DE LETRAS (1997): *Registro del habla de los argentinos,* Buenos Aires.

ALARCOS LLORACH, EMILIO (1951): *Gramática estructural,* Madrid, Gredos.

— (1970): «Aditamiento, adverbio y cuestiones conexas», en *Estudios de gramática funcional del español,* Madrid, Gredos, págs. 219-253.

— (1994): *Gramática de la lengua española,* Madrid, Espasa Calpe.

ALCINA FRANCH, JUAN y JOSÉ MANUEL BLECUA (1975): *Gramática española,* Barcelona, Editorial Ariel.

ALONSO, AMADO y PEDRO HENRÍQUEZ UREÑA (1955): *Gramática castellana,* Buenos Aires, Editorial Losada, 13.ª edición, 2 volúmenes.

ÁLVAREZ MARTÍNEZ, M.ª ÁNGELES (1986): «Sustantivo, adjetivo y adverbio: Caracterización funcional», *Verba* 13, págs. 143-161.

— (1994): «Usos adverbiales del español en Hispanoamérica y España«, *LEA* XVI: 1, págs. 5-19.

ANSCOMBRE, JEAN-CLAUDE (1995): «Semántica y léxico: Topoi, estereotipos y frases genéricas«, *REL* 25:2, págs. 297-310.

ANSCOMBRE, JEAN-CLAUDE y OSWALD DUCROT (1994): *La argumentación en la lengua,* Madrid, Gredos.

ARJONA IGLESIAS, MARINA (1991): «Los adverbios terminados en *-mente*», en *Estudios sintácticos sobre el habla popular mexicana,* México, UNAM, págs. 25-63.

BARTSCH, RENATE (1976): *The Grammar of Adverbials,* traducción inglesa de Ferenc Kiefer, Amsterdam, North-Holland Publishing Company.

BARRENECHEA, ANA M.ª (1963): «Las clases de palabras en español, como clases funcionales», *RPh* XVII, págs. 301-309.

— (1979): «Operadores pragmáticos de actitud oracional: los adverbios en *-mente* y otros signos», en Ana M.ª Barrenechea *et al., Estudios lingüísticos y dialectológicos,* Buenos Aires, Hachette, págs. 39-59.

BEINHAUER, WERNER (1963): *El español coloquial,* Madrid, Gredos.

BELLERT, IRENA (1977): «On Semantic and Distributional Properties of Sentential Adverbs», *LI* 8, páginas 337- 351.

BELLO, ANDRÉS (1847): *Gramática de la lengua castellana,* Estudio y edición de Ramón Trujillo, Madrid, Arco/Libros, 2 vols, 1988.

BERRENDONNER, ALAIN (1987): *Elementos de pragmática lingüística,* Barcelona, Gedisa.

BORILLO, ANDRÉ (1976): «Les adverbes et la modalization de l'assertion», *LFr* 30, págs. 74-89.

BOSQUE, IGNACIO (1980): *Sobre la negación,* Madrid, Cátedra.

— (1987): «Constricciones morfológicas sobre la coordinación», *LEA* IX, págs. 83-100.

— (1989): *Las categorías gramaticales,* Madrid, Editorial Síntesis.

BRØNDAL, VIGGO (1948): *Les parties du discours,* Copenhague, Einar Munksgaard.

BRUNOT, FERDINAND (1922): *La pensée et la langue,* París.

BURTON-ROBERTS, NOEL (1991): «Prepositions, Adverbs and Adverbials», en *Language Usage and Description,* ed. por Ingrid Tielsen, Boon van Ostade y John Fraulsis, Amsterdam y Atlanta (GA), Rodopi, págs. 159-172.

CALERO VAQUERA, M.ª LUISA (1986): *Historia de la gramática española (1847-1920),* Madrid, Gredos.

CANELLADA, M.ª JOSEFA y JOHN KUHLMANN MADSEN (1987): *Pronunciación del español,* Madrid, Editorial Castalia.

CONTRERAS, HELES (1978): *El orden de palabras en español,* Madrid, Cátedra.

CORPAS PASTOR, GLORIA (1997): *Manual de fraseología española,* Madrid, Gredos.

CORRALES ZUMBADO, CRISTÓBAL, DOLORES CORBELLA DÍAZ y M.ª ÁNGELES ÁLVAREZ MARTÍNEZ (1992): *Tesoro lexicográfico del español de Canarias,* Madrid, Real Academia Española; Gobierno de Canarias.

COSERIU, EUGENIO (1977): *Principios de semántica estructural,* Madrid, Gredos.

CUERVO, RUFINO JOSÉ (1939): *Apuntaciones críticas sobre el lenguaje bogotano,* Bogotá, Editorial El Gráfico, 7.ª edición.

DANEŠ, FRANTIŠEK (1974): «Functional Sentence Perspective and the Organization of the Text», en František Daneš (ed.) *Papers on Functional Sentence Perspective,* Praga, Academia; La Haya-París, Mouton; págs 106-128.

DEMELLO, GEORGE (1992): «Adjetivos adverbializados en el español culto hablado de diez ciudades», *LEA* XIV, págs. 225-242.

DEMONTE, VIOLETA y SOLEDAD VARELA (1997): «Los infinitivos nominales eventivos en español», *Signo & Seña* 7, págs. 123-154.

DIK, SIMON C. (1989): *The Theory of Functional Grammar,* I, Dordrecht, Holland/Providence RI, Foris Publications.

DIONISIO DE TRACIA: *Dionysii Thracis Ars Grammatica,* Lipsiae, Teubneri, 1883.

DOMÍNGUEZ DE RODRÍGUEZ PASQUÉS, PETRONA (1970): «Morfología y sintaxis del adverbio en *-mente», Actas del Tercer Congreso Internacional de Hispanistas,* México, El Colegio de México.

DUCROT, OSWALD (1972): *Dire et ne pas dire,* París, Hermann.

EGEA, ESTEBAN RAFAEL (1979): *Los adverbios terminados en* -mente *en el español contemporáneo,* Bogotá, Publicaciones del Instituto Caro y Cuervo.

ENRÍQUEZ, EMILIA (1984): *El pronombre personal sujeto en la lengua española hablada en Madrid,* Madrid, C.S.I.C.

ERNST, THOMAS (1985): «The Odd Syntax of Domain Adverbs», *Language Research* 21, págs. 167-177.

FERNÁNDEZ RAMÍREZ, SALVADOR (1951): *Gramática española. 3.2. El pronombre,* volumen preparado por José Polo, Madrid, Arco/Libros, 1987

FUENTES RODRÍGUEZ, CATALINA (1991): «Adverbios de modalidad», *Verba 18,* págs 275-321.

GARCÍA-PAGE, MARIO (1991a): «Breves apuntes sobre el adverbio en *-mente», ThBICC* XLVI, págs. 183-224.

— (1991b): «El adverbio en *-mente.* Motivación contextual en formaciones léxicas anómalas», *AEF* XIV, págs. 149-181.

GÓMEZ TORREGO, LEONARDO (1992): *Manual de español correcto,* II, Madrid, Arco/Libros.

Grammaire générale et raisonnée (1660) [Antoine Arnauld y Claude Lancelot], suivi de la *Logique ou l'Art de Penser* (1662) [Antoine Arnauld y Pierre Nicole]: Nouvelle Édition, París, de l'Imprimerie d'Auguste Delalain, 1830.

GRANDGENT, C. E. (1928): *Introducción al latín vulgar,* Traducción por Francisco de B. Moll, Madrid, Publicaciones de la RFE.

GREEN, GEORGIA M. (1974): «The Lexical Expression of Emphatic Conjunction. Theoretical Implications», *FL* 10: 2, págs. 197-248.

GREGORES, EMMA (1960): «Las formaciones adverbiales en *-mente», Filología* VI, págs. 1-26.

GÜLICH, ELISABETH y THOMAS KOTSCHI (1983): «Les marqueurs de la reformulation paraphrastique», *CLF* 5, págs. 305-351.

GUNNARSON, KJELL-\KE (1986): «*Loin de* X, *près de* X et *parallèlement à* X: syntagmes prépositionnels, adjectivaux ou adverbiaux?», *FrM* 54, págs. 1-23.

HJELMSLEV, LOUIS (1928): *Principes de grammaire générale,* KDVS, Hist.-Filol. Meddelser XVI, I. Citamos por la traducción española: *Principios de gramática general*, versión española de Félix Piñero Torre, Madrid, Gredos.

HERNÁNDEZ GONZÁLEZ, CARMEN (1992): «Contribución al estudio de los adverbios largos españoles formados con los sustantivos «guisa», «cosa» y «manera»», en *Actas del II Congreso Internacional de Historia de la Lengua Española,* editadas por M. Ariza, R. Cano, J. M.ª Mendoza y A. Narbona, Madrid, Pabellón de España, Tomo I.

HERNANZ, M. LLUÏSA y JOSÉ M.ª BRUCART (1987): *La sintaxis. 1. Principios teóricos. La oración simple,* Barcelona, Editorial Crítica.

HOCKETT, CHARLES F. (1971): *Curso de lingüística moderna,* traducido y adaptado al español por Emma Gregores y Jorge A. Suárez, Buenos Aires, Eudeba.

HORN, LAURENCE R. (1997): «Negative Polarity and the Dinamics of Vertical Inference», en Danielle Forget, Paul Hirschbühler, France Martineau y María-Luisa Rivero, *Negation and Polarity. Syntax and Semantics,* Amsterdam/Philadelphia, John Benjamins.

HUANG, SHUAN-FAN (1975): *A Study of Adverbs,* La Haya-París, Mouton.

JAKOBSON, ROMAN (1960): «Linguistics and Poetics», en Thomas Sebeok (ed.), *Style in language,* Nueva York-Londres, M.I.T. Press and Wiley & Sons.

KANY, CHARLES E. (1945): *American-Spanish Syntax,* Chicago & Londres, The University of Chicago Press.

KARLSSON, KEITH E. (1981): *Syntax and Affixation. The Evolution of* MENTE *in Latin and Romance,* Tübinga, Max Niemeyer Verlag.

KIPARSKY, PAUL y CAROL KIPARSKY (1976): «Hechos», en V. Sánchez de Zavala (comp.), *Semántica y sintaxis en la lingüística transformatoria,* 2, Madrid, Alianza Editorial, 1976, págs. 31-76.

KOKTOVÁ, EVA (1986): *Sentence Adverbials in a Functional Description,* Amsterdam/Philadelphia, John Benjamins.

KOVACCI, OFELIA (1961): *Castellano,* II, Buenos Aires, Chiesa.

— (1980-1981): «Sobre los adverbios oracionales», *BFUCh* XXXI *(= Homenaje a Ambrosio Rabanales),* págs. 519-535.

— (1982-1984): «Las construcciones con *sino* y *no... pero,* y los campos léxicos», *Filología* XIX, págs. 45-60.
— (1986): «Notas sobre adverbios oracionales: dos clases de limitadores del *dictum*», *Revista Argentina de Lingüística* 2, págs. 299-316.
— (1989): «La jerarquía de las funciones sintácticas», *Boletín de la Academia Argentina de Letras* LIV, págs. 375-384.
— (1991): «Sobre la estructura de la forma de relieve con *ser* y proposición relativa», *Voz y Letra* II /I, págs. 39-49.
— (1997): «Del período condicional al concesivo: comparación y contraste», *Anuario de Letras* XXXV, págs. 265-281.
KUNO, SUSUMU (1972): «Functional Sentence Perspective: A Case Study from Japanese and English», *LI* 3, págs. 269-320.
LANG, MERVYN F. (1992): *Formación de palabras en español,* Madrid, Editorial Cátedra.
LAPESA, RAFAEL (1980): *Historia de la lengua española,* Madrid, Gredos, 8.ª edición.
LÁZARO MORA, FERNANDO (1987): «Sobre adverbios de tiempo», *LEA* IX, págs. 257-265.
LEECH, GEOFFREY N. (1970): *Towards a Semantic Description of English,* Bloomington y Londres, Indiana University Press.
— (1977): *Semántica,* Madrid, Alianza Editorial.
LEHRER, ADRIENNE (1975): «Complement-Oriented Adverbs», *LI* VI, págs. 489-494.
LENZ, RODOLFO (1935): *La oración y sus partes,* Madrid, Publicaciones de la RFE.
LONZI, LIDIA (1991): «Il sintagma avverbiale», en *Grande grammatica italiana di consultazione,* a cura di Lorenzo Renzi e Giampaolo Salvi, Bolonia, il Mulino, Vol. II.
LÓPEZ GARCÍA-MOLÍNS, ÁNGEL (1977): *Elementos de semántica dinámica,* Zaragoza, Pórtico.
LORENZO, EMILIO (1994): *El español de hoy, lengua en ebullición,* Madrid, Gredos, 4.ª edición, reestructurada y muy ampliada.
MARTÍNEZ, JOSÉ ANTONIO (1994a): *Cuestiones marginadas de gramática española,* Madrid, Istmo.
— (1994b): *Propuesta de gramática funcional,* Madrid, Istmo.
MÄTZNER, E. (1843): *Syntax der neufranzösischen Sprache,* 1, Berlín.
MAYORAL, JOSÉ ANTONIO (1982): «Creatividad léxica y lengua poética: las formaciones en *-mente*», *Dicenda* I, págs. 35-56.
MCCAWLEY, JAMES D. (1996): «The Focus and Scope of Only», en Barbara Hall Partee and Petr Sgall (eds.), *Discourse and Meaning. Papers in Honor Eva Hajičová,* Amsterdam/Philadelphia, John Benjamins, págs. 171-193.
MCCONNELL-GINET, SALLY (1982): «Adverbs and Logical Form: a Linguistically Realistic Theory», *Language* 58, págs. 144-184.
MCWILLIAMS, RALPH DALE (1954): «The Adverb in Colloquial Spanish», en Henry H. Kahane and Angelina Pietrangeli (eds.), *Descriptive Studies in Spanish Grammar,* Urbana, The University of Illinois Press, págs. 73-137.
MENÉNDEZ PIDAL, RAMÓN (1962): *Manual de gramática histórica española,* Madrid, Espasa Calpe, 11.ª edición.
MIRANDA, JOSÉ ALBERTO (1994): *La formación de palabras en español,* Salamanca, Ediciones Colegio de España.
MOLINER, MARÍA (1994): *Diccionario de uso del español,* Madrid, Gredos, 1.ª edición, 19.ª reimpresión, 2 vols. [*DUE* en el texto].
MORTARA GARAVELLI, BICE (1991): *Manual de retórica,* Madrid, Cátedra.
MØRDRUP, OLE (1976): *Une analyse non-transformationnelle des adverbes en* -ment, Études Romanes de l'Université de Copenhague (= *RRo* 11), Akademisk Forlag.
NEBRIJA, ELIO ANTONIO DE (1492): *Gramática de la lengua castellana,* Estudio y edición de Antonio Quilis, Madrid, Editorial Centro de Estudios Ramón Areces, 1989.
NILSSON-EHLE, HANS (1941): *Les adverbes en* -ment *compléments d'un verbe en français moderne,* Lund-Copenhague, Études Romanes de Lund III.
NØJGAARD, MORTEN (1992, 1993, 1995): *Les adverbes français. Essai de description fonctionnelle* (Historisk-filosofiske Meddelelser 66:3), Copenhage, The Royal Danish Academy of Sciences and Letters, Munksgaard. T. I, 1992; T. II, 1993, T. III, 1995.
PECORARO, WALTER y CHIARA PISACANE (1984): *L'avverbio,* Bolonia, Zanichelli.
PORTO DAPENA, JOSÉ ÁLVARO (1995): *El complemento circunstancial,* Madrid, Arco/Libros.
QUIRK, RANDOLPH, SIDNEY GREENBAUM, GEOFFREY N. LEECH y JAN SVARTVIK (1985): *A Comprehensive Grammar of the English Language,* Londres y Nueva York, Longman.

RAINER, FRANZ (1996), «Inflection inside Derivation: Evidence from Spanish and Portuguese», en Geert Booij and Jaap van Marle (eds.), *Yearbook of Morphology,* Dordrecht, Kluwer Academic Publishers, págs. 83-91.
RAMAJO CAÑO, ANTONIO (1987): *Las gramáticas de la lengua castellana desde Nebrija a Correas,* Salamanca, Ediciones Universidad de Salamanca.
REAL ACADEMIA ESPAÑOLA (1973): *Esbozo de una nueva gramática de la lengua española,* Madrid, Espasa Calpe. [RAE 1973 en el texto.]
— (1992): *Diccionario de la lengua española,* Madrid, Espasa Calpe, 21.ª edición. [*DRAE* en el texto.]
RIVARA, RENÉ (1980): «Note sur les adverbes de fréquence», *SIGMA* 5, Université de Provence; páginas 151-152.
RODRÍGUEZ RAMALLE, TERESA M.ª (1995): «Sobre los adverbios demostrativos en español», *Cuadernos de Lingüística del Instituto Universitario Ortega y Gasset* 3, págs. 57-78.
ROJAS, M.ª ISABEL (1980-1981): «Los llamados adverbios en *-mente* en el habla culta de Santiago de Chile», *BFUCh* XXXI (= Homenaje a Ambrosio Rabanales), págs. 907-921.
SALVÁ, VICENTE (1930): *Gramática de la lengua castellana,* estudio y edición de Margarita Lliteras, Madrid, Arco/Libros, vols. I y II, 1988
SÁNCHEZ DE LAS BROZAS, FRANCISCO (1587): *Minerva,* Introducción y traducción por Fernando Riveras Cárdenas, Madrid, Cátedra, 1976.
SCHNEIDER, ROBINSON H. (1995): «Toward a Tri-modular Analysis of-*ly* Adverbs», en Eric Schiller, Elisa Steinberg, Barbara Need (eds.), *Autolexical Theory,* Berlín-Nueva York, Mouton de Gruyter.
SCHREIBER, PETER A. (1972): «Style Disjuncts and the Performative Analysis», *LI* 3, págs. 321-347.
SECO, MANUEL (1972): *Gramática esencial del español,* Madrid, Espasa Calpe, 2.ª edición, revisada y aumentada, 2.ª ed., 1989.
— (1993): *Diccionario de dudas y dificultades de la lengua española,* Buenos Aires, Espasa Calpe, 9.ª edición renovada. [*DDDLE* en el texto.]
SECO, RAFAEL (1980): *Manual de gramática española,* Revisado y ampliado por Manuel Seco, Madrid, Aguilar, 10.ª edición. 1.ª edición, 1954.
SWAN, TORIL (1981): «Modal Adverbs», en Johansson, Stig & Bjørn Tysdahl (eds.), *Papers from the First Nordic Conference for English Studies,* Oslo, University of Oslo; págs. 424-437.
— (1990): «Subject-Oriented Adverbs in 20th Century English», *Nordly,* 16, págs. 14-58.
SWEET, H. (1892): *A New English Grammar, Logical and Historical,* I, Oxford.
TESNIÈRE, LUCIEN (1959): *Éléments de Syntaxe Structurale,* París, Librairie Klincksieck. Versión española de Esther Diamante, *Elementos de sintaxis estructural,* Madrid, Gredos, 1994.
VARELA, FERNANDO y HUGO KUBARTH (1994): *Diccionario fraseológico del español moderno,* Madrid, Gredos.
VARELA ORTEGA, SOLEDAD (1990): *Fundamentos de morfología,* Madrid, Editorial Síntesis.
VARRÓN (1990) [?45 a.C.]: *De lingua Latina,* Introducción, traducción y notas de Manuel-Antonio Marcos Casquero, Madrid, Anthropos.
VENDLER, ZENO (1987): «Adverbs of Action», en Testen, David, Veena Mishra, Joseph Drogo (eds.), *Papers from the Parasession on Lexical Semantics, CLS,* Dordrecht, Holland/Providence RI, Foris Publications.
VENIER, FEDERICA (1991): *La modalizzazione assertiva,* Milán, Franco Angeli.
VIDAL DE BATTINI, BERTA ELENA (1964): *El español de la Argentina,* I, Buenos Aires, Consejo Nacional de Educación.
VIGUERAS ÁVILA, ALEJANDRA (1983): «Sintaxis de los adverbios en *-mente* en el habla culta de la ciudad de México», *ALM* XXI, págs. 119-145.
ZAGONA, KAREN (1990): «*Mente* Adverbs, Compound Interpretation and the Projection Principle», *Probus* 2.1, págs. 1-30.

12
EL ARTÍCULO

MANUEL LEONETTI
Universidad de Alcalá

ÍNDICE

12.1. El artículo definido

12.1.1. El artículo definido entre los determinantes

12.1.1.1. Función y orígenes

El artículo definido es uno de los elementos que caracterizan al español y a las restantes lenguas románicas frente a su lengua madre, el latín. Las lenguas que poseen artículo lo emplean, al igual que los otros determinantes, para restringir y definir la referencia de los sintagmas nominales (en adelante, SSNN), es decir, la relación entre las expresiones nominales y las entidades a las que los hablantes aluden por medio de tales expresiones [⟶ §§ 5.1-2]. Esta es, junto con la posición prenominal característica, la propiedad que permite incluir al artículo en la clase léxica de los determinantes del español. Como otros determinantes, el artículo permite conectar la información léxica contenida en el SN con la información contextual que los hablantes emplean para construir la interpretación de los enunciados (§ 12.1.1.3).

El origen latino del artículo románico es el demostrativo *ille/illa/illud,* que ha dado lugar también al pronombre de tercera persona *él/ella/ello* [⟶ Cap. 19] y, con un elemento adicional, al demostrativo *aquel/aquella/aquello* [⟶ Cap. 14]. En el proceso histórico de formación del artículo aparecen entrelazados diversos factores heterogéneos, tales como la alteración del valor deíctico original de *ille,* la necesidad de indicar el carácter temático de los SSNN con función de sujeto frente a otros constituyentes y la tendencia a marcar formalmente los nombres que denotan entidades concretas, delimitadas e identificables, o simplemente prominentes en el desarrollo discursivo. Este proceso de expansión en el uso del artículo comienza en el español medieval con la función de sujeto y con los nombres contables, concretos y predominantemente animados, y evoluciona hasta producir, en el español contemporáneo, un complejo juego de alternancias entre presencia y ausencia de artículo en SSNN con función de objeto y término de preposición, y con los nombres abstractos y no contables [⟶ Cap. 13]. [1]

12.1.1.2. El paradigma del artículo definido

La flexión de género y número da lugar a las siguientes cuatro formas del artículo: *el* y *la* para masculino y femenino singular, y *los* y *las* para masculino y femenino plural. A ellas debe añadirse la forma *lo,* carente de plural y tradicionalmente considerada como neutra, que se describe en el § 12.1.3. La aparición de las cuatro primeras está determinada por los rasgos de género y número de los sustantivos explícitos o implícitos que las siguen; la información flexiva aportada por el artículo resulta fundamental para asegurar la recuperación de estos rasgos, tanto cuando el sustantivo carece de marcas formales de género o número *(el martes/los martes* o *el cantante/la cantante),* como cuando hay sustantivos homónimos con distinto género *(el orden/la orden* o *el frente/la frente)* [⟶ Cap. 74].

Este sencillo cuadro se ve complicado por el hecho de que la forma *el* funciona también como variante de la forma *la* singular ante sustantivos femeninos que comienzan por *a-* tónica (gráficamente, *a* o *ha*): *el ala, el hacha, el agua* [2] [⟶ §§ 42.3.1

---

[1] Sobre la evolución del artículo, se pueden consultar Lapesa 1961, Garrido 1988, Company 1991 y Epstein 1993.

[2] Un estudio completísimo de este fenómeno y de sus consecuencias puede verse en Álvarez de Miranda 1993, trabajo del que está tomada la mayor parte de los ejemplos que aparecen a continuación. Harris (1987) ofrece un intento de explicación teórica.

y 74.4.2]. La variante *el* para el femenino aparece solamente en condiciones de adyacencia estricta de artículo y nombre; ya que se trata de un fenómeno determinado fonológicamente, cualquier elemento que interrumpa la secuencia <artículo + nombre> e impida el contacto entre la forma *el* y la *a* tónica (por ejemplo, un adjetivo antepuesto) fuerza la inserción de la variante *la:* [3]

(1) a. *El nueva hacha. / *El cristalina agua.
 b. La nueva hacha. / La cristalina agua.

Hay tres casos en los que la regla de la alternancia *el/la* no funciona: se trata de las combinaciones de artículo y nombre de letra *(la a, la hache),* artículo y nombre propio de mujer *(la Ana, la Ángela),* y artículo y sigla (dado que las siglas funcionan como nombres propios: *la APA* —Asociación de Padres de Alumnos—, *la ADTE* —Asociación de Trabajadores del Espectáculo). Con los nombres propios geográficos se observa cierta vacilación, ya que son habituales tanto ejemplos con *el (el África negra, el Asia Oriental)* como ejemplos con *la (la Ávila visigoda, la Austria actual,* o el caso especial de *La Haya).* Además, como señala la RAE, [4] la forma *la* se mantiene, en lugar de *el,* en numerosos dialectos españoles y americanos, normalmente reducida a su segmento consonántico por elisión de la vocal (al menos en la grafía): *l'ansia, l'habla,* e incluso *l'amiga* o *l'estera* (ante *a* inacentuada y otras vocales iniciales). [5]

En realidad la vacilación entre una forma y otra es muy frecuente en el uso actual, y también lo fue en épocas anteriores. No se produce solamente con nombres que admitan ambos géneros, como en el caso de *azúcar,* sino también con nombres claramente femeninos, por ejemplo, nombres derivados o compuestos a partir de otros con *a* tónica inicial, como *agua:* junto a los normativos *la agüita, la aguamarina* no es extraño encontrar *el agüita, el aguamarina.*

La asociación que los hablantes establecen entre la forma *el* y el género masculino ha generado una tendencia analógica enormemente extendida en el español contemporáneo, que tiene su reflejo en dos fenómenos significativos: la aparición de marcas de género masculino en los adjetivos antepuestos al nombre y precedidos por la variante *el,* y el uso de formas masculinas de otros determinantes ante nombres femeninos que comienzan con *a* tónica.

El primer fenómeno está ejemplificado en los datos de (2), comunes en el español coloquial, en los que hay que señalar no solamente la discordancia entre nombre y modificador, sino también el uso de *el* a pesar de que el adjetivo impide que artículo y nombre estén adyacentes.

(2) a. El buen hada madrina.
 b. El único área.
 c. El último alza.

Como se recoge en Álvarez de Miranda 1993: 36 y en Janda y Varela-García 1991, la concordancia en masculino entre artículo y adjetivo surge normalmente cuando el adjetivo es prenominal, pero es mucho menos frecuente si es posnominal o está incluido en otro sintagma; no obstante, también es posible encontrar ejemplos de concordancia en masculino en estos casos, lo que muestra que el nivel de inseguridad entre los hablantes es alto: *el habla andaluz, el alta médico.*

El segundo fenómeno se ilustra en los ejemplos de (3):

(3) a. Todo el agua del mundo.
 b. Ese aula oscura.
 c. Este nuevo área.

---

[3] Sin embargo, Álvarez de Miranda (1993: 24-25) recoge ejemplos tomados de la lengua literaria en los que es precisamente la presencia de un adjetivo antepuesto con *a* inicial (tónica) el factor que produce la aparición de la variante *el:* es así en el verso de fray Luis *traspasa el alta sierra, ocupa el llano,* y en varios pasajes de Emilia Pardo Bazán *(el alta aspiración, el ancha cama).*

[4] RAE 1973: 216.

[5] En español medieval la variante *el* se anteponía también a nombres femeninos que comenzaban por vocales átonas y distintas de *a;* eran posibles secuencias como *el espada, el amistad* o *el aldea.*

La extensión de la concordancia en masculino por analogía con la forma *el* afecta tanto a los cuantificadores como a los demostrativos; hoy en día sobrepasa los límites del español coloquial y se muestra pujante también en la lengua escrita.

La combinación del artículo con las preposiciones *a* y *de* da lugar a las formas contractas *al* y *del* [⟶ § 67.2.4]. La contracción únicamente se produce con la forma *el* en singular. Cuando el artículo forma parte de un nombre propio, no hay contracción en la representación gráfica *(saliendo de El Salobral),* aunque en la lengua hablada la reducción vocálica es normal también en este caso.

Tanto las formas de masculino y femenino como la forma *lo* se caracterizan por ser átonas y funcionar como clíticos, es decir, por apoyarse fónicamente en el constituyente que las sigue. Del estatuto de clíticos se deducen importantes aspectos del funcionamiento gramatical de los artículos. El más evidente es la falta de independencia sintáctica: los artículos no pueden constituir SSNN por sí mismos, y deben ir incluidos en un sintagma en el que aparezca algún elemento léxico (habitualmente, un nombre, pero no necesariamente) del que sean proclíticos. [6]

12.1.1.3. El significado del artículo definido

El rasgo de definitud que caracteriza al artículo, así como a los demostrativos y a los pronombres personales, contiene una información gramatical que sirve para restringir la construcción de una interpretación adecuada por parte del receptor. El artículo definido determina la identificación de los referentes de las expresiones nominales y contribuye así decisivamente a la cohesión del discurso. Tradicionalmente se han manejado dos nociones centrales para definir el significado del artículo definido: la de 'información consabida o conocida', y la de 'unicidad', que se remonta a la teoría de las descripciones definidas de Russell (1905). Veámoslas separadamente.

A) La noción de información conocida

Según la concepción del artículo como expresión de la información conocida o familiar (concepción que subyace a la doctrina tradicional sobre el artículo), este permite hacer referencia a entidades que ya están presentes en el universo de discurso, bien porque pueden ser percibidas directamente, bien porque han sido mencionadas, bien porque los conocimientos extralingüísticos de los interlocutores las hacen identificables. Esta, se dice, es la diferencia fundamental frente a los determinantes indefinidos, que introducen referentes no conocidos para el receptor. Aquí está también el origen de las propiedades anafóricas de los definidos (§ 12.1.1.4). [7]

A pesar de su sensatez, este enfoque tiene que superar obstáculos importantes. En primer lugar, el hecho indiscutible de que a menudo los SSNN construidos con el artículo definido no mencionan información dada o familiar, sino todo lo contra-

---

[6] Todo esto no impide que se registren usos enfáticos del artículo en los que este es tónico (por ejemplo, en *Maradona es EL futbolista,* para indicar que Maradona es el futbolista por antonomasia).

[7] La teoría del conocimiento previo se ve reflejada en las gramáticas de orientación tradicional, p. ej. en Bello 1847: § 267 y Gili Gaya 1943: § 184, y en Lázaro Carreter 1975. La reformulación moderna más explícita está en Heim 1982. Una crítica de la tesis del conocimiento previo se encuentra ya en Alonso 1933, y además en Clark y Marshall 1981, Bosch y Geurts 1990, Hawkins 1991 y Kadmon 1992.

rio, especialmente cuando presentan una estructura interna compleja y son ricos en contenido descriptivo (por ejemplo, *la derrota de los sarracenos en la batalla de Poitiers,* o *la decisión de ampliar el plazo,* § 12.1.1.4). Cuanto más informativo sea el sintagma, más probabilidades habrá de que sea empleado para introducir información nueva, sin que esto sea en modo alguno incompatible con la definitud. En segundo lugar, el hablante puede usar una descripción definida para referirse a un objeto no mencionado previamente ni integrado en el universo discursivo, simplemente porque espera que su interlocutor sea capaz de inferir la existencia del referente, aunque se trate de un objeto no conocido ni familiar.

(4) Cuidado con el escalón.

Podríamos pensar que el referente de *el escalón* en (4) es consabido para los interlocutores porque forma parte de la situación de habla y resulta visible o perceptible para ambos. Pero, por parte del emisor, su existencia se toma como información nueva para el receptor. La aparición del artículo es lo que permite al receptor inferir la existencia del referente y localizarlo. El carácter consabido o familiar del referente deriva entonces de la definitud, pero no es un rasgo semántico del artículo.

B) La noción de unicidad

De acuerdo con esta noción, el artículo permite hacer referencia a la única entidad existente que cumpla con las condiciones impuestas por el contenido descriptivo del SN. Obviamente, se trataría de la única entidad relevante en el contexto. De forma más general, se puede decir que los SSNN definidos se refieren a la máxima colección de objetos a los que se pueda aplicar su contenido descriptivo, y este conjunto es único en el contexto de uso (precisamente porque es el mayor conjunto que se puede definir). Este efecto de maximidad ha llevado a veces a tratar el artículo definido como una especie de cuantificador universal: cuando un hablante emplea un enunciado como *Coge los libros,* pretende referirse a todos los libros que el interlocutor pueda considerar relevantes en la situación (y sólo a ellos).[8] La noción de unicidad será el principio que vertebre la descripción de los usos del artículo definido en las secciones que siguen.

La rigidez del concepto russelliano de unicidad ha dado lugar a numerosos intentos de sustituirlo por alguna noción más flexible y sensible al contexto. Una de las propuestas más conocidas es la de Hawkins (1978), quien sostiene que la propiedad central de la definitud es la 'referencia inclusiva', es decir, la referencia a la totalidad de los objetos que satisfacen el contenido descriptivo del sintagma en el conjunto pragmático relevante. Los indefinidos se caracterizan, en cambio, por la 'referencia exclusiva', que excluye siempre a algunos de los objetos descritos; es la razón por la que es incorrecto decir **Se golpeó en una nariz,* ya que la nariz es única en cada individuo y no puede ser objeto de referencia exclusiva con *un* (salvo en interpretaciones que no sean de posesión inalienable).

La equiparación de la unicidad o de la inclusividad con alguna forma de cuantificación universal tropieza con algunos problemas. A menudo se emplean SSNN definidos en plural sin pretender hacer referencia a todos los miembros de la pluralidad, como se observa en los ejemplos siguientes:

[8] Kadmon (1992: cap. 5) ofrece un análisis exhaustivo de esta cuestión. Sobre la unicidad en el artículo definido existe una amplia bibliografía, en la que destacan Strawson 1950, Hawkins 1978 y 1991, Heim 1982, Kleiber 1983 y 1992a, Garrido 1984, Löbner 1985, Galmiche 1989, Bosch y Geurts 1990, Neale 1990, Chesterman 1991, Kadmon 1992, Gundel, Hedberg y Zacharski 1993.

(5) a. Los personajes de la serie son originales.
b. Las golondrinas ya se dejan oír por nuestras calles.
c. En Suiza tomamos unas fotos preciosas de las montañas.

En (5a) no es necesario que la totalidad de los personajes sea original para que la proposición expresada sea verdadera, y en (5b) y (5c) la interpretación natural no implica, desde luego, a todas las golondrinas o a todas las montañas. Los conceptos de inclusividad y unicidad pueden mantenerse, de todas formas, si se supone que en (5) la referencia al conjunto predomina sobre la referencia a los elementos integrantes del mismo, tomados uno por uno.

Los ejemplos de (6) se suelen considerar problemáticos para la tesis de la unicidad: [9]

(6) a. Puso *la mano* sobre la mesa.
b. Cuando llegamos, ella estaba en *la ventana.*
c. La había besado en *la mejilla.*

Ni (6a) se entiende en el sentido de que alguien puso sobre la mesa la única mano que tenía, ni (6b) significa necesariamente que ella estaba en la única ventana de la casa, ni (6c) hace pensar en una persona con una sola mejilla. Sin embargo, el uso del artículo definido es perfectamente normal. Lo que estos ejemplos tienen en común es que en todos ellos la identificación del referente de la descripción definida es irrelevante para el proceso interpretativo: no interesa determinar de qué mano, de qué ventana o de qué mejilla se habla. Los datos de (6) se pueden tratar como casos en los que es relevante la unicidad de ciertos roles en situaciones estereotipadas, más que la unicidad de los objetos aludidos: en (6c), por ejemplo, es relevante la situación de besar en la mejilla, pero no la identificación de la mejilla, y en (6b) es relevante la situación de estar asomado a la ventana, pero no la identificación de una ventana determinada. Probablemente la misma explicación en términos de roles o funciones en vez de entidades concretas es válida para ciertos usos del artículo definido muy comentados, a veces considerados genéricos, y aparentemente contrarios a la condición de unicidad: son los que aparecen en expresiones como *tomar {el autobus/el metro}, ir {al teatro/al médico/a la iglesia/a la playa}, llevar a alguien {al hospital/a la comisaría}, leer el periódico, salir a la calle, meterse en la cama.* De nuevo estamos ante situaciones comunes y estereotipadas en las que el artículo no indica necesariamente una entidad determinada, sino un tipo abstracto [→ § 5.2.1.5]. [10] Y de nuevo la localización o identificación precisa del referente resulta irrelevante desde el punto de vista comunicativo.

En ciertos contextos en los que el uso del artículo no se ajusta a la condición de unicidad hay que pensar que el factor que lo justifica es la prominencia discursiva del referente. [11]

---

[9] Los datos se analizan en Löbner 1985, Bosch y Geurts 1990, Kleiber 1992, Kadmon 1992 y Epstein 1994.

[10] La formación de expresiones de este tipo está sujeta a restricciones idiosincrásicas que la acercan al dominio de la fraseología. Hay que tener en cuenta contrastes como los siguientes, basados en estereotipos culturales: *tomar el tren / ??tomar el taxi, ir al mercado / ??ir al museo, ir a la playa / ??ir al lago.*

[11] Los datos y la explicación están inspirados en Epstein 1994: 146-160.

(7) a. Allí estaban todos, escuchando al hombre que estaba sobre el escenario.
b. Se dio cuenta de que, como otros, se había convertido en (el) blanco de los ataques de los rebeldes.
c. Lea *Ahora,* el semanario de actualidad.

(7a) puede ser verdadero en una situación en la que hay más de un hombre sobre el escenario, (7b) indica explícitamente que el blanco no es único, y en la frase publicitaria de (7c), la revista *Ahora* no es, presumiblemente, el único semanario de actualidad que hay en el mercado. En todos los ejemplos el artículo orienta al receptor hacia una entidad de especial importancia, prominencia o relevancia en el discurso. En realidad, a pesar de que aparentemente estamos ante contraejemplos claros para la tesis de la unicidad, los datos pueden entenderse mejor precisamente si se mantiene esta tesis y se acepta que los hablantes utilizan a veces el artículo definido en contextos o situaciones en los que el requisito de unicidad no se ve satisfecho, con la intención de explotar ese contenido lingüístico de la definitud y conseguir determinados efectos: en particular, resaltar y destacar un referente entre otros de su grupo, como si fuera el único.

Finalmente, hay que recordar que la unicidad o inclusividad constituye la interpretación por defecto del artículo, pero puede ser superada por la mención explícita de alguna circunstancia contraria, como en:

(8) Bueno, leí los libros, pero no todos.

Es importante señalar que el requisito de unicidad como componente central del significado lingüístico de *el* permite explicar no solamente los usos referenciales de las descripciones definidas, sino también los predicativos o no referenciales, en los que denotan propiedades, y no entidades [⟶ §§ 37.2.2 y 38.1.3].

(9) Eduardo, Carlos y Joaquín son {miembros/los miembros} del grupo.

En (9) se observa que la presencia del artículo definido, frente a su ausencia, obliga a tomar el atributo como una propiedad que define de forma unívoca a las entidades nombradas en el sujeto, al indicar al mayor conjunto (completo) de objetos que posee la propiedad en cuestión. Así, mientras que en (9) la versión sin artículo no da a entender que Eduardo, Carlos y Joaquín sean los únicos miembros del grupo, la versión con artículo sí lo hace, porque presenta una propiedad unívocamente definidora. Mientras que las propiedades referenciales de las descripciones pueden variar, el requisito de unicidad permanece estable. [12] Solamente la unicidad, en consecuencia, es una condición central para el uso de *el.* Es también el origen de todas las propiedades presuposicionales que se le atribuyen (las clásicas presuposiciones de unicidad y existencia del referente).

La 'definitud' en su forma prototípica consiste, entonces, en la indicación de que el referente del SN puede identificarse de forma unívoca (sin ambigüedad) en el contexto de uso. Denominaremos a esta condición 'requisito de unicidad'. Al emplear el artículo, el hablante supone que su interlocutor será capaz de identificar

[12] Este punto se trata en Ducrot 1972, Kleiber 1983 y Declerck 1986.

unívocamente el referente aludido con la información que tiene a su disposición. En algunos casos, dicha identificación (que consiste en acceder a una representación adecuada del referente) es inmediata; en otros, requiere la puesta en marcha de algún proceso inferencial por parte del oyente y la recuperación de ciertos supuestos contextuales implícitos. Si alguien le menciona a su interlocutor *la novia de Ernesto,* el uso del artículo *la* garantiza que el referente aludido se puede identificar sin ambigüedad en el contexto en el que se habla: en otras palabras, garantiza que sólo hay una persona que, en el contexto relevante, responda a la descripción *novia de Ernesto.* Que el oyente posea ya esa información o, por el contrario, se vea obligado a integrarla en su conocimiento del mundo como información nueva, es algo secundario. Lo fundamental es que el empleo del artículo definido cuenta como una garantía de que el referente es una entidad identificable, accesible; en este sentido, el rasgo gramatical de la definitud no es otra cosa que una garantía de accesibilidad. [13]

Directamente ligadas a la semántica de *el* están ciertas características que han tenido un peso importante en la polémica sobre el estatuto de los SSNN definidos como expresiones cuantificadas o expresiones referidoras. Se trata de las relaciones entre definidos y operadores lógicos, y de la posibilidad de interpretar las descripciones definidas dentro del ámbito de un cuantificador (sobre el concepto de 'ámbito de un cuantificador' véase el § 16.3).

En general, los sintagmas definidos conservan sus propiedades referenciales independientemente de la presencia de operadores como la negación o los verbos intensionales como *querer,* elementos que, como se puede ver en el § 12.2.1.2 (para el contraste con los indefinidos), y en el § 12.3.2.2 (para las interpretaciones inespecíficas), son capaces de suspender la referencia de un SN bajo determinadas condiciones. Este comportamiento asimila los SSNN definidos a las expresiones referidoras típicas (como los nombres propios), y al mismo tiempo los distingue de los indefinidos. [14] Esta tendencia a la independencia frente a los operadores puede verse como una consecuencia de la definitud y de la garantía de accesibilidad del referente, como se propone en Hawkins 1978: cap. 5.

Los ejemplos de (10) indican aparentemente lo contrario, es decir, un comportamiento típico de expresión cuantificada. En ellos las descripciones definidas contienen un pronombre que se interpreta como una variable ligada por un cuantificador [⟶ §§ 16.1.2.3 y 20.2], [15] para lo cual la expresión definida entera debe caer bajo el ámbito del cuantificador:

(10) a. Toda tostada caerá sobre el lado en el que la hemos untado con mantequilla.
b. Todos los premiados agradecieron la corbata que les habían regalado.

Si *la* puede ser ligado por *toda tostada* en (10a), y *les* por *todos los premiados* en (10b), es porque la expresión definida en la que los pronombres se encuentran se interpreta en sentido

[13] Esta formulación se debe a Kempson (1986) y puede englobarse dentro de lo que Wilson y Sperber (1993) denominan 'contenido instruccional o procedimental': la semántica del artículo es procedimental porque consiste en una instrucción para identificar un referente que se supone accesible. Téngase en cuenta que la condición funciona de forma sistemática incluso en los casos en los que el oyente no es capaz de identificar el objeto en sentido estricto. A menudo los hablantes manejan el artículo de forma estratégica, con el fin de transmitir supuestos implícitos como si fueran conocidos por sus interlocutores y aun sabiendo perfectamente que no lo son. Es un fenómeno bien descrito en los estudios sobre las presuposiciones. En Leonetti 1996 puede verse un tratamiento del artículo definido en términos procedimentales.

[14] Sobre este punto existe una considerable polémica. En Neale 1990 hay una defensa del análisis russelliano en términos de cuantificación, mientras que en Hornstein 1984: cap. 3, Löbner 1985, Corblin 1987: cap. 2 y Krifka 1992 se mantiene el punto de vista contrario.

[15] Un pronombre se interpreta como una variable ligada cuando su interpretación depende de una expresión cuantificada: en este caso el pronombre, en lugar de referirse a una entidad determinada, toma cualquiera de los valores que constituyen el rango del cuantificador, es decir, puede referirse a cada una de las entidades del dominio sobre el que se cuantifica.

distributivo, al estar afectada por el cuantificador [—> § 16.2]: en (10a), por ejemplo, *el lado en que*... no se refiere a un lado determinado, sino al que corresponda a cada una de las tostadas mencionadas. Este efecto multiplicador de la referencia se debe al cuantificador *toda*. Entonces, si las descripciones definidas pueden ser afectadas por un cuantificador de esta manera, no pueden equipararse por completo a las expresiones referidoras. Dejando a un lado el debate teórico, podemos decir que la semántica del artículo permite distintas clases de lecturas no referenciales, en las que no se alude a ninguna entidad específica o concreta, como se verá en el § 12.3.2.2. Estas lecturas son compatibles con el alcance restringido frente a otros operadores.

12.1.1.4. Definitud y contextos de uso

El contenido semántico del artículo definido hace posible su empleo en una serie de contextos que, en función de la clase de información que el artículo obliga a recuperar o a activar en cada uno de ellos, dan lugar a la siguiente clasificación (que debe tomarse simplemente como una lista de factores, presentes en el contexto lingüístico, situacional o general, que permiten satisfacer la exigencia de unicidad codificada por el artículo definido): [16]

A) Usos anafóricos
B) Usos deícticos
C) Usos anafóricos asociativos
D) Usos no anafóricos basados en diversas clases de conocimientos
E) Usos no anafóricos basados en la presencia de modificadores

A) Usos anafóricos

En un SN anafórico el artículo dirige al receptor hacia alguna otra expresión nominal que ya ha aparecido en el discurso, para determinar así la referencia del sintagma anafórico; en los casos más habituales, la relación que se establece entre ambos sintagmas es de correferencia (es decir, el segundo se refiere a la misma entidad a la que alude el primero, el antecedente): en (11), el SN definido *el conocido escritor* remite anafóricamente al nombre propio *A. Bryce* y es correferencial con él.

(11) A. Bryce llegó ayer a Santander. El conocido escritor participará en un curso de la Universidad en los próximos días.

El antecedente de una expresión definida puede ser otra expresión definida, como en (11), o una expresión indefinida, o incluso un constituyente no nominal, como en (12), donde es fácil apreciar que no existe relación de correferencia, y el SN definido *el viaje* es posible porque el acontecimiento descrito en la primera oración implica un viaje (en este caso nos encontramos en los límites de lo que se consideraría un uso anafórico):

(12) Fuimos a Santa Eulalia. El viaje fue muy agradable.

La expresión anafórica definida, por su parte, puede reproducir de forma fiel el contenido del antecedente (en (13a)), o incluir un sinónimo (en (13b)), o un hiperónimo (en (13c)), o simplemente

[16] La clasificación está tomada básicamente de Hawkins 1978, que a su vez se basa en Christophersen 1939; sobre los contextos de uso, pueden verse además Coseriu 1956, Clark y Marshall 1981, Löbner 1985, Galmiche 1989, Jucker 1992 y García Fajardo 1994. Halliday y Hasan 1976 y Mederos Martín 1988: caps. 3 y 4 estudian la relación entre los contextos de uso y los procedimientos de cohesión textual.

una nueva descripción del referente que pueda vincularse a la anterior por medio de determinados conocimientos culturales (y que puede ser también metafórica o metonímica) (en (13d)): [17]

(13) a. El profesor se despidió. En realidad, nadie se sentía cómodo con el profesor.
b. El seísmo tuvo lugar a las seis. Los habitantes aseguran que el temblor duró varios minutos.
c. Le trajo unas rosas, y ella puso las flores en el jarrón del comedor.
d. Le propuse la India, pero noté que no sentía el menor interés por el país de los faquires y de las vacas sagradas.

En todos estos casos el artículo funciona como una instrucción para determinar la referencia del sintagma anafórico: el referente queda identificado a partir de la información proporcionada por el contexto lingüístico (es decir, el antecedente), y es esta información la que permite cumplir con el requisito de unicidad.

B) Usos deícticos

Si el referente al que el hablante pretende aludir es perceptible e identificable de forma unívoca para el receptor en la situación de habla, el contenido de unicidad del artículo definido es suficiente para hacer posible un uso deíctico (quizás reforzado por un gesto o un señalamiento del objeto) [→ § 14.2]:

(14) ¿Me pasas el mando a distancia?

Los usos deícticos, contrariamente a los anafóricos, pueden introducir en el discurso referentes nuevos, no mencionados anteriormente, al estar basados en información situacional, no lingüística. Ambos contextos de uso permiten tanto el empleo del artículo como el de los demostrativos (§ 12.1.1.5).

C) Usos anafóricos asociativos

Los usos anafóricos asociativos son casos de anáfora indirecta en los que el SN definido depende de la aparición de otra expresión nominal a la que le liga un vínculo conceptual, sin que entre ambas haya correferencia. En (15),

(15) La película se ve con agrado, aunque el guión no sea muy original.

la presencia de la expresión *la película* activa todo un conjunto de asociaciones conceptuales en la mente del receptor, entre ellas el supuesto de que las películas están basadas en un guión; esta asociación, que forma parte del conocimiento enciclopédico de cualquier hablante, permite que sea posible referirse al guión de la película mencionada con un SN definido simple, *el guión,* y sin necesidad de recurrir a una descripción más específica, porque la información implícita necesaria para fijar la referencia del sintagma anafórico resulta inmediatamente accesible en el contexto (es el supuesto de que el guión corresponde a la película de la que se

---

[17] Como indica Corblin (1987), existe una cierta correlación entre las probabilidades de uso anafórico y la carga informativa del SN definido: los sintagmas más simples (ej. *el profesor*), las llamadas 'descripciones incompletas', son frecuentemente anafóricos, ya que contienen una cantidad limitada de información léxica y esto es suficiente para remitir adecuadamente a un antecedente discursivo (normalmente accesible), mientras que los sintagmas más complejos (ej. *el único atleta que ha conseguido bajar este año de los diez segundos en pista cubierta*) tienden a introducir referentes no mencionados anteriormente (menos accesibles), para lo que es necesario un contenido léxico rico y específico. La dependencia del contexto es mayor en las descripciones incompletas que en las complejas.

habla). Nótese que, frente a lo que ocurre en los ejemplos de (13), no hay aquí correferencia entre el antecedente y el SN anafórico.

El antecedente lingüístico, por un lado, y la asociación conceptual activada por este, por otro, crean las condiciones adecuadas (es decir, el contexto adecuado) para satisfacer la condición de unicidad impuesta por el artículo definido. [18] La anáfora asociativa puede basarse también, como en el ejemplo (16), en activadores que no tengan la forma de una expresión nominal: en (16) la descripción definida *el dinero* queda legitimada por asociación con el concepto de *subasta,* a su vez ligado a la aparición del verbo *subastar* en lo que constituye una anáfora por nominalización, aunque implícita.

(16) Estas obras serán subastadas el próximo mes. El dinero servirá para financiar la recuperación de edificios históricos.

Los límites entre la anáfora asociativa y otros usos del artículo basados en la explotación del conocimiento enciclopédico no siempre resultan del todo claros. Los supuestos implícitos activados por la anáfora asociativa van desde los estereotipos más extendidos y habituales (como en el ejemplo de (15)) hasta informaciones que pueden resultar nuevas para el receptor y a las que se accede únicamente en virtud del contenido del artículo definido. Es el caso de la asociación conceptual que se establece en (17) entre *estas reuniones científicas* y *la aportación del Ministerio* (por la que la aportación es identificable como la que corresponde a las mencionadas reuniones), asociación que el receptor puede verse obligado a suplir como información nueva no previsible.

(17) Estas reuniones científicas son del máximo interés, pero la aportación del Ministerio todavía no es suficiente para cubrir los gastos.

D) Usos no anafóricos basados en diversas clases de conocimientos

Además del contexto lingüístico y el situacional, desempeña un papel primordial en el uso del artículo definido el contexto general o enciclopédico, es decir, el conjunto de supuestos (no originados directamente en el discurso previo ni en la situación de habla) que un hablante maneja y que considera accesibles también para su interlocutor. Estos supuestos pueden activarse indirectamente en la situación de habla, o pueden ser conocimientos específicos compartidos con el destinatario, o también conocimientos generales compartidos con toda una comunidad o con la humanidad en general. Cada una de estas posibilidades se ve reflejada en uno de los siguientes ejemplos:

(18) a. Espere la señal antes de marcar.
b. Ahora resulta que el rector no sabía nada de todo esto.
c. De aquí al palacio real tardará usted unos cinco minutos.
d. Recuerdo las primeras imágenes de la llegada a la luna.

En el primer caso, el hablante evoca la idea de que ciertas señales acústicas sirven como marcas en la comunicación telefónica; en el segundo, el hablante supone que el oyente debe saber a qué universidad pertenece el rector mencionado, además de saber que cada universidad tiene un solo rector; en el tercero se da por supuesto que en la localidad en la que se encuentran (o de la que hablan) los interlocutores hay un palacio real; y en el último se menciona un episodio único y

[18] A los mecanismos de la anáfora asociativa están dedicados numerosos trabajos, entre los que destacan Kempson 1986, Erkü y Gundel 1987, Kleiber 1992b y 1993, Matsui 1993, Schnedecker, Charolles, Kleiber y David (eds.) 1994.

previsiblemente conocido por todos los hablantes. Cualquiera de estos supuestos hace posible la mención de entidades que no han aparecido anteriormente en el discurso, al justificar la condición de unicidad.

E) Usos endofóricos [19]

Estos usos, mal llamados 'catafóricos' por algunos gramáticos, se caracterizan por ser no deícticos ni anafóricos y por representar a menudo primeras menciones, gracias a la información restrictiva aportada por modificadores como oraciones de relativo, oraciones completivas y SSNN apositivos, complementos preposicionales y adjetivos.

(19) a. No nos gusta el novio que tiene ahora Elisa.
b. No nos gusta la idea de trabajar con ellos. / No nos gusta el color gris.
c. El comienzo de la temporada ha sido bueno.
d. Es el siguiente cruce.

Cuando los modificadores restrictivos [⟶ § 5.3.2] contienen datos que son capaces de identificar unívocamente el referente, se crean las condiciones oportunas para la presencia del artículo. La subordinada relativa de (19a) es un buen ejemplo, ya que los datos que presenta son lo suficientemente especificantes para asegurar la referencia (nótese que hay incluso una indicación temporal en *ahora*), al ligar el referente a alguna información ya conocida o accesible para los hablantes en la situación de habla [⟶ § 7.1.3]. [20] Estas características hacen que los modificadores permitan introducir referentes nuevos en el discurso. Los restantes ejemplos presentan las mismas propiedades. Los modificadores apositivos de (19b) proporcionan la información necesaria para delimitar la referencia de las expresiones definidas *la idea / el color,* [21] el complemento con *de* en (19c) representa el argumento del núcleo nominal *comienzo,* y asegura así la unicidad del referente (mencionando explícitamente la relación conceptual que en los casos de anáfora asociativa permanece implícita), y el adjetivo *siguiente* en (19d) asegura, asimismo, que el referente indicado es identificable de forma unívoca [⟶ § 3.6.1.4]. Por las razones expuestas, resultan anómalas las construcciones de (20), en las que el determinante indefinido *un(a)* entra en contradicción con el requisito de unicidad impuesto por el modificador (la explicación es esencialmente la misma que vale para los ejemplos del tipo del ya citado **Se golpeó en una nariz*):

(20) a. No nos gusta {*una idea de trabajar con ellos/*un color gris}.
b. *Un comienzo de la temporada ha sido bueno.
c. *Es un siguiente cruce.

Idénticos contrastes se reproducen con complementos dependientes de ciertos nombres (normalmente relacionales) que denotan entidades únicas en su relación

[19] El término es de Löbner (1985).

[20] Una relativa no especificante como la de *No nos gusta el novio que masca chicle* sería algo más difícil de contextualizar. No incluye datos que relacionen el referente con la situación de habla o que ayuden a discriminarlo de forma inmediata, si no se accede a otros supuestos adicionales. Por lo tanto, esta clase de relativas difícilmente pueden emplearse para introducir referentes en el discurso.

[21] Véanse los §§ 12.1.1.3 y 33.3.2.4.

con lo indicado en el complemento: con ellos el artículo definido es obligado, el indefinido no se acepta.[22]

(21) a. {La/*Una} madre de las gemelas.
b. {La/*Una} capital de Mongolia.
c. {El/*Un} centro de la ciudad.

Los superlativos producen el mismo resultado, ya que denotan la entidad caracterizada por una propiedad en máximo grado y por tanto imponen la unicidad del referente:[23]

(22) a. {El/*Un} jugador más en forma del campeonato.
b. {La/*Una} propuesta más sensata.
c. {Los/*Unos} libros que más se han vendido este año.

12.1.1.5. La relación con los demostrativos

La relación histórica que conecta el artículo definido y los demostrativos en español se manifiesta de forma clara y sistemática en un gran número de lenguas. Desde el punto de vista sincrónico, tampoco es difícil señalar paralelismos gramaticales entre estos elementos: todos ellos son determinantes definidos prenominales (aunque los demostrativos pueden situarse en español también en posición posnominal, cf. *el asunto aquel*); todos aparecen en construcciones de elipsis nominal (si bien con diferencias debidas a la naturaleza clítica del artículo; cf. § 12.1.2.5); y todos muestran propiedades anafóricas características de la definitud, por lo que pueden remitir a informaciones ya presentes en el contexto.

Sin embargo, y a pesar de estos puntos en común, las diferencias que separan al artículo de los demostrativos son numerosas. Como es bien sabido, los demostrativos se caracterizan por su contenido deíctico [⟶ § 14.3.2], mediante el cual el emisor instruye al receptor sobre la localización del referente en relación con las coordenadas espacio-temporales del acto comunicativo (el 'centro deíctico'). Mientras que el artículo simplemente indica que el referente debe ser identificable unívocamente, los demostrativos exigen que el referente pueda ser percibido en la situación comunicativa, o recuperado a partir de una mención previa en el discurso, por lo que implican la existencia de una entidad cuya representación mental esté activada y sea accesible a partir de la situación o del contexto lingüístico inmediato. Los demostrativos son, pues, elementos marcados con respecto al artículo definido: codifican instrucciones semánticas más específicas y están sujetos a condiciones de uso más restringidas, al indicar una relación directa con la situación de enunciación.[24] Por consiguiente, en la mayor parte de los casos es posible sustituir un

---

[22] Löbner (1985) investiga en detalle la relación entre la definitud y los nombres relacionales. Los usos en los que la definitud depende de los modificadores nominales y no del contexto discursivo o situacional son los que Löbner denomina 'definidos semánticos': *el año 1984, la república de China, el alcalde de París, la madre de Ana.*

[23] Lo que diferencia los casos de (21) de los casos de (22) es que en los primeros son las propiedades léxicas de los núcleos nominales las que imponen la definitud (a menos que entren en juego supuestos adicionales, como, por ejemplo, la idea de que Mongolia ha tenido varias capitales distintas, lo que haría aceptable un sintagma como *una capital de Mongolia*), mientras que los segundos están determinados, de forma más estricta, por la sintaxis y la semántica de la construcción superlativa.

[24] Los datos de esta sección están inspirados en Hawkins 1978: 149-157 y en una serie de desarrollos posteriores:

demostrativo por el artículo definido, pero no siempre es posible lo contrario. Numerosos usos del artículo son imposibles, o por lo menos muy forzados, con los demostrativos.

A) En primer lugar, los demostrativos no pueden emplearse en contextos de anáfora asociativa, salvo en casos muy especiales; como muestran los siguientes ejemplos, el artículo es capaz de dirigir al receptor hacia los supuestos necesarios para establecer la unicidad del referente aludido, a partir de algún antecedente, mientras que el demostrativo no puede desempeñar esta tarea, al no permitir el acceso a la relación conceptual en la que se basa la anáfora asociativa.

(23) a. Entró en el dormitorio. {La/#Esa} cama estaba intacta.
b. Es una historia increíble. No quiero contarte {el/#este} final.
c. Es una empresa de reciente creación, y {la/#aquella} dueña es sorprendentemente joven.[25]

Como ha señalado Kleiber (1986) y (1990), en construcciones como *el tronco de este árbol* o *el autor de ese artículo* es imposible sustituir el artículo por un demostrativo: **este tronco de este árbol, *ese autor de ese artículo.* El demostrativo no permite referir deícticamente a un objeto que se presenta como dependiente de otro que también se señala deícticamente (en nuestro caso, *este árbol/ese artículo*), ya que el enlace entre ambos objetos se obtiene por asociación y el demostrativo es incapaz de dar acceso a dicho enlace, al referirse directamente a las coordenadas espacio-temporales de la situación de habla. Estas construcciones, en consecuencia, quedan excluidas por los mismos factores que bloquean la anáfora asociativa en (23).

B) En segundo lugar, los demostrativos no comparten con el artículo los usos basados en conocimientos específicos o generales y no ligados a la situación inmediata. El artículo definido obliga a acceder a ciertos supuestos para interpretar adecuadamente, sin ningún tipo de mención previa, una expresión como *el ayuntamiento de Cercedilla* (el supuesto necesario es el de que las poblaciones suelen tener un ayuntamiento); por el contrario, si excluimos el uso anafórico, no es posible emplear de la misma forma *{este/ese} ayuntamiento de Cercedilla,* porque el demostrativo bloquea el acceso al conocimiento enciclopédico, y orienta más bien hacia la situación de habla o hacia un antecedente discursivo. La explicación para el contraste de (24) es la misma, si se tiene en cuenta que es el conocimiento del mundo lo que legitima el uso de *el* (suponiendo también que en la situación de enunciación no están directamente disponibles los elementos necesarios para la identificación del referente):

(24) {El/?Este} rey viajará mañana a Japón.

Tampoco aparecen los demostrativos en usos introductorios de situación visible: así, al señalar la puerta de un despacho, un hablante puede emplear el artículo

Corblin 1983 y 1987, Kleiber 1986, 1987 y 1990, Garrido 1988 y 1989, Ariel 1990, Hawkins 1991, Gundel, Hedberg y Zacharski 1993, Maes y Noordman 1995, Conte 1996.

[25] El signo # en estos ejemplos indica, más que agramaticalidad, imposibilidad de establecer un lazo anafórico asociativo (no por correferencia) entre el demostrativo y la expresión que le precede. Los demostrativos serían marginalmente aceptables sólo si se interpretaran como referidos a otras entidades presentes en la situación comunicativa o mencionadas anteriormente en el discurso: por ejemplo, en el caso de (23a), si se hubiera hablado ya de una cama determinada. Obviamente, en esos casos no habría anáfora asociativa.

definido para introducir una entidad nueva en el discurso diciendo *Este es el despacho del jefe del Departamento,* pero no puede utilizar un demostrativo en lugar del artículo: **Este es este despacho del jefe del Departamento.* [26] La anomalía del demostrativo se debe a la naturaleza identificativa de la construcción: en ella la expresión nominal que sigue al verbo copulativo debe aportar información nueva, y no es, habitualmente, ni deíctica ni anafórica. No cumple, pues, las condiciones necesarias para un uso adecuado del demostrativo. Por las mismas razones, los demostrativos no encajan fácilmente en los contextos de denominación independiente (como títulos de cuadros o pies de foto, en los que sería aceptable una secuencia como *la casa de la sierra,* pero no **esta casa de la sierra*) o de primera mención del referente: una narración puede comenzar con naturalidad con una secuencia como la de (25a), pero no con una como la de (25b), debido a la presencia del demostrativo (a menos que no se explote la presencia de *ese* o *aquel* para obtener un efecto estilístico, fingiendo una relación anafórica con un hipotético contexto precedente, o bien creando la ilusión de que existe un conjunto de supuestos ya comunes a emisor y receptor, con la consiguiente complicidad entre ambos):

(25) a. No había ni una sombra de duda en la mirada de Ernesto.
b. No había ni una sombra de duda en {esta/esa/aquella} mirada de Ernesto.

Los usos de primera mención (es decir, ni anafóricos ni deícticos) del artículo definido no se dan, en general, con los demostrativos (excluyendo manipulaciones estilísticas), lo cual permite entender por qué los modificadores y complementos del nombre que justifican la aparición del artículo no son suficientes para hacer posible el demostrativo, en ausencia de relaciones deícticas o anafóricas:

(26) a. No sabemos nada de {el/este} contrato que han firmado.
b. Ha salido {el/#este} número ocho.
c. {El/Ese} color rojo es muy apropiado para un deportivo.

Las relativas restrictivas legitiman la aparición del artículo, como se vio en el § 12.1.1.4, al proporcionar información necesaria para satisfacer el requisito de unicidad. Esto permite que expresiones definidas como *El contrato que han firmado* en (26a) funcionen como primera mención del referente, sin depender de relación anafórica alguna. En la versión con demostrativo, *Este contrato que han firmado,* la función de la relativa no es la misma, porque no está ya al servicio del requisito de unicidad: la referencia del sintagma depende del demostrativo y la subordinada no es realmente restrictiva.

(26b) y (26c) también muestran diferencias producidas por la presencia de modificadores restrictivos, en este caso de tipo apositivo [⟶ § 8.1]. Así, resulta extraño hablar de *este número ocho* porque no se supone que haya más de un número ocho y por lo tanto no es posible establecer contrastes entre distintos ochos (a menos que se aluda a objetos concretos, por ejemplo, números de madera o plástico).

---

[26] Naturalmente, sería aceptable un enunciado como *Este es ese despacho del que hablábamos antes,* pero el uso ya no podría considerarse introductorio de situación visible; de hecho el demostrativo *ese* no está ligado directamente a la situación comunicativa en este caso.

También con una expresión como *ese color rojo* se supone que existen varios tipos o tonalidades de rojo, mientras que con *el color rojo* se menciona un color único, independientemente de que sea visible en la situación de habla o de que haya sido mencionado anteriormente. En estos dos ejemplos, como en el anterior, el modificador posnominal no es exactamente restrictivo, sino descriptivo, y no es suficiente para legitimar empleos no anafóricos ni deícticos del demostrativo.

Como han indicado Ducrot (1972), Kleiber (1986), Corblin (1987) y especialmente Maes y Noordman (1995), los demostrativos son designadores esencialmente dependientes de la situación de habla, y con ellos la función del contenido nominal (es decir, del resto del sintagma) no es ya la de aislar un referente de forma unívoca, sino la de 'reclasificarlo' por medio de alguna propiedad. Esta característica los distingue del artículo. La información nominal que sigue al artículo tiende a interpretarse como presupuesta y puramente identificativa, y por ello se prefiere el demostrativo cuando tal información no es identificativa y se introduce como un comentario lateral añadido, de especial relevancia en el discurso; esto explica contrastes como los siguientes:

(27) a. En el sorteo ha resultado agraciado con el primer premio Ángel Martínez. {?El/Este} salmantino de cuarenta años es empleado de banca.
b. El F-40 se presentó ayer en el salón internacional de Ginebra. De {?el/este} prototipo único en el mundo se construirán únicamente cien ejemplares.

Otra prueba del distinto papel que desempeña el contenido nominal con el artículo y los demostrativos la proporcionan los efectos de la presencia del elemento indefinido *otro* sobre las relaciones de correferencia entre SSNN: precedido del artículo, como en (28a), *otro* impone la interpretación de referencia disyuntiva con respecto al posible antecedente, mientras que con el demostrativo, como en (28b), sigue siendo posible la interpretación correferencial.[27]

(28) a. A continuación se visitará [la iglesia de San Esteban]$_i$. [La otra iglesia]$_{*i/j}$ tiene una torre magnífica.
b. A continuación se visitará [la iglesia de San Esteban]$_i$. [Esta otra iglesia]$_i$ tiene una torre magnífica.

En el primer ejemplo, el contenido nominal, del que forma parte *otro,* es determinante para el cálculo de la referencia, y obliga a elegir una interpretación no correferencial; en el segundo no se obtiene el mismo efecto porque la referencia, y con ella la posibilidad de anáfora correferencial, depende directamente del demostrativo, y no del contenido nominal.

Otro uso no deíctico ni anafórico característico del artículo es el genérico (§§ 5.2.1.5 y 12.3.3); como es de esperar, la distribución de los demostrativos genéricos es más restringida que la de los artículos.

En primer lugar, un demostrativo genérico debe estar ligado a un referente perceptible en la situación de comunicación (cuando, por ejemplo, un hablante usa la expresión *¡Estos chicos!* para quejarse del ruido que producen unos niños al jugar, aludiendo a alguna propiedad general de los chicos como la de ser ruidosos) o a un antecedente discursivo (por ejemplo, en un fragmento como este: *A: —Me van a regalar un cocker. B: —Ah, esos cockers son encantadores.*); por el contrario, el artículo genérico puede dar lugar perfectamente a primeras menciones y no está sometido a estas restricciones, como ya se ha observado más arriba para otros usos.

En segundo lugar, la clase denotada por un demostrativo genérico (en plural) debe ser no sólo familiar para el oyente como tal clase, sino además suficientemente específica o bien delimitada como para constituir un conjunto homogéneo y carente de contrastes o distinciones internas. Com-

[27] Corblin 1987: 217.

párense (29a), con un demostrativo genérico anómalo porque la clase indicada es demasiado extensa y poco homogénea, y (29b), donde el demostrativo genérico es aceptable porque la clase indicada es mucho más compacta y reducida:

(29) a. A: —A su perro le mordió un animal en el bosque.
B: —#Caramba, estos animales son agresivos, ¿eh?
b. A: —A su perro le mordió un jabalí en el bosque.
B: —Caramba, estos jabalíes son agresivos, ¿eh?

Finalmente, existe una diferencia clara entre demostrativos y artículo en la posibilidad de combinarse con nombres propios [⟶ §§ 2.4.2 y 42.3.2]. La complicada casuística que rige la anteposición del artículo al nombre propio (§ 12.1.2.1) es irrelevante en el caso de los demostrativos; no hay combinaciones lexicalizadas de demostrativo y nombre propio, y la posible aparición del demostrativo es una simple cuestión estilística (si nos ceñimos a los casos en que el nombre propio mantiene intacto su estatuto de nombre propio, y si excluimos además los usos anafóricos habituales). Al referirse a alguien por medio de expresiones como *esta Vicky* o *ese López,* el hablante introduce diversos matices evaluativos sirviéndose del contenido de cercanía o lejanía del demostrativo, así como de la indicación de accesibilidad y familiaridad del referente (cf. el uso genérico ya citado en *¡estos chicos!*); es lo que se denomina 'deixis empática o emocional'. No hay efectos equiparables con el empleo del artículo.

C) Los usos en los que, en principio, artículo y demostrativos son intercambiables son el deíctico y el anafórico correferencial. Sin embargo, también en estos casos hay que señalar algunas asimetrías.

Por lo que respecta al uso anafórico, el demostrativo impide retomar un antecedente individual por medio de una expresión genérica (lo que sí es posible con el artículo):

(30) El leopardo se escapó anoche. Nos preocupa porque, como se sabe, {el/este} leopardo es un animal peligroso.

En (30), la forma *el* en la segunda aparición de *el leopardo* permite una interpretación genérica a pesar de que en la primera aparición la lectura es claramente específica (se alude a un leopardo individual); con *este,* en cambio, el segundo SN no puede ser genérico, a menos que no se haga referencia a una subespecie o subclase de leopardo (pero nótese que en este último caso el uso es de nuevo deíctico o anafórico, y se alude a una subclase de leopardo ya mencionada o perceptible en la situación).

Lo contrario sucede cuando la expresión nominal anafórica es hiperónima de la expresión que sirve de antecedente: el demostrativo resulta adecuado, pero el artículo no, como muestra el siguiente contraste.

(31) Teníamos un par de cerezos en el jardín. {Estos/Los} árboles no resisten bien este clima tan frío.

Mientras que *estos árboles* permite referirse anafóricamente al hipónimo *cerezos,* en el sentido genérico de *esta clase de árboles,* el sintagma *los árboles* bloquea esta posibilidad, ya que refiere genéricamente a todos los árboles (el artículo admite con mayor facilidad la anáfora con hiperónimos cuando la referencia no es genérica: *Habíamos plantado dos cerezos en el jardín. Los árboles no han resistido el frío*).

Incluso en los casos más simples, los de anáfora correferencial sin modificación del tipo de referencia, se producen diferencias entre los demostrativos y el artículo. Cuando los posibles antecedentes discursivos están incluidos en una coordinación, el artículo suele funcionar mejor que el demostrativo como señalador de anáfora, si bien el contraste se difumina a menudo:

(32) a. Por allí pasaron un perro y un gato. {El/#Este} perro ni siquiera se detuvo.
b. Llevaba un traje gris y una corbata de seda. {El/#Este} traje le quedaba ancho.

En general, el artículo es más apropiado cuando se contrasta un objeto con objetos pertenecientes a otras clases, mientras que el demostrativo es preferible si el objeto se opone a otros de su misma clase; por ello el empleo de *este* en los ejemplos anteriores, al sugerir la presencia de objetos de la misma clase que el designado, sin que este supuesto aparezca en el discurso precedente o se pueda deducir de él, resulta anómalo. Por la misma razón, el artículo no puede sustituir al demostrativo en un texto como el siguiente, en el que el demostrativo es necesario para discriminar entre dos objetos de la misma clase (dos hermanos):

(33) El abuelo dejó un terreno de cultivo al hermano mayor de Juan y otro también al hermano menor. {#El/Este} hermano decidió entonces vender su pedazo de tierra.

En cuanto a los usos no anafóricos deícticos, la diferencia más evidente consiste en que el demostrativo exige que el referente sea perceptible de alguna forma en la situación de habla. Esta condición de empleo es más restrictiva que la que corresponde al artículo.

No obstante, algunos contrastes señalados en Kleiber 1987 requieren una explicación algo más elaborada. En una situación en la que dos hablantes esperan en el andén de una estación un tren que se retrasa, resulta más adecuado un enunciado como *Este tren siempre se retrasa* que uno como *El tren siempre se retrasa,* a pesar de que el referente no es visible; por el contrario, en el momento en que el tren en cuestión está llegando al andén y está ya a la vista de los interlocutores, es el demostrativo el determinante menos adecuado *(#Ya llega este tren),* mientras que el artículo es perfectamente natural *(Ya llega el tren).* La indicación realizada por el artículo parece demasiado débil en el primer caso, y la del demostrativo quizá superflua en el segundo. Este fenómeno es una consecuencia del diferente modo de introducción del referente en los dos determinantes.

D) En último lugar, es preciso señalar que los demostrativos, pero no el artículo, dan lugar siempre a expresiones nominales designadoras o referenciales [→ § 14.3.2], ligadas a la existencia de un referente específico (si bien el demostrativo de lejanía muestra un comportamiento paralelo al del artículo; véase también el § 12.1.2.5). De ello se deducen todas las asimetrías siguientes.

Los SSNN introducidos por el artículo pueden recibir interpretaciones inespecíficas, en las que no se refieren a ninguna entidad determinada (§ 12.3.2.2), así como interpretaciones predicativas, en las que indican propiedades, y no individuos [→ § 37.2.1]; tales interpretaciones no referenciales no pueden asignarse a los sintagmas encabezados por demostrativos:

(34) a. Se trata de elegir {la/*esta/*esa} que resulte más fotogénica. [28]
b. García Márquez es {el/*este/*ese} autor de *Cien años de soledad.*
c. El atentado contra el presidente es {la/*esta/*esa} noticia de mayor interés del día.

Tampoco admiten los demostrativos, debido a su naturaleza designadora, las interpretaciones de referencia múltiple que sí son posibles con el artículo: en efecto, las descripciones definidas pueden caer bajo el ámbito de un cuantificador universal

[28] La incompatibilidad de los demostrativos de cercanía con las relativas en subjuntivo se debe precisamente a que estos determinantes bloquean las interpretaciones inespecíficas.

y ser afectadas por este, mientras que las descripciones demostrativas suelen ser expresiones insensibles a las relaciones de ámbito (es básicamente la misma razón por la que no reciben interpretaciones inespecíficas).

(35) Todos levantaron {la/#esta} copa para brindar.

En (35), la interpretación natural de *la copa* es aquella en la que no designa un objeto único, sino tantas copas cuantas personas abarque el cuantificador *todos;* esta lectura no es fácilmente asociable al sintagma *esta copa.* La única forma de conseguir una interpretación de referencia múltiple con un demostrativo consiste en emplearlo para referirse a un tipo de objeto, y no a un objeto concreto (en (35), una clase determinada de copa, por ejemplo la de vino). No obstante, el uso del demostrativo dependería, como se ha indicado en muchos de los casos ya reseñados, de la existencia de un referente accesible en la situación o en el discurso, condición que no afecta al uso del artículo.

Una consecuencia de lo anterior es que los demostrativos impiden sistemáticamente algunos procesos gramaticales que el artículo permite, bajo ciertas condiciones: en los ejemplos siguientes, las descripciones definidas dejan que los elementos interrogativos o la negación mantengan una conexión con elementos internos a ellas mismas, pero las descripciones demostrativas, en cambio, bloquean tales relaciones sintácticas. [29] El efecto inducido por la presencia del demostrativo se debe a las características deícticas y referenciales de este.

(36) a. ¿De cuántos sospechosos te han enseñado la foto?
b. *¿De cuántos sospechosos te han enseñado esta foto?
(37) a. No me han enseñado la foto de ningún sospechoso.
b. *No me han enseñado esta foto de ningún sospechoso.

El conjunto de los datos presentados muestra que, a pesar del parentesco histórico y formal que existe entre demostrativos y artículo, la semántica y las condiciones de uso de unos y otro son claramente distintas. La diferencia fundamental estriba en la manera de presentar el referente: si bien ambos son determinantes definidos, orientan de distinta forma hacia la localización del objeto mentado.

12.1.1.6. La relación con los pronombres

La fuerte relación que liga artículo definido y pronombre de tercera persona en español es fácil de percibir tanto desde el punto de vista sincrónico como desde el diacrónico (el origen de ambos elementos es el mismo, el demostrativo latino *ille*). La semejanza fónica entre las formas *el/la* y *él/ella* resulta evidente, como ha señalado repetidas veces la tradición gramatical española: [30] las primeras son versiones débiles (es decir, átonas y fonológicamente reducidas) de las segundas. Por otra parte, existe también una semejanza importante en la semántica: artículo y pronom-

[29] Como para el fenómeno de la referencia múltiple, existe una posibilidad de usar por lo menos (36b) como un enunciado aceptable, y es la de emplear la descripción demostrativa referida a una clase o tipo, y no a un objeto concreto.

[30] Después de Bello (1847: § 273), han retomado la idea Fernández Ramírez (1951b), Lázaro Carreter (1975), Trujillo (1987) y Bosque (1989), entre otros; han expuesto el punto de vista contrario Alarcos (1967), Álvarez Martínez (1986 y 1989), Iglesias Bango (1986) y Gutiérrez Ordóñez (1994). Para una perspectiva más general, pueden verse Abney 1987, Eguren 1989, Corblin 1990, Schroten 1992, Radford 1993 y Leonetti 1996.

bre se caracterizan básicamente por el rasgo de definitud, entendido como la indicación de que el referente aludido es accesible para el oyente. Mientras que los pronombres de primera y segunda persona contienen un rasgo de persona, el de tercera no está marcado necesariamente en este sentido [→ §§ 19.1 y 23.1], lo que acerca aún más su contenido al del artículo.

Si bien es cierto que el comportamiento discursivo de los pronombres es distinto del de los SSNN definidos encabezados por el artículo, las diferencias pueden explicarse a partir del hecho básico de que los pronombres no van seguidos de otro material léxico (nombres, complementos, modificadores), mientras que los artículos, debido a su naturaleza clítica, sí aparecen obligatoriamente seguidos de otros elementos. De esta forma es posible explicar, por ejemplo, por qué en (38a) es relativamente difícil obtener una interpretación del sintagma *el entrenador* que sea correferencial con el nombre propio *Ernesto,* mientras que en (38b) *Ernesto* puede ser perfectamente el antecedente del pronombre *él:*

(38) a. Ernesto se quejaba de que nunca se hablara del entrenador.
b. Ernesto se quejaba de que nunca se hablara de él.

La asimetría entre las propiedades anafóricas de la descripción definida y del pronombre depende sencillamente de la presencia del núcleo nominal *(entrenador)* en el primer caso y su ausencia en el segundo, y de un principio general según el cual las expresiones con mayor contenido léxico (las descripciones definidas) indican referentes o antecedentes no inmediatamente accesibles, mientras que las expresiones reducidas, fonológicamente mínimas y carentes de contenido léxico (como los pronombres) indican referentes o antecedentes inmediatamente accesibles. Por lo demás, la aportación semántica del pronombre y el artículo es la misma: son simplemente marcas de definitud, en gran medida equiparables.

La profunda relación que liga pronombres y artículos queda superficialmente oscurecida por la diferente naturaleza fonológica de estos elementos. El hecho de que los pronombres sean tónicos y sintácticamente autónomos y los artículos sean clíticos ha llevado a pensar que se trata de categorías gramaticales separadas, y a asignar al artículo el estatuto de 'morfema nominal', debido a su dependencia con respecto al nombre.[31] Sin embargo, caracterizar al artículo definido del español como un elemento clítico no implica que se deba considerarlo como un morfema, por lo menos por las siguientes razones:

A) Es posible insertar sintagmas completos entre artículo y nombre (cf. *el tantas veces mencionado romance entre* ...), lo que indica que el artículo no presenta las propiedades típicas de los afijos.

B) Es posible emplear el artículo en ausencia de núcleos nominales explícitos, es decir, seguido de sintagmas adjetivos y preposicionales, así como de oraciones relativas y sustantivas (§§ 12.1.2.5 y 12.1.2.6), y esta posibilidad no resulta compatible con el supuesto estatuto de morfema, ya que un verdadero afijo no se combinaría con una base tácita o elíptica (como debería hacer en los casos de elipsis nominal de tipo *la más brillante* o *los de Venecia*) ni tampoco con bases de categorías heterogéneas (no nominales, en este caso: por ejemplo, una oración completa en *El [que sucediera aquello] no nos tomó por sorpresa*).

C) Como se ha mostrado en el § 12.1.1.4, el empleo del artículo está determinado en ocasiones por la presencia de determinados modificadores restrictivos del

---

[31] Alarcos 1967, Álvarez Martínez 1986: § 1.3.

nombre (oraciones de relativo, aposiciones restrictivas), lo cual no concuerda con lo que podría esperarse de un morfema nominal cuya aparición estuviera regida por principios morfológicos; en efecto, el artículo en español no es un elemento que se adjunta al nombre, sino una marca que caracteriza las propiedades referenciales de todo el SN y que, por lo tanto, es sensible a los rasgos aportados también por constituyentes distintos del núcleo nominal.

La falta de autonomía sintáctica del artículo es, pues, un resultado de su carácter átono y no puede justificar su caracterización como morfema nominal. Tampoco prueba que artículo y pronombre pertenezcan a distintas clases de palabras, por lo que, a pesar de las diferencias que aparentemente se perciben entre ellos, se puede mantener el supuesto de que se trata de elementos íntimamente relacionados. A menudo se ha apoyado este punto de vista aludiendo al hecho de que las formas *él* y *el* se encuentran en distribución complementaria: el pronombre no acepta modificadores restrictivos, el artículo sí, (39a) [⟶ § 7.2.4.2]; el pronombre puede ir seguido por modificadores explicativos, el artículo no, (39b); el pronombre no puede introducir subordinadas sustantivas, el artículo sí, (39c). [32]

(39) a. *Él que mejor conozco. / El que mejor conozco.
b. Él, que no sabía nada del asunto. / *El, que no sabía nada del asunto.
c. *Él que todo el mundo se haya enterado. / El que todo el mundo se haya enterado.

De estos datos se desprende que efectivamente pronombre y artículo funcionan como si fueran variantes de un único elemento gramatical. El mismo razonamiento puede aplicarse a las formas pronominales y no pronominales de los otros determinantes definidos e indefinidos.

12.1.1.7. La relación con los posesivos

La tradición gramatical hispánica [33] recoge explícitamente la intuición de que el español muestra una clara preferencia por el empleo del artículo definido en contextos gramaticales en los que en principio cabría el uso del posesivo, peculiaridad en la que el español contrasta con las lenguas germánicas e incluso con otras lenguas románicas como el francés. Tal y como sostienen Bello (1847: § 955) y la RAE (1973: § 3.10.9), la construcción *Los ojos se le llenaron de lágrimas* es más natural que la versión con posesivo, *Sus ojos se llenaron de lágrimas.* A menudo el posesivo es rechazado si en la construcción aparece un pronombre clítico *(*A Luis se le*

[32] Un contraejemplo aparente para la existencia de distribución complementaria, mencionado en Álvarez Martínez 1986, es la posibilidad de anteponer tanto el artículo *el* como el pronombre *él* al modificador *mismo* [⟶ § 3.1] en secuencias en principio equiparables: *el mismo/él mismo.* Idéntica situación se repite con la forma *lo* y la variante pronominal *ello: por lo mismo/por ello mismo.* Lo cierto es que las formas átonas y las tónicas no dejan de estar en distribución complementaria, porque con las primeras aparece un *mismo* que es identificativo y restrictivo, mientras que con las segundas *mismo* es enfático y no restrictivo. Esta asimetría gramatical se refleja en los diferentes significados de *por lo mismo* («por idéntica razón a alguna anterior») y *por ello mismo* («precisamente por esa razón»), como ya había notado Bello (1847: § 887).

[33] Fernández Ramírez 1951b: §§ 105 y 150.

saltaron sus lágrimas). Efectivamente, el posesivo resulta estilísticamente inadecuado e incluso agramatical en un buen número de contextos (véase el capítulo 15, especialmente los §§ 15.6 y 15.7 para una descripción detallada de los factores que determinan el uso del artículo y del posesivo, y también el capítulo 30 sobre el papel de los clíticos de dativo). En general, el artículo aparece en lugar del posesivo en los contextos que permiten recuperar por otros medios, gramaticales o puramente inferenciales, la información aportada por el posesivo. La manifestación más clara de este mecanismo es la que se refleja en (40):

(40) a. Me duele un poco la cabeza.
b. La besó en la mejilla.

En estos ejemplos en los que aparecen nombres relacionales que denotan partes del cuerpo [⟶ § 15.6.1], la presencia del posesivo da lugar a resultados agramaticales o por lo menos poco naturales: **Me duele un poco mi cabeza, *La besó en su mejilla.* Lo que caracteriza a tales construcciones es que el poseedor (es decir, el todo al que pertenecen la cabeza o la mejilla mencionadas) aparece reflejado en un constituyente externo al SN definido. Así, en (40a) la cabeza aludida es la que le corresponde al individuo indicado por el clítico *me,* y en (40b) el poseedor de la mejilla besada está representado por el clítico *la.* En estas condiciones el argumento 'poseedor' de los nombres relacionales *cabeza* y *mejilla* no aparece reflejado en el interior del SN [⟶ §§ 15.6 y 30.6.5], en el que simplemente queda el artículo como marca de definitud,[34] pero la posibilidad de inferir correctamente la identidad de ese poseedor queda asegurada y permite obtener la información necesaria para satisfacer el requisito de unicidad asociado al artículo.

Los usos del artículo 'en lugar del posesivo' son aparentemente asimilables a los fenómenos de anáfora asociativa, al estar ligados, en los casos centrales, a la gramática de los nombres relacionales, con los que la posibilidad de recuperar la información expresada por el complemento nominal implícito en el contexto discursivo es suficiente para satisfacer la condición de unicidad. La semejanza se ve reforzada por el hecho de que ambos usos dependen de la facilidad con que se infieran las relaciones conceptuales (de posesión, o de otro tipo) que aseguran la referencia unívoca.

Sin embargo, la consideración de estas construcciones como casos de anáfora asociativa se ve obstaculizada por el hecho de que la interpretación posesiva está sometida a ciertas restricciones gramaticales que no están presentes en el mecanismo de la anáfora asociativa. Tales restricciones tienen que ver con la distancia estructural que media entre el SN definido y el elemento que indica el poseedor, y resultan sorprendentemente equiparables a las que regulan las relaciones entre los pronombres reflexivos y recíprocos y sus antecedentes respectivos [⟶ Cap. 23]: ambos elementos no pueden estar demasiado distantes. Así, poseedor y poseído no pueden aparecer en oraciones distintas, ni su relación puede verse interrumpida por la presencia de otro posible poseedor intermedio:

[34] Sobre la alternancia entre artículo y posesivo en estas construcciones pueden consultarse, entre otros títulos, Hatcher 1944, Guéron 1983, Demonte 1988, Vergnaud y Zubizarreta 1992.

(41) a. *Claudia se acostó. Los ojos se cerraban. (Cf. A Claudia se le cerraban los ojos.)
b. Claudia dice que María había cerrado los ojos.

En el ejemplo de (41a), el artículo definido no es suficiente para ligar la referencia de *los ojos* al poseedor *Claudia,* que se encuentra en otra oración; el resultado mejoraría introduciendo en la segunda oración un indicador explícito del poseedor, como el clítico *le (Claudia se acostó. Los ojos se le cerraban).* [35] En (41b) se puede comprobar que en la interpretación habitual el poseedor asociado a *los ojos* no puede ser *Claudia,* sino *María;* por el contrario, si en lugar del artículo apareciera un posesivo *(Claudia dice que María había cerrado sus ojos),* o también si se insertara un clítico *(Claudia dice que María le había cerrado los ojos),* el poseedor podría también ser *Claudia.* El fenómeno es un resultado del diferente contenido en rasgos gramaticales del artículo y del posesivo: este último tiene un contenido más rico y específico y es capaz de retomar antecedentes menos accesibles o más distantes.

Estas restricciones no condicionan el funcionamiento de la anáfora asociativa, como demuestran las relaciones anafóricas 'a distancia' que se dan en (42):

(42) a. La película les encantó. Y es que el guión es fantástico.
b. La película permite apreciar que el guión es fruto de un trabajo muy serio.

Por otra parte, existen también puntos en común con la anáfora asociativa: ambos fenómenos se repiten en ausencia de determinantes definidos (es decir, son parcialmente independientes de la definitud), y en ambos casos es posible que el SN definido en singular se interprete en sentido distributivo.

(43) a. Me acerqué al coche. Una rueda estaba pinchada. (Anáfora asociativa sin definitud)
b. Le curó una mano. [36] (Lectura 'posesiva' sin definitud)

(44) a. En todas las casas que vio le llamó la atención la cocina. (Una pluralidad de cocinas)
b. El médico les examinó la garganta. (Una pluralidad de gargantas)

12.1.2. La distribución sintáctica del artículo definido

12.1.2.1. Restricciones de distribución ligadas a los tipos de nombres

Las dos distinciones básicas que pueden establecerse dentro del paradigma de los nombres, la que opone nombres contables a nombres no contables y la que

---

[35] Una situación muy similar se repite en el contraste entre (i) y (ii):

(i) Pedro cree haberse roto la pierna.
(ii) Pedro cree que la pierna está rota.

En la primera oración, la pierna aludida es la de Pedro porque el sujeto tácito de la subordinada en infinitivo es correferencial con *Pedro;* en la segunda la interpretación no marcada es más bien aquella en la que la pierna no pertenece a Pedro. El origen del contraste está en la presencia del poseedor en la subordinada en (i) pero no en (ii).

[36] Esta interpretación es posible cuando el SN indefinido extrae uno o más elementos de un conjunto contextualmente accesible (piénsese también en *Se me ha caído un botón* o *He perdido una lentilla*).

opone nombres comunes a nombres propios, condicionan de forma clara la distribución sintáctica del artículo.

Del carácter contable o no contable de los nombres depende la posibilidad de emplearlos sin artículo en ciertos contextos: por ejemplo, la gramaticalidad de *Había barro en sus zapatos* frente a la agramaticalidad de **Había libro en su maletín* [⟶ § 1.2.2 y 13.4]. Por lo demás, ambas clases de nombres son compatibles con el artículo definido. De la distinción entre nombres comunes y propios deriva toda una compleja casuística relativa a la distribución del artículo, en la que intervienen numerosos factores, a menudo arbitrarios e idiosincrásicos. Los nombres propios rechazan, en principio, la presencia del artículo, ya que constituyen de por sí SSNN definidos. Sin embargo, van precedidos de artículo en ciertas condiciones, que se detallan en el § 2.4.2, y también en el § 13.5.6.

12.1.2.2. Restricciones de distribución ligadas a la presencia de otros determinantes

El artículo definido ocupa siempre la primera posición del SN, excepto cuando va precedido por el cuantificador *todo(s) (toda la salsa, todos los asistentes).* Es, por tanto, obligatoriamente prenominal. Puede combinarse con ciertos determinantes, especialmente indefinidos, pero es incompatible con otros, como se mostrará a continuación. [37]

La presencia del artículo definido impide la aparición de demostrativos y posesivos en posición prenominal, posiblemente debido al rasgo de definitud que caracteriza también a estos elementos:

(45) a. *La esta casa. / *Esta la casa.
b. *La mi casa. [38] / *Mi la casa.

Sin embargo, demostrativos y posesivos pueden ocupar también una posición posnominal, y en ese caso la presencia del artículo definido no da lugar a agramaticalidad alguna (incluso es obligatoria en el caso de los demostrativos, cf. **una casa esta*):

(46) a. La casa esta. / Los asuntos aquellos que tenía.
b. La intervención suya. / El libro tuyo que más se vende.

La interpretación de la secuencia <artículo + N + demostrativo> *(el restaurante aquel; las chicas esas)* difiere de la secuencia correspondiente con demostrativo antepuesto en algunos matices estilísticos, desde el efecto poético de situar a un objeto en la lejanía, hasta el contenido despectivo o irónico, que no es más que una extensión metafórica, de distanciamiento por parte del hablante, del significado básico de mayor lejanía o menor grado de accesibilidad [⟶ § 14.3.6].

Por lo que respecta a las distintas clases de cuantificadores, el artículo definido es compatible con los numerales *(las dos ciudades, los cinco sentidos)* y con algunos indefinidos: *poco (la poca paciencia que tiene, los pocos libros que había leído), mucho*

---

[37] Sobre las posibilidades combinatorias del artículo con respecto a otros determinantes, véase Álvarez Martínez 1986: cap. 6 y Eguren 1990.

[38] Es bien sabido que en español medieval la combinación *la mi casa* era perfectamente posible, como lo es en otras lenguas románicas modernas [⟶ § 15.2.1]. Cf. Lapesa 1971.

(los muchos kilómetros que recorrieron), y elementos como *otro* o *demás (las otras posibilidades).* En cada una de estas combinaciones el orden es fijo: el artículo precede al cuantificador, y lo contrario no es posible en el interior de un SN.

(47) a. *Cinco los sentidos.
b. *Poca la paciencia.
c. *Muchos los kilómetros.

En el caso de los indefinidos *poco* y *mucho* hay que señalar que la aparición del artículo lleva emparejada la de algún modificador restrictivo, normalmente una oración de relativo; no son aceptables secuencias como **la poca paciencia* o **los muchos kilómetros*.

El resto de los cuantificadores, desde los universales *(cada, cualquiera)* hasta los indefinidos *(alguno, uno, ninguno, demasiado, cierto, bastante, varios, tanto),* e incluso elementos definidos como *ambos* y *sendos,* son incompatibles con el artículo: [39]

(48) a. *El cada amigo. / *Cada el amigo.
b. *Las {algunas/unas/demasiadas/bastantes/varias/tantas} páginas.
c. *Los {ambos/sendos} amigos.

12.1.2.3. Restricciones de distribución ligadas a la presencia de complementos y modificadores del nombre

Algunos complementos del nombre favorecen claramente, cuando no exigen, el uso de *el.* El caso más evidente es el de los complementos apositivos, que no son posibles en SSNN indefinidos, salvo en la estructura de tipo *una delicia de película* (§ 12.2.2.2): *el teatro (de) Cervantes, el asunto de la reparación de los ascensores, la idea de que mañana sea lunes, el tonto de Ernesto* [⟶ § 8.4]. En estos casos el complemento apositivo indica que el referente es identificable unívocamente e impone el artículo definido.

Otros factores que desencadenan efectos semejantes se comentan más extensamente en el § 12.2.2.1: se trata de los relativos a la estructura argumental de los nombres, especialmente los nombres de acontecimiento y los relacionales. El contraste siguiente está basado en la exigencia de unicidad del referente de ciertos nombres relacionales (§ 12.1.1.4):

(49) a. La cara de delincuente de Pepe.
b. *Una cara de delincuente de Pepe.

La naturaleza relacional del nombre *cara* (o, en este caso, del complejo nominal *cara de delincuente*), junto con el supuesto de que a una persona le corresponde una única cara, hace que el

[39] El caso de *tal* no es sencillo: aunque este elemento puede usarse como un determinante definido en secuencias como *Nunca dije tal cosa,* su clasificación gramatical no está clara. Se combina tanto con el artículo definido como con el indefinido *(un tal Ernesto, el tal Ernesto),* y en estos casos parece funcionar como un adjetivo. En cuanto a *uno,* solamente se combina con *el* en expresiones en que es correlativo de *otro* como *El uno me dijo que sí, el otro que no.* Finalmente, los cuantificadores *más* y *menos* admiten artículo en un número muy restringido de situaciones: *las más de las veces, los menos de los supervivientes.*

artículo definido sea obligatorio. Si el nombre pierde el carácter relacional, el indefinido resulta admitido: *Tenía una típica cara de delincuente; Entre la multitud reconocí una cara de delincuente.*

La alternancia entre presencia y ausencia de artículo en los complementos del nombre también depende en ciertos casos de la estructura interna del SN. Las estructuras pseudopartitivas [40] [⟶ §§ 1.2.3.4, 5.2.2.3 y 16.2.3], caracterizadas por contener un nombre que indica cantidad o continente y que va seguido de otro introducido por la preposición *de,* que indica la materia sobre la que se cuantifica, no permiten que el segundo nombre esté determinado por el artículo [41] (u otros determinantes):

(50) a. Una cucharada {de/*del} azúcar.
b. La taza {de/*del} té.
c. Un kilo {de/*de las} manzanas.

En estas construcciones pseudopartitivas, el primer nombre actúa en cierto modo como parte de un cuantificador complejo con respecto al segundo nombre, y esto explica por qué el segundo no puede ir acompañado por determinantes: si las secuencias *una taza de* o *un kilo de* se comportan como cuantificadores, lo esperable es que el artículo definido no pueda insertarse entre ellas y el nombre. El español actual muestra cierta tendencia a convertir en pseudopartitivas secuencias que tradicionalmente habían sido partitivas, ya que se tiende a decir *una gran parte de afectados por una gran parte de los afectados,* o *la mayoría de participantes* por *la mayoría de los participantes.*

Finalmente, los modificadores del nombre, tales como adjetivos y oraciones de relativo, pueden afectar a la presencia del artículo (cf. el § 12.2.2.2 para más detalles). Los modificadores valorativos enfáticos en posición posnominal son (en la mayor parte de los casos) incompatibles con *el,* probablemente porque su contenido semántico no les permite actuar como elementos restrictivos y por tanto contribuir adecuadamente a la fijación del referente (en ausencia de otros modificadores):

(51) #La obra malísima. / #El jugador increíble. / #El espectáculo magnífico.

Muchos de los adjetivos valorativos o elativos [⟶ § 3.4.2.2] que bloquean el uso del artículo definido en favor del indefinido son predicados factivos (concretamente, predicados que denotan juicios o reacciones psicológicas ante hechos que se presentan como presupuestos) [§ 5.2.1.3]:

(52) Protagonizó {#el/un} episodio {insólito/sorprendente/absurdo/inesperado/emocionante/asombroso}.

Lo cierto es que el artículo definido no es imposible en este contexto, pero exige unas condiciones contextuales muy estrictas: para que *Se estrenó la obra malísima* sea aceptable, es necesario que la obra en cuestión haya sido definida previamente como malísima por contraposición a otras obras. Esta es la única forma de que un modificador valorativo funcione como clasificador o restrictivo, pospuesto al nombre, y contribuya así al uso anafórico del SN (nótese que la restricción se debilita enormemente cuando el adjetivo es prenominal: ej. *Se estrenó la malísima obra*). El artículo definido es, por supuesto, compatible con los modificadores no valorativos, habitualmente restrictivos o clasificadores: *Se estrenó la obra {anunciada/prohibida por la censura/que estábamos esperando}.*

---

[40] Véase Escandell Vidal 1995: 46-47.

[41] Cuando esto es posible, la estructura ya no es pseudopartitiva, sino que funciona como una verdadera construcción partitiva (por ejemplo, en *De las manzanas que quedaban, un kilo estaban podridas*) o bien se reinterpreta de alguna otra forma compatible con la definitud del complemento (así, *la taza del café* puede parafrasearse por *la taza que usa para tomar café,* con lo que *el café* se ha convertido en un modificador adjunto de *taza*).

El artículo definido es también incompatible con la presencia de modificadores encabezados por adverbios de grado como *muy* o *bastante* o por cuantificadores comparativos:

(53) a. *La novela muy mala.
b. *El café bastante dulce.
c. *Los restaurantes más caros que los del centro.

Otra restricción impuesta por un modificador sobre el artículo definido es la que se ejemplifica en (54):

(54) a. Tengo {una/*la} cosa importante que hacer.
b. Hace falta {una/*la} cuchara con que remover.

Se trata de un fenómeno característico de las oraciones relativas de infinitivo [→ § 36.3.3.1], que exigen antecedentes indefinidos. El contraste se mantiene inalterado con otros determinantes definidos e indefinidos *(Tengo {alguna/muchas/bastantes} cosa(s) que hacer; *Tengo {esta/mi/todas las/ambas} cosa(s) que hacer),* pero no se presenta con otras clases de relativas. El requisito de que aparezca un determinante indefinido se debe, posiblemente, a las propiedades de tiempo no referencial del infinitivo.[42]

Por lo demás, todos los modificadores restrictivos cumplen una función decisiva en la legitimación del artículo definido, como se detalla en el § 12.1.1.4.

12.1.2.4. Restricciones de distribución ligadas a la posición sintáctica

Las restricciones sobre la aparición del artículo definido en ciertos contextos sintácticos han sido objeto de extensos estudios en numerosas lenguas y se conocen con el nombre de 'restricciones de definitud' o 'efecto de definitud'.[43] Se trata de condiciones que afectan a todos los determinantes definidos, frente a los indefinidos, y que, por otra parte, sobrepasan el ámbito de la distinción puramente formal entre determinantes definidos e indefinidos porque involucran también nociones como las de 'especificidad' y 'estructura informativa'.

El contexto más estudiado entre los que exhiben restricciones sobre la definitud es el de las construcciones existenciales con *haber* [→ § 27.3.4]. En ellas el SN posverbal admite, en principio, determinantes indefinidos y excluye, aunque no de forma sistemática, al artículo definido:

(55) a. *Hay el error en esta página. (Cf. Hay un error en esta página.)
b. *Había los alumnos en la reunión. (Cf. Había unos alumnos en la reunión.)
c. *Entre los invitados hay la conocida actriz. (Cf. Entre los invitados hay una conocida actriz.)

---

[42] Sobre este punto, véase Táboas 1995.

[43] La bibliografía sobre las restricciones de definitud es muy amplia. Los trabajos más representativos son Milsark 1977, Barwise y Cooper 1981, Heim 1982, Suñer 1982, Safir 1985, Szabolcsi 1986, Reuland y Ter Meulen (eds.) 1987, Lumsden 1988, Enç 1991, Abbott 1993, Uriagereka 1994, Ward y Birner 1995, Zucchi 1995.

De las variadas explicaciones que se han propuesto para este fenómeno, la de aplicación más general parece ser la que se basa en la contradicción existente entre las propiedades semánticas de los determinantes definidos y las de la construcción existencial. Se suele aceptar que las construcciones existenciales se caracterizan por su función presentativa, es decir, porque sirven para introducir referentes de discurso nuevos, o sea, entidades no establecidas previamente cuya existencia y cantidad aseveran; los SSNN que aparecen en contextos existenciales aportan, habitualmente, información nueva y son remáticos o focales [→ Cap. 64]. En cuanto a los determinantes definidos, hemos visto (§ 12.1.1.3) que son típicamente presuposicionales e indican el grado de accesibilidad del referente, lo cual implica que la condición de adecuación central para un SN definido será la existencia de entidades en el conjunto denotado (de lo contrario, la garantía de accesibilidad —o presuposición, en términos clásicos— del determinante definido no podría satisfacerse, y el empleo del determinante sería contextualmente inadecuado). La incompatibilidad surge del choque entre la condición expresada por el determinante, es decir, que exista un referente accesible, y el requisito impuesto por la construcción con *haber,* que exige que el contexto sea neutral con respecto a la existencia o no de las entidades mencionadas.[44] Los SSNN indefinidos resultan siempre aceptables en los contextos existenciales porque no contienen presuposiciones sobre la existencia y la unicidad del referente, y, en consecuencia, no contradicen las condiciones de adecuación de la construcción con *haber.*

Otras construcciones caracterizadas por restricciones sobre la definitud, como las estructuras posesivas de (56a) y los complementos de medida de (56b), comparten con las existenciales la naturaleza presentativa y la función de introducir entidades en el discurso:

(56) a. María tiene {*los parientes/*la paciencia/*el coche/*el gato}.[45]
b. Esto {mide *los metros/duró *estos segundos/tardó *los años}.

Una construcción en la que aparentemente la restricción de definitud desaparece es la de (57), en la que el elemento relativo que encabeza las relativas restrictivas está ligado a la posición posverbal de *haber,* y sin embargo admite un antecedente definido:[46]

(57) a. El monumento que hay junto al parque. (Cf. *Junto al parque hay el monumento.)
b. Los cuadros que había en el salón. (Cf. *En el salón había los cuadros.)

La restricción reaparece si la oración de relativo es explicativa:

(58) a. *El monumento, que hay junto al parque, ...
b. *Los cuadros, que hay en el salón, ...

Merece un comentario especial la diferencia que existe en español entre el verbo *haber,* que como hemos visto impone restricciones a los SSNN definidos que

---

[44] La intuición clásica, formalizada en Barwise y Cooper 1981, es que la restricción de definitud surge de la incompatibilidad entre la 'presuposición' existencial aportada por la definitud y la 'aseveración' existencial expresada por el predicado.

[45] Ejemplos como los últimos *(María tiene el gato)* son aceptables si *tener* no expresa exactamente posesión, sino una relación transitoria («el gato está con María ahora»). Uriagereka (1994) trata las semejanzas y diferencias entre los contextos existenciales y los de posesión inalienable, y señala algunas diferencias en las restricciones de definitud de ambos.

[46] Estos datos se explican en Escandell Vidal y Leonetti (en prensa) a partir de la diferencia en la estructura de constituyentes entre relativas restrictivas y relativas explicativas.

lo siguen, y el verbo *estar,* que se emplea en construcciones emparentadas con las de *haber,* pero produce típicamente los efectos contrarios. [47] Los datos fundamentales son los siguientes, tomados de Escandell Vidal y Leonetti (en prensa):

(59) a. Aquí {*hay/está} el regalo de Juan.
b. Allí {hay/#están} {unos niños/muchos niños}.
c. En el parque {hay/*están} niños.
d. {Los/Unos} cuadros, que {*hay/están} en el salón, ...

(59a) muestra que no hay restricciones de definitud con *estar,* y, como cabría esperar, (59d) indica que la formación de relativas explicativas también es posible a partir de una predicación con *estar.* En (59b) se observa que el funcionamiento de *estar* es la imagen especular del de *haber,* ya que este toma normalmente como argumentos SSNN indefinidos, mientras que *estar* los acepta con dificultad como sujetos: los indefinidos de (59b) no son realmente agramaticales, pero resultan aceptables únicamente si se les asigna una interpretación específica (por ejemplo, una lectura partitiva, en la que se cuantifique sobre un conjunto de elementos ya determinado, cf. *Allí están algunos de los niños;* véase el § 12.3.2.1), y esta es precisamente la interpretación que *haber* tiende a rechazar (cf. **Allí hay algunos de los niños*). La distribución de los plurales escuetos, reflejada en (59c), depende del mismo principio: son gramaticales con *haber,* pero no con *estar,* porque este último exige interpretaciones específicas, mientras que *haber* favorece las interpretaciones puramente existenciales, y los plurales escuetos en español solamente admiten este último tipo de interpretaciones [⟶ § 13.2.3.3].

Contrariamente a lo que se suele aceptar, no es cierto, por tanto, que *haber* tome sólo argumentos indefinidos y *estar* los tome sólo definidos. En términos de estructura informativa, *estar* contrasta con *haber* porque no da lugar a construcciones existenciales, sino a predicaciones locativas: en ellas se relaciona un argumento locativo con un argumento sujeto que puede perfectamente ser definido y necesita una interpretación específica o referencial porque es sujeto de predicación, lo que no sucede con el argumento interno de *haber* (cf. el § 12.2.2.3).

El análisis adoptado para los datos anteriores sienta también las bases para una explicación de los numerosos contraejemplos a la restricción de definitud que es posible hallar tanto en español como en otras lenguas. A continuación se muestran ejemplos de construcciones con *haber* en las que aparecen elementos definidos: clíticos de objeto directo en (60), superlativos en (61) y SSNN con modificadores restrictivos (62). [48]

(60) a. (Las) manzanas, las hay de muchas variedades.
b. Los hay que prefieren no enterarse.
(61) a. No hay el menor indicio de culpabilidad.
b. Allí había la gente más rara que te puedes imaginar.

---

[47] Para una revisión de este punto, véase Suñer 1982: apéndice A.
[48] Sobre los sintagmas definidos tras *haber* en español, pueden consultarse Ariyoshi 1980 y Suñer 1982, y para una perspectiva más general, Ziv 1982, Abbott 1993 y especialmente Ward y Birner 1995. Los ejemplos de (62) están tomados de Garrido 1996: 274, 301, 325.

(62) a. ...es decir, entre ellos hay la relación de que *Juan* es parte de *Juan + Carmen...*
b. ...con los SSNN escuetos no hay la información deíctica cuantificadora sobre el dominio del contexto que permite constituir una entidad...
c. ...en las tres construcciones sí hay los datos para constituir el conjunto contextual...

Dejando a un lado el caso de los clíticos, que probablemente requiere una explicación aparte, es posible agrupar el resto de los ejemplos bajo una generalización unitaria: para que un SN definido pueda insertarse tras *haber,* debe cumplir el requisito de aportar información que se considere nueva para el oyente, o no compartida (no necesariamente nueva en sentido estricto). La definitud, con la condición de unicidad, no es incompatible con la presentación de información nueva, que es la función discursiva típica de los determinantes indefinidos. Esto permite predecir que las expresiones definidas que aparezcan en los contextos existenciales o presentativos tenderán a no ser anafóricas sino más bien casos de primera mención del referente *(Había las mismas personas en los dos actos),* o menciones de nuevos ejemplares de un tipo ya conocido *(En su casa había el follón de siempre),* o incluso menciones de datos conocidos que deben ser recordados de nuevo al oyente y por tanto presentados como información nueva, o simplemente listas de datos (en respuesta a una pregunta como *¿Qué tenemos para cenar?,* podría decirse *Hombre, pues ya sabes, hay el arroz y la ensalada que han sobrado este mediodía*).[49]

Los superlativos de (61) son expresiones definidas no anafóricas, en las que la definitud está legitimada por la información restrictiva que acompaña al nombre, y es normal que introduzcan información nueva. Los ejemplos de (62) incluyen en todos los casos modificadores del nombre (complementos preposicionales, oraciones sustantivas o relativas), y esta es una característica general de los SSNN definidos que aparecen en contextos existenciales: los modificadores hacen posible la definitud sin que sea necesario acudir a información ya presente en el discurso, es decir, hacen posibles las primeras menciones y los usos no anafóricos, como se vió en § 12.1.1.4. En otras palabras, la presencia de modificadores y complementos es la forma más natural de cumplir con la condición que exige introducir información nueva para el oyente. El caso más claro es el de los artículos definidos ligados a la presencia de subordinadas sustantivas y modificadores identificativos en general [⟶ Cap. 33]:[50]

(63) a. Incluso hay la perspectiva de que el viaje se pueda retrasar.
b. Hay el problema del aprovechamiento adecuado de los recursos hidrológicos.
c. Antes había la conciencia de que alcanzar algo exige un esfuerzo.

Las restricciones de definitud dependen, pues, tanto de la distinción formal 'definido' / 'indefinido' como de cuestiones de reparto de la información, e incluso de conceptos como el de especificidad (§ 12.3.2.1).

[49] Estas condiciones son válidas también para la inserción de otros elementos definidos en los mismos contextos: demostrativos, posesivos, e incluso, aunque marginalmente, nombres propios.

[50] Nótese que los ejemplos en los que la restricción de definitud se aprecia claramente, como los de (55) y (56), incluyen SSNN simples, y estos difícilmente introducen información nueva.

12.1.2.5. Los casos de elipsis nominal

Una de las propiedades más características del comportamiento gramatical del artículo en español es la capacidad de combinarse con categorías distintas del nombre: en particular, con sintagmas adjetivos, sintagmas preposicionales y oraciones de relativo, para dar lugar a SSNN en los que no aparece un núcleo nominal (las combinaciones con infinitivos y oraciones sustantivas se tratan en el § 12.1.2.6) [→ § 43.3.2]:

(64) a. De todos los modelos, eligió {el más caro/el caro}.
b. En vez de llevarte mi coche, llévate el de Teresa.
c. Este cuadro es el que se expondrá en la galería.

Estas construcciones no son siempre posibles en otras lenguas romances como el francés y el italiano, que normalmente recurren al uso de los demostrativos en lugar del artículo definido:

(65) a. De tous les modèles, il a choisi {celui qui est cher/le plus cher/*le cher}.
b. Au lieu de prendre ma voiture, prends {celle de Thérèse/*la de Thérèse}.
c. Ce tableau est {celui qu'on montrera à la galerie d'art/*le qu'on montrera à la galerie d'art}.
(66) a. Tra tutti i modelli, scelse {quello più costoso/il più costoso/?il costoso}.
b. Invece di prendere la mia macchina, prendi {quella di Teresa/*la di Teresa}.
c. Questo quadro è {quello che verrà esposto alla galleria/*il che verrà esposto alla galleria}.

El empleo de un demostrativo en lugar del artículo es perfectamente posible también en español *(De todos los modelos, eligió este rojo; En vez de llevarte mi coche, llévate ese de Teresa; Este cuadro es aquel que expuso en la galería),* pero con un valor diferente al que tiene en francés e italiano: en estas lenguas, los demostrativos *ce* y *quello* pierden sus propiedades deícticas al sustituir al artículo (por lo que la distinción artículo/demostrativo tiende a neutralizarse en estos casos),[51] mientras que en español las conservan intactas y la distinción se mantiene, en consecuencia. Solamente en ciertos empleos de *aquel* en lugar de *el* se desdibuja la oposición entre estos elementos [→ § 14.2.1]: se trata de los casos en que el determinante va seguido de una oración de relativo restrictiva, especialmente si el SN es de referencia genérica o inespecífica, y de los casos en los que el demostrativo sustituye al artículo porque este no puede aparecer, en virtud de alguna restricción gramatical, como se observa en (67a) y (67b) (en este último caso el factor determinante es la incompatibilidad del artículo con preposiciones distintas de *de*) [→ § 7.2.4]:

(67) a. {Aquellos/Los} que tengan pasaporte comunitario deben esperar aquí.
b. {Aquel/*El} con el que hablaste el otro día.

Al debilitarse su contenido deíctico en estos contextos de elipsis nominal, el demostrativo *aquel* funciona básicamente como marca de definitud y, por tanto, como un artículo definido. No obstante, mantiene a menudo matices de distanciamiento o alejamiento en la perspectiva ligados al contenido original.[52]

En estas construcciones el artículo tiene la misma función que en cualquier otro SN; la peculiaridad de las secuencias de (64) reside sencillamente en que en ellas se ha elidido bien el núcleo nominal, bien el nombre más alguno de sus com-

[51] Renzi 1988: 423.
[52] Son los efectos estilísticos que Fernández Ramírez (1951b: § 132) denominó 'mención sugerente' o 'evocativa'.

plementos.[53] El contexto discursivo, por un lado, y las marcas de género presentes en el artículo, por otro, permiten recuperar la información nominal elidida, y por tanto reconstruir la interpretación del SN; en una secuencia como (64c), por ejemplo *(Este cuadro es el que se expondrá en la galería),* el sintagma *el que se expondrá en la galería* remite a la clase de entidades mencionada anteriormente, la de los cuadros, y el rasgo de género masculino del artículo contribuye a establecer esa relación anafórica, por la que el sintagma en cuestión recibe una interpretación equivalente a *el cuadro que se expondrá en la galería.*[54]

La elipsis nominal está condicionada por la naturaleza clítica del artículo, que hace obligatoria la presencia de un complemento que lo siga y sobre el que este pueda apoyarse fónicamente. De lo contrario la aparición del artículo es imposible, hecho que contrasta claramente con el funcionamiento autónomo de los demostrativos y de la mayor parte de los cuantificadores en los usos tradicionalmente llamados 'pronominales' [⟶ § 43.3]:[55]

(68) De todos los modelos, eligió {*el/ese/uno/tres}.

Mientras que la presencia del complemento pospuesto es imprescindible para que el artículo pueda satisfacer sus exigencias de apoyo fónico, la presencia del artículo (o de otro tipo de determinante) no es necesaria para que el complemento pueda aparecer aislado, como se aprecia en ciertos casos de elipsis nominal en los que el elemento elidido remite anafóricamente a un antecedente que también carece de determinación (los ejemplos ilustran la posibilidad de tener en español objetos directos total o parcialmente elípticos sin pronombres clíticos de genitivo como los que existen en otras lenguas romances):

(69) a. No había leído novelas de Cela, pero sí había leído de Delibes.
b. Hoy no tengo pimientos amarillos, pero tengo rojos, si quiere.

No todas las secuencias que aparentemente corresponden al esquema <artículo + adjetivo> se comportan de la misma forma. Es preciso distinguir nítidamente aquellos casos en los que el adjetivo se sigue comportando como tal de aquellos otros en los que funciona como un verdadero nombre. En estos últimos, evidentemente, no es posible hablar de la elisión de ningún núcleo nominal, ya que tal núcleo está presente: se trata de un adjetivo 'sustantivado'. Se han convertido léxicamente en sustantivos adjetivos como *pobre, sabio, inválido, preso, calvo, ciego, sordo, vago, loco, rebelde, cojo, vecino* y muchos más, al pasar de indicar propiedades a indicar clases de individuos; como se puede apreciar, la sustantivación tiene lugar, en todos estos casos, con adjetivos que denotan cualidades atribuibles a personas. Algunos adjetivos aplicables a cosas han sufrido también el proceso de sustantivación: *imprevisto, blanco* (de tiro), *diario, solitario* (juego de cartas), *extremo, inconsciente, explosivo, vacío, inconveniente,* etc. Los factores que regulan estos procesos de sustantivación se tratan en los §§ 1.7.3 y 1.7.4 de esta misma obra.

---

[53] Para una revisión de la polémica que las construcciones de elipsis nominal han suscitado en la tradición gramatical española, deben consultarse Fernández Ramírez 1951b, Alarcos 1967, Lapesa 1966 y 1970, Lázaro Carreter 1975, Álvarez Martínez 1986, Garrido 1986, Trujillo 1987, Bosque 1989: cap. 9, Iglesias Bango 1986, Brucart 1987, Briz 1989, Eguren 1989 y Gutiérrez Ordóñez 1994.

[54] Mientras que la elipsis nominal exige que el rasgo de género del nombre elidido sea idéntico al de su antecedente, no impone el mismo requisito sobre el rasgo de número, que puede variar, como se observa en *Este cuadro es uno de los que se expondrán en la galería* (aquí el sintagma *los que se expondrán en la galería,* plural, remite a un antecedente singular).

[55] Naturalmente, el contraste se debe, en gran parte (aunque no exclusivamente), a que los demostrativos y los cuantificadores no son clíticos.

Aparentemente cercanos a los casos de sustantivación clara del adjetivo se encuentran los ejemplos siguientes, si bien en ellos el adjetivo conserva sus propiedades originales [→ § 1.7.3.1]:

(70) a. Los humildes serán recompensados.
b. Es preciso tener en cuenta a los más desfavorecidos.
c. María no soporta a los soberbios.

En estos casos los SSNN se refieren de forma genérica a personas (es decir, a los hombres humildes, los hombres más desfavorecidos, o los hombres soberbios), pero no remiten anafóricamente a ningún antecedente. Cuando no hay referencia anafórica, y el adjetivo no está sustantivado —o no ha concluido su proceso de sustantivación—, el SN alude siempre a personas y tiene un valor genérico o inespecífico. [56] La situación se repite en las combinaciones del artículo con sintagmas preposicionales y con oraciones de relativo, cuando no hay antecedente nominal expreso (en general, cada vez que el complemento del núcleo nominal elidido aporta el rasgo de persona que el contexto no permite recuperar, restringiendo así la referencia a seres humanos): [57]

(71) a. Los de ciudad disfrutan de una gran variedad de ofertas culturales.
b. Es difícil entender a los de aquí.
c. Los que no se informan no tienen derecho a quejarse.
d. Habrá que ayudar a los que no alcancen la puntuación mínima.

El sintagma *los de casa* constituye un buen ejemplo de la distinción entre el uso anafórico y el no anafórico: [58] en *Vendían tomates en la plaza, pero son mejores los de casa* hay un uso anafórico (y referencia a cosas), mientras que en *Solo estamos los de casa* la referencia es no anafórica y personal. Los mismos valores se presentan en las combinaciones de artículo y posesivo: *los míos, los tuyos, los suyos* (cuando no hay anáfora, se refieren a los familiares de la persona aludida). Hay usos no anafóricos no referidos a personas en expresiones fijas caracterizadas por el 'femenino de indeterminación': *tomar las de Villadiego, pasar las de Caín, llevar las de perder, armarse la de San Quintín.* [59]

Tradicionalmente se ha hablado de valor pronominal del artículo en ejemplos como los de (71), debido a que la interpretación no es anafórica (no es posible especificar cuál sería el nombre elidido) y a que el rasgo de persona caracteriza a los pronombres frente a los artículos. Este punto de vista adquiere una especial importancia en el caso de la combinación de artículo y oración de relativo, concretamente en la secuencia *{el/la} que,* para la que Bello (1847: § 323) propuso dos análisis diferentes: el artículo se consideraría como pronominal y antecedente del relativo en ejemplos como los de (71), en los que no hay antecedente nominal explícito, y en cambio se trataría como parte del relativo *el que* en el caso contrario, con referencia anafórica [60] (por ejemplo, en *La*

---

[56] Estos hechos son los que en Alcina y Blecua 1975: 557 quedan recogidos bajo la denominación de 'sustantivación semántico-funcional', y en Briz 1989 se consideran una fase intermedia en el proceso de sustantivación en la que tiene lugar un proceso de especialización semántica en el adjetivo.

[57] Es precisamente el rasgo de persona el factor que hace posible la elipsis nominal sin que haya una dependencia anafórica, es decir, sin que el contexto proporcione un antecedente para el nombre elidido; esto no es posible cuando el SN refiere a cosas. Sobre este punto, véanse Delfitto 1993 y Kester 1996.

[58] El ejemplo está tomado de Briz 1989: 145.

[59] Merece una mención aparte el uso del artículo como cuantificador seguido de un sintagma preposicional con *de* (posible también en el caso del artículo indefinido), y probablemente derivado de la elipsis del nombre *cantidad,* por lo que la forma empleada es siempre la de femenino (sobre el artículo enfático, véase el § 12.1.2.7):

(i) ¡Hay que ver la de gente que viene a verte!
(ii) No sabes la de cosas que tengo que contarte.

[60] Esta es la postura defendida en Bello 1847: § 323 y mantenida también en Fernández Ramírez 1951b: § 142, Lapesa 1966, Garrido 1986 y Briz 1989, entre otros. Véanse Álvarez Martínez 1986: 243-245 y Ojea 1992: 49-52 para una crítica.

situación en la que nos encontramos es grave) [⟶ § 7.5.1.1]. Sin embargo, no parece que las mencionadas propiedades referenciales nos obliguen a pensar en categorías distintas para la forma *el* en un caso y en el otro. Se trata del artículo definido con sus características habituales; lo que varía es la recuperación o no del rasgo de persona en el contexto discursivo. En consecuencia, se puede hablar de elipsis nominal en estos casos y en todos los anteriores (no anafóricos).

Aunque, como se ha dicho anteriormente, la elipsis nominal con artículo definido está mucho más extendida en español que en otras lenguas romances, esta construcción no está exenta de restricciones, como se verá a continuación. En el caso del artículo seguido de un sintagma adjetivo, debe reseñarse, en primer lugar, la lógica imposibilidad de la elipsis con modificadores que resultan incompatibles con el artículo definido (§ 12.1.2.3), como los adjetivos valorativos o elativos,[61] los superlativos absolutos, los comparativos y los sintagmas adjetivos encabezados por *tan* o *bastante,* presentes respectivamente en (72a), (72b), (72c) y (72d):

(72) a. ?*La película mediocre atrajo a más público que la estupenda.
b. *Los libros caros y los carísimos.
c. *Los más caros que los míos.
d. *Los tan caros. / * Los bastante caros.

En segundo lugar, la única interpretación posible para los adjetivos en estas construcciones es la restrictiva, que suele ir asociada a la posición posnominal [⟶ § 3.2.3.3]. Probablemente es la ausencia del núcleo nominal lo que impone tal interpretación: la información aportada por el adjetivo (o por el modificador, cualquiera que sea) es necesariamente distintiva, y por tanto indispensable para la identificación del referente.

Esta restricción se manifiesta de forma clara con los adjetivos que presentan dos significados diferentes, ligados uno a la posición prenominal y otro a la posnominal: por ejemplo, *dichoso* tiene en *el dichoso cartero* una interpretación distinta de la que tiene en *el cartero dichoso.* En la elipsis nominal *(el dichoso)* únicamente la segunda, es decir, la restrictiva, se mantiene. De la misma forma, *el simple* no corresponde a *el simple empleado* sino a *el empleado simple.* Por otra parte, un adjetivo como *mero,* que aparece obligatoriamente antepuesto al nombre *(la mera mención de.../*la mención mera de...),* queda excluido en la elipsis nominal: **la mera.* El factor determinante parece ser la capacidad del adjetivo de recibir una interpretación restrictiva. Esta no es posible con *mero,* pero sí, por ejemplo, con *mismo,* incluso antepuesto al nombre *(el mismo libro);* en consecuencia, *mismo* puede modificar a nombres elípticos: *el mismo.*[62]

A continuación se exponen las restricciones que operan sobre las secuencias de artículo y sintagma preposicional y de artículo y oración de relativo.

En el primer caso, el español moderno solamente admite que el artículo vaya seguido de la preposición *de:*[63]

(73) a. La de Pedro. / Los de Madrid. / Las de ayer. / El de al lado.
b. *La a Pedro. / *Los desde Madrid. / *Las con nata. / *El ante ella.

---

[61] Brucart y Gràcia 1986: 22-23, Brucart 1987: 236.

[62] Estos datos se tratan en Bernstein 1993.

[63] Ello se debe, sin duda, al estatuto de 'preposición vacía' de *de,* que la hace compatible con una amplia gama de contenidos semánticos, y especialmente al hecho de que es la preposición que por defecto introduce los complementos del nombre. Véase Brucart 1987: 238 [⟶ § 5.3].

Sólo marginalmente son posibles secuencias con preposiciones distintas de *de:* se trata de expresiones cercanas a la lexicalización, como *los sin techo,* o de giros ocasionales, como *los con leche* (para referirse a unos cafés). No deben tenerse en cuenta ni los casos de mención o uso metalingüístico, que hacen posible que cualquier elemento siga al artículo (cf. *El «sin duda» que pronunció estaba teñido de resignación*), ni los casos en que el artículo precede a una preposición distinta de *de,* pero esta forma parte de un sintagma adjetivo (cf. *los hasta hace poco desconocidos documentos*).

La elipsis nominal con el artículo definido en contextos partitivos es de aceptabilidad discutible, quizá porque en ellos la preposición *de* no actúa como una preposición vacía, ni como una simple marca de función (nótese que la elipsis es posible con un demostrativo como *aquel,* cf. *aquellos de vosotros que estén libres de culpa...*):

(74) a. ?La de tus hermanas que juega al tenis.
b. ?Los de la familia que no vendrán hoy.

En cuanto a la combinación de artículo y oración de relativo, la restricción principal es la que opone a las relativas explicativas y especificativas [—> § 7.1.3]: las primeras quedan excluidas, pero no así las segundas, como se vio en el § 12.1.1.6. (cf. *el que me ha gustado/*el, que me ha gustado*). La imposibilidad de la elipsis nominal con relativas explicativas se debe a dos factores: por un lado, la naturaleza incidental o parentética de esta clase de subordinadas, habitualmente separadas de su entorno sintáctico por una pausa, impide la cliticización del artículo sobre ellas; por otro lado, estamos ante un efecto más de la restricción general, ya señalada, que afecta a los modificadores no restrictivos.[64] Las relativas restrictivas, por el contrario, cumplen las condiciones necesarias para que el artículo se apoye como clítico en ellas.

Otra restricción muy firme es la que excluye a todos los elementos relativos *(el cual, quien, cuyo...),* menos a *que:*[65]

(75) a. *Los {los cuales/quienes} llegaron tarde.
b. *El cuyo libro es difícil de entender.
c. *La donde pasan las vacaciones.

Ya que el artículo es incompatible con preposiciones distintas de *de,* resultan agramaticales también construcciones como las de (76), en las que la relativa restrictiva incluye una preposición:

(76) a. Los *(amigos) en que más confío.
b. La *(chica) con que está saliendo Ernesto.
c. El *(entrenador) sin cuya ayuda no lo habrían conseguido.

El caso de las relativas restrictivas encabezadas por la preposición *de* es más complejo: construcciones como *este es el de que le hablé* son inaceptables para algunos hablantes, y aceptables para

---

[64] No sólo las oraciones de relativo, sino todos los modificadores incidentales y explicativos son incompatibles con la elipsis nominal tras artículo: *La *(vendedora), cansada de esperar, se marchó; Los *(lobos), de aspecto amenazador, observaban desde la colina.* En general, el artículo no puede ser clítico sobre elementos externos a su SN.

[65] Hasta el siglo XVII el artículo podía combinarse con cualquier relativo, como muestran los ejemplos siguientes, tomados de Lapesa 1966:

(i) Esperaua que él paresciese a los donde él benía. [Díez de Gámez, *Victorial,* 85, 23]
(ii) E crean ser el por el qual los amores se gouernauan. [Fernando de la Torre, *Canc.,* 15]
(iii) Algunas ponçoñas tanto venenosas... que por vista emponzoñan el aire y los a quienes aquel aire tañe. [Villena, *Aojamiento,* 79]

otros. En español antiguo eran frecuentes secuencias de <artículo + preposición + relativo> que muestran que las restricciones sobre la cliticización del artículo eran menos estrictas; hoy tales secuencias son claramente agramaticales:

(77) a. Los en qui él más se fiaua eran dos uiles omnes. [*Primera Crónica General,* 128a, 10; tomado de Lapesa 1966: XIV]
b. Todos los con que vuestra merced ha enviado dineros han sido hombres de verdad. [Santa Teresa, *Epistolario,* I, 11; tomado de Lapesa 1966: XIV]
c. El asiento que hacía frente al en que yo me había colocado. [Bécquer, *Desde mi celda,* carta Y; tomado de Lapesa 1966: XIV]

Una consecuencia más del carácter clítico del artículo es la imposibilidad de coordinar dos oraciones de relativo tras un único artículo, probablemente debido a que artículo y relativo han pasado a constituir una unidad sintáctica tras un proceso de reanálisis:[66] **las que hemos recibido y que podemos usar, *el que te regalé y que perdiste.*

En todos los aspectos reseñados el comportamiento del artículo contrasta con el de los demás determinantes definidos (concretamente, los demostrativos) e indefinidos. Estos son tónicos, por lo que pueden funcionar independientemente y no están sometidos a las restricciones mencionadas anteriormente sobre la naturaleza de sus modificadores: pueden ir seguidos de complementos explicativos y de sintagmas preposicionales con preposiciones distintas de *de,* como se aprecia en (78) y (79).

(78) a. {Este/Aquel}, que me ha gustado, ...
b. {Algunos/Varios}, que se habían perdido, ...
(79) a. {Este/Aquel} con crema.
b. {Algunos/Varios} para nosotros.

12.1.2.6. El artículo ante infinitivos y oraciones

A las construcciones descritas en el apartado anterior, y dentro de las posibles combinaciones del artículo con categorías distintas del nombre, se unen las secuencias en las que el artículo precede a una oración de infinitivo o a una subordinada sustantiva introducida por *que,* mucho más productivas en español que en las restantes lenguas románicas [⟶ Cap. 32 y § 36.3.2.1]:

(80) a. [El haber trabajado aquí] le resultará útil en el futuro.
b. [El ser elegido para la misión] provocó su inmediata protesta.
(81) a. No depende de mí [el que la reunión se celebre o no].
b. [El que el nivel de vida haya descendido] no ha afectado a todo el mundo.

La forma masculina singular del artículo, *el,* es la única que aparece ante infinitivos y oraciones con *que (*la haber trabajado aquí, *lo que la reunión se celebre o no),* si bien la forma *lo* puede introducir infinitivos y oraciones sustantivas precedidos de *de* (*lo de haber trabajado aquí, lo de que la reunión se celebre;* cf. los §§ 12.1.3 y 33.2). A pesar de que a menudo expresiones como las de (80) y (81)

[66] Bosque 1989: 188.

sean parafraseables por medio del nombre *hecho (el hecho de haber trabajado aquí, el hecho de que el nivel de vida haya descendido),* no se puede hablar en ellas de elipsis nominal, ya que no presentan las propiedades anafóricas que caracterizan a los SSNN con núcleos tácitos.[67]

En el caso del infinitivo, es preciso distinguir nítidamente las estructuras en las que el infinitivo adquiere características nominales de aquellas en las que mantiene su carácter verbal [→ §§ 36.1 y 36.5]. En las primeras, ejemplificadas a continuación, el uso del artículo (o de otro determinante) es indispensable y se ajusta a las condiciones generales válidas para cualquier SN.

(82) a. *(El) ir y venir de la gente.
b. *(El) lejano susurrar del viento.
c. *(El) renacer de las esperanzas en el pueblo.

Cuando el infinitivo exhibe propiedades verbales (ir acompañado de sujetos u objetos directos, de perífrasis aspectuales, de adverbios...), en cambio, el artículo es opcional en algunos casos pero obligatorio en algunos otros (construcción temporal con <*al* + infinitivo>, perífrasis con *estar*), como muestra el siguiente contraste:[68]

(83) a. [(El) haber trabajado aquí] le resultará útil en el futuro.
b. [(El) ser elegido para la misión] provocó su inmediata protesta.
(84) a. [{*A/Al} servir el café], me quemé la mano.
b. Los invitados están {*a /al} llegar.

Finalmente, el infinitivo rechaza el artículo cuando, conservando sus propiedades verbales, forma parte de una perífrasis o una construcción verbal compleja, (85), o es el predicado verbal de una relativa o una interrogativa, (86); es decir, sencillamente, cuando no da lugar a un SN:

(85) a. Julia iba {*al/a} salir de casa.
b. Ese juego podría (*el) resultar peligroso.
(86) a. No conocemos a nadie a quien (*el) encargarle el trabajo.
b. No sabemos a quién (*el) encargarle el trabajo.

Otros factores condicionantes del uso de artículo ante infinitivo son las exigencias léxicas del verbo regente y las de ciertas preposiciones. En cuanto al primer punto, hay que señalar que los infinitivos que funcionan como objeto directo de verbos de conocimiento, comunicación, deseo, prohibición, mandato, permiso o percepción son generalmente incompatibles con el artículo:

(87) a. Cree (*el) estar bien preparado.
b. Querían (*el) recuperar el dinero invertido.
c. Les han prohibido (*el) acercarse al lugar de los hechos.
d. No les dejéis (*el) salirse con la suya.

Cuanto mayor sea la dependencia semántica del infinitivo subordinado con respecto al verbo que lo rige, mayor será también la dificultad de introducir un artículo (u otro determinante) entre ellos.

---

[67] Para un análisis con elipsis nominal, véase Plann 1981.

[68] Sobre estas cuestiones, véanse Lapesa 1983, 1984a y 1985, y Plann 1981.

Por lo que se refiere al segundo factor, algunas preposiciones dificultan notablemente la aparición del artículo ante los infinitivos regidos por ellas (siempre que el infinitivo no sea nominal):

(88) a. Caminamos hasta (*el) llegar a una ermita.
b. La policía ha movilizado a todos sus efectivos para (*el) prevenir atentados.
c. Detienen a un vagabundo por (*el) agredir a un viandante.
d. El jefe se marchó sin ni siquiera (*el) despedirse.

La función de sujeto oracional es la que con más frecuencia muestra al infinitivo precedido de artículo. Cuando la presencia del determinante es opcional, este ayuda a delimitar mejor la estructura de la construcción de infinitivo en el entorno oracional, imponiéndole el formato de SN, facilitando así el procesamiento de toda la secuencia y evitando posibles confusiones. [69] No siempre se trata de una elección puramente estilística: las oraciones *Ella detesta fumar* y *Ella detesta el fumar,* por ejemplo, contrastan por el hecho de que la primera, parafraseable por *Detesta fumar ella misma,* no puede interpretarse como *Detesta que se fume,* mientras que la segunda sí, por lo que la presencia del artículo modifica la asignación de referencia al sujeto tácito del infinitivo. [70] Ello se debe simplemente a que el infinitivo está insertado en un SN en el segundo caso, pero no en el primero. Por la misma razón el artículo influye indirectamente en el comportamiento de los clíticos reflexivos: mientras que en *Te encanta [{quedarte/*quedarse} en casa los domingos],* el sujeto del infinitivo debe ser obligatoriamente de segunda persona (es decir, correferencial con *te*), y no de tercera, en *Te encanta [el {quedarte/quedarse} en casa los domingos]* puede ser también de tercera, con referencia genérica, porque, al estar incluido en un SN, el sujeto del infinitivo no está necesariamente controlado por el clítico *te.* La presencia del artículo impide también la formación de oraciones relativas o interrogativas en los casos en que el relativo o el interrogativo estén ligados a una posición interna de la oración de infinitivo (cf. **las cosas que siento el haber dicho,* frente a *las cosas que siento haber dicho*).

Como indicaban los ejemplos de (81), el artículo puede combinarse además con oraciones subordinadas introducidas por *que.* No es posible, en cambio, que preceda a interrogativas indirectas introducidas por *si (*el si la reunión se ha celebrado ya),* aunque esporádicamente se encuentran secuencias de este tipo; [71] sí se da, a partir del siglo XVI, la combinación con interrogativas parciales, introducidas por palabras del tipo de *qué, quién, cómo, cuándo...* (ejs. de (89)), pero esta posibilidad queda en general descartada hoy (90): [72]

(89) a. El por qué sea assí ignoro. [Cervantes, *Persiles,* IV, XII, 278; tomado de Lapesa 1985: 82]
b. El cómo lo consiguió, nadie lo sabe. [Tomado de Lapesa 1985: 82]
(90) a. *Ignoramos el cuáles eran sus intenciones.
b. *Depende del cuándo se cierre el trato.

---

[69] Véase Lapesa 1985: 349-351.

[70] Estos ejemplos, así como los que siguen, están tomados de Plann 1981: 206.

[71] Alonso y Henríquez Ureña (1938: § 59) mencionan el ejemplo *El si vendría o no lo tenía desazonado,* pero añaden: «Estos giros son hoy algo raros.»

[72] Nótese que una expresión como *el porqué de las cosas* es perfectamente aceptable porque en ella no hay ninguna interrogativa indirecta; *porqué* es aquí un sustantivo, como indica también la grafía.

La distribución de *el* ante subordinadas sustantivas está fuertemente limitada. Sólo las oraciones sujeto dependientes de un predicado factivo [⟶ § 32.1] admiten, opcionalmente, el artículo [73]:

(91) a. Le sorprendió (el) que Julia se retrasara una hora.
b. (El) que las luces estuvieran apagadas me llamó la atención.
c. Es significativo (el) que Alemania haya apoyado inmediatamente las reivindicaciones de Croacia.

Estas subordinadas pueden parafrasearse anteponiéndoles la expresión *el hecho de* [⟶ § 33.3.2.11] (ej. *El hecho de que las luces estuvieran apagadas me llamó la atención*), lo cual es característico de las oraciones dependientes de predicados factivos; la razón de que *el* sea compatible precisamente con esta clase de subordinadas, y no con otras (ej. las que dependen de predicados asertivos: **{Parece/Creo/Dicen} el que se van a casar muy pronto*), es que los predicados factivos incluyen la presuposición de que la subordinada es verdadera, y el artículo definido es también un elemento inductor de presuposiciones (de existencia y unicidad), por lo que funciona como una marca explícita del estatuto presupuesto de la oración sustantiva (en consonancia, pues, con las exigencias léxicas del predicado factivo). Nótese que la paráfrasis con *el hecho de* es posible porque se da por sentado que la proposición expresada en la subordinada es cierta, es decir, es un hecho.

A pesar de que la inserción de *el* es opcional en estos casos, su presencia altera las propiedades gramaticales de la construcción de la misma forma en que lo hace con los infinitivos: en particular, dificulta la formación de relativas o interrogativas en las que el relativo o interrogativo esté relacionado con una posición interna de la subordinada (**la persona que me sorprendió el que se retrasara una hora, *¿Quién te sorprendió el que se retrasara una hora?*).

12.1.2.7. El artículo con valor enfático

En ciertas construcciones características del español, el artículo definido desempeña un papel equivalente al de un operador enfático o intensivo o al de un cuantificador [⟶ §§ 7.4.2, 12.1.3, 62.1.2.4 y 62.4.5.5]. Se trata de secuencias cuyo análisis resulta controvertido, ya que presentan la apariencia externa de un SN con una oración de relativo, pero se comportan como oraciones con valor interrogativo o exclamativo; aparecen encorchetadas en los siguientes ejemplos:

(92) a. Es increíble [las deudas que tiene].
b. Me pregunto [la cara que pondrá al enterarse].
c. Hay que ver [la de tiempo que costó convencerte].

El valor enfático de tales construcciones queda de manifiesto en las posibles paráfrasis explícitamente interrogativas o exclamativas que les corresponden:

(93) a. Es increíble cuántas deudas tiene.
b. Me pregunto qué cara pondrá al enterarse.
c. Hay que ver cuánto tiempo costó convencerte.

---

[73] Véase Demonte 1977: 123.

Todas las formas del artículo definido son posibles en estos casos, incluida la forma *lo* (§ 12.1.3). La presencia del artículo es obligatoria y ningún otro determinante definido o indefinido resulta aceptable, por lo menos con la misma interpretación enfática o intensiva, como se observa a continuación:

(94) a. *Es increíble estas deudas que tiene.
b. *Me pregunto unas caras que pondrá al enterarse.
c. *Hay que ver mucho tiempo que costó convencerte.

Nótese que oraciones como (95a)

(95) a. Hay que ver {dos/algunos/varios/esos} cuadros que se le atribuyen.
b. Hay que ver los cuadros que se le atribuyen.

son perfectamente correctas, pero carecen de valor enfático, mientras que la versión con artículo definido, (95b), es ambigua, ya que admite varias interpretaciones enfáticas (cuantitativas y cualitativas; véase más adelante) y además una interpretación referencial normal, equiparable a las de (95a) y que sólo puede corresponder a una estructura que incluya una oración de relativo. Únicamente con el artículo se obtienen, pues, lecturas intensivas o enfáticas.

Los sintagmas encabezados por el artículo carecen en estos casos de las propiedades referenciales y anafóricas típicas de las descripciones definidas. [74] La interpretación enfática es, por ejemplo, incompatible con la presencia de antecedentes discursivos; así, en (96a), el SN encorchetado no se refiere anafóricamente al posible antecedente *todas sus obras,* y sin embargo la secuencia es correcta. Ello se debe al contenido de cuantificación y no referencial del sintagma. Sí sería posible una relación anafórica de identidad de sentido, como la que hace posible la elipsis nominal en (96b):

(96) a. He leído todas sus obras. No puedes imaginar [las obras que ha escrito].
b. He leído todas sus obras. No puedes imaginar las que ha escrito.

Las construcciones enfáticas presentan tanto interpretaciones cuantitativas como también interpretaciones que pueden denominarse cualitativas. Estas últimas a su vez pueden estar orientadas hacia una cualidad positiva o hacia una cualidad negativa. A la oración (95b) se le pueden asignar, entonces, por lo menos, las lecturas que se especifican a continuación:

(97) a. Hay que ver cuántos cuadros se le atribuyen.
b. Hay que ver qué cuadros tan buenos se le atribuyen.
c. Hay que ver qué cuadros tan malos se le atribuyen.

La posibilidad de que surjan unas u otras depende de que el nombre que sigue al artículo acepte la cuantificación (la interpretación cuantitativa siempre es posible con nombres en plural, pero no, por ejemplo, en *Hay que ver el cuadro que se le atribuye,* donde sólo hay una interpretación cualitativa) y de que la interpretación global sea pragmáticamente aceptable (así, en *No se imagina usted las cosas que dijo*

[74] Los datos que siguen están tomados de Torrego 1988 y Brucart 1992.

una interpretación cualitativa resulta mucho más natural que una exclusivamente cuantitativa).

Cuando el artículo va seguido de un complemento pseudopartitivo con *de,* como en (98), la interpretación es necesariamente cuantitativa, ya que en tales casos se puede hablar de elipsis nominal y siempre es posible una paráfrasis en la que se reponga el nombre *cantidad (la de cosas que...* equivale a *la cantidad de cosas que...).*

(98) a. ¡La de cosas que se le ocurren!
b. Le asustaba la de dificultades que se acercaban.

De todo ello se desprende que no es únicamente el artículo el elemento responsable de la interpretación final. El papel del artículo es esencialmente el mismo que en cualquier otro caso, con la peculiaridad de que el SN que encabeza no es referencial sino cuantificativo. El tipo de cuantificación indicado por el artículo es el único compatible con los rasgos de la sintaxis típicamente interrogativa / exclamativa de la construcción, y subyace tanto a las interpretaciones cuantitativas como a las cualitativas. Decisiva es también la anteposición de un SN de la oración subordinada, que constituye un procedimiento de focalización común en español (por ejemplo, en construcciones enfáticas como *CON ELLA quería hablar, no con su secretaria*). [75] Una secuencia como *Me imagino las obras que ha escrito* debe relacionarse con la correspondiente versión no enfática (desde el punto de vista sintáctico), en la que no se ha antepuesto constituyente alguno de la subordinada: *Me imagino que ha escrito {tales / tantas...} obras.* Es la focalización lo que da lugar a una estructura aparentemente idéntica a la de un SN seguido de una relativa.

Entre los criterios que justifican la asimilación de las construcciones enfáticas con artículo a las oraciones interrogativas y exclamativas (véanse también los §§ 7.4.2 y 12.1.3), hay que señalar en primer lugar que estas construcciones aparecen típicamente en los contextos que admiten oraciones interrogativas y exclamativas (aunque la distribución no sea absolutamente idéntica): [76] pueden ser independientes (como en *¡Los libros que me quedan por leer!*) o bien ser subordinadas, y en este último caso dependen de un elemento capaz de seleccionar interrogativas o exclamativas (típicamente, verbos como *ver, imaginar, preguntar*).

Otros datos que apoyan el análisis de estas construcciones como estructuras oracionales más que como SSNN con relativas son el hecho de que admitan la sustitución por el clítico *lo* en lugar de los clíticos que corresponderían a un SN (para el ejemplo *No puedes imaginar las obras que ha escrito,* la secuencia *no puedes imaginarlo,* frente a *no puedes imaginarlas*), la falta de concordancia con respecto al verbo que se observa en construcciones como *Es increíble las historias que cuenta,* la imposibilidad de elidir el constituyente introducido por *que* (en *No puedes imaginar las obras* la interpretación enfática se pierde, y en **No sabes las ganas,* obtenido a partir de *No sabes las ganas que tengo de volver,* el resultado es incluso agramatical) y también la imposibilidad de sustituir *que* por un pronombre relativo como *el cual* o *quien* o de insertar una relativa explicativa *(*No puedes imaginar las obras, las cuales ha escrito).* A pesar de todo, no es fácil decidir si se les debe asignar la estructura sintáctica de una oración o simplemente las propiedades semánticas características de una oración. [77]

[75] Sobre este punto, véanse Gutiérrez Ordóñez 1986: 248, Álvarez Menéndez 1987 y Brucart 1992.
[76] Plann 1984: 109.
[77] Plann 1984, Álvarez Menéndez 1987, Bosque 1989: cap. 4, Brucart 1992.

12.1.3. La forma *lo* y otras construcciones enfáticas

La forma invariable *lo* [⟶ §§ 5.2.1.2 y 42.3.4] completa el paradigma del artículo definido. Sus peculiares características han producido numerosas polémicas acerca de su estatuto gramatical (artículo o pronombre), así como sobre cuál es su rasgo definitorio frente a las formas *el, la, los, las* (el carácter neutro, o el no contable) o sobre cuántas clases de *lo* existen. [78] Esta última cuestión es también la primera que debe abordarse. Si se dejan a un lado las formas que aparecen en (99a) y (99b), que son pronombres clíticos de atributo y objeto directo, invariable el primero y con variación de género y número el segundo [⟶ § 19.5], quedan dos tipos de estructura que es preciso distinguir: son los ejemplificados en (100) y (101).

(99) a. Creí que se pondría nerviosa, pero ahora no lo está.
b. Ella también lo creía.
(100) a. Lo más interesante que había leído.
b. Lo interesante del libro.
(101) a. Lo interesante que es ese libro.
b. Lo curiosa que es Amanda.

Como señalan Bosque y Moreno (1989), la razón fundamental para pensar que (100) y (101) son dos construcciones distintas es que los patrones de concordancia difieren: mientras que en las construcciones de (100) el adjetivo sólo puede aparecer en masculino singular *(*lo más interesantes que había leído, *lo graciosa de la situación),* en las de (101) el adjetivo debe concordar con el SN (y el verbo) de la subordinada introducida por *que (*lo interesantes que es ese libro, *lo curioso que es Amanda).* Ello indica que en este segundo caso es un elemento de la subordinada el que impone los rasgos de género y número al adjetivo, pero en el primero es *lo* el que determina los rasgos masculino y singular de la flexión adjetiva, al tratarse de una unidad invariable. El papel desempeñado por *lo,* en consecuencia, no es el mismo en las dos estructuras: las posibilidades de concordancia hacen pensar que *lo* es el núcleo de la construcción en (100) y no en (101).

Parece claro que las de (101) son construcciones enfáticas [⟶ § 7.4.2] en todo equiparables a las descritas en la sección anterior: con ellas es posible la paráfrasis exclamativa *(¡Qué interesante es ese libro!, ¡Cuán curiosa es Amanda!),* pueden aparecer como construcciones independientes o como subordinadas de predicados que típicamente seleccionan interrogativas o exclamativas *(No te imaginas lo interesante que es ese libro, Ya sabe lo curiosa que es Amanda)* y no admiten la elisión de la subordinada *(*lo curiosa, *lo interesantes)* [79] ni su sustitución por una oración explicativa *(*lo interesante, que es ese libro),* todo lo cual constituye un obstáculo para el

---

[78] Sobre el estatuto de *lo* pueden consultarse Alarcos 1962, Lois 1971, Luján 1972, Contreras 1973, Lapesa 1984b, Gutiérrez Ordóñez 1986: cap. 8, Álvarez Menéndez 1987, Ojeda 1984 y 1993: cap. 7, Bosque y Moreno 1989, Garrido 1989, Brucart 1992 y Gutiérrez Rexach 1995.

[79] Como han señalado Gutiérrez Ordóñez (1986: 249) y Álvarez Menéndez (1987: 353-355), en ocasiones la subordinada se puede elidir:

(i) Los pillaron por lo incautos.
(ii) Me gusta por lo pequeña.

Sin embargo, se trata de una posibilidad restringida a aquellos casos en que el verbo subordinado es atributivo y fácilmente recuperable (por ejemplo, en *Los pillaron por lo incautos que fueron*), por lo que no se puede extender a

análisis de tales construcciones como SSNN con oraciones de relativo, y apoya un análisis que les asigna la categoría de oraciones. Estos paralelismos permiten concluir que *lo* se comporta en estos casos de la misma forma que *el/la* cuando funcionan como artículos enfáticos, por lo que la estructura de constituyentes de (101) debe ser la de (102a), idéntica a la de *las cosas que dice,* y no la de (102b):

(102) a. [[lo curiosa] [que es Amanda]]
b. [[lo] [curiosa que es Amanda]]

El análisis de (102a) indica que *lo* modifica al sintagma adjetivo que le sigue, o al sintagma adverbial en ejemplos como los de (103): [80]

(103) a. Lo bien que cantaba.
b. Lo cerca que estaba de ella.

El hecho de que *lo* determine a un sintagma adjetivo o adverbial puede arrojar dudas sobre su estatuto de artículo, pero veremos más adelante que esta no es una característica específica de esta clase de *lo* y que no es incompatible con el estatuto de determinante, ya que *lo* se emplea para denotar entidades no humanas, pero también propiedades, cantidades y grados al combinarse precisamente con adjetivos y adverbios. En (101) y (103) *lo* no es más que un artículo enfático, con la función de marcar explícitamente el constituyente enfatizado y focalizado, y, por consiguiente, antepuesto a *que* en la estructura oracional. No obstante, este análisis no recoge el ya mencionado fenómeno de discordancia entre *lo* y el adjetivo al que precede: *lo* parece ser inerte en cuanto a la asignación de rasgos de género y número en estos casos, contrariamente a lo que sucede en las construcciones de (100), y permite que el adjetivo concuerde con otra expresión nominal. Por otra parte, la inserción de *lo* es agramatical si no hay anteposición focalizadora *(*Amanda es lo curiosa),* lo cual es general para cualquier artículo enfático (compárese *Ignoramos el dinero que habrá costado* con **Ignoramos si habrá costado el dinero).* En definitiva, confluyen aquí dos propiedades en principio contradictorias, como son el paralelismo con los artículos enfáticos, que lleva a pensar que en estas construcciones *lo* es artículo, y la discordancia con el adjetivo, que sugiere que *lo* no funciona como un determinante. [81]

---

subordinadas con verbos plenos cuya recuperación no está garantizada, como en *Se come las palabras, de lo rápido *(que habla).* Esta restricción, así como la imposibilidad de formar sintagmas del tipo de **lo incautos* o **lo pequeña* al margen de las estructuras que aquí se comentan, dificulta la adopción del análisis con oración de relativo, ya que las verdaderas relativas pueden elidirse con normalidad.

[80] La opción contraria, según la cual *lo* determina (o sustantiva) a todo el constituyente oracional que lo sigue, se defiende en Lois 1971, Álvarez Martínez 1986: 246, Álvarez Menéndez 1987: 357-358 y Gutiérrez Rexach 1995. Sin embargo, si se acepta el paralelismo indicado arriba, defendido en Alarcos 1962 y Gutiérrez Ordóñez 1986: 244-246, hay que concluir que *lo* forma parte del constituyente enfatizado y antepuesto, y que por tanto no tiene ámbito sobre toda la construcción.

[81] Esta última propiedad ha llevado a Bosque y Moreno (1989) a tratar este *lo* como un cuantificador que opera sobre un adjetivo o un adverbio. Véase Gutiérrez Ordóñez 1986: 248-249 para una visión de las dos propiedades contrapuestas como compatibles: básicamente, *lo* aparece porque se indican cualidades y porque al indicar el atributo es normal que en *lo* se anulen los rasgos de género y número, pero el adjetivo mantiene la concordancia con otro sintagma para hacer reconocibles las relaciones gramaticales originales de la estructura no enfática y asegurar la interpretación correcta.

La presencia de *lo* no es estrictamente obligatoria en las anteposiciones enfáticas. Hay construcciones causales, concesivas y exclamativas que muestran las mismas características que las aquí descritas y no implican necesariamente la aparición de *lo:* [82]

(104) a. No podía ni dormirse, de (lo) cansada que estaba.
b. Por (*lo) lista que sea, no conseguirá escapar.
c. ¡Listo que es uno!

Efectivamente, el artículo no es el único factor responsable de la interpretación enfática, ya que es preciso tener en cuenta también la anteposición del constituyente, el papel desempeñado por preposiciones como *de* y *por,* y la curva melódica.

Las construcciones enfáticas con *lo* son posibles únicamente si el sintagma adjetivo o adverbial que lo sigue denota cualidades graduables o cuantificables. [83] Esto explica la anomalía de los ejemplos de (105), en los que aparecen elementos enfatizados no graduables, así como que los pocos nombres que se pueden emplear en estas construcciones también denoten propiedades graduables, al funcionar como adjetivos *(lo caballero que es Ernesto).*

(105) a. *Lo descalza que vi a tu hermana.
b. *Lo presunta que es la culpable
c. *Lo aquí que se sentaban.

La restricción sobre el carácter graduable explica además que las expresiones comparativas y superlativas estén excluidas, al indicar ellas mismas ya el grado en que debe tomarse una propiedad:

(106) a. *Lo más antipático que es este señor.
b. *Lo máxima que es la preocupación.

Sin embargo, los cuantificadores de grado *mucho* y *poco* sí pueden aparecer tras *lo:*

(107) a. Lo mucho que la echan de menos.
b. Lo poco que me gusta este bar.

Son sólo marginalmente aceptables, en un estilo coloquial, expresiones como *lo guapísima que estás* o *lo muy antipático que está hoy,* ya que presentan sintagmas adjetivos que no son susceptibles de gradación ulterior.

Las construcciones de (100), *lo más interesante que había leído / lo interesante del libro,* se distinguen de las anteriores por no ser de tipo enfático ni tener carácter oracional; no hay en ellas anteposición de constituyente alguno, y pueden contener verdaderas oraciones de relativo. Tales diferencias sintácticas se ponen de manifiesto en los patrones de concordancia comentados anteriormente. *Lo* se combina en estos casos con sintagmas adjetivos o preposicionales y con oraciones de relativo:

(108) a. Es lo peor que he visto.
b. Aprobó lo más difícil del examen.

[82] Gutiérrez Ordóñez 1986: 250-260, Álvarez Menéndez 1987: 356-357.
[83] Lois 1971: 108, Contreras 1973: 7-9.

(109) a. No sabía nada de lo de Ernesto y Carmen.
b. Ahí está lo de hoy.

(110) a. No sabía nada de lo que les pasó a Ernesto y a Carmen.
b. Lo que pretende su vecina es inaceptable.

Se reproduce, por tanto, el esquema de posibilidades de la elipsis nominal con artículo definido, con las correspondientes restricciones: los únicos complementos preposicionales permitidos son los que van introducidos por *de (*lo sin problemas),* y las únicas oraciones de relativo posibles son las restrictivas *(*lo, que nadie sabía),* debido a la naturaleza átona, de clítico, de *lo,* que también impide que *lo* pueda aparecer como elemento independiente, sin modificadores. Sin embargo, hay una diferencia importante, derivada de la que quizá sea la propiedad distribucional fundamental de *lo:* la imposibilidad de ir seguido de nombres, hecho que tradicionalmente se ha atribuido a la inexistencia de nombres neutros en español (se trata de una propiedad válida para cualquier estructura con *lo,* debida a que ningún nombre podría concordar en género con este determinante). Si *lo* nunca puede preceder a un nombre, entonces las construcciones de (100) no pueden caracterizarse como casos de elipsis nominal en los que una categoría nominal implícita funcione como núcleo léxico de la expresión. [84] Frente a los artículos con elipsis nominal, *lo* nunca da lugar a construcciones anafóricas, y nunca remite a antecedentes nominales.

Otras restricciones típicas de la elipsis nominal se mantienen inalteradas porque derivan simplemente del carácter definido de *lo:* así, ni en los casos de elipsis nominal ni en los SSNN encabezados por *lo* puede haber modificadores comparativos con *más / menos,* con *tan* o con *como* (§ 12.1.2.5).

(111) a. *Lo más interesante que cualquier otra cosa. (Cf. *La más interesante que cualquier otra cosa.)
b. *Lo tan interesante. (Cf. *El tan interesante.)
c. *Lo como eso del escaparate. (Cf. *Las como esas del escaparate.)

En resumen, las construcciones de (100) tienen en común con las de elipsis nominal el tipo de categorías que pueden aparecer como modificadores y las limitaciones derivadas del carácter clítico del determinante y de la definitud; difieren de estas últimas en lo que respecta a la posibilidad de recuperar un núcleo nominal elíptico y en las consiguientes propiedades anafóricas.

Mientras que las construcciones de elipsis nominal definen su interpretación por medio de procesos anafóricos o por medio del rasgo 'humano', los SSNN encabezados por *lo* no están asociados a ninguno de estos procedimientos, y dependen más bien de los rasgos referenciales característicos de *lo,* diferentes de los de las restantes formas del artículo. Siguiendo a Bosque y Moreno (1989), se pueden distinguir tres denotaciones distintas para *lo:*

A) El *lo* individuativo denota entidades no humanas caracterizadas por la propiedad indicada en el modificador: *lo blanco* denota la entidad o el conjunto de entidades de color blanco, *lo de ayer* denota la entidad o el conjunto de entidades asociadas con el día anterior a aquel en que se habla, y *lo que te compraron* denota

[84] Lázaro Carreter 1975: 57-59.

la entidad o conjunto de entidades definidas por haber sido compradas al oyente. Dichas entidades pueden ser objetos concretos o abstractos, clases o conjuntos de objetos, cualidades, sucesos y acontecimientos, o contenidos proposicionales.[85] En expresiones fosilizadas como *dentro de lo posible, en lo sucesivo* o *a lo lejos* hay un *lo* individuativo que denota hechos, unidades de tiempo o lugares.

Característicos del *lo* individuativo son el rechazo de los adjetivos que se predican de personas *(*lo tacaño, *lo cariñoso),* debido a que sólo denota entidades no humanas, y la aceptación de modificadores de tipo superlativo *(lo más blanco, lo más complicado de este libro).*

B) El *lo* cualitativo denota cualidades o propiedades tomadas en su grado máximo: una de las interpretaciones de *Me impresionó lo duro de aquel trabajo* es parafraseable por *Me impresionó el grado extremo de dureza de aquel trabajo* y es cualitativa (la otra es una interpretación individuativa que alude a la parte dura, o al aspecto duro, del trabajo). Las mismas lecturas se pueden asignar al sintagma *lo alto de la montaña:* la individuativa equivale a *la parte (más) alta de la montaña,* y la cualitativa a *la altura extrema de la montaña.*

El *lo* cualitativo contrasta con el individuativo por el hecho de admitir adjetivos que se predican de personas *(lo tacaño de Ernesto, lo cariñoso de la niña)* y rechazar en cambio los superlativos (*lo más duro de este trabajo* sólo puede tener una lectura individuativa); es compatible, sin embargo, con los adjetivos modificados por *muy* o *poco:* sintagmas como *lo poco preparado de Pepe* o *lo muy duro de este trabajo* pueden recibir una lectura cualitativa.

A menudo se ha equiparado este *lo* con el de las construcciones enfáticas de tipo *lo duro que era aquel trabajo.* Efectivamente, existen importantes semejanzas entre ambos: la incompatibilidad con los superlativos, pero no con *mucho* o *poco,* la posibilidad de preceder a adjetivos que indican cualidades humanas, la necesidad de que los adjetivos sean graduables (expresiones como *lo cartaginés de esta figurita* o *lo imposible de esa solución* no pueden contener un *lo* cualitativo, ya que *cartaginés* o *imposible* no pueden tomarse en un grado máximo), y la dependencia de predicados que típicamente seleccionan oraciones exclamativas, señalada en Bosque y Moreno 1989. Las diferencias fundamentales que subsisten entre ambas clases de *lo* estriban en que uno aparece en una estructura oracional enfática, en el seno de un constituyente antepuesto, y el otro en un SN, y además en que el *lo* cualitativo exige la presencia obligatoria del complemento preposicional introducido por *de* (un sintagma como *lo picante de este plato* puede indicar la propiedad de ser picante en extremo, además de aceptar también una lectura individuativa, pero si el complemento preposicional desaparece, *lo picante* pierde la lectura cualitativa).[86]

C) El *lo* cuantitativo denota cantidades, en secuencias como *No duerme lo necesario* o *Cobra lo justo.* Su comportamiento es muy similar al de cuantificadores como *mucho, poco* o *bastante.* Los adjetivos que siguen al *lo* cuantitativo pertenecen

[85] Es individuativo el *lo* que aparece seguido de subordinadas sustantivas introducidas por la preposición *de (lo de que los mariscos se pongan por las nubes; lo de añadir un tercer carril a este tramo).* Tales construcciones se refieren a hechos acaecidos o en cualquier caso mencionados o presentes en el contexto de interpretación, por lo que podríamos denominar *factivo* a este tipo de *lo.* Las subordinadas son siempre de tipo apositivo (cf. el § 33.3.1).

[86] Merecen una mención aparte las construcciones, ya descritas por Fernández Ramírez (1951a: § 71.2), del tipo <*de lo más* + adjetivo>; en ellas es fácil encontrar, además de casos en los que *lo* va seguido, correctamente, de un adjetivo en masculino *(un arroz de lo más sabroso),* ejemplos de discordancia como los siguientes, frecuentes en el habla coloquial, en los que el adjetivo concuerda con una expresión nominal externa al constituyente encabezado por *de:*

(i) Son de lo más infantiles —me decía. [Unamuno, *Contra esto y aquello,* 58; citado en Fernández Ramírez 1951a: § 71.2]

(ii) Unas declaraciones de lo más explosivas.

a un grupo restringido: *necesario, suficiente, imprescindible, conveniente, justo* y pocos más, pero la interpretación es posible también con modificadores no adjetivos: *Cobra lo de siempre, Dura lo que te dije.*

Un uso especial de *lo* que no está contemplado en la tipología anterior, y que se encuentra limitado al español de Chile y Argentina, es la combinación con complementos introducidos por *de* o incluso con nombres propios para denotar lugares (fincas, casas, barrios, locales, propiedades):

(112) a. ... en lo de Galván hay unas yeguas pa domar. [R. Güiraldes, *Don Segundo Sombra,* 26]
b. Puedo ir hasta lo de Belgrano y traer algo para la comida. [J. C. Onetti, *El astillero,* 182]
c. Lo Franco, Lo Aguirre, Lo Guzmán (denominaciones de lugar).

Con respecto al problema tradicional de cuál es la categoría sintáctica de *lo,* hay que señalar que la capacidad de denotar distintas clases de entidades, grados o cantidades parece más propia de un pronombre que de un artículo, y apoya la suposición de que *lo* es el núcleo del SN que encabeza, especialmente si se tiene en cuenta que las características de las construcciones examinadas derivan en gran parte de la semántica de *lo.* No obstante, si se parte del supuesto de que los pronombres son básicamente determinantes que no van seguidos de constituyentes nominales, el problema del estatuto de pronombre o artículo de *lo* se difumina: *lo* puede considerarse como la variante débil y átona de la forma *ello* [⟶ § 19.3.9], [87] y al mismo tiempo como un artículo definido integrado en el mismo paradigma que *el* y *la.*

Finalmente, en cuanto a la relación con las restantes formas del artículo definido, se ha hablado tradicionalmente de una distinción de género: *lo* sería la forma neutra del paradigma. Sin embargo, no parece que haya razones para hablar de género neutro en español, ni en este caso ni en el de elementos como los demostrativos *esto/eso/aquello,* ya que no existe concordancia formal neutra (no existen nombres neutros, y los adjetivos no exhiben formas neutras). La concordancia que muestran los llamados *neutros* es siempre de masculino. En consecuencia, *lo, ello* y los demostrativos *esto/eso/aquello* no se oponen al resto de las formas de sus paradigmas por sus rasgos morfológicos de género, sino por un rasgo semántico que podría identificarse como la capacidad de denotar únicamente entidades inanimadas o no humanas, o quizá como la capacidad de denotar sólo lo no contable o no discreto, lo cual explicaría que estas formas carezcan de plural y de un correlato indefinido, y que no puedan asociarse al interrogativo *cuál,* que requiere la individualización del referente:

(113) ¿{Qué/*Cuál} es lo que necesita?

En general, los llamados neutros no proporcionan criterios para la individualización del referente (salvo el rasgo de definitud), y el tipo de referencia y de capacidad anafórica que muestran es distinto del que caracteriza a las formas 'no neutras'. [88]

---

[87] Como han propuesto muchos autores: Bello (1847: cap. XIV), Fernández Ramírez (1951b: § 159), Luján (1972), Lázaro (1975: 58), Garrido (1989: 114) y Ojeda (1993: 168-172), entre otros. Una defensa de la opción contraria, para la que *lo* no es una variante de *ello,* puede verse en Álvarez Martínez 1986: 101-107.

[88] Bello 1847: § 295, Fernández Ramírez 1951b: § 114, Ojeda 1993: 168.

12.2. El artículo indefinido

12.2.1. *Un(o)* en el paradigma de los indefinidos

12.2.1.1. ¿Numeral o artículo?

El elemento que la tradición gramatical denomina 'artículo indefinido' proviene históricamente del numeral latino *unus* [→ Cap. 18]. Es un hecho bien establecido que en la mayor parte de las lenguas que poseen artículo indefinido este deriva de un numeral (o de un clasificador numérico). La identidad fónica que subsiste en el español moderno entre la forma *un* y el numeral *uno* confirma esta conexión, y al mismo tiempo suscita la cuestión de si existe una verdadera justificación para mantener la distinción tradicional entre artículo indefinido (o indeterminado), pronombre indefinido y numeral.[89]

Si se acepta que los pronombres son esencialmente determinantes, como se sugiere en el § 12.1.1.6, no será necesario distinguir el pronombre indefinido *uno* del artículo o del numeral; de hecho, las interpretaciones que se pueden asignar a *uno* son paralelas a las que se pueden asignar a un SN con *un,*[90] y la distribución de las dos formas es complementaria, y fácilmente predecible por medio de una regla de apócope que convierte a *uno* en *un:* cuando sigue, como núcleo del SN, un nombre fonéticamente realizado (sin que se requiera adyacencia estricta), aparece *un* y, en caso contrario, aparece la variante pronominal *uno.* Esta regla permite recoger los contrastes de (114), que se manifiestan únicamente en masculino:[91]

(114) a. Tenemos un nuevo ayudante. / *Tenemos uno nuevo ayudante.
b. He utilizado uno de menor graduación. / *He utilizado un de menor graduación.

El mismo contraste entre formas apocopadas y formas plenas se manifiesta con otros cuantificadores, como *cualquiera, alguno* o *ninguno* (cf. **cualquier de ellos, *algún más barato, *ningún de nuestros amigos*).

En cuanto a la distinción entre artículo y numeral, existen tanto datos que la apoyan como datos que la debilitan. Por un lado, es cierto que el numeral se caracteriza por un contenido de cardinalidad (es decir, de estimación numérica) mientras que el artículo presenta un contenido de indeterminación del referente (§ 12.2.1.2), pero esta diferencia semántica no constituye de por sí una razón suficiente para establecer una diferencia categorial, si no está apoyada en hechos formales significativos. De no existir una justificación adecuada para tratar al numeral y al artículo como entidades independientes, entonces tampoco se puede aceptar

---

[89] El problema ha sido ampliamente debatido en la lingüística hispánica de este siglo. En gran parte se trata de un problema terminológico y por lo tanto de importancia secundaria. El iniciador de la polémica es Alonso (1933). Su postura, contraria a la caracterización de *un* como artículo, es defendida por Alarcos (1967) y Álvarez Martínez (1986: 26-40), y criticada por Lapesa (1975). Las gramáticas del español no mencionan el artículo indefinido hasta el siglo XIX.

[90] Véase Ridruejo 1981 para el paralelismo en la interpretación genérica.

[91] La forma femenina *una(s)* es idéntica para pronombre y artículo, mientras que las formas masculinas difieren por la presencia de una marca final de palabra *-o* en el pronombre. En cuanto al femenino del artículo, hay que señalar que es habitual que la forma apocopada *un* sustituya a *una* (en la grafía) cuando sigue un nombre femenino que comienza por *a* tónica: *un aula, un ave.* Este hecho es parcialmente asimilable a la alternancia *la* / *el* para el artículo definido (§ 12.1.1.2); como también sucede con *el,* la forma apocopada sólo es posible cuando es adyacente al nombre, y no cuando lo que sigue es un adjetivo: *una hábil maniobra, una amplia habitación.* Véase Álvarez de Miranda 1993: 31-33.

que *un* pertenezca al mismo paradigma que el artículo definido. Alonso (1933) y Alarcos (1967) han esgrimido varios argumentos para negar a *un* el estatuto de artículo. El principal está basado en el carácter tónico de *un* y en su capacidad para funcionar de forma independiente, como pronombre. Efectivamente estos hechos distinguen a *un* de *el,* debido a la naturaleza clítica de este último; sin embargo, no demuestran que la categoría gramatical sea diferente. Tampoco lo hacen los argumentos basados en las relaciones paradigmáticas que *un,* pero no *el,* contrae con elementos como *cierto* o *ninguno:* simplemente indican que el primero es indefinido y el segundo no.

Tanto el contenido de cardinalidad característico del numeral como el contenido de indeterminación asociado al artículo indefinido [⟶ §§ 16.1 y 16.2.2] pueden adquirir en el contexto discursivo una especial prominencia. En (115a) es el contenido de cardinalidad, por el que *un(o)* se opone a los demás elementos de la serie de los numerales cardinales *(dos, tres...),* el que resulta aseverado o situado en primer plano informativo, y desplaza por consiguiente al contenido de indeterminación; en (115b) sucede lo contrario y se impone la indeterminación de la referencia (por lo que no es posible una paráfrasis del tipo *El número de informes interesantísimos que estoy leyendo es uno*).

(115) a. Con una cucharada más será suficiente.
b. Estoy leyendo un informe interesantísimo.

En otros ejemplos descontextualizados pueden surgir ambigüedades. Considérese (116):

(116) Sólo un hombre puede ayudarnos.

Sus posibles interpretaciones dependen de cuál sea el elemento focal dentro del ámbito del cuantificador *sólo* [⟶ § 16.6]: el nombre común *hombre* (que, focalizado, contrasta con otros posibles nombres comunes como *mujer, niño,* etc.), el cuantificador *un* (que funciona entonces como numeral y produce una interpretación del tipo de 'el número máximo de hombres que pueden intervenir para ayudarnos es uno') o el sintagma entero *un hombre* (en el que *un* actúa como un artículo y la interpretación, con referencia específica, equivale a «Sólo un hombre determinado puede ayudarnos»).

Los datos contextuales y la estructura informativa (en especial, la determinación del foco) parecen ser los factores responsables de que una interpretación predomine sobre la otra. Esto, en principio, puede hacer pensar que el numeral y el artículo no son más que dos facetas o manifestaciones de una misma unidad de la clase de los cuantificadores. Sin embargo, la naturalidad y la frecuencia con la que las lecturas indefinidas arrinconan el contenido puramente numeral de *un* indican que no es enteramente satisfactorio tratar a este elemento como un simple numeral.[92] En efecto, el artículo indefinido del español y de muchas otras lenguas se comporta como un cuantificador con propiedades adicionales que lo distinguen del resto de los integrantes del paradigma de los numerales cardinales. Tales propiedades no se muestran en el numeral latino *unus.*

---

[92] Véase Velde 1994: 31-35.

El artículo indefinido, tanto en español como en el resto de las lenguas románicas, ha ido fijando sus usos con mayor lentitud que el artículo definido; en su evolución histórica ha seguido un patrón presumiblemente universal que parte de los valores tanto numerales como indefinidos ya presentes en el *unus* latino, y ha pasado de indicar entidades específicas pragmáticamente sobresalientes y relevantes en el discurso a funcionar como marca de indefinitud incluso con valores inespecíficos, genéricos y atributivos.[93] Como en el caso del artículo definido, la extensión de los usos de *un* se hizo a costa de las posibilidades de empleo originales de los nombres escuetos, sin determinante. Los valores con los que *un* culmina su proceso evolutivo (en el siglo XVI) son el valor genérico y el predicativo o atributivo, ejemplificados en (117), y anteriormente manifestados típicamente con nombres escuetos.

(117) a. Una beca de investigación permite trabajar en las mejores condiciones.
b. Este animal es un marsupial.

Es precisamente el hecho de poder emplearlo en SSNN genéricos (§ 12.3.3.2) y en SSNN predicativos o atributivos (§ 12.2.1.1), en los que el contenido numeral o de cardinalidad es irrelevante, lo que en alguna medida justifica que podamos continuar empleando la denominación de 'artículo indefinido'. Suponemos que existe artículo indefinido a partir del momento en que ya no es posible designar a un elemento particular, no identificado, de un conjunto por medio de un nombre discontinuo escueto, sino que es obligatorio anteponerle un determinante como *un;* este es el caso de los contextos genéricos y atributivos *(*Beca de investigación permite trabajar en las mejores condiciones; *Este animal es marsupial),* y de varios otros *(Vimos *(una) película; asomados a *(una) ventana).* Los usos genérico y predicativo son los más alejados del funcionamiento original de *unus* y, a pesar de que no son inherentemente incompatibles con los numerales cardinales, tampoco se caracterizan, desde luego, por requerir el empleo del *un* numeral en las lenguas que carecen de artículo indefinido (en esos casos se utiliza más bien un nombre escueto). Por consiguiente, habiendo llegado a un distanciamiento notable con respecto al funcionamiento típico de un numeral, *un* adquiere un estatuto propio al que nos seguiremos refiriendo, en adelante, con el término clásico de 'artículo indefinido'.

Como ejemplos de SSNN indefinidos encabezados por numerales y con interpretación genérica, se pueden tomar los siguientes:

(118) a. Once jugadores forman un equipo de fútbol.
b. Dos fichas blancas equivalen a una negra.
c. Dos artículos en prensa no son un buen currículum.

Las posibilidades de obtener sintagmas genéricos con numerales son, de todas formas, más restringidas que con *un,* y, por otro lado, en muchas ocasiones las oraciones genéricas con *un* son parafraseables por medio de sus equivalentes con *el,* lo que no es posible en el caso de los numerales: *{Un/El} lince es un felino* (no obstante, véase el § 12.3.3.3 para las asimetrías entre *un* y *el* genéricos), frente a *Las fichas blancas equivalen a una negra,* que no es sinónima de (118b). Solamente *un,* y no los numerales, representa un mecanismo no marcado para obtener predicaciones genéricas.

---

[93] Para una perspectiva general sobre la evolución del artículo indefinido deben consultarse Givón 1978 y 1981 y Wright y Givón 1987.

12.2.1.2. El significado de un

La forma *un* presenta el mismo significado básico de indefinitud que reaparece en los cuantificadores indefinidos débiles o no universales [⟶ § 16.2.2]. El rasgo semántico de indefinitud, que opone *un* a *el* y a los determinantes definidos, puede caracterizarse como la ausencia de indicaciones para la localización del referente (en otros términos, la falta de indicaciones para acceder a una representación de la entidad denotada por el sintagma). Es, por tanto, un rasgo negativo. La gramática tradicional observa que con *un* el hablante indica que la entidad aludida no es conocida para el oyente, bien porque no ha sido mencionada en el discurso previo, bien porque no puede ser localizada en la situación de habla o identificada a partir de datos contextuales. Mientras que el artículo definido (y los determinantes definidos en general) obliga al oyente a recuperar, de alguna forma, los datos necesarios para establecer una representación del referente, el artículo indefinido no transmite ninguna orientación o instrucción en este sentido, y aporta únicamente un contenido de cuantificación, por el que la interpretación del SN se reduce a extraer un elemento perteneciente al conjunto denotado: en el sintagma *un libro de cocina,* un elemento de la clase de los libros de cocina. Que ese elemento sea uno determinado o uno cualquiera, que el conjunto sobre el que se cuantifica esté o no ya restringido contextualmente, o que la interpretación resultante dependa también de la presencia de otros cuantificadores u operadores en la estructura sintáctica, son todas cuestiones externas al significado lingüístico de *un* que se tratan en el § 12.3. [94]

Todas las propiedades que tradicionalmente se atribuyen a *un* en contraste con el definido *el* son efectos derivados del rasgo básico de indefinitud. Entre tales propiedades destacan la de introducir referentes nuevos en el discurso, la de carecer de interpretaciones anafóricas, la de no indicar la totalidad de la clase de objetos denotada y la de ser sensible a la presencia de diversos operadores en la oración.

Las dos primeras están íntimamente relacionadas. Cuando se emplea un SN indefinido como el de (119) se introduce una entidad nueva, no mencionada anteriormente, en el universo del discurso, por lo que los indefinidos suelen ocupar posiciones sintácticas de tipo remático, reservadas para la información nueva o focales [⟶ § 64.3]. Esto no deja de ser una simple tendencia estadística, pero efectivamente caracteriza a los indefinidos desde el punto de vista discursivo (véase el § 12.2.2.3 para usos temáticos de los indefinidos).

(119) Han denunciado un caso de corrupción en el juzgado n.º 3.

La entidad introducida puede ser retomada posteriormente por alguna expresión definida anafórica, y en este caso se dice que efectivamente el indefinido ha introducido un nuevo 'referente de discurso': así, (119) acepta una continuación como (120), donde el pronombre *lo* se refiere a *un caso de corrupción en el juzgado n.º 3.*

(120) Parece que lo ha descubierto un periodista.

[94] Sobre el significado de *un* y de los indefinidos en español pueden consultarse Alarcos 1968, Lapesa 1975, Martínez 1989: cap. III. Desde una perspectiva más general, Hawkins 1978 y 1991, Heim 1982, Rouchota 1994, Velde 1994 y Danon-Boileau (ed.) (1994).

La costumbre de traducir el artículo indefinido, en la notación lógica, por medio del cuantificador existencial (el símbolo ∃), junto a la posibilidad de inferir la existencia del nuevo referente de discurso introducido (en (119), por ejemplo, es habitual inferir que existe un caso de corrupción que ha sido denunciado), ha hecho pensar a menudo que la implicación de existencia del referente forma parte del significado lingüístico de *un.* No es así, sin embargo. Hay muchos contextos en los que *un* no admite una representación con cuantificador existencial, y son típicamente los contextos en los que su interpretación es afectada por elementos como el condicional y los adverbios de cuantificación:

(121) a. A un batería pocas veces le dejan ensayar en su casa.
b. Si Juan compra una oveja, a menudo la vacuna.
c. A pocos baterías les dejan ensayar en su casa.
d. Juan vacuna muchas de las ovejas que compra.

La posibilidad de parafrasear los ejemplos (121a) y (121b) como en (121c) y (121d) demuestra que la fuerza cuantificativa de los indefinidos varía de acuerdo con el resto de los elementos presentes en el contexto oracional y difícilmente puede reducirse a la simple cuantificación existencial. La implicación de existencia, por consiguiente, no está integrada en el significado básico de los indefinidos, sino que se infiere de acuerdo con el contexto oracional: es lo que Heim (1982) denomina 'cierre existencial'.

La capacidad de introducir referentes nuevos deriva del rasgo de indefinitud, ya que, si los indefinidos no indican que sea accesible para el oyente ninguna representación de la entidad mencionada, parece lógico que esa representación tenga que ser construida y establecida como algo nuevo y añadida a las representaciones ya existentes en el discurso. Por la misma razón, los indefinidos carecen de las propiedades anafóricas típicas de los definidos: en el caso de que un hablante quiera referirse anafóricamente a una entidad ya mencionada, utilizará el artículo definido, y no el indefinido, porque este indica la ausencia de accesibilidad y por tanto obliga a establecer nuevas entidades en lugar de localizar las que ya resultan accesibles. En un fragmento como el de (122), la posibilidad de que la segunda aparición del sintagma *un restaurante japonés* remita a la primera y sea correferente con ella queda descartada, y ello se debe a que se ha optado por el empleo de *un* y no de *el.* Naturalmente, la inserción de información adicional puede forzar la interpretación correferencial (imagínese que se añade algo como *y encima, al mismo*), pero lo que se consigue con *un* en condiciones normales es lo contrario, es decir, una interpretación de los dos sintagmas con referencia disjunta.

(122) El año pasado me llevó a un restaurante japonés, sabiendo que no me gustan. Y este año me ha vuelto a llevar a un restaurante japonés.

Nótese que las interpretaciones anafóricas que no son posibles con *un* son las de correferencia estricta. El rasgo indefinido permite, no obstante, obtener otras clases de relaciones anafóricas sin correferencia, como las anáforas de identidad de sentido, (123a), las anáforas asociativas, (123b) y las de las construcciones de posesión inalienable, (123c):

(123) a. El año pasado me llevó a un restaurante japonés, y este año a uno coreano.
b. La habitación es húmeda, y una ventana no cierra bien.
c. A Luis hemos tenido que vendarle una mano.

Algo similar ocurre cuando el sintagma indefinido con *un* adquiere una interpretación específica al extraer un elemento de un conjunto de entidades ya establecido en el discurso o en la situación de habla, es decir, ya conocido (§ 12.3.2.1). Entonces se puede establecer una relación anafórica laxa al mencionar en primer lugar un conjunto delimitado y en segundo lugar un objeto singular perteneciente a tal conjunto (relación que es perfectamente compatible con el significado lingüístico de *un*):

(124) Han llegado varios paquetes y unos sobres. ¡Ah!, un paquete estaba abierto.

Finalmente, hay que recordar que no son imposibles los usos anafóricos de *un* que Epstein (1994: 149-151) denomina 'indefinidos tardíos', en los que aparentemente el indefinido designa una entidad que ya ha sido introducida en el discurso:

(125) a. La Universidad de Alcalá resurgió a mediados de los años 70. En poco tiempo, una institución que había vivido momentos de esplendor en el siglo XVI recuperó gran parte de sus edificios históricos.
b. En la cena, Eduardo llegó a emocionarse. No esperábamos algo así de un hombre que se había caracterizado siempre por su frialdad y su autocontrol.

Los sintagmas *una institución que...* y *un hombre que...* remiten a sendos antecedentes discursivos *(la Universidad de Alcalá* y *Eduardo)* y en su lugar podrían aparecer pronombres definidos. Todo esto contradice, en principio, la descripción de los indefinidos propuesta más arriba. Sin embargo, ejemplos como los de (125) son explicables si se presta atención al hecho de que en ellos el nombre precedido de *un* va necesariamente seguido de modificadores restrictivos que enriquecen la descripción de la entidad aludida (en ambos casos el nombre no podría aparecer sin la subordinada relativa). Esta información descriptiva nueva permite reclasificar una entidad de acuerdo con ciertos rasgos que se consideran relevantes, como si no hubiera aparecido antes en el discurso (aunque este no sea el caso, ya que el antecedente es unívocamente identificable); de esta forma, el indefinido funciona de la forma habitual, como introductor de información nueva, pero no impide que el receptor infiera una relación anafórica con un antecedente discursivo al que se quiere volver a presentar con una caracterización diferente. La importancia del contenido descriptivo hace que los SSNN de (125) se asemejen a los casos de uso atributivo, en los que la identificación del referente queda en segundo plano (§ 12.3.2.2).

Una de las asimetrías entre determinantes definidos e indefinidos más estudiadas es la que depende de la 'referencia inclusiva' de los primeros frente a la 'referencia exclusiva' de los segundos, en términos de Hawkins (1978).[95] En otras palabras, los definidos permiten referirse a la totalidad de la clase denotada por el nombre y sus eventuales complementos (pero véase el § 12.1.1.3 para algunas matizaciones), mientras que los indefinidos no permiten hacerlo, y al indicar la cantidad de elementos que se deben extraer de la clase, efectúan una partición de esta por la que hay siempre elementos que no se toman en consideración y quedan excluidos. En el caso del artículo indefinido la referencia exclusiva es evidente: cada vez que se emplea *un* se da a entender que existen otros elementos de la clase de los que no se dice nada, y por eso la referencia a entidades únicas se realiza siempre con el artículo definido. Esta propiedad es un efecto derivado de la falta de accesibilidad codificada por los indefinidos.[96]

---

[95] Este punto, que ya se menciona en el trabajo clásico de Christophersen 1939, se trata con detalle en Hawkins 1978 y Garrido 1984.

[96] La propiedad de la referencia exclusiva o partitiva puede quedar difuminada o desdibujada en ciertos contextos que no favorecen la inferencia pragmática que típicamente lleva de *algunos* a *no todos*. Esto no invalida la caracterización de los indefinidos propuesta más arriba, si se acepta que existen casos de cuantificación imprecisa o aproximada. Véase Garrido 1996: 283-285 sobre este punto.

Finalmente, otra propiedad que distingue a los SSNN definidos con *el* de los indefinidos encabezados por *un* (o por otros cuantificadores) es la capacidad de estos últimos de interactuar con operadores con ámbito como la negación [→ § 40.2]. El contraste entre (126a) y (126b) muestra que los indefinidos pueden ser afectados por la negación, mientras que los definidos suelen exhibir interpretaciones independientes de ella (§ 12.1.1.3):

(126) a. A esas horas no pudieron encontrar un taxi. (= ningún taxi)
b. A esas horas no pudieron encontrar el taxi. (≠ ningún taxi)

La explicación a la que se recurre habitualmente para explicar esta diferencia se apoya en el supuesto de que los indefinidos aseveran la existencia del referente y los definidos la presuponen. Al presuponerla, la sitúan fuera del alcance de la negación; por el contrario, la implicación o aseveración existencial contenida en los indefinidos no es incompatible con el hecho de resultar negada en un contexto como el de (126a). Sin embargo, hemos comprobado que tal implicación existencial no forma parte, en realidad, del significado de los indefinidos. Es quizá la falta de accesibilidad indicada por los indefinidos lo que puede dar lugar tanto a una interpretación que niegue la existencia como a una que la mantenga —esta última posibilidad es la menos habitual, y exige que algún factor adicional favorezca una interpretación referencial—. La explicación se extiende a los contextos de interacción con los predicados intensionales y con otros cuantificadores, que se tratan en el § 12.3.2.2.

En definitiva, lo que subyace al contraste recién comentado es una intuición clásica, según la cual las expresiones definidas son expresiones referenciales, mientras que las indefinidas o cuantificativas no lo son. Aunque la distinción no es tan nítida ni tan sencilla (§ 12.3), sí es cierto que la posibilidad de funcionar como expresiones referidoras no está inscrita en el significado lingüístico de los determinantes indefinidos, ya que estos simplemente indican la cantidad de entidades pertenecientes al conjunto denotado que deben tomarse en consideración; es su uso en determinados contextos lo que decide si actúan refiriéndose a entidades particulares o no.

12.2.1.3. La forma unos

La existencia de una forma plural del artículo indefinido *(unos/unas)* es una de las peculiaridades del paradigma de los indefinidos en español y en las lenguas iberorrománicas. Las otras lenguas derivadas del latín emplean en su lugar un artículo partitivo (del que el español no dispone) o un cuantificador equiparable a *algunos:*

(127) a. Amanda vino con unas amigas.
b. Amanda venne con delle amiche (it.). / Amanda est venue avec des amies (fr.).

El significado cuantitativo expresado por *unos* es semejante al del indefinido *algunos,* por un lado, y compite también con el del nombre escueto en plural, por otro. Las tres opciones están representadas en (128):

(128) Traigo {unas/algunas/Ø} botellas de vino.

La oposición entre *unos* y la ausencia de determinante con nombres en plural plantea el problema de decidir cuál de las dos posibilidades funciona como plural de *un,* y en qué difieren. Parece claro que son los SSNN encabezados por *unos,* y no los plurales escuetos, los que conservan las propiedades de *un,* como se puede deducir de los datos expuestos en el § 13.2. [97] Esta oposición debe integrarse en una más general entre expresiones cuantificadas y expresiones no cuantificadas: los nombres escuetos en plural pertenecen a esta última clase, como han demostrado, entre otros, Garrido (1996) y Laca (1996). [Las diferencias principales se exponen en el § 13.2.3]. La alternancia entre *unos* y la ausencia de determinante en los contextos atributivos o predicativos se trata en el § 12.2.2.3.

De la oposición entre *unos* y *algunos* hay que decir que, a pesar de la semejanza en el significado de ambos determinantes, esconde ciertas discrepancias en la distribución sintáctica, como se indica en Martínez 1989: 54-62 y especialmente en Laca y Tasmowski-DeRyck 1996.

En primer lugar, *unos* no resulta siempre adecuado como cuantificador de un SN indefinido en posición de sujeto, especialmente cuando el predicado es de los llamados 'de nivel individual' (cf. §§ 3.2.3.1, 12.2.2.3, 12.3.3.3 y 37.2.1) o 'de propiedades' (en general, cuando el predicado es estativo y no denota acontecimientos), frente a lo que sucede con *algunos:*

(129) a. En este ayuntamiento, {#unos/algunos} concejales son honestos.
b. El profesor dice que {#unos/algunos} alumnos son flojos.

El origen de la anomalía de (129) está en la dificultad de asignar a *unos* una interpretación específica o partitiva, parafraseable por *unos concejales determinados* o *ciertos alumnos* [⟶ §§ 12.2.2.3, 12.3 y 16.2.3]. Quizá por esta razón es también de aceptabilidad dudosa el resultado de tematizar un sintagma encabezado por *unos* en una construcción con dislocación:

(130) a. {#Unos/Algunos} concejales, parece que en este ayuntamiento son honestos.
b. {#Unos/Algunos} alumnos, el profesor dice que son flojos.

Otra de las construcciones que habitualmente requieren una interpretación específica en los indefinidos es la partitiva, y de nuevo *unos* no es el cuantificador adecuado en ella, ni en los contextos que producen una lectura partitiva encubierta:

(131) a. Se han salvado doce pasajeros, {*unos/algunos} de los cuales estaban durmiendo en el momento del accidente.
b. Se han salvado doce pasajeros. {*Unos/Algunos} estaban durmiendo en el momento del accidente.

La aceptabilidad de *unos* ante predicados individuales y estativos mejora con la aparición de modificadores restrictivos que puedan imponer la interpretación específica del sintagma (ej. *Unos concejales que conoce tu mujer son honestos, al parecer*), interpretación que por otra parte resulta

[97] Sobre las asimetrías entre *unos* y el plural escueto, pueden verse Carlson 1980 y Garrido 1986b.

natural en muchos contextos, como los negativos, en los que *unos* típicamente toma ámbito más amplio que la negación (*No vi unos errores* sólo puede interpretarse como «hay unos errores que no vi»). Además, la creación de un contraste entre *unos* y su correlativo *otros* facilita la interpretación partitiva del primero y permite obtener oraciones perfectamente correctas con *unos* en posición temática, como sujeto de predicados individuales: *El profesor dice que unos alumnos son flojos, pero otros son realmente brillantes.* Como señalan Laca y Tasmowski-DeRyck (1996: 123), el carácter de juicio categórico, con bipartición Tema/Rema, de estas oraciones es uno de los factores que hacen posible que *unos* adquiera una interpretación específica. Se trata, pues, de un problema de estructura informativa. En el § 12.2.2.3 se trata la relevancia de tales factores para la aceptabilidad de *un.*

Finalmente, las oraciones genéricas son contextos equiparables a los predicados individuales, pero en ellas *unos* resulta aceptable si el contexto permite aplicar el predicado colectivamente, a grupos de entidades: *Unas gotas de estricnina bastan para envenenar a una familia entera* (Laca y Tasmowski-DeRyck 1996: 113). Nótese que en estos casos *unos* tampoco es parafraseable con *algunos,* ya que este bloquea la interpretación colectiva o de grupo (cf. *Algunas gotas de estricnina bastan para envenenar a una familia entera*).

El denominador común de todos estos contrastes es la facilidad con la que se asigna a *algunos,* pero no a *unos,* una interpretación presuposicional, en la que el cuantificador opera sobre un conjunto de entidades ya delimitado y establecido en el discurso. La distribución de *unos* es, por esta razón, más restringida que la de *algunos.*

Esto es así también en lo que respecta a los usos tradicionalmente llamados pronominales, en los que los cuantificadores no se anteponen a un sustantivo explícito. Los siguientes ejemplos ilustran este punto: en todos ellos *algunos* es claramente más adecuado que *unos.*

(132) a. #Tenía que leer varios artículos para el martes, y María también tenía que leer unos.
b. #Hacen falta cebollas. Menos mal que he traído unas.
c. #Pulseras, esta semana ya hemos vendido unas.

Aparentemente, la cuantificación débil e imprecisa indicada por *unos* no puede ser el foco informativo de la oración ni puede remitir anafóricamente al nombre explícito que funciona como antecedente en el discurso, probablemente por la dificultad ya mencionada para expresar interpretaciones partitivas. Cuando *unos* es pronominal y anafórico con respecto a alguna expresión nominal, es quizá su incapacidad para funcionar autónomamente como foco lo que produce resultados anómalos. La adición de información cuantitativa, o de modificadores, o el establecimiento de contrastes, pueden mejorar la aceptabilidad: nótese que, por ejemplo, las secuencias de (132) son correctas si a *unos* se le añade *cuantos* o *pocos,* si se introducen oraciones de relativo, y si *unos* contrasta con *otros.*

(133) a. Tenía que leer varios artículos para el martes, y María también tenía que leer unos cuantos.
b. Hacen falta cebollas. Menos mal que he traído unas pocas.
(134) a. Tenía que leer varios artículos para el martes, y María también tenía que leer unos que entraban en el examen.
b. Pulseras, esta semana hemos recibido unas que te encantarán.
(135) De las pulseras nuevas, unas se venden bien, pero otras no le gustan a la gente.

Una diferencia adicional entre *unos* y *algunos* es la que se refleja en (136):

(136) a. Les cobrarán {unas/*algunas} tres mil pesetas por persona.
b. Eran {unas/*algunas} veinte.

Solamente *unos* (y no *algunos*) puede funcionar como 'indeterminador' cuantitativo al actuar sobre los numerales cardinales para indicar cantidades aproximadas (cf. *Recibió unos veinte {aproximadamente/*exactamente}*). [98] Es un uso que el español sólo comparte con el portugués dentro de las lenguas románicas. También en este caso *unos* se caracteriza por un tipo de cuantificación más débil y vago que el expresado por *algunos.*

12.2.2. La distribución sintáctica del artículo indefinido

12.2.2.1. Restricciones de distribución ligadas al tipo de nombre

Como en el caso del artículo definido, las distinciones que pueden establecerse entre nombres contables y no contables, por un lado, y comunes y propios, por otro, condicionan de forma importante la distribución del artículo indefinido.

La primera de ellas resulta especialmente significativa porque la posibilidad de combinarse con *un* es precisamente uno de los criterios clásicos, junto con la compatibilidad con el plural, para caracterizar a los nombres contables frente a los no contables. Estos últimos no admiten el artículo indefinido, a menos que puedan convertirse en nombres contables o discontinuos [⟶ § 1.2.3]. Así, los ejemplos de (137a) resultan extraños porque tal recategorización del núcleo nominal es difícil, a falta de otros elementos que la hagan posible; lo contrario sucede en (137b), donde el proceso de recategorización es inmediato:

(137) a. *Un zinc. / *Una plata.
b. Un vino. / Un hierro.

Como indica Martínez (1989: 53), la forma pronominal *uno* no puede ser anafórica con respecto a nombres no contables; incluso si se retoma un nombre no contable cuya recategorización como contable sea factible en el contexto sin la presencia de modificadores (por ejemplo, *vino),* el resultado es estilísticamente forzado, como en (138c), ejemplo que Martínez considera gramatical:

(138) a. *Me faltaba el aire. Salí a tomar uno.
b. *La plata es nuestra especialidad. ¡Llévese una!
c. *Estábamos bebiendo vino, y tomó uno.

La adición de modificadores y complementos a los nombres no contables precedidos de *un* (o en plural) impone la interpretación contable (sobre la relación entre el artículo indefinido y ciertos modificadores, véase también el § 12.2.2.2):

(139) a. Una plata de una pureza notable.
b. Una arena muy fina.
c. Un vinagre aromático que nunca había utilizado.

En (139) la recategorización lleva a interpretar el nombre N como denotador de una subclase o de un tipo de N (por ejemplo, un tipo de arena o una clase de vinagre aromático). La interpretación de subclase es la única posible cuando la com-

---

[98] Tomo el término 'indeterminador' de Martínez (1989: 56).

binación de *un* con un nombre no contable aparece en un contexto genérico, como en (140):

(140) a. Un vino de buena calidad no produce dolor de cabeza.
b. Una madera porosa da mejores resultados.

Sin embargo, algunos nombres no contables precedidos de *un* y modificados pueden recibir también otras interpretaciones: en (141), un nombre de cualidad *(valor)* presenta una lectura de intensidad, más que de segmentación en subclases. En cualquier caso el papel desempeñado por el modificador es decisivo.

(141) Ha demostrado un valor muy superior a la media.

La distinción entre nombres propios y nombres comunes también es relevante, en la medida en que los nombres propios rechazan normalmente el artículo indefinido. Desde luego, esta es la regla general, pero la combinación <*un* + nombre propio> no es en absoluto imposible, como muestran los siguientes ejemplos [99] [→ § 2.4.3]:

(142) a. Un (tal) Ernesto te llamó ayer.
b. Un Ronaldo, un De la Peña, un Figo son jugadores que en cualquier momento pueden desequilibrar un partido.
c. Hemos escuchado a un Pavarotti inspiradísimo.

En (142) los nombres propios conservan una parte importante de sus propiedades referenciales. Las personas referidas son efectivamente las portadoras del nombre en los dos primeros ejemplos: *un Ernesto* en (142a) indica simplemente que el referente no es identificable para el hablante, y *un Ronaldo, un De la Peña, un Figo* en (142b) comunica el supuesto de que los referentes mencionados son ejemplares, modélicos o prototípicos en algún sentido, y sería posible una paráfrasis del tipo *un jugador como Ronaldo,* etc. (nótese que la eventual eliminación del artículo no afecta a la gramaticalidad de la construcción, aunque sí ocasiona la pérdida del matiz de ejemplaridad). El caso de *un Pavarotti inspiradísimo* es algo distinto, debido a la presencia de un adjetivo valorativo, y aquí el referente es sólo un aspecto, una faceta, una manifestación del verdadero portador del nombre.

En los ejemplos de (143), en cambio, los nombres propios precedidos de artículo indefinido exhiben un comportamiento y una interpretación mucho más cercanos a los nombres comunes, por lo que se puede hablar de recategorización con más seguridad que en (142):

(143) a. Un Hermenegildo no puede quejarse de tener un nombre vulgar.
b. Es una Marylin de pacotilla.
c. ¿Sabes que tiene un Antonio López colgado en el salón?

En (143a) el sujeto indefinido recibe una interpretación genérica, por lo que necesariamente *Hermenegildo* actúa como un nombre común, es decir, como un denotador de una clase de individuos. En (143b) el SN *una Marylin de pacotilla* es un predicado en el que las propiedades referenciales del nombre propio han desaparecido, y además este denota también una clase de individuos caracterizados por una relación de semejanza con la verdadera portadora del nombre *Marylin,* por lo que debe hablarse de un uso metafórico de dicho nombre. Finalmente, en (143c) aparece un uso metonímico, en el que el nombre propio de un pintor se emplea para referirse a uno de sus cuadros; de nuevo, el nombre propio precedido por *un* funciona como un nombre común. En resumen,

---

[99] Sobre los nombres propios con artículo debe consultarse Kleiber 1994: caps. 4, 5 y 6.

ninguno de los nombres propios de (143) mantiene las características referenciales de designación rígida que en principio le corresponderían. No obstante, y a tenor de lo visto en (142), no se puede afirmar que *un* fuerce sistemáticamente la conversión de un nombre propio en nombre común; esto sucede sólo en algunos casos, y la misma conclusión es válida también para las combinaciones de artículo definido y nombre propio [⟶ § 2.4.2].

12.2.2.2. Restricciones de distribución debidas a otros componentes del sintagma nominal

En el interior del SN la distribución de *un* está determinada esencialmente por dos factores: la posible incompatibilidad con otros determinantes, por un lado, y la presencia de ciertos modificadores y complementos, por otro.

El artículo indefinido no puede coaparecer con ningún determinante definido, ni con los cuantificadores universales *cada* y *cualquiera* (salvo cuando *cualquiera* es posnominal), ni con los numerales e indefinidos, como se muestra en (144), (145) y (146):

(144) a. *El un amigo. [100] / *Un el amigo.
b. *Aquel un amigo. / *Un aquel amigo.
(145) a. *Cada un amigo. / *Un cada amigo.
b. *Cualquiera un amigo. / *Un cualquiera amigo.
(146) a. *Un {mucho/bastante/demasiado/algún/ningún} amigo.
b. *Un otro amigo.

Una excepción aparente a la generalización anterior es la combinación de *un* y *poco* o *tanto* en las expresiones *un poco (de)* y *un tanto,* pero se trata de expresiones lexicalizadas en las que *un* no puede sustituirse por ningún otro elemento indefinido, salvo *otro,* en condiciones oportunas *(un poco de harina; un tanto hostil).* Sí es una verdadera excepción la coaparición de ambos en la forma plural *(unos pocos amigos),* aunque no está claro que *pocos* funcione aquí como un verdadero cuantificador indefinido.

Es regular y productiva, en cambio, la combinación de *todo* y *un* en sintagmas predicativos con valor enfático como *todo un amigo,* que indican que un elemento de una clase posee la propiedad característica en su valor más alto. [101] La secuencia es imposible en plural: **todos unos amigos.* La presencia de otros determinantes impone, por lo tanto, restricciones muy fuertes a la distribución de *un.*

El segundo factor mencionado más arriba, la presencia de modificadores y complementos del nombre, es también relevante, ya que, por un lado, algunos de ellos impiden (o favorecen) el uso del artículo indefinido, y por otro lado, *un* puede determinar la aparición o no de ciertos complementos. Se presenta así una situación paralela a la que se describe para el artículo definido en el § 12.1.2.3.

En general, los SSNN que contienen un complemento cuya relación con el núcleo nominal es de predicación (en un sentido amplio que va desde la identifi-

[100] Esta combinación es gramatical con la forma *uno* (sin nombre) y en contraste con el indefinido *otro.*

[101] La presencia de *todo* en la construcción obliga a inferir que la entidad aludida posee las propiedades contenidas en el estereotipo cultural de la amistad. Por esto resulta extraña una continuación discursiva como la siguiente: *#Es todo un amigo, y además leal,* ya que la lealtad forma ya parte del estereotipo de la amistad y es superfluo añadir esa información. La expresión *todo un N* guía, de esta forma, la recuperación de contenidos implícitos y define la orientación argumentativa del discurso, como ha mostrado Portolés (1993).

cación hasta la pura atribución) [⟶ §§ 8.5 y 38.3.2] están encabezados por un artículo definido y rechazan el indefinido, como se vio en el § 12.1.2.3 (cf. *{la/*una} ciudad de Alcalá de Henares; {el/*un} problema de la corrupción; {el/*un} listo de Ernesto*).

En todas estas construcciones de estructura <*el* N *de* SN>, el artículo que precede al núcleo nominal debe ser definido si el complemento introducido por *de* también lo es. Son las propiedades referenciales del complemento las que imponen la definitud a toda la construcción, de forma especialmente clara en los casos en los que la relación es identificativa o especificativa debido a la unicidad ligada al complemento. [102]

Nótese que si el complemento es indefinido, la construcción cambia radicalmente: *el problema de un soborno,* en el caso de que resultara aceptable, ya no incluiría una relación de identificación. En *un problema de la corrupción,* por ejemplo, el constituyente *la corrupción* indica que sólo hay un referente que satisfaga la condición de ser un problema, y este es el origen de la inaceptabilidad del indefinido *un* (a menos que sea posible una interpretación partitiva del tipo «uno de los problemas de la corrupción», pero ha de tenerse en cuenta que entonces también se pierde la lectura identificativa). Este es imposible también en el complemento del nombre: **el listo de un amigo,* ya que dicho complemento debe referirse a alguien identificable.

Una construcción nominal con una relación predicativa y un comportamiento opuesto es la de (147), que difiere de la anterior, entre otras cosas, en que el complemento carece de determinante y es por tanto una expresión no referencial [⟶ § 8.4]:

(147) a. Una maravilla de mujer.
b. Un encanto de niño.

Aquí es el artículo definido el que queda excluído: **la maravilla de mujer, *el encanto de niño,* salvo si la construcción va seguida de lo que aparentemente es una oración de relativo *(la maravilla de mujer que es Claudia, el encanto de niño que dicen que era)* —en este caso estamos ante un uso enfático del artículo como el que aparece en *Hay que ver {las cosas que dijo/lo que dijo};* [103] cf. el § 12.1.2.7—. Sin duda, es el carácter no referencial —y no identificativo— del complemento introducido por *de* el factor que hace posible el indefinido en (147).

Otro factor que limita la distribución de *un* es la distinción entre nombres eventivos, o de acontecimiento, con complementos argumentales, y nombres de objeto o de resultado [⟶ § 6.3.1]. Los contrastes de (148)-(149) indican que los primeros difícilmente aceptan la presencia del artículo indefinido, mientras que los segundos lo hacen con naturalidad: [104]

(148) a. {La/*Una} captura de los infiltrados.
b. {La/*Una} obtención de los resultados esperados.
c. {La/*Una} publicación de este libro.

---

[102] Para una explicación semántica, y una extensión a los datos de las subordinadas completivas dependientes de nombres, véase Hawkins 1978 [⟶ § 33.1].

[103] Véase Gutiérrez Ordóñez 1986: 265.

[104] Milner (1982: 126) y Grimshaw (1990: 54-56) señalan estos contrastes, junto con los fenómenos paralelos producidos por la presencia de las marcas de plural.

(149) a. {La/Una} declaración del portavoz ministerial.
b. {El/Un} parecido entre ella y su marido.
c. {La/Una} obligación de los padres.

Existe un paralelismo claro entre estos datos y los anteriormente mencionados: tanto en los SSNN con predicación interna como en los eventivos la definitud del complemento del nombre induce la definitud obligatoria de todo el SN. Ya que la aparición de los complementos argumentales está inextricablemente ligada a la interpretación de acontecimiento del nombre y, dado que tales argumentos son habitualmente SSNN referenciales, que contribuyen a la delimitación unívoca del referente de todo el sintagma, se puede entender que las condiciones para el empleo de un determinante indefinido desaparezcan; por el contrario, si los complementos contienen SSNN sin determinante, la probabilidad de obtener una interpretación eventiva decrece sensiblemente, y los indefinidos son de nuevo posibles [⟶ § 13.4.6], lo cual refuerza la idea de la interdependencia entre las propiedades referenciales del complemento del nombre y las del sintagma entero:

(150) a. {El/Un} hallazgo de restos fósiles.
b. {La/Una} rápida obtención de beneficios.
c. {La/Una} venta de acciones a bajo precio.

La incompatibilidad entre los determinantes indefinidos y los nombres de acontecimiento parece esfumarse en ejemplos como *Hubo una invasión de la comarca por parte de los bárbaros* o *Asistimos a una repentina bajada de los tipos de interés;* ello se debe, como hace notar Grimshaw (1990: 55), a que es relativamente fácil en estos casos construir una interpretación equivalente a «un episodio/caso de invasión...» o «un caso de bajada...», es decir, una lectura compatible con la extracción de algún elemento de un conjunto, característica de los indefinidos. También puede oscurecer los datos el hecho de que muchos nombres posean tanto una acepción eventiva como una de resultado (por ejemplo, *compra, orden* o *predicción*).

Otra clase de nombres con complementos argumentales, los nombres relacionales [⟶ § 5.3.1], excluye también al artículo indefinido cuando la relación denotada por el nombre define a una entidad única, como en el caso prototípico de *madre (de x).* Sólo es posible entonces el artículo definido, y por ello son agramaticales expresiones como las que siguen:

(151) a. {La/*Una} madre de los gemelos.
b. (El/*Un} corazón de este enfermo.
c. {El/*Un} olor de esa flor. [105]

Para que el indefinido sea aceptable, basta con que el nombre relacional no implique unicidad de la entidad denotada:

(152) a. Una pata de la mesa.
b. Una página de este libro.
c. Un dedo de la mano izquierda.

Esto se deduce de forma sencilla de la oposición semántica entre definidos e indefinidos: los definidos aluden a la totalidad de las entidades del conjunto denotado, y los indefinidos a una parte solamente de esas entidades, por lo que los

[105] Nótese que cuando el complemento carece de determinante y pierde el carácter referencial, la restricción contra *un* desaparece: *un olor de azufre, un corazón de buey.*

nombres de entidades únicas no pueden ir precedidos de indefinidos. Lo que está en juego en todos los datos mencionados es la capacidad del complemento del nombre para imponer el requisito de unicidad/totalidad al sintagma completo. Si el complemento del nombre incluye un SN indefinido, y el nombre no exige de por sí la unicidad del referente, se vuelven a dar las condiciones adecuadas para el uso de *un:*

(153) a. Un hijo de un amigo.
b. Una obra de un compositor ruso.
c. Una historia de una rana y una princesa.

Merece atención especial el caso de las secuencias del tipo <*el* N *de un* N>, ya que a pesar de su definitud formal tienen interpretación muy cercana a las de los SSNN indefinidos, [106] en especial cuando el complemento del nombre tiene una lectura inespecífica o genérica. Así, *el hijo de un emperador* o *la chaqueta de un payaso* pueden equivaler a *un hijo de emperador* o *una chaqueta de payaso,* y *la hija de un ganadero salmantino* puede parafrasearse con *una hija de un ganadero salmantino.* En realidad, tales SSNN son definidos bajo todos los puntos de vista, pero comparten con los indefinidos la suspensión de la condición de unicidad. Una expresión como *el hijo de un emperador* no alude necesariamente al único hijo de un emperador hipotético, es decir, no excluye la existencia de otros referentes posibles que satisfagan la descripción. Es en este sentido en el que la expresión se aproxima al funcionamiento de los SSNN indefinidos: la identificación del referente a partir de la información contenida en el complemento <*de un* N> no es completa. En cualquier caso, como se vio en el § 12.1.1.3, esta suspensión de la condición de unicidad no es del todo excepcional en los SSNN definidos.

Lo más correcto parece ser el aceptar que la construcción es definida, pero que la interpretación se obtiene por medio de la información contenida en el complemento, en un SN indefinido, y por tanto depende en gran medida de los factores que determinan a su vez la interpretación del complemento.

Como los gramáticos han señalado hace tiempo, los adjetivos y las oraciones de relativo que pueden modificar al nombre desempeñan también un papel importante para determinar las condiciones de aparición de *un.*

En primer lugar, la adición de un modificador puede hacer posible el uso de *un* con nombres (en singular) que normalmente lo excluyen, bien por ser no contables, bien por denotar entidades únicas; el modificador crea las condiciones para que el indefinido extraiga un elemento (o más de uno) de un conjunto. Nótese que en tales casos artículo y modificador son interdependientes, ya que ninguno de ellos podría subsistir sin el otro.

(154) a. Se despidió con {*una amabilidad/una amabilidad inesperada}.
b. Hacía {*un frío/un frío intenso}.
c. Por la ventana se veía {*un cielo/un cielo plomizo}.

En segundo lugar, existe una relación interesante entre la presencia de *un* y la de ciertos modificadores con contenido valorativo o expresivo. Estos modificadores no sólo hacen posible el uso del indefinido, sino que lo exigen, en el sentido de que rechazan la ausencia de artículo, como se ve en (155), y en algunos casos incluso rechazan el artículo definido, como en (156): [107]

---

[106] La cuestión del estatuto definido o indefinido de estos sintagmas ha provocado una polémica que puede verse reflejada en trabajos como Milner 1982, Woisetschlaeger 1983, Corblin 1987 y Flaux 1992/1993.

[107] Véanse Lázaro Carreter 1975: 43 y Fernández Lagunilla 1983: 199-200, de donde están tomados los ejemplos.

(155) a. Juan es *(un) alumno {sensacional/extraordinario}.
b. Sirven *(un) vino {delicioso/exquisito}.
(156) Se puso {*el/un} sombrero {horrible/precioso/fuera de lo corriente}.

La gramática tradicional recoge estos hechos bajo la denominación de 'usos ponderativos o enfáticos' de *un*. La raíz del problema está en las propiedades de los modificadores valorativos en posición posnominal frente a los modificadores neutros o clasificadores. El artículo definido dificulta, en general, la aparición de modificadores valorativos posnominales (véase el § 12.1.2.5 sobre elipsis nominal), mientras que el indefinido los acepta con naturalidad, y ello se debe, posiblemente, a que la distinción entre modificadores explicativos y restrictivos es nítida en los SSNN definidos, pero se desdibuja en los indefinidos. Algunos gramáticos [108] afirman que no hay verdaderas relativas restrictivas en los sintagmas encabezados por *un,* ya que en tales sintagmas los modificadores no contribuyen a la determinación del referente de la misma forma en que lo hacen en los definidos, es decir, definiendo subconjuntos dentro de la clase denotada por el núcleo nominal para establecer el dominio sobre el que actúa el determinante. Efectivamente, en (157), el mero hecho de que el antecedente sea indefinido implica que la relativa no contribuye a la fijación del referente, que no es identificable (en otras palabras, el determinante no depende de la información contenida en la oración de relativo, contrariamente a lo que sucede cuando el antecedente es definido):

(157) Tomó un taxi que la dejó frente a la estación.

Este hecho permite entender por qué los modificadores enfáticos son rechazados en los SSNN definidos, pero no en los indefinidos: mientras que en los primeros entran en contradicción con la necesidad de actuar como genuinos complementos restrictivos para satisfacer los requisitos impuestos por el artículo definido, en los segundos no tienen que comportarse como tales, y no dan lugar, por lo tanto, a ninguna construcción inaceptable.

A todo ello hay que añadir que la relación entre el empleo de *un* y el matiz valorativo o enfático se manifiesta también de forma evidente en la sintaxis de los predicados nominales, como se muestra en el § 12.2.2.3, y en construcciones asociadas con una entonación exclamativa en las que la información de carácter enfático está implícita [→ § 58.2.5]:

(158) a. ¡Hace un frío...! (Cf. Hace un frío tremendo.)
b. ¡Tiene unas reacciones...! (Cf. Tiene unas reacciones sorprendentes.)
c. Se puso de un humor... (Cf. Se puso de un humor de perros.)

Dentro de las construcciones enfáticas con *un* hay que señalar la combinación excepcional del indefinido con adjetivos, restringida a las formas de masculino, que notó Fernández Ramírez (1951a: § 71): *Es de un cursi..., Se puso de un pesado...* (cf. **Se puso de una pesada*). Tanto en estos casos como en los anteriores, *un* crea las condiciones adecuadas para la inserción de una subordinada consecutiva.

12.2.2.3. Restricciones de distribución ligadas a la posición y a la función sintáctica

La función sintáctica del SN es relevante para definir la distribución del artículo indefinido especialmente en dos casos: el de las funciones predicativas (atributo, complemento predicativo) y el de la función de sujeto, en posición preverbal. A esto deben añadirse las restricciones que aparecen en las construcciones partitivas.

[108] Véanse, por ejemplo, Kleiber 1984 y Velde 1994.

Las de atributo y complemento predicativo son funciones en las que típicamente *un* puede alternar con la ausencia de determinante, ya que representan el estadio más reciente en la formación del artículo indefinido y en su extensión progresiva a usos que correspondían a los nombres escuetos. Para establecer las condiciones de aparición de *un* en estos casos, hay que tener en cuenta los siguientes factores (cf. los §§ 13.4.7-8, 37.2 y 37.3): [109]

A) La distinción 'identificativo' / 'atributivo' [⟶ § 37.2.1]. Los predicados nominales introducidos por *un* pueden dar lugar tanto a interpretaciones atributivas o clasificadoras (en lo que coinciden con los nombres escuetos), como a interpretaciones identificativas (que son imposibles en los nombres escuetos). Las dos posibilidades se reflejan en las estructuras de (159), atributiva la primera (en respuesta a una pregunta del tipo *¿Cómo es Pilar?*) e identificativa la segunda (en respuesta a una pregunta como *¿Quién es Pilar?*):

(159) a. Pilar es (una) persona responsable.
b. Pilar es *(una) chica que trabaja en el Instituto desde hace poco.

B) El comportamiento de las distintas clases de nombres. Si dejamos a un lado la distinción entre nombres contables y nombres no contables (estos últimos funcionan fácilmente como predicados sin artículo, cf. *Esto no es petróleo),* son básicamente dos las que merecen un comentario. La primera es la de los nombres que indican profesión, función, rol, clase, nacionalidad o creencia, y la segunda es la de los nombres valorativos (en general, la clase de los predicados evaluativos). Los primeros se caracterizan por aparecer normalmente sin artículo en construcciones en las que adscriben una propiedad a alguna entidad, casi siempre animada o con el rasgo 'humano' (cf. *En 1992 fue miembro de la Junta Directiva; Es catedrática en Valencia;* cf. los §§ 13.4.7 y 37.2.2.2).

El comportamiento de los nombres de oficios, estatutos y funciones es idéntico en otras funciones predicativas (complemento predicativo, aposición). En el caso de las aposiciones explicativas, hoy se acepta con naturalidad la presencia de *un,* pero conviene recordar que hace algunas décadas fue tildada de anglicismo por autores como S. de Madariaga, quien sostenía que la verdadera construcción española carece de artículo (siempre que no aparezcan predicados evaluativos): [110]

(160) a. Trento, (una) ciudad tranquila rodeada de montañas.
b. *Señas de identidad,* (una) novela de Juan Goytisolo.

La presencia de *un* resulta aceptable en algunos ejemplos en la interpretación atributiva *(Tomaron a Ernesto por (un) profesor; Consideraba a Lautréamont como (un) precursor del surrealismo),* pero otras veces tiene como resultado el hacer surgir una interpretación identificativa *(Es una italiana)* o también una interpretación metafórica o evaluativa (compárense *Juan es payaso,* con interpretación neutra y clasificadora, y *Juan es un payaso,* con interpretación evaluativa). [111]

---

[109] La bibliografía sobre este punto es abundante: pueden verse, entre otros, Lipski 1978, De Mello 1980, Sacks 1980, Fernández Lagunilla 1983, Harlig 1986, Boone 1987, Martínez 1989, Stowell 1991, Kupferman 1991, Martinell 1992, Badía y Ramírez 1993, Portolés 1993 y 1994, Laca y Tasmowski-DeRyck 1994a y b, Bosque (ed.) 1996.

[110] Véase Sacks 1980.

[111] Los ejemplos son de Bosque 1996a: 67.

El comportamiento de los nombres de la segunda clase, los valorativos, es exactamente el opuesto del de los nombres de oficio, ya que exigen la presencia de *un*. Los gramáticos tradicionales habían hablado de *un* 'enfático' en estos casos, [112] y Bello (1847: § 856) había notado que «Decir que alguien es *holgazán* no es más que atribuirle este vicio; pero decir que es *un holgazán* es atribuírselo como cualidad principal y característica». La observación de Bello se ve confirmada por el hecho de que la construcción afectiva y valorativa con *un* es incompatible con la gradación *(Juan es (*un) mentiroso, pero menos que Luis),* ya que lo que se obtiene en ella es una caracterización por medio de una propiedad sobresaliente entre otras propiedades posibles y tomada en grado sumo. Así, *es un mentiroso* constituye una afirmación más comprometida y radical que *es mentiroso* [→ § 37.2.2.3]. Dejando a un lado la posibilidad de una interpretación identificativa, la aceptabilidad de *un* en el predicado nominal depende de que sea posible una interpretación evaluativa, preexistente o inferida. Un enunciado como *Ernesto es un conductor* resulta extraño porque no aporta información suficiente para ser identificativo (por lo menos, fuera de contexto) y tampoco permite construir una lectura evaluativa a partir de *conductor* (cf. *Juan es {un farsante/un padrazo/un pésimo conductor},* donde el atributo es evaluativo y por tanto plenamente aceptable).

Otra forma de obtener una interpretación evaluativa consiste en forzar un uso enfático por medio de la entonación. Portolés (1993) estudia cómo la entonación enfática sobre el atributo en enunciados como *Es un soldado* obliga a inferir la atribución al sujeto de la cualidad más sobresaliente y más característica de los soldados, de acuerdo con los estereotipos culturales de los hablantes (en nuestro caso, probablemente el valor). De esta forma *un* da a entender que la cualidad inferida debe tomarse en grado sumo, y el efecto resultante es equiparable al que se consigue con la construcción *Es todo un soldado.* Nótese que el *un* enfático puede hacer aceptables predicados nominales construidos sobre nombres no evaluativos, siempre que se pueda inferir de ellos una propiedad característica asociada al representante prototípico de la clase.

Un fenómeno propio de la interpretación evaluativa, comentado en Bosque 1996: 66 y ligado a la posible interpretación metafórica del atributo, es la posibilidad de que no se mantenga la concordancia de género entre sujeto y atributo, como sucede en el siguiente caso, en el que el sujeto es femenino y el atributo es masculino:

(161) Clara es {un desastre/un cielo/un prodigio...}.

C) Las lenguas que poseen una forma plural del artículo indefinido (como el español, con la forma *unos*) tienden a reservar para esta ciertos usos marcados con respecto a los usos posibles de los nombres escuetos en plural, y uno de estos usos es la interpretación metafórica (siempre evaluativa o valorativa) del predicado nominal. [113] En los ejemplos de (162) se puede apreciar que *unos* contrasta con la ausencia de determinante de la siguiente forma: mientras que el indefinido plural permite, y favorece, la lectura metafórica (no clasificadora), la ausencia de determinante sólo produce lecturas clasificadoras [→ §§ 13.4.7 y 37.2.2.3]. En (163) y (164) se muestran ejemplos adicionales con *un* en singular.

(162) a. Eran {unos borregos/unos linces/unos buitres}.
b. Eran {borregos/linces/buitres}.

---

[112] Bello 1847, Alonso 1933, Gili y Gaya 1961, Lapesa 1975.

[113] Los atributos metafóricos han sido estudiados por Portolés (1994) y por Laca y Tasmowski-DeRyck (1994a) y (1994b). Para un enfoque contrastivo, véase Harlig 1986.

(163) a. María es {un volcán/un vendaval/una plaga}.
b. María es {*volcán/*vendaval/*plaga}.
(164) Pepe se ha convertido en {una foca/foca}.

Los atributos metafóricos no son más que un caso especial de los evaluativos. La razón de que en ellos la presencia de *un* o *unos* sea obligatoria tiene que ver, aparentemente, con la necesidad de anular la posible interpretación clasificadora y establecer una semejante a la identificativa en la que el sujeto es caracterizado por un atributo necesariamente cuantificado.

Además de las restricciones ligadas a las funciones predicativas, existen otras de naturaleza más difusa y sutil que tienen que ver con la posición de sujeto preverbal y, en última instancia, con la noción de 'tema' y con la estructura informativa de la oración. [114] El español no presenta ninguna restricción gramatical contra la presencia de sujetos preverbales indefinidos, como se puede comprobar en (165):

(165) a. Un valle lleno de cerezos en flor es algo digno de verse.
b. Un amigo al que suspendieron en tercero es ahora un alto cargo del ministerio.
c. Me parece que una rueda está pinchada.

Sin embargo, existen contextos en los que los sujetos indefinidos producen enunciados anómalos o difíciles de interpretar y contextualizar (son contextos en los que los sujetos definidos, en cambio, encajan sin problemas):

(166) a. {#Una/La/Esa} chica tiene los ojos verdes.
b. {#Un/El/Ese} perro es un mastín cruzado con pastor alemán.
c. {#Una/La/Esa} mujer se levanta a las siete.

La diferencia entre (165) y (166) tiene que ver con las interpretaciones posibles para los sujetos encabezados por *un.* En los dos primeros ejemplos los sujetos son, respectivamente, genérico (alude a los valles llenos de cerezos, en general; § 12.3.3) y específico (alude a un amigo determinado; § 12.3.2), en consonancia con la información proporcionada por la estructura oracional (presente atemporal y predicación individual en el primero, información especificante en el SN en el segundo). Ambas interpretaciones se caracterizan por ser las que habitualmente reciben los indefinidos cuando son sujetos de predicaciones estativas o 'de nivel individual', [115] es decir, predicaciones en las que se atribuyen al sujeto propiedades o cualidades estables, no sujetas a modificaciones circunstanciales. Los predicados individuales exigen un sujeto temático (en el sentido de que sea el tema o tópico sobre el que se asienta la predicación) cuya referencia se establezca independientemente del predicado. Esto se manifiesta normalmente en estructuras categóricas con tema y rema. [116] En

---

[114] Los fenómenos que se comentan a continuación se estudian en Milsark 1977, Kleiber 1981a, Galmiche 1986, Lumsden 1988, Diesing 1992, de Hoop 1994, Leonetti 1991 y 1998.

[115] El término se emplea en Carlson 1980 y en Kratzer 1988. Véase también el § 12.3.3 sobre genericidad y el § 13.4.1 sobre tipos de predicados y ausencia de determinante.

[116] Los enunciados categóricos son aquellos cuya estructura informativa consta de dos partes: un constituyente que se refiere a alguna entidad o clase de entidades (el tema) y un constituyente que predica algo acerca del primero (el rema). Los predicados de propiedades dan lugar normalmente a enunciados categóricos. Al concepto de 'categórico' se opone el de 'tético': son téticos los enunciados carentes de estructura informativa bimembre que aluden globalmente a acontecimientos, procesos o estados transitorios.

(165c), por otro lado, la interpretación del sujeto es puramente existencial y parafraseable por medio de una construcción con *haber* o *tener (Me parece que {hay/ tenemos} una rueda pinchada);* no se habla de las ruedas en general, ni se alude a una de ellas en particular. La naturaleza episódica y eventiva del predicado [→ § 13.4.1] es suficiente para legitimar una lectura puramente existencial del indefinido, en la que se alude a una rueda cualquiera, sin que interese su identificación. La estructura informativa en estos casos puede ser tética y carecer de tema.

El problema de (166) consiste en que los predicados son estativos e individuales, o, en el último caso por lo menos, no claramente eventivos, ya que el tiempo presente en *Se levanta a las siete* tiene como lectura natural una genérica, habitual o iterativa (es decir, no localiza un acontecimiento particular, a menos que no se hagan explícitos datos adicionales). Al mismo tiempo, ninguno de los predicados produce una interpretación genérica del sujeto indefinido, al no expresar propiedades concebibles como características de las chicas, de los perros ni de las mujeres en general; tampoco existen, a falta de información contextual suplementaria, indicios claros que orienten hacia una interpretación específica del sujeto, por lo que las interpretaciones típicamente ligadas a los sujetos indefinidos con esta clase de predicados quedan en principio desestimadas. La única posibilidad, entonces, es la de asignar al sujeto una lectura existencial, pero esta resulta anómala cuando el predicado no es episódico. No parece adecuado hablar de agramaticalidad para ejemplos como los de (166): se trata más bien de enunciados de difícil contextualización y de procesamiento costoso, debido a que los rasgos aspectuales del predicado, junto con la información contenida en la oración, exigen una interpretación temática (específica o genérica) del sujeto indefinido, interpretación que no está disponible. Determinadas modificaciones léxicas o de reparto de la información pueden conseguir que enunciados similares a los de (166) sean aceptables, en un contexto adecuado. El problema no es, por lo tanto, estrictamente gramatical. La generalización que recoge el contraste entre (165) y (166) es la llamada 'restricción sobre la predicación individual' (o 'restricción de indefinitud'): un predicado estativo o de propiedades no puede predicarse de un sujeto indefinido con interpretación inespecífica o existencial.

Numerosas lenguas imponen restricciones más o menos fuertes a los sujetos preverbales indefinidos, especialmente en la interpretación inespecífica o existencial de estos. De hecho, existe una correlación clara entre las posibles interpretaciones de los indefinidos y su posición sintáctica. Si la posición de sujeto preverbal tiende a excluir o a limitar ciertas lecturas, las posiciones internas al sintagma verbal las favorecen. El español ofrece buenos ejemplos de ello, ya que los sujetos indefinidos de interpretación existencial o inespecífica suelen aparecer en posición posverbal, como elementos remáticos o focales: así, es más natural emplear (167a) que (167b).

(167) a. En ese momento se nos pinchó una rueda.
b. Una rueda se nos pinchó en ese momento.

De acuerdo con esto, la restricción sobre la predicación individual debe verse como la imagen especular de la restricción de definitud que opera en los contextos existenciales (§ 12.1.2.4): la primera impone condiciones sobre las interpretaciones de los SSNN asociadas a las posiciones externas al sintagma verbal, la segunda las impone sobre las interpretaciones asociadas a ciertas posiciones internas al sintagma verbal. Se trata de manifestaciones gramaticales de la distinción fundamental en la estructura informativa de los enunciados: la que opone juicios categóricos a juicios téticos.

En parte, las anomalías de (166) se deben al hecho, repetidamente señalado, de que los SSNN indefinidos no son temas o tópicos de predicación con la misma naturalidad con la que los definidos pueden serlo, aunque en español no existe ninguna restricción estrictamente gramatical sobre la posibilidad de tematizar indefinidos. Las construcciones de dislocación o tematización son aceptables tanto con indefinidos genéricos, (168a), como con específicos, (168b); suelen dar lugar a resultados anómalos con indefinidos de interpretación inespecífica, (168c), pero los admiten si algún elemento modal o intensional (el futuro en (168d)) hace posible tal interpretación:

(168) a. Un cumpleaños, es mejor celebrarlo fuera de casa.
b. A un amigo mío, este profesor le ha suspendido ya tres veces.
c. #Unas botellas, (las) tengo en la nevera.
d. Con una cebolla, creo que será suficiente.

Dejando a un lado el caso de la interpretación inespecífica de (168d), ligada a un contexto modal, la única condición que debe cumplir un indefinido para constituir un tema discursivo aceptable es la de recibir una lectura de las llamadas 'fuertes', es decir, genérica o específica (§ 12.3.1). [117]

Finalmente, entre las restricciones de distribución que la posición sintáctica impone sobre *un,* hay que mencionar la que se observa en las construcciones partitivas del tipo <determinante + *de* + SN> *(dos de sus amigos, muchas de esas parcelas).* [118] Mientras que el determinante que encabeza la construcción puede ser indefinido, el que aparece en el SN precedido por *de* no puede serlo; en esta posición se admiten únicamente SSNN definidos, como muestra el contraste entre (169a) y (169b), mientras que la restricción desaparece en las construcciones con núcleo nominal cuantitativo ejemplificadas en (169c):

(169) a. Dos de {*unos amigos/*algunos amigos/*varios amigos}.
b. Dos de {estos amigos/los amigos/vuestros amigos}.
c. La mitad de una galleta. / Un grupo de unas veinte personas.

12.2.2.4. La elipsis nominal

La principal diferencia entre las construcciones de elipsis nominal, o sin nombre explícito, con el artículo definido y las mismas con el artículo indefinido es que en las primeras el determinante mantiene su forma inalterada, y en las segundas en cambio la forma *uno* sustituye a *un:*

(170) a. Le gustó más {la/una} roja.
b. Recuerdo {el/uno} que había en el salón.

Otras diferencias son resultado del diferente estatuto de *el* y *un:* el primero es clítico y definido, el segundo es tónico e indefinido. De ello se desprende que las restricciones ligadas a los rasgos 'clítico' y 'definido' no afectan a *uno.* La distinción átono/tónico explica que solamente *uno* pueda ir seguido de relativas explicativas:

---

[117] Sobre la tematización de indefinidos puede consultarse Ward y Prince 1991.
[118] La llamada 'Restricción partitiva' se trata en Hoeksema (ed.) 1996.

(171) a. *Había terminado de escribir la, que después tendría un gran éxito.
b. Había terminado de escribir una, que después tendría un gran éxito.

La misma distinción subyace al hecho de que la secuencia formada por el artículo definido y el relativo *que* sufra un proceso de reanálisis del que resulta una unidad difícilmente segmentable (§ 12.1.2.5), mientras que la secuencia formada por el indefinido *uno* y el relativo mantiene sus propiedades inalteradas, de forma que tras el indefinido puedan coordinarse dos oraciones de relativo (no así tras *el*):

(172) a. *La que te gustaba y que nunca pudiste comprar.
b. Una que te gustaba y que nunca pudiste comprar.

Presumiblemente son también derivables de la naturaleza clítica de *el* las restricciones que le impiden combinarse con sintagmas preposicionales no introducidos por *de* y con relativos distintos de *que,* ya que los elementos clíticos suelen caracterizarse por exhibir unas condiciones de cliticización estrictas (por ejemplo, los pronombres átonos del español sólo pueden ser adyacentes a formas verbales). Dichas restricciones no afectan a los determinantes tónicos en general: *uno* puede ir seguido de preposiciones distintas de *de* y de relativos distintos de *que.*

(173) a. Una sin asas. / Unos al óleo. / Uno en conserva. / Unas sobre el romanticismo.
b. Una cuyo efecto me duró varios días. / Uno al que llamaban Tacho.

Existen también diferencias en las combinaciones con sintagmas adjetivos: *uno* acepta como modificadores adjetivos valorativos o evaluativos sin capacidad restrictiva que *el* tiende a rechazar. La explicación reside en la distinta función de los modificadores nominales en los SSNN definidos e indefinidos. Como se dijo en el § 12.2.2.2, en los primeros los modificadores posnominales son típicamente restrictivos, en los segundos no (véase también el § 12.1.2.3).

(174) a. Compramos una extraordinaria (cf. *la extraordinaria).
b. El martes tomé uno delicioso (cf. *el delicioso).

Cuando los nombres tácitos son no contables (tanto concretos como abstractos) y el artículo indefinido aparece obligatoriamente acompañado por algún modificador, surgen ciertas limitaciones en el empleo de *uno,* como ha señalado Martínez (1989: 54). En este caso los adjetivos valorativos sí resultan rechazados, especialmente con nombres que no se convierten realmente en contables:

(175) a. *Ayer me pareció adivinar una ligera tristeza en su mirada, pero hoy estaba hundido en una profunda.
b. ?Allí se toma carne de primera calidad, pero hoy nos han servido una espantosa.
c. *Necesitaba buena madera, y allí se producía una excelente.

Finalmente, las construcciones de elipsis nominal con *uno* comparten varias propiedades con las definidas. Como en estas, es el rasgo de género del nombre antecedente el que debe mantenerse en la elipsis, y no necesariamente el de número, como se muestra en (176a). También es la recuperación del rasgo de persona en el determinante lo que permite prescindir de antecedentes para una relación anafórica, y esto se percibe claramente en las construcciones genéricas del tipo de (176b) y (176c), en las que *uno* se refiere exclusivamente a personas.

(176) a. Después de tres meses viendo casas, encontraron una que les gustó.
b. Uno que se porta así con todo el mundo sólo puede acabar aislado.
c. Son las cosas que a uno le sacan de quicio.

12.3. Tipos de referencia e interpretaciones

12.3.1. Significado lingüístico e interpretación

En las secciones anteriores hemos comprobado que en los SSNN tanto definidos como indefinidos la referencia puede construirse de diferentes maneras: los SSNN pueden referirse a la especie o clase de objetos denotada por el nombre, o a un ejemplar determinado de esa clase, o a cualquier ejemplar que cumpla la descripción ofrecida, o también al tipo de entidad que se debe tomar en consideración al interpretar una oración. Tales posibilidades dependen del contenido interno del SN (complementos del nombre, modificadores, oraciones de relativo) y de manera especial de la presencia de determinados elementos oracionales (aspecto, tiempo, modo verbal, negación, cuantificadores, predicados modales o intensionales, entre otros), así que la referencia que asignamos a un SN es una función de todos estos factores, de la interacción entre los datos lingüísticos y la información extralingüística, y de la capacidad de reconocer las intenciones comunicativas del hablante.

En las páginas que siguen partiremos de la idea de que los artículos *el* y *un,* aunque compatibles con más de un tipo de referencia incluso en el mismo contexto oracional, no son semánticamente ambiguos. En otras palabras, el significado lingüístico de los determinantes es uno y el mismo en todos los casos (el que aparece descrito en los §§ 12.1.1.3 y 12.2.1.2), y permite explicar toda la variedad de usos de los SSNN. Dicho significado determina sólo de forma parcial la interpretación final del sintagma en el seno de la oración y del contexto discursivo, ya que el significado lingüístico básico puede ser enriquecido o especificado en distintos sentidos, en función de los múltiples factores mencionados anteriormente. Al tomar como punto de partida un significado lingüístico unitario para los artículos, es posible explicar todos los valores referenciales de los sintagmas definidos e indefinidos como interpretaciones derivadas de tal significado.

Para establecer una tipología de las interpretaciones conviene emplear la distinción entre determinantes 'fuertes' y 'débiles', [119] o más bien, entre interpretaciones 'fuertes' y 'débiles': los determinantes definidos producen siempre interpretaciones fuertes, mientras que los indefinidos, y *un* de manera especial, admiten tanto interpretaciones fuertes como débiles. En términos muy intuitivos, un SN está asociado a una interpretación fuerte cuando su referencia se establece independientemente del contexto oracional, y por medio de él el hablante consigue aludir a una entidad determinada. Un SN (indefinido) recibe una interpretación débil si no establece ninguna referencia independientemente del contexto oracional, si toma las propiedades existenciales (la implicación de existencia del referente, o la ausencia de esta) del predicado con el que se combina. En este caso el determinante inde-

[119] La distinción fue establecida originalmente por Milsark (1977) y desarrollada en Barwise y Cooper 1981. Sobre las interpretaciones fuertes y débiles de los indefinidos pueden verse Fodor y Sag 1982, Lumsden 1988, Ludlow y Neale 1991, Diesing 1992, Rouchota 1994, Comorovski 1995, de Hoop 1995.

finido se limita a aportar un contenido cuantitativo, a indicar qué número de entidades deben tenerse en cuenta para evaluar la proposición expresada; se comporta, por consiguiente, como un indicador de cardinalidad. De ello se deduce que los indefinidos con interpretación débil solamente pueden combinarse con determinados predicados (§ 12.2.2.3). En lo que atañe a los valores del indefinido *un,* supondremos que la interpretación débil, básica o no marcada, es la que denominaremos 'inespecífica' (y en otros casos 'existencial') (§ 12.3.2.2), y que las interpretaciones fuertes pueden ser de dos tipos: 'específicas' (§ 12.3.2.1) y 'genéricas' (§ 12.3.3.2). A grandes rasgos, estas dos lecturas fuertes se pueden caracterizar por la posibilidad de ser atribuidas a los sujetos de los predicados individuales y estativos, por la independencia con respecto a los operadores oracionales (negación, cuantificadores) y por el rechazo de las construcciones existenciales con *haber* (especialmente en el caso de los indefinidos genéricos: en *Hay un león que no se reproduce en cautividad,* la expresión *un león* no puede ser genérica, si excluimos el caso de la interpretación de subclase o subespecie).[120]

12.2.3.2. La distinción específico/inespecífico

12.3.2.1. El concepto de especificidad

La noción de 'especificidad' es fundamental no solamente para describir adecuadamente las interpretaciones de los SSNN definidos e indefinidos sino también para establecer de forma correcta su distribución sintáctica y para explicar varios fenómenos gramaticales aparentemente desligados de la gramática de los artículos. Sin embargo, se trata de una noción difícil y escurridiza. Existen por lo menos tres sentidos en los que se ha empleado el término 'especificidad': uno pragmático, otro lógico basado en criterios de alcance o ámbito, y otro discursivo ligado al concepto de partitividad.[121]

A) Si se parte del criterio pragmático, es específico un SN empleado por un hablante para referirse a una entidad determinada en la que está pensando. A primera vista, esta concepción tiende a identificar la referencia específica con la referencia a objetos conocidos por el hablante; en realidad, lo decisivo para una caracterización de la especificidad que aspire a ser válida desde el punto de vista lingüístico no es el conocimiento o la capacidad para identificar objetos (es decir, no es el estado mental interno del hablante), sino la intención del hablante de comunicar y hacer manifiesto que pretende referirse a una entidad determinada.[122] Así, tanto si el receptor es capaz de identificar el referente como si no, la interpretación más natural e inmediata del sujeto indefinido en (177) es específica:

(177) Un amigo tuyo te está esperando abajo.

---

[120] Esta taxonomía para los indefinidos se encuentra también en Diesing 1992: 93-96.

[121] Los sentidos del término 'especificidad' se comentan en Leonetti 1990: § 3.2, Rouchota 1994 y Farkas 1995. Pueden verse también Lyons 1977: § 7.2, Ioup 1977, Rivero 1977, Kleiber 1981a, Galmiche 1983, Garrido 1984: § 6.1 y Corblin 1987: cap. 1. El punto de vista en el que se basa esta exposición está inspirado en Rouchota 1994 y se aparta considerablemente del que se defendía en Leonetti 1990.

[122] Rouchota 1994: 455.

B) En cambio, si la especificidad se concibe como una propiedad de ámbito, siguiendo una tradición bien asentada en lógica y filosofía del lenguaje, una expresión nominal es específica cuando su interpretación es independiente de la presencia de cuantificadores u operadores intensionales en la oración, y por consiguiente permite inferir la existencia de un referente individualizado. De acuerdo con esta concepción, el sujeto en (177) también es específico, ya que es posible la paráfrasis *Hay un amigo tuyo que te está esperando abajo.* La noción de especificidad ligada al ámbito de los operadores es claramente semántica.

Es importante señalar que los dos criterios mencionados pueden dar lugar a resultados distintos en casos como los siguientes:

(178) a. Han robado un cuadro de la galería.
b. María cree que Ernesto quiere casarse con una rubia.

La primera oración es ambigua de acuerdo con el sentido pragmático, ya que el hablante puede utilizarla para dar a entender que se refiere a un cuadro determinado (específico) o bien a un cuadro indeterminado (y por tanto inespecífico), pero no es ambigua según la definición lógica de especificidad, al no haber ningún operador que afecte a la interpretación del indefinido anulando la implicación de existencia del referente. Desde el punto de vista de las relaciones de ámbito, sólo existe una interpretación específica.

En la segunda oración aparecen, en cambio, dos operadores intensionales, representados por los verbos *creer* y *querer,* que originan tres (y quizá cuatro) interpretaciones diferentes definidas en términos de ámbito. Brevemente, el SN indefinido *una rubia* puede interpretarse independientemente de ambos, con alcance máximo (parafraseable con *Hay una rubia con la que María cree que Ernesto quiere casarse*), o también tener ámbito sobre *querer* pero no sobre *creer* (en una lectura de ámbito intermedio: *María cree que hay una rubia con la que Ernesto quiere casarse*), o finalmente caer bajo el ámbito de los dos predicados y dar lugar a una interpretación inespecífica *(María cree que Ernesto quiere casarse con una rubia, sea la que sea).* Dejando a un lado el problema de la especificidad como noción relativa que se suscita en (178b), hay que notar que incluso la primera lectura, la de alcance máximo y más claramente específica en términos de alcance, puede no ser necesariamente específica en el sentido pragmático, si el hablante no pretende comunicar que se refiere a una persona en particular. Las dos concepciones presentadas, por consiguiente, difieren de forma significativa cuando se enfrentan a datos como los de (178).

C) El tercer sentido en el que se suele emplear el término 'especificidad' es básicamente discursivo e independiente de la presencia de operadores y de relaciones de ámbito. Identifica la interpretación específica con la partitiva, es decir, con la cuantificación sobre un conjunto de elementos ya delimitado contextualmente, ya conocido. En este caso la especificidad depende del grado de familiaridad de dicho conjunto. [123] En una oración como

(179) Un atracador fue detenido, el otro consiguió huir.

es normal asignar una interpretación específica al SN *un atracador,* y dicha interpretación es implícitamente partitiva: equivale a *uno de los atracadores,* ya que el contexto lingüístico hace accesible el conjunto de partida del que el indefinido extrae una entidad. [124] No es difícil mostrar que este sentido es completamente indepen-

[123] La noción de especificidad como partitividad encubierta ha sido utilizada por Pesetsky (1987), Enç (1991), Diesing (1992) y Kiss (1993). Abbott (1995) critica con buenos argumentos ese enfoque.

[124] Para la relación entre partitividad y especificidad, véanse los datos de Enç (1991) y Comorovski (1995) sobre restricciones de definitud.

diente de los anteriores: incluso los indefinidos explícitamente partitivos son compatibles con una lectura inespecífica, tanto en el sentido pragmático *(Uno de los atracadores, no importa cuál, está armado)* como en el lógico *(Quería hablar con uno de los encargados, no importa quién)*. Por otra parte, ninguna de las interpretaciones específicas comentadas en (177) y (178) es necesariamente partitiva.

El punto de contacto de las tres acepciones del término 'especificidad' está en el hecho de que todos los factores implicados (la intención comunicativa, la independencia con respecto a operadores y cuantificadores, la cuantificación sobre conjuntos ya establecidos en el discurso) contribuyen a restringir el abanico de posibles referentes del SN. La existencia de esta 'familia' de interpretaciones es compatible con el supuesto básico de la univocidad semántica de los artículos.

En adelante el término 'específico' se empleará en el primero de los sentidos indicados, el más intuitivo, por lo que un SN será específico (o tendrá referencia específica) cuando el hablante, al emplearlo, dé a entender que se refiere a un objeto o individuo determinado. Las otras dos acepciones, basadas en la partitividad y el alcance amplio, son manifestaciones lingüísticas de la especificidad que resultan especialmente relevantes en determinados contextos. Hablaremos de SSNN 'inespecíficos' cuando no se den las condiciones para aplicar el término 'específico', es decir, cuando el hablante no pretenda referirse a una entidad determinada, bien porque no sea relevante, bien porque el SN sea afectado por un contexto modal o intensional, bien porque el conjunto sobre el que se cuantifica no esté previamente establecido en el discurso. Los casos centrales o más evidentes de 'indefinidos inespecíficos' son aquellos en que se menciona un referente hipotético, posible, no individualizado o incluso inexistente en el momento del habla: por ejemplo, en *Ocurrirá una desgracia,* el tiempo futuro, que posee propiedades modales, enmarca toda la predicación y permite, en condiciones neutrales, aludir a una desgracia posible, no acaecida ni individualizada. En casos como este el contenido del SN simplemente establece una condición sobre referentes posibles, sin dirigir al destinatario hacia ninguno de ellos en particular. Los contextos que permiten interpretaciones inespecíficas en las que no se implica la existencia de referentes individualizables, especialmente en los SSNN indefinidos, reciben el nombre de 'contextos opacos' o 'intensionales'.

Los SSNN encabezados por el artículo definido reciben interpretaciones inespecíficas cuando, aun manteniéndose el contenido básico de unicidad, se emplean para aludir a referentes hipotéticos o futuros, no identificables, de los que no se puede afirmar que existan como tales en el momento de la enunciación. Tales interpretaciones están determinadas por la inserción del SN definido en un contexto intensional, del tipo de los que se describen en el § 12.3.2.2 para los indefinidos: en los ejemplos de (180), los elementos intensionales son el tiempo futuro, el verbo *buscar* y el condicional, respectivamente (los SSNN definidos susceptibles de interpretación inespecífica aparecen entre corchetes).

(180) a. [El mejor examen] tendrá matrícula.
b. Buscamos [al equipo que sea capaz de superar esta prueba].
c. Al director le gustaría examinar [las solicitudes que se reciban].

Entre los SSNN definidos, los más propensos a recibir interpretaciones inespecíficas son los superlativos *(el mejor examen)* y los que denotan roles, funciones o cargos *(el presidente).* Se trata de expresiones que funcionan fácilmente como predicados, que se usan con naturalidad en sentido atributivo (§ 12.3.2.2) y que pueden ser afectadas por operadores intensionales: en general, son expresiones en las que las condiciones impuestas por el contenido descriptivo sobre el posible referente adquieren un peso decisivo, por lo que es posible usarlas para aludir a entidades hipotéticas sin que ello implique que el hablante esté en condiciones de señalarlas o identificarlas.

Mientras que en los SSNN indefinidos la interpretación más natural o más básica suele ser la inespecífica, en los definidos, por el contrario, suele ser la específica, debido a la semántica de los determinantes. El artículo definido introduce un referente accesible y unívocamente identificable, por lo que favorece la interpretación específica del sintagma y hace necesaria la presencia de marcas gramaticales explícitas cuando se pretende indicar la interpretación contraria, la inespecífica. De la misma forma, la semántica de los indefinidos (la carencia de garantías de accesibilidad) hace que, en ausencia de indicadores gramaticales explícitos, o de información contextual relevante, tiendan a recibir interpretaciones inespecíficas. En (181a), por ejemplo, donde el SN ofrece una cantidad mínima de información, la alternancia *el/un* refleja, fuera de contexto, la distinción específico/inespecífico, mientras que en (181b) la presencia de una relativa en subjuntivo fuerza la interpretación inespecífica también en el SN definido (en los ejemplos es el verbo intensional *querer* el elemento que hace posible la inespecificidad):

(181) a. Ana también quería ver {la/una} película.
b. Ana dice que quiere ver {la/una} película que elijamos nosotros.

Debido a que las lecturas inespecíficas requieren condiciones especialmente favorables en los SSNN definidos, en las próximas secciones los ejemplos incluirán predominantemente SSNN indefinidos con *un*.

12.3.2.2. Las interpretaciones específicas e inespecíficas

Los elementos modales o intensionales que hacen posibles las interpretaciones inespecíficas prototípicas [⟶ § 50.1.2] pueden clasificarse en tres grandes grupos: [125]

A) Elementos modales con ámbito oracional

Afectan a toda la oración, convirtiéndola en un contexto intensional y suspendiendo las implicaciones existenciales asociadas a los SSNN contenidos en ella, ciertas modalidades como la interrogación, los tiempos futuro y condicional, el imperativo, el modo subjuntivo en subordinadas que denotan hechos o situaciones no realizados, y en general cualquier marca gramatical que indique que el estado de cosas descrito es no factual o no real. En los ejemplos de (182) la aparición de estos elementos hace que la interpretación de los SSNN indefinidos sea predominantemente inespecífica:

(182) a. ¿Quién me presta un bolígrafo?
b. ¿Hay una explicación para su comportamiento?
c. {Me compraré/Me compraría} una gabardina nueva.

---

[125] Las propiedades de estos contextos, que son los que producen los ejemplos más claros de ambigüedad entre lectura específica y lectura inespecífica, se han estudiado en Fodor 1970, Jackendoff 1972: cap. 7, Givón 1978, Heny (ed.) 1981 y Leonetti 1990. Véase también el § 50.1.2.1 para comprobar que la relación entre los elementos modales y la referencia de los SSNN se manifiesta de forma significativa en los patrones de distribución del modo subjuntivo en las oraciones de relativo.

d. Cómprate una gabardina nueva.
e. {Cuando/Aunque} te compres una gabardina nueva...

Son también intensionales las construcciones condicionales [⟶ Cap. 57], los enunciados genéricos o caracterizadores [⟶ § 27.2.2.1], y las oraciones con adverbios de posibilidad como *quizás* [⟶ §§ 4.2.3 y 11.5.1] y con verbos o predicados modales *(poder, deber, posible...)* [⟶ §§ 51.1.2.3 y 51.1.4.1], tanto en sentido deóntico como en sentido epistémico:

(183) a. Si encuentran un paquete sospechoso, avisen al portero.
b. Es bueno tomar un vaso de vino tinto en la comida.
c. Cada vez que suena el teléfono tiene un sobresalto.
d. Quizás me compre una gabardina.
e. {Pueden/Deben} llegar unos agentes de refuerzo.

Como los anteriores, estos factores pueden producir inespecificidad (con las eventuales ambigüedades) en cualquiera de los SSNN contenidos en el ámbito oracional.

B) Negación

La negación produce interpretaciones inespecíficas en los SSNN indefinidos al borrar en ellos la implicación de existencia del referente (cf. *Nunca había vivido una situación tan desagradable* equivale a *No había vivido ninguna situación tan desagradable*). Para que estos efectos tengan lugar, el SN debe encontrarse bajo el ámbito de la negación, en la posición estructural adecuada [⟶ § 40.2]: así, mientras que en (184a) la negación afecta a las propiedades referenciales del indefinido, en (184b) no puede hacerlo, ya que este ocupa la posición de sujeto preverbal, que queda fuera del ámbito de *no,* y ello impide que el indefinido sujeto sea inespecífico, y que pueda aparecer el subjuntivo en la subordinada relativa (salvo en el caso de que se pudiera forzar una interpretación genérica):

(184) a. El departamento no dispone de un especialista que supervise el experimento.
b. Un especialista (*que supervise el experimento) no dispone de laboratorio.

Además de *no* y de los cuantificadores negativos, crean contextos favorables a la inespecificidad también los predicados de impedimento, rechazo o duda *(Se oponen a una reforma del reglamento; Dudamos de que haya escrito un libro de quinientas páginas),* la preposición *sin (Aprobó sin haber abierto un libro)* o adverbios como *raramente (Raramente hacemos un viaje en Navidades),* todos semánticamente relacionados con la negación. En general, los contextos sintácticos que legitiman la presencia de términos de polaridad negativa son también intensionales.

C) Predicados intensionales

Esta denominación incluye tanto a verbos del tipo de *buscar, necesitar, pedir, querer, intentar, obligar a, esperar, planear* o *permitir* como a adjetivos del grupo de *conveniente, necesario, suficiente, obligatorio* o *imprescindible* (podríamos extenderla incluso a la preposición *para* que introduce las subordinadas finales) [⟶ § 50.1.2]. El rasgo unificador es aquí la capacidad de seleccionar un argumento que denota una situación no realizada o no factual, si se trata de una oración subordinada, o bien denota un objeto o un conjunto de objetos cuya existencia no está asegurada, si es un SN, porque puede depender de los deseos, esperanzas, intenciones, planes o necesidades indicados por el predicado (en cualquier caso, estados de cosas no realizados). Aparte del carácter intensional, los elementos mencionados tienen en común la capacidad de afectar exclusivamente al argumento que denota una situación no factual, y no al resto de los constituyentes oracionales. En los ejemplos de (185) y (186) se puede comprobar que sólo el SN encorchetado puede ser inespecífico, pero no así el resto de los indefinidos que aparecen en posiciones que quedan fuera del alcance del predicado intensional, porque en ellos la existencia de un referente determinado está garantizada por el contexto.

(185) a. Un refugiado está pidiendo [un cigarrillo] a un soldado.
b. Sugerimos a un amigo [que hiciera [un viaje por el extranjero]].
c. Una sobrina suya está buscando [un empleo (que le ocupe solo las mañanas)].

(186) a. Es conveniente [dedicar [un día] al ocio].
b. En un ascensor del bloque B es imprescindible [un motor nuevo].

Se comportan de forma similar los verbos de actitud proposicional como *creer* y *suponer,* aunque sus propiedades semánticas no sean las mismas que las del grupo de *querer* o *buscar.* En las oraciones subordinadas de (187), que representan las creencias y suposiciones atribuidas al sujeto, también surgen ambigüedades entre lecturas específicas (con referencia a una entidad determinada por parte del hablante) y lecturas inespecíficas (en las que no se pretende hacer referencia a una entidad particular, independientemente de la actitud que se atribuya al sujeto acerca de la entidad nombrada):

(187) a. Ernesto cree que [un vecino] lo odia. [126]
b. La mayoría de los médicos supone que la causa de estas muertes es [un virus].

Fuera de los contextos intensionales las ambigüedades entre diferentes interpretaciones de los SSNN definidos e indefinidos vuelven a reproducirse, aunque sin dar lugar a la suspensión de las implicaciones existenciales, ni depender de la mención de situaciones no realizadas ni del ámbito de elemento modal alguno. En los contextos llamados 'extensionales' (aquellos que indican situaciones factuales o reales, y permiten inferir la existencia del referente mencionado) la diferencia entre las posibles interpretaciones es más sutil. Lo que se opone en tales contextos a la interpretación fuerte, específica o 'referencial' de los SSNN indefinidos, es una interpretación débil que puede considerarse inespecífica en el sentido pragmático, porque, si bien establece la existencia del referente del SN, no incluye la intención de referirse a una entidad determinada porque el hablante no considera necesario o relevante comunicarla. Las eventuales ambigüedades que surgen son, por lo tanto, de tipo pragmático, y están determinadas por la estructura sintáctica de forma mucho más laxa que las que surgen en contextos intensionales. En (188) puede apreciarse la distinción entre un uso 'específico' o 'referencial' y un uso puramente 'existencial' o 'cuantificativo' del SN indefinido: [127]

(188) Un recluso del pabellón A ha desaparecido.

El SN *un recluso del pabellón A* tiene una interpretación fuerte (específica) cuando se usa como un término denotador, para referirse a un individuo en particular, y una interpretación débil o existencial (inespecífica desde el punto de vista pragmático) cuando se usa como una expresión cuantificada, para indicar simplemente el número de individuos que intervienen en la situación descrita. En esta lectura la identidad del referente no está en juego, no es relevante (nótese que incluso un hablante que conozca perfectamente la identidad del recluso en cuestión puede utilizar el SN de (188) en sentido existencial, si no le interesa comunicar que está pensando en un individuo determinado).

---

[126] Las dos interpretaciones de esta oración pueden parafrasearse, burdamente, de la siguiente forma:

(i) Hay un vecino determinado del que Ernesto cree que lo odia (esp.).
(ii) Ernesto cree que hay algún vecino que lo odia (inesp.).

[127] Sobre esta distinción pueden consultarse Partee 1972, Milsark 1977, Galmiche 1983, Ludlow y Neale 1991, Abusch 1994, y especialmente Fodor y Sag 1982 y Rouchota 1994.

Las marcas gramaticales que diferencian las interpretaciones fuerte y débil son limitadas (el contenido descriptivo del SN, la presencia de modificadores no restrictivos, la posición temática o prominente en la oración y la predicación de propiedades estables o inherentes favorecen la lectura fuerte), y la distinción se manifiesta también de forma indirecta: por ejemplo, en la continuación de (188) con una oración como *Ya me lo esperaba,* que admite a su vez dos lecturas, «ya me esperaba que ese determinado recluso desapareciera», o «ya me esperaba que ocurriera algo así, vistas las condiciones del pabellón A». Todo depende de cuál de las dos proposiciones expresadas por (188) sea retomada por el pronombre anafórico *lo,* la que predica algo de un recluso específico o la que simplemente presenta un acontecimiento en el que se ve involucrado un recluso.

Las descripciones definidas exhiben, especialmente en la posición de sujeto preverbal, el mismo tipo de ambigüedad pragmática. Las dos interpretaciones posibles fueron bautizadas por Donnellan (1966) como 'uso referencial' y 'uso atributivo'. [128] Según Donnellan, un hablante hace un uso referencial de un SN definido cuando pretende que el receptor sea capaz de identificar el referente del que está hablando; el SN funciona entonces como un simple instrumento para señalar al referente. Si el uso es atributivo, el hablante se refiere a la entidad que concuerde con la descripción, sea la que sea, como portadora de las características indicadas, y dejando en segundo plano el problema de su identificación. Por ello en el uso atributivo el contenido descriptivo del SN es esencial y decisivo. Si se toma un enunciado como (189), la distinción puede presentarse de esta forma: en el uso referencial de *el novio de María,* se intenta designar a un individuo, sin que la forma de referirse a él sea de especial importancia, pero en el uso atributivo, al dejar a un lado la identificación del referente, se intenta poner de relieve la relación semántica entre las dos propiedades expresadas, la de ser novio de María y la de ser afortunado. Esta es la razón por la que el uso atributivo puede plasmarse en una paráfrasis como *Quienquiera que sea el novio de María debe ser considerado afortunado.*

(189) El novio de María es afortunado.

Las propiedades gramaticales que caracterizan a la interpretación atributiva frente a la referencial son equiparables a las que suelen mostrar los SSNN indefinidos inespecíficos: modo subjuntivo en las subordinadas relativas *(El que salga con María es afortunado),* posibilidad de insertar modificadores como *Quienquiera que sea* o *el que sea,* incompatibilidad con preguntas sobre la identidad del referente con *quién* o *cuál.* Dichas propiedades, en cualquier caso, no son suficientemente sistemáticas para permitir deshacer eventuales ambigüedades: el modo indicativo en las relativas no señala necesariamente un uso referencial (así, *El que sale con María es afortunado* mantiene la ambigüedad de (189)), y los modificadores citados son compatibles también con la interpretación referencial (cf. *El que sale con María, quienquiera que sea, es afortunado*).

12.3.2.3. Marcas y fenómenos gramaticales ligados a la especificidad

El español no posee ninguna marca gramatical destinada a señalar la interpretación específica (o la inespecífica) de un SN, pero dispone de un conjunto de elementos que contribuyen eficazmente a indicar qué interpretación es la adecuada en cada contexto, o al menos la más prominente. A continuación se examina el

[128] A partir de Donnellan (1966), la distinción 'referencial' / 'atributivo' ha recibido mucha atención tanto por parte de los filósofos como por parte de los lingüistas. Entre las aportaciones de orientación lingüística, pueden verse Klein 1981, Galmiche 1983, Neale 1990 y Rouchota 1992.

funcionamiento de los factores internos a la estructura del SN, dando por supuesto que el primer requisito que se debe cumplir para obtener una lectura específica es la presencia de algún determinante (los SSNN escuetos son inespecíficos, véase el § 13.2.3).

A) Modo verbal en las oraciones de relativo

Como se explica detalladamente en el § 50.1 sobre el modo en las oraciones de relativo, el modo indicativo en las relativas restrictivas corresponde, en principio, a una interpretación específica, mientras que el subjuntivo corresponde a una interpretación inespecífica.[129] La relación entre modo verbal y especificidad es especialmente clara en los contextos intensionales que hacen posible la interpretación inespecífica.

(190) Me pondré una corbata que {combina/combine} bien con esta camisa.

En (190), donde el tiempo futuro crea un contexto intensional, la presencia del indicativo en la oración restrictiva permite inferir que existe una corbata determinada que combina bien con la camisa y señala la independencia del SN indefinido con respecto al ámbito del futuro; el subjuntivo, por el contrario, no legitima tal inferencia (ya que es compatible con la inexistencia de corbatas que cumplan la condición expresada) e indica que la expresión indefinida se encuentra dentro del ámbito del futuro. En los contextos intensionales la correlación entre subjuntivo e inespecificidad se mantiene estable, también en los SSNN definidos (cf. *Me pondré la corbata que {combine/combina} mejor con esta camisa*). No es tan estricta, en cambio, la correlación entre indicativo y especificidad, porque es posible encontrar ejemplos en los que el indicativo no impide la interpretación inespecífica, como los de (191): en los dos primeros la clave para el posible uso del indicativo está probablemente en el carácter genérico del enunciado, en el tercero en el carácter fuertemente asertivo del predicado *seguro.*

(191) a. Óscar no se atrevería a dirigirse a una chica que no habla español.
b. Cuando ve un cachorro que le gusta, siempre pide que se lo compremos.[130]
c. Seguro que encontrarás un libro que lo explica bien y aprobarás el examen.

El modo verbal no funciona necesariamente como indicador de una interpretación específica o inespecífica ni en los contextos genéricos y comparativos, ni en el caso del subjuntivo que Fernández Ramírez (1951c: § 61) denominó 'de indeterminación' (cf. el § 50.1.3). En los primeros, la alternancia modal no está vinculada al carácter específico o inespecífico del sintagma, ya que la genericidad hace que tal distinción sea irrelevante (como en (192a)), y afecta también a las construcciones comparativas (como en (192b)) (cf. los §§ 50.1.3.2 y 50.1.4):

(192) a. {La/Una} familia que {tiene/tenga} tres hijos ya es numerosa.
b. Se comporta como una persona que {oculta/oculte} algo.

[129] Véanse Rivero 1977, Kleiber 1981b y Rodríguez Gonzalo 1990.
[130] En este ejemplo el indicativo es incluso preferible al subjuntivo (**Cuando ve un cachorro que le guste...*). Con los SSNN definidos la combinación del indicativo y la lectura inespecífica está mucho más restringida.

En cuanto al subjuntivo de indeterminación, aparece en relativas contenidas en contextos no intensionales, en los que la existencia de un referente determinado está garantizada: por consiguiente, el subjuntivo no es siempre una marca de la interpretación inespecífica, sino del bajo grado de relevancia de la información aportada por la relativa o de la falta de compromiso del hablante con dicha información (§ 50.1.3.1), o también de la interpretación atributiva del SN.

(193) a. Depende del profesor que hayas tenido.
b. El problema no es la frase que haya pronunciado Ernesto, sino la forma en que ella la interpretó.
c. El que haya difundido este vídeo es un irresponsable.

En general, se trata de casos en los que la identificación del referente queda en segundo plano. En todos ellos hay artículo definido, pero probablemente muchos de los ejemplos que se suelen mencionar ni siquiera contienen verdaderos SSNN ni verdaderas relativas, sino que son construcciones oracionales con artículo enfático (§ 12.1.2.7), por lo que el modo subjuntivo es aquí, en sentido estricto, independiente de la especificidad y de la referencia (cf. en particular, (193a) y (193b), parafraseables como *Depende de qué profesor hayas tenido* y *El problema no es qué frase haya pronunciado Ernesto...;* en el primer caso el subjuntivo es seleccionado por el verbo *depender*). (193c) contiene una descripción definida usada atributivamente.

Otros contextos en los que las relativas en subjuntivo no indican necesariamente una interpretación inespecífica son los superlativos relativos *(la novela más entretenida que haya leído)* y las construcciones factivas *(Le sorprendía que se hubiesen instalado en una casa que no tuviera ascensor).* Todos ellos se tratan en profundidad en los §§ 50.1.5 y 50.1.6.

De lo anterior se deduce que el indicativo y el subjuntivo de las subordinadas relativas están asociados a las interpretaciones específica e inespecífica de los SSNN, pero no de forma sistemática en todos los contextos. Las propiedades referenciales son sólo uno de los diversos factores que determinan la distribución de los modos verbales. El indicativo permite que en muchos contextos las potenciales ambigüedades de los SSNN indefinidos subsistan. Sin embargo, el subjuntivo sí actúa como indicador del carácter inespecífico del SN en el interior de los contextos intensionales.

B) Objeto directo preposicional

Si bien el factor decisivo para el empleo de *a* ante objeto directo en español es el carácter animado o no animado del referente [→ §§ 28.1 y 28.5], la ausencia de *a* actúa, en cierto sentido, como marca de inespecificidad. Existe una correlación entre ausencia de *a* ante objetos animados e interpretación inespecífica, por lo que expresiones como *contratar un especialista, necesitar un ayudante, ver un guerrillero armado, buscar una asistenta* contienen objetos directos inespecíficos. Se trata de una correlación limitada, que no se refleja en todos los verbos transitivos, y que no implica que la presencia de *a* señale obligatoriamente una interpretación específica: no lo hace en los ejemplos de (194), en los que se aprecia que el factor de animación predomina claramente sobre el de especificidad, ya que los objetos directos con *a* son animados pero pueden ser inespecíficos (en alguno de los sentidos ya comentados):

(194) a. Vimos a unas mujeres en la plaza.
b. Necesitan a un electricista en el departamento B.
c. Sería estupendo si contrataran a un ayudante.

La inserción de *a*, por lo tanto, es obligada en los sintagmas específicos (con referente animado), [131] pero no cuenta como una marca de especificidad porque aparece también en sintagmas con referentes animados e inespecíficos. Los objetos directos (animados) sin *a*, en cambio, reciben siempre interpretaciones débiles, inespecíficas o existenciales. [132] La construcción existencial con *haber*, que favorece tales interpretaciones, rechaza la inserción de *a* (cf. *Había (*a) unas mujeres en la plaza*), y en los contextos de cuantificación múltiple los sintagmas sin *a* reciben interpretaciones débiles de ámbito restringido: así, una oración como *Todos los encuestados vieron a una persona sospechosa* es ambigua porque *a una persona sospechosa* puede tener ámbito mayor o menor que el primer sintagma cuantificado, pero si desaparece *a (Todos los encuestados vieron una persona sospechosa)* la interpretación natural es la distributiva, en la que el objeto directo tiene alcance menor que el sujeto, y por tanto una interpretación débil o existencial, no específica.

C) Modificadores y posición de los adjetivos

Una forma de favorecer la interpretación específica consiste en aumentar la riqueza del contenido descriptivo del sintagma, utilizando modificadores del núcleo nominal que aporten rasgos relevantes para la identificación del referente, y contribuyan a eliminar vaguedades e imprecisiones; en (195) el contenido descriptivo y, en particular, el predicado episódico y especificante que aparece en la relativa, orienta hacia una interpretación fuerte, mientras que en (196) es más natural la interpretación débil, a falta de información adicional.

(195) Le urgía hablar de ello con una antigua enfermera del hospital que le había asegurado que disponía de información valiosa sobre el caso.
(196) Le urgía hablar de ello con alguien.

Entre los modificadores, indican especificidad los explicativos, en general, debido a que inciden sobre sintagmas capaces de establecer su referencia por sí mismos y ligados a interpretaciones fuertes. Las relativas explicativas son normalmente incompatibles con antecedentes inespecíficos (por ejemplo, con antecedentes negados, cf. **No encontró ni un taxi, que estaba libre*), y lo mismo vale para las aposiciones explicativas (cf. *#No encontró ni un taxi, un medio de transporte insólito para él,* aunque los datos son difíciles de evaluar si no se distingue claramente entre verdaderas aposiciones e incisos), siempre que estos modificadores no funcionen como glosas o como definiciones del significado del sintagma. Las expresiones referenciales admiten modificadores explicativos con mayor facilidad que las no referenciales.

Finalmente, un factor relevante que tiene que ver con la presencia de modificadores nominales es el orden de los adjetivos: la presencia de adjetivos en posición prenominal, así como la de adjetivos elativos (denotadores de propiedades en grado extremo, y adjetivos terminados en *-ísimo*), es una marca de la interpretación específica del SN. Nótese que los epítetos y los elativos son, de nuevo, modificadores no restrictivos [→ § 3.2.3.3]. [133]

---

[131] Las construcciones partitivas favorecen la lectura específica y por consiguiente también la inserción de *a:*

(i) Conocí *(a) una de las protagonistas.
(ii) Han visto *(a) uno de los atracadores.

[132] Brugè y Brugger (1996) presentan varios argumentos a favor de este punto.

[133] Los datos y las explicaciones que se presentan a continuación están tomados de la detallada argumentación elaborada en Picallo 1994 y Bosque 1996b.

Mientras que los adjetivos posnominales no resuelven las posibles ambigüedades de ámbito entre indefinidos y operadores, estas desaparecen cuando los adjetivos se sitúan en posición prenominal (o cuando son elativos), ya que en tales condiciones solamente la interpretación específica (fuerte) sobrevive: así, (197a) es ambigua en cuanto a la especificidad del SN indefinido, mientras que (197b) y (197c) no lo son ya.

(197) a. A las siete siempre ponían un programa interesante en la tele.
b. A las siete siempre ponían un interesante programa en la tele.
c. A las siete siempre ponían un programa interesantísimo en la tele.

Por la misma razón los contextos que tienden a imponer la interpretación inespecífica (por ejemplo, los imperativos, como en (198a); o los casos en los que un indefinido está bajo el ámbito de un cuantificador universal, como en (198b)) no aceptan fácilmente la presencia de epítetos y elativos. En cambio la marca preposicional *a* del objeto directo se hace necesaria si aparecen epítetos y elativos en el SN, como en (198c):

(198) a. Escribe {*una interesante novela/*una novela interesantísima}. Te harás famoso.
b. Todo campesino que tiene {*un inteligente burro/*un burro inteligentísimo} lo cuida bien.
c. Buscaba *(a) {un famoso actor/un actor famosísimo}.

Junto a los factores internos a la estructura del SN, ya examinados, cabe considerar algunos factores externos, añadidos a los contextos modales o intensionales descritos en el § 12.3.2.2:

a) La posición de sujeto preverbal, por su carácter habitualmente temático, tiende a imponer las interpretaciones fuertes sobre las débiles, especialmente con predicados episódicos e inacusativos, que admiten con facilidad los sujetos pospuestos. En los pares de (199) los sujetos posverbales pueden recibir interpretaciones fuertes o débiles, mientras que los preverbales muestran una clara preferencia por las fuertes (específicas), al ser temas de la predicación:

(199) a. Faltó un invitado. / Un invitado faltó.
b. Se ha escapado un león. / Un león se ha escapado.
c. Ahí dentro cabía una concursante. / Una concursante cabía ahí dentro.

En términos intuitivos, los indefinidos con interpretación fuerte adquieren una prominencia discursiva de la que carecen los indefinidos débiles. Esto se refleja tanto en el orden de palabras como en otros fenómenos independientes.

b) Los contextos existenciales impiden que las expresiones indefinidas contenidas en ellos tengan interpretaciones de alcance amplio (es decir, no afectadas por la posible influencia de otros elementos), como se puede comprobar al comparar los dos ejemplos siguientes:

(200) a. Rafael cree que alguien lo está espiando.
b. Rafael cree que hay alguien que lo está espiando.

Mientras en el primer caso el indefinido *alguien* presenta tanto una lectura de alcance amplio con respecto a *creer (Hay alguien en particular del que Rafael cree que lo está espiando)* como una de alcance restringido *(Rafael cree que alguien —no sabe quién— lo está espiando),* en el segundo caso sólo subsiste la interpretación de alcance restringido. El mismo efecto se reproduce en contextos existenciales negativos *(No hay un turista en la playa)*, en los que el indefinido no puede tener alcance más amplio que la negación, y, por tanto, se interpreta siempre como indefinido negativo (en el sentido de *No hay ningún turista en la playa*). Tradicionalmente, estos hechos se han considerado ligados al concepto de especificidad. De ellos se deduce, efectivamente, que las oraciones existenciales dificultan, en principio, las lecturas de alcance amplio y, por tanto, la aparición de SSNN específicos, por lo menos en el sentido del término 'específico' que equivale a «referido a una o más entidades tomadas de un conjunto ya determinado».

Las restricciones impuestas a la aparición de estructuras partitivas en ellas confirman la idea, ya que las construcciones partitivas tienden a mostrar interpretaciones específicas [⟶ §§ 16.2.2 y 16.2.3):

(201) a. *Hay uno de tus amigos en el bar. (Cf. Hay un amigo tuyo en el bar.)
b. *Había dos de los documentos en la caja fuerte. (Cf. Había dos documentos en la caja fuerte.)

No obstante, tampoco aquí la restricción es sistemática. La inserción de construcciones partitivas es posible si se respeta la condición general de introducción de información nueva para el oyente, y no anafórica (cf. *Todavía hay algunos de los exámenes del viernes sin corregir*), como han mostrado Abbott (1993) y Comorovski (1995). La formación de interrogativas también refleja en alguna medida la tendencia a excluir los SSNN específicos y presuposicionales de las construcciones existenciales. El contraste de (202) se debe a la diferente naturaleza de los cuantificadores interrogativos: mientras que *cuál* es presuposicional (es decir, opera sobre conjuntos o dominios contextuales previamente establecidos), *qué* y *cuántos* no presuponen nada acerca de la constitución del conjunto sobre el que cuantifican, por lo que el primero se asocia fácilmente a interpretaciones partitivas específicas y los segundos no, con los consiguientes efectos en el contexto existencial con *haber.*

(202) a. *¿Cuáles de los documentos había en la caja fuerte?
b. ¿{Qué/Cuántos} documentos había en la caja fuerte?

c) Los dialectos del español que generalizan el doblado de los pronombres átonos (en particular, el español rioplatense) muestran que la coaparición de clíticos de acusativo *(lo, la)* con SSNN léxicos se ve restringida por la condición de que el SN indefinido asociado al clítico sea específico, por lo menos en el sentido de recibir una interpretación partitiva [⟶ § 19.4].[134] Los ejemplos, tomados de Suñer 1988, indican que sólo la presencia de una construcción partitiva, al forzar la lectura específica del SN indefinido, legitima el doblado:

(203) a. La examinó {?*a una/a una de ellas}.
b. ¿{*A cuántas pasajeras/A cuántas de ellas} las rescataron?

d) Finalmente, otros fenómenos dependientes del carácter más o menos específico de un SN tienen que ver con las relaciones entre elementos externos y elementos o posiciones internas al mismo. Los SSNN específicos impiden, habitualmente, tales relaciones. Así, los relativos (o los interrogativos) no pueden estar ligados a una posición interna a un SN específico, pero sí a una posición contenida en uno inespecífico, como se observa en el contraste de (204), donde la especificidad se manifiesta en la presencia de un adjetivo prenominal en (204a):[135]

(204) a. ?El autor del que había que leer [un famosísimo ensayo —].
b. El autor del que había que leer [un ensayo —].

La misma restricción se refleja en (205a), donde el elemento negativo *nunca* no puede afectar al término de polaridad negativa *nadie* cuando este se encuentra en un dominio gramatical opaco como el formado por un SN específico; el indefinido inespecífico de (205b), por el contrario, permite que *nadie* quede bajo el ámbito de *nunca.*

(205) a. *Nunca leyeron [un famosísimo ensayo de nadie].
b. Nunca leyeron [un ensayo de nadie].

---

[134] Sobre la relación entre especificidad y doblado de clíticos, véanse Suñer 1988 y Dobrovie-Sorin 1990.

[135] Es uno de los llamados 'efectos de especificidad', de los que se trata en Enç 1991 y Diesing 1992: cap. 4.

La especificidad global de un SN determina además la especificidad de las expresiones nominales contenidas en su interior; por el contrario, los SSNN inespecíficos toleran diferentes lecturas en sus SSNN internos. *Si un periodista que haya entrevistado a un actor famoso* recibe, en conjunto, una interpretación inespecífica, el SN interno *un actor famoso* es en principio ambiguo (específico o inespecífico).

12.3.3. La interpretación genérica

12.3.3.1. La genericidad

La genericidad no es una propiedad exclusiva de los SSNN; también puede caracterizar a las oraciones o a los enunciados que expresan estados de cosas habituales, constantes, regulares o de validez general (aserciones nómicas). La relación entre la genericidad en el ámbito nominal y la genericidad oracional varía en función de cuál sea el determinante que encabece el SN, como se verá más adelante.

Tradicionalmente, el término 'genérico' se ha aplicado a los SSNN que se refieren a una clase o una especie [⟶ § 13.2.1], y no a objetos concretos o cantidades específicas. De acuerdo con esto, los sintagmas que aparecen en cursiva en (206) tienen una interpretación genérica:

(206) a. *El tiranosaurio* vivió durante el período cretácico.
b. *Las ballenas* realizan grandes migraciones.
c. En muchas dietas se desaconseja *la mantequilla.*

Sin embargo, se habla de expresiones nominales genéricas también en los casos de (207), en los que no se hace referencia a clases o especies, sino a individuos o parejas de individuos (pero debe tenerse en cuenta que el entorno oracional sí es típicamente genérico o nómico):

(207) a. Una ballena necesita grandes cantidades de plancton para alimentarse.
b. Dos amigos siempre se ayudan.

Hay por lo menos dos razones para hablar de interpretación genérica en (207): en primer lugar, en condiciones normales, no se alude a ningún individuo determinado, sino a representantes aleatorios de las clases denotadas (en el segundo ejemplo, la propiedad de ayudarse se atribuye a cualquier pareja de amigos); y, en segundo lugar, la propiedad predicada se presenta como característica de la clase, y no sólo de algunos de sus miembros.

De lo anterior se deduce que la genericidad en los SSNN no puede tratarse como una noción homogénea y requiere por lo menos un análisis separado de los SSNN genéricos definidos y de los genéricos indefinidos, como se puede ver en el § 12.3.3.2. [136] En consecuencia, es difícil recoger de forma unitaria las condiciones que deben cumplirse para que una expresión nominal sea genérica. A las condiciones de no referencialidad (el hecho de no referirse a ningún objeto particular) y

---

[136] La idea de que la genericidad no constituye un fenómeno unitario queda recogida explícitamente en los estados de la cuestión que ofrecen Gerstner y Krifka (1993) y Krifka *et al.* (1995), en los que se inspira toda la organización de las secciones que siguen.

mención de la clase, que no tienen por qué cumplirse juntas, se puede añadir, siguiendo a Kleiber y Lazzaro (1987), la de que la clase denotada sea abierta o virtual, comprenda elementos posibles o hipotéticos además de los realmente existentes, y subsista independientemente de la existencia real de sus miembros en determinadas ocasiones. En (208), por ejemplo, la de los jugadores del equipo es una clase abierta si el enunciado se interpreta como una ley o un imperativo moral, y en ese caso el SN sujeto es genérico, aunque no designe una clase natural, y a pesar de que se hable de un equipo de fútbol específico:

(208) Los jugadores de este equipo corren los noventa minutos.

Dejando a un lado los empleos genéricos de los numerales y de los cuantificadores indefinidos, que no nos conciernen aquí, existen tres tipos de SSNN genéricos en español, según se construyan con el artículo definido singular, con el definido plural y con el indefinido. Los ejemplos de (209) muestran que en ciertos contextos las tres variantes son intercambiables y aparentemente equivalentes, aunque un análisis más detallado nos obligará a abandonar este supuesto.

(209) a. El guepardo es fácil de domesticar.
b. Los guepardos son fáciles de domesticar.
c. Un guepardo es fácil de domesticar.

Los SSNN escuetos, en cambio, no pueden recibir una interpretación genérica en español, frente a lo que sucede en otras lenguas, como el inglés o el alemán, o incluso sucedía en español medieval (en enunciados nómicos como *Omne desagradescido bien fecho nunca pecha* [A. de Hita, *Libro de Buen Amor,* 256] (§ 13.2.1):

(210) a. *Guepardo es fácil de domesticar.
b. *Guepardos son fáciles de domesticar.

En este punto el español funciona de la misma forma que el resto de las lenguas románicas. En ningún caso aparecen en el SN marcas específicas de genericidad. Debe tenerse en cuenta que solamente se considerarán como estrictamente genéricas las interpretaciones llamadas 'toto-genéricas', y no las 'parti-genéricas', que sí pueden asignarse a los SSNN sin determinante en español (estos conceptos se definen en el § 13.3). También ha de tenerse en cuenta que los sintagmas genéricos ('toto-genéricos') no equivalen a construcciones de cuantificación universal, a pesar de que aparentemente se refieran a la totalidad de la clase denotada; frecuentemente se ha señalado que la existencia de contraejemplos no falsea los enunciados genéricos, pero sí las afirmaciones con cuantificación universal,[137] así como se ha hecho notar que en un enunciado genérico como *Los dinosaurios ponían huevos* el sujeto no puede referirse a todos y cada uno de los miembros de la clase de los dinosaurios, ya que en sentido estricto sólo las hembras tenían esa capacidad.[138]

12.3.3.2. La interpretación de los sintagmas nominales genéricos

Al presentar los mecanismos mediante los cuales los artículos contribuyen a hacer posibles las interpretaciones genéricas, conviene mantener, por razones de simplicidad y economía en la descripción, como ya se dijo, el supuesto de que el

[137] Un enunciado como *Los holandeses hablan muy bien inglés* no se ve falseado por la existencia eventual de algún holandés que no hable inglés, o que no lo hable bien, mientras que el contraejemplo sería significativo para un caso de cuantificación universal como *Todos los holandeses hablan muy bien inglés.*

[138] Krifka *et al.* 1995.

significado básico de los artículos es invariable, con lo que no se puede hablar de 'significados genéricos' de los artículos, sino de interpretaciones de los SSNN construidas a partir de factores diversos. La distinción 'definido'/'indefinido' determina dos mecanismos diferentes de interpretación genérica, que podemos denominar D e I respectivamente. [139]

El representante típico del mecanismo D es la forma singular *el.* De acuerdo con su semántica básica, se emplea para referirse a una clase o género de objetos de la misma forma en que sirve para referirse a objetos individuales, es decir, indicando un 'individuo genérico' accesible y unívocamente identificable como tal (presuposición de unicidad existencial) en el marco de los conocimientos enciclopédicos de los hablantes. El referente se identifica por medio del conocimiento general, independientemente de la situación o del contexto discursivo; esto diferencia el uso genérico de *el* de los usos deícticos y anafóricos. La expresión genérica *el N (el tiranosaurio, la cerveza belga, la papaya)* funciona como el nombre propio de una clase, y las clases y subclases se toman como un tipo especial de individuos o entidades. El artículo definido singular presenta la clase como una entidad homogénea, como si no estuviera constituida por elementos diversos (es decir, precisamente como si fuera un objeto individual, por lo que podemos seguir pensando que el funcionamiento del artículo es esencialmente el mismo en todos sus usos). Las restricciones que se señalan en el § 12.3.3.3 derivan de los requisitos de homogeneidad y de existencia bien establecida de la clase en el conocimiento general.

La forma plural *los* representa la realización del mecanismo D de la genericidad que está sujeta a menos restricciones distribucionales. Se emplea para referirse a clases definidas extensionalmente, es decir, no como individuos genéricos, sino como conjuntos de elementos individuales y no necesariamente homogéneos. Tales elementos pueden ser subclases o subespecies del género denotado por el nombre, y en ese caso se obtiene una interpretación que llamamos 'taxonómica': así, la expresión *las ballenas* puede referirse a los ejemplares de la clase *ballena* o también a las subespecies del género *ballena* (es decir, la ballena azul, la ballena gris, el cachalote, etc.). La única condición que debe cumplirse para la referencia genérica con *los* es que se haga referencia a una clase abierta, y no a un conjunto delimitado contextualmente, como sucede en los usos deíctico y anafórico del artículo.

El mecanismo D para la genericidad permite utilizar la expresión *el N* (o el plural *los N*) para expresar contenidos muy diferentes: en (211a) y (211b) se atribuye a la clase una propiedad de la clase misma, pero que no se puede predicar de sus miembros, en (211c) una propiedad típica de cada uno de sus miembros o partes, en (211d) una propiedad significativa de algunos de sus miembros, pero no todos, en (211e) incluso una propiedad de un solo miembro de la clase, pero relevante para la clase entera, y en (211f) una propiedad aleatoria de algún ejemplar que se toma como representante de la clase: [140]

(211) a. El mamut está extinguido.
b. El Rover 620 ha obtenido un notable éxito de ventas.
c. El kiwi tiene un sabor ligeramente ácido.
d. Los españoles entienden de vinos.

---

[139] Sigo en este punto a Gerstner y Krifka (1993: 968). Sobre las diferencias entre artículos genéricos existe una bibliografía muy amplia: véanse Nunberg y Pan 1975, Burton-Roberts 1976, Carlson 1980, Dahl 1985, Galmiche 1985, Corblin 1987, Kleiber y Lazzaro 1987, Heyer 1990, Declerck 1991, Krifka *et al.* 1995.

[140] Krifka *et al.* (1995: 78-88) ofrecen un repaso completo de la semántica de este tipo de ejemplos.

e. El hombre alcanzó la Luna en 1969.
f. Aquella mañana tuvimos nuestro primer encuentro con el gorila.

Solamente en (211c) y (211d) es posible construir una paráfrasis con *un: Un kiwi tiene un sabor ligeramente ácido; Un español entiende de vinos* (obviando ciertas diferencias de matiz).

En el mecanismo I para la genericidad representado por *un*, la dependencia del contexto oracional es decisiva, mientras que, como se ha visto, no lo es con el artículo definido. La razón es que, salvo en los casos de usos genéricos taxonómicos (cf. *Sólo hay un vino que pueda acompañar este plato,* en el sentido de 'una clase de vino'), que en realidad deben asimilarse a los específicos/inespecíficos, [141] *un N* no se refiere nunca a una clase, sino a un ejemplar aleatorio y representativo de la clase, es decir, a un miembro cualquiera, elegido al azar, de la clase denotada por el nombre. En *Un guepardo es fácil de domesticar,* por ejemplo, y dejando a un lado la lectura taxonómica, se indica que si una entidad pertenece a la clase de los guepardos entonces tendrá la propiedad de ser domesticable, pero no se hace referencia a la clase *guepardo.* La genericidad, por lo tanto, no reside en el ámbito nominal, como sucede con el mecanismo D; se trata más bien de una propiedad oracional que se refleja en la interpretación del SN. La oración debe ser genérica y caracterizadora, de forma que se pueda inferir que la propiedad predicada es válida para cualquier ejemplar de la clase *N* que se desee tomar en consideración. Aquí, como en muchos otros casos, el indefinido *un* se muestra sensible a los elementos que constituyen el contexto oracional (§ 12.2.1.2), típicamente cuantificadores y operadores. [142]

Una forma de reflejar la idea de que la interpretación genérica de *un* difiere de la de *el* y *los* consiste en suponer que los SSNN indefinidos genéricos del tipo de (209c) son en realidad indefinidos inespecíficos insertados en contextos genéricos: [143] por un lado *un* extrae un elemento no especificado de la clase *N,* como corresponde a su semántica básica, y, por otro lado, la genericidad del contexto oracional eleva a dicho elemento inespecífico a la categoría de representante típico de todos los posibles miembros de la clase, ya que la predicación vale para cualquier elemento *N* que se extraiga y no es capaz de delimitar ningún elemento específico (debido a la falta de anclajes espacio-temporales de las predicaciones genéricas caracterizantes, o sea, debido a sus rasgos aspectuales). [144] Si esta idea es correcta, los únicos indefinidos genéricos en el sentido D serían los referidos a subespecies, o sea, los que tienen interpretaciones taxonómicas.

La asimilación de los indefinidos genéricos a los indefinidos inespecíficos es posible si se tiene en cuenta la estructura informativa de los enunciados: como se señala en el § 12.3.3.3, los indefinidos genéricos son siempre temas de predicación que están integrados en la porción no remática y no focal de la estructura sintáctica, [145] por lo que la caracterización de *un* genérico depende, por un lado, del contexto oracional genérico y, por otro, del carácter temático del sintagma. En (212), donde aparecen dos sintagmas encabezados por *un,* solamente el primero es genérico; el segundo es inespecífico.

(212) Un conejo vive en una madriguera.

---

[141] Corblin 1987: cap. 1.

[142] En los estudios de semántica formal se suele hablar de un operador genérico que funciona como un cuantificador implícito y que manifiesta propiedades similares a las de los operadores modales. Véanse más detalles en Heim 1982, Diesing 1992, Krifka *et al.* 1995.

[143] La idea está originalmente en Hawkins 1978: 214-221 y se recoge también en Corblin 1987: 44-78.

[144] Los predicados individuales son inherentemente genéricos, frente a los de estadio.

[145] Concretamente, en lo que Heim (1982), Diesing (1992) y otros semantistas han denominado 'restrictor' o 'cláusula restrictiva' de las estructuras de cuantificación.

Es decisivo el hecho de que (212) representa una predicación sobre los conejos, y no sobre las madrigueras, por lo que no es posible una paráfrasis del tipo *Una madriguera es el lugar donde vive un conejo* (salvo si hay focalización de *una madriguera*).

En resumen, si retomamos las tres posibilidades de (209) —repetido más abajo—, es posible decir que cada una de ellas es a grandes rasgos paráfrasis de las otras, pero también es cierto que se trata de tres construcciones con propiedades específicas: (209a) predica una propiedad de un género natural, (209b) la atribuye a un conjunto plural de individuos, que resulta ser equivalente a la extensión de la especie *guepardo,* y (209c) toma un ejemplar cualquiera de la especie como representante prototípico de la misma para predicar de él una propiedad característica.

(209) a. El guepardo es fácil de domesticar.
b. Los guepardos son fáciles de domesticar.
c. Un guepardo es fácil de domesticar.

La sustitución de *el, los* o *un* por una de las restantes formas no es siempre posible, dentro de los límites de la interpretación genérica, y está sometida a numerosas restricciones.

12.3.3.3. La distribución de los artículos

Las observaciones recogidas en el § 12.3.3.2 permiten explicar las asimetrías existentes entre las formas *el, los* y *un* en su empleo genérico. A continuación se recogen las diferencias más claras, que se reproducen sistemáticamente, además, tanto en las lenguas románicas como en las germánicas.

A) Los SSNN indefinidos genéricos no pueden combinarse con predicados que imponen a sus argumentos la necesidad de referirse a un género, como *extinguirse, aumentar en número, abundar* o *inventar, crear, difundir, descubrir* (con objeto directo genérico), ni con predicados colectivos, como *reunirse.* La única interpretación genérica posible con *un* en estos contextos es la de subclase o taxonómica, en la que, por ejemplo, *un jabalí* indica una clase determinada de jabalí —interpretación que no se tendrá en cuenta—. Esta asimetría deriva del hecho de que los indefinidos genéricos no taxonómicos no se refieren a clases, sino a ejemplares. La forma *el* es normalmente más adecuada que el plural *los:*

(213) a. En este bosque abunda(n) {el jabalí/los jabalíes/*un jabalí}.
b. {El/?Los/*Un} tiranosaurio(s)} se {extinguió/extinguieron} hace tiempo.
c. Adolfo Sax inventó {el saxofón/(los saxofones/*un saxofón} en el XIX.
d. {#El león/Los leones/*Un león} se suele(n) reunir bajo las acacias.

B) Los indefinidos no pueden recibir una interpretación genérica a menos que el contexto oracional en el que están insertados sea genérico también. Para ello, dependen de que el predicado sea estativo y nómico (o, en otros términos, individual, y no de estadio). Si la oración no predica una propiedad característica o típica, desligada de cualquier situación o estado de cosas particular, es difícil que una expresión encabezada por *un* pueda tener una interpretación genérica; sin embargo, es perfectamente posible para un SN definido, como se ve en (214), donde el asterisco indica la imposibilidad de la lectura genérica (dejando de lado eventuales lecturas taxonómicas). Ello se debe a que la genericidad de *un* es un reflejo de una propiedad oracional, mientras que con *el/los* está centrada en el ámbito nominal. Si el predicado no es genérico, el ejemplar aleatorio indicado por *un* no puede tomarse como representativo de la clase entera.

(214) a. {La patata/Las patatas/*Una patata} {llegó/llegaron} de América.
b. {La foca monje/Las focas monje/*Una foca monje} está(n) desapareciendo.

A primera vista, la restricción sobre *un* parece ligada a los tiempos verbales: ciertos tiempos, como los pretéritos y las perífrasis de gerundio, bloquean habitualmente la construcción de interpretaciones genéricas, al referirse a sucesos o estados de cosas específicos y localizados en el decurso temporal. Sin embargo, las restricciones no pueden establecerse de forma sencilla en términos puramente gramaticales, ya que basta con añadir los modificadores oportunos para que la genericidad aparezca incluso con formas temporales como las citadas:

(215) a. A los dieciocho años una persona ha alcanzado la mayoría de edad.
b. Un castor está construyendo presas, en esta época del año.

Más decisiva que la flexión temporal es la forma en que la predicación se enmarca en determinadas coordenadas espacio-temporales que favorecen su interpretación como una aserción nómica. Entre los elementos que favorecen o activan la interpretación genérica, están adverbios como *siempre, nunca, normalmente, generalmente, habitualmente* y expresiones como *a menudo, hoy en día, por estas fechas, todos los veranos.* Nótese que las oraciones copulativas con *estar,* que contienen un predicado episódico, tienden a excluir la interpretación genérica del sujeto, pero la admiten si el predicado se convierte en nómico o caracterizador por la presencia de algún elemento adverbial:

(216) a. Un mastín siempre está hambriento.
b. Un jefe de sección se enfada a menudo.

C) Una muestra adicional de la fuerte dependencia de los indefinidos genéricos con respecto al entorno oracional es la imposibilidad de combinarlos con predicados que expresen generalizaciones accidentales, no esenciales o no características (téngase en cuenta que los predicados episódicos expresan siempre cualidades accidentales, por lo que la restricción que tratamos está claramente ligada a la anterior). La definición, al establecer rasgos que determinan la pertenencia de un elemento a una clase, es el enunciado genérico por excelencia y, por lo tanto, el que con mayor facilidad se combina con un sujeto indefinido genérico. Lo que resulta de ello es una exigencia en los indefinidos genéricos de predicaciones de propiedades necesarias (o concebibles como analíticas en alto grado), que de ningún modo se manifiesta con SSNN definidos. [146]

---

[146] Lawler (1973) fue el primero en tratar esta cuestión. Después de él la han estudiado Nunberg y Pan (1975), Burton-Roberts (1977), Galmiche (1985), Jonasson (1986), Krifka *et al.* (1995).

(217) a. Un guepardo {es un felino/alcanza los 110 km por hora/?es tímido/?es precioso}.
b. El guepardo {es un felino/alcanza los 110 km por hora/es tímido/es precioso}.
c. Los guepardos {son felinos/alcanzan los 110 km por hora/son tímidos/son preciosos}.

La introducción de generalizaciones sintéticas, fortuitas o no fácilmente concebibles como inherentes al sujeto, dificulta considerablemente la interpretación genérica de los sujetos indefinidos. La exigencia de predicados analíticos o característicos de la clase hace que las oraciones genéricas con sujetos indefinidos representen un mecanismo especialmente apto para la expresión de normas, leyes o reglas; con ellas, debido a la relación de implicación que se establece entre sujeto y predicado (patente en paráfrasis condicionales del tipo *Si x es un guepardo, entonces x es un felino*), se obtienen afirmaciones más fuertes que las que se obtienen mediante sujetos genéricos definidos. [147]

Cuando la propiedad predicada no se concibe fácilmente como característica o inherente al sujeto, el enunciado es anómalo, ya que resulta poco informativo y difícil de procesar e interpretar. La anomalía, que no es de naturaleza gramatical y se produce solamente con sujetos indefinidos (§ 12.2.2.3), puede resolverse restringiendo la validez de la predicación por medio de datos adicionales; es lo que sucede cuando la interpretación genérica de *un* parece depender de la presencia de modificadores o de oraciones subordinadas, ya comentada anteriormente:

(218) a. #Un hombre es alto.
b. Un hombre es alto {si/cuando} mide más de 1,80 m.
c. Un hombre que mide más de 1,80 m. es alto.
(219) a. #Un hombre tiene una sola mujer.
b. En los países occidentales, un hombre tiene una sola mujer.
(220) a. #Un niño es feliz.
b. Un niño es feliz {si/cuando} tiene algo con que jugar.

Aquí la inserción de modificadores adjuntos establece el marco dentro del cual es válida la generalización que se realiza sobre el sujeto genérico; de esta forma se recupera la aceptabilidad de la interpretación genérica, que, por otra parte, es la única natural con predicados estativos, junto con la específica.

Finalmente, hay que señalar que los predicados de propiedades esenciales o concebibles como analíticos se combinan mal con sujetos no genéricos, como se comprueba en enunciados anómalos del tipo de *Este gato es un felino* o *El manzano de nuestro jardín es un árbol frutal.*

D) La distribución del artículo indefinido genérico está restringida aparentemente por factores sintácticos: mientras que los SSNN definidos reciben lecturas genéricas prácticamente en cualquier posición o función sintáctica (sujeto, objeto, término de preposición...), los indefinidos suelen perderlas cuando no funcionan

[147] Como señala Lawler (1973), un enunciado como *#Un madrigal es famoso* es extraño, porque parece implicar que algo no puede ser un madrigal si no es famoso (es decir, porque introduce una relación de implicación o de necesidad entre sujeto y predicado, pero por medio de una propiedad accidental). Un enunciado como *Un madrigal es polifónico,* en cambio, es perfectamente aceptable. Burton-Roberts (1977: 187-188) señala con respecto a los equivalentes ingleses de (i) y (ii) que el primer enunciado es adecuado para expresar una obligación moral o un principio prescriptivo, pero el segundo es menos fuerte y puede indicar una simple costumbre:

(i) Un caballero abre la puerta a las damas.
(ii) Los caballeros abren la puerta a las damas.

como sujetos. En los ejemplos siguientes el asterisco indica la ausencia de interpretación genérica (no taxonómica):

(221) a. Los egipcios veneraban {al cocodrilo/a los cocodrilos/*a un cocodrilo}.
b. Hace falta un estudio sobre el comportamiento {del delfín/de los delfines/*de un delfín}.
c. El curso es sobre {el hombre de Neanderthal/los hombres de Neanderthal/*un hombre de Neanderthal}.

Efectivamente, la función de sujeto es la que prototípicamente desempeñan los SSNN genéricos y no es sorprendente que los indefinidos genéricos aparezcan habitualmente como sujetos. Sin embargo, esto no se debe a una restricción sintáctica, sino más bien a cuestiones de estructura informativa. En una lengua como el español, solamente la posición preverbal de sujeto, y no la posverbal, admite interpretaciones genéricas para *un:*

(222) a. Un ordenador portátil es necesario.
b. Es necesario un ordenador portátil.
(223) a. Un granjero cuida el ganado todos los días.
b. Todos los días cuida el ganado un granjero.

En estos pares, la interpretación genérica del sujeto, que de forma natural aparece en los ejemplos (a), ya no es posible en los ejemplos (b), en los que el sujeto está pospuesto al verbo y recibe una interpretación inespecífica (o, marginalmente, específica, si el contexto lo permite). El origen del contraste interpretativo está en la diferente estructura informativa: en los ejemplos (a) el sujeto preverbal es temático, en el sentido de que constituye el tema de la predicación, dentro de un enunciado de tipo categórico, y no tético, mientras que en los ejemplos (b) el sujeto, posverbal, es remático y posiblemente focal. El factor determinante para la interpretación genérica de *un* no es, pues, la función de sujeto, sino el carácter temático, el hecho de ser aquello de lo que se predica algo. Esta es una de las condiciones fundamentales que se deben cumplir para que un indefinido pueda ser genérico.[148] Es también la propiedad que distingue las interpretaciones genérica e inespecífica de los SSNN con *un:* ambas lecturas son no referenciales y son originadas por las características del entorno oracional, pero se distinguen porque la interpretación genérica exige que el SN sea tema en una estructura de juicio categórico.[149]

La conexión entre genericidad y carácter temático en los indefinidos permite dar cuenta de los casos en que aparecen indefinidos genéricos con funciones sintácticas distintas de la de sujeto. Los siguientes ejemplos están tomados de Jonasson 1986:

[148] Sobre este punto pueden consultarse Burton-Roberts 1976, Jonasson 1986, Muller 1987, Leonetti 1991, Diesing 1992 y Swart 1996.

[149] La diferencia entre ambas lecturas se manifiesta claramente en ejemplos como (223a), *Un granjero cuida el ganado todos los días.* La oración es ambigua y admite, además de una posible interpretación específica para *el granjero,* una lectura genérica (parafraseable con *De un granjero, en general, se puede decir que cuida el ganado todos los días*) y una inespecífica (equivalente a *Todos los días hay algún granjero que se ocupa del ganado*). Es importante notar que en la lectura genérica el SN queda fuera del ámbito del cuantificador *todos los días,* mientras que en la inespecífica sucede lo contrario.

(224) a. Siempre admiro a un buen músico.
b. No se trata así a un hermano.
c. A una foca le gusta el pescado.
d. Siempre me quedo atónito ante un paisaje nevado.

La posibilidad de asignar interpretaciones genéricas a un SN indefinido que no sea sujeto depende de que el sintagma se pueda tomar como información temática (lo que demuestra que realmente no hay restricciones sobre la función sintáctica). Los ejemplos de (224) se pueden parafrasear por medio de construcciones en las que el estatuto temático del indefinido genérico queda marcado explícitamente por una posición periférica en la estructura oracional (§ 12.2.2.3):

(225) a. A un buen músico, siempre lo admiro.
b. A un hermano, no se le trata así.
c. A una foca, le gusta el pescado. (Cf. *Le gusta el pescado a una foca.)
d. Ante un paisaje nevado, siempre me quedo atónito.

Puede haber indefinidos genéricos incluso en el interior de otros SSNN, siempre que estos estén insertados en un contexto genérico y sean temáticos, como en (226):

(226) [La longitud de [un cocodrilo del Nilo]] puede alcanzar los diez metros.

Del estatuto temático deriva, además, la inmunidad de los indefinidos genéricos ante otros elementos oracionales con ámbito. En (227a) y (227b) se puede comprobar que el SN indefinido no es afectado por la negación, en el primer caso, ni por el cuantificador universal, en el segundo, y por lo tanto no hay ambigüedades de alcance:

(227) a. Una ballena no es un pez. (no equivalente a «Ninguna ballena es un pez»)
b. Todo el mundo agradece un regalo. (en la interpretación de norma general, no equivalente a «Cada uno agradece un regalo diferente»)

E) Entre los elementos favorecedores de la interpretación genérica para los indefinidos merecen una mención especial los verbos modales *poder* y *deber*. Su inserción puede convertir oraciones anómalas en oraciones genéricas perfectamente aceptables: [150]

(228) a. Un agente secreto debe ser elegante. (Cf. #Un agente secreto es elegante.)
b. Un cristiano debe ser caritativo. (Cf. #Un cristiano es caritativo.)

Son las interpretaciones deónticas (en las que *poder* indica capacidad o permiso y *deber* indica obligación o necesidad) las que típicamente legitiman la lectura genérica, probablemente por la facilidad con la que las oraciones genéricas con sujeto indefinido adquieren un tono prescriptivo y enuncian reglas y principios de comportamiento, al establecer una relación necesaria entre sujeto y predicado (esto las hace aceptables incluso cuando predican propiedades que no se atribuyen al sujeto de forma necesaria, o sea, cuando no son estrictamente analíticas). En los ejemplos de (228), el modal es deóntico y decisivo para la interpretación genérica, claramente prescriptiva.

No obstante, los modales en su acepción epistémica (de eventualidad o probabilidad) no excluyen la genericidad del sujeto, como se aprecia en (229): estas oraciones son ambiguas en lo que respecta al verbo modal (deóntico o epistémico), pero la genericidad del sujeto no se ve afectada

[150] Esto sucede también con expresiones genéricas definidas (cf. *#El profesor de idiomas es paciente*, frente a *El profesor de idiomas debe ser paciente*). El papel de los verbos modales con respecto a la interpretación genérica se trata en Sueur 1977.

por ello, quizá porque en estos casos la interpretación genérica no depende de la presencia del modal (ej. la genericidad de *Un noruego paga muchos impuestos).*

(229) a. Un musulmán puede tener varias esposas.
b. Un ciudadano noruego debe pagar muchos impuestos.

Los modales epistémicos difícilmente hacen genéricas a las oraciones que no lo son ya, por lo que sus efectos sobre la interpretación de los SSNN son reducidos (si dejamos a un lado que producen, como todos los predicados modales, lecturas inespecíficas). [151]

F) La posibilidad de construir expresiones genéricas con el artículo definido en singular está limitada por el tipo de clase que se denote. Parece que no es fácil obtener una interpretación genérica con nombres de significado demasiado general ni con expresiones que denoten clases no bien establecidas o delimitadas en el conocimiento enciclopédico de los hablantes, como se comprueba en (230) y (231): [152]

(230) a. #Los monos no usan el instrumento.
b. #El objeto está en el espacio.
c. #El recipiente suele ser de vidrio.

(231) a. #El apartamento en la playa no es caro.
b. #La película de Hitchcock siempre es interesante.
c. #La botella verde es decorativa. [153]

Las formas *los* y *un* no son sensibles a estos factores, sin embargo:

(232) a. Los objetos están en el espacio.
b. Una botella suele ser de vidrio.
c. Una película de Hitchcock siempre es interesante.
d. Las botellas verdes son decorativas.

Los términos en los que se presenta la restricción son muy vagos, si se tiene en cuenta que no podemos definir con precisión cuándo un nombre es 'demasiado general' ni cuándo una clase está 'bien delimitada'. Probablemente en las anomalías ejemplificadas en (230)-(231) intervienen diversos factores: por un lado, las dificultades para obtener enunciados informativamente relevantes cuando se hacen generalizaciones amplias y poco restringidas, sin un marco de referencia apropiado, por otro lado los obstáculos producidos por la mención de clases que no corresponden a géneros naturales, o que se han construido sobre propiedades contingentes, no ligadas a ningún estereotipo, y sobre todo las limitadas posibilidades de satisfacer adecuadamente los requisitos impuestos por la semántica del artículo definido, cuando se alude a este tipo de clases. [154] Hay que recordar que, en el caso de la interpretación genérica, la fuente de los supuestos que deben justificar la definitud es el conocimiento general, y la indicación de accesibilidad en *el* exige que exista ya conformado en nuestros esquemas cognoscitivos un 'individuo genérico'. Las clases muy amplias, que reagrupan a

---

[151] En general, los enunciados deónticos, tanto los que contienen modales explícitos como los que transmiten implícitamente la obligación o la necesidad de que un principio sea observado, admiten con mayor facilidad los sujetos genéricos indefinidos que los definidos (singulares):

(i) {#El niño/Un niño} debe portarse bien en la mesa.
(ii) {#El perro/Un perro} no {puede/debe} pasear suelto por la calle.

[152] Vendler (1967) fue el primero en mencionar esta restricción, que han retomado Nunberg y Pan (1975), Carlson (1980), Dahl (1985), Kleiber (1989a y b) y Krifka *et al.* (1995).

[153] Algunos de los ejemplos mejoran si se emplea un predicado prototípicamente genérico como una definición (cf. *El apartamento en la playa es el bien más codiciado*), pero esto no elimina la restricción sobre la forma *el.*

[154] Para la construcción de géneros y la distinción entre *nominal kinds* [clases nominales] y *natural kinds* [clases naturales], véase Krifka *et al.* 1995: 107-113.

elementos demasiados heterogéneos y diferentes entre sí, no permiten fácilmente su homogeneización por medio de *el* (pero aceptan sin problemas la forma *los*): **El mamífero es un animal,* pero *Los mamíferos son animales.* Las clases que no corresponden a géneros establecidos y que están delimitadas por propiedades accidentales reproducen las asimetrías entre artículos:

(233) a. #El león con malformaciones genéticas sobrevive difícilmente.
b. Los leones con malformaciones genéticas sobreviven difícilmente.
c. Un león con malformaciones genéticas sobrevive difícilmente.

En cuanto a las razones por las que la constitución interna de la clase denotada no afecta a la forma plural *los,* se puede suponer que la forma plural no se emplea para construir el nombre propio de una clase, sino para indicarla como un simple conjunto de elementos individuales. Una expresión como *el oso pardo* se refiere a un género natural establecido en zoología, mientras que la variante plural *los osos pardos* puede hacer referencia también al conjunto formado por los osos que resultan ser de color pardo (es decir, a un conjunto construido a partir de una propiedad contingente, que no equivale a un género natural); esto último no es posible para la forma singular. Nótese que es más difícil interpretar como genérica la expresión *la manzana podrida* que las expresiones *las manzanas podridas* o *una manzana podrida:* la primera no puede ser el nombre propio de un género.

La misma asimetría reaparece en las combinaciones con los nombres propios en contextos genéricos:

(234) a. #El Manuel celebra su santo el 1 de enero.
b. Un Manuel celebra su santo el 1 de enero.
c. Los Manueles celebran su santo el 1 de enero.

Las clases definidas por los nombres propios están compuestas por elementos absolutamente heterogéneos que tienen en común solamente el hecho de llevar el mismo nombre; no hay propiedades esenciales ni características que unifiquen a la clase, contrariamente a lo que sucede con las clases naturales. La forma *el,* por tanto, da lugar a resultados anómalos. Como han señalado Jonasson (1987) y Kleiber (1981a), (1989a) y (1989b), el hecho de que los nombres propios generen clases delimitadas arbitrariamente bloquea el uso de *el* genérico porque esta forma exige una clase que de alguna forma esté integrada en la estructuración jerárquica del léxico y que sea relativamente homogénea.

La forma singular *el* difiere del plural *los,* además, tal y como se refleja respectivamente en (235a) y (235b), en que *el N* no se combina con predicados como *ser numeroso* (ya que implican la mención de ejemplares individuales), y tiende a producir anomalías en generalizaciones accidentales que no son relevantes para la clase (generalizaciones que son perfectamente normales con *los*).

(235) a. *La corneja es numerosa en la comarca. / Las cornejas son numerosas en la comarca.
b. #El madrileño ha mostrado entusiasmo por el cine del este. / Los madrileños han mostrado entusiasmo por el cine del este.

Finalmente, hay que señalar que las generalizaciones con *el* tienen habitualmente un tono más científico, serio o académico, a veces sencillamente más libresco o rígido, que las que se realizan con *los,* más neutrales. Así, (236b) es de uso más natural que (236a), porque el primero se puede emplear para describir simplemente costumbres o tendencias, y el segundo adquiere la fuerza de una regla o un principio prescriptivo:

(236) a. El catalán toma cava en las comidas.
b. Los catalanes toman cava en las comidas.

G) La interpretación genérica (únicamente con artículo definido) se ve favorecida por la naturaleza léxica de ciertos predicados. Los verbos de afección, psicológicos o de actitud afectiva *(odiar, despreciar, aborrecer, amar, encantar, gustar, aburrir),* hacen posible la lectura genérica de sus argumentos (normalmente objetos directos, pero también sujetos) cuando estos son definidos, y rechazan significativamente los SSNN escuetos, que no pueden recibir lecturas genéricas: [155]

(237) a. Me encanta {el café/*café}.
b. Admiraba {a los científicos/*científicos}.
c. Ella detesta {a los perros/*perros}.

El origen de este efecto interpretativo parece estar en la combinación de varios factores léxicos: la falta de agentividad en el verbo, su carácter estativo y el hecho de estar desligado de cualquier acontecimiento con puntos de referencia espacio-temporales. Como justamente ha señalado Laca (1990: 40-43) y (1996: 263-264), el carácter no agentivo es un factor importante en la legitimación de la lectura genérica (o 'inclusiva', es decir, definida) con los verbos que disponen de acepciones agentivas y no agentivas; en los datos de (238)-(239), los ejemplos (a) representan la acepción agentiva y admiten tanto lecturas genéricas (definidas) como lecturas existenciales (indefinidas, con plural escueto) en el objeto directo, pero los ejemplos (b), que reflejan la acepción no agentiva, sólo muestran las primeras (por lo que el artículo es obligatorio):

(238) a. Las ranas {comen mosquitos/se comen a los mosquitos}.
b. El óxido se come *(el) hierro.
(239) a. Juan quema (los) campos.
b. El sol de agosto quema *(los) campos.

Los predicados agentivos y no estativos ni de afección que permiten la aparición de SSNN escuetos como objetos directos *(cazar, comprar, tener, comer, coleccionar, escribir)* suelen permitir dos posibilidades, reflejadas en (240), que se distinguen por el papel que desempeña la estructura informativa:

(240) a. Mata cucarachas. / Mata las cucarachas.
b. En la Edad Media quemaban brujas. / En la Edad Media quemaban a las brujas.
c. La gente lleva perros a la playa. / La gente lleva a los perros a la playa.

En las versiones con plurales escuetos, el objeto directo está en posición focal y forma parte de un predicado complejo; en las versiones con artículo, el objeto (definido genérico) no está integrado en la parte remática o focal de la oración, por lo que aquí la correlación entre carácter temático e interpretación genérica surge de nuevo. En (240) la presencia del artículo constituye una marca de tematicidad y hace posible la interpretación del objeto como tema del que se predica una propiedad relevante, o como información de fondo, y así lo ponen de manifiesto las distintas paráfrasis (cf. *Las cucarachas, las mata; En la Edad Media, a las brujas las quemaban*). Con ciertos verbos agentivos, los que con mayor facilidad aceptan plurales escuetos, la lectura genérica del objeto es tan marcada que sólo resulta posible si se focaliza el verbo (cf. *Juan LEE los libros (no los quema); Juan SE FUMA los puros, no creas que los tira*). Los datos indican, pues, que en la distribución de los genéricos definidos también intervienen, junto a factores de tipo léxico, los principios de reparto de la información y de asignación del foco y del tema.

---

[155] El problema ha sido estudiado por Lawler (1973), Pease-Gorrissen (1980), Declerck (1987), Laca (1990) y (1996) y Garrido (1996: 325-331).

En cuanto a los indefinidos, la interpretación genérica surge con los verbos de afección (y a menudo también con los agentivos de la clase de *matar* o *quemar*) únicamente si las marcas que los identifican como información temática son fuertes y explícitas (básicamente, construcciones con dislocación): *Ella, un perro, no lo soporta; Le aseguro que a una cucaracha esto la mata en pocos minutos.*

TEXTOS CITADOS

RICARDO GÜIRALDES: *Don Segundo Sombra,* Madrid, Alianza, 1982.
JUAN CARLOS ONETTI: *El astillero,* Barcelona, Bruguera, 1964.
JUAN RUIZ, *ARCIPRESTE DE HITA: Libro de Buen Amor,* Edición de Lidia Pons y Joaquín Rafel, Gerona, Hijos de José Bosch, 1976.

REFERENCIAS BIBLIOGRÁFICAS

ABNEY, STEVEN (1987): *The English Noun Phrase in Its Sentential Aspect,* tesis doctoral, Cambridge, Mass., MIT.

ABBOTT, BARBARA (1993): «A Pragmatic Account of the Definiteness Effect in Existential Sentences», *JoP* 19, págs. 39-55.

— (1995): «Some Remarks on Specificity», *LI* 26, págs. 341-347.

ABUSCH, DORIT (1994): «The Scope of Indefinites», *Natural Language Semantics* 2, págs. 83-135.

ALARCOS LLORACH, EMILIO (1962): «¡Lo fuertes que eran!», en *Estudios de gramática funcional del español,* Madrid, Gredos, 1978², págs. 178-191.

— (1967): «El artículo en español», en *Estudios de gramática funcional del español,* Madrid, Gredos, 1978², págs. 166-177.

— (1968): «*Un*, el número y los indefinidos», en *Estudios de gramática funcional del español,* Madrid, Gredos, 1978², págs. 207-218.

ALCINA FRANCH, JUAN y JOSÉ MANUEL BLECUA (1975): *Gramática española,* Barcelona, Ariel.

ALONSO, AMADO (1933): «Estilística y gramática del artículo en español», en *Estudios lingüísticos. Temas españoles,* Madrid, Gredos, 1967³, págs. 125-160.

ALONSO, AMADO y PEDRO HENRÍQUEZ UREÑA (1938): *Gramática castellana,* Buenos Aires, Losada.

ÁLVAREZ MARTÍNEZ, M.ª ÁNGELES (1986): *El artículo como entidad funcional en el español de hoy,* Madrid, Gredos.

— (1989): *El pronombre, I. Personales, Artículo, Demostrativo, Posesivos,* Madrid, Arco/Libros.

ÁLVAREZ MENÉNDEZ, ALFREDO (1970): «Énfasis y transposición de oración a sustantivo», *REL* 17, páginas 347-370.

ARIEL, MIRA (1990): *Accessing Noun Phrase Antecedents,* Londres, Routledge.

ARIYOSHI, SUNJI (1980): «Definite Nouns in *Haber* Sentences», *Lingüística Hispánica* 3, págs. 41-69.

BACH, EMMON, ELOISE JELINEK, ANGELIKA KRATZER y BARBARA PARTEE (eds.) (1995): *Quantification in Natural Language,* Dordrecht, Reidel.

BADÍA, TONI y FLORA RAMÍREZ (1993): «Contrastes en el uso del artículo en inglés y castellano. Un algoritmo para la traducción automática», *RSEL* 23: 2, págs. 253-293.

BARWISE, JON y ROBIN COOPER (1981): «Generalized Quantifiers and Natural Language»', *LaPh* 4, páginas 159-219.

BELLO, ANDRÉS (1847): *Gramática de la lengua española destinada al uso de los americanos,* Santiago de Chile, Imprenta del Progreso. [Citamos por la edición de Ramón Trujillo, Tenerife, Cabildo Insular, 1981.]

BERNSTEIN, JUDY (1993): «The Syntactic Role of Word Markers in Null Nominal Constructions», *Probus* 5, págs. 5-38.

BOONE, ANNIE (1987): «Les constructions "Il est linguiste"/"C'est un linguiste"», *LFr* 75, págs. 94-106.

BOSCH, PETER y BART GEURTS (1990): «Processing Definite NPs», *Rivista di Linguistica* 2, págs. 177-199.

BOSQUE, IGNACIO (1989): *Las categorías gramaticales,* Madrid, Síntesis.

— (1996a): «Por qué determinados sustantivos no son sustantivos determinados», en I. Bosque (ed.), 1996, págs. 13-119.

— (1996b): «On Specificity and Adjective Position», en Javier Gutiérrez Rexach y Luis Silva Villar (eds.), *Perspectives on Spanish Linguistics,* vol. I, Universidad de California, Los Ángeles, págs. 1-13.

— (ed.) (1996): *El sustantivo sin determinación. La ausencia de determinante en la lengua española,* Madrid, Visor.

BOSQUE, IGNACIO y JUAN CARLOS MORENO (1989): «Las construcciones con *lo* y la denotación del neutro», *Lingüística* 2, págs. 5-50.

BRIZ GÓMEZ, ANTONIO (1989): *Sustantivación y lexicalización en español (La incidencia del artículo),* Valencia, Anejo IV de *Cuadernos de Filología.*

BRUCART, JOSÉ M.ª (1987): *La elisión sintáctica en español,* Barcelona, Publicaciones de la Universidad Autónoma.

— (1992): «Sobre el análisis de las construcciones enfáticas con artículo y cláusula de relativo», *GrammaTemas* 1, págs. 39-63.

BRUCART, JOSÉ M.ª y LLUÏSA GRÀCIA (1986): «I sintagmi nominali senza testa», *RGG* 11, págs. 3-32.

BRUGÈ, LAURA y GERHARD BRUGGER (1996): «On the Accusative *a* in Spanish», *Probus* 8, págs. 1-51.

BURTON-ROBERTS, NOEL (1976): «On the Generic Indefinite Article», *Lan* 52, 2, págs. 427-448.

— (1977): «Generic Sentences and Analyticity», *Studies in Language* 1, págs. 155-196.

CARLSON, GREGORY (1980): *Reference to Kinds in English,* Nueva York, Garland.

CARLSON, GREGORY y FRANCIS J. PELLETIER (comps.) (1995): *The Generic Book,* The University of Chicago Press.
CHESTERMAN, ANDREW (1991): *On Definiteness,* Cambridge University Press.
CHRISTOPHERSEN, PAUL (1939): *The Articles: A Study of Their Theory and Use in English,* Copenhague, Munksgaard.
CLARK, HERBERT y CATHERINE MARSHALL (1981): «Definite Reference and Mutual Knowledge», en Aravind Joshi (ed.), *Elements of Discourse Understanding,* Cambridge, Cambridge University Press, págs. 10-62.
COMOROVSKI, ILEANA (1995): «On Quantifier Strength and Partitive Noun Phrases», en E. Bach, E. Jelinek, A. Kratzer y B. Partee (eds.), págs. 145-177.
COMPANY COMPANY, CONCEPCIÓN (1991): «La extensión del artículo en el español medieval», *RPh* 44: 4, págs. 402-424.
CONTE, MARIA ELIZABETH (1996): «Dimostrativi nel testo: tra continuità e discontinuità referenziale», *Lingua e Stile* 31, págs. 135-145.
CONTRERAS, HELES (1973): «Spanish Non-Anaphoric *lo*», *Linguistics* 111, págs. 5-29.
CORBLIN, FRANCIS (1983): «Défini et démonstratif dans la reprise inmédiate», *FrM* 51, págs. 118-134.
— (1987): *Indéfini, défini et démonstratif,* Ginebra, Droz.
— (1990): «Les groupes nominaux sans nom du français», en Georges Kleiber y Emmanuel Tyvaert (eds.), *L'anaphore et ses domaines,* París, Klincksieck, págs. 63-80.
COSERIU, EUGENIO (1956): «Determinación y entorno», en *Teoría del lenguaje y lingüística general,* Madrid, Gredos, 1962, págs. 282-323.
DAHL, ÖSTEN (1985): «Remarques sur le Générique», *Langages* 79, págs. 55-60.
DANON-BOILEAU, LAURENT y MARIE-ANNICK MOREL (eds.) (1994): *L'indéfini, Faits de Langue* 4, Presses Universitaires de France.
DECLERCK, RENAAT (1986): «Two Notes on the Theory of Definiteness», *JL* 22, págs. 25-39.
— (1987): «A Puzzle About Generics», *FoLi* 21, págs. 143-153.
— (1991): «The Origins of Genericity», *Linguistics* 29, págs. 79-102.
DELFITTO, DENIS (1993): «Licensing Empty Nouns: Some Proposals on Ellipsis and Pronominalization», *Recherches de Linguistique Romane et Française d'Utrecht* XII, págs. 51-70.
DEMELLO, GEORGE (1980): «On the Use of the Article in Spanish», *Hispania* 63, págs. 557-560.
DEMONTE, VIOLETA (1977): *La subordinación sustantiva*, Madrid, Cátedra.
— (1988): «El "artículo en lugar del posesivo" y el control de los sintagmas nominales», *NRFH* 36, páginas 89-108.
DIESING, MOLLY (1992): *Indefinites,* Cambridge, Mass., MIT Press.
DOBROVIE-SORIN, CARMEN (1990): «Clitic Doubling, *Wh*-Movement, and Quantification in Roumanian», *LI* 21, págs. 351-397.
DONNELLAN, KEITH (1966): «Reference and Definite Descriptions», *Philosophical Review* 75, págs. 281-304.
DUCROT, OSWALD (1972): *Decir y no decir,* Barcelona, Anagrama, 1982.
EGUREN, LUIS (1989a): «Algunos datos del español en favor de la hipótesis de la Frase Determinante», *Revista Argentina de Lingüística* 5, págs. 163-203.
— (1989b): «¿Son necesarios los nominales vacíos?», en C. Martín Vide (ed.), *Lenguajes naturales y lenguajes formales* V.2, Barcelona, PPU, págs. 481-492.
— (1990): «La combinatoria de los determinantes», *Dicenda* 9, págs. 59-72.
ENÇ, MÜRVET (1991): «The Semantics of Specificity», *LI* 22, págs. 1-25.
EPSTEIN, RICHARD (1993): «The Definite Article: Early Stages of Development», en J. Van Maarle (ed.), *Historical Linguistics 1991,* Amsterdam, John Benjamins, págs. 111-134.
— (1994): «La grammaire cognitive, la structuration conceptuelle et l'emploi des articles en anglais», *Mling* 29, págs. 131-166.
ERKÜ, FERIDE y JEANETTE GUNDEL (1987): «The Pragmatics of Indirect Anaphors», en J. Verschueren y M. Bertucelli-Papi (eds.), *The Pragmatic Perspective,* Amsterdam, John Benjamins, págs. 533-545.
ESCANDELL VIDAL, M. VICTORIA (1995): *Los complementos del nombre,* Madrid, Arco/Libros.
ESCANDELL VIDAL, M. VICTORIA y MANUEL LEONETTI JUNGL (en prensa): «Construcciones existenciales y oraciones de relativo», en *Actas del XX Congreso de Lingüística y Filología Románica,* Palermo.
FARKAS, DONKA (1995): «Specificity and Scope», en Lea Nash y George Tsoulas (eds.), *Actes du Premier Colloque Langues & Grammaire,* París, págs. 119-137.
FERNÁNDEZ LAGUNILLA, MARINA (1983): «El comportamiento de *un* con sustantivos y adjetivos en función de predicado nominal. Sobre el llamado *un* 'enfático'», en *Serta Philologica F. Lázaro Carreter,* Madrid, Cátedra, págs. 195-208.

FERNÁNDEZ RAMÍREZ, SALVADOR (1951a): *Gramática española. Los sonidos, el nombre y el pronombre,* Madrid, Revista de Occidente. [Citamos por *Gramática española 3.1. El nombre,* Madrid, Arco/Libros, 1986.]
— (1951b): *Gramática española 3.2. El pronombre,* Madrid, Arco/Libros, 1987.
— (1951c): *Gramática española 4. El verbo y la oración,* Madrid, Arco/Libros, 1986.
FLAUX, NELLY (1992/1993): «Les syntagmes nominaux du type *le fils d'un paysan:* référence définie ou indéfinie?», *FrM* 60, págs. 23-45 (parte I); *FrM* 61, págs. 113-139 (parte II).
FODOR, JANET DEAN (1970): *The Linguistic Description of Opaque Contexts,* IULC, Bloomington, Indiana.
FODOR, JANET DEAN e IVAN SAG (1982): «Referential and Quantificational Indefinites», *LaPh* 5, págs. 355-398.
GALMICHE, MICHEL (1983): «Les ambiguïtés référentielles ou les pièges de la référence», *LFr* 57, págs. 60-86.
— (1985): «Phrases, syntagmes et articles génériques», *Langages* 79, págs. 2-39.
— (1986): «Référence indéfinie, événements, propriétés et pertinence», en Jean David y Georges Kleiber (eds.), *Déterminants: Syntaxe et Sémantique,* París, Klincksieck, págs. 41-70.
— (1989): «A propos de la définitude», *Langages* 94, págs. 7-37.
GARCÍA FAJARDO, JOSEFINA (1994): «Hacia el universo del discurso, desde la semántica formal. El artículo definido», en A. Alonso, B. Garza y J. A. Pascual (eds.), *II Encuentro de lingüistas y filólogos de España y México,* Salamanca, Universidad de Salamanca, págs. 221-229.
GARRIDO MEDINA, JOAQUÍN (1984): *Aspectos semánticos y sintácticos del artículo en español,* tesis doctoral, Madrid, Universidad Complutense.
— (1986a): «Pronombre y artículo. *El* en construcciones con adjetivo o relativo», en *Elementos de análisis lingüístico,* Madrid, Fundamentos, 1991, págs. 139-166.
— (1986b): «Sobre el número nominal y el artículo en español», en *Elementos de análisis lingüístico,* Madrid, Fundamentos, 1991, págs. 121-137.
— (1988): «Sobre la evolución hasta el artículo actual en español», en *Elementos de análisis lingüístico,* Madrid, Fundamentos, 1991, págs. 167-190.
— (1989): «Deixis, determinación y neutro en español e inglés», en *Elementos de análisis lingüístico,* Madrid, Fundamentos, 1991, págs. 103-119.
— (1996): «Sintagmas nominales escuetos», en I. Bosque (ed.) (1996), págs. 269-338.
GERSTNER, CLAUDIA y MANFRED KRIFKA (1993): «Genericity», en J. Jacobs, A. Von Stechow, W. Sternefeld y T. Vennemann (eds.), *Handbuch der Syntax,* Berlín, De Gruyter, págs. 966-978.
GILI Y GAYA, SAMUEL (1943): *Curso superior de sintaxis española,* México, Minerva. [Citamos por la edición de Barcelona, Vox, 1961.]
GIVÓN, TALMY (1978): «Definiteness and Referentiality», en J. Greenberg *et al.* (eds.), *Universals of Human Language,* vol IV, Stanford, Stanford University Press, págs. 291-330.
— (1981): «On the Development of the Numeral *One* as an Indefinite Marker», *Folia Linguistica Historica,* 2, págs. 35-53.
GRIMSHAW, JANE (1990): *Argument Structure,* Cambridge, The MIT Press.
GUÉRON, JACQUELINE (1983): «L'emploi "possessif" de l'article défini en français», *LFr* 58, págs. 23-35.
GUNDEL, JEANETTE, NANCY HEDGERD y RON ZACHARSKI (1993): «Cognitive Status and the Form of Referring Expressions in Discourse», *Lan* 69, págs. 274-307.
GUTIÉRREZ ORDÓÑEZ, SALVADOR (1986): *Variaciones sobre la atribución,* León, Universidad de León.
— (1994): «El artículo sí sustantiva», en A. Alonso, B. Garza y J. A. Pascual (eds.), *II Encuentro de lingüistas y filólogos de España y México,* Salamanca, Universidad de Salamanca, págs. 483-507.
GUTIÉRREZ REXACH, JAVIER (1995): «The Logical Form of Spanish Neuter Degree Relatives», *Romance Linguistics and Literature Review* 7.
HALLIDAY, MICHAEL A. K. y RUQAIYA HASAN (1976): *Cohesion in English,* Londres, Longman.
HARLIG, JEFFREY (1986): «*One* Little Word that Does So Much», en *Parasession on Pragmatics and Grammatical Theory. CLS* 22, págs. 91-104.
HARRIS, JAMES (1987): «Disagreement Rules, Referral Rules, and the Spanish Feminine Article *el*», *JL* 23, págs. 177-183.
HATCHER, ANNA G. (1944): «Il me prend le bras *vs.* Il prend mon bras», *RR* 35, págs. 156-164.
HAWKINS, JOHN (1978): *Definiteness and Indefiniteness. A Study in Reference and Grammaticality Prediction,* Londres, Croom Helm.
— (1991): «On (in)definite articles: implicatures and (un)grammaticality prediction», *JL* 27, págs. 405-442.
HEIM, IRENE (1982): *The Semantics of Definite and Indefinite Noun Phrases,* Nueva York, Garland, 1988.

HENY, FRANK (ed.) (1981): *Ambiguities in Intensional Contexts,* Dordrecht, Reidel.

HEYER, GERHARD (1990): «Semantics and Knowledge Representation in the Analysis of Generic Descriptions», *Journal of Semantics* 7, págs. 93-110.

HOEKSEMA, JACK (ed.) (1996): *Partitives,* Berlín, Mouton De Gruyter.

HOOP, HELEN DE (1994): «Nominal and Aspectual Factors in Noun Phrase Interpretation», *LeS* 29, páginas 437-456.

— (1995): «On the Characterization of the Weak-Strong Distinction», en E. Bach, E. Jelinek, A. Kratzer y B. Partee (eds.), págs. 421-450.

HORNSTEIN, NORBERT (1984): *Logic as Grammar,* Cambridge, MIT Press.

IGLESIAS BANGO, MANUEL (1986): «El artículo en español: aportaciones a un viejo debate», *Contextos* 7, págs. 103-146.

IOUP, GEORGETTE (1977): «Specificity and the Interpretation of Quantifiers», *LaPh* 1, págs. 233-245.

JACKENDOFF, RAY (1972): *Semantic Interpretation in Generative Grammar,* Cambridge, Mass., MIT Press.

JANDA, RICHARD y FABIOLA VARELA-GARCÍA (1991): «On Lateral Hermaphroditism and Other Variation in Spanish "Feminine" *el*», *CLS* 27, págs. 276-290.

JONASSON, KERSTIN (1986): «L'article indéfini générique et la structure de l'énoncé», *TraLiLi* 24, páginas 309-345.

— (1987): «Articles génériques et noms propres modifiés», en Georges Kleiber (ed.) (1987), págs. 57-72.

JUCKER, ANDREAS (1992): «The Pragmatics of the Definitive Article in English», en Frans Dols (ed.), *Pragmatic Grammar Components,* Tilburg University Press, págs. 117-133.

KADMON, NIRIT (1992): *On Unique and Non-Unique Reference and Asymmetric Quantification,* Nueva York, Garland.

KEMPSON, RUTH (1986): «Definite NPs and Context-Dependence: a Unified Theory of Anaphora», en T. Myers, K. Brown y B. McGonigle (eds.), *Reasoning and Discourse Processes,* Londres, Academic Press, págs. 209-239.

KESTER, ELLEN-PETRA (1996): «Adjectival Inflection and the Licensing of Empty Categories in DP», *JL* 32, págs. 57-78.

KISS, KATALIN (1993): «Wh-Movement and Specificity», *NLLT* 11, págs. 85-120.

KLEIBER, GEORGES (1981a): *Problèmes de référence: descriptions définies et noms propres,* París, Klincksieck.

— (1981b): «Verbes virtuels et propositions relatives: Spécificité et non spécificité», *TraLiLi* 19, páginas 293-311.

— (1983): «Article défini, théorie de la localisation et présupposition existentielle», *LFr* 57, págs. 88-106.

— (1984): «Remarques sur l'opposition relative restrictive/relative appositive et l'article indéfini *un* spécifique», *TraLiLi* 22, págs. 179-191.

— (1986): «Pour une explication du paradoxe de la reprise immédiate, *Un Ni - Ce Ni», LFr* 72, páginas 54-79.

— (1987): «L'énigme du Vintimille ou les déterminants à quai», *LFr* 75, págs. 107-122.

— (1989a): «*Le* générique, un massif?», *Langages* 94, págs. 73-113.

— (1989b): «Comment traiter *le* générique?», *TraLiLi* 19, págs. 145-160.

— (1990): «Sur l'anaphore associative: article défini et adjectif démonstratif», *Rivista di Linguistica* 2, págs. 155-175.

— (1992a): «Article défini, unicité et pertinence», *RRo* 27, págs. 61-89.

— (1992b): «Anaphore associative et inférences», en E. Tyvaert (ed.), *Lexique et inférences,* París, Klincksieck, págs. 175-201.

— (1993): «Anaphore associative, pontage et stéréotypie», *Linguisticae Investigationes* 17, págs. 35-82.

— (1994): *Nominales,* París, Armand Colin.

— (ed.) (1987): *Rencontre(s) avec la généricité,* París, Klincksieck.

KLEIBER, GEORGES y HELENE LAZZARO (1987): «Qu'est-ce qu'un syntagme nominale générique? Ou les carottes qui poussent ici sont plus grosses que les autres», en G. Kleiber (ed.) (1987), págs. 73-112.

KLEIN, EWAN (1981): «Defensible Descriptions», en F. Heny (ed.) (1981), págs. 83-102.

KRATZER, ANGELIKA (1988): «Stage-Level and Individual-Level Predicates», en G. Carlson y F. J. Pelletier (eds.) 1995, págs. 125-175.

KRIFKA, MANFRED (1992): «Definite Nps Aren't Quantifiers», *LI* 23, págs. 156-163.

KRIFKA, MANFRED *et al.* (1995): «Genericity: An Introduction», en G. Carlson y F. J. Pelletier (eds.) 1995, págs. 1-124.

KUPFERMAN, LUCIEN (1991): «Structure événementielle de l'alternance *un/Ø* devant les noms humains attributs», *Langages* 102, págs. 52-75.

LACA, BRENDA (1990): «Generic Objects: Some More Pieces of the Puzzle», *Lingua* 81, págs. 25-46.
— (1996): «Acerca de la semántica de los “plurales escuetos” del español», en I. Bosque (ed.) 1996, págs. 241-268.
LACA, BRENDA y LILIANE TASMOWSKI-DE RYCK (1994a): «Le pluriel indéfini de l'attribut métaphorique», *Linguisticae Investigationes* 18, págs. 27-48.
— (1994b): «Référentialité du pluriel indéfini dans les langues romanes», *Faits de langues* 4, págs. 97-104.
— (1996): «Indéfini et quantification», *Recherches Linguistiques de Vincennes* 25, págs. 107-128.
LAPESA, RAFAEL (1961): «Del demostrativo al artículo», *NRFH* 15, págs. 23-44.
— (1966): «*EL, LA, LO* como antecedente de relativo en español», en Francisco Marcos Marín, *Aproximación a la gramática española,* Madrid, Cincel, 1975, págs. IX-XVII.
— (1970): «El artículo con calificativos o participios no adjuntos a sustantivo en español», *RLIR* 34, páginas 78-86.
— (1971): «Sobre el artículo ante posesivo en castellano antiguo», en *Sprache und Geschichte. Festschrift für Harri Meier,* Múnich págs. 277-296.
— (1975): «*Un, una* como artículo indefinido en español», en *Dos estudios sobre la actualización del sustantivo en español,* Madrid, págs. 3-13.
— (1983): «El infinitivo con actualizador en español: condicionamiento sintáctico de su forzosidad o su rechazo», *Serta Philologica F. Lázaro Carreter,* Madrid, Cátedra, págs. 279-299.
— (1984a): «El uso de actualizadores con el infinitivo y la suboración sustantiva en español: diacronía y sentido», en L. Schwartz Lerner y I. Lerner (eds.), *Homenaje a Ana María Barrenechea,* Madrid, Castalia, págs. 65-89.
— (1984b): «El neutro en determinativos y calificativos castellanos», en *Miscel·lània Sanchís Guarner,* vol. II, Universidad de Valencia, págs. 173-187.
— (1985): «Uso potestativo de actualizador con infinitivo», *Philologica Hispaniensia,* Madrid, Gredos, págs. 317-373.
LAWLER, JOHN (1973): «Tracking the Generic Toad», *CLS* 9, págs. 320-331.
LÁZARO CARRETER, FERNANDO (1975): «El problema del artículo en español», en *Estudios de lingüística,* Barcelona, Crítica, 1980, págs. 27-59.
LEONETTI JUNGL, MANUEL (1990): *El artículo y la referencia,* Madrid, Taurus.
— (1991): «La noción de *tema* y la interpretación de los indefinidos», *Epos* 7, págs. 165-181.
— (1996): «El artículo definido y la construcción del contexto», *Signo & Seña* 5, págs. 101-138.
— (1998): «A Relevance-Theoretic Approach to the Property Predication Restriction», en V. Rouchota y A. Jucker (eds.) 1998: *Current Issues in Relevance Theory,* Amsterdam, John Benjamins, págs. 143-169.
LIPSKI, JOHN (1978): «On the Use of the Indefinite Article», *Hispania* 61: 1, págs. 105-109.
LÖBNER, SEBASTIAN (1985): «Definites», *Journal of Semantics* 4, págs. 279-326.
LOIS, ELIDA (1971): «Las construcciones *lo buena que es* y *lo bien que canta*», *Filología* 15, págs. 87-123.
LUDLOW, PAUL y STEPHEN NEALE (1991): «Indefinite Descriptions: In Defense of Russell», *LaPh* 14, págs. 171-202.
LUJÁN, MARTA (1972): «On the So-called Neuter Article in Spanish», en J. Casagrande y B. Saciuk (eds.), *Generative Studies in Romance Languages,* Rowley, Newbury House, págs. 162-175.
LUMSDEN, MICHAEL (1988): *Existential Sentences,* Londres, Croom Helm.
LYONS, JOHN (1977): *Semántica,* Barcelona, Teide, 1980.
MAES, ALFONS y LEO NOORDMAN (1995): «Demonstrative Nominal Anaphors: a Case of Nonidentificational Markedness», *Linguistics* 33, págs. 255-282.
MARTINELL, EMMA (1992): «El uso de las formas *un, uno, una, unos, unas* en español y de sus equivalentes en inglés», *ALM* (México) 30, págs. 29-45.
MARTÍNEZ, JOSÉ ANTONIO (1989): *El pronombre II. Numerales, indefinidos y relativos,* Madrid, Arco/Libros.
MATSUI, TOMOKO (1993): «Bridging Reference and the Notions of *Topic* and *Focus*», *Lingua* 90, páginas 49-68.
MEDEROS MARTÍN, HUMBERTO (1988): *Procedimientos de cohesión en el español actual,* Tenerife, Publicaciones del Cabildo Insular.
MILNER, JEAN-CLAUDE (1982): *Ordres et raisons de langue,* París, Seuil.
MILSARK, GARY (1977): «Toward an Explanation of Certain Peculiarities in the Existential Construction in English», *Linguistic Analysis,* 3, págs. 1-30.
MULLER, CLAUDE (1987): «A propos de l'indéfini générique», en G. Kleiber (ed.) 1987, págs. 207-233.
NEALE, STEPHEN (1990): *Descriptions,* Cambridge, MIT Press.

NUNBERG, GEOFFREY y CHIAHUA PAN (1975): «Inferring Quantification in Generic Sentences», *CLS* 11, págs. 412-422.
OJEA LÓPEZ, ANA ISABEL (1992): *Los sintagmas relativos en inglés y en español,* Oviedo, Universidad de Oviedo.
OJEDA, ALMERINDO (1984): «A Note on the Spanish Neuter», *LI* 15, págs. 171-173.
— (1993): *Linguistic Individuals,* Stanford, CSLI.
PARTEE, BARBARA HALL (1972): «Opacity, Coreference and Pronouns», en D. Davidson y G. Harman (eds.), *Semantics of Natural Language,* Dordrecht, Reidel, págs. 415-441. [Traducción española en Víctor Sánchez de Zavala (ed.) (1976), *Semántica y sintaxis en la lingüística transformatoria, 2,* Madrid, Alianza, págs. 277-309.]
PEASE-GORRISSEN, MARGARITA (1980): «The Use of the Article in Spanish Habitual and Generic Sentences», *Lingua* 51, págs. 311-336.
PESETSKY, DAVID (1987): «Wh-in-situ: Movement and Unselective Binding», en E. Reuland y A. T. Meulen (eds.) 1987, págs. 98-129.
PICALLO, M. CARME (1994): «A Mark of Specificity in Indefinite Nominals», *CatWPL* 4: 1, págs. 143-167.
PLANN, SUSAN (1981): «The Two *el + infinitive* Constructions in Spanish», *Linguistic Analysis* 7: 3, páginas 203-240.
— (1984): «Cláusulas cuantificadas», *Verba* 11, págs. 101-128.
PORTOLÉS, JOSÉ (1993): «Atributos con *un* 'enfático'», *RRo* 28: 2, págs. 218-236.
— (1994): «La metáfora y la lingüística: los atributos metafóricos con *un* 'enfático'», en V. Demonte (ed.), *Gramática del español,* México, El Colegio de México, 531-556.
RADFORD, ANDREW (1993): «Head-hunting: On the Trial of the Nominal Janus», en G. Corbett, N. Fraser y S. McGlashan (eds.), *Heads in Grammatical Theory,* Cambridge, Cambridge University Press, páginas 73-113.
REAL ACADEMIA ESPAÑOLA (1973): *Esbozo de una nueva Gramática de la Lengua Española,* Madrid, Espasa Calpe. [RAE en el texto.]
RENZI, LORENZO (1988): «L'articolo», en L. Renzi (ed.), *Grande grammatica italiana di consultazione,* volumen I, Bolonia, Il Mulino, págs. 357-423.
REULAND, ERIC y ALICE TER MEULEN (eds.) (1987): *The Representation of (In)definiteness,* Cambridge, MIT Press.
RIDRUEJO, EMILIO (1981): «*Uno* en construcciones genéricas», *RFE* 61, págs. 65-83.
RIVERO, M.ª LUISA (1977): «Referencia y especificidad», en *Estudios de gramática generativa del español,* Madrid, Cátedra, págs. 123-161.
RODRÍGUEZ GONZALO, CARMEN (1990): «La alternancia modal en las relativas y los tipos de mención del SN complejo», en I. Bosque (ed.): *Indicativo y subjuntivo,* Madrid, Taurus, págs. 280-300.
ROUCHOTA, VILLY (1992): «On the Referential/Attributive Distinction», *Lingua* 87, págs. 137-167.
— (1994): «On Indefinite Descriptions», *JL* 30, págs. 441-475.
RUSSELL, BERTRAND (1905): «On Denoting», *Mind,* 14, págs. 479-493 [Traducción española en Thomas Moro Simpson (ed.) (1973), *Semántica filosófica: problemas y discusiones,* Buenos Aires, Siglo XXI, págs. 29-49.]
SACKS, NORMAN (1980): «More on the Indefinite Article in Spanish», *Hispania* 63: 1, págs. 554-557.
SAFIR, KEN (1985): *Syntactic Chains,* Cambridge, Cambridge University Press.
SCHNEDECKER, CATHERINE, MICHEL CHAROLLES, GEORGES KLEIBER y JEAN DAVID (eds.) (1994): *L'anaphore associative,* París, Klincksieck.
SCHROTEN, JAN (1992): «On Spanish Definite Determiners: Personal Pronouns and Definite Articles», *Recherches de Linguistique Romane et Française d'Utrecht* XI, págs. 9-24.
STOWELL, TIM (1991): «Determiners in NP and DP», en K. Leffel y D. Bouchard (eds.), *Views on Phrase Structure,* Kluwer, págs. 37-56.
STRAWSON, PETER (1950): «On Referring», *Mind* 59. [Traducción española en Thomas Moro Simpson (ed.) (1973), *Semántica filosófica: problemas y discusiones,* Buenos Aires, Siglo XXI, págs. 57-86.]
SUEUR, JEAN PIERRE (1977): «Quantificateurs et modalités», *Langages* 48, págs. 84-99.
SUÑER, MARGARITA (1982): *Syntax and Semantics of Spanish Presentational Sentence-Types,* Washington, D.C., Georgetown University Press.
— (1988): «The Role of Agreement in Clitic Doubled Constructions», *NLLT* 6, págs. 391-434. [Versión española: «El papel de la concordancia en las construcciones de reduplicación de clíticos», en Olga Fernández Soriano (ed.) 1993, *Los pronombres átonos,* Madrid, Taurus, págs. 174-204].
SWART, HENRIËTTE DE (1996): «(In)definites and Genericity», en M. Kanazawa, C. Piñón y H. De Swart (eds.) (1996), *Quantifiers, Deduction, and Context,* CSLI, Stanford, págs. 171-194.
SZABOLCSI, ANNA (1986): «From the Definiteness Effect to Lexical Integrity», en W. Abraham y S. de Meij (eds.), *Topic, Focus and Configurationality,* Amsterdam, John Benjamins, págs. 332-360.

TÁBOAS, SUSANA (1995): «Spanish Infinitival Relatives: A Proposal About Their Indefiniteness Requirement», *Probus* 7, págs. 197-219.

TORREGO, ESTHER (1988): «Operadores en las exclamativas con el artículo determinado de valor cuantitativo», *NRFH* 36, págs. 109-122.

TRUJILLO, RAMÓN (1987): «La cuestión del artículo en español», *Verba* 14, págs. 347-365.

URIAGEREKA, JUAN (1994): «Hacia un tratamiento general de las relaciones parte-todo», en Violeta Demonte (ed.), *Gramática del español,* México, págs. 267-299.

VELDE, DANIELE VAN DE (1994): «Le défini et l'indéfini», *FRM* 62, págs. 11-35.

VENDLER, ZENO (1967): *Linguistics in Philosophy,* Ithaca, Cornell University Press.

VERGNAUD, JEAN ROGER y M.ª LUISA ZUBIZARRETA (1992): «The Definite Determiner and the Inalienable Constructions in French and in English», *LI* 23: 4, págs. 595-652.

WARD, GREGORY y BETTY BIRNER (1995): «Definiteness and the English Existential», *Lan* 71, págs. 722-742.

WARD, GREGORY y ELLEN PRINCE (1991): «On the Topicalization of Indefinite NPs», *JoP* 16, págs. 167-177.

WILSON, DEIRDRE y DAN SPERBER (1993): «Linguistic Form and Relevance», *Lingua* 90, págs. 1-25.

WOISCHETSLAEGER, ERICH (1983): «On the Question of Definiteness in "An Old Man's Book"», *LI* 14, págs. 137-154.

WRIGHT, SUSAN y TALMY GIVÓN (1987): «The Pragmatics of Indefinite Reference», *Studies in Language* 11:1, págs. 1-33.

ZIV, YAEL (1982): «Another Look at Definites in Existentials», *JL* 18, págs. 73-88.

ZUCCHI, ALESSANDRO (1995): «The Ingredients of Definiteness and the Definiteness Effect», *Natural Language Semantics* 3, págs. 33-78.

13
PRESENCIA Y AUSENCIA DE DETERMINANTE

BRENDA LACA
Université de Sciences Humaines, Estrasburgo

ÍNDICE

13.1. Generalidades

La clase sintáctico-semántica de los 'determinantes' incluye en español, además del artículo [→ Cap. 12], los pronombres demostrativos [→ Cap. 14], los posesivos [→ Cap. 15], los cuantificadores, así como una serie restringida de elementos léxicos cuya semántica está dominada por las nociones de identidad o de cantidad (como, p. ej. *otro, diversos, diferentes, numerosos, innumerables*) [→ Cap. 16]. En lo que hace a su distribución, los determinantes en español preceden a un nombre común (o bien al grupo nominal formado por el nombre común y sus modificadores o complementos) y presentan restricciones con respecto a su coocurrencia o a su orden relativo mutuo (así, no puede decirse **esas sus madres* ni **todos tres hombres* y, si bien puede decirse *esos tres hombres, todos esos hombres;* las secuencias **tres esos hombres* o **esos todos hombres* son agramaticales) [→ § 5.2.2]. En tanto clase semántica, los determinantes forman con el nombre al que preceden una expresión referencial o una expresión cuantificada. Dentro de la clase de los determinantes, el español presenta un subsistema particular, caracterizado por su escaso contenido deíctico o cuantificante y por su amplia distribución, el de los así llamados artículos. Es precisamente por la amplitud de distribución de los artículos que, en todas las lenguas que los poseen, la aparición de sustantivos o grupos nominales sin determinantes está más o menos severamente restringida. Por ello, hablar de presencia y ausencia de determinante equivale en buena medida a hablar de presencia o ausencia de artículo.

El problema de describir y justificar la distribución de los nombres o grupos nominales con y sin determinante es tanto más pertinente cuanto que lenguas que presentan sistemas de artículos en apariencia análogos divergen notoriamente en la casuística del uso de los artículos. Esta casuística, [1] extremadamente compleja, está además a todas luces regida: a) por nociones ontológicas que, por su grado de abstracción y por su carácter fundamental, se cuentan entre las más difíciles de explicitar satisfactoriamente en la semántica de las lenguas naturales (así, las de individuo, materia, propiedad, especie, clase), b) por la sintaxis y la semántica oracional y c) por fenómenos que no pertenecen al campo de la gramática en sentido estricto, sino que derivan de consideraciones pragmáticas o bien caen dentro del terreno de la fijación fraseológica, caracterizable por un grado mayor o menor de arbitrariedad.

En lo que sigue, hablaremos indistintamente de ausencia de determinante o de ausencia de artículo, ya que en la gran mayoría de los casos contrastaremos la ausencia de todo determinante con la presencia de los elementos del subsistema de los artículos. No utilizaremos el concepto de artículo o de determinante cero para referirnos a la ausencia de todo determinante por dos razones: la primera, porque este concepto, bastante usual por ejemplo en la tradición gramatical francesa o alemana, no lo es en la tradición española; la segunda, porque el concepto de determinante cero sólo tiene sentido si es posible oponer casos de determinante cero a casos de ausencia pura y simple de determinante, y el examinar esta posibilidad rebasaría con mucho los límites de este capítulo.

---

[1] Dentro de los estudios clásicos que tratan con mayor o menor detalle de la presencia y ausencia del artículo en español, son particularmente importantes Alarcos Llorach 1967, 1968, Alonso 1951, Lapesa 1975, así como Fernández Ramírez 1951a, 1951b. Para un estado de la cuestión en la gramática contemporánea, véase Bosque 1995.

En términos muy generales, puede decirse que la ausencia de artículo es prácticamente de rigor con los nombres propios [⟶ § 2.4.1], reviste carácter excepcional con los nombres discontinuos en singular y tiene una distribución más amplia con los nombres discontinuos en plural y con los nombres continuos [⟶ § 1.2.2]. Es decir, que las tendencias de la distribución normal, de la que partiremos en la descripción de la casuística, quedan reflejadas por los ejemplos siguientes, donde el guión representa la ausencia de determinante:

(1) a. Ha llegado {-/*DET} Manuel.
b. Ha llegado {*-/DET} hombre.
c. Han llegado {-/DET} hombres.
d. Ha llegado {-/DET} harina.

En lo que concierne a las posiciones sintácticas, la ausencia de artículo es prácticamente de rigor con algunos tipos de complementos predicativos [⟶ § 38.1.3], reviste carácter excepcional en el caso del sujeto, y tiene una distribución más amplia con los complementos directos y con los términos de preposición. La distribución predominante es, según esto, la siguiente:

(2) a. Nombraron {-/*DET} delegado a Pablo.
b. {*-/DET} delegado(s) estaba(n) de acuerdo.
c. Buscaban {-/DET} delegados.
d. Con {-/DET} delegados.

13.1.1. Predicados y referencia

Es sabido que los sustantivos comunes son, desde el punto de vista semántico, predicados (conceptos generales) que denotan, en tanto unidades léxicas, clases de individuos básicos, tipos de materia, clases de colecciones o grupos de individuos, o bien reificaciones (asimilaciones a los individuos o a la materia) de propiedades, eventos, estados, etc. [2] Lo que caracteriza al español como lengua con artículos es que: 1) los sustantivos comunes [⟶ § 1.1] no pueden constituir por sí solos expresiones referenciales, [3] 2) el singular numérico (el singular que se opone a un plural)

---

[2] Estos últimos corresponden al campo de los sustantivos 'abstractos', que no trataremos como clase independiente en la explicación de la distribución del artículo. En efecto, consideramos que lo que caracteriza a los abstractos no es una distribución particular del artículo, sino el hecho de que puedan, según los casos, asimilarse a los nombres discontinuos, a los nombres de entidades únicas y, sobre todo, a los nombres continuos. Véanse en este sentido Fernández Ramírez 1951: 163-164 y Bosque 1983: 80-85 [⟶ § 1.5.2].

[3] Pensamos que no es descaminado interpretar en este sentido tanto la noción de 'actualización' que aparece en Coseriu 1962: 293-4 como «la operación mediante la que el significado nominal se transfiere de la 'esencia' (identidad) a la 'existencia' (ipsidad)», como la afirmación de Alarcos Llorach (1967: 176) de que «puede pensarse que el papel del artículo consiste en transponer los nombres comunes a la categoría de los nombres propios». Probablemente el primer gramático español que haya insistido en el carácter de predicado de los sustantivos comunes y en el papel jugado por el artículo para la constitución de expresiones referenciales haya sido Alonso (1951), quien afirma: «diremos que el nombre con artículo se refiere a objetos existenciales, y sin él a objetos esenciales. Con artículo, a las cosas; sin él, a nuestras valoraciones subjetivas y categoriales de las cosas». En particular en Alonso 1951 y en Coseriu 1962 es palpable el influjo de la concepción del artículo definido desarrollada por Frege (1892/1980), según la cual los sustantivos comunes son predicados que denotan conceptos, y sólo acompañados por el artículo definido se transforman en designaciones de un objeto. Sin embargo, en la tradición española esta línea fregeana parece estar filtrada por Husserl y por la teoría de la 'actualización'.

debe estar precedido normalmente de un numeral debilitado o cuantificador débil, el así llamado 'artículo indefinido' [→ § 12.2] *un(a),* aun cuando el contexto no imponga la idea de cuantificación, y 3) el plural indefinido puede estar precedido por un determinante de características muy particulares, *unos / unas.* Los casos prácticamente categóricos de ausencia o de presencia del artículo pueden explicarse en principio a partir de esas consideraciones generales. Así, los nombres propios [→ Cap. 2] no son predicados, sino designadores de individuos, y carecen de contenido descriptivo. Por lo tanto, constituyen por sí solos expresiones referenciales. En los complementos predicativos, los sustantivos comunes funcionan como predicados atribuidos a una entidad, de ahí que puedan prescindir de operadores de referencia o de cuantificación, a saber, de artículos y cuantificadores. La posición de sujeto preverbal es la que reviste mayor autonomía sintáctica y semántica dentro de la oración: un nombre común en esa posición no puede ser un predicado, sino que debe aparecer acompañado de un operador (a saber, de un determinante) que forme con él una expresión referencial o bien que indique la relación cuantitativa existente entre el predicado expresado por el nombre común y el predicado expresado en el sintagma verbal.

Toda expresión lingüística puede funcionar como nombre propio de sí misma, en los usos que pueden llamarse autonímicos, metalingüísticos o autorreferenciales, o también 'menciones' de la expresión en cuestión. En estos casos, la expresión no denota algo exterior al lenguaje, sino que se denota a sí misma en tanto signo del lenguaje, como cuando decimos *'Caminando' tiene cuatro sílabas y es un gerundio, 'Haiga' es hoy en día un vulgarismo muy extendido.* Cuando los sustantivos comunes funcionan como expresiones autorreferenciales, aparecen regularmente sin artículo. En algunos casos la presencia o ausencia del artículo es suficiente para distinguir entre mención (autorreferencia) y uso de un sustantivo común, como en:

(3) a. *Verbo* es un sustantivo masculino.
b. El verbo es el núcleo del sintagma verbal.
c. *Democracia* es un compuesto nominal de origen griego.
d. La democracia es un sistema político de origen griego.
e. *Pingüino* es una palabra atacada por las moscas. [R. Gómez de la Serna, *Total de greguerías,* 161]
f. El pingüino es una víctima de las moscas.

Sin embargo, los límites entre mención y uso no son claros en todos los casos, así como tampoco en la escritura se caracteriza siempre de modo coherente la mención (mediante comillas o cursiva). A menudo se recurre a una construcción apositiva para aclararla *(la palabra vocación, la voz democracia)* [→ §§ 8.2.2 y 73.2]. Un problema particularmente espinoso es el de si en construcciones apositivas como *la noción de héroe, el concepto de madre* o *la idea de libertad* estamos frente a menciones o usos de los sustantivos en cuestión.

13.1.2. Plurales y nombres continuos

Un hecho particularmente interesante es el tratamiento paralelo acordado al plural de los nombres discontinuos y a los nombres continuos en la distribución del artículo. Este paralelismo se repite en todas las lenguas que marcan gramaticalmente la diferencia entre entidades contables y entidades no contables [→ § 1.2]. Su explicación reside probablemente en el hecho de que tanto los nombres continuos como el plural de los nombres discontinuos pueden denotar la extensión de los predicados correspondientes. Así, el plural de un nombre discontinuo como *gatos* puede denotar la clase de individuos que verifican la propiedad de ser gatos, del mismo modo que un nombre continuo como *agua* denota la clase de porciones o muestras de materia que clasificamos como agua. Por el contrario, el singular de los nombres discontinuos denota una unidad, que en tanto tal no puede corresponder a la extensión del predicado correspondiente: los predicados han de aplicarse potencialmente a varios individuos diferentes, en tanto que la denotación de una unidad sólo puede coincidir con un individuo singular. Una unidad no es cuantificable, puesto que ya está de hecho implícitamente cuantificada como una, no es divisible en partes de idéntica naturaleza (*La mitad de los gatos son gatos* y *Un tercio del agua es agua* representan proposiciones tautológicas, pero *La mitad del gato es un gato* es una proposición contradictoria), ni puede acumularse a otra unidad para dar una unidad (así, podemos sumar *gatos* a *gatos* obteniendo *gatos,* y *agua* a *agua* obteniendo *agua,* pero de la suma de *(un) gato* y *(un) gato* no se obtiene *(un) gato,* sino *gatos*). Es por ello que las nociones de cuantificación, de totalidad y de partitividad, que pueden en buena parte explicar la casuística de la presencia y ausencia del artículo con los nombres continuos y con los plurales, no encuentran aplicación en el caso del singular de los nombres discontinuos. La estrategia a seguir consistirá, por lo tanto, en tratar primero el problema para el caso de los plurales y de los nombres continuos y luego el caso particular del singular de los discontinuos.

13.2. Expresiones referenciales, expresiones cuantificadas y sintagmas nominales sin artículo

13.2.1. Características de las expresiones referenciales

Hemos dicho que lo que caracteriza al español como lengua con artículo es que los sustantivos comunes no pueden constituir por sí solos expresiones referenciales. En tanto que en lenguas con un sistema de artículos similar, como el inglés o el alemán, el plural y los nombres continuos sin determinante pueden referir genéricamente a la especie de individuos o al tipo de materia en cuestión, en español la referencia genérica requiere la presencia del artículo [→ § 12.3.3]. [4] Tenemos así:

(4) a. En esta zona abunda(n) {el oro/los lobos}.
b. El hierro es más duro que el plomo.
c. Entre las especies protegidas se cuentan los lobos y los gatos monteses.

En inglés, la ausencia de artículo es la regla general en los casos de referencia genérica, como en *Wolves {are widespread in this area/are an endangered species}* (Lit.: «Lobos {abundan en esta zona/son una especie amenazada}») o *Iron is harder than lead* (Lit.: «Hierro es más duro que el

[4] Esta regularidad se constata también para los nombres 'abstractos', como en *La música es el opio del circo* (R. Gómez de la Serna, *Total de greguerías,* 111) o *La libertad es un bien supremo.* Sin embargo, en ocasiones se constata la falta de artículo en ejemplos como *Poesía es creer que va a llamarnos por teléfono la que vimos ayer en un cine de barrio* (R. Gómez de la Serna, *Total de greguerías,* 83) o *Sonido es todo lo que percibe el oído.* Dado el carácter de definiciones de tales enunciados, puede suponerse que se trata, en último análisis, de usos autonímicos o menciones, paralelos a los que ilustramos más arriba con los ejemplos (3a, 3c, 3e).

plomo»). En alemán, presencia y ausencia del artículo alternan en estos casos, como en *?(Die) Wölfe sind vom Aussterben bedroht* (Lit: «?(Los) lobos están en peligro de extinción), *Eisen ist härter als Blei* (Lit.: «Hierro es más duro que plomo») y **(Das) Schiepulver wurde in China erfunden* (Lit.: «*(La) pólvora se inventó en China»).

La noción de expresión referencial puede entenderse como una generalización de la noción de nombre propio. Lo que caracteriza al nombre propio en tanto prototipo de expresión referencial es el hecho de establecer una relación semántica de referencia con un objeto, relación que es independiente del contexto proposicional en el que aparece la expresión. El uso de un nombre propio presupone la existencia (en el universo de discurso en cuestión) del objeto al que refiere y su identificabilidad por parte del hablante. La relación semántica entre un nombre propio y su referente no es afectada por la configuración sintáctico-semántica en la que aparece el nombre propio. En particular, ni la presencia de la negación, ni la de expresiones cuantificadas, ni la de elementos semánticos que disminuyen la facticidad de una proposición al modalizarla o al hacerla dependiente del universo epistémico de un sujeto diferente del sujeto de la enunciación, tienen influencia alguna sobre la interpretación de un nombre propio. Los sintagmas nominales introducidos por un pronombre demostrativo o por un artículo definido presentan en buena medida un comportamiento análogo al de los nombres propios, por lo que pueden clasificarse como expresiones referenciales. Los ejemplos siguientes muestran que la relación entre un sintagma nominal definido o demostrativo y la entidad (objeto individual, grupo de objetos, porción de materia) del universo del discurso que la descripción contenida en el sintagma nominal (el sustantivo con sus eventuales complementos y modificadores) permite identificar es inmune a las características de la configuración sintáctico-semántica en la que aparecen:

(5) a. Nadie encontró las fotografías. Estaban muy bien escondidas.
b. Por precaución, hizo hervir el agua dos veces antes de tomársela.
c. Varias personas vieron los aviones enemigos.
d. ¡Ojalá podamos utilizar esa madera en la construcción! Si no, habrá que venderla.
e. Pedro se imagina que Juan compró estos discos en Nueva York. Pero se equivoca: los compró en Madrid.

En todos los casos anteriores, los sintagmas nominales en cuestión establecen y fijan una referencia a una entidad del universo de discurso. Aunque el contexto sea negativo o no-fáctico, es posible retomar la entidad en cuestión mediante un pronombre anafórico, como se ve en (5b), (5d) y (5e). Y la presencia de cuantificadores en el contexto oracional, como *dos veces* en (5b) y *varias personas* en (5c) no induce ningún efecto particular: se trata de la misma porción de agua, que es hervida dos veces, y de un idéntico grupo de aviones enemigos, que resulta visto por varias personas.

13.2.2. Diferencias entre las expresiones referenciales y los sintagmas nominales sin artículo

Los sintagmas nominales sin artículo presentan un comportamiento diametralmente opuesto al de las expresiones referenciales. En efecto, basta suprimir el determinante en los contextos anteriores para que tanto la posibilidad de la anáfora pronominal como la identidad de la porción o del grupo desaparezcan: nada indica en (6b) que la misma agua haya sido hervida dos veces, ni en (6c) que uno o varios aviones enemigos hayan sido vistos por varias personas.

(6) a. Nadie encontró fotografías. #Estaban muy bien escondidas.
b. Por precaución, hizo hervir agua dos veces (#antes de tomársela).
c. Varias personas vieron aviones enemigos.
d. ¡Ojalá podamos utilizar madera en la construcción! #Si no, habrá que venderla.
e. Pedro se imagina que Juan compró discos en Nueva York. #Pero se equivoca: los compró en Madrid.

13.2.3. Diferencias entre las expresiones cuantificadas y los sintagmas nominales sin artículo

13.2.3.1. Lecturas específicas e inespecíficas

A diferencia de la interpretación de las expresiones referenciales, la interpretación de los sintagmas nominales sin artículo es siempre dependiente del contexto sintáctico-semántico en el que aparecen. Pero en este punto se diferencian también de las expresiones cuantificadas, puesto que la interpretación de estas últimas puede o no depender del contexto. En efecto, las expresiones cuantificadas, cuando aparecen en contextos como los enumerados antes, dan generalmente lugar a ambigüedades porque permiten dos lecturas diferentes, una «específica» y otra «inespecífica» [→ §§ 12.3.2 y 16.3-4]. En la lectura «específica», las expresiones cuantificadas se comportan de modo análogo a las expresiones referenciales: la implicación de que existen entidades que corresponden a la descripción contenida en el sintagma cuantificado no resulta afectada por la negación, ni por la no-facticidad del contexto oracional, y la presencia de otras expresiones cuantificadas en el contexto proposicional no da lugar a efectos de multiplicación. En la lectura «inespecífica», la interpretación de la expresión cuantificada es afectada por esos factores. Esto explica que cada uno de los ejemplos siguientes tenga dos lecturas posibles, que resultan aclaradas por (i) y (ii):

(7) a. La Asamblea General no aprobó cuatro proyectos de ley.
(i) Solamente se habían presentado tres.
(ii) El Gobierno piensa volver a presentarlos en la próxima sesión.
b. Todos los lunes vienen dos guardias a controlar el dispositivo de seguridad.
(i) Nunca son los mismos.
(ii) Trabajan desde hace años para la empresa.

En la interpretación específica, que es la que se obtiene naturalmente para (7a) y (7b) en el contexto de (ii), la expresión cuantificada en posición de objeto directo no es afectada por la negación ni por la expresión cuantificada *todos los lunes,* respectivamente. Es por ello que (7a) en esta interpretación implica la existencia, en el contexto pertinente, de al menos cuatro proyectos de ley a aprobar, así como (7b) se refiere a dos guardias particulares. En cambio, en la interpretación inespecífica, que es la única compatible con (i), (7a) no implica la existencia de al menos cuatro proyectos y (7b), por el efecto de multiplicación producido por la expresión *todos los lunes,* evoca un número indeterminado, igual o superior a dos, de guardias.

La existencia de lecturas específicas e inespecíficas [5] es una característica de las expresiones cuantificadas que puede derivarse del hecho de que estas tienen un ámbito que puede entrar en dos relaciones diferentes con el ámbito de otro operador, según sea o no afectado por él. Los sintagmas nominales sin artículo son siempre inespecíficos, caen siempre bajo el ámbito de otros operadores y se diferencian en esto claramente de las expresiones cuantificadas.

La lectura específica de una expresión cuantificada que constituye un argumento del verbo puede resultar inducida por la posición preverbal del argumento o por la presencia de la preposición *a* si se trata de un complemento directo [→ § 28.4]. Los sintagmas nominales sin artículo mantienen su carácter inespecífico aun cuando aparecen en posición preverbal y tienden mayoritariamente a rechazar la preposición. Así, mientras en (8a) se trata de un grupo determinado de dirigentes sindicales, no sucede lo mismo en (8b), y la diferencia de sentido provocada por la presencia o ausencia de la preposición en (9) (la presencia de la preposición indica que se trata de dos jabalíes o de diez técnicos particulares) carece de correlato en (10):

(8) a. De algunos dirigentes sindicales se ha hablado mucho en la prensa últimamente.
b. De dirigentes sindicales se ha hablado mucho en la prensa últimamente.

(9) a. Ninguno de los cazadores consiguió matar {dos jabalíes/a dos jabalíes}.
b. La empresa se vio obligada a despedir {diez técnicos/a diez técnicos}.

(10) a. Ninguno de los cazadores consiguió matar jabalíes.
b. La empresa se vio obligada a despedir técnicos.

Si suponemos que el subjuntivo en las subordinadas relativas [→ § 50.1] indica que el sintagma nominal en el que están incrustadas es dependiente del contexto modal mayor, es decir, inespecífico, la tendencia de los sintagmas nominales sin artículo a seleccionar el subjuntivo en las relativas es un indicio más de su carácter siempre dependiente:

(11) a. Quiere consultar libros que describan la conquista de México.
b. Le fue imposible encontrar documentos que probaran de modo inequívoco los hechos.

13.2.3.2. Cuantificación adverbial

Otra peculiaridad de los sintagmas nominales sin artículo que muestra que no se trata de expresiones cuantificadas es que admiten la cuantificación adverbial me-

[5] Leonetti Jungl (1990) presenta una excelente visión de conjunto del problema de la especificidad / inespecificidad, y señala que la ausencia de determinantes es condición suficiente para la inespecificidad de un sintagma nominal en un contexto opaco (p. 151).

diante expresiones como *en masa, a montones, en {gran/pequeña} cantidad, en {gran/pequeño} número, en número suficiente, por {millares/centenares/docenas}, en {exceso/demasía}*. Tales expresiones aparecen en el predicado de una oración, pero cuantifican la relación entre el predicado y uno de sus argumentos de modo similar al de los cuantificadores adnominales, como lo muestra la analogía entre los ejemplos de (12) y (13) [→ § 16.5]. Dado que no es lícito cuantificar dos veces la misma relación, la cuantificación adverbial es incompatible con la cuantificación adnominal, de ahí la anomalía semántica de los ejemplos de (14).

(12) a. Emigraron técnicos {por millares/en gran número}.
b. Cuando hayamos reunido pruebas en número suficiente...
c. Beber vino en exceso es peligroso.

(13) a. Emigraron millares de técnicos. / Emigró gran número de técnicos.
b. Cuando hayamos reunido un número suficiente de pruebas...
c. Beber demasiado vino es peligroso.

(14) a. *Emigraron todos los técnicos {por millares/en gran número}.
b. *Cuando hayamos reunido varias pruebas en número suficiente...
c. *Beber mucho vino en exceso es peligroso.

13.2.3.3. Efectos de sentido relacionados con la inespecificidad de los sintagmas nominales sin artículo

La incapacidad que manifiestan los sintagmas nominales sin artículo para fijar por sí solos la referencia a grupos de individuos o a porciones de materia se manifiesta en toda una serie de efectos de sentido. Por ejemplo, la coordinación de predicados implica, tanto con expresiones referenciales como con expresiones cuantificadas, que los predicados en cuestión se aplican ambos a las mismas entidades. Esto no sucede con los sintagmas nominales sin artículo. Así, sólo los ejemplos (15a, b), pero no los ejemplos (16a, b), implican que los mismos hombres célebres hayan nacido y muerto en la ciudad, o bien que se trate de las mismas mujeres que entran para volver a salir:

(15) a. En esta ciudad nacieron y murieron tres hombres célebres.
b. Entran y salen varias mujeres.

(16) a. En esta ciudad nacieron y murieron hombres célebres.
b. Entran y salen mujeres entre dos compras o entre dos embotellamientos de coches. [M. Vázquez Montalbán, *El delantero centro fue asesinado al atardecer,* 64]

También el comportamiento anafórico de los sintagmas nominales sin artículo demuestra su incapacidad para seleccionar una entidad constante como referente. En efecto, estos no pueden tener interpretaciones 'partitivas' [→ §§ 5.2.2.3 y 16.2.3], en las que el sintagma nominal tiene por dominio de cuantificación un conjunto de individuos o una porción de materia previamente introducidos en el contexto. Es por ello que las secuencias (17a, b), pero no las secuencias (18a, b), parecen incoherentes:

(17) a. #A la reunión asistieron estudiantes y varios profesores. María sólo conocía estudiantes.
b. #Habían puesto aceite en la mezcla, y al cabo de algunos minutos pudieron constatar que flotaba aceite en la superficie del líquido.

(18) a. A la reunión asistieron estudiantes y varios profesores. María sólo conocía a algunos estudiantes.
b. Habían puesto aceite en la mezcla, y al cabo de algunos minutos pudieron constatar que un poco de aceite flotaba en la superficie del líquido.

A diferencia de lo que sucede con las expresiones cuantificadas en (18a, b), los sintagmas *estudiantes,* en (17a), y *aceite,* en (17b), no pueden interpretarse como referidos a parte de los estudiantes que asistieron a la reunión o a parte del aceite que se había puesto en la mezcla.

Los sintagmas nominales sin artículo no pueden constituir nunca el antecedente de expresiones anafóricas que exigen una referencia disjunta, como *otros, los otros, los demás* o *el resto* (Garrido 1986: 353). Estas expresiones se refieren al subconjunto complementario de una intersección establecida en el discurso anterior, que los sintagmas nominales sin artículo parecen incapaces de fijar (19a, b). La única posibilidad de establecer una relación anafórica entre *otro(s)* y un sintagma nominal sin artículo es que la referencia disjunta se dé en el nivel de la descripción contenida en el sintagma nominal, interpretando *otro(s)* como «de una clase diferente» (20a, b):

(19) a. #Juan se llevó libros y María se llevó {otros/los otros}.
b. #Comieron fruta, pero dejaron otra.

(20) a. Sabemos que en la reunión participaron diputados socialistas, pero no creemos que hayan participado otros.
b. Para las columnas, utilizaron mármol de Carrara. No quisieron utilizar otro.

Por otra parte, cuando un sintagma nominal sin artículo funciona en el discurso como antecedente de un elemento anafórico, por ejemplo de un clítico o un sujeto implícito (expresado por la terminación de persona del verbo), estos elementos anafóricos tienen muy a menudo una referencia genérica. En los casos más típicos, los elementos anafóricos retoman los referentes particulares introducidos por su antecedente con todas las determinaciones que le son asignadas en el contexto previo. Así, en una secuencia como *Un hombre cayó al río, estaba borracho* entendemos que el referente del sujeto de la segunda oración es el hombre que cayó al río del que se habla en la primera. Sin embargo, hay casos en los que los elementos anafóricos tienen una referencia genérica, como en *Compré diez kilos de azúcar porque dicen que va a subir de precio* (donde se entiende que lo que va a subir de precio es el azúcar en general, y no la porción particular de azúcar que compré), o bien en *Carlos ha leído muchas novelas policiales, pero María las encuentra aburridas* (donde el referente de *las* son las novelas policiales en general y no las muchas que ha leído Carlos). La identidad entre el sintagma nominal antecedente y la anáfora es en estos casos una identidad a nivel de la descripción nominal, de la clase de objetos o del tipo de materia denotados, y no una identidad estricta a nivel de los objetos o de una porción particular de la materia en cuestión. Los ejemplos siguientes muestran la facilidad con que los sintagmas nominales sin determinante como antecedentes dan lugar a este tipo de anáfora intensional o «de sentido», en el que lo que se retoma es el contenido descriptivo del grupo nominal y no los referentes introducidos en la oración previa:

(21) a. Pedro ha visto cucarachas en la cocina, y María las ha visto también en la despensa.
b. En 1945 surgió petróleo en Chiapas y un año después volvió a surgir en Yucatán.
c. Porque Usted quema libros, y Sánchez Bolín los escribe. [M. Vázquez Montalbán, *El Balneario,* 119]

En efecto, nada indica en (21a) que las cucarachas vistas por María en la despensa sean las mismas que ha visto Pedro en la cocina, lo que sería la interpretación preferida si el antecedente fuera *tres cucarachas* o *unas cucarachas.* En (21b) y (21c) el elemento anafórico no puede, por razones obvias, referirse a la porción particular de petróleo antes surgida en Chiapas, ni, respectivamente, a los libros quemados. Nótese que la interpretación absurda, basada en la identidad estricta entre antecedente y anáfora, sería la única posible para (21c) si el antecedente fuera, por ejemplo, *varios libros* o *unos libros* y resultaría preferida en (21b) si el antecedente fuera *algo de petróleo* o *un poco de petróleo.*

13.3. Carácter genérico de los sintagmas nominales sin artículo

Los enunciados no siempre hacen referencia a objetos, hechos o circunstancias particulares, sino que a menudo los utilizamos para hablar en general de clases o tipos de objetos o de hechos que no pueden localizarse unívocamente en el espacio o en el tiempo, como cuando decimos *El perro es el mejor amigo del hombre* o bien *María fuma.* Las así llamadas interpretaciones genéricas de los sintagmas nominales [→ § 12.3.3] son, como es de esperar, sumamente heterogéneas, ya que sólo están definidas por una propiedad negativa, precisamente, la de no referirse a objetos (o a grupos de objetos o porciones de materia) individuales. En las concepciones más restrictivas de la genericidad, sólo se clasifican como lecturas genéricas aquellas lecturas en las que los sintagmas nominales hacen referencia a una especie o a un tipo, como en *La pólvora fue inventada por los chinos, La balanza es el símbolo de la justicia,* o bien a la totalidad de los objetos que responden a la descripción nominal, como en *Los libros de aventuras son interesantes, A una madre no se la engaña.* Sin embargo, la propiedad de no referirse a objetos individuales puede comprobarse también para ciertos sintagmas nominales que no hacen referencia a la totalidad de los objetos de la clase en cuestión, sino sólo a una parte de ellos. Siguiendo a Christophersen (1939: 33-35), hablaremos en estos casos de 'lecturas parti-genéricas', mientras que las lecturas genéricas, que son las únicas admitidas en la concepción más restrictiva de la genericidad, serán denominadas 'lecturas toto-genéricas'. Las lecturas parti-genéricas son, a nuestro entender, características de los sintagmas nominales sin determinante del español y de otras lenguas con una distribución similar de los artículos, como por ejemplo el italiano.

La distinción terminológica de Christophersen (1939: 33-35) entre lecturas parti- y toto-genéricas estaba pensada para dar cuenta de las similitudes y diferencias entre las dos interpretaciones posibles de los sintagmas nominales sin determinante del inglés, que aparecen por ejemplo en *John eats potatoes* y *John likes potatoes,* respectivamente. Hoy en día son más usuales en inglés los términos de lecturas existenciales y de lecturas universales o genéricas, con los que sin embargo se pierde la intuición de la similitud entre ambas lecturas. En algunas lenguas, como el español, la diferencia entre lecturas parti- y toto-genéricas está marcada por el contraste entre ausencia y presencia del artículo definido. En otras, como el finlandés, la diferencia se marca por una oposición de caso morfológico, eligiéndose el partitivo para los casos de las lecturas parti-genéricas. Este es uno de los argumentos esgrimidos por autores como Belletti (1988) para suponer que algunos sintagmas nominales sin determinante representan un caso abstracto inherente denominado 'partitivo'.

13.3.1. Incompatibilidad con modificadores particularizantes

Tanto la inespecificidad de los sintagmas nominales sin determinantes como su comportamiento anafórico constituyen indicios de su carácter genérico. En efecto, la incapacidad que demuestran en ambos aspectos para fijar una referencia a un grupo de individuos o a una porción de materia particular indica que los sintagmas nominales sin determinante se utilizan cuando lo pertinente es la clase de objetos o el tipo de materia. Es por ello que la mención de características particulares de los objetos o de la materia, en especial cuando tal mención entraña una evaluación subjetiva por parte del hablante, requiere en general la aparición de un determinante. Esto puede explicar la alternancia entre ausencia y presencia de artículo en los ejemplos siguientes:

(22) a. Tomaban churros, unos churros bastante asépticos, pero churros al fin. [Laca y Tasmowski 1994: 34]
b. Nos ofrecieron {vino dulce/un vino delicioso}.
c. Solía plantearnos {preguntas difíciles/unas preguntas dificilísimas}.

Nótese que los adjetivos valorizadores, como *delicioso,* o los superlativos absolutos,[6] al ser no restrictivos, no pueden delimitar subclases de objetos o subtipos de materia [→ §§ 3.4.2.2 y 3.5.1.2]. La evaluación que expresan se refiere por consiguiente a entidades particulares, y es incompatible con el carácter genérico de la ausencia de determinante.

13.3.2. La ausencia de artículo como indicador del carácter 'parti-genérico' del sintagma nominal

Los sintagmas nominales sin artículo muestran una notable afinidad con los contextos genéricos, es decir, con contextos en los que se expresan hábitos, aptitudes, tendencias o disposiciones, y no eventos particulares [→ § 46.1]:

[6] Véase Demonte 1991: 269-271.

(23) a. Griselda se interesaba en asuntos que no estaban al alcance de cualquiera. [A. Bioy Casares, *La aventura de un fotógrafo en La Plata,* 56]
b. Las mañanas y las tardes son muy heladas. Hay que usar ponchos largos, de lana, y sombreros. [L. Sepúlveda, *Un viejo que leía novelas de amor,* 45]
c. Los centenares de niños que trabajan desde los cinco años vendiendo periódicos o chicles, las mujeres que tienden la mano, los hombres que venden klínex sin mirarte a los ojos. [P. I. Taibo II, *La vida misma,* 78]

Sin embargo, nunca pueden referirse a la totalidad del género en cuestión: un sintagma nominal sin artículo es en español siempre 'parti-genérico', quedando la expresión de la totalidad o de la inclusividad reservada al artículo definido; cf. Pease-Gorrisen 1980. Los sintagmas nominales sin determinantes no pueden aparecer en ninguno de los contextos sintáctico-semánticos en los que hay referencia a una especie o una cuantificación de tipo universal sobre todos y cada uno de los representantes de una especie (véase (4a-c) en el § 13.2.1).

13.3.3. Naturaleza no-delimitada de los sintagmas nominales sin artículo

Como no constituyen ni expresiones referenciales ni expresiones cuantificadas, los sintagmas nominales sin determinante cuyo núcleo es un plural o un sustantivo discontinuo denotan entidades no delimitadas o amorfas. Es por ello que son incompatibles con todo contexto 'télico' o 'perfectivo' [→ § 46.3.2.3]. Los contextos 'télicos' o 'perfectivos' presuponen la existencia de un límite o punto final natural para el proceso en cuestión, que separa la realización del proceso de su resultado. Por su naturaleza no delimitada, los sintagmas nominales sin determinante no pueden proveer este límite, y por consiguiente no son compatibles con la presencia de adverbiales de duración 'completivos', (24a), o del reflexivo 'perfectivo', (24b). Tampoco pueden aparecer en las subordinadas temporales introducidas por *en cuanto,* (24c), ni en construcciones participiales absolutas, (24d), ni en construcciones cuya interpretación requiere la interpolación de un proceso télico, como los verbos de fase construidos con argumentos nominales, (24e), o la locución *después de* con un argumento nominal, (24f):

(24) a. *Escribió cartas en dos horas.
b. *Juan se tomaba café sin azúcar.
c. *En cuanto corrija ejercicios, te atenderé.
d. *{Una vez/Ya} corregidos ejercicios...
e. *Juan empezó acuarelas.
f. *Después de botellas de vino.

Ahora bien, el español admite en algunos casos, que preferimos tratar dentro de la fraseología porque están sometidos a restricciones arbitrarias, la aparición de sustantivos discontinuos en singular como objetos directos de «verbos de adquisición» en sentido amplio. En tales casos, puede constatarse que los sustantivos en cuestión mantienen el carácter delimitado que les confiere el hecho de denotar una unidad, y pueden aparecer en algunos de los contextos que como 'télicos':

(25) a. Consiguió piso en pocos días.
b. En cuanto compre casa, te lo haré saber.

13.4. Los contextos sintáctico-semánticos de la ausencia de artículo

13.4.1. Tipos de predicados

Uno de los factores más importantes que inciden en la distribución del artículo es la semántica de los predicados de los que los sintagmas nominales sin artículo pueden ser argumentos, en particular, sujetos o complementos directos. Si bien las correlaciones que pueden comprobarse entre tipos o clases semánticas de predicados y la posibilidad o imposibilidad de que sus posiciones de argumento estén ocupadas por sintagmas nominales sin determinante son bastante claras, no es fácil llegar a las generalizaciones empíricamente adecuadas de estas correlaciones. En efecto, las clases semánticas pertinentes responden a todas luces a tres clasificaciones binarias diferentes de los predicados, que son a primera vista independientes entre sí. Se trata de las dicotomías entre 'predicados episódicos' y 'predicados individuales', entre 'predicados eventivos' y 'predicados estativos', y entre predicados que tienen un argumento agentivo y predicados que no lo tienen. En cada caso, las restricciones a la aparición de sintagmas nominales sin determinante están en correlación con el segundo término de la dicotomía.

Podemos distinguir por una parte predicados que denotan procesos o hechos localizables en el espacio y en el tiempo, que «tienen lugar» en ocasiones, a los que llamaremos 'predicados episódicos', y por otra predicados que denotan propiedades o relaciones, de los que no puede decirse que «tengan lugar» o se realicen en ocasiones, a los que llamaremos 'predicados individuales' [→ §§ 3.2.3.1 y 37.2.1].[7] Los primeros comprenden acciones, procesos o estados como *leer, correr* y *estar triste,* que se conciben como hechos transitorios en la historia de un individuo y que pueden tener por lo tanto realizaciones espacio-temporales diferentes con idénticos participantes. Los segundos comprenden predicados como *parecerse, costar (caro/poco), pesar (mucho/poco)* y, en particular, los verbos de actitud afectiva, como *amar, aborrecer, detestar, despreciar, odiar* y *agradar, encantar, gustar, repugnar, repeler,* etc. Tales verbos se conciben como propiedades o relaciones permanentes para los individuos que las manifiestan y no como hechos localizables en el espacio y en el tiempo. La

[7] Esta distinción corresponde a la propuesta por Carlson (1977) entre *stage-level* y *object-level predicates.* Tal como es utilizada por Carlson para explicar la distribución entre lecturas (toto-)genéricas y lecturas existenciales (parti-genéricas) de los plurales sin determinantes del inglés, la distinción presenta cierta circularidad. Es por ello que creemos indispensable utilizar un test independiente para determinar el carácter episódico o individual de un predicado dado. Diremos que un predicado es sin lugar a dudas episódico cuando puede aparecer con nombres propios o con sintagmas demostrativos como argumentos en una subordinada introducida por *siempre que, cada vez que...,* como por ejemplo en *Siempre que Juan {ve a María/está enfermo/lee ese libro}, pierde la cabeza.* Lo que este test detecta es la posibilidad de que el hecho en cuestión se repita, es decir, tenga realizaciones espacio-temporalmente distintas, con los mismos participantes. El test permite identificar positivamente predicados episódicos. Los predicados que no pasan el test, sin embargo, pueden ser predicados individuales, como en *??Siempre que Juan {odia a María/es rubio/posee este libro}...,* o bien predicados episódicos que designan episodios únicos en la historia de los participantes, como en *??Siempre que Juan {asesina a María/se casa con María}.*

…lización que puede formularse a este respecto es que los predicados … no pueden tener como argumentos sintagmas nominales sin determi-…no lo muestra la agramaticalidad de oraciones como:

(26) a. *Se parecían mucho civilizaciones primitivas.
b. *María detesta tareas difíciles.
c. *A María le encanta chocolate frío.

Nótese que la aparición de sintagmas nominales sin determinante como argumento de un predicado individual puede acarrear un cambio de significado del predicado en cuestión. Así, *despreciar propuestas interesantes* sólo puede tener el sentido de «rechazarlas» (que constituye un sentido episódico), y no el de «sentir desprecio por ellas», *conocer políticos* sólo puede tener el sentido de un conocimiento adquirido en una ocasión, en tanto que *conocer a los políticos* puede tener el sentido de «saber cómo son» (predicado individual).

Sin embargo, hay un hecho evidente que muestra que esta correlación no es enteramente exacta: los predicados formados con la cópula *estar* responden a la definición de los predicados episódicos, mientras que aquellos formados con la cópula *ser* pertenecen a la clase de los predicados individuales. Pero ni *estar* ni *ser* permiten en principio que el argumento que ocupa la posición de sujeto sea un sintagma nominal sin determinante; tanto **Son inquietos niños* como **Están inquietos niños* son igualmente agramaticales.[8] Por lo tanto, el carácter episódico de un predicado no es una condición suficiente para que su sujeto pueda ser un sintagma nominal sin determinante. Puede pensarse que la propiedad común a los predicados que no admiten sintagmas nominales sin determinante como argumentos, es decir a los predicados individuales citados más arriba y a *estar,* es que se trata en todos los casos de predicados 'estativos' y no 'eventivos'. Los predicados 'estativos' se diferencian de los predicados 'eventivos' porque carecen de dinamicidad y, al no denotar cambios, son temporalmente homogéneos [⟶ § 46.3.2.1]. Es sabido que los predicados estativos no son en general aptos para introducir entidades nuevas en el universo del discurso, lo que puede explicar por qué en muchas lenguas estos predicados no se combinan fácilmente con sujetos indefinidos o bien dan lugar a interpretaciones 'partitivas' o 'presuposicionales' de los indefinidos [⟶ § 16.2.3]. Sin embargo, tampoco la estatividad puede dar cuenta de la imposibilidad de los sintagmas nominales sin determinante como argumentos de un predicado, ya que se comprueban las excepciones siguientes a la correlación en cuestión:

(a) Algunos predicados estativos episódicos admiten sintagmas nominales sin determinante como sujeto, como por ejemplo *{faltan/quedan/sobran} libros.*

(b) Algunos predicados estativos individuales también los admiten, como en el caso de *Árboles gigantescos bordean el camino, Altas murallas rodean la ciudad* o *Al Sr. Secco le pertenecen empresas en varios países.*

(c) Hay predicados estativos individuales transitivos que, a diferencia de los verbos de actitud afectiva, admiten complementos directos sin determinante, como,

[8] *Ser* puede admitir sujetos sin determinante cuando es auxiliar en una construcción pasiva, como en *Fue encontrado petróleo, Han sido detectadas irregularidades. Estar,* por su parte, admite sujetos sin determinante con algunos adjetivos como *disponible, presente,* que no designan en sentido estricto propiedades o estados, sino que tienen un significado claramente existencial, como en *Están disponibles guías turísticas* o *Estaban presentes estudiantes.*

por ejemplo *Este manuscrito contiene errores* o *Juan posee acciones de varias compañías.*

Lo que tienen en común los predicados estativos que admiten sujetos o complementos directos sin determinante es, a todas luces, que todos expresan la existencia localizada o la posesión. Aunada a los datos evocados en la nota 8 con respecto a *estar,* esta observación puede interpretarse en el sentido de que la aparición de sintagmas nominales sin determinante como argumentos está legitimada por el carácter eventivo o por el carácter existencial del predicado en cuestión.

Los predicados individuales de actitud afectiva mencionados más arriba se caracterizan por dos propiedades entrecruzadas: no son eventivos y tampoco son agentivos. De hecho, estatividad y no-agentividad son propiedades que se dan generalmente juntas. Es difícil determinar cuál de ellas explica la imposibilidad de complementos directos sin determinante. Sin embargo, puede comprobarse que las predisposiciones no agentivas, a diferencia de las predisposiciones agentivas (las que constituyen estrictamente hábitos, o sea comportamientos voluntarios de un agente) requieren la presencia del artículo en el complemento directo, como en *Las pesadillas asustan a los niños* y *La luz del sol arruina los cuadros.*

13.4.2. La ausencia de artículo en la posición de sujeto gramatical

Como hemos dicho más arriba, la ausencia de artículo en un sintagma nominal sujeto tiene un carácter excepcional [—> § 12.1.2.4]. Sólo se da con alguna regularidad cuando el sujeto aparece en posición posverbal, como en:

(27) a. En los próximos días se van a poner en práctica *medidas* para reforzar el orden público. [*El País,* 25-VII-90, 5]

b. A usted lo van a matar a la mala. Van a arrastrar su cadáver por las calles *mujeres sin nombre,* escupiéndolo. [P. I. Taibo II, *La vida misma,* 135]

c. Debería preocuparse de que al menos robaran o nos pincharan *criminales españoles.* Yo siempre he sido muy patriota. [M. Vázquez Montalbán, *El delantero centro fue asesinado al atardecer,* 34]

Los sujetos en posición posverbal aparecen en estructuras informativas de un tipo particular, que se caracterizan porque el sujeto no coincide con el tópico de una predicación [—> §§ 64.1-2]. O bien se trata de estructuras 'téticas', [9] en las que el sujeto contrae con el verbo una estrecha cohesión, expresando la estructura entera un hecho de forma global (27a, b) y no una predicación con respecto a un sujeto, o bien se trata de sujetos que funcionan como focos contrastivos (así, en (27c),

[9] Fernández Ramírez (1951b: 159) cita numerosas estructuras téticas bajo el nombre de «mención presentativa», y Suñer (1982) las incluye dentro de las *presentational sentence types.* Para una sumaria presentación del problema y de la bibliografía pertinente, véase Laca 1996. La oposición entre estructuras categóricas o estructuras de predicación y estructuras téticas, retomada por Kuroda (1972, 1992) del filósofo Anton Marty, es seguramente pertinente para explicar una larga serie de fenómenos en varias lenguas. Sin embargo, no está hasta hoy claro si se trata simplemente de una diferencia a nivel de la estructura informativa, como nivel superpuesto a la sintaxis oracional, o si debe concebirse como una diferencia en la estructura sintáctica en sentido estricto, lo que llevaría a reconocer dos posiciones de sujeto diferentes.

los *criminales españoles* se oponen implícitamente a los *criminales no españoles)* [→ §§ 25.3 y 64.3.3.1].

Los casos, por cierto mucho menos frecuentes, en los que aparecen sujetos preverbales sin determinante, se encuentran sobre todo en los pasajes descriptivos de la prosa narrativa, y corresponden en su mayoría a estructuras téticas con una función discursiva que puede llamarse 'presentativa', en las que se describen escenas especificándose al mismo tiempo el tipo de entidades que participan en ellas.

Pueden constatarse pasajes descriptivos enteros construidos de este modo:

(28) a. No era una manifestación ordenada. Mineros y campesinos, los cuadros de la OP, maestros de primaria, mujeres de los comités de barrio, miembras [sic] del renaciente sindicato de prostitutas [...] taxistas y pequeños comerciantes, estudiantes de la secundaria, muchos campesinos, obreros de las fábricas de refrescos y las yeseras, marchaban mezclados. [P. I. Taibo II, *La vida misma,* 76]

b. Rufianes apostados en las esquinas adoptaban actitudes amenazadoras exhibiendo navajas; humildes chinos de sedosos atavíos salmodiaban mercancías peregrinas, baratijas y ungüentos. [E. Mendoza, *La verdad sobre el caso Savolta,* 176-7]

Los sujetos antepuestos sin determinante no pueden estar constituidos por un único sustantivo, sino que deben aparecer acompañados por modificadores o bien en estructuras coordinadas. [10]

(29) a. Eléctricas letras verdes intermitentes anunciaron la llegada del vuelo. [M. Vázquez Montalbán, *El delantero centro fue asesinado al atardecer,* 213]

b. Fotógrafos y cámaras de la televisión llegaban con la obsesión puesta en los ojos y en los codos. [M. Vázquez Montalbán, *El delantero centro fue asesinado al atardecer,* 213]

Solamente existe una excepción a la generalización según la cual los sujetos sin artículo no pueden constituir el tópico de una estructura informativa, aparezcan o no antepuestos. En efecto, los sintagmas nominales acompañados por modificadores como *así, {de estos/de esos}, de este tipo* y *como ese,* que son por su semántica análogos al demostrativo de identidad cualitativa *tales,* pueden constituir tópicos de predicaciones. Nótese que dichas predicaciones se dan por válidas de todos y cada uno de los representantes de la clase en cuestión, por lo cual este tipo de sintagma constituye a la vez una excepción al carácter siempre parti-genérico de la ausencia del artículo:

(30) a. *Argumentos como estos* son contundentes para organizar la solidaridad en torno a Santa Ana, pero no para frenar la ofensiva de sus enemigos. [P. I. Taibo II, *La vida misma,* 79]

b. *Tipos como ese* no suelen tener paciencia. [E. Mendoza, *La verdad sobre el caso Savolta,* 124]

[10] Suñer (1982: 209) ha formulado esta restricción, con el nombre de *Naked Noun Constraint,* de la manera siguiente: «An unmodified common noun in preverbal position cannot be the surface subject of a sentence under conditions of normal stress and intonation» [«Un nombre común sin determinante en posición preverbal no puede ser el sujeto superficial de una oración bajo condiciones normales de acento y entonación»]. El hecho de que las estructuras coordinadas favorecen la ausencia del artículo se repite con gran regularidad en otras lenguas.

13.4.3. Carácter excepcional de la ausencia del artículo con los dativos

Los sintagmas nominales sin artículo son aún más excepcionales en la posición de dativos [→ Cap. 30]. [11] Pese a que no pueda hablarse de una regla categórica que los excluya en esta posición, ya que ejemplos como los de (31) son juzgados aceptables por los hablantes, es raro encontrarlos en producciones lingüísticas reales:

(31) a. Por su tono se notaba que no (le) estaba hablando a subordinados, sino a amigos.
b. Un accidente puede ocurrirle incluso a personas precavidas.
c. Daba clases de matemáticas a adultos.

En general, sólo un dativo con carácter claramente contrastivo, (31a), o que constituye el foco de la estructura informativa, (31b), permite la ausencia del artículo. [12] Nótese además que aparecen siempre en posición final, coincidiendo con el punto de prominencia entonativa que cierra el contorno de entonación de una oración no segmentada. Ahora bien, se sabe que en términos discursivos universales, los dativos tienden mayoritariamente a presentarse bajo forma definida o pronominal y a referirse a entidades previamente introducidas como tópicos de discurso. En términos de la estructura oracional, los dativos carecen de la posibilidad que manifiestan los sujetos de contraer una estrecha cohesión con el verbo en las estructuras que hemos llamado téticas. Puede suponerse que la razón de la escasísima frecuencia de los sintagmas nominales sin determinante en posición de dativo reside en la incompatibilidad de la ausencia del artículo con una posición sintáctica autónoma con respecto a la predicación expresada en la oración. [13] Nótese que los mismos factores que aumentan la aceptabilidad de la ausencia del artículo en sujetos antepuestos (presencia de modificadores adnominales, coordinación, estatus de foco contrastivo marcado por la prominencia entonativa) contribuyen también a la aceptabilidad de la ausencia del artículo en los dativos.

Los sintagmas nominales sin artículo pueden dar lugar a fenómenos de no concordancia de número. Parecería que las variedades del español que admiten un verbo en singular con un sujeto

[11] Véase Álvarez Martínez 1986: 213-214.

[12] Cf. Laca 1989.

[13] La noción de 'autonomía de una posición sintáctica' con respecto a la predicación expresada en la oración se utiliza a menudo para explicar las asimetrías entre el complemento directo y el sujeto, que muestran que el complemento directo es menos autónomo que el sujeto, pero puede utilizarse además para explicar las asimetrías entre dos tipos de sujetos (que corresponden, a grandes rasgos, a los sujetos post- y preverbales del español, los primeros menos autónomos que los segundos) o entre los dativos, por un lado, y los complementos directos y los sujetos posverbales por otro. Tales asimetrías comprenden, entre otras cosas, algunos efectos de ámbito relativo de las expresiones cuantificadas, en los que el sujeto puede tener al objeto directo en su ámbito pero no a la inversa *(Tres estudiantes comieron una manzana* puede entenderse como referido a *tres manzanas,* pero *Un estudiante comió tres manzanas* no puede entenderse como referido a *tres estudiantes),* cosa que se repite con repecto a la asimetría entre objeto directo y dativo (*Les regalé una manzana a tres amigos* puede referirse a *tres manzanas,* pero *Le regalé tres manzanas a un amigo* no puede referirse a *tres amigos)* [→ § 16.4] e incluso entre sujeto posverbal y dativo (*Les llegó un telegrama a varios empleados* puede entenderse como referido a varios telegramas, pero *Le llegaron varios telegramas a un empleado* no puede entenderse como referido a varios empleados). Por otra parte, se sabe que la existencia de algunos objetos directos y de algunos sujetos puede depender de la acción o del proceso expresado por el verbo, es decir, que hay objetos directos y sujetos 'efectuados', como en el caso de *Construyó una casa, Escribió un poema,* y también de *Surgió un problema, Se levantó una tormenta, Se formaron unas estalactitas* [→ Cap. 25 y § 27.1]. Sin embargo, no parece haber ningún caso de dativos cuya existencia dependa del predicado de la frase. Con respecto a las nociones de autonomía y de cohesión de una posición sintáctica con respecto a la predicación, que en algunos enfoques aparecen como oposición entre argumentos externos e internos a la predicación, véase Hoekstra y Mulder 1990: esp. 75-6.

en plural lo admiten más fácilmente cuando el sujeto carece de determinante. Del mismo modo, las variedades en las que se constata la tendencia a suprimir la oposición de número en el clítico dativo en los casos de reduplicación *(le* por *les)* parecen exigir de forma categórica un clítico en singular cuando el dativo reduplicado es un plural no introducido por determinante. A la falta de concordancia ilustrada en los ejemplos (31a) y (31b) corresponden, en el caso del sujeto, no sólo el clásico *Se vende bicicletas,* sino también ejemplos como *—¿Y el cura? —Hoy no viene, le toca* [sic] *visitas a otros pueblos del municipio* [P. I. Taibo II, *La vida misma,* 86].

13.4.4. Presencia y ausencia de artículo en la posición de complemento directo

Los argumentos que parecen más compatibles con la ausencia del artículo son el complemento directo y los complementos de régimen verbal. Por lo que concierne al complemento directo, hemos ya señalado que algunos predicados individuales, como los verbos de actitud afectiva, no pueden tener sintagmas nominales sin artículo como argumentos, y que los complementos directos sin artículo rechazan la preposición *a* [—> Cap. 28].

Ambas observaciones conocen excepciones menores. Así, un contraste explícito puede permitir la ausencia de artículo con un predicado individual, en ejemplos como *Oh triste servidumbre de amar seres humanos / y la más triste aún, que es amarse a sí mismo,* y pueden aparecer complementos directos preposicionales sin artículo, sin que la preposición confiera ninguna especificidad al complemento, en ejemplos como *Porque si se ha asesinado a boxeadores, a todo puerco le llega su San Martín* [M. Vázquez Montalbán, *El delantero centro fue asesinado al atardecer,* 58].

Los complementos directos sin artículo no pueden constituir tópicos de predicaciones secundarias. [14] La ambigüedad sintáctica que presentan los ejemplos (32a, b), en los que puede interpretarse al sintagma adjetival como modificador interno del complemento directo o como un predicado secundario referido al complemento directo [—> § 38.2.1.5], no se repite en los ejemplos (33a, b), en los que la interpretación predicativa del sintagma adjetival queda excluida, como lo muestran las diferentes posibilidades de pronominalización:

(32) a. Encontramos algunas fotografías sumamente interesantes.
a'. Encontramos algunas sumamente interesantes. / Algunas las encontramos sumamente interesantes.
b. Se negó a tomar la sopa recalentada.
b'. Se negó a tomarla recalentada.

(33) a. Encontramos fotografías sumamente interesantes.
a'. *Encontramos sumamente interesantes. / #Las encontramos sumamente interesantes.
b. Se negó a tomar sopa recalentada.
b'. *Se negó a tomar recalentada. / #Se negó a tomarla recalentada.

Las observaciones anteriores pueden interpretarse en su conjunto en el mismo sentido: la ausencia de artículo es tanto menos tolerable cuanto más autonomía referencial requiera la posición sintáctica en cuestión, y se presenta como más tolerable cuando el sintagma nominal contrae una relación de estrecha cohesión con el predicado, [15] o cuando, desde el punto de vista de la estructura informativa del

---

[14] Véase Alarcos 1967: 176.

[15] Uno de los términos técnicos para designar esta relación de estrecha cohesión con el predicado es el de 'incorpo-

enunciado en cuestión, se establece un contraste entre clases de cosas o tipos de materia cuyo foco es el sintagma nominal sin artículo.

La presencia del artículo puede servir para marcar que el sintagma nominal pertenece a la parte presupuesta o temática de la estructura informativa, en tanto que la ausencia de artículo indica que el sintagma en cuestión pertenece a la parte remática o al foco de la estructura informativa [→ Cap. 64]. Así, el ejemplo (34a) responde naturalmente a la pregunta *¿Qué usaban como anestésico?,* en tanto que el (34b) responde a la pregunta *¿Para qué usaban el aguardiente?* [16]

(34) a. Usaban aguardiente como anestésico.
b. Usaban el aguardiente como anestésico.

Esto está indudablemente relacionado con el hecho de que los sintagmas nominales con artículo definido se interpretan de preferencia como anafóricos (referidos a entidades previamente mencionadas) y que existen correlaciones entre la mención previa y el estatus presupuesto de una expresión. Por cierto que esto no implica que no pueda haber focos definidos, ni —bajo las condiciones de anteposición a las que se aludirá en el § 13.4.9— sintagmas nominales sin determinante como elementos presupuestos. Pero la tendencia de los sintagmas nominales sin determinante a constituir el foco o parte del foco de una estructura informativa se comprueba en contrastes como los de (34).

A la posibilidad de la ausencia de artículo parecen contribuir, por lo tanto, factores que tienen que ver al mismo tiempo con la estructura sintáctica de la oración y con la estructura informativa del enunciado.

13.4.5. Algunos casos de ausencia del artículo con complementos de régimen verbal: complementos de materia y complementos restrictivos introducidos por *de*

Los complementos de régimen verbal introducidos por preposición admiten a menudo la ausencia del artículo. Nos limitaremos a considerar aquellos casos en los que la falta de artículo se presenta con gran regularidad. Se trata predominantemente de complementos introducidos por la preposición *de* [→ §§ 29.5.1.2 y 29.5.2.2] con verbos que expresan la posesión, como en *carecer de recursos naturales, disponer de agua,* o bien la existencia localizada, como en *las calles bullían de gente.* Son particularmente frecuentes las construcciones transitivas o reflexivas con un complemento de régimen verbal introducido por *de* que pueden conceptualizarse como una transferencia (de posesión, de «lugar» en sentido abstracto) que afecta completamente al objeto directo o al sujeto, provocando un cambio de estado de este. El complemento introducido por *de* denota la materia transferida [→ § 4.3.6.6] y se construye normalmente sin determinante, como en:

---

ración'. Para una explicación de la distribución de los sintagmas nominales sin determinante del español con base en la noción de incorporación, puede verse Masullo 1995.

[16] Se supone generalmente que reconstruir la interrogativa parcial a la que responde una oración dada proporciona un test para determinar las estructuras informativas posibles y/o preferidas para la oración en cuestión (véase, p. ej. Contreras 1976). El foco o parte remática de la oración corresponde a lo que en la interrogativa parcial es sustituido por el elemento interrogativo, en tanto que la parte presupuesta ya aparece como tal en la interrogativa [→ §§ 31.2.1.4 y 61.1.2].

(35) a. Cargaron el camión de muebles viejos.
b. Llenaron de vino el tonel.
c. Lo abrumaron de reproches.
d. La sala se vació de público.

Se ajustan a este modelo, entre otros, verbos como *abarrotar, abastecer, adornar, atiborrarse, colmar, cubrir, dotar, hartar, impregnar, limpiar, privar* y *rodear.* La cuantificación de la materia transferida puede entrañar en estos casos un cambio de preposición, como en:

(36) a. Llenaron la botella con medio litro de vino y medio de agua.
b. Adornó la habitación con algunos cuadros.
c. Cubrieron la entrada con unas ramas.

Igualmente carecen de artículo los complementos de régimen verbal introducidos por *de* que expresan lo que podemos llamar 'complementos restrictivos', ya que (al igual que los complementos restrictivos del nombre) no hacen más que especificar un dominio con respecto al cual se constata el proceso denotado por el verbo, como por ejemplo en *equivocarse de puerta, mudarse de habitación* o *cambiar de estrategia.* En muchos casos, hay una relación abstracta de pertenencia o de parte-todo entre uno de los argumentos del verbo y el complemento restrictivo introducido por *de,* tal que el complemento restrictivo especifica la parte de lo denotado por el argumento en la que se verifica el proceso:

(37) a. Juan se encogió de hombros.
b. El arroz ha subido de precio.
c. {Lo/le} ascendieron de categoría.

Es de notar que este tipo de construcción, a diferencia de todas las tratadas hasta ahora, es una importante fuente de sustantivos discontinuos en singular sin artículo. Y lo es además porque la ausencia de artículo con complementos restrictivos de este tipo se repite en los sintagmas adjetivales, como en *un hombre delgado de cara, una habitación alta de techo* o *una vecina suelta de lengua.*

En lo que concierne a la distribución del artículo en los sintagmas preposicionales no subcategorizados por el verbo (los tradicionalmente clasificados como circunstanciales), preferimos tratarlos en el apartado dedicado a la fraseología (§ 13.5), ya que se trata de un campo en el que, si bien pueden reconocerse regularidades, estas son de índole restringida.

13.4.6. Presencia y ausencia del artículo en sintagmas preposicionales incluidos en un sintagma nominal

La presencia y ausencia del artículo con complementos nominales de sentido genérico se rige por principios similares a los constatados para los constituyentes oracionales. Aparecen por lo general sin artículo los complementos de nominalizaciones deverbales [—> Cap. 6], en particular cuando tienen el papel semántico de 'paciente' o 'tema': *la circulación de vehículos, la construcción de viviendas, el con-*

sumo de agua, el conocimiento de idiomas, la entrada de extranjeros, el porte de armas, los robos de ganado, etc. En cambio, el papel semántico de 'agente' o de 'experimentante' parecería requerir el artículo: *el trabajo de las mujeres, la risa de los niños, el voto de los ciudadanos, las aspiraciones de las clases populares, las creencias de los indígenas,* etc.

El artículo aparece siempre cuando el núcleo es un abstracto que designa una propiedad: *el color del trigo, la curiosidad de los niños, la edad de las personas, la luminosidad de las estrellas, la sensibilidad de los artistas, la verdad de los axiomas.* No es difícil ver en esta distribución un reflejo de la misma regla que exige la presencia del artículo con los sujetos o complementos directos de verbos que expresan predicados individuales.

Los sintagmas como *el color de trigo de su piel, la curiosidad de niño de Juan, su hipocresía de beata, su sabiduría de hombre maduro* o *su sensibilidad de artista* muestran que, en ausencia del artículo, el sustantivo introducido por la preposición pierde su carácter de argumento del núcleo, ya que la posición de argumento puede ser ocupada por otro sintagma preposicional o por el posesivo. En estos casos, el sintagma <*de* + sustantivo sin artículo> no identifica mediante la saturación de la posición de argumento, sino que subclasifica o tipifica mediante un rasgo caracterizador. [17] Es por ello que el sintagma nominal entero no recibe necesariamente el artículo definido, que indica la unicidad del referente, sino que puede ser introducido por el artículo indefinido. Contrastan así *la curiosidad {del niño/de un niño}* con *una curiosidad de niño* y la *sensibilidad {del artista/de un artista}* con *una sensibilidad de artista.* El mismo efecto de constraste puede producirse cuando el núcleo es un sustantivo concreto relacional, como en *la cara del juez* (en el que *juez* es el poseedor de la cara) frente a *la cara de juez de Pedro* o *mirar con cara de juez,* o bien *el aspecto del mendigo* frente a *su aspecto de mendigo* y *las manos de los pianistas* frente a *tiene manos de pianista.*

Como puede verse en los ejemplos anteriores, un sustantivo sin artículo introducido por la preposición *de* no ocupa la posición de argumento con respecto a determinados núcleos, sino que incorpora su significación a la del núcleo como un rasgo subclasificador o tipificador. Esta propiedad se extiende a las abundantes construcciones de forma <sustantivo + *de* + sustantivo> que constituyen denominaciones complejas y que algunos autores tratan como compuestos sintagmáticos: *casa de campo, libro de bolsillo, traje de calle, zapatos de niño,* etc. [→ § 73.8.1]. Trátese o no de composición, lo cierto es que el segundo sustantivo no admite ningún tipo de modificación. [18] En un estudio comparativo con el francés y el italiano, Carlsson (1966: 157) constata que la presencia del artículo interior en los sintagmas de este tipo es mucho menos frecuente en español que en las otras dos lenguas, y aduce como ejemplos *ministro de Asuntos Exteriores, ministro de Defensa, la Edad de Piedra,*

---

[17] Para esta argumentación, véase Bosque 1989: 57. En los casos citados, se subclasifica o tipifica mediante una interpretación comparativa análoga a la que se produce en las lecturas calificativas de los adjetivos de relación [→ § 3.3]. En ambos casos, la relación expresada con un sustantivo enteramente genérico se explota para caracterizar al núcleo modificado. Es por ello que *su mirada bovina* puede parafrasearse como *su mirada de vaca,* y *la risa de niño de Juanito* como *la risa infantil de Juanito,* lo que confirma el parentesco entre los sintagmas <*de* + sustantivo sin artículo> y los adjetivos relacionales asumido en Bosque 1992: 30.

[18] Dado que el sustantivo introducido por *de* aparece apenas como un rasgo subclasificador o tipificador, es comprensible que predomine el singular en estos casos. Sin embargo, cuando la noción de multiplicidad es evidente, se prefiere el uso del plural, como en *cárcel de mujeres, hogar de ancianos, coche de caballos, silla de ruedas.* Esto muestra que la neutralización de número en tales denominaciones complejas es sólo aparente.

la balanza de pagos, el Consejo de Ministros, un grave accidente de trabajo y *los accidentes de circulación,* que en francés o italiano llevan artículo ante el sustantivo introducido por *de.*

La posibilidad de modificación del sustantivo sin artículo en posición de argumento de otro sustantivo obedece a restricciones similares a las constatadas para los argumentos del verbo (§ 13.3.1): es tanto más aceptable cuanto menos «individualizadora» sea la modificación. Así, la venta de coches {usados/robados} no produce ninguna dificultad, pero es muy difícil imaginar un contexto en el que pueda hablarse de *la venta de coches espléndidos.* Los complementos 'subclasificadores' o 'tipificadores' pueden recibir modificaciones, siempre y cuando estas contribuyan también a la tipificación: *su sensibilidad de artista {en ciernes/pobre/desgraciado}* sugiere que los artistas en ciernes, pobres o desgraciados tienen un tipo de sensibilidad particular.

No aparece el artículo en algunas construcciones apositivas [→ Cap. 8], en las que puede demostrarse con criterios semánticos y sintácticos que el núcleo de la construcción es el sustantivo sin artículo introducido por *de: un asco de sopa (= una sopa asquerosa, una sopa que es un asco), un desastre de secretaria (= una secretaria desastrosa, una secretaria que es un desastre).* Generalmente falta también el artículo en construcciones apositivas en las que hay una relación de hiponimia entre el primer y el segundo sustantivo, como en *una sensación de tristeza, el estado de ebriedad, su condición de testigo, el grado de comandante, el título de médico* o *el delito de robo a mano armada.* Sin embargo, se prefiere la forma con artículo en *el vicio de la bebida, el pecado de la gula, el sentido de la vista* y otros.

Con respecto a la presencia o ausencia de artículo interno en sintagmas nominales encabezados por una expresión de cantidad, por un sustantivo colectivo o por una designación de recipiente que puede funcionar como expresión de cantidad *(millares de personas, un rebaño de corderos, un vaso de vino),* véase el tratamiento de las construcciones partitivas en los §§ 1.2.3.4, 5.2.2.3 y 16.2.3.

13.4.7. Presencia y ausencia del artículo en el predicado de las oraciones copulativas

Dada la explicación general que hemos esbozado al principio para justificar la distribución del artículo, según la cual es el carácter de predicado de los sustantivos comunes el factor que subyace a la posibilidad o imposibilidad de tener sintagmas nominales sin artículo en diversas posiciones, es de esperar que la ausencia de determinación se presente con mayor frecuencia en el predicado de las oraciones copulativas. Tal ausencia es, por supuesto, obligatoria cuando la cópula es *estar,* que sólo admite sustantivos en posición predicativa cuando se trata de nombres de rol o de función introducidos por *de,* como en *Ahora está {de profesor/de alcalde} en un pueblo lejano.*

En lo que concierne a las copulativas con *ser,* el artículo puede faltar incluso con nombres discontinuos en singular, en particular cuando se trata de nombres que designan funciones, estatus, profesiones u oficios, roles o relaciones [→ § 37.2.2]: [19]

---

[19] Aunque trata fundamentalmente de los hechos en inglés, con sólo anotaciones parciales sobre el español, el estudio de Bolinger (1980) presenta observaciones muy reveladoras sobre lo que llamamos aquí 'adscripciones de estatus'.

(38) a. Si yo fuera *crítico literario,* que todavía no lo soy, pero espero serlo algún día. [M. Vázquez Montalbán, *El delantero centro fue asesinado al atardecer,* 61]
b. ¿Desde cuándo es usted *ciudadano de los Estados Unidos de América?* [E. Mendoza, *La verdad sobre el caso Savolta,* 11]
c. Yo no puedo ser *presidente del Centellas* y empezar la temporada sin un fichaje... [M. Vázquez Montalbán, *El delantero centro fue asesinado al atardecer,* 71]
d. Que podría ser *jefe de policía de Santa Ana,* porque la vida es lo suficientemente extraña. [P. I. Taibo II, *La vida misma,* 17]

La falta de artículo afecta tanto a los atributos sin presuposición de unicidad, (38a, b), como a aquellos que presuponen que la descripción nominal es válida para un solo individuo (38c, d). Es precisamente la semántica de las descripciones en cuestión, que pueden interpretarse como la adscripción de una propiedad (de un estatus), lo que permite la ausencia de artículo con estos nombres discontinuos en singular. Si, por el contrario, la predicación es de índole clasificativa o identificativa, la presencia del artículo se torna necesaria. Dado que distinguimos roles, funciones o estatus predominantemente entre los seres humanos, no es de extrañar que la ausencia de artículo con nombres discontinuos en singular sea de carácter excepcional en las predicaciones referidas a entidades no humanas, como en *Madrid es ciudad universitaria.* Los ejemplos anteriores contrastan por lo tanto con la inaceptabilidad de:

(39) a. *El Tajo es río.
b. *Atocha es estación de ferrocarril.
c. *Madrid es capital de España.

Nótese que lo que parece caracterizar a lo que hemos denominado 'estatus' es su carácter no esencial, que puede por lo tanto variar para un mismo individuo sin que la identidad de este resulte afectada. Esto podría explicar por qué el artículo puede estar ausente en casos similares a los anteriores cuando el contexto hace explícita la variabilidad de la predicación en cuestión, en ejemplos como:

(40) a. Cuando la Amazonia era aún selva virgen...
b. Atocha no fue estación de ferrocarril hasta principios de siglo.
c. Cuando Madrid no era todavía capital de España...

Cabe señalar además que no llevan artículo construcciones con *ser* y sustantivos relacionales que se encuentran muy próximas de la fraseología, como *ser {blanco/causa/consecuencia/motivo/objeto/presa/víctima} de algo.*

Con los sustantivos que designan un estatus, la adscripción de este se hace normalmente sin artículo. La aparición del artículo indefinido puede acarrear un cambio de interpretación de la predicación, que pasa a interpretarse en sentido metafórico y puede vehicular una valoración. Así, un ejemplo como (41a), que indica simplemente la profesión del sujeto, contrasta con (41b), que no puede entenderse en sentido literal:

(41) a. Houdini era equilibrista y acróbata.
b. El hombre fue un equilibrista, un acróbata de asamblea.

Algo paralelo sucede cuando los atributos son plurales. [20] En estos casos, la predicación clasificativa carece normalmente de artículo, como en:

(42) a. Esos animales que ves ahí son víboras.
b. Los lenguados y las rayas son peces.

La aparición de la forma *unos* está claramente asociada a la predicación metafórica [→ §§ 1.7.3.2, 12.2.2.3, 37.2.2.3 y 39.2.2], que no expresa literalmente la pertenencia del sujeto a la categoría denotada por el atributo, sino la adscripción de alguna de las propiedades características de los representantes de esta categoría al sujeto, por ejemplo la peligrosidad o el trasmitir veneno en el caso de (43a) o el gusto o la habilidad para la natación en el caso de (43b):

(43) a. Estas mujeres son unas víboras.
b. Estos chicos son unos verdaderos peces.

Al igual que la predicación metafórica, también la predicación de sustantivos que por su semántica no son categorizantes, sino que expresan valoraciones subjetivas del hablante, entraña la presencia del artículo:

(44) a. Son unos pobretones.
b. Eran unos vejestorios.
c. Son todavía unos jovenzuelos.

Nótese que los sustantivos no categorizantes del tipo mencionado son a menudo obtenidos por derivación a partir de adjetivos *(pobre > pobretón, viejo > vejestorio, joven > jovenzuelo)*. La presencia obligatoria del artículo en la atribución corresponde aquí al mismo patrón que puede constatarse en la así llamada 'sustantivación valorativa' (Bosque 1989: 107-110), en la que una unidad léxica primariamente adjetiva, al aparecer precedida del artículo en la atribución, da lugar a efectos de sentido particulares, generalmente asociados a un estereotipo negativo definido a partir de la propiedad denotada por el adjetivo. Contrastan así enunciados como *Juan es {charlatán/comunista}*, adscripciones neutras de una propiedad o de la pertenencia a un grupo social, con *es {un charlatán/ un comunista}*, a las que podemos llamar seudo-categorizaciones valorativas. Véase también Fernández Lagunilla 1983.

La ausencia de artículo que puede constatarse en las adscripciones de estatus en singular o en plural y en las predicaciones clasificativas en plural sólo es posible cuando el atributo no designa más que un estatus o una clase. La aparición de modificadores particularizantes, que se aplican a los referentes individuales en cuestión, sin poder constituir con el sustantivo nuclear una designación compleja de estatus o de clase, entraña la presencia del artículo, como lo muestra el contraste entre:

---

[20] Cf. Laca y Tasmowski 1994.

(45) a. Me preguntaron que qué era yo, y respondí que era abogado criminalista.
b. Me preguntaron que qué era yo, y respondí que era un joven abogado recién llegado a la ciudad.

13.4.8. Los complementos predicativos

No llevan artículo los complementos predicativos referidos al complemento directo de verbos designativos [→ § 38.2.1.4], que pueden considerarse como causativos de *ser,* entre ellos *hacer* y verbos de significación más específica como *armar (caballero), coronar (rey), elegir (diputado), nombrar (ministro), ordenar (sacerdote), proclamar (vencedor),* etc.:

(46) a. La radio tenía la virtud de hacerlo *personaje de melodrama.* [P. I. Taibo II, *La vida misma,* 93]
b. Con las palabras que he usado en 35 años para explicarlo, si las hiciéramos *piedras,* podríamos haber construido en Texcoco tres pirámides de Cheops. [P. I. Taibo II, *La vida misma,* 69]

También aparecen sin artículo los complementos predicativos referidos al sujeto o al complemento directo introducidos por *de* [→ § 38.3.4.2]:

(47) a. Un vecino hacía de maestro de ceremonias.
b. Sus amistades le sirvieron de trampolín para ascender.
c. Esta habitación la tenemos ahora de trastero.

En cambio, presencia y ausencia del artículo alternan con los complementos predicativos de verbos que expresan la atribución de una propiedad a un objeto por parte del sujeto (verbos de juicio), y con verbos como *transformar (en)* o *convertir (en),* que pueden considerarse como causativos de *ser* [→ § 38.3.2.1]. Es importante constatar que la alternancia sigue pautas análogas a las que hemos visto anteriormente para los atributos de *ser.* Así, el artículo puede faltar con los sustantivos que designan estatus, como se observa en (48a, b), es o no necesario según el grado de individualidad de los modificadores del sustantivo, según muestra la comparación de (48c) y (48d), y puede dar lugar a la atribución valorativa que contiene (48f) en contraste con (48e):

(48) a. Sus amigos lo creían ya médico.
b. En su ambición desmesurada, veía a su hijo presidente del gobierno.
c. Lo considero buen empleado.
d. Lo considero un empleado valiosísimo.
e. Siempre lo tuve por comunista.
f. Siempre lo tuve por un comunista.

Asimismo, con *transformar en* y *convertir en,* la presencia del determinante puede servir para distinguir una trasmutación metafórica de la trasmutación literal:

(49) a. El hechizo los convirtió en cerdos.
b. ¡Os habéis convertido en unos cerdos!

13.4.9. Las estructuras informativas marcadas y la ausencia de determinantes

En la lengua hablada, el español manifiesta una tendencia bastante clara a anteponer constituyentes normalmente posverbales en dos tipos de estructuras que pueden diferenciarse claramente por sus características de entonación. En el primer caso, menos frecuente, el constituyente antepuesto es el único punto de prominencia tonal del enunciado y constituye el 'foco' de la información a transmitir (50a, b). En el segundo caso, el constituyente antepuesto carece de prominencia tonal particular y constituye un dominio temático con respecto al cual se enuncia la proposición asociada (51a-b) [→ § 64.2]. Como puede constatarse en los ejemplos siguientes, estas estructuras son una fuente importante de sustantivos sin artículo en posición preverbal:

(50) a. VINO TINTO me ofreció, cuando sabe que lo detesto.
b. RATONES van a salir de ese armario cuando te decidas a limpiarlo.
(51) a. Para que no haya error, y para que se haga justicia [...]. *Justicia* ya se hizo —dijo la mujer. [P. I. Taibo II, *La vida misma,* 19-20]
b. Déme patatas. —Lo siento, *patatas* no quedan.

Muy próximas al segundo tipo de estructura se encuentran aquellas en las que en la proposición asociada al elemento antepuesto aparece un cuantificador pospuesto al verbo, que cuantifica sobre elementos de la clase denotada por el sustantivo sin artículo antepuesto. Tales estructuras sólo son posibles cuando el cuantificador pertenece al complemento directo o al sujeto de un verbo intransitivo:

(52) a. Libros de aventuras vendimos cuatro.
b. Estudiantes no participaron muchos.
c. *Estudiantes no saben francés muchos.

13.5. Entre la gramática y la fraseología

Trataremos sumariamente en este apartado un vasto sector de la casuística de la presencia y ausencia del artículo que está caracterizado por la existencia de regularidades menores y de restricciones más o menos idiosincrásicas [→ §§ 67.3 y 73.8]. Aunque pueda haberla en casos particulares, no es la fijación en términos absolutos ni la naturaleza idiomática (no composicional) del significado global de las construcciones tratadas lo que define este dominio, sino la necesidad de tomar en cuenta unidades léxicas particulares o sentidos y construcciones muy específicas en la descripción. Tampoco suponemos que la distribución de la presencia y ausencia del artículo en este campo se rija por principios esencialmente diferentes de los que hemos podido constatar hasta ahora.

13.5.1. Los sustantivos discontinuos en singular sin artículo

El uso de sustantivos discontinuos concretos en singular sin artículo es, en términos generales, excepcional.[21] Sin embargo, tal uso se da con gran frecuencia con los complementos directos de *tener,* y, tratándose de prendas de vestir y objetos asimilables, de *gastar, llevar, usar* y *vestir.*

(53) a. Los edificios de más de cuatro pisos generalmente tienen {ascensor/ jardín/escalera de incendios}.
b. María tiene {coche/casa en la playa/tarjeta de crédito/pasaporte/cocinera/guardaespaldas}.
c. El día de su desaparición llevaba traje oscuro, camisa blanca y zapatillas.
d. Usaba {sombrero/corbata/bastón/frac/monóculo/uniforme/cartera}.

La falta de artículo se extiende a los complementos directos de verbos de adquisición u obtención *(comprar coche, conseguir piso, sacar billete),* o a verbos semánticamente emparentados a estos como *poner(se)* (cuando es causativo o incoativo de *vestir, llevar* e incluso *tener*), *buscar* (en el sentido de «tratar de obtener») o *dar:*

(54) a. Van a ponerle ascensor al edificio.
b. Se niega a ponerse corbata.
c. Anda buscando secretaria desde hace meses.
d. —¿Dan *placa de sheriff?* —preguntó a su segundo.
—La mera verdad, nunca pregunté. Dan *credencial,* eso sí. [P. I. Taibo II, *La vida misma,* 24]

Lo que justifica que tales sustantivos aparezcan en singular es, indudablemente, la existencia de expectativas culturales con respecto a la unicidad del objeto en cuestión.[22] Pero la falta de artículo en esos contextos está también dictada por expectativas culturales. Las relaciones de parte-todo o de posesión que se encuentran a la base de la falta de artículo son relaciones esperables y que generalmente pueden caracterizar la condición, el estatus o una clase a la que pertenece el sujeto. Así, no se dirá *Juan compró castillo* o *Este edificio tiene torre,* salvo en entornos en los que la compra de castillos como acceso a una condición determinada o la presencia de una torre como parte de un (tipo de) edificio esté dentro de las expectativas normales.

Nótese que las relaciones de posesión en cuestión son relaciones abstractas, caracterizantes [→ Cap. 15]. Por ello contrastan *Se ha puesto sombrero* con *Se ha encasquetado un sombrero,* y *Los que tenían billete entraron primero* con *Los que tenían {un/su} billete en la mano entraron primero.*

La ausencia de artículo con sustantivos discontinuos en singular se extiende además a los sintagmas nominales que parecen condensar esta relación de parte-todo o de posesión caracterizante: *un edificio con ascensor, un piso con balcón, una mujer con casa en la playa, un señor de traje oscuro, dos policías de uniforme,* etc.

---

[21] Este tipo de construcciones ha sido tratado en particular por Sánchez de Zavala (1976), Garrido (1986) y, en comparación con el rumano y el italiano, por Van Peteghem (1989).

[22] Véase Garrido 1991: 349-351.

La negación puede favorecer la ausencia de artículo con sustantivos discontinuos en singular [⟶ § 40.3.3.1]. Para negar la existencia, parecen sin embargo más frecuentes y menos restringidas en su uso las alternativas con el plural *(No tuvimos problemas),* o bien con *ningún* o *alguno,* este último siempre pospuesto *(No tuvimos ningún problema, No tuvimos problema alguno).* La negación asociada al singular de un discontinuo es frecuente en un esquema de construcción particular, a saber el ilustrado por *No hay profesor que no se haya enterado, No le quedó trámite por hacer,* en los que se presenta un verbo de sentido existencial y un modificador del sustantivo. Y parece estar fijada de esta manera en algunas expresiones de índole fraseológica, como *no probar bocado, no decir palabra, no dejar títere con cabeza.*

13.5.2. La ausencia de artículo en los predicados complejos

Dada la frecuencia no desdeñable de los sintagmas nominales sin artículo en español, la ausencia de artículo no es un criterio fiable para deslindar 'locuciones verbales', ni es indicio de fijación fraseológica. Pero podemos constatar locuciones verbales formadas por un verbo de sentido muy general y un sustantivo que no admite ningún tipo de determinación [⟶ §§ 67.3.2.2 y 73.8.3]. Tales locuciones constituyen verdaderos predicados complejos que son prácticamente equivalentes, por su semántica, a verbos simples, como por ejemplo *hacer frente, hacer pie, echar mano, sentar cabeza, tomar nota, hacer fuego, hacer juego, dar parte, formar parte, tomar parte, dar lugar* y *tener lugar.* En algunos casos, el sustantivo en cuestión es una nominalización de un verbo, como en *dar {alcance/aviso/cabida/comienzo/muerte/permiso/vuelta}* o bien *hacer {abandono/entrega}.* Dada la inercia sintáctica de estas construcciones, sólo su carácter siempre intransitivo permite deducir que el sustantivo satura la posición de complemento directo.

Otros tipos de combinaciones verbo-sustantivo que pueden también considerarse locuciones verbales en razón del amalgamamiento que las caracteriza, amalgamamiento condicionado por el hecho de que el predicado semántico parece coincidir con el sustantivo y no con el verbo, se presentan sin determinante en su forma de diccionario, pero admiten distintos tipos de determinación, en particular la cuantificación. Así, frente a *hacer caso* tenemos *hacer poco o ningún caso,* frente a *hacer {remo/deporte}* tenemos *hacer mucho {remo/deporte},* frente a *dar miedo, dar {mucho miedo/un miedo terrible},* etc. En términos generales, la absoluta fijación del determinante en locuciones verbales o en expresiones idiomáticas se restringe a comparativamente pocos casos. Y, al igual de lo que sucede en otras lenguas con artículo, puede constatarse que lo que con más frecuencia aparece absolutamente fijado es o bien la ausencia de artículo, como en los casos antes mencionados, o bien el artículo definido, en particular en expresiones idiomáticas de origen metafórico o metonímico como *hacer la calle, dar la nota, dar la lata,* etc.

Pueden considerarse también predicados complejos los que contienen un sustantivo abstracto que designa un estado de cosas (a menudo un abstracto deverbal) introducido por una preposición, dependiente de un verbo de localización como *estar* o sus variantes *(encontrarse, permanecer)* o bien de verbos que funcionan como incoativos o causativos de *estar (entrar, caer, dejar, poner(se), mantener).* Con las preposiciones *en* y *de,* predomina claramente la falta de artículo, como en *estar {en marcha/en movimiento/en duda}, estar {de fiesta/de mudanza/de veraneo}.* En cambio, la preposición *a* parece requerir el artículo, como lo indica el contraste entre *estar en venta/estar a la venta, estar en espera de/estar a la espera de.* [23]

13.5.3. Locuciones prepositivas y esquemas fraseológicos con preposición

En las locuciones prepositivas [→ § 9.2.4], es decir, en aquellas expresiones de forma <preposición + sustantivo + preposición> que designan relaciones, suele faltar el artículo ante el sustantivo: *a cambio de, a consecuencia de, en aras de, en calidad de, por medio de,* etc. [24] Sin embargo, se constata en algunos casos el artículo definido, como en *al lado de la ventana, al margen de otras consideraciones, al igual que su hermano* (en los que el sustantivo va introducido por la preposición *a*).

Carecen sistemáticamente de artículo las locuciones formadas con repetición de un sustantivo. Se trata de esquemas fraseológicos de forma <*de* + sustantivo + *en* + sustantivo>, <sustantivo + *{a/por/tras}* + sustantivo>, con significación distributiva, en los que la elección del sustantivo es libre, como en *de puerta en puerta, casa por casa, día tras día, año a año,* etc. [25]

13.5.4. Uso del artículo en las expresiones de tiempo, lugar y modo

La distribución del artículo en las expresiones de tiempo, lugar y modo, que ocupan a menudo la posición de complementos circunstanciales, pero pueden también ser subcategorizadas por un verbo o aparecer como modificadores de un sustantivo o de participios adnominales, depende en parte del sustantivo en cuestión, así como de la preposición que lo introduce, si la hay, y del sentido de la construcción entera.

13.5.4.1. Expresiones temporales

La localización temporal con unidades del calendario [→ § 48.1] presenta la distribución siguiente: [26]

— No llevan en general artículo las designaciones completas del año en cuestión, pero sí lo llevan las menciones abreviadas a las dos últimas cifras. Contrastan así *{en/para/desde} 1993* con *{en/para/desde} el 93.* Curiosamente, esta tendencia no parece extenderse a años posteriores a 1999. En efecto, se oye con frecuencia *en el 2000* o *para el 2005.*

— No llevan artículo las designaciones de los meses: *en enero, para febrero, hasta marzo, desde setiembre.*

— Lleva siempre artículo la expresión numérica del día, que rechaza la preposición *en.* De idéntico modo son tratados los días de la semana: *Llegaron {el diez/el lunes}, Lo necesito {para el diez/para el lunes}, Están aquí {desde el diez/desde el*

---

[23] Véase Büttner 1990.

[24] Véase Lang 1984.

[25] Véase Zuluaga 1980: 110-112.

[26] Consúltese también para este punto Fernández Ramírez 1951b: 184-195, que presenta un tratamiento prácticamente exhaustivo de lo que puede constatarse en el uso.

lunes}, salvo en expresiones que delimitan una duración, donde tenemos *del diez al quince* frente a *de martes a sábado.* Si las preposiciones son *desde* o *hasta,* reaparece el artículo: *desde el diez hasta el quince, desde el martes hasta el sábado.*

— Con las designaciones de las estaciones, no aparece en general el artículo con la preposición *en,* pero sí con las restantes: *en primavera,* frente a *{desde/durante/hasta/antes} de la primavera.*

— Las designaciones de la hora llevan siempre artículo: *{a/desde/hasta} las tres,* salvo cuando delimitan una duración, como en *abierto de ocho a doce, trabajar de una a cuatro,* frente a *desde las ocho hasta las doce, desde la una hasta las cuatro.*

— Con las designaciones de partes del día, presencia y ausencia del artículo alternan, en parte según la preposición en cuestión. Contrastan así *de mañana, de tarde* y *de noche* con *por la mañana, por la tarde, por la noche, a la madrugada* y *{a/al} mediodía.*

13.5.4.2. Expresiones de lugar

En lo que concierne a las expresiones de lugar, sólo con unos pocos ítems léxicos determinados se prefiere la construcción sin artículo. [27] Se trata en particular de los sustantivos *casa, cubierta, prisión* y *presidio:*

(55) a. Por la noche, no regresaba a casa de sus padres. [Coste y Redondo 1965: 139]
b. Así, pues, los viejos pasaban fuera de casa la mayor parte del tiempo. [Coste y Redondo 1965: 139]
c. Cuando Serafín apareció sobre cubierta, la tempestad bramaba más que nunca. [Coste y Redondo 1965: 143]
f. Al salir de prisión, le fue difícil encontrar trabajo.
g. ¡Vale más ir a presidio que llevar esta vida! [Coste y Redondo 1965: 142]

En los dos últimos ejemplos se muestra, sin embargo, una tendencia que puede afectar a otros sustantivos: la construcción sin artículo no designa simplemente el lugar físico, sino un estado, condición o actividad particular. Si bien esta tendencia no tiene en español la misma generalidad que en otras lenguas (cf. ingl. *He's away at University,* ital. *Vado in banca,* fran. *Il est en clinique*), pueden comprobarse sus efectos:

(a) En el hecho de que ciertos sustantivos que pueden interpretarse a la vez como designaciones de actividad y como localizaciones se construyen sin artículo, como por ejemplo *clase (Hoy no fueron a clase / Juan está en clase)* o *misa (Iban a misa los domingos / Acaban de volver de misa).*

(b) En el hecho de que ciertos sustantivos concretos, cuando se construyen sin artículo en expresiones locativas, pasan a designar un estado o condición particular. Así, *pasar dos días en cama* implica que se ha guardado cama por enfermedad,

[27] Véase Coste y Redondo 1965: 139-143.

y en las regiones en las que se oye *Tengo el coche en taller,* se entiende que el coche está en reparación.

El artículo puede faltar también en expresiones de lugar cuando el sustantivo en cuestión, sin ser necesariamente un nombre propio, se entiende como designación de un lugar único dentro del contexto comunicativo. Se trata en general de designaciones de una institución o de sus secciones, y el uso varía considerablemente de un círculo de hablantes a otro, también en lo que concierne a la utilización o no de mayúsculas en la escritura:

(56) a. He visto a las mejores almas de mi generación cobrando en *tesorería.* [P. I. Taibo II, *La vida misma,* 71]
b. A estas horas, seguramente está en *Facultad.*

Kany (1945: 39) proporciona algunos ejemplos del español de América, aunque señala que la tendencia a la omisión «ha caído en desuso». Sin embargo, se comprueban ejemplos recientes en el español peninsular, como *Perdóneme, pero eso lo voy a decir en sala, Los jugadores ya están en cancha* (Gómez Torrego 1993: 60). Aunque Kany (1945: 39) presenta la presencia del artículo delante de *casa* como general en Hispanoamérica, esta sólo es efectivamente general cuando no se trata de la casa del locutor. En algunas regiones, como en el Río de la Plata, contrastan *María está en casa* (scil. «en la casa del locutor») y *María está en la casa* (scil. «en su casa»).

13.5.4.3. Ausencia del artículo y sentido modal

Por lo quc hace al resto de los complementos circunstanciales, Álvarez Martínez (1986: 220-226) ha señalado que la falta de artículo se asocia a un sentido modal, en tanto que su presencia indica otros valores. [28] Este contraste es particularmente notable cuando el sustantivo en cuestión designa un instrumento o un medio de locomoción. La falta de artículo parece indicar una manera genérica preestablecida de la realización de la acción. El sustantivo sin artículo no introduce un referente discursivo (no puede ser retomado anafóricamente) y no admite modificadores particularizantes, ni tampoco sufijos apreciativos:

(57) a. Cerró la puerta con llave. #La había obtenido del portero.
b. *Cerró la puerta {con llave oxidada/con llavecita}.
(58) a. Hizo el viaje en tren. #Lo tomó en su pueblo.
b. *Hizo el viaje en tren de mercancías.

Nótese además que el número singular del sustantivo no presupone en ningún caso que se trate de un solo ejemplar de la clase de instrumentos o medios de locomoción en cuestión. Un ejemplo como *Hicieron algunos tramos en bus, otros en camión, otros simplemente caminando* [L. Sepúlveda, *Un viejo que leía novelas de amor,* 41], no indica nada acerca del número de buses o camiones utilizados.

Por otra parte, la utilización de tales complementos de sentido modal parece requerir la existencia de una conexión esperable o usual entre estos y la acción expresada:

---

[28] Véase Álvarez Martínez 1986: 220-226.

(59) a. Es preferible cortar el pan con cuchillo.
b. #Cortó sus ligaduras con cuchillo.

Cuando los complementos de sentido modal son introducidos por la preposición *a,* no aparece el artículo, ni es posible por lo tanto modificación alguna del sustantivo: *escribir a mano, dibujar a lápiz, soldar a soplete.* Sin embargo, en construcciones modales en las que el sustantivo (siempre en plural) no designa un instrumento, sino un acto puntual, alternan presencia y ausencia del artículo, probablemente según preferencias regionales: *pedir a gritos* o *a los gritos, andar a saltos* o *a los saltos, sacar a empujones* o *a los empujones,* etc.

13.5.5. La ausencia del artículo en los refranes

Es bien conocido el hecho de que los refranes son una fuente importante de sintagmas nominales sin artículo, como en *Piedra que rueda no cría moho* o bien *Agua que no has de beber, déjala correr.* Sin embargo, el estudio de Felixberger (1974: 104 y 110) parece indicar que la falta de artículo en el primer sintagma o 'tema' de un refrán sin verbo, así como en el sujeto preverbal de un refrán con verbo, sólo es efectivamente frecuente cuando el sustantivo está acompañado de otras modificaciones (adjetivos, sintagmas preposicionales, oraciones de relativo). Aunque Alonso (1951: 174) sostiene que el modelo en cuestión no es un arcaísmo, sino una construcción estilística de plena vitalidad, sólo en los refranes se constatan de hecho sintagmas nominales sin artículo de sentido toto-genérico.

13.5.6. Presencia y ausencia de determinante con los nombres propios

Hemos indicado en las consideraciones iniciales que los nombres propios, al constituir por sí solos expresiones referenciales, no van normalmente acompañados de artículo. Sin embargo, el uso ha fijado excepciones a esta regla general [→ §§ 2.4.1-2, 12.1.15 y 12.2.2.1].

En lo que concierne a los nombres propios de persona, sean estos nombres de pila o apellidos, el uso del artículo tiene fuertes connotaciones populares y familiares, y pertenece casi exclusivamente a la lengua hablada de nivel socio-cultural no alto (excepto en las normas regionales influidas por ejemplo por el catalán o por el portugués, en las que el fenómeno parece ser más general). Sin embargo, con los derivados hipocorísticos de nombres propios, cuyo empleo mismo tiene evidentes connotaciones familiares, parece existir mayor tolerancia al uso del artículo (por lo menos parecería oírse más a menudo *el Pepe* que *el José, la Mila* que *la Milagros*) y este está enteramente generalizado con los apodos y sobrenombres *(el Boli, el Gordo, el Ruso).*

Cuando los nombres propios se emplean como designaciones metonímicas de las obras de sus referentes, son tratados como sustantivos comunes, y el uso del artículo y de los determinantes se ajusta a las normas correspondientes: *Ese cuadro parece un Velázquez, El Tàpies que vendieron ayer, El Corominas y el Fabra están en el estante de abajo.* Lo mismo sucede en otros tipos de desplazamiento categorial, en los que el nombre propio de persona sirve como base para la creación de una clase o de un tipo de personas (a) que comparten propiedades estereotípicas asociadas al referente del nombre propio *(Los Sócrates no abundan, {el/un} Romeo pueblerino)* o (b) que comparten el mismo nombre propio *(Aquí no vive ningún Roberto, En México abundan las Guadalupe).*

La designación de la totalidad de los miembros de una familia se efectúa con el artículo en plural y el apellido: *los Sánchez, los Moreno.* El singular correspondiente no es *un Sánchez* (que se interpreta como «alguien como Sánchez» o «alguien llamado Sánchez») sino *uno de los Sánchez.*

Cuando los nombres propios funcionan como aposiciones de un título, de un cargo o de una forma de tratamiento, estos van siempre precedidos por el artículo: *la doctora Hernández, la profesora Pérez, el presidente Caldera* o *el señor Ruiz.* La única excepción usual es la forma de tratamiento *don/doña.* El artículo desaparece en los empleos vocativos [⟶ § 62.8], que nunca lo llevan.

Parece seguir, en parte, operante la tendencia a designar a las mujeres famosas por el apellido precedido por el artículo. Así, *la Thatcher, la Callas, la Garbo* continúan la serie de *la Pardo Bazán* o *la Pompadour.* Sin embargo, esta tendencia no se ha extendido a las designaciones que incluyen el nombre de pila. [29]

Los nombres de estados y países no llevan en general artículo, salvo pocas excepciones en las que el artículo está fijado, como *el Líbano, El Salvador* o *los Países Bajos.* Hay, sin embargo, toda una serie de nombres en los que se constata vacilación *(Argentina/la Argentina, Perú/el Perú, Paraguay/el Paraguay, Japón/el Japón* y *Estados Unidos/los Estados Unidos),* aunque la tendencia parece ir hacia la supresión del artículo.

Aunque Kany (1945: 39) señala que la tendencia a la supresión del artículo con nombres geográficos «está mucho más extendida en el habla familiar de Hispanoamérica que en España», esta se comprueba hoy en día en la prensa española, y algunos manuales de estilo peninsulares recomiendan explícitamente la alternativa sin artículo en los casos mencionados (Gómez Torrego 1993: 59).

De los continentes, sólo *África* parece conocer alguna vacilación entre uso y no uso del artículo y *la Antártida* lo lleva siempre. Los nombres de ciudades y poblaciones no llevan artículo, salvo en los casos en los que este pertenece al nombre mismo (como *La Habana* y *La Coruña*).

Llevan siempre artículo los nombres de ríos, mares, océanos, así como los de cadenas montañosas y archipiélagos, que tienen forma plural: *el Ebro, el Caribe, el Pacífico, los Alpes, los Andes, las Azores, las Antillas* (cf., sin embargo, *Canarias* frente a *las Islas Canarias* o *Baleares* frente a *las Baleares,* probablemente porque se las asimila a regiones). También llevan artículo los nombres de montes, picos y volcanes *(el Aconcagua, el Himalaya, el Popocatepetl).*

---

[29] Véase Fernández Ramírez 1951b: 179.

TEXTOS CITADOS

ADOLFO, BIOY CASARES: *La aventura de un fotógrafo en La Plata,* Buenos Aires, Emecé, 1985.
RAMÓN GÓMEZ DE LA SERNA: *Total de greguerías,* Madrid, Aguilar, 1962.
EDUARDO MENDOZA: *La verdad sobre el caso Savolta,* Barcelona, Seix Barral, 11.ª ed. 1989.
MANUEL VÁZQUEZ MONTALBÁN: *El delantero centro fue asesinado al atardecer,* Barcelona, Planeta, 8.ª ed. 1993.
— *El Balneario,* Barcelona, Planeta, 1986.
LUIS SEPÚLVEDA: *Un viejo que leía novelas de amor,* Barcelona, Tusquets, 1993.
PACO IGNACIO TAIBO II: *La vida misma,* México, Planeta, 1987.

REFERENCIAS BIBLIOGRÁFICAS

ALARCOS LLORACH, EMILIO (1967): «El articulo en español», en E. Alarcos Llorach (1978): *Estudios de gramática funcional del español,* 2.ª ed., Madrid, Gredos, págs. 166-177.

— (1968): «'Un', el número y los indefinidos», en E. Alarcos Llorach: *Estudios de gramática funcional del español,* 2.ª. ed., Madrid, Gredos, 1978, págs. 207-218.

ALONSO, AMADO (1951): «Estilística y gramática del artículo en español», en A. Alonso, *Estudios lingüísticos. Temas españoles,* Madrid, Gredos, págs. 151-194.

ÁLVAREZ MARTÍNEZ, M.ª ÁNGELES (1986): *El artículo como entidad funcional en el español de hoy,* Madrid, Gredos.

BELLETTI, ADRIANA (1988): «The Case of Unaccusatives», *LI* 19, págs. 1-34.

BOLINGER, DWIGHT (1980): *Syntactic Diffusion and the Indefinite Article*, Bloomington, Indiana, IULC.

BOSQUE, IGNACIO (1983): «Clases de nombres comunes», en VVAA, *Serta philologica F. Lázaro Carreter,* I, Madrid, Cátedra, págs. 75-88.

— (1989): *Las categorías gramaticales,* Madrid, Síntesis.

— (1992): «Sobre las diferencias entre los adjetivos relacionales y los calificativos», ms., Universidad Complutense.

— (comp.) (1995): *El sustantivo sin determinación. Presencia y ausencia de determinante en la lengua española*, Madrid, Visor.

BÜTTNER, GESA (1990): *Untersuchungen zur Syntax und Semantik Spanischer Funktionsverbgefüge*, tesina, Freie Universität Berlín.

CARLSON, GREG (1977): «A Unified Analisys of the English Bare Plural», *LaPh* 1, págs. 413-457.

CARLSSON, LENNART (1966): *Le degré de cohésion des groupes subst. + de + subst. en français contemporain étudié d'après la place accordée à l'adjectif épithète*, Uppsala, Acta Universitatis Upsaliensis, Almqvist & Wiksells.

CONTRERAS, HELES (1976): *A Theory of Word Order with Special Reference to Spanish*, Amsterdam, New Holland.

CHRISTOPHERSEN, PAUL (1939): *The Articles. A Study of Their Theory and Use in English*, Copenhague, Munksgaard.

COSERIU, EUGENIO (1962): «Determinación y entorno. Dos problemas de una lingüística del hablar», en E. Coseriu, *Teoría del lenguaje y lingüística general. Cinco estudios*, Madrid, Gredos, págs. 283-323.

COSTE, JEAN y AUGUSTIN REDONDO (1965): *Syntaxe de l'espagnol moderne,* 8.ª ed., París, Sedes.

DEMONTE, VIOLETA (1991): «El falso problema de la posición del adjetivo. Dos análisis semánticos», en V. Demonte, *Detrás de la palabra. Estudios de gramática del español,* Madrid, Alianza, págs. 257-283.

FELIXBERGER, JOSEF (1974): *Untersuchungen zur Sprache des Spanischen Sprichwortes,* Múnich, Fink.

FERNÁNDEZ LAGUNILLA, MARINA (1983): «El comportamiento de *un* con sustantivos y adjetivos en función de predicado nominal. Sobre el llamado *un* 'enfático'», en VVAA, *Serta philologica F. Lázaro Carreter,* I, Madrid, Cátedra, págs. 195-207.

FERNÁNDEZ RAMÍREZ, SALVADOR (1951a): *Gramática española,* Madrid, Revista de Occidente.

— (1951b): *Gramática española,* 2.ª edición, 3.2. *El pronombre,* volumen preparado por José Polo, Madrid, Arco/Libros, 1987.

FREGE, GOTTLOB (1892): «Über Begriff und Gegenstand», en G. Frege, *Funktion, Begriff, Bedeutung. Fünf logische Studien,* Gotinga, Vandenhoeck, 1962.

GARRIDO MEDINA, JOAQUÍN (1991): «Sobre el número nominal y el artículo en español», en D. Kremer (comp.) *Actes du XVIIIe Congrès International de Linguistique et de Philologie Romanes,* II, Tubinga, Niemeyer, págs. 346-359.

GÓMEZ TORREGO, LEONARDO (1993): *Manual de español correcto,* Madrid, Arco/Libros.

HOEKSTRA, TEUN y RENÉ MULDER (1990): «Unergatives as Copular Verbs: Locational and Existential Predication», *LinR* 7, págs. 1-79.

KANY, CHARLES E. (1945): *American-Spanish Syntax,* Chicago, University of Chicago Press. [Citamos por la traducción al español, *Sintaxis hispanoamericana,* Madrid, Gredos, 1969.]

KURODA, S.-YASUJIRO (1972): «The Categorical and the Thetic Judgement», *FL* 9, págs. 1-37.

— (1992): «Judgement Forms and Sentence Forms», en S.-Y. Kuroda, *Japanese Syntax and Semantics,* Dordrecht, Kluwer, págs. 13-77.

LACA, BRENDA (1989): «Sustantivos sin determinantes, función sintáctica y estructura informativa del enunciado en español», *Actes du XIXe Congrès International de Linguistique et de Philologie Romanes.*

— (1996): «Acerca de la semántica de los plurales escuetos en español», en Ignacio Bosque (ed.) (1996), págs. 241-268.

LACA, BRENDA y LILIANE TASMOWSKI (1994): «Le pluriel indéfini de l'attribut métaphorique», *Linguisticae Investigationes* XVIII:1, págs. 27-48.

LANG, JÜRGEN (1984): «Die Präpositionalen Ausdrücke und ihre Lexikographische Erfassung (An Spanischen Beispielen)», en D. Goetz y Th. Herbst (comps.), *Theoretische und Praktische Probleme der Lexikographie,* Múnich, Hueber, págs. 208-233.

LAPESA, RAFAEL (1975): «El sustantivo sin actualizador en español», en R. Lapesa, *Dos estudios sobre la actualización del sustantivo en español, Boletín de la Comisión Permanente de Academias,* 21, págs. 50-67.

LEONETTI JUNGL, MANUEL (1990): *El artículo y la referencia,* Madrid, Taurus.

MASULLO, PASCUAL (1996): «Los sintagmas nominales sin determinante: Una propuesta incorporacionista», en Ignacio Bosque (ed.) (1996), págs. 169-200.

PEASE-GORRISSEN, MARGARITA (1980): «The Use of the Article in Spanish Habitual and Generic Sentences», *Lingua* 51, págs. 311-336.

SÁNCHEZ DE ZAVALA, VÍCTOR (1976): «Sobre una ausencia del castellano», en V. Sánchez de Zavala (comp.), *Estudios de gramática generativa,* Barcelona, Labor, págs. 195-254.

SUÑER, MARGARITA (1982): *Syntax and Semantics of Spanish Presentational Sentence-Types,* Washington, Georgetown University Press.

VAN PETEGHEM, MARLEEN (1989): «Non-spécificité, attributivité et article indéfini dans les langues romanes», *TLGand* 18, págs. 45-56.

ZULUAGA OSPINA, ALBERTO (1980): *Introducción al estudio de las expresiones fijas,* Francfort, P. Lang.

14
PRONOMBRES Y ADVERBIOS DEMOSTRATIVOS. LAS RELACIONES DEÍCTICAS(*)

LUIS J. EGUREN
Universidad Autónoma de Madrid

ÍNDICE

(*) Este trabajo ha sido parcialmente financiado gracias a la subvención CICYT al proyecto «La estructura de los sintagmas nominales» (PS91/0035).

14.1. Introducción

Como en las demás lenguas, también en español existe una clase relativamente cerrada de unidades o expresiones lingüísticas —los llamados «deícticos»—, que reducen sobremanera las dimensiones del léxico al tiempo que permiten hacer referencia a un número ilimitado de entidades del mundo. Tales propiedades —economía y versatilidad— se derivan de la idiosincrásica manera de referir de los deícticos: se trata de «términos abiertos», cuya referencia no está fijada de antemano ni se mantiene constante, sino que se establece, crucialmente, cada vez que cambian el hablante, el oyente o las coordenadas espacio-temporales de los actos de enunciación. Así, por ejemplo, en la oración *Yo ahora no vivo aquí, yo* es un deíctico de persona porque refiere necesariamente al hablante, *aquí* es un deíctico locativo, dado que identifica el lugar en el que se lleva a cabo el acto de enunciación, y *ahora* y la morfología verbal de tiempo son deícticos temporales, ya que identifican el momento en el que se produce el enunciado.

En este capítulo, nos centraremos en dos grupos de unidades deícticas del español: los pronombres demostrativos (las series de *este, ese* y *aquel*) y los adverbios demostrativos o «pronominales», locativos *(aquí, ahí, allí, acá, allá),* temporales *(ahora, entonces, hoy, ayer, mañana, anoche)* y de manera *(así).*

A modo de eje sobre el que se articula el resto del capítulo, en un primer y breve apartado (§ 14.2), caracterizaremos la deixis como un tipo particular de referencia, revisaremos los criterios que se han empleado a la hora de clasificar las expresiones deícticas (información que contienen, necesidad de gestos o datos contextuales adicionales, presencia de significado no exclusivamente deíctico, etc.) y reseñaremos la variada gama de usos que dichas expresiones despliegan, usos que pueden ser tanto deícticos en sentido estricto (gestuales, simbólicos y textuales), como no deícticos (anafóricos y no anafóricos).

En los dos apartados centrales (§§ 14.3 y 14.4), describiremos los aspectos más relevantes de la semántica y del comportamiento sintáctico de los pronombres y de los adverbios demostrativos, respectivamente. En ambos casos, tras presentar las formas que constituyen los distintos paradigmas, adscribiremos estas a clases específicas de deixis y mencionaremos algunos de sus usos (deícticos y no deícticos) más significativos.

El hecho de que pronombres y adverbios demostrativos sean, semánticamente, unidades referenciales (deícticas) determina, en buena medida, su sintaxis. Así, en lo que respecta a los pronombres demostrativos, dedicaremos sendos subapartados a tres parcelas de su gramática con perfiles propios: las diferencias existentes entre los pronombres demostrativos y los pronombres personales en su uso anafórico dentro de la oración y las particularidades tanto de los demostrativos posnominales *(el chico ese),* como de los demostrativos neutros (en especial, las que se desprenden de su comparación con el neutro *lo*).

En cuanto a los adverbios demostrativos, en el § 14.4.4, haremos hincapié en las propiedades sintácticas que estos comparten con las expresiones referenciales (nombres propios, pronombres y frases nominales definidas). Completaremos el apartado dedicado a este tipo de adverbios, y finalizaremos así el capítulo, con un subapartado (§ 14.4.5) en el que analizaremos las peculiaridades de otras expresiones deícticas con valor locativo o temporal, esto es, de ciertos «adverbios nominales» y frases nominales y preposicionales que se utilizan de manera deíctica, bien canónicamente *(arriba, adelante, el próximo lunes, esta tarde...),* bien «por defecto» *(delante, detrás, a la izquierda, en mayo...).*

14.2. La deixis

14.2.1. El concepto de deixis. Las expresiones deícticas

14.2.1.1. La deixis es un tipo de vínculo referencial entre ciertas unidades o expresiones lingüísticas y aquello que representan en el mundo o en el universo del discurso, por medio del cual se identifican 'individuos' en relación con las variables básicas de todo acto comunicativo: el hablante, el interlocutor (o los interlocutores) y el momento y el lugar en que se emite un enunciado.

Esta definición de la deixis contiene algunas afirmaciones que conviene bien precisar, bien resaltar. En primer lugar, los 'individuos', desde el punto de vista de la lógica, «denotan entidades definidas que se corresponden con objetos físicos o con nociones más abstractas que han sido reificadas» (cf. Bosque, 1989: 200). En este sentido, los deícticos no sólo identifican entidades de primer orden (personas, animales y objetos), sino también entidades de segundo orden (acontecimientos, situaciones y estados de cosas que se producen o existen en el mundo físico) y de tercer orden (objetos intensionales como las proposiciones). Igualmente, del mismo modo que los pronombres, por ejemplo, refieren a entidades, los deícticos locativos y temporales identifican lugares y momentos o períodos de tiempo, respectivamente. [1]

En segundo lugar, en la caracterización de las unidades deícticas participan de manera necesaria y suficiente dos rasgos: [2] se trata de expresiones referenciales, cuya interpretación gira alrededor del centro deíctico o punto cero de las coordenadas espacio-temporales del contexto deíctico (el YO, el AQUÍ y el AHORA). La referencia es, por tanto, un fenómeno más general que engloba a la deixis, y debe trazarse, en consecuencia, una clara línea divisoria entre las expresiones referenciales deícticas *(tú, esta casa, allí, entonces...)* y las no deícticas *(Juan, la casa, en París, en 1975...)* [→ § 2.3.2.2]. Estas dos clases de expresiones referenciales identifican 'individuos' en el momento de la enunciación y requieren información contextual para poder ser interpretadas, pero dicha información contextual es distinta en ambos casos. Sólo en las primeras el establecimiento de su referente depende crucialmente de quién produzca el enunciado y de dónde y cuándo lo haga. Las segundas, en cambio, no necesitan de este tipo de información: el nombre propio *Juan* y las frases preposicionales *en París* y *en 1975,* por ejemplo, identifican respectivamente una entidad humana, un lugar o un período de tiempo, con independencia de las coordenadas (deícticas) de la enunciación. Por tanto, no todas las expresiones referenciales, cuyo significado está (parcialmente) determinado por el contexto, son deícticas, sino sólo aquellas que están «orientadas egocéntricamente». [3]

---

[1] Cf. Lyons 1977a: 170.

[2] Entre los lingüistas que atribuyen a las expresiones deícticas ambas características —la identificación de entidades y el estar asociadas con las coordenadas del acto comunicativo— se encuentran Lyons (1977a: 574), Vicente Mateu (1994: 170) y Vanelli y Renzi (1995). Algunos autores, como Cinque (1976), Kerbrat-Orecchioni (1980: 48) o Moreno (1991: 163), hacen especial hincapié tan sólo en la segunda de ellas.

[3] Acerca de las semejanzas y las diferencias entre referencia y deixis véanse, Lyons 1977a: 7.2 y Kryk 1991. Sobre la equiparación entre referencia e 'identificabilidad', véase Leonetti 1990.

Por último, tampoco basta con que exista una orientación egocéntrica para que pueda hablarse de deixis: fenómenos lingüísticos que expresan de una u otra manera la subjetividad del hablante, como los modos verbales [⟶ Cap. 50] o la focalización, no pueden considerarse deícticos en sentido estricto, dado que no son formas de referencia. Ambas propiedades —referencialidad y egocentricidad— han de combinarse, en suma, para poder considerar una unidad o una expresión como 'deíctica'. [4]

14.2.1.2. Por otro lado, otros dos aspectos del fenómeno de la deixis no mencionados hasta el momento resultan especialmente relevantes: la relación entre la deixis y la mostración gestual y las peculiaridades del significado de los deícticos.

En cuanto a la primera de estas cuestiones, referir deícticamente consiste a menudo en 'mostrar' o 'indicar': las expresiones deícticas suelen ser equivalentes a la denominada 'referencia gestual', es decir, a la identificación del referente por medio de algún ademán realizado por el hablante en situaciones de interacción cara a cara. [5] Y, ciertamente, en numerosos casos básicos, los deícticos se ven acompañados de gestos corporales (el dedo índice apuntando a un objeto, determinados movimientos de la cabeza o del cuerpo, etc.). Sin embargo, no parece que la mostración sea el rasgo definitorio de la deixis. Como se verá más adelante, junto a los usos gestuales, existen usos simbólicos y textuales de los deícticos que no dependen de las condiciones físicas inmediatas del contexto de enunciación (véase el § 14.2.3). Además, el grado de conexión entre los deícticos y la gestualidad no es uniforme: algunos, los llamados 'deícticos opacos' (p. ej el demostrativo *este*), sí requieren en algunas ocasiones información gestual para identificar con precisión a su referente, mientras que otros, los 'deícticos transparentes' (p. ej. el pronombre personal *yo*), indican por sí mismos cuál es el referente que ha de tomarse en consideración en una situación de enunciación concreta. [6]

En lo que respecta a su significado, numerosos estudiosos coinciden en que lo que varía con la situación es el referente de una unidad deíctica y no su significado léxico. [7] Las expresiones deícticas tienen una naturaleza híbrida: utilizando una terminología propia de la semiótica, son a la vez 'símbolos' e 'índices'. Esto es, por un lado, poseen un significado invariable e independiente del objeto al que hacen referencia, ocupan un lugar en una determinada estructura y adoptan una forma lingüística distinta en cada lengua; por otro lado, establecen canónicamente una conexión existencial con el objeto al que hacen referencia, al cual identifican o localizan en el espacio o en el tiempo. Así, por ejemplo, el pronombre *yo* es en parte un 'símbolo', ya que significa de manera invariable «la persona que está diciendo yo», forma una estructura con el resto de los pronombres personales y está asociado con su significado por medio de una regla convencional en cada lengua concreta. Pero, por otra parte, funciona también como 'índice', en tanto que define a su objeto por el hecho de estar en una relación contextual con este, de manera que el 'significado' del pronombre cambia según quién sea el que produzca el enunciado [⟶ § 19.2.1]. [8]

[4] Si se trataran como manifestaciones de la deixis todas las expresiones que han ser interpretadas en relación con el contexto o que indican subjetividad, el fenómeno que nos ocupa quedaría desdibujado hasta el punto de no poderse captar lo que tiene de específico. Véanse revisiones críticas de lo que Rauh (1983: 30 y ss.) denomina «otras dimensiones deícticas» en Kerbrat-Orecchioni 1980: 90-1 y en Vicente Mateu 1994: Cap. VIII.

[5] Sobre las relaciones entre la deixis, la referencia gestual y la interacción cara a cara, véanse Antinucci 1974: 245 y Lyons 1975: 65; 1977: 637-8; 1981: 230.

[6] Acerca de la distinción entre 'deícticos opacos' y 'deícticos transparentes' véase más adelante el § 14.2.2.2.

[7] Cf. Brecht 1974, Jakobson 1957, Kerbrat-Orecchioni 1980: 48, Wettstein 1984 y Cifuentes Honrubia 1989: Cap. II.

[8] Esta peculiar manera de significar de los deícticos ha dado lugar a una abundante bibliografía, tanto sobre la

14.2.1.3. De todo lo dicho hasta el momento se desprende una caracterización bastante restrictiva del fenómeno de la deixis, según la cual son 'unidades o expresiones deícticas' tan sólo aquellas unidades o expresiones referenciales que tengan como básico o central un uso deíctico, es decir, que de manera canónica identifiquen 'individuos' en relación con el eje o centro deíctico de toda enunciación. Las expresiones deícticas, así definidas, constituyen una lista relativamente cerrada. Pertenecen a dicha clase de unidades los pronombres personales, los pronombres y determinantes demostrativos (véase el § 14.3), los posesivos, un número reducido de adverbios de lugar, tiempo (y manera) (véase el § 14.4), los morfemas verbales de tiempo y de persona y verbos de movimiento como *ir, venir, llevar* o *traer.* [9] Como veremos más adelante (§ 14.4.5), cabe también incluir en esta relación algunos 'adverbios nominales' de lugar, así como ciertas frases nominales y preposicionales que funcionan deícticamente como complementos circunstanciales de lugar o de tiempo. [10]

14.2.2. Las clases de deixis

14.2.2.1. Una primera distinción básica entre las unidades o expresiones deícticas tiene que ver con el tipo de información deíctica. Desde este punto de vista, el fenómeno de la deixis queda parcelado en tres bloques: deixis personal [→ § 19.1.2], deixis locativa [→ § 11.3.2] o espacial y deixis temporal [→ Cap. 48]. [11] La deixis personal hace referencia al papel de los interlocutores en el evento comunicativo en el que se produce el enunciado: pertenecen a esta primera clase de deixis en las lenguas del tipo del español los pronombres personales, los posesivos, los demostrativos y la flexión verbal de persona. La deixis espacial codifica la localización relativa de los elementos del contexto de la enunciación: son deícticos espaciales en español los demostrativos, ciertos adverbios y frases preposicionales (FFPP) con significado locativo (véase el § 14.4.5) y algunos verbos de movimiento. La deixis temporal sitúa, finalmente, lo descrito en el discurso en relación con el momento en que tiene lugar el evento comunicativo: se incluyen en este tipo de deixis en español determinados adverbios y frases nominales y preposicionales con valor temporal (véase el § 14.4.5), así como la conjugación verbal de tiempo. [12]

14.2.2.2. Un segundo criterio de clasificación de las unidades deícticas es el grado en el que estas dependen de gestos o de información contextual adicional para identificar a su referente (véase el § 14.2.1.2). En este sentido, se establece una distinción entre los denominados 'deícticos transparentes o completos' *(yo, tú, ahora,*

naturaleza semántica o pragmática del fenómeno (cf., p. ej., Levinson 1983: 94 y ss.; Kryk 1991), como sobre la posibilidad de reducir todas las expresiones deícticas a una sola básica y de traducir este residuo pragmático en alguna lengua artificial libre del contexto (cf., p. ej., Bar-Hillel 1970: 81 y ss.; Levinson 1983: 55 y ss.).

[9] Cf. Fillmore 1966.

[10] Algunos autores consideran que son también deícticos los 'sistemas honoríficos' de lenguas como el japonés o el coreano, por los que se codifica la relación social existente entre el hablante y el oyente o algún referente (cf., p. ej., Levinson 1983: 2.2.5 y Anderson y Keenan 1985: 270 y ss.). Vicente Mateu (1994: 148 y ss.) cuestiona de manera razonada que la denominada 'deixis social' sea realmente un tipo de deixis.

[11] Cf. Levinson 1983: Cap. 2, Anderson y Keenan 1985, Moreno 1987 y Vicente Mateu 1994.

[12] Cf. Vanelli y Renzi 1995: 2.3.4.

hoy, ayer, mañana...) y los 'deícticos opacos o incompletos' *(él, este, aquí, entonces, así...)*. [13]

Los 'deícticos transparentes':

(a) determinan a priori el tipo de referente denotado
(b) sólo pueden emplearse en un tipo de situación posible
(c) su referente no puede cambiarse por medio de un gesto, lo cual no quiere decir que no puedan ser reforzados por medio de gestos.

Un ejemplo de deíctico transparente es el pronombre personal *yo:* indica este, sin la ayuda de ninguna información gestual o contextual suplementaria, quién es su referente, sólo puede ser usado por la persona que dice *«yo»* y, si digo *«yo»* y hago un gesto, sólo puedo seguir siendo yo [—> § 19.1].

En el caso de los 'deícticos opacos':

(a) su mera enunciación no garantiza la exacta identificación del referente
(b) es posible la referencia a distintos elementos de la situación de enunciación
(c) puede cambiarse la referencia por medio de gestos.

Piénsese, por ejemplo, en una situación en la que una persona, ante una fotografía en la que aparecen tres políticos conocidos, y apuntando sucesivamente con el dedo, le dice a otra: *Él, él y también él hablan mucho y cumplen poco.*

Como consecuencia, probablemente, de este distinto comportamiento, los 'deícticos opacos', además de tener usos tanto gestuales como simbólicos, son los únicos que pueden emplearse anafóricamente (véase el § 14.2.3).

14.2.2.3. Desde una perspectiva distinta, puede también hablarse de 'deixis pura' y 'deixis impura'. [14] Los 'deícticos puros' son aquellos cuyo significado es de naturaleza exclusivamente deíctica: los pronombres personales *yo* y *tú,* por ejemplo, se refieren al hablante y al interlocutor sin añadir ningún otro significado. El significado de los 'deícticos impuros', en cambio, es en parte no deíctico, como es el caso de los pronombres personales *él, ella* y *ello,* que a su significado deíctico añaden el significado no deíctico de género.

Por último, y especialmente en el caso de las expresiones deícticas locativas o temporales, se suele diferenciar la 'deixis primaria' de la 'deixis secundaria', también llamada esta última deixis 'emocional' o 'empatética'. [15] Mientras que la deixis primaria se puede explicar a partir del contexto deíctico físico, la deixis secundaria implica la reinterpretación de las dimensiones espacio-temporales de los contextos deícticos primarios. Así, por ejemplo, las relaciones (primarias) de proximidad relativa de los demostrativos *este, ese* y *aquel* con respecto al centro deíctico pueden verse alteradas como consecuencia del grado de implicación emocional o de las actitudes del hablante con respecto a su interlocutor o a algún otro elemento del contexto de la enunciación. [16]

---

[13] Cf. Kleiber 1983 y 1984 y Wettstein 1984.
[14] Cf. Lyons 1981: 223.
[15] Cf. Lyons 1977a: 611; 1981: 234 y Cifuentes Honrubia 1989: 118-19.
[16] En cuanto a la clásica división de la deixis de Bühler (1934), se ha argumentado de manera convincente que la

14.2.3. Los usos de las expresiones deícticas

En el § 14.2.1.3 considerábamos que son expresiones deícticas las expresiones referenciales cuyo uso básico o canónico es deíctico. Esto no quiere decir, sin embargo, que las expresiones deícticas se usen sólo deícticamente; también pueden emplearse de manera no deíctica. Serán usos no deícticos de las expresiones deícticas aquellos que no se atengan a la definición de deixis que formulábamos en el § 14.2.1.1. En el siguiente esquema se recogen los usos más importantes de las expresiones deícticas:[18]

deícticos
- gestuales
- simbólicos
- textuales

no deícticos
- anafóricos
- no anafóricos

Las expresiones deícticas usadas 'gestualmente' se interpretan en relación con las condiciones físicas (auditivas, visuales, táctiles) del evento comunicativo, mientras que, en sus usos 'simbólicos', los deícticos se interpretan con referencia, tan sólo, a los parámetros espacio-temporales básicos del evento comunicativo. En (1) y (2) pueden verse ejemplos que ilustran, sucesivamente, el uso gestual, el uso simbólico y el uso no deíctico no anafórico del pronombre personal *tú* y del adverbio deíctico de tiempo *ahora* (cf. Levinson 1983: 66):

(1) a. *Tú, tú* y *tú,* ¡a la calle!
b. *Tú* ya sabes de qué va la cosa.
c. Cuando *tú* le hablas, él no te responde.

(2) a. No disparéis *ahora,* sino... *ahora.*
b. *Ahora* se vive mucho peor que antes.
c. ... *Ahora*... que cualquier tiempo pasado no fue mejor.

La anáfora, por su parte, no es un tipo de deixis.[18] Los términos anafóricos (o catafóricos) no identifican a sus antecedentes (o a sus subsecuentes); tampoco se interpretan normalmente en relación con las coordenadas deícticas. Las anáforas o las catáforas «tienen el mismo referente» que otro término o expresión que ha aparecido antes, o que aparecerá después, en el discurso. La anáfora consiste, por tanto, en una relación de 'correferencia' [→ §§ 23.1-2].[19] En este sentido es en el que hablamos de 'usos no deícticos anafóricos' de las expresiones deícticas, como

---

deixis *am phantasma* (o de la fantasía) es secundaria con respecto a la deixis *ad oculos* (o sensible) (cf., p. ej., Lyons 1975: 82; Cifuentes Honrubia 1989: 93; Vicente Mateu 1994: 153). Por otro lado, la anáfora es una relación de correferencia, y no un tipo de deixis (cf. Lyons 1975: 81-82; 1977a: 15.3; 1977b; y el § 14.2.3).

[17] Cf. Levinson 1983: 64 y ss., Rauh 1983: 42 y ss. y Kryk 1991.

[18] Sobre las relaciones entre la deixis y la anáfora y sobre la deixis textual ('pura' e 'impura'), véanse Cinque 1976: 109 y ss., Lyons 1977a: 15.3; 1977b, Levinson 1983: Cap. 2, Mederos 1988: Cap. 2, Moreno 1991: 272 y ss., Green 1989: 2.5, Cifuentes Honrubia 1989: 104 y ss. y Vicente Mateu 1994: 156 y ss.

[19] Aunque existen casos, como es sabido, de 'identidad aproximada', en los que dicha correferencialidad no es completa: *Tu padre cobra [su sueldo]$_i$ por el BBV y el mío lo$_i$ cobra por Caja Madrid.*

los de (3) (donde la coindización indica que dos expresiones referenciales comparten el mismo referente):

(3) a. El presidente$_i$ pensaba que *él*$_i$ iba a ganar las elecciones.
b. Haremos escala en Kuala Lumpur$_i$ y desde *allí*$_i$ volaremos a Auckland.
c. Nació en 1965$_i$. *Entonces*$_i$ controlaban España los tecnócratas.

Repárese en que, como decíamos en el § 14.2.2.2, sólo los llamados 'deícticos incompletos u opacos' pueden usarse anafóricamente. Por otro lado, en ocasiones un deíctico funciona al mismo tiempo de dos maneras diferentes. En (4a) el adverbio locativo *allí* es a la vez un deíctico locativo y una anáfora; en (4b) el demostrativo *este* muestra simultáneamente un uso deíctico gestual y un uso no deíctico anafórico:

(4) a. Nací en San Pedro de Latarce, pero nunca he vuelto *allí.*
b. Me he comprado un libro de Quim Monzó: *este.*

Además de los usos deícticos (y no deícticos) comentados hasta el momento, algunas expresiones deícticas tienen un uso deíctico 'textual o discursivo' esto es, se usan dentro de un enunciado para referirse a una expresión lingüística o a alguna porción del discurso en el que se inserta dicho enunciado. En (5a) el pronombre átono *lo* no tiene la misma referencia que la palabra *arpía,* sino que refiere a su forma; en (5b), el demostrativo *eso* identifica un fragmento anterior del discurso:

(5) a. —Esto es una arpía
—¿Una qué? Repíteme*lo.*
b. *Eso* que acabas de decir no tiene ni pies ni cabeza.
c. —La derecha ha barrido en las elecciones municipales
—No me *lo* puedo creer.

(5a, b) son ejemplos de la llamada 'deixis textual pura'. Un caso más difícil de delimitar es el de la denominada 'deixis textual impura', en la que una expresión deíctica entra en relación con entidades de tercer orden, como las proposiciones. En (5c) el pronombre átono *lo* está a medio camino entre la deixis textual y la anáfora: en este caso, *lo* no parece ser una anáfora en sentido estricto, pero tampoco tiene un uso deíctico textual, ya que no se refiere a la oración en tanto que expresión lingüística, sino a la afirmación hecha al pronunciar dicha oración. [20]

14.3. Los pronombres demostrativos [21]

14.3.1. Formas y semántica

Los pronombres demostrativos del español constituyen un paradigma ternario cerrado que manifiesta una distinción de género (masculino, femenino y neutro) y

---

[20] Cf. Lyons 1977a: 15.3; 1977b.

[21] Como es sabido, la tilde de los pronombres demostrativos de género masculino y femenino no es obligatoria. En este capítulo nos ocuparemos tan sólo de los pronombres demostrativos y no de los determinantes (o 'adjetivos') demostrativos, incluida su participación en construcciones con elipsis nominal [⟶ §§ 5.4, 12.2.2.4 y 43.1].

de número (singular y plural) [⟶ § 42.4.21]. Son pronombres demostrativos en español las formas *este, ese, aquel* (masc. sing.), *esta, esa, aquella* (fem. sing.), *estos, esos, aquellos* (masc. pl.), *estas, esas, aquellas* (fem. pl.) y *esto, eso, aquello* (neut.).[22] Los demostrativos masculinos y femeninos funcionan como determinantes y como pronombres, mientras que los demostrativos neutros son exclusivamente pronominales.

Son también pronombres demostrativos los neutros *tal* y *tanto* (véase el § 14.3.5.3). Formas arcaicas como *aqueste, aquese, aquesto, estotro* o *esotro* están en desuso en el español actual.

En lo que a su semántica respecta, los pronombres demostrativos identifican entidades bien en el mundo real, bien en mundos posibles.[23] En este sentido, son expresiones referenciales y, en tanto que tales, al igual que las demás expresiones referenciales (nombres propios, pronombres personales, frases nominales definidas con lectura específica), participan en construcciones relacionadas con la 'identificabilidad' de los referentes [⟶ § 2.4.4]:

(a) Pueden ser modificados por el llamado '*mismo* intensivo' [⟶ § 23.3.1.2], con el que «se subraya enfáticamente una identificación» (Alcina y Blecua 1975: § 4.7.3),[24] así como por adverbios como *justamente* o *exactamente,* que precisan la referencia de entidades ya identificadas [⟶ § 11.7.1].
(b) Pueden ir acompañados de oraciones de relativo no restrictivas, que se combinan necesariamente con frases referenciales [⟶ § 7.1.3].
(c) Aparecen en perífrasis de relativo y en oraciones copulativas identificativas [⟶ § 37.3.2].

En los ejemplos de (6) se ilustran una a una todas estas propiedades:[25]

(6) a. {Juan/él/mi hermano/*eso*} mismo.
b. Precisamente {Juan/él/mi hermano/*eso*}.
c. {Juan/él/mi hermano/*este*}, que acaba de llegar,...
d. {Juan/él/mi hermano/*este*} es el que acaba de llegar.
e. {Juan/él/mi hermano/*este*} es la persona adecuada.

No obstante, como indicábamos en el § 14.2.1.1, los deícticos son tan sólo una clase de expresiones referenciales. Los pronombres demostrativos, en tanto que expresiones deícticas, además de identificar a sus referentes, añaden cierta información relacionada con el centro deíctico: en concreto, sitúan algún elemento del contexto de la enunciación con respecto al lugar en el que se encuentra el hablante. Cuando, por ejemplo, alguien emite la oración *Esto no es lo que yo había pedido,* por medio del demostrativo *esto* no sólo está identificando un determinado objeto, sino que está indicando, además, que dicho objeto se halla (relativamente) cerca de donde

[22] Con respecto a la evolución de los demostrativos desde el latín hasta el español moderno, véanse Lamíquiz 1967, Fernández Ramírez 1951b: § 124.2 y Lloyd 1987.
[23] Cf. Kleiber 1984 y Vanelli y Renzi 1995: 4.1. El lector interesado en la semántica de los demostrativos desde la perspectiva de la lógica formal puede consultar el volumen 49 de la revista *Synthese* (1981).
[24] Véase también Fernández Ramírez 1951b: § 118-19.
[25] La semántica de los demostrativos no es, sin embargo, idéntica a la del resto de las expresiones referenciales. Además de lo comentado más adelante en el texto, véanse ciertas diferencias en el comportamiento gestual y anafórico de las frases nominales (FFNN) con artículos definidos y con determinantes demostrativos (en francés) en Corblin 1983, 1987 y Kleiber 1986, 1987.

él se encuentra. Son dos, por tanto, los rasgos semánticos básicos que los pronombres demostrativos combinan: la identificación referencial y la localización deíctica.

Una interesante peculiaridad semántica de los pronombres demostrativos consiste en que no pueden emplearse en una situación de 'denominación independiente' (Corblin 1992), como, por ejemplo, poner el título a la representación de un objeto: un cuadro, una escultura, etc. Cualquier otra expresión 'nominal' (nombres propios y comunes, frases nominales (FFNN) definidas e indefinidas y pronombres personales) sí puede utilizarse en esta situación.

La semántica de todos y cada uno de los demostrativos no es, sin embargo, completamente uniforme. Más adelante indicaremos algunas propiedades específicas de los demostrativos neutros (véase el § 14.3.5.1). Cabe mencionar en este punto varias diferencias notables entre los demostrativos *este* y *ese* por un lado y *aquel* por otro. Los demostrativos, especialmente los de género masculino y femenino, presuponen la existencia de la entidad que identifican (son 'específicos' [⟶ §§ 12.1.1.5 y 12.3.2.1]). Sin embargo, el 'demostrativo de lejanía' puede aparecer en determinados contextos sintácticos que fuerzan una lectura inespecífica (como el de ser modificado por una oración de relativo en modo subjuntivo). En este caso, el 'demostrativo de lejanía' se comporta como el artículo determinado (con interpretación inespecífica), frente al resto de los demostrativos, que producen resultados agramaticales en estos mismos contextos: [26]

(7) a. {Los/*Aquellos*} que suspendan en junio deberán presentarse de nuevo en septiembre.
b. Sólo {lo/*aquello*} que aprendas razonando te quedará.
c. *{*Estos/*Esos}* que suspendan en junio deberán presentarse de nuevo en septiembre.
d. * Sólo *{esto/eso}* que aprendas razonando te quedará.

Por otra parte, el demostrativo de lejanía puede ser el primer miembro de una construcción partitiva, posición canónicamente ocupada por los denominados determinantes 'débiles' *(algunos, muchos, dos...)* y no por los determinantes 'fuertes' *(todos, ambos, estos, esos...)* [⟶ § 16.2]:

(8) a. *Aquella* de mis hermanas que me dio el consejo no conocía las dificultades. [Lenz 1920: § 168]
b. *{*Esta/*Esa}* de mis hermanas que me dio el consejo no conocía las dificultades.

Sin embargo, el demostrativo de lejanía no funciona exactamente igual que los determinantes 'débiles' en estas construcciones. Su aparición parece estar sujeta a restricciones. Por ejemplo, como puede verse en (9), el demostrativo de lejanía debe ir acompañado necesariamente por una oración de relativo especificativa:

(9) a. *Aquel* de vosotros que esté libre de culpa, que tire la primera piedra.
b. **Aquel* de vosotros, que tire la primera piedra.
c. Alguno de vosotros, que tire la primera piedra.

[26] Sobre el origen latino del demostrativo de lejanía y del artículo determinado y sobre la alternancia *el que / aquel*, véase Fernández Ramírez 1951b: § 123.

14.3.2. Los pronombres demostrativos y las clases de deixis

14.3.2.1. En cuanto al tipo de información que transmiten, los pronombres demostrativos son unidades deícticas personales y locativas simultáneamente: [27] se trata de especificaciones o subdivisiones del pronombre de tercera persona [28] que se organizan según un criterio de distancia relativa con respecto al punto cero del contexto deíctico, de manera que *este* expresa cercanía, *ese* indica un grado intermedio entre cercanía y lejanía y *aquel* implica lejanía en relación con la localización del hablante.

Especialmente en algunos casos de deixis *ad oculos,* el demostrativo *este* (y el adverbio locativo *aquí*) identifican el lugar en el que se encuentra el hablante, *ese* (y *ahí*) se refieren al lugar donde se halla el interlocutor y *aquel* (y *allí*) apuntan a localizaciones distintas de las ocupadas por el hablante o el interlocutor. [29] Sin embargo, esta información local objetiva, estereotipada, se ve alterada frecuentemente en otro tipo de situaciones deícticas. En palabras de Hottenroth (1982), el sistema de los pronombres demostrativos podría representarse como «tres círculos concéntricos que se alejan del centro deíctico», siendo el propio hablante quien establece subjetivamente su extensión y sus límites (piénsese, por ejemplo, en un enunciado como *¡Vete por ahí!,* en la que el adverbio deíctico *[ái]* no identifica necesariamente el lugar donde se encuentra el interlocutor).

Debe tenerse en cuenta, además, que dicho sistema ternario, tal y como acaba de ser descrito, funciona, sobre todo, en casos de deixis gestual y simbólica en el español estándar peninsular. En el español de América se tiende a sustituir *aquel* por *ese,* resultando en un sistema binario. [30] Por otro lado, tanto en la llamada 'deixis *am phantasma'*, como en los usos temporales y anafóricos de los demostrativos, el sistema se simplifica: se utilizan *este* y *aquel* para expresar, respectivamente, lo cercano y lo lejano al hablante y el demostrativo *ese* o no se emplea o queda neutralizado (véase el § 14.3.3.1). [31]

Repárese, finalmente, en que una noción como «lugar en el que se encuentra el hablante» es relativa; lo que esta indica realmente es una «región de proximidad». [32] Por eso se puede hablar, utilizando una misma forma demostrativa, de *esta habitación, esta ciudad, este país* o *este planeta.*

14.3.2.2. Los pronombres demostrativos son, desde una perspectiva distinta, unidades deícticas 'opacas': requieren información gestual o contextual adicional para identificar con precisión a su referente, pueden referir a distintos componentes del acto comunicativo, su referencia puede alterarse por medio de gestos y tienen usos simbólicos y anafóricos además de ostensivos (véase el § 14.2.2.2). No coinciden, por tanto, en sentido estricto con los 'mostradores' puros (flechas, dedos extendidos,

---

[27] Cf. Lyons 1968: 7.2. Con respecto a la organización —binaria, ternaria, etc.— del sistema de los demostrativos en las lenguas del mundo, véanse Frei 1944, Fillmore 1982: 47 y ss., Anderson y Keenan 1985: 280 y ss. y Feuillet 1992.

[28] Es un hecho conocido que los demostrativos y los pronombres personales están diacrónica y ontogenéticamente emparentados (cf., p. ej. Lyons 1977a: 15.2) y que los primeros sustituyen a los segundos en buen número de lenguas.

[29] Es esta una opinión muy extendida entre los gramáticos. Véanse, p. ej., Bello 1847: § 254, Molho 1968, Heger 1974, Alcina y Blecua 1975: § 4.0.2, Alarcos 1976: 340-1 y Vera Luján 1979; 1980.

[30] Cf. Kany 1945: 170.

[31] A este respecto véanse Bello 1847: § 256 y 257, Alonso y Henríquez Ureña 1938: § 191, Alcina y Blecua 1975: § 4.3, Alarcos 1976: 341 y ss., Fernández Jardón 1983: 76 y ss., Fernández Ramírez 1951b: § 128 y 129 y Lamíquiz 1987: 149 y ss.

[32] Cf. Hottenroth 1982.

direcciones de la mirada, movimientos de la cabeza...), sino que son signos deícticos 'incompletos' que incluyen dentro de su contenido semántico un rasgo de mostración indeterminado.[33]

Por otro lado, la flexibilidad del sistema de los demostrativos, que, como hemos dicho, no implica distancias objetivas, permite con facilidad la aparición de lo que hemos denominado 'deixis empatética o emocional' (véase el § 14.2.2.3). Condiciones nada fáciles de precisar (actitudes, emociones, expresividad) son las que subyacen a esta clase de deixis, pero lo cierto es que, en numerosas ocasiones, y especialmente en la lengua coloquial, el hablante reinterpreta las dimensiones espaciales 'objetivas' del sistema de los demostrativos. Emplea, por ejemplo, el demostrativo de cercanía *este* donde deberían usarse *ese* o *aquel,* bien con un valor afectivo, bien para acercar subjetivamente algo que está alejado en el tiempo o en el espacio, o quizás para expresar un mayor grado de implicación en la situación. O sustituye *este* por *ese* en señal de distanciamiento, dando lugar en ocasiones a lo que se ha llamado el '*ese* despectivo', etc.

14.3.3. Usos deícticos y no deícticos de los pronombres demostrativos

14.3.3.1. Como el resto de los deícticos 'opacos', los pronombres demostrativos presentan una compleja gama de usos. De entre los pronombres demostrativos, son especialmente flexibles los neutros debido a su capacidad para referir a entidades de diverso orden (objetos, acciones y situaciones, proposiciones, etc.). En (10) pueden verse, sucesivamente, ejemplos del uso deíctico (gestual, simbólico y textual) y no deíctico (anafórico y no anafórico) de los demostrativos neutros (así como un caso final de 'deixis textual impura') (véase el § 14.2.3):

(10) a. Quiero *eso,* no *eso.*
b. *Esto* no me está gustando nada.
c. —«Nuestra hija se llama *Leocadia*
—Pero ¡cómo le habéis puesto de nombre *eso*!».
d. —Dame el martillo$_i$
—¿No irás a golpearme con *eso*$_i$?
e. *Estooo...* ¿Qué os estaba diciendo?
f. —«Los elefantes vuelan
—*Eso* no es verdad».

14.3.3.2. En el § 14.3.4 describiremos con cierto detalle el comportamiento anafórico de los pronombres demostrativos dentro de la oración. En este subapartado comentaremos varios aspectos del uso anafórico de los demostrativos, algunos de carácter general y otros más específicos.

Los pronombres demostrativos pueden emplearse anafóricamente tanto dentro de una oración, como entre oraciones distintas en un texto, como en el diálogo:[34]

---

[33] Cf. Kleiber 1983; 1984 y Burston y Monville-Burston 1981: 235.

[34] Acerca del uso anafórico de los pronombres demostrativos, véanse Fernández Ramírez 1951b: Cap. IX y Mederos 1988: 3.1.4.

(11) a. Cuando la derecha quiso pactar con la izquierda$_i$, *esta*$_i$ rechazó la oferta.
b. Finalmente, la derecha propuso un pacto a la izquierda$_i$. Tal y como estaban las cosas, *esta*$_i$ no podía aceptar la oferta.
c. —«La derecha ha propuesto un pacto a la izquierda$_i$.
—Yo no creo que *esta*$_i$ acepte».

El uso anafórico de los pronombres demostrativos es, sin embargo, más frecuente en la prosa analítica (y en la narración) que en el diálogo.

Por otro lado, algunos demostrativos resultan ser más apropiados para este tipo de uso que otros. En concreto, existe un predominio del demostrativo *este* tanto en la anáfora como en la catáfora, aunque, habitualmente, en el diálogo se utilice la serie del demostrativo *ese* para referirse a lo dicho por el interlocutor. [35] El demostrativo *aquel,* por su parte, puede también emplearse aisladamente, por ejemplo, en palabras de Fernández Ramírez, «cuando hay un doble plano, pero una sola referencia» o «para evitar ambigüedades»:

(12) a. Dos principios; uno, variable y siempre superado... otro, permanente, que postula como unidad lo que *aquel* consideraba... [J. Ortega y Gasset, *La rebelión de las masas;* tomado de Fernández Ramírez 1951b: § 136.2]
b. Germán... mantuvo a su madre y a su hermana con holgura. Cuando, atendiendo a las reiteradas súplicas de *aquella...* [Armando Palacio Valdés, *Tristán;* tomado de Fernández Ramírez 1951b: § 136.3.]

Una construcción frecuente en la prosa ensayística y en la narrativa, aunque extraña en la lengua coloquial, consiste en utilizar los demostrativos de la serie de *aquel* para referirse al más distante de dos posibles antecedentes en un texto y los demostrativos de la serie de *este* para referirse al más cercano. Se trata de un uso a la vez anafórico y deíctico de los pronombres demostrativos en el que, por un lado, los demostrativos son correferentes con sus respectivos antecedentes y, por otro, la estructura temporal del discurso (el que una expresión referencial se enuncie necesariamente después de otra) se reinterpreta como lejanía o proximidad en el espacio con respecto al centro deíctico de la enunciación:

(13) a. Divididos estaban caballeros y escuderos, *éstos* contándose sus vidas y *aquéllos* sus amores. [Cervantes; tomado de Bello 1847: § 259]
b. El hombre y el mono se rascan, *aquél* la greña, murmurando, y *éste* las costillas, como si tocase la guitarra. [Juan Ramón Jiménez, *Platero y yo;* tomado de Lamíquiz 1967: 185]

Mencionaremos, por último, un contraste entre los demostrativos anafóricos y catafóricos con antecedente —o subsecuente— oracional. [36] En estos casos, el demostrativo catafórico debe preceder inmediatamente a su subsecuente, mientras que

[35] Cf. Bello 1847: § 259, Alarcos 1976: 343 y Fernández Ramírez 1951b: § 135.
[36] Cf. Calabrese 1988.

el demostrativo anafórico y su antecedente no tienen por qué ser linealmente adyacentes:

(14) a. Aunque no se pueda demostrar, debéis creer en *esto:* Dios existe.
b. *Debéis creer en *esto,* aunque no se pueda demostrar: Dios existe.
c. Dios existe. *Eso* es verdad, aunque no se pueda demostrar.
d. Dios existe. Aunque no se pueda demostrar, *eso* es verdad.

14.3.3.3. Abundan, finalmente, los usos no deícticos (no anafóricos) de los pronombres demostrativos (en especial, de los demostrativos neutros), así como las locuciones y las fórmulas fijas en las que estos participan.

Usos no deícticos no anafóricos de los demostrativos son las muletillas *estooo...* o *esteee...* (habitual esta última en buena parte de Hispanoamérica), la frase de relleno *y (todo) eso (es tan caro y todo eso que...)* o la expresión *a eso de* en construcciones con valor semántico temporal *(a eso de la una).*

Entre las locuciones con pronombres demostrativos cabe destacar: *y eso que* (con valor concesivo), [→ § 59.3.5.5] *esto es* [→ § 63.1.2.4] (con el significado de «es decir») y *en {eso/esto/estas}* (con el significado de «entonces») [→ § 63.3.3.11].

En cuanto a las fórmulas fijas, son especialmente numerosas aquellas en las que se emplea el llamado '*eso* polémico': *eso sí (que no), eso no, eso es, eso nunca, lejos de eso, todo menos eso, nada de eso, pero de eso a,* etc... [37]

También existen, aunque en menor número, fórmulas fijas con pronombres demostrativos masculinos o femeninos: *¿En esas estamos?, ¿Con que esas tenemos?, ¡No me vengas con esas!, ¡Ni por esas!, ¡Esa es otra!, Mario tiene su aquel.*

14.3.4. El uso anafórico de los pronombres demostrativos en la oración

Los pronombres demostrativos se utilizan como anafóras dentro de una oración con menor libertad que los pronombres personales: además de estar excluidos de los contextos en los que estos últimos no aparecen, se ven sujetos a restricciones adicionales, que probablemente estén relacionadas, al menos en parte, con el significado locativo con el que los demostrativos precisan la deixis personal. [38] Ilustraremos tales restricciones con los demostrativos de la serie de *este,* dado que son los que se emplean prioritariamente de manera anafórica (véase el § 14.3.3.2).

También las otras dos series de los demostrativos pueden usarse anafóricamente dentro de la oración, aunque de manera más restringida y con las connotaciones semánticas a ellas asociadas. Recuérdense, por ejemplo, los casos de anáfora con *aquel* mencionados en el § 14.3.3.2.

Como puede verse en (15), el demostrativo, en primer lugar, debe seguir obligatoriamente a su antecedente dentro de una misma oración, mientras que el pronombre personal puede ser tanto anafórico como catafórico (en todos los casos, los juicios de gramaticalidad se refieren a las relaciones de correferencia que se expresan por medio de la identidad de subíndices) [→ § 20.2]:

---

[37] Cf. Fernández Ramírez 1951b: §§ 131.3 y 135.2.

[38] Calabrese (1988) describe las restricciones que regulan la distribución de los pronombres demostrativos anafóricos del italiano dentro de la oración y llega a conclusiones sólo en parte idénticas a las aquí expuestas para el español.

(15) a. Cuando Pedro se encuentra con Juan$_i$, *este*$_i$ siempre le saluda.
b. *Cuando Pedro se encuentra con *este*$_i$, Juan$_i$ siempre le saluda.
c. Cuando Pedro se encuentra con Juan$_i$, él$_i$ siempre le saluda.
d. Cuando Pedro se encuentra con él$_i$, Juan$_i$ siempre le saluda.

En segundo lugar, tal y como queda ilustrado en (16a, b) y en los ejemplos gramaticales de (15), un pronombre demostrativo de la serie de *este* parece funcionar especialmente bien como anáfora dentro de una misma oración si le preceden al menos dos frases referenciales, de manera que el demostrativo sea correferente con la frase referencial más próxima en la línea temporal del discurso. Un pronombre personal anafórico puede ser correferente, sin embargo, con cualquier frase referencial anterior sin limitaciones de distancia temporal, como muestra (16c). No es necesario, por otra parte, que todas las frases referenciales que le preceden cuenten como antecedentes potenciales del demostrativo para que este sea correferente con la última de ellas, según se ilustra en (16d):

(16) a. Ana felicitó a María$_i$ porque {ella$_i$/*esta*$_i$} había jugado mejor.
b. Compararon a Ana con María$_i$, aunque a {ella$_i$/*esta*$_i$} no le gustan nada las comparaciones.
c. Ana$_i$ ganó a María porque {ella$_i$/**esta*$_i$} había jugado mejor.
d. Sergi felicitó a Conchita$_i$ porque {ella$_i$/*esta*$_i$} había jugado mejor.

Esta condición recoge el hecho de que los pronombres demostrativos de la serie de *este* no puedan ser correferentes con el sujeto de una oración en la que no hay complementos verbales, como (17a), ya que no se dispondría de dos frases referenciales sucesivas sobre las que establecer un contraste de distancia (temporal) relativa al centro deíctico. Sin embargo, esto no equivale a decir que los pronombres demostrativos anafóricos no puedan ser correferentes con el sujeto de la oración que les precede en ningún caso; tal relación puede darse cuando se invierte el orden entre el sujeto y el objeto, como en (17b), de manera que el primero quede situado más cerca del demostrativo:

(17) a. Ana$_i$ ganó porque {ella$_i$/**esta*$_i$} había jugado mejor.
b. A María, la ganó Ana$_i$ porque {ella$_i$/*esta*$_i$} jugó mejor.

Nótese que en (17a) es preferible el uso de un pronombre tácito (Ø significa vacío, elidido): *Ana$_i$ ganó porque Ø$_i$ había jugado mejor.*

En tercer lugar, un pronombre demostrativo no puede tener como antecedente ni a un pronombre tácito ni a un pronombre clítico:

(18) a. Ana$_i$ ganó a María porque aquella$_i$ jugó mejor.
b. **Ø*$_i$ ganó a María porque aquella$_i$ jugó mejor.
c. Ana felicitó a María$_i$ porque esta$_i$ había jugado mejor.
d. *Ana la$_i$ felicitó, porque esta$_i$ había jugado mejor.

Finalmente, un pronombre demostrativo incluido en una oración subordinada semánticamente seleccionada no puede tener como antecedente a una frase referencial de la oración principal, condición esta última a la que no se ven sujetos los pronombres personales anafóricos, según se ve en (19a, b):

(19) a. Ana le dijo a Lourdes$_i$ que {ella$_i$/**esta*$_i$} no tenía razón.
b. Ana le prometió a Lourdes$_i$ que {ella$_i$/**esta*$_i$} recibiría la beca.
c. María abandonó a su marido$_i$ porque {él$_i$/*este*$_i$} no la quería.
d. Aunque María abandonara a su marido$_i$, {él$_i$/*este*$_i$} la quería.
e. María quiere a su marido$_i$ y {él$_i$/*este*$_i$} la quiere a ella.

Como puede verse en (19c-e), para que un pronombre demostrativo pueda ser anafórico debe cumplirse una de estas dos condiciones: (a) que el demostrativo —o su antecedente— aparezcan en una oración subordinada adjunta o circunstancial, o (b) que ambos se encuentren en oraciones coordinadas.

Como comentábamos al principio de este subapartado, y como ha quedado corroborado por los paradigmas de datos presentados hasta el momento, el comportamiento anafórico de los pronombres personales es menos restringido que el de los demostrativos. Además, en los contextos que ambas clases de pronombres comparten, la utilización de los pronombres personales es más frecuente, en especial en la lengua hablada.

Existen, no obstante, situaciones en las que se prefiere claramente el uso del demostrativo anafórico. La primera de ellas tiene que ver con la naturaleza del antecedente. Si el antecedente es una frase referencial que denota una entidad humana, se tiende a emplear el pronombre personal anafórico, como en (20a), mientras que, cuando lo identificado por el antecedente es una entidad animada no humana (y no susceptible de ser humanizada) o un objeto, el uso del demostrativo es obligatorio (véase (20b, c)), excepto en los contextos oblicuos, ilustrados en (20d), donde los pronombres personales no siempre hacen referencia a personas:

(20) a. Antes de que yo viera a Juan$_i$, {él$_i$/?*este*$_i$} me había visto a mí.
b. Al intentar matar al mosquito$_i$, {*él$_i$/*este*$_i$} me picó.
c. Cuando conseguimos forzar el armario$_i$, {*él$_i$/*este*$_i$} se abrió de golpe.
d. El coche$_i$ ya no me funciona y no sé qué hacer con él$_i$.

Una segunda situación en la que se usa habitualmente un pronombre demostrativo anafórico en lugar de un pronombre personal es cuando se desea evitar que se produzcan ambigüedades en la interpretación de oraciones como la de (21):

(21) a. Juan y Pedro no se entienden porque él no es de izquierdas.
b. Juan y Pedro$_i$ no se entienden porque *este*$_i$ no es de izquierdas.
c. Juan$_i$ y Pedro no se entienden porque *aquel*$_i$ no es de izquierdas.

14.3.5. Los pronombres demostrativos neutros

14.3.5.1. Los demostrativos neutros son exclusivamente pronominales y concuerdan necesariamente en masculino y singular. Como el resto de los pronombres demostrativos, son expresiones referenciales con un valor deíctico locativo. Su semántica difiere, sin embargo, de la de aquellos en aspectos importantes.

En primer lugar, los referentes canónicos o característicos de los demostrativos neutros no son entidades humanas; de ahí que el uso de los neutros para referirse a personas tenga connotaciones peyorativas, como ocurre en (22a). Por otra parte, como ya se ha mencionado aquí y allá en este capítulo, los demostrativos neutros no sólo identifican entidades físicas (objetos, en este caso), sino también entidades de segundo y tercer orden (acontecimientos o estados de cosas y proposiciones), según reflejan las construcciones de (22b, c). Pueden indicar, además, conjuntos de objetos, ideas o situaciones, como en (22d, e):

(22) a. ¡Ay, Dios mío!, pero si *eso* no es hija, si *eso* es un basilisco. [Carlos Arniches, *La condesa está triste;* tomado de Fernández Ramírez 1951b: § 127.2]
b. Deja de hacer *eso*.
c. *Eso* es una magnífica idea.
d. Un solo interés, una sola acción, un solo enredo, un solo desenlace; *eso* pide, si ha de ser buena, una composición teatral. [Moratín; tomado de Bello 1847: § 295]
e. Pero este es gente así; quiere divertirse a su gusto y quiere que no se sepa, y *eso* cuesta dinero. [Jacinto Benavente, *La noche del sábado;* tomado de Fernández Ramírez 1951b: § 131.1]

Esta variedad de propiedades semánticas propias —referencia no humana, posible carácter colectivo, identificación de entidades de segundo y tercer orden— contribuye a que la referencia de los demostrativos neutros sea a menudo más indeterminada que la de los pronombres demostrativos de género masculino y femenino y los convierte en formas polivalentes, en formas particularmente aptas, como indicábamos en el § 14.3.3.1, para usos simbólicos, textuales y anafóricos. [39]

14.3.5.2. Los demostrativos neutros identifican, por tanto, entidades (de diverso orden), pero, con frecuencia, la relación que establecen con sus referentes en el momento de la enunciación es imprecisa o de naturaleza abstracta. Este aspecto del significado de los demostrativos neutros parece determinar una parte de su sintaxis, en concreto, el número y la naturaleza de las palabras o las construcciones que los modifican. [40]

Como el resto de las expresiones referenciales (nombres propios, pronombres personales, frases nominales específicas, pronombres demostrativos concordados), los demostrativos neutros, en tanto que unidades identificadoras, pueden ser modificados por adverbios de precisión, por el llamado '*mismo* enfático' [→ § 23.3.1.2] y por oraciones de relativo apositivas (véase el § 14.3.1) [→ § 7.1.5]. Pueden ir también precedidos por el cuantificador universal *todo* o por adverbios de foco como *sólo, incluso* o *hasta:*

---

[39] Sobre los tipos de entidades que pueden ser identificadas por los demostrativos neutros, véanse, por ejemplo, Bello 1847: §§ 255, 196, Gili Gaya 1943: § 178, Alonso y Henríquez Ureña 1938: § 102, Alcina y Blecua 1975: § 4.3 y Fernández Ramírez 1951b: §§ 115.2 y 137.2.

[40] Acerca de los modificadores de los demostrativos neutros, consúltense Bello 1847: § 255, RAE 1973: § 2.6.3b, Alarcos 1978: 338; 1994: § 121 y Fernández Ramírez 1951b: §§ 124.2 y 159.3.

(23) a. ¡Haz *exactamente* esto!
b. Eso *mismo* le he dicho yo.
c. Nos vamos a perder esto, *que es lo mejor de la película.*
d. ¡Qué difícil resulta olvidar *todo* aquello!
e. *Sólo* esto puede salvarte la vida.

En estos contextos, los pronombres demostrativos neutros desempeñan el papel de claras expresiones referenciales que identifican entidades de diverso orden. Ahora bien, en comparación con los nombres propios, los pronombres personales y los pronombres demostrativos concordados, [41] los demostrativos neutros admiten el ir acompañados de modificadores típicamente nominales. En este sentido, su comportamiento se asemeja al del artículo neutro en alguno de sus usos. [42] En concreto, los demostrativos neutros comparten dos de los valores del *lo:* el que Bosque y Moreno (1990) etiquetan como '*lo* individuativo con denotación absoluta' y el '*lo* factivo'.

En el primero de ellos, el artículo neutro [⟶ §§ 12.1.1.5 y 12.1.3] (y los demostrativos neutros) identifican «una entidad individual o compleja no humana» (cf. Bosque y Moreno 1990) de la que se predica una propiedad o una proposición. Los demostrativos neutros pueden así ser modificados por adjetivos, frases preposicionales con *de* u oraciones de relativo especificativas [⟶ § 42.3.4]:

(24) a. *{Lo/Eso}* negro.
b. *{Lo/Eso}* de hierro.
c. *{Lo/Eso}* que sueles hacer.

En general, las construcciones en las que un demostrativo admite algún modificador especificativo resultan más naturales con el demostrativo *eso,* aunque, cambiando las condiciones contextuales, pueden también utilizarse *esto* o *aquello,* con sus correspondientes matices deícticos (especialmente objetivos, afectivos o temporales).

Cuando el término de la frase preposicional que acompaña al artículo neutro es una frase nominal específica, se establece desde el punto de vista semántico una relación entre las entidades denotadas por *lo* y las que denota dicha frase. Lo mismo ocurre si un pronombre demostrativo neutro sustituye al artículo neutro en este tipo de construcciones:

(25) a. *{Lo/Eso}* de la moneda única.
b. *{Lo/Eso}* del conflicto de los Balcanes.
c. *{Lo/Eso}* de la dimisión de Felipe González.

El paralelismo entre los demostrativos neutros y el artículo neutro no es, sin embargo, completo con esta interpretación semántica, y en este tipo de construcciones. Deben hacerse algunas matizaciones a este respecto:

---

[41] Consideramos que, en construcciones como *ese {tan alto/de Madrid/que acaba de llegar},* el demostrativo es un determinante —no un pronombre— y los adjetivos, las frases preposicionales o las oraciones de relativo restrictivas modifican a un sustantivo elidido: *ese ø {tan alto/de Madrid/que acaba de llegar}* [⟶ § 43.3].

[42] Con respecto a los valores del artículo neutro *lo* véanse Lenz 1920: § 194 y ss., Alcina y Blecua 1975: 3.4.5, Fernández Ramírez 1951a: § 72; 1951b: §§ 159 y 160 y, en particular, Bosque y Moreno 1990.

(a) Los demostrativos neutros aceptan peor la modificación adjetival que el artículo neutro, según se ilustra en (26a).

Sin embargo, los demostrativos neutros parecen aceptar mejor el ser modificados por adjetivos si estos van precedidos por el cuantificador comparativo de grado *tan (¿Qué es eso tan interesante que contó ayer Vargas Llosa?).* También pueden modificar a los demostrativos neutros palabras como *último* u *otro (eso último, esto otro).*

(b) Los demostrativos neutros pueden ser modificados por frases preposicionales introducidas por preposiciones distintas de *de,* como se observa en (26b).

(c) El demostrativo neutro reemplaza al artículo neutro, como también ocurre en el caso de los demostrativos de género masculino y femenino, cuando el pronombre relativo está regido por una preposición, según se observa en (26c).

(d) El *lo* individuativo puede también denotar momentos, lugares o maneras (cf. Bosque y Moreno 1990), posibilidad esta que les está vedada a los demostrativos neutros, como ilustra (26d):

(26) a. *{Lo/*Eso}* interesante.
b. ¿Qué es *{eso/*lo}* sin asas que traes ahí?
c. ¿Qué es *{eso/*lo}* de que estáis hablando?
d. Por *{lo/*eso}* pronto, a *{lo/*eso}* lejos, a *{lo/*eso}* tonto.

El segundo valor en el que los demostrativos neutros y el artículo neutro coinciden es el significado factivo que ambos aportan en cierto tipo de construcciones, en las que, con la intermediación obligatoria de la preposición *de,* preceden a oraciones en infinitivo o a oraciones con morfemas de tiempo introducidas por la conjunción *que:*

(27) a. *{Lo/Eso}* de levantarme pronto me sienta fatal.
b. *{Lo/Eso}* de que le llamen tonto no le gusta nada.

Ambas lecturas —la identificativa con denotación absoluta y la factiva— parecen encajar con el hecho de que, como indicábamos más arriba, los demostrativos neutros sean expresiones referenciales (identificadoras), que establecen una relación de carácter impreciso o abstracto con su referente [—> § 12.1.1.5].

Sin embargo, son numerosos los valores del artículo neutro que los demostrativos neutros no comparten. La sustitución del artículo neutro por un pronombre demostrativo produce resultados agramaticales en los casos del «*lo* individuativo con denotación relativa», en el que «*lo* denota un aspecto o una parte de la entidad denotada por un sustantivo» o «un aspecto de una proposición» (28a, b), del '*lo* cualitativo', por el que se expresan «cualidades o propiedades tomadas en su grado máximo» (28c), y del '*lo* cuantitativo', en el que lo es «una variable cuyo rango es un conjunto de cantidades» (28d) (la terminología, las definiciones y los ejemplos son de Bosque y Moreno 1990):

(28) a. *{Lo/*Eso}* interesante del libro.
b. *{Lo/*Eso}* agradable de conducir de noche.
c. Me asusta *{lo/*eso}* difícil de la empresa.
d. Come *{lo/*eso}* imprescindible.

Tampoco es posible intercambiar el artículo neutro con un demostrativo neutro en las construcciones llamadas 'pseudorrelativas' (véase (29a, b)), en las que *lo,* seguido de ciertos adjetivos y adverbios, tiene el significado de un cuantificador de grado [⟶ § 7.4.2], ni en cierto tipo de perífrasis de relativo, como las que aparecen en (29c) [⟶ Cap. 65]:

(29) a. Me sorprendió *{lo/*eso}* grande que es Andalucía.
b. No sabía *{lo/*eso}* lejos que estaba el Cabo Norte.
c. *{Lo/*Eso}* que hay que hacer es parar la guerra de Bosnia.

14.3.5.3. Se incluyen también entre los demostrativos neutros las formas *tal* y *tanto* en algunos de sus usos.[43] Estas formas presentan ciertos rasgos peculiares que las diferencian de los demostrativos neutros *esto, eso* y *aquello* [⟶ § 58.1]:

(a) Se trata de unidades cuya función más habitual es la de determinantes que concuerdan con el sustantivo al que acompañan, sólo en número *(tal situación, tales hechos)* o en género y en número *(tanta gente, tanto vino, tantas mujeres, tantos niños)*.

(b) Cuando son pronombres, *tal* y *tanto* añaden respectivamente un valor semántico de cualidad o de cantidad a la mera identificación propia de las expresiones referenciales.

(c) No son deícticos locativos (no especifican grados de distancia con respecto al punto cero de la enunciación).

(d) Se emplean básicamente como elementos anafóricos y no de manera gestual o simbólica, como puede verse en (30):

(30) a. En los artrópodos [...] muchos ganglios que regulan el ejercicio de actividades importantes están dotados todavía, sin embargo, de una notable independencia respecto al cerebro. *Tal* es lo que acontece... con... la mantis religiosa. [Mederos 1988: 81-82]
b. Me gustaría ser ese crítico que dice Saint-Beuve y estar en condiciones de enseñar una lectura plena y convincente de Machado. Pero me parece que no llego a *tanto.* [Mederos 1988: 83]

Deben distinguirse los usos de *tal* y *tanto* como determinantes y como adverbios con significado cualitativo o cuantitativo de su uso pronominal, identificativo. Consideraremos que *tal* y *tanto* son pronombres sólo en contextos, como los de (30) y los de (31), en los que pueden ser sustituidos por un demostrativo neutro o por la expresión identificadora *lo mismo* y en los que, canónicamente, son correferentes con alguna expresión mencionada antes en el discurso, especialmente en la prosa analítica o ensayística:[44]

(31) a. ...No he dicho yo *{tal/eso}*.
b. ...{Pero si *tal* haces/Pero si haces *eso*}...
c. ...No hay sombra de *{tal/eso}*.
d. ...*{Tal/Esa}* es mi situación.
e. ...No diría yo *{tanto/eso}*.
f. ...Hicieron otro *{tanto/lo mismo}*.
g. ...Eso es {*tanto* como nada/*lo mismo* que nada}.

---

[43] Cf. Alonso y Henríquez Ureña 1938: § 101, Alcina y Blecua 1975: §§ 4.5.5.7 y 4.7.5, Fernández Ramírez 1951b: §§ 129 y 140, y Mederos 1988: 3.16.1.

[44] Cf. Fernández Ramírez 1951b: §§ 139.1 y 140, Alonso y Henríquez Ureña 1938: § 101, y RAE 1973: § 2.6.5.

En ocasiones, el demostrativo anafórico *tal,* al igual que los demostrativos neutros, puede tener como antecedente a un nombre o a un adjetivo, al que reproduce en su «dimensión esencial» (cf. Fernández Ramírez 1951b: § 139.2):

(32) a. La mesa, que *{tal/eso}* era sin duda.
b. Le tomaron por *{tal/eso}.*

Los pronombres demostrativos *tal* y *tanto* forman parte, finalmente, de un cierto número de locuciones y fórmulas fijas: *que si tal, que si cual, son tal para cual, {mientras / entre} tanto, en tanto (que), por (lo) tanto,* etc.

14.3.6. Los pronombres demostrativos pospuestos

Un tipo de construcción con pronombres demostrativos de género masculino o femenino que presenta características semánticas y sintácticas peculiares es aquella en la que el demostrativo aparece pospuesto a un sustantivo que está precedido, habitualmente, por el artículo definido [→ §§ 5.2.1.6 y 12.1.2] (los ejemplos de (33) están tomados de Vigara Tauste 1992: 96-97):

(33) a. El niño *este* es muy listo y ya no se le engaña fácilmente.
b. No lleva sirena el coche *aquel.*
c. La casa *esa* está en alquiler desde hace por lo menos cuatro o cinco años.
d. En el hotel *ese* se está comodísimo.
e. Los campings nudistas tienen el inconveniente *ese,* pero lo demás todo son ventajas.

Desde el punto de vista semántico, la diferencia entre una frase nominal con un «determinante» demostrativo (antepuesto) y una frase nominal con un pronombre demostrativo pospuesto reside en que, en el primer caso, los dos rasgos semánticos básicos de los demostrativos (identificación y localización deíctica) (véase el § 14.3.1) se expresan a la vez por medio de una sola palabra (el demostrativo antepuesto), mientras que, en el caso del demostrativo pospuesto, ambos rasgos se materializan fonéticamente en piezas léxicas distintas: el artículo definido se encarga de la identificación de una entidad, y el demostrativo pospuesto refuerza deícticamente dicha referencia, es decir, precisa su identificación aportando un valor deíctico locativo. El rasgo de localización deíctica queda, de esta manera, enfatizado y el demostrativo pospuesto adquiere el significado deíctico puro propio de los adverbios pronominales de lugar (véase el § 14.4.1). [45] El equivalente de los demostrativos pospuestos del español en lenguas como el inglés, donde se usan en su lugar adverbios deícticos locativos, parece confirmar la idea de que el demostrativo tiene un valor puramente localizador en estas construcciones:

(34) a. El hombre *ese* es tu padre.
b. The man *there* is your father.

[45] Las ideas aquí desarrolladas coinciden, en parte, con las de Alcina y Blecua (1975: § 4.3.3), Alarcos (1976: 337; 1994: 90), Fernández Jardón (1983: 84) y Vigara Tauste (1992: 96-97).

El valor deíctico de los demostrativos queda, pues, reforzado debido a la independiente realización fonética de los dos rasgos semánticos básicos que definen a los demostrativos. Este hecho tiene dos consecuencias importantes. En primer lugar, nos encontramos ante una construcción muy expresiva, propia de la lengua hablada coloquial, una construcción que resulta particularmente apropiada para expresar las connotaciones semánticas relacionadas con los tres grados de distancia relativa que los demostrativos establecen con respecto al centro deíctico. Quedan así resaltados matices semánticos como, por ejemplo, los que se derivan del uso de *este* en lugar de *ese* o *aquel* para indicar una mayor implicación en la situación por parte del hablante, (35a), o del empleo de *ese* en lugar de *este* con matiz despectivo (35b), [46] o de la utilización de *aquel* para evocar lejanía en el tiempo (35c) (véase el § 14.3.2.2):

(35) a. ¿Quién es el escritor *este* del que me hablabas ayer?
b. No me vuelvas a contar la película *esa* de marras.
c. Siempre recordaré los montes *aquellos* de mi infancia.

En segundo lugar, los demostrativos en general, gracias a su valor deíctico (la localización en tres grados de distancia), introducen un contraste dentro de la clase denotada por un sustantivo. Cuando este rasgo deíctico localizador queda resaltado, el demostrativo tiende a desempeñar el papel de rema (información nueva) de la frase nominal en la que se encuentra. [47] Son dos los procedimientos por los que podemos hacer hincapié en el valor contrastivo de un demostrativo: la posposición del demostrativo y la acentuación enfática del demostrativo antepuesto. En ambos casos, el demostrativo adquiere un valor remático dentro de la frase nominal. El demostrativo antepuesto no acentuado enfáticamente, por su parte, suele desempeñar la función de tema (información conocida) de la frase nominal en la que se halla, es decir, remite, como los pronombres anafóricos, a un referente ya introducido en el texto.

Datos como los de (36) y (37) avalan este diferente papel discursivo de, por un lado, los pronombres demostrativos pospuestos (y los determinantes demostrativos enfatizados) y, por otro, los determinantes demostrativos sin acento enfático. Los primeros pueden ir acompañados de adverbios de foco contrastivo como *sólo;* los segundos no resultan naturales en tal circunstancia (las mayúsculas expresan acento enfático):

(36) a. Trajeron una nueva pila de dosieres. Los consejeros han decidido estudiar sólo ESTOS dosieres y entregar los otros más tarde.
b. ...sólo los dosieres *estos* y entregar los otros más tarde.
c. #...sólo *estos* dosieres y entregar los otros más tarde.

---

[46] Se ha afirmado a menudo que el valor más frecuente de las construcciones con demostrativos pospuestos es el despectivo (cf., p. ej. Gili Gaya 1943: § 165; Alcina y Blecua 1975: § 4.3.3). Sin embargo, como se argumenta en el texto, no es este el significado básico de estas construcciones.

[47] En este punto extendemos al español las ideas de Tasmowski-De Ryck (1990) sobre los demostrativos pospuestos del rumano (y adaptamos a nuestra lengua los datos que esta lingüista analiza). Desde un enfoque basado en el grado de 'accesibilidad' de un referente (en la memoria a corto plazo), Brizuela (1995) parece llegar a conclusiones semejantes: los demostrativos pospuestos identifican entidades que pertenecen a contextos menos activos, menos 'accesibles'.

Los determinantes demostrativos sin acento enfático, en cambio, son más apropiados en contextos anafóricos que los demostrativos pospuestos y los determinantes demostrativos enfatizados (descártense las interpretaciones descalificadoras):

(37) a. —¿Qué dirías si te metiéramos en nuestro club de montañismo?
—No quiero comprometerme hasta saber de qué va *ese* club.
b. #...hasta no saber de qué va ESE club.
c. #...hasta no saber de qué va el club *ese*.

Otro aspecto relevante de la semántica de las construcciones con demostrativos pospuestos es el hecho de que la relación que se establece entre estos y la frase nominal a la que modifican es distinta de la que vincula a un sustantivo con sus complementos de naturaleza restrictiva (adjetivos, otros sustantivos, frases preposicionales, oraciones de relativo especificativas [⟶ § 5.3.2]):

(38) a. Las mujeres *esas.*
b. Las mujeres *intrépidas.*
c. Las mujeres *soldado.*
d. Las mujeres *de Valladolid.*
e. Las mujeres *que he conocido en mi vida.*

En (38a), una frase referencial (el demostrativo pospuesto) precisa la identificación realizada por otra frase referencial, es decir, por el conjunto formado por el artículo y el nombre *(las mujeres);* en (38b, c, d, e), se predica una propiedad ('ser intrépidas', 'ser soldados', 'ser de Valladolid') —o una proposición— tan sólo del sustantivo *mujeres.*

Podría pensarse que los demostrativos pospuestos predican una locación de un sustantivo. Sin embargo, no parece que la semántica, y la sintaxis, de expresiones como *las mujeres de ahí* (o *las mujeres que están ahí*) y *las mujeres esas* sean equivalentes.

Sin embargo, la semántica de las construcciones con demostrativos pospuestos tampoco coincide con la de las 'aposiciones explicativas', en las que dos frases referenciales, separadas por una pausa, se suceden linealmente. No significan lo mismo las dos oraciones de (39) [⟶ § 8.1]: [48]

(39) a. Las mujeres, *esas,* se han salido del cine.
b. Las mujeres *esas* se han salido del cine.

En (39a) se identifica exactamente la misma entidad por medio de dos expresiones referenciales distintas *(las mujeres* y *esas);* en (39b) existe una identidad referencial parcial, y la segunda frase referencial localiza deícticamente la entidad previamente identificada por la primera.

La semántica de las construcciones con demostrativos pospuestos se sitúa, por tanto, a medio camino entre la de los modificadores restrictivos de un sustantivo y

[48] Sobre la tradicional distinción entre 'aposiciones especificativas' y 'aposiciones explicativas', así como sobre las construcciones que suelen recibir una u otra denominación, véase de Paula Pombar 1983 y la bibliografía allí citada. Estas dos clases de aposiciones han recibido otras denominaciones: aposiciones 'adjuntas' y 'predicativas' (Alcina y Blecua 1975: § 7.8.6), 'unimembres' y 'bimembres' (Martínez 1985) Y 'no incidentales' e 'incidentales' (Gutiérrez Ordóñez 1995).

la de las llamadas aposiciones nominales explicativas: no consiste ni en predicar una propiedad, ni en identificar a un mismo referente dos veces, sino en precisar la identificación de una entidad.

Sí parece existir, no obstante, un interesante paralelismo semántico entre la construcción que nos ocupa y las 'aposiciones nominales especificativas' con nombre propio del tipo de *el rey Juan Carlos* o *mi primo Alberto* [→ § 2.4.1.3]. En estas expresiones, una frase referencial (p. ej. el nombre propio *Juan Carlos*) precisa también la referencia de otra frase referencial (p. ej. *el rey*). De nuevo, se trata de un caso de identidad referencial no absoluta en el que se precisa la identificación de una entidad. La diferencia semántica entre las construcciones con un demostrativo pospuesto y esta clase de aposiciones especificativas reside en que, en las primeras, el demostrativo añade un valor deíctico locativo que el nombre propio no aporta en las segundas.[49]

Ambos tipos de construcciones presentan además una sintaxis (al menos parcialmente) semejante, que los distingue tanto de los modificadores nominales restrictivos como de las aposiciones explicativas.

En comparación con los modificadores especificativos del sustantivo, en primer lugar, el determinante que acompaña al sustantivo que precede al demostrativo pospuesto o al nombre propio ha de ser bien el artículo definido, bien un posesivo:

(40) a. {Los/*unos/*muchos/*dos} chicos *esos.*
b. Su boca aquella infantil. [Armando Palacio Valdés, *Tristán;* tomado de Fernández Ramírez 1951b: § 124.4]
c. {Los/sus/*unos/*muchos/*dos} reyes Juan Carlos y Sofía.
d. {Los/unos/muchos/dos} chicos {altos/de Madrid}.

En el caso de las 'aposiciones especificativas' con nombre propio, sí parecen posibles algunas combinaciones con otros determinantes: *Yo no conozco a ningún primo Alberto.*

En segundo lugar, la presencia del determinante en las construcciones que nos ocupan es obligatoria incluso en aquellos contextos en los que el determinante puede omitirse; por ejemplo, cuando una frase nominal con un nombre contable en plural desempeña la función de objeto directo. Esta restricción no afecta a las frases nominales en las que hay modificadores restrictivos:

(41) a. Al final compré las rosas *esas.*
b. *Al final compré rosas *esas.*
c. Al final compré las rosas {rojas/de Aranjuez}.
d. Al final compré rosas {rojas/de Aranjuez}.
e. Vimos a los reyes destronados en la recepción.
f. Vimos a reyes destronados en la recepción.
g. Vimos a los reyes Juan Carlos y Sofía en la recepción.
h. *Vimos a reyes Juan Carlos y Sofía en la recepción.

[49] Estudiosos como Martínez (1985) o Gutiérrez Ordóñez (1995) piensan que, en las aposiciones del tipo <Art + nombre común + nombre propio>, el nombre común funciona como un adjetivo antepuesto, de manera que el conjunto formado por el artículo y el nombre común no constituye una expresión referencial. Argumentos como los ilustrados en los ejemplos de (41) a (43) parecen contradecir dicho punto de vista.

En tercer lugar, la elipsis del sustantivo [⟶ §§ 12.1.2.5 y 43.3], perfectamente posible en el caso de frases nominales con modificadores restrictivos, es agramatical en las construcciones que estamos describiendo: [50]

(42) a. Al final compré las rosas *esas.*
b. *Al final compré las *esas.*
c. Al final compré las rosas {rojas/de Aranjuez}.
d. Al final compré las {rojas/de Aranjuez}.
e. Los reyes Juan Carlos y Sofía llegaron tarde a la recepción.
f. *Los Juan Carlos y Sofía llegaron tarde a la recepción.
g. Los reyes {más famosos/de España} llegaron tarde a la recepción.
h. Los {más famosos/de España} llegaron tarde a la recepción.

Por otro lado, en comparación con las «aposiciones explicativas» en las que una frase referencial se adjunta a otra, en el caso de las construcciones con demostrativos posnominales, así como en el de las «aposiciones especificativas» con nombre propio, (a) no existe pausa; (b) se produce una concordancia obligatoria en género y número entre el demostrativo pospuesto o el nombre propio y el sustantivo; y (c) el demostrativo y el nombre propio son forzosamente posnominales (véase (43a, b) y (44a, b)).

En las aposiciones explicativas, como puede verse en (43c) y (44c), existe una pausa, la concordancia no es obligatoria y el orden es intercambiable: [51]

(43) a. Las rosas *esas.* / Los geranios *esos.*
b. Mi primo Alberto. / Mi prima Purina.
c. El rey, la garantía de nuestro futuro,...

(44) a. **Esas* las rosas.
b. *Alberto mi primo.
c. La garantía de nuestro futuro, el rey,...

Existe, finalmente, un tipo de construcciones en el que, a primera vista, aparecen demostrativos posnominales sin que sea necesaria la presencia de determinante alguno (los ejemplos están tomados de Fernández Ramírez 1951b: § 137):

(45) a. ¡Gran arte *ese* de sujetar, afinar y enclavijar las galgas!
b. ¡Hermosa casa *aquella,* en la que todos se esforzaban por hacerse simpáticos!
c. ¡Pobres niños *esos* a los que dejan ir solos a la muerte!

Se trata, sin embargo, de un fenómeno distinto del que hemos descrito en el presente subapartado. En este caso (pero no cuando se trata de auténticos demostrativos pospuestos, como muestran (46d, e), existe una cópula implícita y el demostrativo funciona como determinante de un sustantivo elidido (véase (46a, b, c)):

---

[50] A la vista de hechos como estos, se ha pensado que las construcciones con un demostrativo pospuesto son 'aposiciones explicativas' (cf., p. ej. Mederos 1988: 69). Es cierto que las aposiciones explicativas tampoco admiten la elipsis nominal, pero, en su conjunto, los paradigmas de datos analizados en el texto no confirman tal equiparación.

[51] En Paula Pombar 1983, se detallan otras pruebas sintácticas que distinguen las 'aposiciones especificativas' de las 'explicativas', como la naturaleza de los determinantes que pueden introducir la primera frase nominal en ambos tipos de aposición o la (im)posibilidad de aposiciones en serie.

(46) a. ¡Gran arte (es) *ese* (arte) de sujetar, afinar y enclavijar las galgas!
b. ¡Hermosa casa (era) *aquella* (casa), en la que todos se esforzaban por hacerse simpáticos!
c. ¡Pobres niños (son) *esos* (niños) a los que dejan ir solos a la muerte!
d. *Al final compré las rosas son esas.
e. *Al final compré las rosas esas rosas.

Prueba también de que construcciones como las de (45) no contienen demostrativos pospuestos es el hecho de que el demostrativo puede alternar con el artículo definido en estos casos: *¡Gran arte el de sujetar...!*

14.4. Los adverbios demostrativos [52]

14.4.1. Formas y semántica

Los adverbios demostrativos [⟶ § 11.1] del español constituyen un reducido grupo de unidades lingüísticas morfológicamente invariables cuya función más habitual es la de complemento circunstancial o adjunto de un verbo. Son demostrativos en español los adverbios locativos *aquí, ahí, allí, acá* y *allá,* los adverbios de tiempo *ahora, entonces, hoy, ayer, mañana* y *anoche* [⟶ § 48.1.3.2] y el adverbio de manera *así.*

Son también demostrativas o deícticas las locuciones adverbiales temporales lexicalizadas *antes de ayer* (o *anteayer*), *antes de anoche* y *pasado mañana.* Existen además formas en desuso como *acullá* («de la zona de allí»), *aquende* («del lado de acá»), *allende* («del lado de allá»), *hogaño* («presente amplio») y *antaño* («pasado remoto»). [53]

Esta clase de adverbios ha sido etiquetada de tres maneras distintas, al menos, en los estudios gramaticales del español, de modo que diversos aspectos de su semántica o su sintaxis quedan, implícita o explícitamente, realzados. Por un lado, hay autores que hablan de 'adverbios demostrativos' para referirse a las formas que nos ocupan, haciendo así hincapié bien en las semejanzas que existen entre algunos de estos adverbios y los pronombres demostrativos, bien en su conexión con los 'mostradores' gestuales. [54] Otros lingüistas usan el término 'adverbios pronominales', resaltando de esta manera el paralelismo existente entre este grupo de adverbios y los pronombres (o las frases referenciales en general) (véase el § 14.4.4.2). [55] Un último grupo opta por la denominación de 'adverbios deícticos', con lo que se insiste en que su significado depende crucialmente de las coordenadas del acto de enunciación. [56]

En lo que respecta a su semántica, los adverbios demostrativos de lugar, tiempo y modo son expresiones referenciales que identifican, respectivamente, lugares, momentos o intervalos de tiempo y maneras. [57] Pero, como el resto de las formas que

---

[52] Sobre las distintas clasificaciones de los adverbios y el lugar que en ellas ocupan los adverbios demostrativos, así como sobre la definición y los límites de esta polémica categoría, véanse los §§ 9.3 y 11.2 y la bibliografía allí citada.

[53] Cf. Bello 1847: § 381, Molho 1968 y Alcina y Blecua 1975: § 4.4.

[54] Cf. Bello 1847: § 380 y ss., Alonso y Henríquez Ureña 1938: § 103, Alarcos 1994: § 178 y Rodríguez Ramalle 1995.

[55] Cf. Roca Pons 1960, Seco 1989: § 81, Alcina y Blecua 1975: § 4.0.3 y Pavón 1995.

[56] Cf. Carbonero Cano (1979), Hernández Alonso (1977), Martínez (1988: 278) y, de nuevo, Pavón (1995). No todos estos lingüistas, sin embargo, incluyen las formas anteriormente enumeradas (y sólo estas) entre los adverbios deícticos.

[57] Cf. Lyons 1975; 1977a: 170; 1981, Bosque 1989: 200 y § 14.2.1.1.

estamos describiendo en este capítulo, se trata, además, de expresiones deícticas, es decir, de un tipo especial de expresiones referenciales que identifican 'individuos' con respecto a las variables del centro deíctico de la enunciación.

En este sentido, con el fin de delimitar con precisión el fenómeno de la deixis espacial y temporal, debe distinguirse con claridad la 'localización (espacio-temporal) deíctica' de la 'localización (espaciotemporal) inherente o contextual'. [58] No toda referencia al espacio o al tiempo es deíctica. Existen numerosas unidades o expresiones locativas o temporales que también identifican lugares y momentos o intervalos de tiempo, que son también expresiones referenciales (*en Madrid, debajo de la mesa, en 1995, después de clase,* etc.). Estas expresiones requieren, como las expresiones deícticas, información contextual para ser plenamente interpretadas. Pero el contexto no es en su caso el eje deíctico de la enunciación: las frases preposicionales *en Madrid* y *en 1995,* por ejemplo, identifican un lugar o un intervalo de tiempo con independencia de dónde y cuándo se emita el enunciado que las contenga; en cambio, la interpretación de adverbios demostrativos como *aquí* o *ahora* depende del lugar en el que se encuentre el hablante o del momento mismo en el que se enuncien.

En particular, conviene no confundir los significados de los adverbios locativos y temporales 'pronominales' o 'deícticos' con los de los adverbios de lugar y de tiempo 'nominales' o 'identificativos no deícticos' del tipo de *debajo, encima, enfrente, antes, después,* etc. [59] Además de tener propiedades específicamente nominales, como admitir posesivos *(debajo mío)* o complementos obligatoriamente precedidos por la preposición *de (debajo de la mesa/*debajo la mesa),* esta segunda clase de adverbios identifica, característicamente, lugares o momentos de tiempo de manera no deíctica [→ § 9.3.1]:

(47) a. Mi primo vive *aquí.*
b. El libro está *debajo* de la mesa.
c. Te veré *mañana.*
d. Te veré *después* del concierto.

El punto de referencia espacial o temporal a partir del cual se interpretan los adverbios *debajo* y *después* en (47b y d) no es ni el lugar en el que se encuentra el hablante, ni el momento en el que este produce el enunciado, sino, respectivamente, un objeto con una determinada estructura *(la mesa)* o un intervalo de tiempo, en este caso lexicalizado por medio de un sustantivo con dimensión temporal *(el concierto).* La perspectiva que se adopta en tales casos, no es, por tanto, subjetiva o deíctica, sino objetiva o intrínseca. [60]

El panorama, sin embargo, se complica, dado que los 'adverbios nominales' pueden usarse en ocasiones deícticamente (cf. Levinson 1983: 66-67):

---

[58] Sobre esta importante distinción, véanse, Kerbrat-Orecchioni 1980: 59-70, Fillmore 1982, Mazzoleni 1985, Levinson 1983: §§ 2.2.2 y 2.2.3, Cifuentes Honrubia 1989: Cap. 5, y Vicente Mateu 1994: 127 y ss.

[59] Como veremos en el § 14.4.5, los 'adverbios nominales direccionales' o 'intransitivos' (cf. Pavón 1995) sí pueden considerarse deícticos. Acerca de los 'adverbios nominales', sobre cuya naturaleza categorial existe una tradicional controversia, véanse los §§ 9.3.1 y 9.3.2, así como Pavón 1995.

[60] Lenz (1920: §§ 143 y 144) habla de adverbios 'subjetivos' y 'objetivos' para referirse, *grosso modo,* a los adverbios locativos y temporales 'pronominales' (o deícticos) y 'nominales' (o no deícticos).

(48) a. Mi primo vive *debajo.*
b. Te veré *después.*
c. Ana está escondida *detrás* del árbol.
d. El gato está escondido *detrás* de la silla.

En las oraciones de (48a) y (48b), los adverbios nominales sin complemento preposicional *debajo* y *después,* dependiendo de la naturaleza de su complemento sobreentendido (y no de su semántica intrínseca), pueden interpretarse tanto deíctica como no deícticamente. En el primer caso, el adverbio *debajo* identificaría, por ejemplo, el piso situado debajo de donde habla el hablante y el adverbio *después* significaría «después del momento en el que el hablante emite el enunciado». En el segundo caso, *debajo* y *después* tendrían como punto de referencia un lugar o un lapso de tiempo, mencionados anteriormente, o que se deducen de la situación, distintos del lugar y el momento de la enunciación. Por otro lado, incluso adverbios nominales locativos con complemento preposicional pueden (o deben) interpretarse deícticamente, dependiendo de la estructura del objeto con respecto al cual se establece la localización. Así, en (48c), dado que en una entidad como *el árbol* no se distinguen inherentemente una parte trasera y una parte delantera, la frase *detrás del árbol* ha de entenderse forzosamente de manera que *detrás* indique «el lado opuesto del árbol a aquel en el que se encuentra el hablante». En (48d), por su parte, la situación es más compleja. Una silla sí tiene intrínsecamente una parte delantera y una parte trasera. Por ello, la oración de (48d) es ambigua: el gato puede estar situado bien detrás de la parte de la silla correspondiente al respaldo (lectura no deíctica), bien en el lado opuesto a aquel en el que se encuentra el hablante (lectura deíctica).

Este tipo de dobles lecturas, y de usos deícticos de expresiones habitualmente no deícticas, se produce también con frases preposicionales identificadoras con valor locativo:

(49) a. Madrid está *a 200 kilómetros* de Valladolid.
b. Madrid está *a 200 kilómetros.*
c. Juan está colocado *a la izquierda* de Ana.
d. Juan está colocado *a la izquierda.*

La frase preposicional *a 200 kilómetros de Valladolid* sólo admite una interpretación no deíctica en (49a). Sin embargo, si omitimos el complemento preposicional *de Valladolid* (cf.(49b)), y dependiendo del contexto lingüístico o extralingüístico, son posibles tanto una lectura deíctica («a 200 kilómetros de donde se halla el hablante»), [61] como no deíctica («a 200 kilómetros de un lugar distinto de aquel en el que se halla el hablante»). Tanto (49c) como (49d) son, finalmente, ambiguas según cual sea el individuo de cuyo lado izquierdo se está hablando: obtendremos una lectura deíctica si lo que prima es el punto de vista del hablante y una interpretación no deíctica si se toma como eje localizador a una persona distinta del hablante.

[61] Este fenómeno es un caso de la denominada 'deixis por defecto' (véase el § 14.4.5.1) o 'deixis contextual' (cf. Vanelli y Renzi 1995: § 1.2). Por otro lado, la propiedad observada en (49) se extiende a muchas otras expresiones: son ambiguas, por ejemplo, en un sentido similar, oraciones como *Le dije a Juan que se fuera a casa* (comunicación personal de I. Bosque).

Como puede verse, son frecuentes las interferencias entre las coordenadas deícticas y la conceptualización no deíctica del espacio y el tiempo. No obstante, consideraremos que son expresiones deícticas únicamente aquellas cuyo uso primario sea deíctico (véase el § 14.2.1.3). En este sentido, los adverbios 'pronominales' listados al comienzo de este subapartado son, en sentido estricto, deícticos. Este mismo criterio —tener como básico un uso deíctico— nos permitirá determinar más adelante, en el § 14.4.5, cuáles de entre el resto de los adverbios locativos o temporales son deícticos y cuáles, aunque puedan emplearse ocasionalmente de manera deíctica, no lo son. [62]

14.4.2. Los adverbios demostrativos y las clases de deixis

14.4.2.1. En lo que respecta al tipo de información deíctica que transmiten (véase el § 14.2.2.1), los adverbios demostrativos son locativos o espaciales, temporales y nocionales.

Los adverbios demostrativos de lugar se organizan en dos subsistemas, uno ternario *(aquí, ahí, allí)* y otro binario *(acá, allá).* El primero de ellos manifiesta un evidente paralelismo con el sistema de los pronombres demostrativos *(este, ese, aquel),* y como estos, establece tres grados de distancia en relación con el centro deíctico. El segundo expresa, por su parte, tan sólo proximidad o lejanía relativas con respecto al lugar en el que se encuentra el hablante.

Debido a las notables diferencias dialectales (e incluso idiolectales) que se perciben en su uso, no resulta fácil precisar los valores semánticos asociados con estos dos subsistemas. Algunos gramáticos consideran que la característica semántica básica que distingue por lo general a los adverbios demostrativos locativos de la serie ternaria y a los de la serie binaria es que estos expresan dirección o movimiento, mientras que aquellos indican una localización estática: [63]

(50) a. *Aquí* se está muy a gusto.
b. La fiesta es *allí.*
c. Ven *acá.*
d. Fuimos hacia *allá.*

Es frecuente, sin embargo, la neutralización de esta oposición semántica. [64] En español estándar, resulta habitual el empleo de la serie de *aquí* con verbos de movimiento o con preposiciones que indican dirección, como ocurre en (51a, b); igualmente, en determinadas zonas de Hispanoamérica, *acá* sustituye casi por completo a *aquí,* como se ilustra en (51c): [65]

(51) a. Ven *aquí.*
b. Fuimos hacia *allí.*
c. *Acá* se está muy a gusto.

---

[62] En el § 14.4.5 nos ocuparemos también de frases nominales y frases preposicionales con un valor adverbial locativo o temporal y con un uso básico deíctico.

[63] Cf., p. ej. Hernández Alonso 1977, Carbonero Cano 1979 y Salvá 1988: tomo I, 499.

[64] Cf., p. ej. Hernández Alonso 1977 y Carbonero Cano 1979.

[65] Véase Kany 1945: 319. Por otro lado, como ocurre con los pronombres demostrativos correspondientes, en el español de América *ahí* tiende a ocupar el lugar de *allí,* obteniéndose un sistema binario (cf. Kany 1945: 320).

Ante esta situación, hay quienes piensan que la diferencia fundamental entre los temas en *-í* y los temas en *-á* reside en que los primeros identifican lugares concretos, mientras que la manera de localizar de los segundos es más vaga (véase (52a)). Otros autores hacen especial hincapié en el hecho de que los temas en *-á* suelen identificar lugares de mayor amplitud que los temas en *-í* (véase (52b)): [66]

(52) a. «Dios impera *allá* arriba, pero yo mando sobre mi voluntad...», pensaba aquel matón. [De Kock 1991: CAS 430]
b. *Allá,* al extremo del salón... la respetable orquesta de los profesores indígenas. Allí estaba la trompa... Allí el espiritual violinista. [Clarín; tomado de Molho 1968: 115]

Los adverbios demostrativos locativos de la serie de *acá,* por tanto, no conceptualizan un lugar como un punto o una región delimitada, sino como una extensión imprecisa o un continuo (una 'trayectoria': cf. Jackendoff 1990). Sobre un espacio así definido pueden establecerse gradaciones. Esta clase de adverbios demostrativos admite, en consecuencia, modificadores de grado: [67]

(53) a. Acércalo más *acá.*
b. No te vayas tan *allá.*
c. *Vivimos más *aquí.*
d. *No te quedes tan *ahí.*

En cuanto a su funcionamiento deíctico general, pueden extenderse a los adverbios demostrativos locativos las ideas que expresábamos en el § 14.3.2.1 con respecto al flexible sistema de los pronombres demostrativos. En primer lugar, los adverbios demostrativos espaciales no expresan distancias objetivas con respecto a la localización del hablante: por ejemplo, solo en situaciones específicas de interacción cara a cara, el adverbio *ahí* identifica exactamente el lugar donde se encuentra el interlocutor. En segundo lugar, el espacio deíctico mismo es también relativo; constituye una 'región de proximidad', [68] y no un lugar rígidamente acotado de antemano. Hay que distinguir, pues, el 'espacio de la percepción visual' del 'espacio geográfico' [69] para poder dar cuenta del hecho de que una misma forma locativa se utilice para referirse a lugares de muy variadas dimensiones (en la oración *Me encuentro a gusto aquí,* el adverbio locativo puede equivaler, dependiendo del contexto, a *esta casa, esta ciudad, este país, este continente,* etc.). A la hora de identificar el espacio deíctico, deben tomarse en consideración, además, los fenómenos de la llamada 'deixis analógica'. [70] En este tipo de manifestaciones de la deixis, un determinado espacio deíctico evoca, por analogía, otro espacio deíctico, como, por ejemplo, cuan-

[66] Respecto a la primera de estas interpretaciones, véanse Seco 1930, Sacks 1954 y Hernando Cuadrado 1994: 157 y ss.; respecto a la segunda, Molho 1968 y Villegas 1992.

[67] Cf. Molho 1968, Seco 1989: § 82, Bartra y Suñer 1992 y Pavón 1995. Los contrastes de (53) se producen, claro está, en los sistemas estativo y direccional en el caso de que no haya ni intercambio de valores, ni neutralizaciones. Bartra y Suñer (1992) y Pavón (1995) consideran que los adverbios 'nominales' direccionales o 'intransitivos' (*arriba, abajo,* etc.) son aspectualmente imperfectivos (sitúan un objeto en un *continuum*). López Díaz (1996) reformula esta idea, que podría extenderse a los adverbios locativos de la serie de *acá,* aplicando la noción de 'espacios discretos' y 'espacios borrosos'.

[68] Cf. Hottenroth 1982.

[69] Cf. Klein 1982.

[70] Cf. Klein 1982 y Vanelli y Renzi 1995: § 5.1.

do alguien emite enunciados como *Iremos aquí de vacaciones* señalando un punto en un mapa o *Le duele mucho aquí* palpándose él mismo la cabeza. En el primer caso, el punto del mapa remite a un lugar del espacio geográfico; en el segundo, el cuerpo del que habla sustituye como espacio deíctico al cuerpo de la persona a la que le duele la cabeza.

Los adverbios demostrativos de tiempo [→ § 48.1], por su parte, se organizan en dos subsistemas. [71] El primero toma como eje el momento mismo de la enunciación *(ahora)* y lo contrapone a cualquier momento o intervalo de tiempo que no coincida con este, tanto en el pasado como en el futuro *(entonces)*. El segundo tiene como centro el día en el que se produce el acto de enunciación *(hoy)* y se opone, en español, al día anterior *(ayer)*, a la noche anterior *(anoche)* y al día posterior *(mañana)*, así como a otros días expresados por medio de frases lexicalizadas *(anteayer, pasado mañana)*.

Algo semejante a la noción de 'región de proximidad' espacial debe tenerse en cuenta también en la dimensión temporal. Así, por ejemplo, *ahora* y *hoy* no expresan necesariamente el momento o el día exactos en los que se produce el acto de enunciación, sino un lapso de tiempo más amplio que expande el momento o el día del acto de enunciación:

(54) a. Algunas especulaciones mías de entonces... dieron lugar a un librito... que *ahora* vuelve a publicarse. [De Kock 1991: AYA 33]
b. ...aunque *hoy* no pueda hablarse de una separación absoluta entre el *mester de clerecía* y el *mester de juglaría.* [De Kock 1991: ALO 246]

El adverbio 'demostrativo de modo' o adverbio 'deíctico nocional' *así* completa la clase de los adverbios demostrativos del español. [72] *Así* identifica modos o maneras, bien con la apoyatura de un gesto *(Es así de grande, Había así de gente)*, bien de manera simbólica, refiriéndose a acciones, estados de cosas o atribuciones *(Hazlo así, Esto no estaba así antes, Yo no soy así)*, y funciona a menudo como anáfora, como catáfora *(Recuérdalo así: como era de joven)* o como conector discursivo. [73]

14.4.2.2. Con respecto a otras clasificaciones de la deixis, todos los adverbios demostrativos son, en primer lugar, deícticos 'puros', es decir, su significado se puede explicar completamente por medio del concepto de deixis (véase el § 14.2.2.3). En segundo lugar, algunos son deícticos 'transparentes' o 'completos' *(ahora, hoy, mañana, ayer, anoche)* y otros 'opacos' o 'incompletos' *(aquí, ahí, allí, acá, allá, entonces, así)* (véase el § 14.2.2.2). En tercer lugar, los adverbios demostrativos locativos, dado el carácter subjetivo y la flexibilidad de los grados de distancia que establecen con respecto al centro deíctico, resultan especialmente adecuados para las reordenaciones espaciales propias de la llamada 'deixis empatética o emocional' (véanse los §§ 14.2.2.3 y 14.3.2.2). Por último, los adverbios demostrativos locativos pueden adoptar un valor temporal:

---

[71] Cf. Alcina y Blecua 1975: § 4.4.

[72] La primera de estas denominaciones aparece en Bello 1847: § 387, Alcina y Blecua 1975 y Vera Luján 1979: nota 15; la segunda, en Pottier 1970: 130-31; 1974: 193.

[73] Mederos (1988: § 3.21) describe con cierto detalle diferentes valores de *así.* En Vicente Mateu 1994: VIII.4, se pone en duda que la deixis nocional sea un tipo especial de deixis y se insiste en que el demostrativo de manera se deriva de los demostrativos *(así = de este/ese/aquel modo).*

(55) a. *Allá* en los tiempos de Maricastaña.
b. Desde entonces *acá*.
c. De *aquí* en adelante es problema tuyo.

Kany (1945: 320 y 321) recoge también usos temporales de *ahí* y de *allí* en el español de América: *allí* (= entonces) *fue Troya; ahí* (= en seguida) *vengo.*

14.4.3. Usos deícticos y no deícticos de los adverbios demostrativos

14.4.3.1. Al igual que el resto de las unidades o expresiones deícticas, los adverbios demostrativos se emplean de manera tanto deíctica como no deíctica. Como indicábamos en el § 14.2.3, los deícticos 'opacos' o 'incompletos' son los que presentan una mayor variedad de usos distintos. A modo de ejemplo, en (56) y (57) se ilustra sucesivamente el uso deíctico (gestual y simbólico) y no deíctico (anafórico y no anafórico) de dos adverbios demostrativos 'opacos', el locativo *ahí* y el nocional *así* (véase también el § 14.4.4):

(56) a. Colócalos *ahí, ahí* y *ahí.*
b. *Ahí* no estoy de acuerdo.
c. Estuvimos en esa discoteca y fue *ahí* donde la conocí.
d. *Ahí* ([ái]) viene la procesión por fin.

(57) a. Mira, dobla las sábanas *así, así* y *así.*
b. *Así* es como debe portarse un buen hijo.
c. Le gritó al enterarse, pero *así* no conseguirá nada.
d. ...*Así* mismo, deberán deponer las armas de inmediato.

14.4.3.2. Existe, por otro lado, un buen número de locuciones o fórmulas fijas con adverbios demostrativos, muchas de ellas con valor no deíctico.

Son frases hechas con adverbios demostrativos locativos direccionales expresiones como las de (58):

(58) a. Luchaban, *más allá de* las contingencias inmediatas, por las mismas ideas. [De Kock 1991: CAR 69]
b. *Allá {tú/cuidados};* eso no es cosa mía.
c. Venga, *¡vamos allá!*
d. La paella no te ha quedado *muy allá.*
e. Eso es lo único que sabes hacer: *andar de acá para allá.*

De entre los adverbios demostrativos locativos estativos, el adverbio de distancia intermedia *ahí* es el que con más frecuencia participa en fórmulas fijas, como las expresiones interjectivas de (59a, b) o en locuciones, como el conector consecutivo *de ahí que* (59c). *Aquí* puede también emplearse con valor consecutivo, así como en la expresión hecha *he aquí:*

(59) a. *¡Ahí es nada!* Le han tocado quince millones.
b. *¡Ahí va!* ([aibá]) Mira quién viene por ahí.

c. ... Han tenido que actuar entre las zozobras de una etapa erizada de dificultades... *De ahí que* a veces hayan incurrido en errores. [De Kock 1991: GAL751]
d. La literatura española tendría en grado sumo estas características: *de aquí* el entusiasmo por ella. [De Kock 1991: ALO45]
e. Y si hace falta una definición de aristocracia literaria, *he aquí* lo que para el poeta exige Juan Alfonso de Baena. [De Kock 1991: ALO276]

Kany (1945: 321) menciona también el uso en el español de América de la fórmula *de ahí* ([ái]) con el valor semántico temporal de «luego» o «enseguida»: *de áhi Rufo picó tabaco / y dos cigarros armó* (Argentina).

En algunas zonas de América Central, y en registros sociolingüísticos específicos, tiene lugar un notable uso no deíctico del adverbio locativo *ahí.* Se trata del llamado *'ahí* expletivo o enfático': [74]

(60) a. *Ay* regreso mañana. (Guatemala)
b. Trae *ai* esa silla. (Yucatán)
c. Sírvase *ahí* unas copas. (Nicaragua)
d. Despácheme una caja de fósforos *ahí.* (Cuba)

Ahí no tiene en estos casos valor espacial: no es intercambiable por *aquí* o por *allí* y presenta patrones de grupo tónico distintos del *ahí* locativo. Parece ser, además, que, al menos en el español de Venezuela, este *ahí* no locativo no es un mero expletivo, sino que tiene ciertos valores pragmáticos, como, por ejemplo, el de restar importancia a una determinada información: [75]

(61) a. ...pero es una casucha *ahí* / una casa / bueno un perrero *ahí.*
b. ...pero no se pongan a hacer música moderna, venezolana *ahí* que no sé, a mí no me gusta, ¿ves?

En cuanto a los adverbios demostrativos de tiempo [→ § 11.3.2.2], tanto *ahora* como *hoy* forman parte de frases hechas como *ahora hace un año, ¡hasta ahora!, hoy (en) día, hoy por hoy,* etc. *Ahora* se emplea también como conector discursivo adversativo [→ § 63.1.3.2] *(ahora, ahora bien, ahora... que)* o, en desuso, como conjunción distributiva: [76]

(62) a. ...*Ahora bien,* si España y lo español es... tal cual Castro nos lo pinta. [De Kock 1991: AYA440]
b. Las mujeres... si no mienten, se mueren. *Ahora... que* hay dos géneros en sus mentiras, las leves y las graves. [Beinhauer 1968: 109]
c. *Ahora* se considera la atrocidad de su naturaleza, *ahora* el número y carácter de las personas a quien se imputa. [Salvá 1988: tomo I, 498]

---

[74] Cf. Kany 1945: 321 y Hernando Cuadrado 1994: 157 y ss. Los datos son de estos autores.
[75] Cf. Álvarez 1991; los datos están tomados de esta obra.
[76] Kany (1945: 327 y ss.) recoge el uso de formas como *ahoy* en el español de México (por analogía con *ahora*) o de *hoy (en) día* con el sentido de *hoy* y no de «en nuestro días». Comenta igualmente que en algunas regiones se emplea *ahora* con el significado de *hoy* y viceversa.

El adverbio demostrativo temporal *entonces* presenta una rica variedad de usos anafóricos y discursivos. En (63) ilustramos algunos de ellos:

(63) a. Vivía en Madrid cuando tenía cinco años. Yo no era más que un crío *entonces.*
b. Viví en esa casa desde los siete a los ocho años. Y *entonces* nos mudamos a la de ahora.
c. Si no estás de acuerdo, *entonces* vota en contra.
d. ...*Entonces* puede que ocurra que la cultura no es un negocio; *entonces* resulta que los centros de comercio los hacen los particulares. [Lamíquiz 1991: 762]

En (63a) el adverbio *entonces* tiene un valor temporal anafórico y mantiene el tiempo de referencia establecido en la oración anterior. En (63b), en cambio, *entonces* no funciona como elemento anafórico y, adoptando el significado de «después» o «a continuación», cambia el tiempo de referencia establecido en la oración anterior. En (63c) introduce la apódosis de una oración condicional y adquiere un valor 'epistémico'. En (63d), por último, funciona como un conector con valor resultativo. [77]

El adverbio demostrativo de modo *así* da lugar, finalmente, a numerosas fórmulas fijas (*así así, así las cosas, tanto es así que, así como así,* etc.) y forma parte de locuciones como *así (es) que* (con el valor consecutivo de «o sea que» o «de modo que»), *asimismo* (con el significado de «además») o *así que* (equivalente a la locución temporal «en cuanto»). [78]

14.4.4. Aspectos de la sintaxis de los adverbios demostrativos

14.4.4.1. Los adverbios demostrativos desempeñan habitualmente la función de adjuntos o complementos circunstanciales de un verbo, como ilustran las oraciones de (64); también pueden ser complementos verbales semánticamente seleccionados, según se ve en los datos de (65): [79]

(64) a. Van a celebrar la fiesta *aquí.*
b. Tenemos el examen *mañana.*
c. El Madrid siempre gana *así.*
(65) a. El camino acababa *allí.*
b. La guerra se terminó *ayer.*
c. No te portes *así.*

Ocupan, además, de manera natural, la posición inicial de la oración:

---

[77] Sobre estos valores de *entonces,* véanse los trabajos de Schiffrin (1992) y Lamíquiz (1991). Este último autor señala, asimismo, otros usos de *entonces* con función de enlace discursivo sin valor deíctico.

[78] En Salvá 1988: tomo I, 500, pueden verse otros valores y usos del adverbio demostrativo *así.*

[79] Sobre las funciones sintácticas de los adverbios demostrativos, véanse, Hernanz y Brucart 1987: § 6.6, Moreno 1991: Cap. XVIII y Lonzi 1991. Con respecto al tipo de modificadores que admiten y a las construcciones en las que participan, consúltense, Alcina y Blecua 1975: § 4.4.1, Alarcos 1969: 241 y ss.; 194, y Rodríguez Ramalle 1995.

(66) a. *Aquí* nunca ha habido fiestas como esas.
b. *Mañana* alguien te dará una sorpresa.
c. *Así* no hay forma de aprobar.

Al igual que las frases nominales o los pronombres, los adverbios demostrativos de lugar y de tiempo pueden ser término de preposición:

(67) a. Desde *aquí,* hasta *ahí,* por *allí,* hacia *acá,* para *allá.*
b. Por *ahora,* desde *entonces,* hasta *hoy,* para *mañana.*

Finalmente, pueden funcionar como complementos de un sustantivo. Si el sustantivo es no eventivo (no implica una dimensión espacio-temporal), los adverbios demostrativos de lugar y de tiempo han de ir obligatoriamente precedidos por la preposición *de* [→ § 6.3]. El adverbio de manera, en cambio, no admite la preposición *de:* [80]

(68) a. [Ese chico {**ahí*/de *ahí*}] está enfermo.
b. No me gustan nada [los políticos {**aquí*/de *aquí*}].
c. [La cena {**mañana*/de *mañana*}] será especial.
d. [La película {**hoy*/de *hoy*}] es de Pilar Miró.
e. Yo nunca había visto [una mujer {*así*/*de *así*}].

Sin embargo, los adverbios demostrativos locativos y temporales no son introducidos por la preposición *de* cuando el sustantivo al que modifican es eventivo (por ejemplo, un nombre deverbal que denota una acción) o «designa predicados —generalmente de persona— cuyo significado está específicamente vinculado a un espacio temporal, como ocurre con las ocupaciones o los cargos» (cf. Bosque 1989: 143):

(69) a. [El desguace de las plataformas petrolíferas *allí* mismo] provocaría un gran desastre ecológico.
b. [La llegada *ayer* de nuevos camiones con víveres] mejoró la situación en Sarajevo.
c. [El *ahora* rector, Gustavo Villapalos,] llegará a ministro.

14.4.4.2. Como veíamos en el § 14.4.1, uno de los términos acuñados por la tradición gramatical para referirse a la clase de palabras que estamos describiendo en este apartado —la expresión 'adverbios pronominales'— evoca las semejanzas existentes entre los adverbios demostrativos y los pronombres. Desde el punto de vista semántico, los pronombres (y otras expresiones referenciales, como los nombres propios o las frases nominales definidas) identifican entidades (de uno u otro orden); los adverbios demostrativos, por su parte, identifican lugares, momentos o períodos, y modos o maneras (véase el § 14.4.1). Este hecho explica que la sintaxis de los adverbios demostrativos coincida, en aspectos relevantes, con la de las expresiones referenciales. Como estas (véase el § 14.3.1), los adverbios demostrativos participan

[80] Una posible explicación de que (68e) sea agramatical si interviene la preposición *de* podría residir en el hecho de que *así* sustituye a los adjetivos y, en general, a las frases que indican propiedades (comunicación personal de I. Bosque).

en construcciones relacionadas con la identificación de 'individuos'. En primer lugar, pueden ser modificados tanto por el llamado '*mismo* intensivo' [→ § 23.3.1.2], que resalta una identificación, como por la clase de los adverbios que precisan entidades ya identificadas:

(70) a. Siéntate ahí *mismo.*
b. Mañana *mismo* te contesto.
c. Déjalo así *mismo.*
(71) a. El balón le dio *justo* aquí.
b. *Precisamente* ahora necesitamos vuestro voto.
c. Repítelo *exactamente* así.

Por otro lado, los adverbios demostrativos aparecen en perífrasis de relativo [→ Cap. 65] en las que ambos miembros de la perífrasis designan el mismo 'individuo' (lugar, momento de tiempo o manera) o en oraciones copulativas identificativas [→ §§ 37.3-4] en las que el predicado es una frase nominal definida con significado locativo, temporal o de modo:

(72) a. *Allí* es donde van a construir el polideportivo.
b. *Ahora* es cuando tienes que demostrar quién eres.
c. *Así* es como se hacen los calamares en su tinta.
(73) a. *Aquí* es *el sitio* donde está enterrado Franco.
b. *Ayer* fue *el día* de la boda real.
c. *?Así* no es *la forma* de enfrentarse al problema.

Por último, los adverbios demostrativos, al igual que las frases referenciales, intervienen en construcciones 'apositivas explicativas' [→ §§ 7.1.3 y 8.1] en combinación bien con una oración de relativo, bien con alguna otra frase:

(74) a. Déjalo *ahí,* donde suele estar siempre.
b. Vendrán *mañana,* cuando ya sea demasiado tarde.
c. Hazlo *así,* como te han ordenado.
(75) a. *Aquí,* en Madrid, no hay quien viva.
b. *Ayer,* catorce de abril, fue el día de la República.
c. Tienes que aprender a correr *así,* sin respirar por la boca.

Una prueba más de que los adverbios demostrativos son expresiones referenciales es el hecho de que algunos de ellos (los deícticos 'opacos' o 'incompletos') pueden funcionar como anáforas o catáforas (recuérdese que la anáfora es una relación de correferencia —§ 14.2.3—):

(76) a. Estuvimos [en Londres]$_i$. *Allí*$_i$ había gente de todo tipo.
b. [En otoño]$_i$ habrá elecciones generales. *Entonces*$_i$ veremos si la oposición tiene el apoyo popular que dice tener.
c. *Así*$_i$ es como hay que tratar a todo el mundo: [con respeto]$_i$.

El paralelismo entre adverbios demostrativos y pronombres anafóricos llega hasta el extremo de que, como ocurría con los correspondientes pronombres demostrativos anafóricos (§ 14.3.3.2), en el caso de que existan dos antecedentes potenciales, el adverbio de cercanía *aquí* identifica el lugar al que se refiere la expresión locativa que se encuentre más próxima al momento de la enunciación en la línea temporal del discurso, mientras que el adverbio de lejanía *allí* es correferente con la frase locativa emitida en primer lugar:

(77) a. Sigue en pie la cuestión principal: ¿va a poderse operar [en crítica literaria]$_j$ lo mismo que [en lingüística]$_i$? ¿Se tendrán *aquí*$_i$ y *allí*$_j$ estructuras que funcionan de modo semejante? [Carbonero Cano 1979: 92)]
b. Estuvimos [en casa de Pedro]$_j$ y [en casa de Juan]$_i$. *Aquí*$_i$ tomamos el aperitivo y *allí*$_j$ cenamos. [Mederos 1988: 86]

Por último, en el habla coloquial popular, los adverbios demostrativos locativos *aquí* y *acá,* cumpliendo diferentes funciones dentro de la oración, pueden incluso emplearse en lugar de las expresiones que identifican personas (pronombres, nombres propios, frases nominales definidas), para referirse a alguien que se encuentra cerca de donde se halla el hablante:

(78) a. Porque *aquí* (y señaló a Lulú con el garrote) ha llamado a mi señora zorra. [Pío Baroja; tomado de Beinhauer 1968: 300]
b. *Acá* tiene razón; *acá* me lo dijo. [Kany 1945: 319]
c. ¿Por qué no la toma [la cazalla], imitando el ejemplo de *aquí?* [Rafael Sánchez Ferlosio, *El Jarama;* tomado de Lamíquiz 1967: 189]
d. Alvarito (cogiendo a Celia del brazo): «Yo me voy con *aquí*». [Carlos Arniches; tomado de Beinhauer 1968: 300]

Estos adverbios demostrativos con valor claramente pronominal no siempre sustituyen por completo a una frase referencial con valor personal; a menudo van acompañados, con o sin pausa, por un nombre propio o una frase nominal definida que precisa su referencia:

(79) a. ...Caso de que *aquí* el amigo lo compre [el burriquito], ¿a qué va a dedicarlo *aquí* el amigo? [Serafín y Joaquín Álvarez Quintero, *El ojito derecho;* tomado de Lamíquiz 1967: 189]
b. Y *aquí,* mi cuñada, le dirá a usted que no exagero. [Jacinto Benavente, *Señora Ama;* tomado de Alcina y Blecua 1975: § 4.4.4]
c. Ya iré picando. Pues *aquí,* a Don Bernardo, ya le he dicho... [Jacinto Benavente, *El hijo de Polichinela;* tomado de Fernández Ramírez 1951b: nota 111?]

14.4.4.3. Un fenómeno gramatical que, a primera vista, parece separar a los adverbios demostrativos de los pronombres (y del resto de las frases referenciales), aproximándolos a la sintaxis de los nombres comunes, es que, en especial los adverbios demostrativos de lugar y de tiempo, pueden ser modificados, sin la intervención de una pausa, por otro adverbio, por una frase preposicional, por una oración de relativo o, en el caso de algunos adverbios demostrativos temporales, incluso por un nombre con valor temporal [→ § 9.3.2.3]:

(80) a. Por *aquí* cerca, *ahí* fuera, *allí* debajo.
b. *Aquí* en Madrid, *hoy* a las tres, *mañana* por la mañana.
c. *Hoy* que es martes, *allí* donde tú dices.
d. *Hoy* lunes, *mañana* domingo.

Prueba de que estas construcciones no son aposiciones explicativas como las de (74) y (75) es, además de la ausencia de pausa y de su diferente significado, el hecho de que, si se modifica el orden, el resultado es agramatical: **encima ahí, *en Madrid aquí, *donde tú dices allí, *domingo mañana.* Pero tampoco parece que estemos ante un comportamiento estrictamente 'nominal' de los adverbios demostrativos en este caso: compárense los ejemplos de (80) con las construcciones con 'adverbios nominales', como *debajo de la mesa* o *después de misa,* en las que la preposición *de* es obligatoria, el complemento es necesariamente nominal o proposicional y el segundo término establece un eje de orientación que no coincide con las coordenadas deícticas. En (80) no se da ninguna de estas condiciones —ni se predica una propiedad o una proposición de una clase—, sino que se precisa la identificación de una entidad locativa o temporal ya identificada. En este sentido, las estructuras de (80) poseen una semántica (al menos en parte) cercana a la de las aposiciones especificativas analizadas en el § 14.3.6 del tipo *el chico este* o *mi primo Alberto.* [81]

Sin embargo, algunos adverbios demostrativos (en particular los temporales *hoy, ayer* y *mañana*) sí pueden funcionar plenamente como sustantivos. Estos adverbios, (sólo) cuando van precedidos por un determinante, admiten modificadores restrictivos típicamente nominales:

(81) a. Nos están prometiendo un *mañana* mejor para todos.
b. En esa exposición se resumen el *hoy* y el *ayer* de la aviación.

Existen también expresiones lexicalizadas en las que otros adverbios demostrativos funcionan como sustantivos: *Hay que vivir en el aquí y en el ahora, por aquel entonces.*

Finalmente, sobre todo en el español de América, los adverbios demostrativos participan en procesos de sufijación apreciativa: *aquicito, allicito, acasote, acasito, allasote, allisito, ahorita, ayercito, asinote,* etc. [82] [→ § 71.3].

La derivación apreciativa no es un criterio definitivo a la hora de establecer a qué categoría pertenecen unas u otras palabras (no sólo llevan sufijos apreciativos los nombres, los adjetivos o los 'adverbios nominales'; también se ven implicados en procesos de derivación apreciativa, por ejemplo, expresiones referenciales como los nombres propios: *Juanón, Luisito,* etc.).

14.4.5. Otras expresiones deícticas

De entre las expresiones con valor adverbial, no sólo los adverbios demostrativos son expresiones referenciales. Un buen número de adverbios no pronominales y de frases preposicionales con valor locativo o temporal, así como de frases no-

---

[81] Sobre este tipo de aposiciones 'adverbiales' o 'no nominales', véanse Alarcos 1969: 243, Carbonero Cano 1979, Martínez 1985 y Fuentes Rodríguez 1989.
[82] Cf. Kany 1945: 317 y Villegas 1992.

minales con significado temporal, identifican también lugares, momentos e intervalos (cf. Bosque 1989: 202): *enfrente del edificio, antes del concierto, en el suelo, entre las sábanas, por la tarde, a las siete, en 1989, los lunes, el 25 de mayo,* etc. [83] Sin embargo, de entre las construcciones de este tipo, sólo son deícticas en sentido estricto las expresiones cuyo uso básico es deíctico, esto es, aquellas que identifican canónicamente un individuo, no de manera inherente (con respecto a cualquier punto del espacio o del tiempo), sino en relación con las coordenadas espacio-temporales deícticas del acto de enunciación (véanse los §§ 14.2.1.3 y 14.4.1).

Las expresiones deícticas de carácter adverbial distintas de los adverbios demostrativos pueden clasificarse, según su naturaleza categorial, en tres grupos:

(a) «Adverbios nominales» deícticos [→ §§ 9.3.1 y 9.3.2] (véase el § 14.4.5.1)
(b) Frases preposicionales locativas y temporales con significado deíctico
(c) Frases nominales deícticas con valor temporal (véase el § 14.4.5.2). [84]

14.4.5.1. Como adelantábamos en el § 14.4.1, una parte de los adverbios nominales, los llamados adverbios 'transitivos' (cf. Pavón 1995) *(encima, debajo, delante, detrás, dentro, fuera, enfrente, alrededor, cerca* y *lejos)* son básicamente no deícticos: su complemento fija un eje de referencia espacial o temporal distinto de las variables deícticas (dentro de la casa, enfrente del museo del Prado, lejos de Madrid, etc.). En cambio, los adverbios 'direccionales' o 'intransitivos' *(arriba, abajo, adelante, atrás, adentro* y *afuera)* sí son de naturaleza básicamente deíctica (cf. Pavón 1995). En este caso, se adopta una perspectiva localizadora subjetiva: en los enunciados *Sube arriba* o *Mi hermano vive abajo,* por ejemplo, los adverbios *arriba* y *abajo* identifican lugares en relación con el lugar en el que se halla el hablante.

De ahí que sean normalmente 'intransitivos' *(*arriba de la mesa, *abajo de la silla),* aunque pueden ser 'transitivos' (no deícticos) cuando el objeto que actúa como eje locativo tiene dimensiones, como la direccionalidad, que coinciden con las de estos adverbios *(desde arriba de la torre, desde abajo de la escalera).* Téngase en cuenta, además, que, en algunos dialectos, en concreto en el español de América, la distinción entre adverbios nominales 'transitivos' e 'intransitivos' suele neutralizarse y el carácter deíctico de estos últimos se pierde, de manera que admiten complementos. [85]

Sin embargo, como también apuntábamos en el § 14.4.1, los adverbios nominales 'transitivos' pueden utilizarse en ocasiones de manera deíctica (en especial, cuando se omite su complemento). Este fenómeno es lo que se conoce como 'deixis por defecto' (cf. Fillmore 1982). Así, en oraciones como *¡Quédate fuera!* o *¡Sentaos alrededor!,* los adverbios nominales habitualmente no deícticos *fuera* y *alrededor* pueden interpretarse, en el contexto adecuado, como «fuera o alrededor de donde se encuentra quien emite dichas oraciones». Se obtiene igualmente una lectura deíctica cuando estos adverbios sí tienen un complemento, pero el sustantivo que funciona

[83] Como el resto de las expresiones referenciales, estas frases preposicionales (FFPP) y FFNN locativas o temporales aparecen en los contextos sintácticos relacionados con la identificación de referentes (véase el § 14.4.4.2).

[84] Los adjetivos con valor temporal *actual, antiguo, futuro, reciente, próximo* y *pasado,* así como los adverbios en *-mente* derivados de algunos de ellos *(recientemente, próximamente, actualmente)* parecen ser también de naturaleza deíctica (cf. Kerbrat-Orecchioni 1980: 63, Levinson 1983: § 2.2.2 y Vanelli y Renzi: 1995: §§ 2.3.2 y 2.3.2.2). La inclusión de estas unidades en la categoría de la deixis cuestiona el vínculo que hemos establecido en este capítulo entre deixis y referencia, a no ser que se adopte una noción de 'referencia' más laxa que la que aquí hemos utilizado (cf. Green 1989: Cap. 3).

[85] Cf. Pavón 1995.

como tal no puede establecer una localización inherente debido a sus peculiares características físicas (en un enunciado como *¡Siéntate detrás de la mesa!*, el adverbio *detrás* designa el lugar opuesto a aquel en el que se halla el hablante, dado que en objetos como las mesas no se distinguen una parte de delante y una parte de atrás). Finalmente, el uso del adverbio locativo 'transitivo' *dentro* con valor temporal es necesariamente deíctico: *dentro {de una semana/de poco}*.

14.4.5.2. Las frases preposicionales locativas o temporales normalmente son expresiones referenciales no deícticas *(desde París, sobre la estantería, en 1492, a las cinco)*. Existen, no obstante, casos de 'deixis por defecto' con este tipo de construcciones (véase el § 14.4.1): *¡Colócate a la izquierda!, Segovia está al norte, Valladolid está a 200 kilómetros, Nos veremos {en mayo/en primavera}*. La ausencia en estos casos de complementos que marquen puntos de referencia espacio-temporal inherentes hace posible una lectura deíctica, en la que las expresiones locativas *a la izquierda, al norte* o *a 200 kilómetros* se interpretan como «a la izquierda, al norte o a 200 kilómetros del lugar en el que se encuentra quien produce los enunciados», y las expresiones temporales *en mayo* o *en primavera* se entienden como «el próximo mayo» o «la próxima primavera».[86] Son deícticas, además, las expresiones con significado temporal *en breve* y *hace poco*.

Al igual que las frases preposicionales locativas o temporales, las frases nominales (sin preposición) con valor temporal y función de adjunto verbal suelen ser no deícticas (muchas veces, un rato, el año de la gran nevada, el día que te conocí, etc.).[87] Sin embargo, sí son deícticas aquellas en las que un nombre con significado temporal no deíctico se combina con algún modificador de naturaleza deíctica (un demostrativo, un adjetivo deíctico o una oración de relativo con un verbo deíctico) [→ § 9.3.1.3]: *el lunes pasado, el próximo martes, el domingo que viene, esta tarde, aquella primavera, este lunes, este marzo, ese día, aquella semana, este siglo, esta temporada, esta vez*, etc. (Nótese que no todos los nombres con significado temporal pueden formar parte de estas construcciones: **Ese {instante/momento/rato/segundo/minuto/hora} recordé toda mi vida.)* Son, finalmente, 'deícticas por defecto' las frases nominales temporales con valor adverbial formadas con días de la semana en las que no aparece ningún modificador deíctico: en la oración *Veremos la película el lunes*, la frase nominal temporal *el lunes* se interpreta de manera natural como «el próximo lunes».

---

[86] Cf. Vanelli y Renzi 1995: § 2.3.2.2.3.

[87] En español sólo las FFNN con significado temporal pueden tener valor adverbial (**Lo hice esa manera, *Vivo esta ciudad*, etc.). Sobre las irregularidades semánticas y la peculiar sintaxis de estas construcciones, véanse Martínez 1981, Larson 1985, McCawley 1988, Bosque 1989: § 10.3.3, Moreno 1991: 377 y Rodríguez Ramalle 1995.

REFERENCIAS BIBLIOGRÁFICAS

ALARCOS LLORACH, EMILIO (1969): «Aditamento, adverbio y cuestiones conexas», *Archivum,* XIX, (incluido en E. Alarcos, *Estudios de gramática funcional del español,* Madrid, Gredos, 1978, págs. 219-53).

— (1976): «Los demostrativos en español», *Verba* 3, (incluido en E. Alarcos, *Estudios de gramática funcional del español,* Madrid, Gredos, 1978, págs. 325-44).

— (1994): *Gramática de la lengua española,* Madrid, Espasa Calpe.

ALCINA FRANCH, JUAN y JOSÉ MANUEL BLECUA (1975): *Gramática española,* Barcelona, Ariel.

ALONSO, AMADO y PEDRO HENRÍQUEZ UREÑA (1938): *Gramática castellana,* Buenos Aires, Losada, 24.ª ed., 1971.

ÁLVAREZ, ALEXANDRA (1991): «Vestigios de origen criollo: un análisis de marcadores en el español de Venezuela», *Anuario de Filología Hispánica,* VII, págs. 9-28.

ANDERSON, STEPHEN R. y EDWARD L. KEENAN (1985): «Deixis», en T. Shopen (ed.), *Language Typology and Syntactic Description,* vol. 3, Cambridge, Cambridge University Press, págs. 259-308.

ANTINUCCI, FRANCESCO (1974): «Sulla deissi», *LeS* IX:2, págs. 223-47.

BAR-HILLEL, YEHOSHUA (1970): «Indexical Expressions», en *Aspects of Language,* Jerusalén, The Magnes Press, Cap. 5.

BARTRA, ANA y AVEL·LINA SUÑER (1992): «Functional Projections Meet Adverbs», *CatWPL* 2, págs. 45-85.

BEINHAUER, WERNER (1968): *El español coloquial,* Madrid, Gredos.

BELLO, ANDRÉS (1847): *Gramática de la lengua castellana destinada al uso de los americanos,* Santiago de Chile, Imprenta del Progreso (ed. crítica de R. Trujillo, Cabildo Insular de Tenerife, 1981).

BOSQUE, IGNACIO (1989): *Las categorías gramaticales,* Madrid, Síntesis.

BOSQUE, IGNACIO y JUAN CARLOS MORENO (1990): «Las construcciones con *lo* y la denotación del neutro», *Lingüística,* 2, págs. 5-50.

BRECHT, RICHARD D. (1974): «Deixis in Embedded Structures», *FL* 11:4, págs. 489-518.

BRIZUELA, MAQUELA (1995): «The Role of Accessibility in the Selection of Demonstratives in Spanish», manuscrito inédito, University of Southern California.

BÜHLER, KARL (1934): *Sprachtheorie,* Jena, Fischer. [Trad. cast.: *Teoría del lenguaje,* Madrid, Alianza, 1979].

BURSTON, JACK L. y MONIQUE MONVILLE-BURSTON (1981): «The Use of Demonstratives and Personal Pronouns as Anaphoric Subjects of the Verb ÊTRE», *Linguisticae Investigationes* V:2, págs. 231-257.

CALABRESE, ANDREA (1988): «I demostrativi: pronomi e aggetivi», en L. Renzi (coord.), *Grande grammatica italiana di consultazione,* vol. I, Bolonia, Il Mulino, págs. 617-32.

CARBONERO CANO, PEDRO (1979): *Deixis temporal y espacial en el sistema lingüístico,* Sevilla, Publicaciones de la Universidad de Sevilla.

CIFUENTES HONRUBIA, JOSÉ LUIS (1989): *Lengua y espacio. Introducción al problema de la deixis en español,* Servicio de Publicaciones de la Universidad de Alicante.

CINQUE, GUGLIELMO (1976): «Sulla deissi linguistica», *LeS* XI:1, págs. 101-24.

CORBLIN, FRANCIS (1983): «Défini et démonstratif dans la reprise inmédiate», *FrM* 51:2, págs. 118-34.

— (1987): *Indéfini, défini et demonstratif,* Ginebra-París, Librairie Droz.

— (1992): «Démonstratif et nomination», en M-A. Morel y L. Danon-Boileau (eds.), *La deixis,* París, Presses Universitaires de France, págs. 439-456.

FERNÁNDEZ JARDÓN, JOSÉ MANUEL (1983): *Los determinantes identificadores en español: artículo, demostrativos y posesivos,* Madrid, Grupodis.

FERNÁNDEZ RAMÍREZ, SALVADOR (1951a): *Gramática Española. 3.1. El nombre,* Madrid, Arco/Libros, 1986.

— (1951b): *Gramática Española. 3.2. El pronombre,* Madrid, Arco/Libros, 1987.

FEUILLET, JACK (1992): «La structuration de la deixis spatiale», en M-A. Morel y L. Danon-Boileau (eds.), *La deixis,* París, Presses Universitaires de France, págs. 233-44.

FILLMORE, CHARLES J. (1966): «Deictic Categories in the Semantics of *Come*», *FL* 2, págs. 219-227.

— (1982): «Towards a Descriptive Framework for Spatial Deixis», en R. Jarvella y W. Klein (eds.), *Speech, Place and Action,* Chichester, John Wiley, págs. 31-59.

FREI, HENRI (1944): «Systèmes de déictiques», *AcL* 4:3, págs. 111-129.

FUENTES RODRÍGUEZ, CATALINA (1989): «De nuevo sobre la aposición», *Verba* 16, págs. 215-236.

GILI GAYA, SAMUEL (1943): *Curso superior de sintaxis española,* México, Minerva; 9.ª ed., Barcelona, Biblograf, 1964.

GREEN, GEORGIA M. (1989): *Pragmatics and Natural Language Understanding,* Hilsdale (NJ), Lawrence Erlbaum.

Gutiérrez Ordóñez, Salvador (1995): «El *Rey Ramiro 'el Monje'* (y otros apuestos no incidentales)», en *Homenaje a Félix Monge,* Madrid, Gredos, págs. 191-202.

Heger, Karl (1974): «Deixis personal y persona gramatical», en *Teoría Semántica,* Madrid, Ediciones Alcalá, págs. 32-51.

Hernández Alonso, César (1977): *Lengua Española II,* Madrid, UNED.

Hernando Cuadrado, Luis Alberto (1994): *Aspectos gramaticales del español hablado,* Madrid, Ediciones Pedagógicas.

Hernanz, M. Lluïsa y José M.ª Brucart (1987): *La sintaxis 1. Principios teóricos. La oración simple,* Barcelona, Crítica.

Hottenroth, Priska-Monika (1982): «Local Deixis in Spanish», en J. Weissenborn y W. Klein (eds.), *Here and There. Cross Linguistic Studies on Deixis and Demonstration,* Amsterdam, John Benjamins, págs. 133-153.

Jackendoff, Ray (1990): *Semantic Structures,* Cambridge (Mass.), The MIT Press.

Jakobson, Roman (1957): «Shifters, Verbal Categories and the Russian Verb», Cambridge (Mass.), Harvard University Press (trad. esp.: «Los conmutadores, las categorías verbales y el verbo ruso», en *Ensayos de Lingüística general,* Barcelona, Seix Barral, 1981, págs. 307-332).

Kany, Charles E. (1945): *American-Spanish Syntax,* Chicago, The University of Chicago Press. [Citamos por la traducción al castellano, *Sintaxis hispanoamericana,* Madrid, Gredos, 1969.]

Kerbrat-Orecchioni, Catherine (1980): *L'enontiation. De la subjectivité dans le langage,* París, Armand Colin. [Trad. cast.: *La enunciación. De la subjetividad del lenguaje,* Buenos Aires, Hachette, 1986.]

Kleiber, Georges (1983): «Les démonstratifs, (dé)montrent-ils? Sur le sens référential des adjectifs et pronoms démonstratifs», *FrM,* 51: 2, págs. 99-118.

— (1984): «Sur la sémantique des descriptions démonstratifs», *Linguisticae Investigationes* VII, págs. 63-85.

— (1986): «Pour une explication du paradoxe de la reprise inmédiate», *LFr* 72, págs. 54-79.

— (1987): «L'enigme du Vintimille ou les déterminants 'a quai'», *LFr* 75, págs. 107-112.

Klein, Wolfgang (1982): «Local Deixis in Route Directions», en R. Jarvella y W. Klein (eds.), *Speech, Place and Action,* Chichester, John Wiley, págs. 161-182.

Kock, Josse de *et al.* (1991): *Gramática española: Enseñanza e investigación III. Textos 1,* Salamanca, Ediciones de la Universidad de Salamanca.

Kryk, Barbara (1991): «On Reference and Deixis», en J. Verscheren (ed.), *Levels of Linguistic Adaptation,* Amsterdam, John Benjamins, págs, 185-93.

Lamíquiz, Vidal (1967): «El demostrativo en español y en francés», *RFE* 50, págs. 163-202.

— (1987): *Lengua Española. Método y estructuras lingüísticas,* Barcelona, Ariel.

— (1991): «Valores de *entonces* en el enunciado discursivo», en C. Hernández *et al.* (eds.), *El español de América. Actas del III Congreso Internacional sobre El Español de América,* Salamanca, Junta de Castilla y León, págs. 759-764.

Larson, Richard K. (1985): «Bare NP-adverbs», *LI* 16:4, págs. 595-621.

Lenz, Rodolfo (1920): *La oración y sus partes. Estudios de gramática general y castellana,* Madrid, Publicaciones de la RFE; 3.ª ed., Centro de Estudios Hispánicos, 1935.

Leonetti Jungl, Manuel (1990): *El artículo y la referencia,* Madrid, Taurus.

Levinson, Stephen C. (1983): *Pragmatics,* Cambridge, Cambridge University Press. [Trad. cast.: *Pragmática,* Barcelona, Teide, 1989.]

Lloyd, Paul M. (1987): *From Latin to Spanish. Vol I: Historical Phonology and Morphology of the Spanish Language,* The American Philosophical Society. [Trad. cast.: *Del latín al español. I. Fonología y morfología históricas de la lengua española,* Madrid, Gredos, 1993.]

Lonzi, Lidia (1991): «Il sintagma avverbiale», en L. Renzi y G. Salvi (coords.), *Grande grammatica italiana di consultazione,* vol. II, Bolonia, Il Mulino, págs. 341-414.

López Díaz, Enrique (1996): «Locativos graduables, locativos no graduables y la relación de locación en semántica y sintaxis», inédito, UAM.

Lyons, John (1968): *Introduction to Theoretical Linguistics,* Londres, Cambridge University Press. [Trad. cast.: *Introducción en la lingüística teórica,* Barcelona, Teide, 1971.]

— (1975): «Deixis as the Source of Reference», en E. L. Keenan (ed.), *Formal Semantics of Natural Language,* Cambridge, CUP, págs. 61-83. [Reeditado en J. Lyons, *Natural Language and Universal Grammar. Essays in Linguistic Theory,* Cambridge, Cambridge University Press, 1991, págs. 146-65.]

— (1977a): *Semantics,* Cambridge, Cambridge University Press. [Trad. cast.: *Semántica,* Barcelona, Teide, 1980.]

— (1977b): «Deixis and Anaphora», en T. Myers (ed.), *The Development of Conversation and Discourse,* Edimburgo, Edinburgh University Press, págs. 88-103. [Reeditado en J. Lyons, *Natural Language and*

Universal Grammar. Essays in Linguistic Theory, Cambridge, Cambridge University Press, 1991, págs. 166-78.]
— (1981): *Language, Meaning and Context,* Londres, Williams Collins & Sons. [Trad. cast.: *Lenguaje, significado y contexto,* Barcelona, Paidós, 1983.]
MARTÍNEZ, JOSÉ ANTONIO (1981): «Acerca de la transposición y el aditamento sin preposición», *Archivum* 31-32, págs. 493-512.
— (1985): «Las construcciones apositivas en español», *Philologica Hispaniensia,* II, págs. 453-467.
— (1988): «Sobre una construcción del español, que son dos», *Verba* 15, págs. 265-287.
MAZZOLENI, MARCO (1985): «Locative deittici, Deixis am phantasma, sistemi di orientamiento», *LeS* XX:2, págs. 217-46.
MCCAWLEY, JAMES D. (1988): «Adverbial NPs: Bare or Clad in See-Through Garb», *Lan* 64, págs. 583-590.
MEDEROS MARTÍN, HUMBERTO (1988): *Procedimientos de cohesión en el español actual,* Santa Cruz de Tenerife, Publicaciones del Excmo. Cabildo Insular de Tenerife.
MOLHO, MAURICE (1968): «Remarques sur le système des mots demonstratifs en espagnol et en français», en *Linguistique et Langage,* Burdeos, Ducros, págs. 103-137.
MORENO CABRERA, JUAN CARLOS (1987): *Fundamentos de sintaxis general,* Madrid, Síntesis.
— (1991): *Curso universitario de lingüística general. Tomo I: Teoría de la gramática y sintaxis general,* Madrid, Síntesis.
PAULA POMBAR, M.ª NIEVES DE (1983): *Contribución al estudio de la aposición en español actual,* Santiago de Compostela, *Verba:* Anexo 20.
PAVÓN LUCERO, M.ª VICTORIA (1995): *Clases de partículas y estructura de constituyentes,* tesis doctoral inédita, Universidad Complutense, Madrid.
POTTIER, BERNARD (1970): *Gramática del español,* Madrid, Alcalá.
— (1974) *Linguistique génerale,* París, Klincksieck. [Trad. esp: *Lingüística general,* Madrid, Gredos, 1976.]
RAUH, GISA (1983): «Aspects of Deixis», en G. Rauh (ed.), *Essays on Deixis,* Tubinga, Gunter Narr Verlag, págs. 9-60.
REAL ACADEMIA ESPAÑOLA (1973): *Esbozo de una nueva gramática de la lengua española,* Madrid, Espasa Calpe. [RAE 1973 en el texto.]
ROCA PONS, JOSÉ (1960): *Introducción a la gramática,* Barcelona, Vergara.
RODRÍGUEZ RAMALLE, TERESA M.ª (1995): «Sobre los adverbios demostrativos en español», *Cuadernos de Lingüística del IUOG* III, págs. 57-78.
SACKS, NORMAN P. (1954): «Aquí, acá, allí, allá», *H* XXXVII, págs. 263-266.
SALVÁ, VICENTE (1988): *Gramática de la lengua castellana,* Madrid, Arco/Libros.
SCHIFFRIN, DEBORAH (1992): «Anaphoric *then:* Aspectual, Textual and Epistemic Meaning», *Linguistics* 30:4, págs. 753-92.
SECO, RAFAEL (1930): *Manual de gramática española,* Madrid, Compañía Iberoamericana de Publicaciones. [Reedición ampliada, Madrid, Aguilar, 1989.]
TASMOWSKI-DE RYCK, LILIANE (1990): «Les démonstratifs français et roumains dans la phrase et dans le texte», *Langages* 97, págs, 82-99.
VANELLI, LAURA y LORENZO RENZI (1995): «La deissi», en L. Renzi *et al.* (eds.), *Grande grammatica italiana di consultazione,* vol. III, Milán, Il Mulino, págs. 261-376.
VERA LUJÁN, AGUSTÍN (1979): «La estructura del campo deíctico personal en español: el Pronombre», *AMa* II:1, págs. 3-25.
— (1980): «Los adjetivos deícticos en español», *AUMur* XXXVIII:1, págs 169-176.
VICENTE MATEU, JUAN ANTONIO (1994): *La deixis. Egocentrismo y subjetividad en el lenguaje,* Murcia, Secretariado de Publicaciones de la Universidad de Murcia.
VIGARA TAUSTE, ANA M.ª (1992): *Morfosintaxis del español coloquial,* Madrid, Gredos.
VILLEGAS, ALBERTO (1992): «Vers un élargissement du système de la localisation dans l'espagnol du Venezuela», en M-A. Morel y L. Danon-Boileau (eds.), *La deixis,* París, Presses Universitaires de France, págs. 89-93.
WETTSTEIN, HOWARD K. (1984): «How to Bridge the Gap Between Meaning and Reference», *Synthese* 58, págs. 63-84. [Reeditado en S. Davis, ed., *Pragmatics: A Reader,* Oxford, Oxford University Press, 1991, págs. 160-174.]

15
EL POSESIVO Y LAS RELACIONES POSESIVAS

M. CARME PICALLO y GEMMA RIGAU
Universitat Autònoma de Barcelona

ÍNDICE

15.1. Introducción

En este capítulo se describe la distribución y las propiedades gramaticales de una serie de construcciones que contienen pronombres personales genitivos [1] o dativos [→ Cap. 30], así como el comportamiento de estructuras sintácticas que expresan la relación de posesión o pertenencia. Se intentará pues atender tanto a los aspectos relativos a la estructura meramente formal de ciertas construcciones como a la interpretación de las oraciones que indican dicha relación.

Los tipos de estructuras alrededor de las cuales se vertebrará la discusión serán los siguientes:

(1) a. *Su trono* estaba chapado de oro.
    b. *Vuestra llegada* produjo una enorme satisfacción.
(2) a. *Esta hija tuya* es inteligentísima.
    b. *El suyo* llegó ayer por correo.
(3) En un lugar de la Mancha de *cuyo nombre* no quiero acordarme...
(4) a. El barbero *le* afeitó *el bigote.*
    b. *Las piernas se me* doblaron.
    c. Juan levantó *los brazos.* (Juan levantó *sus brazos.*)
(5) a. Un niño *de ojos tristes.*
    b. Un hombre *enjuto de rostro.*
(6) a. La cómoda *tiene* seis cajones.
    b. En la cómoda *hay* seis cajones.
    c. Una cómoda *con* seis cajones.
    d. Pedro *posee* una cómoda modernista.
    e. La cómoda modernista *pertenece* a Juan.

Los ejemplos de (1a) muestran un pronombre posesivo átono (o apocopado) antepuesto al núcleo nominal. [2] El pronombre ocupa la posición de determinante y, de hecho, actúa como tal, de ahí que en la gramática tradicional románica se considere que es un 'adjetivo determinativo' [→ §§ 3.2.1 y 12.1.1.7]. [3]

En (2a) el posesivo se presenta en su forma tónica (o plena) y aparece pospuesto al nombre. [4] Al contrario de los posesivos prenominales ejemplificados en

---

[1] Los pronombres llamados posesivos, como los demás pronombres personales, distinguen formas acentuadas e inacentuadas. Presentan además formas apocopadas proclíticas y formas plenas, tal como se muestra en el cuadro siguiente:

I persona	mío, mía, míos, mías | mi, mis nuestro, nuestra, nuestros, nuestras
II persona	tuyo, tuyas, tuyos, tuyas | tu, tus vuestro vuestra, vuestros, vuestras
III persona	suyo, suya, suyos, suyas | su, sus

Los pronombres posesivos de tercera persona tenían originariamente valor reflexivo, valor que se ha debilitado. Véanse RAE 1973: § 2.5.7f, Alcina y Blecua 1975: § 4.2. Asimismo, la lengua antigua poseía un posesivo de tercera persona para varios poseedores, *lur/lures,* paralelo al actual *leur/leurs* del francés o al *llur/llurs* del catalán. Sobre este pronombre ya desaparecido, véase Zamora Vicente 1966: 254 y las referencias allí citadas.

[2] En algunas hablas peninsulares —en León, Asturias y Castilla la Vieja—, las formas antepuestas del pronombre posesivo *mi, mis, tu, tus, su, sus* no son átonas, sino tónicas. Véase RAE 1973: § 2.5.7d.

[3] Sobre la categoría de los posesivos, véase Bello 1847: 91-101, Fernández Ramírez 1951b: § 120/119, Alcina y Blecua 1975: § 4.2), Porto Dapena 1982, Alarcos Llorach 1994: cap. IX, entre otros.

[4] El pronombre genitivo latino ocupaba normalmente la posición posnominal: *mater mea, liber meus.* Véase Bassols 1945: § 176.

(1), el posesivo pospuesto puede formar parte de un sintagma nominal con núcleo elíptico —o fonológicamente no especificado— [→ § 5.4], como se muestra en (2b). En (3a) se ejemplifica el pronombre relativo *cuyo* que, de forma similar a los posesivos de (1) y (2), pronominaliza un complemento genitivo del nombre, función esta que puede ejercer también el relativo *(del) cual* [→ § 7.5.4].

Otros tipos de posesivos quedan ejemplificados por los clíticos *le* y *me* de los ejemplos (4a) y (4b) respectivamente, conocidos en las gramáticas tradicionales como 'dativo posesivo' [→ § 30.6.5]. [5] El ejemplo (4c) muestra un caso de uso del artículo definido en lugar del posesivo. Asimismo, se relacionarán las construcciones de dativo posesivo con las ejemplificadas en (5), con las que presentan varios puntos en común. Finalmente, se tratarán someramente los predicados (verbales o no) que expresan posesión, como los de (6).

En este capítulo se dedicará un apartado a cada uno de los grupos de ejemplos que acaban de presentarse a la consideración del lector y a otros relacionados con ellos [→ § 42.4.2.2].

15.2. Los posesivos antepuestos al nombre

En este apartado se discutirá la distribución de los sintagmas nominales ejemplificados en (1). Seguidamente, se pasará a describir las características morfosintácticas del posesivo antepuesto, así como su interpretación y las relaciones semánticas que este puede establecer con el núcleo nominal o con otros elementos de la oración.

15.2.1. Distribución y funciones de los sintagmas nominales con posesivo antepuesto

Los sintagmas nominales ejemplificados en (1), que presentan un posesivo antepuesto, pueden ejercer casi todas las funciones gramaticales que se asocian típicamente a una expresión nominal: sujeto, objeto de verbo, de adjetivo o de preposición, así como la función de predicado:

(7) a. *[Nuestros amigos]* vienen a cenar.
b. Publicaron *[tu traducción]*.
c. Fueron responsables de *[su captura]*.
d. Está sentado tranquilamente en *[su silla]*.
e. Isabel es *[mi hermana]*.
f. Juan lo consideraba *[su igual]*.

El posesivo antepuesto puede también aparecer como argumento de algunas locuciones prepositivas o adverbiales con núcleos de origen nominal. Como muestran, entre otros, los siguientes ejemplos: *en su lugar, en su contra, a su costa, en su busca, a su vista, de su parte, a su vez.* [6] En el español de Perú, Bolivia y Ecuador

[5] También se les denomina 'dativo de interés' o 'dativo simpatético' (véase Fernández Ramírez 1951b: § 105/104). Aquí nos referiremos a ellos únicamente como 'dativo posesivo'.

[6] No son aceptables las locuciones **en su vista*, **a su raíz* o **en su vez*, a pesar de la existencia de sus correspondientes expresiones con complemento adnominal: *en vista de, a raíz de* y *en vez de.*

son posibles construcciones como *en su delante* o *por su delante* (véase Alarcos Llorach 1994: 97).

En cuanto a su distribución dentro del sintagma nominal, el posesivo antepuesto puede coocurrir con el demostrativo, siempre que este preceda al posesivo *(aquellos mis siempre recordados años de juventud; en esta su casa/*en su casa esta; *en su esta casa).* Estas expresiones, sin embargo, tienen carácter culto y formal y no suelen utilizarse en la lengua hablada. El posesivo antepuesto no puede aparecer, en cambio, con el artículo indefinido ni con un cuantificador no universal, como se muestra en (8).[7]

(8) a. *Un mi hermano.
 b. *Algún mi libro.
 c. *Muchos mis amigos.

En la mayoría de variedades del español peninsular actual, el posesivo antepuesto tampoco coocurre con el artículo definido, igual que tampoco coocurre en francés y en algunas variedades del romanche. Sin embargo, en algunas variantes dialectales del norte de la península, por ejemplo, en León y en Asturias, el posesivo antepuesto sí aparece con el artículo definido *(la mi casa, el mi pueblo).* En estos casos, la construcción es similar al catalán, al italiano o al portugués modernos.[8] Aun sin artículo explícito, el posesivo antepuesto impone un efecto de definitud en el sintagma nominal en el que aparece. Se denomina 'efecto de definitud' [⟶ §§ 12.1.2.4 y 27.3.4] a la imposibilidad que presentan los nominales con posesivo antepuesto de aparecer en construcciones existenciales, como se muestra en las construcciones de (9), construcciones que presentan el mismo tipo de agramaticalidad que las ejemplificadas en (10).[9]

---

[7] No era así en el español medieval, estadio en el que era posible la coaparición del artículo indefinido y el posesivo antepuesto: *Envio a Estolo, un su cabdiello, con mui grand hueste* [*Crónica General,* 324/13.ª; tomado de Company 1992: 54]. Esta combinación que aparece todavía en el Siglo de Oro, como muestra la oración siguiente, extraída de *Guzmán de Alfarache* de M. Alemán, citada por la RAE (1973: § 3.10.10.b): *Halla en Milán a un su amigo en servicio de un mercader.* En otras lenguas románicas como el catalán, este tipo de construcción es aún gramatical, aunque no se extiende a todos los dialectos. En estos casos, el sintagma nominal se interpreta como un indefinido específico, como lo prueba el hecho de que sólo puede aparecer con relativas restrictivas en indicativo, pero no en subjuntivo [⟶ § 7.2.5]:

(i) a. Vull parlar amb un meu alumne (que ha suspès).
 'Quiero hablar con un mi alumno (que ha suspendido)'.
 b. Vull parlar amb un meu alumne (*que hagi suspès).
 'Quiero hablar con un mi alumno (*que haya suspendido)'.

Las construcciones de (8) serían gramaticales si fueran construcciones partitivas: *uno de mis hermanos; alguno de mis libros, muchos de mis amigos.*

[8] El uso del artículo definido con el posesivo era asimismo de uso común en castellano antiguo, como se muestra en *de los sos ojos tan fuertemente llorando. Tornava la cabeça i estábalos catando'* (*Poema del Cid,* 1, Cl.C. 24.104) o en *Cantaréis la mi muerte cada día* (Garcilaso de la Vega, Égloga II), ejemplos citados por Cuervo *(DCRLC,* s.v. *suyo)* y por la RAE (1973: § 3.10.10b), respectivamente. A partir del siglo XVI estas construcciones quedan relegadas en la Península Ibérica al habla popular (véanse Lapesa 1980: § 71.1 y Claveria 1992). Quedan aún vestigios de dicha combinación en construcciones arcaizantes, como en la versión no modernizada del padrenuestro *(Santificado sea el tu nombre, venga a nos el tu reino...)* o en algunas coplas *(Toda la vida será la mi morena).*

[9] Cabe señalar que en algunas variedades del español peninsular noroccidental la construcción existencial con un sintagma nominal definido puede utilizarse en caso de que se denote a un tipo (o tipos) de objeto (véase el § 5.2.1.5). Así, los ejemplos de (i) son aceptables cuando el referente es un ejemplar cualquiera de estos objetos, pero no una copia en particular de ellos (véase Longa, Lorenzo y Rigau 1998).

(i) a. Hay el libro de Lampedusa en la librería
 b. Hay la silla Gaudí en el Museo de Arte Moderno

(9) a. *En el jardín sólo había mi silla.
b. *Allí hay tu tía. [10]

(10) a. *En el aula sólo había el profesor.
b. *Allí hay Juan en el aula.

Por causas que nada tienen que ver con el llamado efecto de definitud, el posesivo antepuesto resulta también incompatible con subordinadas de relativo especificativas, aunque no con las de tipo explicativo (véanse los §§ 7.1.3 y 7.2.5, así como Brucart 1994):

(11) a. *Nuestra amiga que siempre viene a visitarnos...
b. *Su diccionario en el que hemos consultado varios términos...
c. *Tu prima que es de Zaragoza...

(12) a. Nuestra amiga, que siempre viene a visitarnos, ...
b. Su diccionario, en el que hemos consultado varios términos, ...
c. Tu prima, que es de Zaragoza, ...

Así pues, las construcciones de (11) contrastan con otros modificadores restrictivos que pueden coaparecer con un posesivo antepuesto, tal como puede observarse en (13).

(13) a. Mi cuadro más original.
b. Sus tazas de porcelana.
c. Vuestro compañero recién salido del aula.
d. Tu prima de Zaragoza.

El posesivo antepuesto tampoco puede aparecer en sintagmas nominales cuyo núcleo se relaciona con verbos impersonales meteorológicos, como se muestra en (14):

(14) a. *Su nevada nos dejó aislados.
b. La nevada nos dejó aislados.
c. *Su relampagueo produjo pavor.
d. El relampagueo produjo pavor.

En las construcciones como *el tonto de Juan* [⟶ § 8.4], en las que el adjetivo (o nombre) se predica atributivamente de *Juan,* no es posible representar *de Juan* por un pronombre posesivo *(*su tonto)* como tampoco es posible la presencia del posesivo doblando al SP *(su tonto de Juan).* [11] No obstante, en otros estadios del español sí eran posibles construcciones como *su estiércol de Melibea* o *su andrajo de Melibea,* construcciones procedentes de *La Celestina* y estudiadas en Ynduráin 1972.

Precisamente porque la presencia del posesivo antepuesto no facilita la interpretación de tipo, estas variedades no admiten la presencia de un SN introducido por un posesivo en este tipo de construcción existencial. Cabe señalar, sin embargo, que otras lenguas románicas como el catalán sí lo admiten. Así el equivalente catalán de (9b), *Allà hi ha la meva tia,* es perfectamente gramatical.

[10] Quizá sea ocioso señalar aquí que la expresión popular *No hay tutía* o *No hay atutía* (i.e. «no hay remedio», «no hay solución» o «es inevitable»), que a veces aparece erróneamente con la grafía *no hay tu tía,* no constituye un contraejemplo a (9b). Aquella expresión deriva del árabe *tutiia* (sulfato de cobre), producto utilizado como base de algunos medicamentos o ungüentos (véase *DCECH,* s.v. *atutía*).

[11] En el caso de *el burro de Juan,* es posible *su burro* sólo cuando entre *burro* y *Juan* existe una relación de posesión y no una relación atributiva.

El posesivo prenominal, a pesar de aparecer en posición de determinante, no legitima un sintagma nominal con núcleo elíptico: **su coche pequeño y mi grande, *vuestros de París* (véanse los §§ 5.4, 12.2.2.4 y 43.3, así como Hernanz y Brucart 1987: 192-197). El posesivo posnominal, en cambio, puede aparecer en un sintagma nominal con núcleo elíptico si la posición de determinante está ocupada por un elemento legitimador, como el artículo definido, el demostrativo, etc.: *su coche pequeño y el mío, aquellos vuestros de París.*

15.2.2. Propiedades morfológicas del posesivo antepuesto

En español, las formas átonas y monosilábicas del posesivo *(mi, tu, su)* concuerdan con el núcleo nominal únicamente en número, mientras que las formas multisilábicas *(nuestro, vuestro)* concuerdan en género y número con el núcleo nominal, como se muestra en (15) y (16).

(15) a. Su impresora.
b. Sus bolígrafos.
(16) a. Nuestro ordenador.
b. Vuestras sillas.

Las formas ejemplificadas en (15) poseen únicamente rasgos léxicos 'inherentes' de persona, concretamente de tercera persona. Su propiedad de número dependerá del número del nombre con el que concuerden. La concordancia formal entre el posesivo y el núcleo nominal es causa de que no exista concordancia morfológica entre el posesivo de tercera persona y su referente. Así, las expresiones de (15) son ambiguas porque se podrían parafrasear mediante cualquiera de las de (17a) y (17b), respectivamente. El posesivo *su,* si denota seres humanos, puede referirse a un conjunto de personas femenino o masculino, singular o plural: [12]

(17) a. La impresora de (él/ella/ellos/ellas).
b. Los bolígrafos de (él/ella/ellos/ellas).

Aun especificando únicamente rasgos léxicos inherentes de tercera persona, el posesivo antepuesto del español no se puede interpretar de forma impersonal, a no ser que exista un antecedente impersonal sintácticamente explícito, como en (18c). En esto el español se distingue del latín y de algunas lenguas románicas como el francés (véase Authier 1989: 50).

(18) a. La chasse rend amoureux de son chien.
'La caza deja (a uno) enamorado de su (= de uno) perro'.
b. *La caza deja enamorado de su perro.
c. La caza convierte a uno en un enamorado de su perro.

[12] Como es sabido, las lenguas románicas se distinguen en este aspecto de las lenguas anglogermánicas. Los siguientes ejemplos nos muestran que el posesivo del inglés concuerda gramaticalmente con su referente y no con el núcleo nominal:

(i) {His/her/its} function.
«De {él/ella/ello} función».
«Su función».

En cuanto a las formas posesivas de primera y segunda persona, como las ejemplificadas en (16), la concordancia formal entre el nombre y el posesivo puede provocar lo que podríamos llamar una contradicción entre los rasgos inherentes del posesivo —los de persona y número, cuando existen, que denotan al referente— y los puramente formales de concordancia nominal. Los posesivos de primera y segunda persona expresan léxicamente una singularidad o una pluralidad *(mi / nosotros)* y, sin embargo, aparecen formalmente como elementos flexionados en singular o en plural, según las características morfológicas del nombre al que acompañan *(mis libros, nuestra inquietud).*

Se observa, pues, un paralelismo entre los pronombres posesivos y el clítico anafórico (con interpretación reflexiva o recíproca). Los pronombres posesivos de primera y segunda persona muestran todos los rasgos de persona y número *(mi, nuestros, tu, vuestros.../me, nos, te, os),* mientras que el de tercera *(su/se)* sólo tiene el rasgo inherente de persona.

15.2.3. Funciones semánticas del posesivo antepuesto

El posesivo antepuesto puede realizar las funciones semánticas de los argumentos del nombre que corresponden al caso genitivo, [13] en particular de los sintagmas nominales interpretados como poseedor, agente o tema, cuando vienen introducidos por la preposición *de* [→ Cap. 5 y Cap. 6]. La relación semántica que se establece entre el núcleo nominal y el posesivo antepuesto depende de la estructura argumental del primero. Considérense por el momento los ejemplos siguientes:

(19) a. La tía *de Carlos.*
b. El ordenador *de Gates.*
c. La silla *de Mies.*

(20) a. *Su* tía.
b. *Su* ordenador.
c. *Su* silla.

Los complementos adnominales de nombres como los ejemplificados en (19), así como sus posesivos correspondientes en (20), expresan lo que podríamos denominar muy laxamente una relación de 'posesión' entre el objeto denotado por el núcleo nominal y el que denota el posesivo o el complemento introducido por la preposición *de.* En (19a) y (20a) se expresa una relación de parentesco, en (19b), (19c), (20b) y (20c) se podría argüir que se expresa una relación de posesión (física o intelectual). Sin embargo, este nexo semántico es difícilmente definible en términos estrictamente léxicos. La relación entre el núcleo nominal y el elemento modificador suele interpretarse en muchos casos según el contexto discursivo o los conocimientos —o intereses— que comparten hablante y oyente. Tanto en (19b)-(19c) como en (20b)-(20c), los complementos *de Gates* y *de Mies,* así como sus posesivos correspondientes, podrían identificarse con la persona que diseña o concibe el objeto, la que lo utiliza regularmente, la que lo posee o la que lo estudia o describe, por poner diferentes ejemplos de situaciones imaginables. [14]

---

[13] Existen excepciones a esta generalización que comentaremos más adelante.

[14] Algunos lingüistas han optado por denominar simplemente 'relación R' al nexo interpretativo entre el nombre y el

El posesivo antepuesto de tercera persona puede aparecer doblado por el complemento genitivo introducido por *de* que expresa al poseedor: *su casa de Juan, su libro de ustedes, su abuelo de ellas.* El español peninsular actual tiende a limitar el doblado del posesivo a los casos *su(s) de usted, su(s) de ustedes* (RAE 1973: § 3.10.9b). Sin embargo, este pleonasmo es de uso frecuente en el habla popular de México o del español andino. Los ejemplos de (21) del español de México son de Company 1992: n. 52 y Company 1994:111 y n. 2. Los de (22a-c), del español andino, son de Luján y Parodi 1996, mientras que (22d) es de Camacho, Paredes y Sánchez 1995.

(21) a. Su novio de Juana.
b. Su pulque de ellos.
c. Sus nuevos aviones de Aeroméxico (sus = Aeroméxico).
d. *Su capítulo del libro.
e. *Sus problemas de la gente.
(22) a. Murió su primo de mi mamá.
b. Un señor le ha quitado de la señora su quinua.
c. De ese chiquito su perro diferente es.
d. Se quemó del joven su pantalón.

Puede observarse en (21d) y (21e) que el doblado del posesivo está sometido a restricciones semánticas. El poseedor debe ser humano o susceptible de ser tratado como humano (Aeroméxico es una compañía formada por seres humanos). De ahí que (21d) sea agramatical, como lo es también **sus patas de la mesa.* Por otro lado, el doblado es sólo posible cuando el complemento introducido por *de* expresa posesión material. *La gente* en (21e) es el experimentante de los problemas, como lo es también en *la preocupación de la gente.* Es por ello por lo que tampoco es posible la construcción **su preocupación de la gente.* Asimismo, *su retrato de usted* significa «el retrato que usted posee» y no «el retrato que usted ha realizado» ni «el retrato en el que usted aparece» (véase Demonte 1988).

En el español antiguo existen numerosos ejemplos de este pleonasmo, que se manifiesta única y exclusivamente con posesivos de tercera persona: *Que sopiessen sos mañas de los ynfantes de Carrion (Cid,* 2171; tomado de Company 1992: 75); *Non se faz penitencia por carta nin escrito, sinon por la su boca del pecador contrito* (Hita, 1130 b; tomado de Company 1972: 75), *...qué te contaría de sus gracias de aquella muger, de su habla y hermosura de cuerpo!* (*Celestina* 150.VII.24; tomado de Company 1994: 128); *su ossadía desse atrevido* (*Celestina* 55.30; tomado de Company 1994: 128). Para una discusión sobre este fenómeno, véase Company 1992, 1994 y Fernández Ramírez 1951b: 86, nota 190, de donde se han extraído los ejemplos anteriores.

En los nombres de representación [⟶ §§ 6.6.4 y 23.1.1.2] del tipo *novela, dibujo, retrato* o *fotografía,* entre otros, el complemento con *de* o el posesivo pueden referirse al poseedor, al autor (o agente) o al tema de la representación. Considérese la construcción ejemplificada en (23): [15]

complemento (o entre el nombre y el posesivo) en los casos de (19) y (20), casos en los que la conexión semántica entre uno y otro suele depender del contexto extralingüístico (véase, por ejemplo, Higginbotham 1983). Estos lingüistas arguyen que los núcleos nominales que establecen dicha 'relación R' con un complemento no poseen, en realidad, estructura argumental. El hecho de que se pueda expresar así cualquier relación entre dos objetos queda de manifiesto en la interpretación habitual de expresiones del tipo *mi portero, vuestra cocina popular, nuestra época,* u otras parecidas. También cabrían en este apartado posesivos afectivos del tipo *mi Juan, nuestro Cervantes* o *vuestro Petrarca* [⟶ § 2.4.4.3]. Por razones estrictamente expositivas, continuaremos caracterizando como de posesión esta 'relación R' a la que estamos aludiendo.

[15] Se trata en estos casos de una variante de la 'relación R' (véase nota 14). El hablante y el oyente deberán compartir cierta información para interpretar con exactitud las expresiones de (23), por ejemplo, si María ha pintado un retrato, si ha figurado como tema de uno o si posee un retrato de otra persona, o incluso si admira uno en particular o escribe un artículo sobre este. Ninguno de estos conocimientos está léxica o gramaticalmente explicitado en la expresión *su retrato* o *el retrato de María.*

(23) a. El retrato *de María.*
b. *Su* retrato.

Los nombres derivados (o nominalizaciones) establecen, por el contrario, relaciones semánticas más precisas con los argumentos introducidos por *de* y sus posesivos correspondientes. Las valencias semánticas de estos son básicamente las mismas que se atribuyen al sujeto o al objeto del verbo (o adjetivo) que sirve de base léxica a la nominalización (véase el capítulo 6). Los ejemplos siguientes nos muestran una serie de nominalizaciones [⟶ Caps. 6 y 69] construidas con la raíz correspondiente al verbo transitivo *producir,* cada una con un argumento (agente o tema / paciente) realizado como <*de* + SN> o bien como un pronombre posesivo en posición de determinante:

(24) a. La producción (cinematográfica) de $\text{Luis}_{\text{AGENTE}}$.
b. Su producción (cinematográfica).
c. La producción de esta $\text{película}_{\text{TEMA}}$.
d. Su producción.
e. El productor de la $\text{película}_{\text{TEMA}}$.
f. Su productor.
g. Los productos de la cinematografía $\text{americana}_{\text{AGENTE}}$.
h. Sus productos.

Asimismo, las propiedades argumentales de verbos intransitivos como *silbar,* inacusativos como *entrar,* afectivos como *preocuparse,* o estativos como *valer* se pueden realizar en sus nominalizaciones respectivas:

(25) a. Los silbidos de Pepe.
b. Sus silbidos.
c. La entrada del ciclista (a la meta).
d. Su entrada (a la meta).
e. La preocupación de Antonio (por el trabajo).
f. Su preocupación (por el trabajo).
g. El valor del material.
h. Su valor.

Los nombres deverbales de (25) expresan sus argumentos —agente, como en (25a) y (25b), experimentante, como en (25e) y (25f), o tema, como en (25g) y (25h)— sea a través de un complemento adnominal sea a través de un pronombre genitivo.

Asimismo, los ejemplos de (26) contienen nombres derivados de adjetivos que expresan propiedades y que legitiman un complemento o un posesivo semánticamente equiparable al sujeto de la oración correspondiente.

(26) a. La rugosidad de la tela.
b. Su rugosidad.
c. La tela es rugosa.
d. La estupidez del ministro.

e. Su estupidez.
f. El ministro es estúpido.

Dentro del grupo de las nominalizaciones, pueden incluirse los infinitivos sustantivados [→ §§ 12.1.2.6 y 36.5]. Como se sabe, esta forma no personal del verbo puede adoptar características nominales al ser introducido por un determinante y ser modificado por adjetivos. El argumento que se identifica con el sujeto aparece en genitivo y, consecuentemente, puede realizarse mediante un posesivo, como se muestra en (27). [16]

(27) a. El andar apresurado de Juan.
b. Su andar apresurado.
c. El hipnótico danzar de los derviches.
d. Su hipnótico danzar.

15.2.4. Excepciones y usos atípicos del posesivo antepuesto

Aunque se ha señalado que el posesivo antepuesto puede pronominalizar complementos adnominales introducidos por la preposición *de,* quedan excluidas de esta generalización una serie de construcciones que pasaremos a comentar brevemente. En primer lugar cabe mencionar los locativos de procedencia del tipo *el barco de Mallorca* o *la huida de Egipto* en los que no es posible que la frase locativa pueda expresarse con un posesivo (**su barco* o **su huida* respectivamente). [17]

Otra excepción la constituyen los complementos que expresan materia o manera, en los que el sintagma nominal introducido por *de* aparece sin determinante. Así, no podemos obtener **su vasija* a partir de la expresión *la vasija de barro* ni **Sus caídas son peligrosas* a partir de *Las caídas de espaldas son peligrosas.* A este grupo pertenecen también expresiones de valor temporal como *la primera quincena de agosto,* que no puede parafrasearse por **su quincena* o bien *la noche del viernes,* donde *el viernes* no puede ser representado por *su (*su noche).* [18]

Los posesivos tampoco pueden sustituir en general complementos de tipo partitivo o los complementos con interpretacion pseudo-partitiva de nombres colectivos: *El grupo de los senadores se abstuvo de intervenir (*Su grupo se abstuvo de intervenir), La mayoría de los estudiantes ha pagado ya la matrícula (*Su mayoría ha pagado ya la matrícula), El enjambre de abejas estaba en el árbol (*Su enjambre estaba en el árbol).* Sí, en cambio, pueden aparecer en expresiones del tipo *en su mayor parte, en su conjunto* o *en su mayoría (Los estudiantes, en su mayoría, se han presentado al examen).* Nótese, sin embargo, que dichas construcciones no son productivas. No existen expresiones como *en su minoría (*Estos problemas son, en su minoría, absurdos)* o como **en su cantidad.*

[16] Remitimos al lector al capítulo 36 (§ 36.5) para una discusión extensa de las características y la interpretación de este tipo de construcciones.

[17] Son posibles, en cambio, expresiones del tipo *sus quesos* o *sus vinos* interpretadas en el sentido *los quesos de la Mancha* o *los vinos de la Rioja* respectivamente, que expresan el lugar donde se producen dichos artículos. En estos casos, nos inclinamos a pensar que se trata de una clasificación, ya que el complemento adnominal puede expresarse mediante un adjetivo de nacionalidad o procedencia geográfica: *los quesos manchegos, los vinos riojanos* o *coñac francés.*

[18] Sin embargo, son posibles expresiones como *Anduvo perdido tres días con sus noches,* donde *sus noches* expresa una parte de un todo, el día, con lo que se enfatiza el lapso de tiempo transcurrido.

Obviamente, quedan también excluidos los compuestos sinápticos del tipo *ojo de buey (*su ojo)* [→ § 73.8]. Existen otras construcciones que no son compuestos sinápticos —pero que argüiblemente podrían relacionarse con aquellos (véase Taylor 1994)—, que manifiestan la misma restricción. Nos referimos a expresiones del tipo *la enfermedad de Alzheimer, el síndrome de Aarskog, el prisma de Nicol* o *la navaja de Ockham,* entre muchas otras. Aunque el sintagma nominal aparece como complemento de la preposición *de* y denota a un individuo, no es posible utilizar un posesivo en estos casos y preservar el sentido de la expresión: **su enfermedad* (de Alzheimer), **su síndrome* (de Aarskog), **su prisma* (de Nicol) o **su navaja* (de Ockham).[19]

Finalmente, tampoco son susceptibles de pronominalización los complementos introducidos por *de* que encontramos en expresiones como *el salón de los espejos (*su salón)* o *la casa de las mantas (*su casa).* La imposibilidad de estas construcciones puede atribuirse al hecho de que el complemento adnominal ni es un verdadero argumento del núcleo, ni establece con este una 'relación R' (véase nota 14).

Inversamente al grupo de excepciones que acabamos de comentar, existen algunos casos en los que el posesivo antepuesto no corresponde propiamente a un complemento adnominal introducido por *de.* Nos referimos a expresiones como las ejemplificadas en (28), (29) y (30).

(28) a. Una muñeca vestida de azul con *su* camisita y *su* canesú.
b. Me tomé *mi* café y *mi* tostada de todos los días.
c. Entró el general con *su* gorra y *sus* galones.
(29) a. La fotografía de María tiene *su* encanto.
b. Estos adornos tienen *su* gracia.
(30) a. María tendrá *sus* cuarenta años.
b. Esta institución tiene ya *sus* dos siglos de existencia.

Creemos que el posesivo sirve en estos casos para intensificar o alterar una característica que se asume como supuesta o inherente. Así, en (28), el posesivo serviría para ratificar lo que bien estereotípicamente o por costumbre parece corresponder. Obsérvese que es posible reforzar este valor de ratificación que tiene el posesivo de estas construcciones con *...y todo (un lago con sus patitos y todo).*[20] Los casos de (29) parecen constituir el reverso de los de (28), ya que se refieren no a una propiedad prototípica, sino precisamente a una característica poco esperada o sorprendente del objeto. En (30), con el posesivo se refuerza la atribución de edad al sujeto.

15.2.5. La jerarquía argumental

Volvemos en esta sección a tratar de los usos clásicos del posesivo, centrándonos más concretamente en las restricciones que se aplican a dichos pronombres

---

[19] La construcción con posesivo sólo podría interpretarse entonces como la enfermedad padecida por (el individuo) Alzheimer, el síndrome manifestado por Aarskog, o el prisma o la navaja en posesión de Nicol y Ockham, respectivamente.

[20] Fernandez Ramírez (1951b: 91) atribuye al posesivo un valor distributivo para casos como los de (28).

en función argumental. Como se ha apuntado anteriormente, los sintagmas nominales que legitiman más de un argumento en genitivo —aquellos formados por nombres de representación o nominalizaciones de base verbal transitiva— admiten que cada uno de dichos argumentos se realice como posesivo:

(31) a. Su$_{\text{POSEEDOR}}$ extensa biblioteca.
 b. Sus$_{\text{AGENTE}}$ novelas ejemplares.
 c. Su$_{\text{TEMA}}$ fotografía disfrazado de Napoleón.
(32) a. Sus$_{\text{AGENTE}}$ confusas explicaciones.
 b. Su$_{\text{TEMA}}$ manipulación por parte de los técnicos.

Cuando todos los argumentos que puede admitir el núcleo nominal se expresan sintácticamente mediante complementos adnominales introducidos por *de,* es bien sabido que sólo uno de ellos puede realizarse como posesivo. Las construcciones (33a) y (34a) no pueden ser representadas por (33b) y (34b), respectivamente.

(33) a. El retrato de Carmontelle de Mme du Deffand de este coleccionista.
 b. *Su su su retrato.
(34) a. La manipulación de Juan de materiales radioactivos.
 b. *Su su manipulación.

Así pues, los sintagmas nominales admiten únicamente un solo posesivo antepuesto. Adicionalmente, parece existir una jerarquía entre los argumentos del nombre para su realización como posesivo en los sintagmas nominales con más de un argumento en genitivo. En ejemplos del tipo (33a), que contienen nombres de representación, la jerarquía argumental a la que aludimos conforma el esquema siguiente:

(35) POSEEDOR > AGENTE > TEMA

En esta jerarquía se expresa que la realización sintáctica como complemento adnominal del argumento que se interpreta como poseedor imposibilita que los argumentos interpretados como agente o como tema (o paciente) aparezcan como posesivo antepuesto. Si el argumento interpretado como poseedor no se expresa sintácticamente, el argumento al que se atribuye el papel de agente bloquea la realización como posesivo antepuesto del argumento que se interpreta como tema (o paciente). A este respecto, considérese la gramaticalidad de (36a) frente a (36b) y (36c), así como la de (37a), que contrasta con (37b). [21]

---

[21] Nótese que la jerarquía argumental que se expresa en (35) no incide particularmente en el orden lineal en el que pueden aparecer los complementos adnominales. Dicho orden parece regirse principalmente por razones fonéticas o discursivas:

(i) a. El manuscrito de Darwin del *Origen de las Especies* del Museo Británico.
 b. El manuscrito del Museo Británico del *Origen de las Especies* de Darwin.
 c. El manuscrito del *Origen de las Especies* de Darwin del Museo Británico.
 d. ?El manuscrito de Darwin del Museo Británico del *Origen de las Especies.*
(ii) a. La edición [de Einaudi] [de las cartas de Epicuro].
 b. La edición [de las cartas de Epicuro] [de Einaudi].

(36) a. $Su_{POSEEDOR}$ retrato de $Carmontelle_{AGENTE}$ de Mme du $Deffand_{TEMA}$.
b. *Su_{AGENTE} retrato de Mme du $Deffand_{TEMA}$ de este coleccionista.
c. *Su_{TEMA} retrato de Carmontelle de este coleccionista.
(37) a. Su_{AGENTE} retrato de Mme du $Deffand_{TEMA}$.
b. *Su_{TEMA} retrato de $Carmontelle_{AGENTE}$.

Otro tanto ocurre en las nominalizaciones de verbos transitivos del tipo ejemplificado en (34a), *la manipulación de Juan de materiales radioactivos,* donde la jerarquía se establece según el esquema (38) [→ § 6.4]:

(38) AGENTE > TEMA (o PACIENTE)

En estos casos, la presencia del complemento adnominal interpretado como agente impide la realización como posesivo antepuesto del argumento interpretado como tema (o paciente), tal como se muestra en (39).

(39) a. Su manipulación de materiales radioactivos.
b. *Su manipulación de Juan.

La jerarquía argumental corresponde a las funciones gramaticales de sujeto y objeto directo de la oración en forma activa que se relacionaría con el sintagma nominal complejo, por ejemplo, la oración *Juan manipula materiales radioactivos.* La jerarquía expresada en (35) y (38) tiene efecto única y exclusivamente cuando los argumentos adnominales aparecen en genitivo (i.e. <*de* + SN>) o se manifiestan como un adjetivo de relación [→ § 3.3], como en (40), aunque no en (41).

(40) a. La invasión *americana* de Vietnam.
b. *Su invasión *americana.*
(41) a. Los estudios *antropológicos* de Margaret Mead.
b. Sus estudios *antropológicos.*

El contraste entre la agramaticalidad de (40b) y la buena formación de (41b) se produce porque en el primer caso el adjetivo de relación sólo puede interpretarse como el agente de *la invasión.* [22] La posibilidad de obtener expresiones gramaticales como (41b) se debe a que el adjetivo *antropológicos* puede interpretarse como tema (i.e. sobre antropología) o como una mera clasificación de *estudios* (i.e. *estudios de tipo antropológico* y no *sociológico,* pongamos por caso). [23]

Si el argumento agente se realiza como sufijo *-dor,* lo que supone una nominalización de sujeto, o si se realiza como complemento de la preposición *por* (o *por parte de*), [24] entonces será posible representar al argumento tema a través de un pronombre posesivo, como en (42).

---

[22] Nótese que en la expresión *su invasión,* sin ningún otro argumento, el posesivo antepuesto puede interpretarse ambiguamente como agente (o invasor) o como paciente (o invadido).

[23] Para un estudio de estas cuestiones, véase Bosque y Picallo 1996, así como las referencias allí citadas.

[24] Los nominales de acción que expresan al argumento agente como complemento de la preposición *por* (o de la locución *por parte de*) son conocidos como 'nominales pasivos'. El lector puede consultar el capítulo 6 para una discusión más extensa sobre la interpretación y las propiedades de estas construcciones.

(42) a. El traductor de esta novela.
b. Su traductor.
c. La traducción de esta novela por (parte de) Luis.
d. Su traducción por (parte de) Luis.

En resumen, se ha observado que la realización de un argumento como posesivo antepuesto está sometida a ciertas restricciones de índole puramente sintáctica. Estas restricciones se expresan mediante lo que hemos denominado 'jerarquía argumental', que afecta, en los casos que nos ocupan, a los argumentos adnominales introducidos por la preposición *de.* De esto se deduce que un posesivo interpretado como tema (o paciente) —el argumento jerárquicamente inferior, según los esquemas de (35) y (38)— sólo será posible si otros argumentos en genitivo no estan sintácticamente realizados.

15.2.6. Las propiedades denotativas del posesivo antepuesto

Como se ha apuntado en la introducción, hemos seguido la propuesta de Bello (1847: § 248) al considerar que los posesivos son categorías de tipo pronominal (véase asimismo Picallo 1994). En esta sección se comparará su comportamiento, en cuanto a denotación y propiedades anafóricas, con el de otros tipos de pronombres.

Un posesivo antepuesto de tercera persona puede denotar todo tipo de objetos o conjuntos, sean cuales fueren sus rasgos semánticos: [25]

(43) a. El color del agua.
b. Su color.
c. La expresión del chimpancé.
d. Su expresión.
e. La búsqueda de la serenidad.
f. Su búsqueda.

Esta característica los asemeja a los pronombres clíticos y a los sujetos tácitos de las oraciones: *Juan la prueba (el agua); Los niños le dan cacahuetes (al chimpancé); Con respecto a la serenidad, es cierto que todo el mundo dice que* (sujeto elíptico) *puede alcanzarse de muchas maneras.*

Los posesivos, los clíticos y el sujeto elíptico pueden interpretarse asimismo como variables lógicas, es decir, como expresiones ligadas a un cuantificador (véase el capítulo 16).

(44) a. *Nadie* habla de *sus* (propios) problemas.
b. *Cada uno de los asistentes* comentó que la representación *le* había impresionado mucho.
c. *Todo artista* cree que es un genio.

---

[25] Existe, sin embargo, una excepción importante a esta generalización. El posesivo no puede pronominalizar los complementos oracionales del nombre, como lo muestra el contraste entre (ib) y (id):

(i) a. La demostración de *que la Tierra gira alrededor del Sol* (por parte de Galileo).
b. **Su* demostración (por parte de Galileo).
c. La demostración de *la rotación de la Tierra* (por parte de Galileo).
d. *Su* demostración (por parte de Galileo).

Los pronombres *sus, le* y el sujeto elíptico de la oración subordinada en (44c) pueden recibir una interpretación ligada al sintagma cuantificado que aparece en la posición de sujeto de la oración principal.

Nótese como contraste que los pronombres tónicos, cuando aparecen bien en genitivo en un sintagma nominal bien como sujeto o complemento de un predicado, sólo pueden denotar conjuntos humanos y contables. [26]

(45) a. La expresión de él (de Juan/*del chimpancé).
b. Los gritos de ella (de María/*de la multitud).
c. Ella ganó el Premio Nadal (Carmen Laforet/*la novela *Nada*).
d. Le dieron forraje a él (a Pepe/*al caballo).

Asimismo, y en contraste tanto con los posesivos prenominales como con los clíticos y el sujeto elíptico, un pronombre tónico no puede utilizarse como variable lógica en muchos dialectos del español. Es difícil, si no imposible, interpretar el pronombre tónico de (46a) en relación al cuantificador *nadie.* Y en caso de que sea posible la interpretación ligada a la expresión cuantificada de (46), el pronombre tónico recibirá foco contrastivo o interpretación distintiva [⟶ § 20.3].

(46) a. *Nadie* habla de los problemas de *él.*
b. *Cada uno de los asistentes* comentó que la representación *le* había impresionado *a él.*
c. *Todo artista* cree que *él* es un genio.

Como se verá en el § 15.4, el posesivo tónico o pospuesto se comportará ante un cuantificador como los pronombres personales tónicos.

En cuanto a sus posibilidades anafóricas dentro de la oración, el posesivo antepuesto contrasta con los pronombres clíticos. El posesivo, al contrario que estos, puede ser correferente con un argumento de la oración que lo contiene [⟶ Cap. 23]. Véase (47).

(47) a. Pedro presentó a su hermano (su = el hermano de Pedro)
b. Pedro lo presentó (lo ≠ Pedro)
c. Pedro dice que Juan lo presentó (lo = Pedro)

En (47c), *lo* puede establecer relación de correferencia con *Pedro,* ya que este sintagma nominal no pertenece a su misma oración. Es el sujeto de la principal, mientras que el pronombre aparece en la subordinada.

Como ya se ha apuntado en el apartado 15.2.2, el posesivo antepuesto de tercera persona no puede interpretarse en sentido impersonal, a no ser que exista un antecedente impersonal explícito. Así, el sintagma *su espíritu* de (48b) no puede ser interpretado como «el espíritu de uno».

---

[26] Los pronombres tónicos se utilizan, sin embargo, para denotar cualquier tipo de conjunto en contextos en los que un pronombre nulo o un clítico no son posibles:

(i) a. Juan le puso una cadena *al loro* y salió con *él* a la calle.
b. Cerraron *la puerta* y se parapetaron detrás de *ella.*

(48) a. La contemplación de la naturaleza deja a uno en paz con su espíritu.
b. *La contemplación de la naturaleza deja en paz con su espíritu (= el espíritu de uno).[27]

En este sentido, el posesivo no se asemeja denotativamente al pronombre de sujeto indeterminado *se* en *Se dice que lloverá* ni al sujeto elíptico plural de construcciones como *Dicen que lloverá,* donde el agente de *decir* recibe una interpretación indeterminada, parecida a la de la oración *Alguien dice que lloverá.* En ciertos contextos, es posible, en cambio, interpretar en sentido impersonal el posesivo singular de segunda persona, al igual que a su correspondiente clítico *te* o al sujeto elíptico de segunda persona singular (véase Hernanz 1990). Las oraciones de (49) pueden ser interpretadas en sentido indeterminado, impersonal. Así, (49a) puede parafrasearse como «cuando la familia de uno está en peligro, uno se pone en guardia», del mismo modo que (49b) se puede parafrasear como «cuando le colocan a uno un saldo, uno se enfada».

(49) a. Cuando tu familia está en peligro, te pones en guardia.
b. Cuando te colocan un saldo, te enfadas.
c. Cuando vas al supermercado, compras a veces cosas que no necesitas.

En resumen, en las secciones precedentes se han comentado varias propiedades del posesivo antepuesto. Se ha atendido a su distribución, a sus características morfológicas y semánticas y a sus propiedades denotativas y referenciales. En el próximo apartado se estudiarán, bajo esta misma perspectiva, las características del posesivo tónico o pospuesto.

Los pronombres posesivos prenominales de segunda persona del plural y los de tercera persona son usados en los tratamientos de cortesía y respeto. Por su carácter deíctico, los pronombres personales y, entre ellos los posesivos, permiten expresar distintos tratamientos del interlocutor basados en la igualdad y la solidaridad *(tu familia)* o en la desigualdad y el respeto *(su familia* o *su familia de usted).*

Vuestro / a usados en fórmulas vocativas como *vuestra señoría, vuestra eminencia* presuponen el tratamiento de *vos* (= la eminencia de vos). *Vuestra señoría* dio lugar a *usía, vuestra excelencia* a *vuecencia* y *vuestra merced* a *usted.* Desde el siglo XVI *vuestro/a* viene siendo sustituido por *su,* basado en el tratamiento con tercera persona: *su señoría, su excelencia, sus majestades* (véase RAE 1973: § 2.14.4). *Su* es, pues, el determinante que acompaña a los términos de tratamiento de cortesía: *Su Alteza Imperial está disgustado; Su Santidad visitó Nicaragua.*

El uso de la pluralidad en los casos de plural mayestático afecta también a los pronombres posesivos, tanto a los prenominales como a los posnominales. Así, se utilizará *nuestro/a* en lugar de *mi* y de *mío/mía.*

---

[27] La construcción es, sin embargo, gramatical cuando se utiliza el artículo en lugar del posesivo:

(i) La contemplación de la naturaleza deja en paz con *el* espíritu.

15.3. El posesivo pospuesto: las formas tónicas

Junto con el posesivo prenominal, cuyo comportamiento y distribución se acaban de describir, existe en español el posesivo posnominal (o pospuesto).[28] Esta forma aparece en contextos en los que no es posible el posesivo átono —como en (50a) y (50b)—, aunque también aparece para expresar un matiz contrastivo, enfático, afectivo o irónico, en contraposición a las formas más canónicas de posesivo prenominal, como en (50c) y (50d).[29]

(50) a. Conservo cartas tuyas.
b. Esto no es lo suyo.
c. La casa suya estaba situada en un altozano.
d. Este marido tuyo es un sabio.

Obsérvese el contraste entre (50a) y la oración *Conservo tus cartas.* La presencia del pronombre antepuesto otorga carácter definido y específico al sintagma nominal, en cambio, el posesivo pospuesto, puesto que no colabora a asignar valor definido al sintagma, puede coaparecer con un nombre sin determinar. Por otro lado, sólo el posesivo tónico puede acompañar a un determinante neutro: *lo suyo, esto nuestro.* En (50c) y (50d) el posesivo posnominal aporta necesariamente un valor contrastivo, valor que no posee el equivalente prenominal *(su casa, tu marido).*

15.3.1. Propiedades morfológicas del posesivo pospuesto

Desde el punto de vista formal, el posesivo posnominal se mantiene invariable en relación al posesivo prenominal en los casos de primera y segunda persona del plural, como puede observarse en (51a) y (51b), pero toma la forma tónica en los casos de primera y segunda persona del singular, así como en tercera persona, tal como se muestra en (51c)-(51f).

(51) a. *Nuestro* libro. / El libro *nuestro.*
b. *Vuestras* hazañas. / Tantas hazañas *vuestras.*
c. *Mi* hijo. / Este hijo *mío.*
d. *Tu* traducción. / Una traducción *tuya.*
e. *Su* coche. / El coche *suyo.*
f. *Sus* dos casas. / Dos casas *suyas.*

Los posesivos posnominales, al igual que sus correspondientes formas antepuestas al nombre, pronominalizan complementos adnominales en genitivo. Los sintagmas nominales con posesivo posnominal pueden ejercer funciones gramaticales similares a las que se han asociado a los nominales con posesivo antepuesto (véase el § 15.2.1). Los ejemplos (52a)-(52d) nos muestran estructuras de este tipo en función de argumento. En (52a) el posesivo posnominal es uno de los constituyentes

[28] En el valle aragonés de Bielsa, la forma plena del posesivo aparece en posición prenominal precedida del artículo, según se muestra en los ejemplos aportados en el estudio de A. M. Badia Margarit (1950): *la tuya casa, el suyo libro, pal mío gasto.* Sin embargo, cuando el posesivo es de tercera persona del plural se utiliza la forma átona sin el artículo: *sus casas, sus libros.*

[29] El lector deberá tener presente estos posibles matices en algunos de los ejemplos de esta sección.

del sujeto. En los otros ejemplos de (52) el posesivo tónico forma parte del objeto de verbo, de adjetivo y de preposición, respectivamente.

(52) a. *[Una delicada acuarela suya]* colgaba de la pared.
b. Ha leído *[tres artículos míos]*.
c. Estoy contenta *[del reciente éxito tuyo]* en la Scala.
d. Dieron una serenata bajo *[la ventana nuestra]*.

En los ejemplos (53a) y (53b), la construcción nominal con posesivo pospuesto tiene funciones predicativas. En este sentido, el posesivo pospuesto actúa, pues, paralelamente al posesivo antepuesto.

(53) a. Juan es *[un primo mío]*.
b. Lo consideraron *[un rival suyo]*.

Asimismo, el posesivo pospuesto, como el posesivo antepuesto, puede coaparecer con preposiciones o adverbios, así como en giros o locuciones prepositivas o adverbiales [⟶ § 9.3.1]: [30] *en lugar suyo, en contra tuya, a costa mía, de parte nuestra, por cuenta vuestra, en presencia mía, encima nuestro, debajo suyo, a pesar suyo, en derredor mío* y *en torno suyo, atrás suyo,* entre otros.

Algunas de estas construcciones, por ejemplo, *detrás mío* o *delante de ti,* son consideradas propias del habla coloquial o dialectal en el español peninsular. Se prefiere el uso del pronombre personal tónico precedido de preposición *(delante de mí, detras de ti)* [⟶ § 9.3.1]. Sin embargo, el uso de forma plena precedido de adverbio o locución es muy común en el español de América (véase RAE 1973: 3.10.11d)

En algunos de estos casos los morfemas de concordancia que presenta el posesivo ofrecen variación dialectal. En algunas hablas andaluzas e hispanoamericanas, el posesivo puede concordar en género con la persona referida: *delante suya* (véase Zamora Vicente 1966: 433). Otro tipo de concordancia (o pseudo-concordancia en este caso) puede producirse entre los adverbios con terminación *-a* y el posesivo, dando lugar a expresiones del tipo *arriba mía* o *encima mía* (Kany 1945: 66).

En el español de América es frecuente la sustitución del posesivo por el pronombre personal con preposición: *Es idea de nosotros; los libros de vosotros; el cuarto de él.* Este tipo de posesivo analítico se utiliza asimismo en algunos dialectos de León *(un criado de mí),* así como en dialectos del occidente asturiano, en los que, además, el posesivo analítico aparece invariable en masculino y singular *(estos nenos de mío).* Véanse Kany 1945: 68s y Zamora Vicente 1966: 206 y 433.

15.3.2. Distribución del posesivo pospuesto

A pesar de lo expuesto en el apartado anterior, existen una serie de contrastes de distribución bien conocidos entre las dos variedades del posesivo. Uno de dichos contrastes puede observarse en los sintagmas nominales con núcleo elíptico —sea

---

[30] Algunos giros posibles con un posesivo antepuesto, son agramaticales si se construyen con su contrapartida pospuesta: *a mi modo/*a modo mío; a mi vez/*a vez mía; a su tiempo/*a tiempo suyo; en su día/*en día suyo.*

en función de sujeto sea en función de objeto— en los que sólo puede aparecer un posesivo pospuesto (o posnominal), tal como se ejemplifica en (54).

(54) a. Mi ordenador y *el tuyo* están estropeados.[31]
b. Fue una brillante idea *la suya.*
c. Buscábamos *uno vuestro.*
d. Iremos sin *el nuestro.*
e. Juan se sentía satisfecho *del suyo.*

Los ejemplos (55a) y (55b) muestran, por su parte, construcciones predicativas de este mismo tipo.[32] En el ejemplo (55c) el posesivo funciona como atributo:

(55) a. Este tipo de caligrafía parece *la suya.*
b. Llegamos a considerarlo (verdaderamente/muy) *nuestro.*
c. Esto no es *mío.*

Al contrario de las formas prenominales, el posesivo pospuesto puede aparecer en sintagmas nominales que ejercen de argumento en construcciones existenciales [→ § 27.3.4], como se muestra en (56). Ello es debido al hecho de que la expresión nominal con posesivo pospuesto puede aparecer en un sintagma indefinido, al contrario del posesivo antepuesto del español estándar actual que, como hemos comentado en el § 15.2.1, determina la definitud del sintagma nominal:[33]

(56) a. Había *(varios/algunos/unos/pocos/bastantes) objetos suyos* en la alacena.
b. Hay *acuarelas tuyas* por toda la casa.
c. Me pregunto *qué libro suyo* habrá hoy en el escaparate.

El posesivo pospuesto puede aparecer en español en una serie de expresiones idiomáticas que pueden ejercer diversas funciones gramaticales, como en *Juanita es muy suya* (= tiene un carácter o manera de actuar muy particular); *Este artículo es muy suyo* (= muy característico de (él/ella), *De mío, soy pacífica* o *Este asunto es de suyo muy resbaladizo* (= de natural, por sí mismo); *A Juan, parece que le dieron lo suyo* (= lo agredieron física o verbalmente); *Para terminarlo a tiempo, (sudó/ sufrió) lo suyo* (= (trabajó/sufrió) mucho); *Lo nuestro es la sintaxis* (= lo que nos gusta, o nos

[31] Nótese que en (54a) se ejemplifica un sujeto en el que aparece un posesivo antepuesto y un posesivo pospuesto, respectivamente, en cada uno de los términos de una coordinación. Opuestamente al posesivo antepuesto, la variedad posnominal puede aparecer en series coordinadas:

(i) a. La compañera suya y mía.
b. *Mi y su compañera.

[32] Construcciones predicativas como (55b) donde el posesivo aparece con un adverbio de gradación denotan propiedades y son similares a expresiones del tipo *Esta película es muy de Almodóvar* en las que el hablante se refiere a un supuesto estereotipo de película almodovariana.

En algunas lenguas como el catalán, son posibles expresiones predicativas adjetivas derivadas del posesivo: *Aquest paisatge és molt nostrat* (literalmente: «Este paisaje es muy nuestrado»).

[33] A este respecto es ilustrativo observar el contraste entre las expresiones (i) y (ii):

(i) Mi abogado y jefe *suyo* es algo antipático.
(ii) *Mi* abogado y *su* jefe llegaron ayer.

Como demuestra la concordancia verbal, parece una sola descripción definida en (i) y dos en (ii). En el caso de (i) se denota a un solo individuo, mientras que el ejemplo (ii) sería equivalente a *el abogado mío* y *el jefe suyo,* prescindiendo del contenido enfático o distintivo que puede atribuirse a esta última. Para una discusión más detallada de estos casos, véase Longobardi 1994.

ocupa); *Antonio hizo de las suyas* (= fechorías); *Juan siempre se sale con la suya* (= hace lo que quiere); *Esto es cosa mía* (= me concierne) o *No dijeron esta boca es mía* (= nada, ni una palabra). En plural y con el núcleo elíptico se utiliza para designar el entorno familiar o social de una persona, como en *Manuel se presentó con los suyos* (= parientes, amigos o partidarios).

En cuanto a su distribución dentro del sintagma nominal, el posesivo posnominal es compatible tanto con el artículo definido *(Dadle la dirección vuestra; Dadle la vuestra)* como con el indefinido *(Dame un libro tuyo; Dame uno tuyo).* Tampoco parece presentar restricciones respecto a su compatibilidad con todo tipo de cuantificadores, como puede observarse en (57).

(57) a. *[(Pocas/muchas/demasiadas/bastantes/algunas/cinco/ciertas/varias)* novelas *suyas]* recibieron la atención de los críticos.
b. Han compilado *[todos los* artículos *tuyos]* en un solo volumen.
c. Guardaba cuidadosamente [*cada* fotografía *mía* que recibía].
d. *[Ciertas* declaraciones *suyas]* causaron un revuelo considerable.
e. *[Cualquier* vecino *suyo]* te lo dirá.
f. Quiere *[algo nuestro].*

No es este el caso de las formas prenominales del posesivo, que no pueden coaparecer con determinados cuantificadores. Mientras expresiones del tipo *mis pocos ahorros, sus muchos años, tus demasiados ataques de ira, sus bastantes éxitos* o *vuestros veinte primos* son gramaticales, no lo son, en cambio, las construcciones **mis todos familiares, *su cualquier vecino, *nuestra cada fotografía* o **tus algunas obras.* El cuantificador universal *todos* tiene que preceder al posesivo prenominal *(todos mis familiares)* o aparecer a la derecha del nombre *(mis familiares todos),* aunque esa estrategia es menos frecuente. Expresiones del tipo *algún mi pariente* son posibles en el español del Perú (Kany 1945: 64). En el caso de *algunos,* el cuantificador induce la construccion partitiva *(algunas de tus obras).* Por su parte, los cuantificadores *cada* y *cierto* son incompatibles con el posesivo antepuesto, independientemente del orden de palabras: **mi cierto artículo/*cierto mi artículo, *tu cada hermana/ *cada tu hermana,* excepto en casos partitivos del tipo *cada una de tus hermanas.*

El posesivo posnominal también puede coaparecer con demostrativos,[34] con subordinadas de relativo no restrictivas o con modificadores restrictivos, incluyendo las cláusulas relativas especificativas. Véase (58).[35]

(58) a. Este primo nuestro, que nos visita siempre durante el verano, (es algo pelmazo).
b. Unas palabras suyas, contra las que reaccionó mucha gente, (le costaron un disgusto).
c. El artículo tuyo que siempre se cita (ha sido traducido al chino).
d. Aquella llave maestra mía con la que abríamos todas las puertas (ha desaparecido).
e. El libro suyo recién salido al mercado y con contracubiertas azules (ha tenido una buena acogida).

Sin embargo, el posesivo posnominal, como el prenominal, no puede representar el segundo término de una construcción partitiva o pseudo-partitiva. *La mayoría*

[34] En los casos en que el demostrativo aparece en posición posnominal, el posesivo sigue habitualmente al demostrativo: *(El libro este suyo/??El libro suyo este) ha tenido un impacto considerable; (La manía esta suya/??La manía suya esta) de limpiar constantemente los cristales.*

[35] Recuérdese que el relativo especificativo es incompatible con el posesivo antepuesto. Véanse los ejemplos de (11).

de los diputados no puede parafrasearse como **la mayoría suya,* en cambio, sí puede hacerse con el pronombre tónico precedido de la preposición genitiva, *la mayoría de ellos.* Al igual que el posesivo prenominal, no podemos relacionar el sintagma nominal *el síndrome de Aarskog* con el sintagma *el síndrome suyo* ni *la navaja de Ockham* con *la navaja suya,* a no ser que los sintagmas tomen otro sentido (véase el § 15.2.4 y, concretamente, la nota 20).

El posesivo posnominal, a diferencia del posesivo antepuesto, puede coaparecer con un determinante neutro: *esto tuyo, lo nuestro.* Véase también (50b). En algunos casos, es posible incluso que el posesivo esté modificado por un cuantificador de grado: *lo más suyo.*

Cuando el sintagma nominal incluye adjetivos posnominales, el orden lineal de las palabras en el sintagma depende de la clase de adjetivo (o adjetivos) que modifican al núcleo. Si se trata de un adjetivo de relación (véase el capítulo 3), el posesivo no puede interrumpir la secuencia formada por el nombre y sus modificadores, tal como muestra en (59). [36]

(59) a. Resolvieron un recurso administrativo *suyo.*
b. *Resolvieron un recurso *suyo* administrativo.
c. La producción manual quesera *nuestra* (ha declinado en las últimas décadas).
d. *La producción *nuestra* manual quesera.
e. *La producción manual *nuestra* quesera.
f. Aquel mueble rural dieciochesco francés *suyo* (ha sido subastado en Sotheby's).
g. *Aquel mueble *suyo* rural dieciochesco francés.
h. *Aquel mueble rural *suyo* dieciochesco francés.
i. *Aquel mueble rural dieciochesco *suyo* francés.

En contraste con los adjetivos de relación, el posesivo pospuesto presenta mayor libertad de posición en relación al adjetivo calificativo posnominal. Los siguientes ejemplos son tomados de Alarcos Llorach (1994: 95): *(los) libros nuevos míos, (los) libros míos nuevos; (las) palabras amables vuestras, (las) palabras vuestras amables.* Sin embargo, si el adjetivo aparece modificado por un adverbio de grado, entonces el posesivo suele precederlo: *Un mensaje suyo muy misterioso (fue encontrado en la biblioteca); Cierto amigo suyo bastante olvidadizo (se dejó el sombrero en el zaguán).* [37]

Ahora bien, si se trata de una secuencia de adjetivos calificativos en posición posnominal, entonces el posesivo pospuesto suele aparecer en posición final [→ § 3.5.1.2], como en (60a). Este tipo de construcciones parece más aceptable que la construcción de (60b), en la que el posesivo precede la secuencia de adjetivos. [38]

---

[36] Este estricto orden lineal <N + A(s)> no parece aplicarse en el caso de complementos adnominales introducidos por la preposición *de* que ejercen funciones clasificatorias muy similares a algunos tipos de adjetivos de relación:

(i) a. Resolvieron un recurso (de alzada / de reposición) suyo.
b. Resolvieron un recurso suyo (de alzada / de reposición).

[37] No hay que descartar aquí que el orden de palabras esté en cierta medida determinado por la longitud o el peso fonético de los constituyentes.

[38] Aunque no siempre sea factible dejar el posesivo en posición final, sobre todo con nombres de parentesco o que expresan propiedades inalienables *(*un primo delgado suyo; ??el aspecto desvencijado suyo / su aspecto desvencijado).* Expresiones como las siguientes en las que el posesivo interrumpe la secuencia de adjetivos, parecen tener también un estatus gramatical poco aceptable:

(60) a. El coche rojo pequeño *mío* (ha tenido ya demasiadas reparaciones).
b. ??El coche *mío* rojo pequeño (está aparcado en la esquina).

En el caso de que el adjetivo calificativo sea prenominal, es posible la aparición dentro del sintagma nominal del posesivo posnominal, como lo es también la del posesivo prenominal, aunque en este último caso el posesivo no adquiere un significado contrastivo. Compárese *mi triste experiencia* y *tus escotados vestidos* con *la triste experiencia mía* y *los escotados vestidos tuyos.* No obstante, si el nombre designa una parte del cuerpo o una propiedad de posesión inalienable o bien un objeto o propiedad del que sólo suele poseerse un ejemplar —por ejemplo *vida* u *oficio*—, entonces es más difícil que coaparezcan un adjetivo prenominal y el posesivo posnominal *(tu vacía cabeza/?la vacía cabeza tuya; su severo carácter/?el severo carácter suyo; su efímera vida/?la efímera vida suya; tu peligroso oficio/?el peligroso oficio tuyo).* La causa de esta restricción hay que buscarla en el carácter contrastivo del posesivo posnominal (véase el § 15.3.3).[39]

Al contrario de lo que ocurre en la variedad antepuesta del posesivo (véase el § 15.2.3), ninguna variante del español parece admitir o haber admitido el pleonasmo formado por un posesivo pospuesto y un complemento adnominal en genitivo *(*la casa suya de usted, *un amigo suyo de él, *este hermano suyo de Juan).* Sí es posible, en cambio, el doblado con un posesivo antepuesto en algunos dialectos hispanoamericanos: *mi casa mía, mi lenguaje mío* (véase Kany 1945: 65).

15.3.3. Funciones argumentales y funciones predicativas del posesivo tónico

Al igual que las formas antepuestas, un posesivo pospuesto puede expresar una relación de posesión —o 'relación R' (véase nota 14)— entre un individuo del universo del discurso y el objeto denotado por el núcleo nominal *(la casa mía, este capítulo nuestro, un jarrón suyo).* Este tipo de relación se extiende a los nombres de representación, en los que el posesivo puede tomar cualquiera de los valores semánticos que se asocian a este tipo de núcleos (i.e. poseedor, agente (o autor), tema (o paciente)). Así, en ejemplos del tipo *un retrato suyo,* u otros de índole similar, el posesivo admite cualquiera de las interpretaciones mencionadas, dependiendo del contexto en el que se emite la expresión.

En los sintagmas que tienen como núcleo una nominalización, el posesivo pospuesto puede realizar las funciones semánticas que corresponden a los complementos adnominales introducidos por la preposición *de,* como se muestra en (61).[40]

(i) a. (*)??La tetera verde *mía* grande (acaba de romperse).
b. (*)??Una mesa triangular *suya* incomodísima (ganó un concurso de diseño).

Las oraciones del tipo (ib) son perfectamente aceptables cuando el adjetivo que sigue al posesivo se halla en aposición *(*una mesa triangular suya, incomodísima, ...).* En estos casos el posesivo no puede aparecer a la derecha *(una mesa triangular, incomodísima, suya ...).*

[39] Estas construcciones ganan en aceptabilidad si el determinante es un demostrativo, ya que el demostrativo favorece el valor contrastivo de la construcción: *este peligroso oficio tuyo; aquel severo carácter suyo.*

[40] El posesivo pospuesto está, sin embargo, sometido a ciertas restricciones que se comentarán brevemente en el § 15.3.3.

(61) a. Una anotación *suya* al margen (llamó la atención de los investigadores).
b. Esta admiración *tuya* por la obra de Bergman (nos conmueve).
c. Aquella inesperada derrota *suya* (provocó un cambio de gobierno).
d. Las frecuentes escapadas *tuyas* al monte (levantaron sospechas).
e. Anualmente, los súbditos medían el peso *suyo* en diamantes. [41]
f. Aquella excesiva pusilanimidad *tuya* (empezaba a ser preocupante).

Igual que en el caso de los posesivos prenominales, los sintagmas nominales no pueden aparecer con más de un posesivo pospuesto *(*una fotografía mía suya).* Sin embargo, parece marginalmente posible —pero sólo en algunos casos— la coaparición en un mismo sintagma de dos posesivos, uno antepuesto y otro pospuesto, con dos valores semánticos distintos. Aún en los casos más aceptables, como en el ejemplo (62a), la interpretación de los posesivos parece ser sensible a la jerarquía temática a la que aludíamos en el § 15.2.5 en (35) y (38). Esta es, sin embargo, una cuestión sujeta a variación dialectal.

(62) a. Todos *tus* manuscritos *suyos.*
b. *??Su* fotografía *mía.*

El sintagma nominal (62a) puede ser interpretado como «todos los manuscritos que tu posees de algún autor», pero no como «todos los manuscritos tuyos (= autor) que alguien posee». Del mismo modo, (62a), si recibe alguna interpretación, es la de «la foto de la que alguien es autor o poseedor en la que yo aparezco» y no la de «la foto en la que alguien aparece de la que yo soy autor o poseedor» ni, seguramente, la de «la foto que alguien posee de la que yo soy autor».

La combinación de posesivos no es posible cuando estos pertenecen a la misma persona gramatical, aun en el caso de que los valores semánticos de cada uno de los pronombres estén diferenciados. Así, por ejemplo, expresiones del tipo *la más famosa novela de Simenon del Comisario Maigret* no parecen permitir la pronominalización de los argumentos *(*su más famosa novela suya).* Debemos señalar también que la co-ocurrencia de posesivos, aun en los casos de personas gramaticales distintas, como en (62a), parece únicamente posible en los contextos en que los posesivos expresan 'relaciones-R' (véase nota 15), pero no cuando el núcleo del sintagma es un nombre deverbal. Considérense los contrastes de gramaticalidad entre los ejemplos (63a), (64a) y (65a) y los de (63b), (64b) y (65b).

(63) a. *Mi presentación suya a los miembros de la orquesta (fue accidentada).
b. Mi presentación {del director/de él} a los miembros de la orquesta.
(64) a. *Tu dudosa identificación suya (cambió la estrategia defensiva del abogado).
b. Tu dudosa identificación del presunto malhechor.
(65) a. *Mi minucioso examen suyo (no condujo a una hipótesis concluyente sobre las causas de la enfermedad).
b. Mi minucioso examen de estos pacientes.

[41] Los ejemplos de este tipo parecen aceptables en el caso de que el posesivo sea usado ostensivamente, deícticamente.

El posesivo tónico sólo puede funcionar, como ya se ha dicho, como predicado o atributo que expresa posesión o pertenencia *(es mío; tuyo es el poder).* Esta es una característica que tiene el posesivo de otras lenguas románicas, como el francés, en la que debe usarse el pronombre personal tónico precedido de preposición: *c'est à moi* (véase Fernández Ramírez 1951b: § 88). El pronombre posesivo atributo puede incluso ser modificado por un adverbio de grado: *Esto es bien tuyo; Será totalmente mío.* Entre los verbos copulativos y pseudo-copulativos que aceptan el posesivo tónico como atributo están el verbo *ser* —pero no el verbo *estar (*está mío)*— el verbo *parecer, resultar (Eso parece tuyo, Resultará tuyo),* pero no *volverse* o *ir.* El posesivo tónico actúa también como predicado, un predicado que no es el principal, en las construcciones de (66), en las que se predica del pronombre de segunda persona, su sujeto [→ § 38.3].

(66) a. *Te* creía *mía.*
b. *Te* consideras *suya.*
c. Ya *te* imaginaba *mío.*

15.3.4. Las propiedades denotativas del posesivo pospuesto

Si el posesivo antepuesto de tercera persona puede denotar todo tipo de objetos o conjuntos, sin importar sus rasgos semánticos (§ 15.2.6), el posesivo pospuesto de tercera persona no presenta tal libertad. Su denotación suele relacionarse con un antecedente con rasgo humano o, por lo menos, animado, aunque hay excepciones, como puede observarse en (67b). Así pues, *suyas* en *las habitaciones suyas* podrá referirse a una persona, familia o grupo humano, pero no a las habitaciones de una casa o palacio, mientras que *sus habitaciones,* donde el posesivo es prenominal, podría referirse sin problema a las habitaciones de un edificio.

En los casos en que un sintagma nominal con posesivo prenominal puede alternar con su correspondiente posnominal, como en los ejemplos de (67), varios son los autores que sugieren que el uso de una u otra opción viene determinado por razones expresivas, enfáticas o incluso por leyes rítmicas. [42]

(67) a. {Mi libro/El libro mío} (tiene las cubiertas rojas).
b. {Su fulgor/El fulgor suyo} (guiaba a los navegantes).
c. {Su rugido/El rugido suyo} (atemoriza a los animales de la selva).

En estos casos, el hablante atribuye al posesivo posnominal una interpretación contrastiva. Los siguientes pares de ejemplos nos muestran que en (68) el posesivo adquiere un marcado carácter enfático, en contraste con los de (69), con un posesivo prenominal.

(68) a. Pedro está corrigiendo las galeradas del libro suyo.
b. Juan habla con la vecina suya.
c. María guardó los libros suyos en el desván.

[42] Véanse, por ejemplo, Fernández Ramírez 1951b: § 89, y Porto Dapena 1982: nota 69.

(69) a. Pedro está corrigiendo las galeradas de su libro.
b. Juan habla con su vecina.
c. María guardó sus libros en el desván.

Cuando el posesivo posnominal coaparece con un nombre propio toma necesariamente un valor tan fuertemente contrastivo que casi provoca la pérdida del carácter de designador unívoco del nombre propio: *Al Pepe mío no le gusta la carne* [⟶ § 2.4.4]. Obsérvese que es necesaria aquí la presencia del artículo definido. Un sintagma como *Pepe mío* sólo es posible si el sintagma nominal no es usado referencialmente, si se trata, por ejemplo, de un vocativo *(¡Pepe mío, abrázame!).*

En los casos en que el posesivo tónico no puede alternar con el posesivo átono, por ejemplo cuando tiene una función predicativa *(Esto es mío / *Esto es mi; Este es el mío / *Este es el mi),* el posesivo tónico deja de tener valor contrastivo o enfático. En este sentido, el posesivo actúa como los demás pronombres de su paradigma, el de los pronombres personales. Obsérvese que la presencia del pronombre tónico en los casos en que es posible un pronombre clítico sólo aporta un valor enfático, mientras que en aquellas construcciones en las que la alternancia entre un pronombre átono y uno tónico no se da, la presencia del tónico no aporta ningún valor contrastivo. La función de *ella* es, pues, distinta en *La besó a ella* y en *Hablaron de ella.* Sólo en el primer caso el pronombre tónico es contrastivo. Compárese *La besó a ella* con *La besó* [⟶ §§ 19.4.1, 20.2.3 y 21.5.4.2]. Sólo de la primera de estas oraciones puede desprenderse la interpretación de que las demás chicas no fueron besadas. Lo mismo ocurre en la expresión *en torno suyo,* donde *suyo* no adquiere matiz enfático alguno ya que no es posible la expresión **en su torno.* Tampoco en la construcción *en torno a ella* el pronombre *ella* adquiere matiz contrastivo, ya que el pronombre tónico en este contexto no puede alternar con un pronombre clítico o átono.

15.4. Interpretación del posesivo en el ámbito de un cuantificador

Tal como ya se comentó en el § 15.2.6, los pronombres posesivos antepuestos, como los demás pronombres personales átonos, pueden recibir una interpretación distributiva, una interpretación ligada a un cuantificador que ocupe una posición prominente en la oración [⟶ §§ 16.3 y 16.4]. Así, en (70), los pronombres *su* y *lo* pueden recibir la interpretación de una variable, es decir, pueden actuar como una 'variable ligada' por el cuantificador que aparece en la posición de sujeto. Se dirá entonces que el pronombre está en el ámbito del cuantificador.

(70) a. Todo el mundo desea que su familia sea feliz.
b. Todo el mundo desea que lo quieran.

Las construcciones de (70) pueden recibir dos interpretaciones, según si el pronombre se relaciona o no con el cuantificador universal *todo el mundo* (véase el § 16.2.1). En el primer caso (interpretación de 'variable'), la oración (70a) significa que toda persona desea la felicidad de su propia familia, mientras que (70b) significa que toda persona desea ser querida. Con la segunda interpretación, en cambio, los pronombres *su* y *lo* tienen su antecedente en el discurso previo. Así, lo que toda persona desea en (70a) es que la familia del referente discursivo, por ejemplo Juan, sea feliz. En (70b) lo que toda persona desea es que el referente discursivo, por ejemplo Juan, sea querido.

Si el elemento cuantificador es no intrínseco o no universal, como en *dos mujeres, pocos hombres, algunos amigos* (véase el § 16.1.2), entonces las interpretaciones posibles del posesivo y del pronombre átono son tres.

(71) a. Dos mujeres desean que su familia sea feliz.
b. Dos mujeres desean que las quieran.

Los pronombres *su* y *las* pueden tener el antecedente en el discurso, pueden recibir una interpretación ligada al cuantificador o pueden ser correferentes con el sintagma nominal *dos mujeres.* En este último caso, el pronombre recibe una interpretación de 'grupo'. Con la interpretación ligada son dos las mujeres que desean que su propia familia sea feliz. Con la interpretación de grupo la familia de las dos mujeres es una misma familia. No se habla en esta interpretación de dos familias distintas.

Si el cuantificador es el distributivo *cada,* la presencia de un posesivo facilita la buena formación de la oración. Tal como se describe en el § 16.4.3.2, en general el cuantificador *cada* reclama la presencia en su ámbito de un sintagma nominal indefinido cuya referencia queda multiplicada por el distributivo. De ahí que la ausencia de dicho sintagma nominal indefinido provoque la agramaticalidad de la oración, tal como se muestra en (72). En (72a) y (72c) *cada* no consigue multiplicar la denotación del predicado, mientras que en (72b) y (72d) la presencia del sintagma indefinido se lo facilita.

(72) a. *Cada profesor {los/les} examinará.
b. Cada profesor examinará a dos alumnos.
c. *Cada alumno recitó el poema.
d. Cada alumno recitó un poema.

Es interesante observar que la presencia de un pronombre posesivo podrá también legitimar la presencia del cuantificador distributivo *cada.* Para ello será necesario que el pronombre quede en el ámbito de *cada.* En (73) es posible la multiplicación de la denotación del predicado, ya que el posesivo actúa como una variable ligada al cuantificador. [43]

(73) a. Cada profesor examinará a sus alumnos.
b. Cada niño está sentado en su pupitre.
c. Cada cliente criticó a su proveedor.

Las construcciones de (73) no son ambiguas. El posesivo no puede tener un antecedente discursivo. Si así fuera, la oración sería agramatical, como lo son las de

---

[43] Algunos modismos, como los de (i), tienen la misma estructura que las oraciones de (73).

(i) a. Cada maestrillo tiene su librillo.
b. Cada oveja con su pareja.

El predicado de (ib) es la preposición *con.* Obsérvese que se ha elidido el verbo copulativo *estar: Cada oveja está con su pareja.* También *ir* podría aparecer en esta construcción, el mismo verbo *ir* pseudo-copulativo de la oración *Pepe va borracho todo el día.*

(74), ya que el posesivo no puede quedar ligado por *cada* al no ser pronombre de tercera persona en ninguno de los dos casos.[44]

(74) a. *Cada profesor examinará a tus alumnos.
b. *Cada niño está sentado en nuestro pupitre.
c. *Cada cliente criticó a mi proveedor.

Veamos ahora cómo se comporta el posesivo posnominal en las construcciones con *cada.* Tal como se observa en (75), el posesivo posnominal no legitima la multiplicación de la denotación del predicado por parte de *cada.* Las construcciones de (75) son, por lo tanto, agramaticales, ya que *cada* no queda legitimado.

(75) a. *Cada profesor examinará a los alumnos suyos.
b. *Cada niño está sentado en el pupitre suyo.
c. *Cada cliente criticó al proveedor suyo.

El posesivo posnominal no acepta la interpretación ligada al cuantificador. La única interpretación posible es la correferencial con un antecedente discursivo. Así pues, para la buena formación de la oración será necesaria la presencia de un sintagma nominal indefinido que facilite la interpretación distributiva y legitime a *cada,* como en (76).

(76) a. *Cada profesor* examinará a los alumnos suyos en *dos ocasiones.*
b. *Cada niño* tiene el libro suyo *en un cajón.*
b. *Cada cliente* se acercó al mostrador suyo *por una razón distinta.*

Como es de prever, la presencia de un SN con un posesivo prenominal dentro de un complemento adjunto legitimará la presencia de *cada.* Lo único necesario en (77) es que *suyos* y *sus* no sean correferentes y que *su* esté ligado por el cuantificador distributivo.

(77) a. *Cada profesor* examinará a esos alumnos suyos *en su despacho.*
b. *Cada niño* tiene el libro suyo *en su cajón.*

En aquellos casos en que el artículo definido puede ocupar el lugar del posesivo prenominal y expresar posesión no será necesaria la presencia de *su* para legitimar a *cada,* como en *Cada profesor examinará a esos alumnos suyos en el despacho* (= su despacho). También es posible legitimar al cuantificador *cada* con aquellas expresiones locativas que no precisan la presencia de posesivo o del artículo para expresar posesión, por ejemplo, *en clase* (= la clase de uno): *Cada profesor leyó el mensaje suyo* (= del decano) *en clase,* donde *en clase* se interpreta como «en su propia clase», «en la clase que corresponde a cada profesor».

La reticencia de los pronombres posesivos posnominales a actuar como variables ligadas por el cuantificador distributivo *cada,* que observamos en (75), desaparece cuando el nombre es elíptico. En (78), *suyo/suyos* legitima la presencia de *cada* y actúa como una variable lógica. Puesto que no es posible la presencia del

[44] Si el cuantificador es *todos,* la oración es gramatical: *Todos los profesores examinarán a tus alumnos.* Pero si el cuantificador es *todo,* la oración es de muy dudosa aceptabilidad: **Todo profesor examinará a tus alumnos.* Lo mismo ocurre en *el afecto de todo discípulo a su maestro* frente a **el afecto de todo discípulo al maestro suyo.*

posesivo átono cuando el nombre es elíptico *(*Cada profesor examinará a sus),* la única vía es el posesivo tónico. De ello se deduce que el posesivo tónico *suyo* no puede actuar como varible lógica en aquellos casos en los que podría aparecer el posesivo átono, pero sí podrá hacerlo si no es factible el uso del posesivo *su.*

(78) a. Cada profesor examinará a los suyos.
b. Cada niño está sentado en el suyo.
c. Cada cliente criticó al suyo.

Ya en estadios anteriores del español era posible que el posesivo *suyo* funcionara como una variable ligada a un cuantificador en contextos en los que el nombre era elíptico, a juzgar por el ejemplo de Fray Luis de León citado por Cuervo *(DCRLC,* s.v. *suyo): Porque hoy un vestido y mañana otro, y cada fiesta con el suyo.*

Un cuantificador como *cada* también puede ligar al pronombre *suyo* cuando aparece con un determinante neutro: *Cada profesor defendió lo suyo.* Puesto que no es posible la alternancia con el posesivo antepuesto en este contexto, *suyo* legitima la multiplicación de la denotación del predicado.

Asimismo, un pronombre posesivo prenominal o el artículo definido con valor posesivo pueden adquirir un significado distributivo al quedar ligados por la pluralidad expresada por el sujeto oracional, como se muestra en (79).

(79) a. Las señoras paseaban a su perrito.
b. Los soldados tenían su fusil en las manos.
c. Los soldados tenían el fusil en las manos [tomado de Fernández Ramírez 1951a: 147].

Las oraciones de (79) son ambiguas. Los determinantes *su/el* pueden tener un antecedente discursivo o estar relacionados con el sujeto. Si este es el caso, *su perrito* puede ser interpretado en (79a) como el perrito de cada uno de los miembros expresado por la pluralidad del sujeto *las señoras* o bien puede referirse a un único perrito que las señoras comunitariamente poseen. En la primera interpretación, la distributiva, en la que cada señora pasea a su propio perrito, *su* está ligado por la pluralidad del sujeto, mientras que en el segundo caso, en el que la interpretación es de grupo, *su* establece relación de correferencia con el sintagma nominal *las señoras.*

Lo mismo ocurre cuando el sujeto es una coordinación de sintagmas nominales, como en (80).

(80) Juan y Pedro odian a su prima.

En esta oración *su* puede recibir tres interpretaciones: (a) el pronombre posesivo tiene un antecedente discursivo, (b) el pronombre posesivo toma como antecedente al sintagma nominal *Juan y Pedro,* con lo que Juan y Pedro odian a la prima de los dos, y (c) el pronombre posesivo establece relación con cada miembro de la coordinación, con lo que Juan odia a su propia prima y Pedro a la suya propia. La interpretación (b) es interpretación de grupo, mientras que (c) corresponde a la interpretación distributiva del posesivo.

Por su valor semántico distributivo, los adjetivos como *respectivo* o *correspondiente* provocan los mismos efectos en los posesivos que los cuantificadores distributivos. Así, un pronombre antepuesto al nombre en contacto con dichos adjetivos se interpretará distributivamente, mientras que un pronombre pospuesto no, hecho que causará la agramaticalidad de la construcción.

(81) a. Ellos saludaron a sus respectivas esposas.
b. ?*Ellos saludaron a las respectivas esposas suyas.
c. Ellas se sentaron en sus sillas correspondientes.
d. ?*Ellas se sentaron en las correspondientes sillas suyas.

La relación del posesivo prenominal con otros cuantificadores como *cualquiera*, *nadie* o *ninguno* es fácil de establecer, mientras que es casi imposible establecer relación entre estos cuantificadores y un posesivo posnominal. En realidad, el posesivo posnominal, como los pronombres personales tónicos, no se deja ligar por un cuantificador. De ahí que los ejemplos (82b), (82c), (83b) y (83c) resulten difícilmente aceptables, excepto en el caso de que se busque precisamente una interpretación muy contrastiva. Ni que decir cabe que las oraciones marcadas aquí como agramaticales están bien formadas en el caso de que *él* o *suya* tengan un antecedente discursivo.

(82) a. El cariño de *cualquier barcelonés* por *su* ciudad.
b. *El cariño de *cualquier barcelonés* por la ciudad *suya*.
c. *El cariño de *cualquier barcelonés* por la ciudad de *él*.
(83) a. *Nadie* considera que *sus* amigos sean unos indeseables.
b. *??Nadie* considera que los amigos *suyos* sean unos indeseables.
c. *??Nadie* considera que los amigos de *él* sean unos indeseables.

15.5. Los pronombres posesivos relativos e interrogativos

El paradigma de los pronombres relativos del español presenta un relativo genitivo que antecede al nombre al que modifica [⟶ § 7.5.4]. Este relativo en posición de determinante concuerda en género y número con el nombre núcleo del sintagma nominal en el que aparece.[45]

(84) a. Visitó Barcelona, en cuya catedral planeaba casar a su hija.
b. Se llegó a un acuerdo cuyas consecuencias desconocemos.

El sintagma que contiene el relativo genitivo, como cualquier otro sintagma con un pronombre relativo encabeza la oración subordinada, sea cual sea su función en ella. Precisamente por tratarse de un pronombre genitivo y por ocupar la posición propia de un determinante o de un posesivo prenominal a este pronombre relativo se le conoce como pronombre 'relativo posesivo'.

Este relativo no es propio del habla coloquial, y en algún dialecto, como en el habla de México, está prácticamente desaparecido (véase, Radelli 1978: 250). Se prefiere el relativo *que* combinado

[45] La expresión de relativo *del cual/de la cual*, como otros sintagmas preposicionales introducidos por *de* puede expresar también posesión o pertenencia Así, *Conocí a una mujer cuyo padre era ruso* puede ser parafraseado por *Conocí a una mujer el padre de la cual era ruso.*

con un verbo que exprese posesión o bien con el pronombre personal *su.* Así, las oraciones *Hablé con aquel chico que tiene un hermano albañil* o *Hablé con aquel chico que su hermano es albañil* sustituirían en el habla coloquial a la oración *Hablé con aquel chico cuyo hermano es albañil.* Cuando el artículo definido puede expresar posesión inalienable, el relativo posesivo es sustituido en el habla coloquial por el relativo *que* y el artículo, como en el ejemplo de Kany (1945: 168): *Un árbol que la flor es blanca.*

Sin embargo, el relativo *cuyo* no siempre expresa posesión o pertenencia. Así puede interpretarse en (84), donde *cuya catedral* y *cuyas consecuencias* equivalen a la catedral que Barcelona posee y a las consecuencias que se desprenden del acuerdo, respectivamente. Pero no en (85), donde *cuya reconstrucción* equivale a la reconstrucción de Sarajevo. *Cuya* es, pues, el tema del nombre deverbal *reconstrucción,* es la cosa reconstruida.

(85) Sarajevo, cuya reconstrucción resulta lenta y penosa, es, sin embargo, una ciudad esperanzada.

Al igual que el pronombre personal genitivo, *cuyo* puede realizar las funciones semánticas de los complementos adnominales. Así pues, no sólo realizará la función semántica de poseedor (o pertenencia) y tema, que hemos visto en (84) y en (85), sino también la función de agente (o autor), como puede observarse en (86).

(86) a. Admiraba a Buñuel, cuyas películas había visto miles de veces.
b. Los artistas cuya obra esté subvencionada por esta fundación no podrán participar en el concurso.

Como en el caso de pronombre personal posesivo, el relativo posesivo no puede representar un SP introducido por *de* que exprese origen o procedencia locativa, materia o manera o intervalo temporal. Así, no podemos obtener de *el tren de Sevilla,* ni la expresión *su tren* ni tampoco, *Sevilla, cuyo tren salió a las siete...* [46] Tampoco es posible representar por *cuyo* o por *su* al SP *de lino* o *de espaldas,* en los que el nombre aparece sin determinante: *la falda de lino/*su falda/*cuya falda; las caídas de espaldas/*su caída/*cuya caída.* Asimismo, es imposible que el posesivo en *su madrugada* o *cuya madrugada* represente a *del sábado* del sintagma *la madrugada del sábado.*

Cuyo, paralelamente al pronombre personal posesivo, no puede implicar partitividad. Así *la mayoría de los senadores votaron en contra* no puede relacionarse con **los senadores cuya mayoría votó en contra.*

Como los que aparecen con un pronombre personal posesivo, los sintagmas nominales con el relativo *cuyo* pueden ejercer las funciones sintácticas características

[46] En el caso de construcciones como *los quesos de Holanda,* sí podremos obtener *sus quesos,* como se vio en la nota 17, y *(Holanda,) cuyos quesos...* Ello es así porque el sintagma *de Holanda* en *los quesos de Holanda* puede expresar posesión o produccion. Obsérvese que también en el sintagma nominal *los trenes de España* podemos representar *de España* por un posesivo, pronombre personal o relativo, siempre que *de España* sea interpretado como el poseedor de *trenes* y no como el lugar de origen.

(i) a. Los trenes de España son cómodos, rápidos y puntuales.
b. Sus trenes son cómodos, rápidos y puntuales.
c. España, cuyos trenes son cómodos, rápidos y puntuales, posee una extensa red ferroviaria.

(ii) a. Los trenes de España llegaron a París con mucho retraso.
b. Sus trenes llegaron con mucho retraso [sus trenes (los trenes procedentes de España)].
c. *España, cuyos trenes llegaron a París con mucho retraso, ...

de las expresiones nominales. Pueden aparecer en posición de sujeto oracional, de atributo, [47] de objeto verbal, y de objeto de preposición o de adjetivo: [48]

(87) a. Las personas [cuyas vidas carecen de aliciente] ...
b. Lázaro, [cuyas hermanas eran Marta y María], ...
c. María, [cuya familia conocemos bien], ...
d. En un lugar de la Mancha [de cuyo nombre no quiero acordarme] ...
e. Tu hermano, [de cuyos defectos fuiste siempre consciente], ...

No todas las lenguas románicas poseen un relativo genitivo derivado del latín *cujus* antepuesto a un nombre. El catalán, por ejemplo, no cuenta con ningún equivalente de *cuyo,* mientras que el italiano sí posee un relativo genitivo, el relativo *cui.* Existe, sin embargo, una diferencia entre el español y el italiano: el relativo *cui* del italiano aparece obligatoriamente precedido por el artículo definido *(Mario, i cui figli sono partiti, .../*Mario, cui figli sono partiti, ...),* mientras que en español la presencia del relativo *cuyo* no es compatible con el artículo ni con otros determinantes *(*Mario, los cuyos hijos han partido, .../Mario, cuyos hijos han partido, ...).* Obsérvese que el genitivo *cuyo/cui* se comporta como el pronombre posesivo. En italiano, el pronombre personal posesivo antepuesto al nombre no impide ni evita la presencia del determinante *(*suo libro/il suo libro),* mientras que en español actual sí *(su libro/*el su libro).*

Aunque actualmente resulte arcaico, *cúyo* funcionaba en español como un pronombre interrogativo. [49] En la mayoría de los ejemplos citados por los gramáticos, este pronombre aparece sin que acompañe a un nombre y en la función de atributo del verbo *ser,* como en las oraciones de (88), tomadas de Cuervo *(DCRLC,* sv. *cuyo).*

(88) a. ¿Y cúyos eran sus cuerpos sino míos?
b. Cúya sea la culpa, yo no lo sé.

Sin embargo, pueden encontrarse ejemplos en los que *cúyo* interrogativo se acompaña de un nombre y en los que el verbo no es copulativo, como en el verso de Garcilaso de la Vega citado por Bello (1847: § 336) y por Cuervo *(DCRLC,* sv. *cuyo): Tu dulce habla ¿en cúya oreja suena? | Tus ojos claros ¿a quién los volviste?*

15.6. La ausencia del pronombre posesivo en la expresión de posesión

Si bien el español posee los pronombres personales en genitivo para expresar la relación de posesión o pertenencia, en determinados contextos sintáctico-semánticos en los que se manifiesta dicha relación su presencia no sólo es prescindible, sino incluso casi imposible. Así, en las oraciones de (89) se interpreta la existencia de posesión o pertenencia sin recurrir al pronombre posesivo.

---

[47] Es arcaico y marcadamente literario el uso de *cuyo* como atributo del verbo *ser: Aquel cuya fue la viña guárdela.* (RAE 1973: 52). Sobre otros usos ya arcaicos de este relativo, véase *DCRLC,* s.v. *cuyo.*

[48] *Cuyo* no puede representar al complemento de un nombre deverbal relacionado con un verbo que seleccione como complemento a un sintagma preposicional introducido por *de.* Así no son gramaticales construcciones como **Aquella época cuyo olvido te preocupa; *María, cuya dependencia es obvia, ...*

[49] Kany (1945: 168) comenta que este pronombre interrogativo está vivo aún en algunas hablas de América Latina, por ejemplo, en el sur de Ecuador, en Argentina, en Bolivia y en Colombia. También se usa todavía en algunas hablas peninsulares.

(89) a. Juan movió la cabeza.
b. El sudor le bajaba por el rostro.
c. Se pellizcó las mejillas.

Si en estas construcciones expresamos la posesión a través del posesivo, el resultado no será el mismo. Las oraciones o bien cambiarán de sentido o bien carecerán de él, tal como puede observarse en (90).

(90) a. Juan movió su cabeza.
b. ??Su sudor bajaba por su rostro.
c. Pellizcó sus mejillas.

Las construcciones de (90), sin llegar a ser totalmente agramaticales, son raras. Sólo pueden resultar aceptables en contextos enfáticos o en los que se quiera expresar cierto distanciamiento. En el caso de (90a) y (90c), se debilita el significado reflexivo de (89a) y (89c). Si cambiamos algunos de los elementos léxicos de (89), comprobaremos que son los nombres que aparecen en estas oraciones los responsables de ello.

(91) a. Juan movió su silla.
b. Su gato bajaba por mi balcón.
c. Pellizcó su porción de pastel.

Los nombres que designan partes del cuerpo son nombres de relación [→ Cap. 1, n. 30]. *Cabeza, sudor, rostro, mejillas,* etc., expresan inherentemente relación de pertenencia o posesión, una relación parte-todo. Su significado conlleva necesariamente un poseedor. En (89a) *la cabeza* designa una parte de *Juan,* el todo. En cambio, el significado de *silla, gato, pastel,* etc., no expresa dicha relación. Una silla puede (y suele) tener un propietario, pero esta dependencia de un poseedor no viene expresada a través de sus propiedades semánticas. Así pues, la naturaleza semántica de los nombres comunes que aparecen en (89) y (90) es la causa de que el pronombre posesivo resulte enfático por redundante o que resulte simplemente inadecuado.

Consideremos ahora el caso del nombre *balcón* que aparece en (91b). Este puede considerarse un nombre relacional: un balcón es parte de un edificio. Pero se trata de un todo que no aparece expresado en la oración, de ahí que pueda aparecer con el pronombre posesivo. Asimismo, *balcón* permite sin problemas la presencia de un determinante indefinido en contextos en que los nombres que designan partes del cuerpo no lo aceptan fácilmente. Compárese la buena formación de *Quiero una casa con algún balcón* con la marginalidad de la construcción *Quiero una persona con alguna cabeza.* [50] La diferencia entre *cabeza* y *balcón* está en que, si bien los dos expresan posesión inalienable o no transitoria, el primero es un

[50] En los casos en que el nombre referente a una parte del cuerpo aparece sin determinante, suele ser con el verbo *tener: Este niño no tiene dientes.* Otros verbos que expresan pertenencia o posesión como *llevar* en *Estos pantalones no llevan bolsillos,* no son aceptados por los nombres como *dientes (*Este niño no lleva dientes),* a no ser que se trate de dientes postizos *(Este paciente no lleva la dentadura).* En *Este chico tiene nariz, Este chico no tiene boca* o *Este chico no tiene cabeza,* los nombres *nariz, boca* y *cabeza* pueden no referirse a partes del cuerpo y ser usados metonímicamente: *Este chico tiene buen olfato, Este chico no es hablador, Este chico no es listo* o *Este chico es atolondrado.*

nombre que designa una parte indispensable del cuerpo, mientras que *balcón,* siendo nombre relacional no expresa una posesión imprescindible. Obsérvese que *tejado, pared* o *techo* sí expresan partes inalienables imprescindibles de un edificio; de ahí la rareza de una oración como *Quiero una casa con algún tejado.*

Vemos, pues, que dentro de los nombres relacionales se distinguen, por su comportamiento, los que expresan posesión inalienable *(cabeza, alma, carácter)* de los de relación de posesión o pertenencia alienable *(coche, cama, casa).* En palabras de Bally (1926): la cabeza, el alma o el carácter no sólo pertenecen a la persona, sino que son parte de ella, integrantes de la 'esfera personal'. También los miembros de la familia pertenecen a la esfera personal, por lo que en muchas lenguas los nombres de parentesco se comportan como los nombres de las partes del cuerpo. Los nombres referentes a vestidos, objetos o utensilios habituales pueden actuar también como nombres de la esfera personal (véanse Bally 1926, Alcina y Blecua 1975: § 3.4.2.2, Fernández Ramírez 1951b: § 150/149 y Kliffer 1987, entre otros).

En las lenguas románicas, el hecho de que un nombre exprese una relación de parte-todo tiene consecuencias no sólo semánticas sino también sintácticas. La ausencia del pronombre posesivo y la presencia del pronombre de dativo en determinados contextos son algunas de las más relevantes: *Le puso la funda al sillón* [⟶ § 30.6.5].

15.6.1. El artículo en lugar del posesivo

Hemos visto en el apartado anterior, y se puede observar también en (92), que el artículo definido puede ocupar el lugar del pronombre posesivo [⟶ § 12.1.1.7].

(92) a. Julián perdió la vida en aquel triste accidente.
 b. A Julián, los ojos se le llenaron de lágrimas.

Ciertamente, en (92) los SSNN *la vida* y *los ojos* se relacionan con *Julián.* Así pues, hablando de Julián, podríamos decir que perdió su vida o que sus ojos se llenaron de lágrimas. Sin embargo en (92) no aparece ni un complemento genitivo ni el pronombre posesivo genitivo *su.* Ahora bien, el hecho de que el posesivo no sea necesario, e incluso sea redundante en (92), no significa que el valor posesivo de la construcción venga expresado precisamente por el artículo definido. El artículo aparece introduciendo el sintagma nominal porque el valor definido que aporta el posesivo antepuesto español se pierde si este está ausente. Es por ello por lo que el artículo definido es necesario, ya que permite recuperar la definitud del sintagma nominal. Pero sólo la definitud, puesto que la relación posesiva viene ya expresada por los nombres *vida* y *ojos,* inherentemente relacionales. En (92a) la relación entre *vida* (la parte) y *Julián* (el todo) no precisa de la ayuda de ningún elemento genitivo explícito. Las implicaciones del elemento léxico *vida* y la organización sintáctica de la oración establecen claramente la relación de parte-todo. Ello no es óbice, no obstante, para que pueda expresarse la relación entre un nombre referente a una parte del cuerpo y el poseedor a través de un pronombre posesivo. Son normalmente casos en los que se busca conseguir cierto énfasis. Compárese *Los ojos se me llenaron de lágrimas* y *Mis ojos se llenaron de lágrimas.* Las dos oraciones son posibles en español, aunque la segunda sea la menos frecuente, la más marcada, como marcadas son las construcciones *Cerrar podrá mis ojos la postrera sombra que me llevare el blanco día* (soneto, F. de Quevedo) o *Tú me querías decir no sé qué cosa, pero callé tu boca con mis besos* (José Alfredo Jiménez, «Amanecí en tus brazos» —bolero—).

Que el artículo no tiene por sí mismo valor posesivo es fácil de comprobar en aquellas lenguas románicas en las que el posesivo antepuesto va introducido por el artículo. Así, si el equivalente al sintagma *mi cabeza* es para el italiano *la mia testa* y para el catalán *el meu cap,* cuando estos nombres aparecen en contextos como los de (92), el posesivo desaparece y permanece el artículo: *Mi fa male la testa, Em fa mal el cap.* En español, lo que ocurre es que la ausencia del pronombre posesivo comporta la introducción del artículo para dar el valor de sintagma nominal definido a la construcción: *Me duele la cabeza.* Sobre esta cuestión véase Demonte 1988, Guéron 1983 y Zubizarreta y Vergnaud 1992, entre otros. Dejamos para el apartado 15.7 el comentario sobre la presencia del pronombre de dativo que aparece en estas construcciones románicas.

En algunas construcciones con dativo posesivo es posible prescindir del artículo y de cualquier determinante, como en el ejemplo de Demonte (1988: 95): *A Luisa le temblaban piernas y brazos.* La coordinación posibilita la ausencia del determinante; de ahí que sea agramatical **A Luisa le temblaron piernas* [⟶ § 13.4.9].

15.6.1.1. Nombres designadores de partes del cuerpo o de un todo inanimado

Los nombres que designan partes, facultades psíquicas y propiedades del cuerpo (o de un todo inanimado) son, como hemos visto, los que en mayor medida permiten la ausencia del pronombre posesivo en español. Les siguen los nombres que designan objetos situables en la esfera personal (adornos, vestidos, utensilios) y, en última instancia, los nombres de parentesco.

En los ejemplos de (93), aportados por la RAE (1973: § 3.10.9), se observa cómo un nombre como *pañuelo* puede actuar en español como un nombre de posesión alienable o como un nombre de posesión inalienable, hasta el punto de reclamar la presencia de un pronombre de dativo.

(93) a. Sacó su pañuelo del bolsillo.
b. Sacó el pañuelo del bolsillo.
c. Se sacó el pañuelo del bolsillo.

Sin embargo, existen grandes diferencias entre los nombres de posesión inalienable referentes a las partes del cuerpo y los nombres de objetos. Los primeros no aceptan ser modificados por adjetivos calificativos o sintagmas preposicionales, mientras que los segundos sí.

(94) a. *Juana me lavó el pelo de seda.
b. *Le maquillaron la nariz chata.
c. *Levantó los peludos brazos.
d. Juana me lavó el coche pequeño.
e. Le plancharon la camisa gris.
f. Agitó al aire el pañuelo de seda.

En el caso de que esté presente el posesivo, será posible la presencia de un modificador descriptivo o apositivo aunque el nombre designe una parte del cuerpo: *tus ojos azules, sus cansadas piernas, su voz profunda.* Con ciertos nombres de partes del cuerpo también es posible la presencia de un adjetivo o modificador restrictivo. Es el caso de *el brazo izquierdo, el labio superior* o *el dedo herido,* ya que existe más de un ejemplar de estas partes del cuerpo. Si aparece el demostrativo en el sintagma nominal que designa parte del cuerpo, también puede aparecer entonces un modificador adjetivo. Podríamos decir a un niño: *Limpiaremos esta nariz tan sucia.* En esta oración *nariz* deja de ser tratado como un nombre de relación.

Los nombres que designan partes del cuerpo en las construcciones que permiten la ausencia del posesivo no admiten otro determinante que el artículo definido *(*Me duele esta cabeza; *Levantó algunos brazos),* mientras que los nombres que designan a objetos de la esfera personal coaparecen con cualquier tipo de determinante *(Me he lavado este traje; Se cosió algunos vestidos).* Obviamente, cuando se trata de nombres como *brazo, pie, dedo,* etc., la posibilidad de que aparezca un determinante demostrativo o indefinido es mayor. Así pues, están bien formadas oraciones como *Le duelen algunos dedos de los pies* o *Me rompí este brazo,* aunque ya es más dudosa una oración como *?*Me rompí aquel brazo.*

Otra característica importante de los nombres que designan partes del cuerpo (o de un todo inanimado) es la interpretación distributiva que reciben cuando el sintagma nominal que expresa el poseedor o todo es plural, como en (93).

(93) a. Tres chicos perdieron la vida en el accidente.
b. Les lavaron la cara a los niños.
c. Los dos coches perdieron el volante en el accidente.
d. *Tres chicos perdieron las vidas en el accidente.
e. *Les lavaron las caras a los niños.
f. *Los dos coches perdieron los volantes en el accidente.

Las tres últimas construcciones de (93) muestran que no es posible flexionar en plural el sintagma nominal que designa la parte. Véase Zubizarreta y Vergnaud 1992 y Kliffer 1983. Naturalmente, la construcción (93f) resulta perfectamente gramatical si en ella apareciera el cuantificador *sendos* [⟶ § 16.4.3.1]: *Los dos coches perdieron sendos volantes en el accidente.*

En contraste con (93), los nombres designadores de objetos de la esfera personal no reciben necesariamente la interpretación distributiva cuando hay más de un poseedor y pueden aparecer ellos mismos en plural. Las oraciones como *Nos han fregado la habitación* o *A los niños les han hecho la cama* son ambiguas. *La habitación* y *la cama* pueden ser interpretadas distributivamente o no. En el primer caso podría construirse el último sintagma nominal en plural: *Nos han fregado las habitaciones, A los niños les han hecho las camas* [⟶ § 30.6.5].

Con el verbo *tener,* verbo que expresa posesión o pertenencia, los nombres designadores de partes del cuerpo pueden aparecer con artículo definido, indefinido o sin determinante.

(94) a. María tiene las piernas muy bellas.
b. María tiene unas piernas muy bellas.
c. María tiene bellas piernas.

En todos los casos aparece un sintagma adjetival *(muy) bellas* que actúa como predicado y no como modificador. Las oraciones de (94) predican la belleza de las piernas de María. En cambio, si el nombre designa objetos de la esfera personal la interpretación de predicado del adjetivo es posible pero no es la única: *María tiene el coche nuevo* puede significar que el coche de María es nuevo o que en este momento el coche nuevo está en manos de María.

No es posible la presencia de un posesivo en construcciones con el verbo *tener* y un nombre de posesión inalienable: **María tiene sus piernas bellas.* Sin embargo, sí son aceptables construcciones con un posesivo de ratificación: *El bebé tiene su nariz, su boquita, sus manitas...* o bien *El chalé tiene su piscina y todo* (véase el § 15.2.4).

Otras construcciones propias de los nombres designadores de partes del cuerpo (o de un todo) son las estudiadas por Frei (1939), ejemplificadas en (95), y las de (96) [⟶ § 4.3.6.1].

(95) a. Es una joven rojiza de cara.
b. Un chico ancho de espaldas.
c. Eres corta de vista.

(96) a. Entró un niño de tez morena.
b. Es una persona de voz aguda.
c. Una casa de paredes gruesas.

En estos casos el adjetivo se predica del nombre designador de una parte del cuerpo (*cara, tez,* etc.) o de un todo inanimado *(paredes),* nombre que debe aparecer sin determinar *(*Es una joven rojiza de la cara, *Es un niño de la tez morena, *Una casa de las paredes gruesas).* Sin la presencia del predicado adjetival, las construcciones de (96) son agramaticales *(*Entró un niño de tez, *Una casa de paredes).* Las de (95) no pueden prescindir del nombre introducido por *de* del cual se predica el adjetivo, ya que su significado cambia radicalmente *(un chico ancho, Eres corta).*

Los nombres de objetos alienables no son admitidos en construcciones como las de (95) o (96): **un hombre nuevo de coche, *una familia grande de vivienda; *un niño de juguetes caros; *una casa grande de salón.* Sin embargo, estas construcciones son productivas con nombre de posesión inalienable, tal como muestran los ejemplos tomados de un epigrama de F. de Quevedo: *cornudo de mostachos, lóbrego de color* (*Obras completas:* 644), o la conocidísima descripción de Don Quijote por M. de Cervantes: *«...era de complexión recia, seco de carnes, enjuto de rostro...»* (*Quijote:* 36).

La relación de la posesión puede expresarse a través de adjetivos compuestos del tipo *cejijunto, barbinegro, pelirrojo, cariacontecido, paticorto, manirroto,* etc. (véanse los §§ 73.6.3-4). En *Juan es pelirrojo* y *Juan seguía el cortejo cariacontecido,* los elementos nominales *pelo* y *cara* que aparecen en el compuesto adjetivo expresan la parte que establece relación de posesión inalienable con un todo, *Juan.* Este tipo de compuestos, aplicables principalmente a partes del cuerpo de seres animados, pueden en menor medida aplicarse a objetos inanimados: *una mesa paticorta,* pero *??un vestido manguicorto y cuellilargo.*

15.6.1.2. Nombres de parentesco

Los nombres de parentesco, inherentemente relacionales, permiten la supresión del pronombre posesivo cuando el otro miembro de la relación viene expresado por un elemento de la oración —por ejemplo, el sujeto (elíptico o no), un dativo, etc.— o bien cuando queda clara la relación a través de la situación pragmática [⟶ § 30.6.5]. En (97) tenemos ejemplos del primer tipo, mientras que en (98) aparecen los del segundo tipo. En todos los casos, el artículo definido puede alternar con el pronombre posesivo, aunque en algunos contextos sea necesaria además la presencia de un pronombre dativo si el posesivo no está presente.

(97) a. Cuidarás a la nieta.
b. Cuidarás a tu nieta.
c. Se me murió la hija.
d. Se murió mi hija.
e. La vimos con el marido.
f. La vimos con su marido.

(98) a. ¿Está la abuela?
b. ¿Está mi abuela?

En cuanto a la construcción de (97c), hay que destacar que el español es más restrictivo a la hora de combinar un nombre de parentesco y un pronombre de dativo que otras lenguas románicas, por ejemplo, el rumano. Si bien en español son gramaticales construcciones como *Se te casaron los hijos* o *Se me fueron los parientes,* [51] no lo son **No le conozco a los hijos* o **Quiero visitarte el país y conocerte a la familia,* construcciones estas posibles en catalán y en rumano, respectivamente: *No li conec els fills; Vreau să-ţi vizitez ţara şi să-ţi cunosc familia* (ejemplo tomado de Dumitrescu 1990).

En algunas hablas, por ejemplo en el habla de Castilla, es frecuente la omisión del artículo ante ciertos nombres de parentesto, principamente *padre* o *papá* y *madre* o *mamá,* en el habla familiar: *¿Está madre?, Vino papá.* Fuera del ámbito familiar se usa el posesivo: *Mi papá es albañil.* Véase Fernández Ramírez 1951b: § 151/150.3 [—> Cap. 14, n. 62].

Como en el caso de los nombres designadores de las partes del cuerpo, los nombres de parentesco sólo admiten ser introducidos por un determinante demostrativo o indefinido si no designan a individuos únicos, como *tío* o *primo* frente a *padre* o *madre.* Así, son gramaticales construcciones como *esta tía tuya, algún hermano de Juan.* Un sintagma como *Alguna madre se ha quejado* es posible en el sentido de «alguna mujer que es madre» o «la madre de algun niño». En cuanto a los modificadores de tipo adjetivo o preposicional, *padre* y *madre* aceptan a aquellos modificadores que permitan establecer la relación de pertenencia o posesión: *el padre de Juan,* pero no aceptan fácilmente a modificadores como *alto, de Valladolid (*el padre alto, *la madre de Valladolid).* Los nombres como *hermano, tía, abuela* sí admiten modificadores calificativos o que indiquen procedencia: *la abuela sorda, la tía de Valladolid,* etc.

Asimismo, los nombres de parentesco aparecen en construcciones del tipo *de madre andaluza, de padre ruso,* paralelas a las de (96). Aunque no es normal *noble de madre,* construcción paralela a (95), sí lo es *noble por parte de madre.* En todos estos casos el nombre de parentesco aparece sin determinar.

Con el verbo *tener* y un predicado que se predique del sintagma nominal con nombre de parentesco es posible también la ausencia del posesivo: *Tiene a la suegra muy enferma, Tuvo a los hijos varones en un internado,* aunque siempre es posible la presencia del posesivo: *Tiene a su suegra muy enferma, Tuvo a sus hijos varones en un internado.*

---

[51] O incluso con otros nombres relacionales como *amigo, vecino, jefe,* etc.: *Se me murieron los vecinos, Se me casaron los amigos.* La oración *Se me murieron los geranios* es posible porque contiene un nombre de objeto situable en la esfera personal.

15.7. Expresión de la relación de parte al todo

En este apartado se estudiará una estrategia propia de las lenguas románicas para expresar la posesión inalienable: el uso del pronombre de dativo [→ §§ 24.3.2, 24.5, 30.6.5 y 30.6.6.2], así como los casos en los que la expresión de la posesión inalienable se realiza en construcciones no dativas. Los dos tipos de construcciones vienen representadas para el español en (99).

(99) a. Juan te cerrará la boca.
 b. Juan cerrará la boca.

En ambas oraciones está ausente el pronombre genitivo. Sin embargo, en (99a) se interpreta que la boca que se cerrará es la de nuestro interlocutor, representado por el pronombre dativo, mientras que en (99b) se interpreta que es la propia boca de Juan la que se cerrará.[52] Si *la boca* es el sintagma nominal que representa a la parte en la relación de la parte al todo, el pronombre dativo representa al todo en (99a), mientras que en (99b) está representado por el sujeto, *Juan.* En los apartados siguientes se analizarán las condiciones sintácticas y semánticas que determinan la presencia de un pronombre de dativo en construcciones de posesión inalienable.

15.7.1. El pronombre de dativo con valor posesivo

Los gramáticos tradicionales españoles denominan al dativo de (99a) 'dativo posesivo' [→ § 30.6.5] o 'simpatético' (véanse como ejemplo a Fernández Ramírez 1951b: § 105/104 y Alcina y Blecua 1975: 17.2.1.3), porque concurre con el pronombre posesivo genitivo y con los complementos del nombre introducidos por *de: A María, le mancharon el vestido; Mancharon su vestido; Mancharon el vestido de María.* Dicho dativo aparece en construcciones oracionales, normalmente en su forma pronominal. Oraciones como *Mancharon el vestido a María* resultan hoy día arcaizantes para muchos hablantes. Tal como Bally (1926) comenta, los sintagmas nominales no admiten el dativo posesivo, que él llama 'dativo de participación'. En efecto, son agramaticales sintagmas como *el vestido a María* o *los ojos a Juan.* En estos casos, la preposición genitiva es la única posible: *el vestido de María; los ojos de Juan.* Ahora bien, si aparece la preposición genitiva, no es posible entonces la presencia del pronombre dativo posesivo en la oración: **Le lava la cara de María.*[53] No obstante, en algunos dialectos no resultan agramaticales oraciones en las que el dativo posesivo coaparece con un pronombre posesivo con el que es correferente: *Le lavé sus heridas; Me manchaste toda mi ropa.*

15.7.1.1. Propiedades de las construcciones con dativo posesivo

El dativo posesivo puede aparecer doblado en aquellos dialectos en los que es normal el doblado del complemento indirecto, como en la oración (100a) o del

[52] Obsérvese que *Juan cerrará tu boca* y *Juan cerrará su boca* resultan oraciones marcadas, enfáticas, debido a la presencia del nombre de relación inherente *boca.*

[53] Esta oración podría estar bien formada si *le* y *María* no fueran correferentes. Entonces, *le* actuaría como un dativo benefactivo. Véase el capítulo 30.

dativo benefactivo (o malefactivo), ejemplificado en (100b). Así pues, en aquellas hablas en las que son usuales estas construcciones también lo serán las oraciones como (110c).

(100) a. Le di un beso a tu sobrina.
b. Le cosí un vestido a tu sobrina.
c. Le peiné la melena a tu sobrina.

También es posible el uso de *le* por *les* cuando el pronombre es un dativo posesivo. Obviamente ello se dará en aquellas hablas en las que este uso sea normal para los demás dativos. El siguiente ejemplo, extraído de Kany 1945: 140, procede de Uruguay: *A algunos le chispearon los ojos.*

Como los demás dativos, el dativo posesivo puede tomar un valor indeterminado. Este es el caso del pronombre de segunda persona del singular de la siguiente oración: *Cuando te lavas la cara, todo se ve más claro.* Pero a diferencia de los otros dativos, el dativo posesivo permite un complemento predicativo. Así, mientras son agramaticales las construcciones dativas de complemento indirecto o de benefactivo (véase Demonte 1986-1987), son gramaticales las que contienen un dativo posesivo (véanse Gutiérrez Ordóñez 1986; Branchadell 1992).

(101) a. *Juan le dio un beso (a tu sobrina) sentada.
b. *Juan le bordó un mantón (a tu sobrina) enfadada.
c. Juan le peinó la melena (a tu sobrina) sentada.

Ha sido observado repetidamente por los gramáticos románicos que el significado del dativo posesivo está próximo al del dativo benefactivo. Desde el punto de vista sintáctico, ninguno de los dos dativos es exigido por el verbo, a diferencia del complemento indirecto de (110a). Ni el verbo *bordar* ni el verbo *peinar* seleccionan un complemento indirecto, mientras que verbos como *dar, explicar* o *gustar* sí (véase el capítulo 30). Desde el punto de vista semántico, el dativo benefactivo y el posesivo expresan participación en la acción, pero esta participación es distinta en los dos casos. En (100b) el dativo benefactivo puede ser sustituido por un sintagma introducido por la preposición *para,* mientras que el dativo de (101c) no puede: *Juan bordó un mantón para tu sobrina* / **Juan peinó la melena para tu sobrina.* Si el dativo posesivo aparece generalmente con nombres inherentemente relacionales, que actúan como el argumento 'tema' del predicado, el benefactivo aparece con verbos de creación que reclaman objetos directos que actúan como tema efectuado o resultado. En (102) *la sangre* es el tema 'afectado' del verbo *hervir* y del verbo *purificar,* aunque en (102a) este sintagma nominal sea el sujeto oracional y en (102b) sea complemento directo. El pronombre *le* de estas oraciones es un dativo posesivo.

(102) a. Le hervía la sangre.
b. Le purificó la sangre.

En (103) el objeto directo es un tema 'efectuado' y el verbo es un verbo de creación. El dativo es un dativo benefactivo.

(103) a. Juan le hizo la cena.
b. Juan le diseñó el vestido de novia.

Comparando (102) con (103) se ve que la forma de participación que expresan estos dos tipos de dativos no es la misma. El dativo posesivo expresa el poseedor de la parte, el todo con el que se relaciona la parte del cuerpo *sangre,* mientras que el benefactivo representa a un destinatario de la acción expresada por el predicado. [54] Por esta razón, la relación entre el dativo y el tema es más estrecha en el caso del dativo posesivo que en el caso del benefactivo, si bien la presencia del tema es necesaria en los dos casos. Obsérvese que el verbo *diseñar* de (103b) puede aparecer con el objeto directo sobreentendido. La oración *Juan diseña* está bien formada, como también lo está *Juan borda.* Pero si el verbo aparece sin el objeto directo, entonces ya no es posible la presencia del dativo: **Juan le diseña a María; *Juan le borda a María.* Lo mismo ocurre con el dativo posesivo. Los verbos *lavar* o *maquillar* pueden aparecer con el objeto directo elíptico: *Juan lava; Juan maquilla.* Si este es el caso, no será posible la presencia en la oración de un dativo posesivo: **Juan le lava a María; *Juan le maquilla a María.* Ahora bien, con los verbos *diseñar, hacer* o *bordar* es posible la presencia del tema sin el dativo *(Juan diseñó el vestido, Juan hizo la cena).* Pero cuando el tema es un sintagma con un nombre de relación y el verbo no es de creación, como *lavar* o *llorar,* no se puede prescindir del dativo: **Lavó las manos, *Los ojos lloraban.*

Otra diferencia entre las construcciones con dativo posesivo y las de dativo benefactivo está en que en las primeras, como ya se comentó en el § 15.6.1, sólo en determinados casos está permitido que el determinante que introduce el argumento 'tema' sea indefinido *(Juan se cortó una uña / *Juan se cortó una nariz);* en cambio no hay restricciones de este tipo con el tema de las construcciones benefactivas: *Juan le coció patatas a María; Juan le diseñó varios vestidos; Juan le hizo un pastel.* Es interesante, sin embargo, constatar que el pronombre personal posesivo no es bien recibido como determinante del tema de una construcción con dativo benefactivo. Si bien es perfectamente gramatical *Juan hizo su cama* o *Juan diseñó su vestido,* el grado de gramaticalidad de *Juan le hizo su cama* o *Juan le diseñó su vestido de novia* es paralelo al de *Juan le lavó su cara.* Todas ellas son oraciones gramaticales en algunas hablas y de baja aceptabilidad en otras. Este paralelismo puede ser debido a la proximidad semántica entre los dos dativos. [55]

Cuando el dativo es plural, vimos en el § 15.6.1.1 que el sintagma nominal de posesión inalienable adquiere una interpretación distributiva *(Les lavé la cara a los chicos).* Esta interpretación no se da necesariamente con el dativo benefactivo plural. Si bien en *Les diseñé el vestido de novia a mis hermanas,* el objeto directo recibe una interpretación distributiva, en *Les hice este pastel a mis sobrinas,* esta interpretación no se da. Asimismo, las construcciones con dativo posesivo aceptan con mayor facilidad que las de benefactivo la voz pasiva: *Los pelos de la nariz le fueron arrancados de uno en uno; ??Le fue bordado el mantón.* Finalmente, el dativo posesivo puede coaparecer con un dativo ético: *No te me ensucies las manos.*

15.7.1.2. Verbos compatibles con el dativo posesivo

Examinaremos seguidamente en qué contextos puede o debe aparecer el dativo posesivo cuando en la oración aparece un nombre de posesión inalienable.

Entre los verbos transitivos, los causativos como *quemar, abrir, cerrar, curar, broncear,* etc., aparecen con dativo posesivo cuando un sintagma nominal de pose-

[54] Obsérvese que el dativo de (103) no es un argumento necesario del verbo. Los verbos *hacer* y *diseñar* exigen un agente y un tema, pero no reclaman necesariamente un destinatario, aunque vemos que lo admiten. A este tipo de dativo, seleccionado optativamente, se le conoce como 'dativo benefactivo' (véase, además del capítulo 30, Branchadell 1992).

[55] Cuando el posesivo es de ratificación es fácilmente aceptado por todos los hablantes: *María se diseñó su vestido de princesa, su capa, su diadema...*

sión inalienable ocupa la posición de objeto directo y el poseedor (o todo) no va expresado por un complemento del nombre, como en *El sol quemó la piel de los turistas,* donde ya no es precisa la presencia del dativo. El equivalente no transitivo, el verbo incoativo o de proceso, que toma por sujeto el tema del verbo causativo —*quemarse, abrirse, curarse, cerrarse, broncearse,* etc.—, también exige la presencia del dativo cuando el tema es un sintagma nominal con nombre inherentemente relacional [→ §§ 23.3.2.2, 25.2 y 26.2]:

(104) a. El sol les quemó la piel.
b. La piel se les quemó.
c. El sueño me cierra los ojos.
d. Se me cierran los ojos.
e. Este olor os abrirá el apetito.
f. Se os abrirá el apetito.

En estas construcciones, el sintagma nominal con nombre de posesión inalienable expresa la parte que se relaciona con el dativo, el todo. [56]

Admiten también el dativo posesivo los verbos transitivos agentivos cuyo objeto es un tema afectado de posesión inalienable como *lavar, arreglar, curar, maquillar, torcer, herir, cobijar, interesar* —en el sentido de (105d)—, etc.

(105) a. Juan se hirió el pie.
b. Me cobijé la cara con tus manos. [José Alfredo Jiménez, «Amanecí en tus brazos» —bolero—.]
c. Juan te arregló el pelo.
d. La cornada le interesó el corazón.

Como en (105b), en (105a) el pronombre dativo es un pronombre reflexivo, ya que establece relación de correferencia con el sujeto oracional. En esta construcción, por tanto, el pronombre *se,* anafóricamente relacionado con el sujeto, *Juan,* es el todo con el que se relaciona la parte *(el pie).* [57] Otros predicados transitivos agentivos que expresan movimiento como *mover, levantar, poner bien,* etc., pueden también coaparecer con un dativo posesivo: *El doctor le movió los brazos; Me puse bien el pelo; Te levantaron la falda,* aunque esta no es la única posibilidad cuando el tema es un sintagma nominal de posesión inalienable, como en *El doctor movió los brazos* y *Levantaron las manos,* oraciones que se estudian en el apartado siguiente.

Los verbos de percepción como *mirar, ver, tocar, notar, sentir,* etc., a la hora de aceptar un dativo posesivo, se comportan de modo dispar en las lenguas románicas. En (106) se puede observar que los verbos de percepción en español presentan mayor compatibilidad con el dativo posesivo que los del francés (**Jean lui a vu la tête;* lit. «Juan le ha visto la cabeza») y el sardo (*??Li vido sa cara,* ejemplo tomado de Jones 1993; lit. «Le vio la cara»).

(106) a. Te miraba la nariz.
b. Le tocó la mejilla.

---

[56] En el § 15.7.2. se tratará la construcción sin dativo: *Juan cerró los ojos.*

[57] En portugués contemporáneo las oraciones como (105a) se construyen sin el pronombre dativo reflexivo: *João lava as mãos* [lit. «João lava las manos»].

c. Le noto el aliento.
d. Le veo las rodillas.
e. No me siento los pies.

En realidad, el tema de los verbos de percepción no es un tema afectado por la acción del verbo, a pesar de ello vemos que en español es posible el dativo posesivo en estas construcciones. Otros verbos transitivos con tema no afectado (ni efectuado o creado) son los verbos llamados de sentimiento: *querer, admirar, estimar, odiar,* etc., que presentan un comportamiento desigual. Mientras son posibles oraciones como *Le admiro la estatura* —aunque sea preferible *Admiro su estatura*—, son del todo inaceptables construcciones como **Te quiero el corazón* frente a *Quiero tu corazón* o **Le odio el carácter* frente a *Odio su carácter.*

Hay verbos agentivos que por su significado difícilmente podrán seleccionar un sintagma nominal que exprese posesión inalienable. Ello impedirá que coocurran con un dativo posesivo. Piénsese en un verbo como *almacenar (?*Le almacené los dientes)* y compárese con *manchar* o *tatuar (Le tatué el brazo).*

Con verbos no transitivos, el dativo posesivo es compatible con verbos pronominales que toman por sujeto el argumento que es el tema afectado. Lo hemos visto en (104b), (104d) y (104f). Podemos añadir además verbos del tipo *levantarse, desmontarse, moverse, saltarse,* etc.: *Se le levantó la falda;* [58] *La foto no salió bien porque se me desmontó el moño; Se me saltaron las lágrimas.*

Entre los verbos pronominales que aceptan el dativo posesivo con sujetos formados por nombres de parentesco están *casarse, divorciarse, morirse,* etc.: *Se me casaron todos los hijos; Se le murió la madre.*

Los verbos inacusativos de la clase de *arder, salir, crecer, subir, bajar, caer, sobrevenir, hervir* [—> § 25.2], etc., aceptan sin problemas el dativo posesivo cuando el sujeto expresa posesión inalienable.

(107) a. El corazón me ardía de pasión.
b. Al bebé ya le salen los dientes.
c. Te crece la barba.
d. A las madres primerizas no siempre les sube la leche.
e. La muerte le sobrevino en París.

Más interesantes que los ejemplos de (107) son los de (108). Los verbos que en ellos aparecen son verbos intransitivos, verbos que normalmente requieren un sujeto agente como *llorar, saltar, temblar,* etc. Sin embargo, cuando estos verbos aparecen con el dativo posesivo y el sujeto expresando posesión inalienable pierden su valor agentivo, tal como se muestra en (109).

(108) a. Los ojos me lloran.
b. Me saltó una muela.
c. Le tiemblan las manos.

[58] En el § 15.7.2 se compararán estas construcciones con las que carecen de dativo posesivo: *Se levantó la falda.*

(109) a. El niño lloró en la mesa pero la niña no lo hizo.
b. ??El ojo izquierdo me lloró toda la tarde pero el derecho no lo hizo.
c. El niño llora para llamar la atención.
d. *Los ojos me lloran para indicar que hay demasiado humo en la sala.

El sintagma verbal *hacerlo* sustituye a los predicados agentivos. Si los verbos de (108) no lo aceptan fácilmente es porque han perdido el valor agentivo. Por otra parte, los predicados agentivos legitiman la presencia de un complemento de finalidad, mientras que los no agentivos no. Vemos, pues, que en (109d) *llorar* no selecciona un agente. En realidad, *llorar* en (108a) significa «lagrimear», así como *saltar* en (108b) significa «caer». Evidentemente, ninguno de estos significados comporta agentividad. Los intransitivos no agentivos como *brillar* (= «ser brillante») o *chispear* también admiten al dativo posesivo: *¡Cómo te brillaban los ojos!*

En cuanto a los verbos estativos, como *conocer* o *saber,* el español contrasta con el catalán, lengua en la que estos verbos admiten el dativo posesivo. Así, los equivalentes catalanes de **Aún no le conozco la esposa* y **Le sé las manías* son gramaticales: *Encara no li conec la dona; Li sé les manies.* Otros predicados estativos como *ser primo, ser pariente, ser madrina,* etc., que en catalán pueden aparecer con un dativo posesivo, en español sólo aceptan el pronombre posesivo: *En Pere no m'és parent* (catalán) / *Pedro no es pariente mío; *Pedro no me es pariente.* No obstante, no son posibles ni en español ni en catalán construcciones atributivas como **La cara le es agradable* por *Su cara es agradable* o **La hermana os es alta* en el sentido de *Vuestra hermana es alta.*

El dativo posesivo puede establecer relación parte-todo con un sintagma nominal que expresa posesión inalienable que sea complemento preposicional del verbo. Así, en *Me entró algo en el ojo* el pronombre dativo se relaciona con *el ojo,* que aparece como constituyente del complemento preposicional del verbo. Otros casos parecidos son *La greña sudada y angustiada se le pegaba en la frente* [de Valle-Inclán; citado por Fernández Ramírez 1951b: § 105/104.2], *Se sacó algo de la boca.* En las construcciones transitivas de (110), el dativo posesivo se relaciona en (110a) con el sintagma nominal del complemento preposicional del verbo *meter,* mientras que en (110b) —ejemplo tomado de Alcina y Blecua (1975: § 7.2.1.3)— y en (110c) el dativo se relaciona con el sintagma nominal de un complemento no regido, es decir, de un circunstancial.

(110) a. Nos lo meterán en la boca.
b. Te lo rompo en la cabeza.
c. Me susurró bonitas frases al oído.

Es interesante constatar que en construcciones como *Le metió el puño en la boca,* el sintagma *la boca* se relaciona sólo con el dativo. *El puño,* sin embargo, puede establecer relación con el sujeto elíptico o con *le.* En cambio, en *Le tapó la boca con la mano, la mano* puede relacionarse con el sujeto elíptico o con el dativo. La diferencia entre estas dos oraciones estriba en que el complemento preposicional de *meter* es un complemento regido, mientras que el que aparece con el verbo *tapar* no lo es. En *Se metió el puño en la boca, la boca* establece relación con el dativo y *el puño* con el sujeto elíptico, pero, como se trata de un dativo reflexivo, este a su vez establece relación de correferencia con el sujeto.

No obstante, no todos los sintagmas nominales de posesión inalienable contenidos en un complemento preposicional pueden establecer relación parte-todo con un dativo. Son imposibles construcciones como **Te sueño con el rostro* frente a *Sueño con tu rostro; *Le pienso el cuerpo* por *Pienso en su cuerpo.* Los verbos como *amanecer* y *anochecer,* cuando son usados como verbos personales, no admiten tampoco que un dativo posesivo establezca relación parte-todo con un sintagma nominal de posesión inalienable contenido en un sintagma preposicional: **Te amanecí en los brazos / Amanecí en tus brazos.*

Un sintagma nominal que exprese posesión inalienable puede establecer relación parte-todo con un dativo sin que este sea un dativo posesivo. Este es el caso de algunas construcciones en las que el complemento indirecto regido por el verbo se relaciona semánticamente con el objeto directo o con el sujeto, tal como se muestra en (111).

(111) a. Su presencia te devolvió la sonrisa.
b. Le supliqué el perdón.
c. Me duele la cabeza.

Frente a (111a) y (111b), otros verbos de transmisión —como *dar*— no establecen el mismo tipo de relación. Así, en las oraciones *Juan le dio la mano* y *Juan le tendió la mano,* el sintagma *la mano* se interpreta como parte de *Juan* y no del complemento indirecto *le.* Igualmente, frente a (111c), donde el sintagma nominal sujeto se interpreta como parte de un todo representado por el pronombre dativo, con otros verbos de afección resulta imposible establecer dicha relación. En la oración *A Juan no le gusta la cara,* el poseedor de la cara está implícito, difícilmente se interpretará como la tercera persona representada por el complemento indirecto.

Del mismo modo que en algunos dialectos un pronombre posesivo puede aparecer como término de una locución preposicional: *Va detrás tuyo* (véanse los §§ 9.3.1 y 15.3.1), también el dativo posesivo puede aparecer en estos contextos, aunque en este punto el español es más restrictivo que otras lenguas románicas, por ejemplo el catalán y el francés. Así, si bien son posibles construcciones como *El autobús se le echó encima; Me cayó encima un gran problema, Le pasó por delante* o *Todas le van detrás,* son ya más dudosas construcciones como *?*Les pasó delante* (frente a *Pasó delante de ellas*). Sin embargo, en relación a estas construcciones, hay que reconocer que la variación dialectal es notable.

15.7.2. Construcciones no dativas

Al lado de oraciones transitivas como las de (112) —estudiadas en el § 15.7.1.2— el español, como otras lenguas románicas, presenta las oraciones de (113).

(112) a. María se levantó la falda.
b. María se abrió las venas.
c. María se agitó el pelo.
(113) a. María levantó la cabeza.
b. María abrió los ojos.
c. María agitó la mano.

En (113) no sólo no es necesaria la presencia del dativo posesivo sino que su presencia cambiaría el significado de la oración [—> § 12.1.1.7]. El objeto directo de (113) expresa, como vimos, la parte del cuerpo (o elemento de la esfera personal) que establece relación parte-todo con el sujeto. Además estas oraciones expresan algo que no está contenido en (112): que la cabeza, pero no la falda, puede levantarse por sí misma, que los ojos, pero no las venas, pueden abrirse sin necesidad de un agente o causa. Sólo una clase restringida de verbos de movimiento pueden aparecer en construcciones como las de (113). Son verbos transitivos que denotan un movimiento de una parte del cuerpo provocado por un impulso del sistema nervioso central de un individuo (o todo) (véase Authier 1992: n. 9): *mover, bajar, ladear, menear, balancear, alzar, levantar, cerrar, cruzar, girar,* etc. Por lo tanto, no pertenecen a esta clase verbos como *transportar, clausurar, tapar, rasgar,* etc., verbos cuyo significado no acaba de coincidir con los de (113). Asimismo, para poder prescindir del dativo posesivo es necesaria otra condición que afecta al objeto directo. Este debe estar constituido por un sintagma nominal de posesión inalienable con la propiedad intrínseca de producir determinado movimiento por sí mismo (véase Junker y Martineau 1987). Así, los ojos se abren por sí mismos, pero no las venas. Estas condiciones semánticas explican que no sean posibles en español (en el sentido relevante aquí) construcciones como **Juan lavó las manos,* ya que ni las manos son autolavables o lavables por sí mismas ni *lavar* es un verbo que cumpla la condición semántica requerida. Sin embargo, en una lengua tan próxima al español como el portugués, esta distinción semántica no se refleja en la sintaxis. Tanto las oraciones de (112) como las de (113) se construyen sin dativo reflexivo, aunque reciban la misma interpretación que en español (véase la nota 57). El equivalente portugués de (112b) es *Maria cortou as veias,* mientras que el de (113b) es *Maria abriu os olhos.* [59]

Algunos de los predicados de la clase ejemplificada en (113) se construyen también con un pronombre reflexivo dativo y un complemento preposicional que contiene al nombre designador de una parte del cuerpo sin la presencia de determinante. Así, al lado de predicados como *cruzar los brazos; doblar las rodillas; encoger los hombros* y *abrir las piernas,* el español posee los predicados *cruzarse de brazos; doblarse de rodillas; encogerse de hombros* y *abrirse de piernas* [→ § 13.5].

El verbo *tener,* cuando coaparece con sintagmas nominales de posesión inalienable, no admite el dativo posesivo. Este predicado es capaz por sí mismo de expresar pertenencia o posesión. En las oraciones de (114) el verbo *tener* toma distintos valores (expresión de relación de parentesco, de posesión de compañía, de posesión inalienable, de una situación), pero en ninguna de ellas tiene cabida el dativo posesivo [→ § 38.3].

(114) a. Tiene dos cuñados.
b. No está solo, tiene a su hija.
c. Juan tiene los ojos muy claros.
d. Tenemos a Juan muy preocupado.

Obsérvese que en (114c) y (114d) el sintagma adjetival predica una propiedad de *los ojos* y de *Juan,* respectivamente. En (114d), el verbo expresa que la situación de Juan afecta al sujeto oracional. Expresan también relación parte-todo sin nece-

[59] El equivalente portugués de (111c) contiene necesariamente el pronombre dativo, ya que no se trata de un dativo reflexivo como en el ejemplo de la nota 57: *Dói-me a cabeça* [lit. «Duele-me la cabeza»]

sidad del dativo de posesión (ni del pronombre posesivo) los verbos *llevar, poner,* etc., o bien los verbos de percepción *sentir, notar,* etc. [→ § 38.3.2.1], en construcciones como *Lleva el pelo suelto; Siento los pies helados,* en que *suelto* y *helados* se predican de *el pelo* y *los pies,* respectivamente (véase la nota 50).

El verbo *perder,* en tanto que significa «dejar de tener», puede aparecer con sintagmas nominales que expresen posesión inalienable sin intervención del dativo ni del pronombre posesivo: *Juan perdió (la respiración / la salud / la vida).* No están bien formadas construcciones como **Juan perdió su respiración* o **Juan se perdió la salud.* Si es posible *Juan perdió su abrigo,* es porque *abrigo,* aunque es un nombre que puede relacionarse con la esfera personal, no expresa necesariamente posesión inalienable.

Algunos verbos de contacto visual o táctil presentan, al lado de la construcción usual formada por dativo posesivo, un sintagma nominal de posesión inalienable *(Le miró los ojos, Le cogió la mano),* una construcción no dativa en la que el sintagma que designa la parte del cuerpo aparece dentro de un sintagma preposicional, mientras que el sintagma que expresa el todo está representado por el complemento directo: *La miró a los ojos; Cogió a María de la mano.* En otros casos, el sintagma nominal de posesión inalienable es el sujeto de una oración transitiva causativa cuyo objeto directo expresa el todo: *A mi papá lo mató el corazón* (véase Kliffer 1987: 289).

En construcciones con el pronombre *se* con valor de agente indeterminado no aparece el dativo posesivo, aunque el verbo lo requiere en las construcciones personales con objeto directo de posesión inalienable, como, por ejemplo, *lavar* y *pintar: La boca no se lava con jabón; Las uñas se pintan con esmalte.* Si, en cambio, el sujeto indeterminado es *uno/una* entonces aparece el dativo posesivo *se: Uno no se lava la boca con jabón; Una se pinta las uñas con esmalte.*

15.8. Otras vías para la expresión de las relaciones de posesión

La relación de posesión o pertenencia puede expresarse con otros predicados además de los comentados en el apartado anterior o bien con otros valores de estos mismos predicados. Este es el caso de *tener,* que puede expresar posesión transitoria y alienable, junto con los predicados *pertenecer, poseer, ser de,* etc., ejemplificados en (115).

(115) a. Este palacete pertenece a la familia real.
b. La familia real posee este palacete.
c. Este palacete es de la familia real.
d. La familia real tiene este palacete.

El verbo *tener* puede expresar posesión débil, transitoria, en oraciones como *Juan tiene hoy mi coche* o *Juan tiene un paquete que es de mi hermano.*

Expresa también relación de posesión o pertenencia el predicado impersonal *haber* en oraciones como *En tu biblioteca hay pocas novelas inglesas* y *En esta casa hay cinco ventanas,* oraciones parafraseables por *Tu biblioteca tiene pocas novelas inglesas* y *Esta casa tiene cinco ventanas,* respectivamente [→ § 27.3.4].

La expresión de posesión inalienable también puede estar a cargo de una preposición. Este es el caso de la preposición *con* y *de* en las construcciones de (116) y (117).

(116) a. Una casa con cinco ventanas.
b. El niño está con fiebre.
c. Un vehículo de tres ruedas.

(117) a. Le llamó el viejo con la voz trémula.
b. Le llamó el viejo con su voz trémula.

La construcción (116a) puede parafrasearse por *Una casa que tiene cinco ventanas;* la oración (116b) podría parafrasearse por *El niño tiene fiebre* y (116c) por *Un vehículo que tiene tres ruedas.* Obsérvese que entre el ejemplo (117a), citado por Fernández Ramírez (1951b: § 150/149), y (117b) existe una diferencia semántica. En las dos oraciones se expresa una relación de posesión inalienable entre *el viejo* y *voz,* a través de la preposición *con.* Sin embargo, en (117a) *trémula* predica una propiedad transitoria de *la voz,* mientras que en (117b) *trémula* modifica como adjetivo calificativo a *voz.* Esta diferencia se debe a la presencia del artículo definido en lugar del posesivo (véase el § 15.6.1). Por su parte, la preposición *sin* expresa la ausencia de la relación de posesión. Así, *una casa sin ventanas* es una casa que no tiene ventanas, como *una persona sin recursos* es una persona que no posee recursos.

Finalmente, un adjetivo también puede expresar posesión o pertenencia o bien reforzar este valor. Este es el caso del adjetivo *propio,* que expresa posesión cuando aparece como atributo, como en (118a) y (118b), o en contextos como (118c).

(118) a. Esto no es propio de un aristócrata.
b. Esto es muy propio de ti.
c. Viven en casa propia.
d. Pedro habló en defensa propia.

En (118a) y (118b) *propio* significa «característico, típico», mientras que en (118c) y (118d) tiene un valor anafórico, reflexivo. La oración (118d) sólo puede interpretarse en el sentido de que Pedro se defendió a sí mismo. También en oraciones como *Les hablo en nombre de mis compañeros y en el mío propio* o en *Contemplaba su propio rostro en el espejo del recibidor,* el valor reflexivo del pronombre queda reforzado por el adjetivo *propio.* Sin la presencia de dicho adjetivo la última oración resultaría ambigua. En otros casos este adjetivo subraya el valor posesivo o de pertenencia ya expresado en la construcción sea por un pronombre posesivo sea por el predicado: *Aquel bosque es suyo propio; No tienen coche propio.*

En posición prenominal, este adjetivo puede tener una función intensificadora y es sinónimo de *mismo,* como en *Lo recibió el propio rector de la universidad,* donde *propio* significa el rector mismo, en persona [⟶ § 23.3.1.2].

TEXTOS CITADOS

MIGUEL DE CERVANTES: *Don Quijote de la Mancha,* Edición del Instituto Cervantes, dirigida por Francisco Rico, Barcelona, Instituto Cervantes y Editorial Crítica, 1998.

FRANCISCO DE QUEVEDO: *Obras completas I. Poesía original,* Edición de José Manuel Blecua, Barcelona, Planeta, 1963.

REFERENCIAS BIBLIOGRÁFICAS

ALARCOS LLORACH, EMILIO (1994): *Gramática de la Lengua Española,* Madrid, Espasa Calpe.

ALCINA FRANCH, JUAN y JOSÉ MANUEL BLECUA (1975): *Gramática española,* Barcelona, Ariel.

AUTHIER, JEAN-MARC (1989): «Arbitrary Null Objects and Unselected Binding», en O. Jaeggli y K. Safir (eds.), *The Null Subject Parameter,* Dordrecht, Kluwer, págs. 54-67.

— (1992): «Is French a Null Subject Language in the DP?», *Probus* 4:1, págs. 1-16.

BADIA MARGARIT, ANTONIO M. (1950): *El habla del valle de Bielsa,* Barcelona, CSIC.

BALLY, CHARLES (1926): «L'expression des idées de sphère personelle et de solidarité dans les langues indo-européennes», *Festschrift Louis Gauchat,* Aarav, Scwerländer, págs. 68-78.

BASSOLS DE CLIMENT, MARIANO (1945): *Sintaxis latina,* Madrid, CSIC.

BELLO, ANDRÉS (1847): *Gramática de la lengua castellana destinada al uso de los americanos,* Santiago de Chile, Imprenta del Progreso. Octava edición, con notas de Rufino J. Cuervo: Buenos Aires, Editorial Sopena Argentina, 1970.

BOSQUE, IGNACIO (1989): *Las categorías gramaticales,* Madrid, Síntesis.

BOSQUE, IGNACIO y M. CARME PICALLO (1996): «Postnominal Adjectives in Spanish DPs», *JL* 32, págs. 349-385.

BRANCHADELL, ALBERT (1992): *A Study of Lexical and Non-Lexical Datives,* tesis doctoral, UAB, Bellaterra.

BRUCART, JOSÉ M.ª (1994): «Sobre una incompatibilidad entre posesivos y relativas especificativas», en Violeta Demonte (ed.) (1994), *Gramática del español,* México, El Colegio de México, págs. 51-86.

CAMACHO, JOSÉ, LILIANA PAREDES y LILIANA SÁNCHEZ (1995) «The Genitive Clitic and the Genitive Construction in Andean Spanish», *Probus* 7, págs. 133-146.

CLAVERIA NADAL, GLORIA (1992): «La construcción artículo + posesivo en los siglos XIV y XV», *Actas del segundo congreso internacional de historia de la lengua española,* vol. I, págs. 347-357.

COMPANY COMPANY, CONCEPCIÓN (1992): *La frase sustantiva en el español medieval. Cuatro cambios sintácticos,* México, UNAM.

— (1994): «Semántica y sintaxis de los posesivos duplicados en el español de los siglos XV y XVI», *RPh* XLVIII:2, págs. 111-135.

COROMINAS, JOAN y JOSÉ ANTONIO PASCUAL (1980): *Diccionario crítico etimológico castellano e hispánico,* Madrid, Gredos. [*DCECH* en el texto.]

CUERVO, RUFINO JOSÉ (1886): *Diccionario de construcción y régimen de la lengua castellana.* Segunda edición, Bogotá, Instituto Caro Cuervo, 1953. [*DCRLC* en el texto.]

DEMONTE, VIOLETA (1986/87): «Remarks on Secondary Predicates: C-command, Extraction, and Reanalisis», *LingR* 6, págs. 1-39.

— (1988): «El 'artículo en lugar del posesivo' y el control de los sintagmas nominales», *NRFH* XXXVI:1, págs. 89-108.

DUMITRESCU, DOMNITA (1990): «El dativo posesivo en español y en rumano», *REL* 20:2, págs. 403-429.

FERNÁNDEZ RAMÍREZ, SALVADOR (1951a): *Gramática española. 3.1. El nombre,* Madrid, Revista de Occidente. Segunda edición preparada por J. Polo: Madrid, Arco/Libros, 1986.

— (1951b): *Gramática española. 3.2. El pronombre.* Segunda edición preparada por José Polo: Madrid, Arco/Libros, 1987.

FREI, HENRI (1939): «Sylvie est jolie des yeux», *Mélanges de linguistique offerts à Ch. Bally,* Ginebra, Slatkine Reprints, 1972.

GUÉRON, JACQUELINE (1983): «L'emploi 'possesive' de l'article défini en français», *LFr* 58, págs. 23-35.

GUTIÉRREZ ORDÓÑEZ, SALVADOR (1986): *Variaciones sobre la atribución,* Universidad de León, León.

HERNANZ, M. LLUÏSA (1990): «En torno a los sujetos arbitrarios: la 2.ª persona del singular», en V. Demonte y B. Garza Cuarón (eds.) (1990), *Estudios de lingüística de España y México,* México, Universidad Nacional Autónoma de México-El Colegio de México, págs. 151-178.

HERNANZ, M. LLUÏSA y JOSÉ M.ª BRUCART (1987): *La sintaxis,* Barcelona, Crítica.

HIGGINBOTHAM, JAMES (1983): «Logical Form, Binding and Nominals», *LI* 14, págs. 395-420.

JONES, MICHAEL A. (1993): *Sardinian Syntax,* Londres-Nueva York, Routledge.

JUNKER, M. ODILE y FRANCE MARTINEAU (1987): «Les possessions inaliénables dans les constructions object», *RRo* 22, 2, págs. 194-202.

KANY, CHARLES E. (1945): *American-Spanish Syntax,* Chicago, University of Chicago Press. Citamos por la traducción española: *Sintaxis hispanoamericana,* Madrid, Gredos, 1969.

KLIFFER, MICHAEL D. (1983): «Beyond Syntax: Spanish Inalienable Possession», *Linguistics* 21, págs. 759-794.

— (1987): «Los sustantivos intrínsicamente relacionales», *REL* 17:12, págs. 283-299.

LAPESA, RAFAEL (1980): *Historia de la lengua española,* Madrid, Gredos.

LONGA, VÍCTOR MANUEL, GUILLERMO LORENZO y GEMMA RIGAU I OLIVER (1998): «Subject Clitics and Clitic Recycling: Locative Sentences in Some Iberian Romance Languages», *JL* 34, págs. 125-164.

LONGOBARDI, GIUSEPPE (1994): «Reference and Proper Names», *LI* 25:4, págs. 609-665.

LUJÁN, MARTA y CLAUDIA PARODI (1996): «Clitic-Doubling and the Acquisition of Agreement in Spanish», en J. Gutiérrez-Rexach y L. Silva-Villar (eds.) (1996), *Perspectives on Spanish Linguistics,* Los Angeles, UCLA.

PICALLO, M. CARME (1994): «Catalan Possessive Pronouns: the Avoid Pronoun Principle Revisited», *NLLT* 12, págs. 259-299.

PORTO DAPENA, JOSÉ ÁLVARO (1982): «Los posesivos personales del español: intento de descripción funcional», *Dicenda* 1, págs. 55-108.

RADELLI, BRUNA (1978): «Los posesivos en español», *NRFH* 27, págs. 235-257.

REAL ACADEMIA ESPAÑOLA (1973): *Esbozo de una nueva gramática de la lengua española,* Madrid, Espasa Calpe. [RAE en el texto.]

TAYLOR, JOHN R. (1994): «Fuzzy Categories in Syntax: The Case of Possessives and Compounds in English», *Rivista di Linguistica,* 6:2, págs. 327-345.

VERGNAUD, JEAN-ROGER y M.ª LUISA ZUBIZARRETA (1992): «The Definite Determiner and the Inalienable Constructions in French and in English», *LI* 23:4, págs. 595-652.

YNDURÁIN, FRANCISCO (1972): «Notas sobre frases nominales», en *Studia Hispanica in Honorem R. Lapesa,* vol. I, Madrid, Gredos y Cátedra-Seminario Menéndez Pidal, págs. 609-618.

ZAMORA VICENTE, ALONSO (1966): *Dialectología española,* Madrid, Gredos.

16
LOS CUANTIFICADORES: CLASES DE CUANTIFICADORES Y ESTRUCTURAS CUANTIFICATIVAS

CRISTINA SÁNCHEZ LÓPEZ
Universidad Autónoma de Madrid

ÍNDICE

16.1. La cuantificación. Clases de cuantificadores

16.1.1. Concepto de cuantificación

Cuantificar es expresar una cantidad, de ahí que los cuantificadores puedan definirse de manera informal como elementos que dicen qué cantidad de individuos u objetos de un dominio dado tienen una determinada propiedad, o en qué medida una propiedad es poseída por un individuo u objeto. [1]

Los mecanismos sintácticos que pueden utilizarse para cuantificar son numerosos y heterogéneos, lo que convierte esta parcela de la gramática en un campo especialmente interesante. Como se verá a lo largo del capítulo, existen notables diferencias sintácticas entre los elementos que incluimos en la clase de los cuantificadores. No sólo son varias las formas en que es posible realizar la función cuantificativa, sino que además las distintas clases de cuantificadores determinan a su vez distintas estructuras. Sin embargo, existe una propiedad que da unidad a esta clase, propiedad que parece ser de carácter sobre todo semántico: todos los elementos incluidos en ella obedecen a un mecanismo interpretativo común, consistente en desencadenar la interpretación cuantitativa de los términos a los que modifican. Dicha interpretación consiste, a su vez, en que el elemento cuantificado, con independencia de su forma, denota una determinada cantidad de individuos o propiedades.

Ilustraremos estos conceptos con unos ejemplos:

(1) a. Cada ministro estaba dispuesto a presentar su dimisión.
b. {Muchos/tres} ministros estaban dispuestos a presentar su dimisión.
c. También el presidente estaba dispuesto a presentar su dimisión.
d. El presidente se mostró muy contrariado por la decisión del parlamento de solicitar su dimisión.

En las dos primeras oraciones, los SSNN *cada ministro, muchos ministros* y *tres ministros* tienen interpretación cuantitativa. Todos ellos denotan una cantidad de ministros distinta de uno, pese incluso a la morfología singular en (1a). El número es determinado en el caso de *tres,* e indeterminado en los otros dos. De cualquier forma, está claro que no se trata de un solo individuo ni de uno en concreto. Este hecho diferencia los cuantificadores de otros determinantes; si el artículo, los demostrativos o los posesivos, por ejemplo, dan lugar a expresiones cuya referencia se determina mediante la identificación del referente, los cuantificadores crean expresiones cuya referencia se determina por el tamaño del conjunto o por el número de individualidades referidas. Frente a expresiones como *el/los ministro(s),* los SSNN cuantificados de (1a, b) no nos dicen a qué entidad hacemos referencia, sino a cuántas entidades se alude.

[1] La bibliografía sobre cuantificación es abundantísima. Entre las obras de carácter general, cabe citar Geach 1962, Reichenbach 1947, Cooper 1983, Hornstein 1984, Higginbotham 1985, May 1985, Westerstähl 1986 y Bellert 1989. Sobre cuantificadores desde el punto de vista lógico es fundamental el artículo de Barwise y Cooper 1981, así como los volúmenes editados por Van Benthem y Ter Meulen 1985 y Gärdenfors 1987. Constituyen buenas introducciones a este punto de vista los artículos de Casalegno 1989 y especialmente Moreno Cabrera 1987. No abundan sin embargo las monografías sobre los cuantificadores en español. Son excepciones Rivero 1971, Bustos 1986, López Palma 1990. Véanse también Fernández Ramírez 1951: cap. XI y Alcina y Blecua 1975: § 4.5.

Esta interpretación tiene una consecuencia relevante: en los tres casos el posesivo *su,* al ser correferente con el sujeto, no posee una referencia singular ni concreta, sino que se interpreta de manera variable respecto de los distintos valores que puede tomar el SN precedente. Esto es, *su* se referirá a tantos poseedores como personas formen el grupo denotado por los respectivos sujetos.

En (1c) el SN *el presidente* está modificado por el adverbio *también.* Este difiere de los determinantes *cada* y *muchos* en que pertenece a la categoría gramatical de adverbio, sin embargo puede modificar SSNN y atribuirles propiedades cuantificativas. En este caso, ese valor consiste en interpretar que el presidente no es el único individuo del que puede decirse que estaba dispuesto a dimitir. Es en este sentido en el que es posible afirmar que *también* 'implica' la interpretación cuantificada del SN. A los elementos del tipo de *también* los denominaremos 'cuantificadores focales o presuposicionales' porque la lectura cuantificada se obtiene por implicación. Los estudiaremos detalladamente en el § 16.6.

Finalmente, en (1d) *muy* cuantifica al adjetivo *contrariado,* que no denota un elemento individualizable, sino una propiedad. Por ello, la expresión de cantidad tiene consecuencias diferentes a las de los casos anteriores: la cuantificación ya no expresa cardinalidad —definida o no— de individuos u objetos, sino que expresa el grado o nivel en que dicha propiedad se manifiesta en uno o varios individuos u objetos [→ § 3.4.1]. Denominaremos a los elementos que denotan este tipo de cantidad 'cuantificadores graduales' o 'de grado', y los estudiaremos en el § 16.7. La diferencia fundamental entre estos y los anteriores es que aquellos cuantifican sobre individuos, en tanto que estos últimos lo hacen sobre niveles. Por lo demás, su inclusión en la clase de los cuantificadores viene avalada, como veremos, por la evidente relación léxica y semántica que existe entre ellos y los elementos que realizan una cuantificación del tipo de *muchos* en (1b).

En un sentido restringido, el concepto de cuantificación se ha limitado a los casos ejemplificados en (1a, b), es decir, se han considerado cuantificadores únicamente aquellos elementos que «limitan la extensión del nombre por medio de la expresión de su número» (cf. Hernanz y Brucart 1987:184) e indican la cardinalidad de este. Sin embargo, como se verá en este capítulo, las categorías que denotan individuos contables no son las únicas susceptibles de ser cuantificadas, de ahí que sea necesario ampliar el inventario de elementos que permiten o exigen una lectura cuantitativa. Este es claramente el caso de los elementos como *también* en (1c), que puede modificar tanto SSNN como oraciones u otras categorías, así como de los cuantificadores de grado ejemplificados en (1d). De ello se sigue la oportunidad de preguntarse qué elementos pueden ser cuantificables, y en qué medida las diferencias entre tales elementos determinan distintos tipos de cuantificación.

En la definición de los cuantificadores hemos tenido en cuenta una de las propiedades características de ellos: la de ejercer su función de cuantificación sobre elementos a los que no modifican directamente, pero con los cuales mantienen una determinada relación estructural. Volvamos al ejemplo (1a). Decíamos que el SN *cada ministro* no tiene una referencia concreta sino variable: se refiere a cualquier persona que sea un ministro. Este significado se atribuye a que el cuantificador se comporta como un operador *('cualquier o todo')* que multiplica el valor de una variable (x = ministro). El operador toma bajo su 'ámbito' al dominio sintáctico que puede contener esa variable, dominio que suele coincidir con la oración. El hecho de que el ámbito del cuantificador no sea simplemente el nombre al que modifica, sino todo el dominio sintáctico que lo contiene, tiene importantes consecuencias, de las cuales ya conocemos una. En el ejemplo (1a) veíamos que la interpretación del posesivo *su* resulta multiplicada —y por tanto, no es referencial sino cuantitativa— por el hecho de aparecer dentro del ámbito del cuantificador *cada* [→ § 15.4]. De modo similar, la presencia de *también* en (1c) fuerza una interpretación múltiple del predicado, pues se deduce la existencia de otros individuos de los que se predica la misma disposición.

Considerar que es propiedad inherente de un cuantificador la de determinar su ámbito nos permite deslindar problemas de difícil acceso. En un sentido generosamente amplio, se ha extendido la cuantificación a cualquier procedimiento morfológico que indique cantidad de un sustantivo. Así, Wagner (1984), basándose en Pottier 1975, incluye en la clase de los cuantificadores aquellos afijos que tienen un significado de alguna manera emparentado con la cuantificación. Tal es el caso de los sufijos aumentativos o diminutivos, como *-azo* en *cochazo* o *-ito* en *pececito;* también afijos como *re-* o *-izn-* en *releer* y *lloviznar,* que aportan un significado de iteración o grado. Creemos, sin embargo, que tales fenómenos no pueden ser considerados dentro de la cuantificación porque no afectan a la oración sino que inciden únicamente en el significado léxico de las palabras. La cuantificación propiamente dicha es, como se ha propuesto, un fenómeno definido en el ámbito de la oración, puesto que la interpretación cuantitativa de los elementos tiene consecuencias para la de otros argumentos oracionales. Así pues, no nos referiremos aquí a este tipo de cuantificación morfológica, si es que en esta clase deben incluirse estos fenómenos.

En resumen, consideraremos la cuantificación como un fenómeno de carácter sintáctico que consiste en desencadenar la interpretación cuantitativa de ciertos elementos. Será cuantificador todo elemento susceptible de desencadenar tal interpretación de ciertas piezas léxicas incluidas en su ámbito.

16.1.2. Clases de cuantificadores

Establecer una clasificación de los elementos pertenecientes a la clase de los cuantificadores exige tener en cuenta diversos criterios, cuya combinación nos permitirá caracterizar completamente cada una de las unidades consideradas. En cualquier caso, por encima de las diferencias existentes entre ellos, todos los cuantificadores están sujetos a mecanismos interpretativos comunes, lo que justifica su inclusión en una sola categoría.

16.1.2.1. Según denoten cantidad de forma explícita o implícita, los cuantificadores pueden dividirse en 'cuantificadores propios' y 'cuantificadores focales o presuposicionales'. Los primeros expresan explícitamente una cantidad e incluyen elementos como *todos, muchos, bastantes, tres, cada...* (cf. el § 16.2). Los segundos no denotan cantidad, pero implican la lectura cuantificada de los elementos incluidos en su ámbito. Considérense los siguientes ejemplos:

(2) a. Muchos libros resultaron interesantes.
 b. Tres de los libros resultaron interesantes.
(3) a. También Juan compró un coche.
 b. Sólo Juan compró un coche.

En tanto que en (2) los cuantificadores propios *muchos* y *tres* denotan la cantidad de objetos de los que se predica el hecho de que resultaran interesantes —sea esta indefinida (2a) o exacta (2b)—, en (3), en cambio, los cuantificadores *también* y *sólo* no indican la cantidad de individuos llamados Juan que compraron un coche. Nótese, además, que ello sería imposible dado que, al ser *Juan* un nombre propio, es un término singular cuya denotación no se puede multiplicar [→ § 2.3.1]. Sin embargo, *también* y *sólo* sí desencadenan la interpretación cuantificada de la oración pues obligan a presuponer la existencia de otros individuos que hicieron (o no) lo mismo que el elemento cuantificado. Esto significa que una oración como (3a) sólo será verdadera o adecuada si existe al menos un individuo distinto de Juan que compró un coche, de la misma forma que (3b) sólo lo será si no existe ningún individuo diferente de Juan que comprase un coche. Así pues, ambas indican que el predicado afecta a un número de individuos distinto de uno. Denominaremos a los cuantificadores del tipo de *también* incluyentes, y a los del tipo de *sólo* excluyentes. Serán estudiados en detalle en el § 16.6.

16.1.2.2. Los cuantificadores propios pueden a su vez dividirse en varias subclases según el tipo de cantidad que denoten. En primer lugar, los 'numerales' [→ Cap. 18] son aquellos que sirven para expresar una cantidad exacta, es decir, para expresar número o cardinalidad en sentido estricto. Dentro de ellos podemos establecer las siguientes subclases: 'cardinales' *(uno, dos, tres... doscientos, cuatro mil...);* 'ordinales' *(primero, segundo, octavo, vigésimo...);* 'partitivos' *(mitad, tercio, medio);* 'multiplicativos' *(doble, triple);* 'distributivos' *(sendos).* De todos ellos se ocupará extensamente el capítulo 18, si bien aquí nos referiremos a ellos en cuanto a sus propiedades específicas respecto a la asignación de ámbito.

En segundo lugar, los cuantificadores que las gramáticas tradicionales denominan 'indefinidos' [→ § 12.2] [2] se caracterizan, frente a los numerales, por denotar cantidad de modo aproximado o impreciso, sin especificar número. Tales indefinidos pueden dividirse a su vez en aquellos que denotan la cantidad de un conjunto determinado de elementos, frente a los que denotan la de un conjunto indeterminado. Esta diferencia se muestra claramente en pares como *todos los edificios/muchos edificios,* donde *todos* cuantifica un conjunto determinado, lo que no es siempre cierto para *muchos*. Se comportan como *todos* los cuantificadores llamados 'universales', cuya cardinalidad coincide con la totalidad del conjunto definido al que cuantifican. Frente a ellos, los 'no universales' o 'indefinidos' propiamente dichos denotan una parte indeterminada de un conjunto definido (en su interpretación partitiva) o bien miden el tamaño de un conjunto indefinido de elementos (en su interpretación cardinal). Se reflejan ambas posibilidades en (4):

(4) a. Varios edificios fueron demolidos durante las obras.
b. Algunos pensaban que deberían aplazarse las obras.

Obsérvese que las oraciones de (4a, b) son ambiguas en el siguiente sentido: el sintagma cuantificado puede denotar una parte imprecisa de un conjunto consabido de edificios y personas, respectivamente, introducido o no previamente en el discurso, y esa sería la interpretación partitiva, o bien pueden introducir en el discurso un conjunto indeterminado e indicarnos de modo aproximado su tamaño, y esa sería

[2] Fernández Ramírez (1987: cap. XI) incluye bajo este término todos los cuantificadores. Otros, como Alcina y Blecua (1975: § 4.5) los denominan 'cuantitativos'.

su interpretación cardinal. Tal ambigüedad desaparece si la interpretación partitiva se hace explícita mediante una construcción partitiva (hablaremos en detalle de este tipo de formaciones en el § 16.2.3):

(5) a. Los edificios se encontraban en buen estado, aunque varios de ellos fueron demolidos durante las obras.
b. Algunos de los vecinos pensaban que deberían aplazarse las obras.

Algunos cuantificadores pueden comportarse bien como universales o como propiamente indefinidos. Es el caso de los numerales que, manifestando generalmente un comportamiento similar al de los indefinidos, y aceptando por tanto construcciones partitivas (cf. *tres de los detenidos*), cuando van precedidos por el artículo definido admiten una interpretación semejante a la de los universales (cf. *los dos concursantes*).

En tercer y último lugar, los cuantificadores 'gradativos' se caracterizan por expresar el grado de cantidad, número o intensidad con que se toma una determinada realidad, esto es, por expresar una cantidad relativa respecto de algún parámetro que funciona a modo de escala. Por ello también se les denomina 'cuantificadores o partículas escalares'. Dentro de los gradativos podemos distinguir dos subclases: los 'comparativos' (como *más, menos, tanto*), y los 'proporcionales'. Estos últimos se solapan con los indefinidos no universales (de hecho, términos como *mucho, algo, bastante, demasiado,* pueden ser tanto gradativos como indefinidos). Además, algunos de los elementos de ambas clases pueden tener usos 'intensivos', que comparten con otros elementos no cuantitativos, como ciertos usos del demostrativo *tal.* En el § 16.5 estableceremos claramente las respectivas propiedades de estos cuantificadores.

16.1.2.3. Todos los cuantificadores mencionados hasta ahora comparten la propiedad de denotar la cantidad del elemento al que cuantifican —sea explícitamente, como los cuantificadores propios, o implícitamente, como los presuposicionales. Como dijimos, la otra propiedad que define a un elemento como cuantificador es la facultad de poder determinar la interpretación cuantitativa de otra unidad de la oración a la que no modifica directamente, pero con la que mantiene una determinada relación estructural.

Esta segunda propiedad permite establecer una nueva diferencia entre los elementos cuantitativos. Llamaremos 'cuantificadores intrínsecos' a aquellos que obligatoriamente tienen interpretación cuantitativa, lo que se muestra en que extienden su ámbito más allá del elemento al que cuantifican. Serán 'cuantificadores no intrínsecos' aquellos que presentan una ambigüedad entre la lectura cuantitativa y la referencial, y que por tanto, pueden ejercer de modo opcional la facultad de extender su interpretación cuantitativa a otros elementos. [3] Obsérvense los siguientes grupos de ejemplos:

(6) a. Cada estudiante cumplimentó su examen.
b. Todo psicópata cree que le persiguen.
c. Ambos niños jugaban con su coche.

[3] Sobre la diferencia entre cuantificadores intrínsecos y no intrínsecos, véase Hornstein 1984. También Aoun y Hornstein 1985.

(7) a. Muchos políticos creen que les persiguen.
b. Los políticos creen que les persiguen.
c. Juan y Pedro creen que les persiguen.

Como hemos dicho, la interpretación de un elemento cuantificado no es absoluta o individual. Aunque hablaremos de ello con más detalle en el próximo apartado, podemos adelantar que el SN *cada estudiante* no denota un estudiante determinado sino todos y cada uno de los individuos que cumplen el requisito de ser un estudiante. En otras palabras, el N del SN *cada estudiante* se interpreta como una variable, lo que se formaliza mediante una fórmula como la siguiente: '∀x, x = estudiante', que se lee «para todo x, tal que x es un estudiante». Pues bien, este SN cuantificado toma bajo su ámbito al predicado, que a su vez contiene un pronombre correferente con el sujeto. Como consecuencia de ello, el pronombre tampoco tiene una referencia absoluta o individual, sino que se interpreta de forma relativa, es decir, se referirá a tantos individuos como se refiera el SN *cada estudiante.* A estos elementos, que no son sintagmas cuantificados en sí mismos, pero que adquieren interpretación cuantitativa por estar en el ámbito de un cuantificador, se les denomina 'variables ligadas'. Se caracterizan porque su denotación es relativa, es decir, está sujeta a la de un antecedente cuantificado, de tal manera que adquieren los valores que aquel tome. Así, *su* en (6a) no denota un poseedor determinado, sino todos y cada uno de los individuos que denote *cada estudiante* [→ § 15.4].

En los ejemplos de (6) se produce de manera obligatoria esta interpretación de los elementos pronominales *su* y *le* por ser *cada, todo* y *ambos* cuantificadores intrínsecos que toman bajo su ámbito al predicado. Según esto, (6b) se interpretará de tal forma que cada psicópata cree que le persiguen a él mismo, y (6c) de manera que cada uno de los dos niños juega con su propio coche y no con el del otro.

En cambio, en los ejemplos de (7) dicha interpretación es opcional, es decir, *les* puede referirse separadamente a cada uno de los miembros que forman el sujeto, o bien a todos ellos como un grupo. En este segundo caso, el valor del pronombre no resulta multiplicado, y por tanto decimos que este no está dentro del ámbito del cuantificador. Por ejemplo, (7b) puede significar que los políticos denotados por el sujeto creen que les persiguen a todos ellos —en cuyo caso el sujeto se interpreta referencialmente y el pronombre *les* tiene interpretación absoluta—, o bien que cada uno cree que le persiguen a él —en cuyo caso, el pronombre se interpreta como variable ligada, y el sujeto tiene interpretación cuantitativa. Nótese que los SSNN plurales —sea por morfología plural (7b), sea por coordinación (7c)— muestran la misma ambigüedad que aquellos que contienen un cuantificador, como (7a). Esto se debe a que la pluralidad, sin ser en sí misma cuantitativa, da lugar a estructuras que pueden tener propiedades cuantitativas similares a las de los cuantificadores no intrínsecos. [4]

También los SSNN precedidos por cuantificadores focales son cuantificadores no intrínsecos. Veamos los siguientes ejemplos:

(8) a. Sólo Juan cree que le persiguen.
b. También Juan cree que le persiguen.

[4] Sobre la interpretación de los plurales y de los SSNN coordinados véanse los §§ 16.3.2 y 16.4.4 respectivamente.

Las dos oraciones anteriores son ambiguas entre una interpretación del pronombre como variable ligada (dentro del ámbito del cuantificador) [⟶ § 20.2] o como simple pronombre correferente (fuera de dicho ámbito). A continuación hacemos explícitas las dos interpretaciones de (8b):

(9) a. $\exists x, x \neq$ Juan, x cree que persiguen a x.
léase: existe un x, distinto de Juan, tal que x cree que persiguen a x.
b. $\exists x, x \neq$ Juan, x cree que persiguen a Juan.
léase: existe un x, distinto de Juan, tal que x cree que persiguen a Juan.

En otras palabras, si el cuantificador *también* tiene al predicado bajo su ámbito, el pronombre tomará la referencia correspondiente a cualquier individuo dado distinto de Juan. Si, por el contrario, limita su ámbito al nombre al que cuantifica, el pronombre no tendrá referencia variable sino constante (en este caso, referirá necesariamente a Juan).

A las dos interpretaciones posibles de los cuantificadores no intrínsecos se las ha denominado 'cuantificada' si incluye en el ámbito al predicado, y 'no cuantificada' si no es así. Quienes así lo hacen, utilizan el término 'cuantificación' en un sentido más restringido que el que utilizaremos aquí, para referirse exclusivamente a los elementos que denotan cardinalidad y además extienden su ámbito de manera obligatoria sobre otros argumentos de la oración. Aquí no haremos uso de esta terminología que nos obligaría a afirmar que en ciertos casos algunos cuantificadores no son cuantificadores. Creemos, en cambio, que existe una relación entre el hecho de que un cuantificador tome bajo su ámbito a otros elementos de la oración y su interpretación distributiva, en tanto que el uso no cuantitativo, es decir con ámbito reducido al SN cuantificado, está relacionado con su interpretación conjuntiva o colectiva. De todos estos conceptos hablaremos con detalle en los §§ 16.4 y 16.5.

Frente a los cuantificadores intrínsecos y no intrínsecos, hay que destacar la existencia de SSNN que no pueden por sí mismos dar lugar a la lectura cuantificada de un predicado. Tal es el caso de los nombres propios, pronombres personales singulares, y algunos SSNN definidos o indefinidos. Se debe esta imposibilidad a que estos sintagmas denotan términos singulares, por lo que no pueden indicar una cardinalidad distinta de uno [⟶ § 2.3]. Nótese que la interpretación no cuantitativa o con ámbito no extenso de los cuantificadores no intrínsecos se corresponde con una lectura en la que el SN se comporta como un conjunto, formado por varios elementos ciertamente, pero que funciona a todos los efectos como una unidad. De nuevo, esto nos permite deslindar la cuantificación oracional de los procedimientos morfológicos que denotan cardinalidad léxica, no sintáctica. Así, los nombres colectivos no tienen interpretación cuantitativa, pese a denotar cierto número de entidades [⟶ § 1.4.3].

En los ejemplos siguientes el colectivo no tiene lectura cuantificada, como muestra el que no pueda forzar la interpretación del pronombre como una variable:

(10) a. Los sindicalistas abogaron por su inocencia
b. El sindicato abogó por su inocencia.

Sólo en el primer caso puede interpretarse *su inocencia* como la de cada uno de los sindicalistas. No sucede así en la segunda oración donde la inocencia defendida es la del sindicato, no la de sus miembros.

16.1.3. Cuantificación y categorías gramaticales

Podemos aún intentar una cuarta clasificación utilizando como criterio la naturaleza categorial de los cuantificadores, si bien este criterio es bastante problemático por la heterogeneidad que muestran, en este sentido, los elementos semánticamente cuantitativos. De hecho, la misma caracterización de la clase de los cuantificadores se ha basado tradicionalmente en criterios semánticos para salvar el obstáculo evidente de tener que considerar dentro de la misma categoría elementos con diferencias distribucionales tan grandes. No obstante, intentaremos al menos dar una rápida panorámica de la materia a que nos referimos.[5]

En primer lugar, encontramos elementos que no admiten ningún tipo de rección, cuya etiqueta categorial es la de nombres (o mejor, SSNN). Entre ellos se encuentran los pronombres indefinidos existenciales *alguien, algo, nada* y *nadie.* Aunque no pueden preceder a un N, admiten en cambio, los complementos propios de los nombres, como adjetivos, SSPP y oraciones de relativo restrictivas:

(11) a. Nada que tú no sepas.
b. Alguien muy especial.
c. Algo para recordar.
d. Nadie que tenga tantos problemas.

Entre ellos, sólo *algo* puede ir acompañado por un SP partitivo en tanto que los otros dos admiten un SP que denote procedencia o pertenencia, pero no un complemento estrictamente partitivo:

(12) a. Alguien {*de los presentes/de la casa}.
b. Nadie {*de mis amigos/de esta clase}.
c. Algo de pan.

En segundo lugar, algunos cuantificadores van acompañados de SSNN, que deben ser indefinidos en el caso de *cada, ambos, cualquiera, alguno, ninguno, muchos, pocos, varios, bastantes, demasiados.* De ellos, sólo *muchos, pocos, bastantes, demasiados* pueden ir precedidos por el artículo o los demostrativos:

(13) a. {Cada/cualquier/algún/ningún} día.
b. *{Cada/cualquier/algún/ningún} el día.
c. Ambos (*los) pretendientes.
d. Las {muchas/varias/demasiadas/bastantes} preocupaciones de Pepe.

---

[5] Sobre el estatuto categorial de los cuantificadores véase Solías i Arís 1989. Los estudios de orientación lógica los consideran determinantes (véase n. 1), actualmente se tiende a pensar que son una categoría independiente de aquellos: Shlomsky 1991, Cardinaletti y Giusti 1991, Giusti 1991. Sobre su posición dentro del SN, pueden verse Baltin 1980, Jackendoff 1981, Rothstein 1988, Sánchez López 1991, y el capítulo 5 de esta gramática.

La combinación de los cuantificadores *cada* y *ambos* con otros determinantes, como el artículo definido, demostrativos o posesivos, era posible en español antiguo, donde estos elementos tenían las mismas propiedades de predeterminantes que manifiesta actualmente *todo*. Los siguientes ejemplos están tomados del *DCRLC*:

(14) a. Bien saben ellos la mi fazienda e la priesa en que estó é las nuevas que a mi legan *cadaldía* de la frontera. [*Cortes de Medina del Campo,* año 1302]
b. E fueron *amos estos niños* criados en casa de su padre e de su madre. [Alfonso X, *General Estoria,* 77]

De los cuantificadores ejemplificados en (13), todos ellos, excepto *cada,* pueden aparecer como término primario, es decir, como pronombres o con un SN escueto. *Todo* puede regir nombres determinados o no si es singular,[6] y sólo determinados si es plural:

(15) a. Todo (el) hombre. / Toda (la) mujer.
b. Todos *(los) hombres. / Todas *(las) mujeres.

En tercer lugar, los gradativos e indefinidos propios pueden cuantificar adjetivos [→ § 4.2] y sintagmas preposicionales con distinto valor y significado que veremos más adelante. Los siguientes ejemplos inducirían a pensar que los cuantificadores que en (13d) son nominales, son adverbiales en (16), pues no manifiestan concordancia cuando preceden a adjetivos o adverbios. En el caso de *mucho* se produce la apócope en la forma *muy* [→ § 4.2.1]:

(16) a. Algo contento.
b. {Demasiado/bastante} cansado.
c. Muy por encima de sus posibilidades.
d. Juan es mucho hombre para Pepita.

Por último, los cuantificadores focales pueden cuantificar cualquier categoría, incluida la de oración [→ § 11.7]:

(17) a. Incluso dijo Pepe que quería hablar hoy.
b. Incluso Pepe dijo que quería hablar hoy.
c. Pepe dijo que quería hablar incluso hoy.
d. Pepe dijo incluso que quería hablar hoy.

Así pues, parece claro que la caracterización de la clase de los cuantificadores no puede tener una base categorial. Dado el diferente estatuto de tales elementos en cuanto a las categorías a las que modifican habría que considerarlos como una clase sincategoremática a la que pertenecen determinantes, adverbios y adjetivos, con el agravante de que un mismo elemento puede pertenecer a todas las clases a la vez. Por ello es mejor dejar de lado esta cuestión y ceñirse a lo que los cuantificadores tienen en común, que es su significado y sus mecanismos interpretativos. Así lo haremos de aquí en adelante.

A continuación, resumimos en dos cuadros las clases de cuantificadores enunciadas hasta ahora. Dado que la diferencia entre cuantificadores intrínsecos y no

---

[6] Esta diferente rección tiene consecuencias semánticas que se estudiarán en detalle en el § 16.2.1.

intrínsecos corresponde a una propiedad relativa a la asignación de ámbito, no será consignada en estos cuadros, que se limitan a los cuantificadores propios (cuadro 1) y a los focales o presuposicionales (cuadro 2). Se excluyen por tanto aquellos sintagmas que pueden adquirir valor cuantitativo en virtud de su denotación de pluralidad, como los SSNN plurales y coordinados. En ambos cuadros se explicitan los términos que pertenecen a cada subclase, y se detallan algunas de sus propiedades sintácticas, como categoría gramatical y rasgos flexivos. Para los cuantificadores que pertenecen a la categoría determinante, especificamos si permiten la pronominalización, y si dan lugar a construcciones partitivas. En todos los casos se añade un ejemplo típico del elemento considerado.

CUANTIFICADORES PROPIOS

			CAT.	PRONOM.	CCPP	FLEX.	EJEMPLO
NUMERALES	Cardinales	*uno, dos, mil, ...*	Det.	sí	sí	G.º N.º	*(los) tres días*
	Ordinales	*primero, décimo, ...*	A		sí	G.º N.º	*el primer día*
	Partitivos	*mitad, tercio, ...*	N		sí	N.º	*la mitad de ellos*
	Multiplicativos	*doble, triple, ...*	N		sí		*el doble de libros*
	Distributivos	*sendos*	Det.	no	no	G.º	*traen sendas cajas*
INDEFINIDOS	A. Universales	*todo*	(pre) det	sí	no	G.º N.º	*todo hombre* *todo el día* *todos los días*
		cada	Det.	no	no		*cada día*
		cada uno	Pron.		sí	G.º	*cada uno de ellos*
		ambos	Det.	sí	no	G.º	*ambas manzanas*
		cualquiera	Det.	sí	sí	N.º	*cualquier día* *cualesquiera de ellos*
	B. No universal	*algo*	Pron.		sí		*dame algo/algo de pan*
	1. Afirmativos	*alguien*	Pron.		no		*alguien viene*
		uno	Det.	sí	sí	G.º N.º	*uno de nosotros*
		alguno	Det.	sí	sí	G.º N.º	*alguna casa*
		varios	Det.	sí	sí	N.º	*varias ciudades*
		pocos	Det.	sí	sí	G.º	*(las) pocas veces*
		mucho	Det.	sí	sí	G.º N.º	*(sus) muchos tíos*
		bastante	Det.	sí	sí	N.º	*bastantes problemas*
		demasiado	Det.	sí	no	G.º N.º	*demasiados hombres*
	2. Negativos	*nada*	Pron.		sí		*nada de lo que digas*
		nadie	Pron.		no		*no vendrá nadie*
		ninguno	Det.	sí	sí	G.º	*ningún día/ninguno de ellos*
		alguno	Det.	no	no	G.º	*no hay razón alguna*

CUANTIFICADORES PROPIOS

			CAT.	PRONOM.	CCPP	FLEX.	EJEMPLO
	Comparativos	*más, menos*	Det.	sí	no		*más coches que niños*
			Adv.				*es menos listo que tú*
		tanto	Det.	sí	no	G.º N.º	*había tantas personas como sillas*
			Adv.				*duerme tanto como quiere*
GRADATIVOS	Proporcionales	*algo*	Adv.				*algo tarde para salir*
		(un) poco	Adv.				*parece (un) poco torpe*
		mucho	Adv.				*muy alto para su edad*
		bastante	Adv.				*ya has hablado bastante*
		demasiado	Adv.				*eres demasiado suspicaz*
		todo	Adv.				*Ana es todo corazón*
		nada	Adv.				*Juan no es nada perezoso*

Cuadro 1

CUANTIFICADORES FOCALES O PRESUPOSICIONALES

		CATEGORÍA	CATEGORÍAS QUE PUEDE MODIFICAR	EJEMPLO
INCLUYENTES	*también*	Adv.	O, SN, SA, SP, SV	*Juan también duerme*
	incluso	»	»	*compró incluso un sofá*
	hasta	»	»	*hasta los niños lo saben*
	tampoco	»	»	*no está tampoco en casa*
	ni siquiera	»	»	*su mujer ni siquiera lo habla*
EXCLUYENTES	*sólo*	»	»	*sólo Juan sabe quién vendrá*
	al menos	»	»	*tráeme al menos una aspirina*
	apenas	»	»	*apenas sabe leer*

Cuadro 2

16.2. Cuantificadores propios

16.2.1. Cuantificadores universales

Los cuantificadores universales son un subgrupo de los cuantificadores propios que se caracterizan, frente a los no universales, por denotar la totalidad de los valores que puede tomar la expresión cuantificada.[7] Forman este grupo *todo, cada, ambos* y *cualquiera,* que pueden cuantificar nombres contables, de sustancia o abstractos:

(18) a. Todas las ventanas estaban cerradas.
b. Íbamos al cine cada domingo.
c. Al acusado le sorprendieron ambas preguntas del fiscal.

[7] Véase especialmente Junker 1994. La diferencia entre cuantificadores universales y no universales que utilizamos aquí es paralela a la que en algunas gramáticas se hace entre determinantes fuertes y débiles (cf. Barwise y Cooper 1981). Es importante notar que esta diferenciación no sólo tiene carácter semántico, sino que se fundamenta en diferencias de carácter sintáctico que se irán viendo a lo largo del capítulo.

La propiedad interpretativa de denotar la suma de los posibles valores que adquiera el nombre al que cuantifican se representa con el operador lógico ∀ «para todo» que es un cuantificador universal, de tal manera que la interpretación de (18a), por ejemplo, será la que se muestra en (19):

(19) ∀x, x = ventana, x estaba cerrada (léase «Para todo x, tal que x es una ventana, x estaba cerrado»).

El operador multiplica el valor de la variable y denota el resultado de dicha multiplicación, es decir, la suma de todos los valores que puede adquirir. Aunque todos los cuantificadores universales tienen esta misma interpretación lógica, existen entre ellos, sin embargo, diferencias gramaticales muy significativas. Así, *cada* se diferencia de *todos,* aparte de otras propiedades respecto a la asignación de ámbito que se verán más adelante, en que sólo el primero denota, a la vez, la suma de elementos individuales y tales elementos, es decir, «todos y cada uno». *Ambos* se caracteriza por ser un universal que denota una cardinalidad exacta que corresponde a dos, es decir, la lectura de (18c) sería «∀x, x = dos preguntas». Por su parte, *cualquiera* denota cuantificación universal debido a su valor de indistinción o indiferencia, del que deriva su carácter de generalizador. Sin embargo, no es este su único valor puesto que puede ser también un indefinido, como se verá.

La primera observación importante acerca de los cuantificadores universales es que todos ellos tienen carácter definido, lo que les impide aparecer en contextos que exigen sintagmas no definidos:

(20) a. *Había {los/ambos/todos los} peligros imaginables.
b. *Hay {el/cada/cualquier} libro en un estante.

La exigencia de que el complemento del verbo *haber* haya de ser un SN indefinido se ha denominado 'efecto de definitud' [⟶ §§ 12.1.1.4 y 15.2.1]; desde el trabajo de Milsark 1977 se ha utilizado este contexto para determinar si un SN es o no definido. Por lo que a nosotros interesa, esta prueba manifiesta la distinta naturaleza de los cuantificadores universales y no universales, como *muchos, pocos, algunos...* que sí son admisibles en oraciones presentativas con *haber,* como estudiaremos oportunamente.

La generalización anterior tiene algunas excepciones. Así, puede incumplirse esta restricción cuando los cuantificadores universales toman un valor intensivo o ponderativo, como en la oración *¡Hay cada hombre!,* donde *cada* no denota la totalidad de los hombres, sino cierta clase o tipo de hombres (incluida cierta valoración subjetiva por parte del hablante). Este mismo valor puede tener *cualquiera* en *Si hay cualquier problema, avísame rápidamente,* pues *cualquier problema* equivale a *algún problema* (valor indefinido) o a *un problema de cualquier tipo.* También *todo* puede incumplir tal principio si está modificado por una oración de relativo en subjuntivo, como en *Había allí todas las películas que pueda uno imaginarse,* donde es crucial para la gramaticalidad de la oración la relativa restrictiva [⟶ § 7.1.3]. Estos datos sugieren que algún factor, además de la definitud, opera en tales casos. En este sentido, Enç (1991) propone que es el carácter específico del SN, y no su definitud, lo que explica la agramaticalidad de los ejemplos de (18) [⟶ §§ 12.3.2 y 12.3.3]. Sin embargo, como veremos a continuación, algunos cuantificadores universales tienen carácter no específico y tampoco pueden aparecer en estructuras presentacionales.

Al definir los cuantificadores universales decíamos que se caracterizan por denotar la totalidad de los valores que puede tomar la expresión cuantificada. Conviene precisar ahora que dichos valores pueden ser todos los posibles, o bien sólo aquellos relevantes en un dominio dado. En otras palabras, el dominio sobre el que el cuantificador universal proyecta su significado de totalidad puede bien ser absoluto o irrestricto, o ser un dominio restringido, y por tanto, definido. Considérense los siguientes ejemplos:

(21) a. He visto a tus amigos. Todos me preguntaron por ti.
b. Todos los novios de Luisa son estudiantes.
c. Todos te admiran.
d. Todo hombre es mortal.

Nótese que, como acertadamente observa Bustos (1986:151), *todos* en (21a, b, c) cuantifica sobre un conjunto definido y bien especificado, cuyos límites son conocidos por hablante y oyente, pero en ningún caso sobre el conjunto de todos los elementos existentes o posibles. En el caso de que el cuantificador tenga valor pronominal, como en (21a), dicho dominio estará expresado por el SN antecedente; en (21b), en cambio, está expresado por el SN modificado por él; finalmente en (21c) no está expreso, sin embargo, las circunstancias extragramaticales han de definir a qué conjunto de personas se refiere *todos.* Este valor coincide exactamente con el carácter anafórico o catafórico que se ha atribuido a tales cuantificadores en la gramática tradicional, la cual puntualiza que se refieren siempre a un conjunto definido que puede estar previamente introducido en el discurso. [8, 9]

Por el contrario, para interpretar correctamente *todo* en (21d) no es preciso considerar la existencia de un conjunto de hombres determinado, sino que el SN cuantificado denota todos los hombres posibles, es decir cualquier ente al que pueda atribuirse la condición de 'hombre'.

Obsérvese que puede darse el caso de que los dos usos del cuantificador den lugar a oraciones sinónimas, como en (22):

(22) a. Todo hombre aspira a la felicidad.
b. Todos los hombres aspiran a la felicidad.

La diferencia entre los dos usos, sin embargo, puede y debe mantenerse. Si (22b) toma aquí un significado idéntico al de *todo* en (22a) se debe, como observa Bustos (1986:158), al hecho de que el conjunto de hombres que es relevante para el discurso es tan grande que equivale a la totalidad de los hombres posibles.

Esta diferencia respecto al carácter determinado o no del dominio de cuantificación tiene una consecuencia para el carácter específico o inespecífico del SN cuantificado [→ § 12.3.2]. Se considera específico aquel SN cuya referencia corresponde a uno o varios individuos particulares, en tanto que será inespecífico el SN que no se refiera a uno o varios individuos particulares. De manera general, son específicos los SSNN que se refieren a objetos o conjuntos ya introducidos en

---

[8] Fernández Ramírez (1987: § 200) afirma que *todos* realiza una mención anafórica que se refiere a algo mencionado en el discurso, o bien se refiere a grupos de personas o cosas presentes en el contexto. No debe confundirse esta mención anafórica con el valor que la gramática atribuye actualmente al término 'anáfora' para referirse a ciertos pronombres cuyos antecedentes deben estar en cierto dominio sintáctico limitado (véase el cap. 23).

[9] Esta condición se ha asociado al hecho de que los cuantificadores universales presuponen necesariamente la existencia de su dominio de cuantificación. Véase Lappin y Reinhart 1988.

el discurso, mientras que los no específicos introducen nuevos elementos en el discurso (de ahí que no puedan tener valor anafórico; véase: **El hombre es un animal racional y todo es mortal*). Pues bien, los SSNN cuantificados de (21a, b, c) tienen carácter específico, en tanto que el de (21d) será no específico. Volviendo al contraste de (22), nótese que *todos los hombres* sí se refiere a la totalidad de un conjunto de individuos concretos, en tanto que *todo hombre* no se refiere a ningún individuo, sino a una clase.

Sin embargo, es preciso destacar con Bustos (1986) que la especificidad o inespecificidad del SN no es inducida por el cuantificador, sino que depende de las propiedades referenciales del elemento cuantificado. Ello se debe a que el único valor semántico que añaden los cuantificadores universales es el de 'totalidad', sin que ello interfiera en el carácter específico o inespecífico que tiene en sí mismo el elemento cuantificado.

De los cuantificadores universales, solamente *todo* y *cualquiera* pueden modificar SSNN de carácter inespecífico, de ahí los contrastes siguientes, donde el signo # indica que la oración es inadecuada para expresar un juicio que afecte a la totalidad de animales y leyes posibles, respectivamente:

(23) a. #Cada animal equino tiene cuatro patas.
b. Todo animal equino tiene cuatro patas.
c. #Ambas leyes han de ser interpretadas.
d. Cualquier ley ha de ser interpretada.

En el caso de *todo,* la diferente rección implica diferencias respecto de la naturaleza del elemento cuantificado. En primer lugar, cuando modifica un N singular e indeterminado, el SN resultante tiene carácter inespecífico.[10] Cuando modifica SSNN definidos, y por tanto específicos, puede cuantificar un conjunto de entidades individuales, si se trata de SSNN plurales, o bien puede adquirir valor extensivo cuando aquellos están en singular, en cuyo caso denota la totalidad de las partes del individuo cuantificado. Tenemos las tres posibilidades en (24):

(24) a. Todo libro merece ser leído.
b. Todos los libros son interesantes.
c. Todo el libro resultó divertido.

El valor que añade *todo* a los sintagmas cuantificados es el mismo en los tres casos. La diferencia radica en el tipo de entidades cuantificadas. Ya hemos aludido al contraste entre el valor indefinido o no específico de la variable (o entidad cuantificada) en (24a), frente al específico que tiene en (24b, c). Respecto a estos dos últimos, en (24b) la variable modificada por el cuantificador representa individuos, en tanto que en (24c) representa partes de un individuo. En otras palabras, (24c) significa «todas y cada una de las partes del libro» o «el libro en toda su extensión».

Podemos aún encontrar otro uso de *todo* como pronombre neutro que realiza una mención inconceptual, por ejemplo en *Todo lo que quiere lo consigue,* o en *Está dispuesto a todo.* En este caso, como observa Bustos (1986), *todo* parece referirse de manera indeterminada a algo que más

---

[10] Se exceptúan aquellos usos de *todo* en locuciones y frases hechas como *a todo gas, a toda máquina, de todo corazón,* donde el cuantificador tiene valor intensivo. Véase el § 16.5.5.

o menos conocen los participantes en la situación comunicativa y que se perfila como un conjunto cuya enumeración extensional no es necesaria o pertinente.

El caso de *cualquiera* es algo más complicado, pues no sólo puede ser interpretado como cuantificador universal (en SSNN específicos o inespecíficos) sino que admite además una lectura indefinida. Las tres posibilidades quedan recogidas en los siguientes ejemplos:

(25) a. Cualquier acusado tiene derecho a un juicio justo.
b. Cualquiera de los abogados de aquel despacho podría preparar una sólida defensa.
c. Cualquier diplomático leerá el discurso.
d. Leerá el discurso de bienvenida cualquiera de los diplomáticos presentes.

En los dos primeros, el cuantificador de indiferencia tiene el valor de un cuantificador universal, es decir, denota todos y cada uno de los acusados, (25a), y abogados, (25b), por lo que en su interpretación lógica participa el operador ∀. La diferencia entre ellos es que en (25a) su dominio de cuantificación incluye todos los acusados posibles, en tanto que en (25b) tal dominio está restringido a un grupo determinado de abogados. En cambio, en (25c y d) *cualquiera* equivale a un cuantificador indefinido como *algún,* de ahí que no denote todos y cada uno de los diplomáticos sino «un diplomático, no importa cuál». La diferencia entre (25c) y (25d), en cambio, es paralela a la que existe entre (25a y b) y obedece a la naturaleza específica o inespecífica del SN. Según esto, *cualquiera* puede tener el valor de un universal y el de un no universal, y en ambos casos puede ser específico o inespecífico.

¿Cómo es posible que un mismo cuantificador pueda tener tantos valores? Tal vez ello se debe a su origen como adjetivo de indistinción, uso que conserva en posición posnominal. En este uso adjetivo, puede tener un valor estimativo, significando algo así como «el más pequeño e insignificante» o bien de pura indiferenciación (cf. Fernández Ramírez 1951: § 197). En este caso tiene que modificar a un SN indefinido precedido por *un* o por un numeral, de ahí el contraste siguiente:

(26) a. Un libro cualquiera.
b. Tres libros cualesquiera.
c. *{Este/el/varios/muchos} libros cualesquiera.

En cambio, en su uso como determinante no permite la anteposición de otros determinantes *(*un cualquier libro).* No son contraejemplos a esta generalización sintagmas como *uno cualquiera de estos libros,* que responden en realidad a una estructura partitiva en la que el indefinido precede a un nombre tácito modificado por el adjetivo. Ello parece mostrar que este elemento ha sufrido una suerte de tránsito de la categoría de adjetivo a la de determinante.

Así pues, como determinante, *cualquiera* forma SSNN indefinidos con valor de indistinción que pueden tomar cualquier valor cuantitativo propio de un cuantificador indefinido (usado aquí el término en el sentido que lo opone a numeral). En este sentido, es importante mencionar que los contextos que favorecen el significado de totalidad de *cualquiera* son los mismos que propician la interpretación genérica de los SSNN indefinidos [⟶ § 12.3.3]. Tales contextos se caracterizan por la ausencia de referencia a eventos o sucesos localizables en el espacio, lo que les permite denotar acciones o estados habituales que ocurren necesariamente bajo ciertas circunstancias. Sintácticamente, esto se traduce en un tiempo verbal de aspecto imperfectivo no progresivo, así como en la ausencia de expresiones temporales o aspectuales. [11] Nótese que la interpretación genérica de una oración como la citada (25a) desaparece si estas condiciones no se satisfacen, como en (27) donde el tiempo verbal induce una interpretación de *cualquiera* como indefinido:

(27) Durante la sesión de ayer, cualquier acusado declaró su inocencia, aunque seguramente el juez no creería una palabra.

Esto nos hace pensar que tal vez *cualquiera* no sea un verdadero cuantificador universal, sino un indefinido que adquiere valor de totalidad por 'indefinitud extrema'. [12]

16.2.2. Cuantificadores no universales

Incluimos en esta clase todos aquellos cuantificadores que no implican totalidad, de modo que no denotan el conjunto de valores que puede tomar la variable o entidad cuantificada. Esta propiedad no sólo los diferencia de los cuantificadores universales sino que los unifica como clase por encima de las diferencias existentes entre ellos. Así pues, podemos decir que, frente a la expresión de totalidad de los universales, los cuantificadores no universales expresan la cantidad de valores que toma la variable cuantificada.

Esta cantidad incluye como posibilidades tanto cero (en los negativos *nada, ninguno, nadie*), uno (en los singulares *un(o), algo, alguno, alguien*), o más de uno (en los plurales de los anteriores y en el resto de los indefinidos). Pueden, además, añadir una valoración de la cantidad, como *mucho, poco, un poco, bastante, demasiado...* E incluso determinar la cardinalidad exacta, como los numerales cardinales, que comparten con los cuantificadores no universales la mayoría de sus propiedades. Pertenece también a esta clase el llamado artículo indeterminado [⟶ § 12.2], pues, como han mostrado Alonso (1967) y Alarcos (1968, 1970) este es esencialmente un cuantificador, ya sea cardinal o indefinido.

Una de las características definitorias de este tipo de cuantificadores es que forman SSNN indefinidos, como prueba el hecho de que puedan aparecer en contextos restringidos por el efecto de definitud antes mencionado:

(28) a. Hubo {algún/un} malentendido entre los afectados.
b. Había {muchas/varias/demasiadas/pocas/tres} candidatas para el puesto.

---

[11] Sobre genericidad, constituye un completo estado de la cuestión el volumen de Carlson y Pelletier 1995, especialmente el capítulo introductorio.

[12] Krifka *et alii* (1995) argumentan a favor de esta hipótesis al analizar el inglés *any*, que en su interpretación de *free choice* o libre elección equivale al español *cualquiera.* Arguyen que se trata de un indefinido cuya interpretación de totalidad obedece a que, como otros indefinidos, puede adquirir valor genérico en ciertos contextos. Niegan, por tanto, el valor de cuantificador universal que le atribuyen otros autores, como Hintikka (1980), por ejemplo. Sobre la discusión, véase el trabajo de Krifka *et alii* y las referencias allí citadas.

c. No ha habido ninguna película española en el festival.
d. Aquí hay {alguien/algo} que puede sorprenderte.

Los cuantificadores indefinidos no universales presentan una ambigüedad notable entre una lectura específica y otra no específica. Considérese un ejemplo como *Juan quiere algunos libros.* El SN *algunos libros* puede denotar unos libros determinados, en cuyo caso tendrá una interpretación específica o extensional, es decir, denotará *de re* un grupo determinado de objetos. Por otra parte, puede denotar objetos no determinados, sin referencia concreta, en cuyo caso tendrá una interpretación no específica o intensional, es decir, su denotación no será referencial sino *de dicto.* [13]

Para comprender la diferencia anterior, obsérvese que sólo los SSNN específicos, que denotan por tanto objetos bien determinados, permiten modificadores del tipo *en particular* o *en concreto,* de ahí que la oración *quiero un libro en particular* ya no sea ambigua. Por la misma razón, sólo es posible añadir una aclaración que explicite la extensión del SN cuantificado cuando este es específico. Así, *algunos libros* se estará refiriendo a objetos concretos si es posible continuar la oración anterior mediante una aclaración como la siguiente: *...por ejemplo, 'El Quijote', 'Cien años de soledad', 'La ciudad y los perros'... entre otros.*

Es importante notar que para que un indefinido pueda tener una lectura específica es preciso que se haya introducido en el discurso o esté independientemente determinado un conjunto de entidades, respecto del cual el cuantificador establece una porción o porcentaje (cf. Löbner 1987: 192). Por esta razón, sólo la lectura específica será posible si el SN cuantificado toma su referencia de un SN precedente (como en (29a)), o bien si forma parte de una estructura partitiva, en la que su referencia se establece en relación con el grupo de elementos denotado por el término de la preposición (como en (29b)) [→ § 12.2.1.3]. Nótese que en ambos casos *algunos* se refiere a un cierto grupo concreto de objetos:

(29) a. Juan encontró los libros ayer, pero no pudo comprar algunos porque no tenía suficiente dinero.
b. Algunos de los libros que tiene Juan son de gramática.

Por la misma razón, sólo la interpretación específica será posible cuando un complemento apositivo siga al SN, como en *Algunos libros, que ya he leído, se los daré a Juan.*

En cambio, en su interpretación no específica, los SSNN indefinidos no tienen antecedentes discursivos, sino que introducen en el discurso elementos que no han sido mencionados previamente. La función del cuantificador en este caso no es denotar una parte o porcentaje de un conjunto de objetos sino, por así decirlo, indicarnos el tamaño de un conjunto indeterminado de elementos. En otras palabras,

---

[13] Este tipo de ambigüedad fue observada por primera vez por Milsark 1977, para quien los indefinidos con interpretación específica son verdaderos cuantificadores, en tanto que en su interpretación no específica son predicados de cantidad. Diferentes trabajos han revisado esta suposición. Kadmon (1987: 59 ss.) afirma que no es una ambigüedad semántica sino pragmática, pues la interpretación existencial (que para esta autora consiste en la denotación de «al menos *n* individuos») deriva de la partitiva (que parafrasea como «un número exacto *n* de individuos). Partee (1988: 15-16), por su parte, sostiene que la ambigüedad es semántica y afirma que la única interpretación cuantitativa de los indefinidos no universales es la que ella denomina «proporcional», en la que el cuantificador denota una proporción o porcentaje de un conjunto específico. El análisis en términos de especificidad se debe a Enç (1991).

en su interpretación no específica los cuantificadores no universales actúan como una especie de adjetivos que predican una cantidad del nombre al que cuantifican.

A ello se debe que sólo la primera de las dos interpretaciones se considere verdaderamente cuantitativa. En su interpretación específica, los cuantificadores no universales realizan lo que se denomina 'implicación de existencia', que consiste en que necesariamente obligan a suponer al oyente que existen de hecho unos ciertos objetos a los que el SN se refiere. Por ello se dice que estos cuantificadores se comportan como operadores de existencia, ∃, que ligan variables. Así, la interpretación de la oración *Juan quiere algún libro*, teniendo el SN cuantificado valor específico, será la siguiente:

(30) ∃x, x = libro, Juan quiere x (léase, «Existe un x, siendo x un libro, tal que Juan quiere x»).

Esta implicación de existencia no se da en el caso de que el SN cuantificado no tenga interpretación específica, puesto que, al no tener una referencia concreta, y siendo su significado intensional, puede suceder que tal objeto exista o puede que no. Por tanto, en su interpretación no específica, los indefinidos no dan lugar a estructuras cuantificadas del tipo de (30), sino que se interpretan como 'predicados de cantidad'. La paráfrasis de una oración como *Juan quiere muchos libros* en la interpretación no específica de *muchos* sería algo así: «Juan busca un conjunto de libros, y ese conjunto posee la propiedad de ser grande, es decir, tiene muchos elementos».

El comportamiento de los indefinidos en las construcciones presentativas o existenciales con el verbo *haber* [→ § 27.3.4] es diferente según su interpretación sea específica o inespecífica. Obsérvese que las construcciones partitivas, en las que los cuantificadores no universales tienen interpretación específica, son rechazadas en tales contextos:

(31) a. Había {algunos/muchos/tres} libros en la mesa.
b. *Había {algunos/muchos/tres} de los libros en la mesa.

Si hemos dicho que sólo los cuantificadores específicos, frente a los no específicos, se interpretan como cuantificadores existenciales, ¿por qué están excluidos precisamente de las oraciones existenciales con *haber*? La razón parece ser que la presuposición de existencia que implican tales cuantificadores es incompatible con la aserción de existencia realizada por la construcción con *haber*.

Una vez que hemos definido los cuantificadores no universales en términos de un operador de existencia, conviene precisar algunas diferencias entre las distintas subclases que integran este grupo. En primer lugar, se puede establecer una clara diferencia entre los cuantificadores que Fernández Ramírez (1987: § 187) llama «de existencialidad» y el resto de los indefinidos. Se incluyen en este subgrupo los términos *algo, alguien, alguno* y sus correspondientes negativos *nada, nadie, ninguno*.

El gramático citado los denomina 'de existencia' porque carecen de valor deíctico y plantean una expectativa de existencia o inexistencia de uno o varios seres o entes. Ello no quiere decir, sin embargo, que no presenten la misma ambigüedad específica-inespecífica de los no universales. No es obstáculo para ello el hecho de que *alguien* y *nadie* no puedan dar lugar a construcciones partitivas, restricción que no existe en el caso de *alguno* y *ninguno,* como muestran los siguientes contrastes:

(32) a. {*Alguien/Alguno} de los alumnos lo hizo.
b. No estuvo aquí {*nadie/ninguno} de los escritores argentinos.

Bello (1847: § 1038) llama la atención sobre esta restricción, con estas palabras: «Pero aún es más necesario advertir, por el mayor peligro de que no se tenga presente, que se evite sustituir en estas frases el sustantivo al adjetivo cognado. No debe, por ejemplo, decirse 'Nadie de los hombres, alguien de los soldados', sino *ninguno* y *alguno*». No parecen ser excepciones sintagmas como *nadie de la casa* o *alguien de este departamento,* puesto que no se trata de verdaderas estructuras partitivas, ya que el cuantificador no se refiere a ninguno de los miembros denotados por el término de la preposición, que sí denota, en cambio, la procedencia o pertenencia del individuo denotado por el cuantificador. Sin embargo, decíamos que ello no impide que estos elementos tengan interpretación específica si se ha introducido en el contexto un grupo respecto del cual el cuantificador denota una parte. *Alguien* en la frase *¿Alguien sabe cuándo llegará Juan?,* pronunciada en una reunión, tendrá necesariamente interpretación específica, pues se entiende que significa necesariamente «alguno de los presentes». Otra prueba adicional es que tanto *alguien* como *nadie* admiten los modificadores *en concreto* o *en particular,* que, como veíamos, requieren la interpretación específica del N al que modifican. En cuanto a *algo* y *nada,* como afirma nuestro gramático, realizan una mención inconceptual y carecen de referencia al campo sintáctico o deíctico.

Los citados elementos, que con excepción de *alguno* y *uno* son necesariamente singulares, indican una cardinalidad que puede parafrasearse como 'al menos uno'. No quiere eso decir que denoten un término individual (propiedad que, como se dijo, diferencia los términos no cuantitativos de los cuantificadores). Antes bien, denotan la existencia de al menos una persona o cosa de la que se predica algo, sin por ello excluir la posibilidad de que exista más de una. [14] Este tipo de cardinalidad es válida tanto para los afirmativos como para los negativos *nada, nadie, ningun(o),* que añaden a la implicación de existencia una negación. Así, las oraciones de (33) se interpretarán de la forma que se explicita en (34):

(33) a. Alguien conoce a la familia de María.
b. Nadie conoce a la familia de María.

(34) a. $\exists x$, x = persona, x conoce a la familia de María (léase: «Existe al menos un x, tal que x es una persona, tal que x conoce a la familia de María»).
b. $\exists x$, x = persona, x conoce a la familia de María (léase: «No existe al menos un x, siendo x una persona, tal que conozca a la familia de María»).

Se diferencian, por tanto, estos cuantificadores negativos de los afirmativos en que se niega la implicación de existencia. De ello se deduce que la cardinalidad del elemento cuantificado sea igual a cero. Se tratará de ello con detalle en el capítulo 40, aunque nos referiremos en este a algunos usos que comparten con el resto de los cuantificadores.

Frente a estos cuantificadores, los plurales *unos* y *algunos* y el resto de los no universales denotan una cardinalidad que podemos parafrasear como «al menos 2».

[14] Es por ello por lo que a una pregunta como (i) puede darse una respuesta como (ii), pero no (iii), que sería la esperada si *algún* significase «exactamente uno»:

(i) ¿Te queda algún cigarrillo?
(ii) Sí, tengo un paquete entero.
(iii) #No, tengo un paquete entero.

Esta diferencia se ha recogido diferenciando dos tipos de operadores de existencialidad: ∃1 «existe al menos un x» y ∃2 «existen al menos dos x», que explicarían las diferencias interpretativas entre las oraciones siguientes:

(35) a. Alguien resolvió por fin el enigma de los cuantificadores.
b. Algunos piensan que se les exige demasiado.

A los cuantificadores que responden a la interpretación del operador lógico ∃2 cabría añadir *varios,* que presenta la particularidad de tener un doble uso, como adjetivo en posición posnominal y como determinante ante el nombre. Este indefinido carece de singular, probablemente debido a que en su uso originariamente adjetival requería un conjunto plural del que pudiese predicarse la propiedad de estar formado por elementos diferentes entre sí, significado, sin embargo, que se ha perdido en su uso como determinante. Así, sólo en (36a) tiene este término el significado de «diferentes entre sí», en tanto que en (36b) este significado se ha perdido a favor de la mera marca de pluralidad:

(36) a. Añada usted a su patrimonio cuadros y esculturas varias.
b. Tenía en su casa antiguos grabados de varias épocas diferentes.

El hecho de que pueda añadirse el adjetivo *diferentes* parece probar la desemantización a que nos referíamos. Ello ha ido acompañado de un proceso gramatical que ha convertido a *varios* en un verdadero cuantificador, que puede incluso formar estructuras partitivas que les están vedadas a los adjetivos:

(37) a. Allí hablaron {varias personas/diferentes personas}.
b. Hemos visto a {varios de los alcaldes/*diferentes de los alcaldes}.

La diferencia entre los dos operadores mencionados ∃1 y ∃2 atañe únicamente al contraste entre las propiedades formales de singularidad frente a pluralidad, sin entrar a valorar el grado de tal pluralidad. Esto permite realizar una nueva distinción entre los cuantificadores mencionados y los que denominaremos 'evaluativos' o 'evaluadores de la cardinalidad': *muchos, pocos, unos pocos, bastantes, demasiados.* Todos ellos denotan una cardinalidad mayor de dos; sin embargo, añaden a la pluralidad la valoración de la cantidad respecto a un determinado parámetro que puede establecerse discursiva o pragmáticamente. En otras palabras (cf. Lappin 1988: 981), la interpretación de estos cuantificadores implica una comparación implícita entre la cardinalidad del nombre al que modifican y la de un conjunto determinado por el contexto. Obsérvese el siguiente contraste:

(38) a. Algunos profesores expresaron su malestar. Creo que fueron cinco en total.
b. Muchos profesores expresaron su malestar. Creo que fueron cinco en total.

En ambos casos el SN cuantificado tiene lectura específica o partitiva, pues parece que se habla de un grupo consabido de profesores. Ahora bien, de (38b) se colige que el número total de profesores no habría de ser muy superior a cinco, puesto que esta cantidad ya supone un porcentaje alto del total. Según esto, la frase sería inaceptable en un contexto en el que dicho grupo estuviese formado por cien profesores, pues resulta difícil aceptar que cinco represente un número elevado respecto a cien (ello no es imposible, sin embargo, si pragmáticamente se acepta que, tratándose de disconformes, tres es ya multitud). Nótese que ninguna de estas consideraciones es válida para (38a), puesto que para la correcta interpretación de *algunos* basta con que haya más de dos individuos, sin importar qué porcentaje represente ese grupo respecto del total.

Así pues, todos los que hemos llamado 'evaluativos' añaden al valor de existencialidad una evaluación de la cardinalidad del nombre que cuantifican. Esta propiedad parece ser la responsable de que puedan ser predicados, sea como atributos, sea como adjetivos antepuestos a otro determinante. En ambos casos los indefinidos no evaluativos son inaceptables:

(39) a. Sus problemas eran {muchos/pocos/demasiados/bastantes}.
b. *Sus problemas eran {algunos/unos}.
c. Sus {muchos/pocos/demasiados} problemas.
d. *Sus {algunos/unos} problemas.

La valoración cuantitativa por parte de estos cuantificadores está basada en criterios establecidos pragmática o contextualmente. Más concretamente, la cardinalidad denotada por ellos permite establecer una especie de escala, en cuyo punto más bajo estarían *pocos, unos pocos,* seguidos de *bastantes, muchos* y *demasiados.* Esto explica que su valor sea siempre relativo, dado que en cada caso aquello que tomemos como punto de referencia dará lugar a una escala diferente. Así, diez libros pueden ser pocos, comparados con los que un estudiante tiene que leer para obtener su licenciatura, bastantes si lo único que quiere es aprobar sin esfuerzo sus exámenes, muchos si es que leer no es su afición favorita y demasiados si odia la lectura.

Una prueba de que existe una comparación implícita en estos cuantificadores es que admiten la adición de una frase comparativa referida al conjunto tomado como punto de referencia. Esto es imposible con los indefinidos existenciales:

(40) a. Hay {muchos/bastantes/demasiados/*unos/*algunos} alumnos en primer curso, comparados con los que hay en los demás cursos.
b. Juan tiene {pocas/muchas/demasiadas/*unas/*algunas} perspectivas de trabajo, si piensas en su edad y su preparación.

Estos cuantificadores evaluativos serán los mismos que permitan cuantificar adjetivos. De su significado, así como de las diferencias significativas entre ellos, hablaremos más extensamente en la sección dedicada a la cuantificación de grado (§ 16.5).

Para terminar este apartado diremos unas palabras acerca de *cierto.* Aunque algunos gramáticos lo incluyen entre los indefinidos, este determinante no tiene en realidad un verdadero valor cuantitativo, sino que se interpreta como una especie de demostrativo con valor de indeterminación. Dicho valor es lo que ha suscitado su comparación con el sí cuantitativo *un.* Sin embargo, existen pruebas del distinto comportamiento de ambos elementos. La más importante es que sólo este último puede interpretarse como dependiente de otro cuantificador, en tanto que *cierto* tiene siempre interpretación absoluta o no dependiente. Obsérvense los siguientes ejemplos:

(41) a. Todos los hombres creen que una mujer bellísima se enamorará de ellos.
b. Todos los hombres creen que cierta mujer bellísima se enamorará de ellos.

En el primer caso, podemos interpretar que *una mujer bellísima* puede denotar distintas personas, una para cada uno de los hombres que tienen tal creencia. En este caso decimos que el sintagma nominal encabezado por el cuantificador indefinido se interpreta dentro del ámbito del universal (véase el § 16.4). En cambio, en (41b) *cierta mujer* se interpreta necesariamente como una sola, aunque su referencia exacta nos sea ocultada, respecto de la cual todos los hombres tienen cierta creencia; es imposible, por tanto, la lectura en la que este SN se interpreta como dependiente del otro. Este contraste se debe en último término al hecho de que, no siendo *cierto* un cuantificador, no puede establecer relaciones de ámbito con otros cuantificadores, como se verá más adelante. [15]

Cierto parece formar una especie de sistema con otros determinativos como *otro, semejante* y *tal,* elementos que se caracterizan por tener un doble valor como adjetivos —pospuestos al nombre— y como determinantes —antepuestos—, con el consiguiente cambio de significado, tal como se muestra en los siguientes ejemplos:

(42) a. Cierta noticia. / Una noticia cierta («verdadera»).
b. Otro día. / Su problema es muy otro («distinto»).
c. Semejante persona no puede estar aquí. / Busca una persona semejante a ella.
d. Tal día hará un año de su partida. / Era de una picardía tal que todos le admiraban.

Cuando *cierto* va precedido por el indefinido *un* conserva su valor adjetivo. Ello explica que existan restricciones sobre el tipo de nombres a los que puede preceder, lo que no se esperaría si *un cierto* fuese un indefinido como *un:* [16]

(43) a. Un cierto aire de misterio. / *Una cierta novela de misterio.
b. Un cierto sabor a menta. / *Un cierto helado de menta.
c. Un cierto estilo modernista. / *Un cierto edificio modernista.

De los determinativos citados, *tal* y *cierto* parecen tener un valor de demostrativos de indeterminación, de los que *tal* es anafórico —señala siempre a algo ya mencionado discursiva o contextualmente— en tanto que *cierto* no lo es. Por su parte, *otro* y *semejante* realizan su función semidemostrativa de manera relativa, por comparación con otros elementos del discurso, respecto de los cuales *otro* señala la diferencia en tanto que *semejante* subraya la similitud. Algunos determinativos de los citados, especialmente *tal* y *semejante* comparten además la propiedad de poder adquirir un valor intensivo que les acerca a los cuantificadores de grado. Hablaremos de este valor en el § 16.5.

16.2.3. Las estructuras partitivas

En el apartado anterior decíamos que los cuantificadores no universales pueden aparecer en construcciones partitivas del tipo de *muchos de los libros,* donde el

[15] A este contraste responde la atinada observación de la RAE (1973: 236) que excluye *cierto* del grupo de los indefinidos por carecer de las propiedades anafóricas de los pronombres. Véase también Hornstein 1988.
[16] Sobre las diferencias entre *cierto* y *un cierto,* véase Sacks 1976.

cuantificador denota una parte o porcentaje del conjunto denotado por el término de la preposición. Creemos pertinente dedicar una sección a este tipo de estructuras cuyas propiedades merecen atención detallada. Para la presentación de tales propiedades seguiremos el sagaz trabajo de Brucart (1994).

Como afirma este autor, la partitividad es una noción semántica que puede tener diversos correlatos formales. [17] En español se ha asociado esta noción a los numerales partitivos, como *mitad, tercio, tercera parte, tres cuartas partes,* etc. [→ § 18.2.2.3]. Tales numerales pueden formar estructuras partitivas, constituidas por un cuantificador más un SP introducido por la preposición *de* [→ §§ 1.2.3.4 y 5.2.2.3], cuya propiedad semántica principal es, como queda dicho, que el elemento cuantitativo denota un subconjunto del conjunto denotado por el nombre término de la preposición. Al primer término de la estructura partitiva denominaremos 'cabeza', al término de la preposición 'coda' :

(44) a. Muchos de sus amigos.
b. Un grupo de senadores vascos.

No sólo los indefinidos no universales pueden formar estructuras partitivas. También ciertos nombres que denotan cantidad, como *resto, grupo, mayoría,* etc., pueden hacerlo. Incluso comparten esta propiedad algunos cuantificadores universales, como *cada* en *cada uno de los presentes,* y nombres de significado similar a ellos, como *totalidad,* en *la totalidad de los votos emitidos.* Se entiende en tal caso que la cabeza de la estructura denota un subconjunto impropio del conjunto denotado por la coda, entendiendo por subconjunto impropio aquel que contiene todos los miembros del conjunto en el que está incluido.

A su vez, entre los nombres que pueden introducir una estructura partitiva cabe distinguir dos tipos. Por una parte, los que Brucart (1994) denomina 'partitivos intrínsecos' tienen siempre interpretación cuantitativa independientemente del determinante que los modifique. En dicho grupo se incluyen nombres como *mayoría, totalidad, mayor parte, mitad, resto.* Estos partitivos son siempre susceptibles de desencadenar la concordancia *ad sensum* o silepsis, propiedad típica de las estructuras partitivas:

(45) a. Una mayoría de senadores socialistas votaron en contra.
b. La mayoría de senadores socialistas votaron en contra.

Existe además un grupo de nombres que el citado autor considera 'partitivos no intrínsecos', que sólo tienen lectura partitiva cuando no van precedidos por un determinante definido. La imposibilidad de hacer concordancia *ad sensum* si los precede el artículo demuestra que no se trata en tal caso de una estructura partitiva:

(46) a. Un grupo de senadores socialistas votaron en contra.
b. *El grupo de senadores socialistas votaron en contra.

---

[17] En otras lenguas, la partitividad está asociada a otras categorías gramaticales, como el artículo (en francés), o los pronombres átonos (como en francés, catalán o italiano). Sobre construcciones partitivas véanse Milner 1978, Hoeksema 1996 y Demonte 1980 sobre el español.

Entre los nombres partitivos no intrínsecos podemos incluir aquellos que dan lugar a construcciones mensurativas o formativas, como *un montón de libros, un manojo de perejil* [→ § 1.2.3.4]. Pese a tener una estructura similar a las construcciones partitivas, difieren de ellas en que la cabeza de la construcción no denota una parte de la coda, sino su constitución. En otras palabras: el nombre de la cabeza no tiene propiedades cuantitativas sino descriptivas. No obstante, cabe la posibilidad de que este tipo de nombres adquiera en ciertos casos valor cuantitativo, lo que se manifiesta en que pasan a denotar una cantidad aproximada. Así, son ambiguos entre los dos valores (descriptivo y cuantitativo) los siguientes sintagmas:

(47) a. Un montón de libros.
b. Un puñado de dólares.
c. Un cerro de exámenes.
d. Una pila de discos.

Tomemos como ejemplo (47a). Este SN puede referirse a una realidad física formada por el amontonamiento de libros (valor descriptivo de *montón*) o bien a un gran número de libros, aunque estén dispuestos ordenadamente en las baldas de una librería (valor cuantitativo). Generalmente, el valor cuantitativo de tales nombres se ve favorecido por un determinante no definido, salvo en locuciones coloquiales como *la tira de películas.* Además, puede aparecer en ciertos nombres sin significado mensurativo si estos lo adquieren metafóricamente (como en *un mar de dificultades*). (Véanse sobre este tipo de construcciones Vos 1993 y Katz 1982.)

Ello nos ofrece, además, un nuevo argumento para no considerar los colectivos como *asamblea, asociación, delegación, patrulla, tripulación,* dentro de la clase de los cuantificadores. Estos nombres no pueden ser nunca cuantificadores partitivos, puesto que no denotan cardinalidad sino un conjunto. De ello se sigue, como nota Brucart, que tampoco permitirán la silepsis ni la interpretación distributiva típica de los cuantificadores. Compruébese en los siguientes contrastes:

(48) a. *El equipo consiguieron el triunfo.
b. La mayoría consiguieron el triunfo.
(49) a. *El equipo es pariente entre sí.
b. La mayoría son parientes entre sí.

Sin embargo, este tipo de sustantivos sí puede aparecer en la coda de las construcciones partitivas, para lo cual el único requisito es denotar una pluralidad de entes. Merecen destacarse, no obstante, las notables diferencias entre los distintos cuantificadores y nombres cuantitativos que pueden dar lugar a estructuras partitivas respecto a la posibilidad de aceptar en la coda un nombre colectivo. Nótese en los siguientes ejemplos que, en tanto que ningún cuantificador no universal parece admitirlo, sí lo hacen los numerales *mitad, tercio,* y los sustantivos *parte, porción* o *porcentaje,* pero no los multiplicativos *doble* o *triple,* como tampoco *grupo:*

(50) a. *{Muchos/algunos/varios/tres} del equipo. [18]
b. La mitad del sindicato.
c. Un tercio de la asamblea.
d. Una {parte/porción} de la tripulación.
e. *Un grupo de la tripulación.
f. *El {doble/triple} de la delegación.

---

[18] Obsérvese que estas construcciones son admisibles si no se interpretan como partitivas, es decir, si el SP denota la procedencia de los elementos denotados por el cuantificador, y no el conjunto del que forman parte.

Respecto al nombre *mayoría,* parece existir variación entre los hablantes a la hora de aceptarlo en construcciones partitivas con nombres colectivos en la coda. Así, en tanto que unos hablantes dirían algo como (51a), otros expresarían el mismo contenido con un sintagma como (51b). Nótese que en cualquier caso, al ser la coda un colectivo, no puede desencadenar la silepsis:

(51) a. La mayoría de la gente piensa aprobar.
b. La mayor parte de la gente piensa aprobar.

Existen dos tipos de estructuras partitivas, que ejemplificamos a continuación:

(52) a. Una gran parte de senadores. / Una parte de los senadores.
b. Un grupo de alcaldes. / Un grupo de los alcaldes.

Cada una de las parejas anteriores muestra dos tipos distintos de estructura partitiva: el primero tiene como coda un SN indefinido, el segundo uno definido. Esto tiene una consecuencia importante para la semántica de estas estructuras. Cuando la coda es un SN indefinido, como en *un grupo de alcaldes,* esta no tiene valor referencial sino intensional, es decir, no denota un conjunto del que el cuantificador pueda destacar una parte, sino que especifica las propiedades de los elementos que forman el conjunto denotado por el cuantificador. Solamente cuando la coda de la construcción es un SN definido se garantiza la interpretación partitiva, es decir, puede interpretarse que la cabeza denota un subconjunto del conjunto denotado por la coda. Ello es posible porque esta última, al tener carácter definido, tiene valor extensional o referencial. Se denomina al primer tipo estructuras 'pseudopartitivas', y se reserva el término de 'partitivas propias' para las estructuras del segundo tipo.

Como se ve en los ejemplos anteriores, la diferencia entre ambos es independiente del tipo de cuantificador que aparezca en la cabeza, que es intrínseco en (52a) y no intrínseco en (52b). La única excepción la constituyen los verdaderos cuantificadores (universales o no), que sólo pueden formar verdaderas estructuras partitivas, de ahí el contraste de (53). Ello se deberá tal vez a que, siendo estos elementos verdaderos cuantificadores y no nombres cuantitativos, no pueden abdicar de su carácter cuantitativo.

(53) a. *Muchos de artículos. / Muchos de los artículos.
b. *Cada uno de libros. / Cada uno de los libros.

Veamos algunas diferencias entre ambos tipos de estructuras partitivas. La primera se deriva de las diferencias semánticas ya mencionadas: de la interpretación de las estructuras partitivas se sigue la existencia de dos conjuntos tales que uno está incluido en el otro. Las estructuras pseudopartitivas, en cambio, denotan un único conjunto, y tienen por tanto un único referente. Obsérvese el siguiente contraste, propuesto por Brucart:

(54) a. Un grupo minoritario de los siete senadores.
b. Un grupo minoritario de siete senadores.

La primera de estas construcciones es una estructura partitiva propia, y de ella se sigue que el grupo aludido tendrá una cardinalidad menor que siete, puesto que es un subconjunto del denotado por *los siete senadores.* En la segunda, en cambio, se afirma que el grupo consta exactamente de siete senadores, dado que no hay relación de inclusión entre cabeza y coda, sino que esta describe el conjunto denotado por aquella.

Obsérvese que la coda de las construcciones pseudopartitivas ha de ser no definida (frente a la obligatoria definitud de la coda de las partitivas). En cambio, sí puede estar modificada por algún cuantificador no universal, como en *un grupo de pocos senadores.* En tal caso dicho cuantificador tendrá el valor cardinal o predicativo de que hablábamos en el parágrafo anterior, nunca el sentido proporcional verdaderamente cuantitativo. [19] De lo dicho se deduce que para la interpretación de las construcciones partitivas será preciso considerar dos índices de referencia, en tanto que las pseudopartitivas tendrán uno solo. Esto explica la ambigüedad de las primeras respecto a las oraciones de relativo explicativas:

(55) a. La mitad de los locutores, que se habían negado a dar la noticia, fueron despedidos.
b. Un grupo de locutores, que se habían negado a dar la noticia, fueron despedidos.

En la primera oración, el antecedente del relativo puede ser la estructura partitiva en su conjunto, en cuyo caso quienes se negaron a dar la noticia —y por tanto fueron despedidos— fueron la mitad de los locutores existentes; pero también es posible que el antecedente del relativo sea la coda de la construcción partitiva, de tal manera que los locutores que se negaron a dar la noticia fueron todos, y de ellos se despidió a la mitad. Esta ambigüedad es posible porque tanto la coda como la construcción partitiva completa son referenciales. En cambio, tal ambigüedad no existe para (55b), dado que la coda no tiene carácter referencial y por tanto no puede servir como antecedente al pronombre relativo. Según esto, la única interpretación posible es que todo el grupo se negó a dar la noticia y todos sus miembros fueron despedidos.

Se observa también un contraste respecto a la movilidad de la coda, que puede anteponerse si se trata de una estructura partitiva, pero no si pertenece a una pseudopartitiva:

(56) a. De los manifestantes, un grupo se dirigieron al gobierno civil.
b. *De manifestantes, un grupo se dirigieron al gobierno civil.

La extraposición de la coda es posible, según Brucart, porque introduce el dominio de inclusión del cual se extrae el subconjunto mencionado por la cabeza, y actúa como inductor del carácter específico de esta. En efecto, ateniéndonos a lo dicho sobre la especificidad de los sintagmas cuantificados, es fácil constatar que las construcciones partitivas siempre serán específicas en tanto que las pseudopartitivas

---

[19] Lógicamente, en ambos casos habrá de ser plural, salvo si es una pseudopartitiva cuya coda es un nombre de materia, como se verá en el § 16.2.5:

(i) *Algunas de la oferta.
(ii) Algo de pan.

pueden serlo o no dependiendo de que se haya introducido su referente previamente en el discurso.

16.2.4. Cuantificadores relativos, interrogativos y exclamativos

En esta sección nos ocuparemos de dos tipos de construcciones en las que las propiedades específicamente cuantitativas de relativos e interrogativos son esenciales. Nos referimos a las oraciones de relativo encabezadas por *cuanto* y a las interrogativas encabezadas por *quién(es)* y *cuántos* [⟶ §§ 7.5.3 y 7.5.5]. [20]

La relación entre cuantificadores y pronombres relativos, interrogativos y exclamativos es, como sabemos, muy estrecha [⟶ Cap. 31]. Se ha destacado que estos pronombres tienen en común con los cuantificadores el hecho de comportarse como operadores que ligan variables. Ello los convierte en elementos semicuantitativos sin referencia a objetos concretos. Para mostrar esta similitud, obsérvese la interpretación lógica de una oración como (57a):

(57) a. ¿Qué libro has prestado a tu amigo?
b. Para qué x, x = libro, has prestado x a tu amigo.

Pero, a diferencia de los operadores cuantitativos (universales o existenciales), los interrogativos no siempre implican una interpretación cuantitativa de los elementos que modifican. De hecho, se ha destacado que la mayoría de tales elementos se comportan como cuantificadores no intrínsecos (cf. el § 16.1.2.3), sujetos a una ambigüedad similar a la de los SSNN plurales. Compruébese esta observación en la siguiente oración, donde el sintagma interrogativo *qué abogados* es susceptible de la misma ambigüedad que cualquier SN plural:

(58) ¿Qué abogados creen que la policía los persigue?

En su interpretación cuantitativa, el SN cuantificado multiplica el valor del pronombre *los,* de tal manera que se preguntará por un grupo de abogados tal que cada uno de sus miembros cree que la policía lo persigue a él. En cambio, en la lectura no cuantitativa, el sintagma interrogativo se interpretará como un grupo, y no se producirá el efecto de multiplicación sobre el pronombre, de modo que se preguntará por un grupo de abogados que cree que la policía persigue al grupo. Es decir, aunque en la interpretación de cualquier sintagma interrogativo intervenga un operador lógico, los sintagmas interrogativos se comportan como cuantificadores no intrínsecos.

El relativo *cuanto* [⟶ § 7.5.5] ha sido definido como una unidad con una doble naturaleza: por una parte, se trata de un modificador del nombre que, al igual que otros cuantificadores como *mucho, poco, bastante, más,* comporta valor léxico de 'cantidad'; por otra, es un relativo equiparable a *que, el cual, cuyo, donde...* (cf. Martínez García 1987: 309). Se trata, pues, de un pronombre relativo intrínsecamente cuantitativo.

Podemos distinguir dos usos de este relativo: como pronombre 'generalizador' y como cuantificador 'proporcional'. El *cuanto* generalizador (denominación que le da Fernández Ramírez, 1987: § 172) tiene interpretación de cuantificador universal, y equivale a un relativo precedido por el cuantificador *todo.* Compruébese:

[20] No trataremos, por tanto, otras construcciones cuantitativas que incluyen relativos. Véase el Cap. 7 de esta obra y también Alarcos 1970, Ojeda 1982 y Plann 1984.

(59) a. Se escucharon allí cuantas barbaridades pueda imaginar mente humana.
b. En un momento recogió cuantos trastos y cachivaches estaban a su alcance.
c. Cuanto diga podrá ser utilizado en su contra.

En los ejemplos anteriores, la oración de relativo sin antecedente encabezada por *cuanto* equivale a un SN que contenga el cuantificador universal *todo* más un SN definido seguido de una relativa restrictiva:

(60) a. Se escucharon allí todas las barbaridades que pueda imaginar mente humana.
b. En un momento recogió todos los trastos y cachivaches que encontró a su alcance.
c. Todo lo que digas podrá ser utilizado en tu contra.

Quiere esto decir que el relativo es a la vez un cuantificador que modifica a un SN y el elemento que legitima una oración subordinada de relativo modificando a dicho SN. Frente a otros relativos, *cuanto* no puede encabezar oraciones de relativo explicativas ni especificativas, lo que parece deducirse del hecho de que, como afirma Bello (1847: § 348), *cuanto* tiene envuelto o pospuesto el antecedente:

(61) a. *Se escucharon las barbaridades cuantas puedas imaginar.
b. *Estas personas, a cuantas admiro, trabajaron duramente toda su vida.

Es preciso no confundir el antecedente de una oración de relativo con el antecedente discursivo que puede tener toda entidad referencial. En las siguientes oraciones, ofrecidas por Fernández Ramírez (1951: 250):

(62) a. En el esfuerzo físico y deportivo se cumplen *performances* que superan enormemente a cuantas se conocen del pasado [J. Ortega y Gasset, *La rebelión de las masas,* O3, II, 1202]
b. Le ha llevado a producir *la historia* más inquieta de cuantas se conocen. [*ibídem,* VIII, 84]

los nombres en cursiva parecen ser antecedentes del relativo sólo en el sentido discursivo del término 'antecedente', es decir, como elemento correferente con el pronombre. Sin embargo, no lo es en el sentido de 'antecedente' como nombre complementado por una oración de relativo restrictiva. Más bien, en los ejemplos anteriores, el relativo parece complementar a un SN elíptico cuyo significado se recupera anafóricamente. De hecho, tal caso puede darse en contextos en los que la correcta relación entre un relativo y el nombre al que modifica debería quedar impedida. En una oración como *Íbamos buscando tiendas de antigüedades, pero cuantas vimos estaban cerradas,* el SN *tiendas de antigüedades* no puede ser el antecedente de *cuantas,* es decir, el nombre o SN modificado por la oración de relativo, ya que pertenece a una oración distinta. Sería necesario investigar en profundidad si este tipo de oraciones son oraciones de relativo sin antecedente (como las encabezadas por los relativos *quien, el que, donde, como,* que pueden o no tener antecedente expreso) [⟶ § 7.2.4], o se trata más bien de entidades nominales, es decir, SSNN encabezados por un cuantificador que tiene la facultad de legitimar a su vez la presencia de una oración de relativo modificando al nombre cuantificado por él, de forma similar al relativo *cuando*.

Merece destacarse, igualmente, otra particularidad de *cuanto,* observada por Martínez García (1987). La oración que encabeza *cuanto* puede cumplir cualquier función sintáctica propia de un

SN; sin embargo el pronombre mismo sólo puede ser sujeto u objeto directo de su propia oración. Ello explica el siguiente contraste: *Regaló el libro a cuantos se lo pidieron* / **Regaló el libro a cuantos les interesaba.* Nótese que en los dos casos la subordinada es objeto indirecto de *regaló,* pero en la primera *cuantos* es sujeto del verbo subordinado, en tanto que es objeto indirecto en la segunda. Este contraste apoyaría la idea de que la oración encabezada por *cuanto* es en realidad una entidad de carácter nominal, de cuyo núcleo estaría excluido un SP.

Cuanto puede estar precedido por el cuantificador *todo,* que, según Martínez García (1986: 314) aporta una intensificación de la cantidad expresada por él. Se pueden hacer dos observaciones interesantes a este respecto. La primera es que la presencia de *todo* es incompatible con la expresión del nombre modificado por *cuanto:*

(63) a. *Todos cuantos libros de historia leo me parecen interesantes.
b. De los libros de historia, todos cuantos leo me parecen interesantes.

La segunda es que la presencia de *todo* parece ser necesaria cuando la oración encabezada por *cuanto* tiene función de sujeto, pero no si es complemento. Ello sugiere condiciones sintácticas similares a las de los SSNN sin determinante [→ Cap. 13]:

(64) a. ??(Todo) cuanto dice parece mentira.
b. Los alumnos escucharon atentamente (todo) cuanto dijo el profesor.

Pasemos al uso 'proporcional' de *cuanto.* Consiste este en expresar una cantidad relativa a otra previamente expresada por otro cuantificador, que puede ser *tanto* o los comparativos *más* y *menos,* de tal manera que se establece una correlación o proporción entre las dos cantidades. Obsérvese en los siguientes ejemplos:

(65) a. Hemos de encargar tantos cubiertos cuantos comensales asistirán a la cena.
b. Tanta fama recogerás cuanta honradez siembres.
c. Has traído más libros de cuantos te encargué.

En este tipo de construcciones, *cuanto* no tiene interpretación de cuantificador universal, sino que se interpreta como un cuantificador no universal de carácter proporcional. Este valor está muy cercano al evaluativo de *mucho, poco, demasiado,* y, probablemente, la proporcionalidad es la vertiente relativa de los evaluadores de la cardinalidad. Así, *cuanto* en estas estructuras parece indicar una cantidad relativa cuyo valor se establece como una proporción respecto al primer término de la relación cuantitativa.

Merece destacarse que en tales casos es obligatoria la presencia del primer cuantificador para poder establecer dicha correlación o proporción. Por ello la ausencia de *tanto, más* y *menos* en (65) haría las oraciones agramaticales. Sólo hemos encontrado una excepción a esta generalización. Se trata del caso en que *tanto* y *cuanto* establecen una correlación entre dos comparativos, como en *Cuanto más se esfuerza uno por los demás, (tanto) menos se lo agradecen.* Obsérvese que en una oración así, *cuanto* expresa una cantidad que restringe al comparativo *más,* como en *Juan come mucho más de lo que debiera* [→ § 17.1.1]. Una posible razón para poder prescindir del correlativo *tanto* es que el comparativo *menos* ya expresa de por sí una cantidad, lo que no sucede con los nombres precedidos por *tanto* en (65).

Pasemos a los interrogativos *cuánto(s)* y *quién(es)*. Se trata de cuantificadores no universales con interpretación necesariamente específica (esto es, existencial). Obsérvese en los siguientes ejemplos, donde los pronombres interrogativos se interpretan como si denotasen una parte de un conjunto, que puede estar expreso opcionalmente en forma de construcción partitiva:

(66) a. ¿Quiénes (de nosotros) estaríamos dispuestos a sacrificarnos por los demás?
b. ¿Quién (de los presentes) quiere hablar en primer lugar?
c. ¿Cuántos (de estos libros) has leído ya?

Cuántos se comporta como un indefinido del tipo de *muchos*, de manera que puede ir seguido de un nombre común que restringe el conjunto de variables que puede ligar el cuantificador, tal como sucede en *cuántos jugadores*. Ello le diferencia de *quién(es)*, que posee el estatus de un pronombre personal, y por tanto no se puede restringir. Ello explica la agramaticalidad de **quiénes jugadores* frente a *quiénes de los jugadores*.

El valor partitivo de estos interrogativos tiene interesantes consecuencias sintácticas, entre las que destaca el que puedan encabezar oraciones interrogativas indirectas de infinitivo. Nos referimos a oraciones como las ejemplificadas a continuación, que han sido analizadas por Bosque y Moreno (1980):

(67) a. No sabemos quiénes ir a París.
b. No sabemos quién ir a París.
c. No sabemos cuántos ir a París.

Según los mencionados autores, este tipo de subordinadas de infinitivo es posible porque se interpreta el interrogativo como un partitivo cuya coda está implícita. Esta coda ha de ser necesariamente correferente con el sujeto de la oración principal, según los principios que rigen este tipo de estructuras [→ §§ 35.5.2 y 36.3.3], como se representa en el siguiente esquema:

(68) [Nosotros$_i$ no sabemos [quién [de nosotros$_i$]]] ir a París].

De ello se sigue que este tipo de construcciones sea imposible si tal correferencia no existe (compruébese: **No sabemos quiénes de vosotros ir a París*); e igualmente si el sujeto de la oración principal es singular, dado que la coda de una estructura partitiva ha de ser necesariamente plural, como ya hemos visto reiteradamente *(*No sé quién ir a París)*.

El análisis de los interrogativos mencionados como partitivos explica igualmente la silepsis en oraciones como las siguientes:

(69) a. ¿Quiénes vamos a ir de vacaciones a Cancún?
b. ¿Cuántos estáis apuntados a la excursión?

En tales casos, se establece una concordancia de persona gramatical *ad sensum* entre el verbo y la coda implícita de la estructura partitiva encabezada por el interrogativo.

Para completar esta sección merece mencionarse la existencia de pronombres exclamativos que, además de la interpretación de grado propia de cualquier oración exclamativa poseen significado léxico de cantidad. Nos referimos al *cuánto* exclamativo [→ §§ 62.1-6] y a la construcción *qué de.* Empleado como exclamativo, *cuánto* adquiere siempre los valores más altos de una escala de grado. Se establece así una especialización del cuantificador respecto de una determinada cardinalidad. La denotación de los lugares más bajos de la escala se reserva para otros giros exclamativos que incluyen cuantificadores como *qué poco* (nótese que de la mencionada especialización de *cuánto* se sigue que sea superflua una estructura como la inexistente **qué mucho*).

Es interesante destacar que en su uso exclamativo *cuánto* rechaza las estructuras partitivas:

(70) a. *Es asombroso cuántos de los profesores han venido.
b. *¡Cuántos de los calcetines has dejado sin doblar!

Del mismo modo, el giro *qué de* con valor cuantitativo forma estructuras pseudopartitivas, pero no partitivas, ni siquiera cuando interviene un nombre partitivo:

(71) a. ¡Qué de (*los) cuadros venecianos has comprado!
b. No sabes qué de (*las) joyas tiene empeñadas.

16.2.5. Cuantificación de los nombres continuos

Los nombres continuos o de materia denotan objetos de referente disperso (Alcina y Blecua 1975: § 3.1.6) o «cosas dividuas», que pueden dividirse hasta el infinito conservando siempre su naturaleza y su nombre (Bello 1847: § 123) [→ §§ 1.1-2]. [21] La propiedad esencial de esta clase de nombres es el denotar entidades no contables, y por ello su comportamiento respecto a la cuantificación es claramente diferente del de los nombres no continuos o contables:

(72) a. El niño. / Cuatro niños.
b. El agua. / *Cuatro aguas.

En (72a) el cuantificador multiplica la denotación del nombre, de tal manera que el segundo elemento del par denota una cardinalidad superior a uno, como se ha visto. En cambio, en (72b) la cuantificación del nombre continuo no es posible a no ser que este se recategorice como no continuo. El hecho de que los nombres continuos denoten una masa no dividida en entidades concretas o individuales hace que tales nombres sean incompatibles con los cuantificadores cardinales. Sin embargo, sí es posible cuantificar los nombres de materia con los que hemos llamado cuantificadores indefinidos. En este apartado veremos las especiales propiedades de este tipo de cuantificación y sus diferencias respecto a los nombres contables.

La cuantificación de los nombres continuos difiere de la de los no continuos en que mientras que esta indica cardinalidad o proporción, aquella denota mera cantidad [→ § 1.2.2]. Dicho en términos sencillos, cuando cuantificamos un nombre continuo como *agua* en expresiones como *mucha agua* o *poca agua,* no indicamos número de elementos que son agua, sino el tamaño o la cantidad de una determi-

---

[21] Sobre la cuantificación de nombres de materia véase Link 1983. También Pelletier 1979, Ter Meulen 1980 y Mufwene 1982.

nada porción del *continuum* denotado por el nombre. Los cuantificadores que pueden modificar nombres continuos son los que hemos incluido en el subgrupo de los indefinidos de grado: *mucho, poco, bastante, demasiado.* Sin embargo, no se admiten otros indefinidos salvo que el nombre se recategorice como contable:

(73) a. Has comprado mucha harina.
b. Aquí hay demasiado ruido para trabajar.

(74) a. Algunas aguas son peligrosas para la salud.
b. Se oyeron varios ruidos sospechosos.

Es de notar que cuando usamos estos cuantificadores con nombres de materia, su significado es muy cercano al que hemos denominado de 'predicados de cantidad', como opuesto a proporcional o cuantitativo. La diferencia entre el valor partitivo y el de cantidad de estos indefinidos ambiguos consiste en que en su primer valor denotan un grupo de cierto número de individuos que es parte de otro grupo mayor; en cambio, en su uso no partitivo el cuantificador no parece indicar exactamente cardinalidad sino que presenta un grupo indiviso indicando su tamaño. Tal parece ser su significado con nombres de materia.

Los nombres de materia pueden aparecer en estructuras partitivas. Cabe distinguir dos tipos: aquellas estructuras cuya cabeza es un cuantificador, como en (75), y aquellas en que es un nombre de medida o de parte, como en (76) [→ § 1.2.3.4]:

(75) a. Un poco de agua.
b. Algo de harina.

(76) a. Un litro de leche.
b. Una rebanada de pan.
c. Una raja de melón.

Difieren estas construcciones de las formadas por nombres contables en que la coda ha de ser necesariamente singular e indefinida. No se da, por tanto, la posibilidad de admitir construcciones del tipo *una rebanada de los panes,* a no ser que el nombre se recategorice como contable (lo que explicaría ejemplos como *algunas de las harinas,* en los que reencontramos la interpretación de tipo del nombre no contable).

Los nombres de materia admiten cuantificadores universales. A este respecto distinguiremos dos usos. En primer lugar, pueden ir precedidos por el cuantificador *todo* en singular:

(77) a. Derramaste toda el agua sobre el mantel.
b. Por fin pude reunir todo el dinero que necesito.

Del mismo modo que al combinarse con nombres contables en plural (como en *todos los días*) *todo* denota la totalidad de un grupo consabido de entidades individuales, en los ejemplos de (77) *todo* denota la totalidad de un conjunto de unidades indivisas. Para ver mejor la similitud de las dos construcciones, pensemos que la porción de materia denotada por *el agua* es también un conjunto cuyas partes no son individuos sino partes materiales de un individuo. Según esto, el mismo mecanismo serviría para cuantificar ambos conjuntos diferentes únicamente en su composición. Esto nos ayuda a entender la similitud entre el comportamiento de *todo* en los ejemplos de (77) y en sintagmas como *todo el día,* en el que *todo* cuantifica un nombre contable singular. Podemos explicar que en este caso *todo* no cuantifique un conjunto de entidades sino un solo individuo si suponemos que lo que está sumando es el total de las partes que componen ese individuo.

En segundo lugar, los nombres continuos admiten cuantificadores universales como *cada* y los genéricos *cualquiera* y *todo* siempre que el contexto permita interpretar que los nombres no expresan la materia en sí, sino tipos de dicha materia. De ahí el contraste entre los ejemplos siguientes:

(78) a. *Todo oro se ha extraído de la mina.
b. *Cada agua es distribuida en los tanques por distintas bombas
c. *He traído cualquier harina para que hagas un pastel.

(79) a. Todo oro es un metal precioso, ya sea de 18 o de 24 quilates.
b. Cada agua es recomendable para una enfermedad distinta, depende de su concentración de minerales.
c. Cualquier harina vale para hacer pan, aunque la mejor es la de trigo.

Obsérvese que en el segundo grupo de ejemplos el nombre contable puede interpretarse como «tipos de». Caben dos posibilidades para explicar este cambio de significado. Una es suponer que ello es una forma de recategorizarse como nombres contables. La otra es pensar que los nombres que denotan tipos comparten con los nombres de materia la propiedad de la referencia cumulativa: del mismo modo que si sumamos porciones de pan seguiremos teniendo pan, si sumamos tipos de pan, seguimos teniendo pan. Según esto, los nombres que denotan tipos serían también reducibles a partes materiales, y por tanto serían una faceta más de los nombres de masa. Los cuantificadores genéricos tienen acceso a las partes materiales de los objetos (de hecho, cuando se dice *Todo hombre es mortal,* puede que estemos considerando *hombre* como un *continuum* sobre cuyas partes realiza su cuantificación el genérico). Como el *todo* definido tiene también acceso a las partes materiales de los individuos, los dos usos no serían sino dos variantes del mismo significado.

16.3. Ámbito de los cuantificadores I. Oraciones con un cuantificador

16.3.1. Noción de ámbito

En la sección anterior caracterizamos los cuantificadores como elementos que se combinan con nombres para dar lugar a expresiones cuya referencia se determina por el número de objetos o individuos, o por la cantidad de sustancia, a los que se alude. Decíamos que esta interpretación se debía a que los cuantificadores se comportan como operadores que modifican variables, siendo tales variables los elementos a los que podemos referirnos con el nombre modificado por el cuantificador. El ámbito de un cuantificador se define como el dominio sintáctico que puede contener esa variable. [22] Recuérdese que asignábamos a oraciones como las de (80) las interpretaciones detalladas en (81) (véanse los §§ 16.2.1-2):

[22] Sobre ámbito de los cuantificadores son básicas las siguientes obras: Kayne 1984, Haïk 1984, May 1985, 1988, 1989, Lasnik y Saito 1993, Larson 1988, Williams 1986, 1988, Nishigauchi 1990. Sobre el español, Bosque y Moreno 1984 y López Palma 1990.

(80) a. Todos los hombres aspiran a la felicidad.
b. Algunos hombres creen que el destino les traiciona.

(81) a. ∀x, x = hombre (x aspira a la felicidad).
b. ∃2x, x = hombres (x creen que el destino traiciona a x).

El dominio sintáctico que se incluye entre paréntesis en (81) se denomina ámbito. El ámbito de un cuantificador suele coincidir con la oración en la que aparece. Así, en (81b) el pronombre *les* se interpreta como una variable ligada por tener la misma referencia que el elemento cuantificado, de ahí que no denote a un hombre u hombres determinados, sino a aquel o aquellos denotados por la expresión cuantificada *algunos hombres.* Como veíamos más arriba, esto es consecuencia del hecho de que el pronombre esté incluido en el ámbito del cuantificador. Obsérvese, sin embargo, que esta interpretación de variable ligada ya no es posible en una oración como *Algunos hombres aspiran a la felicidad. El destino, sin embargo, les traiciona.* Como el pronombre *les* queda fuera del ámbito del cuantificador *algunos,* que se limita a la primera de las oraciones, no puede interpretarse como variable ligada, sino sólo como entidad referencial que denota un conjunto de individuos.

Por la misma razón, un cuantificador no puede incluir dentro de su ámbito una oración principal que se subordine a la oración a la que él pertenece. Por eso una oración como *Es necesario que acudan todos los invitados a la fiesta* sólo puede recibir la interpretación de (82a), que corresponde a aquella en que sólo la subordinada está dentro del ámbito del cuantificador, pero no la de (82b), que sería la apropiada si el cuantificador tuviese ámbito extenso sobre la principal:

(82) a. Es necesario que (∀x, x = invitado (x acuda a la fiesta)).
b. ∀x, x = invitado (es necesario que (x acuda a la fiesta)).

Esta restricción no afecta a los cuantificadores negativos, que sí pueden tener ámbito extenso sobre las oraciones que los subordinan. Así, una oración como *Es necesario que venga sólo Juan* puede admitir cualquiera de las dos lecturas de (83):

(83) a. Es necesario que (–∃x, x≠Juan (x venga)).
b. –∃x, x≠Juan (es necesario que (x venga)).

En el primer caso, el cuantificador *sólo,* que se interpreta como un cuantificador existencial precedido por la negación, incluye bajo su ámbito únicamente a la oración subordinada, e interpretamos que es necesario que no venga nadie excepto Juan. En el segundo caso, el cuantificador tiene ámbito extenso e incluye a la oración principal, e interpretamos que no existe nadie excepto Juan que deba venir —es decir, para todos los que no son Juan no existe la necesidad de venir—. Como decíamos, la diferencia entre *todo* y *sólo* respecto a la posibilidad de tener ámbito extenso se debe exclusivamente a la naturaleza negativa del segundo. En el capítulo 40 se verá que, en efecto, esta posibilidad es una propiedad inherente de la negación y los elementos negativos.

La extensión del efecto del cuantificador a un dominio sintáctico mayor que el sintagma que lo contiene provoca que todos aquellos argumentos cuya denotación pueda ser multiplicada resulten afectados por la influencia del cuantificador. El resultado será el establecimiento de una relación distributiva entre ambos elementos cuantificados, es decir, entre cada elemento denotado por el nombre al que el cuantificador modifica y aquellos otros que, aun no estando contiguos al cuantificador, resultan afectados por él. Considérense los siguientes ejemplos:

(84) a. Ambos profesores han visitado la Universidad.
b. Algunos alumnos piensan que el profesor les odia.
c. Cada uno de los vendedores puso precio a un coche.
d. Todos los debutantes bailaron con dos chicas.

Los respectivos sujetos de las oraciones anteriores contienen un cuantificador que toma bajo su ámbito el resto de la oración. Ello se manifiesta en que aquellos argumentos susceptibles de que su denotación sea multiplicada se comportarán como variables respecto del sujeto. Así, en (84a), la denotación del predicado resulta multiplicada, pues se entiende que hubo dos eventos (es decir, dos visitas distintas), cada uno de ellos relativo a uno de los miembros del sujeto. En (84b) lo que resulta multiplicado por el cuantificador es la denotación del pronombre anafórico *les.* Finalmente, en (84c) y (84d), el argumento afectado por el ámbito del cuantificador es otro elemento cuantificado: por el indefinido *un* en (84c) y por el cardinal *dos* en (84d). En ambos casos, su denotación resulta multiplicada por el cuantificador que les precede de tal manera que se entiende la existencia de un coche para cada uno de los vendedores mencionados, y de dos chicas para cada uno de los debutantes.

Aunque distintos, los casos anteriores presentan una gran similitud formal: en todos ellos un cuantificador multiplica la referencia de otro elemento que se comporta como una variable. La consecuencia es la existencia de una relación distributiva entre cuantificador y variable.

Por razones de claridad expositiva, distinguiremos dos casos en la asignación de ámbito de los cuantificadores. En primer lugar, estudiaremos aquellos casos en que un cuantificador puede tener ámbito sobre la oración que lo contiene, concretamente sobre el predicado. En tal caso, el efecto multiplicativo de aquel se manifiesta sobre el evento denotado por el predicado, dando lugar a oraciones con interpretación distributiva (cf. (84a)). En segundo lugar, el cuantificador puede tener efecto de multiplicación sobre otros argumentos, entre los que incluiremos no sólo SSNN cuantificados, como (84c) y (84d), sino también otros elementos que pueden ser interpretados como variables, como el pronombre personal en (84b). Esta distinción es únicamente metodológica, pues, como veremos, pueden ser explicadas por los mismos mecanismos sintácticos: en ambos casos el cuantificador multiplica la denotación de un argumento, sea el evento o sea otro SN.

La asignación de ámbito de un cuantificador, ya sea sobre el predicado o sobre otros SSNN, está condicionada por diversas restricciones que podemos clasificar en tres grupos:

a) Restricciones derivadas del tipo de cuantificador que asigna el ámbito. Podemos denominarlas 'léxicas'.

b) Restricciones derivadas del argumento o argumentos que están dentro de su ámbito. Entre ellas podemos diferenciar dos tipos, unas de orden formal, otras de orden semántico.

c) Restricciones derivadas del contexto sintáctico. Incluimos en ellas los requisitos estructurales exigidos para que pueda establecerse la correcta relación formal entre el cuantificador que asigna el ámbito y el argumento o argumentos que quedan dentro de él.

Además de estos tres tipos de restricciones pueden existir factores pragmáticos o de semántica discursiva que eliminen o favorezcan ciertas interpretaciones de las estructuras cuantificadas. Aunque serán comentados oportunamente, si fuese necesario, en general se excluirán este tipo de factores; por lo que nos ceñiremos a todas y sólo todas las interpretaciones gramaticalmente posibles de las oraciones con sintagmas cuantificados.

Como se verá, los cuatro factores mencionados aquí afectan de manera análoga a los dos tipos de asignación de ámbito, sobre el predicado y sobre otros SSNN. Ello hace pensar que no se trata de mecanismos independientes sino estrechamente vinculados, hasta tal punto que se podrían explicar de la misma forma y unificados bajo un mismo análisis. No obstante, en este apartado nos centraremos en la asignación de ámbito sobre el predicado, y dejaremos para el siguiente el estudio de las relaciones de ámbito entre varios SSNN cuantificados.

16.3.2. Ámbito sobre el predicado

El hecho de que un predicado esté dentro del ámbito de un cuantificador hace que se establezcan entre ellos determinadas relaciones. En concreto, las propiedades interpretativas de un predicado no podrán contravenir las del cuantificador en cuyo ámbito debe interpretarse. Esto hace que ciertos tipos de predicados no admitan ciertos cuantificadores, y viceversa, si sus propiedades interpretativas son contradictorias. En este apartado estudiaremos estos casos. Distinguiremos para ello tres tipos de construcciones: colectivas, simétricas y distributivas.

16.3.2.1. Predicados colectivos o conjuntivos

En primer lugar, los predicados colectivos [⟶ §§ 1.4.4-5 y 41.2.6.7] exigen sujetos plurales, respecto de los cuales predican un evento que afecta a los individuos o partes de individuos denotados por el plural como un conjunto, por lo que se les denomina también 'predicados conjuntivos'. Se consideran como tales los predicados del tipo *ser numeroso, crecer en número, formar un grupo, ser incontable, ser innumerable,* así como *empacar, reunir, contar, disolver...* Hay una diferencia sintáctica entre ellos: los primeros seleccionan el plural como sujeto, los segundos como complemento directo. Todos ellos, en cualquier caso, denotan propiedades o actividades que afectan a un grupo, lo que explica que puedan tener como argumentos nombres colectivos, pero nunca nombres singulares que denoten una entidad individual:

(85) a. Reunimos {al equipo/a los jugadores}.
b. El grupo musical es numeroso. / Los músicos son numerosos.

Algunos de estos predicados sí admiten singulares si se trata de nombres continuos. Nótese que puede decirse *reunir dinero,* pero no **El dinero es numeroso.* Ello no se debe a que *reunir* no sea un predicado conjuntivo (de hecho, si decimos algo como *reunir el equipaje,* es porque consideramos que el objeto directo es un colectivo). La diferencia se debe al tipo de colectividad que se selecciona en cada caso: *reunir* puede seleccionar un grupo formado por la suma de individuos, o bien el conjunto de las partes materiales de un individuo. Sólo la primera posibilidad existe, sin embargo, para *ser numeroso* [—> § 1.4.5.4].

De lo anterior se deduce que los argumentos de estos predicados colectivos o conjuntivos se comportan a todos los efectos como términos individuales, es decir denotan un individuo que es un conjunto, del cual se predica un único evento. Esta es la razón de que no puedan combinarse con SSNN que contengan un cuantificador, sea universal o no universal, dado que estos, como ya sabemos, nunca denotan objetos individuales:

(86) a. *Todos los libros son numerosos.
b. {*Muchos/*algunos/*bastantes} libros son numerosos.

De nuevo, hemos de hacer una excepción con los verbos conjuntivos del tipo de *reunir.* El objeto directo de estos verbos sí puede ser un SN cuantificado *(Reunimos {todos los libros/muchos de los libros}).* [23] Obsérvese, además, que las oraciones de (86) sí serían gramaticales si el sujeto no denotase un grupo, sino varios, de cada uno de los cuales se predica la misma propiedad:

(87) a. Todas las familias de este barrio son numerosas.
b. {Muchos/algunos/bastantes} de los equipos son numerosos.

La diferencia de estas oraciones respecto a las de (86) no reside únicamente en la denotación del sujeto, que allí alude a un solo conjunto, en tanto que aquí lo hace a varios. También el predicado se ve afectado, pues si, como decíamos, los predicados conjuntivos denotan un único evento que afecta a sus argumentos como un grupo, en (87) sin embargo denotan varios eventos cada uno de los cuales afecta de forma individual a cada una de las familias. Esto implica, como se verá más adelante, que ya no estamos ante una construcción colectiva, sino ante una oración distributiva, de ahí que sí sea posible la presencia de los cuantificadores.

16.3.2.2. Construcciones simétricas

Los 'predicados simétricos' se caracterizan por exigir un sujeto plural o coordinado y denotar actividades o propiedades que no pueden predicarse de un individuo si no es de manera relativa a otro individuo, de manera que se establezca una relación bidireccional entre ellos [—> §§ 1.4.5.2, 4.3.5.4, 23.3.3 y 41.2.6]. Quiere ello decir que el evento afecta a una pluralidad de objetos o individuos de forma que cada uno ejerce la acción o mantiene una relación con los demás, pero no consigo mismo. Aunque comparten la propiedad semántica de la bidireccionalidad, los predicados incluidos en este grupo difieren respecto de la selección de argumentos y la selección de papeles temáticos. Entre ellos están *ser parientes, ser hermanos, ser socios, colaborar, parecerse, discutir, casarse, compartir piso, estar de acuerdo, vivir al lado.* [24]

---

[23] Parece existir una relación entre la función sintáctica del SN y la posibilidad de interpretarlo o no conjuntivamente. Nótese que sólo se admiten SSNN cuantificados como objetos directos de predicados conjuntivos, lo que podría deberse a la interdependencia entre la interpretación del SN cuantificado y su prominencia relativa respecto del predicado. Si eso fuese así, cabría relacionar estos casos y los que se estudian en el § 16.3.4, donde se verá que los sujetos cuantificados de ciertos predicados tienen interpretación distributiva si preceden al verbo y colectiva si le siguen.

[24] Sobre construcciones simétricas, véase Bosque 1985 y las referencias allí citadas [—> § 23.3.3].

La mayoría de estos predicados admiten de manera opcional una interpretación no simétrica, que se manifiesta sintácticamente en la presencia de un argumento (generalmente preposicional) que fuerza tal interpretación. Obsérvense las siguientes oraciones:

(88) a. Juan y Pedro son vecinos.
b. Ana y María comparten piso.
c. Los parlamentarios estaban, al fin, de acuerdo.

(89) a. Juan y Pedro son vecinos de María.
b. Ana y María comparten piso con una amiga.
c. Los parlamentarios estaban, al fin, de acuerdo con el presidente.

Las oraciones de (88) son ambiguas entre una interpretación simétrica y otra no simétrica. Así, de (88b) puede deducirse que cada una de las chicas comparte piso con la otra —interpretación simétrica—, o bien que cada una de ellas lo comparte con una tercera —interpretación no simétrica—. En cambio, las de (89) no permiten esta ambigüedad, pues la presencia del complemento preposicional fuerza una lectura no simétrica. Hemos de interpretar entonces, en cualquier caso, que las oraciones de (89) denotan varios eventos que relacionan de forma independiente cada uno de los individuos denotados por el sujeto con aquellos otros denotados por el otro argumento.

Puede ocurrir que tal complemento esté presente y la construcción siga siendo simétrica. Sucede ello en el caso de que los individuos implicados en la relación bidireccional sean argumentos diferentes del verbo, como en *Juan es vecino de Pedro* o *María colabora con su amiga.* Incluso este segundo argumento puede estar implícito, como en *Pedro está de acuerdo.* Esto parece demostrar que la naturaleza simétrica o asimétrica del predicado no depende de uno solo de los argumentos del verbo.

Bosque (1985) detalla algunas propiedades sintácticas de las construcciones simétricas, que resumimos a continuación. En primer lugar, los predicados simétricos rechazan el adjetivo *juntos,* pero admiten el pronombre recíproco *el uno P el otro,* de ahí que pueda decirse *Chocaron el uno con el otro,* pero no (con el mismo sentido) **Chocaron juntos;*[25] también rechazan el adverbio *mutuamente,* de ahí la agramaticalidad de **Eran mutuamente parecidos.* Admiten, en cambio, otras modificaciones, como el sintagma *entre sí,* siempre que su presencia sirva para deshacer la ambigüedad entre una interpretación simétrica y otra no simétrica; por eso se dice *Están distantes entre sí,* pero raramente *??Se casaron entre sí.*

Todos los SSNN cuantificados pueden ser argumentos de predicados simétricos, excepto aquellos que contienen los cuantificadores *ambos, cada* y el singular *todo.* Ello se debe a que estos cuantificadores son intrínsecamente distributivos, como veremos en el apartado próximo.

[25] La presencia del pronombre recíproco no debe llevarnos a identificar erróneamente las construcciones simétricas con oraciones recíprocas. Del mismo modo que una oración como *Juan es vecino de Pedro* es simétrica pero carece de las propiedades sintácticas de las recíprocas, existen oraciones recíprocas no simétricas. Sirva como ejemplo el de las construcciones o configuraciones lineales del tipo *Los alumnos entraron en el aula unos detrás de otros.* La oración anterior es recíproca porque contiene un pronombre recíproco, pero no es simétrica. El predicado impone a la oración una ordenación temporal o espacial de sus argumentos, de manera que la relación entre ellos no es bidireccional —al contrario que en las estructuras simétricas— sino unidireccional o lineal. Puede encontrarse una descripción más detallada de todo esto en el trabajo mencionado de Bosque 1985 [⟶ § 23.3.3.2].

La combinación de SSNN cuantificados con predicados simétricos da lugar a ciertas diferencias dependiendo del tipo de cuantificador de que se trate. Obsérvense los siguientes ejemplos:

(90) a. Pocos escritores colaboraron.
b. Muchos de sus primos se habían peleado.
c. Todas las oraciones son sinónimas.

La oración (90a) es ambigua en el siguiente sentido: si *pocos* tiene valor inespecífico, y por tanto no partitivo, la oración puede referirse bien a un pequeño grupo de escritores que colaboró entre sí, o bien a un pequeño número de grupos de escritores tales que cada uno de esos grupos colaboró entre sí. Esta ambigüedad desaparece en (90b y c), donde el carácter específico de los SSNN cuantificados, uno por tratarse de una construcción partitiva, otro por contener un cuantificador universal, elimina la segunda interpretación.

A las construcciones en que se combinan cuantificadores plurales con predicados simétricos se les ha denominado 'semidistributivas'. Tales construcciones, a diferencia de los predicados colectivos puros, que hemos llamado también conjuntivos, no denotan un solo evento o proceso que afecta como un todo al conjunto denotado por sus argumentos, sino que denotan varios eventos interrelacionados. Como veremos, la existencia de un evento distinto para cada uno de los individuos denotados por el sujeto determina una interpretación distributiva. Sin embargo, en los casos que nos ocupan, esos eventos múltiples no son independientes entre sí sino que están mutuamente interrelacionados. Ello hace que, sin ser predicados colectivos puros, tampoco se pueda decir que sean estrictamente distributivos. Así, una oración como (86b) implica la existencia de múltiples peleas, cada una de las cuales se 'encadena' con las demás como consecuencia de que en dicho evento se ve implicado el resto de los individuos, lo cual está en consonancia con el hecho de que ningún sujeto cuantificado combinado con un predicado colectivo tenga nunca interpretación de grupo como elemento singular sino de grupo como suma de individualidades. [26]

16.3.2.3. Construcciones distributivas

La distributividad, noción semántica susceptible de múltiples realizaciones gramaticales, puede definirse como una relación de dependencia entre dos argumentos. [27] Son distributivas las siguientes construcciones:

(91) a. Juan y Pedro son médicos.
b. Cada niño quería un coche.
c. Los periodistas entregaron sendos artículos sobre el viaje del presidente.

---

[26] De hecho, para Schein (1993) las interpretaciones distributiva y semidistributiva no son sino variantes de una misma interpretación de aquellos cuantificadores que toman bajo su ámbito al predicado, a los que denomina de primer orden. Frente a ellos los cuantificadores de segundo orden serían los que no cuantifican eventos. Al primer grupo pertenecerían todos los cuantificadores, universales o no; al segundo los SSNN plurales. Para un estudio muy detallado sobre semidistributividad véanse Scha 1981 y Schein 1993.

[27] Sobre distributividad véanse, entre otros muchos, Dougherty 1970, 1971, Hoeksma 1983, Scha 1981, Blau 1981, Gillon 1987, Dowty 1986, Choe 1987, Link 1987, Lonning 1987, Roberts 1987, Lasersohn 1989, Heim 1991, Heim, Lasnik y May 1991 y la réplica de Williams 1991, Schein 1993, Aurutin y Thornton 1994. En español: López Palma 1985, Sánchez López 1995a.

En las oraciones anteriores se establece una relación distributiva entre el sujeto y uno de los argumentos de la oración. En el caso de (91a) ese argumento es el atributo, ya que se entiende que *ser médico* afecta independientemente a cada uno de los individuos; en otras palabras: describe dos hechos de ser médico: uno que afecta a Juan y otro que afecta a Pedro. En las otras dos oraciones el complemento directo es el que mantiene la relación distributiva con el sujeto: existe, pues, un coche para cada niño, y un artículo para cada escritor y ello se debe a que los cuantificadores *cada* y *sendos* son intrínsecamente distributivos. Nos ocuparemos ahora de la interpretación distributiva de los predicados y dejaremos para el § 16.4 el análisis de casos como los de (91b, c).

En primer lugar, existen predicados que requieren la interpretación no conjuntiva del sujeto por denotar eventos que sólo pueden afectar a un sujeto individual; tal es el caso de verbos como *nacer, dormir, ser zurdo, ser mortal.* En segundo lugar, requieren interpretación distributiva ciertos predicados reflexivos, como *inclinarse, arrepentirse.* Estos predicados distributivos admiten como sujetos términos singulares, y cuando se combinan con plurales estos se interpretan como 'conjunto individualizado'. Todos ellos describen hechos independientes, que pueden ser no simultáneos, lo que les diferencia de las construcciones simétricas:

(92) a. Cada diputado habló con el presidente durante una hora.
b. Los diputados hablaron entre sí durante una hora.

La primera de las oraciones anteriores es distributiva y denota varias conversaciones diferentes e independientes, cada una de las cuales duró una hora. En cambio la segunda es simétrica e indica la existencia de una sola conversación que ocupó un único intervalo de tiempo de una hora.

En el apartado anterior veíamos que la mayoría de los predicados simétricos presentaban una ambigüedad entre la interpretación estrictamente simétrica y la no simétrica (cf. (88) y (89)). Frente a ello, parecen existir ciertos predicados intrínsecamente distributivos. Esta ha hecho pensar a muchos investigadores que la distributividad es una propiedad que reside en el predicado, sea de forma inherente, sea como resultado de la presencia de una marca de distributividad. Un argumento a favor de esta hipótesis sería el hecho de que ciertos adverbios o expresiones adverbiales puedan deshacer la ambigüedad de los predicados que no están léxicamente especificados como distributivos. Así, los de las oraciones siguientes serían ambiguos sin el elemento en cursiva, pero si este está presente, tal ambigüedad desaparece dando lugar a la lectura colectiva (93) o distributiva (94):

(93) a. Los políticos citados declararon *juntos* ante el juez.
b. Juan y Pedro construyeron un armario *entre los dos.*
c. Esos locutores realizan *conjuntamente* varios programas de radio.

(94) a. Los testigos solicitaron declarar *por separado.*
b. Haremos el encargo *separadamente.*
c. Será mejor que vayamos *cada uno por su lado.*

Puesto que en estos casos es la expresión adverbial la que desencadena la interpretación distributiva o colectiva, algunos autores piensan que debe admitirse que es siempre una marca de distributividad, explícita o implícita, la que obliga a la interpretación distributiva del predicado, por lo que la ambigüedad no estaría en ningún caso en el sujeto, sino en el predicado.

Sin embargo, como decíamos más arriba, cabe la posibilidad de que la ambigüedad no resida en el predicado, sino en el sujeto. Un argumento a favor de esta idea es la existencia de ciertos cuantificadores que están léxicamente especificados como distributivos. Tal es el caso de los universales *ambos, cada,* y *todo* y *cualquiera* en su interpretación genérica.

Ambos es, como han demostrado García Fajardo y Radelli (1983) y Bosque (1992), necesariamente distributivo. Por ello rechaza predicados que exijan una interpretación colectiva del sujeto, como en los siguientes ejemplos:

(95) a. *Ambos parecían gemelos.
b. *Ambos son tocayos.
c. *Ambos vivían juntos.
d. *Ambos forman una buena pareja.

El hecho de que *ambos* sea intrínsecamente distributivo hace que los predicados siguientes hayan de interpretarse de acuerdo con esta propiedad, de tal manera que el predicado denotará no un único evento sino dos, uno relativo a cada individuo denotado por *ambos*:

(96) a. Jugué a las canicas con ambos.
b. Es más alto que ambos.
c. Leí el trabajo de ambos.

Así, (96a) puede denotar dos partidas independientes, (96c) dos lecturas distintas, una para cada trabajo, y (96b) dos relaciones de superioridad en altura, una respecto de cada individuo denotado por *ambos.* Por eso no cabe interpretar esta oración de forma similar a *Es más alto que los dos,* que sí podría decirse de alguien cuya altura superase la suma de las alturas de otros dos individuos.

Existe un dual colectivo como contrapartida del distributivo *ambos.* Se trata del arcaísmo *entrambos,* formado por la fusión de la preposición *entre* más el cuantificador. Parece ser que, mientras coexistieron, estaban en distribución complementaria respecto a este rasgo. *Entrambos* se utilizaba en predicados colectivos que rechazan *ambos*. Véase en los siguientes ejemplos tomados del *DCRLC*, s.v. *entrambos*:

(97) a. El que tiene manos muy grandes tendrá grandes dedos y diez uñas en entrambas. [Quevedo, *Libro de todas las cosas,* 23, 479]
b. Las palabras que entrambos hermanos se dijeron... apenas pueden pensarse. [Cervantes, *Quijote,* 1, 42]
c. El comercio, la industria y la opulencia que nace de entrambos son ... los únicos apoyos de la preponderancia del estado. [Jovellanos, *Informe sobre las artes,* 50, 39]

Nótese que la sustitución de *entrambos* por *ambos* en los ejemplos anteriores daría lugar a interpretaciones bien distintas, al desencadenar la interpretación distributiva del predicado. Así, en (97a) se afirmaría que el individuo tiene veinte dedos, o en (97c), no querría decir que la opulencia nace de la unión de la industria y el comercio, sino de cada una de ellas por separado. Así pues, parece que en una época del idioma *ambos* y *entrambos* estaban en distribución complementaria, el primero como dual distributivo, el segundo como dual colectivo. Sin embargo, *entrambos* comenzó a usarse en los contextos de *ambos,* como prueba el hecho de que incluso se repitiese la preposición para desencadenar la lectura colectiva:

(98) Entre entrambos podrían llevar hasta sesenta reales. [Cervantes, *El Quijote,* 2, 60; tomado del *DCRLC*, s.v. *entrambos*]

Con la desaparición de *entrambos,* convertido en un arcaísmo, la única posibilidad de denotar un dual colectivo es con el grupo *los dos*.

Como *ambos, cada, todo* y *cualquiera* son distributivos y rechazan los predicados colectivos, del tipo que sean. Los tres carecen, en realidad, de la capacidad para denotar un grupo, por lo que es lógico que la combinación con predicados colectivos les esté vedada. Sin embargo, existen entre ellos notables diferencias, en particular en lo que respecta a *cada.* Este tiene la propiedad de que sólo reconoce un predicado como distributivo si contiene otro argumento que se interprete dentro de su ámbito y respecto del cual pueda establecer una relación distributiva [⟶ § 12.1.2.2]. De ahí los siguientes contrastes:

(99) a. Cada alumno se fue de vacaciones *(a una playa).
b. Cada ciudad tiene {un hermoso monumento/*el hermoso monumento}.

En el primer ejemplo, la supresión del sintagma entre paréntesis provocaría la agramaticalidad de la oración, pues no podría interpretarse el predicado como distributivo. En el segundo, sólo un sintagma indefinido puede establecer con *cada* la relación de ámbito necesaria para que surja la interpretación distributiva (cf. el § 16.4.1). Por ello, en realidad podemos afirmar que *cada* no es distributivo respecto del predicado sino respecto de uno de los argumentos que este contiene. Le afecta, por lo tanto, lo que sobre ámbito entre dos cuantificadores se dirá en el § 16.4. [28]

Así pues, los cuantificadores anteriores están léxicamente especificados como distributivos. Ello hace que podamos considerarlos cuantificadores intrínsecos, que denotan siempre 'grupos individualizados'. A ellos habría que añadir ciertos sintagmas coordinados que también requieren de manera obligatoria la interpretación distributiva de los predicados a los que se unen. Esto es lo que sucede con los sintagmas disyuntivos y con aquellos coordinados copulativamente mediante el giro *tanto... como* o con doble *ni.* Como han notado varios autores, [29] todos ellos exigen predicados distributivos:

[28] Las propiedades de *cada* en español explicarían que se prefiera el uso de otros cuantificadores universales en expresiones temporales como las de (i), aunque nótese que la presencia de *cada* sí es necesaria si existe en la oración otro cuantificador con el que pueda establecer relaciones de ámbito:

(i) a. *??Cada domingo voy al cine.
b. Todos los domingos voy al cine.

(ii) a. Cada domingo voy a un cine diferente.
b. Todos los domingos voy a un cine diferente.

[29] Véanse Franchini 1986, Jiménez Juliá 1986. Sobre la coordinación con *ni... ni,* véanse Bosque 1992 y el capítulo 40 de esta gramática.

(100) a. Tanto Juan como Pedro son ingenieros.
b. *Tanto Juan como Pedro viven juntos.

(101) a. O Juan o Pedro declararán (*conjuntamente) ante el juez.
b. Bien tu padre, bien tu madre bailaron (*juntos) en la fiesta.
c. *Ni Juan ni Pedro se parecen entre sí.

En el caso de *tanto... como,* la restricción parece deberse a que se comporta como un cuantificador distributivo del tipo de *ambos.* Respecto a la coordinación disyuntiva, la exigencia de un predicado distributivo puede atribuirse al hecho conocido de que las disyunciones dobladas tengan siempre interpretación exclusiva [→ § 41.3.3.1] de lo que se sigue que un SN como *o Juan o Pedro* nunca denotará un grupo, interpretación exigida por un predicado colectivo.

16.3.2.4. Algunas precisiones sobre la interpretación de los plurales

Dijimos al comienzo del capítulo (§ 16.1.2.3) que los SSNN cuya denotación de pluralidad se debe a coordinación copulativa con *y* [→ § 41.2] o a número plural [→ § 74.3] son cuantificadores no intrínsecos. Admiten todo tipo de predicados, excepción hecha de los sintagmas coordinados, que rechazan los predicados conjuntivos. Así, en una oración como *Los libros y las revistas son muy numerosos* la propiedad de ser numerosos no se predica conjuntamente del grupo formado por libros y revistas sino de cada grupo por separado [→ § 1.4.3].

Siendo esto así, esperamos que todos ellos muestren una ambigüedad entre las interpretaciones colectivas y distributivas, lo que en efecto sucede a la vista de ejemplos como los siguientes:

(102) a. Los políticos citados declararon ante el juez.
b. Juan y Pedro declararon ante el juez.

Ambas oraciones son ambiguas: en su lectura colectiva se interpretará la existencia de una sola declaración realizada conjuntamente por los miembros del sujeto; en la distributiva, se interpretará que cada miembro del sujeto realizó una declaración independiente.

Nótese que la ambigüedad afecta por igual al sujeto y al predicado, pues las propiedades interpretativas de ambos varían según la lectura elegida. En la interpretación colectiva, el sujeto denota un conjunto plural que se comporta a todos los efectos como un solo individuo, en tanto que el predicado tiene una interpretación absoluta: denota un solo evento o propiedad que afecta al sujeto. En la interpretación distributiva, por el contrario, el predicado tiene una interpretación múltiple, pues denota, como ya se ha dicho, una multiplicidad de eventos idénticos y exige que la pluralidad denotada por el sujeto sea la suma 'transparente' de varias individualidades, algo así como un 'grupo individualizado', de tal manera que pueda establecerse el vínculo necesario entre cada miembro del conjunto y el evento correspondiente.

Debido a esta doble vertiente de las interpretaciones distributiva y colectiva de las oraciones, cabe preguntarse, y así lo han hecho numerosos estudiosos, si tal ambigüedad reside en el SN cuantificado o en el predicado. Parece que si optamos por la primera posibilidad, predecimos que los SSNN plurales denotan unas veces individuos y otras grupos, lo que no parece ser conforme a los hechos. Si optamos por la segunda, afirmamos que la ambigüedad reside en el predicado, que predica eventos de individuos o de grupos. En cualquier caso, si admitimos que la doble interpretación de los cuantificadores no intrínsecos es una cuestión de ambigüedad —como sostiene Gillon (1987), por ejemplo—, predecimos que las dos interpretaciones tendrán análisis diferentes.

Existe, sin embargo, otra posibilidad, defendida por algunos autores, como Harnish (1976), que plantea que tal ambigüedad no existe, sino que la doble interpretación se debe a un fenómeno de 'vaguedad' interpretativa. Según esta hipótesis las oraciones de (102) tendrían un solo análisis y sus posibles interpretaciones serían consecuencia secundaria de la falta de precisión.

Pueden aducirse algunos argumentos a favor de un análisis en términos de vaguedad interpretativa:

(103) a. Juan y Pedro declararon ante el fiscal y María y Ana ante el juez.
b. Juan y Pedro declararon ante el fiscal y María y Ana también.

Si las oraciones anteriores fuesen ambiguas, esperaríamos que la misma interpretación colectiva o distributiva del primer término de la coordinación se repitiese en el segundo. Sin embargo, en ambos casos es posible interpretar que la declaración de los chicos fue simultánea y la de las chicas por separado o viceversa.

Otro argumento a favor de la vaguedad es que oraciones con sujetos plurales admiten múltiples interpretaciones intermedias entre las estrictamente distributivas o colectivas. En una oración como *Juan, Pedro, Ana y María fueron al cine,* además de las lecturas distributiva y colectiva de que hemos hablado, cabrían múltiples posibilidades de interpretación si consideramos que el conjunto denotado por el SN coordinado está a su vez subdividido en subconjuntos de tal manera que el predicado se interpreta distributivamente respecto a la relación de unos subconjuntos con otros, pero colectivamente respecto a cada uno de ellos. Es decir, que hubo más de un evento y menos de cuatro, de tal manera que no existe correspondencia exacta entre personas y eventos (lectura distributiva estricta) ni un evento para todos (lectura colectiva estricta). Según esto, las posibilidades interpretativas se multiplican:

(104) a. Juan y Pedro fueron al cine juntos y Ana y María fueron al cine juntas.
b. Juan, Pedro y Ana fueron juntos al cine y María fue al cine sola.
c. Juan y María fueron juntos al cine, y Ana y Pedro fueron solos cada uno de ellos...
d. etc.

En este caso parece prevalecer la consideración del predicado como colectivo, de tal manera que lo que resulta relevante es que las cuatro personas mencionadas puede afirmarse que fueron al cine, fuese cual fuese la combinación entre ellos. En otras palabras, las interpretaciones semicolectivas de la oración anterior se resumirían en la siguiente «un total de cuatro personas fueron una vez al cine». A esta acepción se la ha denominado 'cumulativa' y responde a la interpretación absoluta, es decir, no multiplicada, del predicado.

Desde Scha 1981 a Shein 1993 se ha relacionado la cuantificación cumulativa con cuantificadores que contienen numerales que denotan bien el número total de individuos implicados en el evento —como los subrayados en (105a, b)—, bien el límite numérico de tales individuos —como en los subrayados en (105c, d):

(105) a. *Exactamente dos personas* fueron al cine ayer.
b. Este año se han graduado *trescientos alumnos en total.*
c. *No más de tres detectives* han resuelto el crimen.
d. En esta casa usan el ascensor *como mucho siete vecinos.*

Esta limitación puede atribuirse al hecho de que tales sintagmas fuercen la interpretación de los SSNN que los contienen como suma inordenada de elementos. En otras palabras, un sintagma como *trescientos alumnos en total* parece subrayar que se ha desestimado la implicación tácita de que el grupo puede estar subdividido en subconjuntos menores, incluso en tantos como individuos —lo que sería la interpretación distributiva estricta—, para considerar el grupo como un todo. Sin embargo, la interpretación cumulativa es factible también para SSNN cuantificados que no tienen esta estructura, como hemos visto en el ejemplo (104).

16.3.3. Marcas explícitas de ámbito sobre el predicado. Los cuantificadores flotantes

Como hemos visto, existe la posibilidad de forzar la interpretación colectiva o distributiva de los predicados añadiendo ciertos sintagmas que eliminan cualquier ambigüedad posible. Citemos como sintagmas que fuerzan la lectura colectiva *juntos, colectivamente;* son distributivos en cambio *respectivamente, por separado, independientemente.* En última instancia, cualquier sintagma que obligue a interpretar la existencia de varios eventos independientes, uno para cada uno de los individuos que constituyen la pluralidad, desencadenará la interpretación distributiva del predicado. Por el contrario, cualquiera que obligue a interpretar la existencia de un solo evento estará desencadenando la lectura colectiva.

Existe además la posibilidad de que el predicado esté modificado directamente por un cuantificador con interpretación distributiva, como en los siguientes ejemplos:

(106) a. Las ventanas estaban todas cerradas.
b. Estos alumnos tienen ambos muchas ganas de conocerte.
c. Estos libros tratan los tres del mismo tema.

Nótese que en estas oraciones el cuantificador se encuentra dentro del predicado, a pesar de que la concordancia en género y número nos indica que existe alguna relación con el SN sujeto. Ello permite suponer que, de alguna forma, dicho cuantificador está separado del elemento al que cuantifica. Se les ha denominado por esta razón 'flotantes', puesto que pueden aparecer en posiciones inesperadas. [30]

La posición que ocupan estos cuantificadores es generalmente la posverbal. El cuantificador sólo es admisible delante del verbo cuando entre él y el sujeto hay una pausa, indicio de que en tal caso este es el verdadero sujeto y aquel un elemento topicalizado:

---

[30] Sobre este tipo de cuantificadores véanse Kayne 1975, Baltin 1982, 1995, Belletti 1982, Sportiche 1988, Link 1987, Dowty y Brodie 1984. Sobre el español, Jaeggli 1982 y Sánchez López 1993b. En este último se basa en gran medida el texto que sigue.

(107) a. *Mis amigos todos adoran a María.
b. Mis amigos, todos adoran a María.

Por otra parte, pueden aparecer entre el verbo principal y el auxiliar siempre que se trate de formas no clíticas, es decir si los verbos son modales o auxiliares polisilábicos [⟶ § 51.2]. Ello sugiere que son razones de fonética sintáctica las únicas que hacen agramatical el último de los siguientes ejemplos:

(108) a. Estoy segura de que tus alumnos podrán todos comprender eso.
b. Los robos fueron ambos descubiertos por el mismo detective.
c. Tomamos una decisión que los estudiantes habíamos todos discutido durante mucho tiempo.
d. *Juan y María han ambos trabajado duro este año.

Es importante subrayar que los cuantificadores en posición posverbal no son el sujeto de la oración sino que aparecen 'además' del sujeto. [31] La prueba es que puedan coaparecer con un sujeto preverbal, como se ve en los ejemplos anteriores. Cuando el sujeto es un pronombre interrogativo o relativo, se observa que existe la posibilidad de que aparezca un cuantificador flotante relacionado con él sólo si se trata de una interrogativa de eco [⟶ §§ 31.2.1.5 y 61.5.1.1] (véase (109)); no es posible en ningún caso cuando se trata de un relativo (véase (110)):

(109) a. ¿Quiénes querían todos ir al cine?
b. ¿Cuáles de tus alumnos son ambos de Madrid?
(110) a. *Los jardineros que hicieron todos huelga fueron despedidos.
b. ??Los accionistas del banco, que acudieron todos a la reunión muy preocupados, se marcharon aliviados tras conocer las decisiones del consejo de administración.

La posibilidad de aparecer separados del SN al que cuantifican está limitada a los cuantificadores universales *todos* y *ambos* y al grupo <artículo + numeral>. No pueden hacerlo, en cambio, ninguno de los indefinidos propios, de ahí la agramaticalidad de los siguientes ejemplos:

(111) a. *Las ventanas estaban muchas cerradas.
b. *Sus alumnos tienen algunos muchas ganas de conocerte.
c. *Estos libros tratan unos pocos del mismo tema.

La razón de que sólo los cuantificadores universales puedan flotar es que sólo ellos garantizan la completa correferencia entre el cuantificador y el sujeto. Como sabemos, los cuantificadores universales denotan todos y sólo todos los valores que puede tomar el nombre cuantificado como variable. Por el contrario, los no universales denotan únicamente una parte de esos valores, incluso cuando tienen lectura específica por haber sido presentado previamente el dominio de cuantificación. Parece ser un principio general de la gramática el excluir que el predicado contenga una expresión parcialmente correferente con el sujeto. Este principio se hace evi-

---

[31] Por otra parte, el cuantificador puede preceder a un pronombre personal, en tanto que el pronombre personal solo no es admisible:

(i) Sus amigos son *(todos) ellos estudiantes de periodismo.

Sí lo son los llamados pronombres enfáticos [⟶ § 19.3.7], que han sido tratados como cuantificadores por parte de algunos autores (Rigau 1987), pero que se diferencian de los cuantificadores en que están sometidos a ciertas restricciones que afectan al tipo de evento denotado por el predicado, restricciones que no afectan a los cuantificadores en posición posverbal.

dente en el caso de los pronombres personales, como se ve en los siguientes ejemplos:

(112) a. *Nos compré las entradas para el teatro.
b. *Vosotros siempre te habéis admirado mucho.

La agramaticalidad de las oraciones anteriores se debe a que el pronombre se refiere sólo a una parte de la denotación del sujeto, de tal manera que resultará estar a la vez parcialmente ligado y parcialmente libre dentro de su oración, situación no prevista por la gramática. [32]

Si bien este principio explica que los cuantificadores no universales no puedan aparecer en posiciones posverbales separados del sujeto, queda por explicar por qué ciertos universales como *cualquiera* y *cada* no pueden hacerlo siendo que satisfacen el requisito de correferencia completa. En cuanto a *cualquiera*, puede deberse a dos razones. Por una parte, vimos en el § 16.2.1 que *cualquiera* funciona como un cuantificador universal merced a su valor de indistinción, lo que le diferencia del resto de los universales; de hecho, como veíamos allí, para algunos autores no se trata de un verdadero universal sino de un existencial con valor genérico. Por otra, exigiría un antecedente singular, lo que no sucede con los flotantes en general. En cuanto a *cada,* parece haber dos razones de distinta índole. La primera atañe a su régimen: como se vio en el § 16.1.3, *cada* carece de la facultad de encabezar por sí mismo un SN, es decir, no permite elidir el nombre al que modifica *(Cada *(niño) trajo un regalo a la maestra).* La razón por la que *cada* no puede legitimar un N nulo es la ausencia de rasgos de género y número, indispensables para recuperar los del nombre elidido. [33] Por ello, la pronominalización de *cada* exige que tales rasgos se hagan presentes en algún otro elemento, como el indefinido *uno* o el relativo *cual* que forman los compuestos *cada uno* y *cada cual,* que sí pueden separarse del SN al que cuantifican, como veremos en el § 16.4.3.2.

Pasemos a estudiar las propiedades semánticas de estos cuantificadores escindidos. La principal es que marcan la interpretación del predicado como distributivo respecto del sujeto. Ello se manifiesta claramente en el caso de *ambos* que, siendo distributivo en cualquier posición, subraya tal interpretación cuando aparece pospuesto al verbo. Podría pensarse que el comportamiento de *ambos* como marca explícita de distributividad se debe a que está léxicamente especificado como distributivo y no a su posición. Sin embargo, el contraste con el grupo <artículo + numeral> prueba que no es así. Nótese que este es ambiguo entre una interpretación colectiva y distributiva cuando aparece en la posición de sujeto:

(113) a. Los dos se parecen mucho {entre sí/a Robert Redford}.
b. Los dos amigos resolvieron los problemas del examen {entre los dos/cada uno por separado}.

---

[32] Sobre correferencia parcial, véanse García Calvo 1969 y Lasnik 1981.

[33] Sólo en un caso puede aparecer *cada* solo: cuando encabeza un sintagma partitivo que denota clase. De ahí que pueda decirse *Dame un libro de cada,* con el sentido de «un libro de cada clase», pero no *Pon un libro en cada. De cada* forma por tanto una especie de lexía distributiva con significado partitivo. Es de destacar que en castellano antiguo *cada* tenía mayor libertad para aparecer sin el nombre, como en el siguiente ejemplo tomado del *DCRLC*, s.v. *cada*:

(i) Se concertó que peleasen los reyes con cada cien caballeros. [Mar. *Historia de España,* 14, 6.]

En cambio, cuando aparecen en posición posverbal, el predicado tiene sólo interpretación distributiva, por lo que *los dos* pasará a tener el significado de *ambos*, será incompatible en posición posverbal con predicados que requieran la interpetación colectiva del sujeto [→ § 23.3.3.2]:

(114) a. Juan y María se casaron los dos *(con sus respectivos novios).
b. *Sus padres se adoraban los dos el uno al otro.
d. Juan y Mario se parecen los dos mucho {*entre sí/a Robert Redford}.

Esto prueba que existe una relación entre la posición del cuantificador y la interpretación distributiva del predicado. La ambigüedad de *los dos* en posición no flotante es la misma que tienen todos los plurales, que pueden ser cuantificadores intrínsecos o no intrínsecos. Cabe preguntarse entonces por qué un cuantificador no intrínseco que además no contiene un cuantificador universal puede tener el mismo comportamiento de los universales. Ello puede deberse a que cuando se interpreta como intrínseco adquiere una lectura similar a la de los cuantificadores universales. [34]

Veamos el caso de *todos*, el cuantificador universal por excelencia. Como *los dos, todos* en posición de sujeto puede combinarse tanto con predicados colectivos como con predicados distributivos, de ahí la ambigüedad de la siguiente oración:

(115) Todos los candidatos acudieron al mitin {juntos/por separado/en grupos}.

Cuando está en posición interna al SV, si este es distributivo, el cuantificador subraya esta interpretación:

(116) a. Sus amigos son de Madrid.
b. Sus amigos son todos de Madrid.

El predicado de las oraciones anteriores puede considerarse distributivo, pues ser de un sitio es una cualidad de cada individuo. Si bien ambas oraciones estarán sujetas a las mismas condiciones de verdad, es decir, que en ambos casos la oración será verdadera si y sólo si lo denotado por el predicado puede decirse de cada uno de los individuos denotados por el sujeto, sólo en (116b) se explicita la relación biunívoca entre cada uno de los miembros de ambos conjuntos (es decir, entre cada uno de los individuos denotados por el sujeto y cada uno de los subeventos idénticos denotados por el predicado). Es en este sentido en el que podemos afirmar que *todos* es una marca explícita de distributividad.

Ahora bien, puede argüirse, frente a esta explicación, que *todos* puede aparecer en posición interna de ciertos predicados colectivos. Así, las siguientes oraciones, que tienen predicados colectivos, son admitidas por numerosos hablantes como gra-

[34] De hecho, según han propuesto algunos autores, cuando los cuantificadores no intrínsecos adquieren la interpretación distributiva de los intrínsecos, ello se debe a que están modificados por un operador distributivo (Heim, Lasnik y May 1991). Este operador distributivo está explícito en algunas lenguas, como italiano, francés, inglés, rumano o alemán, cuyos correspondientes al grupo español <artículo + numeral> distributivo contiene un cuantificador universal: it. *tutti e due*, fr. *tous les deux*, rum. *toate doi*, ing. *all three*, al. *alle drei*, etc.

maticales, en tanto que para otros son anómalas, aunque no totalmente agramaticales:

(117) a. ?Las oraciones son todas sinónimas.
b. ?Los chicos se golpearon todos entre sí.
c. ?Sus primos se parecen todos muchísimo entre sí.
d. Estos libros son todos del mismo autor.

La pregunta clave es la siguiente: si los cuantificadores universales en posición posverbal son marcas de distributividad, ¿por qué *todos* es compatible con predicados simétricos? La solución a esta aparente paradoja está en las particulares propiedades del cuantificador. Como vimos en el § 16.2.1, *todos* tiene la facultad de poder cuantificar no sólo grupos formados por individuos sino individuos formados por partes idénticas. Este es el valor que le dábamos en expresiones como *todo el día,* o *todo el libro,* donde *todo* denota la suma de valores que puede tener la variable cuantificada, siendo esta cada una de las partes materiales constitutivas del elemento cuantificado. Es decir, tanto en *todos los días* como en *todo el día, todo* denota la suma de los valores que puede tomar la variable denotada por el elemento cuantificado. En el caso del plural, esta variable denota objetos completos en sí mismos, es decir, partes individuales de un conjunto; en cambio en *todo el día,* la variable denota partes materiales de una entidad, que mantienen entre sí una relación constitutiva para formar un conjunto.

Nótese que entre esas partes materiales y un predicado también puede establecerse una relación distributiva, como en los siguientes ejemplos, donde se afirma que es verdad de cada una de las partes de la casa que era roja, y que cada una de las partes del edificio estaba derrumbada:

(118) a. La casa es toda roja.
b. El edificio estaba todo derrumbado.

Como puede comprobarse, el predicado se interpreta en ambos casos como distributivo respecto de cada parte del individuo denotado por el sujeto. Sobre las diferencias entre este uso distributivo de *todo* y su empleo como cuantificador de grado véase el § 16.5.5.

Como sabemos, un SN plural interpretado como colectivo equivale a un solo individuo formado por partes iguales entre las que existe una relación de conformación. Admitido que el cuantificador *todos* tiene acceso a cada parte que forma ese individuo, podemos explicar que pueda aparecer como marca de distributividad en un predicado colectivo, si este no es incompatible con una interpretación semidistributiva respecto de cada una de las partes que forman el sujeto. Esto predice el siguiente contraste [→ § 23.3.3.2].

(119) a. Las oraciones son todas sinónimas.
b. *Las oraciones son todas numerosas.
c. La casa era toda roja.
d. *El grupo era todo numeroso.

Todos los ejemplos anteriores contienen un predicado de los que hemos denominado colectivos. Sin embargo, difieren entre sí en que «ser numeroso» sólo puede predicarse de un conjunto en cuanto tal, es decir, no es una propiedad que sea cierta de cada miembro que forme ese conjunto. Por eso la presencia de *todos* es agramatical en (103b, d). En cambio, «ser sinónimo» es una propiedad individual que sólo se predica de un conjunto cuando se establece entre sus miembros una relación de reciprocidad. Según esto, la interpretación recíproca del predicado exigirá considerar el sujeto como un conjunto (esto es, como un individuo), cuyos miembros serían sus partes materiales o constitutivas. Sin embargo, ello no sería incompatible con la predicación distributiva respecto de cada una de esas partes de la propiedad individual de ser sinónimo, en una interpretación cercana a la semidistributiva que se vio más arriba.

Así pues, podemos concluir que los cuantificadores universales pueden funcionar como marcas explícitas de ámbito cuando aparecen separados del SN al que cuantifican ocupando una posición posverbal.

16.3.4. Algunas restricciones semánticas sobre la asignación de ámbito

Ciertos predicados admiten una interpretación colectiva o distributiva de sus argumentos dependiendo de su posición pre o posverbal.[35] Veamos los siguientes ejemplos:

(120) a. Todos los vecinos caben en el ascensor.
b. Caben todos los vecinos en el ascensor.

En la primera oración se asegura que cada uno de los vecinos por separado cabe en el ascensor, en tanto que en la posición posverbal se favorece la interpretación de grupo del sujeto. De ahí que se pueda decir *Cada uno cabe en el ascensor* pero no *??Cabe cada uno en el ascensor* (con entonación neutra). Del mismo modo, un verbo como *faltar* rechaza la interpretación distributiva de su sujeto, de ahí la agramaticalidad de **Diez minutos faltan para las cinco,* o **Tres invitados faltan para llenar la sala,* porque con cada uno de ellos no se llenaría.[36]

Los verbos que muestran este comportamiento pertenecen a diversas clases semánticas: de movimiento *(seguir, pasar, correr, llevar, venir, salir),* locativos *(estar, caber, permanecer, figurar),* de cantidad *(faltar, bastar, sobrar, ser suficiente, demasiado, bastante),* de modalidad *(ser necesario, imprescindible, imposible, oportuno, innecesario),* de acontecimiento o proceso *(aparecer, surgir, desaparecer, ocurrir, suceder, pasar, comenzar, interrumpir)* y de afección *(gustar, hacer gracia, hacer daño, sorprender, molestar, interesar).*

Dado que, como sabemos, la interpretación colectiva o distributiva del predicado depende de la asignación de ámbito por parte del sujeto, podemos derivar los contrastes anteriores de la posición prominente del sujeto en las oraciones distributivas. En tales casos, el SN cuantificado deberá extender su ámbito al predicado,

---

[35] Estos contrastes han sido observados y estudiados por López Palma (1990).

[36] El complemento predicativo fuerza la interpretación distributiva del SN. De ahí los siguientes contrastes:

(i) a. Muchos salieron del túnel ilesos.
b. *Salieron muchos del túnel ilesos.

(ii) a. Algunos caben en el hueco encorvados.
b. *Caben algunos en el hueco encorvados.

provocando su interpretación multiplicada. Esto permite explicar varios hechos. En primer lugar, que los cuantificadores no intrínsecos, como los SSNN definidos y coordinados en posición preverbal permitan la interpretación colectiva, puesto que de su carácter se deduce que no toman necesariamente bajo su ámbito al predicado. Así, frente a la no ambigüedad de (120), los ejemplos siguientes sí serían ambiguos entre una lectura distributiva y otra colectiva:

(121) a. Juan y Ana caben en el ascensor.
b. Los muebles caben en el ascensor.

Por otra parte, el hecho de que los cuantificadores intrínsecos no puedan preceder a verbos necesariamente colectivos como *faltar*, pero sí puedan seguirlos, con su consiguiente interpretación colectiva (como en *Falta todo el dinero del regalo*), se debe a que en tal caso el sujeto ocupa una posición no prominente respecto del predicado, por lo que no puede tomarlo bajo su ámbito. En efecto, parece que los sujetos pospuestos de estos verbos son sujetos internos al SV [→ § 25.1].

La diferente posición estructural del sujeto en estas construcciones se manifiesta sintácticamente en la diferencia respecto a la concordancia verbal. Cuando el predicado está formado por el verbo *ser* más un atributo, la interpretación colectiva o distributiva del sujeto está ligada a la posibilidad de no concordar con el verbo. Obsérvense los siguientes ejemplos:

(122) a. Muchos amigos {son/*es} una ruina.
b. {Son/*es} una ruina muchos amigos.

Cuando el sujeto cuantificado requiere la lectura distributiva del predicado es imprescindible la concordancia (como en (122a)). Sin embargo, si la oración tiene lectura colectiva la concordancia es opcional.

16.3.5. Restricciones de orden sintáctico. Contextos de prominencia

Hasta aquí hemos ilustrado el ámbito de un cuantificador sobre el predicado con ejemplos en los que un sujeto cuantificado desencadena la interpretación distributiva de este. En todos estos casos, el cuantificador ocupa una posición prominente respecto del argumento que resulta multiplicado. Incluso en los verbos que permiten una doble interpretación, la lectura distributiva coincide con un orden sintáctico en el que el cuantificador precede al predicado.

Cabe preguntarse si esta relación de prominencia del elemento multiplicativo sobre el multiplicado es obligatoria en todos los casos. Para ello observaremos algunos ejemplos en los que el cuantificador está contenido en el predicado. Se percibe un claro contraste en el comportamiento de los cuantificadores intrínsecos *cada, ambos, cualquiera* y *todo,* frente a los demás. Sólo los primeros exigen la interpretación distributiva del predicado que los contiene:

(123) a. El presidente recibió a cada embajador extranjero.
b. Juan sonrió a ambas muchachas.
c. El profesor aprobó a todo estudiante presentado.
(124) a. El presidente recibió a muchos embajadores.
b. Juan sonrió a las dos muchachas.
c. El profesor aprobó a algunos estudiantes presentados.

Mientras que en (123) el predicado ha de interpretarse como multiplicado, es decir, denotará tantos eventos como individuos denotados por el argumento cuantificado, en (124) cabe la posibilidad de una doble interpetación colectiva y distributiva. En tales ejemplos, sin embargo, no se da la relación de prominencia del argumento cuantificado sobre el que resulta multiplicado. Lo mismo sucede con los SSNN que contienen un cuantificador dentro del complemento de su núcleo:

(125) a. Los padres de todos mis amigos te conocen.
b. Alguien de cada ciudad ganará un premio.
c. Los artículos de ambos autores fueron premiados.

En los tres ejemplos anteriores la denotación del SN resulta multiplicada por el cuantificador contenido en él. Así, en (125c), por ejemplo, no puede entenderse que los trabajos premiados fueron escritos en colaboración por los dos autores, sino que los trabajos de cada uno de ellos recibieron un premio. Sin embargo, si la estructura es la inversa, es decir, si es el cuantificador el que domina a todo el SN, la multiplicación del SN no es posible:

(126) a. Ambos padres de mis amigos te conocen.
b. Cada visitante de una ciudad viaja en su propio coche.
c. Todos los amigos de un profesor vinieron a la fiesta.

En (126a y b) la única posibilidad de que los cuantificadores intrínsecos *cada* y *ambos* descarguen su efecto cuantitativo es multiplicando la denotación del predicado, pero, contrariamente a lo que sucedía en (125b y c), no pueden multiplicar la denotación de los SSNN *una ciudad* y *mis amigos*, de tal manera que en tales casos estos SSNN se interpretan de forma absoluta (es decir, un grupo de amigos con padres comunes y una sola ciudad). Por su parte, en (126c) el indefinido *un profesor* se interpreta también de forma absoluta, es decir, como un solo individuo; por lo tanto *todos* denota el conjunto de sus amigos, pero no multiplica su denotación.

Cuando un SN contiene un cuantificador no intrínseco, el efecto multiplicativo sobre el conjunto no es posible:

(127) a. La astucia de un policía permitió resolver los crímenes.
b. Alguien de muchas ciudades la odia.
c. El padre de tres amigos míos es dentista.

En los ejemplos anteriores se habla de una sola astucia —la del mismo policía para todos los casos—, de una sola persona procedente de muchas ciudades y de un solo padre. Ello demuestra que el efecto multiplicativo de un cuantificador sobre el sintagma que lo contiene sólo se produce cuando este es un cuantificador intrínseco.

16.4. Ámbito de los cuantificadores II. Relaciones de ámbito entre dos o más cuantificadores

Cuando una oración contiene dos cuantificadores, existen dos posibilidades de asignación de ámbito, tal como se especifica a continuación:

(127) Dos detectives resolvieron tres crímenes.
 a. Cada uno de dos detectives resolvió por sí mismo tres crímenes.
 b. Dos detectives resolvieron juntos tres crímenes.

La interpretación parafraseada en (127a) corresponde a aquella en que *dos detectives* incluye dentro de su ámbito el SN *tres crímenes,* de tal manera que la interpretación de este último resulta multiplicada por el primero, con lo que el número de crímenes resueltos al final fue de seis.[37] En cambio, en la parafraseada en (127b), el SN *tres crímenes* no está dentro del ámbito del otro SN cuantificado y se interpreta de modo absoluto, es decir, no relativo, de forma que los dos detectives resolvieron juntos dos crímenes. En esta segunda lectura, el segundo SN cuantificado no se interpreta como una variable; su valor por tanto no se multiplica y el número total de crímenes resueltos es de tres.[38]

Existe una tradición gramatical que explica la segunda de estas interpretaciones suponiendo que en tal caso el SN *tres crímenes* tendría ámbito mayor que *dos detectives,* es decir, justo lo contrario que en la otra interpretación. Las dos interpretaciones de (127) corresponderían a dos estructuras como las siguientes:

(128) a. $\exists$x, x = dos detectives, $\exists$y, y = tres crímenes (x resolvió y).
 b. $\exists$y, y = tres crímenes, $\exists$x, x = dos detectives (x resolvió y).

Sin embargo, hay una asimetría notable entre las dos lecturas, pues sólo en el primer caso resulta multiplicada la denotación del SN cuantificado con ámbito menor. Es decir, si efectivamente en la interpretación correspondiente a (127b) *dos detectives* estuviese dentro del ámbito de *tres crímenes,* esperaríamos que la denotación de aquel resultase multiplicada de la misma forma que en la interpretación de (127a). Sin embargo esto no ocurre, pues de (127b) no se sigue la existencia de seis crímenes distintos. Esta asimetría se ha explicado diciendo que la asignación de ámbito es antisimétrica. Otra forma de hacerlo, la que utilizaremos aquí, es decir que un SN cuantificado susceptible de estar dentro del ámbito de otro puede tener interpretación absoluta, si su denotación no resulta multiplicada por el primero, o interpretación de variable ligada, si se produce dicha multiplicación.

Existe, no obstante, una tercera lectura que consiste en interpretar ambos cuantificadores con ámbito absoluto, es decir, sin que se produzca el efecto de multiplicación de uno sobre el otro. Denominaremos a esta interpretación 'cumulativa'; es equivalente a la que ya vimos en el § 16.3.2.4:

(129) a. Exactamente dos detectives resolvieron exactamente tres crímenes.
 b. Veinte barcos españoles capturaron como mucho cien toneladas de merluza.
 c. Tres presos fueron condenados a un total de cuarenta de cárcel.

Nótese que en la interpretación de las oraciones anteriores no parece establecerse una jerarquía entre los dos cuantificadores, sino que ambos se interpretan

[37] Incluiríamos también en esta interpretación el caso en que los dos detectives resolvieron por separado los tres mismos crímenes, pues, aunque el número total de crímenes fuese tres, cada uno de ellos estaría implicado en dos resoluciones distintas e independientes.

[38] Sobre las relaciones de ámbito en oraciones que contienen dos cuantificadores, pueden consultarse las siguientes referencias: Chomsky 1957, Wang 1964, Hintikka 1986, Hornstein 1984, May 1985, Longobardi 1988, Lasnik y Saito 1993, entre otros muchos trabajos.

colectivamente. Así, en (129b) se dice que entre veinte barcos capturaron cien toneladas sin especificar la cantidad correspondiente a cada uno de ellos. Del mismo modo, en (129c) no sabemos qué condena recayó en cada preso. Esto podría hacermos pensar que estamos ante un caso de no ambigüedad en que sólo es posible la interpretación absoluta del segundo SN. Sin embargo, de ello se seguiría la interpretación del primer SN cuantificado con lectura colectiva, lo que no es así porque tanto las condenas como las capturas no pueden asignarse a los respectivos sujetos como conjunto, sino a cada uno de sus miembros por separado.

A continuación veremos cómo inciden sobre la asignación de ámbito entre dos SSNN cuantificados las condiciones generales sobre ámbito que se enunciaron en el § 16.3.1 y que, recordemos, pueden ser de orden léxico, estructural y semántico.

16.4.1. Restricciones léxicas sobre la asignación de ámbito relativo

En aquellas oraciones que contienen dos o más SSNN cuantificados, las posibilidades de asignación de ámbito mayor o menor del que ocupa la posición menos prominente estructuralmente están relacionadas con su lectura como variable ligada o como argumento con valor absoluto. Esto es paralelo al hecho de que la interpretación distributiva o colectiva de un predicado depende de la interpretación del evento como un único argumento, o como una variable cuyo valor resultaba multiplicado por el sujeto. Por otra parte, la interpretación del SN cuantificado superior con ámbito mayor o menor está relacionado con las dos posibilidades de interpretación de dicho SN, bien como la suma de individualidades (distributiva) o como un conjunto (colectiva). Según esto, parece que un SN que desencadene la interpretación distributiva del predicado tendrá propiedades similares a un SN cuyo ámbito es mayor que otros cuantificadores, y, por otra parte, un SN que desencadene la lectura colectiva del predicado tendrá propiedades similares a las de un SN cuantificado con ámbito menor.

Siendo esto así, esperamos que haya restricciones sobre la asignación de ámbito debido a los tipos de SSNN cuantificados que intervienen. En efecto, aquellos cuantificadores que por sus propiedades léxicas requieren siempre la interpretación distributiva de los predicados a los que se unan habrán de tener siempre ámbito mayor que otros cuantificadores con los que se combinen, y desencadenarán siempre su interpretación multiplicada.

Así las cosas, los cuantificadores intrínsecamente distributivos, como *ambos* y *cada* implican siempre una multiplicación de la cardinalidad de cualquier SN cuantificado dentro de su ámbito, cuya interpretación absoluta será imposible. La relación estructural entre ellos siempre será de superioridad de aquel sobre este. Veamos algunos ejemplos:

(130) a. Cada uno de los detectives resolvió tres crímenes.
b. Ambos detectives resolvieron tres crímenes.
c. Encontré tres libros en ambos cajones.
d. Debes colocar cada grupo de libros en una estantería.

Los cuantificadores *cada* y *ambos* son intrínsecamente distributivos, es decir, siempre tienen interpretación cuantificada y requieren la interpretación distributiva de los predicados a los que se unen. Los ejemplos anteriores muestran que también en otros SSNN cuantificados desencadenan la interpretación de estos como variables ligadas. La única lectura posible de los ejemplos anteriores es aquella en la que estos cuantificadores tienen ámbito mayor que los otros.

Desde otro punto de vista, existen restricciones sobre el tipo de elementos que pueden estar dentro del ámbito de un cuantificador. De modo general, diremos que podrán hacerlo todos aquellos que admitan la interpretación de variables ligadas. Entre ellos se encuentran los pronombres personales, los SSNN precedidos por un cuantificador no intrínseco, y los SSNN precedidos por un posesivo:

(131) a. Ambos tienen gran confianza en sí mismos.
b. Algunos libros tienen trescientas páginas.
c. Muchos ponentes trajeron su ordenador.

Rechazan la interpretación de variable ligada los SSNN específicos que denotan entidades individuales, y cuya denotación no es multiplicable. Estos son ciertos SSNN definidos —precedidos por el artículo definido o los demostrativos—, indefinidos —precedidos por determinativos como *cierto, tal, otro...*— y los nombres propios, que quedan excluidos del ámbito de otro cuantificador y tienen siempre interpretación absoluta:

(132) a. Ambos ponentes han montado en el ascensor.
b. Todos los chicos adoran a cierta muchacha rubia.
c. Todos los asistentes hablaron con María.

Sin embargo, los SSNN definidos adquieren la posibilidad de ser interpretados como variables ligadas si van acompañados de una oración de relativo restrictiva que contenga a su vez una variable, o bien si el artículo tiene valor de posesivo [→ §§ 15.2.1 y 30.6.5]:

(133) a. Ambos han comprado el libro que les aconsejaron.
b. Todos los asistentes levantaron el brazo para votar.

16.4.2. Restricciones sintácticas sobre la asignación de ámbito relativo

Además de las restricciones debidas al tipo de cuantificadores que se combinan en una oración, existen otras de carácter estructural que ya presentamos en el § 16.3.1 y que revisaremos a continuación. Vimos allí que el dominio sintáctico que un cuantificador puede tomar como ámbito está restringido al límite de la oración que lo contiene. Dábamos allí como argumento el hecho de que sólo en sus fronteras puede un pronombre interpretarse como variable ligada. De ahí que esa interpretación sea posible en (134a) pero no en (134b):

(134) a. Muchos políticos sospechan que los electores ya no confían en ellos.
b. Muchos políticos son escasamente honrados. Por ello los electores ya no confían en ellos.

Sin embargo, el ámbito de un cuantificador puede extenderse fuera de su propia oración en ciertos contextos que se comportan como 'transparentes' para la asignación de ámbito. Tal es el caso de las oraciones subordinadas de subjuntivo, cuyos propios argumentos pueden estar dentro del ámbito de un cuantificador contenido en la oración principal. Obsérvese el siguiente contraste:

(135) a. Todos los hombres creen que vendrá una mujer.
b. Todos los hombres quieren que venga una mujer.

En (135a) tendemos a interpretar *una mujer* con valor absoluto, en tanto que en (135b) podemos estar hablando de una mujer para cada uno de los hombres. Ello se debe a que el subjuntivo se comporta como transparente para la asignación de ámbito, efecto que se produce también respecto a otros operadores, como la negación [→ § 40.2]. [39]

Ya dentro de la oración, se observa que la relación de ámbito entre dos SSNN cuantificados está determinada por restricciones de prominencia: el cuantificador que aparezca en una posición estructuralmente prominente será el que desencadene la lectura multiplicada del otro. La siguiente oración es la correspondiente pasiva de (127). Aunque es ambigua, sólo coincide con ella en la interpretación absoluta del SN cuantificado más incrustado. Esta interpretación es la parafraseada en (136b), idéntica a la anterior (127b). En cambio, en la interpretación relativa de los cuantificadores, aquel cuya denotación resulta multiplicada es *dos detectives,* es decir, como en el caso anterior, el menos prominente estructuralmente:

(136) Tres crímenes fueron resueltos por dos detectives.
a. Cada uno de tres crímenes fue resuelto por dos detectives.
b. Tres crímenes fueron resueltos a la vez por dos detectives.

Ahora sí es posible deducir la existencia de seis detectives distintos (en la lectura de (136a)), lo que no era posible antes.

Quedan excluidas de esta generalización aquellas oraciones en las que uno de los SSNN cuantificados precede al otro como resultado de una focalización [→ § 64.3]. En tal caso el sintagma focalizado se interpreta de la misma forma que si ocupase su posición canónica. Así, en una oración como la de (137), donde las mayúsculas indican pronunciación enfática, las interpretaciones admisibles son las correspondientes a un orden estructural en que el SN *tres detectives* fuese más prominente: [40]

(137) DOS CRÍMENES han resuelto tres detectives.
a. Cada uno de tres detectives resolvió dos crímenes (= seis crímenes en total).
b. Entre tres detectives resolvieron dos crímenes (= dos crímenes).
c. *Cada uno de dos crímenes fue resuelto por tres detectives (= seis detectives).

---

[39] No deben confundirnos frases como *Todos los hombres creen que una mujer les ama,* donde si se interpreta una mujer para cada hombre es porque el SN establece relaciones de ámbito dentro de su propia oración con el pronombre *les*, pero no con el sujeto de la principal.

[40] Pueden consultarse los trabajos de Partee 1991 y Herburger 1993 sobre la relación entre cuantificadores y foco.

16.4.3. Marcas explícitas de ámbito

De la misma forma que ciertos cuantificadores pueden separarse del SN al que cuantifican para aparecer dentro del predicado como marca explícita de una relación distributiva entre este y aquel, otros pueden unirse a un SN para marcar explícitamente que está dentro de su ámbito:

(138) a. Sus amigos tienen *un coche cada uno*.
b. Sorprendieron las declaraciones de los detenidos sobre *sendos atracos*.
c. Ana y Esteban invitaron *a sus respectivos padres* a la fiesta.

En las oraciones anteriores, los SSNN en cursiva han de interpretarse dentro del ámbito de algún otro sintagma nominal, y entre ambos se establece una relación distributiva. Es decir, en (138a) *un coche cada uno* denotará tantos coches como individuos formen el grupo denotado por *sus amigos;* en (138b) *sendos atracos* significa «un atraco para cada uno de los detenidos», y en (138c) de la interpretación distributiva de *sus respectivos padres* se sigue que Ana y Esteban no son hermanos.

Cada uno, sendos y *respectivo* comparten el ser marcas explícitas de ámbito, que destacan la interpretación multiplicada o distributiva del SN al que modifican. Se diferencian en cambio en una serie de propiedades derivadas de su particular estatuto categorial. *Cada uno* y *sendos* son cuantificadores distributivos, pero en tanto que el primero constituye un SN que se añade al SN de ámbito menor, *sendos* es un determinante que modifica directamente un N. Esto tiene como correlato otras diferencias, por ejemplo, *cada uno* mantiene una relación sintáctica con el SN de ámbito mayor, que se manifiesta en la concordancia de género y número, de modo que es un caso de cuantificación a distancia como los vistos en el § 16.3.4. En cambio, *sendos* cuantifica únicamente al nombre al que modifica. Por su parte, *respectivo* es un adjetivo, y de ello se derivan otras propiedades.

En segundo lugar, los tres están sujetos a determinados principios de localidad o proximidad, es decir, el SN al que cuantifican deberá estar dentro de unos determinados límites, que son, sin embargo, distintos, lo que deriva de sus diferentes categorías. La exposición de las propiedades de estos marcadores de distributividad nos servirá para mostrar detalladamente que el ámbito de un cuantificador está limitado por razones configuracionales.

16.4.3.1. Sendos *y* respectivo

Sendos es un determinante distributivo, numéricamente indeterminado, cuyo significado podría parafrasearse de la siguiente forma: «uno para cada uno de ellos». El hecho de que *sendos* sea siempre distributivo lleva consigo que no podrá combinarse con predicados que requieran la interpretación colectiva, lo que efectivamente sucede, a la vista de las siguientes oraciones: [41]

[41] El uso de *sendos* está restringido a ciertos niveles de lengua, siendo poco frecuente en el habla oral, coloquial o poco formal. Además, como es sabido, en ciertas variedades geográficas este posesivo ha perdido su valor cuantitativo a favor de un significado intensivo, de manera que su significado es «desmesurado».

(139) a. *Reunieron sendos libros.
b. *He encontrado sendos libros juntos.

Específicamente, diremos que *ambos* establece una relación distributiva entre el nombre al que cuantifica y un antecedente (es decir, un SN con ámbito mayor) que puede ser un cuantificador no intrínseco (SN plural o coordinado) o bien un SN introducido por un numeral. Rechaza en cambio como antecedente los SSNN que contienen un cuantificador indefinido o universal:

(140) a. *El ministro y el alcalde* pronunciaron sendos discursos en la inauguración del nuevo puente.
b. *Tres de tus alumnos* me han entregado sendos trabajos para que se los supervise. [42]

(141) a. **Muchos políticos* tienen sendas denuncias por corrupción.
b. **Ambos edificios* sufrieron sendas reformas de sus fachadas.

El sintagma en cursiva de los ejemplos anteriores es el SN respecto del cual *sendos* establece una relación distributiva. Dicho en otras palabras, es el SN que tiene ámbito mayor que el SN que contiene el distributivo *sendos* y que multiplica la denotación de este. Nótese que el hecho de excluir como antecedente a los SSNN cuantificados es una propiedad que comparte *sendos* con otros marcadores explícitos de ámbito, como los cuantificadores flotantes que vimos en el § 16.3.4 y los que veremos a continuación.

La correcta relación distributiva entre el SN con *sendos* y su antecedente sólo puede establecerse si se cumplen determinados requisitos estructurales, de ahí que pueda caracterizarse a *sendos* como un elemento de carácter anafórico, en su sentido restringido [→ § 23.3.1]. [43] Son los siguientes:

a) Ambos tienen que pertenecer a la misma oración. De ahí que en una oración como *Juan* y *Ana dijeron que sus dos amigos escribieron sendos libros, sendos libros* pueda mantener una relación distributiva con *los dos amigos* pero no con *Juan* y *Ana*.

b) La relación de *sendos* con su antecedente es estructural, no de cercanía. Por eso en una oración como *Los padres de Pepe y Ana conducían sendos coches, sendos* se refiere al SN *los padres de Pepe y Ana,* y no al SN *Pepe y Ana,* que, a pesar de su cercanía, están en una posición subordinada respecto al SN mayor que impide la correcta relación estructural con el cuantificador.

c) El antecedente puede ser el sujeto tácito de un infinitivo salvo si tiene interpretación indefinida. De ahí el siguiente contraste:

---

[42] Este ejemplo prueba que *sendos* no significa 'uno para cada uno de dos', como algunos hablantes creen erróneamente por confusión con *ambos.* Véase Bosque 1992 sobre esta y las demás cuestiones relevantes sobre el estudio de *sendos*, además de De Bruyne 1989.

[43] Si bien la gramática tradicional considera anafórico todo elemento que tiene su antecedente en el discurso previo, desde un punto de vista teórico se diferencia entre aquellos que exigen que tal antecedente se encuentre en posiciones que satisfacen ciertos requisitos estructurales, lo que aquí llamanos 'anáfora en sentido restringido', y aquellos otros que pueden tener su antecedente en cualquier posición. Para una caracterización de *sendos* como anáfora en este sentido restringido, véase Bosque 1992, de donde proceden los argumentos que siguen.

(142) a. Los abogados permitieron a los clientes consultar con sendos asesores fiscales.
b. *Hay que hablar con sendos padres.

d) *Sendos* no puede tener dos antecedentes separados, de ahí la mala formación de una oración como **Juan habló con María sobre sendos proyectos*.

e) El antecedente de *sendos* puede estar contenido dentro del SN del que él mismo forma parte, si se cumple el requisito de que tal antecedente sea jerarquícamente superior. Así, en el SN, un SP posesivo o agentivo puede albergar al antecedente de un *sendos* que aparezca en otro complemento, pero nunca al distributivo, pues no hay un SP superior para el antecedente:

(143) a. Las declaraciones de los detenidos sobre sendos atracos.
b. Los abogados comentaron las declaraciones de los detenidos sobre sendos atracos.
c. *Las declaraciones de sendos detenidos sobre sus atracos.

Todo ello hace que podamos caracterizar a *sendos* como una anáfora distributiva cuyo ámbito está restringido a un cierto dominio sintáctico, que coincide con un SN o una oración.

Respectivo comparte con *sendos* la propiedad de requerir o explicitar la lectura distributiva del nombre al que modifica.[44] Así, en una oración somo *Juan* y *Ana conducían sus respectivos coches* el adjetivo establece una relación entre los miembros de dos conjuntos, el de coches y el de personas. Es esta relación en lo que consiste la interpretación distributiva, como hemos visto. Sin embargo, *respectivo* tiene propiedades diferentes de *sendos* que derivan de su distinta categoría sintáctica, pues *respectivo,* al igual que *propio,* no es un cuantificador sino un adjetivo determinativo. Esto explica los siguientes contrastes:

(144) a. Juan y Ana conducían sendos coches.
b. Juan y Ana conducían sus respectivos coches.
c. *Juan y Ana conducían respectivos coches.
d. *Juan y Ana conducían propios coches.

Como otros adjetivos determinativos, *respectivo* sólo puede aparecer dentro de un SN determinado, precedido por el artículo determinado o por un posesivo, en tanto que *sendos* es él mismo un determinante cuantitativo. Esta característica está relacionada con el hecho de que la relación distributiva que establece o explicita el adjetivo distributivo se dé necesariamente dentro de los límites del SN. En otras palabras, *respectivo* relaciona distributivamente dos conjuntos: uno es el denotado por el SN al que modifica, el otro es el poseedor de ese SN. Si estos dos elementos no pertenecen al mismo SN no es posible tal relación:

(145) a. Vimos los respectivos coches *de Ana y Juan*.
b. *Compramos los respectivos coches *para Ana y Juan*.
c. **Juan y Ana* ignoran los respectivos problemas de sus padres.

[44] Véanse McCawley 1976 y Sánchez López 1993b: 329-341.

En (145a) la relación distributiva se establece entre los coches y el SN coordinado *Ana y Juan,* ambos constituyentes del mismo SN. La agramaticalidad de (145b) se debe a que los elementos relacionados distributivamente pertenecen a sintagmas distintos, es decir, el análisis no sería el de (146a) sino el de (146b):

(146) a. *Compramos [los respectivos coches] [para Ana y Juan].
b. Compramos [los respectivos coches [para Ana y Juan]].

Al mismo principio debe atribuirse la agramaticalidad de (145c), donde el SN en cursiva no sería un antecedente adecuado para *respectivos coches* por encontrarse fuera del SN; sí lo sería en cambio el SN *sus padres,* por lo que la oración sería gramatical si interpretásemos que es a ellos a quien pertenecen los coches. Nótese, además, que el antecedente del nombre modificado por *respectivo* ha de ser aquel que denote el poseedor, es decir, no cualquier SN dentro del SN que contiene a *respectivo* puede ser su antecedente. De ahí la agramaticalidad de la oración **¿Has leído los respectivos libros de sintaxis e historia?* Ello demuestra la estrecha relación del adjetivo distributivo con los posesivos.

En los ejemplos anteriores, el SN que contiene el adjetivo distributivo estaba encabezado por el artículo y contenía un SP posesivo. La ambigüedad en tales casos es imposible pues será este SP el antecedente de *respectivo.* En cambio, en aquellos otros en que *respectivo* pertenezca a un SN encabezado por un posesivo, o por un artículo en construcciones de posesión inalienable, sí es posible que se produzca una ambigüedad. Veamos los siguientes ejemplos:

(147) a. Juan y Ana nos han traído sus respectivos premios.
b. Juan y Ana han perdido los respectivos paraguas.

En ambos casos, los premios o los paraguas pueden pertenecer a Juan y Ana o bien a otros sujetos no mencionados. Esta ambigüedad se debe al hecho de que el posesivo puede referirse a alguien mencionado en la propia oración (uso anafórico), o bien referir a alguien no mencionado (uso pronominal). En cualquier caso, el posesivo remite a la información contenida en el propio sintagma, es decir, representa a un SP posesivo omiso. Esto nos permite mantener la afirmación de que el antecedente respecto del cual *respectivo* establece una relación distributiva ha de encontrarse dentro de su propio SN, sea como SP posesivo explícito, sea como determinante posesivo. Los mecanismos por los cuales interpretamos que *sus* en (147a) se refiere al sujeto son independientes de la relación que este posesivo mantiene dentro del SN que encabeza.

16.4.3.2. Cada uno

El cuantificador distributivo *cada* ha dado lugar a los compuestos *cada uno* y *cada cual,* que comparten con los cuantificadores universales la propiedad de poder separarse del nombre al que cuantifican y aparecer en una posición cercana a aquel elemento de la oración cuya referencia resulta multiplicada por estar en el ámbito del cuantificador. Es decir, pueden ser marcas explícitas de ámbito. Si *todo, ambos* y el grupo <artículo + numeral> podían aparecer tras el verbo para explicitar que el predicado se interpreta distributivamente, *cada uno* podrá añadirse a aquel SN indefinido que tiene ámbito menor que su antecedente. Como sabemos, *cada* siempre es distributivo y exige un SN de referencia indefinida que pueda interpretarse como un cuantificador de ámbito menor cuya referencia resulta multiplicada por el distributivo. Esto explica que la ausencia del constituyente que contiene dicho cuantificador haga agramaticales las oraciones siguientes (si omitimos lo encerrado entre paréntesis):

(148) a. Cada niño tenía fiebre *(por una razón distinta).
b. Cada uno compró el coche *(en un concesionario).
c. Cada invitado llegó *(con dos libros como regalo).
d. Cada vendedor vendió la casa *(a un precio).

Ello se debe a que *cada,* al contrario que los otros cuantificadores universales, no puede multiplicar la denotación del predicado, sino que ha de tener bajo su ámbito otro cuantificador [→ § 15.4]. Sin embargo, como ellos, puede unirse a aquel argumento que está bajo su ámbito, con el que forma un constituyente:

(149) a. Los conferenciantes hablaron cada uno de un tema.
b. Guardó las mantas cada una en un armario.
c. Los libros estaban cada uno en su sitio.

Nótese además que *cada uno* forma un constituyente con este último, como se ve en los ejemplos siguientes:

(150) a. [Cada uno de un tema] es de lo que hablaron los conferenciantes.
b. [Cada una en un armario] es como guardó las mantas.
c. [Cada uno en su sitio] es como estaban los libros.

En las oraciones anteriores *cada uno* tiene como antecedente un SN determinado plural con el que concuerda en género, aunque no en número (lo que sucede también en el caso de que lo cuantifique directamente, como en *cada una de las mantas*). En estos casos, la relación que se establece entre ese antecedente y el elemento con el que *cada uno* forma constituyente es idéntica a la que media entre *cada* y el cuantificador de ámbito menor en (148). La presencia de *cada uno* junto a este cuantificador de ámbito menor es precisamente la marca de la existencia de tal relación.

Nótese que la distribución de *cada uno* está sometida a restricciones sintácticas similares a las de los otros cuantificadores universales que pueden actuar como marcas explícitas de ámbito. El SN de ámbito menor al que se une debe pertenecer a la misma oración de la que es argumento el antecedente:

(151) a. Los dependientes fueron obligados a atender cada uno a un cliente.
b. *Los clientes dijeron que el jefe despidió a su compañero cada uno por una razón.

El antecedente puede ser el sujeto, el objeto directo o el indirecto, pero debe preceder en cualquier caso al SN al que está unido *cada uno,* a no ser que dicho constituyente esté topicalizado o focalizado:

(152) a. Compré las cortinas cada una en una tienda.
b. *En una tienda cada una compré las cortinas.
c. A los niños les regalaremos una bicicleta a cada uno.
d. *Una bicicleta a cada uno regalaremos a los niños.

Ello demuestra, nuevamente, que las relaciones distributivas están sometidas a principios de localidad.

Hay que notar que, en el caso de que el cuantificador de ámbito menor al que se une *cada uno* como marca explícita de ámbito contenga un elemento correferente con el SN de ámbito mayor que tenga rasgos de número, el cuantificador induce la concordancia en singular de este elemento. Así sucede si se trata de un pronombre personal, (153a), un posesivo, (153b), un complemento predicativo, (153b), o un pronombre comprendido dentro de una oración de relativo sin antecedente, (153d):

(153) a. Es importante que las mujeres confiemos cada una {en sí misma/*en nosotras mismas}.
b. Juan y Ana presentarán cada uno {su dimisión/*sus dimisiones}.
c. Sus padres estaban cada uno {preocupado/*preocupados} por un asunto diferente.
d. Irán de vacaciones cada uno donde {él quiera/*ellos quieran}.

Sobre este asunto véanse Sánchez López (1993a) y las referencias allí citadas.

16.4.3.3. *Interpretación de los sintagmas coordinados. Adverbios distributivos*

Los SSNN coordinados con la conjunción *y* son, como se ha dicho, cuantificadores no intrínsecos que de forma opcional establecen relaciones de ámbito con otros argumentos de su oración [→ § 41.2.6].[45] Así, la oración siguiente admite las dos lecturas que se explicitan en (154a, b):

(154) Juan y María compraron un coche.
a. Juan compró un coche y María compró un coche.
b. Juan y María compraron un coche entre los dos.

Cuando el SN con el que un SN coordinado establece relaciones de ámbito es otro SN coordinado, tal ambigüedad puede resolverse de dos formas distintas: bien añadiendo el adverbio distributivo *respectivamente,* bien mediante la inserción de un pronombre personal que explicite la correcta relación distributiva entre los elementos denotados por el SN de ámbito menor y los denotados por el de ámbito mayor:

(155) a. Juan y María compraron un coche y una moto respectivamente.
b. Juan y María compraron él un coche y ella una moto.

En ambos casos, a la explicitación de la relación distributiva, los elementos señalados añaden la correcta ordenación de dicha relación. Con otras palabras, la distribución se realiza entre dos conjuntos ordenados, siendo la relación entre sus

[45] Sobre la interpetación de los sintagmas coordinados véanse Dougherty 1970, 1971, Mithum 1972, MacCawley 1976, Milner 1987, Larson 1985, Kay 1989, Lasersohn 1982, 1995, Hoeksema 1983, Partee 1983 y Sánchez López 1995a.

miembros no arbitraria. Es por ello por lo que *respectivamente* sólo puede añadirse a sintagmas coordinados, o bien a SSNN que denoten conjuntos ordenados, como los superlativos [→ § 17.3]. De ahí que sea gramatical una oración como (156a), donde la ordenación del conjunto denotado por el superlativo permite establecer la correlación miembro a miembro con el SN de ámbito mayor, lo que no es factible en (156b):

(156) a. Juan y María obtuvieron las dos mejores notas del curso respectivamente.
b. *Juan y María obtuvieron dos notas excelentes respectivamente.

Hemos dicho que para que un SN cuantificado tome a otro bajo su ámbito han de cumplirse ciertos requisitos estructurales. De nuevo en este caso, la posibilidad de añadir como marcas de distributividad bien el adverbio *respectivamente* bien los pronombres personales, muestran que la relación entre dos sintagmas coordinados no puede franquear ciertos límites. Así observamos que ningún sintagma coordinado puede interpretarse dentro del ámbito de otro si está fuera de su oración. De ahí los siguientes contrastes de gramaticalidad:

(157) a. *Sus padres temen que Juan suspenda y saque malas notas respectivamente.
b. *Sus padres temen que él Juan suspenda y ella saque malas notas.

(158) a. Sus padres temen que Juan suspenda y que saque malas notas respectivamente.
b. Sus padres temen él que Juan suspenda y ella que saque malas notas.

En (157) el sintagma coordinado pertenece a una oración distinta de aquella que contiene al SN cuantificado con ámbito mayor, *sus padres,* por lo que no se puede establecer entre ellos la correcta relación estructural. En cambio, en (158) se coordinan dos oraciones subordinadas que sí pertenecen a la principal, por lo que puede establecerse dicha relación. [46]

Recordemos que frente a los SSNN coordinados con *y*, que presentan una ambigüedad entre las lecturas colectiva y distributiva, otros sintagmas coordinados son cuantificadores intrínsecos que requieren siempre interpretación distributiva (cf. el § 16.3.2.2). Como es de esperar, cuando se combinan con otro SN cuantificado, tales sintagmas tendrán siempre ámbito mayor. Así sucede a la vista de ejemplos como:

(159) a. Tanto Ana como sus amigas traerán un pastel a la fiesta.
b. O tú o yo hemos de comprar un coche.

El resultado de la asignación de ámbito es que el SN *un pastel* denotará tantos dulces como chicas. Si en (159b) *un coche* denota un único objeto se debe a que multiplica su denotación por uno, pues, por el carácter excluyente de la disyunción, el sujeto no denota dos individuos sino uno. Ahora bien, tales sintagmas son in-

[46] Para otras pruebas de que la interpretación distributiva de los sintagmas coordinados está sujeta a principios de localidad, véase Sánchez López 1995a.

compatibles con otros sintagmas coordinados interpretados distributivamente [→ § 41.2.7.1], a la vista de:

(160) a. *Tanto su padre como su madre son de Burgos y Soria respectivamente.
b. *O Juan o Pedro tienen uno una moto y el otro un coche.

No obstante las oraciones anteriores no contradicen el carácter distributivo de los sintagmas contenidos en ellas. La incompatibilidad puede explicarse por otras razones: en el caso de (160b), tal vez se deba a la contradicción entre la coordinación disyuntiva y copulativa. En (160a) responde con seguridad al hecho de que el giro *tanto... como* es distributivo respecto a la denotación de dos eventos o propiedades, una para cada elemento coordinado, pero subraya (y en eso probablemente se diferencie de la coordinación copulativa con *y*) que tales eventos o propiedades son iguales.

16.5. La cuantificación de grado

Incluimos en el concepto de cuantificación de grado cualquier medio gramatical que exprese cantidad, número o intensidad de una determinada realidad o cualidad de manera relativa respecto de una escala. Los cuantificadores de grado son interpretados, como cualquier cuantificador: como operadores que ligan variables; la diferencia respecto de otros cuantificadores es que tales variables no denotan individuos sino niveles jerárquicamente ordenados en una escala. El cuantificador de grado sitúa al elemento cuantificado en un nivel dentro de ella, respecto de la cual será evaluado ya sea cuantitativa o cualitativamente. Por ello a los elementos que realizan este tipo de cuantificación también se les denomina cuantificadores o partículas 'escalares'. [47]

Una escala supone un conjunto ordenado de elementos que tienen alguna propiedad en común. Puede ordenar muy distintos elementos, como propiedades, eventos o individuos. Por ello, como veremos, la cuantificación de grado afecta no sólo a entidades nominales sino también a adjetivos (y otro tipo de predicados) u oraciones. Lo importante es que los elementos que forman dicho conjunto están orientados según la valoración —sea cuantitativa o cualitativa— de aquello que comparten. La orientación u ordenación de la escala suele establecerse a partir de factores pragmáticos, no lingüísticos. Lo característico de un modelo escalar es, por tanto, la imposición de una determinada estructura a un conjunto dado, de tal manera que la interpretación empírica de este conjunto será contextual. Veamos algunos ejemplos:

(161) a. Juan es *muy* joven.
b. Ana tiene *demasiados* libros de sintaxis.
c. Nunca había visto *tal* desastre.
d. Tiene *más* trabajo del que puede abarcar.
e. Trabaja usted poco últimamente.

[47] Sobre cuantificación de grado son básicas las siguientes referencias: Bierwisch 1987, Creswell 1976 y Bolinger 1972. Sobre escalas y escalaridad, Shanon 1978, Westney 1986, Kay 1990, Ducrot 1980, Atlas 1984, entre otros.

Las oraciones anteriores tienen en común poseer un argumento modificado por un cuantificador de grado. El elemento cuantificado es un adjetivo en (161a), un nombre en (161b, c, d,) y un verbo en (161e). Pese a la aparente disparidad de tales oraciones, una propiedad semántica las unifica: la completa interpretación del elemento cuantificado exige conocer el criterio pragmático que orienta la escala en la que se sitúa. Así, ser *muy joven* puede implicar tener nueve años, si el que habla es un adolescente, o cuarenta, si quien pronuncia tal oración añora esa edad desde su avanzada madurez. Lo mismo sucede en (161b), pues atribuir demasía a una cantidad de libros sólo puede hacerse si se estipula circunstancialmente un límite como número razonable.

Tanto *muy* como *demasiado* pueden ser considerados dentro de la subclase de los cuantificadores de grado 'proporcionales' o 'evaluadores', que completarían elementos como *algo, poco, un poco, bastante, lo bastante, mucho (muy), demasiado.* Todos ellos sitúan al elemento cuantificado en algún punto dentro de una escala —cualitativa o cuantitativa—, y pueden tener como complemento un SP introducido por la preposición *para* que hace explícito el criterio sobre el que se ordena, como en los siguientes ejemplos [→ § 4.3.6.2]:

(162) a. Juan es muy alto para ser policía.
b. Llegó muy tarde para ir a cenar.
c. Tiene muchos libros para ser un pésimo lector.

Nótese que, en efecto, la cualidad de ser alto, por ejemplo, sólo puede ser graduada sobre bases pragmáticas, pues los mismos centímetros nos parecerían pocos para un jugador de baloncesto y demasiados para un jinete. El complemento introducido por *para* nos ayuda a acceder a las claves sobre las que se ha establecido la escala correspondiente. [48]

Completan el sistema de los cuantificadores de grado los 'comparativos' *más, menos, tanto(tan)* [→ Cap. 17], cuya característica es que sitúan al elemento cuantificado dentro de una escala cuya orientación está marcada por la ordenación relativa de dos puntos: aquel ocupado por el elemento comparado y aquel que constituye el término de comparación. Así, en (161d) no sabemos qué cantidad de trabajo tiene el sujeto, sino únicamente que dicha cantidad es superior a aquella que podría realizar en óptimas condiciones.

La diferencia entre los dos tipos de cuantificación de grado resulta evidente si tenemos en cuenta que en el caso de los proporcionales se nos sitúa un punto dentro de una escala, que a su vez presupone la existencia de otros muchos puntos ordenados según un criterio del que opcionalmente se nos informa mediante un complemento de proporción. En el caso de los comparativos, la escala no resulta de la aplicación de un criterio para valorar cuantitativa o cualitativamente al elemento graduado, sino que es el resultado de contrastar dos niveles distintos. Ello es quizá la causa de que los complementos de proporción sean incompatibles con las estructuras comparativas: **Juan es mucho más alto para ser un policía que Pedro.*

Tanto los proporcionales como los comparativos pueden tener un valor 'intensivo' o 'ponderativo' que consiste en subrayar la localización del elemento cuantifi-

[48] Salvá (1847) ya observó este uso de la preposición *para*, respecto de la que afirma «denota la proporción entre las cosas, equivaliendo unas veces a *según, con respecto de lo que, tanto como,* otras a *no obstante,* y otras a *consideración habida de*». Sobre tales complementos de proporción véanse también Ludlow 1989 y Sánchez López 1995b.

cado en un determinado punto de la escala como un valor cualitativamente positivo. Este es el único valor que posee el intensivo *tal,* en oraciones como *Nunca había visto tal desastre,* donde *tal* es ambiguo entre un significado identificativo (de deixis catafórica) y otro intensivo («un desastre de tanta magnitud»). De este último nos ocuparemos en el § 6.5.4.

16.5.1. Clases de elementos graduables

Antes de explorar las propiedades particulares de cada uno de los cuantificadores mencionados conviene hacer unas breves observaciones sobre qué tipo de elementos admiten cuantificación de grado. El criterio que determina tal admisión no es categorial sino semántico, dado que cualquier categoría léxica admite cuantificación de grado si su significado se adecua a ciertos requisitos. Esto, como veremos, simplifica el problema de la adscripción categorial de estos cuantificadores.

En el caso de los adjetivos, se observa un claro contraste entre los adjetivos calificativos que denotan propiedades graduables, como *joven, viejo, inteligente, pobre, espabilado, dispuesto,* frente a aquellos que, aun denotando cualidades, no son graduables, como *inaudito, inmortal, caduco, eterno...* No admiten cuantificación de grado los relacionales, sean clasificativos o argumentales, salvo que se recategoricen como calificativos [⟶ § 3.2.2.1]. Así, se dice *un estilo muy inglés,* pero no **un pasaporte muy inglés.* Ello se debe, como afirma Bosque (1989: 122), a que los adjetivos clasificativos pasan a denotar propiedades cuando se les asocian determinadas características o comportamientos estereotipados reconocidos como tales por la comunidad de hablantes.

Dentro de los adjetivos graduables podemos distinguir dos subclases: los 'dimensionales' forman junto a otros adjetivos una dimensión dada. Consta de dos polos extremos, lógicamente incompatibles, entre los cuales se sitúan los demás términos. Sirva como ejemplo la dimensión de temperatura formada por *helado, frío, tibio, caliente,* o las definidas por los antónimos *alto-bajo, viejo-joven.* Todos los términos de la dimensión pueden ser graduables, y en cualquier caso los valores negativos de un adjetivo dimensional implican necesariamente valores positivos de su antónimo. Frente a ellos, los adjetivos 'evaluativos' [⟶ § 3.4.2.2] establecen cada uno su propia escala con sus dimensiones respectivas. Así *fiel* u *honesto* trazan cada uno su propia dimensión y no tienen por antónimos sino los propios adjetivos formados por prefijación negativa: *infiel* y *deshonesto.* Tales formaciones negativas son inoperantes en el caso de los adjetivos dimensionales, que tienen por antónimos los adjetivos situados en el polo opuesto de la dimensión a la que pertenecen. Obsérvese además que los antónimos negativos de los adjetivos evaluativos no suelen admitir gradación:

(163) a. Es {muy/poco/bastante} fiel.
b. ??Es {muy/poco/bastante} infiel.

Esta resistencia de los adjetivos evaluativos con prefijo negativo a admitir cuantificación de grado parece estar en relación con que estos denoten efectivamente la ausencia de una cualidad (como *imposible, increíble*), ausencia que, como es lógico, no puede graduarse. Sin embargo, si lo que denotan es la existencia efectiva de una cualidad negativa, esta sí podrá graduarse. Por ello podemos tener sintagmas como *muy atípico, bastante inmoral, algo incierto, demasiado infiel.* [49]

Los adjetivos dimensionales tienen un valor medio como correlato, es decir, para afirmar que todos los alumnos de la clase son altos, necesitamos compararlos con alguien extraño al grupo. Ello no es necesario si se trata de cuantificar su grado de inteligencia, pues ser inteligente es una cualidad cuyo correlato es el propio grupo. No obstante, un adjetivo evaluativo puede convertirse en dimensional si se añade un complemento de proporción, como en *Juan es muy trabajador para ser un policía* donde el SP establece un correlato, el común de los policías, para medir la laboriosidad de Juan.

Respecto a la gradación de nombres, hay que distinguir dos casos según la escala en la que los situemos sea cuantitativa o cualitativa. En el primer caso, ya hemos visto que todo nombre admite un cuantificador de grado que denote estrictamente cardinalidad (sea contable, como en *demasiados problemas,* o no contable, como *poco aceite*). Además, ciertos nombres admiten ser graduados respecto a una escala que valore no su cardinalidad sino su calidad. Distinguiremos a su vez dos posibilidades. Por una parte, ciertos nombres admiten unos usos 'pseudoadjetivales' como en *muy hombre, muy torero, demasiado padrazo* [⟶ § 1.7.5]. Estos no consisten como podría pensarse en simples usos adjetivales de los sustantivos, en cuyo caso sería difícil explicar por qué son inaceptables sintagmas como **muy secretaria* o **muy nieto.* Parece, pues, que sólo podemos usar adjetivalmente nombres a los que se ha atribuido un significado estereotipado que les permite denotar propiedades o cualidades (véase Bosque 1989: 122). Existen construcciones sintácticas que favorecen esta interpretación cualitativa de los nombres, como los atributos con *un* enfático [50] o las expresiones tautológicas de sentido hiperbólico, como *Juan es mucho Juan,* o *Este coche es demasiado coche para ti* [⟶ § 1.2.3]. En ambos casos se subrayan las propiedades o cualidades que estereotípicamente le han sido asignadas al nombre cuantificado (curiosamente casi siempre las positivas, salvo que se usen las expresiones irónicamente).

Además de estos usos pseudoadjetivales, un nombre se puede graduar cualitativamente mediante el demostrativo *tal,* que es ambiguo entre un uso identificativo (con valor anafórico) y un sentido intensivo. Véase en los siguientes ejemplos:

(164) a. Nunca he visto tal desbarajuste.
b. Dijo que tal invento reportaría insospechadas ventajas para la humanidad.

En estas oraciones, *tal* puede tener un valor anafórico, en cuyo caso se refiere a un objeto ya mencionado, o bien intensivo, si significa «un desbarajuste tan gran-

---

[49] Esto puede explicar el curioso contraste entre el adjetivo *improbable,* que sí admite gradación, frente a *imposible,* que no lo hace. La razón de esta diferencia puede ser la siguiente: en tanto que *imposible* denota la no-posibilidad absoluta, *improbable* no denota la no-probabilidad, sino la escasa-probabilidad. Si decimos *Es improbable que llueva* queremos significar que la probabilidad es baja, pero nunca cero. En ese sentido, puede afirmarse que *improbable* denota positivamente una cualidad negativa, en tanto que *imposible* niega taxativamente una cualidad positiva.

[50] Nos referimos a construcciones del tipo *Juan es un médico,* en las que no se adscribe a Juan a la clase de los médicos, sino que se afirma de él que posee todas las cualidades para ser un médico como mandan los cánones, es decir *un verdadero médico* o *un médico en toda regla.* Sobre estas estructuras véanse Fernández Lagunilla 1983 y Portolés 1993, 1994 [⟶ §§ 13.3.7, 37.2.2.3 y 39.2.2].

de» o «un invento de propiedades tan novedosas». Nos referiremos a este uso con detalle en el § 16.5.4.

Respecto a los adverbios, observamos que admiten cuantificación de grado los comparativos como *antes, después,* y los que denotan dimensiones temporales o espaciales como *tarde, pronto, cerca, lejos, alto, bajo, arriba, abajo.* Sin embargo, no la admiten los que significan posición, a no ser que se recategoricen para denotar propiedades. Esto explica los siguientes contrastes:

(165) a. Muy por encima de sus posibilidades.
b. ??Muy por encima de la mesa.
c. Bastante a la altura de su cargo.
d. ??Bastante a la altura del techo.
e. Muy por delante de sus adversarios.
f. ??Muy por delante del edificio.

Finalmente, también los verbos o los sintagmas verbales admiten cuantificadores de grado. Sin embargo, existen restricciones de carácter semántico que limitan esta posibilidad. Obsérvense los siguientes ejemplos:

(166) a. Juan nada mucho.
b. ¿Por qué dices que Juan habla mucho de política?
c. Juan grita mucho cuando habla.
d. Juan te quiere mucho.

En los tres casos, el cuantificador *mucho* intensifica el SV, aunque de diferente modo. En (166a, b) el cuantificador denota iteración o repetición periódica de la acción (por lo que más bien podría considerarse un modificador aspectual o temporal, admitido por toda clase de verbos), o bien mide la extensión de lo hablado o nadado respectivamente (en cuyo caso equivaldría a un complemento directo indefinido cuantificado, admitido sólo por verbos transitivos). Sin embargo, en (166c, d) el cuantificador puede tener una interpretación imposible en los dos primeros casos que corresponde a una verdadera cuantificación de grado. Obsérvese que tanto *querer* como *gritar* denotan acciones que pueden realizarse en distinto grado, sin que ello suponga una acción diferente. Por ello admiten ser graduados de manera similar a *ser gritón* o *ser amante.* Por el contrario, *nadar* y *hablar* denotan acciones absolutas, por tanto no graduables como no lo son *ser nadador* ni *ser hablante* (decimos *hablante* y no *hablador,* porque sólo el primero equivale a «que habla», en tanto que el segundo significa «que habla mucho»).

Esto demuestra que la posibilidad de admitir cuantificación de grado por parte de los predicados depende de la semántica del verbo. Así, son graduables verbos como *quejarse, chillar, apreciar, valorar, luchar, vacilar,* frente a *dormir, aceptar, escribir, recordar.* Nótese que aunque todos los verbos mencionados admiten un cuantificador como *mucho,* el significado de este será distinto. *Quejarse mucho* puede ser «quejarse intensamente», pero *dormir mucho* no es «dormir profundamente», sino «durante mucho tiempo».

En conclusión, podemos afirmar que las restricciones sobre el tipo de elementos que admiten cuantificación de grado son semánticas y dependen de las propiedades significativas inherentes de los elementos cuantificados. Este hecho arroja cierta luz sobre el problema de la adscripción categorial de los cuantificadores de grado. Como se ha dicho, los mismos elementos parecen comportarse como determinantes unas veces, como adverbios otras. El problema de la doble categoría de estos elementos dejaría de ser crucial si suponemos que en cualquier caso se trata de elementos cuantitativos que seleccionan su complemento no en función de su categoría sintáctica, sino de sus propiedades semánticas. El que estos cuantificadores no presenten rasgos nominales cuando cuantifican adjetivos o adverbios no se debería a un cambio categorial sino al hecho circunstancial de que dichos complementos no exijan la concordancia de sus modificadores. En otras palabras, los cuantificadores de grado no dejarían de tener rasgos nominales para convertirse en adverbios, sino que no los manifestarían como consecuencia de su combinatoria sintáctica.

Una vez que sabemos qué elementos se pueden graduar veremos cómo realizan esta función cada uno de los cuantificadores de grado. En primer lugar, hablaremos de los comparativos, aunque brevemente, pues a ellos se dedicará en detalle el capítulo siguiente. No obstante, permítansenos aquí unas breves palabras para completar el panorama de la cuantificación de grado.

16.5.2. Cuantificadores de grado comparativos

Los cuantificadores comparativos del español son *más, menos* y *tan (tanto).* Su propiedad definitoria es que establecen una relación entre dos puntos dentro de una escala. En uno de ellos sitúan al elemento cuantificado, en el otro el término de comparación. Según la posición relativa de ambos elementos dentro de la escala —que como hemos dicho ha de estar pragmáticamente orientada— la comparación será de superioridad (si el elemento cuantificado ocupa un lugar dentro de la escala más alto que el del término de comparación), de inferioridad (si está en un punto por debajo del término de comparación), o de igualdad, si lo que se subraya es que ambos términos ocupan la misma posición relativa en la escala. Se ilustran los tres casos en los ejemplos siguientes:

(167) a. Ana tiene más problemas de los que ella dice.
b. Es menos inteligente que Pedro.
c. Come tanto como puede.

En una escala basada en una dimensión de cantidad, el conjunto de problemas que tiene Ana ocupa un lugar más alto que el grupo de problemas que ella afirma tener [→ § 17.1.1]. Lo contrario sucede en (167b), por lo que hablamos de comparación de inferioridad. En (167c), finalmente, se indica que dos cantidades, la realmente comida y la que podría llegar a comerse, están en el mismo punto dentro de una escala cuantitativa.

La comparación de superioridad e inferioridad crea un intervalo en la escala entre los dos puntos comparados. Dicho intervalo es mensurable, lo que explica el hecho de que *más* y *menos* puedan ir precedidos por un cuantificador de grado no comparativo, como *mucho, bastante, algo, poco, un poco:*

(168) a. Ana tiene muchos más problemas de los que ella dice.
b. Es bastante menos inteligente que Pedro.

Como este intervalo no existe en el caso de las comparativas de igualdad, la especificación cuantitativa es imposible. La combinación de *tan* con *poco* en oraciones como *su trabajo es tan poco original como sus ideas,* el cuantificador no modifica al comparativo sino al propio adjetivo, de manera que este añade a la estructura comparativa información adicional acerca de la situación relativa del punto de la escala en la que se sitúan los elementos comparados. El hecho de que *poco* sea el único cuantificador que puede entrar en esta construcción parece deberse a que por sí mismo *tan* mira hacia la parte alta de la escala, por lo que sería redundante un cuantificador como *mucho (*Estos libros son tan muy interesantes como novedosos).*

A menudo el término de comparación puede estar implícito, de tal forma que el contexto es el que permite establecer el punto respecto del cual se establece la comparación. Así sucede en los siguientes ejemplos:

(169) a. Juan está menos antipático.
b. Fíjate en ese cuadro. No he visto nada más hermoso.
c. Sabe algo de cuantificadores y poco más.

Conviene, sin embargo, no confundir estos casos con aquellos en que el cuantificador comparativo pierde su valor originario y toma un significado ponderativo o intensivo. Sucede esto sobre todo en frases exclamativas y está limitado a los comparativos *más* y *tan(to),* que pueden combinarse con el cuantitativo *poco* para marcar la inferioridad. Esta generalización puede comprobarse en las siguientes frases donde se consigue obtener el valor ponderativo del comparativo subrayándolo con un acento de énfasis [⟶ § 58.1.5]:

(170) a. ¡Juan es más listo...!
b. ¡Tu hermano tiene más pocas luces...!
c. ¡Tiene tanto encanto personal...!
d. Este sitio aún es hermoso. ¡Tiene tan pocos visitantes...!
d. *¡Sois menos avispados...!
e. ¡Sois más poco avispados...!

La especial entonación de este tipo de frases —probablemente con semianticadencia, frente a la cadencia normal de las exclamativas— parece indicar que se trata de un tipo de exclamativas de eco [⟶ §§ 31.2.1.5 y 62.3.5], en las que los comparativos *más* y *tan(to)* equivalen a un *qué* exclamativo *in situ.* Avalaría esta explicación el hecho de que los cuantificadores de grado exclamativos apunten siempre hacia la parte alta de la escala, como veremos, lo que explicaría la exclusión de *menos* de este tipo de estructuras. Por otra parte, en el uso reflejado en (170) *más* no admite ser modificado por otros cuantificadores, lo que demuestra que no se trata de un verdadero comparativo. Nótese, además, que los comparativos pueden contener un pronombre interrogativo pero no uno exclamativo:

(171) a. *¡Juan es mucho más listo...!
b. ¿Cuánto más alto es Juan que su padre?
c. *¡Cuanto más alto es Juan que su padre!

Tanto tiene además un valor deíctico que consiste en señalar una cantidad determinada contextualmente. Tal es el valor que puede adquirir en un contexto de discurso directo [⟶ Cap. 55] como el siguiente: *Tú dime 'me debes tanto', y yo te lo daré gustoso.* Inversamente, otros deícticos pueden adquirir valor de cuantificadores de grado, como *así* en oraciones como *Nunca le vi así de enfadado,* donde *así de* equivale a *tan,* o en *No chilles así,* donde el adverbio puede significar no sólo «de ese modo» sino «con esa intensidad» [—> § 14.4]. Curiosamente, a *tan* le está vedado el valor deíctico que puede adquirir *tanto.* No decimos *Tú me lo describirás así, es tan alto, tan grueso...,* pero sí *Es así de alto, así de grueso...* Este valor de *tanto* reaparece en las expresiones interrogativas y exclamativas del tipo *¿Qué tanto dista el puente de la ciudad?* Véase sobre ellas Bello 1847: § 1156, donde aparece el siguiente ejemplo en que *tan* cuantifica un adjetivo:

(172) Qué tan grande sea la providencia, en ninguna manera lo podrá entender sino el que la hubiera experimentado.

16.5.3. Cuantificadores de grado no comparativos

A diferencia de los cuantificadores comparativos, los cuantificadores de grado proporcionales sitúan al elemento cuantificado en un único punto en la escala. *Tal* y *bien* sitúan al elemento intensificado en una escala establecida sobre una dimensión de calidad. Por su parte, *algo, poco, un poco, bastante, muy (mucho), demasiado,* lo hacen en una escala basada en la cantidad. Además de ellos, *nada* y *todo* pueden tener usos gradativos que se verán oportunamente. Nos referiremos ahora a los cuantitativos y hablaremos más tarde de los cualitativos.

Los cuantificadores mencionados establecen una dimensión de cantidad ordenada de menor a mayor. Se añaden a nombres, adjetivos o verbos para delimitar qué lugar ocupan estos dentro de una escala pragmáticamente establecida. Como dijimos, a menudo puede hacerse explícito el baremo sobre el que se realiza la escala mediante un complemento de proporción (véase (162)).

Cada uno de los cuantificadores de grado realiza su función según una cierta especialización que los distingue en cuanto a su orientación hacia la parte alta o baja de la escala, por una parte, y a su posición relativa a algún punto de la escala, por otra. De acuerdo con la primera propiedad, distinguimos *algo, poco, un poco,* que sitúan al elemento cuantificado en la parte baja de la escala (se les denomina decrecientes o reductores), frente a *bastante, mucho* y *demasiado,* que lo hacen en la parte alta (llamados crecientes o elevadores).

De acuerdo con la segunda, observamos que algunos de estos elementos implican la existencia de un punto dentro de la escala al que se ha llegado o que ha sido sobrepasado. Esto explica algunas diferencias entre elementos que están en el mismo lugar relativo de la escala. Así, *mucho* es un elevador e indica normalmente un punto indeterminado en su parte alta. Por su parte, *demasiado* significa exceso respecto de una cantidad que se considera justa o adecuada. Por ello comporta un valor de comparación implícita e indica que se ha sobrepasado cierto nivel. Así en *Juan tiene demasiados libros* estamos diciendo que tiene más libros de los necesarios, de los que le han mandado, etc. *Mucho* puede tomar este valor relativo cuando va seguido de un complemento de proporción, como en *Es muy torpe para haber hecho esto solo,* donde se nos dice que alguien ha superado el grado de torpeza que permitiría haber hecho solo lo que fuese.

Demasiado pertenece a una subclase de cuantificadores de grado denominados 'de exceso', en la que se incluyen también adjetivos como *desmesurado, excesivo* y sus adverbios, detalladamente estudiada por Bosque (1994b). Frente al resto de los cuantificadores de grado, presentan la particularidad de incluir en su significado cierto contenido modal que les relaciona con la modalidad epistémica de las oraciones en que aparecen. Como observa el mencionado autor, estos cuantificadores exigen una valoración de la cantidad que sólo puede satisfacerse si la oración en la que aparecen posee un cierto contenido modal. Ello explica las particularidades de estos cuantificadores frente a otros proporcionales como *muchos* o *varios.* Una de ellas consiste en que no pueden ser complementos de predicados con fuerza ilocutiva, como los imperativos, dado que dicha fuerza ilocutiva es incompatible con la modalidad epistémica de la oración. De ahí los siguientes contrastes:

(173) a. *Por favor, trabaja demasiado.
b. Por favor, trabaja mucho.
c. En esta empresa debes trabajar demasiado.

Frente a la agramaticalidad de (173a), (173c) es aceptable porque carece de fuerza ilocutiva: no es un mandato, y el verbo modal *deber* permite la presencia del cuantificador. Recuérdese, además, que *demasiado* se diferencia del resto de los cuantificadores no universales en que no puede ser específico. Ello se explica si suponemos que los cuantificadores de exceso denotan objetos que sólo existen en la medida en que son validados modalmente, por lo cual no pueden tener antecedentes en el discurso.

Por su parte, *bastante* puede únicamente situar al elemento cuantificado en la parte alta de la escala, pero lo normal es que añada la indicación de que se ha llegado a cierto punto dentro de ella.[51] Este último valor es el único que tiene cuando se combina con *lo.* Obsérvese el siguiente par:

(174) a. Me parece que Juan es bastante alto.
b. Me parece que Juan es lo bastante alto.

Solamente en (174a) *bastante* puede ser equivalente a *muy.* La interpretación de (174b), en cambio, exige la consideración de ese punto de la escala como un listón al que hay que llegar para, por ejemplo, ser jugador de baloncesto.

Nótese que, de todos los cuantificadores de grado que estamos viendo, *demasiado* y *lo bastante* son los únicos que no se combinan con los comparativos. Quizá ello se deba a que implican en sí mismos comparación respecto de un punto en la escala, lo que resultaría incompatible con los comparativos. La agramaticalidad de una oración como **Es demasiado más inteligente de lo que parece* (frente a *Es mucho más inteligente...*) se debería a que *demasiado* no mide el intervalo entre los dos puntos de la escala comparados, sino que exigiría para su interpretación un tercer punto dentro de ella respecto del cual indica una comparación implícita.

Demasiado comparte este valor comparativo con otros términos y locuciones etimológicamente emparentados con él, como el adverbio *además,* que puede regir un complemento con *de* cuyo significado equivale al de un término de comparación (175a), o la locución *de más,* que puede añadirse tanto a SSNN cuantificados (175b) como a verbos (175c):

---

[51] Este significado puede proceder del valor originario de *bastante* como adjetivo derivado del verbo *bastar,* que encontramos en ejemplos como los siguientes —tomados del *DCRLC*— donde la coordinación con otro adjetivo (i), la cuantificación (ii) y la morfología superlativa (iii) indican claramente su uso adjetival:

(i) Los cuales [árboles, cortados por el pie] se dejaron caer a la otra orilla y unidos lo mejor que fue posible, dieron *bastante aunque peligroso* camino a la infantería. [Solís, *Conquista de México,* 5,18]
(ii) Dábame *tan bastantes razones* que a mí me hacía toda seguridad. [Santa Teresa, *Vida,* 29]
(iii) El dio por disculpa, *bastantísima* a su parecer, ser costumbre de los caballeros andantes dormir por los campos y florestas antes que en los poblados. [Cervantes, *Quijote,* 2,19]

De hecho, su uso como mero cuantificador de grado es moderno, no muy anterior a 1800. Para su uso 'adverbial' tenía el español medieval y clásico las expresiones *assaz* y *harto.*

(175) a. Además de cantar, sabe bailar y tocar el piano.
b. Nos dieron cien pesetas de más.
c. Tiene por costumbre hablar de más en todas las reuniones.

Obsérvese que en (175b) el SN cuantificado mide la cantidad que sobrepasa la esperada, de forma similar a como se cuantifica el intervalo entre los dos puntos que se contrastan en las estructuras comparativas, como en *Nos dieron cien pesetas más de las que nos debían.* Ello parece avalar la consideración de esta locución como tácitamente comparativa.[52]

También entre los cuantificadores que señalan la parte baja de la escala, a saber *poco, un poco, algo,* encontramos contrastes notables. En primer lugar, como se ha notado ya,[53] la diferencia entre *un poco* y *poco* no atañe a la cantidad que denotan, sino a la situación de dicha cantidad dentro de una escala pragmática. Parece ser que *un poco* (al igual que *algo*) afirma la existencia de una cierta cantidad; en otras palabras, indica que se ha alcanzado cierto punto objetivo dentro de la escala, aunque dicho punto (a diferencia del señalado por *bastante*) se sitúe en su parte baja. En cambio, *poco* puede ser considerado un cuantificador de 'defecto' que indica, por así decirlo, una cantidad deficitaria; en otras palabras, *poco* parece indicar que la magnitud del elemento cuantificado no ha llegado al mínimo esperado. De este significado de 'insuficiencia' se deduce que *poco* pueda tener cierto valor negativo del que carece *un poco*:

(176) a. Tiene poco miedo a las tormentas.
b. Tiene un poco de miedo a las tormentas.

En tanto que en (176b) se afirma la existencia de cierta cantidad de miedo, en (176a) se presupone la existencia de cierta cantidad de miedo, y se afirma que dicha cantidad es escasa, tanto que cabe dentro de lo posible que llegue a ser nula.[54] De ahí el valor de negación atenuada que puede tener la oración, que equivaldría entonces a *No tiene nada de miedo.* De ahí el siguiente contraste:

(177) a. Juan es poco torpe.
b. Juan es un poco torpe.

---

[52] Está en desuso el adverbio *demasiadamente,* del que aduce el *DCRLC* varios ejemplos como el siguiente:

(i) Ninguna cosa más dañosa que un príncipe demasiadamente misericordioso. [Saavedra, *Emp.* 22]

También son anticuados los usos de *demasiado* con régimen preposicional (ii) y como adjetivo calificativo con el significado de «sobrado, que excede lo natural o tolerable», manifiesto en el hecho de que pueda ser cuantificado o pospuesto al nombre (iii):

(ii) Esotro no me ha pasado por pensamiento, que demasiado de descalzos andan. [Santa Teresa, *Cartas,* 2, 46]
(iii) Paréceme lo que sobre esto decís tan bien, que no puedo dejar de aprobarlo, aunque hasta aquí me parecía cosa bien demasiada. [Valdés, *Diálogo,* 39]

[53] Véase Ducrot 1970, 1972; también Morreale 1970 y Bosque 1989: 99ss.

[54] Dado que *poco* afirma la escasez de ciertas propiedades que se presuponen, su combinación con ciertos adjetivos dependerá de las propiedades prototípicas que se asignan a las entidades. Obsérvense en los contrastes siguientes que *poco* sólo es admisible si restringe el grado en que un objeto posee una propiedad que se le presupone:

(i) La sopa está poco caliente y el vino poco frío.
(ii) #La sopa está poco fría y el vino poco caliente.

Nótese que *un poco* sí sería adecuado en ambos casos, con la salvedad de que si cuantifica una propiedad que se presupone como existente, ya no indica una cantidad pequeña, sino un poco más de lo esperado.

En (177a) *poco* parece situar a Juan en la escala de la torpeza, pero sin señalar un punto determinado. Es por ello por lo que puede inferirse pragmáticamente que dicho punto es el más bajo, es decir, que Juan no es torpe en absoluto. Es decir, en tanto que *poco* valora cuantitativamente una realidad que se presupone, *un poco* sólo afirma la existencia de una cierta cantidad o grado, sin valorarla. Por ello puede equivaler a *mucho* o *bastante*. Obsérvese el siguiente contraste:

(178) —¿Me compras un helado?
a. Tengo poco dinero. Lo siento. No puedo comprarlo.
b. Tengo un poco de dinero. Te lo compraré.

Algo coincide con *un poco* en afirmar la existencia de una cierta cantidad o grado dentro de una escala, aunque bajo, por lo que las inferencias negativas resultan bloqueadas. La diferencia entre ellos parece atañer a una especie de valoración cualitativa de la cantidad. *Algo* actúa como un minimizador que atenúa la afirmación, de ahí que admita ciertos complementos restrictivos:

(179) a. ??Juan es un poco retrasado para su edad, pero no mucho.
b. Juan es algo retrasado para su edad, pero no mucho.

Finalmente, hay que añadir al inventario de cuantificadores de grado el adverbio *bien*, que puede modificar adjetivos [→ Cap. 4, n. 4] y adverbios graduables con un valor similar al de *mucho(muy),* aunque aquel parece añadir a la valoración cuantitativa de este una valoración cualitativa:

(180) a. Nos tomaremos un chocolate bien calentito.
b. Ahora es bien difícil encontrar trabajo.
c. Anoche llegamos bien tarde a casa.
d. Hace un rato estabais bien contentas.

Todos los cuantificadores de grado no comparativos mencionados sitúan al elemento cuantificado en una escala de cantidad. Existe además la posibilidad de graduar ciertos elementos mediante términos de grado no estrictamente cuantitativos sino cualitativos. Tales son los intensivos, como *tal,* que intensifican los elementos a los que modifican respecto de su cualidad, y no de su cantidad. De ellos se hablará a continuación.

16.5.4. Intensificación cualitativa de nombres

Como se ha dicho, los nombres pueden ser intensificados cualitativamente mediante el determinante *tal.* Este demostrativo se diferencia del resto de los deícticos en su valor cualitativo, que consiste en señalar un objeto bajo la imagen de semejanza o igualdad, con un cierto énfasis sobre la cualidad [→ § 14.3]. El significado etimológico de igualdad o semejanza en la cualidad que parece estar en el origen de su valor deíctico, ha llegado a desaparecer en ciertos casos, en los que *tal* equivale simplemente a un demostrativo. Obsérvense las siguientes oraciones:

(181) a. Se descubrió que los documentos comprometedores habían desaparecido, aunque tal descubrimiento no sorprendió a los expertos.
b. Le satisfizo que todos los empleados tuviesen por fin un salario justo, pues tal había sido su mayor preocupación durante muchos años.

En ambos ejemplos, *tal* se refiere anafóricamente a lo expresado por la oración completiva que le precede. En (181a) *tal descubrimiento* puede equivaler a *ese* descubrimiento o bien a *un descubrimiento de esas características,* donde se conserva el valor etimológico de cualidad. En cambio, sólo la primera interpretación parece adecuada para (181b).

El valor cualitativo de *tal* está en el origen de su uso como intensificador que pondera las cualidades del nombre al que cuantifica. Se usa entonces el demostrativo para «exagerar o engrandecer la bondad y perfección de algo, o al contrario» *(DCRLC).* En este caso *tal* ya no se usa anafóricamente sino que, como otros cuantificadores de grado, cualifica el nombre al que modifica indicando que tal cualidad se posee en grado notable. Ello hace que, frente a lo que sucede cuando se utiliza anafóricamente, se combine preferentemente con nombres no específicos, es decir, no mencionados previamente, y que sea por tanto incompatible con contextos que exigen la lectura específica del nombre. En los siguientes pares, el signo # indica que la lectura intensiva de *tal* es imposible, aunque las oraciones sean gramaticales en una interpretación identificativa o deíctica:

(182) a. #Tal telescopio estaba en la ventana.
b. Tal telescopio es difícil de encontrar.
(183) a. #No sabía que vivieras con tal persona.
b. No sé cómo puedes vivir con tal persona.
(184) a. #El periodista pronunció tales insultos.
b. Yo no aceptaría tales insultos por su parte.

Obsérvese que en los ejemplos (b) de los pares anteriores el sintagma *tal* N no significa «ese N», sino «un N de esas características». Creemos que es el contexto situacional el que ayuda a decidir si aquellas son valoradas positiva o negativamente.

Contrariamente a *tal,* el también identificativo *semejante,* que puede también tener valor intensivo, adquiere en tal caso un significado explícitamente marcado como despectivo. Así, en una oración como *No sé cómo puedes vivir con semejante persona,* el intensivo descarta la posibilidad de intensificar cualidades positivas del nombre cuantificado, lo que no sucede obligatoriamente con el *tal* intensivo.

Lo importante en cualquier caso es que el nombre intensificado no denota exactamente un objeto, sino el conjunto de sus propiedades. Curiosamente, la lectura cualitativa puede ser forzada si añadimos una subordinada consecutiva [→ § 58.1.1], como en los siguientes ejemplos:

(185) a. Había en la ventana tal telescopio que casi no dejaba entrar la luz.
b. No sabía que vivieras con tal persona que no puedes ni salir a la calle sola.
c. El periodista pronunció tales insultos que el jefe de prensa lo expulsó de la sala.

Como *tal* no denota cantidad, sino cualidad, puede intensificar nombres que denotan cantidad, en oraciones como las siguientes:

(186) a. Tiene tales deudas que no podrá pagarlas todas.
b. Tiene tal cantidad de deudas que no podrá pagarlas todas.
(187) a. Encontramos tales rocas que no pudimos pasar.
b. Encontramos tal cantidad de rocas que no pudimos pasar.

En (186a) y (187a) *tales* no significa «muchas deudas», sino «deudas muy cuantiosas», ni «muchas rocas», sino «rocas muy grandes». La única forma de intensificar la cantidad es cuantificando gradativamente una estructura partitiva como en (186b) y (187b).

Existen además restricciones sobre los nombres que aceptan este tipo de intensificación. Los nombres que denotan objetos suelen admitirla, aunque será el contexto pragmático el que determine cuál de sus propiedades resulta intensificada. Entre los abstractos, no permiten intensificación con *tal* nombres como *información, conocimiento, moderación, actitud,* a no ser que formen parte de estructuras partitivas que los conviertan en graduables: *tal grado de información, tal nivel de conocimientos....* En cambio, sí lo hacen otros como *aptitud, borrachera, ignorancia,* etc. Parece, por tanto, que nos encontramos de nuevo con una restricción de carácter semántico como la que limitaba la cuantificación de grado cualitativa.

16.5.5. Usos gradativos de *todo* y *nada*

Los cuantificadores *todo* y *nada* pueden usarse como cuantificadores de grado modificando a nombres o adjetivos con los que forman un constituyente oracional. Considérense en primer lugar los siguientes grupos de ejemplos:

(188) a. La casa estaba toda derrumbada.
b. Pintaremos la fachada toda blanca.
c. La ciudad amaneció toda cubierta de nieve.
d. El barco era todo de madera.
(189) a. La niña estaba toda asustada.
b. Nos miraba con los ojos todos encendidos.
c. Anita está toda guapa esta mañana.
d. Se reía toda nerviosa.

En los ejemplos anteriores *todo* aparece separado del nombre al que cuantifica y con el que concuerda en género y número, precediendo a un adjetivo que mantiene con él una relación de predicación (sea primaria, como en (188a) y (189a-c) o secundaria en el resto de los casos). En ambos casos, el cuantificador forma constituyente con el adjetivo, como demuestran los siguientes ejemplos:

(190) a. Toda derrumbada es como estaba la casa.
b. *La niña está toda por los ruidos asustada.

Se observa, sin embargo, una diferencia importante, en lo que respecta al significado del cuantificador, entre los ejemplos de (188) y los de (189). En el primer caso, *todo* tiene un significado similar al de los adverbios *completamente* o *enteramente.* La función del cuantificador parece ser la de subrayar que la cualidad que predica el adjetivo afecta a todas y cada una de las partes del nombre cuantificado. Se trata, por tanto, de intensificar la cualidad indicando que su extensión coincide con la totalidad; así, *toda blanca* en (188b) no significa «muy blanca» o «blanquísima», sino «blanca en toda su extensión».

En los ejemplos de (189), por el contrario, *todo* equivale a un cuantificador de grado que expresase el grado sumo en que se puede poseer una cualidad. Así, (189a), por ejemplo, no significa que todas las partes de la niña estuviesen asustadas, sino que ella lo estaba en grado sumo.

Existen otras diferencias que permiten mantener la distinción entre estos dos usos del cuantificador. Una de ellas atañe a la relación con el antecedente. Sólo en los ejemplos de (188) la oración conserva su significado si el cuantificador está precediendo inmediatamente al nombre al que cuantifica. Esto, sin embargo, es anómalo o imposible en los ejemplos de (189):

(191) a. Toda la casa estaba derrumbada.
b. Pintaremos toda la fachada blanca.
c. Toda la ciudad amaneció cubierta de nieve.
d. Todo el barco era de madera.
(192) a. *Toda la niña estaba asustada.
b. *Nos miraba con todos los ojos encendidos.
c. *Toda Anita está guapa esta mañana.
d. *Toda (ella) se reía nerviosa.

Además, sólo en los ejemplos del primer tipo puede hacerse explícito, tras el cuantificador, un pronombre que se refiera al nombre al que aquel cuantifica:

(193) a. La casa estaba toda ella derrumbada.
b. El barco es todo él de madera.
c. *?La niña estaba toda ella asustada.
d. *?Anita está toda ella guapa esta mañana.

Otra diferencia entre los dos usos consiste en el tipo de adjetivos que pueden cuantificar. En el primer caso, *todo* se combina con adjetivos que admiten una lectura extensiva; en el segundo, *todo* exige adjetivos graduables. Es por ello por lo que *todo* puede combinarse con adjetivos que no admiten cuantificación de grado, como los relacionales, siempre que se interpreten extensivamente, como en (194a). Al mismo tiempo, adjetivos calificativos como *agotado* en (194b) rechazan al cuantificador, tanto en su interpretación intensiva como gradual:

(194) a. Este barco es todo americano.
b. *Juan está todo agotado.

Así pues, podemos concluir que los casos en que *todo* modifica un adjetivo encubren en realidad dos construcciones bien diferentes. La primera de ellas, ejemplificada en (188), corresponde a un significado extensivo del cuantificador que está emparentado con los casos de cuantificadores separados de su SN vistos en el

§ 16.3.4. La segunda, ejemplificada en (189), corresponde a un significado intensivo del cuantificador, que está emparentado con los cuantificadores de grado recién examinados. Sólo en este caso *todo* significa el grado sumo de una escala cuyos peldaños inferiores serían *mucho, bastante, poco,* y, como se verá a continuación, *nada*.

Antes de ello, debemos examinar un uso gradativo de *todo,* en el que este se combina no con adjetivos sino con nombres. Veamos los siguientes ejemplos:

(195) a. Su madre es todo corazón.
b. Habla. Soy todo oídos.
c. Los soldados eran todo ímpetu y coraje.
d. Este pescado es todo raspas.

Se trata de un tipo de construcciones hasta cierto punto estereotipadas, pues no es cierto que cualquier nombre tenga cabida en ellas. Las razones que restringen el tipo de nombres que pueden aparecer en ejemplos como los de (195) parecen ser semánticas y están relacionadas con la asignación de ciertas propiedades estereotipadas a los nombres, que les calificarían para actuar como predicados. Es decir, los nombres adquieren una especie de significado metonímico, cultural o situacionalmente cifrado, por el cual se atribuye al todo las propiedades de una de sus partes. Ello se hace evidente en los ejemplos anteriores. Así, (195d) puede afirmarse de un pescado que tenga más espinas que magro, (195c) de unos soldados cuyas virtudes más sobresalientes sean el ímpetu y el coraje, y así sucesivamente. Esto permite prever la inexistencia de una oración como **Juan es todo médico,* frente a creaciones como las siguientes:

(196) a. Juan es todo piernas (tiene las piernas muy largas).
b. Su abuelita es todo dedicación y ternura.

Es importante notar que en esta conversión de un nombre en una entidad que denota una propiedad el cuantificador tiene un papel esencial. De hecho, las oraciones anteriores serían agramaticales sin el cuantificador, o bien si este precediera al nombre al que cuantifica:

(197) a. *Su madre es corazón.
b. *Habla. Soy oídos.
c. *Este pescado es raspas.
(198) a. *Toda su madre es corazón.
b. ?*Habla. Toda yo soy oídos.
c. ?*Todo este pescado es raspas.

Esto parece indicar que este uso de *todo* está relacionado con el cuantificador de grado. Podemos considerarlo un tipo especial de intensificación de nombres, que convierte a un nombre en un predicado por metonimia. El cuantificador no estará relacionado con el sujeto (frente al *todo* de extensión) sino únicamente con el nombre cuantificado. Ello explicaría el hecho de que en ciertos casos la concordancia, que es obligatoria en los dos casos anteriores, sea opcional aquí, uso que censuran algunos gramáticos (cf. Bello, 1847: § 376).

Existe otro uso de *todo* como cuantificador de grado estrechamente relacionado con el anterior. Nos referimos a construcciones como *Juan es todo un hombre,* cuyas propiedades han sido estudiadas con detalle por Portolés (1993). Señala este autor que el cuantificador aparece en estas estructuras para denotar que las propiedades que se asocian al nombre se dan en grado sumo. Tales propiedades son generalmente de signo positivo (de ahí que de la oración anterior se deduzca que Juan posee en grado sumo todas las cualidades positivas que culturalmente se asocian a *hombre,* pero no las negativas, aunque también estas últimas puedan existir como estereotipos). Obsérvese que esta orientación argumentativa no se da con otros intensivos; así de *Juan es un verdadero hombre* puede deducirse que lo es tanto para lo bueno como para lo malo.

Para terminar, diremos algo sobre el uso gradativo del cuantificador negativo *nada.* Este puede aparecer en el mismo tipo de construcciones que el *todo* gradativo, así como encabezando sintagmas partitivos, que podríamos considerar la vertiente negativa del cuantificador de grado *un poco de*:

(199) a. La niña no estaba nada asustada.
b. Juan no es nada cobarde.
c. No tengo nada de frío.

En el primer caso, *nada* se combina únicamente con adjetivos graduables y tiene un efecto de lítote. Una prueba del valor gradual que tiene el cuantificador en este caso es que añade a la correspondiente oración negativa un contenido presuposicional. Sea el siguiente par:

(200) a. Juan no es gracioso.
b. Juan no es nada gracioso.

En (200a) se niega simplemente la adscripción de una propiedad a un sujeto. En (200b), sin embargo, se afirma que el sujeto posee la propiedad de ser gracioso en grado cero. Es decir, presupone la afirmación de lo negado. Nos encontramos pues, ante el caso opuesto al de *poco,* que tiene implicaciones negativas por el efecto de presuposición que crea sobre las oraciones a las que modifica. En el caso de *nada* la presuposición da lugar a implicaciones positivas.

16.6. Cuantificadores focales o presuposicionales

16.6.1. Partículas focales o cuantificadores presuposicionales

Los cuantificadores focales o presuposicionales [→ § 11.7] son adverbios que inducen la interpretación cuantitativa del elemento al que modifican por implicación de existencia (o inexistencia) de otros elementos. En su interpretación lógica interviene el cuantificador existencial, lo que los relaciona con los indefinidos no universales. La diferencia respecto a aquellos es que la implicación de existencia (o inexistencia) no se deduce de la propia oración en que aparece el cuantificador, sino de la presuposición que implica.[55] Ilustramos este comportamiento con los cuantificadores *sólo* y *también* [→ § 40.2.2]:

[55] Véase Bustos 1986 sobre el español. También Horn 1969, Ducrot 1972, Kay 1990, Mey 1991, Shanon 1978 y, especialmente, König 1991 y las referencias allí citadas.

(201) a. Sólo Juan compró un coche.
«Juan compró un coche - y -∃x (x≠Juan), tal que x compró un coche»
b. También Juan compró un coche.
«Juan compró un coche y ∃x (x≠Juan), tal que x compró un coche»

Como se ve en los ejemplos anteriores, las oraciones que contienen cuantificadores presuposicionales incluyen o implican las correspondientes oraciones sin ellos, a las que añaden un valor de cuantificación sobre las posibles alternativas respecto a la cardinalidad del valor de la expresión cuantificada. En otras palabras, *sólo* y *también* añaden a sus respectivas oraciones la posibilidad de que el elemento cuantificado pueda referirse no sólo a Juan sino a otros individuos posibles, es decir, presuponen otros valores posibles para el argumento cuantificado. La diferencia entre los dos cuantificadores mencionados consiste en que *sólo* excluye tales alternativas (es decir, niega la presuposición de existencia de otras personas que comprasen un coche), en tanto que *también* las incluye (es decir, afirma tal presuposición de existencia). El significado que las expresiones cuantificadas añaden a sus respectivas oraciones contribuye a sus condiciones de verdad: para que la oración *Sólo Juan compró un coche* sea verdadera no es sólo preciso que, en efecto, Juan comprase un coche, sino, y esto crucialmente, que no exista otro individuo distinto de Juan que lo hiciera.

La diferencia entre *sólo* y *también* establece la pauta para distinguir dentro de los cuantificadores presuposicionales dos paradigmas bien diferenciados: por una parte, el de los cuantificadores focales 'excluyentes', que niegan la presuposición y en cuya interpretación interviene el operador de existencia más una negación; lo forman además de *sólo* los adverbios *apenas, al menos.* Por otra, los cuantificadores 'incluyentes', *también, tampoco, incluso, hasta, ni siquiera,* afirman la presuposición y en su interpretación participa el operador de existencia (o el universal en ciertos casos) (cf. también el § 63.3.2 para conectores aditivos). El hecho de que los cuantificadores excluyentes presupongan la negación del operador de existencia hace que tengan propiedades negativas en parte similares a las de los cuantificadores negativos *nada, nadie, ninguno.* De algunos de ellos trata el § 40.3. Aquí hablaremos de sus propiedades únicamente en la medida en que sea necesario para describir el cuadro de relaciones y oposiciones que caracteriza al conjunto de los cuantificadores focales o presuposicionales.

Como se ha dicho, estos elementos son categorialmente adverbios y tienen la posibilidad de cuantificar cualquier tipo de sintagma. Cuando el elemento cuantificado es el sujeto, el adverbio suele precederlo, como en los ejemplos anteriores. Sin embargo, si es algún argumento del predicado, el adverbio puede modificarlo a distancia, lo que provoca casos de ambigüedad como los siguientes:

(202) a. Juan también compró una casa en Madrid.
b. Juan sólo compró una casa en Madrid.

Nótese que en los ejemplos anteriores el elemento cuantificado por el adverbio puede ser el predicado completo, es decir, el evento consistente en comprar una casa en Madrid, el objeto directo o el circunstancial. En los tres casos, la afirmación es la misma, pero el efecto presuposicional puede afectar a cualquiera de los tres argumentos mencionados, como se explicita a continuación respecto de (202a):

(203) «Juan compró una casa en Madrid, y ...
a. ...∃x (x≠comprar una casa en Madrid), Juan hizo x».
b. ...∃x (x≠una casa), Juan compró x en Madrid».
c. ...∃x (x≠Madrid), Juan compro una casa en x».

La ambigüedad puede deshacerse si el contexto o la entonación marcan como elemento focalizado el argumento cuantificado por el adverbio. También si el adverbio mismo lo modifica directamente. Por este motivo se ha considerado a los cuantificadores presuposicionales como partículas focales que hacen explícita la estructura de foco de la oración [→ §§ 11.7 y 64.3]. Vemos las tres posibilidades en los siguientes ejemplos:

(204) a. Juan no sólo invirtió en bolsa. También compró una casa en Madrid. (Cf. (203a))
b. Además de un restaurante, Juan también compró una casa en Madrid. (Cf. (203b))
c. Juan compró una casa, no sólo en Soria, también en Madrid. (Cf. (203c))

La posibilidad de aparecer separados del elemento focalizado por ellos es una propiedad distintiva de este tipo de adverbios. Obsérvese, sin embargo, que desde su posición de adverbios oracionales estos elementos no pueden tomar al sujeto como foco. Esto se debe a que deben cumplirse ciertos requisitos estructurales: el adverbio puede tomar como su foco cualquier argumento estructuralmente menos prominente. Dado que el sujeto ocupa la posición más prominente de la oración, quedará fuera del dominio accesible para el adverbio.

También existe una diferencia interesante respecto a la posibilidad de delimitar su dominio sobre otros argumentos de la oración. Como se dijo en el § 16.1.2.3, los cuantificadores presuposicionales pueden tomar de forma opcional otros argumentos dentro de su ámbito, provocando la interpretación multiplicada de estos. Así ocurre en las oraciones siguientes:

(205) a. Sólo Juan confía en él.
b. También aquel detective resolvió tres crímenes.

En (205a), el pronombre *él* puede denotar cualquier persona distinta de Juan de la que se presuponga el mismo predicado, en tanto que en (205b) los tres crímenes mencionados pueden ser tantos como individuos de los que se presuponga la misma acción que realizó aquel detective.

16.6.2. Significado y usos de cada uno de los cuantificadores presuposicionales

Los cuantificadores presuposicionales se caracterizan por poder añadir a su significado exclusivo o inclusivo un matiz valorativo o evaluativo que les asemeja a los cuantificadores de grado estudiados en el § 16.5. Tal cosa sucede cuando las posibles alternativas a la expresión cuantificada que el adverbio presupone están ordenadas en un modelo escalar. Obsérvese en los siguientes ejemplos:

(206) a. Esperábamos encontrar a todos tus amigos en la fiesta, pero encontramos sólo a Juan.
b. Juan aspiraba a obtener un sobresaliente, pero sólo ha aprobado.

Nótese que en (206a) las posibles alternativas a Juan excluidas por *sólo* forman un conjunto no ordenado de individuos. En cambio, en (206b) las alternativas excluidas por *sólo* están ordenadas en una escala en la que aprobar ocupa el lugar más bajo (frente a, por ejemplo, sacar buena nota u obtener la máxima calificación). *Sólo* no excluye únicamente tales alternativas, sino que nos indica el lugar que el elemento cuantificado por él ocupa en cierta escala valorativa, pragmática o contextualmente establecida. En el caso de *sólo* ese lugar es generalmente el punto más bajo de la escala, lo que explica que una oración como *#Juan esperaba aprobar, pero sólo ha sacado un sobresaliente* sea inadecuada, pues se produce una contradicción entre la orientación de la escala pragmática y la localización en ella del predicado modificado por el adverbio.

No obstante parece haber un contraste interesante respecto al valor gradativo de *sólo* cuando cuantifica al sujeto o a otro argumento de la oración. Si en el segundo caso existe la posibilidad de interpretarlo como gradativo o simplemente como excluyente, cuando *sólo* cuantifica al sujeto sólo tiene interpretación exclusiva, pero no parece situar al elemento cuantificado en la parte baja de una escala. Nótese incluso que podría combinarse con sintagmas cuya interpretación misma lo sitúa en el punto más alto de una escala. Así, la aceptabilidad de una oración como *Sólo el hombre más listo del mundo podría resolver ese problema* puede atribuirse al hecho de que *sólo* tiene únicamente un valor excluyente, no valorativo.

Los cuantificadores *al menos* y *apenas,* que hemos alineado en el grupo de cuantificadores excluyentes, presentan, sin embargo, características distintas de *sólo*. A diferencia de este, *al menos* y *apenas* tienen siempre interpretación escalar y es de esta interpretación de la que derivan sus implicaciones negativas. Comencemos explorando el significado de *al menos*.

(207) a. Sólo pude hablar con él.
b. Al menos pude hablar con él.

Como se ha dicho, *sólo* excluye inmediatamente cualquier otra alternativa, admitiendo sólo facultativamente la posibilidad de que tales alternativas estén ordenadas en una escala de probabilidad. Por el contrario, la interpretación de *al menos* exige dicha escala y sitúa al elemento cuantificado en su lugar más bajo. Cualquier alternativa queda excluida inmediatamente si está en un lugar por encima de él. Así, la interpretación de (207b) implica la existencia de otros eventos, jerárquicamente superiores y que lo presuponen, por ejemplo, 'llegar a un acuerdo'. El cuantificador nos indica que 'hablar' es el único peldaño al que se ha llegado, por lo que cualquier escalón superior queda descartado.

El distinto origen de las implicaciones negativas de *sólo* y *al menos* explica que únicamente las de este último puedan ser canceladas, como prueban los siguientes contrastes:

(208) a. #Sólo Juan habló con el jefe, aunque quizás otros lo hicieran y yo no lo sepa.
b. Al menos Juan habló con el jefe, aunque quizás otros lo hicieran y yo no lo sepa.

Apenas se diferencia de *al menos* en su polaridad negativa, que le hace aparecer siempre en contextos negativos [→ § 40.6.3]. Sin embargo, comparte con él dos propiedades: por una parte, sitúa al elemento cuantificado en la parte más baja de la escala, por otra, su naturaleza presuposicional tiene un carácter secundario, pues deriva de la interpretación escalar. De hecho, *apenas* sólo tiene valor excluyente respecto de aquello a lo que cuantifica. Así, en una oración como *Juan apenas habla inglés*, la alternativa que resulta excluida no es otra sino *Juan habla bien inglés*. Únicamente en el caso de que el elemento cuantificado esté situado en una escala, aquellos otros situados por encima resultarán excluidos como alternativas diferentes de lo afirmado. Ello es factible en el ejemplo anterior, porque hablar inglés forma parte de una escala cuyos eslabones superiores podrían ser comprenderlo perfectamente, y escribirlo con corrección.

En su uso gradativo, el adverbio *bien* puede ser considerado el correspondiente afirmativo de *apenas*. Como indica el *DCRLC*, este «señala aproximativamente un número, dando a entender que el número real cabe holgadamente en el que se calcula». Por utilizar los términos escalares que venimos usando, si *apenas* indica que no se ha alcanzado cierto punto en la escala, *bien* afirma que sí se ha llegado a él. Obsérvese el contraste siguiente (el primer ejemplo es de *DCRLC*):

(209) a. Bien habríamos navegado treinta millas cuando nos amaneció (...). [Cervantes, *Quijote*, 1.14]
b. Apenas eran las cuatro de la tarde cuando llegó con todos sus amigos.

Pasemos a los cuantificadores presuposicionales incluyentes. En primer lugar, *también* y *tampoco* pueden adquirir valor gradativo, en cuyo caso sitúan al elemento cuantificado en la parte medio-alta de la escala. Se diferencian en la polaridad de la oración a la que se unen: en tanto que *también* se combina con oraciones afirmativas, *tampoco* aparece en contextos negativos. Sin embargo ello no debe confundirnos respecto a su valor inclusivo. En otras palabras, *tampoco* afirma la existencia de un x del que se predica una oración negativa. De ahí que la interpretación de una oración como (210a) no sea (210b), que correspondería a un cuantificador excluyente, sino a la de (210c):

(210) a. Tampoco Juan aprobó el examen.
b. Juan no aprobó el examen y $\exists x$ ($x \neq$Juan), x no aprobó el examen.
c. Juan no aprobó el examen y $-\exists x$ ($x \neq$Juan), x no aprobó el examen.

Como sucede con *sólo, también* y *tampoco* únicamente pueden adquirir valor gradativo cuando cuantifican a argumentos distintos del sujeto. Frente a ellos, *incluso* [→ § 63.1.4.3], *hasta* y *ni siquiera* tienen siempre ese valor gradativo de forma inherente, de tal manera que sitúan al elemento cuantificado en la parte más alta de la escala, de manera que su significado se acerca al de un superlativo.[56] En las

[56] *Incluso* y *ni siquiera* tienen dos correlatos fraseológicos formados por coordinación, *y todo* y *ni nada*, que aportan

siguientes oraciones, el elemento cuantificado está situado en el extremo de una escala que mide las posibilidades de realizar o sufrir determinado proceso:

(211) a. Incluso Juan aprobó el examen.
b. Ni siquiera Juan aprobó el examen.

En concreto, (211a) nos informa que Juan aprobó, que otros también lo hicieron, y que Juan era el que menos posibilidades tenía de hacerlo. En (211b), se dice que Juan no aprobó, que no hubo otros que lo hicieran y que Juan era el que más posibilidades tenía. Nótese que, en ambos casos, lo que se afirme o niegue respecto de Juan afecta de la misma forma a cualquier otro individuo tenido en cuenta. Ello hace que la interpretación de los ejemplos anteriores pueda ser parafraseada con un cuantificador universal, como en (212):

(212) a. «Juan aprobó y $\forall$x, (x$\neq$Juan), x aprobó».
b. «Juan no aprobó y $\forall$x (x$\neq$Juan), x no aprobó»

Ni siquiera se diferencia de *hasta* e *incluso* en que aquel es un término de polaridad negativa, y por ello sólo puede aparecer en oraciones negativas. Sin embargo, al igual que sucede con *tampoco,* ello no debe confundirnos respecto a su valor incluyente: *ni siquiera* expresa una negación, e incluye cualquier valor distinto del elemento cuantificado dentro de esa negación. Obsérvese que si *ni siquiera* fuese un cuantificador excluyente como *sólo,* el operador $\exists$ resultaría negado en (212b), lo que no sucede.

Así pues, a la diferencia entre *también* y *tampoco* frente a *incluso, hasta* y *ni siquiera* respecto al valor intrínsecamente gradual de estos últimos frente al facultativo de los primeros, podemos añadir otra respecto del tipo de cuantificación, que implica el cuantificador universal para los segundos y el existencial en los primeros.

Por otra parte, es de destacar que la orientación de la escala pragmática que subyace a la interpretación de cualquier cuantificador escalar depende de la polaridad de la oración que contiene a este. Esto explica que en los ejemplos de (211) el extremo de la escala sea ocupado por el individuo con mayores posibilidades si el enunciado es negativo, por el de menos si es afirmativo. Se ve aún más claramente en las siguientes oraciones:

---

al enunciado cerrado por ellos un significado paralelo al de los adverbios. Los siguientes ejemplos están tomados de Castro y Gili Gaya (1917), quienes subrayan el diferente arraigo de la afirmativa *y todo,* frente a la negativa *ni nada*, menos evolucionada en su opinión:

(i) ¿Cómo se puede casar, / si el padre se opone *y todo?* [Moreto, *Travesuras de Pantoja,* III, 1972, 19a; tomado de Castro y Gili Gaya 1917: 287]
(ii) No sabe escribir ni nada.

Observan estos autores que sólo en la lengua hablada son frecuentes estos usos de *y todo,* no documentada en la lengua clásica y poco frecuente en lengua escrita. Corrobora esta observación Fernández Ramírez (1987: 359), quien lo denomina «curioso ejemplar estereotipado de retórica popular». Hay que mencionar, sin embargo, que *y todo* sí era frecuente en español clásico con el significado de 'también', que sólo se conserva en ciertos registros populares. El siguiente ejemplo es de Castro y Gili Gaya (1917: 286):

(iii) *Dña. Petronila* Estoy celosa.
Conde Yo y todo;
Mas hay dos suertes de celos,
Unos nobles y otros no.
[Tirso de Molina, *Huerta de F. Fernández,* Rivad. V, 647 b]

(213) a. Juan no tiene una licenciatura; es más, ni siquiera tiene el bachillerato.
b. Juan tiene una licenciatura; es más, incluso tiene un doctorado.

Siendo que el elemento cuantificado por el superlativo ocupa el extremo de la escala, la oración (213a) implica que en esta escala los grados académicos tienen una ordenación de mayor a menor, contraria a la ordenación que se implica en (213b), en la que el extremo sería el grado mayor. Sobre esto véanse Ducrot 1980 y Fauconnier 1975 y 1977.

A continuación, resumimos en el cuadro 3 las propiedades de los cuantificadores presuposicionales.

CUANTIFICADORES FOCALES O PRESUPOSICIONALES

	TIENE VALOR ESCALAR		POSICIÓN RELATIVA EN LA ESCALA	ES UN TÉRMINO DE POLARIDAD NEGATIVA
INCLUYENTES	*también*	a veces	medio-alta	no: *Juan sabe hablar también inglés*
	tampoco	a veces	medio-alta	sí: **(No) sabe hablar tampoco inglés*
	incluso	siempre	la más alta	no: *Juan sabe hablar incluso inglés*
	hasta	siempre	la más alta	no: *Juan sabe hablar hasta inglés*
	ni siquiera	siempre	la más alta	sí: **(No) habla ni siquiera inglés*
EXCLUYENTES	*sólo*	a veces	baja	no: *Juan sabe hablar sólo español*
	al menos	siempre	la más baja	no: *Sabe hablar al menos español*
	apenas	siempre	baja	sí: **(No) sabe apenas hablar español*

Cuadro 3

16.6.3. Las escalas argumentativas. Relación entre cuantificación y argumentación

El comportamiento escalar de los cuantificadores, tanto de los indefinidos como de los presuposicionales, permite establecer un vínculo entre la gramática oracional y la gramática del discurso. Concretamente, la escalaridad está relacionada con el establecimiento de relaciones argumentativas que son fundamentales para explicar la semántica —y la sintaxis— de ciertas construcciones concesivas y consecutivas. Dada la estrecha relación entre escalaridad y cuantificación, tal como estamos viendo en este apartado y como se vio en el § 16.5, es lógico que encontremos casos en que la presencia de elementos cuantificados resulte crucial para determinar la estructura argumentativa de ciertos enunciados. En este parágrafo veremos algunas de estas interferencias, aunque brevemente, pues se hablará con detalle de todo ello en los capítulos 58 y 59.

Todo enunciado puede convertirse en un argumento cuando se valora su adecuación (o inadecuación) de cara a una conclusión. La relación que se establece entre los enunciados relacionados puede formularse así: $\alpha \longrightarrow \beta$, donde $\longrightarrow$ significa «es un argumento para». Varios enunciados que son argumentos para la misma conclusión pueden ordenarse en una escala que se denomina 'escala argumentativa' (Ducrot 1980). Toda escala argumentativa presupone una escala evaluativa, hasta tal punto que aquellas se basan en estas. Se verá más claro con un ejemplo. Sea una escala que ordene grados académicos con la siguiente orientación: estudios primarios, bachillerato, licenciatura, doctorado. Si relacionamos esta escala evaluativa con la conclusión formulada por el enunciado *obtener un trabajo,* observamos que hemos construido una escala argumentativa en la que los enunciados *poseer estudios primarios* y *tener una licenciatura,* por ejemplo, están ordenados respecto a su mayor o menor adecuación argumental.

Cualquier elemento escalar puede convertirse en un operador de argumentalidad, al situar el enunciado modificado por él dentro de una escala evaluativa en la que se base una escala argumentativa. Ello se demuestra en el hecho de que los elementos escalares pueden interferir en la estructura argumental de las oraciones. Consideremos, por ejemplo, las subordinadas consecutivas, que se caracterizan por mostrar de manera explícita la relación $\alpha \longrightarrow \beta$:

(214) a. Tiene el bachillerato, luego conseguirá el trabajo.
b. #Sólo tiene el bachillerato, luego conseguirá el trabajo.
c. Incluso tiene el bachillerato, luego conseguirá el trabajo.

La diferencia entre las oraciones anteriores consiste en que sólo en el primer caso el enunciado *tener el bachillerato* es evaluado aisladamente respecto de su adecuación como argumento para la consecuencia expresada por la consecutiva. En los otros dos casos, el mismo enunciado es evaluado de manera relativa respecto de otros, con los que forma una escala argumentativa. Como sabemos, *sólo* se caracteriza por situar al elemento cuantificado en la parte baja de la escala, lo que desde un punto de vista argumentativo se traduce en la implicación de que no es argumento suficiente. En cambio, *incluso* sitúa al argumento en la parte alta, por lo que sí será argumento suficiente.

Así pues, un enunciado modificado por un cuantificador escalar puede, en virtud de la posición relativa en la escala que aquel le atribuye, ser o no argumento a favor de otro enunciado. Esto convierte a los cuantificadores escalares en operadores argumentales y explica su vinculación con estructuras en las que es fundamental la relación argumental. Estas estructuras incluyen principalmente aquellas que establecen una relación de consecución o de concesión, que no son sino relaciones de argumentación afirmativa y negativa respectivamente. Tanto una como otra pueden manifestarse mediante mecanismos gramaticales bien distintos, aunque tienen en común la posibilidad de hacerlo mediante estructuras que implican cuantificadores escalares. A continuación enunciamos algunos casos en que esta relación es especialmente estrecha.

1. Las oraciones consecutivas responden, como se ha dicho, al esquema $\alpha \longrightarrow \beta$. Un enunciado puede ser en sí mismo un argumento lógico a favor de otro, como en la oración: *pienso, luego existo.* Sin embargo, cabe también la posibilidad de que sea argumento en virtud de su posición dentro de una escala evaluativa. Tal sería el caso de una oración como *Pienso tanto que me duele la cabeza,* donde sólo el hecho de alcanzar cierto grado en la intensidad del pensamiento puede convertir al pensar en argumento suficiente para la consecuencia expresada. Como se ha puesto de manifiesto en numerosos estudios, [57] las estructuras consecutivas del tipo *tan(to).... que* [⟶ § 58.1] obedecen a una estructura cuantificada, en la que la consecutiva introducida por *que* es complemento del sintagma cuantificado. De hecho, la supresión de este deslegitima la subordinada:

---

[57] Véanse sobre las propiedades cuantitativas de estas estructuras Gueron y May 1984, Baltin 1987. Sobre el español, veáse especialmente López Palma 1990.

(215) a. Tiene *(tantos) libros que no puede leerlos todos.
b. Es *(tan) vago que no quiere oír hablar de trabajar.

Incluso numerosas locuciones adverbiales de valor consecutivo incluyen cuantificadores, como *por tanto, tanto es así que.*

2. La noción de concesividad implica la negación de una relación de argumentalidad cuya existencia se presupone. En otras palabras, dos enunciados relacionados concesivamente responden a la estructura $\alpha \longrightarrow / \longrightarrow \beta$, donde la relación $\alpha \longrightarrow \beta$ se presupone como verdadera. La relación entre escalaridad y concesividad viene dada porque la posición del enunciado en una escala argumentativa es lo que hace presuponer la existencia de una relación argumentativa que resulta negada [⟶ §§ 59.1-2]. Como en el caso de las consecutivas, una proposición puede no ser en sí misma un argumento lógico para otro enunciado; así sucede en la oración *Aunque llueva iremos al cine,* en la que se niega el valor de llover como un argumento para no ir al cine. Las estructuras concesivas escalares implican la existencia de otros argumentos ordenados escalarmente y afirman que cualquier peldaño de la escala tiene el mismo valor argumental. Así, una oración como *Por mucho que llueva, iremos al cine,* añade a la anterior la implicación de que cualquier enunciado ordenado dentro de la escala «llover poco, bastante, mucho, demasiado» tendrá el mismo efecto argumental respecto al otro enunciado [⟶ § 59.3].

La variedad de mecanismos que combinan concesividad y cuantificación es notable. Sin embargo, se verifica una constante: el cuantificador implicado tiende a situar el enunciado modificado por él en la parte alta de la escala, de tal manera que incluye cualquier otro que esté por debajo de él. Siguiendo la clasificación de Harris (1988), podemos distinguir distintas estructuras concesivas escalares en español:

a) Estructuras que contienen un indefinido con carácter generalizador [⟶ § 7.5.7]:

(216) a. Cualquiera que sea su raza, le aceptaremos igualmente.
b. Aquel sentimiento recaía en una mujer, quienquiera que esta fuese. [Galdós, *Los duendes de la camarilla,* VIII, 78]

Pueden incluirse aquí las oraciones del tipo *Sea quien sea, Haga las cosas que haga,* que atribuyen al sintagma antecedente de la relativa un valor de generalización o indistinción similar al del cuantificador *cualquiera* [⟶ § 7.5.7]. Nótese que estos cuantificadores, pese a no ser intrínsecamente escalares, sí presuponen la existencia de una escala formada por todos los posibles valores del elemento cuantificado. Su valor de indistinción subraya que cualquiera de tales valores tiene el mismo valor argumental respecto de la consecuencia.

b) Estructuras que contienen un cuantificador universal, que sitúa en el extremo de una escala el enunciado menos adecuado argumentativamente respecto a la oración principal e implica que cualquier otro por debajo de él tendrá el mismo valor argumental. Si bien en español no tenemos conjunciones correspondientes a las locuciones consecutivas del it. *tutto che* y cat. *tot i que,* existe la locución adverbial *con todo,* que recoge este valor.

c) Estructuras del tipo <*por* + cuantificador + *que...*> [⟶ § 59.3.6.1], donde el elemento cuantificado puede ser un SN cuantificado, un SA, o un adverbio:

(217) a. Por muchas disculpas que des, no te vamos a creer.
b. Por grande que sea, lo meteremos en la caja.
c. Por más que nos lo explicaron, no lo entendimos.

d) Estructuras que incluyen el adverbio gradativo *bien,* como *bien es verdad que, bien es que,* o incluso *bien que* [⟶ § 59.3.7.4]. El *DCRLC* subraya que la equivalencia de esta última con *aunque* es tal que incluso admite subjuntivo:

(218) Manifestóse Vasco Núñez por consejo de sus intérpretes satisfecho de esta respuesta, bien que no diese crédito ninguno a ella. [Quintana, *Balboa* (R.19.286)]

e) Finalmente, podemos construir estructuras concesivas a partir de estructuras condicionales [⟶ § 59.4.1]. Estas se caracterizan por una relación de implicación lógica entre dos enunciados, del tipo $\alpha \longrightarrow \beta$ «si α entonces β». Cuando el primero de tales enunciados es modificado por una partícula escalar, esta invierte la relación argumentativa negando la implicación lógica. Así, una oración como *Incluso si llueve, iremos al cine,* niega la relación argumentativa entre el enunciado *llover* y el enunciado *no ir al cine.* De nuevo encontramos que son los cuantificadores que sitúan al enunciado en el extremo de la escala argumentativa los que poseen la facultad de implicar la relación concesiva: *incluso,* en los enunciados afirmativos, *ni siquiera* en los negativos.

3. La relación entre cuantificación escalar y relaciones argumentativas se muestra de manera especialmente clara en la posibilidad de derivar las nociones de consecutividad y concesividad de estructuras cuyo valor originario es estrictamente evaluativo. En el § 16.5.3 decíamos que toda escala ordena una serie de elementos de acuerdo con un criterio establecido pragmática o contextualmente. Ese criterio puede hacerse explícito en forma de complemento de proporción. Pues bien, si a la escala evaluativa elaborada sobre tales premisas aplicamos la relación argumental y la convertimos en una escala argumentativa, el complemento de proporción puede tomar tanto una interpretación concesiva como una consecutiva. Sean los siguientes ejemplos [⟶ § 4.3.6.2]:

(219) a. Era muy tarde para ir a cenar.
b. Juan es bastante inteligente para ser un buen policía.
c. Juan lee sólo novelas de ciencia ficción para ser un prestigioso crítico literario.

En (219a, b) el complemento de proporción expresa el criterio utilizado para medir el grado de tardanza e inteligencia respectivamente. Sin embargo, obsérvese que si interpretamos el enunciado expresado por dicho complemento como una consecuencia, la primera parte de la oración pasa a tener un valor argumental negativo en (219a), por lo que se deduce que no se cumplió el ir a cenar, o positivo en (219b), por lo que se deduce que probablemente Juan será policía. En (219c) ambas interpretaciones son posibles: si se presenta como un hecho el que Juan sea un prestigioso crítico literario, la relación entre este enunciado y el expresado por la oración principal será concesiva («a pesar de ser un prestigioso crítico literario, sólo lee novelas de ciencia ficción»); si no se presenta como un hecho sino como una posibilidad, la relación entre los dos enunciados será consecutiva («Juan sólo lee novelas de ciencia ficción, luego no es probable que sea un prestigioso crítico literario»).

Así pues, la posibilidad de interpretar concesiva o consecutivamente los complementos de proporción de los cuantificadores escalares —o de predicados que contengan cuantificadores escalares— viene a probar la estrecha relación entre escalaridad y estructura argumentativa, al tiempo que demuestra que la cuantificación puede sobrepasar los límites de la gramática de la oración e interferir en la gramática del discurso.

16.7. Sintagmas cuantificados como argumentos

16.7.1. Los argumentos de cantidad

En el epígrafe dedicado al ámbito de los cuantificadores vimos que la estructura argumental de la oración podía interferir en las posibilidades de asignación de ámbito, pues ciertos verbos exigen que sus argumentos, si son cuantificados, reciban necesariamente una interpretación colectiva o distributiva (véase el § 16.3.1). Sin embargo, tal interpretación es, en general, independiente de la función semántica del argumento cuantificado. Sólo en ciertos casos muy concretos la interpretación distributiva o colectiva está relacionada con el papel temático asignado por el verbo a dicho argumento (véase el § 16.3.4).

Existe, sin embargo, la posibilidad de que los cuantificadores encabecen sintagmas cuyas propiedades argumentales están estrechamente vinculadas a su valor cuantitativo. Nos referimos a los argumentos de cantidad seleccionados por verbos que denotan medida, como en los siguientes ejemplos:

(220) a. Juan mide dos metros.
b. La carga del buque pesaba varias toneladas.
c. Ese vestido cuesta cuatro mil pesetas.

Aunque la gramática tradicional considera los sintagmas cuantificados de las oraciones anteriores como complementos circunstanciales de cantidad, lo cierto es que representan verdaderos argumentos seleccionados por el verbo, cuya ausencia haría agramatical la oración. Se denomina por tanto a estos sintagmas 'complementos de medida' o 'argumentos cuantitativos' [→ §§ 1.2.3.4, 11.3.2.2 y 38.3.5].[58]

---

[58] Véase Levin 1993 y las referencias allí citadas. También Smith 1992. Sobre el español, Bosque 1989: § 10.3.2 y Sáez 1994.

Estos argumentos denotan cantidades, y por lo tanto carecen de valor referencial. Por ello están encabezados por un numeral o por un cuantificador no universal. Se excluyen, por tanto, los cuantificadores universales y las estructuras partitivas:

(221) a. *El barco pesa todos los cien kilos.
b. *Juan mide dos de los metros de largo.

Sí se admiten SSNN definidos si denotan cantidad de forma deíctica (discursiva o pragmáticamente):[59]

(222) a. Recuperarme me llevó los tres días del fin de semana.
b. Mi casa dista de la universidad lo mismo que la tuya.

Uno de los efectos sintácticos de la falta de referencia de los sintagmas de medida mejor conocidos es su comportamiento en las denominadas islas interrogativas. Se ha observado que para poder interrogar un elemento incluido a su vez en una oración interrogativa indirecta, este ha de cumplir ciertos requisitos, el principal de los cuales parece ser el de su referencialidad.[60] De ahí que sean gramaticales oraciones como las de (223a, b), donde se interroga el sujeto y el objeto directo, pero no las de (223c, d), donde se interrogan otros adjuntos [⟶ § 31.2.2]:

(223) a. ¿Quién no sabes cuándo vendrá?
b. ¿Qué libro no sabes dónde comprar?
c. *¿Cuándo no sabes quién vendrá?
d. *¿Dónde no sabes qué comprar?

Pues bien, es conocido que los sintagmas de medida se comportan en estos casos como adjuntos, y no como argumentos; se les denomina por ello 'cuasiargumentos':

(224) a. ¿Qué barco no sabes cuánto pesa?
b. *¿Cuánto no sabes qué barco pesa?

Esta asimetría entre argumentos referenciales y no referenciales se manifiesta de forma similar en estructuras negativas: los argumentos referenciales negativos pueden aparecer en interrogativas indirectas que dependen de una oración negativa, pero los sintagmas de medida no [⟶ Cap. 40]. Tomamos el siguiente contraste de Bosque (1994a):

(225) a. No sé cuánto pesa ningún paquete.
b. *No sé qué paquete pesa nada.

El hecho de carecer de referencia no impide a los argumentos cuantitativos entrar en relaciones de ámbito con otros argumentos. De hecho, las oraciones con

---

[59] Nótese además, que estos argumentos de medida admiten toda clase de modificadores que denoten cantidad justa o aproximada: *exactamente tres días, tres kilos más o menos, unos doscientos metros.* Curiosamente en casos como *diez metros escasos, un kilómetro largo, dos toneladas justas,* los adjetivos no denotan una propiedad de la unidad de medida (que es inalterable) sino de la cantidad, que puede sobrepasar (en el caso de *largo*) o no llegar (en el caso de *escaso*) a dicha unidad. Finalmente, el artículo definido puede tomar un valor gradativo, que implica tácitamente una valoración de la cantidad como relativamente alta en la escala de lo esperable. En una frase como *El toro de Victorino Martín pesaba los seiscientos kilos; el de Domecq, en cambio, no pesaba los quinientos,* el artículo determinado señala la cantidad como extremo de una escala, cuya orientación se ve afectada, como era de esperar, por la negación. Este mismo valor puede tenerlo el adverbio *bien* (el ejemplo es del *DCRLC*): *Está bien media legua de los muros, / del Betis puesta a los enojos bravos, / una isla* [Lope, *Ángel* 7].

[60] Tal es la explicación que propone Rizzi (1990) para estos contrastes. Entre los estudios que tratan este asunto en español, véanse Contreras 1984, 1990 y Torrego 1984.

sujetos plurales pueden presentar casos de ambigüedad similares a los que vimos en el § 16.4, ambigüedad que puede deshacerse por la presencia de una marca de interpretación distributiva:

(226) a. La cena nos costó tres mil pesetas (por barba).[61]
b. Los cargamentos de tomates pesan dos toneladas (cada uno).

Así pues, los argumentos cuantitativos tienen una caracterización sintagmática bien simple: el único requisito que debe cumplir un SN para ser tal argumento es el de ser un SN cuantificado que denote cantidad. Sin embargo, su función sintáctica es una cuestión más compleja y debatida. Para abordarla, hemos de caracterizar previamente la clase de verbos (o SSVV, en su caso), que seleccionan tales argumentos.

Desde un punto de vista semántico, los verbos que seleccionan argumentos cuantitativos se caracterizan por describir el valor de algún atributo (peso, dimensión, precio...) de un objeto respecto de una escala relevante para su caracterización. El significado léxico de cada verbo determina la naturaleza del atributo medido. Así, *costar, valer, valorar en, llevar, pagar, regatear, deber,* miden el precio; *durar, tardar,* miden tiempo; *medir* y *distar* cuantifican dimensiones lineales —altura, longitud, ancho—; *contener, albergar, coger,* dimensiones cúbicas o capacidad; *pesar, soportar, llevar*, miden fuerzas —peso, tracción, empuje...—. Además de estos verbos, admiten argumentos cuantitativos numerosas expresiones formadas por el verbo *tener* seguido por un sustantivo que denote dimensión, como *tener una {capacidad/edad/potencia/altura/capacidad} de.* De ellas se hablará oportunamente en el § 16.7.2.

Puede observarse que todas las cualidades medidas en este tipo de construcciones corresponden a propiedades físicas de los objetos, todas las cuales, incluidas la edad o la duración, son objetivamente mensurables. Sólo en el caso en que se involucra el sentido de precio se altera esa generalización. Ello se debe a que los complementos de precio no miden una propiedad real de los objetos sino una propiedad añadida, socialmente establecida sobre un proceso de trueque cuya moneda de cambio puede ser cualquiera. Por eso se pueden decir cosas como *Comprar un ordenador nuevo me costó un disgusto,* o *Su profesionalidad le valió un ascenso*.

Pese a la uniformidad semántica, los predicados que admiten argumentos de medida presentan una destacable variedad gramatical que suscita interesantes problemas sintácticos relativos a la función del argumento de medida. Podemos observar cinco tipos de verbos.

a) Los verbos de medida 'canónicos' se caracterizan por exigir dos argumentos: un sujeto con función semántica de Tema y un sintagma de medida. Como veremos, este último no puede ser sujeto paciente, aunque sí puede sustituirse por un pronombre acusativo en ciertos casos. Son *durar, tardar, coger, costar, valer, distar.* Veamos algunos ejemplos:

(227) a. El concierto duró dos horas.
b. *Dos horas fueron duradas por el concierto.
c. Dos horas sí las duró el concierto.

[61] *Costar* tiene un régimen diferente según la interpretación del argumento cuantitativo sea colectiva *(Los libros costaron tres mil pesetas),* o distributiva *(Los libros costaron a tres mil pesetas).* Curiosamente, el verbo *estar* tiene el comportamiento de un verbo de medida cuando rige *a,* siempre distributivamente: *La merluza está a mil quinientas pesetas.*

b) Verbos que permiten un doble uso: por una parte, se comportan como los verbos de medida canónicos de (a), tomando como sujeto la cosa medida y como objeto un argumento de cantidad; por otra, pueden ser verbos transitivos que toman como sujeto un agente y como objeto directo la cosa medida. Son *medir* y *pesar.* Observamos esta alternancia en los ejemplos siguientes:

(228) a. Las manzanas pesaban dos kilos.
b. El tendero pesó las manzanas.

De los dos usos, sólo el primero comporta un argumento de cantidad, inadmisible en el segundo. Nótese que incluso en el caso de que el objeto directo de (228b) estuviese cuantificado, como en *El tendero pesó dos kilos de manzanas,* este no sería un argumento de medida sino que tendría valor referencial. Por eso la voz pasiva sí es posible en (228b), pero no en (228a).

c) Verbos que muestran una alternancia entre su uso como verbos de medida, en cuyo caso toman un sujeto que denota la cosa medida más un argumento cuantitativo, y un uso transitivo en el que exigen un sujeto agente, un objeto directo paciente y un circunstante que denota la cosa medida. Presentan este tipo de alternancia los verbos que denotan capacidad —como *albergar, alojar*—, (229), y los que denotan fuerza —como *arrastrar, cargar, levantar*—, (230):

(229) a. Este hotel alberga doscientos inquilinos.
b. El gerente albergó doscientos inquilinos en el hotel.
(230) a. Aquel camión carga dos toneladas de mercancía.
b. Los mozos cargaron dos toneladas en el camión.

Nótese que en el primero de los casos, las oraciones son ambiguas en el siguiente sentido: el sintagma cuantificado puede denotar la capacidad máxima del sujeto, interpretación que se ve favorecida si aparece un verbo modal o una expresión adverbial, como en *Aquel camión puede cargar dos toneladas como máximo.* En tal caso, el sintagma cuantificado se interpreta como no referencial y se comporta como un verdadero argumento cuantitativo que no puede ser sujeto paciente *(*Dos toneladas pueden ser cargadas por aquel camión).*

La otra posibilidad es que el sintagma cuantificado no denote capacidad máxima sino contenido real, en cuyo caso este argumento tendrá valor referencial. En tal caso, es posible que no se trate de un argumento de medida, pese a que se trate de un SN cuantificado, sino de un verdadero objeto, con función semántica de Tema, que podrá, por tanto, ser sujeto paciente. [62]

Soportar y *contener* pueden ser incluidos en este grupo, aunque no manifiesten alternancia entre las dos construcciones, por presentar la misma ambigüedad que los verbos anteriores. En los pares siguientes, los ejemplos con la letra (a) representan su uso como verbos de medida, los otros, su uso como verbos transitivos ordinarios:

---

[62] Como es de esperar, todo mecanismo gramatical que fuerce la interpretación referencial y específica de este argumento —como la preposición *a,* el tiempo verbal o la deixis— eliminará la posibilidad de entenderlo como argumento de medida.

(231) a. El pantano puede contener 6 millones de metros cúbicos de agua.
b. La caja contiene los libros que me pediste.

(232) a. Las vigas de hormigón soportan más kilogramos que las de madera.
b. Las vigas soportan el tejado.

d) Los verbos que denotan precio pueden admitir sintagmas cuantificados cuya caracterización como argumentos cuantitativos es dudosa. Se trata de verbos como *pagar, cobrar, deber, regatear, rebajar, retener, adeudar*... Todos ellos presentan una alternancia entre dos construcciones similares: admiten de forma opcional dos argumentos dentro del SV: uno denota la cosa intercambiada, otro el valor de intercambio; uno es complemento directo, otro un SP. Algunos permiten alternar libremente la función semántica y estatuto categorial, como *pagar* y *cobrar.* Nótese que el complemento de precio tiene necesariamente interpretación distributiva cuando es un SP:

(233) a. Pagué las camisas (a mil pesetas). / Pagué mil pesetas (por las camisas).
b. El carpintero me cobró las puertas (a quince mil pesetas). / El carpintero me cobró quince mil pesetas por las puertas.

Otros verbos seleccionan una de las dos construcciones, de manera que la alternancia es imposible:

(234) a. Los inquilinos pagaron cuarenta mil pesetas (en concepto de alquiler). / Los inquilinos pagaron el alquiler del piso *(en cuarenta mil pesetas).
b. Adeudábamos varios millones (por la hipoteca del piso). / Adeudábamos la hipoteca del piso *(por valor de varios millones).

De cualquier modo, el carácter argumental de los sintagmas cuantificados con estos verbos es dudoso. En el primer caso, (ejemplos de (233)), por la posibilidad de suprimirlo; en el segundo (ejemplos de (234)), por la posibilidad de sustituirlo por una entidad referencial.

e) Finalmente, existe una serie de verbos que admiten de manera opcional un sintagma de medida de carácter no argumental. Se trata de verbos como *menguar, crecer, engordar, adelgazar, rebajar, encarecer, envejecer, rejuvenecer.* Tienen en común el hecho de denotar un cambio de estado que implica aumento o disminución de una cualidad cuantificable del sujeto. Opcionalmente pueden admitir un sintagma de medida que especifique de manera exacta o aproximada la cuantía de ese aumento o disminución:

(235) a. Juan {engordó/adelgazó} más de diez kilos.
b. Los árboles {crecieron/menguaron} algunos centímetros.
c. Tus padres parecían haber {envejecido/rejuvenecido} varios años.

Nótese que en su construcción sintáctica son similares a los verbos del grupo (b), excepto *rebajar,* que toma como objeto directo a aquello que sufre el proceso de cambio, de manera similar a *valorar,* como en *han rebajado cien pesetas el precio del pescado.* La diferencia respecto a aquellos es que *medir, costar* o *durar* exigen la presencia del argumento cuantitativo, en tanto que los verbos de este grupo lo admiten facultativamente. Esto nos lleva a la posibilidad de distinguir entre una función argumental y otra circunstancial de los sintagmas de medida que depende del tipo de verbo con que aparezcan.

Aumentar y *disminuir,* que pueden ser considerados los representantes canónicos de este grupo de verbos, admiten una doble construcción agentiva y causativa semejante a otros verbos no mensurativos [⟶ § 25.2.1.1]. Véase en los siguientes ejemplos:

(236) a. El gobierno aumentó el precio de la vivienda un 20 %.
b. El precio de la vivienda aumentó un 20 %.

En (236a) encontramos una estructura causativa en la que el sujeto provoca o desencadena un proceso que exige dos argumentos afectados: un objeto directo que denota la dimensión que sufre el cambio, y un argumento de cantidad. En (236b) encontramos la correspondiente estructura anticausativa (cf. Moreno Cabrera (1984)), donde la dimensión afectada es sujeto.

Podrían incluirse en este grupo un tipo especial de verbos que llevan un argumento cuantitativo de precio precedido por preposición. Nos referimos a *valorar en* y *tasar en,* que presentan la particularidad, frente a *costar,* de presentar el precio como resultado de la estimación subjetiva de un agente. Por ello, la entidad de cuyo precio se nos informa no es sujeto, como en los casos anteriores, sino objeto directo, y como es de esperar, admite voz pasiva:

(237) a. El experto tasó el piso en doce millones.
b. El piso fue tasado en doce millones.

Como esperamos, el precio es la única dimensión sujeta a valoración subjetiva, por lo que se predice que no existan verbos como *valorar* que midan dimensiones físicas objetivas. Sólo hay, que sepamos, una excepción: el verbo *echar* más un argumento cuantitativo de tiempo: *Siempre le echan a uno más años de los que tiene.*

Así pues, salvando aquellas construcciones con verbos de medida que contienen argumentos de medida, podemos establecer tres tipos básicos de construcciones con argumentos cuantitativos, que se resumen en el siguiente cuadro:

CONSTRUCCIONES CON SINTAGMAS DE MEDIDA	
A. Sujeto-PACIENTE + V de medida + Sintagma de Medida	(a) *El concierto duró dos horas* (b) *Las manzanas pesan dos kilos* (c) *El hotel alberga cien personas* (d) *Pagó mil pesos por las camisas*
B. Sujeto-PACIENTE + V de medida + (Sintagma de Medida)	(e) *Juan ha engordado diez kilos*
C. Sujeto-AGENTE + V de medida + objeto-PACIENTE + (Sintagma de Medida)	(e) *Han bajado un millón de pesetas el precio del piso*

Cuadro 4

Los verbos de los apartados (a), (b), (c) y (d) en sus usos estrictamente mensurativos (es decir, no transitivos), seguirían el esquema de A. En tales casos, el sintagma de medida tiene carácter argumental, pues está exigido por el verbo. Los verbos de (e) seguirían uno o los dos esquemas de B y C, en los que el sintagma de medida es opcional. Esta diferencia no parece, sin embargo, sustancial a la hora de abordar el principal problema sintáctico que se ha planteado acerca de los sintagmas de medida: su función sintáctica.

La rección directa por parte del verbo y su carácter nominal han hecho que tales sintagmas sean considerados en el esquema de A como objetos directos. El hecho de que en B y C la presencia de este argumento sea opcional no hace sino unificar el comportamiento de los verbos de medida con el de otros transitivos que pueden prescindir de su objeto [→ § 24.1.3].

El argumento principal para defender la función sintáctica de objeto directo para estos argumentos es la posibilidad de pronominalizarlos por un clítico acusativo en ciertos casos. El *DCRLC* censura esta pronominalización y asevera que estos argumentos de medida proceden de ablativos latinos y no son complementos directos. Sin embargo, observamos que tal posibilidad sí existe, si bien parece relacionado con la interpretación definida de tal argumento. En otras palabras, la pronominalización es tanto más aceptable cuando el contexto ha introducido previamente la cantidad, como en los siguientes ejemplos:

(238) a. ¿Pesa Ana sesenta kilos? Sí, sí los pesa.
b. Tres horas, la ópera las duró sobradamente.

Nótese que en estos casos el complemento de cantidad puede adquirir el valor de cantidad máxima que toma cuando es un sintagma definido (cf. nota 59). Según esto, las restricciones a la pronominalización de estos argumentos podrían ser atribuidas a su carácter indefinido antes que a su función. Por otra parte, el hecho de que estos argumentos, a diferencia de los objetos directos canónicos, no puedan ser sujetos pacientes, es decir, no admitan formación de pasiva, no parece un argumento definitivo en contra de su caracterización como objetos directos. La razón es que hay otros argumentos internos que tampoco admiten formación de pasiva por su especial estatuto semántico, pues la formación de pasiva parece restringida a aquellos verbos que tienen una estructura argumental que incluye un argumento agente y un paciente [→ §§ 25.4 y 26.3]. La pasiva estaría excluida en las estructuras de A por el hecho de que la función semántica relacionada con la de sujeto de una oración pasiva corresponda a algún otro argumento distinto del sintagma de medida.

Por otra parte, hemos podido documentar algunos usos de estos sintagmas como sujetos pacientes, lo que avalaría la consideración de los verbos de medida como transitivos:

(239) a. Se tardaron cuarenta años en desvelar este engaño. [Diario *ABC*, 6-VI-1990]
b. ?Los dos metros medidos por Pedro.

Los ejemplos anteriores pueden hacernos pensar que la restricción sobre la formación pasiva en los verbos de medida se debe exclusivamente a las funciones semánticas de sus argumentos. De hecho, los argumentos de medida parecen satisfacer las propiedades formales y configuracionales de cualquier objeto directo, lo que explicaría que puedan ser sujetos pacientes en estructuras como las anteriores. [63]

[63] Para un análisis bien diferente, véase Smith (1992), quien propone que los verbos de medida no son transitivos sino ergativos; véase también el § 38.3.5 en esta gramática.

16.7.2. Otros sintagmas de medida

Los sintagmas de medida no sólo pueden ser argumentos de verbos, sino también de otros elementos, como nombres, adjetivos y adverbios. En este apartado veremos algunas de estas construcciones.

En primer lugar, observamos que todos aquellos nombres que denotan una dimensión física admiten un argumento cuantitativo siguiendo una doble construcción tal como se ejemplifica a continuación:

(240) a. Una potencia de ochenta caballos. / Ochenta caballos de potencia.
b. Una altura de diez metros. / Diez metros de altura.

En las construcciones anteriores se observa la presencia de un nombre que denota una dimensión, más un argumento cuantitativo cuyo núcleo es la unidad de medida de dicha dimensión. La posibilidad de aparecer en estas estructuras parece estar restringida no sólo por motivos semánticos sino también léxicos. Así, dentro de los nombres que denotan fuerzas, *fuerza, potencia, tensión,* los admiten, en tanto que *empuje, tracción, arrastre,* no lo hacen a no ser que vayan acompañados del archilexema: **un arrastre de cien kilos* / *una fuerza de arrastre de cien kilos.* Similar contraste lo encontramos con nombres de capacidad: *una {capacidad/tara/*carga} de dos toneladas* pero *una capacidad de carga de dos toneladas.* Los nombres que denotan dimensiones lineales, pueden aparecer en estructuras como las de (240b), los nombres *longitud, largo, anchura, ancho, amplitud, extensión, radio, diámetro, perímetro...* etc.[64] Los nombres que denotan tiempo, admiten argumentos de medida, *edad, duración, tardanza, retraso* [⟶ § 1.2.3.4]. Finalmente, entre los nombres que denotan precio encontramos contrastes como los siguientes:

(241) a. Un precio de mil pesetas. / *Mil pesetas de precio.
b. Un aumento de mil pesetas. / Mil pesetas de aumento.

No obstante la restricción particular mostrada en (241a), todos los nombres mencionados presentan la propiedad de presentar la doble construcción. Este fenómeno invita a preguntarse qué tipo de sintagma forman estos nombres: un SN con un complemento de medida, un sintagma de medida con un SN como complemento o ambos indistintamente. El hecho de que sólo una de las dos estructuras pueda ser argumento de un verbo de medida invita a pensar que el estatuto categorial es diferente:

(242) a. El edificio mide doscientos metros de ancho.
b. *El edificio mide un ancho de doscientos metros.
c. El edificio tiene doscientos metros de ancho.
d. El edificio tiene un ancho de doscientos metros.

A diferencia de *tener* en (242c, d), *medir* exige que su complemento sea un sintagma cuantificado. La agramaticalidad de (242b) parece indicar que la estructura

[64] Repárese en que *ancho* y *alto* no son aquí adjetivos sino sustantivos. De hecho, no se admiten adjetivos en este tipo de estructuras, de ahí que no pueda decirse **dos metros de {amplio/extenso},* de la misma forma que es agramatical una oración como **dos años de viejo.*

del objeto es no la de un sintagma cuantificado sino la de un SN. Según esto, el núcleo del sintagma en *doscientos metros de ancho* sería un cuantificador, responsable de las propiedades cuantitativas del conjunto, en tanto que el núcleo de *un ancho de doscientos metros* sería un nombre, lo que explicaría que el conjunto no tuviese propiedades cuantitativas a pesar de contener como adjunto un sintagma cuantificado. No obstante, sería muy interesante estudiar con detalle la estructura de estos sintagmas, así como las relaciones semánticas entre sus componentes. [65]

No sólo los nombres admiten argumentos de medida. Adjetivos y adverbios comparativos también lo hacen. Como vimos en el § 16.5.2 todo cuantificador de grado comparativo establece un intervalo dentro de una escala cuyos extremos están definidos, respectivamente, por el elemento comparado y el término de comparación. [66] Dicho intervalo puede ser medido mediante un sintagma de cantidad que precede al comparativo. He aquí algunos ejemplos [→ § 4.2.2.1]:

(243) a. Mucho más listo. / Dos horas más tarde.
b. Tres libros menos. / Varios días antes.

Sólo los adjetivos y adverbios comparativos admiten este tipo de sintagmas de medida. Sin embargo, observamos que en el caso de los adverbios, el sintagma de medida puede ser admisible si aquel forma parte de una locución que establezca una dimensión mensurable. Obsérvense los siguientes contrastes:

(244) a. Varios kilómetros ?(río) arriba.
b. Dos metros ?(por) encima del suelo.

En (244a) el elemento entre paréntesis contribuye a crear, a partir de la dirección indicada por el adverbio, un vector cuya longitud puede ser medida por el sintagma precedente. Algo similar sucede en (244b): tanto *encima* como *por encima* indican situación relativa de dos elementos. La diferencia entre ellos consiste en que sólo el segundo indica que entre ambos existe un espacio que, como esperamos, pueda ser medido. Todo ello no hace sino corroborar el hecho de que la presencia de sintagmas de medida está relacionada con sintagmas que denotan dimensiones mensurables.

---

[65] De hecho, la cuestión es algo más compleja de lo que parece a simple vista. Nótese que en el primer caso, es el numeral y no el nombre de la unidad de medida el que encabeza el sintagma. Ello explica que estas estructuras sean agramaticales sin un cuantificador que preceda al nombre: **(muchos/tres/varios) kilos de peso*. Por otra parte, los sintagmas del tipo *un peso de diez kilos* son preferentemente indefinidos, lo que no sería de esperar si simplemente fuesen SSNN con un sintagma de medida como complemento. Curiosamente, admiten el artículo definido en los mismos casos en que este puede preceder al argumento de cantidad:

(i) a. Llegó {a los noventa años de edad/a la edad de noventa años}.
b. Juan es capaz de levantar {el peso de cien kilos/los cien kilos de peso}.

[66] Sobre sintagmas de medida en estructuras comparativas, véase Sáez 1993.

REFERENCIAS BIBLIOGRÁFICAS

ALARCOS LLORACH, EMILIO (1968): *«Un,* el número y los indefinidos», *Archivum* XVIII, págs. 11-20.

— (1970): «Lo fuertes que eran», en *Estudios de gramática funcional del español,* Madrid, Gredos, páginas 235-248.

ALCINA FRANCH, JUAN y JOSÉ MANUEL BLECUA (1975): *Gramática española,* Barcelona, Ariel, 1982.

ALONSO, AMADO (1967): «Estilística y gramática del artículo en español», en *Estudios lingüísticos. Temas españoles,* Madrid, Gredos, págs. 125-160.

AOUN, JOSEPH y NORBERT HORNSTEIN (1985): «Quantifiers Types», *LI* 16:4, págs. 623-637.

ATLAS, JAY DAVID (1984): «Comparative Adjectives and Adverbials of Degree: an Introduction to Radical Pragmatics», *LaPh* 7, págs. 347-377.

AURUTIN, SERGEI Y ROSALIN THORNTON (1994): «Distributivity and Binding in Child Grammar», *LI* 25:1, págs. 165-171.

BALTIN, MARK (1980): «On the Notion "Quantifier Phrase"», *LI* 11, págs. 247-49.

— (1982): «A Landing Site Theory of Movement Rules», *LI* 13, págs. 1-38.

— (1987): «Degree Complements», en G. J. Huck y A. E. Ojeda (comps.), *Syntax and Semantics, 20. Discontinuous Constituency,* Londres, Academic Press, págs. 11-26.

— (1995): «Floating Quantifiers, PRO, and Predication», *LI* 26, págs. 199-248.

BARWISE, JOHN y ROBIN COOPER (1981): «Generalized Quantifiers and Natural Languages», *LaPh* 4, páginas 159-219.

BELLERT, IRENA (1989): *Feature System for Quantificational Structures in Natural Language,* Dordrecht, Foris.

BELLETTI, ADRIANA (1982): «On the Anaphoric Status of the Reciprocal Construction in Italian», *LingR* 2, págs. 101-138.

BELLO, ANDRÉS (1847): *Gramática de la lengua castellana,* Ed. de Ramón Trujillo, Tenerife, Aula de Cultura de Tenerife.

BIERWISCH, MANFRED (1987): «The Semantics of Gradation», en M. Bierwisch y E. Lang (comps.), *Dimensional Adjectives, Grammatical Structure and Conceptual Interpretation,* Verlag, Springer, págs. 71-237.

BLAU, ULRICH (1981): «Collective Objects», *TL* 8, págs. 101-130.

BOLINGER, DWIGHT (1972): *Degree Words,* La Haya, Mouton.

BOSQUE, IGNACIO (1985): «Sobre las oraciones recíprocas en español», *REL* 1, págs. 59-96.

— (1989): *Las categorías gramaticales,* Madrid, Síntesis.

— (1992): «Anáforas distributivas: la gramática de *sendos», Miscelanea Antverpensia,* Tubinga, Max Niemeyer Verlag, págs. 59-92.

— (1994a) «La negación y el principio de las categorías vacías», en V. Demonte (comp.), *Gramática del español,* México, El Colegio de México, págs. 167-199.

— (1994b): «Degree Quantification and Modal Operators in Spanish», manuscrito inédito, Universidad Complutense de Madrid.

BOSQUE, IGNACIO y JUAN CARLOS MORENO (1984): «A Condition on Quantifiers in Logical Form», *LI* 15, págs. 164-167.

BRUCART, JOSÉ M.ª (1994): «Concordancia *ad sensum* y partitividad en español», en M. Almeida y J. Dorta (eds.). *Contribuciones al estudio de la lingüística hispánica. Homenaje al profesor Ramón Trujillo,* vol. 1, Tenerife, Montesinos, págs. 157-184.

BRUYNE, JACQUES DE (1989): «Nota sobre *sendos», RF* 101, 2-3, págs. 273-280.

BUSTOS, EDUARDO (1986): *Pragmática del español: negación, cuantificación y modo,* Madrid, Universidad Nacional de Educación a Distancia.

CANO, RAFAEL (1981): *Estructuras sintácticas transitivas en el español actual,* Madrid, Gredos.

CARDINALETTI, ANNA y GIULIANA GIUSTI (1991): «Partitive *ne* and the QP-Hypothesis. A case Study», *University of Venice. Working Papers in Linguistics,* CLI-91-I-4.

CARLSON, GREGORY y FRANCIS JEFFRY PELLETIER (comps.) (1995): *The Generic Book,* Chicago, The University of Chicago Press.

CASALEGNO, PAOLO (1989): «Approci alla quantificazione», *LeS* XXIV:1, págs. 3-31.

CASTRO, AMÉRICO y SAMUEL GILI GAYA (1917): «...Y todo», *RFE* IV, págs. 285-289.

CHOSMKY, NOAM (1957): *Syntactic Structures,* La Haya, Mouton.

COOPER, ROBIN (1983): *Quantification and Syntactic Theory,* Dordrecht, Reidel.

CONTRERAS, HELES (1984): «Multiple Questions in English and Spanish», en P. Baldi (comp.), *Papers from the XIIth Linguistic Symposium on Romance Languages,* Amsterdam, John Benjamins, págs. 121-133.

CRESSWELL, MAX J. (1976): «The Semantics of Degree», en B. Hall Partee (ed.), *Montague Grammar,* Nueva York, Academic Press, págs. 261-292.

CUERVO, RUFINO JOSÉ (1954-1994): *Diccionario de construcción y régimen de la lengua castellana,* Madrid, Espasa Calpe. [*DCRLC* en el texto.]

DEMONTE, VIOLETA (1980): «Partitives and the Internal Structure of NP Specifiers», *Cahiers Linguistiques d'Otawa* 9, págs. 56-71.

DEMONTE, VIOLETA y MARINA FERNÁNDEZ LAGUNILLA (comps.) (1987): *Sintaxis de las lenguas románicas,* Madrid, El Arquero.

DOUGHERTY, RAY C. (1970): «A Grammar of Coordinate Conjoined Structures. I» *Language* 46:4, páginas 851-898.

— (1971) «A Grammar of Cöordinate Conjoined Structures. II» *Language* 47:2, págs. 298-339.

DOWTY, DAVID y B. BRODIE (1984): «A Semantic Analisys of Floated Quantifiers in Transformationless Grammar», en M. Cobler, S. Mackaye y M. T. Wescoat (comps.), *Proceedings of the West Coast Conference on Formal Linguistics* 3, Stanford University, Stanford Linguistic Association, págs. 75-90.

DUCROT, OSWALD (1970): «French *peu* and *un peu,* a Semantic Study», en F. Kiefer y N. Ruwet (eds.) (1973), *Generative Grammar in Europe,* Dordrecht, Reidel, págs. 178-202.

— (1972): *«Peu* et *un peu»,* en *Dire et ne pas dire,* París, Hermann, págs. 191-220.

— (1980): *Les échelles argumentatives,* París, Éditions de Minuit.

ENÇ, MÜRVET (1991): «The Semantic of Specificity», *LI* 22, págs. 1-25.

FAUCONNIER, GILLES (1975): «Polarity and the Scale Principle», *CLS* 11, págs. 188-199.

— (1977): «Polarité syntactique et sémantique», *Linguisticae Investigationes* I, 1, págs. 1-38.

FERNÁNDEZ LAGUNILLA, MARINA (1983): «El comportamiento de sustantivos y adjetivos en función de predicado nominal. Sobre el llamado *un* 'enfático'», Serta Philologica F. Lázaro Carreter. I. Madrid, Cátedra, págs. 195-208.

FERNÁNDEZ RAMÍREZ, SALVADOR (1951): *Gramática Española. 3.2. El pronombre,* preparado por J. Polo, Madrid, Arco/Libros, 1987.

FRANCHINI, ENZO (1986): *Las condiciones gramaticales de la coordinación copulativa en español,* Francke Verlag, Berna.

GARCÍA CALVO, AGUSTÍN (1969): «*Nos amo, *me amamos», en *Lalia. Ensayos de estudio lingüístico de la sociedad,* Madrid, Siglo XXI, 1973.

GARCÍA FAJARDO, JOSEFINA y BRUNA RADELLI (1983): «Un tipo de sintagma nominal. Divertimento para dúo (ambas y las dos)», *NRFH* XXXII, pág. 201-206.

GÄRDENFORS, PETER (comp.) (1987): *Generalized Quantifiers: Linguistic and Logical Approaches,* Dordrecht-Boston, Reidel (SLAP, 31).

GEACH, P. (1962): *Reference and Generality,* Ithaca, Nueva York, Cornell University Press.

GILLON, BRENDAN S. (1987): «The Readings of Plural Noun Phrases in English», *LaPh* 10, págs. 199-219.

GIUSTI, GIULIANA (1991): «The Categorial Status of Quantified Nominals», *LBer* 136, págs. 438-454.

GUÉRON, JAQUELINE y ROBERT MAY (1984): «Extraposition and Logical Form», *LI* 15, págs. 1-35.

HAK, ISABELLE (1984): «Indirect Binding», *LI* 15:2, págs. 185-223.

HARNISH, ROBERT M. (1976): «Logical Form and Implicature», en T. Bever y otros (comps.), *An Integrated Theory of Linguistic Ability,* New York, T. Crowell, págs. 313-391.

HARRIS, MARTIN (1988): «Concessive Clauses in English and Romance», en J. Haiman y S. Thompson (comps.), *Clause Combining in Grammar and Discourse,* Amsterdam, John Benjamins, págs. 71-101.

HEIM, IRENE, HOWARD LASNIK y ROBERT MAY (1991): «Reciprocity and Plurality», *LI* 22:2, págs. 63-101.

HERBURGER, ELENA (1993): «Focus and the LF of NP Quantification», en U. Lahiri (comp.), *SALT* III, Irvine, University of California.

HERNANZ, M. LLUÏSA y JOSÉ M.ª BRUCART (1987): *La sintaxis,* Barcelona, Crítica.

HIGGINBOTHAM, JAMES (1985): «On Semantics», *LI* 14, págs. 547-593.

HINTIKKA, JAAKKO (1980): «On the *Any*-Thesis and the Methodology of Linguistics», *LaPh* 4, págs. 101-122.

— (1986): «Is Scope a Viable Concept in Semantics», *Proceedings of the Easter State Conference on Linguistics*.

HOEKSEMA, JACK (1983): «Plurality and Conjunction», en Ter Meulen (comp.) *Studies in Model Theoretic Semantics,* Dordrecht, Foris.

— (ed.) (1996): *Partitives. Studies on the Syntax and Semantics of Partitive and Related Constructions,* Berlín-Nueva York, Mouton de Gruyter.

HORN, LAURENCE R. (1969): «A Presuppositional Analysis of *Only* and *Even*», *CLS* 5, 98-107.

HORNSTEIN, NORBERT (1984): *Logic as Grammar,* Cambridge, MIT Press.
— (1988): «*A Certain* as a Wide-Scope Quantifier: A Reply to Hintikka» *LI* 19:1, págs. 101-109.
JAEGGLI, OSVALDO A. (1982): *Topics on Romance Syntax,* Dordrecht, Foris.
JIMÉNEZ JULIÁ, TOMÁS (1986): «Disyunción exclusiva e inclusiva en español», *Verba* 13, págs. 163-179.
JUNKER, MARIE-ODILE (1994): «French Universal Quantifiers in Conceptual Semantics», *Linguistics* 32, págs. 213-239.
KATZ, ELISABETH (1982): «Zur Distribution von Kompositum und Nominalgruppe im Deutschen. Ein Beitrag zur Dimension der Apprehension», en H. Seiler y Ch. Lehmann (comps.), *Apprehension. Das Sprachliche Erfassen von Gegenständen. Teil I.* Tubinga, Gunter Narr, págs. 112-130.
KAY, PAUL (1989): «Contextual Operators: *respective, respectively* and *vice-versa*», *BLS* 15, págs. 181-192.
— (1990): «Even», *LaPh* 13, págs. 59-111.
KAYNE, RICHARD S. (1975): *French Syntax,* Cambridge, MIT Press.
— (1984): «Two notes on the NIC», en *Connectedness and Binary Branching,* Dordrecht, Foris, páginas 23-46.
KÖNIG, EKKEHARD (1991): *The Meaning of Focus Particles. A Comparative Perspective,* Londres, Routledge.
KRIFKA, MANFRED *et alii* (1995): «Genericity: An Introduction», en G. N. Carlson y F. J. Pelletier (comps.), págs. 1-125.
LAPPIN, SAMUEL (1988): «The Semantics of "many" as a Weak Determiner» *Linguistics* 26, págs. 977-998.
LAPPIN, SAMUEL y TANIA REINHART (1988): «Presuppositional Effects of Strong Determiners: a Processing Account», *Language* 26, págs. 1021-1037.
LARSON, RICHARD K. (1985): «On the Syntax of Disjunction Scope», *NLLT* 3, págs. 217-64.
— (1988): «Scope and Comparatives», *LaPh* 11, págs. 1-26.
LASERSOHN, PETER (1982): «Generalized Conjunction and Temporal Modification», *LaPh* 13:2, págs. 381-410.
— (1989): «On the Readings of Plural Noun Phrases», *LI* 20:1, págs. 130-136.
— (1995): *Plurality, Conjunction and Event,* Dordrecht, Kluwer.
LASNIK, HOWARD (1981): «On Two Recent Treatments of Disjoint Reference», en *Essays on Anaphora,* Dordrecht, Foris, 1989, págs. 149-166.
LASNIK, HOWARD y MAMORU SAITO (1993): *Move-α Conditions on its Aplication and Output,* Cambridge, MIT Press.
LEVIN, BETH (1993): *English Verb Classes and Alternations. A Preliminary Investigation,* Chicago, Chicago University Press.
LINK, GODEHARD (1983): «The Logical Analysis of Plurals and Mass Terms. A Lattice-Theoretical Approach», en R. Bäuerle *et alii* (comps.), *Meaning, Use and Interpretation,* Berlín, De Gruyter, páginas 302-323.
— (1987): «Generalized Quantifiers and Plurals», en P. Gärdenfors (comp.), *Generalized Quantifiers,* Dordrecht, Reidel, págs. 151-181.
LÖBNER, SEBASTIAN (1987): «Natural Language and Generalized Quantifiers Theory», en P. Gärdenfors (comp.), *Generalized Quantifiers,* Dordrecht, Reidel, págs. 181-201.
LONGOBARDI, GIUSEPPE (1988): «I quantificatori», en L. Renzi (comp.) *Grande grammatica italiana di consultazione,* vol 1. Il Mulino, págs. 647-696.
LONNING, JAN TORE (1987): «Collective Readings of Definite and Indefinite Noum Phrases», en P. Gärdenfors (comp.), *Generalized Quantifiers,* Dordrecht, Reidel, págs. 203-237.
LÓPEZ PALMA, HELENA (1985): «Las oraciones distributivas. La gramática de *cada*», *Dicenda,* Universidad Complutense, págs. 57-83.
— (1990): *La cuantificación en español,* tesis doctoral, Universidad Complutense de Madrid.
LUDLOW, PETER (1989): «Implicit Comparison Classes», *LaPh* 12, págs. 519-533.
MARTÍNEZ GARCÍA, HORTENSIA (1987): «La relativa relatividad de *cuanto*», en *In memoriam Inmaculada Corrales. Vol I. Estudios Lingüísticos,* La Laguna, Universidad de La Laguna, págs. 309-318.
MAY, ROBERT (1985): *Logical Form. Its Structure and Derivation,* Cambridge, MIT Press.
— (1988): «Ambiguities of Quantification and Wh: A Reply to Williams», *LI* 19:1, págs. 118-135.
— (1989): «Interpreting Logical Form», *LaPh* 12, págs.387-435.
— (1970): «On the Applicability of *Vice-versa*», *LI* 1:2, págs. 278-280.
MCCAWLEY, JAMES D. (1976): «The Anotated Respective», en *Grammar and Meaning: Papers on Syntactic and Semantic Topic,* Nueva York, Academic Press.
MEY, SJAAK DE (1991): «*Only* as a Determiner and as a Generalized Quantifier», *Journal of Semantics* 8, págs. 91-106.
MILNER, JEAN-CLAUDE (1978): *De la syntaxe à l'interpretation,* París, Seuil.

— (1987): «Interpretative Chains, Floating Quantifiers and Exhaustive Interpretation», en C. Neidle y R. A. Núñez Cedeño (comps.), *Studies in Romance Languages,* Dordrecht, Foris, págs. 181-202.

MILSARK, GARY (1977): «Toward an Explanation of Certain Peculiarities of the Existential Construction in English», *Linguistic Analysis* 3, págs. 1-29.

MITHUM, MARIANNE (1972): «The Respective Interpretations of Distribution and Sequence», *LI* 3:4, páginas 549-552.

MORENO CABRERA, JUAN CARLOS (1984): «La diátesis anticausativa. Ensayo de sintaxis general», *REL* 14:1, págs. 21-44.

— (1987): «Aspectos lógico-sintácticos de los cuantificadores en español», en V. Demonte y M. Fernández Lagunilla (comps.), *Sintaxis de las lenguas románicas,* Madrid, El Arquero, págs. 408-416.

MORREALE, MARGHERITA (1970): «Poco, un poco», *ThBICC* XXV:3, págs. 485-486.

MUFWENE, SALIKOKO S. (1982): «The Count/Mass Distinction and English Lexicon», *CLS* 18. *Papers from the Parasession on Lexical Semantics,* págs. 200-219.

NISHIGAUCHI, TAISUKE (1990): *Quantification in the Theory of Grammar,* Dordrecht, Kluwer Academic.

OJEDA, ALMERINDO E. (1982): «Degree Relatives and the Neuter Article in Spanish», *CLS* 18, págs. 407-418.

PARTEE, BARBARA (1988): «Many Quantifiers», en *Proceedings of ESCOL* 1988, Department of Linguistics, Ohio State University.

— (1991): «Topic, Focus and Quantification», en S. Moore y A. Z. Wyner (comps.), *SALT* I, págs. 159-187. Cornell University, Working Papers in Linguistic, 10.

PARTEE, BARBARA y MATS ROOTH (1983): «Generalized Conjunction and Type Ambiguity», en R. Bäuerle y otros (comps.), *Meaning, Use and Interpretation of Language,* Berlín, De Gruyter.

PELLETIER, FRANCIS JEFFRY (ed.) (1979): *Mass Terms: Some Philosophical Problems,* Dordrecht, Reidel.

PLANN, SUSAN (1984): «Cláusulas cuantificadas», *Verba* 11, págs. 101-128.

PORTOLÉS, JOSÉ (1993): «Atributos con *un* 'enfático'», *RRo* 28:2, págs. 218-236.

— (1994): «La metáfora y la lingüística: los atributos metafóricos con *un* enfático», en V. Demonte (comp.), *Gramática del español,* México, El Colegio de México, págs. 531-556.

POTTIER, BERNARD (1975): *Gramática del español,* Madrid, Gredos.

REAL ACADEMIA ESPAÑOLA (1973): *Esbozo de una nueva gramática de la lengua española,* Madrid, Espasa Calpe. [RAE 1973 en el texto.]

REICHENBACH, HANS (1947): *Elements of Symbolic Logic,* Londres, MacMillan.

RIGAU I OLIVER, GEMMA (1987): «Sobre el carácter cuantificacional de los pronombres tónicos en catalán», en V. Demonte y M. F. Lagunilla (comps.), *Sintaxis de las lenguas románicas,* Madrid, El Arquero, págs. 390-407.

RIVERO, M.ª LUISA (1971): *The Spanish Quantifiers,* tesis doctoral, Universidad de Rochester.

RIZZI, LUIGGI (1990): *Relativized Minimality,* Cambridge, MIT Press.

ROBERTS, CRAIG (1987): *Modal Subordination, Anaphora and Distributivity,* tesis doctoral, Universidad de Massachusetts en Amherst. Publicada en (1991) por Garland Publishing, Nueva York.

ROTHSTEIN, SUSAN D. (1988): «Conservativity and Determiners» *Linguistics* 26:6, págs. 999-1019.

SACKS, NORMAN P. (1976): «*Cierto* en castellano y *certain* en inglés: un problema en el análisis contrastivo», en *Actas del III Congreso de la Asociación de Lingüística y Filología de la América Latina,* San Juan de Puerto Rico, Universidad de Río Piedras, págs. 139-148.

SÁEZ DEL ÁLAMO, LUIS ÁNGEL (1994): «Cuantificadores y sintagmas de medida», *IV Coloquio de Gramática Generativa,* Tarragona, 16-18 de marzo.

SALVÁ, VICENTE (1847): *Gramática de la lengua castellana según ahora se habla.* Estudio y edición de M. Lliteras, Valencia, Arco/Libros, 1988.

SÁNCHEZ LÓPEZ, CRISTINA (1991): «Constricciones semánticas sobre los cuantificadores flotantes», *Lenguajes Naturales y Lenguajes Formales* VII, págs. 585-592.

— (1993a): «Movimiento de cuantificadores en la estructura-S: la gramática de *cada uno*», en C. Sánchez y B. Suárez (comps.), *Cuadernos de Lingüística del IUOG* 1, págs. 249-247.

— (1993b): *La cuantificación flotante y otras estructuras conexas,* tesis doctoral, Universidad Complutense de Madrid.

— (1995a): «On the Distributive Readings of Coordinate Phrases», *Probus* 7, págs. 181-196.

— (1995b): «Construcciones concesivas con *para*», *REL* 25:1, págs. 99-123.

SCHA, REMKO (1981): «Distributive, Collective, and Cumulative Quantification», en J. Groenendijk, T. Janssen y M. Stokhof (comps.), *Truth, Interpretation, and Information,* [1984], Dordrecht, Foris, págs. 131-158.

SCHEIN, BARRY (1993): *Plural and Events,* Cambridge, MIT Press.

SHANON, BENNY (1978): «Even, Only, Almost, Hardly», *Studies in Language* 2:1, págs. 35-70.
SHLONSKY, UR (1991): «Quantifiers as Functional Heads: A study of Quantifier Float in Hebrew», *Lingua* 84, págs. 159-180.
SMITH, J. C. (1992): «Circunstantial Complements and Direct Object in the Romance Languages: Configuration, Case and Thematic Structure», en I. Roca (comp.), *Thematic Structure. Its Role in the Grammar,* Dordrecht, Foris.
SOLÍAS I ARÍS, M. TERESA (1989): «Quantificadors, categorias lèxicas o funcionals», en *Actas del V Congreso de Lenguajes naturales y lenguajes formales,* págs. 693-707.
SPORTICHE, DOMINIQUE (1988): «A Theory of Floating Quantifiers and Its Corollaries for Constituent Structure», *LI* 19:3, págs. 425-449.
TER MEULEN, ALICE (1980): *Substances, Quantities and Individuals. The Formal Semantics of Mass Terms,* Indiana, Indiana Linguistic Club.
TORREGO, ESTHER (1984): «On inversion of Spanish and some of its Effects», *LI* 15, págs. 103-129.
VAN BENTHEM, JOHAN y ALICE TER MEULEN (1985): *Generalized Quantifiers in Natural Languages,* Dordrecht, Foris.
VOS, RIET (1993): «Direct Partitive Constructions», en F. Drijkoningen y K. Hengeveld (comps.), *Linguistics in the Netherlands,* AUT Publications.
WAGNER, CLAUDIO (1984): «Los cuantificadores», *Documentos lingüísticos y literarios* 10, Instituto de Filología Hispánica de la Universidad de Chile, págs. 55-64.
WESTNEY, PAUL (1986): «Notes on Scales», *Lingua* 69, págs. 334-354.
WESTERSTÄHL, DAG (1986): *Quantifiers in Formal and Natural Language,* Stanford, Stanford Center for the Study of Language and Information (CSLI-86-55).
WILLIAMS, EDWIN (1986): «A Reassignment of the Functions of LF», *LI* 17:2, págs. 265-299.
— (1991): «Reciprocal Scope», *LI* 22:1, págs. 159-173.

17
LOS CUANTIFICADORES: LAS CONSTRUCCIONES COMPARATIVAS Y SUPERLATIVAS

LUIS ÁNGEL SÁEZ DEL ÁLAMO
Universidad Complutense de Madrid

ÍNDICE

17.1. Las comparativas propias

Al contrario de lo que sucede con los demás cuantificadores, los ‘elementos de grado comparativo’ [⟶ § 16.5.2] (*más, menos, tan, tanto/a/os/as,* etc.) exigen la presencia a su derecha de un sintagma denominado ‘coda’, el cual va introducido en español por las palabras *que, de* o *como.* Semánticamente, tales codas, a diferencia de lo que sucede con los sintagmas nominales o adjetivales, no hacen referencia ni a individuos ni a propiedades, sino a ‘grados’. [1] Así, en el ej. (1), la coda *que Luis* significa «el grado hasta el que Luis es alto» o «el grado de altura de Luis»:

(1) Juan es más alto que Luis.

Coda y elemento de grado se combinan para formar un constituyente mayor, el (sintagma) ‘cuantificador comparativo’ propiamente dicho (en (1), *más que Luis*), el cual, nuevamente, opera no sobre individuos o propiedades, sino sobre grados. Una vez establecida la diferencia entre ‘elemento de grado’ y (sintagma) ‘cuantificador comparativo’, es importante observar que este último posee carácter existencial, es decir, afirma que existe un grado con ciertas características. De acuerdo con esto, la paráfrasis de (1) es la siguiente: «*existe un grado, superior al grado de altura de Luis, tal que* Juan es alto hasta ese grado». En esta paráfrasis, la zona en cursiva corresponde al significado aportado por el cuantificador comparativo [⟶ § 4.2.2.2]. Como puede apreciarse, el elemento de grado *más* explicita una relación de superioridad entre el grado introducido por la coda (asociado a la altura de Luis) y aquel cuya existencia afirma el cuantificador comparativo (asociado a la altura de Juan). Ello explica el que a oraciones como las de (1) se las denomine ‘comparativas de superioridad’. Por el contrario, el elemento de grado *menos* introducirá una relación de inferioridad entre ambos grados, dando lugar con ello a una ‘comparativa de inferioridad’:

(2) Juan es menos alto que Luis.

El elemento de grado *tan,* por su parte, establecerá una relación de igualdad entre grados, dando lugar por tanto a una ‘comparativa de igualdad’:

(3) Juan es tan alto como Luis.

Esta clasificación tripartita de las oraciones comparativas, de carácter semántico, se basa pues en el tipo de relación entre grados determinada por el elemento de grado. [2]

El cuantificador comparativo de (1)-(3) es un constituyente discontinuo: entre el elemento de grado y la coda se interpone el adjetivo *alto,* al que el cuantificador

---

[1] Para profundizar en los fundamentos semánticos de las estructuras comparativas, consúltense Cresswell 1976, Von Stechow 1984, Heim 1985 y Larson 1988.

[2] Véanse Gili Gaya 1943 y Seco 1975: 242, así como RAE 1973: 545, donde además se incluyen las comparativas de superioridad e inferioridad dentro del bloque más general de las ‘comparativas de desigualdad’, opuesto al de las ‘comparativas de igualdad’. La clasificación semántica tripartita no tiene nada de obvia: Bello (1847: 595), quien se basa en criterios estrictamente formales, sólo considera como construcciones comparativas aquellas que contienen ‘comparativos’, definiéndose como tales fundamentalmente las palabras *más* y *menos.* Bello ve en el *tanto* de la correlación *tanto... como* un demostrativo, antecedente de una cláusula relativa introducida por *como* [⟶ Cap. 7, especialmente el § 7.5.6.3].

comparativo modifica comportándose distribucionalmente como un sintagma adverbial [→ § 4.2.1]. Cuando, como en este caso, la palabra modificada es un adjetivo, la paráfrasis basada en el término *grado* es apropiada, como se acaba de ver. Lo mismo sucede en los restantes casos en los que el cuantificador comparativo también exhibe la distribución propia de un sintagma adverbial, es decir, allí donde la palabra modificada es un verbo (*corre* en el ej. (4a)) o un adverbio (*rápidamente* en el ej. (4b)) [→ § 11.3]:

(4) a. Juan corre más que Luis.
b. Juan corre más rápidamente que Luis.

En cambio, cuando el cuantificador comparativo modifica a un nombre, adoptando entonces la distribución propia de un sintagma adjetival, los 'grados' deben interpretarse más bien como «cantidades». Así, (5b) es la paráfrasis propia de una oración como (5a), en la cual la palabra modificada por el cuantificador comparativo es *libros:*

(5) a. Juan compró más libros que Luis.
b. «Existe una cantidad, superior a la cantidad de libros comprados por Luis, tal que Juan compró esa cantidad de libros».

Esta duplicidad en la interpretación del concepto de 'grado' ha dado pie a un ulterior criterio semántico para la clasificación de las oraciones comparativas: son 'comparativas cuantitativas' aquellas donde 'grado' se interpreta como «cantidad»; son 'comparativas cualitativas' aquellas donde 'grado' se interpreta propiamente como «grado», es decir, como punto concreto dentro de una escala denotada por un adjetivo, un adverbio o un verbo. Mientras que el criterio semántico basado en la oposición 'superioridad/igualdad/inferioridad' ha sido utilizado para establecer los tipos principales de comparativas, este segundo criterio ha proporcionado una ulterior división en subtipos ('comparativas de superioridad cuantitativas', 'comparativas de inferioridad cualitativas', etc). [3]

Paralelamente a estas taxonomías semánticas, es posible clasificar las oraciones comparativas atendiendo a la naturaleza sintáctica de las codas. En primer lugar, existen comparativas con 'coda frasal', es decir, con codas integradas por una 'partícula comparativa' *(que/de/como)* seguida de un sintagma no oracional:

(6) Juan regaló más novelas a María *que Luis.*

En segundo lugar, existen comparativas con 'coda clausal', es decir, con codas en las que la partícula comparativa precede a una oración que puede tener su verbo elidido (ej. (7a)) o expreso (ej. (7b)):

---

[3] Cf. Gili Gaya 1943, así como Seco 1975, donde se reproduce una irregularidad introducida en el paradigma de clasificación por la RAE (1973), a saber, las 'comparativas de modo' *(así... como, tal... cual),* ajenas al concepto de 'grado' / 'cantidad' e ilustradas en (i):

(i) a. Yo trabajo *como* tú.
b. *Como* trabajas tú, *así* trabajo yo.
c. *Tales* son los hijos *cuales* son los padres.

(7) a. Juan regaló más novelas a María *que Ana a Luz.*
b. Juan regaló más novelas a María *de las que Ana regaló a Luz.*

17.1.1. Codas clausales

17.1.1.1. <De + *relativo concordante*>

El tipo más común de coda clausal en español para las 'comparativas de desigualdad' (como se conoce al bloque integrado por las de superioridad e inferioridad) es el introducido por la partícula *de* seguida del elemento *{el/la/los/las}* concordando en número y género con el sustantivo precedido por *más:*

(8) a. Compré más {trigo/carne} *{del/de la} que compraste tú.*
b. Compré más {libros/peras} *de {los/las} que compraste tú.*

La secuencia integrada por los elementos *{el/la/los/las}* y *que* es un pronombre relativo [⟶ §§ 7.4.1.2 y 7.5.1.1], por lo que es imposible la inserción de un sustantivo entre ambos elementos:

(9) *Compré más libros de los *{libros/tebeos}* que compraste tú.

Al tratarse de un pronombre relativo, la secuencia puede ser sustituida por otros relativos. En (10), *cuantos/as* sustituye al *los que* de (8b):

(10) Compré más {libros / peras} de *{cuantos/cuantas}* hayas podido comprar tú.

Es este último relativo, y no *los que,* el utilizado en ciertas comparativas de igualdad:

(11) a. *Compré tantos libros *los que* puedas haber comprado tú.
b. Compré tantos libros *cuantos* puedas haber comprado tú. [4]

Pese a que casos como (11b) no son agramaticales, más frecuente es la opción en la que la coda viene introducida por la partícula comparativa *como:*

(12) Compré tantos libros *como* compraste tú.

En este caso es, pese a todo, legítima (y ya veremos en el § 17.1.1.3 por qué) la aparición del pronombre relativo *los que:*

(13) Compré tantos vasos como *los que* me habías dicho, ni más ni menos.

Las comparativas de desigualdad con coda clausal carecen de una opción como la de (12), sin relativo tras la partícula comparativa: [5]

---

[4] Para este tipo de estructuras, cf. Knowles 1978.

[5] A menos que el elemento de grado pueda considerarse como modificador de todo el evento expresado por la cláusula matriz:

(14) *Juan compró más libros que le recomendó Luis.

El contraste entre (11a) y (8b) resulta natural si se considera que el mismo se produce igualmente en las relativas. Así, tal y como sucedía en (8b), el relativo *los que* resulta pertinente en (15a) al precederlo una preposición; igualmente, tal y como sucedía en (11a), ese pronombre no tiene cabida en (15b) al no precederlo preposición alguna:

(15) a. Esos chicos *de los que* me hablaste son suecos.
b. *Esos chicos *los que* hablaron de física son suecos.

Para corregir la agramaticalidad de (15b) es necesario que la parte concordante del pronombre relativo *(los)* pase a sustituir al demostrativo *esos:*

(16) *Los* chicos *que* hablaron de física son suecos.

De igual manera, para corregir la agramaticalidad de (11a) será necesario que dicha parte, o bien *cuantos,* pase a sustituir al elemento de grado:

(17) a. Compré *los* libros *que* puedas haber comprado tú. [6]
b. Compré *cuantos* libros puedas haber comprado tú.

El ejemplo (9), aquí repetido como (18), revelaba cómo las codas de desigualdad no aceptan la inserción de un sustantivo junto al relativo que las introduce. En cambio, (19) revela que la inserción es posible en las codas de igualdad: [7]

(18) *Compré más libros de los {libros/tebeos} que compraste tú.
(19) Compré tantos libros cuantos *tebeos* hayas podido comprar tú. [8]

17.1.1.2. <De + relativo no concordante>

En los casos vistos hasta ahora se han comparado cantidades, ya que el elemento de grado siempre ha precedido a sustantivos contables *(libros)* o no contables

---

(i) a. Teo gasta más *que gana.*
b. Teo da conferencias mejor *que Ana imparte clases.*
c. En esa ocasión no pudo saltar más *que lo hiciera el año anterior.*

[6] Este tipo de estructuras quedan analizadas en Carlson 1977 como 'relativas de cantidad', y en Rivero 1981 como 'comparativas' (para una opinión contraria, cf. Gutiérrez 1994b: 61). Rivero se centra especialmente en ejemplos como (ia, b), con adjetivos / adverbios precedidos de *lo* (llama la atención el que los hablantes rechacen tales ejemplos si se elimina el adverbio *no*):

(i) a. Teo no es *lo listo que era Luis.*
b. Teo no trabaja *lo duramente que trabaja Luis.*

[7] Este contraste no se puede atribuir a propiedades específicas del relativo *cuantos,* capaz de funcionar como modificador de nombres (ej. (ia)), pues la inserción de un sustantivo es igualmente imposible en las codas de desigualdad en las que este aparece (ej. (ib)):

(i) a. Yo he visto *cuantas películas* hayas podido ver tú.
b. Yo he leído más poemas de *cuantos (*relatos)* hayas podido leer tú.

[8] Estos ejemplos son un tanto forzados y, al menos en la bibliografía, suelen contener en su coda el verbo *haber:*

(i) Juro darte por ese hijo, tantos hijos cuantas estrellas *hay* en el cielo. [Atribuido en Bello 1847 a Fray Luis de Granada]

Pese a algún que otro ejemplo mencionado en la bibliografía, como (iia) (no perteneciente al español actual), puede decirse que se detecta la misma dificultad cuando se usa la variante no concordante (adverbial) de *cuantos, cuan,* que modifica adjetivos o adverbios (ej. (iib)):

(ii) a. El niño nace tan desnudo de todos estos bienes espirituales *cuan* desnudas trae las carnes. [Atribuido en Bello 1847 a Fray Luis de Granada]
b. ?Esta vara es tan larga *cuan* ancha es esa mesa.

(trigo) [⟶ § 1.2]. Allí donde aquel precede a adjetivos, el relativo carece de marcas de concordancia, y la aparición del neutro *lo* es obligatoria:

(20) Juan es más alto de *lo que* tú eres. [9]

Lo mismo sucede en los casos en los que el cuantificador de grado modifica verbos (*salta* en (21a)) o adverbios (*duramente* en (21b)):

(21) a. Juan *salta más* de lo que tú saltas.
b. Juan trabaja *más duramente* de lo que Luis trabaja.

De igual modo que *mejor,* como adverbio, no es sino la manifestación del adverbio *bien* en grado comparativo, así los elementos de grado *más/menos,* en contextos como (20) y (21), no son sino adverbios cuantificativos en dicho grado [⟶ § 7.4.1.2]. Por ello, aunque se observa en (21b) que los elementos de grado pueden preceder a adverbios, ello no sucede si estos son cuantificativos (ej. (22a)), pues un adverbio cuantificativo nunca puede preceder a otro (ej. (22b)): [10]

(22) a. *Trabajo *más {mucho/bastante}* de lo que tú trabajas.
b. *Trabajo *bastante mucho.*

Esta restricción afecta asimismo al elemento de grado de las comparativas de igualdad:

(23) a. Juan es *tan (*muy)* alto como tú eres.
b. Juan trabaja *tan (*muy)* duramente como trabajas tú. [11]

Estas oraciones muestran que las opciones ilustradas en (11b) y (12), abajo repetidas, se reducen a una sola cuando el elemento de grado precede a adjetivos o adverbios, dado que la partícula comparativa de igualdad y el relativo correspondiente a atributos, predicativos y complementos modales no cuantificativos son homónimos (*como* en ambos casos). [12]

---

[9] En lo que se refiere a la cuantificación sobre dimensiones escalares expresadas mediante adjetivos, hay que señalar que, además de ejemplos como (20), resultan también gramaticales aquellos casos donde se pronominaliza el atributo de la coda mediante el clítico *lo:*

(i) Juan es más alto de lo que tú *lo* eres.

[10] Cf. Bresnan 1973.

[11] Como muestran (23a, b), ante adjetivos y adverbios el elemento de grado *tanto* aparece truncado como *tan.* No así cuando el cuantificador comparativo modifica verbos:

(i) Juan trabaja *tanto* como yo.

[12] No existe un relativo cuantitativo neutro para estos casos:

(i) a. *Juan es tan alto *cuanto* puedas ser tú.
b. *Juan trabaja tan incómodamente *cuanto* puedas trabajar tú.

Sí existen, en cambio, las opciones correspondientes a las oraciones (17a, b), aquí repetidas:

(17) a. Compré los libros que puedas haber comprado tú.
b. Compré cuantos libros puedas haber comprado tú.

Las oraciones (iia, b) siguen el patrón de (17a), con el elemento de grado precediendo respectivamente a un adjetivo *(alto)* y a un adverbio *(duramente):*

(ii) a. Juan no es *lo* alto que tú eres.
b. Juan no trabaja *lo* duramente que trabajas tú.

Por otro lado, las oraciones (iiia, b) se atienen al patrón de (17b):

(iii) a. En toda la casa, *cuan* grande era, no había una sola pieza habitable. [Bello 1847: 308]
b. Rogaba *cuan* encarecidamente podía. [Bello 1847: 308]

(11) b. Compré tantos libros cuantos puedas haber comprado tú.
(12) Compré tantos libros como compraste tú.

El relativo *como* puede aparecer en las codas introducidas por *de* sustituyendo a *lo que:*

(24) Esa actriz es mucho más inteligente de *como* dice la tele.

Se utiliza también *como* allí donde la propiedad comparada es un predicado secundario regido en la coda por verbos como *describir, pintar, considerar, figurar, ver* o *imaginar:*

(25) Era mucho más cruel de *como* lo describen las crónicas.

En los casos en los que el elemento de grado preceda a un sustantivo, el pronombre relativo neutro *lo que* podrá utilizarse siempre que el verbo con el que el relativo está funcionalmente asociado como sujeto o complemento aparezca elidido en la coda: [13]

(26) Juan compró más libros de *lo que* yo pensaba.

En una versión no elíptica de la coda de (26), el verbo principal de esta *(pensaba)* regirá una cláusula subordinada *(que compraría)* que contiene la posición de objeto asociada al relativo. Este, sin embargo, ya no puede ser neutro en un contexto tal:

(27) Juan compró más libros de *{los/*lo} que* yo pensaba que compraría.

También puede aparecer el relativo concordante cuando hay elipsis [→ § 43.2.4]:

(28) Juan compró más libros de *los que* yo pensaba.

La relación entre oraciones como (28) y sus equivalentes no elípticas exhibe también asimetrías. Así, (29a) es gramatical, pero (29b) no lo es:

(29) a. Juan vio ese film en más cines de los que tú te pensabas.
b. *Juan vio ese film en más cines de los que tú te pensabas que lo vio (en).

En la cláusula principal de una comparativa con relativo no concordante puede haber múltiples elementos de grado. En (30) se comparan las cantidades reales de amigos, obsequios y familiares con aquellas imaginadas por Juan:

(30) *Menos* amigos míos hicieron *menos* obsequios a *menos* familiares suyos de lo que Juan se pensaba.

El relativo cuantitativo neutro de (iv) corresponde en realidad a un sintagma adverbial cuantificativo, modificador de un adjetivo pronominalizado mediante el clítico *lo:*

(iv) Juan es tan alto *cuanto* lo puedas ser tú.

[13] Para este tipo de construcciones, cf. Plann 1982.

En cambio, esta situación es imposible si la coda viene introducida por un relativo concordante, haya elipsis (ej. (31a)) o no la haya (ej. (31b)):

(31) a. **Menos* amigos míos hicieron *menos* obsequios a *menos* familiares suyos de *los que* Juan se pensaba.
b. **Menos* amigos míos hicieron *menos* obsequios a *menos* familiares suyos de *los que* Juan se pensaba que harían.

Codas con elipsis como las de (26) y (28) aparecen también en las comparativas de igualdad. (32a) exhibe la partícula comparativa *como* y (32b) un relativo concordante:

(32) a. Juan compró tantos libros *como* yo pensaba. [14]
b. En esa situación, Juan habría comprado tantos libros *cuantos* yo hubiera podido pensar, así que no me habría defraudado.

Pero estas codas elípticas no son compatibles con un relativo cuantitativo neutro, se trate de codas de igualdad, como en (33a), o de desigualdad, como en (33b):

(33) a. *En esa situación, Juan habría comprado tantos libros *cuanto* yo hubiera podido pensar, así que no me habría defraudado.
b. En esa situación, Juan habría comprado más libros de *{cuantos/*cuanto}* yo hubiera podido pensar, con lo que me habría sorprendido de todos modos.

Dado que existe homonimia entre las codas examinadas hasta ahora (introducidas por *de*) y ciertos complementos partitivos de tipo clausal, deben hacerse aquí algunas aclaraciones. Por lo pronto, la ambigüedad de (34a) queda expresada en las paráfrasis (34b) (partitiva) y (34c) (comparativa):

(34) a. Juan leyó más libros de los que compró Luis.
b. Juan siguió leyendo libros de esos que compró Luis.
c. La cantidad de libros leídos por Juan es mayor que la cantidad de libros que compró Luis.

Con la sustitución de *más* por *menos* desaparece la opción partitiva. [15] En (35), por tanto, *de los que compró Luis* debe ser una coda comparativa:

(35) Juan leyó menos libros de los que compró Luis.

---

[14] Al igual que sucedía en (30), donde tampoco había relativo concordante, en la cláusula principal de estas estructuras pueden aparecer asimismo múltiples elementos de grado:

(i) Juan compró *tantos* libros en *tantas* librerías como tú te pensabas.

[15] En otras ocasiones, la interpretación partitiva puede ser inviable por razones pragmáticas. En (i), por ejemplo, es improbable la interpretación según la cual parte de los plátanos previamente ingeridos por Luis pudieran haber sido ingeridos más tarde por Juan:

(i) Juan comió más plátanos de los que había comido Luis.

No obstante, también puede detectarse en (i) una interpretación partitiva de 'tipo', parafraseable del siguiente modo: «Juan siguió comiendo plátanos del tipo de los que había comido Luis». Desaparecerá esta última opción partitiva si se adosa al auxiliar *haber* un *se* reflexivo [⟶ §§ 23.3.2.3 y 46.2.3]:

(ii) Juan comió más plátanos de los que *se* había comido Luis.

En cambio, la interpretación partitiva de 'tipo' es forzosa en (iii):

(iii) Juan comió más plátanos de los que traen de Canarias.

Ahora bien, si en (35) se supone implícita una ulterior coda comparativa, como la explicitada en (36a) *(que José),* es posible interpretar *de los que compró Luis* como un complemento partitivo; se ofrece la paráfrasis en (36b): [16]

(36) a. Juan leyó menos libros de los que compró Luis que José.
b. «De esos libros que compró Luis, Juan leyó menos que José.»

Si el constituyente clausal aparece al inicio de la oración, resulta obligatoria la interpretación partitiva:

(37) *De los que compró Luis,* Juan leyó más libros.

Efectivamente, una coda comparativa nunca puede preceder al elemento de grado:

(38) **De lo que yo me pensaba,* Juan leyó *más* libros.

17.1.1.3. <Que/Como + *relativo concordante*>

Existe la posibilidad de sustituir *de* por *que* en las codas clausales:

(39) Juan compró más libros *que* los que vendía Luis.

Se detectan en (39) dos posibles interpretaciones:

(40) a. «Juan compró libros vendidos por Luis y otros libros.» [17]
b. «Juan compró una cantidad de libros mayor que la cantidad de libros vendida por Luis.»

La alternancia *de/que* no es un mero fenómeno estilístico. [18] La sustitución de *el/la/los/las* por un demostrativo sin pérdida de sentido comparativo es legítima si la coda viene introducida por *que:*

---

[16] Por lo tanto, el elemento *más* de (34a), bajo la interpretación partitiva de *de los que compró Luis,* puede ser dos cosas: si se sobreentiende una coda como la explicitada en (36a), será un elemento de grado comparativo normal; si no se sobreentiende tal coda, será un elemento 'aditivo'. Para un análisis del *más* aditivo, véase el § 17.2.1.

[17] 'Pseudocomparativas' como la de (i) se interpretan como (40a), es decir, 'aditivamente' (véase el § 17.2.1):

(i) Juan compró más libros que «El Quijote» y «La Regenta».

Sustituyendo *más* por *menos,* se impone en (39) una lectura cuantitativa como la de (40b):

(ii) Juan compró *menos* libros que los que vendía Luis.

Razones pragmáticas también fuerzan en (iii) una interpretación cuantitativa:

(iii) Juan comió más plátanos que los que ves en esa cesta.

Por lo tanto, al contrario que en (i), que no admite una variante con el elemento de grado antiaditivo *menos* (ej. (iva)), una variante con *menos* para (iii) sí es posible (ej. (ivb)):

(iv) a. *Juan compró *menos* libros que «El Quijote» y «La Regenta».
b. Juan comió *menos* plátanos que los que ves en esa cesta.

[18] La relación entre las partículas comparativas *que* y *de* ha sido objeto de atención en Bolinger 1950, 1953, Guardia 1990, Gutiérrez 1992, Martínez 1987, Plann 1984, Price 1990: 26, Rojas 1990 y Sáez 1990. En lo que respecta al conflicto entre *de* y *que* desde una perspectiva diacrónica, consúltense Keniston 1937 y Romero 1993.

(41) Juan comió menos plátanos *que esos que* ves en esa cesta.

Por el contrario, las codas con *de* no toleran esta sustitución: [19]

(42) *Juan comió menos plátanos *de esos que* ves en esa cesta.

Ello es natural, dado que *los que* es en estas codas un pronombre relativo (véase el § 17.1.1.1), y tales pronombres no toleran nunca esta sustitución:

(43) No encuentro el lápiz con *{el/*ese}* que dibujé ayer.

En cambio, la secuencia *{el/la/los/las} que* de las codas analizadas en esta sección no es un pronombre relativo, sino la combinación del artículo correspondiente a un sintagma nominal con núcleo elíptico y el relativo *que* introductor de una oración relativa que modifica ese sintagma. Idéntica secuencia aparece en (44), que también tolera la sustitución por demostrativo [⟶ § 14.3]:

(44) *{Ese/el} que* tú elegiste me agrada mucho.

En otras palabras, mientras que, en las codas del § 17.1.1.1, *de* introduce una cláusula iniciada por el relativo *los que,* las codas analizadas aquí constan de una partícula comparativa *que,* seguida de un sintagma nominal con referencia cuantitativa. No se trata, pues, de auténticas codas clausales, sino de codas idénticas a la de (45):

(45) Juan compró menos libros *que esos.*

En (45), además de no haber siquiera cláusula subordinada, el deíctico *esos* remite no a la identidad de los libros señalados, sino a su cantidad. La identidad de los libros comprados puede no coincidir con la de los señalados.

La sustitución de *menos* por *más* en (45) (ej. (46)) reintroduce el mismo tipo de ambigüedad que se detectaba en (39), aquí repetida:

(46) Juan compró *más* libros que esos.
(39) Juan compró más libros que los que vendía Luis.

(47a) ilustra la interpretación 'pseudocomparativa aditiva', en la cual el deíctico de (46) debe remitir a la identidad de los libros (véanse las notas 16 y 17, así como el § 17.2.1); (47b) ilustra la comparación cuantitativa:

(47) a. «Juan compró esos libros y otros.»
b. «Juan compró una cantidad de libros mayor que esa.»

Para completar el paralelismo, ni (46) ni (39), con sentido comparativo, aceptan un numeral a la derecha del artículo/demostrativo. Así, (48a, b) no pueden ser comparativas cuantitativas, sino pseudocomparativas aditivas:

---

[19] En (i), tal sustitución sólo ha originado una interpretación partitiva de 'tipo':

(i) Juan comió más plátanos *de esos que* ves en esa cesta.

(48) a. Juan compró más libros que esos *veinte.*
b. Juan compró más libros que los *veinte* que vendía Luis.

La secuencia *los que* de las codas con *de* tampoco admitirá la inserción de tales numerales, al tratarse de un pronombre relativo:

(49) Juan compró menos libros de los *(*veinte)* que vendía Luis.

La partícula comparativa *como* de las comparativas de igualdad también puede preceder a un sintagma nominal con referencia cuantitativa, sin que se adviertan diferencias semánticas cuando la secuencia *los que* se omite: [20]

(50) Compré tantos libros como (los que) me habías pedido, ni uno más.

17.1.1.4. Limitaciones impuestas por las preposiciones

La preposición *de,* que introduce las codas clausales hasta ahora vistas, es incompatible con cualquier otra que hubiera podido preceder al relativo [→ § 7.2.4.4]:

(51) *Juan estuvo en más lugares *de en* los que estuvo Luis.

Esta agramaticalidad se debe a la incompatibilidad entre *de* y la preposición exigida por el verbo en la coda. Lo mismo sucede en (52), donde una relativa libre precedida de *con* contiene un relativo *(quien)* término de *de:*

(52) *Lo hizo *con de* quien Luis desconfiaba.

El acoplamiento accidental de preposiciones observable en oraciones relativas aceptables como la de (53a) tiene asimismo lugar en codas comparativas clausales como la de (53b):

(53) a. Lo hizo *con* (*con) quien Luis lo había hecho.
b. Me acuerdo de menos poemas *de* (*de) los que él se acuerda.

La agramaticalidad de ejemplos como (51) es insalvable, ya que la preposición *en,* al tiempo que es exigida por el verbo de la coda, entra en conflicto con el *de* comparativo. En contextos elípticos como el ilustrado en (26), repetida aquí, el problema se reproduce si la preposición conflictiva precede al relativo, como se ve en (54):

---

[20] Naturalmente, la opción con un mero demostrativo en la coda también existe. En (i), *esos* remite a un conjunto de libros que pueden o no ser los comprados por Juan:

(i) Juan compró tantos libros como esos.

Sin embargo, las codas dependientes de *tan* no pueden contener listas de individuos (ej. (iia)), a diferencia de lo que sucede con las dependientes de *más* (ej. (iib)):

(ii) a. *Juan compró tantos libros como «La Busca», «Yerma» y «María».
b. Juan compró más libros que «La Busca», «Yerma» y «María».

(26) Juan compró más libros de lo que yo pensaba.
(54) *Juan vivió en más lugares de *en* los que yo pensaba.

Desaparecen los problemas si la preposición se omite por completo:

(55) Juan vivió en más lugares de los que yo pensaba.

Empero, no cabe aplicar esta estrategia en (51), como se ve en (56):

(56) *Juan estuvo en más lugares de los que estuvo Luis.

Codas no clausales como las de (45) *(Juan compró menos libros que esos)* son incompatibles con sintagmas preposicionales bajo una interpretación puramente comparativa. Así, en (57), las galerías concretas a las que remite el demostrativo son un subconjunto de las galerías en las que Juan expuso:

(57) Juan expuso sus cuadros en más galerías que *en esas.*

Esta interpretación aditiva lógicamente desaparece al sustituir *más* por *menos:*

(58) *Juan expuso sus cuadros en *menos* galerías que *en esas.*

No obstante, el resultado es óptimo tras suprimir la preposición de la coda:

(59) Juan expuso sus cuadros en menos galerías que esas.

Estos hechos se repiten en codas como las de (60), meras variantes de la de (45) *(Juan compró menos libros que esos):* [21]

(60) a. *Juan expuso en menos salas que *en las que* Ana expuso.
b. Juan expuso en menos salas que las que figuran en el catálogo de Ana.

En contraste con estos datos, sucede que, allí donde el relativo concordante sea *cuanto/a/os/as,* la interpretación debe ser cuantitativa independientemente de si al relativo lo precede o no una preposición:

(61) a. Ana expuso en más salas que cuantas puedan figurar en el catálogo de Luz.
b. Ana expuso en más salas que en cuantas haya podido estar Luz.

---

[21] En (60a), la presencia de un sintagma preposicional en la coda fuerza la interpretación aditiva, incompatible con el elemento de grado *menos.* La presencia de *más* haría viable una coda pseudocomparativa aditiva convencional, como sucede en (i), donde se entiende que Juan ha expuesto en todas las salas donde ha expuesto Ana, y también en otras:

(i) Juan expuso en *más* salas que en las que expuso Ana.

En (60b), la inexistencia de sintagma preposicional posibilita la lectura puramente cuantitativa, donde la frase de la coda no remite a las salas concretas, sino a su número. Obviamente, aquí también sería viable la interpretación aditiva si apareciera *más:*

(ii) Juan expuso en *más* salas que las que figuran en el catálogo de Ana.

En las comparativas de igualdad una preposición puede preceder al relativo concordante *cuantos,* pues nunca habrá contigüidad de preposiciones. Así, (62), donde la comparación es puramente cuantitativa, resulta gramatical:

(62) Los españoles vieron este film en tantos cines en cuantos lo hayan podido ver los suecos, a saber, en uno: la filmoteca.

17.1.1.5. <Que/Como + *cláusula con correlato antepuesto*>

Un tercer tipo de coda clausal, ilustrado en (63), permite que las cantidades o los grados comparados diverjan en cuanto al tipo de entidades o dimensiones gradadas (en este caso, libros frente a tebeos): [22]

(63) Ana compró menos *libros* que *tebeos* vendía Luis.

Se dice entonces que el sustantivo *tebeos* de la coda de (63) tiene como 'correlato' al sustantivo *libros* en la cláusula principal. Allí donde uno de los correlatos está modificado por el elemento de grado, se entiende por 'correlación' aquella pareja de elementos que expresan el tipo de entidades/dimensiones gradadas.

En (63), *tebeos* es un complemento del verbo *vendía* que no aparece en la posición canónica para dicha función, a saber, a la derecha del verbo. (64), donde esto sí sucede, es menos aceptable que (63):

(64) ?Ana compró menos libros que vendía Luis *tebeos.*

Si el verbo *vendía* se halla a su vez incrustado en una cláusula sustantiva el resultado será agramatical:

(65) *Ana compró menos libros que dice Luz que vendía Luis *tebeos.*

Son perfectos los casos donde, estando el verbo *vendía* incrustado en una subordinada sustantiva, *tebeos* aparece antepuesto al inicio de la coda:

(66) Ana compró menos libros que tebeos dice Luz que vendía Luis.

La agramaticalidad de (67) muestra que *tebeos* debe preceder no sólo al verbo que lo rige, sino a todos los verbos existentes en la coda:

(67) *Teo leyó menos libros que dice Ana que *tebeos* vendió Luz.

(68) evidencia cómo, una vez garantizado esto, resulta irrelevante el nivel (que no el tipo) de incrustación del verbo que rige el complemento antepuesto:

---

[22] Esta disparidad no es indispensable:

(i) a. Juan compró menos *libros* que *libros* vendía Luis.
b. Juan es más *alto* que *alto* pueda ser Pedro.

En lo que se refiere a las comparativas con *de,* la disparidad sólo puede darse cuando se comparan adjetivos:

(ii) Esa mesa es más *larga* de lo que esta es *ancha.*

(68) Teo leyó menos libros que *tebeos dices que creía Ana que quería Luz que leyese Juan.*

No puede ser *de,* sino *que,* la partícula comparativa que introduzca estos sintagmas antepuestos:

(69) *Juan compró más libros *de tebeos* vendía Luis.

Las codas con *de* son, por tanto, muy diferentes de las examinadas en esta sección. En las primeras es posible que la cláusula que contiene el verbo al que se asocia el relativo sea elidida al ir introducida por ciertos verbos:

(70) Compré más libros de los que te imaginas *(que compré).*

En las segundas no sucede lo mismo:

(71) Compré más libros que discos te imaginas *(*que compré).*

Por otra parte, en estas últimas, si el verbo de la coda es idéntico al verbo principal, su elisión es posible: [23]

(72) Juan compró más libros que discos (compró) Luis.

No es este el caso en las primeras:

(73) Juan compró más libros de los que *(compró) Luis.

Las codas vistas hasta ahora exhiben como constituyente antepuesto un complemento directo; sin embargo, pueden aparecer igualmente sujetos: [24]

(74) Más niños probaron la piña que *niñas* quería yo que bebieran zumo.

17.1.2. Entre lo clausal y lo frasal: codas plurisintagmáticas

Ante (75a, b) puede pensarse o bien que se ha elidido en la coda un verbo (coda clausal), o bien que en esta ni siquiera hay verbo que elidir, sino una mera sucesión de sintagmas (coda frasal plurisintagmática): [25]

(75) a. Juan compró más libros que *Luis discos.*
b. Juan compró {más/tantos} libros ayer {que/como} *Luis hoy.*

En la coda de (75b), frente a lo que sucede en la de (75a), no hay ningún correlato para el sustantivo modificado por el elemento de grado *(libros),* y la co-

---

[23] Ahora bien, ante casos como (ia), resulta extraño que la versión sin elipsis, (ib), sea menos aceptable:

(i) a. Juan compró más libros que Luis discos.
b. ?Juan compró más libros que Luis compró discos.

[24] No así sintagmas preposicionales, sea cual sea su función:

(i) *Teo vio esa obra en más cines que *en teatros* la vio Ana.

[25] Para una perspectiva clausal, véanse Pinkham 1982 y Piera 1982; para una perspectiva frasal, véanse Napoli 1983 y Lozano y Pinkham 1984.

rrelación se da, por el contrario, entre *Luis* y *Juan,* por un lado, y *hoy* y *ayer,* por el otro. Así pues, estas correlaciones no consisten ya en un mero emparejamiento de elementos que indiquen entidades o dimensiones gradadas (caso de las correlaciones vistas en el § 17.1.1.5). Por el contrario, en estos casos se dice que dos sintagmas son correlatos si ambos desempeñan la misma función con respecto a un mismo núcleo.[26] En (75b), este núcleo es el verbo *compró; Juan* y *Luis* son sujetos de ese verbo, mientras que *ayer* y *hoy* son sus complementos circunstanciales.

Las codas de desigualdad carentes de correlato referido a entidades o dimensiones gradadas sólo son viables si no contienen verbo:

(76) *Juan compró más libros ayer que Luis *vendió* hoy.

Esta restricción no afecta a las codas de igualdad:

(77) Juan compró tantos libros ayer como vendió Luis hoy.

Sin embargo, incluso (76) será gramatical si el constituyente *más libros* aparece al inicio de la cláusula principal:

(78) *Más libros* compró Juan ayer que vendió Luis hoy.

En este sentido, *que* se comporta como un elemento coordinante [⟶ Cap. 41], ya que una alteración así en el orden de palabras permite también convertir la coordinación agramatical (79a) en la gramatical (79b):[27]

(79) a. *Juan compró tres libros ayer y Luis vendió hoy.
b. *Tres libros* compró Juan ayer y vendió Luis hoy.

El carácter coordinante de *que* en estas codas se manifiesta asimismo en la posible ausencia del verbo, propiedad extraña a las cláusulas subordinadas relativas, sustantivas o adverbiales, como puede verse en (80a-c):[28]

(80) a. Juan vio en un cine la obra *que Luis *(vio) en el teatro.*
b. Juan dijo *que Pedro *(dijo) eso.*
c. Juan estaba en el cine *mientras Luis *(estaba) en el teatro.*

Esta elipsis verbal se ajusta a la generalización formulada en (81), basada en coordinaciones agramaticales como la de (82) (donde la línea indica el lugar de la elipsis):

(81) El correlato que autoriza una elipsis debe figurar a su izquierda.

[26] Esta identidad funcional no es necesaria en las correlaciones examinadas en el § 17.1.1.5. En (i), *superiores suyos* es término de preposición y *subordinados suyos* es sujeto:

(i) Juan riñe con más *superiores suyos* que *subordinados suyos* riñen con Juan.

Ahora bien, incluso los correlatos referidos a entidades / dimensiones gradadas deben ser equifuncionales si aparecen en codas carentes de verbo. En (ii), *superiores suyos* es término de preposición, pero *subordinados suyos* es sujeto:

(ii) *Juan riñe con más *superiores suyos* que *subordinados suyos* con Juan.

[27] En lo referente al carácter coordinante o subordinante de la partícula comparativa *que,* cf. Alarcos 1970, Prytz 1979 y Sáez 1992.

[28] Tampoco las codas del § 17.1.1.1 admiten elipsis verbal: **Juan compró más libros en París de los que Luis en Madrid.* Cf. Piera 1982 para un análisis de este y otros fenómenos relacionados con la elipsis en las codas comparativas.

(82) *Esas chicas ___ un libro y esos chicos compraron un tebeo.

En (83) puede verse que el verbo de la coda *(tenían)* precede al principal *(compraron):*

(83) Más chicos que chicas *tenían* tebeos *compraron* libros.

Si ambos verbos fueran idénticos sería esperable la gramaticalidad de (84) (con elipsis verbal en la coda), si no fuera porque (81) abarca también las estructuras aquí examinadas como casos de coordinación con elipsis verbal:

(84) *Más chicos que chicas ___ tebeos compraron libros.

Una oración coordinada es agramatical si aparece como interrogativo uno de los sintagmas del primer coordinando (*dónde* en (85)) sin que suceda lo propio con su correlato en el segundo *(en Madrid):*

(85) **¿Dónde* compró Juan dos libros y Luis dos discos *en Madrid?*

Naturalmente, sucede lo mismo en las codas con *que* coordinante:[29]

(86) **¿Dónde* compró Juan más libros que Luis discos *en Madrid?*

A su vez, si el interrogativo se asocia simultáneamente a ambas cláusulas, serán gramaticales tanto la coordinación (ej. (87b)) como la comparación con *que* coordinante (ej. (87a)):

(87) a. *¿Dónde* compró Juan más libros que Luis discos?
b. *¿Dónde* compró Juan dos libros y Luis dos discos?

En los casos examinados, a cada sintagma de la coda le corresponde otro con idéntica función en la cláusula principal. Que esta no es una condición necesaria para la buena formación de estas codas lo demuestra la oración (88), donde *en el examen de ayer* sólo puede asociarse con el evento de la coda:

(88) Juan se concentrará mejor que Luis en el examen de ayer.

Que tampoco se trata de una condición suficiente lo demuestra (89a), la cual, a diferencia de (89b), es agramatical pese a que el sintagma *Lugo* posee como correlato el término de preposición *Madrid:*

(89) a. *Juan compró más libros en *Madrid* que Luis discos *Lugo.*
b. Juan compró más libros *en Madrid* que Luis discos *en Lugo.*

Lo mismo sucede en (90a), donde, en contraste con (90b), hay correlación entre complementos de nombre *(de arte/de yoga):*

---

[29] Lo mismo sucede en (i), con diferente ordenación de sintagmas en la coda:

(i) **¿Dónde* compró Juan más libros que discos Luis *en Roma?*

Sin embargo, es extraño que (ii), que tan sólo se diferencia de (i) por la ausencia de elipsis verbal en la coda, resulte totalmente gramatical:

(ii) *¿Dónde* compró Juan más libros que discos había comprado Luis *en Madrid?*

(90) a. *Más veces leí yo ese libro *de arte* que tú *de yoga.*
b. Más veces leí yo *ese libro de arte* que tú *ese libro de yoga.*

Un nuevo caso es (91a). Mientras que en (91b) se correlacionan cláusulas interrogativas, en dicha oración el correlato de *mañana (hoy)* está incrustado en una interrogativa indirecta parcial:

(91) a. *Más chicos saben quién irá *mañana* que chicas *hoy.*
b. Más chicos saben *quién irá mañana* que chicas *quién irá hoy.*

Todas estas oraciones se atienen a la siguiente generalización [—> § 31.2 y Cap. 61]:

(92) Pueden integrar una coda sólo los sintagmas cuyo correlato en la cláusula principal pueda figurar aisladamente como sintagma interrogativo antepuesto en la interrogativa correspondiente.

Así, el correlato de *en Lugo* en (89b) puede aparecer aislado como sintagma interrogativo antepuesto *(dónde)* en (93), interrogativa correspondiente a la cláusula principal de (89b):

(93) *¿Dónde* compró Juan libros?

No sucede lo mismo con el correlato del término de preposición *Lugo* en (89a): [30]

(94) **¿Qué ciudad* compró Juan libros en?

El correlato del sintagma nominal *ese libro de yoga* en (90b) puede también aparecer aisladamente como sintagma interrogativo antepuesto *(qué libro de arte)* en (95):

(95) *¿Qué libro de arte* leíste?

No pasa lo mismo con el correlato del sintagma preposicional *de yoga* en (90a): [31]

(96) **¿De qué especialidad* leíste tú ese libro?

También el sintagma correlato de la oración interrogativa *quién irá hoy* de (91b) puede aparecer aisladamente como sintagma interrogativo antepuesto *(qué)* en (97):

(97) *¿Qué* saben esos chicos?

Nuevamente, esto no sucede con el correlato del adverbio *hoy* de (91a): [32]

---

[30] En la cláusula principal de (ia), el sintagma *Madrid* no es término de preposición, lo que le permite aparecer aislado como interrogativo en la posición inicial de (ib), la interrogativa correspondiente a la principal:

(i) a. Juan visitó más veces *Madrid* que Luis *Lugo.*
b. *¿Qué ciudad* visitó Juan?

[31] En (ia), la ausencia del demostrativo posibilita que el correlato de *de yoga* pueda figurar como interrogativo antepuesto *(de qué especialidad)* en (ib):

(i) a. Más veces leíste tú libros *de arte* que yo *de yoga.*
b. *¿De qué especialidad* leíste libros?

[32] En (ia), la ausencia del pronombre interrogativo al comienzo de la subordinada posibilita que el correlato de *hoy* pueda figurar como interrogativo antepuesto *(cuándo)* en (ib):

(i) a. ?Más chicas quieren que vayas *mañana* que chicos *hoy.*
b. *¿Cuándo* quieren esas chicas que vayas?

(98) *¿*Cuándo* saben esos chicos quién vendrá?

17.1.3. Codas frasales

Las codas que examinaremos en las secciones que siguen han sido generalmente consideradas como 'frasales' o 'sintagmáticas', dado que en ellas figura tan sólo un sintagma de naturaleza no oracional. Tal y como ocurría en las del § 17.1.2, en estas puede darse el caso de que el sintagma que las integra (*tebeos* en (99)) encuentre como correlato el sintagma modificado por el elemento de grado *(libros):*

(99) Juan compró más *libros* que *tebeos.*

Ahora bien, también es posible que el correlato sea un sintagma diferente de aquel modificado por el elemento de grado (*Juan* en (100)):

(100) *Juan* compró más libros que *Luis.*

Finalmente, puede suceder que no haya correlato alguno (cf. el § 17.1.3.3), o que, no habiendo correlato, la frase introducida por la partícula comparativa sea numeral (cf. el § 17.1.3.4) o adjetival (cf. el § 17.1.3.5):

17.1.3.1. Codas frasales sin elipsis

En el § 17.1.2 se comentó que la generalización (81), aquí repetida, abarca varios casos entre los que se incluye la agramaticalidad de (84):

(81) El correlato que autoriza una elipsis debe figurar a su izquierda.
(84) *Más chicos que chicas ___ tebeos compraron libros.

En el tipo de coda ilustrado en (99) no hay elipsis [→ § 43.2]; es decir, (99) no es el resultado de haber eliminado el verbo *compró* presente en (101):

(101) Juan compró más libros que tebeos *compró.*

Efectivamente, la coda frasal *que chicas* en (102a) precede al verbo principal de la oración, con lo que la suposición de que en tal coda hay elipsis de un verbo *leyeron,* presente en (102b), no se ajusta a (81):

(102) a. Más chicos *que chicas* leyeron este libro.
b. Más chicos que chicas lo *leyeron leyeron* este libro.

El sintagma de la coda y su correlato están coordinados. Si en ambos existe un complemento de nombre, por ejemplo, no puede sólo anteponerse uno de tales complementos dejando el otro *in situ.* Así, en (103), el complemento de *fotos (de qué actor)* se antepone como interrogativo, permaneciendo *in situ* el complemento de *retratos (de Chaplin):*

(103) *¿*De qué actor* vio Juan más fotos que retratos *de Chaplin?*

Este fenómeno es típico de la coordinación no clausal, como se ve en (104):

(104) *¿*De qué actor* vio Juan fotos y retratos *de Chaplin?*

En (105a) el sintagma antepuesto *de qué actor* funciona simultáneamente como complemento de *fotos* y de *retratos;* la gramaticalidad resultante se observa asimismo en (105b), la coordinación no clausal con *y:*

(105) a. ¿*De qué actor* vio Juan más fotos que retratos?
b. ¿*De qué actor* vio Juan fotos y retratos?

Sustantivos de relación como *detractor* y *partidario* requieren también un complemento. En (106), una coordinación no clausal con *y,* debe considerarse por tanto que ambos sustantivos están compartiendo tal complemento *(de Mao):*

(106) Conozco *partidarios y detractores* de Mao.

La oración (107) ilustra cómo *de Mao,* complemento de *detractores,* no puede llegar a serlo también de *partidarios,* ya que tales sustantivos, al formar parte el uno de un sintagma modificador del otro, no pueden estar coordinados:

(107) *Conozco *partidarios* considerados como *detractores* de Mao.

La agramaticalidad de (107), donde no se satisface la necesidad que tiene el sustantivo *partidarios* de regir un complemento, se opone a la gramaticalidad de (108), comparativa con coda frasal sin elipsis en la cual, habiendo coordinación, *partidarios* y *detractores* pueden compartir complemento:

(108) Conozco más *partidarios* que *detractores* de Mao.

Se sabe que, dados dos sintagmas nominales coordinados, si sólo uno de ellos tiene rasgos de género femenino, un eventual predicado adjetival exhibirá un morfo de género masculino independientemente del orden lineal existente entre ellos:

(109) a. Mis amig*as* y mis amig*os* estaban {dispuest*os*/*dispuest*as*} a eso.
b. Mis amig*os* y mis amig*as* estaban {dispuest*os*/*dispuest*as*} a eso.

Esto no es así si, como sucede en (110a, b), uno de los sintagmas es complemento del otro:

(110) a. *Las amigas de mis amigos* estaban {dispuest*as*/*dispuest*os*} a eso.
b. *Los amigos de mis amigas* estaban {dispuest*os*/*dispuest*as*} a eso.

Sorprende, por tanto, que los sintagmas nominales coordinados con la partícula comparativa *que* no exhiban el comportamiento que se observa en (109) en relación con la concordancia:

(111) a. Muchas más chicas que chicos estaban {dispuest*as*/*dispuest*os*} a eso.
b. Muchos más chicos que chicas estaban {dispuest*os*/*dispuest*as*} a eso.

Puede darse el caso de que varias codas del tipo aquí examinado coexistan en una misma cláusula siempre y cuando haya un número equivalente de elementos de grado. Este es el caso de (112a, b):

(112) a. Sólo en Escocia *más* hombres *que mujeres* tienen en su ropero *más* faldas *que pantalones.* [33]

b. El año pasado, *más* chicas *que chicos* españoles vieron *más* novelas *que revistas* en *más* bibliotecas *que librerías.* [34]

Los ejemplos de (113) son comparativas de igualdad con codas frasales sin elipsis:

(113) a. Teo es tan nervioso como inteligente.

b. Teo compró tantos libros como cuadernos.

En las comparativas de igualdad, allí donde se comparan adjetivos, llama la atención la posibilidad de sustituir *como* por *cuanto* dentro de un registro literario:

(114) Teo es tan nervioso *cuanto* inteligente.

Si se comparan sustantivos, esta sustitución sólo es viable en ciertos casos:

(115) a. *Teo compró tantos libros cuantos cuadernos.

b. Tiene tanta inteligencia cuanta capacidad para manifestarlo.

El *cuanto/a* de (114) / (115b) no es un relativo, pues las oraciones relativas exigen un verbo, inexistente en estas codas; se trata más bien de una variante de la partícula *como.* Realmente es a una pseudocomparativa coordinante (véase más adelante el § 17.2.4) a lo que da lugar este *cuanto/a.* Es decir, la paráfrasis de (114) es «Teo es nervioso e inteligente», y no «El nerviosismo de Teo es tan considerable como su inteligencia». Por eso, como se ve en (116), estas codas no admiten un correlato diferente de aquel modificado por *tanto:*

(116) **Teo* es tan *nervioso* cuanto *Luis inteligente.*

Por el contrario, las codas con *como* sí pueden albergar varios correlatos:

(117) *Teo* es tan *nervioso* como *Luis inteligente.*

17.1.3.2. *Codas frasales de apariencia elíptica*

Un segundo tipo de coda frasal lo ilustran los casos donde el sintagma de la coda halla su correlato, no en el sintagma modificado por el elemento de grado, sino en cualquier otro sintagma de la cláusula principal:

---

[33] (112a) significa que en Escocia hay más hombres que mujeres tales que tengan en su ropero más faldas que pantalones.

[34] Uno de los significados de (112b) es: «Más chicas que chicos españoles son tales que ha sido en más bibliotecas que librerías donde la cantidad de novelas vistas ha superado a la de revistas». Bajo esta paráfrasis, los conjuntos de novelas y revistas (y, por tanto, también la diferencia resultante) está en función de las librerías y bibliotecas elegidas, es decir, el sintagma *más novelas que revistas* está dentro del ámbito del sintagma *más bibliotecas que librerías.* Sin embargo, en la siguiente paráfrasis la relación de ámbito se invierte: «Más chicos que chicas españoles son tales que para más novelas que revistas se da el caso de que hayan sido vistas por ellos en más bibliotecas que librerías». Estos ejemplos, por tanto, ilustran las relaciones de ámbito entre diferentes cuantificadores comparativos dentro de una misma oración.

(118) a. Juan vio en más quioscos *esa novela* que *esa revista.* (correlación de complementos directos)
b. *Teo* compró más libros que *Ana.* (correlación de sujetos)
c. Menos chicos son *feministas* que *machistas.* (correlación de atributos conexos)

En estas codas no hay elipsis [→ § 43.2.1]; *que* coordina directamente los dos correlatos. Por tanto, (119a) y (119b) son agramaticales por la misma razón, a saber, el segundo coordinando *(que machistas/y astutos)* ilícitamente precede al primero *(feministas/inteligentes):*

(119) a. *Menos chicos *que machistas* son *feministas.*
b. *Estos chicos son *y astutos inteligentes.*

La apariencia elíptica de estas codas deriva fundamentalmente de la agramaticalidad de casos como (119a). Pudiera creerse, erróneamente, que tal agramaticalidad resulta de la existencia de elipsis y de la consiguiente violación de la generalización (81), aquí repetida:

(81) El correlato que autoriza una elipsis debe figurar a su izquierda.

Según esta descripción, la coda de (119a) deriva por elipsis de la coda *que chicos son machistas,* por lo que habría que concluir que el verbo *son* está a la derecha de su elipsis. Sin embargo, nada tienen que ver estas codas con la generalización (81): si (120) es agramatical no es porque se viole (81), pues los elementos elididos en una coda como *novelas vio Juan en esta librería* no estarían a la izquierda de sus sintagmas correlativos *(Juan vio novelas):* [35]

(120) *Juan vio más novelas que en esta librería en ese quiosco.

No cualquier sintagma correlativo de alguno perteneciente a la cláusula principal puede pasar a integrar la coda. Así, frente a lo que sucede con los que aparecen en (118), los de (121) son ilegítimos:

(121) a. *Juan compró más libros en Madrid que *Barcelona.*
b. *Más veces leíste tú ese libro de medicina que *de economía.*
c. *Más chicos saben quién vendrá mañana que *pasado mañana.*

La agramaticalidad de (121a-c) remite a la de (89a), (90a) y (91a):

(89) a. *Juan compró más libros en Madrid que Luis discos Lugo.
(90) a. *Más veces leí yo ese libro de arte que tú de yoga.
(91) a. *Más chicos saben quién irá mañana que chicas hoy.

Por tanto, también rige para ellas la generalización (92), aquí repetida:

---

[35] Además, una coda alternativa a la de (118a), pero sin elipsis, es agramatical:

(i) *Juan vio en más quioscos esa novela que en quioscos vio esa revista.

No es necesario suponer un origen agramatical como (i) para (118a); *que* coordina directamente dos sintagmas no clausales. (i) ilustra de paso cómo, en una coda clausal, un término de preposición *(quioscos)* no puede tener como correlato en la cláusula principal el sintagma modificado por el elemento de grado *(quioscos).*

(92) Pueden integrar una coda sólo los sintagmas cuyo correlato en la cláusula principal pueda figurar aisladamente como sintagma interrogativo antepuesto en la interrogativa correspondiente.

Este paralelismo se acentúa cuando se considera la viabilidad de ambos tipos de coda en el interior de los sintagmas nominales.[36] En (122) los sintagmas nominales con núcleo *cuadros/compra* albergan el elemento de grado *más;* (122a) contiene además una coda como las aquí examinadas, en tanto que (122b) contiene una coda plurisintagmática:

(122) a. Viste defectos en más cuadros de Goya *que de Velázquez.*
b. La compra de más armas por parte de Israel a los EEUU *que por parte de Siria a la URSS* agravó el conflicto.

Los ejemplos de (123a, b) revelan que las correlaciones de (122a, b) no se ajustan a (92):

(123) a. **¿De qué pintor* viste defectos en algunos cuadros?
b. **¿Por parte de qué país* agravó el conflicto la compra de armas a los EEUU?

Ahora bien, un principio similar a (92) deberá restringir el tipo de sintagmas posibles en tales codas, ya que ejemplos como (124a, b) (compárense con (122a, b)) son claramente agramaticales:

(124) a. *Viste defectos en más cuadros de Goya *que Velázquez.*
b. *La compra de más armas por parte de Israel a los EEUU *que por parte de Siria la URSS* agravó el conflicto.

Varias codas frasales de apariencia elíptica pueden coexistir en una misma cláusula siempre y cuando los respectivos correlatos no desempeñen funciones gramaticales vinculadas a un mismo núcleo. En (125a), *de Goya* es complemento de *láminas* y *de Paco* es complemento de *amigos;* en (125b), *de Goya* es complemento de *láminas* y *el año pasado* es un modificador de *regaló:*

(125) a. Juan regaló más láminas *de Goya* que de Velázquez a más amigos *de Paco* que de Luis.
b. Juan regaló más láminas *de Goya* que de Velázquez a más amigos suyos *el año pasado* que este año.

En (126), los respectivos correlatos de las codas *que Luis* y *que este año* (*Juan* y *el año pasado* respectivamente) desempeñan funciones vinculadas a un idéntico núcleo (el verbo principal *regaló*):

(126) **Juan* regaló menos láminas a menos amigos suyos *el año pasado* que Luis que este año.

[36] Hasta ahora se han examinado únicamente codas integradas por sintagmas cuyos correlatos desempeñan funciones vinculadas al verbo de una cláusula (sujeto, complemento, etc.).

Si acabamos de ver que puede haber varias codas frasales dentro de una misma cláusula, también es interesante que pueda aparecer una sola coda de este tipo incluso si la cláusula contiene múltiples elementos de grado:

(127) *Menos* amigos míos regalaron *menos* láminas a Juan *que a Luis.* [37]

Lo mismo sucede en aquellas codas plurisintagmáticas, ninguno de cuyos sintagmas tenga como correlato el sintagma modificado por el elemento de grado en la cláusula principal. Ello se cumple en (128), pero no en (129): [38]

(128) Menos amigos regalaron menos láminas *a Juan ayer* que *a Luis hoy.*
(129) *Menos *trenes* atropellaron menos *bicicletas ayer* que coches hoy.

17.1.3.3. Codas frasales sin correlato

Aunque la coda de (130) tiene una apariencia idéntica a las examinadas en el § 17.1.3.2, las cuales exhibían coordinación pero no elipsis, es importante señalar que, a diferencia de los sintagmas presentes en aquellas, el que aparece en esta *(«La Busca»)* no tiene correlato manifiesto:

(130) Ana compró un libro menos denso que *«La Busca».*

En el § 17.1.2 se dijo que dos sintagmas son correlatos si ambos desempeñan la misma función con respecto a un mismo núcleo. En (131) este núcleo es la cópula *es,* en torno a la cual los sintagmas *este libro* y *«La Busca»* se erigen en correlatos:

(131) *Este libro* es menos denso que *«La Busca».*

Por el contrario, en (130) no puede encontrarse ningún núcleo en relación con el cual el sintagma *«La Busca»* pueda estar desempeñando alguna función. El predicado que se interpreta en la coda es *es denso,* como en (131), y se intuye que *«La Busca»* debería ser sujeto del mismo. Pero, no existiendo este predicado en la cláusula principal, no hay correlación posible. [39]

Idénticas observaciones resultan válidas para ejemplos con coda plurisintagmática de apariencia idéntica a las examinadas en el § 17.1.2, las cuales exhibían coordinación con elipsis. En la cláusula principal de (132a) no existe ningún pre-

---

[37] Paráfrasis: «El número de amigos míos que han regalado láminas a Juan es inferior al número de amigos míos que han regalado láminas a Luis, y el número de láminas regaladas a Juan es inferior al número de láminas regaladas a Luis».

[38] El ejemplo (129) intenta decir simultáneamente, sin conseguirlo, que el número de trenes que han atropellado coches hoy supera al número de trenes que atropellaron bicicletas ayer, y que el número de coches que han atropellado bicicletas hoy es mayor que el número de trenes que atropellaron bicicletas ayer. Nótese que codas frasales sin elipsis como las examinadas en el § 17.1.3.1 tampoco admiten multiplicidad de elementos de grado en la cláusula principal. Así, (ia), que intenta expresar el contenido manifiesto en (ib), es agramatical:

(i) a. Menos trenes atropellaron menos bicicletas que coches.
b. «El número de trenes que atropellaron coches supera al número de trenes que atropellaron bicicletas, y el número de coches que atropellaron bicicletas supera al número de trenes que atropellaron bicicletas».

[39] El adjetivo *denso* de la cláusula principal no puede ser ese núcleo común con respecto al cual los sintagmas *un libro* y *«La Busca»* compartirían función. Un sintagma como *«La Busca»* no puede entrar en una relación sintáctica directa con un adjetivo:

(i) *He leído *«La Busca» denso.*

dicado idéntico al predicado *es hábil* observable en la coda de (132b), semánticamente idéntica a la de (132a):

(132) a. Conoce un tipo más hábil con la pistola *que Teo con el rifle.*
b. Conoce un tipo más hábil con la pistola *que hábil es Teo con el rifle.*

La restitución en la coda de (132a) del único predicado idéntico posible, *hábil,* da lugar a agramaticalidad:

(133) *Conoce un tipo más hábil con la pistola que Teo *hábil* con el rifle.

Por otro lado, dado que, como se ha dicho, la partícula comparativa *que* de estas codas es coordinante, sorprende la gramaticalidad de (132a), pues el resultado de sustituir aquella por una conjunción *y* es agramatical.[40]

(134) *Conoce un tipo hábil con la pistola *y* Teo con el rifle.

Conviene resaltar finalmente la ambigüedad de oraciones como (135a), dependiendo de que se interprete la coda como frasal sin correlación (paráfrasis (135b)) o como frasal con correlación (paráfrasis (135c)):[41]

---

[40] El ejemplo (i) ilustra este tipo de fenómenos en contextos con infinitivo:

(i) A fin de *tener más libros en su casa que Luis en la suya,* Juan compró «Los Episodios Nacionales».

Por un lado, resulta agramatical una versión de esta coda con el infinitivo expreso, es decir, un intento de coda con correlato antepuesto (cf. el § 17.1.1.5):

(ii) *A fin de tener más libros en su casa *que libros tener Luis en la suya,* Juan compró «Los Episodios Nacionales».

Ello se debe a que el verbo principal de una coda clausal nunca puede estar en infinitivo (ej. (iiia)), a diferencia de lo que sucede con un segundo coordinando introducido por *y* (ej. (iiib)):

(iii) a. *A fin de conseguir más puntos positivos *que puntos negativos recibir,* Juan cambió la estrategia de juego.
b. A fin de conseguir puntos positivos *y recibir premios,* Juan arriesgó.

Por otro lado, la sustitución de *que* por *y* en (ii) resulta imposible:

(iv) *A fin de tener muchos libros en su casa *y* Luis en la suya, Juan se regaló a sí mismo y le regaló también a Luis «Los Episodios Nacionales».

En (v) encontramos un ejemplo de coda monosintagmática sin correlato en el contexto de un infinitivo:

(v) A fin de tener más libros *que Luis,* Juan compró «Los Episodios Nacionales».

La sustitución de *que* por *y* también es imposible en estas codas tanto en el contexto de (130) (ej. (vi a)) como en el de infinitivo (ej. (vi b)):

(vi) a. *Ana compró un libro denso *y* «La Busca» también.
(Paráfrasis pretendida: «...y "La Busca" también es un libro denso».)
b. *A fin de tener muchos libros *y* Luis también, Juan se regaló a sí mismo y también le regaló a Luis «Los Episodios Nacionales».

[41] Una progresiva incrustación del sintagma adjetivo *más listos* irá haciendo más y más implausible esta paráfrasis; (ia) se interpreta sólo como (ib), no como (ic):

(135) a. Yo conozco hombres más listos que tú.
b. «Yo conozco hombres que son más listos que tú.»
c. «Yo conozco hombres más listos que los que conoces tú.»

17.1.3.4. Codas frasales numerales

Hasta el momento, las únicas comparativas donde aparecía un conector *de* como introductor de la coda han sido las analizadas en los §§ 17.1.1.1 y 17.1.1.2. Sin embargo, deben sumarse a este grupo las 'codas frasales numerales':

(136) Juan compró más *de veinte* libros.

Mientras que en las primeras la partícula comparativa *de* introducía una cláusula, en estas últimas introduce un numeral [→ Cap. 18] (*veinte* en (136)). Asimismo, existe una diferencia en cuanto a la ubicación de la coda con respecto al sustantivo modificado por el elemento de grado. (137a, b) muestran cómo la coda clausal *de los que compró Luis* debe estar a la derecha del sustantivo *libros:*

(137) a. *Juan compró más *de los que compró Luis* libros.
b. Juan compró más libros *de los que compró* Luis.

Con las codas numerales sucede lo contrario; compárese (136) con (138):

(138) *Juan compró más libros *de veinte.*

Una nueva diferencia entre ambas estructuras consiste en que, mientras en las primeras el elemento de grado puede ser modificado por una frase de medida (*dos libros* en (139a)), esto no ocurre en las segundas (ej. (139b)):

(139) a. Juan compró *dos libros* más de los que compró Luis.
b. *Juan compró *dos libros* más de veinte.

Estando acompañado de una coda clausal (*de los que compró Luis* en (140)), el elemento de grado *más* puede legitimar simultáneamente una segunda coda (en (140), *que Ana,* una coda frasal con correlato de sujeto):

(140) Tanto Juan como Ana compraron más libros que Luis, pero Juan compró más libros *de los que compró Luis que Ana.*

Nuevamente, esto no sucede en el contexto de una coda numeral:

(i) a. Yo conozco la casa de un hombre más listo que tú.
b. «Yo conozco la casa de un hombre que es más listo que tú.»
c. «Yo conozco la casa de un hombre que es más listo que aquel cuya casa conoces tú.»

(141) *Juan compró más *de veinte* libros *que Ana.* [42]

En las comparativas numerales el elemento de grado es un modificador del numeral, y no del núcleo nominal. Entonces, tal y como sucede con todo sintagma nominal dotado de numeral (ej. (142a)), también uno dotado de un modificador comparativo con coda numeral puede ir introducido por un artículo definido (ej. (142b)):

(142) a. Juan compró *los tres* libros que le pediste.
b. Juan compró *los más de tres* libros que le pediste.

Por el contrario, un sintagma nominal dotado de una coda clausal no puede ir introducido por un artículo definido, pues, en este caso, artículo y elemento de grado están ambos operando sobre el mismo núcleo nominal:

(143) *Juan leyó *los más* libros *de los que leyó Luis.*

Un contexto como el de (144) sólo admite numerales, no otro tipo de cuantificadores:

(144) La nave alcanzó una altura de *hasta {mil/*muchos/*bastantes}* metros.

Al ser el numeral el núcleo del cuantificador comparativo con coda numeral, este podrá figurar en ese contexto (ej. (145a)); no así si la coda es clausal (ej. (145b)):

(145) a. La nave alcanzó una altura de *hasta más de mil* metros.
b. *Esta nave alcanzó una altura de *hasta más* metros *de los que recorrió la otra.*

Se espera además que una secuencia como *más de veinte,* en contextos de coordinación con elipsis nominal, pueda encontrar como correlato un numeral (*cinco* en (146a)), lo que no sucede si es un elemento de grado lo que precede directamente al núcleo nominal elidido (ej. (146b)):

(146) a. Juan vio en el Prado *cinco* cuadros de Goya y *más de veinte* de Ribera.
b. *Juan vio en el Prado *cinco* cuadros de Goya y *más* de Ribera *que Luis.*

Siendo *más* un mero modificador del núcleo numeral en estas codas, se espera igualmente que no pueda aparecer un ulterior modificador, como *casi* (ej. (147)): [43]

---

[42] Aunque difícil de procesar, (140) es gramatical, y significa que la diferencia entre la cantidad de libros comprados por Juan y la cantidad de libros comprados por Luis es mayor que la diferencia entre la cantidad de libros comprados por Ana y la cantidad de libros comprados por Luis. Por el contrario, (141) no puede llegar a querer decir que la cantidad resultante de restarle veinte al número de libros comprados por Juan es mayor que la cantidad resultante de restarle veinte al número de libros comprados por Ana.

[43] La similitud entre *casi* y *más* como modificadores de numerales se manifiesta también en contextos donde numeral y artículo constituyen un cuantificador 'flotante' [⟶ § 16.3.3], contexto en el que la aparición de cualquiera de aquellos modificadores provoca agramaticalidad:

(i) a. Mis amigos querían *los (*casi) treinta* ir al cine.
b. Mis amigos querían *los (*más de) treinta* ir al cine.

(147) *Juan compró más de casi veinte libros.[44]

Debido a esto mismo, resulta previsible el que las coordinaciones de (148) sean inviables:

(148) a. *Juan hizo mal más *de tres raíces y de dos ecuaciones.*
b. *Juan hizo mal más de *tres raíces y dos ecuaciones.*
(Paráfrasis pretendida: «Hizo mal más de tres raíces y más de dos ecuaciones».)

Como contraste con (148), sí será posible la coordinación pura y simple de numerales:[45]

(149) a. Teo y Ana hicieron mal *seis y dos* ecuaciones respectivamente.
b. Teo y Ana hicieron mal *más de seis y más de dos* ecuaciones respectivamente.

Obsérvese el contraste semántico entre (150a) y (150b), puesto de manifiesto en las paráfrasis entre paréntesis:

(150) a. Juan no compró *más de veinte libros.* (Paráfrasis: «Juan compró o bien veinte libros, o menos de veinte».)
b. Juan no compró *más que veinte libros.* (Paráfrasis: «Juan compró veinte libros, ni más ni menos».)

En (150b) no hay una coda numeral, sino una coda restrictiva truncada,[46] donde lo introducido por *que* no es un numeral, sino el sintagma nominal *veinte libros,* y donde puede además sustituirse *más que* por *sino:*

También provoca agramaticalidad la presencia de cualquiera de estos modificadores ante un numeral que tenga como complemento un sintagma partitivo *(de esos diputados* en (ii)):

(ii) a. (*Casi) diez de esos diputados abandonaron el hemiciclo.
b. (*Menos de) diez de esos diputados abandonaron el hemiciclo.

[44] El *casi* de (i) actúa como modificador de *más,* y no del numeral:

(i) Juan obtuvo *casi más* de doscientos puntos.

[45] Es imposible coordinar los dos sustantivos en (ia) buscando la paráfrasis (ib):

(i) a. Juan compró más de veinte *novelas y relatos* de este escritor.
b. «Compró más de veinte novelas y más de veinte relatos de este escritor.»

Lo mismo sucede con numerales simples (véase (iia)), por lo que (iib) es ininteligible:

(ii) a. Juan compró veinte *novelas y relatos* de este escritor (no puede tratarse de veinte novelas y de veinte relatos).
b. *Juan compró dos *poemas, novelas y relatos.*

En cambio, (iiia) (con la paráfrasis (iiib)) muestra que esta coordinación sí es posible cuando al sustantivo lo modifica un elemento de grado:

(iii) a. Juan compró más *novelas y relatos* que Luis.
b. «Juan compró más novelas que Luis y también más relatos que Luis.»

Dado que en casos como (iii) se están estableciendo dos comparaciones simultáneas (es decir, hay un segundo *más* elíptico precediendo a *relatos),* no sorprende la posibilidad de usar *respectivamente* en (iv), en tanto que para (va) no existe la interpretación (vb):

(iv) Juan compró más *novelas y cedés* que *relatos y elepés* respectivamente.
(v) a. Juan y Luis compraron más de tres *novelas y discos* respectivamente.
b. «Juan compró más de tres novelas y Luis más de tres discos.»

[46] La no truncada correspondiente sería **Juan no compró más libros que veinte,* que es agramatical; véase el § 17.2.

(151) Juan no compró *sino* veinte libros.

Finalmente, cabe apuntar también el contraste entre las codas numerales y las aditivas tanto no truncadas (ej. (152a)) como truncadas (ej. (152b)) (véase más adelante el § 17.2.1):

(152) a. Juan compró más libros *que veinte.*
b. Juan compró *más que veinte libros.*

17.1.3.5. Codas frasales adjetivales

El último grupo de codas frasales aquí analizado es el ilustrado en (153), donde una partícula *de* introduce un artículo *{el/la/los/las}* seguido de un adjetivo, lo que motiva el que sean calificadas como 'adjetivales':

(153) Compré más trigo *del {necesario/habitual/normal}* en estos casos.

Sin embargo, los ejemplos en (154) muestran que, en lugar del adjetivo, pueden aparecer en estas codas participios correspondientes a verbos que rigen cláusulas (ej. (154a)) o a verbos que no las rigen (ej. (154b)):

(154) a. Compré más trigo del *{permitido/prometido/acostumbrado}.*
b. Cantó menos fados de los habitualmente *cantados* allí.

En (155) puede verse que no cualquier adjetivo ni cualquier participio correspondiente a un verbo rector de cláusula puede aparecer en estas codas:

(155) a. *Compré menos trigo del *{barato/maduro}.* [47]
b. *Compré menos trigo del *{dicho/afirmado/creído/intentado/decidido/planeado/sabido}.*

En lo que respecta a los adjetivos, su capacidad para aparecer en codas adjetivales se asocia a la posibilidad de funcionar como modificadores del nombre *cantidad* [→ § 1.2.3.4] dentro de un sintagma nominal definido, ubicado, a su vez, en una oración ecuativa con sujeto numeral. Véase el contraste entre (156a) y (156b):

---

[47] Sustituyendo *de* por *que,* parece que tales adjetivos pueden aparecer en esas codas:

(i) Compró más trigo *que el barato.*

Ahora bien, (i) es en realidad una construccion aditiva (véase más adelante el § 17.2.1), y la sustitución de *más* por *menos* inducirá por tanto agramaticalidad:

(ii) *Compró menos trigo *que* el barato.

La sustitución de *de* por *que* no da lugar forzosamente a una aditiva si aparecen en la coda predicados como los vistos en (153) o (154); así, las codas de (iii) pueden pertenecer (deben pertenecer, si se sustituye *más* por *menos*) al grupo estudiado en el § 17.1.1.3:

(iii) Compró {más / menos} trigo *que el {necesario/ordenado}.*

(156) a. Treinta sería *la cantidad {necesaria/normal/habitual/conveniente}* de libros.
b. *Treinta sería *la cantidad {madura/barata}* de libros.

Este criterio revela la existencia de un grupo de predicados que denotan propiedades predicables de cantidades (no únicamente de individuos). Sólo en ese grupo podrán localizarse los predicados de las codas adjetivales. [48]

En lo que se refiere a los participios correspondientes a verbos rectores de cláusula, el mismo criterio permite discernir aquellos capaces de figurar en las codas adjetivales de aquellos otros inhabilitados para ello:

(157) a. Treinta era *la cantidad {exigida/prevista/ordenada/estipulada/requerida/esperada/permitida/prometida}*.
b. *Treinta era *la cantidad {dicha/afirmada/intentada/decidida/planeada/creída/sabida}*.

Unos y otros predicados de cantidad pueden aparecer, por tanto, en el interior de un sintagma nominal coexistiendo necesariamente con el determinante definido, lo que hará que dicho sintagma adquiera un valor no referencial, sino meramente cuantitativo, que le permite aparecer a la derecha del verbo *haber* a pesar de su carácter definido (nótese el contraste en (158)):

(158) a. Había *los* cubiertos {*habituales/necesarios/previstos/esperados/prometidos/permitidos/requeridos/ordenados/*etc}.
b. *Había *los* cubiertos que te regalaron.

Artículo y predicado forman en (158a) un constituyente discontinuo cuantificativo. Este puede manifestarse como continuo si el artículo adopta género neutro [→ § 12.1.3]:

(159) *Lo {habitual/normal/exigido/previsto}* de libros.

Este constituyente continuo es capaz de aparecer tal cual en las codas adjetivales: [49]

---

[48] Deben respetarse todos los detalles del criterio. Así, el adjetivo *excesivo* puede modificar el nombre *cantidad* (ej. (ia)), sin por ello poder figurar en estas codas (ej. (ib)):

(i) a. Treinta sería una *cantidad excesiva.*
b. *Compré más trigo del *excesivo.*

Ello se debe a que a este adjetivo le es imposible modificar el nombre *cantidad* si, como sucede en (156a), el sintagma nominal correspondiente va introducido por un artículo definido:

(ii) *Treinta sería *la* cantidad excesiva.

[49] Consiguientemente, los participios correspondientes a verbos no rectores de cláusula, que son incapaces de aparecer en contextos como los de (159) (ej. (ia)), serán asimismo ilegítimos en codas con determinante neutro (ej. (ib)):

(i) a. **Lo cantado* de fados.
b. *Cantó menos fados de *lo cantado* allí.

(160) a. El candidato era más bajo de *lo previsto.*
b. Juan compró más libros de *lo esperado.* [50]

17.1.4. Codas adnominales

De acuerdo con las variedades examinadas hasta ahora, la interpretación de una coda como la de (161) *(que Luis)* puede realizarse de diversas maneras:

(161) Teo conoce párrocos mejores *que Luis.*

En primer lugar (paráfrasis (162a)), puede interpretarse *que Luis* como si se tratara de una coda sin correlato; en segundo lugar (paráfrasis (162b)), puede establecerse la correlación entre *Teo* y *Luis.*

(162) a. «Teo conoce párrocos que son mejores que Luis (mejores en cuanto a cierta propiedad que no queda explícita en la oración)».
b. «Los párrocos que conoce Teo son mejores (en cuanto a cierta propiedad no explícita) que los párrocos que conoce Luis».

Ciñéndonos a una interpretación no correlativa de la coda, existen dos opciones: por un lado, puede considerarse que la cualidad de referencia evaluada por el adjetivo comparativo *mejores* no esté expresa (paráfrasis (162a)); por otro lado, al figurar también en este conjunto de cualidades posibles la de ser párroco, puede ser que la cualidad evaluada sea la expresada por el sustantivo *párroco* («A es mejor que B en tanto que párroco»). Esta segunda opción se hace obligatoria, no obstante, cuando el adjetivo comparativo precede a dicho sustantivo, como se ve en el ej. (163), donde se parte del hecho de que Luis es un párroco y, sobre esa base, se establece la evaluación de su calidad de párroco por comparación con otro párroco distinto:

(163) Teo conoce *mejores párrocos* que Luis.

Las comparativas de este tipo, en las que el adjetivo comparado (*mejores* en (163)) precede al sustantivo modificado, se denominan 'adnominales'. En estas estructuras el elemento de grado opera sintácticamente sobre una dimensión («bondad» en (163)) expresada por un adjetivo *(bueno,* convertido en el comparativo *mejor).* Sin embargo, caracteriza a estas comparativas el que tal dimensión en realidad no sea autónoma, sino más bien relativa a una cierta clase de comparación, la de los párrocos, en la cual debe incluirse el referente del sintagma carente de correlato. Esto fuerza la interpretación correlativa (entre paréntesis) de la coda de (164):

[50] Está claro el parentesco entre las codas de (160) y las codas clausales examinadas en el § 17.1.1.2 (160a) y (160b) remiten respectivamente a (20) y (26), aquí repetidas:

(20) Juan es más alto de lo que tú eres.
(26) Juan compró más libros de lo que yo pensaba.

(164) Teo conoce mejores párrocos que Luisa. («Los párrocos que conoce Teo son mejores que los que conoce Luisa».)

Ello también explica el que el ej. (165) sea inapropiado, ya que, además de no pertenecer a la clase de comparación relevante *(poemas),* el sintagma de la coda *(«El Quijote»)* tampoco puede encontrar un correlato: [51]

(165) #Juan conoce mejores poemas que «El Quijote».

En cambio, la variante no adnominal de (165) (ej. (166)) es perfecta, ya que aquí la interpretación no correlativa (entre paréntesis) de la coda no entraña la pertenencia del sintagma a la clase de comparación *poemas:*

(166) Juan conoce *poemas mejores* que «El Quijote». («Juan conoce poemas que tienen más calidad literaria que la novela de Cervantes».)

Las comparativas adnominales son viables cuando aparecen los adjetivos comparativos *mejor, peor, mayor* y *menor,* pero resultan menos naturales cuando el elemento de grado modifica adjetivos de otro tipo, como sucede en (167).

(167) ?Yo conozco mucho *menos inteligentes futbolistas* que Maradona.

En (167), el adjetivo sobre el que opera *menos* es *inteligente,* y necesariamente se interpreta que Maradona es un futbolista, de manera que la sutitución de *Maradona* por el nombre de un ajedrecista, *Kasparov,* resultaría pragmáticamente inapropiada. En (168), en cambio, no sucede esto:

(168) Yo conozco *futbolistas* muchísimo *menos inteligentes* que Maradona.

En (168) el adjetivo es posnominal y, pese a la ambigüedad resultante (recuérdense las paráfrasis (162a, b) del ej. (161)), es este el modo como suele expresarse el significado asociado a las comparativas adnominales. [52] En ciertos contextos negativos, el carácter posnominal del adjetivo no provoca ambigüedad. Así, la lectura adnominal de (169) es obligatoria: [53]

---

[51] Para un análisis de este fenómeno, cf. Plann 1984: 198.

[52] Esto no quiere decir que las comparativas puramente adnominales estén libres de ambigüedades. Cuando se utiliza el elemento de grado *más,* como en (ia), surgen las paráfrasis (ib), propiamente adnominal, y (ic), puramente aditiva (véase el § 17.2.1):

(i) a. Yo he conocido más inteligentes futbolistas que Maradona.
b. «Yo he conocido futbolistas que son más inteligentes que Maradona».
c. «Yo he conocido a otros futbolistas inteligentes, además de Maradona».

La ambigüedad de (ia) puede resolverse añadiendo a la izquierda de *más* un intensificador adverbial *mucho,* lo que impone una lectura adnominal que comporta pérdida de gramaticalidad:

(ii) ?Yo he conocido *mucho* más inteligentes futbolistas que Maradona.

Pero si el intensificador añadido es adjetival *(muchos),* surge una comparativa aditiva perfecta:

(iii) Yo he conocido *muchos* más inteligentes futbolistas que Maradona.

[53] En (169) Maradona debe ser un futbolista. (i), idéntico a (169) salvo por la presencia en la coda del nombre de un ajedrecista, es por tanto pragmáticamente inadecuada:

(169) Yo *no* conozco futbolista menos inteligente que Maradona.

Por lo demás, en tales contextos, la presencia de un adjetivo prenominal en grado comparativo que no sea *mejor, peor, mayor* o *menor* induce una cierta degradación:

(170) a. Yo no conozco *{mejor/peor}* futbolista que Maradona.
b. ?Yo no conozco *menos inteligente* futbolista quc Maradona.

Si el elemento de grado es *más,* debido al número singular del sustantivo surge la interpretación llamada 'restrictiva' (véase el § 17.2.2):[54]

(171) Yo no conozco *más inteligente futbolista* que Maradona. (Paráfrasis: «Aparte de Maradona, no conozco a ningún otro futbolista inteligente».)

Las comparativas adnominales no tienen por qué exhibir una coda frasal. (172a, b) poseen codas clausales:[55]

(172) a. Juan escribe mejores poemas *de los que Luis escribe.*
b. Juan escribe mejores poemas *que los que Luis escribe.*

En los §§ 17.1.1.1 y 17.1.1.2 se sentó la idea de que, cuando el sintagma modificado por el elemento de grado es un adjetivo/adverbio, el relativo debe ser neutro; por el contrario, si se trata de un nombre, el relativo debe concordar con él. En (172a) hay un adjetivo comparativo, *mejor,* resultante de la unión del elemento de grado *más* con el adjetivo *bueno,* con lo que se esperaría la aparición de un relativo neutro, cosa que no sucede:

(173) *Juan escribe mejores poemas de *lo que* Luis escribe.

Claramente, el elemento de grado no está operando directamente sobre el nombre, dado que el efecto inmediato de esta relación en tales casos es la comparación

---

(i) #Yo no conozco futbolista menos inteligente que *Kasparov.*

(i) contrasta con (ii), idéntico a (168) salvo por la presencia de *Kasparov* en la coda:

(ii) Yo conozco futbolistas muchísimo menos inteligentes que *Kasparov.*

Debe señalarse que la inadecuación de (i) desaparece si se insertan los adjetivos indefinidos *ningún* (prenominal: ej. (iva)) o *alguno* (posnominal: ej. (ivb) [⟶ § 40.1.2]):

(iv) a. Yo no he conocido *ningún* futbolista más listo que Kasparov.
b. Yo no he conocido futbolista *alguno* más listo que Kasparov.

[54] De acuerdo con lo que sucede en (170b), la interpretación puramente comparativa no es posible en (171) debido a la posición prenominal del adjetivo. A su vez, la interpretación restrictiva no era posible en (170a), pero sí en (i) (paráfrasis entre paréntesis):

(i) Yo no conozco más buen futbolista que Maradona. («Aparte de Maradona, no conozco a ningún otro buen futbolista».)

[55] No sucede lo mismo con las codas plurisintagmáticas. En (i), ello es debido a que la cualidad *bueno* se entiende como relativa no sólo a *autores,* sino a *autores de novelas:*

(i) *Juan conoce mejores autores de novelas *que Borges de relatos.*

de cantidades, inexistente en (172a). Lo que realmente se observa en las comparativas adnominales es una incidencia simultánea del elemento de grado sobre adjetivo y sustantivo, que juntos expresan la propiedad evaluada. Ello motiva en (172a) la concordancia entre sustantivo y relativo, pues el antecedente de este es un 'constituyente complejo' adjetival-nominal.

La formación de este antecedente no depende de la posición pre- o posnominal del adjetivo, ya que (174) es también gramatical:

(174) Juan escribe poemas mejores de *los que* escribe Luis.

Un primer factor determinante es que el adjetivo esté incluido en el sintagma cuyo núcleo es el sustantivo. (175a, b), donde esta relación de inclusión no tiene lugar, son agramaticales (sintagma nominal en cursiva): [56]

(175) a. **Este baloncestista* es mejor del que Ana conoce.
b. *Considero a *este baloncestista* mejor del que Ana conoce.

El segundo factor determinante es que la dimensión establecida por el adjetivo esté siendo relativizada por el nombre. En (176a) esta relativización está ausente, pues no parece pertinente la interpretación de la cualidad comparada como «alto en cuanto ejecutivo»; en cambio, en (176b) la cualidad es, efectivamente, «alto en cuanto baloncestista»: [57]

(176) a. *Juan conoce a un *ejecutivo* más *alto* del que Luis conoce.
b. Juan conoce a un *baloncestista* más *alto* del que Luis conoce.

17.1.5. Codas prototípicas

Parece tautológico señalar que las construcciones comparativas entrañan una comparación entre dos grados. No obstante, es posible también que el contenido de una comparación propia consista simplemente en la ponderación superlativa de un cierto grado, ponderación que podría parafrasearse mediante un cuantificador simple como *muchos.* Por ejemplo, (177a) exhibe una estructura idéntica en apariencia a la de (177b) (elemento de grado *más* y coda frasal con correlato de sujeto); ahora bien, el que se la pueda parafrasear mediante *muchos,* como en (178), hace que se la denomine 'comparación prototípica' [→ §§ 41.2.5.2 y 67.3], ya que rige en ella el propósito ponderativo sobre el puramente comparativo: [58]

---

[56] Las codas con *de* de (175a, b) exigen un relativo neutro en función de atributo: *Este baloncestista es mejor de lo que tú eres.*

[57] En (i) se explicita que *mejor* no es relativizado con respecto a *baloncestistas:*

(i) *Yo conozco baloncestistas mejores, *como personas,* de los que tú conoces.

[58] De manera que, como revela el contraste entre (ia) y (ib), en una comparación prototípica carece de sentido preguntar por la diferencia entre dos grados:

(i) a. #*¿Cuántos años más* que Matusalén tiene tu abuelo?
b. *¿Cuántos años más* que tu abuelo tiene tu abuela?

(177) a. Mi abuelo tiene más años que Matusalén.
b. Mi abuelo tiene más años que mi abuela.
(178) Mi abuelo tiene muchos años.

En cambio, (178) no sirve como paráfrasis de (177b), donde puede asumirse que ambos abuelos son jóvenes. Así, (179a), pero no (179b), es contradictoria: [59]

(179) a. Mi abuelo es joven, aunque tiene más años que Matusalén.
b. Mi abuelo es joven, aunque tiene más años que mi abuela.

Varios aspectos diferencian las codas prototípicas de las que no lo son. En primer lugar, una coda prototípica puede contener un sintagma nominal indefinido genérico o no específico [⟶ §§ 12.3.3 y 13.3], como se observa en (180a); en cambio, una comparativa propia resultará inaceptable en tales casos, como se ve en (180b), donde *un oficinista* ni puede servir como prototipo de vejez ni está dotado de la referencia específica exigida para aparecer en una coda comparativa propia:

(180) a. Juan tiene más años que *una momia.*
b. #Juan tiene más años que un oficinista.

En segundo lugar, caracteriza a las codas prototípicas su dependencia con respecto a condiciones de tipo pragmático. Los prototipos, establecidos convencionalmente, son compatibles con el elemento de grado *más* sólo si se asocian con magnitudes considerables, y con *menos* en caso contrario. Así, resultan inadecuadas oraciones como (181a, b), dado que *una tortuga* y *un bólido* tipifican respectivamente extrema lentitud y alta velocidad: [60]

(181) a. #Juan corre más que una tortuga.
b. #Juan corre menos que un bólido.

---

[59] Al comparar (177a y b) se ha podido crear la falsa impresión de que caracteriza a las codas prototípicas la aparición de sintagmas especializados en expresar prototipos *(Matusalén, un galgo, una tortuga).* Sin embargo, cualquier sintagma puede desempeñar tal función siempre y cuando se den las condiciones pragmáticas para ello. Así, en (177b), *mi abuela* no funciona como prototipo, pero si, dentro de un contexto concreto, se deseara considerar a esa mujer como un paradigma de vejez, entonces (i) será una comparativa prototípica:

(i) El botones que tú dices que es tan joven tiene más años que mi abuela.

En (i), el hablante no tiene por qué dar por cierto que el botones tenga más años que su abuela. Sí lo presupone, en cambio, en el ejemplo (ii), que muestra que una coda prototípica tiene la particularidad de no poder aparecer adyacente a su correlato en posición focalizada:

(ii) Creo que tienen más años Luis que Teo y el botones *que mi abuela.*

(iii) es extraña, pues, ya que el sintagma *Matusalén* fuerza la lectura prototípica:

(iii) #Tienen más años mi tío que mi tía y mi abuelo *que Matusalén.*

[60] Hay que recalcar que (181a, b) no son agramaticales; más bien, son condiciones pragmáticas las que determinan su viabilidad. Así, resultan pertinentes en un contexto propicio para la ironía, la cual se logra precisamente explotando las peculiares características que definen las codas prototípicas: en (181a), la lentitud de Juan se expresa utilizando como prototipo de velocidad a un animal que el interlocutor sabrá identificar como lento; en (181b) se pondera la velocidad de Juan utilizando como prototipo de lentitud a un coche de carreras.

Para terminar, una tercera diferencia. Puede construirse el equivalente de una comparativa no prototípica permutando las posiciones de sus correlatos y cambiando el elemento de grado por su contrario; así (182a, b) son sinónimas:

(182) a. En esa carrera *Juan* corrió *más* que *Luis.*
b. En esa carrera *Luis* corrió *menos* que *Juan.*

No sucede lo mismo con las codas prototípicas; (183a, b) no son sinónimas: [61]

(183) a. En esa carrera *Juan* corrió *más* que *un galgo.*
b. #En esa carrera *un galgo* corrió *menos* que *Juan.*

Aunque hasta ahora nos hemos limitado a establecer un contraste entre las codas prototípicas y las codas frasales con correlato de sujeto, una coda prototípica se puede construir tomando como modelos otros tipos de codas:

(184) a. Conozco a una persona más vieja *que Matusalén.*
(coda prototípica a partir de una coda frasal sin correlato)
b. Teo disfrutó con ese video más *que un gato con un ovillo.*
(coda prototípica a partir de una coda plurisintagmática)
c. Teo nadó más *de lo que nada un delfín en todo un mes.*
(coda prototípica a partir de una coda clausal)
d. En mi pueblo hay peores sinvergüenzas *que Roldán.*
(coda prototípica a partir de una coda adnominal)

17.1.6. Otras comparativas propias

Se recogen en este apartado aquellas comparativas en las que la naturaleza de la relación entre grados/cantidades (igualdad o desigualdad) no viene expresada por los elementos de grado hasta ahora vistos, así como ciertos casos en los que ni siquiera son grados/cantidades lo que se compara.

El primer bloque de comparativas especiales que vamos a examinar aquí viene ilustrado por los adverbios temporales *antes* y *después.* Estos encierran en su contenido léxico (parafraseable como «más pronto que» y «más tarde que» respectivamente) una relación entre grados ubicados en una escala temporal, y legitiman una coda cuyo sintagma puede establecer una correlación con sintagmas de la cláusula principal desempeñando cualquier tipo de función: [62]

(185) a. *Teo* vino antes que *Luis.* (Sujetos)
b. Teo vio *«Psicosis»* antes que *«Vértigo».* (Objetos directos)

Gran parte del repertorio de codas examinado en las secciones anteriores reaparece en las comparativas temporales, así como la alternancia *que/de:*

---

[61] En ciertas comparativas prototípicas, como en (ia), a esta imposibilidad se suma el hecho de que no sean compatibles el predicado de la oración y el sintagma de la coda:

(i) a. Juan *comió* más que *una aspiradora.*
b. **Una aspiradora comió* menos que Juan.

[62] Para un análisis de las comparativas temporales, cf. Larson 1987: 260.

(186) a. Vino *antes de lo que tú decías.* (Tipo del § 17.1.1.2) [63]
b. Teo llegó a Roma *antes que Ana a Oslo.* (Tipo del § 17.1.2)
c. Teo llegó *antes que Ana.* (Tipo del § 17.1.3.2)
d. Hazlo *antes de veinte* minutos. (Tipo del § 17.1.3.4)
e. Vino *antes de lo previsto.* (Tipo del § 17.1.3.5)

Un segundo tipo de comparativas especiales viene caracterizado por la aparición de ciertos cuantificadores fraccionarios o multiplicativos [→ § 18.2.2.3], los cuales se pueden parafrasear mediante elementos de grado precedidos de una frase de medida (*el doble:* «dos veces más»; *el triple:* «tres veces más») [→ § 4.2]: [64]

(187) Compré *{el doble/la mitad}* de ropa en Roma *que en Oslo.*

Asimismo, en lo que respecta a las comparativas de igualdad, (188) (con lectura cuantitativa) revela que la relación entre grados puede establecerse no a través del morfema *tanto,* sino de elementos como *igual de* o *mismo:* [65]

(188) Gasté en Roma *{igual de/el mismo}* dinero que en Oslo.

A ello se suman estructuras como (189a, b), sin elemento de grado: [66]

---

[63] La construcción del tipo del § 17.1.1.1 fuerza la aparición del adverbial *cuando:*

(i) Llegó antes de *cuando* decías tú que iba a venir.

(ii) muestra que, contrariamente a (186a), el pronombre neutro *lo que* no es aquí posible:

(ii) *Llegó antes de *lo que* decías tú que iba a venir.

Es posible también que la cláusula venga introducida simplemente por *que,* en cuyo caso el verbo vinculado al tiempo comparado en la coda debe ser el menos incrustado de la misma. Obsérvese, por ejemplo, la paráfrasis obligatoria de (iii) entre paréntesis:

(iii) Teo llegó antes de *que* dijera Luis que iba a venir Ana. («Teo llegó antes de que anunciara Luis la llegada de Ana, no simplemente antes de que viniera Ana».)

[64] También estas codas abarcan el repertorio examinado en secciones anteriores:

(i) a. Teo logró *{el doble / la mitad}* de contratos en Roma *que (los que) conseguí yo en Oslo.* (tipo del § 17.1.1.3)
b. Compré *{el doble / la mitad}* de ropa en Fez *que tú en Oslo.* (tipo del § 17.1.2)
c. Teo logró *{el doble / la mitad}* de truchas *que de barbos.* (tipo del § 17.1.3.1)
d. Compré *{el doble / la mitad}* de ropa *que tú.* (tipo del § 17.1.3.2)
e. Conocí un chico *{el doble / la mitad}* de alto *que tú.* (tipo del § 17.1.3.3)

[65] Nuevamente se halla aquí el repertorio de codas examinado en secciones anteriores:

(i) a. Gastó *{igual de / el mismo}* dinero *que (el que) gasté yo.* (tipo del § 17.1.1.3)
b. Gastó *{igual de / el mismo}* dinero en Roma *que yo en Oslo.* (tipo del § 17.1.2)
c. Gastó *igual de* liras *que de libras.* (tipo del § 17.1.3.1)
d. Gasté *{igual de / el mismo}* dinero *que tú.* (tipo del § 17.1.3.2)
e. Conocí un chico *{igual de / lo mismo de}* alto *que Teo.* (tipo del § 17.1.3.3)

[66] *Como tú* debe graduar un adjetivo o un adverbio; (i) es agramatical:

(i) *Yo compré de *alubias* como Teo.

Ejemplos como (iia) pueden dar la impresión de que estas codas son capaces de aparecer sin la compañía del adjetivo, pero lo cierto es que en tales casos desaparece la comparación entre grados y surge la comparación entre cualidades, equivalente a la existente en (iib):

(189) a. Vi un chico de alto *como tú.*
b. Yo camino de rápido *como tú.*

Caracteriza a estas construcciones el que pueda preceder la coda al adjetivo (ej. (190a)) y el modificador *casi* a la coda (ej. (190b)):

(190) a. Vi un chico *como tú* de *alto.*
b. Vi un chico *casi como tú* de alto.

Ambos fenómenos son imposibles en las estructuras con elemento de grado:

(191) a. *Vi un chico como tú *tan* alto.
b. Vi un chico *tan* alto, creo, (*casi) como tú.

Finalmente, cabe comentar el caso de aquellas comparativas donde la relación de (des)igualdad no se establece entre grados/cantidades (lo que permitía hablar de 'superioridad' e 'inferioridad'), sino entre individuos. Para esta relación, los cuantificadores apropiados son *diferente* y *mismo:* [67]

(192) Teo visitó *{diferentes/los mismos}* museos que Ana.

Las oraciones con codas como las del § 17.1.3.2 son sustituibles por otras donde los correlatos se hacen coordinandos. Compárese (193) con (192):

(193) *Teo y Ana* visitaron {los mismos/diferentes} museos.

(ii) a. Vi un chico *como tú.*
b. Vi un chico *igual que tú.*

Para un análisis de construcciones como las de (189), cf. Caballero y Mancebo 1990.

[67] Estas estructuras autorizan también la aparición de los distintos tipos de coda examinados hasta ahora. La de (192) es una coda frasal supuestamente elíptica; en (ia) hay una del tipo de las analizadas en el § 17.1.2; en (ib) hay una coda frasal sin correlato:

(i) a. Teo visitó ayer *{diferentes / los mismos}* museos *que Luis hoy.*
b. Teo visitó ayer *{diferentes / *los mismos}* museos *que estos.*

(ib) es agramatical si el cuantificador utilizado es *los mismos,* a menos que se imponga una interpretación de 'tipo' («Teo visitó museos de este tipo»). Dado que, según se señaló, las codas clausales analizadas en el § 17.1.1.3 son en realidad una variante de las ilustradas en (ib), la misma lectura de tipo se impone en (ii) con *el mismo* (no necesariamente con *diferente*):

(ii) Elegí *{diferente / el mismo}* vestido *que el que eligió Ana.*

La coda ajustada a la interpretación individual de *mismo* es la ilustrada en (iii), sin relativo; esta coda no puede aparecer con *diferente:*

(iii) Elegí *{los mismos / *diferentes}* vestidos *que eligió Ana.*

A su vez, *diferentes* permite una variante clausal similar a la analizada en el § 17.1.1.1, e ilustrada en (iv) (a interpretar como «otros vestidos que los que eligió Ana», y no como «vestidos con otras características que los que eligió Ana»):

(iv) Elegí diferentes vestidos *de los que eligió Ana.*

17.2. Las pseudocomparativas

Las construcciones vistas hasta el momento comportan una comparación entre dos grados. En las construcciones que examinaremos en las secciones siguientes no existe propiamente comparación, y es el disfraz morfológico que adoptan lo que, al tiempo que las emparenta con las comparativas, hacc conveniente describir aquellos criterios semánticos y formales que permitan sacar a la luz la profunda disparidad entre ambos bloques de construcciones.

17.2.1. Pseudocomparativas aditivas

Las construcciones aditivas se caracterizan por expresar una relación de inclusión existente entre el conjunto de entidades expresado por la coda y otro conjunto mayor. Así, en la oración ambigua (194a) hay dos paráfrasis, una, (194b), derivada de una estructura comparativa propia de coda frasal con correlato de sujeto, y otra, (194c), asociada a la estructura aditiva:

(194) a. Juan vio más personas que Luis.
b. «Juan vio más personas que personas vio Luis.»
c. «Juan vio a más personas, además de a Luis.»

Efectivamente, en (194c) se constata la relación de inclusión entre la entidad de la coda, Luis, y el conjunto de personas vistas por Juan. [68]
Una oración como (195) es asimismo ambigua, pero de un modo diferente:

(195) En mi editorial fueron publicados más libros que esos.

Si *esos* tiene un valor exclusivamente cardinal (por ejemplo, si remite a un lote de libros ninguno de cuyos títulos coincide con aquellos publicados por la editorial), (195) contendrá una coda frasal como las analizadas en el § 17.1.1.3. Si, por el contrario, en la interpretación de *esos* priman los títulos concretos, cuyo número puede no coincidir con las dimensiones del lote señalado (por ejemplo, múltiples copias de tan sólo tres títulos pueden dar lugar a un lote de enormes dimensiones), (195) será una estructura aditiva. [69]
Si *más* precede a un adjetivo, la interpretación es necesariamente comparativa, no aditiva. En (196), por ejemplo, el deíctico *eso* remite a un cierto grado de 'ca-

[68] En estas construcciones aditivas puede sustituirse *que* por la locución prepositiva *además de,* y *más* por *otros* (ej. (ia)), explicándose el calificativo 'aditiva' por la imposible aparición del elemento de grado *menos* en construcciones tales (ej. (ib)):

(i) a. Juan vio *otras* personas *además de* Luis.
b. *Juan compró *menos* libros que «Yerma», «María» y «Tristana».

(ib) muestra con claridad la inviabilidad de una pretendida interpretación «sustractiva», según la cual, partiendo de un conjunto integrado por «Yerma», «María» y «Tristana», Juan habría comprado no esos tres libros, sino sólo uno o dos de ellos. El *más* de las construcciones aditivas no tiene con el elemento de grado *más* otra relación que la de la pura homofonía.

[69] Las mismas cautelas se imponen donde aparecen codas clausales. (i) posee una interpretación comparativa (véase el § 17.1.1.3) y otra aditiva:

pacidad', y no al listado de un conjunto de capacidades (veloz, sabio) que deba ser incluido en otro mayor (el de 'capacidades'):

(196) Juan es más capaz *que eso.*

De hecho, la sustitución del deíctico de (196) por una lista de adjetivos que remitan a capacidades es inviable. (197) no puede llegar a expresar que Juan tiene otras capacidades, además de la de ser veloz y sabio:

(197) *Juan es más capaz *que veloz y sabio.*

Las codas aditivas no pueden ser clausales ni plurisintagmáticas: [70]

(198) a. Juan compró más libros *que «La Busca».*
b. *Juan compró más libros *que compró «La Busca».*
c. *Teo dio más libros a sus familiares *que «Yerma» a su tía.*

La relación de inclusión expresada por las estructuras aditivas es el resultado de una suma: al conjunto de entidades establecido por la coda se le suman «otras más». En (198a), *más libros que «La Busca»* es por tanto una estructura coordinada, parafraseable mediante la coordinación de (199):

(199) Juan compró *«La Busca» y otros libros.*

Es significativa la aparición de *otros* sustituyendo a *más* en la paráfrasis. (197) era inviable porque *otro* no puede modificar a un adjetivo:

(200) *Juan es veloz, sabio y *otro capaz.*

Un sintagma incluido en una coda aditiva (*en el Lido* en (201)) puede ser isocategorial con otro más amplio *(en más cines)* que aquel que incluye inmediatamente el *más* aditivo *(más cines):* [71]

(201) Pusieron ese film *en más cines* que *en el Lido.*

Esto no es posible en las codas analizadas en el § 17.1.3.1:

(202) Pusieron ese film *en más cines* que *(*en) centros culturales.*

Pese a la viabilidad de (201), hay un límite a las dimensiones posibles del sintagma de la coda, tal y como prescribe la siguiente generalización:

(i) Juan compró más libros *que los que vendiste tú.*

[70] Por otra parte, aunque se puede introducir un *más* comparativo y uno aditivo dentro de una misma oración (ej. (ia)), tampoco parece posible construir una coda plurisintagmática híbrida como la de (ib), donde *tebeos* está en correlación con *novelas* y *Paco* con *amigos:*

(i) a. Juan regaló *más* novelas que tebeos a *más* amigos que Paco.
b. *Juan regaló más novelas a más amigos *que tebeos a Paco.*

[71] Cf. Gutiérrez 1994b: 33. Obsérvese además que, tal y como se señaló a propósito de (198a), la gramaticalidad de (201) es congruente con la existencia de una paráfrasis coordinante con *otros: Pusieron ese film en el Lido y en otros cines.*

(203) Pueden ser correlatos del sintagma de una coda aditiva o bien el sintagma nominal que contenga inmediatamente a *más* (si el sintagma de la coda es nominal), o bien (si el sintagma de la coda es preposicional) el sintagma preposicional de cuyo núcleo ese sintagma nominal sea término.

(204a) y (204b), donde se intenta establecer una correlación entre sintagmas verbales y sintagmas adjetivos respectivamente, violan (203):

(204) a. **Echaron ese film en más cines* que *lo echaron en el Lido.*
b. *Juan es *responsable de más delitos* que *responsable de ese.*

Según (203), las codas aditivas tampoco admiten correlación simple entre sustantivos (ej. (205a)), admisible en codas frasales como la de (205b): [72]

(205) a. *Tengo más *imágenes* que *retratos* de mi hijo. (Paráfrasis pretendida: «Tengo retratos de mi hijo y otras imágenes de él».)
b. Juan tiene más *fotos* que *retratos* de su hijo.

Tampoco pueden ser correlatos dos sintagmas incrustados en un sintagma nominal introducido por *más.* Así, (206) no puede llegar a expresar que Juan tiene no sólo retratos de su tío, sino también de otros familiares:

(206) *Juan tiene más retratos *de sus familiares* que *(de) su tío.*

En lo que respecta a las codas clausales, cabe señalar que (207) muestra la misma ambigüedad que (195) (aquí repetida) entre una interpretación aditiva y otra puramente cardinal:

(195) En mi editorial fueron publicados más libros que *esos.*
(207) Expuse en más salas que *las que aparecen en el catálogo de Luis.*

No así (208), que debe interpretarse aditivamente. El sintagma preposicional *en las que expuso Luis* necesita entrar en correlación con el sintagma preposicional *en más galerías,* y esta correlación sólo es admisible gracias a la generalización (203), propia de las aditivas.

(208) Expuse en más galerías que *en las que expuso Luis.*

Para concluir esta sección, hay que establecer una diferencia entre aquellas aditivas en las que *más* precede directamente a un sustantivo (ej. (209a)), y aquellas otras en las que este figura en la coda (ej. (209b)):

(209) a. Juan compró *más libros que* ese.
b. Juan compró *más que* ese libro.

A diferencia de las aditivas normales, en estas últimas, llamadas 'aditivas truncadas', *más* nunca puede ser término de preposición, y ello independientemente de

[72] Mientras que en (205b) el sintagma *de su hijo* puede ser complemento de *fotos* y *retratos* simultáneamente (pues ambos sustantivos están coordinados), en (205a) no puede serlo de *imágenes* y *retratos,* ya que aquí sólo es posible la coordinación entre sintagmas nominales completos, no entre sustantivos. Por tanto, la coordinacion entre sustantivos tampoco se da en casos como el siguiente, que exhibe en realidad una coordinación de sintagmas nominales sin determinante: *Juan compró más libros que novelas.*

si la correlación se establece entre sintagmas nominales, como en (210a), o preposicionales, como en (210b):

(210) a. *Expuse en *más* que *esa galería.*
b. *Expuse *en más* que *en esa galería.*

En cambio, la oración será gramatical tan pronto como *más* deje de funcionar como el término de una preposición y pase a preceder a esta: [73]

(211) Expuse *más que en* esa galería. (Paráfrasis: «Expuse no sólo en esa galería, sino también en otras».)

Realmente, *más* es un modificador de *compró* en (209b) y de *expuse* en (211). Se trata del mismo adverbio modificador de ejemplos como (212a), el cual, efectivamente, encuentra su correspondiente estructura aditiva en (212b): [74]

(212) a. Juan viaja *{mucho/más}*.
b. Juan viajó *más* que a Cuba; viajó también a Chile y a Panamá.

17.2.2. Pseudocomparativas restrictivas

En contextos negativos, la disposición de elementos que caracteriza a las construcciones aditivas entraña un significado totalmente diferente, como se observa comparando las paráfrasis (entre paréntesis) de (213a) y (213b):

(213) a. Juan compró más libros que «La Busca».
(Paráfrasis: «Juan compró «La Busca» y otros libros».)
b. Juan *no* compró más libros que «La Busca».
(Paráfrasis: «Juan compró «La Busca» y ningún otro libro».)

La idea de ampliación de un conjunto, inherente al esquema aditivo, se convierte en limitación estricta de un conjunto en contextos negativos, por lo que se denomina 'construcciones restrictivas' a casos como (213b) [→ § 36.3.4.8].

Aunque podría esperarse que estas no fueran sino el reverso de las aditivas en contextos negativos, sin importar otras consideraciones que las semánticas, sucede que existen ciertos contrastes de carácter formal que merecen atención. Por ejemplo, en las aditivas el sustantivo modificado por *más* no puede ponerse en singular, pero sí en las restrictivas: [75]

---

[73] En el caso de las aditivas no truncadas, el término de una preposición no puede llegar a aparecer a la izquierda de la misma, como revela el paso desde (ia) al agramatical (ib):

(i) a. Juan expuso *en más galerías* que esa.
b. *Juan expuso *más galerías que en* esa.

[74] Dado que este *más* es un modificador del verbo, allí donde una estructura aditiva no truncada aparezca inserta en un sintagma no oracional (un sintagma nominal en (ia), cuyo núcleo es *lectura*), la correspondiente truncada será imposible (ej. (ib)):

(i) a. La lectura de *más obras que «Platero y yo»* se presupone en un quinto curso.
b. *La lectura *más que de «Platero y yo»* se presupone en un quinto curso.

[75] Pero, como revela (i), el sintagma de la coda debe denotar una sola entidad:

(214) a. *Juan compró *más libro* que «La Busca».
b. Juan *no* compró *más libro* que «La Busca».

En estas construcciones, *más* no es un elemento de grado, sino un sinónimo del elemento *otro*. En efecto, la construcción equivalente con *otro* refleja también el contraste entre (214a) y (214b). (215b) carece de una lectura aditiva según la cual, además de «La Busca», Juan compró otro libro:

(215) a. *Juan compró *otro* libro que «La Busca».
b. Juan *no* compró *otro* libro que «La Busca».

Las restrictivas contrastan también con las aditivas en que, si un cuantificador negativo precede al sustantivo, este suele preceder a *más:* [76]

(216) Juan *no* compró *ningún libro más* que «La Busca».

Los tipos ilustrados en (214b) y (216) revelan un contraste sorprendente cuando el sintagma al que afecta *más* es término de preposición. El segundo tipo, a diferencia del primero, exige un sintagma preposicional en la coda: [77]

(217) a. No se experimentó con *más fármaco* que *(*con) el AZT.*
b. No se experimentó con *ningún fármaco más* que **(con) el AZT.*

Las construcciones restrictivas también permiten una división entre no truncadas (las examinadas hasta ahora) y truncadas. En estas últimas, ilustradas en (218), *más* no precede directamente a un sustantivo que establezca la clase (*libro* en (214b)) correspondiente al referente denotado en la coda («La Busca»):

(i) No tengo más casa que *{esta /*estas dos}.*

[76] La presencia de un cuantificador universal negativo como el *ningún* de (216) es indispensable en tales casos (ej. (ia)), pero imposible si más precede al sustantivo (ej. (ib)):

(i) a. *Juan no compró *libro(s) más* que «La Busca».
b. Juan no compró *más (*ningún) libro* que «La Busca».

En otros casos, puede aparecer directamente un pronombre negativo *(nadie* o *nada)* que lleve implícita la clase (personas y cosas respectivamente) a la que pertenece el referente de la coda:

(ii) a. Juan no compró *nada* más que «La Busca».
b. *Nadie* más que Juan compró ese libro tan caro.

[77] El contraste ilustrado en (217b) reaparece en las construcciones exceptivas:

(i) No se experimentó *con ningún fármaco excepto *(con) el AZT.*

En efecto, existe un claro paralelismo entre el *más... que* de (216) y los conectores exceptivos *(excepto, salvo)* [⟶ §§ 9.2.5.3 y 43.2.3.5]. Estos exigen también un cuantificador universal:

(ii) Teo compró **(todos los)* libros excepto «La Busca».

Asimismo, puede no haber adyacencia entre *más* y el sintagma cuantificado:

(iii) a. *Ningún alumno* compró ese libro tan caro *más* que Teo.
b. *Todos los alumnos* compraron ese libro tan caro *excepto* Teo.

(218) Juan no compró *más que* «La Busca».

Al igual que sucedía con las construcciones aditivas truncadas, en una restrictiva truncada, *más* no puede aparecer como término de preposición, con independencia del tipo de correlato que busque el sintagma de la coda (un sintagma preposicional en (219a) y uno nominal en (219b)):

(219) a. *No se experimentó *con más* que *con el AZT.*
b. *No se experimentó con *más* que *el AZT.*

Aquí, *más* (junto con *que*) debe preceder a la preposición:

(220) No se experimentó *más que con* el AZT.

Puede omitirse el adverbio *no* de una restrictiva truncada (ej. (221a)) si, contiguo a la izquierda de *más,* figura el adverbio *nada* (ej. (221b)): [78]

(221) a. Esa película *no* la ponen más que en el Capitol.
b. Esa película la ponen *nada más* que en el Capitol.

Tanto en las restrictivas con cuantificador negativo (ej. (222a)) como en las que carecen de él (ej. (222b)), múltiples codas pueden compartir un único adverbio negativo *no:*

(222) a. El testigo *no* oyó ninguna amenaza *más que esta que le digo* a ningún miembro de la familia *más que al padre de la víctima.*
b. Aunque había tensiones graves en varias de las familias del pueblo, el testigo *no* pudo oír *más amenazas que esta* en *más casas que la que tenía al lado.*

Esto es imposible en el caso de las restrictivas truncadas, dado que *más* es aquí un adverbio que modifica el verbo de la cláusula: [79]

(223) *No pude oír *más que* esta amenaza *más que* en esa casa.

---

[78] No debe confundirse el *nada* adverbial de (221b) con el pronominal de (i):

(i) Juan no compró *nada* más que «La Busca».

El *nada* pronominal de (i) determina la clase («cosas») a la que pertenece el referente de la coda, lo que no sucede con el *nada* de (221b). Por otra parte, en (221b) *más* es tónico, mientras que el de (i) admite tanto la pronunciación tónica (en cuyo caso *nada* es un adverbio como el de (221b)) como la átona (en cuyo caso *nada* es un pronombre). El *nada* adverbial, al no imponer clase de pertenencia alguna al referente de la coda, puede aparecer en oraciones como (iia), que ha de compararse con el ejemplo (iib), necesitado del adverbio *no:*

(ii) a. Ayer vino *nada* más que Luis.
b. Ayer *no* vino *nadie* más que Luis.

[79] Por la misma razón, una restrictiva truncada no puede aparecer dentro de un sintagma nominal (ej. (ia)), pero sí una no truncada en sus diferentes modalidades (ejs. (ib, c)):

(i) a. *La *no* distribución *más que* de este fármaco será insuficiente.
b. La *no* distribución de *más fármacos que* el AZT será insuficiente.
c. La distribución de *ningún fármaco más que* del AZT será insuficiente.

Como contrapartida, estas estructuras admiten codas plurisintagmáticas:

(224) No soy un cinéfilo: no voy *más que al Lido a la sesión de noche;* ni voy a otros cines ni voy a otras sesiones del Lido que esa.

Lo mismo sucedía en el caso de las aditivas truncadas:

(225) Voy *más que al Lido a la sesión de noche;* frecuento también otros cines, y voy además a otras sesiones que la nocturna.

No así con las restrictivas no truncadas, ya contengan uno o varios *más:*

(226) *Teo no vio *más* films en *(más)* cines *que «Faraón» en el Lido.*

El ejemplo de (222b), dado que exhibe dos *más* y un solo *no*, muestra que este último no forma un constituyente discontinuo con *más.* Esta conclusión resulta válida para las palabras negativas en general [→ § 40.1.2], como el pronombre *nadie* de (227): [80]

(227) *Nadie* pudo ver *más* escena que esa en *más* casa que la tú dices.

Para concluir esta sección, hay que señalar que las restrictivas no truncadas, al igual que las aditivas no truncadas, no operan sobre adjetivos:

(228) *Juan (no) es más capaz que *veloz.*

Las restrictivas y aditivas truncadas, en cambio, sí pueden:

(229) María (no) está más que *ebria.*

17.2.3. Pseudocomparativas correctivas

Oraciones como las del § 17.1.3.1 entrañan una comparación entre las extensiones de dos conjuntos distintos, pero pueden utilizarse como respuesta de un interlocutor B que corrige una afirmación previa de un interlocutor A:

(230) A: Allí compró Teo un montón de cosas, y también libros.
B: Te corrijo: sé que Juan compró allí *más discos que libros.*
(Paráfrasis: «Te corrijo: sé que Juan compró allí más bien discos, y no libros, como tú dices».)

Es curioso, sin embargo, el que *más* resulte aceptable ante otros sintagmas preposicionales:

(ii) a. La *no* distribución de este fármaco *más que* en los EEUU es una injusticia.
b. La distribución de este fármaco *nada más que* en los EEUU es una injusticia.

[80] Incluso, como sucede en (i), el ítem negativo *ningún* puede legitimar a la vez un *más* vinculado a un cuantificador negativo *(ningún vecino más)* y otro no vinculado *(más amenazas):*

(i) A pesar de que muchos vecinos solían pasar por delante de la casa, *ningún* vecino *más* que Don Torcuato pudo oír *más* amenazas que esta que le comento.

El discurso de B sería inapropiado si se interpretara *más discos que libros* como una comparación, pues la compra de más cantidad de discos que de libros es compatible con la compra de libros, por lo que no cabría rectificar lo dicho por A. Tal discurso contiene una 'pseudocomparativa correctiva' [→ § 36.3.4.8]. [81]

El *más* de (230B) no es un modificador prenominal interno al sintagma nominal cuyo núcleo es *discos,* pues tiende a preceder inmediatamente a *que* incluso si, debido a ello, pierde la relación de adyacencia con ese núcleo [sobre *más bien* véanse los §§ 11.7.2 y 63.4.3.3]:

(231) Sé que Juan compró *discos* allí, *más* que libros.

Además, aun siendo prenominal, puede ocurrir que entre *más* y el núcleo nominal se interpongan elementos léxicos externos al sintagma nominal: [82]

(232) Sé que Juan *más* compró allí *discos* que libros.

Este *más* es el modificador de un verbo; de hecho, se parafraseó como *más bien* en (230B). Por eso no puede figurar como término de preposición: [83]

(233) a. *Juan compró este libro en *más* esta librería que aquella.
b. Juan compró este libro *más* en esta librería que en aquella.

En las comparativas propias, el sintagma de la coda puede encontrar como correlato cualquier sintagma que cumpla los requisitos comentados en el § 17.1.3.2. Así, se puede pasar de la correlación de objetos en *Juan compró más discos que libros* a la de sujetos en *Juan compró más discos que Luis.* En cambio, en las estructuras correctivas no se puede variar la correlación, como refleja el contraste entre (230B) y (234) (agramatical como correctiva): [84]

(234) *Te corrijo: sé que *Juan* compró allí más discos que *Luis.*

---

[81] Cf. Gutiérrez 1994b: 47 así como Dieterich y Napoli 1982.

[82] La distancia posible existente entre *más* y *que* allí donde no son adyacentes está sometida a ciertas restricciones de localidad. Véase el siguiente contraste:

(i) a. Ese hipócrita *más* quiere que le den dinero *que* afecto.
b. *Ese hipócrita *más* ama a la gente que le da dinero *que* afecto.

Una configuración como la de (ib), donde se intenta vincular algo externo *(más)* y algo interno *(que)* a una oración relativa, plantea también problemas en las interrogativas. En (ii), por ejemplo, se intenta asociar a *qué* con el verbo *dar,* que le asigna función de objeto:

(ii) **¿Qué* ama ese hipócrita a la gente que le *da?*

Si, como pasa en (ia), la oración en que *dar* aparece es un objeto directo, el vínculo es posible:

(iii) *¿Qué* quiere ese hipócrita que le *den?*

[83] Quedaría por precisar de qué tipo de adverbio se trata, ya que contrastes como el de (i) dejan claro que no puede tratarse de un mero intensificador de la acción verbal:

(i) a. Juan se comerá *más* el pastel que la tarta.
b. *Juan se comerá *mucho.*

[84] Tal y como sucedía con las aditivas y las restrictivas, es el sintagma sobre el que opera *más* el que debe aparecer como correlato del sintagma de la coda.

Otra diferencia entre correctivas y comparativas es que en las primeras se puede disponer como correlatos dos sintagmas incompatibles o inconmensurables. (235a) ilustra un caso de incompatibilidad (no es posible ser tonto y listo a la vez); [85] algo similar sucede en (235b): [86]

(235) a. Teo es más *listo* que *tonto.*
b. Teo es más *un empollón redomado* que *un alumno inteligente*.

Una nueva diferencia entre comparativas y correctivas surge al anteponer la coda a su correlato. Dado que el *que* de (236a) coordina los correlatos *con Luis* y *con Paco,* esta alteración provoca agramaticalidad (ej. (236b)): [87]

(236) a. Estuve casada más tiempo con Paco *que con Luis.*
b. *Estuve casada más tiempo *que con Luis* con Paco.

La gramaticalidad de las correctivas, en cambio, no se ve perjudicada: [88]

(237) Estuve casada, más *que con Luis,* con Paco.

Asimismo, las comparativas, a diferencia de las correctivas, admiten a la izquierda de *más* una frase de medida (*muchos* en (238a, b)):

(238) a. Compré *muchos* más libros en Oslo que en Roma. (comparativa)
b. **Muchos* más que libros, compraría discos. (correctiva)

Y, al contrario que las comparativas propias, las correctivas toleran uno y sólo un *más* correctivo (ej. (239a)), lo que se compensa con la existencia de codas plurisintagmáticas (ej. (239b)):

(239) a. *Quisiera ir *más* a Oslo que a Roma *más* en marzo que en mayo
b. Más *que a Roma en mayo,* quisiera ir a Oslo en marzo.

Sorprende que las correctivas con sintagmas verbales como correlatos no sean gramaticales:

[85] Como (230B) no entrañaba incompatibilidad, podía ser ambigua: la compra de discos es compatible con la de libros. La posibilidad de ubicar dos adjetivos como correlatos, patente en (235a), distingue a su vez a las correctivas de las aditivas y de las restrictivas.

[86] El contenido manifestado en (235b), por ejemplo, igualmente podría expresarse de la siguiente manera: *No es tanto un alumno inteligente como un empollón redomado.* Ello muestra que las pseudocomparativas correctivas también pueden exhibir elementos homónimos con aquellos otros presentes en las comparativas de igualdad (*tanto... como* en el ejemplo anterior).

[87] Comportamiento paralelo al que se observa en una coordinación con conjunción *y:*

(i) a. Estuvo casada con Paco *y con Luis.*
b. *Estuvo casada *y con Luis* con Paco.

[88] Si bien sorprende el que un elemento pueda estar relacionado funcionalmente con los dos correlatos de una correctiva de modo simultáneo, ya que ello constituye una característica propia de la coordinación. En (ia), el sintagma *de Luis XIV* funciona a la vez como complemento de *retratos* y *fotos;* en (ib), donde se coordinan *retratos* y *fotos,* sucede lo mismo:

(i) a. Te corrijo: de Luis XIV habrás visto retratos, más que fotos.
b. De este rey vi retratos y fotos.

(240) *Juan *probó la tarta* más que *se comió el pastel.*

Para que la correlación entre sintagmas verbales sea posible, el de la coda debe aparecer en infinitivo, como en (241a), y necesariamente precediendo al otro, lo que no sucede en (241b):

(241) a. Juan, más que *comerse el pastel, probó la tarta.*
b. *Juan más *probó la tarta* que *comerse el pastel.*

Lo mismo ocurre si los correlatos son dos oraciones principales:

(242) Más que *llamarme Teo para invitarme, me llamó su hija rogándome que no fuera.*

Si los correlatos son dos oraciones subordinadas, no rige tal condición:

(243) Juan se preguntaba más *si vendría Luis* que *si se marcharía Ana.*

Si el *que* comparativo y el *que* subordinante son adyacentes, no hay haplología:

(244) Juan sugirió más que te fueras *que *(que)* te quedaras.

Ahora bien, es posible insertar un *no* expletivo entre ambos (ej. (245a)) siempre y cuando *más* y la partícula comparativa *que* no sean adyacentes (véase (245b)): [89]

(245) a. Juan sugirió más que te fueras que *no* que te quedaras.
b. Juan sugirió que te fueras más que *(*no)* que te quedaras.

No es fácil encontrar ejemplos de comparativas propias con *no* expletivo [⟶ § 40.8], como se ve en (246a, b); debe darse más bien un contexto similar al de (245a), como se aprecia en (247):

(246) a. Juan hizo tres dibujos más que (*no) retratos.
b. Juan es dos cms. más alto que (*no) Pedro.
(247) Más personas querían que te fueras que *no* que te quedaras.

17.2.4. Otras pseudocomparativas

Se comentan aquí algunas estructuras no examinadas hasta ahora y que, por diversas razones, no pueden ser consideradas como comparativas propias.

Así sucede, para empezar, con los ejemplos que contienen el verbo *preferir.* Ante un caso como (248), se intuye en un primer momento que existe una comparativa propia de superioridad, pues dicho verbo parece albergar en su contenido léxico este tipo de relación entre grados:

(248) *Prefiero* conversar con Luis que jugar con Teo.

Sin embargo, el sintagma de la coda ligada a *preferir* no puede ser correlato de otro que no sea el complemento de dicho verbo, como sucedía en (248), o alguno de los integrantes de este, como sucede en (249):

---

[89] Esta última restricción afecta a todo tipo de correctivas:

(i) a. Juan más se comió la tarta que *no* el pastel.
b. Juan se comió la tarta más que *(*no)* el pastel.

(249) Prefiero conversar *con Luis* que *con Teo.*

En efecto, (250), donde dos sujetos figuran como correlatos, es agramatical:

(250) **Yo* prefiero las patatas que *Teo.*

Este comportamiento se debe a que estas estructuras pertenecen al ámbito de las correctivas, examinadas en el § 17.2.3. [90] Compárese (251a), (251b) y (251c) con (248), (249) y (250) respectivamente:

(251) a. Yo *más bien quiero* conversar con Luis que jugar con Teo.
b. Yo *más bien quiero* conversar con Luis que con Teo.
c. *Yo *más bien quiero* las patatas que Teo.

El *que* de la coda de (248) puede sustituirse por la preposición *a* [⟶ Cap. 4, n. 77]: [91]

(252) Prefiero conversar con Luis *a* jugar con Teo.

Ahora bien, si en la cláusula subordinada, infinitiva o no, desea establecerse una correlación, debe usarse *que.* Véase el contraste reflejado en (253):

(253) Prefiero comer patatas *{que/*a}* macarrones.

Por el contrario, como revela el contraste de (254), el uso de *a* es mucho más común cuando, no habiendo una oración como complemento de *preferir,* se establece una correlación entre sintagmas no oracionales:

(254) Prefiero las patatas *{a/?que}* los macarrones.

Si, en (254), al uso de *que* se suma la inserción de un *no* expletivo a su derecha (ej. (255a)), o de un adverbio no temporal *antes* al inicio de la cláusula (ej. (255b)), el resultado será gramatical: [92]

---

[90] *Preferir* no encierra, por tanto, una relación de superioridad entre grados, ni es el resultado de fundir en una sola dos piezas léxicas más básicas como, por ejemplo, *apreciar* (*valorar,* etc.) y el *más* comparativo. Nótese que el siguiente ejemplo, donde se da esta combinación, es gramatical: *Yo aprecio más las patatas que Teo.*

[91] Hay datos que atestiguan el uso de la preposición *a* en las comparativas propias:

(i) En cuanto al desempleo, el problema de Puerto Rico no es *peor al de* ningún otro país. [*Ecos de Nueva York,* 10 de octubre de 1947; citado en Bolinger 1950: 29]

[92] La naturaleza no temporal y sí correctiva de este *antes* se revela en (i), ya que aquí resulta imposible establecer una línea de sucesión temporal entre *listo* y *guapo:*

(i) Teo antes parece listo que guapo.

Ante cláusula de infinitivo, al *antes* temporal le sigue una partícula *de,* mientras que al *antes* correctivo le sigue una partícula *que,* responsable de la correlación entre predicados:

(ii) a. *Antes de* trabajar, me encuentro deprimido. (temporal)
b. *Antes que* trabajar, pediría limosna. (correctiva)

Tales predicados deben tener una naturaleza similar, lo que se cumple en (iib). Por el contrario, en (iii) se correlacionan un predicado de actividad y uno de estado (compárese con (iia)):

(255) a. Prefiero las patatas que *no* los macarrones.
b. *Antes* prefiero las patatas que los macarrones.

Si el complemento de *preferir* es preposicional, se usa siempre *que:*

(256) Pues yo prefiero *con el cuchillo* {que/*a} *con el tenedor.*

Un segundo bloque de estructuras pseudocomparativas no mencionadas hasta ahora queda ilustrado en (257), donde no hay comparación entre cantidades o grados, sino mera coordinación parafraseable mediante la conjunción *y:*

(257) a. Compró *tanto* uvas *como* peras. («Compró uvas *y* peras».)
b. Es *tanto* listo *como* bueno. («Es listo *y* bueno».)

El carácter coordinante de *como* explica que el verbo *ir* del siguiente ejemplo concuerde en plural con un sujeto integrado por dos sintagmas en singular: *Tanto Juan como Pedro {fueron/fue} al cine.*

Si lo coordinado son sintagmas nominales (ej. (257a)), delata a estas estructuras la ausencia de concordancia entre *tanto* y el primer coordinando *(uvas).* Si lo coordinado son sintagmas adjetivales (ej. (257b)), las caracteriza el que *tanto* pueda no aparecer truncado como *tan.* [93] Sin embargo, frente a lo que sucede en las coordinadas (ej. (258a)) y las comparativas (ej. (258b)), los correlatos no pueden ser términos de preposición (ej. (258c)):

(258) a. Vi ese libro en *cines* y *museos.*
b. Vi ese libro en *tantos cines* como *museos.*
c. *Vi ese libro en tanto *cines* como *museos.*

Tanto no es un determinante incluido en el primer coordinando, pues puede no ser adyacente a este:

(259) *Tanto* fue al cine *Teo* como Ana. [94]

Finalmente, cabe incluir dentro de este bloque de falsas comparativas coordinantes los elementos no concordantes *igual... que* y *lo mismo... que.* En (260a-c), este *que* coordina respectivamente sintagmas verbales, nominales y preposicionales

---

(iii) *Antes que *trabajar,* me *encontraría deprimido.*

Una última diferencia entre las estructuras correctivas y las temporales con *antes* consiste en que en aquellas, pero no estas, el segundo correlato puede preceder al primero:

(iv) a. Antes que a Lérida, llegué a Burgos. (correctiva)
b. **Tres horas* antes que a Lérida llegué a Burgos. (temporal)

[93] El truncamiento no es imposible. La siguiente construcción puede ser interpretada como una mera coordinación copulativa, no como una comparación entre grado de funcionalidad y grado de belleza: *Le hice un regalo tan bonito como práctico.*

[94] Ahora bien, la obligatoria flexión en singular del verbo (véase (i)) revela que *como* no está coordinando *Teo* y *Ana* en (259), sino dos oraciones, la segunda de ellas con elipsis:

(i) *Tanto fuer*on* al cine Teo como Ana.

(la adición de la frase introducida por *pero* impide la interpretación como comparativa de igualdad):

(260) a. Teo *{igual/lo mismo}* canta *que* baila, pero mucho más canta.
b. Yo *{igual/lo mismo}* como carne que pescado, pero más carne.
c. *{Igual/lo mismo}* voy al cine que al fútbol, pero más al cine.

17.3. Construcciones superlativas

17.3.1. Caracterización de las superlativas absolutas y relativas

Los adjetivos pueden exhibir tres 'grados' diferentes: 'positivo' (ej. (261)), 'comparativo' (ej. (262)) y 'superlativo', desdoblándose este a su vez en 'superlativo absoluto' (ej. (263a)) y 'superlativo relativo' (ej. (263b)):

(261) Juan es *alto.*
(262) Juan es *más alto* que Luis.
(263) a. Juan es *altísimo.*
b. Juan es *el más alto* de todos esos chicos.

Las superlativas absolutas se diferencian de las superlativas relativas en que sólo las primeras exhiben el sufijo *-ísimo* [→ §§ 4.2.1 (n. 18), 4.4.6.1 y 68.8.3], ausente en las segundas:

(264) *Juan es el más altísimo de todos esos chicos.

A su vez, sólo las superlativas relativas pueden exhibir un sintagma (*de todos esos chicos* en (263b)) que exprese el conjunto relativamente al cual se verifica la afirmación de la cláusula, función por la cual a este sintagma se le denomina 'restrictor'. Las superlativas absolutas carecen de restrictor:

(265) *Juan es altísimo *de todos esos chicos.*

Pueden clasificarse los restrictores según su categoría. En (263b) se trata de un sintagma preposicional, pero pueden aparecer también oraciones relativas (*que conozco* en (266a)) [95] o sintagmas adjetivos (*vivo* en (266b)):

(266) a. Juan es el chico más alto *que conozco.*
b. Juan es el pintor más importante *vivo.*

El sustantivo *chico,* que aparece entre *el* y *más* en (266a), ha sido elidido en la posición correspondiente de (263b), debido a la presencia simultánea de un sustan-

El contraste mostrado en (ii) revela que *como* sólo coordina oraciones si su sujeto es posverbal:

(ii) a. *Tanto *Teo* fue al teatro como *Ana* asistió a un concierto.
b. Tanto fue *Teo* al teatro como asistió *Ana* a un concierto.

[95] [Sobre el modo en las construcciones superlativas relativas, véase el § 50.1.5.3.]

tivo idéntico en el restrictor. En ambas oraciones, por tanto, el verbo copulativo precede a un sintagma nominal predicativo.[96]

El sintagma preposicional restrictor conlleva cuantificación universal, bien explícita, como sucedía en (263b), bien implícita, como en (267):[97]

(267) Juan es el más alto de esos chicos.

17.3.2. Superlativas relativas con fenómeno de anteposición

En el § 17.3.1 se ha visto cómo, en casos como (266a), la relativa tiene como antecedente un sintagma nominal predicativo que contiene el adverbio *más.* Sin embargo, si el adverbio, junto con el núcleo al que modifica, no llegan a formar un modificador del sintagma predicativo, el constituyente que ambos integran deberá aparecer a la derecha del pronombre relativo [⟶ § 7.4.1.3-4]:[98]

(268) a. *Juan es el chico *más libros que* compró.
b. Juan es el chico *que más libros* compró.

En (268b), el sintagma *más libros* sigue a *que,* pero es también posible, aunque no lo más normal, que aparezca en la posición de objeto directo que debería corresponderle:

(269) Juan es el chico que compró *más libros.*

Es el elemento *más* el responsable de la anteposición de *más libros* en (268b). Su sustitución por otro elemento cualquiera degrada considerablemente la gramaticalidad:

(270) *Juan es el chico que *muchos* libros compró.

---

[96] Es sabido que el complemento del núcleo de un sintagma predicativo definido como el de (ia) no puede aparecer como constituyente interrogado; véase el contraste en (ib):

(i) a. Juan es *(el) autor de un libro en torno a Borges.*
b. *¿De qué libro* es (*el) autor Juan?

Del mismo modo, el complemento del núcleo del sintagma nominal predicativo en oraciones similares a (263b) o (266a, b) no podrá figurar como constituyente interrogado:

(ii) a. Juan es el autor *de novelas policiacas* más importante.
b. **¿De qué novelas* es el autor más importante Juan?

[97] La presencia de indefinidos o de cuantificadores no universales resulta ilegítima:

(i) *Juan es el más alto de *{pocos/algunos/bastantes/muchos/demasiados/más de diez/casi todos los/unos pocos/veinte}* chicos.

En estos contextos, podrá aparecer un numeral allí donde este deje de ser un cuantificador y se convierta en adjetivo cardinal. Como consecuencia, el restrictor pasará a expresar un conjunto bien delimitado, como lo confirma la presencia de demostrativos o posesivos:

(ii) Juan es el más alto de *{esos/mis} veinte* amigos.

[98] Para lo concerniente a las estructuras superlativas aquí mencionadas, cf. Bosque y Brucart 1992, donde se observa asimismo cómo el dialecto canario acepta una oración como (268a) siempre y cuando se silencie el núcleo del sintagma nominal predicativo [⟶ §§ 7.4.1.4 y 7.5.1.2]:

(i) Juan es *el más libros que* ha comprado.

También los adjetivos comparativos *mejor/peor* posibilitan este orden de palabras:

(271) Juan es el chico que *{mejores/peores}* libros compró.

Por eso sorprende que (272a) sea agramatical, sobre todo si se compara con la gramatical (272b):

(272) a. *Juan es el chico que *los mejores* libros compró.
b. Juan es el chico que compró *los mejores* libros.

Mientras que la relativa de (266a) *(que conozco)* no es compatible con un segundo restrictor (*de todos esos chicos* en (273a)), la de (268b) *(que más libros compró)* sí lo es (ej. (273b)), ya que esta no es un restrictor:

(273) a. *Juan es el más alto que conozco *de todos esos chicos.*
b. Juan es el que más libros ha comprado *de todos esos chicos.*

Esta relativa hace posible una estructura superlativa allí donde *más* no acompaña al modificador adjetival de un sintagma predicativo. De ahí la agramaticalidad de (274a, b), que carecen de tales relativas:

(274) a. *Juan compró *más libros* de todos esos chicos.
b. *Juan es *más alto* de todos esos chicos.

También las perífrasis de relativo (ej. (275a)) y las interrogativas (ej. (275b)) autorizan construcciones superlativas sin predicado nominal: [99]

(275) a. Es a Juan al que *más libros* he regalado de todos mis amigos.
b. ¿A quién ha regalado Juan *más libros?*

17.3.3. Las superlativas relativas y la relación de inclusión

En la oración (263b), aquí repetida, el restrictor delimita un conjunto (de chicos) y, a partir de ahí, se selecciona el individuo más alto. No obstante, en casos como (276a), donde no hay un restrictor manifiesto, existen varias paráfrasis posibles, representadas en (276b y c):

(263) b. Juan es el más alto de todos esos chicos.
(276) a. Juan compró la navaja más funcional.
b. «De todos nosotros, Juan compró la navaja más funcional».
c. «Juan compró la navaja más funcional de todas».

---

[99] Pero no las exclamativas (ej. (ia)), ni las relativas cuyo antecedente sea indefinido (véase el contraste en (ib)):

(i) a. *¡A menudo chico ha regalado Juan *más libros!*
b. Vi *{al / *a un}* chico que *más libros* leyó de todos los que hay en tu clase.

Comparando (275b) con (ii), se observa que las interrogativas no admiten anteposición:

(ii) *¿A quién *más libros* ha regalado Juan?

(276b) resulta de sobreentender un restrictor que incluye a Juan, por lo que debe focalizarse el sintagma *Juan* [⟶ § 64.3]; [100] según (276c), en cambio, se interpreta que ha sido elegida la navaja más funcional de entre un conjunto de navajas.

En las superlativas vistas hasta ahora, el restrictor puede aparecer en el margen izquierdo o derecho de la cláusula (véanse las paráfrasis (276b, c)). En las superlativas interrogativas el restrictor puede aparecer además formando constituyente con el pronombre interrogativo (*quién* en (277)):

(277) *¿A quién de todos esos chicos* ha regalado Juan más libros?

Allí donde existe más de un *más* en una misma cláusula, un correspondiente número de restrictores puede aparecer en ella:

(278) Vi el film *más* caro *del cine español* en la sala *más* fea *de Vigo.*

Ahora bien, si, apareciendo dos *más* en la misma cláusula, los restrictores crean dominios de inclusión que afectan a un mismo sintagma, la oración será agramatical. Tal es el caso de (279), por más que sea lógica una situación en la que, de entre todos los chicos de la facultad, haya uno que sacó la mejor calificación, y que, de entre todos los chicos de la universidad, ese mismo chico haya tenido que enfrentarse al examen más difícil (en el que chicos no pertenecientes a su facultad pueden haberle superado):

(279) *¿Quién sacó la *mejor* nota *de todos los chicos de la facultad* en el examen *más* difícil *de todos los chicos de la universidad?*

Un restrictor como el de (277) es el complemento de *quién,* y (279) es agramatical porque hay dos restrictores compitiendo por ese estatus de complemento. La eliminación de uno de ellos restablece la gramaticalidad: [101]

(280) ¿Quién *de todos* sacó la mejor nota en el examen más difícil?

La opción con el restrictor al inicio de cláusula es inviable cuando este lo integran ciertos sintagmas. Obsérvense los siguientes contrastes: [102]

---

[100] Esta focalización de *Juan* evidencia una relación de inclusión obligada entre los referentes del restrictor y del sintagma focal, de modo que la existencia de un foco no apto para integrarse en el conjunto referido por el restrictor provoca agramaticalidad:

(i) a. **De todos esos chicos,* es *a Ana* a la que más quiere Teo.
b. **De todos esos chicos, ¿qué fruta* le ha gustado más a Teo?

En (ia), la perífrasis de relativo se focaliza sobre *a Ana,* cuyo referente, una mujer, no puede quedar incluido en el conjunto de hombres establecido por el restrictor. En (ib), el restrictor establece también un dominio de chicos, pero es el sintagma *qué fruta* el que queda focalizado al contener el pronombre interrogativo. Barbaud (1976), basándose en el francés, analiza minuciosamente la relación de inclusión y las superlativas en general.

[101] (i) muestra cómo, allí donde sólo hay un *más,* puede aparecer más de un restrictor dentro de una misma cláusula siempre y cuando el uno esté en relación de inclusión con el otro, tal y como sucede entre *de entre todas nuestras prendas* y *de todas las camisas para caballero:*

(i) *De entre todas nuestras prendas,* le puedo decir que es esta la mejor *de todas las camisas para caballero.*

[102] El contraste en (i) revela que la genericidad bloquea igualmente dicha opción:

(281) a. Juan es el hombre más guapo *{del mundo/de la clase}.*
b. *{Del mundo/de la clase},* es Juan el hombre más guapo.
(282) a. España cometió el genocidio más brutal *de la historia.*
b. **De la historia,* el genocidio más brutal lo cometió España.

Dado que la relación entre un restrictor y el sintagma focalizado es la de inclusión, sucede que cualquier tipo de sintagma nominal en singular puede funcionar como restrictor siempre y cuando se pueda establecer dicha relación con el elemento focalizado. Una vez garantizado esto, le será posible al restrictor contener un cuantificador universal (*toda* en (283a)) que, en otros contextos aparentemente similares (ej. (283b)), carecería de pertinencia:

(283) a. Es la tercera parte la más bonita de *(toda)* «La Busca».
b. La tercera parte de *(*toda)* «La Busca» me parece bonita.

El ejemplo (273a), aquí repetido, ilustraba cómo no pueden aparecer dos restrictores no frontales simultáneamente allí donde sólo hay un *más.* Por lo tanto, el sintagma *de «La Busca»* de (284) no es un restrictor, sino un mero complemento genitivo del nombre *parte:*

(273) a. *Juan es el más alto *que conozco de todos esos chicos.*
(284) Es la tercera la parte más bonita *de «La Busca»* que conozco.

A su vez, el ejemplo (285) es necesariamente ambiguo, dependiendo de que se conciba el sintagma preposicional como restrictor o como genitivo: [103]

(285) Es la tercera la parte más bonita de «La Busca».

17.3.4. Otras superlativas

Existe un grupo de estructuras superlativas basadas en el contenido de ciertas palabras que permiten prescindir de los elementos *más* y *menos* (o *mejor, peor, mayor, menor, máximo* o *mínimo*), necesarios en las superlativas hasta ahora vistas. Tales palabras figuran en cursiva en los ejs. de (286):

(286) a. Es esta mi habitación *favorita.*
b. Es esta la habitación que *prefiero.*

(i) a. *De los hombres* (que están ahí delante), es Juan el más hermoso.
b. **De los hombres* (en general), es Juan el más hermoso.

En tales casos sólo es posible la ubicación pospuesta del restrictor:

(ii) Juan es el más hermoso *de los hombres* (en general).

[103] Tales sintagmas se interpretan no restrictivamente si preceden a *más.* Así, resulta imposible introducir el cuantificador *toda* dentro del sintagma *de La Busca* de (i):

(i) Es la tercera la parte de *(*toda)* «La Busca» más bonita.

c. Es Juan el que *primero* llegó.
d. Recibirá el premio el que *antes* lo haga.
e. Juan llegó el *{último/primero}* de todos.
f. Teo es el *único* español de todos los que se presentaron.

Las oraciones de (286c, d) remedan el comportamiento de las superlativas con anteposición, vistas en el § 17.3.2. En cuanto a (286c), y al igual que ocurría con el contraste visto en (272), aquí reproducido, la posibilidad de anteponer *primero* se ve condicionada por la presencia o ausencia de un artículo definido inmediatamente a su izquierda, como se observa en el contraste de (287):

(272) a. *Juan es el chico que *los mejores* libros compró.
b. Juan es el chico que compró *los mejores* libros.
(287) a. *Es Juan el que *el primero* llegó.
b. Es Juan el que llegó *el primero.*

En cuanto a (286d), *antes* no puede legitimar una coda comparativa (ej. (288a)), y sí un restrictor superlativo (ej. (288b)), al igual que *último/primero* y *único* lo legitimaban en (286e y f) respectivamente:

(288) a. *Recibirá el premio el que antes *que Pedro* lo haga.
b. Recibirá el premio el que antes lo haga *de todos ellos.* [104]

17.4. Apéndice

Se recogen en esta sección los tipos básicos de estructuras comparativas, pseudocomparativas y superlativas presentados a lo largo de este capítulo, cada uno ilustrado mediante un ejemplo.

Comparativa de superioridad

(1) Juan es más alto que Luis.

Comparativa de inferioridad

(2) Juan es menos alto que Luis.

Comparativa de igualdad

(3) Juan es tan alto como Luis.

Comparativa propia - coda clausal - de + *relativo concordante*

(4) Juan leyó menos libros de los que compró Luis.

Comparativa propia - coda clausal - de + *relativo no concordante*

---

[104] *Después,* a diferencia de *antes,* no permite la formación de superlativas:

(i) *Recibirá el premio el que *después* lo haga.

(5) Juan es más alto de lo que tú eres.

Comparativa propia - coda clausal - que/como + *relativo concordante*

(6) Juan compró menos libros que los que compró Luis.

Comparativa propia - que/como + *cláusula con correlato antepuesto*

(7) Ana compró menos libros que tebeos vendía Luis.

Comparativa propia - coda plurisintagmática

(8) Juan compró más libros que Luis discos.

Comparativa propia - coda frasal sin elipsis

(9) Juan compró más libros que tebeos.

Comparativa propia - coda frasal de apariencia elíptica

(10) Teo compró más libros que Ana.

Comparativa propia - coda frasal sin correlato

(11) Ana compró un libro menos denso que «La Busca».

Comparativa propia - coda frasal numeral

(12) Juan compró más de veinte libros.

Comparativa propia - coda frasal adjetival

(13) Compré más trigo del necesario.

Comparativa propia - coda adnominal

(14) Ana conoce mejores novelas que «El Quijote».

Comparativa propia - coda prototípica

(15) Mi abuelo tiene más años que Matusalén.

Comparativa propia - coda temporal

(16) Teo vino antes que Luis.

Comparativa propia - cuantificadores fraccionarios/multiplicativos

(17) Compré {la mitad/el doble} de ropa en Roma que en Oslo.

Comparativa propia - codas de igualdad con igual de/mismo

(18) Gasté en Roma {igual de/el mismo} dinero que en Oslo.

Comparativa propia - sin elemento de grado

(19) Vi un chico de alto como tú.

Comparativa propia - identidad/diferencia entre individuos

(20) Teo visitó {los mismos/diferentes} museos que Ana.

Pseudocomparativa aditiva - no truncada

(21) Juan compró más libros que ese.

Pseudocomparativa aditiva - truncada

(22) Juan compró más que ese libro.

Pseudocomparativa restrictiva - no truncada

(23) Juan no compró más libros que ese.

Pseudocomparativa restrictiva - truncada

(24) Juan no compró más que ese libro.

Pseudocomparativa correctiva

(25) Más que en aquella librería, Juan compró el libro en esta.

Pseudocomparativa con preferir

(26) Prefiero conversar con Luis que con Teo.

Pseudocomparativa coordinante

(27) Compró tanto uvas como peras.

Superlativa absoluta

(28) Juan es altísimo.

Superlativa relativa

(29) Juan es el más alto de todos esos chicos.

Superlativa relativa con fenómeno de anteposición

(30) Juan es el chico que más libros compró.

REFERENCIAS BIBLIOGRÁFICAS

ALARCOS LLORACH, EMILIO (1970): «Español *que»,* en *Estudios de Gramática Funcional del Español,* Madrid, Gredos, págs. 260-274.

BARBAUD, PHILIPPE (1976): «Constructions superlatives et structures apparentées», *Linguistic Analysis* 2, págs. 125-174.

BELLO, ANDRÉS (1847): *Gramática de la lengua castellana destinada al uso de los americanos,* Tenerife, ACT.

BOLINGER, DWIGHT L. (1950): «The Comparison of Inequality in Spanish», *Lan* 26, págs. 28-62.

— (1953): «Addenda to *The Comparison of Inequality in Spanish», Lan* 29, págs. 62-66.

BOSQUE, IGNACIO y JOSÉ M.ª BRUCART (1992): «QP Raising in Spanish Superlatives», ponencia presentada en el *I Coloquio de Gramática Generativa,* Universidad Autónoma de Madrid.

BRESNAN, JOAN (1973): «Syntax of the Comparative Clause Construction in English», *LI* 4, págs. 275-343.

CABALLERO, M.ª EUGENIA y YOLANDA MANCEBO (1990): «Estudio sintáctico de [SN_1 [COMO SN_2]]», *Actas del V Congreso de lenguajes naturales y lenguajes formales,* Barcelona, págs. 399-410.

CRESSWELL, MAX J. (1976): «The Semantics of Degree», en B. Hall all Partee (ed.), *Montague Grammar,* Nueva York, Academic Press, págs. 261-292.

DIETERICH, THOMAS G. y DONNA J. NAPOLI (1982): «Comparative *Rather», JL* 18, págs. 137-165.

GILI GAYA, SAMUEL (1943): *Curso superior de sintaxis española,* Barcelona, Biblograf, 1961.

GUARDIA, PAULA (1990): «Alternancias *de/que* en las comparativas de desigualdad», *Actas del V Congreso de lenguajes naturales y lenguajes formales,* Barcelona, págs. 575-584.

GUTIÉRREZ ORDÓÑEZ, SALVADOR (1992): *«Más de-más que», Contextos* X:19-20, págs. 47-86.

— (1994a): *Estructuras comparativas,* Madrid, Arco/Libros.

— (1994b): *Estructuras pseudocomparativas,* Madrid, Arco/Libros.

HEIM, IRENE (inédito): «Notes on Comparatives and Related Matters», Universidad de Texas, Austin.

KENISTON, HAYWARD (1936): «Expressions for *than* After a Comparative in Sixteenth Century Spanish Prose», *RLiR* VI, págs. 129-151.

KNOWLES, JOHN (1978): «The Spanish Correlatives of Comparison and Sentence Recursion», *Lingua* 46, págs. 205-223.

LARSON, RICHARD (1987): «O'Missing Prepositions' and the Analysis of English Free Relative Clauses», *LI* 18, págs. 239-266.

— (1988): «Scope and Comparatives», *LaPh* 11, págs. 1-26.

LOZANO, M.ª CARMEN y JESSIE PINKHAM (1984): «Spanish Comparatives without Ellipsis», *CLS* 20, páginas 271-280.

MARTÍNEZ, JOSÉ ANTONIO (1987): «Construcciones y sintagmas comparativos en el español actual», en VVAA, *Homenaje 'in memoriam' I. Corrales Zumbado,* I, Tenerife, págs. 319-336.

NAPOLI, DONNA J. (1983): «Comparative Ellipsis: a Phrase Structure Analysis», *LI* 14, págs. 675-694.

PIERA, CARLOS (1982): «Spanish Comparatives, Deletion and the ECP», *Cornell Working Papers in Linguistics* IV, págs. 185-199.

PINKHAM, JESSIE (1982): «The Rule of Comparative Ellipsis in French and English», *CLS* 18, págs. 85-121.

PLANN, SUSAN (1982): «On R. Higgin's Analysis of Comparative Ellipsis», *Linguistic Analysis* 9, págs. 395-403.

— (1984): «The Syntax and Semantics of *Más/Menos... que* versus *Más/Menos... de* in Comparatives of Inequality», *Hispanic Linguistics* 1, págs. 191-213.

PRICE, SUSAN (1990): *Comparative Constructions in Spanish and French Syntax,* Londres y Nueva York, Routledge.

PRYTZ, OTTO (1979): «Construcciones comparativas en español», *RRo* 14, págs. 260-278.

REAL ACADEMIA ESPAÑOLA (1973): *Esbozo de una nueva gramática de la lengua española,* Madrid, Espasa Calpe. [RAE 1973 en el texto.]

RIVERO, M.ª LUISA (1981): «Wh-Movement in Comparatives in Spanish», en W. Cressey y D. J. Napoli (eds.), *LSRL* 9, Washington, Georgetown University Press, págs. 177-196.

ROJAS NIETO, CECILIA (1990): «El término de las construcciones comparativas de desigualdad *de* o *que»,* en V. Demonte y B. Garza (eds.), *Estudios de Lingüística de España y México,* México, Universidad Nacional Autónoma de México, págs. 225-241.

ROMERO, ÁNGELES (1993): *La comparación de desigualdad: aspectos de su sintaxis histórica,* tesis doctoral, Universidad Complutense de Madrid.

SÁEZ DEL ÁLAMO, LUIS (1990): *Aspectos de la comparación de desigualdad en español,* tesis doctoral, Universidad Autónoma de Madrid.

— (1992): «La elipsis verbal en las construcciones comparativas», *Actas del VII Congreso de lenguajes naturales y lenguajes formales,* Barcelona, págs. 561-568.

SECO, RAFAEL (1975): *Manual de gramática española,* Madrid, Aguilar.

STECHOW, ARNIM VON (1984): «Comparing Semantic Theories of Comparison», *Journal of Semantics* 3, págs. 1-77.

18
LOS CUANTIFICADORES: LOS NUMERALES (*)

FRANCISCO A. MARCOS MARÍN
Universidad Autónoma de Madrid

ÍNDICE

---

* Este trabajo no habría podido realizarse de no ser por los fondos bibliográficos de la Universidad de Stanford, California, consultados durante el verano de 1987 gracias a una ayuda del Comité Conjunto Hispano-Norteamericano y del programa EUROTRA de la C.E.E., los de la Universidad de California, Berkeley, consultados durante el verano de 1989 gracias a una ayuda de la Comunidad Autónoma de Madrid, los de las Universidades de Heidelberg y Kiel, Alemania, consultados gracias a la ayuda de la Alexander von Humboldt Stiftung y los de Brigham Young University, Utah, consultados en el verano de 1993, así como los de las universidades de Estados Unidos, la Biblioteca del Congreso de los EEUU y todas las bibliotecas y bases de datos accesibles electrónicamente, consultadas a través de la red informática de BYU.

18.1. Conceptos

El sistema numeral es un sistema completo contenido dentro del lingüístico o, mejor, es una traducción al sistema lingüístico de conceptos no lingüísticos, que deben ahormarse según las posibilidades de las lenguas naturales. Por ello se producen innumerables inconsistencias, así como grandes diferencias entre unas lenguas y otras. La respuesta a la pregunta de qué son los números no es la misma desde el lado de las matemáticas o del de la lingüística. Tampoco, ni siquiera en el campo matemático, ha sido la misma a lo largo de la historia. El concepto de número supone una abstracción y su representación un doble código, el que representa al 'número', es decir, la cifra, o el que representa al 'nombre del número'; el primero es un signo aritmético, mientras que el segundo es un signo lingüístico y se atiene a las reglas de cada lengua, aunque también la representación del primero por su cifra forme parte, de algún modo, de lo lingüístico.

Haremos, por tanto, una rápida mención de las clasificaciones y definiciones matemáticas, en la medida en que la adecuada comprensión de este aspecto pueda ser útil para la explicación lingüística. Así, dividiremos los números en 'reales' y 'naturales'. Los números 'reales', hasta fines del siglo XIX, tenían una consideración sobre todo geométrica, como puntos de la recta; [1] después pasaron a definirse como ciertos objetos construidos sobre los números naturales, cuyas propiedades poseen. Los números 'naturales' son los números de contar, que se pueden hacer corresponder, uno a uno, con los elementos de un conjunto: números pares (divisibles por dos), impares (no divisibles por dos), etc.

Los números 'reales', por otra parte, pueden ser 'racionales' o 'irracionales'. Son números 'racionales' los expresados por enteros o cocientes de enteros, mientras que en el conjunto de los números 'irracionales' se incluyen los números algebraicos irracionales (que no se expresan por enteros o sus cocientes, $\sqrt{2}$), los números transcendentes (como *e* o π) y algunas funciones hiperbólicas y trigonométricas.

La diferencia entre número natural y número racional nos interesa porque las operaciones matemáticas que corresponden a la sintaxis de los numerales lingüísticos son la adición, sustracción y multiplicación, que, aplicadas a los números naturales, sólo pueden dar como resultado números también naturales. La sustracción se incluye en este caso, y no la división, porque la primera tiene, en el lenguaje corriente, una restricción, la de no poder originar números negativos, pues ninguna lengua incluye números negativos entre los nombres de los números. Al hablar de sustracción, por tanto, se entiende que nos referimos sólo al tipo en el cual el minuendo es mayor que el sustraendo. Aunque algunos lingüistas hayan hablado de la división a propósito de los numerales, no hay propiamente tal, no hay un divisor, sino la introducción del concepto de 'parte' o, más precisamente, del de 'medio' o 'mitad', no de fórmulas del tipo «j (dividido) por i». Como Greenberg afirmó, en su universal 16, aunque sin explicar el principio aritmético subyacente, cuando se habla de 'división' a propósito de los numerales se trata siempre de multiplicación por una fracción, generalmente por la mitad, pero también por un cuarto. [2]

El estudio de los 'sistemas de numeración' es útil para ayudar a comprender cómo funciona un sistema lingüístico, teniendo en cuenta que el numérico lo hace a partir de muy pocos elementos. Por ello es de fundamental importancia tener en cuenta ambos aspectos, el nombre o los nombres de los números y los sistemas de numeración. La interpretación puramente matemática, dentro del mismo sistema, puede diferir, causando diferencias léxicas que llegan a resultar molestas. [3]

---

[1] Cf. Katz 1971.

[2] Greenberg cita el caso de 275 en oriya, lengua del grupo indoario: *pau ne tini shata,* «cuarto (restado) de tres cientos».

[3] Esto es lo que ocurre en el caso de *billón, trillón, cuatrillón,* en el uso europeo y el americano. En el que llamamos, para entendernos, 'uso europeo', un millón es 10^6, un billón 10^{12} y un trillón 10^{18}. En el uso americano, *billion* es 10^9, *trillion* 10^{12}, *quadrillion* 10^{15} y *quintillion* 10^{18}. La explicación radica exclusivamente en la progresión de los exponentes. El uso europeo aumenta las potencias por multiplicación: (1×6), (2×6), (3×6); el primero de los factores se incrementa

Los nombres de los números son sustantivos *(el cuatro, el cinco),* adjetivos *(dos libros, el capítulo primero, la segunda llamada)* o adverbios *(bis).* [4] Como elementos del sistema lingüístico son pares cuyos elementos (expresión y contenido) tienen entre sí una relación arbitraria: el conjunto de un elemento se expresa mediante la palabra *uno* en español y *one* [wán] en inglés o *wāḥid* en árabe; estos son sus nombres. [5]. Pero los números tienen también un sistema de representación en el cual la correspondencia entre expresión y contenido es biunívoca, aunque condicionada (depende del sistema de numeración): a *uno, one, wāḥid,* prescindiendo de variantes formales, corresponde la cifra *1*. Esta doble condición confiere a su estudio un interés especial para los lingüistas.

Ni la cifra ni el nombre del número se refieren al número abstracto matemático; pero entre cifras y numerales hay una diferencia esencial en el carácter de la referencia. Entre la cifra y el número natural hay una relación directa, que no se da entre el numeral y el número natural, aunque sí entre el numeral, nombre del número, y la cifra. El número abstracto que corresponde al número natural 19 se expresa por las cifras *19* o *XIX*, según estemos en el código indo-arábigo o en el romano. Entre el número 19 y las cifras *19, XIX*, hay una relación directa. Entre 19 y *undeuiginti, diecinueve, nineteen* no hay tal relación. Un hablante que ve *19* o *XIX* asocia esta cifra a 19, número natural, directamente, mientras que un hablante de cualquier lengua distinta del inglés que ve *nineteen* no puede asociar esta palabra al número 19, a menos que sepa inglés y la interprete como la cifra *19*.

18.1.1. Restos y usos de los sistemas de numeración

El sistema de numeración que tiene como base el español es el decimal, al que han tendido también países, como los anglohablantes y los canadienses franceses, que tenían, total o parcialmente, sistemas muy distintos. Sin embargo, se conservan aisladamente restos de otros sistemas. [6]

El sistema vigesimal (con base 20) empleado a partir de los dedos de manos y pies, parece haber sido el céltico, de donde pudo pasar al vasco. [7] Usos españoles son: *un duro* = «20 reales»; *20 duros* = «100 pts.», en el sistema general. Hay también usos regionales, p. ej. en Santander: *cuatro veintes* (ochentón).

Tenemos también restos del sistema duodecimal (N_{12}), en las horas del día (12 + 12), que han sustituido a la designación latina, en la *docena,* la *gruesa,* los *meses* del año, en la antigua moneda inglesa, 1s = 12d (o sea, un chelín tenía doce peniques —*d* del latín *denarius*—), o en medidas (un pie tiene doce pulgadas).

---

por la suma de la unidad, en cada ocasión. En el americano, en cambio, el primer factor del exponente es 3, al que se le multiplica, respectivamente, (1 + 1), (1 + 2), (1 + 3), o sea, 2, 3, 4, lo que hace que los exponentes sean 6, 9, 12. Lo anterior significa que *millón* es $10^{(1\times6)}$, mientras que el americano *million* es $10^{3(1+1)}$.

[4] También pueden ser verbos, como sucede en walapai (comunicación personal de Werner Winter) o en las lenguas de Melanesia.

[5] Sin embargo, hay abundantes indicios de motivación parcial. El protoaustronesio **lima* expresaba los contenidos «mano» y «cinco», el malayo *tud'u* los de «siete», «índice» y «señalar», asociación que es también frecuente en las lenguas bantúes, como advirtió Carl Meinhof en su tratado clásico.

[6] Hay, por otra parte, muchas pruebas de que manejamos habitualmente varios sistemas de bases diferentes y cada vez más, a medida que la lingüística y sus disciplinas conexas son cada vez más complejas y lo mismo ocurre con muchas actividades habituales, totalmente diferentes de las de hace pocos años. Así ocurre con el sistema binario de los ordenadores electrónicos o con el sistema sexagesimal, que permanece en los grados, horas, minutos y segundos y en usos matemáticos.

[7] Algunos ejemplos son: *ogei(e)ta hamar* (= 30), *berrogei* (= 40), *irurogei* (= 60), *larrogei* (80), si, de acuerdo con Tovar (1945) creemos que el vasco *ogei* corresponde al irlandés antiguo *fiche,* galés medio *ugeint,* moderno *ugain,* córnico *ugens, ugans,* bretón *ugent,* formas célticas emparentadas con el latín *uiginti.*

Existe una relación entre las operaciones aritméticas y las expresiones lingüísticas, así como una imposición lingüística de que la expresión matemática resultante de la operación que da lugar a un número corresponda a una expresión lingüística formulable, si ese número ha de tener un nombre, es decir, si existe un 'numeral cardinal' en una lengua para ese número. Por ello son posibles la adición, la sustracción y la multiplicación, mientras que la división como tal es imposible, al dar lugar a un 'resto', además del cociente, lo cual sería inexpresable. Esta afirmación no afecta a la intervención de formas léxicas (lexicalizadas) como *mitad, cuarto,* porque no se toman ya como operaciones aritméticas, sino como unidades léxicas integradas en el inventario de lexemas de la lengua natural. [8]

18.1.2. Números y cifras

Las *cifras* que representan los números fueron introducidas por los árabes en Occidente, a partir de los números indios, y son, generalmente, estilizaciones de las letras iniciales del nombre del número. [9] El documento occidental más antiguo conocido en el que aparecen los numerales indios (o arábigos) es un códice riojano, de Albelda, el *Codex Vigilianus*, fechado el 976. En el siglo XIV estaban ya plenamente introducidos en Europa, tras no pequeña oposición. Estas cifras arábigas tienen una gran ventaja posicional sobre las romanas: se adaptan perfectamente a nuestro sistema decimal y, combinadas con el *cero*, permiten todas las expresiones y todas las operaciones. La precisión de las nuevas cifras influyó en el uso lingüístico de los números, en sus *nombres*, favoreciendo la reducción que observamos a lo largo de la historia, la tendencia al empleo de los cardinales en todos los usos, y la disminución de términos específicos para distributivos, multiplicativos y fraccionarios.

18.1.3. Los numerales en español

Los numerales pertenecen a la clase de los cuantificadores propios, como se ha visto en el § 16.2. A diferencia de otros cuantificadores de su mismo grupo, los numerales expresan cantidad exacta. En español, dentro de la clase de los numerales podemos establecer la siguiente división: [10]

a) Numerales 'cardinales': designan una cantidad exacta, son los nombres de los números naturales. Los 'cardinales' son un tipo de numerales que significan únicamente un número determinado tanto si se expresan por medio de letras o dígitos, como si presentan una expresión simple *(dos, ocho, diez)* o una expresión compuesta *(diez y nueve, trescientos cuarenta y uno).* Se incluyen también en este grupo una serie de sustantivos formados mediante el sufijo *-ena* (*decena, centena,* etc.) y el sustantivo *millar.* Los numerales cardinales sólo pueden modificar o referirse a sus-

---

[8] Distintas circunstancias socioculturales llevan a sistemas mixtos. Por ejemplo, el yukaguir (ódul) de Siberia mezcla un sistema de base tres con el quinario y el decimal, además de usar procedimientos aditivos y sustractivos.

[9] Cf. Ifrah 1985.

[10] Véase Martínez 1989 para una detallada exposición del comportamiento morfológico y sintáctico de los numerales en español.

tantivos contables o discontinuos *(tres mesas, veinte personas)* [→ § 1.2]; cuando modifican a un sustantivo no contable o continuo, este pasa a designar partes, porciones tipos o sublclases *(tres vinos, dos grandes alegrías)*.
b) Numerales 'ordinales': designan a cada elemento de una sucesión ordenada (denotan el orden numérico). Pertenecen a esta clase los elementos del tipo *primero, segundo, décimo, vigesimocuarto,* etc. A diferencia de los cardinales correspondientes, (aunque, como veremos en el § 18.3.2, con mucha frecuencia, y sobre todo en la lengua coloquial, son sustituidos por estos), los ordinales no son cuantificadores en sentido estricto: no expresan la cantidad de los individuos denotados por el sustantivo al que modifican, sino el lugar que ocupan en una serie internamente ordenada. Más que cuantificar al sustantivo, lo identifican o individualizan.
c) Numerales 'multiplicativos': denotan multiplicación del contenido semántico del sustantivo (*doble ración, parto triple,* etc.).
d) Numerales 'fraccionarios': expresan el resultado de la división del contenido semántico del sustantivo (*tercio, mitad,* etc.).
e) También se suele incluir dentro de la clase de los numerales al 'distributivo' *sendos,* cuyo comportamiento ha sido revisado en el § 16.4.3.1.

Los principios semánticos y sintácticos que regulan el mecanismo de la cuantificación en español han sido revisados extensamente en el capítulo 16. En este capítulo nos ocuparemos, en primer lugar, de los aspectos formales del sistema de los numerales del español (§ 18.2), tales como su comportamiento respecto al género y el número y los mecanismos de formación de numerales complejos a partir de los numerales simples. Aportaremos, asimismo, una breve semblanza de la evolución que el sistema de los numerales ha experimentado desde el latín hasta el español de nuestros días. En segundo lugar (§ 18.3), nos ocuparemos del comportamiento sintáctico de los numerales en la oración.

18.2. Esquemas numerales del español. Evolución histórica

Nos ocupamos aquí de cuestiones morfológicas de los nombres del número como formas libres, con exclusión de los aspectos sintácticos, que veremos más adelante.

El sistema básico de los numerales en español es el de los cardinales, sobre el que se forman, en principio, aunque no exclusivamente, las otras clases. [11] En las lenguas del entorno geográfico y cultural de los españoles los procedimientos sintácticos empiezan a partir de 10, aunque, por razones históricas, no sean evidentes hoy en algún caso: en español, por ejemplo, de *once* a *quince* no hay, para los hablantes, conciencia de formación compuesta, aunque la morfología histórica lo pruebe así; en francés o en castellano antiguo tenemos lo mismo hasta 16 (*seize, sedze,* respectivamente). Las lenguas que conocen el procedimiento morfológico de la 'flexión' [→ Cap. 74] lo aplican a los numerales, aunque no en el mismo grado ni del mismo modo a lo largo de su historia. El latín tenía una flexión de género

[11] Es difícil estar de acuerdo con Majewicz (1981: 193) en su rechazo del término *cardinal* y en la afirmación de que «sont les numératifs *ordinaux* qui sont à l'origine primaires dans l'histoire de la numération» [«son los numerales *ordinales* los que son en origen primarios en la historia de la numeración»], pues esta, como la de la escritura, es subsidiaria de la lengua hablada.

bastante amplia, que ha desaparecido en las lenguas románicas o se ha reducido al primer o los dos primeros números cardinales. Los ordinales, en cambio, mantienen la flexión latina. El árabe también conoce la distinción entre masculino y femenino en los cardinales y, en lo que se refiere al número, distingue entre singular ('uno'), dual ('dos') y plural (los restantes). Precisamente *duo* y *ambo* son los dos restos del dual indoeuropeo que el latín conserva.

Entre los mecanismos de formación de numerales complejos, la sufijación es el general en español, junto con la composición. En la serie de los cardinales tenemos, en español, dos tipos de sufijos, uno no transparente *-e(i)nta,* que es un multiplicador por la decena y otro transparente, *-cientos* [⟶ § 73.8.5], que es un multiplicador por la centena. También *-mil,* originariamente una forma léxica separada, como el anterior, tiende a convertirse en sufijo multiplicador por el millar. Más adelante tendremos ocasión de ocuparnos de estos sufijos y sus cambios desde su valor latino, como *-eno, -uplo* [⟶ § 70.4], o de la dudosa consideración afijal de otros, como *-eto,* p. ej. en *sexteto,* vinculado a préstamos del italiano en el campo de la música. De los procedimientos de adición, sustracción, coordinación y yuxtaposición trataremos en la sintaxis [⟶ §§ 67.2.2.1, 73.1 y 73.2]. [12]

18.2.1. El sistema latino, rasgos esenciales

Se repite con frecuencia (y con razón) que los romanistas son afortunados, entre los lingüistas históricos, ya que tienen una enorme documentación del pasado de sus lenguas y de su lengua antecedente: el latín. A continuación, haremos uso de esta ventaja, con la intención de mostrar la evolución del sistema lingüístico de los numerales hasta el español actual. [13]

Los 'cardinales' en latín pueden ser: declinables, como *unus -a -um,* indeclinables, como *centum,* adjetivos que conciertan con el sustantivo, como *mille homines,* o sustantivos que rigen un genitivo partitivo, como *milia hominum.* Los 'ordinales' son adjetivos de tres terminaciones: *tertius -a -um.* Los 'distributivos' muestran también una morfología de adjetivos de tres terminaciones, *bini, binae, bina,* que en teoría habría de ser plural, pues una distribución supone más de un receptor, pero que también se documenta en singular, como veremos. Los 'múltiplos' son adverbios que designan las veces que se repite una cantidad igual: *semel, bis, ter.* Los 'multiplicativos' son nombres que designan la cifra por la que se ha multiplicado un conjunto: *simplex, duplex, centuplex;* usados adverbialmente pueden entrar en colisión con los múltiplos, como ha ocurrido realmente en la historia posterior. Los 'proporcionales' expresan la relación numérica entre un referido y un término de comparación. Aunque, morfológicamente, son adjetivos de tres terminaciones, los ejemplos los muestran en su mayoría reducidos al uso como sustantivos neutros: *simplus, duplus.* El único 'fraccionario' propiamente dicho que existe en latín es *dimidia.* García de Diego (1970: 217) habla de 'partitivos' y recoge *medium.* Los restantes se forman sobre los ordinales, como modificadores de un *pars* elíptico: *tertia, quarta.*

---

[12] Algunas lenguas ofrecen procedimientos totalmente regulares para formar sus numerales, lo que puede indicar un grado mayor o menor de planificación, o de interferencias culturales. La regularidad es más fácil si se trata de lenguas aislantes, como el chino, mientras que tiene una explicación histórica en el caso del japonés.

[13] Cf. Szemerényi 1960, Winter 1969, Shields 1985, Kühner y Holzweissig 1912 y Kühner y Stegmann 1912.

18.2.2. La reducción del sistema latino en el español. Procedimientos de formación de numerales

Incluso en latín, las diferencias entre el sistema teórico y el uso que se hacía del mismo eran muy grandes. En la evolución al medioevo el sistema se reduce drásticamente, hasta el punto de dejar de entenderse ciertas construcciones. El español tiende, desde sus orígenes, a un uso general del cardinal y reduce las expresiones latinas mediante procedimientos de sufijación. [14]

Así, el sufijo distributivo *-nus* pasa a ser ordinal, *-eno* [→ § 70.4], durante una época, con restos hasta hoy: *sezeno* por 'decimosexto' se encuentra en el *Tucídides romanceado* del siglo XIV [15] y se conserva *noveno* como ordinal en la lengua actual; hubo además otros ordinales medievales en *-eno,* de los que perviven *Alfonso Onceno* o, como sustantivos, *decena, docena, setena, cuarentena.* Con un valor colectivo similar se incorporan también otros sufijos, procedentes de préstamos, como *-eto,* del italiano, en *dueto, terceto,* hasta *sexteto,* que, en realidad, son más propiamente préstamos léxicos que ampliación de procedimientos de derivación de numerales.

El sufijo derivativo general *-arius* > *-ero* [→ § 70.3.4] aparece en la forma *primero,* que sustituye a *primus,* y en la forma *tercero,* que sustituye a *tertius.* El sufijo ordinal tónico *-ávus* permanece en *octavo* y pasa a fraccionario en los restantes casos: *-avo* / *-ao* [→ §§ 68.6.2.2, 68.7.2 y 70.4]; antiguo *dozavo, centavo;* o *sextao, veinticuatrao.*

La conciencia de sufijo de *-tus* > *-to* ha desaparecido, aunque la forma continúa en *cuarto, quinto, sexto.* El sufijo ordinal átono *-imus* permanece, sin conciencia de valor de sufijo, en *séptimo,* y es el origen del antiguo *-ismo* / *-esmo,* como se lee en un documento de 1211: *la dizeduesma part del quarto del medio sesmo.*

El castellano medieval ofrece ya la destrucción del sistema latino clásico y su sustitución por el del español, conservado básicamente hasta hoy. Los distributivos, salvo *singulos* > *sendos* [→ §§ 16.4.3.1 y 42.4.2.10], desaparecen como categorías morfológicas y son sustituidos por frases encabezadas por *cada,* construcción que el latín imperial tardío o cristiano primitivo toma del griego y que difunde la traducción *Vulgata* de la Biblia. Las formas resultantes son: cardinales, ordinales, multiplicativos y fraccionarios.

18.2.2.1. Cardinales

Los 'cardinales' son los nombres de número más empleados e invaden poco a poco el terreno de las otras clases. Han sufrido, sin embargo, una notable disminución en sus formas: de *cero* a *quince* se usan nombres específicos de cada número y lo mismo ocurre para las centenas, el millar o las unidades de millón y sus múltiplos: *cien(to), doscientos ... mil ... millón, billón, trillón.* El resto de los números se expresan mediante formas compuestas, bien yuxtapuestas, bien coordinadas, escritas a veces en una sola palabra gráfica: *dieciséis, diez y seis, diecinueve, diez y nueve,* variación en la que los gramáticos recomiendan la forma fusionada, *veintiuno.*

---

[14] Cf. Foulet 1956 y Morales Pettirino 1961.

[15] Cf. López Molina 1960: 165.

En relación con el latín, la primera gran innovación es, por supuesto, el *cero*. El árabe *ṣifr* 'vacío' origina directamente *cifra,* cuyo primer significado fue «cero», extendiéndose luego a la figura de cualquier número y al número mismo. [16]

Los 'cardinales' latinos de 1-16 persisten en castellano medieval, como en casi todas las lenguas románicas:

— *Unum > uno, un* en proclisis; *unam > una.* Coincide con la forma *un* del artículo y con el indefinido *uno,* a diferencia de lo que ocurre en otras lenguas, como el inglés o el árabe, por lo que se presentan dificultades en la interpretación de ciertas construcciones e incluso en la consideración de la forma *un* como artículo. [17]
— *Duos > *doos > dos; duas > dues.* Se mantiene el femenino en los diplomas de S. Fernando; en Alfonso X *dos* vale para los dos géneros. (Dial.leon.occ. *dous/duas, dues.*)
— *Tres > tres.*
— *Quattuor >* p. ej. *quattor* (disimilación) *> quatro.*
— *Cinque > cinco* (vocal final *-o* en cast. y port. por analogía con *cuatro*).
— *Sex > seis* (ant. y ast. *seyes,* análogo de *reyes/reis*).
— *Septem > siete.*
— *Octo > ocho.*
— *Nouem > nueve* (con apócope *nuef*).
— *Decem > diez.*
— *Ūndecim >* p. ej. *úndece > once.*
— *Duodecim >* p. ej. *dódece > dodze, doze,* mod. *doce.*
— *Tredecim > tredze, treze,* mod. *trece.*
— *Quatt(u)ordecim > catorce.*
— *Quīndecim > quinze, quince.*
— *Sēdecim > sedze, seze.*

La tendencia analítica sustituyó *seze* (fr. *seize*) por *diez y seis/dieciséis;* hay ejemplos hasta el número *12: diez e dos, dizedós, dizetrés.* Se encuentra *ie > i, dizesiete, dizeocho.* La lengua moderna forma por coordinación con la copulativa *y* los números a partir de dieciséis, inclusive: *diez y seis, diez y siete,* etc. Con la forma exenta alterna la forma fusionada, *dieciséis, diecisiete, dieciocho, diecinueve;* sin embargo, como vemos en estos ejemplos, se altera la norma gráfica, pues el compuesto se escribe en una sola palabra y la conjunción se expresa con la grafía de *i* latina, no de *y.* Además, la interdental ante *i* se representa mediante *c,* de acuerdo con las normas ortográficas generales. A partir de *veinte,* las formas vinculadas se aglutinan, con fusión de la *-e* final de *veinte* y la copulativa, que vuelve a escribirse *i: veintiuno, veintidós, veintitrés, veinticuatro, veinticinco, veintiséis, veintisiete, veintiocho, veintinueve.* Las adiciones de unidades a las decenas a partir de *treinta* ya no ofrecen fusión:

---

[16] De *ṣifr* procede también el lat. tardío *zephyrum*, siglo XII, de cuya abreviación *ze^{m}* piensa Spitzer (1925: *MLN* LXXI: 281) que se originó el it. *zéro*, que dio origen a las formas española, francesa, inglesa y portuguesa. Corominas *(DCECH)*, en cambio, piensa que no es rara en italiano la pérdida de toda la sílaba postónica, y que no hace falta recurrir a la abreviatura. Las primeras dataciones de *zero* en castellano que registra el *DCECH* son del siglo XVI. Este es el único préstamo léxico del árabe a las lenguas románicas en el campo de los numerales, pese a la gran incidencia de los escritos árabes en el campo de las ciencias, durante la Edad Media.

[17] Cf. Marcos 1984.

treinta y uno, cuarenta y dos, cincuenta y tres, sesenta y cuatro, setenta y cinco, ochenta y seis, noventa y siete [⟶ § 73.8.5].

Las 'decenas' latinas se conservan, así como el sufijo multiplicador *-aginta,* que en los romances del centro y oeste de la Península Ibérica evoluciona a *-e(i)nta,* frente al resultado románico general (con la excepción del rumano, que multiplica las unidades por 'diez' *-anta*).

— *Vīginti* > *viínte* leon.ptg. *vinte* (ptg.[vénti])
  cast. *veínte* > *veinte.*
— *Trīginta* tiene una evolución alterada por dos cruces:
  X *tres* > **trīginta* > (arag.) *trenta*
  X *veinte* > *treínta* > *treinta*
— *Quadraginta* >*cuar(a)enta,* con *dr* > *r,* por uso proclítico o vocalización como en *paire* > *pare, maire* > *mare.*
— *Sexaginta* por influjo de *seis* no da **sejenta.*
— *Septuaginta, octuaginta* pierden la *u* ante vocal átona postónica y dan, respectivamente, *setenta, ochenta.*
— *Nonaginta* es sustituido por nueva forma sobre *nouem* > *noventa.*

Menéndez Pidal (1962) atribuye la evolución de *aginta* > *-enta* al frecuente uso proclítico: *-aginta* > **-ayénta* > *-aénta* > *-enta.* Las variantes son *-aenta, -eenta, -enta.* Se encuentran formas en *-anta* (leonesas y aragonesas en Menéndez Pidal), explicables desde formas vulgares con dislocación acentual: *-a(g)inta* > *-áinta* > *-áinta* > *-anta.* leon. *cinquanta, novanta,* arag. *quaranta, xixanta.*

La combinación de decenas y unidades, a partir de *treinta,* se realiza por coordinación, con la conjunción copulativa *y,* sin fusión: *treinta y dos, cuarenta y tres.*

De las 'centenas' latinas tenemos en primer lugar la forma *cien(to),* que presenta varias formas: una apocopada, *cien,* que puede modificar o referirse a un sustantivo; otra plena, *ciento,* que aparte de ser variante de la anterior puede funcionar como sustantivo y tomar plural; una última forma es *-cientos/as,* a partir de la cual se forman las restantes centenas por multiplicación por la unidad, que la precede con yuxtaposición y, a veces, fusión. Las primeras centenas compuestas conservan cuatro compuestos latinos:

— *Ducenti* > *dozientos/-as* > *doscientos* (influjo de *dos*).
— *Trēcenti* > *trezientos* > *trescientos* (influjo de *tres*).
— *Quingenti* > *quinientos,* que sigue una evolución fonética sin palatalización de la nasal (como *ng* > *nj, rg* > *rj*), igual que *argenteu* > *arienço, pungente* > *puniente.*
— *Sexcenti* > *seiscientos.*
— En cuanto a *septigenti* > *setecientos,* hay influjo de *siete,* sin diptongo, al ir la *e* en sílaba átona.
— Para *quadrigenti, octingenti, nongenti* se formaron nuevos compuestos, en los cuales *-cientos/as* aparece como sufijo multiplicador de centena: *cuatrocientos, ochocientos, novecientos,* con sorda *ç,* como *setecientos,* en la Edad Media, frente a la sonora de *dozientos, trezientos.* De otras evoluciones tenemos restos dialectales: (La Litera) *cincocientos* «quinientos», *oncecientos* «mil ciento».

La combinación de centenas y decenas se produce por yuxtaposición: *ciento diez, doscientos veinte,* la de centenas y unidades también es yuxtapuesta: *ciento un(o/a), doscientos dos.* Son medievales y clásicas las formas con vinculación, cuyo uso moderno sería arcaísmo: *ciento y tres, ciento y diez.* De todos modos, es siempre posible el uso de la copulativa para realzar, por énfasis, o en usos secundarios (ironía).

El origen de *mil* y *millar* es el siguiente:

— *mīlle* > *mill, mil.*
— *miliaria* > ant. *millaria,* mod. *millar,* frente al vulgar *milenta,* analógico de las decenas.

Para los compuestos se usa *mil,* en vez de *mīlia: duo mīlia* > *dos mil,* invariable, evolución que arranca de las perífrasis multiplicativas antiguas *dos vezes mil.* Cuando se usa como nombre del número, *mil* admite plural: *miles, unos miles de duros.* En la Edad Media *mil* es el nombre de cifra máxima empleado, y se abrevia como *U.* Los multiplicativos de *mil* preceden y se yuxtaponen: *dos mil, trescient{o/a}s mil.* Los millares se combinan con las centenas, decenas y unidades por yuxtaposición sin fusión: *mil doscient{o/a}s, mil treinta, mil un[a].* El uso antiguo, clásico y arcaizante admite la vinculación con la conjunción copulativa, sobre todo en las unidades y especialmente con *uno,* es enfático *mil y un problemas,* [18] o se trata de una locución semifija, *mil y una noches.*

Millón, que equivale a 10^6, deriva del italiano *milione;* [19] por analogía, *billón* 'un millón de millones' (antiguamente en Francia y ahora sólo en EEUU, no en el Reino Unido, *billion* equivale a 'mil millones'), *trillón, cuatrillón,* etc. Todos estos vocablos, cuando se multiplican, llevan marca de plural expresa: *dos millones, tres trillones.* Por otra parte, cuando preceden inmediatamente al nombre al que cuantifican, se comportan como sustantivos y deben entrar en construcción partitiva *(dos millones de pesetas);* sin embargo, si van seguidos de otros cardinales se yuxtaponen a ellos *(dos millones cien mil pesetas).* En tales contextos, deben ir necesariamente cuantificados *({un millón/*millón} cien mil pesetas).*

18.2.2.2. Ordinales

Los derivados de los sufijos latinos *-arius, -tus, -imus (-ero, -do, -imo)* se han conservado, mientras que *-auus* permanece fosilizado, sin conciencia de sufijo, en *octavo,* aunque en el resto evoluciona a partitivo; *-ariu* se ha extendido al ordinal de 3.

— *Primariu* > *primero, -er, -era.*
— *Secundu* no da *segondo,* sino *segundo,* con *u* breve > *u.*
— *Tertiariu* > *tercero, -er, -era.*
— *Quartu* > *cuarto.*
— *Quintu* > *quinto.*

[18] Cf. Oliver Asín 1964.
[19] Popularizado como título del célebre libro del mercader veneciano: *Il Milione* es el *Libro de Marco Polo.* Cf. Marcos Marín 1977.

Primus y *tertius* no han quedado como ordinales, por causas desconocidas; pero *primus* se ha conservado en usos como el de *primo* para el primer grado de consanguinidad, expresado originariamente por *cogermanus* > *cormano,* con una evolución interesante en el esquema del parentesco: *primos hermanos* = *primos cormanos; hijos de primos* = *segundos cormanos; tercio,* por su parte, se ha conservado como partitivo.

Desde *sexto* se usan las formas cultas *(séptimo* o *sétimo, octavo, noveno, décimo).* En las decenas se emplean también los cultismos *vigésimo, trigésimo, cuadragésimo,* con adaptaciones *{quincuagésimo/cincuentésimo}, sexagésimo, septuagésimo, octogésimo, nonagésimo.* En las centenas, *centésimo, ducentésimo, trecentésimo, cuadringentésimo, quingentésimo, sexcentésimo, septingentésimo, octingentésimo, noningentésimo.* El ordinal de mil es *milésimo.* Los ordinales de los millares, inusitados en el habla, pueden formarse con el cardinal correspondiente y *milésimo: dosmilésimo, tresmilésimo, cuatromilésimo,* o con formas latinizadas *duomilésimo, quincuamilésimo, sexmilésimo, septuamilésimo, novemilésimo* o *nonamilésimo.* Los ordinales de millón y otras potencias superiores se forman con el sufijo *-ésimo.*

Undécimo y *duodécimo* son las formas etimológicas, no *décimo primero* ni *décimo segundo,* formaciones analógicas modernas. A partir de aquí se usan *décimo* seguido del ordinal correspondiente del orden de las unidades: *decimotercero, decimocuarto.*

Hubo formas populares, a veces conservadas con otro sentido: *sexta* > *sesta* > *siesta, septimu* > *sietmo, octauu* > *ochavo, nōnu* > *nono, decimu* > *diezmo* (partitivo, frente a la forma culta del ordinal *décimo*). Se han conservado también en usos populares, desde la liturgia, *quadragēsima* > *quaraesma, cuaresma; quinquagēsima* > *cinquaesma.*

Postremus fue sustituido por *postrero, -er, -era,* con cambio de sufijo, o por *último,* con cambio léxico.

18.2.2.3. Multiplicativos y fraccionarios

De los 'multiplicativos' sólo se han conservado unas pocas formas: *simple, {doble/duplo}* y el adjetivo *dúplice, {triple* (ant. *treble*)*/triplo}, {cuádruple/cuádruplo}, {quíntuple/quíntuplo}, {múltiple/múltiplo}.*

Es anticuada la perífrasis con *doblado (cuatro doblado),* o con *atanto,* documentada por López Molina (1960) aisladamente en el *Tucídides romanzado* del siglo XIV: *encara que fues dos atanta* (55 v.º b), mientras que la perífrasis con *tanto (cuatro tanto)* llega hasta principios del siglo XX. Ambas son sustituidas por *n veces (más).* El adverbio multiplicativo latino *bis* ha perdido su valor y es un simple fósil para expresar la repetición. La forma *simple* no es sentida como numeral multiplicativo, en algunos de cuyos usos ha sido sustituida por el anglicismo *single* [síngol] o [síngl] y en otros por *único / a.* En cuanto a *múltiple* y *múltiplo,* son colectivos, no numerales.

Los 'fraccionarios' son resultado de varias fuentes: de *medietate* (en vez de *dimidia*) procede *mitad,* mientras que su lugar ha sido ocupado por el adjetivo *medio;* para el resto el latín usaba ordinales, como se ha dicho. De esos ordinales latinos proceden *tercio, cuarto, décimo,* con analogía en *céntimo* por *centésimo.* El masculino predomina sobre el femenino y hay abundantes lexicalizaciones: *cuarta, diezmo.* A partir de *once* se usa *-avo* [⟶ § 70.4], sufijo tónico del ordinal latino *octavus* (en la lengua antigua también *-ao*). La confusión entre fraccionarios y ordinales se da con frecuencia: *piso doceavo* o *dozavo* por *piso duodécimo*.

Un curioso prefijo fraccionario es *sesqui-*, cuyo significado es «unidad y media» del sustantivo al que modifica: *sesquicentenario* será, por tanto, «cien + la mitad de cien», o sea *cientocincuenta*.

18.2.3. La flexión en los numerales: género y número

Ya en latín nos hallamos ante una flexión restringida, que lo es más aún en romance: [→ §§ 42.4.2.3-5]. En los numerales 'cardinales' se tiende a la pérdida del género [→ § 74.2], en composición con decenas, centenas o millares, cuando el numeral *1* precede al sustantivo. La flexión se pierde o altera en la lengua moderna: frente a la forma antigua *veintiuna casa,* las modernas son *veintiuna casas, veintiún casas,* prefiriéndose la primera. La diferencia *dos* (masculino) / *duas, -es* (femenino) llega hasta el siglo XIII. Sólo *ambos/as* mantiene la flexión. De 3 a 99 no hay flexión. A partir de aquí, sólo los cardinales de la serie *doscientos/as, trescientos/as,* etc. varían en función del género del sustantivo al que modifican.

En cuanto al número [→ § 74.3] en los cardinales, hay que señalar que *cero* concierta con sustantivos en plural: *cero pesetas,* no *cero peseta.* Aun siendo sustantivos que habitualmente no toman forma de plural, los cardinales pasan a tomarla en uso metalingüístico: *dos treses, cuatro cuatros.* Este plural de los numerales es más frecuente en Hispanoamérica, donde comporta algunas modificaciones semánticas: *las onces* (nótese también el femenino) por el tentempié de media mañana (se dice que también por las once letras de *aguardiente,* lo que tiene todos los visos de una explicación *a posteriori*), *llega a las doces,* para indicar la hora aproximada, así como *allá por los ochentas, andar {en/por} los {cuarentas/sesentas},* etc. El cardinal que multiplica a *mil* se refiere a este, en masculino y singular, no al sustantivo: la forma correcta, por tanto, es *veintiún mil pesetas*.

En el *Lazarillo* se usan ya los cardinales para las horas, frente a usos antiguos *(prima, tercia, sexta, nona),* con restos en *siesta: que nol fiziese mal la siesta (Razón de amor); con la gran siesta que haze (Romancero).* Incluso se emplea *possiesta* para la hora posmeridiana.

Todos los numerales 'ordinales' especifican el género y el número del sustantivo al que modifican (o al que refieren, anafórica o deícticamente). Asimismo, *primer(o)* y *tercer(o)* presentan una forma apocopada cuando preceden a un sustantivo masculino singular (en Hispanoamérica, también con el femenino singular).

El adjetivo *medio,* correspondiente al sustantivo *mitad,* concuerda en género y número con el sustantivo al que modifica [→ § 1.2.2,8)]. También lo hacen el resto de los 'fraccionarios', si bien generalmente sólo se usan para modificar al sustantivo *parte.* Las construcciones a que dan lugar *(dos terceras partes, tres doceavas partes)* alternan con aquellas en que sólo aparece el numeral masculino, en singular o plural *(un tercio, tres docenas)*.

No admiten variación en cuanto al género, pero sí en cuanto al número, los 'multiplicativos'. Aunque habitualmente se presentan antepuestos al nombre, en singular y acompañados de artículo, ninguna de esas condiciones les es obligatoria (*un triple salto / un salto triple; dos partos séxtuples,* etc.).

18.3. Clase gramatical y función de los numerales en español

La categoría gramatical de los numerales puede variar en las diferentes lenguas. En general, los numerales en español pueden ser sustantivos (*decena, tercio, mitad,* etc.), pero la gran mayoría de ellos presentan la dualidad que podemos observar en otras clases de palabras, como los demostrativos: se comportan como adjetivos cuando modifican directamente a un nombre *(cuatro libros; el tercer hombre)* o como pronombres, cuando refieren al nombre anafórica o deícticamente *(Dame cuatro; Quiero el tercero).* También conviene diferenciar, como hace Alarcos (1962), el uso metalingüístico de los numerales cardinales, como nombres de los números *(el dos, el tres)* de su uso como cuantificadores *(los dos libros),* el más general. [20]

18.3.1. Los numerales cardinales

Es muy frecuente que los gramáticos hablen de los numerales como adjetivos, por su carácter de modificadores sintácticos del sustantivo. Sin embargo, resulta necesario destacar que, en muchas lenguas, los cardinales, especialmente, no siguen las reglas del orden de colocación de los adjetivos en la frase [→ § 3.5], sino el de los determinantes [→ §§ 5.2 y 12.1.2]. En español y las lenguas románicas, donde el orden habitual, no marcado (aunque no exclusivo) es sustantivo-adjetivo, los numerales cardinales preceden al sustantivo.

La presencia de un numeral cardinal no excluye la de determinantes como el artículo, demostrativos o posesivos, (1b, 2b), ni tampoco la de otros cuantificadores y adjetivos determinativos, (1c, d, 2c, d). Asimismo, el nombre puede aparecer también modificado por un adjetivo calificativo, que puede ir pospuesto, como en los ejemplos de (1), o antepuesto, como en los ejemplos de (2):

(1) a. Dos hombres buenos.
b. {Los/Estos/Mis} dos hombres buenos.
c. Cada dos hombres buenos.
d. {Unos/Ciertos/Los mismos} dos hombres buenos.

(2) a. Dos buenos hombres.
b. {Los/Estos/Mis} dos buenos hombres.
c. Cada dos buenos hombres.
d. {Unos/Ciertos/Los mismos} dos buenos hombres.

Si se combina el cardinal con el posesivo, este puede anteponerse o posponerse [→ §§ 15.2 y 15.3], con la forma plena en el segundo caso: *sus dos carteras, dos carteras suyas.*

El artículo o el demostrativo pueden aparecer antepuestos al posesivo en ciertas variantes diatópicas o diacrónicas; pero no los dos simultáneamente. Sí pueden combinarse cuando el demostrativo va pospuesto *(los dos libros tuyos; esas tres hijas suyas).* En general, podemos decir que

[20] Martín de Santa Olalla (1994) señala que la diferenciación entre función sustantivo y función pronombre denota el empleo del numeral para designar un guarismo (función sustantivo): *El seis de picas, Ha salido premiado el 15.550, Hacia 1750;* frente al empleo típicamente cuantificador del pronombre (presente también en la función de adjetivo): *Dame ocho,* por ejemplo.

estos usos no dependen del numeral, sino de la colocación respectiva de determinantes, numerales y adjetivos.

La alteración del orden de sustantivo y adjetivo(s) puede producir diferencias de contenido que no nos afectan aquí, pues no son causadas por el numeral:

(3) a. Los dos hombres buenos aquellos.
b. {Las/Estas/Sus} dos imprescindibles secciones administrativas.
c. {Las/Estas/Sus} dos secciones administrativas imprescindibles.
d. Cada dos imprescindibles secciones administrativas.
e. Cada dos secciones administrativas imprescindibles.

Sin embargo, hay un caso en el que la presencia del numeral supone, en ciertas construcciones con adjetivo, una variación semántica vinculada a la sintagmática. *Los dos hombres buenos* no permite alteración del orden del numeral; pero es posible invertir el orden de cardinal y adjetivo en *esas buenas tres manzanas* frente a *esas tres buenas manzanas.* El primer uso obedece a un valor modal del adjetivo, que no sólo se da con *bueno*, sino con los adjetivos valorativos para marcar una consideración subjetiva: *esas tristes dos pesetas, aquellas famosas tres tardes* [→ § 3.5.2]. En todos estos casos, el grupo de numeral y sustantivo forma un conjunto inseparable, que se considera como una unidad, bien por tratarse de una referencia a lo consabido, bien por otras razones difíciles de precisar. [21]

Los numerales pueden aparecer sin sustantivo, con referencia anafórica o situacional y valor deíctico: *deme uno* [→ § 12.2.1.1]. También pueden tener referencia catafórica a un sustantivo plural determinado o pronombre que los complementa en frase prepositiva: *elige dos de ellos, tomó dos de aquellos libros.* Pueden construirse sin preposición y con determinante *(esos dos, los dos);* cuando están modificados por un posesivo, este debe aparecer pospuesto y con artículo *(Dame {*mis dos/los dos míos}).* También pueden usarse en construcción con el adjetivo: *Le ofrecieron cinco caballos, eligió dos alazanes y tres píos.*

En este uso de los numerales, *un* pasa a *uno* cuando es la unidad final de la secuencia, (4a, b). Cuando el sustantivo al que refiere el numeral es femenino, *una* aparece en su forma plena (compárese (4c) con los casos vistos más arriba de *veintiún casas*) [→ § 74.4.4.4]:

(4) a. Treinta y *un* mil novecientos uno.
b. Dame *uno.*
c. Hay unas cincuenta alumnas en el centro, pero a la fiesta sólo asisitieron *veintiuna.*

Si el cardinal se refiere anafóricamente a un sustantivo precedido de artículo, este debe mantenerse, (5a). Por otra parte, si un numeral precedido de artículo se

---

[21] La interpolación del numeral entre el adjetivo derivado de *bonus* y el sustantivo plural, sin artículo, para el asturiano y el gallego, al menos, fue señalada por Emilio Alarcos (1962). En la versión gallega de la *General Estoria*, según el ms. del XIV editado por Martínez López (Universidad de Oviedo, 1963: p. 281, l. 1), libro VII, cap. XI, se lee *et aduso boos dous cabritos,* frente a *los cabritos buenos* del texto castellano. En asturiano, los documentos del Archivo de San Pelayo de Oviedo (entre 1330 y 1342) muestran con frecuencia, según Alarcos, esta secuencia sintáctica: *bonos dos carneros, bonos quatro cabritos, bonas ses lagostas, bonas duas lanpreas,* etc. La presencia de régimen preposicional con *de* impide esta construcción: *duas duzenas de bonas lagostas, dos çientos de bonas bogas.*

refiere a un sustantivo que ya está modificado por un cardinal, sólo puede repetirse la cantidad mencionada, (5b):

(5) a. Van a venir los hermanos de María, y van a venir {*ocho/los ocho}.
b. Tiene ocho hermanos y van a venir {los ocho/*los siete}.

También es interesante determinar si el numeral aparece, al menos superficialmente, como expresión del sujeto: así en español, *Viene uno, Vienen tres* o, incluso, *Venimos dos, Venís cuatro,* donde modificaría a un pronombre *(nosotros, vosotros)* inexpresado. [22]

Algunos de los cardinales son categorialmente sustantivos. Muchos de ellos se derivan de otros cardinales con el sufijo *-ena* (*decena, docena, veintena, treintena, centena* —que tiene como sinónimos a *centenar* o a *ciento(s)*—). También es sustantivo *millar,* cuyo plural puede ser *millares* o *miles.* Estos sustantivos, que pueden aparecer en singular o plural, pueden ser a su vez cuantificados, (6a), pero no pueden formar parte de secuencias de cardinales como las de (6b), construcción que posee un significado distinto del de (6c) (estos dos últimos ejemplos están tomados de Martínez 1989: 32): [23]

(6) a. Trajo tres docenas de mazapanes.
b. Compró trescientos doce huevos.
c. Compró trescientas docenas de huevos.

Los sustantivos cardinales sólo pueden cuantificar a otros sustantivos entrando con ellos en construcción partitiva, (7a). A diferencia de lo que ocurre en construcciones similares con numerales adjetivos, (7b), el sustantivo cuantificado no puede ir precedido de determinante. También pueden hacer referencia anafórica a un sustantivo previamente introducido, en el contexto lingüístico o situacional, (7c, d):

(7) a. A la fiesta asistieron una decena de amigos.
b. A la fiesta asistieron diez de sus amigos.
c. Me preguntó cuántos mazapanes quería y le dije que tres docenas.
d. Póngame tres docenas.

18.3.2. Los numerales ordinales

Los numerales ordinales [—> 42.4.2.4] son adjetivos que pueden modificar directamente a un sustantivo, precediéndolo o siguiéndolo *(el primer libro, el libro primero)* o referirse anafóricamente a él *(Se probó un montón de trajes y al final se quedó con el primero).* En este último caso, deben ir precedidos del artículo, excepto cuando funcionan como predicado nominal *(Fue (el) segundo).*

---

[22] Otras lenguas, incluso románicas, como el italiano, piden la construcción preposicional: *Veniamo in due.*

[23] Hay otros sustantivos estrechamente relacionados con estos que no son exactamente cuantificadores, puesto que incluyen en su significado tanto la cantidad como el elemento cuantificado. Se trata de nombres de medida como *kilómetro, decilitro,* etc., nombres como *duo, trío, quinteto,* que designan un conjunto de un número determinado de músicos, o nombres que significan un cómputo de días o años: *quincena, cuarentena, lustro, siglo.*

Al igual que los adjetivos calificativos, los ordinales pueden aparecer sin sustantivo y precedidos de *lo* [→ §§ 12.1.3 y 42.3.4]. La construcción resultante puede desempeñar funciones típicas de los sustantivos, (8a), pero también de los adverbios, (8b):

(8) a. Me propuso ir al cine o tomar una copa, y elegí lo segundo.
b. Rechazaron su oferta por dos razones: lo primero, porque el precio era demasiado elevado; lo segundo, porque no tenían buenas referencias de la compañía.

Generalmente, los ordinales concuerdan en singular con el sustantivo al que modifican, pero también pueden hacerlo en plural. En tal caso, el sintagma nominal se refiere a varios individuos que ocupan el mismo lugar en distintas series, (9a). No ocurre lo mismo con el ordinal *primer(o),* que puede referirse a los primeros elementos de una sola serie, sin especificar cuántos, (9b):

(9) a. Los segundos hijos suelen admirar a sus hermanos mayores.
b. Los primeros días que pasé allí se me hicieron un poco difíciles.

Los ordinales prácticamente exigen ir precedidos del artículo, un demostrativo o un posesivo [→ §§ 12.1, 14.4.4 y 15.2]. Este último tipo de determinante, sin embargo, se excluye cuando el ordinal se refiere anafóricamente a un sustantivo; en tal caso, sólo podría aparecer el posesivo pospuesto, en su forma plena y acompañado de artículo *(De todos los poemas que había, seleccionaron {*su segundo/el segundo suyo}).* También pueden ir precedidos los ordinales, cuando modifican directamente al sustantivo, de *un(a): Recibió una tercera carta.*

Pueden aparecer sin artículo los ordinales que modifican (e identifican) a ciertos nombres propios, como *Felipe Segundo.* También en expresiones lexicalizadas *(primos segundos)* o en casos en que el ordinal está casi sustantivado *(Viaja en segunda; Aprobó todo primero).*

Los ordinales, salvo los diez o doce primeros, se usan muy poco en la lengua coloquial, siendo sustituidos por los cardinales.[24] Estos últimos se usan de forma casi sistemática en las secuencias complejas *(el año mil novecientos ochenta y cinco).* El cardinal sustituye al ordinal, desde los estadios más antiguos de nuestra lengua, en compuestos de *uno: la estrella veynte e una* y, a veces, en compuestos de otros cardinales: *la quaraenta e dos;* en números mayores de 20 (en 1791 era galicismo para Vargas Ponce, cita recogida por Menéndez Pidal, quien no está de acuerdo y señala que también Bello admite *la ley dos, el capítulo siete*). Actualmente, se emplean los cardinales para designar los años *(mil novecientos sesenta)* y días del mes (aunque quedan restos como *el primero de mayo*); los siglos emplean los cardinales después de 'diez'; también aparecen en numeraciones de reyes, papas (ordinal hasta *10: Alfonso diez o décimo*), o capítulos, donde se observa mayor vacilación, con empleo del ordinal desde *10.*

La sintaxis puede servir para indicarnos si un numeral es cardinal u ordinal. Cuando se usan como ordinales, los cardinales no implican plural y, por lo tanto, no concuerdan en número con el sustantivo *(las diez páginas/la página diez).* La posposición es lo habitual en estos casos: *Alfonso diez, siglo doce.* Son imposibles

[24] Y también por algunos de los fraccionarios, uso este que se considera vulgar: *el piso doceavo, el doceavo piso.*

diez Alfonso, doce siglo, aunque el cardinal, usado como tal, se antepone *(diez Alfonsos, doce libros),* y el ordinal propio puede ir antepuesto o pospuesto *(libro cuarto, cuarto libro).* No obstante, se emplean corrientemente construcciones como *once centenario,* por *undécimo centenario, centenario undécimo* o *centenario once.*

18.3.3. Los numerales multiplicativos y fraccionarios

Los 'multiplicativos' [⟶ § 42.4.2.3] tienen que emplearse en plural cuando modifican a un sustantivo plural *(dobles parejas, triples campanadas)* y pueden posponerse *(parejas dobles).* También pueden ir sin sustantivo. En este caso la presencia de la forma *el, la, lo* puede interpretarse como una muestra del valor pronominal de esas formas, a las que el multiplicativo seguiría modificando. Lo normal es, sin embargo, que en estos casos adquieran un valor adverbial; [25] de hecho, en construcciones como las de (10), los multiplicativos funcionan del mismo modo que los cuantificadores del tipo de *mucho, poco,* etc.:

(10) a. Tuvo que estudiar el triple.
b. Ha bebido el doble que yo y, sin embargo, no le ha afectado.

En estos casos, los multiplicativos pueden tomar un complemento partitivo y se comportan, como observamos en (10b) y también en (11a), como cuantificadores de grado comparativo [⟶ §§ 16.5 y 17.1]. Obsérvese la diferencia existente entre pares como (11a-b); en el primer caso, el multiplicativo tiene valor cuantitativo y admite la construcción comparativa; en el segundo, tiene un valor básicamente cualitativo:

(11) a. Ernesto tiene el doble de personalidad (que su hermano).
b. Ernesto tiene (una) doble personalidad (*que su hermano). [26]

Rara vez se usan los multiplicativos sin las formas de artículo, teniendo entonces sólo valor adverbial: *Pagó el doble / Pagó doble.* [27]

Existe un grupo de multiplicativos, poco usados, que, a diferencia de los hasta aquí revisados, funcionan únicamente como sustantivos: *duplo/a, triplo/a, cuádruplo/a,* etc.

Los 'fraccionarios' se combinan con cardinales, *dos tercios,* o, con forma ordinal, con el sustantivo *parte, dos terceras partes* (véase el § 18.2.3). El adjetivo *medio/a* se combina con cualquier sustantivo, incluidos los cardinales: *medio millar, media centena, medio centenar;* cuando el sustantivo es consabido, se emplea en su lugar el sustantivo *mitad.*

Los fraccionarios rigen *de* (partitivo) [⟶ §§ 16.2.3 y 42.4.2.3]: *un tercio de sus bienes, la mitad de su herencia.* El sustantivo *mitad,* además, puede dar lugar, al igual

[25] Señala Martínez (1989: 44) que, en una construcción como (i) normalmente se interpreta *el triple* como *mucho,* no con valor anafórico con referencia a *salto mortal:*

(i) Dieron *varios* saltos mortales y el público aplaudió *el triple.*

El ejemplo es dudoso por la lexicalización de *triple* como «triple salto mortal», pero más claro si se dijera el *cuádruple.*

[26] Son de uso corriente, sin embargo, construcciones como *Tiene unos pies dobles que los míos* (cf. Martínez 1989: 45).

[27] En su lugar, se suele recurrir a un cardinal que modifica al sustantivo *veces: Mi coche es dos veces más grande.*

que los multiplicativos, a una construcción comparativa: *Necesitará la mitad de puntos que en temporadas anteriores; Gana la mitad que tú.*

Algunos numerales fraccionarios pueden emplearse también, con desplazamiento semántico, como sustantivos que ya no son cuantificativos. Pueden entonces presentarse como masculinos o femeninos, según el sustantivo que lleven como complemento partitivo: *dos décimos (de lotería), tres milésimas de segundo,* etc.

18.4. Fraseología. Empleos indeterminados de los numerales

Entre los numerales existen formas que han pasado a adquirir un significado algo distinto del numeral original que justifica su codificación como miembro de la categoría que lo define en términos funcionales y morfosintácticos. El ejemplo más claro en este sentido lo constituye el ordinal *primero/a* en algunas expresiones lexicalizadas donde no significa el primero en orden de oposición a un segundo o tercero:

(12) a. Artículos de primera necesidad.
b. Causa primera.
c. Primera enseñanza.

Por otra parte, si los numerales tienen el valor lingüístico de cuantificar de modo exacto al sustantivo, o de representar, como sustantivos, una cantidad exacta, en ciertos usos pierden esa exactitud. Esta pérdida se produce en ocasiones como consecuencia de una construcción sintáctica específica: con el indefinido *unos (unos veinte)* o en coordinación con otras formas: *treinta y tantos, ciento y la madre* (lexicalizado el segundo), o la fórmula que es nefanda en algunas zonas hispánicas, como Chile, *cuatro y pico.* En otras ocasiones, sin embargo, la pérdida no va expresada por ninguna construcción especial, en hipérboles como *mil gracias, un millón de gracias, de abrazos,* etc., donde el numeral equivale simplemente a *muchos.* El ejemplo anterior corresponde a cardinales, pero también participan los ordinales (usados como multiplicativos): *por {centésima/milésima/millonésima} vez.* En otros casos los numerales que corresponden a cifras redondas se emplean para expresar reiteración: *{cientos/miles/millares} de veces,* en alternancia con el abstracto *infinidad*. Hay, evidentemente, un proceso de lexicalización, más evidente en el uso hiperbólico indeterminado para cantidad pequeña: *cuatro gatos, a dos pasos,* mas no se excluye el empleo de otros nombres del número, con el consiguiente refuerzo expresivo: *doscientas mil gracias, a cinco pasos*.

REFERENCIAS BIBLIOGRÁFICAS

ALARCOS LLORACH, EMILIO (1948): *Investigaciones sobre el Libro de Alexandre,* Madrid, RFE, anejo XLV.

— (1962): «Interpolación del numeral», *Archivum* 12, y *Cajón de sastre asturiano-2,* Salinas, Ayalga, 1980.

COROMINAS, JOAN y JOSÉ ANTONIO PASCUAL (1954): *Diccionario crítico etimológico castellano e hispánico,* Madrid, Gredos. [*DCECH* en el texto.]

FOULET, L. (1956): «Le recul des ordineaux», *Ro* 77, págs. 145-234.

GARCÍA DE DIEGO, VICENTE (1970): *Gramática Histórica,* Madrid, Gredos; 3.ª ed. corr.

GREENBERG, JOSEPH H. (1963): «Some Universals of Grammar with Particular Reference to the Order of Meaningful Elements», J. H. Greenberg (ed.), *Universals of Language,* Cambridge, Mass., Cambridge University Press.

— (1966): *Language Universals,* La Haya, Mouton.

— (1972): «Numeral Classifiers and Substantival Number: Problems in the Genesis of a Linguistic Type», *Proceedings of the 11th Congress of Linguists,* Bologna, y *WPLU* 9, págs. 1-39.

— (1974): «Studies in Numerical System I: Double Numeral System», *WPLU* 14, págs. 75-89.

— (1975): «Dynamic Aspects of Word Order in the Numerical Classifier», en Charles N. Li (ed.), *Word Order and Word Order Change,* Austin y Londres, University of Texas Press, págs. 27-46.

— (1978): «Generalizations about Numeral Systems», en J. H. Greenberg, C. A. Ferguson y E. A. Moravcsik (eds.), *Universals of Human Language,* Stanford, Stanford University Press, 3, págs. 249-295.

— (1989): «The Internal and External Syntax of Numerical Expressions: Explaining Language Specific Rules», *Belgian Journal of Linguistics* 4, págs. 105-118.

KATZ, JERROLD J. (1971): *Filosofía del lenguaje,* trad. de Marcial Suárez, Barcelona, Martínez Roca.

LÓPEZ MOLINA, LUIS (1960): *Tucídides romanceado en el siglo XIV,* Madrid, Real Academia Española.

MAJEWICZ, ALFRED F. (1981): «Le rôle du doigt et de la main et leurs désignations dans la formation des systémes particuliers de numération et des noms de nombres dans certaines langues», en F. de Sivers (ed.), *La main et les doigts dans l'expression linguistique II,* Lacito-Documents Eurasie 6, 1981, París, SELAF, págs. 193-212.

MARCOS MARÍN, FRANCISCO (1977): «Notas de literatura medieval (Alejandro, Mainete, Marco Polo...) desde la investigación léxica de 'brahmán' y sus variantes», *VR* 36, págs. 121-161.

— (1984): *Curso de gramática española,* Madrid, Cincel, 2.ª ed.

— (1989): «Cuando los numerales no representan número», *Lexis* XIII, págs. 161-201.

— (1991): «Determinación de parámetros tipológicos de los nombres del número», *ALM* XIX, págs. 323-369.

— (1996): «Establecimiento de la fecha del Libro de Alexandre», *ZrPh* 112, págs. 424-437.

MARTÍN DE SANTA OLALLA SÁNCHEZ, AURORA (1994): *Una propuesta de codificación morfosintáctica para Corpus de Referencia en lengua española,* tesis doctoral, Universidad Autónoma de Madrid.

MARTÍNEZ, JOSÉ ANTONIO (1989): *El pronombre II (numerales, indefinidos y relativos),* Madrid, Arco/Libros.

MENÉNDEZ PIDAL, RAMÓN (1962): *Manual de gramática histórica española,* Madrid, Espasa Calpe, 11.ª ed.

MORALES PETTORINO, FÉLIX (1961): «Apuntaciones sobre los numerales y los colectivos en español», *AUCh* págs. 121-122.

OLIVER ASÍN, JAIME (1964): «Una y mil veces», *Al-Andalus* XXIX, págs. 179-197.

SPITZER, LEO (1925): «Urtümliches bei Romanischen Zahlwörtern», *ZrPh* XLV, págs. 1-6.

SZEMERÉNYI, OSWALD (1960): *Studies in the Indo-European System of Numerals,* Heidelberg, Winter.

TOVAR, ANTONIO (1945): «Notas sobre el vasco y el celta», *BRSVAP* I, 31-39, esp. 32-33.

WINTER, WERNER (1953): «Gruppe und Reihe. Beobachtungen zur Systematik indogerm anischer Zählweise», *KuhnZ* 71.

19
EL PRONOMBRE PERSONAL. FORMAS Y DISTRIBUCIONES. PRONOMBRES ÁTONOS Y TÓNICOS (*)

OLGA FERNÁNDEZ SORIANO
Universidad Autónoma de Madrid,
Instituto Universitario Ortega y Gasset

ÍNDICE

---

* La investigación que subyace a este trabajo ha sido parcialmente financiada por el proyecto DGICYT PB95-0178.

19.1. Introducción

A lo largo de toda la tradición gramatical, el pronombre ha sido una de las categorías que más polémica ha suscitado en cuanto a su definición y adscripción a una determinada clase. De hecho, no todos los gramáticos reconocen al pronombre como una parte de la oración independiente. Como ejemplo es significativa la propuesta de Bello (1847) de analizarlo conjuntamente con el artículo. Muy generalizada también está la idea (sostenida por la RAE, entre otros muchos) de agrupar al pronombre junto con el nombre. Por lo que se refiere a quienes defienden la existencia del pronombre como categoría independiente, se ha hablado de 'sustitución': el pronombre sería, así, la unidad lingüística que va en lugar del nombre, en general para evitar repeticiones. Este concepto ha sido criticado por muchos autores (Roca Pons, 1976; Alonso y Henríquez Ureña, 1975; RAE, 1973) y desde diversos puntos de vista. [1] Está, pues, justificado, hacer una breve caracterización del pronombre en cuanto a su relación con otras clases de palabras. [2]

El pronombre pertenece a la clase del sustantivo, al menos en un sentido: tiene propiedades comunes con los nombres y adjetivos, así como con el artículo, categorías estas que conforman la expansión máxima canónica de las expresiones nominales. El pronombre personal desempeña, de hecho, las mismas funciones sintácticas que el sustantivo (que los sintagmas nominales). Se distingue del nombre común en que este posee rasgos semánticos inherentes, de modo que se le puede atribuir un significado léxico constante. Ese significado, por otro lado, puede ser restringido mediante complementos de distinto tipo, que constriñen su denotación *(la mesa redonda).* Una propiedad fundamental del pronombre es, por el contrario, la de carecer de contenido semántico: se trata de elementos 'vacíos', que adquieren significado de modo ocasional, dependiendo de las circunstancias del discurso. El pronombre, además, denota de modo inequívoco, de ahí que no pueda llevar determinantes, modificadores ni complementos: constituye por sí solo una expansión máxima nominal. Los pronombres son sintagmas nominales [—> Cap. 5] y tienen, por tanto, la misma distribución que aquellos, como muestra (1). El personal, objeto de este capítulo, tiene la particularidad de remitir a las personas gramaticales, [3] rasgo este que lo relaciona estrechamente con las desinencias verbales.

(1) {El hombre delgado/Juan/Él} no apareció.

Algunos gramáticos clásicos, como Nebrija, restringen la función sustitutoria del pronombre sólo al nombre propio [—> Cap. 2]. De hecho, uno y otro comparten restricciones de aparición. El pronombre admite en español los mismos tipos de elementos adyacentes que el nombre propio, como oraciones de relativo no restrictivas y otros complementos apositivos, o adjetivos como *mismo, solo* y *juntos* (véase (2), (3) y (4)), y rechaza igualmente los complementos restrictivos (5). Los pronombres de segunda persona y los nombres propios presentan otro rasgo en común: el de poder funcionar como vocativos (6) [—> § 62.8].

---

[1] La Academia (1973), por ejemplo, señala la imposibilidad de hablar de sustitución para las dos primeras personas y afirma que es preferible decir que los pronombres «señalan, remiten a algo o lo representan» (o. cit.: § 2.5.1).

[2] Puede verse un detallado estudio de las distintas hipótesis en el trabajo de Álvarez Martínez (1989).

[3] Así, Alarcos (1994), entre otros, prefiere denominarlos «sustantivos personales».

(2) a. Juan, que tiene coche, podrá llevarlo.
b. Tú, que tienes coche, podrás llevarlo.
(3) a. Nosotros, {los estudiantes/la reserva espiritual de Occidente}, ...
b. Vosotros, {los huelguistas/la flor y nata de la filosofía/el ejército}, ...
c. Ellos, los elegidos, ...
d. Él, el mejor dotado de la clase, ...
e. Juan, el vecino de al lado, ...
(4) a. Juan solo no podrá hacerlo.
b. Tú solo no podrás hacerlo.
c. María misma lo ha dicho.
d. Tú misma lo has dicho.
e. Juan y Pedro juntos pueden con ese baúl.
f. Vosotros juntos podéis con ese baúl.
(5) a. *María que sabe idiomas tendrá que traducir.
b. *Ella que sabe idiomas tendrá que traducir.
(6) a. ¡Eh, Juan!
b. ¡Eh, vosotros!

Sin embargo, a diferencia de los nombres propios, los pronombres pueden llevar cuantificadores [⟶ Cap. 16] como *todos* y numerales pospuestos [⟶ Cap. 18]. Probablemente, esta propiedad es consecuencia del rasgo de pluralidad, que no aparece en los nombres propios, si están usados como tales.[4]

(7) a. Todos vosotros sois iguales.
b. Nosotros tres somos del mismo pueblo.

El N propio, además, puede llevar determinantes en algunas lenguas, como el catalán y el italiano. En español admite ciertos calificativos no restrictivos *(el célebre Juan)* y puede ser aposición *(el tío Enrique)*. Además, a diferencia de lo que ocurre con los pronombres, los nombres propios a veces pueden funcionar como nombres comunes. Esto se debe a que su denotación permite que se les asocie un valor de indeterminación (como en (8a)), que se utilicen como designadores de elementos que pertenecen a una clase (la que responde a ese nombre, como en (8b)), y que sean acotados en función de sus coordenadas espacio-temporales (como en (8c) y (8d)). Los ejemplos son de Hernanz y Brucart (1987).

(8) a. Un tal Jiménez mostraba vivo interés por el cuadro.
b. El Luis que se puso al teléfono no era mi hermano.
c. La obra estudia la España de los Austrias.
d. Añoraba la Ibiza tranquila de otros tiempos.

El pronombre personal se distingue del nombre propio fundamentalmente en que tiene, entre otros, rasgos de persona. Tesnière (1959), por ejemplo, habla de 'sustantivos personales':

[4] El cuantificador *todo-a-os-as* y los numerales (precedidos de artículo) se dan, naturalmente, con nombres propios cuando no son adyacentes a estos, sino que aparecen dentro del sintagma verbal (i.e., son 'flotantes'). Aparece también con nombres propios el *todo* llamado de 'extensión' [⟶ § 16.5.5], como en (id). Ambas construcciones también se dan con pronombres.

(i) a. {Juan, Pedro, Laura y María/Ellos} fueron todos de vacaciones.
b. Juan y Pedro fueron los dos al cine.
c. Nosotras compramos las cuatro el mismo vestido.
d. {Todo Juan/Todo él} es pura fachada.

> «Existe una categoría de sustantivos [...], que difieren de los sustantivos propiamente dichos en que, en vez de designar a las personas por su apelativo propio, las designan por su persona gramatical. [...] Estructuralmente, se construyen, en efecto, como verdaderos sustantivos...» (o. cit.: 115).

Por lo general, el pronombre personal remite a uno de los participantes en el acto de comunicación (una persona) o a algo distinto de ellos (sea persona o no),[5] presente en el contexto lingüístico o extralingüístico. La primera opción (referirse a los participantes en el acto de comunicación) es propia de los pronombres de primera y segunda persona. Este uso se ha denominado tradicionalmente 'deíctico' [→ Cap. 14]. Es decir, el individuo al que se refieren los pronombres de primera y segunda persona, si bien es variable, tiene un papel constante en la situación comunicativa. La propiedad semántica fundamental de los pronombres personales es, por tanto, que no permiten asignar valores de verdad a los enunciados independientemente del contexto.[6]

Benveniste (1966) sostiene, en efecto, que la noción de 'persona' sólo es propia de las dos primeras, que no remiten a un objeto sino a una realidad del discurso [→ § 23.1]. Son reversibles en el acto de comunicación y no refieren a una noción constante y objetiva. *Yo* significa «la persona que enuncia la presente instancia de discurso que contiene *yo*» y *tú* es «el individuo al que se dirige la presente instancia de discurso que contiene *tú*» (o. cit.: 252). En este sentido, son equiparables a los adverbios deícticos *aquí, allí* y a los del tipo *hoy, mañana* [→ § 14.4]. La tercera persona, por el contrario, es la 'no persona', está excluida de la relación anterior y remite no al enunciado, sino a una situación 'objetiva'.[7] Se trata del término no marcado y, de hecho, no existe en todas las lenguas (el latín, por ejemplo, no los poseía). Sólo en este caso podría, pues, hablarse de sustituto del nombre.

Esto no significa que los pronombres de tercera persona no puedan también presentar un uso deíctico, pero este incluye la llamada deixis *ad oculos*, que los asemeja más a los demostrativos. En efecto, la oración de (9a) puede ir acompañada de un gesto que señale a un determinado individuo, y tiene un significado análogo al de (9b) [→ §§ 12.1.1.5 y 14.2.2]:

(9) a. Ha sido él.
b. Ha sido ese.

La deixis típica de los pronombres a veces se lleva a cabo por medio de un elemento adverbial, fundamentalmente en lenguaje coloquial, o de sintagmas nominales (para la primera persona). Fernández Ramírez (1951: § 110) menciona ejemplos como los siguientes:

(10) Sí, aquí el amigo Muñiz ya me ha dicho. [Jacinto Benavente, *El hijo de Polichinela,* II, 54, 162]

---

[5] No obstante, en español la referencia de los pronombres explícitos a entidades no animadas está muy restringida.

[6] Sobre cómo determinar los valores de verdad de distintos enunciados con pronombres, véase Larson y Segal 1995.

[7] Estas observaciones se aplican igualmente a las desinencias verbales de persona. Para un análisis en términos de categorías sintácticas de los pronombres y los morfemas verbales de persona, véase Ritter 1995.

(11) a. Servidorcito no le teme al teniente. [Ramón del Valle-Inclán, *Los cuernos de don Friolera*]
b. Y a este cura (= «y a mí»). [8]

Pero los pronombres de tercera persona tienen, además, un uso que podemos llamar 'referencial', esto es, tienen la capacidad de retomar los rasgos de un individuo presente en el contexto lingüístico (reemplazan a la anáfora latina *is* / *ea* / *id*). Entendemos, pues, 'referencia' en su sentido puramente gramatical, esto es, la potencialidad de denotar a través de la relación con un elemento nominal: el 'antecedente'. En (12) se indica con subíndices el hecho de que *él* y *Juan* son la misma persona, esto es, son 'correferentes' [⟶ § 23.2]:

(12) Juan_i dice que no ha sido él_i.

En realidad, el uso exclusivamente deíctico es propio sólo de los pronombres de primera y segunda personas del singular; los del plural pueden establecer, en ciertos contextos, relaciones de correferencia con sintagmas nominales. Esto se debe a que las formas plurales del pronombre tienen la posibilidad de incluir en su denotación a una (o varias) terceras personas. [9] Así, *nosotros* puede significar «tú + yo», pero también «él(los-as) + yo» y, del mismo modo, *vosotros* equivale a «tú + tú» o a «tú + él(los-as)». De ahí que el pronombre de la oración de (13a), pronunciada aisladamente, se interprete como deíctico, mientras que en (13b) y (13c) *Juan* puede estar incluido en *nosotros* y *vosotros,* es decir, puede ser su antecedente:

(13) a. Vosotros no vais. / Nosotros no vamos.
b. Juan dijo que vosotros no vais.
c. Juan cree que nosotros no vamos.

La relación de correferencia que mantienen pronombres y sintagmas nominales, además, está sometida a condiciones sintácticas, de modo que el antecedente de un pronombre personal no reflexivo no puede estar situado dentro de la misma oración [⟶ § 23.1]. En (14) se ilustra este contraste.

(14) a. Juan_i lo_j ve.
b. Juan_i cree que $\text{lo}_{i/j}$ han visto.

Como indican los subíndices, en (14a) *Juan* y *lo* no pueden tener la misma referencia, mientras que en (14c, d), donde el pronombre aparece en la subordinada, la correferencia es posible.

Que las posibilidades de referencia de los pronombres dependen de la configuración sintáctica y no de la cercanía o la lejanía lineal lo muestran ejemplos como los de (15), donde los dos pronombres de (15b) o el pronombre y el nombre propio de (15a) pueden correferir, aun siendo linealmente adyacentes, dado que están situados en cláusulas distintas. Subrayamos ahora los términos implicados:

---

[8] Como observa Cuervo (1954a: 372), en estos casos la concordancia verbal siempre es de tercera persona, en las formas del singular.

[9] Benveniste (1966) observa que los pronombres de primera y segunda persona no tienen plural, en sentido estricto, a diferencia de los de tercera.

(15) a. La mujer que estaba delante de *Juan lo miraba* de un modo extraño.
b. Un hombre situado frente a *él lo* interrumpió bruscamente.

Naturalmente, el hecho de que los pronombres y SSNN subrayados en las oraciones anteriores 'puedan' ser correferentes no significa que 'deban' serlo. Toda vez que se den las condiciones sintácticas adecuadas, la referencia de los pronombres se determina de varios modos, dependiendo de la situación comunicativa. Como ya se dijo, la utilización de un pronombre personal puede ir acompañada de un gesto señalador, de modo que si eso ocurre en

(16) Juan dice que ha sido él.

entonces *él* remite al individuo al que el hablante esté señalando y no a *Juan,* aunque tal opción sea posible. Del mismo modo, la referencia de un pronombre se determina también de modo inferencial. Por ejemplo si se pronuncia la oración (17) en un contexto en que alguien acaba de hacer algo inadecuado, *la* se referirá a esa persona: [10]

(17) Menos mal que no la ha visto la abuela.

También el conocimiento del mundo puede ayudar a determinar la referencia de un pronombre. Así ocurre, por ejemplo, con el empleo de *él* y *ella* en (18), en que se da por supuesta la existencia de una pareja protagonista de la película:

(18) He visto una película en la que él es Clark Gable.

El apartado que sigue estará dedicado a analizar con más detalle los tipos de antecedente de los pronombres personales, así como sus propiedades de referencia. Delimitaremos asimismo el inventario de pronombres del español y describiremos algunas de sus propiedades.

19.2. Características generales

19.2.1. Tipos de antecedente y modos de referir

El antecedente de un pronombre personal ha de ser un sintagma nominal, es decir, un nombre propio, (19a), un nombre común, obligatoriamente específico [→ § 12.3.2] ((19b), frente a (19c)), u otro pronombre personal, (19d):

(19) a. Juan ha dicho que ha sido él.
b. Ese chico ha dicho que ha sido él.
c. —¿Quieres cerveza?
—Sí (*la) quiero.
d. Ella no va a venir porque no la han invitado.

---

[10] Sobre los contextos de uso de pronombres y nombres desde una perspectiva funcional, en relación con la estructura informativa de la oración, puede verse el trabajo de Bolinger 1974.

Si ese sintagma nominal contiene una expresión cuantificada, los pronombres pueden funcionar como variables lógicas, como en (20a). [11] Si el pronombre no está situado en una cláusula completiva, sino en una subordinada adjunta, su interpretación, sin embargo, será específica (20b): [12]

(20) a. Algunos empleados creen que la empresa los despedirá.
b. Te daré algunos libros, aunque no los leas.

Esto es, en (20a) el pronombre se comporta como una variable ligada por *algunos empleados* y su referente varía según los valores que tome el cuantificador. En (20b), por el contrario, el referente del pronombre es específico («los libros que te dé»).

Cuando el antecedente es un nombre común, existe la opción de que el pronombre no se refiera a él de modo global sino a algo que lleve comúnmente asociado o a una de sus partes. Esta es una posibilidad que comparte con el artículo [⟶ § 12.1.1.7]. Las oraciones de (21a, b) son, en este sentido, análogas. El pronombre, de hecho, cumple la función de actualización que se atribuye tradicionalmente al artículo determinado [⟶ § 12.1.1.3], en casos como los de (22):

(21) a. Había una pareja. Ella tenía un niño en brazos.
b. Conocí a una familia francesa. El padre hablaba español muy bien.

(22) Vi a un hombre y le dije que me enseñara el camino. [13]

También de modo análogo al artículo, el pronombre personal puede hacer referencia a una clase, si eso es lo que denota su antecedente, (23).

(23) Yo quiero a los niños y ellos me quieren a mí.

Generalmente, entonces, el antecedente de un pronombre es un sintagma nominal, con excepción de los neutros, que pueden retomar oraciones o predicados:

(24) a. Me dijo que no iba a venir y me enfadé por ello.
b. Me dijo que no iba a venir y no lo creí.

El sintagma nominal con el que el pronombre establece relación de correferencia suele preceder al pronombre, de ahí que la denominación común sea la de 'antecedente', si bien ya hemos señalado que las posibilidades de referencia de un pronombre dependen también de propiedades de la configuración sintáctica en que aparece. Así, en (25) el pronombre puede tener la misma referencia que el nombre que lo sigue.

---

[11] Parece que esto está restringido a los pronombres átonos y a las marcas de persona de la flexión verbal. Como señala Montalbetti (1984), los pronombres tónicos de sujeto y objeto directo e indirecto no pueden estar ligados por un cuantificador:

(i) Muchos estudiantes creen que (ellos) son inteligentes.

El pronombre tónico de (i) sólo puede interpretarse en la lectura colectiva («todos los estudiantes») no en la distributiva («cada estudiante»), a diferencia de la versión sin pronombre. [⟶ § 20.2.2].

[12] Véase Evans 1980.

[13] Para un estudio de las semejanzas entre artículo y pronombre (no sólo personal), véase Bosque 1989 [⟶ § 12.1].

(25) a. Las personas que lo han ayudado todavía creen en Juan.
b. Aunque él no lo sabe, tu hermano es un verdadero genio. [14]

Pero los pronombres no siempre tienen antecedente (ni son deícticos), sino que a veces pueden tener referencia genérica [→ § 12.3.3], remitir a todo un grupo más o menos amplio de individuos. El pronombre se interpreta en estos casos como un cuantificador universal similar a *cualquiera/todo el mundo.* El ejemplo más frecuente de este uso se da con la segunda persona del singular:

(26) a. Si comes, engordas.
b. En Málaga pasas mucho calor en verano.
c. Cuando tú estás cansado, piensas que el resto del mundo debería estar durmiendo.

Como se ve en los ejemplos, el pronombre sujeto puede en estos casos estar presente o ausente y ser recuperado por la flexión verbal de segunda persona, sin que ello afecte a su interpretación. Esta, por otro lado, no excluye al hablante: el sujeto de estas oraciones se interpreta en general como un «yo» encubierto (Hernanz 1988) [→ § 27.2.2.1].

Esta lectura genérica no es exclusiva de los pronombres de sujeto, sino de la segunda persona en general; se da también con pronombres objeto directo e indirecto, con complementos preposicionales e incluso con posesivos:

(27) a. Si *te* dicen una cosa así, *te* hunden.
b. Cuando algo depende de *ti,* lo miras de modo distinto.
c. Cuando *tu* trabajo *te* gusta, también les gusta a los demás.

Como también hace notar Hernanz (1988), el requisito fundamental para obtener la interpretación genérica de la segunda persona es que esté inserta en un contexto de tiempo también genérico (véase el contraste entre las oraciones de (28)). La lectura genérica se ve favorecida asimismo por la presencia de ciertos elementos, a los que Hernanz denomina *activadores de genericidad,* entre los que se encuentran las estructuras condicionales y ciertas construcciones adverbiales antepuestas (29). Cuando estos elementos aparecen, la referencia genérica puede darse también con las demás personas gramaticales (30). [15]

(28) a. Aquí te sientes feliz. *(Interpretación genérica)*
b. Aquí {te sentiste/te has sentido} feliz. *(Interpretación no genérica)*
(29) a. ??Comes y engordas.
b. {Si/Cuando} comes, engordas.
c. {Aquí/En este país/En primavera} comes y engordas.
(30) a. Cuando decimos «democracia» no siempre nos estamos refiriendo a su sentido literal.
b. Si yo tengo un coche y no quiero prestarlo, los demás posiblemente me tacharán de insolidaria.

---

[14] Véase el trabajo mencionado de Bolinger para un análisis de este y otros contextos en inglés.
[15] Aunque quizá sea más difícil de obtener con la forma de segunda del plural *vosotros-as.* Véase el trabajo de Laberge y Sankoff 1974 para este uso de *tu/vous* en francés.

Los pronombres personales, generalmente los de tercera persona del plural en función de sujeto, pueden también remitir a un individuo indeterminado *(alguien)*. En este caso su interpretación es similar a la de un cuantificador existencial [→ §§ 12.3.2 y 16.2.2]. Cuando se da esta interpretación indefinida en lenguas como el español, el pronombre de sujeto ha de estar forzosamente ausente, implícito en la desinencia verbal, como puede verse en (31). [16]

(31) a. Llaman a la puerta. *(Interpretación indefinida)*
b. Ellos llaman a la puerta. *(Interpretación referencial)*

Aparte de los anteriores, hay otros casos en que la referencia de los pronombres no es la que se seguiría de sus rasgos y propiedades. Por ejemplo, la forma de primera persona del plural puede tener varios tipos de referente en los llamados 'plurales ficticios' (Alcina y Blecua 1975). Uno de ellos, el plural de modestia, consiste en que el hablante se refiere a sí mismo con la primera persona del plural, y no con la del singular, en ciertos contextos formales. Este plural, de origen latino e imitado entre nosotros desde el siglo XV, es propio no sólo de los pronombres tónicos sino de los átonos y los posesivos, como podemos ver en las oraciones siguientes:

(32) a. En este capítulo *intentaremos* analizar el comportamiento de los pronombres personales.
b. *Nuestra* intención en este capítulo es plantear*nos* un problema de difícil solución.

También se usa este plural cuando el hablante quiere expresar inclusión en la acción por afinidad con el agente real:

(33) a. Hemos ganado.
b. {Los/Os} superamos en técnica.

La forma *nos(otros)* aparece en el llamado 'plural mayestático', presente ya en el latín de la cancillería imperial romana, usado antiguamente por reyes y emperadores *(nos, el rey)* y actualmente en ciertos documentos, fundamentalmente eclesiásticos.

Otro caso de plural ficticio es el uso familiar de la primera persona del plural con significado de segunda persona del singular (plural sociativo).

(34) a. ¿Cómo estamos hoy?
b. Tenemos hambre, ¿eh?

Un caso especial de alteración de la referencia se produce en español en casos como los de (35), en que ciertos sintagmas nominales plurales [17] pueden asociarse, además de a la tercera, a desinencias verbales de primera o segunda persona:

---

[16] Sobre este tema, véanse los trabajos de Hurtado 1984 y Jaeggli 1986 y el capítulo 27 de esta gramática.

[17] Aunque Cuervo (1954b: 336) observa que en el estilo administrativo se dan casos como el siguiente, que en latín eran habituales: *El maestro Fray Luis de León [...] digo...*

(35) a. Los lingüistas {somos/sois/son} muy simpáticos.
b. Los aquí presentes {votaremos/votaréis/votarán} en contra.

Estas estructuras 'discordantes' son propias del español [⟶ §§ 42.1.7 y 42.10.1.2].[18] En lenguas como el italiano (y en inglés y francés) es necesaria la presencia del pronombre explícito para que el verbo no aparezca en tercera persona; el sintagma nominal en estos casos funciona como una especie de aposición:

(36) a. Voi italiani siete molto gentili.
b. You Italians are very friendly.
«Los italianos sois muy amables».

Hechas estas observaciones, trataremos en lo que sigue de los rasgos que presentan los pronombres personales del español, a la vez que de la delimitación de su inventario.

19.2.2. La persona, el género, el número y el caso

Por lo que se refiere a las formas del pronombre personal, estas contienen información gramatical que especifica (con las precisiones que haremos inmediatamente) sus rasgos de persona, número y género. El español, y las lenguas romances en general, han conservado, además, en el pronombre personal las marcas de caso del latín. Por esa razón, a diferencia de lo que ocurre con los nombres, el pronombre presenta diferente forma según su función sintáctica. En el esquema que sigue se recoge el inventario de pronombres personales de la serie tónica:

	SUJETO	OBJETO
1s.	yo	(P) mí conmigo
2s.	tú/usted	(P) ti contigo
3s.	él/ella/ello	
1p.	nosotros-as	
2p.	vosotros-as/ustedes	
3p.	ellos-as	

Como muestra el cuadro precedente, todas las formas del pronombre tienen marcas explícitas de persona y número, y sólo los de tercera persona y los plurales de primera y segunda tienen marcas de género. La distinción genérica se extiende a los plurales de primera y segunda personas debido a la unión, ya avanzada la Edad Media, del adjetivo *otro-a* a las formas primitivas *nos, vos.* Esta última, a fines

[18] Véase a este respecto Hurtado 1984.

del siglo XV ya empieza a ser sustituida por la moderna *os.* En un principio las formas con *otro/a/os/as* tenían carácter sintagmático y comportaban, con respecto a la forma normal *vos/nos,* la idea de contraste. En el caso de la primera persona servía para distinguir la interpretación exclusiva (que no incluye a *tú*) de la inclusiva (que sí lo incluye). Eran, además, formas no ambiguas con respecto al rasgo de pluralidad (*nos* y *vos* eran singulares en su uso cortés).[19]

Por otro lado, sólo las formas de primera y segunda personas del singular están diferenciadas para el caso *(yo/tú* frente a *mí/ti).* Las lenguas romances han desarrollado, además, medios que permiten manifestar gramaticalmente el tratamiento. En el caso del español, el pronombre que indica respeto procede de la evolución de un sintagma nominal, *vuestra merced,* que dio origen a diversas formas sobre las que se impuso *usted* en el siglo XVIII.[20] Pero hay que precisar que el cuadro anterior describe una variedad (peninsular) del español. En la mayoría de los dialectos no existe la forma *vosotros,* sino que se utiliza la forma *ustedes* tanto para el registro formal como para el informal. Además, en el español hablado en ciertas zonas de América, se utiliza *vos* para la segunda persona singular [→ Cap. 22].

En cuanto a los pronombres objeto de la preposición *con,* son resto, como es sabido, de la fosilización de la anástrofe latina (MECUM, TECUM, SECUM). Esta marca se extendía antiguamente, antes de la unión de *otro-a,* a las formas de primera y segunda del plural; se dijo, pues, *connusco* y *convusco.*

Por otra parte, no existe en español un pronombre no referencial que aparezca como sujeto de impersonales, a diferencia de lenguas como el inglés o el francés.[21] En estos casos es obligatoria la omisión del pronombre:

(37) a. It rains. / Il pleut.
b. It is possible that ... / Il est possible que...
c. Llueve. / Es posible que ...

Los pronombres de sujeto *él/ella, ellos/ellas* de la tabla anterior presentan, además, la particularidad de que deben referirse obligatoriamente a personas. Compárense, en este sentido, las oraciones de (38a) y (38b).[22] Contamos, de nuevo comparando nuestra lengua con otras como el inglés, con un hueco más en el paradigma: no poseemos un pronombre que tenga siempre referente inanimado equivalente a *it.* En estos casos el español opta por no utilizar un pronombre explícito (39).

(38) a. Juan y María trabajan. Él está en una empresa de construcción y ella es arquitecta.
b. *Compré una mesa y un sillón. Él tiene tapizado de cuero y ella es de diseño italiano.

(39) He visto la última película de Woody Allen. Tiene un guión excelente.

[19] Véanse Menéndez Pidal 1904, Lenz 1925, Alvar y Pottier 1983 y, en especial, García *et alii* 1990 para un resumen de las distintas propuestas con respecto a este fenómeno. Gili Gaya 1946, por otro lado, señala que el uso de *otros* es más frecuente como término de preposición y sostiene que esto se debe al carácter contrastivo que implica y que en el caso del sujeto se consigue con el solo uso del pronombre simple.

[20] Véase Lapesa 1970 para esta cuestión.

[21] Sí existe, no obstante, un pronombre neutro, *ello,* cuyo antecedente es, generalmente, un predicado, y cuyo estudio dejaremos para más adelante, en aras de la claridad expositiva.

[22] En realidad, esta restricción se amplía a todos los casos de pronombre de tercera persona, excepto los que son objeto de preposición.

Además, junto a esta serie, existe otra, la llamada 'átona' o 'clítica', que contiene los siguientes elementos: [23]

	Acusativo	Dativo
1s.	me	
2s.	te	
3s.	lo/la	le
1p.	nos	
2p.	os	
3p.	los/las	les

Estos pronombres tienen la particularidad, entre otras cosas, de que no aparecen en posición canónica de objeto sino unidos al verbo, como enclíticos *(hacerlo)* o como proclíticos *(lo haré)*.

Como se ve en el esquema precedente, para la tercera persona (a diferencia de las otras) se conservan formas distintas para acusativo y dativo. [24] De nuevo, este esquema pretende recoger el paradigma de pronombres átonos del español estándar. En los dialectos en que no existe la forma *vosotros/as,* tampoco se da el clítico *os* sino los correspondientes de tercera persona, *los/las* y *les.* Sí se usa, no obstante, la forma *te* en dialectos con voseo *(A vos te gusta).* La distinción entre clíticos acusativo y clíticos dativo de tercera persona también varía según el dialecto (véase más adelante y el capítulo 21).

El sistema de pronombres descrito es el resultado, como es sabido, de un cambio producido en el paso del latín a las lenguas romances. El origen latino común de los pronombres tónicos y átonos está bastante claro. Los de primera y segunda personas proceden de los correspondientes pronombres tónicos, y los de tercera del demostrativo. Hay, no obstante, divergencias entre las lenguas romances en cuanto al caso del que derivan los átonos. En español, en concreto, la serie átona del pronombre personal de primera y segunda personas procede del acusativo, y la tónica del nominativo (los pronombres sujeto) y del dativo (los pronombres objeto). El esquema siguiente pretende ilustrar esa situación: [25]

Nominativo	Acusativo	Dativo
EGO > yo	ME > me	MIHI > mí
TU > tú	TE > te	TIBI > ti

[23] No aparecen en esta tabla los pronombres reflexivos que, como mencionamos arriba, quedan fuera del ámbito de estudio de este trabajo [⟶ Cap. 23].

[24] La coincidencia de formas en los pronombres átonos de primera y segunda personas se extiende también a los reflexivos.

[25] Para la reducción de *vos* a *os,* véase García *et alii* 1990 y las referencias allí citadas.

NOMINATIVO	ACUSATIVO	DATIVO
	NOS > nos(otros), nos	
	VOS > vos(otros), os	

En cuanto al desarrollo de los pronombres personales de tercera a partir del demostrativo (en concreto, de *ille, illa, illud),* el esquema sería el siguiente:

NOMINATIVO	ACUSATIVO	DATIVO
ILLE > él ILLA > ella ILLUD > ello	ILLUM/ILLUD > lo ILLAM > la ILLOS > ellos, los ILLAS > ellas, las	ILLI > le ILLIS > les

Estas dos series de pronombres presentan diferencias fonéticas, morfológicas, sintácticas y semánticas cuyo análisis será el objeto del siguiente apartado.

19.2.3. Las dos series de pronombres

Hemos visto que en el sistema pronominal romance se han conservado restos de las marcas de caso del latín. Si nos acercamos a los datos en una primera aproximación superficial, podríamos concluir que el resultado de la evolución ha sido la aparición de formas específicas para el caso nominativo, para el caso objetivo (en la tercera persona, diferenciando el acusativo y el dativo) y, por último, para el caso oblicuo (objeto de preposición). Se daría, además, la circunstancia de que al caso objetivo le corresponden formas átonas y a todos los demás tónicas. [26] El quedarse en esta mera descripción conlleva, no obstante, pasar por alto varias cuestiones que son fundamentales. Hay, efectivamente, diferencias importantes entre ambas series, y en ellas nos adentraremos a continuación.

En primer lugar, el hecho de que la serie tónica de pronombres objeto vaya precedida de preposición es particular del español, y está estrechamente relacionado con otra propiedad de nuestra lengua: la aparición de *a* delante de los objetos de persona [→ Cap. 28]. En italiano, por ejemplo, no aparece preposición cuando el pronombre es de objeto directo:

(40) a. Ho invitato lui (non te).
Lit. «He invitado él (no ti)».
b. Tocca a te.
Lit. «Toca a ti».

La situación, además, no ha sido siempre esta. En español antiguo se dan casos de *mí/ti* objetivos (tónicos) sin preposición. Fernández Ramírez (1951: 28, nota 29) da el siguiente ejemplo:

[26] Véanse Marcos Marín 1978 y Seco 1988, por ejemplo, para la formulación concreta de esta propuesta.

(41) ¿Quien ti nos dio por princep [...] | [*General Estoria,* 317a, 33]

Este fenómeno nos lleva, además, a otra distinción, acaso más básica, entre las dos series de pronombres. No ha pasado inadvertido, en efecto, para muchos gramáticos [27] que la restricción de referencia a personas que se ha señalado arriba es exclusiva de los pronombres tónicos (42b); los átonos pueden tener como referente tanto objetos como personas (42a):

(42) a. Le di un golpe. (= {a la mesa/a María})
b. Le di un golpe a ella. (= {*a la mesa/a María})

Pero lo más importante a nuestros efectos es que la serie de pronombres clíticos no está en distribución complementaria con la de los tónicos, sino que ambas coaparecen en la misma oración. En concreto, la presencia de un pronombre tónico conlleva necesariamente la de uno átono:

(43) *(Lo) he visto a él. / *(Me) ha visto a mí. / *(Te) lo quiere dar a ti.

Los pronombres átonos, a diferencia de los tónicos, pueden coaparecer también con sintagmas nominales plenos. En español estándar, este fenómeno, que se conoce como 'reduplicación' o 'doblado' de clíticos, se da fundamentalmente con objetos indirectos *(Le di el regalo a María),* pero en algunos dialectos del español se extiende a los directos *(Lo vi a Juan)* (véase el § 19.4).

Un hecho bastante significativo para la discusión que nos ocupa es que los clíticos no siempre están 'sustituyendo' a un argumento, a un objeto que podría ser expresado por un sintagma nominal (pronominal o no), sino que hay ciertos tipos de relaciones que sólo pueden expresarse por medio de un pronombre átono. Dentro de ellas, se han señalado los casos de doblado obligatorio, en que es imprescindible la presencia de un clítico dativo [→ § 30.5], como las construcciones de posesión inalienable del tipo de (44a), o las que introducen una función semántica generalmente de beneficiario del tipo de (44b y c) o que están asociadas a experimentantes, como en los verbos de afección de (44d y e): [28]

(44) a. *(Le) duele la cabeza a Juan.
b. *(Le) preparé una tarta a mi amigo.
c. *(Le) pinté un elefante al niño.
d. *(Le) gusta el cine a Juan.
e. *(Le) molesta la intolerancia a Juan.

Pero a esto hay que añadir las construcciones que llevan clíticos (tanto de acusativo como de dativo) aparentemente no asociados con posiciones de objeto, sino que forman parte del significado del verbo. Kany (1945), Alcina y Blecua (1975), entre otros, mencionan casos como:

---

[27] Por ejemplo, Bello 1847 y RAE 1931, 1973.

[28] Véanse, para las primeras, Jaeggli 1982, 1993, Borer 1985, Aoun 1981 y Strozer 1976; para las segundas, Strozer 1976 y, en especial, Demonte 1995. Los verbos de afección o actitud mental o psicológica se estudian en Belletti y Rizzi 1987.

(45) Arreglárselas, componérselas, tenérselas, habérselas, emprenderla, correrla, pegársela, pasarlo {bien/mal}, tomarla con, etc.

Kany (1945: 161) señala, además, que «en América abunda el neutro *le* en el habla familiar de varias regiones»: *ándele, córrale, camínele,* e incluso aparece con interjecciones: *újule, úpale.* Este mismo autor (pág. 175) registra también un uso de *le* 'indefinido redundante' que se da en construcciones medias del tipo de (46) del habla vulgar de Chile y Argentina, y otro de *la/las* sin referente, como en (47):

(46) Se me le {cayó/olvidó/ocurrió/acabó/perdió}.
(47) a. Mañana la duermo.
b. La van a pasar mal.
c. ¿Cómo la vio?

La generalización descriptiva que relaciona la distinción tónico/átono con la función sintáctica del pronombre (sujeto y complemento preposicional frente a objeto directo e indirecto) tiene el inconveniente, en definitiva, de no dar cuenta de la aparición en romance de dos series paralelas de pronombres. Lo que parece evidente, con otras palabras, es que lo que ha tenido lugar es la *creación* de una nueva serie de pronombres a partir de los ya existentes y, paralelamente, la reestructuración del sistema de caso.

19.3. Los pronombres de la serie tónica

19.3.1. La flexión verbal de persona y los pronombres de sujeto

El español permite omitir los pronombres de sujeto, esto es, junto a una oración como *Ella ha venido* existe la posibilidad de la paralela sin pronombre, *Ha venido* [⟶ Cap. 20]. Así, nuestra lengua difiere de otras, como el inglés, que sólo permiten, con verbos conjugados, construcciones en que el sujeto aparece expresado *(He saw her).* Esta posibilidad, que se da también en italiano y en otras lenguas no emparentadas, se ha puesto en relación con la riqueza que presenta el paradigma verbal, es decir, con el hecho de que la desinencia flexiva del verbo permita, por sí sola, distinguir entre las distintas personas gramaticales.

(48) a. Trabaj*o* de nueve a cinco todos los días.
b. Trabaja*s* de nueve a cinco todos los días.
c. Trabaja*Ø* de nueve a cinco todos los días.
d. Trabaj*amos* de nueve a cinco todos los días.
e. Trabaj*áis* de nueve a cinco todos los días.
f. Trabaja*n* de nueve a cinco todos los días.

La misma situación se repite, con pocas modificaciones, en todos los tiempos verbales, a excepción, claro es, de las formas llamadas no personales.

En cuanto a la caracterización de los ejemplos de (48), parece claro que la idea de que se trate de oraciones sin sujeto, en sentido estricto, es fácilmente descartable. Entendiéndolo como el argumento del que se predica la acción verbal y que posee un contenido semántico concreto, se puede afirmar sin demasiado riesgo que todas las oraciones de (48) tienen sujeto, no son impersonales. La idea tradicional más extendida es que en estas oraciones la flexión «contiene en sí» al sujeto, posee sus rasgos. Así lo han entendido autores como Seco (1988), RAE (1973), Gili Gaya (1943) y Fernández Ramírez (1951), entre otros muchos. La naturaleza pronominal de la flexión verbal de persona hace, así, que la aparición de un sujeto expreso no sea necesaria en ciertos casos.

Otra opción posible es suponer que en lenguas como el español existen pronombres fonéticamente nulos, cuyo contenido se recupera a través de su relación con un elemento, en este caso afijado al verbo, que contiene rasgos de persona y número (y quizá otros). Ciertas lenguas, así, permitirán la aparición en posición de sujeto de pronombres vacíos, siempre que se cumplan ciertos requisitos, entre los que está su adecuada identificación. [29]

En cualquier caso, parece claro que los sujetos de oraciones similares a (48) tienen un referente y una función semántica o, si se prefiere, una relación temática con el predicado. Pero esto no siempre es así; existen, al menos, tres tipos de sujetos no explícitos (que tienen, además, equivalentes expresos en las lenguas como el inglés o el francés), atendiendo a su contenido semántico:

1. Argumentales. Se trata del caso, más frecuente, de sujeto elidido con un verbo no impersonal *(Mañana trabajaré).* La referencia en estos casos puede ser indefinida, de cuantificación existencial, y en esto, recordemos, contrastan con las construcciones con pronominales expresos:

(49) a. Llaman a la puerta. / #Ellos llaman a la puerta.
b. Dicen que ha dimitido el vicepresidente. / #Ellos dicen que ha dimitido el vicepresidente.

Como se ve, las oraciones de (49) sólo reciben lectura existencial en el caso de que el sujeto pronominal no esté presente (eso es lo que quieren indicar los signos «#»). [30] En otros casos, los sujetos argumentales pueden siempre aparecer expresos, si son pronominales (con la consiguiente variación en el significado).

2. Cuasi argumentales. Tienen cierto contenido semántico, pero no son realmente argumentales. Son los que aparecen, por ejemplo, con verbos meteorológicos y otros terciopersonales. Tradicionalmente se ha supuesto que estos verbos implican agentes cognados, como fuerzas de la naturaleza, dioses, o sujetos internos como *la lluvia, la nieve,* etc. Este sujeto puede materializarse en expresiones figuradas como *llovieron piedras* o *llueve una lluvia finita* [⟶ Cap. 27], pero nunca aparece en forma de pronombre.

3. Sin contenido alguno o expletivos. Se trata de los sujetos de las oraciones impersonales no meteorológicas.

(50) a. Ø hay moscas en el jardín
b. Ø es necesario trabajar más.
c. Ø hay que trabajar más.

[29] Véanse Chomsky 1982, Rizzi 1982, Jaeggli y Safir 1989, entre otros, recogidos en Fernández Soriano 1989, para un estudio de este fenómeno desde el punto de vista de la variación paramétrica.

[30] Véanse Llorente 1977, Bosque 1987 y Jaeggli 1986.

d. Ø parece que estamos cansados.
e. Ø resultó que habíamos ganado.

El español no cuenta con pronombres explícitos que funcionen como expletivos (como el *it/there* del inglés o el *Il* del francés), de modo que nunca se materializa un sujeto en estas construcciones.

La flexión verbal de persona tiene, además, la propiedad de no excluir la referencia a objetos no animados (recordemos la necesidad de los pronominales plenos del español de denotar exclusivamente personas). Esta referencia en lenguas como el inglés, por ejemplo, se manifiesta en una forma especial: el pronombre 'no personal' *it* (que hace también las veces de expletivo).

(51) a. I have seen John's car. It has a very nice color.
b. He visto el coche de Juan. Ø tiene un color muy bonito.

Pero la relación entre flexión distinguidora y posibilidad de omitir el pronombre de sujeto no es directa, en sentido estricto. Un caso general es el de las lenguas que, como el alemán, presentan un paradigma flexivo diferenciado pero no permiten sujetos no explícitos, por razones independientes.[31] Además, en lenguas como el español hay contextos en que el pronombre de sujeto debe estar presente, a pesar de la aparición de morfología de persona en el verbo. Pensemos, por ejemplo, en casos en que el sujeto es el foco oracional y lleva, por tanto, acento contrastivo, que no puede recaer en un elemento sin contenido fonético o en un morfema flexivo (véase (52)). Tampoco puede haber sujeto elíptico si aparecen complementos apositivos cuantificacionales, adjetivales u oracionales, como en (53) [→ § 20.2.4].

(52) a. —¿Quién ha sido?
—#He sido.
b. Lo dirás #(tú).
(53) a. *Ø solo lo hiciste.[32]
b. *Ø mismo lo ha resuelto.
c. *Ø, que tienes dinero, podrás venir.

Un hecho interesante es que, en los contextos en que el uso del pronombre pleno es obligado, este sí puede tener como referente un objeto no animado, como muestran los siguientes ejemplos:

(54) a. Tus observaciones son todas ellas falsas.
b. No es necesario escayolar este hueso. Se soldará {él solo/él mismo}.[33]

Por otro lado, el hecho de que la realización expresa del pronombre de sujeto en español no sea imperativa no es inocente, sino que trae consigo una serie de con-

---

[31] Para un análisis de este fenómeno, véase Cardinaletti 1995.

[32] Es necesario distinguir estos casos de aquellos en los que *solo* funciona como predicado secundario. Esto es, ejemplos como el siguiente ilustran un tipo de estructura distinta, que no es relevante para nuestra discusión: *Sola, no puedo hacerlo* (= «no puedo hacerlo sola»).

[33] De nuevo, es necesario distinguir estas estructuras de las que contienen predicados secundarios o *todas* como cuantificador flotante que, naturalmente, irían sin pronombre.

secuencias. Una de ellas es precisamente que los pronombres explícitos (tónicos) de sujeto tienen propiedades particulares, que los distinguen de los que se dan en lenguas que no admiten sujetos tácitos. La mayoría de los gramáticos tradicionales parecen coincidir en que la aparición de un pronombre explícito en posición de sujeto es, cuando menos, «superflua». Más concretamente, la presencia de estos pronombres se ha hecho derivar de tres factores no muy claramente delimitados: la redundancia, el énfasis y la ambigüedad [⟶ §§ 20.1 y 20.3] (cf. Enríquez 1984). La suposición que subyace a estas consideraciones es que el pronombre tónico es una variante libre cuya aparición se explica por razones estilísticas más que gramaticales. Esta suposición, sin embargo, pierde su fundamento si se hace una observación minuciosa de los datos. La discusión anterior referente a las restricciones de aparición de los pronombres expresos muestra que, en sentido estricto, no hay 'alternancia' entre el uso y la omisión de los pronombres sujeto. Pero, además, todo parece indicar que un pronombre tónico no es 'redundante', sino totalmente imposible, en algunos casos. Esto es, oraciones del tipo de (55), perfectas en lenguas como el inglés o el francés, son totalmente inaceptables para un hablante nativo de español:

(55) a. #Juan es mi vecino de al lado. Él es estudiante de matemáticas, pero él se interesa también mucho por la filosofía porque él tiene una novia filósofa.
b. #Yo me vestí y después yo fui a recoger a mi hijo, pero yo llegué tarde.

No parece, así, que pueda hablarse de libre alternancia ni de opcionalidad en la utilización de pronombres explícitos; debe haber factores estrictamente gramaticales que determinen su posibilidad de aparición. Es claro que el pronombre tónico sólo aparece cuando es necesario, y que esa necesidad deriva muchas veces de propiedades de la configuración sintáctica. En todo caso, la aparición de un pronombre tónico conlleva una especial interpretación, que se ha descrito de diversos modos. En general se habla de valor de contraste o individualización:

(56) a. Tú lo sabías.
b. Yo no transigiría.
c. Él se quedará en casa.
d. Yo ya lo he terminado.
e. En casa mi marido friega los platos porque yo odio hacer eso.

Hay, además, cierto tipo de estructuras que favorecen esa interpretación y, por tanto, la aparición de un pronominal pleno. Es el caso, por ejemplo, de ciertas oraciones subordinadas:

(57) a. Como tú quieras.
b. Como yo diga.
c. Donde él prefiera.

No es este el lugar de matizar de modo preciso la interpretación que reciben los pronombres tónicos [⟶ Cap. 20]; baste con señalar que no tienen la lectura neutra, equivalente a la de los correspondientes de lenguas que no tienen la opción de omitir el sujeto.

19.3.2. Los sujetos pronominales en oraciones subordinadas

Para un número relativamente alto de verbos que toman complementos oracionales, estos pueden ir en infinitivo o estar introducidos por *que* y llevar el verbo en forma personal *(Creo {saberlo/que lo sé})* [→ § 36.3.2 y 32.3]. En los casos en que la alternancia se produce entre infinitivo y oración con verbo en indicativo, como los de (58), el sujeto de la oración subordinada (sea expreso o no) puede coincidir con el de la principal. Tanto el sujeto del infinitivo (58b, c) como el de la forma conjugada (58a, d) pueden remitir a un argumento de la oración principal; la diferencia está, naturalmente, en que para el sujeto del infinitivo esto se da de modo obligatorio.

(58) a. $Paco_i$ dice que $Ø_i$ tiene buenas facultades.
b. $Paco_i$ dice $Ø_i$ tener buenas facultades.
c. $María_i$ cree $Ø_i$ haberlo hecho bien.
d. $María_i$ cree $Ø_i$ que lo ha hecho bien.

Sin embargo, cuando el verbo rige subjuntivo, es habitual que, si el sujeto subordinado es correferente con el de la oración principal, la forma conjugada sea imposible y haya de aparecer obligatoriamente el infinitivo [→ §§ 4.3.3.2 y 49.8]. Dicho de otro modo, el sujeto de un verbo en subjuntivo tiene referencia necesariamente distinta del sujeto principal, fenómeno que se ha denominado 'obviación' o 'referencia disjunta'. Esto se da tanto cuando aparece un pronominal expreso como cuando se trata de un sujeto elíptico, retomado por la desinencia verbal. Debe, en tales circunstancias, aparecer una forma verbal no personal. Los casos prototípicos son similares a estos:

(59) a. $María_i$ quiere [que $(ella)_{*i/j}$ vaya al colegio].
b. $María_i$ quiere [$Ø_{i/*j}$ ir al colegio].
c. Mi $amiga_i$ no lamenta [que $(ella)_{*i/j}$ se haya portado mal].
d. Mi $amiga_i$ no lamenta [$Ø_{i/*j}$ haberse portado mal].
e. $Pedro_i$ desea [que $(él)_{*i/j}$ sea más bueno].
f. $Pedro_i$ desea [$Ø_{i/*j}$ ser más bueno].
g. Mis $amigos_i$ trabajan para que $ellos_{*i/j}$ sean ricos.
h. Mis $amigos_i$ trabajan {para / hasta} $Ø_{i/*j}$ ser ricos.

Pero no todos los verbos que rigen subjuntivo muestran el mismo comportamiento. Las oraciones complemento de verbos de lengua, duda y desconocimiento, parece que sí admiten alternancia:

(60) a. $Juan_i$ no afirmó [que $Ø_{i/j}$ hubiera participado].
b. $Ø_i$ dudo [que $Ø_{i/j}$ lo sepa hacer].
c. $María_i$ ignoraba [que $Ø_{i/j}$ tuviera tanta fuerza].

Algo parecido ocurre, en general, si el argumento con el que ha de establecerse la correferencia no es el sujeto sino el objeto indirecto:

(61) a. Pedro$_k$ ordenó a Juan$_i$ [que $Ø_{i/j}$ se marchara].
b. María$_k$ le$_i$ impidió [que $Ø_{i/j}$ participara].
c. María$_k$ prohibió a su hija$_i$ [que $Ø_{i/j}$ asistiera a la fiesta].

Si el argumento implicado es un objeto directo, el sujeto pronominal (elíptico o no) del verbo subordinado ha de tener obligatoriamente la misma referencia, como señala Suñer (1986b):

(62) a. Pedro$_k$ obligó a Juan$_i$ a [{que $Ø_i$ se marchara / marcharse}].
b. María$_k$ la$_i$ invitó a [{que $Ø_i$ participara / participar}].
c. María$_k$ exhortó a la audiencia$_i$ a [{que $Ø_i$ mantuviera / mantener} una postura de fuerza].

Cuando las oraciones en subjuntivo no son completivas sino adjuntas, se observa un paradigma similar: en algunos casos la correferencia con el sujeto es imposible, mientras que en otros se permite. Con el objeto puede, de nuevo, darse siempre.

(63) a. Mis amigos$_i$ trabajan para que $Ø_{*i/j}$ sean ricos. (vs. *para ser ricos*)
b. Mis amigos$_i$ trabajan sin que $Ø_{*i/j}$ lo valoren. (vs. *sin valorarlo*)
c. Mis amigos$_i$ trabajarán hasta que $Ø_{i/j}$ sean ricos.
d. Juan$_i$ trabajará aunque $Ø_{i/j}$ esté cansado.
e. Juan$_i$ lo$_j$ dijo así para que $Ø_{*i/j/k}$ te molestara. (vs. *para molestarte*)

Varias son las hipótesis que se han elaborado para dar cuenta de este fenómeno. Se ha aludido, por ejemplo, a la falta del rasgo temporal del subjuntivo, que, dicho de modo algo laxo, debilita los lindes entre oraciones (cf. Meireles y Raposo 1984, para el portugués). Otros autores (cf. Bouchard 1984, para el francés) apelan a una especie de principio jerarquizador que obliga a preferir las formas no personales. Suñer (1986b), sin embargo, hace derivar los contrastes aquí sobre el tapete de un rasgo semántico que aparece en el verbo principal, que determina la red de valencias semánticas que este despliega y la referencia de sus argumentos.

19.3.3. Los pronombres tónicos de objeto

Se dijo anteriormente que el español cuenta con dos series paralelas de pronombres de objeto directo e indirecto: una átona o clítica y otra tónica. Centrándonos en la segunda, se observa que sólo hay formas diferenciadas del nominativo para el singular; en el plural, es la presencia de la *a* personal la única marca explícita de función gramatical.

Los datos indican, además, que la presencia de un pronominal de la serie tónica no es obligatoria e implica necesariamente la presencia de uno de la átona:

(64) a. Lo vi (a él). / Me vio (a mí).
b. *Vi a él. / *Vio a mí.

Los pronombres tónicos de objeto indirecto, al igual que los sintagmas nominales correspondientes, van siempre precedidos de la preposición *a*. Los pronombres de objeto directo llevan asimismo la llamada *a* personal, puesto que deben, al igual que en el caso de los pronombres de sujeto, referirse obligatoriamente a personas. Eso explica la inaceptabilidad de (65), en que la referencia a objetos es clara.

(65) a. *Le puse un clavo a ella. (= «a la pared»)
b. *Le cambié el aceite a él. (= «al coche»)

Por otra parte, tampoco puede hablarse, en rigor, de opcionalidad de aparición de los pronombres tónicos de objeto. Se da, de hecho, una situación parecida a la que describíamos para los sujetos. La presencia de un pronombre tónico es imperativa, por ejemplo, si es foco contrastivo:

(66) a. ¿A quién ayudaste?
—#Te ayudé.
b. #Eso te parecerá. [34]

Y la situación se repite cuando van acompañados de adjetivos como *mismo, solo...*, etc. y oraciones de relativo:

(67) a. *Me lo ha dicho (a) sola.
b. *Se lo di (a) mismo.
c. *Te lo dijo (a), que podías entenderlo

Por lo que se refiere a la interpretación de estos pronombres, es también distintiva, o de contraste. Es muy habitual, por otro lado, que los pronombres tónicos de objeto sean el tema oracional (generalmente distintivo) y ocupen la posición inicial:

(68) a. A mí no me ha dicho nada.
b. A nosotros no nos ha visto.
c. A él le gustó mucho la película.

Es este un hecho comúnmente observado por los gramáticos, como muestran las siguientes palabras de Seco y de Gili Gaya:

> «Ese pronombre personal sujeto que acompaña al verbo supone exactamente el mismo énfasis que encierran las formas pronominales complementarias tónicas cuando se agregan a la átonas. Entre *me parece* y *a mí me parece* hay la misma diferencia que entre *creo* y *yo creo ...*» (Seco 1988: 148.)

> «[Los pronombres tónicos de objeto] cuando inician oración significan *en cuanto a, en lo que se refiere a, sobre, acerca de* [...]. Son verdaderos ablativos, y la forma átona es el complemento acusativo o dativo, según los casos.» (Gili Gaya 1943: 231-232.)

La oración de (55′) es, así, anómala en el mismo sentido en que lo era (55) arriba, con el pronombre de sujeto reiterado:

---

[34] Véase el trabajo de García Miguel 1991 para una comparación similar entre pronombres tónicos de sujeto y de objeto.

(55′) #Lo vi a él en el parque y le pregunté a él de dónde venía, pero no le dio a él la gana de responderme a mí.

19.3.4. Los pronombres término de preposición

Los pronombres tónicos objeto de preposición presentan la misma forma que los objetivos (precedidos de *a*) en las dos primeras personas del singular y que los nominativos en la tercera y en las del plural [→ § 23.3.1].

(69) a. Me vio a mí. / Te vio a ti.
b. Va {contra/hasta/por} {mí / ti}.
c. Ellos van {contra/hacia/hasta/por} ellas.
d. Nosotros vamos {hacia/contra/por} vosotros.

Escapan a esta generalización los conocidos casos de *entre, hasta* (adverbial) y *según,* con nominativo también en el singular.

(69′) a. Lo haremos entre tú y yo.
b. Hasta él lo entiende.
c. Todo vale, según tú.

Y también constituyen excepción los casos de *con* más pronombre singular: *conmigo, contigo, consigo*.

En cuanto a la caracterización de estos pronombres, conviene señalar que en español actual no existen clíticos locativos ni partitivos equivalentes a los de otras lenguas romances (it. *ci/ne,* fr. *y/en,* cat. *hi/en*), por lo que no se da una doble serie de pronombres para los casos preposicionales. No existen casos de redundancia ni siquiera en estructuras de tema antepuesto como las de (70):

(70) a. A Juan *(lo) hemos visto.
b. De Juan no hablamos.
c. A Roma yo no voy. [35]

La propiedad más relevante de los pronombres término de preposición distinta de *a* es, así, la de no estar nunca en alternancia con una forma átona: su aparición es siempre obligatoria. Esta particularidad implica que ciertas características propias de los pronombres tónicos de sujeto y objeto no se manifiestan en este caso. Por un lado, los pronombres tónicos que aparecen en un sintagma preposicional no son distintivos o contrastivos. No se diferencian, a este respecto, de los sintagmas nominales léxicos, argumentales o no argumentales.

(71) a. María habla mucho {con él/con su padre}.
b. Juan tiene mucha confianza {en ella/en Laura}.
c. Yo quiero hacerlo {sin él/sin Juan}.
d. No pudo llegar {hasta ti/hasta el responsable}.

[35] En lenguas con clíticos procedentes de sintagmas con *de* o con *a,* estos aparecen en las construcciones análogas a las del ejemplo:

(i) a. Di Gianni non *ne* voglio parlare.
b. A Roma io non *ci* vado.

Por otro lado, estos pronombres no tienen vetada la referencia a objetos inanimados:

(72) a. Construí esta casa para vivir en ella.
b. Tengo coche pero no dependo de él.
c. Juan tiene un ordenador y no puede vivir sin él.
d. Esta estantería sirve para poner libros sobre ella.

Hasta aquí hemos presentado datos que han permitido extraer ciertas generalizaciones sobre el comportamiento de los pronombres tónicos en español. Una conclusión fundamental que surge a partir del análisis de esos datos es que los pronombres sujeto y objeto son explícitos sólo si su presencia es necesaria por cuestiones tanto gramaticales como interpretativas y su aparición conlleva generalmente una interpretación distintiva o contrastiva, dependiendo de su posición. En esto se distinguen de los pronombres objeto de preposición, para los que no hay una doble serie y nunca aparecen como sujeto, de modo que siempre son explícitos.

Se tratará seguidamente de las propiedades que presenta la forma de cortesía *usted(es),* a la vez que se retomará un tema que sólo ha sido esbozado en la descripción precedente sobre los pronombres expresos: el de la ambigüedad y la recuperación de rasgos.

19.3.5. La forma *usted(es)*

Las lenguas romances han desarrollado, como se señaló arriba, formas especiales para gramaticalizar el tratamiento. En otras lenguas se usan pronombres ya existentes: de tercera persona (el femenino *lei* y sus correspondientes de objeto) en italiano; de segunda plural *(vous)* en francés. El español cuenta (como el portugués) con una forma derivada del sintagma *vuestra merced.* [36] Esta forma presenta unas propiedades particulares que lo distinguen del resto de los pronombres y en las que es interesante detenerse.

La aparición explícita de *usted* es, en primer lugar, mucho más frecuente que la de otros pronombres tónicos. [37] Es este un hecho señalado repetidas veces en la bibliografía, y que se ha hecho depender tanto de factores pragmáticos como gramaticales. [38] Es claro, en todo caso, que la forma *usted(es)* no alterna con la correspondiente familiar *tú.* Así, a veces se apela al interés del hablante en hacer patente su actitud de cortesía, respeto o distancia y, en otros casos, a la falta de identificación por parte de la flexión verbal, que contiene rasgos de tercera persona y no de segunda.

Por otra parte, un hecho relevante para la discusión presente es que la realización expresa del pronombre *usted(es),* en la mayoría de los casos, no conlleva

[36] Para un análisis de la evolución histórica de esta forma, véase Lapesa 1979.

[37] Esa es la situación, al menos, en español de España. En los dialectos hablados en Latinoamérica el panorama es distinto. Kany (1945) señala, en efecto, que en estos dialectos *usted* se omite con mayor frecuencia, debido sin duda a la no coexistencia de esta forma con la familiar. Remitimos al lector al trabajo mencionado y al capítulo 22 de esta gramática. Los datos que se presentarán corresponden, pues, al español peninsular.

[38] Véanse Fernández Ramírez 1951, Keniston 1937, Rosengren 1994 y Enríquez 1984. Sánchez López 1993 elabora un detallado análisis de los datos relativos a la forma *usted* como sujeto, que seguiremos aquí en parte. El lector interesado puede consultar ese trabajo para más detalle.

interpretación distintiva. Un ejemplo claro, por lo extremo, es el que proporcionan las estructuras en imperativo. Esta forma verbal no permite en general el uso del pronombre *tú,* salvo en casos de acento contrastivo muy marcado.[39] No ocurre lo mismo cuando se trata de la forma de cortesía. Obsérvese, si no, el contraste entre las oraciones siguientes.

(73) a. Siéntate tú.
b. Siéntese usted.
c. Dime tú qué deseas.
d. Dígame usted qué desea.

Las oraciones de (73a) y (73c) son imposibles, a no ser que hagamos recaer un fuerte acento de intensidad sobre el pronombre (la acción debe ser realizada por ti frente a cualquier otro), en claro contraste con las de (73b) y (73d). Pero detengámonos un momento en el análisis de los casos particulares.

Si miramos los datos con algo más de detalle, lo que se nos muestra es que esta interpretación que llamaremos 'neutra' de *usted,* ausente en los otros pronombres tónicos, se da sólo en una determinada posición, vetada, además, a los sintagmas nominales en general, pronominales o no. El paradigma que despliega el pronombre de cortesía es el siguiente:

a) Cuando aparece en posición preverbal (la que ocupa regularmente el sujeto) tiene, como el resto de los pronombres, carácter distintivo (i.e., alterna con *tú*):

(74) a. Tú no puedes entrar aquí.
b. Usted no puede entrar aquí.[40]

b) Igualmente, en posición posverbal puede comportarse como foco contrastivo, de modo también análogo a los sintagmas sujeto en general:

(75) a. Ha tenido la culpa {usted/Juan/ella} (no yo).
b. Ha cogido las llaves {usted/Juan/ella} (no su hija).

c) Sin embargo, el pronombre *usted* tiene una posibilidad adicional con respecto a los otros pronombres: la de aparecer inmediatamente detrás del verbo conjugado en oraciones enunciativas. Y es precisamente en estos casos cuando su explicitud no conlleva ningún matiz de contraste o distintividad. Para comprobarlo, comparemos los datos de (74) y (75) con los siguientes:

(76) a. Se irá usted acostumbrando al clima paulatinamente.
b. Ya ha cogido usted las llaves.
c. Ha vuelto usted a hacer lo mismo.

---

[39] De hecho en lenguas de sujeto obligatorio, como el inglés, el imperativo no requiere pronombre explícito: *do it,* «hazlo».

[40] Fernández Ramírez 1951 señala que la interpretación en estos casos es análoga a la que se obtiene con la perífrasis *lo que es tú/usted...*

d. Debe usted seguir intentándolo.
e. Ya me lo había usted avisado.
f. Tiene usted que disculparme.
g. Había usted afirmado antes que no tenía interés en esta cuestión.

La lectura que presentan las oraciones de arriba, en efecto, no es la regularmente asociada a las que contienen pronombres explícitos: no estamos ante casos de individualización, contraste o énfasis, a diferencia de las correspondientes estructuras con *usted* en posición canónica (*Usted se irá acostumbrando al clima; Usted ha vuelto a hacer lo mismo,* etc.). Pero, lo que es más importante, las oraciones análogas con otro tipo de sujeto (pronominal o no) son totalmente inaceptables (de nuevo, quizá, exceptuando casos de muy marcado énfasis). Los ejemplos siguientes son bastante ilustrativos:

(77) a. #Habías tú afirmado antes que no tenías interés en la cuestión
b. #Debe Juan seguir intentándolo.
c. #Habéis vuelto vosotros a hacer lo mismo.

Si *usted(es)* aparece en esa posición, además, no es incompatible con un sintagma nominal sujeto, generalmente en estructuras de tema antepuesto como las de (78):

(78) a. (En cuanto a) los estudiantes de tercero, están ustedes en muy buena posición.
b. *(En cuanto a) los estudiantes de tercero, estáis vosotros en muy buena posición.
c. (Por lo que se refiere a) los médicos, son ustedes un colectivo muy poco solidario.
d. *(Por lo que se refiere a) los médicos, sois vosotros un colectivo muy poco solidario.
e. Los taxistas, me parece que son ustedes muy habladores.
f. *Los taxistas, me parece que sois vosotros muy habladores.

El pronombre *usted(es)* se nos muestra, pues, con particularidades bien distintas de las que presentan los correspondientes no formales, *tú/vosotros.* La razón de tal comportamiento es que este pronombre de segunda persona (cortés) no coincide en sus rasgos con la flexión verbal asociada, siempre de tercera. No siempre es posible, pues, recuperar su contenido, si es elíptico, a través de la desinencia de persona, como ocurre con el resto de los pronombres de sujeto. Las propiedades que acabamos de ver se repiten, dado que la ambivalencia personal se mantiene, en los casos de objeto, con las diferencias resultantes de su distinta función sintáctica y del tipo de elemento con el que se relaciona. Veámoslo.

En español, generalmente se puede alterar el orden OD/OI sin que ello tenga consecuencias significativas con respecto a la interpretación. Las oraciones de (79) son, en este sentido, paralelas. No ocurre lo mismo cuando uno de los objetos está expresado por medio de *usted(es).* La posición de esta forma ha de ser la inmediatamente adyacente al verbo conjugado, salvo, de nuevo, en los casos de énfasis marcado (80). Además, el pronombre de respeto puede también aparecer detrás del auxiliar en las formas verbales compuestas (81):

(79) a. Le he dado al niño el regalo.
b. Le he dado el regalo al niño.
(80) a. Lo han visto a usted copiando las preguntas.
b. Ya le he dicho a usted que no.
c. Ya le he dado a usted los cinco duros.
d. La han {informado / tratado} a usted muy mal.
e. No le han explicado a usted la situación.
f. No le molestarán a usted los vecinos porque los muros de esta casa son muy gruesos.
(81) a. La están a usted engañando.
b. Ya se lo irán a usted contando.
c. Le tiene a usted que dar su parte.
d. Le pueden a usted decir lo que quieran.

La aparición de *usted* puede responder, sin duda, al interés del hablante en hacer patente su actitud de respeto. Quizá sea esta la causa de su realización con las construcciones de imperativo, para las que no es fácil argumentar que planteen un problema de ambigüedad.[41] Pero la razón más frecuente para la realización explícita de esta forma es la necesidad de identificación del sujeto. Dado que cuando el pronombre de cortesía aparece en posición canónica tiene las particularidades, ya conocidas, propias de los demás pronombres, parece que podemos concluir que la especial colocación que muestra dentro de la oración es también consecuencia de la anómala identificación de esta forma pronominal.

Los hechos presentados en este subapartado indican que hay una posición específica (cuya delimitación exacta dentro de las categorías que aparecen en la oración excedería los límites que nos imponemos aquí) donde deben aparecer, sin implicación de contraste o distintividad, los pronombres que resuelven situaciones de ambigüedad. Naturalmente, esta afirmación se ve reforzada con hechos relativos a otras formas pronominales. A ellos dedicamos el siguiente apartado.

19.3.6. La ambigüedad

La desinencia verbal de persona, como acabamos de ver, no siempre es capaz de reproducir totalmente los rasgos de un sujeto omitido. Un ejemplo muy claro es el que se da en los tiempos del subjuntivo en italiano. En este modo la flexión verbal no distingue entre las tres personas del singular *(che io vada, che tu vada, che {lui/lei} vada),* y la consecuencia de ello es que la presencia del pronombre

[41] Aunque tampoco puede descartarse tajantemente. Los imperativos de tercera persona, si bien no son abundantes en el discurso no formal, tienen una estructura análoga, y a veces realizan sujetos léxicos en ejemplos como:

(i) a. Hágase la luz.
b. Cúmplanse las leyes.
c. Acérquense los detenidos.
d. Comparezca el acusado.
e. ¡Viva la Pepa!

explícito de segunda persona es obligatoria. Ese pronombre, además, no tiene interpretación distintiva, en contraste con lo que ocurre en el modo indicativo:

(82) a. E necessario che *(tu) vada.
Es necesario que tú vayas.
b. Non credo che *(tu) possa farlo.
No creo que tú puedas hacerlo.

Se ha observado en muchas ocasiones también que en el español hablado en la zona del Caribe los pronombres sujeto explícitos son mucho más abundantes que en el español estándar. Alba (1982), encuentra, por ejemplo, que el *tú* es casi obligatorio en el español de Santiago, en la República Dominicana. Este fenómeno se ha relacionado, como en el caso anterior, con la falta de distinción que se da en estos dialectos en las desinencias verbales, como consecuencia del debilitamiento o pérdida de consonantes finales, y la consiguiente convergencia de las tres formas del singular. [42] La aparición de los pronombres expresos vendría, así, a suplir la falta de distinción que aportan los morfemas verbales de concordancia.

En español estándar, si bien no hay casos tan regulados, se ha señalado muchas veces que ciertos tiempos verbales (el condicional, el imperfecto, el pluscuamperfecto..., en que no se distinguen la primera y la tercera personas, y en algunos dialectos las tres del singular) favorecen la presencia de pronombres explícitos. [43] Se ha supuesto también que es la ambigüedad (i.e., la necesidad de deshacerla) lo que explica el mayor uso de los pronombres de tercera persona (que tienen variación de género), si bien otros autores [44] señalan la dificultad de aislar este factor, debido al efecto del contexto.

Se han propuesto otras causas determinantes de la expresión de pronominales sujeto. Una de ellas es, por ejemplo, la clase semántica a la que pertenece el verbo (y, por tanto, el papel semántico que recibe el sujeto). Se ha dicho concretamente que los verbos pertenecientes al campo del conocimiento o percepción intelectual (en especial los que sirven para expresar opiniones) favorecen la aparición del sujeto. [45] No obstante, como hace notar Enríquez (1984), lo que la clase verbal parece favorecer es la interpretación de contraste que se asocia a los pronombres explícitos y nunca a los tácitos (véanse los §§ 19.3.1 y 20.3).

Lo que se desprende de la discusión anterior sobre *usted* es que el español cuenta con un procedimiento específico para resolver anomalías en el proceso de identificación de sujetos tácitos. La aparición explícita de un pronombre tónico en posición preverbal conllevaría, ya lo hemos visto, una interpretación de contraste, de modo que la opción escogida consiste en colocar el pronombre inmediatamente detrás del verbo conjugado. Siendo esto así, es el momento de retomar, pertrechados con nuevos elementos de juicio, los casos de tiempos verbales con insuficiente distinción de persona. Ha sido observado, como decíamos arriba, que en español no hay diferenciación entre las formas del singular (ya sean la primera y la tercera personas o las tres, dependiendo del dialecto), por ejemplo, en el imperfecto de

---

[42] Véanse Henríquez Ureña 1940 y Jiménez Sabater 1975. El lector interesado puede consultar también el trabajo de Toribio 1993 sobre este y otros fenómenos relativos al comportamiento de los sujetos en el habla caribeña.
[43] Cf. Keniston 1937, RAE 1973 y Gili Gaya 1970.
[44] Cf. Fernández Ramírez 1951 y Enríquez 1984.
[45] Véase Enríquez 1984 y las referencias allí citadas.

indicativo y subjuntivo, el condicional y el presente de subjuntivo. Pues bien, encontramos en estos casos ejemplos como los siguientes:

(83) a. Estaba yo sentada oyendo las noticias cuando apareció tu hermana.
b. Tenía yo un libro en el que se hablaba de eso.
c. Hubiera yo pensado que todo sucedería de otro modo.
d. No diría yo tal cosa.

(84) a. No podía ella imaginar lo que su amante le tenía preparado.
b. Pobre don Luis, hubiera él jurado que no tenía tan poca fuerza.

En (83) y (84) se observa que el sujeto pronominal aparece inmediatamente detrás del verbo conjugado, sea principal o auxiliar, mostrando así un comportamiento análogo al del pronombre de cortesía. Al igual que en el caso de *usted,* los pronombres que aparecen en esas posiciones no tienen interpretación de contraste, frente a los correspondientes preverbales. Sólo (85c) es una réplica adecuada en el contexto de (85a), que requiere valor contrastivo del sujeto:

(85) a. Yo creo que Plutón está más cerca que Neptuno.
b. #Diría yo más bien que es al revés.
c. Yo diría más bien que es al revés.

Naturalmente, con los tiempos verbales en que la distinción de persona es completa, las estructuras en que el sujeto rompe la secuencia formada por los dos elementos de las formas compuestas son imposibles (sin acento fuerte sobre el pronombre). Lo mismo es válido para los pronombres del plural, que siempre están contenidos en la desinencia del verbo:

(86) a. *Ya habré yo hecho el ejercicio cuando vengas.
b. *Podríamos nosotros ocuparnos de eso.

La conclusión que puede extraerse de estos datos es que el español cuenta con una posición específica para el sujeto pronominal, de la que se hará uso en casos de ambigüedad, creada por la falta de distinción de la desinencia verbal de persona. La disponibilidad de esta posición se debe probablemente a que, como característica general, tipológica, el español es una lengua de sujeto nulo, y los pronombres de sujeto muestran un comportamiento coherente con esa caracterización. Así, un pronominal explícito preverbal en una oración con tiempo se interpreta necesariamente como distintivo y en posición final absoluta como foco contrastivo [⟶ § 64.3.2]. La interpretación neutra se obtiene en la posición descrita.

Nos ocuparemos seguidamente de otros usos especiales de los pronombres tónicos en español.

19.3.7. La referencia de los pronominales tónicos. Los pronombres enfáticos

Los pronombres tónicos en nominativo pueden, bajo ciertas circunstancias, coaparecer con un sintagma nominal (pronominal o no) en posición de sujeto, creando estructuras de reduplicación como las de (87). En estos ejemplos aparece un pronominal, siempre en posición posverbal, que enfatiza el hecho de que la acción es realizada por el sujeto en persona, o bien por el sujeto en solitario. Esta función no puede en ningún caso ser desempeñada por un elemento no pronominal, aunque tenga la misma referencia que el sujeto, como se ve en (88):

(87) a. María quiere hacerlo ella.
b. El niño hace siempre los deberes él.
c. Yo siempre limpio yo.
d. Juan arregla él su coche.
(88) a. *Yo quiero hacerlo la responsable.
b. *{María/Ella} quiere decidirlo la afectada.
c. *{Juan/Él} debe firmar el interesado.

Matizando un poco más el análisis interpretativo, estos pronombres pueden tener una lectura más centrada en el sujeto (se trata de una predicación de ese agente, frente a otros posibles), o referida más bien al predicado (el agente realiza la acción sin ayuda), como si el propio pronombre fuera una especie de predicado secundario:

(89) a. El conde siempre abre la puerta él (en persona).
b. El abuelo no puede abrir la puerta él (sin ayuda).
(90) a. Yo quiero hacerlo yo (sin ayuda).
b. Yo, cuando tiendo yo, tiendo por toda la casa (en persona).

Sánchez (1994) llama a la lectura equivalente a (89a) y (90b) *enfática* y a la de (89b) y (90a) *adverbial.* El ejemplo de (91a) podría, en este sentido, parafrasearse como en (91b) o (91c).

(91) a. Juan quiere lavar él el coche.
b. Juan quiere ser él quien lave el coche. (enfático)
c. Juan quiere lavar el coche solo. (adverbial)

Señala la autora mencionada que en esta doble posibilidad interpretativa (entre otras cosas) se parecen las construcciones que nos ocupan a las que contienen el adjetivo *mismo-a* [→ § 23.3.1.2] o *solo-a* adyacente a un nombre o pronombre, y a las que presentan un fuerte acento contrastivo (que marcamos con mayúsculas) en el sujeto preverbal [→ § 64.3].

(92) a. El presidente mismo abrió la puerta.
b. EL PRESIDENTE abrió la puerta.
c. Julia misma lo hará.
d. Lo he pensado yo sola.

Si observamos los datos presentados, vemos que estos pronombres presentan una singularidad por lo que se refiere a sus propiedades de referencia. En todas las oraciones anteriores las formas de tercera persona tienen su antecedente en la misma oración (93). Piera (1987) señala, además, que, si no se da esta situación, las estructuras resultantes son agramaticales. En esto se asemejan más a los pronombres reflexivos. De hecho, también este pronombre posverbal puede ir acompañado del adjetivo *mismo,* como en (94):

(93) a. Juan dijo que María lo ha hecho {ella / *él}.
b. Ana_i abrió la puerta $ella_{i/*j}$.
(94) a. María lava la ropa ella misma.
b. Juan escribe él mismo los discursos.

Estos pronombres tienen la particularidad de no ser argumentales (de hecho, coaparecen con el agente correspondiente), sino adjuntos. Por lo que parece, además, estas construcciones son imposibles con verbos de estado y de dudosa aceptabilidad con los de actividad.[46] Compárense los ejemplos anteriores con los que damos a continuación:

(95) a. *María sabe inglés ella.
b. *María nada ella.

Esta restricción deriva de las propiedades interpretativas de los pronombres enfáticos. Si, como se ha dicho, subrayan la implicación directa del sujeto en la acción, sólo serán posibles con aquellos verbos que permitan ese desdoblamiento en causa y agente de la acción. La red de valencias semánticas del predicado parece ser, así, esencial para legitimar los pronombres enfáticos.

19.3.8. Otros usos de los pronombres tónicos

19.3.8.1. Los pronombres presentan un uso especial en ciertas estructuras de coordinación [⟶ Cap. 41]. El ejemplo paradigmático contiene un sintagma que coordina un pronombre de tercera persona masculino y otro femenino (singular o plural), referidos parcialmente a un sintagma nominal en plural con respecto al que se interpretan de modo distributivo, (96). Pero puede darse la misma construcción con pronombres de primera y segunda persona (y con SSNN), siempre que refieran parcialmente a un nominal en plural, que puede, a su vez, ser o no un pronombre, (97):

(96) a. Mis padres son él médico y ella arquitecta.
b. Esa pareja quieren él estudiar y ella trabajar.
c. Los invitados se presentaron ellos de frac y ellas de largo.
(97) a. Nosotras somos yo de Salamanca y mi amiga de Madrid.
b. Vosotros vendréis tú en moto, tú en coche y ella en tren.
c. Tus hijos queremos yo trabajar y este estudiar.

Estos pronombres ocupan también una posición no argumental, externa a los términos de la coordinación, que pueden ser incluso oraciones, como puede verse en (98). Se trata, pues, de pronombres sin papel semántico, que sirven para desglosar la referencia de un SN plural, discriminando los elementos que lo forman mediante una especie de predicación distributiva de un argumento respecto de ellos.

(98) a. Mis hermanos fueron él porque quería y ella porque la obligaron.
b. Tus padres quieren él que estudies y ella que trabajes.

---

[46] Véase Sánchez López 1993.

En este mismo tipo de construcción pueden aparecer también otros sintagmas nominales, igualmente interpretables de modo distributivo:

(99) a. Mis hermanos quieren uno estudiar y otro trabajar.
b. Tus amigos dijeron Diego que prefería venir y Luis que le daba lo mismo.
c. Los libros tratan este de filosofía de la ciencia y aquel de antropología.

19.3.8.2. En registros no formales, los pronombres tónicos de tercera persona pueden acompañar a ciertos adjetivos. Aparecen en estructuras apositivas, con entonación de coma, que modifican a nombres comunes, generalmente indefinidos:

(100) a. Un hombre, gordito él, con corbata de cuadros, ha venido a preguntar por ti.
b. *El hombre, gordito él, con corbata de cuadros, ha venido a preguntar por ti.
c. *Juan, gordito él, ha venido a preguntar por ti.
d. Un tal Juan, gordito él, con corbata de cuadros, ha venido a preguntar por ti.

En realidad la construcción con nombres definidos parece que está restringida a casos con demostrativos (compárese (100 b) con (101)), casi obligatoriamente con oraciones de relativo:

(101) a. Ese chico, bajito él, que me presentaste, ha venido hoy.
b. *Ese chico, bajito él, ha venido hoy.
c. Esa señora, rellenita ella, que estaba ayer en la playa, hoy tenía un bañador distinto.
d. *Esa señora, gordita ella, tenía hoy un bañador distinto.

Estos pronombres, que son propios de descripciones, sólo pueden acompañar a uno de los adjetivos (o SSPP) de una lista (de ahí la agramaticalidad de (102)), siempre valorativo y referido con frecuencia a rasgos físicos (por lo que son agramaticales las construcciones de (103)). En cuanto a los adjetivos, aceptan con facilidad sufijos apreciativos, en especial si la cualidad se entiende como negativa, y se interpretan generalmente con matiz afectivo, (104).

(102) *Un señor, calvo él, gordito él, con bigote él...
(103) a. *Un hombre, inteligente él,...
b. *Una señora, arquitecta ella,...
c. *Un chico, francés él, ... [47]
(104) a. Un chico, {??simpático él/simpatiquillo él},...
b. Un hombre, {??gordo él/gordito/gordote él},...
c. Una señora, {guapa ella/guapetona ella}, ...
d. Un muchacho, {??feo él/feíto él}...

[47] Estas construcciones no han de interpretarse en contextos de ironía, donde quizá sí sean aceptables.

Por otro lado, esta combinación de adjetivo y pronombre se inserta habitualmente en estructuras cuya función es la de evocar en la memoria del oyente el recuerdo de su referente, de ahí contrastes como el de (105a, b) frente a (105c):

(105) a. ¿Ha pasado por aquí una señora con un vestido rojo, guapetona ella, preguntando por Juan?
b. Sí, hombre, aquel muchacho, grandote él, con cazadora de cuero...
c. ??Ayer conocí a un hombre, gordito él,...

No conviene identificar estas construcciones con casos en apariencia similares, pero con una sintaxis bien distinta, como los siguientes:

(106) a. Muy lista tú.
b. !Mira qué simpática ella!
c. ¡Pobrecita ella!

La primera diferencia que presentan estas construcciones con respecto a las que nos ocupan en este apartado es que en ellas el pronombre no está en relación de aposición con el adjetivo, sino que en (106) estamos ante oraciones atributivas en las que se omite la cópula. En estas estructuras, además, el pronombre alterna con sintagmas nominales y con otros pronombres, (107), mientras que las de (100) ilustran una función específica de los pronombres, y sólo de los de tercera persona, como se pone de manifiesto a través de la agramaticalidad de (108):

(107) a. Muy lista tu hermana.
b. ¡Mira qué simpática la niña!
c. ¡Pobrecita Julia!

(108) a. *Eres una chica, gordita tú, pero muy simpática.
b. *Me describió como castaña, delgadita yo...

Así pues, hay claras diferencias entre las estructuras de (106)-(107) y las del tipo de (100), que venimos analizando. Frente al carácter predicativo del adjetivo con respecto al nombre, o pronombre, de las de (106), la función del pronombre con respecto al adjetivo en los casos de (100) es muy similar a la de una especie de elemento apreciativo, en tanto que matiza el sentido del adjetivo, con el que forma una unidad que se predica, en su conjunto, de un sustantivo.

19.3.9. El neutro *ello*

En el cuadro del § 19.2.2 se muestra que el pronombre ILLUM del latín dio origen a una forma de tercera persona de la que apenas hemos hablado hasta ahora: el neutro *ello*. Al igual que los otros neutros, refiere este pronombre a elementos con ese mismo rasgo, fundamentalmente oraciones y predicados, (109) [⟶ §§ 32.4.1 y 32.4.2], así como sintagmas nominales neutros, (110):

(109) a. Me sorprendo a veces hablando como una cotorra, sin saber lo que digo; pero ello es algo como una lección aprendida. [Benito Pérez Galdós, *La estafeta romántica,* 168]
b. No podría hacerlo, aunque me dedicara sólo a ello.
c. París es muy cosmopolita y es famosa por ello.

(110) a. Lo que no quieras, deshazte de ello.
b. Si todos lo sabemos, ¿para qué hablar de ello?
c. Creo que hay algo para mí y vengo por ello.

Bello (1847: § 295) señala que los neutros en general reproducen también conjuntos de «dos o más sustantivos que signifiquen cosas, no personas», sea cual sea su género (y su número). No se sustrae el pronombre *ello* a esta generalización, especialmente cuando va acompañado de *todo.* Fernández Ramírez (1951: § 116) observa también este hecho; de allí tomamos el primero de los ejemplos siguientes:

(111) a. Cartón-cuero para tejados. Clavazón para ello. [Anuncio en la *Hoja del Lunes,* 13-III-48]
b. Coge un abrigo, un cepillo de dientes y dos pastillas de jabón. Con (todo) ello tendrás suficiente para tres días.

Pero el pronombre *ello,* a diferencia de los otros neutros, ha tenido siempre una vida precaria. Desde finales del XIX, su uso está muy restringido, y muchos autores advierten que actualmente está desapareciendo, en favor de los deícticos *esto* y *eso.* [48] La situación es, sin embargo, algo más complicada. Cierto que hay usos del pronombre *ello* que no se dan en la actualidad; el más significativo es el de sujeto expletivo o cuasi-argumental de oraciones impersonales. Pero la afirmación anterior, sin más matizaciones, equivaldría a suponer que *ello* y los deícticos son siempre intercambiables y que el pronombre neutro no tiene unos usos que le sean propios; ambas suposiciones son, cuando menos, discutibles.

Hay casos, ciertamente, en los que no se da la alternancia con los demostrativos, sino que sólo puede aparecer el personal neutro. Este sí tiene, pues, usos específicos:

(112) a. Venga, vamos a {ello/#eso}.
b. Tengo todo comprado y no sé qué hacer con {ello/#eso}. [49]

Además, las restricciones de aparición de esta forma pronominal son, en realidad, reflejo de propiedades más profundas que han cambiado a lo largo del tiempo y que conviene analizar.

El uso más frecuente de *ello* es, sin duda, como objeto de preposición. En este contexto no presenta más restricciones que las derivadas de su condición de neutro, y está generalmente en alternancia con los demostrativos:

(113) a. Me voy a dedicar a ello.
b. Cuenta con ello.
c. No quiero hablar de ello.

---

[48] Cf. Henríquez Ureña 1939 y Seco 1988.

[49] La variante con *eso* de (112a) significaría que hay algo consabido que no deseo nombrar («eso que ambos sabemos»). En (112b) el uso del demostrativo implica un significado deíctico («eso que está ahí») y no permitiría, como en el caso de *ello,* correferencia con *todo.*

d. Yo ya he pasado por ello.
e. Tengo que conseguirlo, pero para ello he de esforzarme.

El pronombre *ello* nunca aparece como objeto directo, salvo si va precedido del cuantificador *todo.* [50] Esta función parece que no ha sido nunca propia del pronombre personal neutro. Tal es la conclusión que se extrae, por ejemplo, del trabajo de Henríquez Ureña (1939). [51]

(114) a. *Le dije que volviera y no hizo ello.
b. *No creo ello.
c. *Me respondió ello.
d. Deberíamos dejar todo ello para otra ocasión.

La RAE (1973: § 2.5.2), por ejemplo, señala que *ello* puede funcionar como objeto indirecto. No obstante, presenta la particularidad, que lo distingue del resto de los pronombres personales, de no entrar nunca en estructuras de reduplicación, aunque aparezca en posición de tema, al inicio de la oración (compárense (115 c, d) con (115e), pronunciada sin acento de contraste sobre *Juan*).

(115) a. Pero hemos de agregar a ello los problemas relacionados con la crisis económica.
b. Pero hemos de dar*(le) a él nuestra confianza.
c. A ello debemos nuestra actual situación.
d. A ello dedicaré la segunda parte de este libro.
e. A Juan *(le) debemos nuestra actual situación.

En posición sujeto, la aparición de *ello* está muy restringida; es raro antes de 1500 y aparece en ciertas fórmulas cortas, generalmente con el verbo *ser,* del tipo de (116):

(116) a. ¿Qué {es/será} ello?
b. Creo que era una tía lejana de mi padre. Ello es que era una vieja menudita,... [Azorín, *Las confesiones de un pequeño filósofo,* 89]
c. Aquí fue ello.

En otros casos, como señala Fernández Ramírez (1951), *ello* es inicial de unidad melódica (nunca con acento contrastivo) y frecuentemente tiene simple valor conectivo, «estando en alternancia con un relativo de conexión» (los ejemplos están tomados de Fernández Ramírez, o. cit: § 116):

(117) a. Ello constituye lo que... [José Ortega y Gasset, *La rebelión de las masas,* V, 52]
b. {Ello/lo cual} no impedirá que ... [Pío Baroja, *El árbol de la ciencia,* 135]

---

[50] Véase RAE 1973: § 2.2.5, entre otros muchos.

[51] Sí se ha dado, aunque suene quizá extraño al oído actual, en construcciones de participio absoluto. Henríquez Ureña (1939) presenta ejemplos como el de (ia). (ib) es un resto de esta misma construcción:

(i) a. Ello hecho, confío en que me lo dirás antes de veinte días. [Rodríguez Florián, *Comedia Florinea,* esc. 43]
b. Ello no obstante, ...

No siempre ha sido así, sin embargo. En el pormenorizado estudio de Henríquez Ureña se muestra que en otras etapas del español eran corrientes los ejemplos como:

(118) a. Ello dirá. [Miguel de Cervantes, *El Quijote,* II, cap. 23]
b. Ello {pasó /sucedió} así. [*Diccionario de Autoridades,* 1726-1739]
c. Ello era tarde. [Leandro Fernández de Moratín, *El barón*]
d. Ello hay de por medio no sé qué papel de matrimonio. [Leandro Fernández de Moratín, *La escuela de los maridos*]

Parece que este uso del neutro como sujeto impersonal se mantiene en ciertas hablas de Hispanoamérica. Henríquez Ureña (1939) y Kany (1945) proporcionan datos como los siguientes del habla de Sto. Domingo:

(119) a. Ello hay dulce de ajonjolí.
b. Ello dicen que no es muy buena. [52]

Tanto Henríquez Ureña como Kany consideran que en muchos casos como estos la función de *ello* es puramente la de dar énfasis, de modo que a veces puede estar separado por pausa y coaparecer con otro sujeto. Los ejemplos que siguen están tomados de Henríquez Ureña (1939):

(120) a. Ello has de casarte. [Francisco de Rojas Zorrilla, *Entre bobos anda el juego*]
b. Ello me habéis hecho perder la paciencia más de treinta veces. [Eugenio de Hartzenbusch, *Los amantes de Teruel*]
c. Ello, hay premio y castigo. [Enríquez Gómez, *El siglo pitagórico*]
d. Ello, si va a decir la verdad, aunque sea en descrédito de mi padre, jamás me he persuadido a que esto pueda ser como él lo afirmaba. [*Estebanillo González,* cap. I]

Se ha señalado también que en el habla de ciertas zonas del Caribe (Sto. Domingo) se usa la fórmula *ello sí /ello no* para aseveraciones enfáticas, y que en las Antillas se da un uso de *ello* aislado para indicar probabilidad *(¿Vas al pueblo? —Ello).* Bello (1847: § 972) también da cuenta de este uso adverbial, y lo relaciona con la función análoga que a veces desempeñan otros neutros como *nada*.

En español estándar de nuestros días parece que *ello* en posición sujeto no tiene nunca valor distintivo y, significativamente, no puede omitirse en los mismos casos en que lo hace el resto de los pronombres personales:

(121) a. La situación económica ha mejorado, y #(ello) trae consigo un mayor poder adquisitivo.
b. Estamos en crisis, pero #(ello) no implica que no podamos afrontar el futuro con optimismo.

---

[52] Toribio 1993 recoge también, en el habla caribeña actual, casos como los de (i), y los relaciona con la pérdida de rasgos de persona de la flexión verbal. Dicho de modo sintético, tal pérdida habría tenido como consecuencia la imposibilidad en este dialecto de omisión del sujeto en general, incluyendo los expletivos.

(i) a. Ello quiere llover.
b. Ello lo dijeron por la radio.
c. Ello se vende arroz.
d. Ello parece que no hay azúcar.
e. Ello no sería malo estudiar.
f. Ello llegan guaguas hasta acá.
g. Ello hay muchos mangos este año.

Las versiones sin pronombre de las oraciones anteriores no son agramaticales pero tienen un significado distinto. El sujeto de la subordinada no puede referirse a todo el enunciado sino a uno de los sintagmas nominales de la oración anterior. Dicho de otro modo, no se da la interpretación de neutro del sujeto.

Esta distribución es el reflejo de unas propiedades que distinguen la forma que nos ocupa tanto de los demostrativos como de otros pronombres personales. Es más que probable que el 'cambio' al que aluden los gramáticos derive de estas propiedades y que el 'desuso' sea un epifenómeno, cuya causa inicial hay que buscarla en el conjunto de rasgos que presenta *ello* en la actualidad. Vayamos por partes.

Por un lado, *ello* no puede ser deíctico, de ahí su desventaja con respecto a los demostrativos y, en ciertos casos, a los personales:

(122) a. ¿Qué miras?
—*Ello/Eso.
b. Me estoy fijando en {#ello/eso}. [53]

Y por otro, más importante aún, no tiene en la actualidad posibilidad de ser enfático ni distintivo. Su estatuto, pues, no es equiparable al del resto de los pronombres personales tónicos del español (123). Por esa razón no puede llevar adverbios que acompañan generalmente al foco oracional como *precisamente, justamente, sólo / solamente, exactamente,* etc. [→ § 11.7.1], incluso cuando es término de preposición (124).

(123) a. A qué te dedicas?
—A él / A eso / #A ello.
b. {Él/Eso/#Ello} es {lo que me gusta/lo que importa}.

(124) a. *Precisamente ello no es óbice para que presentes el trabajo.
b. *Y ello justamente me molesta.
c. *Estoy preocupada sólo por ello.
d. *Me voy a dedicar exactamente a ello.
e. *{Hasta /incluso} ello me molesta.
f. *Ni siquiera ello es interesante.

Otra propiedad que muestra que el estatuto del pronombre neutro *ello* no es equiparable al de los pronombres tónicos es que no puede entrar en estructuras de coordinación:

(125) a. *Ello y lo que sigue {es/son} de gran importancia.
b. *A ello y eso otro dedicaremos el siguiente capítulo. [54]

Hasta aquí hemos descrito los contextos de uso de *ello.* Se trata, por lo visto, de una forma no enfática y no deíctica. Siendo esto así, es natural que no compita

---

[53] Naturalmente, esta oración es aceptable si *ello* se refiere a una oración. Sobre la alternancia entre el uso de pronombres y demostrativos neutros y la organización interna del discurso en inglés, puede verse el trabajo de Linde (1974).

[54] Cardinaletti y Starke 1994 señalan que esta restricción afecta a los pronominales que pueden tener referente no animado, como el *it* del inglés o el *esso* del italiano.

(i) a. *It and the one beside it are too big. (vs. *He*)
b. *Esse e quelle accanto sono troppo grandi. (vs. *Loro*)
Lit. «Ello y lo de al lado son demasiado grandes».

(o que esté en desventaja absoluta) con el neutro átono *lo,* también no enfático y no distintivo: el carácter de clítico de *lo* hace que esta sea la forma preferida, por estar en consonancia con el resto del sistema. De este modo, la aparición de *ello* como OD es anómala. La única excepción es, justamente, cuando el objeto va acompañado de un adjetivo como *todo,* que no puede modificar a los clíticos y sí a las formas que aparecen en posición canónica de complemento.

Por lo que respecta a *ello* sujeto, hay que hacer una distinción: como expletivo o cuasi-argumental, es preferible la ausencia de pronombre. En los demás casos, su aparición se debe a que la flexión en español no tiene marca de género neutro, de modo que se requiere una forma plena con ese rasgo. Pero sólo si ese sujeto no lleva acento contrastivo será posible la aparición de *ello,* que alternará, así, con los demostrativos neutros, que sí son contrastivos. La peculiar distribución del pronombre neutro no es más que la consecuencia de sus rasgos formales: al perder su carácter deíctico y distintivo, *ello* ha sufrido una reducción de sus posibilidades de aparición, a la vez que ha adquirido unos usos específicos.

19.4. La redundancia pronominal

En español, los pronombres átonos de objeto aparecen en muchos casos junto al verbo en presencia del complemento canónico, en especial si este es pronominal (tónico) [→ § 21.5.4.2]. En esta sección examinaremos este fenómeno, que se conoce como 'redundancia pronominal' o '(re)duplicación/doblado de clíticos', que distingue a nuestra lengua de otras con las que tiene directo parentesco, como el francés o el italiano, que no admiten nunca la coaparición de un pronombre átono y un sintagma complemento.

Conviene, como primera medida, delimitar la cuestión. Si bien se trata de un fenómeno muy estudiado, no está claro en las gramáticas qué tipo de datos se ajusta realmente a él, y a veces se trata de un mismo modo una serie de casos en realidad bastante distintos. Gili Gaya (1943), Bello (1847), RAE (1973) y Marcos Marín (1978), por ejemplo, califican como ejemplos análogos de 'redundancia' los siguientes (en que aparecen subrayados el clítico y el elemento doblado):

(126) a. *{A él/A Juan} lo* han visto.
b. *El chico* que no sabías cuándo *lo* habías visto.
c. *Me* lo han dicho *a mí.*
d. *Le* dijeron *a Juan* que viniera.

En todas las oraciones anteriores el clítico aparece «a la vez que» otro elemento que guarda la misma relación con el verbo, y la intuición general es, en efecto, que se da algún tipo de redundancia. Pero hay razones para pensar que la semejanza es sólo aparente y que se trata de casos bien distintos.

Estas formas comparten también la particularidad de no poder llevar acento contrastivo y de no admitir modificadores del SN como *mismo, solo,* etc. La propiedad común a todas ellas parece ser la de caracterizarse como 'morfológicamente débiles', en el sentido de que son inacentuadas y en general defectivas en cuanto a sus rasgos. Véase el trabajo citado para más detalles.

Los ejemplos como (126a), que contienen un elemento (pronominal o no) antepuesto, se caracterizan porque la aparición del clítico es obligatoria (cf. **A Juan han visto*, pronunciada sin acento contrastivo en el primer elemento),[55] y porque la supuesta 'reduplicación' se produce tanto con objetos directos como indirectos en todos los dialectos. Estas dos características no son propias de las construcciones de doblado propiamente dicho. Además, en registros coloquiales, el elemento inicial se puede recuperar no sólo mediante un clítico sino a través de un pronombre tónico (127a). Por último, las oraciones como (126a) son posibles también en lenguas que, como el inglés, no tienen clíticos (127b).

(127) a. Eso, hay que pensar más en ello.
b. This book, I really want to read *it*.
«Este libro, realmente quiero leerlo».

La oración de (126b), tampoco ejemplifica una reduplicación en sentido estricto. Lo que aparece repetido ahora es el antecedente de una oración de relativo y, de nuevo, las propiedades que muestran estas construcciones son particulares. También aquí aparecen clíticos tanto de OD como de OI (128a, b), que no contrastan, además, con los otros pronombres. En efecto, no están excluidos de estas construcciones los posesivos, como en (128c), ni los pronombres tónicos objeto de preposición, como en (128d):

(128) a. El chico que no sabes cuándo lo viste.
b. El chico que me dijiste que le habían dado un premio.
c. El chico que su padre es médico.
d. Un libro que nunca te he hablado de él y que quisiera que leyeras.

Parece, entonces, que los casos como (126b) son ejemplos de un fenómeno más general, que consiste en construir una oración de relativo introducida por la conjunción subordinante *que* y con un pronombre en su interior. Al contrario de lo que ocurre en los casos como (126c, d), para que sea posible el fenómeno referido, es necesario que haya una cierta distancia entre el antecedente y el pronombre; en general, se da cuando el pronombre está situado en una subordinada dentro de la relativa, como observó ya Bello (1847: § 924). Es decir, se producen contrastes como los siguientes:

(129) a. *El chico que lo viste.
b. El chico que no sabes dónde *(lo) viste.
c. *Ese coche que lo tienes guardado en el garaje.
d. Ese coche que oí la noticia de que *(lo) tienes guardado en el garaje.

Se trata, en algunos casos, de una especie de vía de escape para estructuras de relativo que, de otro modo, no serían posibles. En este sentido, la aparición del pronombre es a veces obligatoria (cf. la versión sin clítico de (129b y d)). Esta

[55] Véanse Poston 1953, Fish 1958, Rivero 1980, Jaeggli 1982, Hernanz y Brucart 1987 y Campos y Zampini 1990, entre otros.

estrategia que consiste en el uso de un pronombre 'reasuntivo' en oraciones de relativo [→ § 7.1.2] no es exclusiva del español sino que, al igual que en el caso anterior, se da en lenguas en que no es posible la redundancia pronominal, como el italiano o el francés. [56]

19.4.1. Duplicación de objetos directos e indirectos

Así las cosas, los únicos casos de (re)duplicación propiamente dicha son los de (126c y d), esto es, aquellos en que el clítico coaparece en la misma oración con un sintagma en posición canónica de objeto. Estas construcciones, en efecto, no son posibles ni en francés ni en italiano. Pero aun dentro de estos casos, es necesario hacer una posterior subdivisión, puesto que el doblado en español se ajusta a restricciones bien definidas. [57]

a) Cuando el objeto canónico, sea directo o indirecto, es un pronombre, la aparición del clítico es obligatoria:

(130) a. Me ha visto a mí (*ha visto a mí).
b. Le di el regalo a él (*di el regalo a él).
c. Nos llamó a nosotros (*llamó a nosotros).

A juzgar por los datos, parece que la forma *usted* muestra, de nuevo, un comportamiento distinto. Poston (1953) señala, por ejemplo, que, en un recuento realizado sobre veinte obras literarias del siglo XX encuentra varios casos de *usted* no doblado, tanto de objeto directo como indirecto, del tipo de: [58]

(131) a. Agradezco a usted. (vs. **agradezco a ti*)
b. ¿En qué puedo servir a ustedes? [J. Goytortua, *Lluvia roja*]
c. No hay más que ver a usted para comprenderlo. [Armando Palacio Valdés, *A cara o cruz*]

Marcos Marín (1980: 219), a propósito del mismo fenómeno, trae un ejemplo de anuncio de la Empresa Municipal de Transportes:

(132) La EMT agradece a usted la utilización de sus autobuses.

El neutro *ello,* recordemos, supone también una excepción. Como objeto directo nunca aparece y, cuando lo hace como indirecto, puede no estar reduplicado:

(133) Dedicaré a ello el siguiente capítulo.

b) Dentro de los objetos no pronominales, es necesario distinguir los directos de los indirectos. Los segundos se reduplican con libertad en todos los dialectos del

[56] El lector interesado puede consultar, entre otros, los trabajos de Sells 1984, Cinque 1990, Contreras 1992, Fernández Soriano 1995.
[57] Puede verse en Rivas 1977 una descripción detallada de los contextos de doblado.
[58] Véase también Fish 1958.

español; los primeros son extraños, en la variedad estándar, si coaparecen con un clítico:

(134) a. Le di el regalo a Juan.
b. ??Lo vi a Juan.

Aunque hay excepciones, como la recogida por García Miguel (1991: 375) de (135). Son generales, además, ciertos casos de lo neutro oracional del tipo de (136a) citados por Fernández Ramírez (1951: 72) o el de (136b), de Marcos Marín (o. cit.: 219).

(135) La ayudo a mi madre. [Rafael Sánchez Ferlosio, *El Jarama,* 346]
(136) a. Ya lo creo que vendrá.
b. Lo sé que te sientes mal.
c. Ya se lo he dicho a la asamblea que vendrás.

Parece que la aparición de adverbios iniciales enfáticos del tipo de *ya* favorece estos contextos de doblado, pero no es estrictamente necesario, a juzgar por (136b).

Otro caso general de doblado de OODD es el que se da cuando van precedidos por cuantificadores del tipo de *todo(s)* o < Art + numeral > *(los dos / tres...)*

(137) a. Lo sé todo.
b. Los conozco a los cuatro.

Cuando el objeto directo es humano, y va precedido de preposición, el doblado es la opción preferida:

(138) a. Los conozco {a todos/a los tres}.
b. ?Conozco {a todos/a los tres}.

Para *todo* se ha supuesto que funciona como un modificador de un nombre o pronombre omitido *(todo/a(s) ello-a(s))* y recuperado por el clítico. En casos de no doblado, *todo* sería el núcleo del sintagma nominal. Esta suposición se ve sustentada por datos del tipo de (139), que muestran que es la condición del elemento que aparece con *todo* la que determina la posibilidad de doblado.[59]

(139) a. *Lo vi eso. / *Lo vi todo eso.
b. Los vi a ellos. / Los vi a todos ellos.

Para los cuantificadores del tipo *los-as {dos/tres...}* puede pensarse en un análisis semejante.

Otro caso interesante es el de *uno/una,* que da pie a construcciones de doblado cuando es pronombre indefinido, generalmente referido al hablante. Se distingue, así, del *uno* cuantificador *(uno de ellos/una de ellas),* que nunca aparece reduplicado. Eso explica el contraste de significado de las siguientes oraciones:

[59] Véanse Poston 1953 y, dentro de la perspectiva generativista, Jaeggli 1982 para la argumentación en favor de esta hipótesis. Suñer 1988 sostiene, sin embargo, que *todo* es siempre un modificador y que son los rasgos de la categoría vacía (que puede corresponder a un neutro) los que determinan en todos los casos la posibilidad de doblado.

(140) a. Si ven a una copiando se ponen furiosos.
b. Si la ven a una copiando se ponen furiosos.

Hay que señalar que la imposibilidad de doblado no está relacionada con la forma del clítico sino con el tipo de complemento. Así, en los dialectos leístas, que usan *le* para los objetos directos personales, se producen contrastes como los de (141a-d) donde se dobla un objecto indirecto, pero no los objetos directos. Además, son sólo los clíticos de acusativo de tercera persona los que no admiten el doblado. En casos de 'discordancia' como (141e, f) sí pueden coexistir un objeto directo no pronominal en posición canónica y un clítico de primera o segunda persona.

(141) a. Le di el regalo a Juan.
b. ¿Le has hablado a tu padre del asunto?
c. *Le vi a Juan.
d. *Le quiero a Mario.
e. Nos vieron a los estudiantes.
f. Os quieren sólo a los elegidos.

c) En cuanto a los objetos indirectos, hay algunos que se reduplican potestativamente (si bien la opción del doblado es, con mucho, la preferida) [60] mientras que en otros casos la aparición del clítico es obligatoria. Al analizar los contrastes con detenimiento, lo que se observa es que el doblado de dativos está directamente relacionado con el papel semántico asignado al objeto indirecto. Fijémonos por un momento en los datos siguientes:

(142) a. (Le) dijeron a Juan que viniera.
b. (Le) dieron el premio al escritor.
c. *(Le) gusta el cine a Juan.
d. *(Le) preparó un brevaje al enfermo.
e. *(Le) hice los deberes a la niña.
f. *(Le) cortaron las uñas al niño.
g. *(Le) duele la pierna a Pedro.

En las oraciones de (142c-g) la aparición del clítico es obligatoria y el dativo recibe un papel semántico que no es el regularmente asignado de destinatario. En (142c) estamos ante un caso de dativo experimentante; en (142d, e) de beneficiario y en (142f) y (142g) a los dos papeles anteriores se superpone el de posesor inalienable. [61] Los únicos casos que admiten la ausencia de doblado son los dativos metas o destinatarios, como los de (142a y b) [→ §§ 24.3.5, 30.4 y 30.6]. [62]

Así pues, en un sentido no meramente estadístico sino basado en el análisis sintáctico, las construcciones de doblado son claramente mayoritarias en español: se

[60] Véanse Silva-Corvalán 1981 para el español chileno; Bentivoglio 1978 para el Caribe y Barrenechea y Orecchia 1977 para el bonaerense.

[61] Para los dativos beneficiarios y su análisis sintáctico-semántico véanse Demonte 1995, Branchadell 1992; y para los de posesión inalienable, Vergnaud y Zubizarreta 1992 para el francés y Jaeggli 1982 para el español.

[62] Demonte 1995 muestra que el doblado de clíticos dativo no es, en ningún caso y en sentido estricto, opcional. Elabora un análisis de los dos tipos de estructura (con y sin doblado), según el cual tal alternancia puede relacionarse con la que se da en inglés en la llamada construcción de «doble objeto» (analizada en Larson 1988), que ejemplifican casos como *John gave a book to Mary* / *John gave Mary a book*, «Juan (le) dio un libro a María».

dan siempre que el objeto sea pronominal y, dentro de los no pronominales, sólo tienen restricciones con objetos directos. Hay, además, variación entre los distintos dialectos del español por lo que se refiere a las construcciones redundantes que se permiten y las restricciones a que están sometidas.

19.4.2. La redundancia pronominal y la variación dialectal

En este apartado presentaremos dos muestras de variación dialectal que tienen que ver con el doblado por clítico de objetos directos no pronominales [⟶ § 24.5]. La primera se refiere al dialecto hablado en la zona del Río de la Plata, en América del Sur. Este dialecto contrasta con la variedad estándar del español en permitir el doblado de objetos directos mediante el clítico acusativo *lo/la* (dado que se trata de una variedad no leísta). En rioplatense, pues, son habituales estructuras como:

(143) a. Lo vimos a Juan.
b. La encontré a mi hija.

En varios estudios sobre el tema [63] se ha visto una generalización detrás de este fenómeno, según la cual el doblado se produce únicamente si el objeto canónico va precedido de *a.* Esta preposición, en la variedad rioplatense, aparece a veces también con no animados, siempre que sean específicos [⟶ § 28.5]:

(144) a. ¿Tú la friegas *a* la cocina? *(Espontánea)*
b. Yo no lo entiendo *a* eso. *(Espontánea)*

Trabajos posteriores sustentados por baterías amplias de datos han mostrado que tal generalización no se cumple en todos los casos, a la vista de ejemplos como los siguientes, extraídos por Silva Corvalán (1981a) de muestras del dialecto bonaerense (Suñer 1988, llega a la misma conclusión y presenta ejemplos análogos):

(145) a. A veces hay que verlas las cosas para aprenderlas.
b. Me la fabriqué la prueba objetiva.
c. Uno los ve los problemas, digamos, reducidos en su dimensión.
d. Y por suerte que después la, la Rosa, la, la fondeó la colcha en la misma casa.

Parece claro, sin embargo, que el doblado de clíticos en el habla rioplatense está restringido, dado que oraciones como las siguientes (de Suñer 1988) son imposibles:

(146) a. *No lo oyeron a ningún ladrón.
b. *La buscaban a alguien que los ayudara.
c. *Lo alabarán al niño que termine primero.
d. *¿A quién lo condecoraron?

---

[63] Cf. Kayne 1975, Rivas 1977 y Jaeggli 1982, entre otros.

Lo que muestran los datos presentados es que la restricción que opera en el doblado tiene que ver no con la condición de humano/animado (marcada por la preposición *a)* del OD sino con la especificidad.[64] Suñer (1988) define este rasgo como la posibilidad de identificar el referente de un SN con un X concreto del contexto lingüístico.[65] Silva Corvalán (1980-81, 1981a, 1981b) relaciona el doblado (que, al igual que Suñer, considera como una instancia de la concordancia) con la topicalidad:[66] los SSNN específicos tendrían más tendencia a ser tópicos y, por tanto, a estar doblados por un clítico. Parece, así, que el rioplatense se distingue por permitir la reduplicación por un clítico acusativo de los objetos directos que son específicos.

La segunda muestra de variación dialectal que quisiéramos poner sobre el tapete es la que se da en el dialecto hablado en Quito (Ecuador) [⟶ § 21.3.1.1]. Según recogen Suñer y Yépez (1988), este dialecto muestra leísmo generalizado para objetos directos de persona y cosa, masculino y femenino. A diferencia de los otros dialectos leístas, sin embargo, se produce doblado del objeto directo. Los ejemplos que presentamos están tomados del trabajo mencionado.

(147) a. ... le conoció a mamá.
b. ... les calentará a los pollitos.
c. Le contrataré al taxi.
d. Ya le veo a la camioneta.

Además, en este dialecto no pueden aparecer un clítico de objeto directo y otro de indirecto con el mismo verbo (esto es, no existen estructuras como *Se lo di*). Paralelamente, las oraciones del tipo de (147) coexisten con otras en que ni el objeto directo canónico ni el clítico están presentes. Parece, así, que el clítico sólo aparece precisamente cuando también está presente un sintagma nominal, esto es, que las estructuras de doblado son las únicas posibles en este dialecto. Muestra de ello es que la ausencia de clítico se da incluso en casos de objeto directo antepuesto, como los de (148a), que generalmente requieren la presencia del clítico. Los ejemplos de (148) están tomados del trabajo de Suñer y Yépez:

(148) a. Todos los cursos que hice, Ø hice en una fábrica en Massachusetts.
b. Las elecciones yo nunca Ø entendí.
c. Las de allá, Ø cerraron.
d. La leche Ø vendían a $ 1.20.

El objeto directo ausente se interpreta siempre como definido. Su referencia, por otra parte, es un SN inanimado, salvo para verbos que requieren dos objetos humanos (149f):

---

[64] La definitud no parece tampoco el rasgo pertinente, a la vista de casos como (146c).

[65] Esta propiedad, recordemos, distingue los clíticos acusativo de los clíticos dativo. Según Suñer, sólo los primeros están intrínsecamente marcados como específicos.

(i) a. ¿A quién le diste un regalo?
b. No le di el regalo a ningún niño.

[66] Utilizamos aquí la terminología de la autora, que afirma que «[la concordancia con el verbo] es motivada por el relativo valor de topicalidad de la frase nominal acusativa o dativa» (1980-81: 562). En esta misma línea, Bentivoglio 1983 recoge diferencias en cuanto al doblado usando parámetros análogos («distancia referencial», definitud, etc.).

(149) a. DameØ. (= «dámelo»)
b. Bueno, yo te Ø saco. (= «te lo saco»)
c. Me dejaban la proforma para que yo Ø vea.
d. A mi mamá se le quedó un poco mal cerrado el armario y logré Ø abrir.
e. Vi Ø en la televisión. (*[+ animado])
f. Preséntame Ø. (animado, personal). [67]

Un caso parecido es el que presenta el español hablado en el País Vasco [→ § 21.3.3]. En este dialecto se usa también la forma *le* para objeto directo masculino y femenino, pero sólo con referente humano. Es igualmente posible la reduplicación de estos objetos (150a), así como las construcciones en que no aparecen ni el complemento canónico ni el clítico (150b), pero aquel se interpreta generalmente como humano (150c). [68]

(150) a. No le conozco a la novia de Txetxu.
b. ¿Qué le pasó al libro?
—Juan llevóØ a su sitio.
c. ¿Qué le pasó al general?
—*El enemigo matóØ.

Existen, pues, variedades del español en que los objetos directos aparecen siempre en construcciones de reduplicación por clíticos, bien por la forma etimológica *lo* / *la,* bien por la de dativo *le,* en dialectos con leísmo generalizado.

Para entender de modo cabal la naturaleza de las construcciones con redundancia pronominal es necesario analizar asimismo la naturaleza y las propiedades de los pronombres átonos. En el siguiente apartado nos ocuparemos de esos pronombres y trataremos de dar una descripción detallada de su comportamiento.

19.5. Los pronombres átonos

19.5.1. Caracterización e inventario

Los pronombres átonos o clíticos son formas pronominales de objeto no acentuadas que aparecen unidas al verbo, bien sea delante (proclisis) bien detrás (enclisis), en una relación de estricta adyacencia; sólo otro clítico puede intervenir entre ambos:

---

[67] Como las propias autoras hacen notar, este hecho ocurre en español estándar de modo muy restringido, en concreto con verbos de 'conocimiento' y 'entendimiento' *(knowledge and understanding):*

(i) a. No te olvides de decirle.
b. ¿A quién le preguntaste?
c. Le voy a contar.

Podría ser que el español estándar se diferenciase del quiteño en que sólo se omiten los neutros, que son los complementos típicos de estos verbos, y en quiteño cualquier inanimado.

[68] Véase Landa 1995 para una descripción minuciosa de los contextos de doblado y de construcciones sin objeto explícito en este dialecto. De allí tomamos los ejemplos de (150).

(151) a. No te lo daré.
b. Hacerlo mal sería un error.
c. *Te lo no daré.
d. *Hacer mal lo sería un error.

Por lo que se refiere a sus formas, las de primera y segunda personas no están diferenciadas para el género ni la reflexividad, y sólo muestran marca de caso objetivo, sin distinción entre dativo y acusativo: *me, te, nos, os.* La tercera persona posee una forma reflexiva, *se* (que coincide con la impersonal) (véase el capítulo 26), una para el dativo, *le/les,* y otra para el acusativo, con distinción de género *lo/la/los/las* (véase el esquema de 19.2.2). No se han mantenido en español actual, a diferencia de otras lenguas romances, los clíticos relacionados con sintagmas preposicionales: no existe el clítico partitivo o de procedencia equivalente a *en* (francés, catalán) *ne* (italiano), ni el locativo análogo a *y/ci/hi,* excepto el resto de la forma impersonal *hay*.

Por sencillo que pueda parecer aislar y describir los rasgos de los elementos que se encuadran generalmente bajo la denominación de clíticos en español, el concepto mismo y la caracterización de ellos como categoría no están en absoluto claros. Son muchas las dificultades, tanto teóricas como prácticas, que se le plantean al estudioso al enfrentarse con la tarea de caracterizar a los clíticos en general y de delimitar su inventario, esto es, de reconocer a un determinado elemento como miembro de esa categoría. Hay incluso autores que han puesto en duda la propia existencia de los clíticos como primitivo teórico, más allá de la mera herramienta descriptiva.

En una primera aproximación más bien intuitiva, puede decirse que la cliticización está a medio camino entre la formación de palabras y los procesos sintácticos que operan con palabras, dado que está sujeta a menos restricciones que los procesos morfológicos, pero la dependencia entre el clítico y el elemento al que se adjunta es mayor que la que mantienen las palabras entre sí [⟶ § 67.2.5]. La caracterización unitaria del fenómeno se ve dificultada por el hecho de que las propiedades de estos elementos intermedios y su grado de unión con la palabra de la que dependen varían considerablemente de unos casos a otros.

Antes de entrar de lleno en la caracterización de los pronombres átonos del español, conviene recordar que bajo la denominación de 'clítico' se designa a un grupo heterogéneo de elementos cuyo estatuto no siempre es claro, pero permite establecer ciertas generalizaciones. Una de las más interesantes es que los clíticos guardan distintos tipos de relación con el elemento del que dependen. Así, en Zwicky 1977, 1985, 1987 se propone una clasificación que distingue entre 'clíticos simples', 'clíticos especiales' y 'palabras ligadas'. Los primeros se caracterizan por alternar con una forma plena fácilmente recuperable, de modo regulado por principios fonológicos y en circunstancias que tienen que ver en muchos casos con registros lingüísticos, niveles de discurso y grados de formalidad. Un ejemplo de ellos, según el autor, son las formas reducidas de los pronombres objeto del inglés (*bring them some tea* ⟶ *bring'em some tea,* «tráeles té»). Las palabras ligadas, por el contrario, carecen de un correlato inmediato no reducido, pero necesitan apoyarse en algún elemento oracional (por cuestiones de acento, en general), de modo que a veces su aparición está restringida a una posición determinada en la oración. La conjunción latina *que* sería un ejemplo de este tipo. Por último, los clíticos especiales son realmente alomorfos separados de una forma plena. En esta clase se incluirían los pronombres átonos de las lenguas romances.

Las tres clases de clíticos, sin embargo, no son compartimentos estancos. Con el paso del tiempo, un clítico simple o una palabra ligada pueden llegar a ser un clítico *especial*. Si este, además, se apoya siempre en la misma categoría, no hay modo de distinguirlo de una forma afijal. [69] Esto es precisamente lo que ha ocurrido con los pronombres átonos del español. Rivero (1986), (1992) observa que los clíticos medievales presentan propiedades más acordes con la categoría de los clíticos simples (en el sentido de Zwicky) que de los clíticos especiales: no podían ser iniciales de cláusula, se adjuntaban a varios sintagmas y entre ellos y el verbo podían intervenir elementos como la negación *(Lo quiero non ver)*. Parece haber, por tanto, como afirma Giacalone Ramat (1990), un cambio en el tipo de cliticización. La tarea de averiguar la naturaleza del cambio y las razones últimas por las que se produjo se hace especialmente difícil, dado que se trata de un proceso probablemente largo, con numerosos estadios intermedios, que presenta varios aspectos: el prosódico, la reducción fonológica y morfológica (como consecuencia de la pérdida de acento) y la distribución sintáctica (la adjunción al verbo). [70]

19.5.2. ¿Palabras plenas o afijos?

Volviendo al estudio del español, nuestros pronombres átonos presentan una serie de propiedades que los distinguen significativamente de las palabras independientes. En primer lugar, los clíticos dependen fonológicamente del verbo con el que aparecen; no pueden darse aislados, ni siquiera como contestación a una pregunta. A este respecto se asemejan más a los morfemas ligados que a las palabras:

(152) a. ¿Prefieres café o tila?
—Café.
b. ¿Lo prefieres o la prefieres?
—*Lo.
c. ¿Vamos o vais?
—*Mos.

En realidad, y esta es otra propiedad importante, ni siquiera la pregunta de (152b) es posible. Los clíticos no pueden entrar en relaciones de contraste ni recibir marcas distintivas, como la que se sigue de ser el objeto de una interrogación, dada su condición de átonos.

En segundo lugar, los clíticos no pueden formar parte de una coordinación ni tampoco ser elididos por identidad, de nuevo análogamente a lo que ocurre con los morfemas flexivos: [71]

---

[69] Para un análisis y ejemplificación de los distintos tipos de clítico y sus propiedades, véase Spencer 1991.

[70] El lector interesado puede ver el trabajo de Fontana (1993) para un detallado estudio de la evolución de los clíticos en español desde constituyentes sintagmáticos fonológicamente defectivos hasta elementos afijales, en relación con el desarrollo de la estructura oracional y la distribución tema-rema.

[71] Véase, a este respecto, Bosque 1986. En este trabajo se señala, por otro lado, que oraciones como (154b) son posibles sólo si los dos verbos pueden formar una unidad semántica, de modo que se interpreten como una sola actividad: *Lo compró y vendió en una sola operación*.

(153) a. Juan trajo el coche y la moto.
b. *Juan lo y la trajo.
c. *Vamos e -is.

(154) a. Juan lavó y regaló toda su ropa.
b. *Juan la lavó y regaló.
c. *Trajimos y lleva- el coche.

Estas propiedades, podría argüirse, no son decisivas para mostrar que se trata, efectivamente, de morfemas ligados. Ambas pueden derivarse de la naturaleza átona de los clíticos. En este sentido, no se distinguirían del artículo o de los posesivos antepuestos. Los pronombres átonos presentan, sin embargo, otras características que sólo comparten con los morfemas ligados. [72] De hecho, la carencia de acento, como observa Klavans (1980), no siempre es consustancial con los clíticos. Pone como ejemplo esta autora ciertos dialectos del sur de Italia que no admiten palabras esdrújulas. En estos dialectos, el primero de los clíticos de una secuencia recibe obligatoriamente acento, sin que ello afecte a su condición. Encontramos, así, ejemplos como:

(155) sposáre → sposárse → sposàrséla.
Lit. casar casarse casársela. [73]

En el caso del español, Gili Gaya (1943: 236), por ejemplo, señala que «es frecuente que el habla familiar acentúe los pronombres enclíticos, sobre todo cuando se unen al imperativo: *vamonós, dejalé, pidaseló*». [74] El carecer de acento no es, por tanto, la característica fundamental de los clíticos. Pero veamos cuáles son esas propiedades que alejan a los clíticos de las palabras independientes.

Los pronombres átonos del español actual, en primer lugar, están especializados con respecto a la clase de palabra a la que se adjuntan, que necesariamente debe ser el verbo. En esto se distinguen, por ejemplo, del artículo, que es fonológicamente dependiente de la palabra adyacente, sea cual sea su categoría. Casi todos los gramáticos que se han ocupado de los pronombres átonos, además, han coincidido en observar que estos se ajustan a un orden muy rígido de persona. [75] Parece que esta propiedad, característica de los clíticos, de formar grupos o amalgamas que se ajustan a una ordenación específica es más propia de los afijos que de las palabras plenas. Hay que tener en cuenta, además, la asimetría que se da en una misma lengua, como el español, entre la ordenación de las palabras (que es bastante libre) (véase el capítulo 64) y la de los clíticos.

(156) a. Me lo das. / *Lo me das.
b. Te me fuiste. / *Me te fuiste.

---

[72] De hecho, muchos trabajos tradicionales sobre la cuestión hablan de «pronombres afijos» (Bello 1847; Salvá 1830; Fernández Ramírez 1951; Lapesa 1955) e incluso de «conjugación objetiva» (Llorente y Mondéjar 1972, 1977). Véanse Slawomirski 1990 para una discusión detallada, Sportiche 1992 y García Miguel 1991 para una presentación de las distintas propuestas y una discusión de los datos en términos de concordancia (representada por el clítico) entre el predicado y algunos de sus actantes.

[73] Otros ejemplos de lo mismo pueden encontrarse en Anderson 1992: 204.

[74] Menéndez Pidal (1904: 255) y Navarro Tomás (1971: § 173) hacen observaciones parecidas.

[75] Véanse Bello 1847 y Fernández Ramírez 1951 entre otros. Desde el punto de vista de la morfología, puede consultarse el trabajo de Spencer 1991 para un análisis de la ordenación de los clíticos.

En algunos trabajos actuales, como el de Bonet (1991), se muestra que el orden lineal de los clíticos no puede determinarse sólo sobre la base de mecanismos sintácticos, como ocurre con las palabras independientes. La suposición es que los clíticos constituyen estructuras jerárquicas de rasgos (persona, argumento, caso oblicuo, etc.) cuya ordenación se establece en el componente morfológico mediante la transferencia a una especie de plantilla.

Otra interesante propiedad de los clíticos, que los acerca de nuevo a los morfemas ligados, es la de ser capaces de desencadenar procesos fonológicos en el verbo al que se adjuntan. Por ejemplo, ya en español antiguo y medieval eran frecuentes en la enclisis los casos de asimilación: *serville* = «servirle», *tornase* = «tornarse», y de metátesis: *dalde* = «dadle», *dandos* = «dadnos»... [76] Algunos de estos fenómenos se mantienen aún en el habla popular. También en español estándar actual se da elisión, en el imperativo, de la *-d* de la segunda persona y la *-s* de la primera persona del plural, cuando se une el clítico *(sen-ta-~~d~~os, vámo-~~s~~-nos)*. Una prueba clara de la unión íntima entre el clítico y el verbo al que se adjunta la proporciona un fenómeno bastante común en el habla coloquial. En este registro el morfema de plural de la tercera persona se añade al conjunto formado por el clítico y el verbo (que se interpreta, así, como una sola palabra): *márchesen, siéntesen.*

Por lo que se refiere a las agrupaciones de clíticos, parece bastante claro que forman una unidad morfológica entre sí. Cuando aparecen en una secuencia, esta no puede interrumpirse:

(157) a. *Lo puede darme.
b. *Me puede darlo.
c. Me lo puede dar. / Puede dármelo.

La unidad de las secuencias de clíticos se muestra también en el caso del llamado '*Se* espurio', procedente de *le.* [77] Este clítico es el resultado de un proceso fonológico de disimilación, que consiste en el paso de *le(s)* a *se* (con la consiguiente pérdida del rasgo de número), si va seguido del acusativo de tercera persona *(lo, la, los, las):* [78]

(158) Le doy el libro → Se lo doy. [79]

En la mayoría de los dialectos de Hispanoamérica es habitual colocar el morfema del plural en el acusativo singular [→ § 67.2.5], si va precedido por un dativo referido a más de una persona que, como consecuencia del paso a *se*, pierde la

[76] Menéndez Pidal (1904: 253-256) da otros ejemplos de esto mismo. Cuervo (1954b: 366) se ocupa también de estos fenómenos, que se dan hasta mediados del siglo XVII y los relaciona con la tendencia general del español a evitar grupos consonánticos *-tl-*, *-dl-*.

[77] Sobre este tema, puede verse Menéndez Pidal 1904: 254, Perlmutter 1970, Bastida 1976 y Strozer 1976, entre otros.

[78] En lenguas como el italiano, la fusión es visible en el caso de la sucesión de dos pronombres de tercera persona (*glielo* = «le» «lo»).

[79] No puede, claro está, hablarse en este caso de la aplicación de una regla puramente fonológica. No se trata de un cambio «ciego», en un contexto fonético determinado, puesto que no tiene lugar en casos como los de (i):

(i) a. Eres un lelo > *eres un selo.
b. Le lavé las manos > *se lavé las manos.

Estamos más bien ante un ejemplo de alomorfia gramaticalmente condicionada (cf. Varela 1990), pero se trata, indudablemente, de un proceso morfológico. Puede verse el trabajo de Bonet (1991) para un análisis detallado.

marca de pluralidad (Kany 1945: 140). La secuencia entera se interpreta como una unidad, con el morfema *-s* al final:

(159) a. Les doy el regalo a los niños ⟶ Se lo*s* doy.
b. Ya les dije eso a ustedes ⟶ Ya se lo*s* dije.

Este proceso, si bien está más extendido en el habla americana, no es ajeno al español peninsular. Gili Gaya (1943: 234) registra un fenómeno análogo en aragonés, pero con empleo del pronombre *le (ya se les he dicho).* La idea de que la secuencia de clíticos es una unidad morfológica parece, así, encontrar apoyo en los datos.

Por último, el hecho de que se dé redundancia pronominal, esto es, que el clítico aparezca a la vez que el objeto canónico constituye, como se vio en el § 19.4, una prueba importante de su condición de afijo. Así lo han visto, en efecto, muchos gramáticos. Alarcos (1980: 206), por ejemplo, afirma:

> «Así como las desinencias verbales son indicadores de la 'persona' sujeto, los pronombres átonos indican la 'persona' en que se complementa o implementa el verbo. [...] los pronombres *me/te,* etc. son signos morfológicos que determinan el signo verbal del mismo modo que los signos morfológicos que constituyen sus desinencias.»

19.5.3. La función sintáctica de los pronombres átonos. Clíticos acusativo y clíticos dativo

Si se quiere comprender de modo cabal el fenómeno de la cliticización en español, es preciso tener en cuenta que estamos ante un grupo muy heterogéneo de elementos que se encuentran posiblemente en proceso de cambio y muestran una gran variación dependiendo del dialecto. En la mayoría de los trabajos que se ocupan de los pronombres átonos no se ha planteado la posibilidad de que los clíticos puedan no analizarse todos del mismo modo. Y sin embargo, a lo largo de estas páginas se han revelado, y se irán revelando, varios aspectos en que unos clíticos difieren significativamente de otros.

Incluso en una primera aproximación, emerge de manera bastante clara el hecho de que los clíticos de primera y segunda personas no son totalmente equiparables a los de tercera. En primer lugar, porque unos derivan históricamente del pronombre personal latino, en tanto que los otros provienen del demostrativo (cf. el § 19.1). Además, sólo los pronombres de tercera persona alternan (o coexisten) con expresiones referenciales (SSNN léxicos no pronominales).[80] Esto hace, además, que la aparición de los clíticos de primera y segunda personas sea siempre obligatoria. Por otro lado, en el paradigma de los pronombres de primera y segunda personas no se da la distinción entre formas reflexivas y no reflexivas *(se / lo / le* vs. *me, te),* ni la que responde en la mayoría de los dialectos al caso *(le / lo-la).*

---

[80] Si exceptuamos, naturalmente, los casos de 'discordancia' del tipo de (i). Véase Hurtado 1984 para un análisis de estos datos.

(i) a. Nos lo entregaron a los estudiantes.
b. Os lo dirán sólo a los participantes.

Algunos de los contrastes anteriores podrían ser el reflejo de la distinción más general entre las personas del pronombre. [81] Sin embargo, las divergencias entre las formas de dativo y acusativo son de naturaleza mucho más profunda de lo que podría parecer en un principio como, según hemos indicado, se muestra de modo variable en los diversos dialectos del español [→ § 24.5]. En primer lugar, el clítico dativo coaparece con SSNN en posición de objeto en todos los contextos, y en todos los dialectos del español *(Le dije a Juan que viniera),* mientras que el acusativo sólo lo hace en ciertas variantes y bajo severas restricciones (véase el § 19.4). En segundo lugar, es una capacidad exclusiva de los dativos la de introducir no argumentos, como los dativos éticos o benefactivos *(No te me vayas)* [→ § 30.7].

Otra propiedad que singulariza a los clíticos de dativo es que, en ciertas circunstancias, están subespecificados en cuanto a sus rasgos. Ocurre con mucha frecuencia, por ejemplo, que el clítico dativo de tercera persona pierde la marca de plural cuando aparece en construcciones de reduplicación. La RAE (1973: 423-24) señala los siguientes casos:

(160) a. No le tiene miedo a las balas.
b. Nunca le agrada a los gobernantes la disconformidad de los gobernados. [82]

Este es un fenómeno que afecta exclusivamente a *le(s).* No se da el caso, por ejemplo, de que en los dialectos laístas se produzcan oraciones análogas a las anteriores: no existe un uso de *la* por *las (*No la tiene miedo {a las balas/a sus profesoras}; *Nunca la agrada a las jefas la disconformidad de las empleadas).* [83] La interpretación que se ha dado en general de este hecho es que indica que el dativo es un «expletivo» (en términos de Rini 1989), que no ejerce una función verdaderamente pronominal, sino que avanza la presencia de un dativo, cuyos rasgos no necesita especificar. [84]

Por otro lado, la gama de funciones sintácticas o de tipos de argumentos que materializa el clítico dativo no se restringe sólo a los complementos indirectos. Además de los casos de dativos éticos, etc., los clíticos dativos pueden tener valor locativo y reproducir complementos (con *de*) de locuciones con este valor (161a, b, c, d) y referirse a sintagmas con *para* en oraciones impersonales con < *ser, resultar* + adjetivo> (161e, f, g) [→ § 30.5]:

---

[81] Puede verse el trabajo de Ritter 1995 para un análisis de las diferencias entre las personas del pronombre y de las desinencias verbales en términos de la distribución interna de sus rasgos.

[82] Es interesante resaltar el hecho de que es sólo en estas construcciones cuando se usa *le* por *les,* nunca cuando el objeto no aparece en su posición canónica, como en las estructuras de tema antepuesto *(A los niños le*(s) daré un caramelo),* ni cuando no es explícito. En este sentido, vale la pena citar las siguientes palabras de Casares 1918 (tomadas de Rini 1989), a propósito del diálogo de (i):

(i) —Ahí hay dos caballeros que desean ver al señorito. ¿Qué les digo?

«ni la criada, ni la señora, ni el señor, ni ningún ser nacido en los dominios del castellano es capaz de emplear *le* por *les»* (o. cit.:117). Para un análisis de las distintas propuestas acerca de los orígenes de este fenómeno, véase Rini 1989, 1991. Cuervo (1954a: 346) pone ejemplos similares de imposibilidad de uso de *le* por *les.*

[83] Barrenechea y Orecchia (1970) señalan, sin embargo, algún ejemplo de *lo* por *los* en dialectos en que hay reduplicación del objeto directo: *Los días jueves se lo dedico a mi hobby.*

[84] Marcos Marín (1978: 265-66) argumenta también en esta dirección. Véase asimismo Roca 1992.

(161) a. Se le acercó.
b. Se le sentó encima.
c. Se le puso al lado.
d. Le salió al encuentro.
e. Le es fácil conducir.
f. Le fue imposible llegar.
g. Le resulta {útil /divertido}.

Por lo que respecta al clítico acusativo de tercera persona, puede proceder tanto del demostrativo masculino ILLUM como del neutro ILLUD, de modo que existe un *lo* neutro referido tanto a complementos oracionales como a predicados. En este último caso, el carácter neutro impide al clítico concordar con el sujeto de la oración (como en (162c)):

(162) a. Lo sabía (que ibas a venir).
b. Me lo dijo (lo que había hecho).
c. Es guapa. / Lo es / *La es.

Parece que el clítico de dativo *le* también puede referirse a neutros en algunos contextos. Kany (1945: 161ss.) y Fernández Ramírez (1951: § 114) analizan de este modo ejemplos como los de (163), si bien observan que no es frecuente este uso:

(163) a. No le des más vueltas.
b. ¿Qué le vamos a hacer?
c. Si queremos explicar esto, primero hay que encontrarle sentido.
d. No hay que darle importancia a lo que digan.

Por último, los clíticos acusativo y dativo se distinguen también en cuanto a su valor de especificidad. Suñer (1988) señala, por ejemplo, que los clíticos *lo/la,* a diferencia de *le,* no pueden referirse a sintagmas con indefinidos, como el de (164a), ni a elementos interrogativos, como en (164c): [85]

(164) a. *A ningún bedel lo veo nunca trabajando.
b. A ningún bedel le pediría yo buenas fotocopias.
c. *¿A quién lo viste?
d. ¿A quién le diste el regalo?

Parece, así, que no estamos ante un fenómeno totalmente unitario y que son necesarias ciertas distinciones. La diferenciación presentada en este apartado se manifiesta de modo significativo en las construcciones de doblado o (re)duplicación, como vimos en el § 19.4. En lo que sigue, trataremos los aspectos relativos a la posición de los clíticos con respecto al verbo del que dependen.

19.5.4. Enclisis y proclisis

La posición superficial de los clíticos no es siempre la misma, sino que puede variar dependiendo de las propiedades de la flexión del verbo al que se adjuntan.

[85] Véase el artículo mencionado de Suñer y las referencias allí citadas, así como Poston 1953 y Fish 1958.

Así, en español, cuando se trata de verbos conjugados el pronombre aparece delante (proclisis), mientras que con infinitivos, gerundios e imperativos afirmativos se obtiene la posición posverbal (enclisis). Los participios no admiten nunca la adjunción de un clítico. Ilustramos estas observaciones en el paradigma de (165). Este paradigma se repite con cualquier tipo de verbo, de modo que no parece que puedan encontrarse factores distintos de la configuración del sistema flexivo de la oración que determinen la posición enclítica o proclítica del pronombre átono.

(165) a. Lo {admiro/admiré/admiraré/admiraba} mucho.
b. No es bueno admirarlo tanto.
c. Admirándolo tanto no consigues nada.
d. Admírenlo ustedes también (cf. no lo admiren).
e. *He admirádolo mucho.
f. *Una vez admirádolo, abandonamos la sala. [86]

El paradigma no ha sido siempre como el de (165). En español medieval los clíticos aparecían con los participios y la proclisis con verbos finitos era habitual, siempre que «el verbo no sea la primera palabra de la oración» (Bello 1847: § 537). En realidad, la alternancia entre formas enclíticas y proclíticas estaba en época antigua regulada por principios que hoy le son ajenos, como la ley de Tobler Mussafia, que impide la aparición de proclisis en posición inicial, por razones de distribución del acento. [87] Rivero (1986), (1992) analiza esta situación y supone que los clíticos medievales eran elementos sintagmáticos (SSNN) que cliticizan por razones fonológicas, mientras que en la actualidad se trata de núcleos que se adjuntan al verbo, de modo que se interpretan como una unidad con aquel. [88]

De todos modos, la situación descrita para el español no es idéntica en otras lenguas, ni siquiera en las de la familia romance: en francés se da proclisis con infinitivos (166a); en italiano los participios admiten clíticos (166b) y en portugués hay enclisis en oraciones temporalizadas matrices afirmativas (166c).

(166) a. Pour le voir il faut aller a Paris.
Lit. «Para lo ver, hay que ir a París».
b. Conosciutame, Gianni è cambiato.
Lit. «Conocídame G. ha cambiado».
c. Deu-lhe esse livro ontem.
Lit. «Di-le ese libro ayer».

Pero esta variación, como decíamos, depende fundamentalmente de los elementos flexivos (como tiempo y concordancia) y de las propiedades de los verbos implicados, más que de la naturaleza de los clíticos. [89]

---

[86] Cuervo (1958b: 365) cita ejemplos como el siguiente y observa que «van contra la gramática»: *Díchole esto se fue.*

[87] Esta ley ha sido relacionada con la de Wackernagel (Wanner 1987), más general y no formulada en términos de categorías gramaticales específicas, sino que simplemente estipula que 'ciertos' elementos deben ocupar la segunda posición en la oración.

[88] Véase Ramsden 1963 para un estudio de las diferentes teorías propuestas para dar cuenta de la posición de los clíticos en las lenguas romances primitivas.

[89] Para los detalles formales de esta variación el lector puede acudir a los trabajos de Kayne 1989, 1991, Strozer 1976, Otero 1975, Rouveret 1991 y Mendikoetxea 1993, entre otros.

Así pues, la posición de los clíticos depende hoy solamente de las propiedades flexivas de los verbos con los que aparecen. En casos de confluencia de verbo conjugado más forma no personal (perífrasis, etc.), hay una doble posibilidad, como veremos inmediatamente.

19.5.5. La posición de los pronombres átonos en estructuras complejas

Los clíticos, en ciertas circunstancias en que aparece un verbo finito seguido de infinitivo o gerundio, tienen la opción de colocarse como proclíticos al primero o enclíticos a los segundos. Dicho de otro modo, los clíticos no siempre están adjuntos al verbo al que lógicamente pertenecen, del que son complemento, sino que tienen la capacidad de aparecer en el verbo conjugado de una perífrasis, de «pasar, atraídos, al verbo principal» (RAE 1973: § 3.10.6):

(167) a. {Debo/Puedo} dár*selo*.
b. *Se lo* {puedo/debo} dar.
c. Quiero seguir explicándo*telo*.
d. Quiero seguír*telo* explicando.
e. *Te lo* quiero seguir explicando.

Las preguntas que cabe hacerse acerca de la naturaleza de ese fenómeno son varias, y tienen que ver con la delimitación de las restricciones a las que se ajusta y con el modo como se lleva a cabo tal proceso, de suerte que podamos atisbar cuál es la propiedad que está en la base de esa posibilidad. Sin ir, por el momento, más allá de la mera descripción sucinta de los datos, podemos establecer varias generalizaciones con respecto a los contextos en los que se permite la 'atracción' o 'subida' de clíticos: (i) los clíticos no pueden abandonar su oración si esta es finita (168); (ii) el conjunto de elementos que puede intervenir entre los dos verbos implicados está muy restringido: sólo ciertas preposiciones y la partícula *que* de la perífrasis obligativa (169); no pueden aparecer ni la negación, ni otros adverbios, ni cuantificadores de ningún tipo (170); (iii) los clíticos deben funcionar como un bloque; no es posible que sólo uno de ellos aparezca junto al verbo conjugado, dejando atrás al resto de la secuencia (171):

(168) Quiero que lo compres. → *Lo quiero que compres.
(169) a. Lo voy a hacer. / Se lo acabo de dar. / Lo tengo que hacer.
b. *Lo cuento con acabar. / *Lo estoy por decir.
(170) a. *Te deseo mucho ver.
b. *Lo quiere no hacer.
(171) a. *Me quiere darlo. / *Lo quiere darme.
b. Me lo quiere dar. / Quiere dármelo.

Pero la cuestión que más ha preocupado a los estudiosos que han tratado de este tema es que no todos los verbos tienen la capacidad de albergar un clítico procedente de su complemento. La clase está limitada a unos pocos casos, entre los que están los auxiliares modales y los aspectuales, en suma, los que forman perífrasis verbales de infinitivo y de gerundio [→ Cap. 51 y Cap. 52], más los causativos y aquellos cuyo sujeto es correferente con el del verbo incrustado:

(172) a. Te lo {puede/quiere/debe} dar.
b. Se lo hizo comer.
c. Lo intentó traer.

No admiten clíticos pertenecientes a sus complementos, sin embargo, verbos como los de 'opinión', 'creencia' o 'conocimiento' (*creer, afirmar, negar,* y muchos otros) y los llamados 'factivos', como *lamentar* o *sentir* (173) [→ Cap. 24 y Cap. 32]. Los verbos impersonales tampoco atraen a los clíticos de su complemento (174):

(173) a. Cree saberlo todo. / *Lo cree saber todo.
b. Dice habértelo confesado. / *Te lo dice haber confesado.
c. Aseguraste haberlo terminado. / *Lo aseguraste haber terminado.
d. Negó conocerla. / *La negó conocer.
f. Lamento conocerte. / *Te lamento conocer.

(174) a. Hay que hacerlo. / *Lo hay que hacer.
b. Parece pedirlo. / *Lo parece pedir.
c. Conviene hacerlo. / *Lo conviene hacer.

Otra observación general es que un clítico dativo de un verbo principal impide que este acoja los clíticos del incrustado en muchas estructuras. La casuística es como sigue: si el clítico acusativo incrustado es personal, el impedimento es absoluto (175); cuando se trata de no animados, los clíticos pueden no permanecer junto al verbo no conjugado, especialmente en los casos de verbos causativos. Así lo señala Luján (1980) de quien están tomados los ejemplos de (176):

(175) a. Me permitieron educarla. / *Me la permitieron educar.
b. Te aconsejaron llamarlo. / *Te lo aconsejaron llamar.
c. Me hicieron educarla. / *Me la hicieron educar.

(176) a. Te ordenó corregirlo. / *Te lo ordenó corregir.
b. Te prohibió tocarlo. / ?Te lo prohibió tocar.
c. Te dejó arreglarlos. / Te los dejó arreglar.
d. Me lo permitieron corregir.
e. Me lo hicieron repetir. [90]

En esta línea, y teniendo presentes los datos que indican que no puede intervenir ningún elemento entre el verbo del complemento y el receptor del clítico (170), se coincide en suponer que se da algún tipo de proceso de creación de un solo verbo complejo.

Rizzi (1982), por ejemplo, postula que se aplica una regla de *Restructuración* de los verbos implicados. Strozer (1976) propone que los verbos que admiten clíticos de sus complementos no seleccionan oraciones sino Sintagmas Verbales. Rivero (1970) y Roldán (1974) sostienen una hi-

[90] No incluimos verbos con dativos del tipo de *importar* o *convenir,* que nunca admiten clíticos del infinitivo, porque representan un caso algo distinto. Si estas oraciones se consideran impersonales, los casos como (i) se ajustarían al paradigma de *haber que, parecer,* etc., de (174). Si no es así, su sujeto sería el propio infinitivo que alberga el clítico, de modo que no se trataría de una construcción de complemento en infinitivo ni, claro es, de una perífrasis:

(i) a. Me importa hacerlo.
b. *Me lo importa hacer.

pótesis similar. Dentro del marco de la gramática relacional, Aissen y Perlmutter (1976) suponen también que hay un proceso de *Reducción de Cláusula,* determinado por las propiedades léxicas del verbo principal. Luján (1980) relaciona la posibilidad de la llamada 'subida de clíticos' con el modo de la oración subordinada y las propiedades estructurales de las oraciones en indicativo y en subjuntivo. En concreto, comprueba que las oraciones infinitivas que permiten que los clíticos aparezcan con el verbo principal se corresponden con oraciones finitas en subjuntivo, mientras que las que bloquean el proceso siempre tienen oraciones finitas correspondientes en indicativo.

En cualquier caso, las alternancias descritas indican que los clíticos tienen cierta libertad posicional y que en ello se parecen a las palabras independientes. Pero tal libertad está ciertamente restringida, como hemos visto.

En la variedad estándar del español, las secuencias de clíticos muestran, además, un comportamiento que se asemeja, de nuevo, al que presentan los morfemas ligados, en tanto que están sometidas a severas restricciones con respecto a su ordenación, como veremos en el siguiente apartado.

19.5.6. La ordenación de las secuencias de clíticos

Cuando un verbo lleva adjuntado más de un clítico, el orden en que estos deben aparecer no es libre (como ocurre, en cierta medida, con las palabras independientes), sino que está rígidamente fijado, según los rasgos que presenten. En concreto, los ejemplos de (177) muestran que los clíticos de segunda persona han de preceder a los de primera (177a), y que estos, a su vez, preceden a los de tercera (177b). El reflexivo /impersonal *se,* por su parte, siempre debe ser el primero en una secuencia de clíticos (177c, d).[91]

(177) a. Te {me/nos} fuiste.
b. {Me/te} lo dieron.
c. Se {me/te/le} cae
d. Se lo compró.

Por lo que se nos alcanza, el primer trabajo que se ocupa de dar cuenta de los criterios que rigen esa ordenación es el de Perlmutter (1970). En él se reconoce que los clíticos deben ajustarse al esquema de (178):

(178) SE II I II (II = 2.ª p., I = 1.ª p., III = 3.ª p.)

La secuencia de (178) debe ser interpretada como una sucesión «estrictamente monótona creciente», en el sentido de que no puede repetirse ningún elemento (*$*se_{imp}\, se_{ref}$ sienta, $*me_{dt}\, me_{ac}$ devolvió),* y debe especificarse también que las secuencias de más de tres clíticos están prohibidas.[92]

---

[91] Parece, no obstante, que esta restricción tiene un estatuto distinto, en tanto que los hablantes pueden interpretar el *se* como un clítico independiente (y colocarlo como primer elemento) o como una tercera persona, de ahí las construcciones frecuentes en lengua vulgar del tipo *Me se cayó, Te se oye muy bien* que no se dan con otros clíticos, ni siquiera con *se* seguido de otra tercera persona *(*Le se cayó).*

[92] No está clara, no obstante, la cuestión de cuántos clíticos pueden aparecer en una secuencia. En concreto, no todos los hablantes aceptan como buena la sucesión de tres clíticos: *Se me lo comieron.* Véanse Strozer 1976 y Bastida 1976, entre otros.

Pero existen secuencias de clíticos que, aun respetando el orden representado en (178), no son aceptables. En concreto, parece que es imposible obtener secuencias formadas por un acusativo seguido de un dativo, o por un no reflexivo seguido de un reflexivo (con independencia de la persona):

(179) a. *Me le acerqué (me lo acerqué).
b. *Te me escapé (te me escapaste).

En el análisis de Perlmutter se supone que a (178) hemos de añadir, además, una serie de restricciones específicas. Dinnsen (1972) formuló estas restricciones en otra ordenación paralela, de «Caso» (si bien son varios los criterios que se manejan, como se ve). La formulación del autor mencionado es la siguiente:

(180) REFLEXIVO BENEFACTIVO DATIVO ACUSATIVO [93]

Son varias las matizaciones que habría que hacer a esta segunda restricción y a su formulación, dado que muchos de los casos que intenta captar se analizan mejor a partir de restricciones de unos tipos de complemento sobre otros, manifestadas en los clíticos correspondientes, más que a meras restricciones de ordenación. A ellas dedicaremos el siguiente (y último) apartado.

19.5.7. Algunas propiedades de las combinaciones de clíticos

19.5.7.1. La primera restricción que deben respetar las secuencias de clíticos es la que impide que entre sus elementos se produzca solapamiento referencial. Con otras palabras, un pronombre átono no puede ser parcialmente correferente con otro del mismo verbo. Ello explica la imposibilidad de oraciones como:

(181) a. *Te os confío.
b. *Me nos entregó.

Secuencias como las anteriores podrían rechazarse simplemente considerando, con Perlmutter (o. cit.), que la ordenación de persona de (178) es «estrictamente monótona creciente»: dado que en ella no se especifica el rasgo de número, los casos de (181) se explicarían por la coaparición de dos clíticos de primera o segunda persona en la misma secuencia. Sin embargo, parece que se trata de un fenómeno de mayor alcance, que afecta también a las relaciones entre el clítico y los morfemas referidos al sujeto, como en (182a), [94] y a clíticos que no forman secuencia, como en las construcciones causativas de (182b):

(182) a. *Me vemos. / *Te veis.
b. *Os hizo oírte cantar toda la noche. / *Te hizo oíros cantar toda la noche.

---

[93] No nos detendremos aquí a resumir los distintos análisis que se han elaborado sobre esta cuestión. Para una discusión de las distintas propuestas, véase Fernández Soriano 1984, donde se argumenta en favor de derivar el orden de persona de la naturaleza afijal de los clíticos.

[94] Véanse Lasnik 1981 y García Calvo 1973 para el español.

Esta restricción también afecta a las terceras personas, de modo que en (183a) el referente de *lo* no puede estar incluido en *ellos,* ni *él* en *los* en (183b):

(183) a. (Ellos) lo oyeron cantar.
b. (Él) los oyó cantar.

Parece, así, que la restricción tiene más que ver con las condiciones sintácticas que regulan la (co)rreferencia que con la imposibilidad de repetición de clíticos. [95]

19.5.7.2. Otra particularidad que presentan las secuencias de clíticos es que parece haber una cierta jerarquización relacionada con la función sintáctica y el carácter humano o no humano del argumento con el que se asocian. En primer lugar, en presencia de un argumento dativo y otro acusativo, en verbos ditransitivos, no es posible cliticizar sólo el segundo. Más claramente, si aparece un clítico de objeto directo debe aparecer necesariamente el de indirecto:

(184) a. (Le) dije a Juan que viniera.
b. *Lo dije (a Juan).
c. Se lo dije a Juan
d. (Le) di a María el regalo.
e. *Lo di a María.
f. Se lo di (a María).
g. (Le) hice a Juan preparar el ejercicio.
h. *Lo hice preparar a Juan.
i. Se lo hice preparar (a Juan).

En segundo lugar, no pueden coaparecer en una misma secuencia un clítico dativo de tercera persona y uno acusativo de primera o segunda. Se producen, así, contrastes como los siguientes:

(185) a. Se lo entregué. / Se le entregó.
b. Me lo entregó.
c. *Me le entregaron. [96] (= «Entregaron a mí (acusativo) a él (dativo)»)

La agramaticalidad de (185c) podría también derivarse de las restricciones sobre el orden de clíticos del apartado anterior: las secuencias que contienen infringirían alternativamente la restricción de persona (I-III) o la de caso (Acusativo-Dativo), de modo que no hay una ordenación posible para ellas. Pero, de nuevo, se trata de un fenómeno más general. Como muestra Bonet (1991) a través de datos de lenguas

---

[95] Esta suposición parece que se ve confirmada por los datos, que muestran que las oraciones en las que es el sujeto el que correfiere parcialmente con el objeto son mejores que las anteriores, si bien siguen resultando extrañas. Nótese, si no, el contraste de (i).

(i) a. ?Nos elijo representantes.
b. *Me elegimos presidente.

[96] Naturalmente, esta oración es gramatical en el dialecto leísta, si *le* se interpreta como acusativo. De igual modo, secuencias como *Me le suspendieron el examen al niño,* en que aparecen dos dativos (el primero de los cuales es ético), son también aceptables. La restricción implica, pues, necesariamente un acusativo de primera o segunda persona.

muy distintas entre sí, se trata de una restricción universal que impide la realización de un morfema de acusativo y otro de dativo si sólo este último es de tercera persona. La matización que alude a la naturaleza morfemática de los elementos implicados en la generalización de Bonet intenta recoger el hecho de que los objetos sintagmáticos en posición canónica no se ajustan a la restricción *(Presentaron a Juan a María)*.

Las estrategias a las que recurren las distintas lenguas para evitar las secuencias imposibles son de diversa índole. El catalán y las lenguas que poseen clíticos locativos (no personales), por ejemplo, hacen uso de ellos en vez de emplear el dativo personal (*A en Pere, *me li / m'hi va recomanar en Josep,* «a Pere, me (le) recomendó Josep», Bonet o. cit.: 209). El español, que no posee clíticos de sintagmas preposicionales, opta por eliminar el pronombre átono de dativo y usar uno tónico en posición de objeto indirecto:

(186) a. Me acercaron a ella.
b. Te entregaron a él.

Es de notar que, al menos en una primera aproximación, este tipo de oraciones son «anómalas» con respecto al comportamiento general de los pronombres de objeto. En primer lugar, porque no se dan en otras circunstancias casos de objetos directos o indirectos pronominales no doblados por clíticos (véase el § 19.4). En segundo lugar porque, en general, la cliticización de objetos indirectos tiene preferencia sobre la de los directos (recuérdese (184)). Deberíamos, pues, esperar que se dijera *#Le acerqué a mí,* que es, sin embargo, imposible con la interpretación adecuada.

Por lo que respecta a las secuencias de clíticos de segunda y primera personas (necesariamente en ese orden), hay variación entre los hablantes, de modo que oraciones como:

(187) a. Te me presentaron.
b. Te me entregaron.

pueden ser ambiguas en cuanto a quién es la persona que ha sido presentada o vendida (el acusativo), o responder únicamente al orden AC-DT («Tú fuiste {presentado/entregado} a mí»). No parece que haya hablantes que acepten como única opción la lectura inversa («Yo fui {presentado/entregado} a ti». Cf. Bonet, o. cit.). [97] La restricción concreta que está detrás de este comportamiento de los clíticos aún está pendiente de ser formulada de modo adecuado. Hay, sí, restricciones que afectan a la persona gramatical en su relación con la marca de función sintáctica, pero en el momento presente no hay una explicación satisfactoria para los hechos consignados en este apartado.

19.5.7.3. Por último, se dan también restricciones de coaparición entre el *se* impersonal y los clíticos de acusativo. La generalización básica es que el clítico impersonal *se* no puede ir seguido del acusativo masculino singular *lo* y en algunos dialectos tampoco del plural [⟶ § 26.4.2]. Son, sin embargo, aceptables en todos los dialectos las secuencias con el acusativo femenino. [98]

[97] Repárese en que esto es exactamente lo contrario de lo que se esperaría si aceptáramos la restricción de caso.

[98] Sobre esta cuestión pueden consultarse los trabajos de Santiago 1975, Fernández Lagunilla 1975, De Miguel y Fernández Soriano 1988.

(188) a. *He perdido mi monedero y ruego que se lo busque.
b. *Coches como esos ya no se los encuentra.
c. *Esos ejemplos se los marca con asterisco.
d. ?A los niños no se los debe maltratar. [99]

La estrategia a la que se recurre en estos casos es sustituir la forma *lo(s)* por la correspondiente dativa *le(s)*. Lo interesante de este fenómeno es que se da también en dialectos no leístas. Fernández Ramírez (1951: § 104) presenta los siguientes casos. [100]

(189) a. No se le siente andar. [Álvarez Quintero, *Olvidadiza,* 17]
b. Se le ve sacar con mano temblorosa un cheque. [José M.ª Pemán, *La danza de los velos,* 99]

Es importante observar que esta incompatibilidad no tiene que ver con la propia secuencia *se lo,* que es, naturalmente, permitida como tal, sino con la impersonalidad de la oración, materializada en el primero de los clíticos. Parece que la aparición del *se* tiene como consecuencia la creación de una estructura que no admite argumentos acusativos. No obstante, es una cuestión aún pendiente la de averiguar por qué los casos de clítico femenino son aceptables.

---

[99] El contraste que se observa entre (188b, c) y (188d) se debe probablemente a la tendencia general a construir pasivas reflejas en estos casos. Tal posibilidad no se da, sin embargo, si el argumento va precedido de *a,* de ahí que (188d) no admita la opción equivalente a (i):

(i) a. Coches como esos ya no se encuentran.
b. Esos ejemplos se marcan con asterisco.

[100] Si bien no en todos. Al menos en los que admiten doblado (radicalmente etimológicos) son buenas secuencias como: *A ese tipo se lo llama y listo.*

TEXTOS CITADOS

AZORÍN: *Las confesiones de un pequeño filósofo,* Buenos Aires, Espasa Calpe, 1946, 2.ª ed.
BENITO PÉREZ GALDÓS: *La estafeta romántica,* Madrid, *Historia 16,* 1994.

REFERENCIAS BIBLIOGRÁFICAS

AISSEN, JUDITH y DAVID PERLMUTTER (1976): «Clause reduction in Spanish», *Proceedings of the First Annual Meeting of the Berkeley Linguistic Society.*

ALARCOS LLORACH, EMILIO (1980): «Los pronombres personales», en *Estudios de gramática funcional del español,* Madrid, Gredos, págs. 200-212.

— (1994): *Gramática de la lengua española,* Madrid, Espasa Calpe.

ALBA, ORLANDO DE (1982): «Función del acento en el proceso de elisión de la /s/ en la República Dominicana», en O. de Alba (ed.), *El español del Caribe,* Santiago, Rep. Dominicana, Universidad Católica Madre y Maestra, págs. 17-26.

ALCINA FRANCH, JUAN y JOSÉ MANUEL BLECUA (1975): *Gramática española,* Barcelona, Ariel.

ALONSO, AMADO y PEDRO HENRÍQUEZ UREÑA (1975): *Gramática castellana* (primer y segundo cursos), Buenos Aires, Losada.

ALVAR, MANUEL y BERNARD POTTIER (1983): *Morfología histórica del español,* Madrid, Gredos.

ÁLVAREZ MARTÍNEZ, M.ª ANGELES (1989): *El pronombre,* Madrid, Arco/Libros.

AOUN, JOSEPH (1981): *The Formal Nature of Anaphoric Relations,* tesis doctoral, MIT.

BARRENECHEA, ANA M.ª y TERESA ORECCHIA (1977): «La duplicación de objetos directos e indirectos en el español hablado en Buenos Aires», en J. M. Lope Blanch (ed.), *Estudios sobre el Español Hablado en las Principales Ciudades de América,* México D. F., Universidad Nacional Autónoma de México.

BASTIDA, SALVADOR (1976): «Restricciones de orden en las secuencias de clíticos en castellano: dos requisitos», en V. Sánchez de Zavala (ed.), *Estudios de gramática generativa,* Barcelona, Labor.

BELLETTI, ADRIANA y LUIGI RIZZI (1987): «Los verbos psicológicos y la teoría temática», en V. Demonte y M. Fernández Lagunilla (eds.), *Sintaxis de las lenguas románicas,* Madrid, El Arquero, págs. 60-122.

BELLO, ANDRÉS (1847): *Gramática de la lengua castellana destinada al uso de los americanos,* edición crítica de Ramón Trujillo, Aula Cultural de Tenerife, 1981.

BENVENISTE, ÉMILE (1966): *Problèmes de linguistique générale, I y II,* París, Gallimard.

BENTIVOGLIO, PAOLA (1978): «Formación de clíticos: análisis del habla culta de Caracas», en H. López Morales (ed.), *Corrientes actuales de la dialectología del Caribe Hispánico,* Puerto Rico, Editorial Universitaria.

— (1983): «Topic Continuity and Discontinuity in Discourse: A Study of Spoken Latinamerican Spanish», en T. Givón (ed.), *Topic Continuity in Discourse. A Quantitative Cross-language Study,* Amsterdam, John Benjamins.

BOLINGER, DWIGHT (1974): «Pronouns in Discourse», en T. Givon (ed.), *Discourse and Syntax, Syntax and Semantics* 12, págs. 289-310.

BONET I ALSINA, M. EULÀLIA (1991): *Morphology after Syntax: Pronominal Clitics in Romance,* tesis doctoral, MIT.

BORER, HAGIT (1985): *Parametric Syntax,* Dordrecht, Foris.

BOSQUE, IGNACIO (1986): «Constricciones morfológicas sobre la coordinación», *LEA* 9, 1987, págs. 83-100.

— (1987): «Clases de sujetos tácitos», en *Homenaje a A. Llorente Maldonado,* Salamanca, Universidad de Salamanca.

— (1989): *Las categorías gramaticales,* Madrid, Síntesis.

BOUCHARD, DENIS (1984): *On the Content of Empty Categories,* Dordrecht, Foris.

BRANCHADELL, ALBERT (1992): *A Study of Lexical and Non-lexical Datives,* tesis doctoral, Universidad Autónoma de Barcelona.

BURZIO, LUIGI (1991): «The Morphological Basis of Anaphora», *JL* 27.

CAMPOS, HÉCTOR y MARY ZAMPINI (1990): «Focalization Strategies in Spanish», *Probus* 2:1, págs. 46-64.

CARDINALETTI, ANA (1994): *La sintassi dei pronomi,* Bologna, Il Mulino.

CARDINALETTI, ANA y MICHAEL STARKE (1994): «The Typology of Structural Deficiency», *University of Venice Working Papers in Linguistics* 4:2.

CHOMSKY, NOAM (1982): *Some Concepts and Consequences of the Theory of Government and Binding,* Cambridge, Mass., MIT Press.

CINQUE, GUGLIELMO (1990): «Clitic Left Dislocation in Italian and the Move-alpha Parameter», en *Types of A-bar Dependencies,* MIT Press.

CONTRERAS, HELES (1992): «On Resumptive Pronouns», en H. Campos y F. Martínez Gil (eds.), *Current Studies in Spanish Linguistics,* Washington, Georgetown University Press, págs. 143-165.

CUERVO, RUFINO JOSÉ (1954a): «Apuntaciones críticas sobre lenguaje bogotano», en *Obras,* Bogotá, Instituto Caro y Cuervo.

— (1954b): «Los clasos enclíticos y proclíticos de pronombre de tercera persona en castellano», en *Obras,* Bogotá, Instituto Caro y Cuervo.

DEMONTE, VIOLETA (1995): «Dative Alternation in Spanish», *Probus* 7:1, págs. 5-30.

DINNSEN, DANIEL (1972): «Additional Constraints on Clitic Order in Spanish», en J. Casagrande y S. Saciuk (eds.), *Generative Studies in Romance Languages,* Rowley, Mass, Newbury House.

ENRÍQUEZ, EMILIA (1984): *El pronombre personal sujeto en la lengua española hablada en Madrid,* Madrid, C.S.I.C.

EVANS, GARETH (1980): «Pronouns», *LI* 11, págs. 317-362.

FERNÁNDEZ LAGUNILLA, MARINA (1975): «Acerca de la secuencia '*se* impersonal + enclítico de tercera persona' ¿una restricción superficial?», *RSEL* 5:1, págs. 177-193.

FERNÁNDEZ RAMÍREZ, SALVADOR (1951): *Gramática española: el Pronombre,* Madrid, Arco/Libros, 1986.

FERNÁNDEZ SORIANO, OLGA (1984): *Secuencias de clíticos en español: el «se» y otras cuestiones,* memoria de licenciatura, Universidad Autónoma de Madrid.

— (1989): «Strong Pronouns in Null Subject Languages and the Avoid Pronoun Principle», *MIT Working Papers in Linguistics* 11.

— (ed.) (1993): *Los pronombres átonos,* Madrid, Taurus.

— (1993): «Sobre el orden de palabras en español», *Dicenda* 11.

— (1995): «Pronombres reasuntivos y doblado de clíticos», en P. Goenaga (ed.), *De grammatica generativa,* Guipúzcoa, U. del País Vasco, págs. 109-128.

FISH, GORDON (1958): «The redundant construction in Standard Spanish», *Hispania* 41, págs. 324-331.

FONTANA, JOSEP (1993): *Phrase Structure and the Syntax of Clitics in the History of Spanish,* tesis doctoral, University of Pennsylvania.

GARCÍA, ERICA, ROBERT DE JONGE, DORINE NIEUWENHUIJSEN y C. LECHNER (1990): «(V)os-(otros): ¿dos y el mismo cambio?» *NRFH* XXXVIII, págs. 63-132.

GARCÍA CALVO, AGUSTÍN (1973): «*Nos amo, *me amamos», *Lalia. Ensayos de estudio lingüístico de la sociedad,* Madrid, Siglo XXI.

GARCÍA MIGUEL, JOSÉ M.ª (1991): «La duplicación de objeto directo e indirecto como concordancia», *Verba* 18, págs. 374-410.

GIACALONE RAMAT, ANNA (1990): «Clitici latini e romanzi», en Conte M. E. *et alii* (eds.), *Dimensioni della linguistica,* Milán, Franco Angeli, págs. 11-30.

GILI GAYA, SAMUEL (1946): «Nosotros, vosotros», *RFE* XXX, págs. 108-117.

— (1943): *Curso superior de sintaxis española,* Barcelona, Biblograf, 1961.

HENRÍQUEZ UREÑA, PEDRO (1939): «Ello», *RFE* 1:3, págs. 209-229.

HERNANZ, M. LLUÏSA (1988): «En torno a los sujetos arbitrarios de segunda persona del singular», en B. Garza y V. Demonte (eds.), *Estudios Lingüísticos de España y de México,* México, DF, El Colegio de México-UNAM.

HERNANZ, M. LLUÏSA y JOSÉ M.ª BRUCART (1987): *La sintaxis, I: la oración simple,* Barcelona, Crítica.

HURTADO, ALFREDO (1984): «La hipótesis de la discordancia», en *Los clíticos del español y la Gramática Universal,* suplementos de la *Revista Argentina de Lingüística* 1, págs. 56-77.

JAEGGLI, OSVALDO A. (1982): *Topics in Romance Syntax,* Dordrecht, Foris.

— (1986): «Arbitrary Plural Pronominals», *NLLT* 4:1, págs. 43-76.

JAEGGLI, OSVALDO A. y KEN SAFIR (eds.) (1989): *The Null Subject Parameter,* Dordrecht, Reidel.

JIMÉNEZ SABATER, MAXIMILIANO (1978): «Estructuras morfosintácticas en el español dominicano», en H. López Morales (ed.), *Corrientes actuales en la dialectología del Caribe hispánico,* Puerto Rico, Editorial Universitaria, págs. 167-180.

KANY, CHARLES (1945): *American-Spanish Syntax,* Chicago, University of Chicago Press. [Citamos por la traducción al español, *Sintaxis hispanoamericana,* Madrid, Gredos, 1969.]

KAYNE, RICHARD S. (1975): *French Syntax,* Dordrecht, Foris.

— (1989): «Null Subjects and Clitic Climbing», en O. Jaeggli y K. Safir (eds.), *The Null Subject Parameter,* Dordrecht, Kluwer, págs. 239-262.

KENISTON, HAYWARD (1937): *The Syntax of Castillian Prose. The Sixteenth Century,* Chicago, The University of Chicago Press.

KLAVANS, JUDITH (1980): «The Morphology of Cliticization», *CLS* 19, págs. 103-121.

LABERGE, S. y G. SANKOFF (1974): «Anything *you* can do», en T. Givon (ed.): *Discourse and Syntax, Syntax and Semantics* 12, págs. 419-441.

LANDA, MIREN ALAZNE (1995): *Conditions on Null Objects in Basque Spanish and their Relation to Leismo and Clitic Doubling,* tesis doctoral, USC.

LAPESA, RAFAEL (1955): *Historia de la lengua española,* Madrid, Gredos.

— (1970): «Personas gramaticales y tratamiento en español», *Revista de la Universidad de Madrid* 19, págs. 141-167.

LARSON, RICHARD (1988): «On the Double Object Construction», *LI* 19, págs. 335-392.
LARSON, RICHARD y GABRIEL SEGAL (1988): *Knowledge of Meaning,* Cambridge, Mass., MIT Press.
LASNIK, HOWARD (1981): «On two Recent Treatments of Disjoint Reference», *Journal of Linguistic Research,* 1:4, págs. 48-58.
LENZ, RODOLFO (1925): *La oración y sus partes,* Madrid, Centro de Estudios Históricos.
LINDE, CHARLOTTE (1974): «Focus Attention and the Choice of Pronouns in Discourse», en T. Givon (ed.), *Discourse and Syntax, Syntax and Semantics,* 12, págs. 337-354.
LLORENTE MALDONADO DE GUEVARA, ANTONIO (1977): «Las construcciones de carácter impersonal en español», en *Estudios ofrecidos a E. Alarcos Llorach,* I, Oviedo, págs. 107-125.
LLORENTE MALDONADO DE GUEVARA, ANTONIO y JOSÉ MONDÉJAR (1972): «La conjugación objetiva en las lenguas románicas», *Proemio,* 3:1, págs. 5-27.
— (1977): «La conjugación objetiva en español», *REL* 4, págs. 1-60.
LUJÁN, MARTA (1980): «Clitic Promotion and Mood in Spanish Verbal Complements», *Linguistics* 18. Vers. cast. en Fernández Soriano (ed.), 1993, págs. 235-284.
MARCOS MARÍN, FRANCISCO (1978): *Estudios sobre el pronombre,* Madrid, Gredos.
— (1980): *Curso de gramática española,* Madrid, Cincel.
MEIRELES, J. y EDUARDO RAPOSO (1984): «Tense and Binding Theory in Portuguese», manuscrito inédito.
MENDIKOETXEA, AMAYA (1993): «Los clíticos como categorías subléxicas de concordancia», en O. Fernández Soriano (ed.), págs. 205-230.
MENÉNDEZ PIDAL, RAMÓN (1904): *Manual de gramática histórica española,* Madrid, Espasa Calpe.
MIGUEL APARICIO, ELENA DE y OLGA FERNÁNDEZ SORIANO (1988): «Proceso, acción y ergatividad: Las construcciones impersonales en castellano», en C. Martín Vide (ed.), *Lenguajes naturales y lenguajes formales* III, Universidad de Barcelona.
MONTALBETTI, MARIO (1984): *After Binding. On the Identification of Pronouns,* tesis doctoral de MIT.
NAVARRO ROMÁS, TOMÁS (1971): *Manual de pronunciación española,* Madrid, CSIC.
OTERO, CARLOS PEREGRIN (1975): «The Developement of Clitics in Hispano Romance», en M. Saltarelli y D. Wanner (eds.), *Diachronic Studies in Romance Linguistics,* París, Mouton.
PERLMUTTER, DAVID (1970): *Deep and Surface Structure Constraints in Syntax,* Nueva York, Holt.
PIERA, CARLOS (1987): «Sobre la estructura de las cláusulas de infinitivo», en V. Demonte y M. Fernández Lagunilla (eds.), págs.148-166.
POSTON, C. (1953): «The Redundant Object Construction in Contemporary Spanish», *Hispania* 36, páginas 362-372.
RAMSDEN, T. (1963): *Weak Pronoun Position in Early Romance Languages,* Manchester, Manchester University Press.
REAL ACADEMIA ESPAÑOLA (1931): *Gramática de la Lengua Española,* Madrid, Espasa Calpe. [RAE 1931 en el texto.]
— (1973): *Esbozo de una Nueva Gramática de la Lengua Española,* Madrid, Espasa Calpe. [RAE 1973 en el texto.]
RIGAU I OLIVER, GEMMA (1987): «Sobre el carácter de cuantificador de los pronombres tónicos en catalán», en V. Demonte y M. Fernández Lagunilla (eds.), págs. 390-407.
RINI, JOEL (1989): «Arabic Influence on the Medieval Spanish Duplicative Pronominal System», *HR* 57:3.
— (1991): «The Redundant Indirect Object Construction in Spanish. A New Perspective», *RPh* XLV: 2.
RIVAS, ALBERTO MARIO (1977): *A Theory of Clitics,* tesis doctoral, MIT.
RIVERO, M.ª LUISA (1970): «Estudio de una transformación en la gramática generativa del español», *Español Actual* 17, págs. 14-22.
— (1980): «Topicalization and Wh-movement in Spanish», *LI* 11, págs. 363-393.
— (1986): «Parameters in the Typology of Clitics in Romance and Old Spanish», *Language* 64, páginas 774-807.
— (1992): «Clitic and NP Climbing in Old Spanish», en H. Campos y F. Martínez Gil (eds.), Washington, Georgetown University Press. Vers. cast. en O. Fernández Soriano (ed.), 1993, págs. 101-136.
RITTER, ELISABETH (1995): «On the Syntactic Category of Pronouns and Agreement», *NLLT* 13:3, páginas 405-443.
RIZZI, LUIGI (1982): *Issues in Italian Syntax,* Dordrecht, Foris.
ROCA, FRANCESC (1992): «Object Clitics in Spanish and Catalan», *CatWPL* 2, págs. 245-281.
ROCA PONS, JOSÉ (1976): *Introducción a la gramática,* Barcelona, Teide.
ROLDÁN, MERCEDES (1974): «Constraints on Clitic Insertion in Spanish», en J. Campbell, M. Golding y M. Wang (eds.), *Linguistic Studies in Romance Languages,* Washington, Georgetown University Press, págs. 124-138.

ROSENGREN, PAUL (1994): *Presencia y ausencia de los pronombres personales de sujeto en el español moderno,* Acta Universitaria Gothoburguenis, Romanica Gothoburguensia XIV.

ROUVERET, ALAIN (1991): «Clitisation et temps en portugais européen», en J. Guéron y J. Y. Pollock (eds.), *Grammaire générative et syntaxe comparée,* París, Editions du CNRS, pp. 147171.

SALVÁ, VICENTE (1830): *Gramática de la lengua castellana,* Madrid, Arco / Libros, 1988.

SÁNCHEZ, LILIANA (1994): «On the Interpretation of Intensified DPs and Enphatic Pronouns», ms., University of Southern California.

SÁNCHEZ LÓPEZ, CRISTINA (1993): *La cuantificación flotante y estructuras conexas,* tesis doctoral, Universidad Complutense de Madrid.

SANTIAGO, RAMÓN (1975): «Impersonal *se le(s), se lo(s), se la(s)», BRAE* LV, págs. 83-109.

SECO, RAFAEL (1988): *Manual de gramática española,* Madrid, Aguilar.

SELLS, PETER (1984): *Syntax and Semantics of Resumptive Pronouns,* tesis doctoral, U. of Massachusetts, Amherst.

SILVA-CORVALÁN, CARMEN (1980-81): «La función pragmática de la duplicación de pronombres clíticos», *Homenaje a Ambrosio Rabanales, BFUCh* XXXI, págs. 561-570.

— (1981a): «The Diffusion of Object-Verb Agreement in Spanish», *Papers in Romance* 3:2, págs. 163-176.

— (1981b): «Semantic and Pragmatic Factors in Syntactic Change», *International Conference on Historical Syntax,* Polonia.

SLAWOMIRSKI, JERZY (1990): «La duplicación de objetos: ¿Conjugación objetiva o polisíntesis?, *REL* 20:1, págs. 99-110.

SPENCER, ANDREW (1991): *Morphological Theory,* Cambridge, Basil Blackwell.

SPORTICHE, DOMINIQUE (1992): «Clitic Constructions», ms. UCLA.

STROZER, JUDITH R. (1976): *Clitics in Spanish,* tesis doctoral, UCLA.

SUÑER, MARGARITA (1986b): «On the Referential Properties of Embedded Finite Clause Subjects», en I. Bordelois, H. Contreras y K. Zagona (eds.), *Generative Studies in Spanish Syntax,* Dordrecht, Foris.

— (1988): «The Role of Agreement in Clitic-doubled Constructions», *NLLT* 6:3. vers. cast. en O. Fernández Soriano (ed.), *Los pronombres átonos,* Madrid, Taurus, 1993.

SUÑER, MARGARITA y MARÍA YÉPEZ (1988): «Null Definite Objects in Quiteño», *LI* 18:3, págs. 511-519.

TESINÈRE, LUCIEN (1959): *Eléments de syntaxe structurale,* París, Klincksieck.

TORIBIO, ALMEIDA (1993): *Parametric Variation in the Licensing of Nominals,* tesis doctoral, Cornell University.

VARELA, SOLEDAD (1990): *Fundamentos de morfología,* Madrid, Síntesis.

VERGNAUD, JEAN-ROGER y M.ª LUISA ZUBIZARRETA (1992): «The Definite Determiner and the Inalienable Constuctrions in French and English» *LI* 23:4, págs. 595-652.

WANNER, DIETER (1987): *The Developement of Romance Clitic Pronouns. From Late Latin to Old Romance,* Mouton, De Gruyter.

WILLIAMS, EDWIN (1980): «Predication», *LI* 11, págs. 203-238.

— (1985): «PRO and subject of NP», *Natural Language and Linguistic Theory* 3, págs. 317-340.

ZWICKY, ARNOLD (1977): *On Clitics,* Bloomington, Indiana, IULC.

— (1985): «Clitics and Particles», *Language* 61, págs. 283-305.

— (1987): «Suppresing the Zs», *JL* 23, págs. 133-48.

20
EXPRESIÓN Y OMISIÓN DEL PRONOMBRE PERSONAL

MARTA LUJÁN
University of Texas at Austin

ÍNDICE

Para vivir no quiero
islas, palacios, torres.
¡Qué alegría más alta:
vivir en los pronombres!

PEDRO SALINAS, *La voz a ti debida*

20.1. Introducción

20.1.1. El énfasis frente a la neutralidad

La expresión y omisión del pronombre personal, indicada por medio de los paréntesis en las oraciones de (1), se presenta a primera vista como un caso de alternancia libre en nuestra lengua, sin mayores consecuencias sobre el significado de la cláusula que lo contiene [→ § 43.1.3.1]:

(1) a. (Tú) trabajas demasiado.
b. ¿Crees que (yo) tengo alguna duda?
c. Las quiero trasladar (a ellas) el próximo mes.

No obstante, los hablantes intuyen que hay una diferencia entre uno y otro uso, diferencia que la gramática tradicional describe característicamente en términos de 'énfasis' o 'contraste', sin precisar demasiado el contenido de estos conceptos. [1] Así, se afirma que el uso explícito de un pronombre personal tónico en posiciones donde su omisión es normal obedece a razones de contraste o énfasis. [2] Hay, en efecto, ejemplos donde resulta nítida la denotación enfática o contrastiva del pronombre que se pronuncia en vez de callarse: [3]

(2) a. Nunca me verás (a mí) haciendo eso.
b. Prometió que (ella) vendría a la reunión.
c. Esa tarea la terminas (tú) cuando puedas.

Por el contrario, el pronombre no es enfático si está en una posición donde no es posible omitirlo, ya que su omisión daría una secuencia agramatical. Sucede así, por ejemplo, cuando es complemento de preposición, de conjunción coordinante o de conjunción subordinante, como en las oraciones de (3), donde el asterisco fuera del paréntesis indica que el pronombre no puede faltar. En estos contextos, el pronombre explícito es tan neutral o carente de énfasis como la ausencia de pronombre en los ejemplos previos:

---

[1] Véanse, entre otros, RAE 1973: §§ 3.10.2 y 3.10.4, Gili Gaya 1943: §§ 172-4, Alarcos 1980: 205, Pérez Rioja 1954. Como señala razonadamente Enríquez (1984: § 3.1), al establecer las razones de la presencia de los pronombres sujeto los autores a veces tratan como equivalentes —otras distinguen entre ellos— los tres factores a los que se atribuye esa presencia: el pleonasmo, el énfasis y la ambigüedad.

[2] Se alega también, como anticipábamos en la nota precedente, el propósito de desambiguar la referencia del pronombre de tercera persona cuando la desinencia verbal no lo distingue del de primera (Gili Gaya 1943: § 172). Consideraremos esta cuestión en el § 20.3.3.1.

[3] El pronombre pronunciado en función de complemento, como en (2a), se considera comúmente 'redundante' en la gramática tradicional; véase Ramsey 1956: §§ 3.34-3.36 y 4.16-4.21 y Marcos Marín 1978: cap. 5. La RAE (1973: 423), a propósito de construcciones como *Me castigaron a mí* dice, sin embargo, que «estas frases [*a* + pronombre acompañado de pronombre átono] no deben interpretarse únicamente como una simple repetición pleonástica del sustantivo o del pronombre complementario, sino que denotan por lo general un propósito de contraste, discriminación, diferencia o exclusión, tácita o expresa». Volveremos en el § 20.3.3.1 sobre la cuestión de la redundancia.

(3) a. A mis vecinos no les gusta que se hable de *(ellos).
b. Cuando mi amigo y *(yo) nos reunimos, hablamos poco.
c. Tus empleados trabajan menos que *(tú).

Sin embargo, el pronombre no omisible puede hacerse contrastivo si se acentúa enfáticamente, como cuando se da más prominencia a un nombre o sustantivo. Este paralelismo se ilustra a continuación, donde las formas con acento enfático se indican en mayúsculas:

(4) a. A tu padre le molesta que hablen de {él/ÉL}.
b. A tu {padre/PADRE} le molesta que hablen de él.

Si los elementos de (4) se alinean según el grado de acento y se los correlaciona con los de (1), se puede advertir que la 'expresión' frente a la 'omisión' del pronombre tiene exactamente esta misma función de expresar 'énfasis' frente a 'neutralidad', esto es: las formas tónicas que reemplazan al pronombre tácito (o no expresado) son enfáticas o contrastivas, la ausencia de pronombre es no enfática o neutral. Parece, pues, que la expresión del pronombre en posiciones donde puede omitirse equivale a darle un grado mayor de acento, a otorgarle énfasis.

Estas observaciones, sin embargo, no son suficientes ni exhaustivas para describir el fenómeno que nos ocupa. Se plantean por lo menos dos cuestiones. Primero, ¿cómo definir la función de 'énfasis' de un modo general tal que permita relacionar el fenómeno de la expresión/omisión con el contraste de énfasis/neutralidad en el nombre y el pronombre no omisibles? Segundo, ¿qué incidencia tiene el acento de énfasis en la configuración sintáctica y, por ende, en la función anafórica del pronombre?

Si la omisión del pronombre denota neutralidad o ausencia de énfasis, entonces su contraste con el pronombre explícito debe ser funcionalmente análogo a la oposición pronombre átono frente a tónico en lenguas que no utilizan la forma tácita de sujeto u objeto en las oraciones de verbo finito, el caso del inglés, por ejemplo. [4] En efecto, la expresión frente a la omisión del pronombre en español es funcionalmente equivalente al empleo del pronombre tónico frente al átono en lenguas como el inglés donde las formas pronominales regulares son inacentuadas (en los siguientes ejemplos las mayúsculas marcan la forma enfática). [5]

(5) a. {You/YOU} work a lot.
'{Ø/TÚ} trabajas demasiado.'
b. I want to move {them/THEM} next month.
'Las quiero trasladar {Ø/A ELLAS} el próximo mes.'

El pronombre acentuado denota énfasis, es decir, es distintivo o contrastivo. El contraste inducido puede quedar circunscripto sólo al término acentuado o puede entenderse de un modo más amplio, tal que incluya a otros componentes de la cláusula. Por ejemplo, un pronombre sujeto tónico puede indicar el contraste sólo del sujeto, como en (6a), o bien del sujeto junto con su predicado, como se muestra en (6b): [6]

---

[4] La omisión del pronombre es agramatical en inglés: **(You) work a lot; I want to move *(them) next month*.

[5] Estas formas acentuadas son enfáticas, ya que se oponen, como decíamos, a las formas regulares del pronombre, que son inacentuadas. Las mayúsculas no representan valores absolutos de prominencia o intensidad.

[6] Otra posibilidad es que el contraste inducido incluya un término del predicado, como en *Tú trabajas demasiado, los*

(6) Tú trabajas demasiado. (= 1a)
a. *Tú* trabajas demasiado, no *otro*.
b. Tú *trabajas demasiado,* ellos *te pagan poco*.

Asimismo, en nuestro anterior ejemplo del inglés, repetido en (7), el énfasis dado al expresar el sujeto pronombre puede limitarse al sujeto, como en (7a), o bien incluir el sujeto más su predicado, como en (7b):

(7) *YOU* work a lot. (= 5a)
a. *You* work a lot, not *someone else*.
b. *You* work a lot, *they* pay you little.

Dado que el pronombre explícito en función de sujeto u objeto en español tiene forma fuerte o tónica, su correspondencia con el pronombre acentuado en inglés tiene sentido, pues cabe suponer que la función contrastiva del acento es universal. Otro hecho que avala la equiparación de nuestro pronombre tácito con el pronombre átono del inglés es que esta lengua no tiene la opción de omitir el pronombre en las oraciones de verbo finito, como ya hemos indicado.

La suposición de que hay una diferencia significativa entre la expresión y la omisión del pronombre se pone de manifiesto también a través de otros tipos de datos, acaso menos transparentes que los anteriores, pero muy reveladores. Algunos estudios han identificado un tipo de contexto donde el pronombre explícito da lugar a la interpretación obviativa (o de referencia disyuntiva, indicada por #) en relación con un antecedente respecto del cual el pronombre tácito, en cambio, puede tener lectura correferencial. Más explícitamente, en (8a) y (8b) *él* (el pronombre explícito) indica necesariamente a una persona distinta de *Juan* —esto es lo que denominamos 'referencia disyuntiva' [⟶ §§ 4.3.3.2, 12.1.1.5, 19.3.2 y 49.8]—, el sujeto tácito, en cambio, puede designar al mismo *Juan:* [7]

(8) a. Cuando (#él) trabaja, Juan no bebe. (él ≠ Juan; Ø = Juan)
b. Cuando Juan trabaja, (#él) no bebe. (él ≠ Juan; Ø = Juan)

Asimismo, en estructuras con cuantificadores, como se ilustra más abajo, el pronombre tácito puede entenderse como una 'variable ligada' [⟶ § 16.1.2.3] por el cuantificador *nadie,* lectura indicada en (9a). En cambio, el pronombre explícito tiene interpretación de 'variable libre', como se representa en (9b). Con otras palabras, en la interpretación de la estructura sin pronombre obtenemos una lectura distributiva: ninguna de las personas consideradas piensa de sí misma que va a ganarse la lotería, y esta es la que denominamos interpretación de 'variable ligada'; el pronombre explícito *él,* en cambio, se interpreta como una 'variable libre' en el sentido de que puede referirse a cualquier persona previamente mencionada en el discurso o contextualmente determinada (es libre porque queda fuera de los efectos del cuantificador). [8]

---

otros (trabajan) muy poco. La representación semántica de *Tú trabajas demasiado,* que envuelve la focalización del sujeto (esto es, un sujeto enfatizado), es la misma para este contexto que para los de (6a) y (6b). Las diferencias de uso y, por tanto, cómo debe entenderse el contraste, son claramente pragmáticas. Por consiguiente, no se necesita distinguir formalmente entre pronombre tópico o contrastivo frente a distintivo, como en Ronat 1979. 'Contrastivo', 'distintivo', 'enfático' son términos sinónimos en este capítulo [⟶ § 19.3.7].

[7] Véase Luján 1984, 1985, 1986, 1988.

[8] Véase Montalbetti 1984.

(9) Nadie imagina que (él) va a ganarse la lotería.
   a. Para ninguna persona *x*, *x* imagina que *x* va a ganarse la lotería.
   b. Para ninguna persona *x*, *x* imagina que *y* va a ganarse la lotería. $(x \neq y)$

Estas restricciones no son inherentes a la forma tónica, sino que se derivan de su función contrastiva. Por eso no se manifiestan en los contextos que no permiten la omisión, donde la forma léxica o explícita no es contrastiva. Así, el pronombre tónico puede tener la misma referencia que el nombre que lo sigue en (10a) (recuérdese (8a)), y se interpreta como una variable ligada por *nadie* en (10b), donde el pronombre no puede desaparecer porque las preposiciones son siempre proclíticas:

(10) a. Cuando *(él) y Adela trabajan, Juan no bebe. (él = Juan)
   b. Nadie quiere que sus vecinos se quejen de *(él).
   Para ninguna persona *x*, *x* quiere que los vecinos de *x* se quejen de *x*.

Es indudable, pues, que las formas alternantes en la expresión / omisión del pronombre no tienen la misma función o valor significativo. La aparente alternancia libre es en realidad un caso de distribución complementaria. En una posición donde la omisión es posible, la forma explícita funciona como un término contrastivo, distintivo, o 'enfocado', que requiere un contexto discursivo, sea lingüístico o no, que justifique el énfasis que esta forma expresa. Esto es, un contexto que incluya o implique uno o más elementos a los que se contrapone el término enfocado. En tal entorno, la forma tácita, inacentuada, o no marcada, resulta, pues, disonante o inapropiada. Así, si un camarero pregunta a un conjunto de comensales quién va a pagar la factura, sería inapropiado que quien vaya a hacerlo contestara simplemente: *Pago;* el empleo de la forma explícita y contrastiva es en este caso ineludible, es decir, habría que decir *Pago yo, YO pago* o simplemente *Yo.* La conclusión es igualmente válida para la oposición entre pronombre átono frente a tónico en las lenguas que no permiten la omisión. [9]

En lo que sigue de este capítulo examinaremos los datos relativos a la expresión y omisión del pronombre personal y veremos que la posibilidad de esta alternancia está estrechamente ligada a las propiedades de la flexión verbal [→ § 19.3.1]. Por lo que parece, ciertas lenguas tienen la opción de emplear tanto morfemas flexivos diferenciados como pronombres explícitos para realizar similares funciones. Esta propiedad se sigue de la condición de 'recuperabilidad' de los elementos tácitos, requisito de economía que subyace a los fenómenos de elipsis, [10] idea asimismo que la tradición gramatical española ha puesto de relieve al indicar que el sujeto podía expresarse en realidad en los rasgos de persona de la flexión y que aquí caracterizaremos como pronombre Ø (cero) o presencia de un pronominal tácito.

Como veremos, hay una diferencia fundamental entre las formas tácita y explícita (entre las formas átona y tónica, paralelamente) del pronombre personal, que correlaciona con una diferencia de significado y estructura sintáctica. En las posi-

[9] Véase Luján 1986, 1988, Larson y Luján (en prensa).

[10] Un elemento tácito debe ser 'recuperable', o sea, reconstruible; para ello debe estar totalmente determinado por otro elemento relacionado de la estructura explícita, que contenga los rasgos léxicos que identifican al término no expresado (Chomsky 1986: 70-71).

ciones en que se legitima la omisión del pronombre (o está este expresado implícitamente por un afijo concordante en la flexión verbal, particularmente las desinencias de persona y número), si el pronombre se explicita, entonces la función y el significado contrastivo de este pronombre tónico deriva de que se interpreta como un término focal, destacado sintácticamente (aunque sea de una manera virtual) frente al resto de los constituyentes de la oración.

En consecuencia, en las posiciones en que el pronombre tónico parece redundante, en realidad, no lo es. En lo que concierne a su interpretación semántica, este pronombre es equivalente a una variable ligada por un operador, y se identifica por su significado con un pronombre de relativo. Su interpretación semántica es paralela a la de un nombre de acento enfático, y puede, por tanto, parafrasearse por medio de una perífrasis de relativo, como se ilustra en los ejemplos de (11):

(11) a. *Él* trabaja demasiado.
Para *x:* él, *x* trabaja demasiado.
Él es el que trabaja demasiado
b. Las queremos trasladar a *ellas* el próximo mes.
Para *x:* ellas, queremos trasladar a *x* el próximo mes.
Es *a ellas* que queremos trasladar el próximo mes
(o *A ellas* las queremos trasladar el próximo mes).
c. Me compusieron el *auto*.
Para *x:* el auto, me compusieron *x*.
Lo que me compusieron es el auto.

20.1.2. La expresión y omisión del pronombre en la tradición gramatical española

La presencia/ausencia de los pronombres personales y las razones de tal distribución —aunque no la caracterización detallada de esas razones— han sido objeto de consideración en trabajos previos. Asimismo, las cuestiones que aquí nos conciernen: el paralelismo entre pronombres tónicos y desinencias verbales (entre presencia y ausencia según nuestra conceptualización) y el valor enfático de las formas tónicas, no han pasado inadvertidas para los estudiosos de la lengua española. Fernández Ramírez (1951: 23-24), por ejemplo, señala que los morfemas personales del verbo «componen en español un sistema que puede parangonarse (...) con el de los pronombres personales» y coinciden con ellos «en la dirección del señalamiento tanto en la deixis textual como en la extratextual». Pero esto no quiere decir —señala Fernández Ramírez (1951: 24)— que su presencia «sea necesariamente pleonástica». Antes había advertido ya, en efecto, que el pronombre de tercera persona «actúa en el discurso por contraposición pronominal» y «asume también valores expresivos e intencionales» (Fernández Ramírez 1951: 207).

La idea del valor enfático-contrastivo del pronombre tónico (nociones y fenómenos —el énfasis y el contraste— que a veces se unen y a veces se separan) está presente también en otros textos. En la nota 3 dábamos una cita de la RAE 1973 relativa a la denotación de 'contraste' y 'discriminación' que tienen los pronombres tónicos en los contextos que aquí denominamos de omisión. Aludiendo al sujeto pronominal, indica la RAE (1973: 421) que el sujeto pronominal «se emplea (...) en español por motivos de énfasis expresivo (...) cuando se quiere hacer resaltar el papel del sujeto, como recalcando su importancia» o para indicar contraste con la actitud de otro u otros. Gili Gaya (1943: 23-24) había precisado, en efecto, las «circunstancias en que el idioma, sintiendo como insuficiente la expresión del sujeto contenido en la forma verbal, necesita determinarlo más» [...] «cuando se quiere hacer resaltar la participación del sujeto en la acción [...] insistiendo en que es aquél y no otro» [...] y «cuando pueda haber ambigüedad: *Ya decía yo (él, ella, usted)*».

Enríquez (1984: 106-107), quien descarta que los pronombres sujeto puedan considerarse pleonásticos —puesto que frente a las desinencias verbales añaden los rasgos 'deixis' y 'humano'—, recuerda asimismo que numerosos autores reconocen el énfasis como un fenómeno que favorece la presencia de los pronombres personales sujeto, aunque lamenta que conceptualmente tal noción sea una especie de «cajón de sastre» y prefiere, por su imprecisión, «evitar cualquier tipo de descripción a partir de dicho fenómeno». De todos modos, Rosengren (1974-1975: 30) había hablado del énfasis como factor semántico coadyuvante a la presencia de los sujetos y se había referido asimismo al uso de los pronombres para «contrastar una persona... con otra»; y Ejarque (1977: 48-55) menciona el relieve fonético del contraste entre las muchas causas que pueden motivar la presencia del pronombre sujeto en español. Estos trabajos remiten a otros estudios que no es posible reseñar aquí.

Otra cuestión puesta de relieve por nuestros precedentes es el hecho de que en algunos contextos no está claro que los pronombres explícitos tengan valor enfático o contrastivo. Así, Badía Margarit (1988: 364) nos dice que hay muchos casos en que tenemos sujetos pronominales no enfáticos, frente a lo que se espera de las generalizaciones que ofrecen Gili Gaya (1943) y la RAE (1973). A su juicio, el pronombre *yo* no es enfático en *Pues mira, yo lo veo así* y tampoco es necesario suponer que *yo* es enfático en *Yo he estado allí muchas veces* o en *Te contaré lo que me sucedió. Yo trabajaba en aquella época...;* el autor no nos explica cómo se interpretan esos ejemplos sin contraste aparente. Señala también este lingüista (1988: 365) la existencia de locuciones que contienen sujetos preverbales no contrastivos: *que yo sepa, tú dirás, yo diría, lo que tú quieras,* y similares. También Ejarque (1977: 49-52) enumera varios ejemplos de sujetos preverbales no contrastivos, por ejemplo, *Que sí, señor, que está muerto: yo le toqué la frente.* La autora nos indica que «se pretende acentuar enfáticamente el papel del [...] oyente».

En las secciones que siguen presentamos primero algunos contextos de uso de los pronombres que ejemplifican el paralelismo entre expresión/omisión en español con el contraste átono/tónico en las lenguas cuya flexión no permite que haya sujetos (u objetos) tácitos. Describimos luego los valores del acento en las oposiciones de énfasis/neutralidad e ilustramos los usos de las formas pronominales tónicas y átonas en contextos discursivos.

20.2. Diferencias entre las formas alternantes del pronombre

En las lenguas de flexión no diferenciada, donde las formas pronominales no pueden omitirse en las estructuras con verbo finito, el caso del inglés, por ejemplo, el pronombre corriente (el que se emplea obligatoriamente en un uso neutral) es átono, inacentuado o débil. Pues bien, la forma tácita que el español utiliza en función de sujeto o complemento de un verbo finito (la ausencia de pronombre léxico, en realidad) equivale en su valor anafórico al pronombre átono del inglés. A su vez, la forma explícita o tónica [→ § 19.3] que desempeña esas mismas funciones es una forma enfática, similar en su función expresiva al pronombre acentuado del inglés.

Si asimilamos los pronombres a otros elementos que transportan información gramatical, podemos afirmar que el pronombre, por analogía con las categorías afijales y clíticas, es por defecto una categoría que carece de acento. [11] Cuando se acentúa, es necesariamente enfático, pues se opone a la característica ausencia de prominencia de la categoría. [12] En este sentido, los clíticos pronominales [→ § 19.5] podrían concebirse como 'afijos' de concordancia del objeto, semejantes a la flexión de concordancia del sujeto. [13] Así las cosas, podríamos suponer que hay pronombres tácitos tanto en la función de sujeto como en la función de complemento verbal, esto es, admitir que en *Juan la mira* hay un pronombre tácito equivalente al que en otras oraciones se explicita como *a ella.* [14] Sin entrar en la viabilidad o no de esta suposición, en lo que sigue de este capítulo consideraremos como una clase natural la formada por el sujeto elíptico expresado en la flexión verbal y los pronombres átonos o clíticos de objeto directo e indirecto, la clase alternativa será la constituida por las llamadas formas tónicas de los pronombres personales, tanto las de sujeto como las de objeto.

Los datos que presentamos a continuación conciernen sobre todo a la relación del pronombre con un antecedente o un cuantificador; debido a este hecho, los ejemplos ilustrativos, salvo los que provienen de textos literarios en el § 20.3.3, contienen pronombres de tercera persona. Pero los de primera y segunda persona pueden también quedar incluidos en la misma descripción.

20.2.1. Efecto obviativo de la forma explícita y tónica. Breve análisis contrastivo

En este apartado nos parece oportuno efectuar un análisis contrastivo entre el español y el inglés porque creemos que tal análisis contribuirá a la mejor comprensión de nuestra caracterización de los pronombres explícitos del español. A fin de simplificar la exposición de los datos, indicamos la correferencia por medio del subrayado sin implicar con ello que esa interpretación sea obligatoria, y sin que se excluyan otras interpretaciones del pronombre. Marcamos con # los casos en que la correferencia no es posible, esto es, la interpretación de 'obviación' (= anti-correferencia) o 'referencia disyuntiva'. Además, señalamos con Ø, o mediante paréntesis, el pronombre tácito.

En las oraciones que siguen, el pronombre nulo (la forma que representa la flexión verbal de persona) y los clíticos de objeto directo e indirecto (que, repitamos, son considerados aquí como una especie de concordancia de objeto) tienen las mismas propiedades anafóricas que los pronombres inacentuados del inglés [→ § 48.4.2]. En estos ejemplos los pronombres átonos y la forma ausente de pronombre sujeto, Ø, *lo/la, he/she, him/her,* etc., pueden tener como 'antecedente re-

[11] No contradice la premisa el hecho de que el pronombre léxico tenga forma fuerte o tónica; explicamos esta aparente anomalía en el § 20.2.3, sobre la forma no omisible.

[12] El término 'enfático' debe, por tanto, entenderse como relativo al grado de acento propio de una categoría, y no en un sentido absoluto (es decir, como un grado determinado de acento fuerte o máximo). De ahí que se pueda equiparar el acento enfático del pronombre con el del nombre, categoría normalmente tónica, aunque el acento enfático de una categoría léxica pueda tener cuantitativamente mayor intensidad. Volvemos con más detalle sobre este punto en el § 20.3.1.

[13] Para una discusión detallada de esta hipótesis, véanse los estudios de Suñer (1988), Fernández Soriano (1989), Franco (1991, 1993a, 1993b).

[14] Según los análisis que siguen esta línea, en efecto, es válido hablar tanto de 'sujeto tácito' como de 'complementos tácitos' en oraciones como: *Ø lo vimos Ø en el parque, Ø me las entregan Ø el lunes,* etc. Esta hipótesis es propia de algunos trabajos en la línea de la gramática generativa.

ferencial', a los nombres subrayados, ya que estos no se hallan en la misma cláusula que contiene al pronombre; los ejemplos ingleses son traducción exacta de los del español. [En sentido estricto, el pronombre, o su equivalente forma tácita, son 'catáforas' de ese 'antecedente referencial' que, en realidad, es su 'subsecuente' en la secuencia oracional. En lo que sigue emplearemos 'antecedente referencial' para el sintagma nominal que da referencia al pronombre, cualquiera sea su posición; emplearemos 'antecedente', a secas, en su sentido etimológico, para el nombre que precede a las anáforas, y 'subsecuente' para el que sigue a las catáforas; usaremos indistintamente 'antecedente referencial' y sus equivalentes 'antecedente' y 'subsecuente' (físicos) [→ § 23.1].]

(12) a. Cuando Ø trabaja, Juan no bebe.
b. Si la supervisan, Ana funciona mejor.
c. Las tareas que le asignas, no satisfacen al empleado.

(13) a. When he works, Juan doesn't drink.
b. If they supervise her, Ana functions better.
c. The jobs you assign him don't satisfy the clerk.

Asimismo, esa posible correferencia se mantiene aunque se cambie la forma de las oraciones; por ejemplo, si las cláusulas adjuntas de (12) y (13) que contienen al pronombre aparecen pospuestas y pasan a formar parte del predicado de la cláusula principal. Obsérvese que tanto en (12) como en (13) tenemos ejemplos claros de relaciones catafóricas; en (14) y (15), sin embargo, lo que tenemos son ejemplos de relaciones anafóricas.

(14) a. Juan no bebe cuando Ø trabaja.
b. Ana funciona mejor si la supervisan.
c. No satisfacen al empleado las tareas que le asignas.

(15) a. Juan doesn't drink when he works.
b. Ana functions better if they supervise her.
c. The clerk is not satisfied with the jobs you assign him.

Sin embargo, si en lugar del pronombre nulo se usa la forma explícita de sujeto o las formas tónicas de objeto directo o indirecto, la relación anafórica o catafórica se altera drásticamente. La lectura de correferencia no parece tan natural o normal, especialmente si el pronombre precede a su antecedente referencial (su subsecuente en la oración, es decir, el sintagma nominal que aparece tras él). En las dos series de oraciones que siguen la expresión del pronombre en el primer grupo, (16), donde la cláusula que contiene al pronombre aparece antepuesta, produce una 'interpretación obviativa' o de 'referencia disyuntiva' que no se percibe en el segundo conjunto, (17), donde dicha cláusula tiene diferente colocación. Este efecto interpretativo es inesperado bajo la suposición de que el pronombre explícito funciona igual que el tácito.

(16) a. #Cuando él trabaja, Juan no bebe.
b. #Si la supervisan a ella, Ana funciona mejor.
c. #Las tareas que le asignas a él no satisfacen al empleado.

(17) a. Juan no bebe cuando él trabaja.
b. Ana funciona mejor si la supervisan a ella.
c. No satisfacen al empleado las tareas que le asignas a él.

Un contraste semejante aparece cuando los ejemplos en inglés se enuncian con el pronombre acentuado. Este también da lugar a una referencia disyuntiva si la cláusula subordinada que lo contiene precede al sintagma nominal subsiguiente, que puede ser su posible antecedente referencial, como en (18). Por el contrario, el efecto obviativo se desvanece si la cláusula tiene el orden inverso, como en (19) (las oraciones de (18) y (19) corresponden en el mismo orden a las castellanas de (16) y (17)):

(18) a. #When HE works, Juan doesn't drink.
b. #If they supervise HER, Alicia functions better.
c. #The jobs you assign HIM don't satisfy the clerk.
(19) a. Juan doesn't drink when HE works.
b. Ana functions better if they supervise HER.
c. The clerk is not satisfied with the jobs you assign HIM.

La cláusula completiva nominal proporciona un contexto adicional que confirma el efecto de obviación del pronombre explícito. En las oraciones de (20), donde la oración complemento se subordina a un sujeto, se percibe el mismo contraste interpretativo ya descrito. En (20a) el pronombre tónico dificulta la correferencia con su subsecuente. En cambio, el orden inverso de la oración sinónima en (20b) elimina el efecto de obviación aunque no la denotación contrastiva del pronombre:

(20) a. La noticia de que los habían descubierto (#a ellos) sorprendió a los rebeldes.
b. Sorprendió a los rebeldes la noticia de que los habían descubiertos (a ellos).

El pronombre acentuado inglés también muestra el mismo contraste anafórico / catafórico en oraciones paralelas a las anteriores. La denotación de referencia disyuntiva de (21a) (idéntica a (20a)) se atenúa si se cambia el orden de la secuencia, como en la versión pasivizada de (21b), donde el pronombre contrastivo puede ser correferencial:

(21) a. The news that the police had discovered {them/#THEM} surprised the rebels.
b. The rebels were surprised by the news that the police had discovered {them/THEM}.
'Los rebeldes fueron sorprendidos por la noticia de que la policía Ø había descubierto a ellos'.

La reacción del hablante frente a los pronombres explícitos (o acentuados) de estos ejemplos normalmente oscila entre la duda y la inaceptabilidad, aunque por lo general acepta que hay una diferencia nítida en cuanto a la posibilidad de correferencia, y que es más natural (o 'suena mejor') indicarla, en el caso del español, con la forma átona, en el del inglés con la inacentuada.

No obstante, contrariamente a lo que estos datos parecen sugerir, es erróneo asociar la obviación del pronombre tónico con el orden de *ellos* respecto del antecedente referencial (sea antecedente o subsecuente).[15] En efecto, no hay una restricción que obligue a que el pronombre explícito o tónico preceda al subsecuente, como se detallará en el § 20.3.2. Esta conclusión se anticipa sobre la base de dos hechos destacables. En primer lugar, el efecto de obviación del pronombre tónico se da también en contextos donde el pronombre sigue al posible antecedente referencial, como en las oraciones de (22). En ellas, la forma tácita puede ser correferencial, en contraste con la forma explícita o tónica, que sin un contexto especial de discurso es claramente obviativa. Compárese (22) con el ejemplo análogo del inglés en (23):

(22) a. Cuando Juan trabaja, (#él) no bebe.
b. Si la supervisan a Ana, (#ella) trabaja mejor.
c. En cuanto el empleado la termine, (#él) te avisará.

(23) When John works, {he /# HE} doesn't drink.

Si bien en estos ejemplos el antecedente referencial (antecedente físico también) está en la cláusula adjunta y el pronombre en la cláusula principal, la diferencia interpretativa es algo inesperada, especialmente si se consideran las versiones donde la cláusula subordinada no se da antepuesta. El pronombre es obviativo, no importa su forma, en cualquier lengua, si la cláusula adjunta que contiene al antecedente referencial (subsecuente en este caso) forma parte del predicado de la principal:

(24) a. {Ø/Él} no bebe cuando Juan trabaja. (Ø/él ≠ Juan)
b. {He/HE} doesn't drink when John works. (he/HE ≠ John)

La obviación aquí obedece a la misma razón que la anticorreferencia en los ejemplos de más abajo; a saber, el subsecuente se subordina al pronombre. La infracción equivale a darle un antecedente referencial a un nombre o sintagma nominal léxico, lo cual se excluye universalmente.[16] Como en los ejemplos previos, no hay diferencia en las formas del pronombre:

(25) a. {#Ø/#Ella} cree que dijimos que Ana lo iba a hacer. (Ø/ella ≠ Ana)
b. {#She/#SHE} thinks that we said that Ann would do it. (she/SHE ≠ Ann)

Un segundo dato confirma la no relevancia del orden secuencial en la interpretación anafórica del pronombre contrastivo. Si la cláusula adjunta que lo contiene aparece en una estructura de mayor grado de subordinación, el pronombre explícito o tónico que precede al subsecuente pierde su efecto obviativo. Ilustramos con los siguientes ejemplos, donde ambas formas del pronombre pueden tener lectura de correferencia:

---

[15] Hay datos similares en otras lenguas de sujeto y/u objeto tácitos, como el italiano, el portugués y lenguas tan diversas como el polaco, chino, japonés, y malayalam (véase Luján 1985, 1986).

[16] La restricción según la cual un nombre no puede ser correferente con un antecedente idéntico a él (en *Juan quiere a Juan* los referentes de los nombres propios deben ser dos personas distintas) se formula como Principio C de la Teoría del Ligamiento en el modelo Principios y Parámetros de la gramática generativa (Chomsky 1986).

(26) a. Cuando el director le pide que (él) trabaje, Juan no bebe.
b. Cada vez que quieren invitarla (a ella), Ana se excusa.
c. La tarea que pedimos que (él) hiciera no satisface a Jorge.
(27) When the director asks {him/HIM} to work, John doesn't drink.

En suma, los datos de ambas lenguas indican que no hay una restricción de orden de secuencia para la forma léxica o tónica del pronombre en función de sujeto u objeto, y, por consiguiente, el efecto obviativo observado debe tener una explicación diferente. La conclusión no es fortuita ya que coincide con una propiedad universalmente reconocida de la estructura sintáctica, a saber, que lo esencial a su naturaleza es la relación jerárquica de subordinación que observan sus elementos constituyentes y no el orden lineal en que se encuentren.

20.2.2. La forma explícita y tónica en las oraciones cuantificadas

Otra diferencia entre el pronombre explícito y el tácito se manifiesta en las estructuras de cuantificación. La forma tácita puede funcionar como variable ligada por un cuantificador [→ § 16.1.2], no así el pronombre explícito. [17] En las oraciones que siguen la forma nula de la cláusula subordinada puede interpretarse como la variable ligada por los operadores *nadie* y *quién*, como en las representaciones de (28a) y (29a). En cambio, esto no parece natural para la forma léxica o tónica en la misma función, la cual se entiende como un pronombre libre, según se indica con la variable *y* en (28b) y (29b). Con otras palabras, si usamos *él* en (28) aludiremos a alguna persona de sexo masculino presentada en el discurso precedente, y no podremos hacer referencia a *nadie* por medio de ese pronombre, aunque tanto *nadie* como *él* sean pronombres de tercera persona. Si, por el contrario, usamos Ø, es decir la forma que representa la flexión verbal de persona, su antecedente podrá ser el pronombre negativo, o no serlo:

(28) Nadie imagina que (él) va a ganarse la lotería.
a. Para ninguna persona *x*, *x* imagina que *x* va a ganarse la lotería.
b. Para ninguna persona *x*, *x* imagina que *y* va a ganarse la lotería. $(x \neq y)$
(29) ¿Quién cree que (él) aprobó el examen?
a. Para qué persona *x*, *x* cree que *x* aprobó el examen.
b. Para qué persona *x*, *x* cree que *y* aprobó el examen. $(x \neq y)$

La aparente ineptitud del pronombre tónico para poder ser interpretado bajo el ámbito de un operador se observa también con el cuantificador *muchos* [→ §§ 16.2-4]. Por lo general, las oraciones con *muchos* son ambiguas en tres sentidos cuando en ellas se utiliza el pronombre tácito, pues este puede entenderse como una variable ligada (*muchos* implica todos y cada uno de los estudiantes), como una variable libre (el pronombre tácito alude a personas distintas de las que

[17] Véase Montalbetti 1984. Hay datos comparables en catalán (Rigau 1987), y en japonés, polaco y portugués (Luján 1986).

integran el grupo de los estudiantes, mencionadas antes en el discurso), o como un pronombre correferente (en esta última interpretación se obtiene la 'interpretación de grupo'), según se indica en (30a), (30b) y (30c), respectivamente. Sin embargo, con un pronombre explícito se excluye la lectura de variable ligada:

(30) Muchos estudiantes temen que (#ellos) fallarán el examen.
  a. Para muchos estudiantes *x*, *x* teme que *x* fallará el examen.
  b. [Para muchos estudiantes $x]_i$ *x* cree que $ellos_j$ fallarán el examen.
  c. [Para muchos estudiantes $x]_i$ *x* cree que $ellos_i$ fallarán el examen.

La restricción del pronombre tónico en cuanto a la posibilidad de ser ligado por un operador se repite en el fenómeno de 'identidad imprecisa' [→ §§ 23.1 y 23.2], implicado en la interpretación de un pronombre como variable ligada en una estructura reducida de coordinación.[18] En la oración (31a), por ejemplo, el pronombre nulo que se interpreta en la cláusula coordinada abreviada o reducida *(y Ana también(Ø aprobó el examen))* tiene las dos lecturas indicadas allí. En la primera, es correferente con el sujeto de la primera cláusula *(Juan)* y hay por lo tanto 'identidad estricta'; en la segunda interpretación lo es con el sujeto de la coordinada reducida *(Ana),* y hay por lo tanto 'identidad imprecisa' ya que la oración elidida *(Ana aprobó el examen)* no se corresponde estrictamente con la oración antecedente *(Juan aprobó el examen).* En cambio, si la oración lleva el pronombre explícito, como en (31b), la interpretación de identidad imprecisa no parece factible:

(31) a. Juan cree que Ø aprobó el examen y Ana también.
    Ana cree que Ø (Juan) aprobó el examen. ('Identidad estricta')
    Ana cree que Ø (Ana) aprobó el examen. ('Identidad imprecisa')
  b. Juan cree que él aprobó el examen y Ana también.
    Ana cree que él (Juan) aprobó el examen. ('Identidad estricta')
    *Ana cree que ella (Ana) aprobó el examen. ('Identidad imprecisa')

La identidad imprecisa implica la interpretación del pronombre en cuestión como una variable ligada.[19]

Otra estructura cuya interpretación supone una variable ligada por un operador es la de 'dislocación a la izquierda' [→ § 64.2.3].[20] Las oraciones con este tipo de estructura tienen un sintagma nominal definido en función de 'tema' o 'tópico' y un pronombre que es correferente con ese nombre dislocado. Como se ilustra más abajo, la forma tónica del pronombre no es la preferida en este entorno:

(32) a. Juan[,] me dicen que (*él) mintió.
  b. A mi prima[,] parece que la van a contratar (*a ella).
  c. Al ladrón[,], nos dijeron que la policía lo atrapó (*a él).

No es díficil, sin embargo, construir oraciones cuantificadas que ponen en duda la generalidad de la restricción del pronombre tónico respecto de la cuantificación.

---

[18] Véase Luján 1986, 1988.

[19] Véase a este respecto Williams 1977. Se ha propuesto que estas estructuras implican un operador lambda mediante el cual la primera coordinada puede interpretarse como una fórmula abierta que se satisface con *Juan* en el primer coordinando y con *Ana* en el segundo.

[20] Véase Rivero 1980.

Tales ejemplos muestran otros operadores o contextos estructurales donde un pronombre explícito puede interpretarse como una variable ligada por un cuantificador:

(33) a. Los detenidos serán mantenidos en 'solitaria' por la policía hasta que alguno de ellos confiese que él es el culpable.
b. Si ningún detenido admite que él lo haya hecho, tendrán quc soltarlos libres de cargo.

Hay aquí además una semejanza con los datos vistos en la sección anterior que hace dudar de que exista una restricción genuina del pronombre contrastivo en las estructuras con cuantificador. En los mismos entornos sintácticos que eliminan el efecto obviativo cuando precede a un posible antecedente referencial (subsecuente), el pronombre tónico contrastivo funciona como variable ligada por un cuantificador. En ellos la cláusula que contiene al pronombre se encuentra en una estructura de mayor grado de subordinación, como en las oraciones de (34) y (35), donde la expresión y omisión del pronombre dan lugar a interpretaciones no equivalentes de variable ligada, que sólo difieren en cuanto a expresar énfasis frente a neutralidad:

(34) Nadie confiesa que cree que (él) va a ganarse la lotería.
(x = Ø) para ninguna persona *x*, *x* confiesa que *x* cree que *x* va a ganarse la lotería.
(x = él) para ninguna persona *x*, *x* confiesa que *x* cree que *x* es la persona que va a ganarse la lotería.

(35) ¿Quién dijo que creía que (él) podía resolver el problema?
(x = Ø) para qué persona *x*, *x* dijo que *x* creía que *x* podía resolver el problema.
(x = él) para qué persona *x*, *x* dijo que *x* creía que *x* era la persona que podía resolver el problema.

Estos datos indican que en realidad no hay una prohibición del pronombre tónico en las oraciones cuantificadas. Esta conclusión quedará ratificada en el § 20.3.2, donde se muestra que tanto esta prohibición como la incapacidad de ser ligado por un posible antecedente, previamente expuesta en el § 20.2.1, desaparecen si los ejemplos considerados, incluyendo los de dislocación de izquierda y los que implican la interpretación de identidad imprecisa, se dan en un contexto discursivo que requiera énfasis en el pronombre.

20.2.3. La forma no omisible

El efecto de obviación del pronombre tónico y la restricción en el ligamiento de cuantificadores se circunscriben a las posiciones donde es posible la alternancia entre expresión y omisión. Esa alternancia, cuya función es indicar énfasis frente a neutralidad (como ya hemos indicado), implica que las diferencias entre los pronombres léxicos sujetos y objetos se deben a su función enfática o distintiva. El pronombre no omisible, en cambio, si bien tiene forma tónica, no es enfático. Por tanto, funciona exactamente como la forma tácita (o átona) en que no denota contraste alguno ni observa las restricciones del pronombre enfático.

El hecho de que la forma no omisible sea tónica o fuerte no es una anomalía, ni contradice la premisa de que el pronombre es esencialmente una categoría átona.

El pronombre léxico no omisible es una excepción, ya que su forma fuerte se explica por la prosodia y los grados del acento en español. Dado que el pronombre que no se omite concurre con otra categoría átona (una preposición, una conjunción o un complementante), lleva un determinado grado de acento para dar unidad a la frase. La forma tónica es la apropiada pues el acento normal del español distingue sólo dos valores: 'átono' y 'acentuado'. Asimismo, si la forma tácita equivale al valor Ø o 'átono', la forma explícita que se le opone en cuanto a énfasis debe asumir el otro valor: 'acentuado'. Sin embargo, la forma léxica no omisible no difiere de la átona en cuanto a que ambas denotan 'neutralidad' mientras que la forma léxica en función de sujeto u objeto es 'enfática'. [21]

En efecto, el pronombre español no puede omitirse cuando funciona como complemento de una preposición [→ § 19.3.4] o una conjunción (coordinante o subordinante), pues estas categorías, generalmente proclíticas, carecen de los afijos de flexión necesarios para legitimar la forma nula del pronombre. En tales funciones el pronombre asume su forma léxica fuerte o tónica, que es neutral en cuanto a que no denota ningún contraste de significado; es decir, no es enfática (en cuanto a su interpretación). La razón es simple: en esas funciones no se opone a la forma tácita, átona o inacentuada, que es la forma regular del pronombre (más estrictamente, en estas posiciones no puede haber alternancia ya que no hay flexión que exprese los valores pronominales). Por tanto, si el pronombre no omisible es anafórico, se comporta a semejanza de la forma regular tácita. Esto es, concurre en una cláusula que precede al antecedente referencial (su subsecuente), y en las oraciones sinónimas con el orden inverso, sin que se afecte la correferencia:

(36) a. Si alguien aporta más que <u>ella</u>, <u>la directora</u> se enfada.
b. Cada vez que hablo con <u>él</u>, <u>Juan</u> me pregunta por ti.
c. El hecho de que <u>él</u> y yo nos veamos seguido no implica que <u>Jorge</u> sea mi mejor amigo.

(37) a. <u>La directora</u> se enfada si alguien aporta más que <u>ella</u>.
b. <u>Juan</u> me pregunta por ti cada vez que hablo con <u>él</u>.
c. No implica que <u>Jorge</u> sea mi mejor amigo el hecho de que <u>él</u> y yo nos veamos seguido.

El pronombre no omisible también se presta a la interpretación de variable ligada por operador, como se ilustra en (38). De hecho, la restricción de la forma tónica respecto de la lectura de identidad imprecisa tampoco se aplica al pronombre no omisible, el cual permite esta interpretación tan fácilmente como la forma tácita. El pronombre tónico que 'recuperamos' en *su* en la coordinada reducida en (38c) tiene las dos lecturas posibles:

---

[21] El acento prosódico del pronombre se da también en inglés, donde el pronombre léxico es normalmente átono. Sin embargo, cuando concurre con una categoría funcional lleva un grado de acento, si no lo lleva esta. Así, el pronombre que es término de preposición tiene acento intermedio, predecible de las distinciones de acento en inglés, cuyo sistema permite tal valor como variante de 'átono'. Damos en (i) los ejemplos ilustrativos en ambas lenguas y con los acentos pronunciados indicados:

(i) a. *We depénd on hìm.*
'Dependémos de él.'
b. *Her párents accóunted for hèr*
'Sus pádres diéron cuénta de élla.'

(38) a. Nadie quiere que sus vecinos se quejen de él.
Para ninguna persona *x*, *x* quiere que los vecinos de *x* se quejen de *x*.
b. Alguien teme que el barco parta sin él.
Para alguna persona *x*, *x* teme que el barco parta sin *x*.
c. ¿Quién no cree que él y su mujer sean felices?
Para qué persona *x*, *x* no cree que *x* y la mujer de *x* sean felices.

(39) Juan cree que la gente se burla de él, y Ana también.
Ana cree que la gente se burla de él (Juan). ('Identidad estricta')
Ana cree que la gente se burla de ella (Ana). ('Identidad imprecisa')

Algunos ejemplos de dislocación a la izquierda que se citan normalmente pueden contener un pronombre nulo *(Ana, mi padre dice que [Ø] no vendrá)* que interpretamos como correferencial con la frase tópico. [22] La dislocación a la izquierda, como cabe esperar de lo que venimos diciendo, puede darse también con un pronombre tónico no contrastivo, como se ilustra en (40):

(40) a. (En cuanto a) Ana, no te podemos decir quién sale con ella.
b. (En cuanto a) Juan, sabemos que él y su mujer mintieron.
c. Dicen del ladrón que la policía lo atrapó a él y a su cómplice.

Si es correcto que la función de la expresión/omisión del pronombre es indicar énfasis frente a neutralidad, se sigue que las diferencias del pronombre explícito en función de sujeto u objeto proceden en realidad de su condición de categoría enfática, contrastiva o distintiva. Dado que el pronombre no omisible no comparte tal función, es lógico que tales diferencias no se observen en su caso.

20.2.4. La forma tácita

20.2.4.1. Sus condiciones generales de anáfora

Hasta aquí hemos dado por supuesto la presencia de una forma 'no pronunciada' del pronombre (o, a la par, de la expresión de este a través de la flexión) sin considerar si la premisa es justificable. ¿Es necesario pues admitir que en nuestra lengua las funciones de sujeto y objeto las desempeñan normalmente una forma tácita del pronombre? Creemos que, en efecto, hay razones válidas para aceptar la presencia estructural de la forma Ø en esas funciones (o, paralelamente, de la expresión del sujeto por medio de la flexión y del objeto directo e indirecto mediante las formas átonas de los pronombres personales). Las razones son las siguientes.

En primer lugar, es una característica de muchas lenguas el hacer uso de categorías nulas, y el empleo de este recurso parece depender de que la lengua disponga de elementos morfológicos que permitan identificar los rasgos y función del elemento nulo, de acuerdo con una condición general de recuperabilidad de la información. En el caso del español, las desinencias del verbo, las que indican persona y número del sujeto (así como, según nuestro enfoque, los clíticos pronominales que concuerdan en persona y número con un complemento verbal), garantizan la utilización de la forma nula del pronombre en estas funciones.

[22] Véase Rivero 1980.

En segundo lugar, hay razones intrínsecas del español que apoyan la tesis de la presencia del pronombre nulo y, por ende, corroboran la función contrastiva de las formas explícitas (o tónicas) usadas en su lugar. Si bien estas formas tienen una distribución complementaria, como veremos en el § 20.3.2, también es cierto que se comportan homólogamente en cuanto a las restricciones de la relación anafórica. Es decir, un argumento nominal tácito no sólo se entiende como una forma del pronombre, funciona también como tal pues toma la referencia de un antecedente estructural. Repasemos los contextos donde la forma tácita es anafórica a fin de examinar la naturaleza de las restricciones compartidas con la forma léxica.

Estudios recientes (en particular en el seno de la gramática generativa) han propuesto un marco de análisis para el conocido hecho de que los pronombres no pueden tener un antecedente que esté en su misma oración, a menos que se trate de pronombres reflexivos.[23] De este modo, un pronombre en función de objeto, por ejemplo, no puede interpretarse como correferente con el sujeto que dicta la concordancia de la flexión verbal. La restricción es universal, y en español se manifiesta tanto en las formas explícitas como en la forma nula del pronombre (como en casos anteriores, marcamos con # los ejemplos en los que la correferencia no es posible; la interpretación correcta del pronombre se da entre paréntesis):

(41) a. #Pablo lo recomendaba (a él). (él/Ø ≠Pablo)
b. #La directora no la conoce (a ella). (ella/Ø ≠la directora)
c. #Mis padres los vieron (a ellos). (ellos/Ø ≠mis padres)

Según esta restricción, el pronombre puede tener su antecedente sólo en un término nominal concordante que esté fuera de la cláusula menor donde concurre el pronombre.[24] En el § 20.2.1 hemos considerado oraciones donde un pronombre incluido en una cláusula adjunta se interpreta en relación con un antecedente fuera del dominio de esa cláusula. En tales contextos, la forma tácita es precisamente la que se comporta conforme a las expectativas, a diferencia de las formas explícitas, que requieren una explicación adicional. Citamos ahora otros ejemplos ilustrativos:

(42) a. Ana piensa que su hija la imita (a ella).
b. El profesor le dijo a Juan que (él) tenía que asistir a la reunión.

Aquí la correferencia funciona tanto con la forma tácita como con la forma léxica del pronombre en la cláusula subordinada. Sin embargo, la misma restricción que excluye a *su hija* como antecedente del pronombre en (42a) permite que el *profesor* o *Juan* funcionen como tales en (42b). La forma tácita anafórica se comporta igual que la forma no omisible en otro contexto, ya visto en el § 20.2.1. En el mismo se prohíbe la correferencia, no importa cuál sea la forma del pronombre, si el posible antecedente está subordinado al pronombre:

(43) a. #{Ø/Ella} se enoja cada vez que Ana falta. (Ø/ella ≠ Ana)
b. #Dile {Ø/a él} que tu padre lo hará. (Ø/él ≠ tu padre)

[23] Más estrictamente, el antecedente del pronombre no puede estar en un dominio local, en su 'categoría rectora', donde tal categoría rectora es la cláusula mínima que contiene al pronombre y a su rector léxico. Esta restricción se formula como Principio B de la teoría de Ligamiento de Chomsky (cf. Chomsky 1981). Para la referencia de las expresiones anafóricas reflexivas véanse los §§ 23.3.1-2.

[24] En la gramática tradicional ya se reconoce este hecho; véase RAE 1973: § 3.10.

Las formas alternantes del pronombre en estas oraciones cumplen con la misma restricción: son obviativas en relación con *Ana* y *tu padre,* pues estos términos se encuentran subordinados en el dominio local del pronombre.

La restricción es la misma que responde de la inaceptabilidad de la correferencia en los contextos denominados de 'cruce fuerte' en los estudios generativos. En tales entornos un pronombre no puede coindizarse (es decir, denotar la misma entidad) con la variable ligada por un cuantificador si la variable se encuentra subordinada al pronombre (estos casos se denominan de 'cruce' porque el pronombre interrogativo, siempre en posición inicial pero correspondiente a un argumento situado en el interior de la oración, 'cruzaría' por encima de esa forma pronominal al desplazarse hacia la posición inicial; en esos casos la correferencialidad entre el pronombre interrogativo y el pronombre tónico es completamente imposible).[25] Los ejemplos que siguen, donde *t* es la variable ligada por el operador o pronombre interrogativo, muestran que no hay diferencia en este respecto entre el pronombre nulo y el pronombre explícito:

(44) a. #¿A quién dice (él) que Ana conoce t? (Ø/él ≠ t)
b. #¿A quiénes creen *(ellos)* que vimos t? (Ø/ellos ≠ t)

Si no se asume la presencia de la forma tácita o nula del pronombre, la similitud observada repecto de las formas explícitas es un mero accidente. En cambio, bajo la premisa de la presencia virtual del pronombre como un elemento no pronunciado, no sólo se explican las correlaciones observadas como procedentes de los mismos principios que regulan la distribución e interpretación del pronombre inacentuado en cualquier lengua, sino que se tiene además la base necesaria para entender y definir la función contrastiva del pronombre pronunciado.

20.2.4.2. Las oraciones impersonales

La identificación de un sujeto u objeto tácito con el pronombre personal, más exactamente, con su forma inacentuada 'no marcada', tiene buen respaldo empírico; hay otros datos adicionales que corroboran la existencia virtual de la forma átona. En efecto, hay cláusulas con un sujeto tácito que no corresponden a ninguna forma explícita del pronombre personal, como las oraciones que llevan el clítico reflexivo *se,* [⟶ § 26.4] o las de verbo con flexión de tercera persona plural [⟶ § 27.2.2.2]. Compárense los siguientes ejemplos:

(45) a. En esa isla *(ellos)* hablan francés.
b. En esa isla Ø *se* habla francés.

En ausencia de *ellos* la oración (45a) es ambigua. La flexión de tercera persona del plural puede tener una interpretación genérica [⟶ § 5.2.1.5], equivalente a la de su homólogo en (b), es decir, no denotar ningún conjunto específico [⟶ § 12.3.2.1]; pero puede tener también una referencia específica, como la que suscitaría el pronombre tónico *ellos.* La forma explícita, en cambio, no es ambigua: carece de lectura genérica y sólo puede denotar un grupo determinado de personas. Por tanto, en (45a) la expresión o la omisión del pronombre dan lugar a oraciones que no son sinónimas. La oración impersonal refleja, por su parte, no es ambigua, se

[25] La restricción es la misma que legisla el Principio C de Ligamiento de Chomsky (cf. Chomsky 1981).

interpreta de un modo genérico, y correspondientemente no tiene un sujeto pronombre que pueda expresarse. La exclusiva omisión, pues, es la que tiene un significado determinado.

Conviene notar que el pronombre *they* del inglés en su forma átona funciona denotativamente con igual ambigüedad y la misma posibilidad de interpretación genérica que nuestro pronombre nulo en la flexión de tercera persona del plural. En cambio, en su forma acentuada (THEY) sólo puede tener referencia específica, igual que las formas tónicas *ellos/ellas.* Esta semejanza conforma nuestras expectativas y agrega más respaldo al paralelismo funcional entre la expresión / omisión del pronombre en español y la forma tónica/átona del pronombre en una lengua como el inglés.

Si la ausencia de pronombre (y su manifestación en la flexión) no alterna libremente con una forma explícita, es erróneo tener al pronombre por elidido, o 'reconstruir' un pronombre léxico en su lugar. Esto se corrobora en otras oraciones 'impersonales', como las de más abajo, que, a semejanza de las anteriores, se expresan con un sujeto nulo y no admiten la presencia de un pronombre (o expletivo) léxico en esa función [⟶ § 19.3.1]:

(46) a. Ø Hay sólo un armario en ese cuarto.
b. Ø Conviene terminarlo hoy.
c. Ø Llovía todo el tiempo.
d. Ø Era improbable que lo admitiera.

En lenguas cuyo sistema de flexión no permite sujeto u objeto tácito, las oraciones impersonales de este tipo tienen sujeto explícito, por lo general un pronombre de género neutro o un expletivo, como *it* y *there* del inglés. En nuestra lengua, en cambio, si se enuncian con un sujeto explícito, el resultado es disonante en la mayoría de los dialectos. [26]

20.2.4.3. Antecedente de persona de la forma léxica

Hay otra restricción de la denotación del pronombre explícito, hasta ahora nunca explicada, que demuestra su no-equivalencia con el pronombre tácito. Si ese pronombre, en efecto, se encuentra en relación con un antecedente que denota 'cosa', el pronombre nulo no es sustituible por la forma explícita, pues el pronombre tónico en función de sujeto u objeto puede referirse sólo a 'persona'. De ahí que esta forma sea inaceptable en las oraciones siguientes, donde concurre con un antecedente 'inanimado':

(47) a. Compró la casa, aunque (*ella) todavía estaba ocupada.
b. Compró la casa, pero todavía no puede ocuparla (a *ella).
c. Han llegado un paquete y una carta. *Él proviene de México y *ella de Madrid. [27]

---

[26] Salvo en algunos dialectos caribeños, como en Santo Domingo, donde pueden oírse expresiones como *Ello hay maíz* [⟶ § 27.3.4].

[27] Una versión posible de este ejemplo, donde los sujetos se explicitan precisamente porque se contrastan o contraponen, es: *Han llegado un paquete y una carta. El uno proviene de México y la otra de Madrid.*

En contraste, el pronombre tácito no observa esta restricción. Sea sujeto u objeto puede referirse tanto a 'persona' como a 'cosa':

(48) a. El director les escribió y Ø les pidió abandonar el proyecto.
a′. La directiva fue anunciada y Ø pedía abandonar el proyecto.
b. Llegan tus amigos y los recibes Ø con los brazos abiertos.
b′. Llegan tus regalos y los recibes Ø con los brazos abiertos.

La denotación restringida de la forma tónica se manifiesta sólo en las posiciones donde funciona como forma enfática, o sea, donde la forma nula es factible por la flexión de concordancia: las desinencias verbales y los clíticos pronominales. En cambio, en una función que no legitime la omisión del pronombre, como el complemento de una preposición, la forma tónica no se limita en su referencia, y puede designar tanto a 'cosa' como a 'persona', no importa que lleve acento normal o enfático: [28]

(49) a. Conocen la propuesta y piensan bregar por {ella/ELLA}.
a′. Conocen a la candidata, pero no van a votar por {ella/ELLA}.
b. Recibí tu pedido, y voy a encargarme de {él/ÉL} ya mismo.
b′. Recibí a tu cuñado, pero no puedo ocuparme de {él/ÉL} ahora.

La restricción denotativa del pronombre tónico no es inherente a esa forma, sino que deriva del contexto. Las funciones de sujeto y objeto, además de ser sintácticamente recuperables, por lo general están semánticamente determinadas por un verbo rector. [29] El pronombre nulo, forma no marcada y vacía de significado, puede llenarse totalmente de ese contenido. En cambio, el pronombre explícito se resiste a funcionar de igual manera. ¿Cómo se explica esta diferencia?

La función contrastiva del pronombre tónico que se opone al tácito permite concebir la siguiente explicación. Las formas léxicas del pronombre, como la flexión, indican diferencias de persona y número. Tomando la categoría de número como subordinada, cabe razonar que al enfatizar un pronombre, mediante la expresión o el acento, lo que se pone de relieve es la categoría de persona. La tercera persona bajo énfasis, por ejemplo, se contrapone a otra distinta, o bien a la persona del 'hablante' o a la del 'interlocutor', que denotan las formas fuertes del pronombre de primera y segunda persona junto con los afijos y clíticos concordantes de la flexión. Dado que la función de la categoría de persona es distinguir a los que participan en el acto del habla, se entiende por qué cuando se la pone de relieve se excluya en ciertos respectos de su denotación a los entes no hablantes (en particular, los inanimados). De este modo, es normal (i) que el pronombre (y flexión) de primera y segunda persona sean incompatibles con las cosas, [30] y (ii) que el

[28] Una restricción similar se observa en las formas fuertes *vs.* débiles del pronombre en alemán, francés e italiano (véase Starke 1995).

[29] El significado del verbo determina el rol semántico de los 'alguien'/'algo' denotados por los argumentos nominales que se combinan con un verbo (véase Demonte 1989).

[30] Salvo en lenguaje figurativo, en el que se puede hablar o escuchar a las cosas, y conferirles atributos humanos. Dan abundante testimonio de este uso la literatura infantil, la poesía y la narrativa de ficción. Recuérdense los bien conocidos versos de Federico García Lorca, en *Cantos nuevos:* «Dice la tarde: *«¡—Tengo sed de sombra!»* | Dice la luna: *«¡Yo, sed de luceros!»* | La fuente cristalina *pide labios* | *y suspira* el viento. | | Yo tengo sed de aromas y de risas, | sed de cantares nuevos | ...» [F. García Lorca, *Cantos nuevos,* 134]. Tratamos sobre este punto en el § 20.3.3.2.

pronombre (y flexión) de tercera persona, cuya referencia deja de lado al hablante e interlocutor, se aplique a persona o cosa sin discriminación, excepto bajo énfasis. La denotación de 'humano'/'animado' del pronombre, siendo derivativa de la categoría de persona (ser 'hablante' implica ser humano y animado), también se destaca cuando se enfoca la categoría. Si es correcto que la denotación 'humano' o 'animado' depende de la función contrastiva, nuestra descripción de esta función cobra validez.

La denotación 'personal' del pronombre enfático se circunscribe a los contextos de omisión, pues, porque son los que tienen la flexión identificadora de su rasgo de persona. Es consecuente con nuestra explicación, asimismo, que la restricción de referencia a 'persona' de la forma léxica desaparezca justo en las funciones que no legitiman la omisión del pronombre, como el complemento de preposición o de conjunción coordinante o subordinante. Aunque estas posiciones pueden estar léxicamente determinadas, como en (49), el pronombre tónico mantiene su referencia indiscriminada, de 'persona' o 'cosa', pues no es enfático si no es omisible. Además, justamente porque las categorías conjunción y preposición carecen de flexión de persona, el pronombre con ellas construido puede llevar acento enfático, sin perder su capacidad de referirse a 'cosa', pues no se encuentra en concordancia con un afijo de persona.[31] Este dato entonces confirma que la denotación 'personal' del pronombre contrastivo no es inherente a la categoría.[32]

La particular variabilidad denotativa del pronombre léxico pierde su misterio una vez entendida en relación con la función contrastiva y el contexto de flexión. De hecho, es perfectamente consistente con el mínimo significado del pronombre, y con la manera en que típicamente asume la referencia de un antecedente en su contexto estructural. En resumen, el comportamiento semántico del pronombre léxico es consistente con la naturaleza esencialmente sintáctica de la categoría.

20.3. Distribución complementaria de las formas del pronombre

El efecto obviativo, la lectura de variable libre y la denotación 'personal' están relacionados con la función contrastiva o distintiva de la forma léxica en las posiciones de sujeto y objeto donde alternan expresión y omisión. El pronombre explícito es enfático precisamente porque se pronuncia donde puede callarse. El pronombre no omisible, en cambio, no siendo enfático, no comparte ninguna de las restricciones observadas. Citamos otros ejemplos ilustrativos de la forma léxica no contrastiva del pronombre que precede al antecedente en (50), que tiene antecedente inanimado en (51), y que funciona como variable ligada por un cuantificador en (52):

---

[31] Se desprende, y es fácilmente verificable, que la restricción de referirse a 'persona' del pronombre contrastivo debe ser más general para una lengua de sistema flexional más rico, que permita mayor diversidad de argumentos nulos y cuyas categorías funcionales, tales como la preposición o la conjunción, tengan formas 'conjugadas'.

[32] Esta explicación se extiende *ipso facto* a las formas fuertes frente a las débiles del pronombre en alemán, francés e italiano registradas en Starke 1995. Se derivan además dos predicciones para las formas del pronombre de tercera persona en inglés. Primero, debe resultar disonante o anómalo enfatizar el pronombre impersonal IT, ya que no se puede contraponer a otro de tercera persona (HE / SHE), ni a los de la primera y segunda persona (I, YOU). Segundo, la forma acentuada THEY, a diferencia de la forma átona regular *they*, debe observar la restricción de referencia de 'persona'.

(50) a. La casa que él y su mujer ocupan no pertenece a Juan.
b. Cuando la gente habla de ella, la directora se ofende.

(51) a. Dice bien de tu propuesta el hecho de que el voto por ella haya sido unánime.
b. El hecho de que el voto por ella haya sido unánime dice bien de tu propuesta.

(52) a. Laura, sospechamos que su novio sabe más que ella.
b. Ningún pasajero desea que el tren parta sin él.
c. Mi vecino cree que la gente se burla de él, y su hija también.
Su hija cree que la gente se burla de ella. ('Identidad imprecisa')

Al identificar la oposición explícito/nulo del pronombre con la denotación de énfasis/neutralidad, que a su vez se reduce a una oposición básica de grado de acento, se hace posible la siguiente consecuencia: el pronombre tónico no omisible es neutral, pero puede hacerse contrastivo si se pronuncia con un grado mayor de acento. Recuérdese que esta forma enfática mantiene su referencia indiscriminada de 'cosa' o 'persona', ya que no concurre en el contexto de un afijo de persona, lo que se confirma en (53) (aunque la construcción resulte forzada para algunos hablantes):

(53) En cuanto al paquete y la carta recién recibidos, tú debes ocuparte de ÉL y dejar que otro empleado se haga cargo de ELLA.

Sin embargo, esta forma tiene los efectos típicos del pronombre distintivo en oraciones aisladas: produce obviación cuando aparece delante de un posible antecedente semántico y suscita la lectura de variable libre (es decir, no fuerza la referencia disyuntiva, como en (44)), si los ejemplos no se encuentran en un contexto de comparación que pida el énfasis en el pronombre:

(54) a. #Cuando ÉL y su mujer trabajan, Juan no bebe.
b. #Si hablan de ELLA, la directora se irrita.

(55) a. #¿Qué marido no cree que ÉL y su mujer sean felices?
b. #Ningún pasajero quiere que el tren parta sin ÉL.
c. Elsa cree que la gente se burla de ELLA y Raúl también.
Raúl cree que la gente se burla de ella (Elsa). ('Identidad estricta')

Estos datos son consistentes con la premisa de que la expresión/omisión del pronombre implica el contraste funcional del acento enfático frente al normal. Además, también corroboran que la flexión de persona del contexto de concordancia es la que fija el significado de «persona» del pronombre explícito en función de sujeto u objeto. Pasamos ahora a considerar las oposiciones relativas del acento que son relevantes en la denotación de énfasis frente a neutralidad.

20.3.1. Oposiciones de grados de acento y la función contrastiva

La forma léxica del pronombre es contrastiva sólo en las funciones de sujeto y objeto, donde su omisión es posible. En los contextos donde la expresión del pronombre es la única opción, como hemos indicado, la forma léxica funciona como la tácita, o sea, es neutral o no contrastiva. Dado que esta forma es tónica, el contraste que puede inducir el acento enfático en su caso se asemeja al que se da entre un nombre de acento normal y su forma de acento enfático:

(56) a. Queremos que Adela lo traiga.
a′. Queremos que ADELA lo traiga.
b. No pensamos depender de él.
b′. No pensamos depender de ÉL.

Entiéndase, no obstante, que lo que interesa en esta comparación con el nombre es el valor funcional más que el valor fonético de la prominencia. Ya se ha explicado en el § 20.2.3 el efecto de prosodia que confiere tonicidad a la forma léxica del pronombre. Es obvio que no hay diferencia de énfasis en el contraste de ÉL/*él* de (56) y el de *él*/Ø en otras oraciones.

El cuadro 1, dado a continuación, muestra el contraste denotativo neutral frente a contrastivo que corresponde a la diferenciación de acento 'normal'/'enfático' con que se pronuncia el pronombre en español en las posiciones de expresión y omisión (sujeto u objeto), y en las que sólo permiten la forma léxica del pronombre. El cuadro 1 indica además el paralelismo funcional de la distinción correspondiente de acento 'normal' frente 'enfático' en el nombre. Las mayúsculas indican el acento enfático en las formas que no alternan con la nula:

	PRONOMBRE		NOMBRE
	SUJETO/OBJETO	OTRO	
NEUTRAL	Ø = inacentuado	acentuado	acentuado
CONTRASTIVO	acentuado	ACENTUADO	ACENTUADO

Cuadro 1. Contrastes del acento en español

Esta diferenciación utiliza tres grados de acento en el pronombre, a saber, la forma tácita (inacentuada o átona), la forma explícita (acentuada o tónica), y su variante ACENTUADA, de acento más fuerte. Hay que notar, sin embargo, que en cada caso el contraste funcional es binario. Por tanto, la forma acentuada es enfática en función de sujeto u objeto, pero carente de énfasis, o sea, no contrastiva o neutral, en otras funciones. Este sistema de oposiciones tiene una ventaja doble. Es consistente con el acento normal del español, que distingue sólo dos grados, 'átono' frente a 'acentuado'. Además permite postular un pronombre átono no contrastivo en español, —la forma tácita—, que equivale al pronombre regular inacentuado de otras lenguas.

Las oposiciones binarias son posibles porque las diferencias de acento son relativas; o sea, no corresponden a valores absolutos o fijos. Por tanto, no es contradictorio que la misma forma sea enfática en un contexto y neutral en otros. El pronombre no omisible en realidad puede, y debe, considerarse como funcionalmente átono, ya que su prominencia no es intencional, sino un mero accidente prosódico.[33] Además, se asume que la forma ACENTUADA normalmente no reemplaza a la forma nula sino a la forma tónica no omisible. No obstante, no se invalidan las oposiciones si la forma ACENTUADA se da en las funciones de expresión frente a omisión pues en realidad no agrega ninguna otra denotación como sustituto de la forma tónica, de la cual no se distingue en función contrastiva o distintiva.

La binaridad del sistema de oposiciones facilita una perspectiva de comparación que muestra la semejanza básica del pronombre en todas las lenguas, incluso las que no utilizan el pronombre nulo en una cláusula de flexión finita, como el inglés. La representación de las oposiciones en esta lengua se obtiene fácilmente del cuadro 1, si se elimina la distinción según función gramatical del pronombre, o sea, la segunda columna. Compárese ahora con el cuadro 2, que resulta de llevar a cabo tal simplificación. Puede notarse que la oposición expresión/omisión del pronombre en español corresponde exactamente a la de tónico/átono en una lengua como el inglés.

	PRONOMBRE	NOMBRE
NEUTRAL	inacentuado	acentuado
CONTRASTIVO	acentuado	ACENTUADO

Cuadro 2. Contrastes del acento en inglés

Ahora bien, las oposiciones del grado de acento tienen sentido sólo si las formas que las utilizan no difieren en su función sintáctica. Es decir, las formas alternantes del pronombre en español, al igual que los pronombres átonos y tónicos del inglés, ocupan la misma posición sintáctica. La validez funcional de la oposición que se expresa con el acento depende crucialmente de que la forma enfática del nombre o pronombre, como la forma neutral, sea un argumento nominal en una posición marcada con un papel semántico.[34]

Dado que la oposición acentual con la que estamos trabajando es universal, las correlaciones establecidas valen también para el nombre y el pronombre en las lenguas cuya flexión no permite sujeto u objeto tácitos. Si así no fuera, surgirían varias cuestiones problemáticas. En primer lugar, ¿cómo se justifica que el pronombre tónico tenga diferente posición estructural que el de acento regular en una lengua como el inglés? Del mismo modo, ¿cabe asumir que un nombre enfatizado tiene una posición diferente que cuando lleva su acento normal? Además, si la distinción de acento en el pronombre implicara una diferencia estructural como la de argumento frente a adjunto (cf. nota 34), entonces la relación pronombre-antecedente debería explicarse mediante principios distintos cuando involucra el énfasis. Estas cuestiones no son problemas si suponemos que tanto los pronombres explícitos como los implícitos ocupan la misma posición estructural.

Si en la estructura sintáctica no hay diferencia en la función de una categoría de acento enfático y su contraparte de acento normal o no contrastivo, ¿en qué consiste entonces la denotación que distingue a la función contrastiva? Nuestra suposición es que esas diferencias corresponden solamente al terreno de la interpretación semántica (al nivel de análisis que algunas gramáticas deno-

[33] Véase el § 20.2.3, relativo a la forma tónica del pronombre no omisible, donde consideramos este punto más en detalle.

[34] Esta premisa es necesaria en este análisis, y difiere drásticamente de la noción promulgada en estudios recientes de gramática generativa (véanse, por ejemplo, Jelinek 1984: 48, Rigau 1986 y Fernández Soriano 1989) de que la forma explícita del pronombre ocupa una posición de 'adjunto', diferente de la que tiene la forma regular. Desde nuestra perspectiva no se pueden mantener la oposiciones funcionales del acento si los elementos que la utilizan no observan idéntica función en las estructuras en que concurren.

minan 'forma lógica'). Pensamos que los pronombres explícitos tónicos son elementos enfocados y se interpretan como prominentes en el análisis semántico del nivel de la forma lógica.

Al tratar los contrastes de acento de un modo sistemático no hacemos más que extender un área de análisis sintáctico ya señalada por Bello en su gramática. Bello (1847) destaca oposiciones de esta clase en las categorías funcionales y muchas de sus avanzadas ideas parten de reconocer la identidad de una misma categoría que cumple distintas funciones bajo diferentes grados de acento, p. ej. *el que nos conoce* frente a *él, que nos conoce; lo (que es) bueno* frente a *ello, que es bueno; a quien obedecen* frente a *¿A quién obedecen?; Ignoro que saben* frente a *Ignoro qué saben,* etc. La expresión frente a la omisión del pronombre es también un contraste sistemático; verlo como una manifestación de la función del acento es colocarlo en el justo encuadre general que muestra la naturaleza del fenómeno a la vez que aprehende la esencial economía del sistema del lenguaje humano.

20.3.2. Contextos de énfasis contrastivo

Hay contextos de énfasis que propician la concurrencia del pronombre contrastivo y no favorecen la de la forma átona. En ellos, las restricciones inicialmente observadas con la forma tónica desaparecen y el pronombre se relaciona con un antecedente al cual precede en la secuencia, o bien es una variable ligada por un cuantificador. Según el cuadro de las oposiciones del acento, las formas del pronombre deben estar en estricta distribución complementaria.

En efecto, en las oraciones donde se muestra obviativo, el pronombre tónico puede lograr la correferencia si esas oraciones se dan en un contexto apropiado de discurso en el que el pronombre funcione de un modo contrastivo destacando su referente como término de una comparación o, más generalmente, de una contraposición. Esta situación se ilustra en (57), donde los ejemplos previamente considerados en el § 20.2 aparecen en cursiva. Una vez contextualizados, los ejemplos son inadecuados con el pronombre tácito, lo que se indica con el asterisco fuera del paréntesis:

(57) a. (Juan) permite que sus empleados beban en el trabajo, pero *cuando *(él) trabaja, Juan no bebe.*
b. *Los chicos que *(él) conoce* pero su padre no aprueba *nunca invitan a mi hijo.*
c. No le inquietaban las críticas de su jefe. Era más bien *lo que *(ella) había dicho lo que preocupaba a Delia.*

Estos contextos contienen elementos a los cuales se contrapone el pronombre, por lo que se hace necesaria su expresión. A saber, en (57a), *los empleados,* que no hacen lo mismo que *Juan;* en (57b), *su padre,* que no aprueba los chicos que *mi hijo* conoce; y en (57c), *las críticas de su jefe,* en contraste con lo que *Delia* ha dicho. Evidentemente, estos son todos elementos de una comparación implícita. En estos entornos el pronombre tónico denota correferencia con el antecedente indicado en cada ejemplo; por el contrario, la forma nula resulta en su lugar inapropiada o disonante. Nótese que la diferencia en relación con el ejemplo aislado de contexto no se debe a que haya una mención inicial del antecedente, como en (57a), pues tal no es el caso en (57b) y (57c). Además, la correferencia se mantiene en (57a), aunque no se pronuncie ese sujeto inicial.

En efecto, el pronombre contrastivo puede relacionarse anafóricamente con un nombre o un operador, si la oración que lo contiene se sitúa en un contexto que justifique el énfasis del pronombre. Los ejemplos en contexto no desdicen de la obviación ni de la lectura de variable libre del pronombre tónico en los ejemplos aislados. Por el contrario, no sólo las confirman sino que también dan prueba de la distribución complementaria de las formas pronominales. El contraste también se da para el pronombre no omisible, aunque expresado por el contraste ACENTUADO frente a 'acentuado', oposición que puede ser menos notable que la de la expresión frente a la omisión, pero no de menor validez o fuerza. Basta examinar un par de ejemplos para comprobar que el mismo entorno que requiere la expresión favorece de igual modo la forma enfática del que no es omisible:

(58) a. (Juan) permite que sus empleados beban en el trabajo, pero *cuando {*él/ÉL} y su mujer trabajan, Juan no bebe.*
b. *Si preguntan* sólo *por {*ella/ELLA} sin mencionar a su esposo, la supervisora se irrita.*

Asimismo, en las oraciones donde el antecedente está incluido en una cláusula adjunta que aparece en posición inicial, la forma tónica del pronombre en la cláusula principal resulta disonante y obviativa, a menos que los ejemplos sean parte de un contexto que justifique el énfasis del pronombre tónico y donde la forma átona, en cambio, resulta inadecuada. Los contextos apropiados son, de nuevo, los que contienen elementos de una comparación o contraposición:

(59) a. *Cuando Juan trabaja, *(él) no bebe* pero los demás sí lo hacen.
b. *En cuanto Alicia acabe, *(ella) nos llamará,* no su secretaria.
c. *Los trabajos que* sólo *le asignan a *(él) no satisfacen a mi hijo.*

Aun en las oraciones donde el pronombre tónico sigue al antecedente sin dar lugar a la referencia disyuntiva, esta forma del pronombre en realidad resulta insólita, si los ejemplos no están situados en un contexto apropiado. Pues si el pronombre tónico tiene función contrastiva, no debe poder reemplazarse por la forma tácita o inacentuada, que no tiene tal función. Esto se muestra muy claramente en el par mínimo expresado por el hablante B en los ejemplos que siguen donde, con las debidas diferencias contextuales, sólo una forma del pronombre resulta apropiada en respuesta a las preguntas de información del hablante A:

(60) A: ¿Quién cree Juan que ganará el premio?
B: *Juan cree que *(él) ganará el premio.*
(61) A: ¿Qué cree Juan que obtendrá en ese concurso?
B: *Juan cree que (*él) ganará EL PREMIO.* [35]

En la respuesta a este tipo de pregunta, a diferencia de las de *sí/no,* la frase que responde al pronombre interrogativo se acentúa o enfoca (estamos aquí frente a un

[35] El asterisco dentro del paréntesis indica que la forma tónica es inaceptable.

foco contrastivo)[→ § 64.3]. De este modo, si la primera pregunta se contesta con un pronombre correferente con el sujeto, el pronombre debe aparecer en su forma acentuada, similar en función a la forma enfática del nombre en una respuesta alternativa, por ejemplo: *Cree que ANA ganará el premio.* Además, como la respuesta a esta clase de preguntas permite que se enfoque sólo lo que contesta al pronombre interrogativo, el pronombre contenido en la respuesta a la segunda pregunta debe darse en su forma átona, pues no tiene tal función. En cambio, se destaca con el acento enfático *EL PREMIO,* que es el término enfocado.

Los ejemplos que piden la forma enfática del pronombre en inglés y, por ende, excluyen el pronombre inacentuado son básicamente similares en las condiciones apropiadas de discurso, como puede verse en (62):

(62) a. John allows his men to drink at work, but *when {HE/*he} works, John doesn't drink.* (= 57a)
b. *Every time {SHE/*she} wins* and Bill loses, *Ann gets annoyed.*
'Cada vez que ella gana y Bill pierde, Ana se enoja.'
c. A: Who does John think will win the award? (= 60)
B: *John thinks {HE/*he} will win the award.*

Pasamos ahora a los pronombres tónicos que son disonantes en el ámbito de un operador o frase cuantificada, como los dados en el § 20.2.2 (cf. *supra* (28) y (29)). En ese apartado vimos que donde el pronombre nulo funciona como una variable ligada por un cuantificador, el pronombre tónico se interpreta como una variable libre. Sin embargo, esta no es una restricción del pronombre tónico, pues dando un contexto apropiado como el que se ejemplifica en (63) —donde hay elementos de una comparación y el cuantificador se enuncia con acento enfático—, este debe asociarse a un pronombre contrastivo o tónico y no a la forma nula o átona. Obsérvese la semejanza entre la oración en español y la correspondiente versión en inglés:

(63) a. Cada uno piensa que hay gente que es completamente feliz, pero *NADIE cree que *(él) es completamente feliz.*
b. Everyone thinks that there are people who are completely happy, but *NOBODY believes that {HE/*he} is completely happy.*

Es indudable que ambos ejemplos expresan el mismo juicio de que cada individuo cree que hay gente que es totalmente feliz, pero ninguno tiene tal creencia acerca de sí mismo, o sea, nadie se considera incluido en el grupo de la gente feliz. Esta lectura de la segunda cláusula requiere tomar el pronombre como una variable ligada por el cuantificador *nadie/nobody.* En este contexto, tanto el pronombre tácito en español como el átono en inglés son disonantes, porque dan lugar a una declaración contradictoria.

Asimismo, el pronombre tónico debe usarse en lugar de la forma nula (o inacentuada) en los ejemplos de identidad imprecisa, si están en un contexto apropiado que exige la función distintiva del pronombre, así:

(64) Aunque la mayoría de los estudiantes cree haber reprobado, *Marco cree que *(él) aprobó el examen y Ana también.*
(Ana cree que ella (Ana) aprobó el examen)

Este ejemplo puede también interpretarse con identidad estricta, o sea, el pronombre en correferencia con el sujeto de la primera coordinada. Sin embargo, esta interpretación, como la de variable ligada de la lectura de identidad imprecisa, requiere que el pronombre se interprete o recupere en su forma tónica, debido al contraste explícito que se hace de la creencia de un par de individuos en relación con la de otros (cf. *supra* (31)).

Otras oraciones donde el pronombre funciona como variable ligada por un operador son las tematizadas con 'dislocación a la izquierda', ya vistas en el § 20.2.2. En los ejemplos aislados la forma nula (no marcada) del pronombre que se coindiza con el tópico es la común. Sin embargo, si aparecen en un contexto que requiere el énfasis del pronombre, las oraciones dislocadas pueden y deben construirse con la forma tónica, por ejemplo:

(65) a. *Juan, me dicen que *(él) mintió,* pero la policía lo descubrió.
b. *A Laura, parece que la van a contratar *(a ella),* pero no a su esposo.
c. *Al ladrón, nos dijeron que la policía lo atrapó *(a él),* aunque no a sus secuaces.

Asimismo, en los siguientes ejemplos de dislocación a la izquierda la forma tácita del pronombre resulta disonante, la forma tónica, en cambio, queda más natural: [36]

(66) a. Estos hombres, parece que alguien a quien *(ellos) consideraban su salvación se ha suicidado.
b. Esos economistas, resulta que el partido presentó el programa económico y *(ellos) se sienten decepcionados.

La diferencia puede explicarse del siguiente modo. En (66a) se necesita el pronombre contrastivo porque el tema de la oración principal debe reintroducirse siguiendo al tópico *alguien* de la cláusula complemento que interviene. En (66b) el pronombre sujeto *ellos* de la segunda oración coordinada se contrasta con el sujeto *el partido* de la primera coordinada.

Los contextos que requieren el uso de una forma léxica contrastiva (o acentuada) del pronombre atestiguan su función complementaria en relación con la forma nula (o inacentuada). En esos contextos la omisión del pronombre es claramente anómala o disonante, y los afijos de concordancia que legitiman la forma nula no son suficientes para denotar un contraste con un término dado. En algunos de los ejemplos inicialmente presentados en el § 20.2 basta con insertar el adverbio *sólo,* o agregar una cláusula adicional coordinada o una adversativa, para crear el contexto necesario que propicia el uso del pronombre explícito, tónico o contrastivo:

(67) a. *Ana se enoja cada vez que sólo *(ella) pierde.*
b. *Ana se enoja cada vez que *(ella) pierde* y su marido gana.
c. *Sorprendió a los rebeldes la noticia de que los habían descubierto *(a ellos),* pero no a los civiles que los ayudaban.

La función contrastiva del pronombre acentuado se muestra también en su efecto subvertidor de la denominada 'estrategia de función paralela', fenómeno común en las oraciones coordinadas. [37]

[36] Véase Rivero 1980: 374-375, donde estos ejemplos se citan con la forma tácita.
[37] Véanse Cowan 1980, Solan 1983, para el inglés; Luján 1986 para el español y polaco.

La 'función paralela' es la tendencia a equiparar la función gramatical de un pronombre con la de su antecedente en las oraciones coordinadas. Este paralelismo funcional se advierte sobre todo con la forma inacentuada del pronombre. En cambio, si ejemplos similares se enuncian con la forma tónica, se observa el efecto contrario:

(68) Función paralela:
   a. Ana ama a Elsa, y Ø lo sabe.
      (Ø = Ana)
   b. Ana ama a Elsa, y Delia la odia Ø.
      (Ø = Elsa)

(69) Función no paralela:
   a. Ana ama a Elsa, y ella lo sabe.
      (ella = Elsa)
   b. Ana ama a Elsa, y Delia la odia a ella.
      (ella = Ana)

Sin embargo, hay que suponer que la función paralela deriva de la estructura de coordinación y no del grado de acento del pronombre involucrado. Por esta razón, el efecto subvertidor del pronombre tónico se puede explicar si su función enfática se asocia con una estructura sintáctica diferente de la que superficialmente parece compartir con la forma átona o nula, tal como se sigue de nuestras premisas.

Otros ejemplos de neutralización de la función paralela por el pronombre tónico son los que siguen, donde las oraciones coordinadas tienen un tópico común: [38]

(70) Función no paralela:
   a. En cuanto a Max, Felix le pegó a Max y luego *(él) le pegó a Bill.
      (él = Max; Ø = Felix)
   b. A: ¿Puedes darme una descripción exacta del papel de Max en esa pelea?
      B: Felix le pegó a Max y luego *(él) le pegó a Bill.
      (él = Max; Ø = Felix)

En estos ejemplos se alega que el pronombre inacentuado no es aceptable porque, al seguir la función paralela, selecciona *Felix* como su antecedente. Esto hace que la segunda oración coordinada resulte irrelevante con respecto al tópico común *Max,* ya que expresa una declaración acerca de *Felix,* y no dice nada en relación con *Max.*

Sería muy sorprendente que la función paralela dependiera del grado de acento del pronombre y que no derivara simplemente de la forma misma de la estructura coordinada. De hecho, si fuese que el fenómeno se restringe a la forma átona del pronombre, no debería ser posible construir ejemplos de función paralela con una forma tónica. Los datos, sin embargo, muestran lo contrario. En efecto, la función paralela también se observa con el pronombre tónico cuando las oraciones coordinadas se encuentran en un contexto que justifica el énfasis de esa categoría como, por ejemplo, la presencia del adverbio *sólo,* de una cláusula adversativa, o de una cláusula comparativa. Ilustramos este hecho con los siguientes ejemplos, donde el pronombre léxico es necesario y la forma tácita resulta inadecuada. [39]

(71) Función paralela:
   a. Mi tío conoce muy bien a su vecina, y *sólo* *(él) la visita.
   b. Si quieres conseguir al director, llámalo *(a él) directamente y evita a su secretaria.
   c. Ana ama a Raúl y, aunque *(ella) no lo esconde, él no parece notarlo.
   d. Ana ama a David, y Laura lo detesta *(a él) tanto como a Ana.

---

[38] Véase Reinhart 1982, de donde provienen los ejemplos en inglés.

[39] Conviene señalar que no todos los hablantes coinciden con que la presencia de la forma tónica sea obligatoria.

Estos hechos no sólo respaldan la complementaridad funcional de las formas alternantes del pronombre, sino que también confirman que la función paralela es totalmente independiente del grado de acento del pronombre. Se desprende entonces que el pronombre tónico es perfectamente compatible con el paralelismo funcional entre antecedente y pronombre.

Los datos examinados en esta sección muestran en suma que los pronombres del español que se pronuncian en una posición de omisión son elementos enfáticos o contrastivos, razón por la cual su presencia explícita debe ser requerida por elementos de un entorno apropiado de discurso. El énfasis que se expresa por el grado de prominencia con que se pronuncia una categoría no es diferente en su función denotativa del que se manifiesta por otros medios, bien sean léxicos o sintácticos. Hay pues exigencias discursivas para la expresión del énfasis y pueden identificarse los elementos contextuales que hacen necesaria la función contrastiva del pronombre tónico.

20.3.3. El énfasis en la lengua escrita. Algunos ejemplos

Los textos literarios, sean de prosa o poesía, proporcionan buenos ejemplos de la función significativa de las formas del pronombre en tanto que constituyentes que marcan el énfasis frente a la neutralidad. En este apartado presentaremos una breve selección de textos donde el efecto o significado de un pronombre tónico es el de poner de relieve un elemento relevante en una comparación o contraposición y donde, por el contrario, su omisión tiene la función opuesta, o incluso es un recurso retórico para no destacar o dejar fuera de foco la identidad de un participante en un contexto discursivo. En algunos textos estas denotaciones son obvias, y se confinan a un espacio relativamente reducido de frases u oraciones sucesivas. En otros, no es evidente a primera vista por qué se da y hasta se repite más de una vez un pronombre que puede omitirse. En tales casos, sin embargo, el pronombre enfático se justifica bajo las mismas premisas que explican los casos obvios y, más interesante aún, su justificación arroja luz sobre el plano más amplio de la estructura discursiva, narrativa o lírica de un texto.

20.3.3.1. Algunos ejemplos de textos en prosa

El fragmento siguiente está extraído de *El velo de la reina Mab,* un cuento de Rubén Darío incluido en *Azul,* y pone de manifiesto de una manera muy directa la función de contraposición del pronombre explícito.

Trata este cuento de un hada madrina de la tradición celta. Esta reina es testigo de los lamentos de cuatro pobres hombres que se benefician de los dones repartidos por las hadas, pero se sienten descorazonados e incapaces. En un determinado momento la reina Mab acude en su ayuda, otorgándoles el don de la esperanza. La porción que transcribimos contiene el lamento del escultor; el de los otros sigue una forma similar. La contraposición de los términos enfocados, que se destaca mediante el subrayado, es bastante obvia:

(72) «Los cuatro hombres se quejaban. Al uno le había tocado en suerte una cantera, al otro el iris, al otro el ritmo, al otro el cielo azul.
La reina Mab oyó sus palabras. Decía el primero:
—¡Y bien! ¡Heme aquí en la gran lucha de mis sueños de mármol! Yo he arrancado el bloque y Ø tengo el cincel. Todos tenéis, unos el oro, otros la armonía, otros la luz; yo pienso en la blanca y divina Venus, que muestra su desnudez bajo el plafón color del cielo. Yo quiero dar a la masa la línea y la hermosura plástica; y que circule por

las venas de la estatua una sangre incolora como la de los dioses. Yo tengo el espíritu de Grecia en el cerebro, y Ø amo los desnudos en que la ninfa huye y el fauno tiende los brazos. ¡Oh, Fidias! Tú eres para mí soberbio y augusto como un semidiós, en el recinto de la eterna belleza, rey ante un ejército de hermosuras que a tus ojos arrojan el magnífico Kiton mostrando la esplendidez de la forma en sus cuerpos de rosa y de nieve.
Tú golpeas, hieres y domas el mármol, y suena el golpe armónico como en verso, y te adula la cigarra, amante del sol oculta entre los pámpanos de la viña virgen. Para ti son los Apolos rubios y luminosos, las Minervas severas y soberanas. Tú, como un mago, conviertes la roca en simulacro y el colmillo del elefante en copa de festín. Y al ver tu grandeza Ø siento el martirio de mi pequeñez. Porque pasaron los tiempos gloriosos. Porque Ø tiemblo ante las miradas de hoy. Porque Ø contemplo el ideal inmenso y las fuerzas exhaustas. Porque a medida que Ø cincelo el bloque me ataraza el desaliento.»
[R. Darío, *El velo de la reina Mab,* 113-114]

La insatisfacción y desesperanza de los hombres se manifiesta vívidamente mediante la comparación; cada hombre se siente incapaz y abrumado al contraponer la medida de su talento a la enormidad del don recibido. Por esta razón, es necesario el uso del pronombre tónico al hacer referencia a sí mismo en las varias cláusulas en las que cada uno expresa sus desalentadas quejas. También viene al caso el reproche que el escultor hace a Fidias, con quien se compara y a quien envidia, por ser el máximo exponente de su arte (el escultor clásico sí estaría a la medida de la cantera regalada por las hadas). Es notable, además, el uso preciso del pronombre tácito en las últimas cuatro líneas, el cual no sólo tiene el efecto de disminuir o empequeñecer la referencia de la primera persona frente a la de las formas tónicas de la segunda en relación a Fidias *(tú, ti),* sino que también es la forma carente de énfasis que corresponde con los nuevos términos que explícitamente se contrastan en este párrafo, *tu grandeza* en oposición a *mi pequeñez.*

(73) es ejemplo de una prosa de muy diferente naturaleza. El texto proviene de *Crónica del alba*, de Ramón Sender; el protagonista, un niño de diez años, quiere darse importancia frente a su 'novia' demostrándole su valentía. Llaman de inmediato la atención las numerosas expresiones de sujetos pronombre y de sujetos (o complementos) explícitos, en contraste con los sujetos tácitos no contrastivos, indicados con Ø:

(73) «Valentina apareció por fin corriendo calle abajo y al ver que yo estaba en la puerta Ø se detuvo. Ø Siguió andando con una lejana sonrisa, pero de pronto, Ø cambió de parecer y Ø echó a correr de nuevo. Cuando Ø llegó Ø comenzó a hablarme mal de su hermana Pilar. Ø Me dijo que había querido llegar más pronto pero que la obligaron Ø a estudiar el piano. Yo me creí en el caso de mirar el reloj y decirle a Valentina que los números de la esfera eran de ámbar. Aunque ella estaba enterada Ø se creyó también obligada a preguntarme si me lo habían regalado el día de mi primera comunión. Yo le dije que sí y que la cadena era también de plata. Después Ø entramos corriendo. Valentina cada dos pasos Ø avanzaba otros dos sobre un solo pie con lo cual las florecitas de trapo que Ø llevaba en la cabeza bailaban alegremente. Al llegar junto al perro yo le advertí que Ø no debía tener miedo. Ø Me acerqué al animal que estaba tumbado, Ø me senté en sus costillas, Ø le abrí la boca, Ø metí dentro el puño cerrado y Ø dije:
—Estos perros son muy mansos.
Ella me miraba las rodillas y yo pensaba que Ø había hecho muy bien en lavarlas. Valentina, escaleras arriba, con la respiración alterada por la impaciencia y la fatiga, Ø me contaba que en la sonata de Bertini Pilar tocaba demasiado de prisa para que no pudiera seguirla ella y ponerla Ø en evidencia. Yo le pregunté si Ø quería que Ø matara a su hermana, pero Valentina me dijo con mucha gravedad:
—Déjala, más vale que Ø viva y que todos vean lo tonta que Ø es.»
[R. J. Sender, *Crónica del alba,* cap. 2, 25-26]

Ha de observarse en esta narración el hecho de que desde el comienzo se establezca un contraste entre la acción que se relata y el diálogo de los dos niños, mediante la constante contraposición de lo que hace y dice el uno en respuesta a lo que hace y dice el otro. La expresión del sujeto en ciertos puntos cruciales mueve la acción narrativa alternativamente del uno al otro, cambiando el enfoque descriptivo. De un modo igualmente efectivo, la omisión del sujeto mantiene el enfoque brevemente estacionario en cada uno de ellos. El autor logra muy eficazmente una atmósfera de diálogo activo a pesar de que sólo cita dos líneas de diálogo directo.

Un último grupo de textos ilustrativos más breves están extraídos de *Don Segundo Sombra*, de Ricardo Güiraldes. Nos interesa esta selección porque la narración está dada en la persona del hablante, que en este caso es el otro protagonista principal de la novela. Obsérvese que ninguna de las instancias indicadas del pronombre sujeto *yo* en estas oraciones es omisible, no importa que el verbo tenga o no marcas concordantes en su flexión: el pronombre en cada ejemplo está contrapuesto a otro sujeto o argumento nominal. Este factor invalida tanto la posible ambigüedad que con frecuencia se alega en relación con la flexión que no distingue entre la primera y tercera persona del singular en muchas formas verbales (*iba, iría, decía, hable, amara*, etc.), como también la supuesta redundancia de la forma léxica del pronombre en función de sujeto u objeto.[40]

(74) «Mi soledad se hizo mayor, porque ya la gente se había cansado algo de divertirse conmigo y yo no *me afanaba* tanto en entretenerla.» [Cap. I, 17]

«*El tape Burgos* salió de entre las sombras y tiróle una puñalada firme, a partirle el corazón. Yo *vi* la hoja cortar la noche como un fogonazo».[41] [Cap. II, 27]

«Primero Ø pensé que *a don Segundo* le pasaba otro percance y que yo, por segunda vez, lo advertía del peligro.» [Cap. III, 30]

«*Al lado de don Segundo,* que mantenía su redomón al tranco, iba yo caminando a grandes pasos.» [Cap. II, 28]

«Un incontenible temor *me* bailaba en las piernas cuando Ø oía cerca *el gruñido de algún mastín peligroso;* pero sin equivocaciones decía yo los nombres: Centinela, Capitán, Alvertido».[42] [Cap. II, 20]

«Por la casa soñolienta arrastrábanse los últimos ruidos, que *me* decían *la estupidez de los menudos hechos cotidianos.* Ya no podía aguantar yo aquellas cosas, y una irrupción de rabia *me* hizo Ø mirar en torno mío *las desmanteladas paredes de mi cuartucho».*[43] [Cap. II, 30]

Obsérvese que en varios de los textos precedentes hay elementos léxicos (*pensé, oía, me decían,* etc.) que permiten establecer holgadamente la referencia del sujeto en el verbo que acompaña al pronombre enfático; por tanto, cabe descartar la ambigüedad como justificación de la presencia del pronombre tónico. Por otro lado, que una forma verbal sea inambigua *(vi, las encomendé),* no es razón suficiente para considerar redundante al pronombre sujeto que le acompaña. La noción de redundancia en relación con el pronombre tónico es, en efecto, susceptible de ser cuestionada. Una razón para ello es que proporciona una base muy escasa para la evaluación de la concurrencia de un pronombre enfático: la flexión del verbo es un ámbito demasiado estrecho para localizar las categorías relevantes que explican el énfasis en los pronombres sujeto y objeto. Por el contrario, hay que suponer que tales categorías son parte del contexto externo al verbo flexionado, colindantes con el ámbito de la cláusula, están pues implícitas y son reconstruibles a partir del contexto discursivo.

[40] Estas consideraciones se encuentran en varios autores, por ejemplo, Ramsey (1956: §§ 3.34-3.36 y 4.16-4.21), Gili Gaya (1943: § 172) o Marcos Marín (1978: cap. IV).

[41] Este pronombre parece redundante, pero no lo es. Al enfatizar su presencia el narrador se hace partícipe en la acción, como único testigo del ataque que sin motivo alguien hace contra Don Segundo, del cual él ya le había advertido.

[42] El verbo reflexivo en la primera cláusula, *me bailaba,* deja en claro la referencia del sujeto de *decía* en la segunda; la expresión del pronombre no es necesaria para desambiguar. El pronombre se enfatiza porque se contrapone al sujeto de la primera cláusula. Además, al nombrarse a sí mismo el narrador-protagonista hace más vívido su despliegue de valentía ante el confesado temor.

[43] Son evidentes aquí las contraposiciones: *yo*, el narrador-protagonista, frente a *los ruidos* de una casa donde no lo quieren, y la trivialidad de ese mundo doméstico aparejado con la escualidez de su cuarto.

Por la misma razón que se escudriña la forma tónica, también se necesita poner a prueba la forma tácita, la que cumple la función opuesta de no implicar ninguna distinción, o sea, de denotar neutralidad o ausencia de énfasis. Conforme a las expectativas, esta forma tampoco es intercambiable. Los textos abundan en buenos ejemplos. En el que sigue, también procedente de *Don Segundo Sombra,* dirigimos la atención del lector a las formas verbales de flexión indiferenciada o ambigua que concurren con la forma tácita. Vale aquí también la pena intentar la sustitución por la forma léxica y podrá fácilmente comprobarse que el resultado es disonante:

(75) «La primera mirada del sol *me* encontró Ø barriendo los chiqueros de las ovejas con una gran hoja de palma. [...] Ø estaba tan contento como la mañanita. Ø Hacía *mi* trabajo con esmero, *diciéndome* que por él Ø era como los hombres mayores. El fresco apuraba mis movimientos. En el cielo deslucíanse los colores volteados por la luz del día.
A las ocho nos llamaron para el almuerzo, y mientras, a diente, Ø despedazaba un trozo de churrasco, Ø espié a mis compañeros de quienes todo Ø quería adivinar en los rostros.» [Cap. IV, 40]

En este pasaje se describe una escena común, una situación compartida por la tropa de reseros, como lo indica la flexión de primera persona del plural en algunas formas. El uso de la forma átona, de hecho, concuerda con el intento del joven narrador de integrarse, incluso pasar desapercibido, en el nuevo ambiente de vida y ocupación que él mismo ha elegido.

20.3.3.2. Algunos ejemplos de la poesía

Muchos poemas memorables ilustran ejemplarmente el uso del pronombre tónico y el tácito. Aquel es siempre enfático y, a diferencia de este, se percibe como un término relevante en una comparación, contraste o contraposición, que integra el contexto discursivo de un modo explícito o implícito. El famoso verso de Darío en *Cantos de vida y esperanza* (*Yo soy aquel que ayer nomás decía | el verso azul y la canción profana...* [*Cantos de vida y esperanza,* 50]), la octava *Soledad(es)* de Antonio Machado (*Yo escucho los cantos | de viejas cadencias | que los niños cantan | cuando en coro juega* [*Soledades VIII,* 24-25]) o la invocación de César Vallejo en *Los dados eternos (Dios mío, si tú hubieras sido hombre | hoy [Ø] supieras ser Dios | pero tú que estuviste siempre bien, | [Ø] no sientes nada de tu creación...* [*Los dados eternos,* 71]) son buenos ejemplos de esos contrastes: los elementos de significado que definen el contexto apropiado para el pronombre tónico resultan evidentes en todos estos casos.

Para otro ejemplo relevante, un pronombre tónico puede aparecer separado por muchos versos, incluso estrofas, de los elementos que piden su concurrencia. Ilustramos este punto con fragmentos del poema trilogía *Hijo de la luz y de la sombra,* de Miguel Hernández. La primera estrofa contiene dos apariciones del pronombre de segunda persona, que parecen redundantes si se considera la estrofa aislada.[44] Nótese que su presencia no hace ninguna diferencia en la versificación. Sin embargo, el énfasis inicialmente dado y repetido se justifica en la contraposición, *tú/yo,* que se hace explícita recién en el último verso de la estrofa undécima, que finaliza la parte I. La parte II es similar en este respecto, como puede verse en los fragmentos paralelos que siguen más abajo, donde se da el número de la estrofa en la trilogía:

(76) *[I, Hijo de la sombra]*
Tú eres la noche, esposa: la noche en el instante [Estrofa inicial, #1]
mayor de su potencia lunar y femenina.
Tú eres la medianoche: la sombra culminante
donde culmina el sueño, donde el amor culmina.
[...]
Moviendo está la sombra sus fuerzas siderales, [Estrofa final, #11]

[44] Hay otra versión difundida bajo el título *Hijo de la luz y de la sombra* sin los pronombres enfáticos en la estrofa inicial y con muchas otras diferencias en el texto. Según De Luis y Urrutia (1984) el poema fue póstumamente publicado, existiendo las dos variantes que reproducen en su apéndice II (págs. 248-254).

tendiendo está la sombra su constelada umbría,
volcando las parejas y haciéndolas nupciales.
Tú eres la noche, esposa. Yo soy el mediodía.

[II, Hijo de la luz]
Tú eres el alba, esposa: la principal penumbra, [Estrofa inicial, #12]
desde el presentimiento de luces de tu frente.
Decidido al fulgor, todo tu cuerpo alumbra
la sombra y en tus venas avanza el sol naciente.
[...]

Ø Hablo y el corazón me sale en el aliento. [Estrofa final, #20]
Si Ø no dijera cuánto Ø te quiero, me ahogaría.
Con espliegos y recinas Ø perfumo tu aposento.
Tú eres el alba, esposa. Yo soy el mediodía.
[Miguel Hernández, *Hijo de la luz y de la sombra,* 67-73]

No sólo se justifica el énfasis de los pronombres de primera y segunda persona en cada una de las dos primeras unidades, sino que ellos mismos dan razón de ser al pronombre de tercera persona *(él)* que aparece aislado en la octava estrofa de la parte III, en contraposición con las otras dos formas. Este pronombre, cuyo antecedente *(el hijo)* se menciona y se repite en las otras partes, es el único en todo el poema. En esta porción final, además, los otros pronombres ya no se dan separados y contrapuestos entre sí sino coordinados *(tú y yo)* y subordinados o pospuestos.[45] El cambio estructural en este respecto es conspicuo. Transcribimos las estrofas de la tercera parte que contienen los elementos señalados:

(77) *[III, Hijo de la luz y de la sombra]*
Tejidos en el alba, grabados, dos panales [Estrofa inicial, #21]
se atropellan hilando la leche a borbotones.
Tus pechos en el alba: maternos manantiales,
luchan y se atropellan con blancas efusiones.
[...]

Los muertos, como un fuego congelado que abrasa, [6.ª estrofa, #26]
laten junto a los vivos de una manera terca.
Viene a ocupar el hijo los campos y la casa
que *tú* y *yo* abandonamos quedándonos muy cerca.

Ø *Haremos* de este hijo generador sustento, [7.ª estrofa, #27]
y Ø *hará* de nuestra carne materia decisiva,
donde asiente su alma las manos y el aliento
las hélices circulen, la agricultura viva.

Él *hará* que mi casa no caiga derribada, [8.ª estrofa, #28]
pedazo desprendido de nuestros dos pedazos,
que de nuestras dos bocas *hará* una sola espada
y dos brazos eternos de nuestros cuatro brazos.
[...]

Con el amor a cuestas, dormidos y despiertos, [Estrofa final, #30]
Ø seguiremos besándonos en *el hijo* profundo.
Besándonos *tú* y *yo* se besan nuestros muertos,
se besan los primeros pobladores del mundo.

[45] Se retoma así una forma previamente utilizada de un modo breve, pero intenso, en dos estrofas de la parte I: (la Sombra) «Pide que nos echemos *tú* y *yo* sobre la manta, | *tú y yo* sobre la luna, *tú y yo* sobre la vida. | Pide que *tú y yo* ardamos fundiendo en la garganta, | ...» (8.ª estrofa); «*El hijo* está en la sombra que acumula luceros, | amor, tuétano, luna donde *tú y yo* alentamos. | ...» (9.ª estrofa).

Sin restar importancia a los otros elementos formales y léxicos que contribuyen a definir la unidad del poema, no puede ignorarse que la presencia y organización de los pronombres enfáticos, además de colaborar al tono dramático, constituyen una sutil y mínima amalgama formal que refuerza, a la vez que sintetiza, los temas desarrollados a través de la trilogía. Estos resuenan y se destacan debidamente mediante el efectivo andamiaje de los pronombres. No hay nada excepcional en este uso ya que concuerda perfectamente bien con la función del pronombre como categoría discursiva.

El pronombre distintivo no resulta así nada redundante, siendo, por el contrario, una pieza esencial que, al evaluarse correctamente en relación con las categorías discursivas que requieren su expresión, lleva a un mejor entendimiento de la composición poética. Su función es de igual importancia y tan necesaria como la del pronombre no marcado o átono. Siguen algunos ejemplos breves de este mismo aspecto textual:

(78) Ø Hemos perdido aun este crepúsculo.
Nadie nos vio Ø esta tarde con la manos unidas
mientras la noche azul caía sobre el mundo.
[...]
Yo te recordaba con el alma apretada
de esa tristeza que tú me conoces.
[#10, P. Neruda, *Veinte poemas de amor,* 89-90]

A mi ciudad de patios cóncavos como cántaros
y de calles que surcan las leguas como un vuelo
[...]
a mi ciudad que se abre clara como una pampa
yo volví de las tierras antiguas del naciente
y Ø recobré sus casas y la luz de sus casas
[J. L. Borges, *Versos del catorce,* 73]

Otro uso eficaz del pronombre tónico de primera persona es cuando se 'personaliza' una descripción en contraste con otra dada inicialmente de un modo impersonal mediante verbos de existencia, como *haber, estar,* etc. en predicados aplicados a objetos del paisaje natural o urbano, en escenas que pueden ser reales o mentales. Ilustramos con unos versos de Octavio Paz: [46]

(79) Ø No *hay* sentido, Ø *hay* piedad, Ø *hay* ironía,
Ø *hay* el pronombre que se transfigura:
yo soy tu yo, verdad de la escritura.
[O. Paz, *Aunque es de noche,* IV, 702]

El pronombre tácito indicador de ausencia de énfasis es igualmente insustituible. En muchos textos la omisión realza o acentúa la función distintiva de otra forma tónica que concurre en el mismo entorno discursivo. Asimismo, tal omisión se explota naturalmente como recurso para no destacar, o dejar fuera de foco, la identidad de un participante en un contexto discursivo. Ilustra admirablemente este uso el poema VI en *Trilce,* de César Vallejo, del cual damos el fragmento inicial:

(80) El traje que Ø *vestí* mañana
no lo ha lavado *mi lavandera:*
Ø *lo lavaba* Ø en sus venas *otilinas,*

[46] De un modo similar, en el poema *Sólo la Muerte* [*Residencia en la Tierra 2,* 209-210] Neruda comienza con una descripción en términos impersonales y objetivos: «Ø *Hay* cementerios solos, | ... Ø *Hay* cadáveres, | Ø *hay* pies de pegajosa losa fría, | Ø *hay* la muerte en los huesos, | ...», a la cual contrapone una descripción 'personalizada': «Yo veo ... ataúdes a vela», aparejada con una personificación de la muerte: «A lo sonoro *llega* la muerte | ... Ø *llega* a golpear con su anillo ... | Ø *llega* a gritar ... | Pero la muerte *va* también por el mundo vestida de escoba, | ...» Véase Luján 1997.

en el chorro de su corazón, y hoy Ø *no he*
de preguntarme si yo dejaba
el traje turbio de injusticia.

A hora que Ø *no hay* quien vaya a las aguas,
en mis falsillas encañona
el lienzo para emplumar, y todas las cosas
del velador de tánto qué será de mí,
todas no están *mías*
a *mi* lado.
Quedaron de *su propiedad*,
fratesadas, selladas con *su trigueña bondad*.
[C. Vallejo, *Trilce,* VI, 95]

20.3.4. Consideraciones finales y conclusiones

El examen detallado de una variada muestra del uso del pronombre personal en el lenguaje hablado y escrito elucida la función denotativa del pronombre según su acento, y contribuye a esclarecer el peso real de algunas nociones a las que se recurre para caracterizar el énfasis. En primer lugar, al igual que en la música, la variación de tono e intensidad en la expresión hablada no involucra valores absolutos, el énfasis puede tener mayor o menor grado sin que varíe su función contrastiva. Así pues, no deja de ser enfático o distintivo el pronombre que se enuncia cuando el hablante adelanta una opinión, suposición o parecer personal mediante una cláusula incrustada en el complemento de verbos como *creer, parecer, decir, admitir,* etc.: *Yo creo/digo/supongo que... ; A mí me parece que....* Una opinión o declaración así encuadrada puede darse de un modo tentativo, categórico o enérgico, con varios matices que van desde un énfasis atenuado al de mayor intensidad. La función del pronombre explícito se mantiene uniformemente distintiva o contrastiva en cada caso. Al enunciarlo, el hablante da a conocer como suya una creencia, suposición o declaración.[47] Asimismo, por igual medio puede atribuirse al interlocutor un parecer o decir, con el propósito de contrastarlo u oponerlo al parecer o decir, real o posible, de otros: *¿Tú crees/dices/supones que...?; ¿A ti te parece que...?* Estas observaciones, unidas a las dadas previamente en este apartado, confirman que las nociones de redundancia y posible ambigüedad no son realmente sostenibles para explicar la expresión del pronombre personal.

Las lenguas que tienen afijos verbales diferenciados de persona y número legitiman la omisión del pronombre. Tal elemento se sobreentiende gracias a esos afijos y equivale a una forma átona del pronombre en lenguas donde la omisión no es factible por su carencia de flexión funcional. Su comportamiento se ajusta a las condiciones mínimas de la relación anafórica, y su denotación se opone a la del pronombre expresado, que denota énfasis. De este modo, la expresión / omisión del pronombre en español es funcionalmente idéntica al contraste tónico/átono del pronombre en otras lenguas, y su denotación de presencia/ausencia de énfasis se desprende de la función del acento enfático/normal.

[47] Concuerda cabalmente en esto la RAE (1973: § 3.10.4), no así las observaciones en el § 172, Gili Gaya 1943: 227-228

En consecuencia, no hay nada excepcional en la naturaleza del pronombre léxico en las lenguas que permiten la omisión. El pronombre expresado es una forma enfática, y debe entenderse como una categoría enfocada, que se contrapone o discrimina en relación a otra que integra el contexto discursivo, de un modo explícito o implícito.

TEXTOS CITADOS

JORGE LUIS BORGES: *Vanilocuencia, Fervor de Buenos Aires,* en *Obra poética,* Buenos Aires, Emecé, 1967.

— *Versos del catorce, Luna de Enfrente,* en *Obras completas: 1923-1972*, Buenos Aires, Emecé, 1974.

RUBÉN DARÍO: *El velo de la reina Mab, Azul,* en Ricardo Gullón, *Rubén Darío, sus mejores páginas,* Englewood Cliffs, New Jersey, Prentice-Hall.

— *Cantos de vida y esperanza,* en Ricardo Gullón, *Rubén Darío, sus mejores páginas,* Englewood Cliffs, New Jersey, Prentice-Hall.

FEDERICO GARCÍA LORCA: *Cantos nuevos,* en *Tres poetas: Miguel Hernández, Federico García Lorca, Pablo Neruda,* selección antológica de Domingo Arteaga, México, Editores Mexicanos Unidos, S. A., 1981.

RICARDO GÜIRALDES: *Don Segundo Sombra,* Buenos Aires, Pleamar, 1943.

MIGUEL HERNÁNDEZ: *Hijo de la luz y de la sombra,* en *Tres poetas: Miguel Hernández, Federico García Lorca, Pablo Neruda,* selección antológica de Domingo Arteaga, México, Editores Mexicanos Unidos, S. A., 1981.

— *Hijo de la luz y de la sombra,* en *El hombre acecha: Cancionero y romancero de ausencias,* edición de Leopoldo de Luis y Jorge Urrutia, Madrid, Cátedra, Letras Hispánicas, 1984.

ANTONIO MACHADO: *Soledades, VIII* en *Poesías,* Buenos Aires, Losada, 16.ª edición, 1979.

PABLO NERUDA: *Veinte poemas de amor,* en *Obras completas,* Buenos Aires, Losada, 1957.

— *Residencia en la Tierra 2,* en *Obras completas,* Buenos Aires, Losada, 1957.

OCTAVIO PAZ: *Aunque es de noche IV, Árbol adentro,* en *Obra poética (1935-1988),* Barcelona, Seix Barral, 1990.

PEDRO SALINAS: *«Para vivir no quiero...», La voz a ti debida,* en *Poesías completas,* Madrid, Aguilar, 2.ª edición, 1990, pág. 134.

RAMÓN JOSÉ SENDER: *Crónica del alba,* Nueva York, F. S. Crofts & Co., 1946.

CÉSAR VALLEJO: *Los dados eternos, Los heraldos negros,* en *Los heraldos negros. Trilce,* Barcelona, Laia, 1985.

— *Trilce,* en *Los heraldos negros. Trilce,* Barcelona, Laia, 1985.

REFERENCIAS BIBLIOGRÁFICAS

ALARCOS LLORACH, EMILIO (1980): *Estudios de gramática funcional,* Madrid, Gredos, 3.ª ed.

BADÍA MARGARIT, ANTONI M. (1988): «La omisión del sujeto en español», en *Homenaje a Alonso Zamora Vicente,* Madrid, Castalia, vol. 1, págs. 361-367.

BELLO, ANDRÉS (1847): *Gramática de la lengua castellana,* Buenos Aires, Sopena, 5.ª ed. revisada por Niceto Alcalá-Zamora y Torres, 1961.

CHOMSKY, NOAM (1981): *Lectures on Government and Binding,* Dordrecht, Foris.

— (1986): *Knowledge of Language: Its Nature, Origin and Use,* Nueva York, Praeger.

COWAN, DAVID (1980): «The Significance of Parallel Function in the Assignment of Intrasentential Anaphora», *Papers from the Parasession on Pronouns and Anaphora, CLS* 16, parte 2, págs. 110-124.

CUERVO, RUFINO JOSÉ (1874): *Notas a la Gramática de la lengua castellana de don Andrés Bello,* edición, variantes y estudio preliminar por Ignacio Ahumada, Bogotá, Instituto Cero y Cuervo 1981.

DEMONTE, VIOLETA (1989): *Teoría sintáctica: De las estructuras a la rección,* Madrid, Síntesis.

EJARQUE, DELIA (1977): «El pronombre personal sujeto en español», *CFil* VII, págs. 29-85.

ENRÍQUEZ, EMILIA (1984): *El pronombre personal sujeto en la lengua española hablada en Madrid,* Madrid, C.S.I.C.

FERNÁNDEZ RAMÍREZ, SALVADOR (1951): *Gramática española. El verbo y la oración,* Madrid, Arco/Libros. Volumen ordenado y completado por I. Bosque, 1986.

FERNÁNDEZ SORIANO, OLGA (1989): *Rección y Ligamiento en español: aspectos del parámetro del sujeto nulo,* tesis doctoral, Universidad Autónoma de Madrid.

FRANCO, JON (1991): «Spanish Object Clitics as Verbal Agreement Morphemes», *MIT WPL* 14, págs. 99-114.

— (1993a): *On Object Agreement in Spanish,* disertación doctoral, University of Southern California, Los Ángeles, California.

— (1993b): «Conditions on Clitic Doubling: The Agreement Hypothesis», *International Journal of Basque Linguistics and Philology,* 27, págs. 285-298.

GILI GAYA, SAMUEL (1943): *Curso superior de sintaxis española,* Barcelona, Biblograf, 9.ª edición, 1964.

JELINEK, ELOISE (1984): «Empty Categories, Case and Configurationality», *NLLT* 2, págs. 39-76.

LARSON, RICHARD y MARTA LUJÁN (en prensa): «Focused Pronouns», en R. Larson, *Essays in Syntax and Semantics,* Londres, Routledge.

LUJÁN, MARTA (1984): «Null Arguments and Overt Pronouns in Spanish», *Linguistic Society of America,* manuscrito inédito.

— (1985): «Binding Properties of Overt Pronouns in Null Pronominal Languages», *CLS* 21, págs. 424-438.

— (1986): «Stress and Binding of Pronouns», *CLS* 22, parte 2: Papers from the Parasession on *Pragmatics and Grammatical Theory,* págs. 248-262.

— (1988): «Los pronombres implícitos y explícitos del español», *Revista Argentina de Lingüística,* páginas 19-54.

— (1997): «Semantic-Syntactic Approach to Poetic Structure», *VII Colloquium on Hispanic and Luso-Brazilian Literatures and Romance Linguistics,* Department of Spanish & Portuguese at the University of Texas at Austin, manuscrito inédito.

MARCOS MARÍN, FRANCISCO (1978): *Estudios sobre el pronombre,* Madrid, Gredos.

MONTALBETTI, MARIO (1984): *After Binding,* disertación doctoral, MIT, Cambridge, Mass.

PÉREZ RIOJA, JOSÉ ANTONIO (1954): *Gramática de la lengua española,* Madrid, Tecnos, 6.ª edición, 1965.

RAMSEY, MARATHON M. (1956): *A Textbook of Modern Spanish,* New York, Holt, Rinehart and Winston, revisado por Robert K. Spaulding.

REAL ACADEMIA ESPAÑOLA (1973): *Esbozo de una nueva gramática de la lengua española,* Madrid, Espasa Calpe. [RAE 1973 en el texto.]

REINHART, TANYA (1982): *Pragmatics and Linguistics: An Analysis of Sentence Topics.* Indiana University Linguistics Club, Indiana, Bloomington.

— (1983): *Anaphora and Semantic Interpretation,* Chicago, University of Chicago Press.

RIGAU I OLIVER, GEMMA (1986): «Some Remarks on the Nature of Strong Pronouns in Null-Subject Languages», en I. Bordelois, H. Contreras y K. Zagona (eds.), *Generative Studies in Spanish Syntax,* Dordrecht, Foris, págs. 143-163.

— (1987): «Sobre el carácter cuantificador de los pronombres tónicos en catalán», en V. Demonte y M. Fernández Lagunilla (eds.), *Sintaxis de las lenguas románicas,* Madrid, Ediciones El Arquero, páginas 390-407.

RIVERO, M.ª LUISA (1980): «On Left-Dislocation and Topicalization in Spanish», *LI* 11, págs. 363-393.
RONAT, MITSOU (1979): «Pronoms topiques et pronoms distinctifs», *LFr* 44, págs. 106-128.
ROSENGREN, PER (1974-1975): *Presencia o ausencia de los pronombres personales sujeto en español moderno,* Estocolmo, Romanica Gothenburgensia XIV.
SOLAN, LAWRENCE (1983): *Pronominal Reference: Child Language and the Theory of Grammar,* Dordrecht, Reidel.
STARKE, MICHAEL (1995): «Die Germanischen Pronomina», manuscrito.
SUÑER, MARGARITA (1988): «The Role of Agreement in Clitic-Doubled Constructions», *NLLT* 6, páginas 391-434.
WILLIAMS, EDWIN (1977): «Discourse and Logical Form», *LI* 8, págs. 101-139.

21
LEÍSMO, LAÍSMO Y LOÍSMO (*)

INÉS FERNÁNDEZ-ORDÓÑEZ
Universidad Autónoma de Madrid

ÍNDICE

(*) Este trabajo ha sido elaborado como parte del proyecto de investigación «La diversidad interna del castellano (creación, retroceso, desarrollo y difusión de algunas de sus diferentes modalidades)», subvencionado por la DGICyT (n.º: PS 94-0046).

21.1. Introducción

El paradigma de los pronombres personales de tercera persona del español constituye el único ejemplo (con los de primera y segunda persona) de conservación parcial del sistema casual latino. Los demostrativos latinos ILLE, ILLA, ILLUD han dejado derivados de su nominativo en las formas tónicas *él, ella, ello;* de su acusativo ILLUM, ILLAM, ILLUD descienden las formas átonas *lo, la, lo;* y del dativo ILLI, el pronombre *le.* Se habla frecuentemente de uso 'etimológico' para referirse al empleo de las formas herederas del acusativo latino *lo, la, lo* para el objeto directo y de la forma derivada del dativo, *le,* para el objeto indirecto u otros usos compartidos por el dativo latino. Junto al uso 'etimológico', existen en el español empleos de los pronombres átonos de tercera persona en los que la selección del pronombre no viene determinada por la posición (o función) sintáctica del antecedente. Estos usos han recibido tradicionalmente la denominación de 'leísmo', 'laísmo' y 'loísmo'.

21.1.1. Definiciones y cuestiones terminológicas

La gramática normativa entiende por 'leísmo' el uso de la forma *le* en lugar de *lo* (o excepcionalmente, *la*) como pronombre para referirse al complemento directo. Los autores que lo han estudiado han distinguido distintos tipos de leísmo y diverso grado de incidencia de los mismos: 1) El leísmo más frecuente y extendido es el referido a un objeto directo singular masculino y personal (1a). 2) El leísmo singular referido a un objeto directo de 'cosa' masculina presenta una difusión más reducida (1b). 3) El leísmo plural, según parece menos frecuente que el singular, aunque más común si es de persona (1c) que si es de 'cosa' (1d). 4) El leísmo más raro de todos, el referido a un OD femenino, normalmente personal, tanto singular (1e) como plural (1f). 5) No se documenta leísmo cuando el referente es neutro. [1]

(1) a. ¿Conoces a Juan? Sí, le conozco hace tiempo.
b. ¿Sabes dónde está mi libro? No, no le he visto por aquí.
c. Esta tarde voy a recoger a los niños del colegio y les llevaré al parque.
d. Fui a buscar los discos que querías y les encontré en la tienda de abajo.
e. A María hace tiempo que no le veo.
f. Aquí no hay monjas. En la guerra les mataron a todas.

Por 'laísmo' se conoce el empleo de *la* en vez de *le* para el dativo con antecedente femenino, fundamentalmente personal (2a), aunque también existen ejemplos con antecedente de 'cosa' (2b), tanto singular como plural (2c, d). [2] El laísmo es uso menos extendido que el leísmo personal y se ha observado que presenta una incidencia levemente mayor en el singular que en el plural.

[1] Las contadísimas excepciones señaladas en la lengua medieval (Lapesa 1968: 548n, Echenique 1981: 152-153) son explicables por causas varias, desde la mala lectura de un copista hasta la interpretación inadecuada de *le* como acusativo o como pronombre con valor neutro.

[2] Ello es atribuible al hecho de que la mayor parte de los antecedentes de los dativos son personales (o animados).

(2) a. Cuando vi a Pepa, la di su regalo.
b. Coges la sartén, la das la vuelta y ya tienes lista la tortilla.
c. A las niñas de hoy ya no las gusta coser.
d. A esas rosas hay que cortarlas los tallos secos.

El loísmo es la desviación de los usos pronominales menos común de todas. El loísmo consiste en usar *lo* en lugar de *le* para el dativo con antecedente masculino o neutro. Del total de ejemplos tradicionalmente registrados, los más abundantes tienen antecedentes masculinos y plurales, sobre todo personales (3a), si bien los de 'cosa' no son inexistentes (3b). [3] Por el contrario, en el singular se había observado una mayor presencia de loísmo referido a antecedentes de 'cosa' (3c) y neutros (3d, e), siendo extrañísimos los ejemplos con antecedente personal (3f).

(3) a. Cuando recojo a los niños del colegio, los llevo la merienda.
b. Para arreglar esos trajes, hay que sacarlos el bajo.
c. Cuando el arroz está cocido, lo echas la sal.
d. Yo no lo doy ninguna importancia a eso.
e. Antes iba a esquiar, pero luego lo cogí miedo y lo dejé.
f. Cuando vi que el ladrón me iba a asaltar, lo pegué un empujón y salí corriendo.

Hay que puntualizar que una parte no pequeña de quienes han tratado estas confusiones entre acusativo y dativo ha empleado el término 'loísmo' para referirse al uso de *lo* como complemento directo en oposición al leísmo, como uso de *le* en la misma situación. Así, al hablar de los escritores andaluces o americanos dicen que son loístas porque utilizan el pronombre *lo* para el complemento directo, denominación que crea desconcierto en torno al contenido del término. [4] Así pues, en este trabajo loísmo designa exclusivamente el empleo de *lo, los* como pronombres de dativo.

Otro aspecto de la nomenclatura que conviene aclarar es el relativo al carácter supuestamente 'etimológico' de la distinción o la confusión entre dativo y acusativo. Desde Lapesa (1968) (cuya línea prosigue Marcos Marín 1978) se ha intentado explicar el uso pronominal de zonas distinguidoras y confundidoras en parte como resultado de la prolongación de usos latinos. En este sentido, evitaremos los términos 'etimológico' y 'no-etimológico' o 'anti-etimológico' para referirnos al empleo de los pronombres átonos y preferiremos en su lugar la denominación de empleo 'distinguidor' o 'confundidor' entre dativo y acusativo, con independencia de cuál fuera el caso empleado en latín en una construcción determinada.

21.1.2. La distinción persona/cosa y el paradigma atenido al género

Dentro de la tradición gramatical española el leísmo en sus diferentes tipos, el laísmo y el loísmo se han venido explicando mediante la hipótesis de dos tendencias

[3] Por las mismas razones apuntadas en la nota 2.

[4] Cf. Cuervo 1895, Fernández Ramírez 1951, Kany 1945, Benezech 1977, Paufler 1971, Roldán 1975, etc. Marcos Marín (1978: 12-31) comparte esta tendencia, denominando 'leísmo' el empleo de *le*, 'laísmo' al de *la* y 'loísmo' al de *lo*, si bien distingue entre leísmo, laísmo y loísmo etimológicos o antietimológicos según el verbo o la construcción se ajuste o no al uso latino.

lingüísticas que actuarían conjunta y contradictoriamente. Ambas fueron percibidas primariamente por gramáticos del siglo XIX, Salvá y Cuervo, y, con matizaciones posteriores, reconocidas por eminentes gramáticos y filólogos contemporáneos como Fernández Ramírez y Lapesa (y a través de ellos por la inmensa mayoría de los que se han acercado al problema).[5]

El leísmo para objetos directos masculinos en el singular (tanto de persona como de cosa), el laísmo y el loísmo (con referente neutro o masculino plural) tendrían su origen en la tendencia a crear en castellano un paradigma de los pronombres átonos basado en el de los demostrativos *(este-a-o, estos-as),* en el que se eliminarían las distinciones de caso a favor de las de género: *le-la-lo, los-las.* La distinción acusativo / dativo dejaría de ser pertinente en los pronombres de tercera persona, igual que no lo es en los de primera y segunda (donde *me, te, nos, os* refieren tanto a antecedentes en posición sintáctica de objeto directo como de objeto indirecto).

Esta interpretación consigue explicar los datos de (1a, b), (2a-d) y (3a, b; d, e), pero no aclara otros aspectos del fenómeno: la mayor difusión y frecuencia del leísmo con objetos directos personales o entes animados que con objetos inanimados [⟶ §§ 28.1 y 28.5]; la existencia del leísmo masculino en plural y del leísmo femenino; el hecho de que ni *la, las* ni *lo, los* triunfen como formas de dativo. Esto es, esta hipótesis es incapaz de dar cuenta de los datos de (1c-f) ni de (3c, 3f). Por ello, se consideró la incidencia de un segundo factor, a saber, la tendencia a distinguir en castellano los entes personales de los no-personales. Ese deseo de distinguir entre lo personal y lo no-personal, sería la otra causa originaria del leísmo (pero no del laísmo ni del loísmo), la cual, contrarrestando la primera tendencia, permitiría comprender el leísmo de (1c, 1e-f). Obsérvese, no obstante, que el leísmo plural de cosa (1d) y el loísmo singular de antecedente masculino (3c, 3f) tampoco resultan aclarados por esta explicación.

El complejo cruce de ambas tendencias, la que quería establecer en los pronombres átonos el mismo paradigma que en los demostrativos con la que quería distinguir los objetos personales de los no-personales, aclararía que ninguna de ellas triunfase por completo, y que los datos manejados por los distintos autores, siempre procedentes de la lengua escrita, nunca se mostrasen completamente coherentes con una de ellas.

Esta interpretación no resulta plenamente satisfactoria. La principal objeción proviene de su incapacidad predictiva: el leísmo en sus diferentes tipos, el laísmo y el loísmo se juzgan como fenómenos de variación porcentual sobre el total de ejemplos observados, sin que pueda predecirse qué produce su aparición en cada caso salvo las tendencias mencionadas ni se aclare el porqué de la mayor frecuencia de unas confusiones frente a otras. Ello tiene su origen en no haber contemplado la posibilidad de que existieran diferencias dialectales entre las distintas áreas confundidoras del mundo hispanohablante y en haber manejado la misma y única hipótesis

[5] La escuela española de este siglo aborda el análisis de este problema a través de los trabajos de Cuervo: las *Notas* 106 y 121 a la *Gramática* de Bello (1847: 931-939, 945-951), y su artículo fundamental sobre el fenómeno (1895). Tanto Fernández Ramírez (1951: 40-55, y 1964) como Lapesa (1968) recogen y matizan las ideas de Cuervo, concediendo más importancia que él a la tendencia lingüística, señalada por otros gramáticos, a distinguir las personas (con *le*) de la cosas (con *lo, la*). Con anterioridad a ellos, ya Keniston (1937: 63-82), había trabajado también sobre la hipótesis de la distinción entre las personas y las cosas como causa explicativa de estos fenómenos. Para una revisión más detallada de las dos hipótesis manejadas tradicionalmente y las principales objeciones críticas a ellas, véase Fernández-Ordóñez 1993: 64-70.

para todas ellas. Si el sistema distinguidor ofrecía potencialmente las circunstancias necesarias para el leísmo, el laísmo y el loísmo en todas partes, esta interpretación es incapaz de explicar por qué el laísmo y el loísmo se dan fundamentalmente en la Península, y limitados a unas áreas, mientras que el leísmo aparece mucho más extendido tanto en España como en América. Al agrupar en el estudio estadístico los ejemplos sin segregarlos según la procedencia de los hablantes de una u otra zona confundidora, se distorsionaron los datos. [6] A esta objeción se suma la de que la hipótesis se elaboró partiendo exclusivamente del análisis de la lengua escrita, [7] probablemente porque se consideraba objetivo prioritario la reconstrucción histórica del fenómeno, sin considerar que desde antiguo el uso de los pronombres ha estado sujeto a valoraciones por parte de la comunidad lingüística hispanohablante que no siempre son fáciles de evaluar hoy correctamente y que pueden haber influido en los usos de la lengua culta desde antiguo. [8]

A partir del análisis de la lengua hablada actualmente, diversos autores han ido constatando la inadecuación de la hipótesis más conocida para explicar las confusiones casuales y han elaborado diferentes interpretaciones del fenómeno relacionadas con el área geográfica investigada en cada caso. Gracias a estudios de carácter sociolingüístico, se ha comprobado asimismo la necesidad de diferenciar en todos las zonas entre el habla culta, siempre bastante próxima al sistema distinguidor del caso, del habla popular, que representa al sistema autóctono de la zona. Por todo ello, al hablar de las confusiones de caso pronominal, hoy deben distinguirse en la interpretación básicamente tres situaciones muy diversas entre sí: el leísmo de las zonas que distinguen el caso pronominal, el leísmo (y eventualmente un extraño loísmo) de las zonas donde el español convive con lenguas no-indoeuropeas, y los lugares en que el leísmo se acompaña de las otras dos confusiones pronominales, el laísmo y el loísmo. En cada una de estas tres situaciones, los usos pronominales autóctonos de cada lugar conviven con el de la lengua estándar, seguido con mayor o menor fidelidad por los individuos del estrato sociocultural más elevado, tanto cuando escriben como cuando hablan. [9] Este carácter de marcador sociolingüístico que presentan las confusiones de caso creo que es el factor que ha determinado esencialmente su tradicional incomprensión por parte de los gramáticos.

21.2. El leísmo en las zonas que distinguen el caso

En las zonas en que los clíticos distinguen el caso la única confusión pronominal que tiene lugar es el *leísmo,* y siempre en porcentajes extremadamente minoritarios.

---

[6] Véase Fernández-Ordóñez 1994: nota 5.

[7] Además de Cuervo, Keniston, Fernández Ramírez y Lapesa, han trabajado sobre la lengua escrita y la historia del fenómeno a partir de la misma hipótesis fundamental: Benezech (1977), Demmer y Wright (1948), Marcos Marín (1978), Echenique Elizondo (1979, 1980 y 1981), Espejo Muriel (1993), López Bobo (1990 y 1991), Sanchís Calvo (1992). Sólo recientemente Flores Cervantes (1997) ha obtenido pruebas en textos antiguos de la validez de otros parámetros, como el relativo al carácter continuo y discontinuo del antecedente.

[8] Esta objeción resulta especialmente acertada para los datos recogidos desde principios del siglo XIX, cuando la RAE comienza su actitud de condena progresiva de todos los empleos confundidores, hasta el momento actual, en que la Gramática académica tan sólo tolera, sin preferirlo, el leísmo aplicado a objeto personal masculino en el singular. En cuanto a los datos procedentes de textos medievales, no es menos arriesgado su manejo, ya que en la Edad Media al problema de la valoración social de estos usos se une, en la mayor parte de los casos, el del desconocimiento de la exacta procedencia geográfica de los manuscritos utilizados.

[9] Para un estado de la cuestión, véase Fernández-Ordóñez 1993.

La variación entre *le/lo, la* se registra en varias situaciones que debemos diferenciar: 1) Aquellas construcciones en que los pronombres de dativo y acusativo pueden alternar. 2) El leísmo asociado al tratamiento de respeto con *usted.* 3) El leísmo referido a un antecedente masculino singular y personal, propio de la lengua culta y escrita.

21.2.1. Leísmo real y leísmo aparente

Las construcciones o verbos que presentan alternancia en su régimen pronominal han sido analizadas en ocasiones como leístas. Sin embargo, todo parece indicar que los casos de verdadero leísmo (esto es, de pérdida de la distinción de caso) son muy escasos o prácticamente inexistentes. La selección de *le/lo, la* está en muchas de las situaciones mencionadas determinada por la estructura y el significado de la construcción, que no resultan idénticos dependiendo del caso seleccionado. Ello parece sugerir que se trata de ejemplos de leísmo aparente, y no de ejemplos de leísmo real. Junto a este leísmo aparente, hay que considerar otro leísmo de distinto tipo. Este se explica, en cambio, por la variación dialectal en la asignación del caso en ciertos verbos y construcciones, variación generalmente debida a la lucha entre soluciones arcaizantes y soluciones innovadoras. Este segundo tipo de leísmo tampoco es, en realidad, leísmo propiamente dicho, ya que no surge de extender el dativo a contextos de acusativo, sino justamente de la tendencia contraria, esta es, de transitivizar verbos o construcciones que originariamente eran intransitivos y exigían un objeto pronominalizado en dativo.

Examinemos ahora las varias construcciones en las que se ha hablado de leísmo por parte de diversos autores: [10]

21.2.1.1. Verbos de afección

El supuesto leísmo anotado en los verbos de afección se debe a que los hablantes distinguidores del caso pueden construir con estos verbos dos estructuras: una agentiva en la que el objeto se pronominaliza en acusativo (4a, b, c, d, e), y otra no-agentiva (e inacusativa), en que el objeto se pronominaliza en dativo y es desde el punto de vista semántico un experimentante (4a′, b′, c′, d′, e′) [→ §§ 24.3.7 y 30.5.3.5]. [11]

---

[10] Para la obtención de los datos en las zonas distinguidoras del caso, he entrevistado a varios hablantes a los que doy las gracias por su amable colaboración: Jimena Chanes (Chile), Javier Elvira y José Polo (Granada), Rocío Alarcón (Ciudad Real), Selena Millares y Amelia Martín (Gran Canaria), Flor Salazar (Nicaragua), Vanessa Iglesias (Trujillo, Perú), Angelita Martínez (Argentina), así como a Enrique Pato, quien ha entrevistado para este trabajo a hablantes originarios de Venezuela, Colombia, Badajoz y Huelva. También he contado con la ayuda de Margarita Porroche (Universidad de Zaragoza) y de Rafael Cano (Universidad de Sevilla), quienes contrastaron con todo cuidado los datos relativos a Aragón y Andalucía occidental. Además, una gran parte de los datos citados en este capítulo sobre el empleo de los pronombres en la Península Ibérica proceden del corpus del español hablado en zonas rurales que vengo elaborando desde el año 1990 con el apoyo del Departamento de Filología Española y de la Facultad de Filosofía y Letras de la UAM, así como del proyecto de investigación subvencionado por la Comunidad Autónoma de Madrid «El sistema de empleo de los pronombres átonos *le, la, lo* en Madrid y sus territorios circunvecinos» (n.º PR 00085/94). La procedencia de cada cita se localiza mediante una sigla que indica el enclave en que fue obtenida. Debo recordar muy especialmente a Olga Fernández Soriano por sus acertadas observaciones sobre una versión previa de este trabajo.

[11] Muchas de las oraciones señaladas por Lapesa como leístas pertenecen (a veces exclusivamente) a la estructura inacusativa de los verbos de afección: *Nin priso numqua salto que tanto le quemasse* «doliese», *Tomóle al judezno de comulgar grant gana, Nin recibio colpada que tanto li uslasse* «doliese» (1968: 530-531), *Mi Melibea mató a sí misma, ... con la gran*

(4) a. María lo asombró cuando, contra lo acostumbrado, llegó puntual a la cita.
a′. A María le asombra el puesto que ha conseguido Juan.
b. A las trabajadoras las inquietaron inútilmente.
b′. A Pedro le inquieta que los policías vendan heroína.
c. A mi hijo lo asustó aquel perro.
c′. A mi hijo le asustan los truenos.
d. Aquellos amigos lo interesaron en la política.
d′. A Juan le {interesa/interesó} la política.
e. María la preocupó con la mala noticia.
e′. {La mala noticia/María} le preocupa día y noche.

Los principales factores que intervienen en esta variable selección del caso son: la animación del sujeto, el aspecto verbal y la posición discursiva del sujeto.

Cuando el sujeto es inanimado o una oración, el objeto suele pronominalizarse en dativo, y cuando el sujeto es animado, y encierra mayores posibilidades de ser concebido como agente, el objeto tiende a pronominalizarse en acusativo. Sin embargo, la selección de caso depende de la interpretación que el hablante quiera otorgar a la oración. Si el sujeto animado no se concibe como agente, el dativo es posible (cf. (5a-a′)), y si un sujeto inanimado u oracional puede concebirse como causa del proceso que afecta al experimentante, podemos encontrar el acusativo (5b-b′):

(5) a. Su secretaria lo molestó con continuas interrupciones.
a′. Su secretaria le molesta con su nuevo peinado.
b. {El tráfico/Que vengas} la irrita.
b′. A María le irrita {el tráfico/que vengas}.

Otro factor que interviene en la selección del caso dentro de este grupo de verbos es el aspecto verbal: el acusativo se relaciona con el aspecto perfectivo y el dativo con el imperfectivo (cf. (4a-e), (6a-d)) [→ § 48.1.2].

(6) a. Su amiga la decepcionó cuando no vino al cumpleaños.
b. A Jesús nunca le decepciona {su amiga María/el trabajo}.
c. Su jefe consiguió sorprenderla más que cualquier otro compañero.
d. A Jesús le sorprende {María/el trabajo/que vengas}.

La alternancia en la selección del caso representa en realidad dos interpretaciones aspectuales del verbo [→ §§ 46.3.2.1-2], una dinámica y otra estativa (Vázquez Rozas 1995: 211-212, 227-235). Hay que destacar que la interpretación diná-

---

fatiga de amor que le aquexaba, Yo no sé qué locura le tomó a Roma de enviar a conquistar a Germania, [A mi madre] tomóle el parto, No hay quien les pueda contentar [a las señoras],[A muchas mujeres] les quebranta el tenerse de pie, [A Luscinda] le avía tomado un rezio desmayo, Un beso le consuela [a ella], etc. (1968: 539). Lo mismo sucede con los ejemplos citados por Cantero Sandoval de México (*Mató a sus hijos para que no le estorbaran, A muchas personas les irrita el color rojo;* 1979: 308). O con algunos de los ejemplos de loísmo que cita Alarcos en su gramática (*Lo admiraba el diáfano mecanismo del pensamiento* [Uslar Pietri]; *¿Qué lo preocupa? [al coronel]* [Vargas Llosa]; 1994: 204). Lo mismo con algunos de los leísmos de Córdoba citados por Uruburu (1993: 206-207): *Hay mucha gente pues que le molesta que te controlen, Habra otros...que le[s] afectará otra cosa.* Ya Hurst (1951), Roldán (1975) y García (1975) se apercibieron del verdadero carácter de esta alternancia entre dativo y acusativo.

mica se ve favorecida, además de por los factores antes señalados, por la situación informativa del sujeto: cuando el sujeto precede al verbo, ocupando la posición temática inicial, el caso seleccionado suele ser el acusativo. En cambio, la interpretación estativa y el caso dativo es lo preferido si el argumento experimentante ocupa la posición inicial y el sujeto se pospone al verbo (Di Tullio 1996) (cf. (6b, d) *vs.* (6b′, d′)).

(6) b′. {El trabajo/María} no lo decepciona porque no le pide demasiado.
d′. {María/El trabajo/Eso} que dijiste lo sorprende.

En definitiva, los verbos de afección parecen reflejar a través de la asignación de caso el grado de transitividad alcanzado por el verbo: ello explica que el acusativo se relacione con sujetos agentivos, aspecto perfectivo, acciones puntuales y afirmativas, mientras que el dativo sea más frecuente con sujetos no-agentivos, aspecto imperfectivo, acciones durativas y negativas (Whitley 1995).

La validez explicativa de estas tendencias se confirma por el hecho de que aquellos verbos en que parece predominar la interpretación agentiva prefieren mayoritariamente el acusativo: *aburrir, asombrar, asustar, alentar, atraer, aterrorizar, consolar, decepcionar, distraer, divertir, escandalizar, encolerizar, entretener, entusiasmar, impresionar, inquietar, irritar, mortificar, sorprender.* En ellos el dativo suele aparecer sólo en oraciones de sujeto inanimado u oracional pospuesto y de aspecto imperfectivo (cf. 4a′, 4c′, 5b′, 6b, 6d). Otros verbos, en cambio, en que la interpretación estativa es la esperable, se inclinan habitualmente por el dativo, como *complacer, desagradar, disgustar, encantar, halagar, interesar, molestar, preocupar.* En este grupo, el acusativo sólo parece encontrarse en oraciones que combinen un sujeto animado y aspecto perfectivo, de clara interpretación agentiva (cf. (4d, e, 5a) *vs.* (4d′, e′, 5a′)). [12]

Esta distribución del caso ha resultado reinterpretada en el español de Argentina, Chile y Perú (al menos). En esos dialectos parece haberse generalizado el acusativo a todos los contextos en el primer grupo de verbos, ya que incluso se emplea cuando el sujeto inanimado aparece pospuesto en oraciones como (4a′, 4b′, 4c′, 5b′, 6b, 6d), como en *A Pedro lo {inquieta/asombra/asusta} la creciente venta de heroína.* Aunque el dativo se mantiene más firme en el segundo grupo de verbos, en las mismas áreas puede aceptarse también el acusativo, y pese a que la interpretación sea estativa, sobre todo si el sujeto se antepone al verbo, como en *María lo preocupa, Lo que dijiste la molesta.* [13]

21.2.1.2. El sujeto de las cláusulas de infinitivo

Los verbos suasivos y de influencia que pueden acompañarse de oraciones de infinitivo [⟶ §§ 24.2.4 y 36.2.5] también presentan variación en el caso que pro-

[12] Otros verbos como *agradar, fascinar* o *repugnar* sólo son admitidos por mis informantes en la interpretación no-agentiva y se construyen exclusivamente con dativo, formando parte del grupo de verbos como *gustar, doler, importar,* etc.

[13] Contreras (1974: 166-167) tilda de leístas construcciones como: *[Eso] no le afecta prácticamente a él, A todo el mundo le asusta la promesa, Están en una rutina que a uno le asusta, A uno de repente le fascina el trabajo, Algo le atrae [a uno] de París, A Aníbal le asaltan dudas,* etc., lo que parece sugerir que en su dialecto es posible el acusativo en estos contextos. También véase García (1975: 307-313, especialmente, 311, 316) donde constata frecuencias de *le* de sólo entre el 15 % y el 60 % con sujeto inanimado en los verbos *distraer, convencer* y *preocupar.* Respecto del Perú conviene puntualizar que este empleo no sería el propio de las zonas de contacto lingüístico.

nominaliza el sujeto del infinitivo. El caso elegido depende tanto del verbo suasivo como de las características de la oración de infinitivo. Mientras que los verbos *permitir, prohibir, impedir, proponer, mandar, ordenar* pronominalizan su sujeto en dativo (7a, 8a, 9a), verbos como *obligar a, invitar a, convencer de, incitar a, animar a, forzar a, autorizar a,* en que el infinitivo va precedido necesariamente de una preposición, lo pronominalizan en acusativo (7b, 8b, 9b).

(7) a. Su padre le permitió ir al cine.
b. Su jefe lo autorizó a marcharse de viaje.
(8) a. María le propuso viajar a París.
b. María lo animó a viajar a París.
(9) a. Después de cenar, les mandaron irse a la cama.
b. Después de cenar, los obligaron a irse a la cama.

Aunque esta distribución parece ser la más generalizada en Andalucía, Canarias y América, en zonas distinguidoras de la Península (los antiguos reinos de León y Aragón, Murcia), y quizá también en áreas arcaizantes de Canarias y América, [14] encontramos que el dativo pronominaliza el sujeto de cláusulas dependientes de verbos como *obligar* (Monge 1987: 354-358), *autorizar* o *animar* (7b′, 8b′, 9b′).

(7) b′. Su jefe le autorizó a marcharse de viaje.
(8) b′. A María Pedro le animó a viajar a París.
(9) b′. Después de cenar, les obligaron a irse a la cama.

La proximidad semántica entre estos verbos de influencia podría ser la causa de alteraciones y cruces en la asignación de caso habitual (cf. (7a y b), (8a y b), (9a y b)). Sin embargo, más que a una asimilación a verbos como *ordenar,* ello se debe a que esas áreas han conservado el uso antiguo, que requería regularmente el dativo en todo tipo de construcciones causativas. [15]

Frente a esta preservación del dativo en *obligar, autorizar* o *animar,* en La Mancha, en Andalucía occidental, en Canarias y, al menos, en el cono sur de América, *mandar* está eliminando el dativo a favor del acusativo cuando el infinitivo dependiente es intransitivo (9a′).

(9) a′. Después de cenar, los mandaron irse a la cama. [16]

Este cambio de régimen de *mandar* se explica como una asimilación de su comportamiento sintáctico al de los verbos causativos en sentido estricto: *hacer* y *dejar.* En estos verbos, la elección del caso depende de las características de la oración de infinitivo. Si el infinitivo construye una oración intransitiva, su sujeto se

[14] Cuervo (*DCRLC* I: 472-474) anota *le* en el murciano Diego de Saavedra *(Las primeras [ruinas] le animaron a las demás y lo precipitaron, perdiendo el estado y la vida),* pero documenta el acusativo ya en Fray Luis de Granada *(Animóla a estar muy conforme con la voluntad de Dios).* En cambio, Contreras (1974: 167) registra *le* con *obligar* en Chile como algo excepcional.

[15] Véanse Lapesa 1964: 85-86, Echenique 1981: 141-142 y Davies 1995: 60-63.

[16] Cano, andaluz, reseña el uso minoritario de oraciones como (9a′), siempre que el infinitivo sea intransitivo (1981: 145 y 351). Ello también lo confirma Uruburu (1993: 151) para Córdoba capital, donde el acusativo sólo logra el 25 % en *Mandó a María que saliera de clase.* En cambio, en Argentina el empleo de *lo/la* en las mismas condiciones aumenta hasta un 50 % de los casos (García, 1975: 352), y también encuentro que predomina en mis informantes canaria, argentina, chilena y peruana.

pronominaliza en acusativo. Si, por el contrario, la oración es transitiva, encontraremos el dativo (10a, b, 11a, b).

(10) a. La madre no la dejó subir al tobogán.
b. La policía les dejó aparcar el coche en la acera.
(11) a. La madre la hizo bajar del tobogán.
b. La policía les hizo sacar el coche de la acera.

Sin embargo, esta asignación de caso subordinada a la estructura de la oración de infinitivo no es completamente regular en todas las zonas distinguidoras. En las áreas distinguidoras del norte peninsular (los antiguos reinos de León y Aragón), Andalucía oriental o en áreas aisladas, como el campo canario (Los Silos, Gran Canaria; Lorenzo Ramos 1984: 257), es posible encontrar el dativo seguido de un infinitivo intransitivo (10a′, 11a′). [17] En cambio, en Andalucía occidental, como uso minoritario (Cano 1981: 349-350, 243-244), y en Canarias y América, como empleo más extendido (hasta el 25-30 %, según Uber 1986: 158-159), aparece el acusativo aunque el infinitivo sea transitivo (10b′, 11b′). [18]

(10) a′. La madre no le dejó subir al tobogán.
b′. La policía los dejó aparcar el coche en la acera.
(11) a′. La madre le hizo bajar del tobogán.
b′. La policía los hizo sacar el coche de la acera.

Según hemos notado antes, ello es atribuible a que las perífrasis causativas muestran una evolución desde los ejemplos más antiguos, en que el dativo parece haber sido el caso generalizado para pronominalizar el sujeto del infinitivo con cualquier verbo causativo, hasta el momento actual, en que ciertas áreas y para ciertos verbos *(hacer, dejar,* en menor grado, *mandar)* están sustituyendo el dativo primitivo por el acusativo.

Algo semejante podemos observar en los verbos de percepción *ver* y *oír* seguidos de una oración de infinitivo [⟶ § 36.2.5.1]. El empleo propio de las zonas distinguidoras ya fue descrito por Bello (1847: § 1100): al igual que *dejar* y *hacer,* el sujeto se pronominaliza en acusativo si el infinitivo es intransitivo y en dativo si es transitivo (12a, b). [19] Sin embargo, el acusativo no es imposible en el segundo caso (Cano 1981: 352-354), y es más, parece ser hoy la solución generalizada en la mayor parte de los territorios distinguidores: al menos en Aragón, La Mancha, Andalucía, Canarias, América central, Perú, Chile y Argentina (Uruburu 1993: 150; García 1975: 295-301) (12b′). [20]

---

[17] Tanto en el área rural leonesa como en la aragonesa poseo ejemplos que seleccionan el dativo: *No le dejaban los otros meterse juez* (Cu), *A los novios no les dejaban dormir* (Vg), *Para hacerles rabiar [a los novios], les hacían besarse [a los abuelos]* (LN), *[A las mujeres] les tenían que dejar [subir al tren]* (VL). También Contreras cita un ejemplo en Chile *(El auxiliar no le deja [al alumno] entrar cuando llega atrasado)* (1974: 167). Mi informante aragonesa me confirma el empleo de *le* con *hacer* y *dejar* aunque el infinitivo sea intransitivo. El acusativo, no obstante, no está excluido. En Navarra encuentro: *Tenían obligación de dejarlo estar en casa [al hermano], La amenazó su padre de muerte, No la dejaban venir a casa ni poco ni nada* (G) o *[A una chica] no la dejaban entrar al baile* (A). En Córdoba, Uruburu (1993: 214) cita: *Llegaron unos mercaderes a pedirle al padre que por qué no le[s] dejaba [dormir] en el portal.*

[18] Hay que indicar que la extensión del acusativo a costa del dativo está más avanzada con *dejar* que con *hacer.* El acusativo es la única solución que aceptan mis informes del sur peninsular (La Mancha, Andalucía), Canarias y del cono sur (Argentina, Chile y Perú) con *dejar,* mientras que con *hacer* el acusativo sólo es admitido en Chile y en Perú.

[19] Parece que esta distribución pueda estar vigente todavía en Extremadura y Venezuela.

[20] Hay que puntualizar que la penetración del acusativo en contextos originalmente reservados al dativo en las áreas

(12) a. A María la {vi/oí} cantar.
b. A María le {vi/oí} cantar unas seguidillas.
b′. A María la {vi/oí} cantar unas seguidillas.

21.2.1.3. Verbos que pueden omitir u omiten regularmente su objeto directo

En estos casos, un segundo objeto pronominalizado en dativo resulta el único objeto expreso. En realidad, el objeto pronominalizado en dativo no es directo, sino indirecto, y el cambio de caso entraña siempre un cambio de estructura (y de significado). No cabe hablar, pues, de leísmo.

A) Un primer grupo está constituido por verbos como *atender* o *servir*.

(13) a. Cuando el profesor$_i$ hable en la clase, debéis atenderle$_i$ $Ø_j$.
b. Cuando un señor entre en la tienda, debéis atenderlo debidamente.
b′. Sus sugerencias debes atenderlas.
(14) a. Aunque habían pedido las cervezas$_j$ hacía media hora, todavía tardaron otro rato {en servirles $Ø_j$/en servírselas}.
b. Aquella doncella lo sirvió con fidelidad extrema toda su vida.
b′. El café no lo sirvas todavía.

En *atender* o *servir* el efecto de leísmo surge por la posiblidad de omitir el objeto directo en las construcciones ditransitivas, de manera que el mismo verbo puede acompañarse de acusativo o de dativo para referir a un objeto animado de características idénticas. Con *atender,* el empleo del dativo supone la existencia de un objeto implícito que hace interpretar el verbo como «escuchar algo», «prestar atención a algo», mientras que el acusativo implica «atender las necesidades u órdenes de alguien» (13a, b). Del mismo modo, «lo servido» se sobreentiende cuando *servir* se acompaña de dativo (14a, b). [21]

B) Otro grupo de verbos en los que se ha señalado leísmo lo constituyen *pagar, robar, aplaudir* y semejantes [⟶ § 30.6].

(15) a. A Juan$_i$ le$_i$ pagué el alquiler$_j$.
b. El alquiler$_j$ {le$_{*j}$/lo$_j$} pagué.

---

distinguidoras peninsulares parece más intensa en el femenino que en el masculino. Así, frente al mayoritario 84 % de *La veo comer pan a María,* encontramos el minoritario 42 % de *Lo veo comer pan a Pedro,* según señala Uruburu (1993: 150-151) y me indica Cano. Esta distribución *le/la* se reencuentra en el verbo *ayudar* y en la construcción impersonal *se le / se la*.

[21] Hay hablantes, sin embargo, que no aceptan el acusativo con *servir* (el dativo era el régimen originario del verbo), y otros que rechazan el dativo con *atender* (esta es la situación de mis informantes de Chile y Perú), quizá por no percibir la variación semántica. El caso de *entender* es semejante. Cuando aparece el dativo, se sobreentiende un objeto directo que denota «lo dicho, lo expresado por» el argumento pronominalizado en dativo, el cual, de no existir ese objeto implícito, puede pronominalizarse en acusativo (cf. (i) *vs.* (ii)). En Canarias, México y América central parece conservarse el contraste entre el dativo y el acusativo (i′ y ii) (Cantero 1979: 307), mientras que en Sudamérica, en ausencia del objeto directo, las soluciones en acusativo (i″) pueden ser las preferidas o únicas para referirse al objeto animado.

i. A mi hijo hace tiempo que no le entiendo lo que dice.
i′. Cuando mi hijo habla inglés, no le entiendo Ø.
i″. Cuando mi hijo habla inglés, no lo entiendo.
ii. Desde que mi hijo regresó de aquel viaje, se porta fatal y ya no lo entiendo.
iii. Su comportamiento no lo entiendo.

c. A Juan$_i$ {le$_i$/lo$_{*i}$} pagué $Ø_j$.
d. A Juan lo pagué con creces.

(16) a. Cuando Pedro$_i$ estaba en los grandes almacenes, le$_i$ robaron el monedero$_k$.
b. Cuando Pedro$_i$ estaba en los grandes almacenes, le$_i$ robaron $Ø_k$.
c. Pedro$_i$ acababa de comprarse aquel monedero$_j$ cuando {lo$_j$, $_{*i}$ /se$_i$ lo$_j$} robaron.
d. A aquella niña$_i$ del parque la$_i$ robaron unos delincuentes.

(17) a. Cuando el actor terminó, todos le {aplaudieron/silbaron} su actuación.
b. Cuando el actor$_j$ terminó, todos le$_j$ {aplaudieron/silbaron} $Ø_i$.
c. Aquel espectáculo$_i$ {lo$_i$ aplaudieron a rabiar/lo$_i$ silbaron}.
d. Aquel actor$_j$ {lo$_j$ aplaudieron/lo$_j$ silbaron}.

El uso generalizado de los verbos *pagar, robar, aplaudir* o *silbar* interpreta su objeto directo como inanimado, de modo que el pronombre de dativo se refiere necesariamente al objeto indirecto aunque el directo no esté presente (15a-c, 16a-c, 17a-c). Si se ha hablado de leísmo en estos casos es porque una minoría de hablantes, fundamentalmente americanos (y del cono sur), pueden emplear el acusativo referido a un objeto animado. Ello supone una reinterpretación del verbo, aumentando su grado de transitividad e implicando un cambio de significado. En (15d) *pagar* significa «recompensar, contentar», [22] en (16d) *robar* puede ser sinónimo de «raptar» o «atracar» [23] y en (17d) *silbar* denota «abuchear» en contraste con (17b), en que se sobreentienden los silbidos emitidos por el público (García 1975: 322).

C) Otro tipo está representado por *tocar* o *seguir*.

(18) a. María se ha caído. No le toques (en) la herida.
a′. María$_i$ se ha caído y se ha hecho una herida$_j$. No le$_i$ toques {$Ø_j$ /ahí$_j$}.
b. María$_i$ se ha caído y se ha hecho una herida$_j$. No la toques$_{i,j}$.

(19) a. Primero desfilaron los ministros. Les siguió Ø el Presidente.
b. Los policías localizaron a los ladrones y los siguieron hasta su escondite.

La alternancia entre dativo/acusativo en *tocar* también se explica por la existencia de un objeto sobreentendido que pertenece o forma parte de la entidad denotada por el objeto indirecto (18a, b). [24] Igualmente, cuando *seguir* se acompaña de dativo parece sobreentender un objeto directo con el significado de «los pasos, la ruta, el camino», de ahí que el verbo se interprete como «andar en fila, ir uno detrás de otro», mientras que cuando se acompaña de acusativo significa «perseguir» (19a, b).

---

[22] El empleo de *pagar* como «recompensar» parece perduración de su uso medieval y sólo fue corroborado por uno de los hablantes distinguidores.

[23] Mis informantes de Perú y de Argentina fueron las únicas que aceptaron el acusativo en *A mi madre la robaron* con el sentido de «le robaron algo». *Robaron* empleado con acusativo parece implicar que el acto de sustracción tuvo lugar en presencia del individuo afectado y con notable perjuicio del mismo.

[24] Tanto si *tocar* se construye con objeto directo como con régimen preposicional *(tocar la mano/tocar en la mano)*, el valor del dativo permanece y las posibilidades de sobreentender el objeto directo también.

A diferencia de los verbos anteriores, que exigen un objeto indirecto animado, con *tocar* o *seguir* puede ser animado (18, 19) o inanimado (20, 21).

(20) a. El muro está a punto de caerse. Si le toca (en) cualquier sitio, se viene abajo.
a'. El muro está a punto de caerse. Si le toca {Ø / ahí}, se viene abajo.
b. Se acercó al muro y lo tocó. [25]
(21) a. A la vocal *e* le sigue Ø la consonante *f*.
b. En cuanto vea la furgoneta, sígala.

En todos estos casos, los verbos analizados ofrecían significados muy semejantes en ambas construcciones de simple o de doble objeto. En otras ocasiones, el cambio de estructura va asociado a un significado completamente diverso para el verbo en cuestión. Dos de los ejemplos más significativos de este cambio son *pegar* y *tirar* (22a, b) (ejemplos tomados de Monge 1987):

(22) a. A Pedro lo agarré y lo pegué contra la pared («adherir»).
a'. A Pedro le pegué (golpes) hasta dejarlo sin sentido («golpear»). [26]
b. A Pedro lo tiraron al suelo de un puñetazo («arrojar, derribar»).
b'. A Pedro le tiraron (disparos) a las piernas para impedir que huyese («disparar»).

21.2.1.4. Verbos cuyo régimen ha sido reinterpretado

Aparte de las construcciones analizadas, en que las alternancias entre *le* / *lo, la* no son libres, existe, además, un grupo de verbos de los que distintos autores señalan leísmo sin que podamos poner esa variación en relación con causas estructurales o significativas. En general, se trata de verbos transitivos cuyo régimen habitual en español medieval era el dativo y que, bien desde antiguo, bien desde época más reciente, están convirtiéndolo en el acusativo. *Ayudar, aconsejar, avisar, enseñar, obedecer, picar, reñir* y *temer* son algunos de los más notables. La transformación del régimen verbal de dativo en acusativo no se ha producido con la misma intensidad en todos estos verbos ni en las varias áreas distinguidoras. En general, las zonas que mantienen la distinción de caso en el norte y centro peninsulares suelen conservar el régimen originario, mientras que las vacilaciones pueden encontrarse ya en Andalucía y Canarias, y la generalización del acusativo en América, especialmente en el sur (Perú, Argentina, Chile y Uruguay).

A) En la mayor parte de las zonas distinguidoras españolas (Navarra, Aragón, La Mancha, Murcia, Andalucía oriental, Asturias, León, Extremadura) el verbo *ayudar* pronominaliza en dativo el objeto animado que recibe la ayuda, tanto si se

[25] No todos los hablantes distinguidores mantienen el dativo cuando el objeto indirecto es inanimado: frente a la unanimidad de *María se ha caído y se ha hecho una herida. No le toques ahí,* muchos informantes admiten el acusativo, bien exclusivamente, bien en alternancia con el dativo en *El muro está a punto de caerse. No lo toques ahí.*

[26] El caso depende del verbo empleado: mientras que *pegar* selecciona dativo, ya que el verbo no da a conocer la naturaleza del golpe ejecutado (*un puñetazo, un tortazo, un empujón,* etc.), *golpear, apalear, azotar, abofetear* exigen acusativo, al menos en la zona aragonesa peninsular, porque en su lexema ya están incluidas las características del golpe (cf. Monge 1987: 349-352).

acompaña o no de una oración de infinitivo introducida por *a* (23a, b).[27] Este régimen también se conserva en áreas canarias, México y América central, al menos, pero en Andalucía occidental, Canarias y Sudamérica también se emplea el acusativo en las mismas condiciones, incluso como solución preferente o única (23a', b').[28] La transición del régimen en dativo al régimen en acusativo parece haber tenido lugar primero en oraciones de un único complemento, y preferentemente femenino, como (23a'), para luego extenderse a las de estructura causativa y, finalmente, a los objetos masculinos (23b').[29]

(23) a. María está muy atareada, pero Juan le está ayudando.
b. Cuando llegaba la época, las mujeres les ayudábamos a segar.
a'. María está muy atareada, pero Juan la está ayudando.
b'. Cuando llegaba la época, las mujeres los ayudábamos a segar.

El verbo *enseñar* conserva en las áreas distinguidoras del norte peninsular, La Mancha, Andalucía oriental, Canarias, América central y gran parte de Sudamérica (incluida Argentina) el dativo para su objeto personal, esté o no presente en la oración el objeto «enseñado» (24a, b, c). Cuando lo enseñado se expresa mediante la oración de infinitivo introducida por *a*, con cierta frecuencia en La Mancha, Andalucía y otras zonas americanas se ha reinterpretado el objeto personal como directo y se pronominaliza en acusativo (24b').[30] No parecen, en cambio, posibles oraciones como (24c'), en las que *enseñar* selecciona un único argumento que denota la persona que aprende.[31]

---

[27] Así lo registran en La Mancha Chacón (1981: 252) y Heredia (1991), Monge en Aragón (1987: 349), y en mis datos: *¿Para qué les habían de ayudar [a las vacas]?* (Si), *Les ayudabas a los hijos lo que podías* (Liz), *Él trabajaba en las maderas y les ayudaba en la huerta [a sus padres], Si le podemos ayudar, le ayudaremos (a la hija)*, etc. (G), *Iba a ayudarle yo a mi mujer* (Au), *Mi madre iba a muchas casas de las familiares a ayudarles a hacer la matanza* (Ne), *A los novios hay que ayudarles algo* (Pa), *Si usted me ayudaba a mí a cargar los costales, el otro le ayudaba al otro y así* (SC), etc. Cuervo (*DCRLC* I: 821-824) registra también el dativo en el murciano Saavedra Fajardo *(Lo defendió primero y le ayudó a bien morir)*, y me lo corroboran informantes manchegos, extremeños y granadinos.

[28] Registran el dativo como uso general Cantero en México (1979: 307), Lorenzo en Canarias (1984: 257) y mis informantes de Nicaragua. En ninguno de esos lugares admitirían el acusativo con *ayudar.* En cambio, en Andalucía occidental (Cano 1981: 325; Uruburu 1993: 142-143), Chile (Contreras 1974: 167), Argentina (García 1975: 323-326, donde *le* sólo alcanza el 10-15 %), Perú y en mis informantes urbanos canarios parece preferirse el acusativo. Cuervo registra el acusativo en el occidente peninsular (Jovellanos, asturiano) y en Andalucía (José Joaquín de Mora, gaditano) (*DCRLC* I: 821-24).

[29] Ello se deduce de que hay hablantes distinguidores (Aragón, Extremadura, Andalucía occidental, Venezuela, Chile) que prefieren el acusativo o lo alternan con el dativo en *Juan la esta ayudando,* pero se decantan preferentemente o en exclusividad por el dativo en *Las mujeres les ayudábamos a segar.* Uruburu (1993: 142-143) constata una alternancia semejante en el habla de Córdoba capital: mientras que se prefiere el acusativo en una proporción del 75 % en *La ayudó,* el porcentaje disminuye al 52 % en *La ayudó a lavar la ropa.* En cambio, el dativo se mantiene más firme en el masculino, tanto en *Le ayudó al ciego* (61 %) como en *Le ayudó a cruzar la calle* (71 %).

[30] El *DCRLC* registra alternancia entre el dativo y el acusativo en escritores colombianos (Carrasquilla: *{Le/lo} enseñó a* seguido de infinitivo) y uruguayos y argentinos (Funes: *Enséñalos a volar,* Rodó: *La enseña a vincular los vocablos [a la lengua]* / Borges: *Esa noche concebí el propósito de enseñarle a reconocer, y acaso a repetir, algunas palabras [al troglodita]; DCRLC* III: 510-519). La reinterpretación tampoco es desconocida en la Península (Cano 1981: 176-177) y encuentro ejemplos en Cantabria (*A las niñas las enseñaban a todo, a coser, a todas las cosas de la escuela,* LC), en La Rioja (*A las niñas la maestra las enseñaba a coser,* LeCo) y también en Aragón.

[31] En (24c') la única interpretación que haría gramatical la frase cambia el significado (y la estructura sintáctica) de *enseñar,* como en: *Durante la visita de la ministra, el jefe de estudios le enseñó las aulas y los niños de educación infantil* («mostró»). (24c') también podría ser aceptado con un significado diferente: «A los niños los educan /acostumbran en el colegio». El ejemplo del *Victorial* citado por Lapesa (1968: 537) no es, contra lo que podría parecer, un contraejemplo, ya que «lo enseñado» se expresa en el sintagma preposicional encabezado por *en: Fue dado a criar e a enseñar a un hombre savio,... para que lo enseñase e dotrinase en todas las buenas costumbres que perteneçen aver a fijalgo bueno e noble. E enseñauale en esta guisa.*

(24) a. A los niños les enseñan gramática en el colegio.
b. A los niños les enseñan a leer en el colegio.
b′. A los niños los enseñan a leer en el colegio.
c. A los niños$_i$ les$_i$ enseñan Ø$_j$ en el colegio.
c′. *A los niños los enseñan en el colegio.

El empleo del dativo en *ayudar* y *enseñar* debe ponerse en relación con su uso en *animar* u *obligar* (véase *supra* el § 21.2.1.2). Estos verbos presentan en común la posibilidad de acompañarse de una oración de infinitivo introducida por *a* cuyo sujeto se expresa o se expresaba como un objeto del verbo principal pronominalizado en dativo. [32]

B) Otro grupo de verbos cuyo régimen ha sido reinterpretado está constituido por *avisar, obedecer, temer* y *amenazar.* El régimen primitivo de *avisar,* conservado en las áreas distinguidoras del norte peninsular, Extremadura, Andalucía oriental, zonas canarias, América central y la mayor parte de Sudamérica, exigía dativo para referir a su objeto personal, con independencia de si figuraba expreso o sobreentendido el objeto directo, normalmente de carácter preposicional e introducido por *de* (25a, a′) [→ § 34.1.5.4]. [33] Esta transitividad preposicional fue lo que probablemente condujo a pronominalizar el objeto personal en acusativo, como parece haber sucedido esporádicamente en la Península, especialmente en La Mancha y Andalucía occidental, en Canarias y en zonas americanas (25b, b′). [34]

(25) a. A Isabel le he avisado (d)el riesgo que corría.
a′. A Isabel$_i$ le$_i$ avisé Ø$_j$.
b. A Isabel la he avisado del riesgo que corría.
b′. A Isabel la avisé.

Temer es otro verbo que puede exigir dativo, incluso cuando su objeto es inanimado. Este régimen se conserva al menos en zonas distinguidoras del norte peninsular, La Mancha, Andalucía oriental y Sudamérica (América central, Venezuela, Colombia, e incluso en Argentina) (26a, b), [35] mientras que en Aragón, Extremadura,

[32] La misma preferencia por el dativo ha sido observada por Roegiest (1990) en autores no-leístas como R. J. Sender y F. García Pavón cuando el objeto directo de verbos como *animar, exhortar, ayudar, enseñar, estimular, invitar, obligar, forzar,* etc., se acompaña de una oración de infinitivo precedida de preposición.

[33] Registro el empleo de *avisar* con dativo en: *Al cura hay que avisarle para que venga* (Cem), *Yo le avisaba [a mi hermana]* (VL), *[Al matarife] eran ellos los que le avisaban* (G), *Hubo que avisarle a un albañil para que tirara la torre* (A). También se mantiene en el habla canaria más conservadora (Lorenzo 1984: 255-256) y Cuervo lo documenta en el granadino Fray Luis (*DCLRC* I: 812-815), lo que corroboran mis informantes de esa tierra. Los datos de que dispongo de México, Nicaragua, Venezuela, Chile y Argentina también presentan exclusivamente *le.*

[34] Cuervo (*DCLRC* I: 812-815) documenta el empleo del acusativo en Fray Luis de León (conquense) y en José de Sigüenza (seguntino) y en su propia habla. En conexión con el área castellana oriental, mi informante aragonesa me confirma asimismo el acusativo. También lo corroboran Cano (1981: 214-215), quien sólo admite el dativo para la estructura de doble objeto, y mis informantes de La Mancha, urbanos canarios y del Perú, que tampoco aceptarían nunca el empleo de *le.* Sin embargo, Prado (1988) afirma que Vargas Llosa usa *avisar* siempre como intransitivo.

[35] Uruburu (1993: 190, 209-210) cita de Córdoba *A mí me gusta de todo, pero cocinar le temo, Ya le estoy temiendo a acabar, Casi todo el mundo le suele temer mucho a esa parte [de la calle Ceuta].* Cuervo documenta *le* en el granadino Martínez de la Rosa *(A los mosquitos... no les temo)* y en Borges *(El gaucho le teme a la ciudad)* (*DCRLC* VIII: 678-683). También en Aragón y La Mancha registro el dativo. En todos los territorios donde se encuentra el dativo, este caso es el único admitido o el preferido cuando el objeto es animado (26b), mientras que cuando «lo temido» es un ente inanimado, junto al dativo (26a) puede aceptarse igualmente el acusativo (26a′). Cf. también Di Tullio 1996: 137, n. 6.

Andalucía occidental, Canarias e Hispanoamérica (Perú) también pueden encontrarse hablantes que lo han sustituido por el acusativo (26a′, b′).

(26) a. Nunca he temido a las tormentas, pero María sí les teme.
b. Nunca he temido a Luisa, pero Pedro sí le teme.
a′. Nunca he temido a las tormentas, pero María sí las teme.
b′. Nunca he temido a Luisa, pero Pedro sí la teme.

Obedecer también requería el dativo originariamente para sus objetos animados y lo ha sustituido por el acusativo en algunas áreas distinguidoras, probablemente debido a que habitualmente el objeto directo que denota «lo obedecido» se sobreentiende. El antiguo dativo se mantiene en las áreas distinguidoras del norte peninsular, en Andalucía oriental, en algunas islas canarias y en América (central, México, Colombia, Venezuela) (27a, b), [36] mientras que el acusativo se ha generalizado progresivamente en La Mancha, Andalucía occidental, las ciudades canarias y en el cono sur (Argentina, Perú y Chile, al menos) (27b′). [37]

(27) a. Es necesario obedecer {(a) las órdenes/a Pepe/las órdenes de Pepe}.
a′. Es necesario {obedecerlas/obedecerle sus órdenes}.
b. A Pepe_i es necesario obedecerle_i $\emptyset_j$.
b′. A Pepe es necesario obedecerlo.

Otro verbo que pertenece a este tipo es *amenazar.* El dativo que exigía en latín se prolongó en el español antiguo y todavía hoy se conserva esporádicamente en la Península, Canarias y puntos de América. Sin embargo, el caso preferido nítidamente en Andalucía, Canarias y América es el acusativo (28a, b). [38]

(28) a. Aunque Pepa se porta muy mal, no la amenaces con castigarla.
b. Lo amenazó de muerte.

Todos estos verbos de las clases A) y B) presentan una característica en común que quizá pueda aclarar por qué se sustituyó el dativo primitivo por el acusativo: la transitividad preposicional. Algunos como *ayudar a/en* exigen categóricamente la preposición; otros, como *obedecer (a), temer (a), avisar (de), enseñar (a),* alternan el régimen preposicional con el directo para expresar su objeto inanimado. [39] Aunque

---

[36] Lorenzo (1984: 257) constata la conservación del dativo en hablantes canarios, y lo confirman mis informantes de las áreas mencionadas.

[37] Cano (1981: 369) considera el acusativo el régimen habitual, y lo mismo se comprueba en las mediciones de Uruburu (1993: 140-141) sobre el habla de Córdoba, donde se prefiere *la* en un 70 % frente a *le* (30 %) en *El niño obedece a la madre.* El acusativo parece el uso canónico de Chile (Contreras 1974: 168), aunque mis informantes de Argentina, Chile y Perú admiten también minoritariamente el dativo.

[38] Los ejemplos manejados por Lapesa (1968: 528), todos ellos de Berceo, procedentes del área de la Rioja occidental, deben contemplarse con prudencia, ya que en ellos el empleo de *le* puede explicarse por otras causas (véase el § 21.3.3). Pero Cuervo registra el dativo en el granadino Fray Luis *(Ella le amenaza [a él], Dios le amenaza [al pueblo] con azotes y calamidades, A cada hora le está amenazando su miseria)* (*DCRLC* I: 420-424), mis informes lo corroboran en Aragón y La Mancha, y Lorenzo (1984: 257) da cuenta de su conservación en Canarias. La reinterpretación a favor del acusativo se registra desde los primeros textos del español, en el *Calila e Dimna (Amenazólo muy mal),* el *Fuero Juzgo (menazándolos)* e incluso en Berceo, así como posteriormente en el sevillano Lope de Rueda *(La amenace contigo)* y en el canario Iriarte *(Los amenaza el azote,* ejemplos citados por Cuervo, *ibíd.).*

[39] Hay que señalar que *enseñar* admite hoy el régimen preposicional exclusivamente cuando introduce una oración de infinitivo (cf. *Le enseñé a cocinar, Le enseñé cocina* vs. **Le enseñé a cocina*), aunque antiguamente podía admitir la pre-

amenazar {con/de} sólo admite hoy día el régimen preposicional, puede incluirse en este grupo ya que antiguamente también podía construirse con dos objetos. [40] Todos estos verbos, además, pueden convertir el objeto animado que se pronominaliza en dativo en el sujeto de una oración pasiva: *Pedro {fue ayudado a subir/fue obedecido inmediatamente/es temido/fue avisado al instante/ha sido enseñado a nadar/fue amenazado de muerte}.* Estos dos hechos explican que el objeto animado que requería dativo fuera reinterpretado como el objeto directo del verbo y, consecuentemente, requiriese recibir caso acusativo, reorganización que tuvo que producirse sobre todo cuando el objeto inanimado presentara régimen preposicional o no se expresara en absoluto. Otros verbos que pueden verse afectados por el mismo fenómeno son *informar (de), invitar a, acusar (de), criticar (por), felicitar (por)* de los que se menciona en ocasiones un comportamiento leísta.

C) Otros verbos cuyo régimen parece haberse reinterpretado se relacionan con los que tratamos en el § 21.2.1.3 (B). Se trata de *reñir* (y *regañar*), *picar* y *aconsejar,* en los que se sobreentiende un objeto directo.

Aunque también ha sido clasificado como leísta el empleo de *le* con *aconsejar* (Lapesa 1968: 532), en este caso el régimen requerido originalmente por el verbo parece ser el dativo, conservado regularmente en todas las áreas cuando se expresa el objeto que denota «lo aconsejado» (29a) y sin objeto expreso en Canarias y America central (al menos) (29b). Cuando no figura el objeto, sin embargo, se prefiere el acusativo en la mayoría de las zonas distinguidoras: La Mancha, Andalucía, Colombia (Cuervo 1895: 236), Argentina, Chile y Perú (29c).

(29) a. Cuando mis sobrinas me visitaron, les aconsejé {paciencia/marchar}.
b. Cuando mis sobrinas$_i$ me visitaron, les$_i$ aconsejé Ø$_j$.
c. Cuando mis sobrinas me visitaron, las aconsejé.

En su empleo más generalizado, *reñir, regañar, reprender* conservan el dativo primitivo aunque no se exprese el argumento que denota el regaño (30a-b), pero en América con frecuencia el régimen ha cambiado al acusativo en ausencia del objeto directo (30c). [41]

(30) a. Si Federico se porta mal, no dejes de {reñirle/regañarle sus faltas}.
b. Si Federico$_i$ se porta mal, {ríñele$_i$/regáñale$_i$ Ø$_j$}.
c. Si Federico se porta mal, {ríñelo/regáñalo}.

Picar exige igualmente el dativo para sus objetos, animados o no. Como en el caso de *tocar* o *cortar* parece existir un objeto sobreentendido que denota «la parte picada». Aunque ese régimen sigue siendo el predominante en todas las áreas distinguidoras (31a), se registra su sustitución parcial por el acusativo en Canarias e

---

posición para introducir su objeto inanimado. Por ejemplo: *Hasta aquí nos ha enseñado esta cananea de la manera que habemos de pedir* (Luis de Granada); éste era uso sobre todo frecuente en oraciones pasivas: *Con este intento procuré fueses enseñado desde tu primera edad en costumbres reales* (Juan de Mariana) (*DCRLC* III: 517) (cf. también *supra,* nota 31).

[40] Cuervo *(DCRLC,* s.v. *amenazar)* cita: *El mal que me amenazas* (Cervantes).

[41] Del empleo del acusativo Cuervo (*DCRLC* VIII: 146-152) documenta *para reñirla y maltratarla* del colombiano José Antonio Osorio Lizarazo. Mis informantes nicaragüenses y venezolanos también admiten el acusativo con *regañar.* En Argentina, Chile y Perú el acusativo parece ser la norma con *regañar, reñir* y *reprender.*

Hispanoamérica, especialmente cuando el sujeto es animado y, por tanto, capaz de denotar 'agentividad' (31a'). [42]

(31) a. Cuando José$_i$ trabajaba en el jardín, le$_i$ picó Ø$_j$ una abeja.
a'. Cuando José trabajaba en el jardín, lo picó una abeja.

21.2.1.5. Verbos cuyo objeto directo requiere un complemento predicativo: llamar

Todas las zonas distinguidoras del caso parecen mostrar variación en el caso asignado al objeto directo del verbo *llamar* cuando este se presenta aumentado por un complemento predicativo. La construcción, que en latín exigía un doble acusativo, parece haberse reinterpretado desde antiguo en romance como una estructura transitiva con complemento predicativo obligatorio (una especie de unidad clausal mínima) [→ § 38.2.1.4], donde el primitivo objeto directo se construye como indirecto, quizá por analogía con *decir,* que siempre exige dativo (Lapesa 1964: 84-85). Esta reinterpretación, sin embargo, no se presenta hoy uniformemente en todo el mundo hispanohablante, de modo que podemos encontrar áreas de predominio del dativo y otras de acusativo mayoritario, aunque siempre ambos coexisten.

En el único intento de interpretación que conozco, García (1975: 292-295, 339-342) sugirió que la selección del caso no era libre, sino que estaba condicionada por el carácter del predicado atribuido al objeto. Si el predicado forma parte inherente del objeto, como es su nombre propio o aquel mediante el cual podemos identificarlo unívocamente, el caso asignado suele ser *lo/la* (32a, b), mientras que si el predicado constituye una denominación especial sólo propia de una zona o de un grupo, un mote o apodo, se siente como 'externa' al objeto, y entonces este recibe dativo (32c-e).

(32) a. Cuando nació mi hija, {la/*le} llamamos María.
b. Aunque se llama María, todos {la/le} llaman Marichu.
c. A los cerdos, aquí les llamamos 'chones'.
d. No le llames bestia a tu hermana. No le llames así.
e. Al torero José Miguel Arroyo le llaman 'Joselito'.

Los datos de que dispongo en la Península sugieren que el dativo se emplea de forma predominante en oraciones como (32b-e) en León, Asturias, Cantabria, Navarra, La Rioja, Aragón, Soria, País Vasco, [43] mientras que parece preferirse ma-

[42] Con el mismo significado de «picar un animal», Cuervo (*DCRLC* VII: 456-471) constata *le* en el mexicano Rulfo, el asturiano Campomanes y en el sevillano Mateo Alemán *(Que el pájaro le pique al tronco),* pero documenta *lo* para el uruguayo Quiroga y el colombiano Pombo. Considerados globalmente los datos americanos, Uber (1986: 156) confirma una frecuencia del 27 % para el acusativo.

[43] De Navarra puedo aportar los siguientes ejemplos, exclusivamente de dativo: *Orujo se le llama; Este le llaman aquí vino glárima* (LA); *Saco cernadero le llamaban a ese cacharro; El yugo le llamaban* (Az); *Las bricas, aquí así les llaman; Una cosa, un cabezal le llamaban;* pero *Manteca de cerdo lo llaman en Navarra* (G). En La Rioja también registro el dativo: *Las tintoras les llamaban [a las que teñían la ropa]* (Br); y Cuervo cita de Olózaga, logroñés: *Les llamaban traidores y los querían matar* (1895: 241). También en Soria: *El bodrio, así le llaman; Aquellas costumbres les solemos llamar leyes* (Fp); *Aquí les llaman «encellas», que son cestillos* (Bri); *Yo no le llamo rico al que trabaja* (VR); *No sé cómo le llamaban, bueno, rollos de lana* (Soria). En el País Vasco: *Le llamaban tuestos de cerdo; Levadura de pie que le llamaban; A eso se le llamaba la túngala;* pero *Por eso lo llaman cerdo* (So); *Esto le llaman pueblo... le llaman pueblo pero son barrios; En euskera le llaman chosna* (Be). En otros enclaves de la zona aparece vacilación: *Chicas, que las llamaban las hijas de María; Un árbol que le llamaban Judas; Otra cofradía que la llaman la de San Isidro; Es un pueblo... que le llaman «hermanao» de Vitoria; La llamaban la fiesta los ricos; Una merendola que le llaman ellos* (SA). En el noreste de Burgos (y descartando los posibles

yoritariamente el acusativo en idéntico contexto en Zamora, Salamanca, Extremadura, La Mancha, Murcia, Andalucía y Canarias. [44] La distribución de dativo al norte y acusativo al sur parece sugerir que el dativo representa el punto de partida de una transitivización de la construcción, en estado más o menos avanzado según las zonas, pero no puede descartarse que la estructura haya vacilado siempre entre el régimen directo y el indirecto, favoreciendo una solución u otra según las áreas o incluso los hablantes.

Aunque la distinción basada en las características del predicado refleje quizá la situación de partida del español atlántico, [45] lo cierto es que grandes áreas del mundo hispanohablante extrapeninsular prefieren hoy *lo/la* en ejemplos como (32c-e): Canarias, Perú, Chile o Argentina.

21.2.1.6. Se *impersonal seguido de pronombre átono*

Distintos autores han hablado de leísmo cuando una oración impersonal transitiva con *se* emplea *le(s)* para referirse a su objeto directo. Sin embargo, como ya señalaron Cuervo (1895) o Santiago (1975), *le(s)* es la solución que originariamente

ejemplos de leísmo) encontramos: *Unos «ceazos», no sé cómo lo llamarían* (Cas); *En cubos que les llamáis vosotras; Aquello lo llamábamos bálago* (LeM). En Asturias: *Esto es una «cávila», la llamo yo; Un traje de sayal, sayal le llamaba yo* (Pa). En León: *Le llamábamos depinar; Boñiga, que le llamábamos nosotros; Le llamábamos sábanos; No sé cómo le llaman a aquello; Unas cosas que le llamábamos manales; ¿Cómo se le llama a eso?* (Ge); *Esos les llaman los danzantes; Ese San Sebastián, que le llaman; Al yugo ¿qué le llaman?; Unas barras que les llaman la machina* (LN); *La fiesta, el catorce de septiembre, le llaman el Bendito Cristo* (Lo); *[A eso] no le llamaban reparación; La tenada le llamo lo que queda encima de la casa* (Lu); *A los del Bañoso no sé cómo les llaman; [A los agujeros] le llamaban caperuzas* (Vg). En Cantabria: *Otra fiesta que le llaman San Miguel* (LC); *Aquí les llamamos aros* (Co); *Había mujeres que le llamaban las mondongueras; A eso le llamaban el compango; La piel le llamaban pellejos; Vira le llamamos al suero; Una cosa negra, le llamaban la mola; Le ponen [al carro] la cargadera que le llaman* (Lam); *El estoque eso, no sé cómo le llaman* (Sa); *Le llamaban aquí el Nazareno y la Dolorosa [a la fiesta]; Una casa que hay que todavía la llaman la azucarera; Una capilla que hay ahí arriba que le llaman San Miguel* (No); *Chon se lo llamábamos [al cerdo]* (Tez). Sin embargo, en dos enclaves del occidente cántabro sólo se obtuvieron ejemplos de acusativo: *Ponen un trozo de unto, aquí lo llamamos el alma; El llar lo llamaban un hierro que había; Jatos, que lo llaman ya pasteros, esos los llaman pasteros; Vacas mixtas, las llamamos mixtas; Tenemos establos, aquí lo llamamos cuadras...lo llaman invernal* (Leb); *Se hacía borono, que lo llamábamos aquí; Una cosica que lo llaman cuaja* (Lin); *Aquí los llaman butres;* pero *De eso que no sé cómo le llaman* (Led).

[44] Salamanca: *Cuando se va a comprar... un ganado, esos los llaman chalanes; Aquí hay un santo que lo llaman San Cipriano* (Me); *«Bullas» se llamaba... lo llamaban de mote* (En); pero *Al gazpacho se le llamaba así* (BH), según es esperable en las construcciones impersonales (cf. el § 21.2.1.6); *El tálamo, que lo llamábamos el tálamo; Comeretes le llamábamos de que comíamos poco; El otro [instrumento] que lo llamábamos el redoblante; Un sitio... yo no sé cómo lo llaman* (Vdc); *A mi marido lo llaman el carabinero; El que iba llamando a las vacas no sé cómo lo llamarían; [A] los de Aldehuela no los llaman de ninguna manera; En la televisión no la llamaron «brienda»; El de allá, que lo llamamos el Puente Nuevo;* pero *Una era, le llamábamos* (PY); *No sé cómo los llaman* (PN); *Tamborileros... los llamabas «los levantas»; Los llamaban «los griegos»... y aquí les llamaban «los griegos»* (SPR). Zamora: *¿Que cómo los llamaban?* (Ve); *Eso lo llamaba yo gente idiota; lo llaman el convento* (VL); *[A la boda] rumbosa la llamábamos;* pero *Le llamamos, le llaman colchas* y *[A] mi padre lo pusieron «chiva»* (VE). Cáceres: *Un chaleco, no sé cómo lo llaman; Le llaman pañuelo de cien colores; Le llamaban el piso* [el dinero que debían pagar los mozos no nacidos en el pueblo] (Ta). Como puede observarse, el predominio del acusativo se manifiesta incluso con predicados que como los motes pueden considerarse «externos» al objeto al que se refieren. Heredia (1991) registra en La Mancha alternancia acusativo / dativo con ligero predominio del primero. Cuervo (*DCRLC* IV: 178-186) encuentra el acusativo en el granadino Fray Luis *(Si al padre de familia llaman Belcebub, ¿cuánto más lo llamarán sus criados?)* y el murciano Clemencín *(Llamándolos de alevosos y traidores),* aunque Fernández Ramírez (1951: 47, n.83) constata que los hermanos Quintero emplean *llamar* «denominar» exclusivamente con dativo. La distribución parece compleja: mientras que en un cuestionario los hablantes de Córdoba capital prefirieron el acusativo en un 65 % (frente al 35 % de *le*) en *A ese barrio lo llaman Cañero* y *A esa barriada la llaman Santuario,* en el habla espontánea de todos los niveles *llamar* seguido de complemento predicativo se empleó en un 95 % con dativo (Uruburu 1993: 146, 172, 195, 215-216).

[45] Por lo que me consta, el uso quizá se ajuste a esta distinción en México (Cantero 1979), América central y Cuba (Paufler 1971), al menos, y en algunos hablantes de las islas canarias (La Laguna, Las Palmas) (Lorenzo 1984: 257; Almeida-Díaz Alayón 1988: 114) y de Colombia *(DCRLC* IV: 178-186, anota el siguiente ejemplo de Arciniegas: *Los españoles le llaman Juan Florentín unas veces, otras el Francés).*

exigían estas oraciones, con independencia del género del objeto. Aunque las probabilidades de pronominalización del objeto son mayores si este es animado (33a, b), también es posible, aunque muchísimo menos frecuente, si es inanimado (33c, d) [→ § 26.4.2].

(33) a. A Juan se le apreció desde el momento que entró en la empresa.
b. A mis sobrinas se les conoce sólo cuando se les trata.
c. Los espectáculos de este año no han tenido éxito. Se les ha criticado mucho.
d. Las rosas son muy delicadas. Sólo florecen si se les riega bastante.

Ese contraste se deriva del tipo de objetos que exigen ser introducidos por la preposición *a* en español. Los objetos directos animados y específicos exigen regularmente la preposición, mientras que los animados inespecíficos y los inanimados no suelen requerir su presencia [→ §§ 28.4.1 y 28.5] (a excepción, por supuesto, de los casos en los que *a* forme parte del régimen preposicional del verbo). El desarrollo de las oraciones impersonales con *se* tuvo lugar a partir de aquellos objetos directos que figuraban marcados con *a,* y no consiguió generalizarse cuando el objeto carecía de esa marca. En este segundo caso, la estructura impersonal más frecuente continuó siendo la pasiva con *se* que mostraba concordancia con el objeto [→ § 26.3]. De ahí que la construcción impersonal con *se* sea la única posible para objetos animados y específicos (34a, a′), mientras que los animados inespecíficos y los inanimados, aunque pueden figurar en oraciones pasivas (34b, c) o en impersonales (34d, e), muy rara vez aparecen en las impersonales (ya que en este caso deben estar introducidos por *a)* [→ § 26.4.1].

(34) a. Se busca {a una/a la} secretaria de dirección.
a′. Se busca {una/*la} secretaria de dirección.
b. Se busca(n) jardineros.
c. Desde aquí se ve(n) las montañas de la sierra.
d. Se busca a jardineros.
e. Desde aquí se ve a las montañas de la sierra.

Por ello, mientras que la versión sin pronombre de (33a, b) es agramatical, no sólo son aceptables, sino que constituyen la opción menos marcada las versiones pasivas de (33c′, d′).

(33) a′. *A Juan se apreció desde el momento en que entró en la empresa.
b′. *A mis sobrinas se conoce(n) sólo cuando se trata(n).
c′. Los espectáculos de este año no han tenido éxito. Se han criticado mucho.
d′. Las rosas son muy delicadas. Sólo florecen si se riegan bastante.

Frente a las limitaciones de pronominalización de los objetos directos de las oraciones impersonales con *se,* es obligada la pronominalización de los objetos indirectos (siempre que sea categórica en la oración activa correspondiente) (35a-d).

(35) a. A los participantes en el congreso se *(les) entregaron las acreditaciones correspondientes.
b. Con ese sombrero, a María no se *(le) ven los ojos.

c. A esa casa se *(le) han limpiado las ventanas.
d. A cada niño se *(le) dieron varios caramelos.

Es necesario destacar el hecho de que las oraciones ditransitivas con un complemento indirecto tipo 1 (CIND1) [⟶ §§ 30.4-5] admiten más fácilmente la no-concordancia del verbo con el objeto nocional (35a', d'), mientras que aquellas cuyo complemento indirecto pertenece al tipo 2 (CIND2) [⟶ § 30.6] exigen la construcción concordada (35b', c'). Ello creo que debe ponerse en relación con el carácter valencial de los CIND1 frente a los CIND2.

(35) a'. A los participantes en el congreso se les entregó las acreditaciones correspondientes.
b'. *Con ese sombrero, a María no se le ve los ojos.
c'. *A esa casa se le ha limpiado las ventanas.
d'. A cada niño se le dio varios caramelos.

Las posibilidades de aparición de los pronombres descrita es la que sigue vigente en buena parte de las áreas distinguidoras peninsulares, Canarias y la mayor parte de América (México, América central, el Caribe, Colombia y Venezuela). [46] Sólo de forma esporádica y aislada registramos en esas zonas secuencias de *se lo(s).* [47] La secuencia *se la(s),* sin embargo, parece haber alcanzado una popularidad mucho mayor en algunas áreas distinguidoras de la península. [48] Estas apariciones de *se* impersonal seguido *lo/la* se deben, sin duda, a haberse percatado del carácter de objeto directo del sintagma nominal que acompaña a la oración impersonal con *se* y haberle asignado el caso que le correspondería en la oración activa correspondiente: el acusativo.

Esta reinterpretación, de alcance limitado en la Península, ha conseguido generalizarse en un área distinguidora del mundo hispanohablante: Perú y los países del cono sur, Argentina, Chile y Uruguay, hasta el punto de que las secuencias *se le(s)* han sido desterradas de las oraciones impersonales en el habla común y se sienten como enunciaciones leístas (Studerus 1984). Lo habitual en el habla de esos países son oraciones como las de (36), procedentes de periódicos o autores de esa

---

[46] En todos estos territorios la pronominalización está muy restringida y siempre aparece preferentemente con objetos animados. En mis datos sólo registro: *A la gente mayor se le trata siempre así* (G), *Al que no iba a misa se le tenía marcado* (Fp), *A los niños aquí no se les ha dejado [solos], y si los dejabas, los dejabas con una vecina... Aquí en este pueblo por lo menos a los críos se les ha cuidado mucho* (MR), *Los cerdos se les tenía un año para criarlos, [El cerdo] se le descuartaba* (Cu), *[Los cerdos] antes se les sacaba, antes se les paseaba... se le mata* (Or; cf. con los recogidos en la nota siguiente), *[El cerdo] se le cogía del gancho así, se le sacaba* (VI). Hay que destacar que, quizá casualmente, todas las pronominalizaciones de objeto registradas provienen de las áreas distinguidoras orientales (Aragón, Navarra, La Rioja, Soria), sin que haya documentado ningún caso en la zona occidental (León, Zamora, Salamanca). No obstante, mis datos de Extremadura y Andalucía confirman la pronominalización y que puede darse con *le-s: {A los niños / a las niñas} se les cuida.*

[47] Como el empleo de *se los* señalado por Cuervo (1895: 245-246) en P. A. de Alarcón (oriundo de Guadix) o en Jovellanos (asturiano), o por Fernández Ramírez (1951: 54) en J. Álvarez Quintero *(Se los quiere mucho a estos ángeles endemoniados)* o en el aragonés Ramón y Cajal *(A los hombres se los llama discretos y buenas personas),* o por Santiago *(Muchos problemas... se los descubre,* del periódico de Badajoz *HOY;* Santiago 1975: 92). En nuestra documentación encontramos asimismo ejemplos aislados en zonas distinguidoras del caso: *Cuando se los bautizaba [a los niños]* (LA), *[Los cerdos] se los engorda en casa... se los mata* (Or). Uruburu (1993: 153) registra en Córdoba un 44 % de *se los* (frente al 53 % de *se les)* en *Se busca a los alumnos.* Teniendo en cuenta su larga estancia en América es cómo se explica probablemente el empleo de *se lo(s), se la(s)* en el granadino Francisco Ayala (cf. Martín Zorraquino 1979: 172-175).

[48] Ejemplos de pronominalizaciones en *se la* son: *La paja que sobraba se la/l'hacía arder* (Fp), *[Las abejas] se las metía en cesta* (Or), *En verano se mataba una oveja, se la lavaba* (Al). Mis informantes de Aragón, La Mancha y Andalucía me corroboran este empleo de *se la* que es posible tanto con objetos animados como inanimados. Uruburu (1993: 153) registra un porcentaje de *se le* del 97 % en *Se busca a Juan,* frente a un minoritario 42 % en *Se busca a María* y al todavía más reducido 32 % de *se les* en *Se busca a las alumnas,* en el habla de Córdoba capital. Carezco de datos sobre otras zonas distinguidoras y de una explicación que aclare esta asimetría entre la práctica inexistencia de *se lo* y la amplia difusión de *se la.* También Studerus (1984) se sorprende de la notoria aceptación de *se la* entre sus informantes peninsulares (quizá procedentes de la zona referencial, cf. el § 21.5.4.3).

área, en las que es necesario resaltar que la completa transitivización de la construcción conduce a que desaparezcan las restricciones de pronominalización derivadas del carácter animado o inanimado del objeto (cf. 36a-d *vs.* 36e-h).

(36) a. Se lo encerró en un calabozo [a él]. [Studerus 1984: 61]
b. Estos empleados quieren ahora que se los equipare al laudo dictado por la autoridad del trabajo. [Martín Zorraquino 1979: 174]
c. A mi madre se la ha respetado siempre.
d. Se las colocó en primera fila [a ellas]. [Studerus 1984: 62]
e. Se bailaba el pericón, el tango, como se lo baila todavía. [Studerus 1984: 61]
f. Los datos pasan siempre por las mentes de los que los manipulan y se los transmite siempre con esa impronta. [Martín Zorraquino 1979: 176]
g. La empresa dice no poder absorber las nuevas erogaciones y pide, en consecuencia, que [...] se la subvencione. [Martín Zorraquino 1979: 174]
h. A las elucubraciones del pasado se las somete siempre [...] a las perspectivas en uso. [Marcos 1978: 295]

Esta transitivización de una construcción originalmente intransitiva debe ponerse en relación con la extensión del acusativo en el Perú no-bilingüe, Argentina, Chile y Uruguay a contextos reservados al dativo todavía hoy en la mayor parte del mundo hispanohablante, como los que hemos señalado del objeto de los verbos de afección, del sujeto de las cláusulas de infinitivo o del objeto de verbos como *ayudar*.

21.2.1.7. Recapitulación

Las construcciones aquí presentadas no ofrecen leísmo, esto es, confusión entre dativo y acusativo. La selección del caso se ve condicionada por la naturaleza de la construcción y, en consecuencia, no es fortuita, arbitraria ni libre, sino que implica un cambio de estructura y de significado. Por otro lado, la alternancia en la selección de caso en las construcciones analizadas pone de manifiesto un hecho no contemplado hasta ahora y es el de que en las zonas distinguidoras del caso puedan existir diferencias en el caso regido por ciertos verbos y en ciertas estructuras dependiendo de las áreas geográficas (y probablemente de diferencias sociológicas entre los hablantes). Resulta evidente que a lo largo de la historia del español ha tenido lugar una extensión del acusativo a costa del dativo en verbos y construcciones que primitivamente exigían este caso. Dentro de los territorios distinguidores los más cercanos a la situación primitiva parecen ser los peninsulares, con la salvedad de Andalucía occidental. En Canarias parecen coexistir soluciones arcaizantes, en áreas rurales y en las islas más alejadas, e innovadoras, en las islas principales y en áreas urbanas. Dentro de Hispanoamérica, Cuba, México, América central, Venezuela y Colombia se muestran más cercanas a la Península en su empleo de los pronombres que los países del cono sur, que constituyen con diferencia el territorio más proclive a la generalización del acusativo. [49]

[49] Aunque desde un planteamiento teórico muy distinto del aquí adoptado, las mediciones de los porcentajes de *le* /

21.2.2. El leísmo asociado al tratamiento de respeto

Muchos de los ejemplos de leísmo que se mencionan en las áreas distinguidoras entroncan en una tendencia que es común a todo el mundo hispanohablante: la de emplear *le* referido al oyente en el tratamiento de respeto con *usted* [⟶ § 22.2.1]. [50] Lorenzo Ramos (1981) lo bautizó como 'leísmo de cortesía', denominación que ha obtenido cierta fortuna. Este leísmo, que no ha recibido toda la atención que merece, se ha explicado como un procedimiento de desambiguar la tercera persona (cf. (37a-b)) así como de marcar formalmente la mayor prominencia comunicativa del oyente frente a una tercera persona no partícipe de la conversación (García 1975: 338-339; Klein-Andreu 1996).

(37) a. Ayer lo vi en el parque [a él].
b. Ayer le vi en el parque [a usted].

En definitiva, el empleo de *le* referido a *usted* parece ser un procedimiento de destacar que la referencia de la tercera persona debe buscarse en la situación comunicativa y de señalar que no posee, en consecuencia, valor anafórico (cf. (38a-b)).

(38) a. Pedro ha venido ya. ¿Le acompaño a la reunión? [a usted/*a él].
b. Pedro ha venido ya. ¿Lo acompaño a la reunión? [a él/a usted].

Por ello, aunque *usted* pertenece a la tercera persona, su funcionamiento se acerca más al de un nombre personal (como *yo* o *tú*) que al de un pronombre personal (Moreno Cabrera 1991: 265), y este leísmo debe clasificarse junto a otros usos atípicos de los pronombres personales que protagoniza *usted* como consecuencia de su condición de tratamiento de respeto [⟶ § 19.3.5]. [51]

Hay que señalar que este leísmo de cortesía afecta al *usted* masculino en una medida mucho más elevada que al *usted* femenino. [52]

21.2.3. El leísmo como uso prestigioso

Para terminar, hay que mencionar la existencia entre los hablantes cultos y los escritores de leísmo aplicado exclusivamente a referentes masculinos, personales y

---

lo, la en hablantes procedentes de distintos países americanos realizadas por García y Otheguy (1977: figuras 1-3) permiten oponer las frecuencias relativamente uniformes de colombianos, mexicanos y cubanos al porcentaje siempre menor alcanzado por *le* en Argentina.

[50] Ofrecen datos de este empleo Carfora (1968: 301), Paufler (1971: 1164), Lorenzo (1981: 177-179, y 1984: 253-258), García (1975: 338-339; 1983: 111-112, 115; 1990: 163-164, 167-168, 178).

[51] Indudablemente relacionado con el *le* de cortesía está el *le* documentado en México en oraciones como *Súbele a la ventanilla [del coche]* > *Súbele* vs. *Súbela* o *Apágale al televisor* > *Apágale* vs. *Apágalo.* La aparición de *le* en estos casos imprime un valor exhortativo a la frase, que expresa el deseo del hablante de obtener una actuación por parte del interlocutor, valor del que carecen las oraciones correspondientes con acusativo (Trujillo 1996: 409-410). Al igual que el leísmo de cortesía, es un *le* motivado por la situación comunicativa, y que, aparentemente, puede reemplazar no sólo al complemento directo sino incluso a otros constituyentes, como en *Por ahí le llega usted a Córdoba.*

[52] De acuerdo con las mediciones de Uruburu (1993: 159) sobre el habla de Córdoba capital, *le* se emplea como pronombre de objeto directo asociado a *usted* masculino en un 70 % y *les* referido a *ustedes* masculino en un 55 %, frente al escaso 10-15 % de *le(s)* referido a *usted(es)* femenino. El porcentaje más elevado del singular masculino debe ponerse en relación con la existencia de leísmo de persona masculino y singular como uso prestigioso en muchas áreas distinguidoras (cf. los §§ 21.2.3 y 21.6).

singulares por el deseo de aproximarse al uso más prestigioso de la lengua estándar peninsular. [53] Algunos verbos son los preferidos para practicarlo, como *conocer, querer, esperar, llevar, ver* y de su difusión debe responsabilizarse a gramáticas que como el *Esbozo* (RAE 1973) lo admiten como práctica propia de la lengua culta, así como a la influencia ejercida por la norma estándar peninsular, que acepta plenamente este leísmo a través de todas sus manifestaciones. Trataremos nuevamente de ello en el § 21.6.

21.3. Leísmo y otras alteraciones del uso pronominal átono en el español hablado en contacto con otras lenguas

El contacto del español con otras lenguas puede producir alteraciones en el comportamiento de los clíticos de tercera persona que nada tienen que ver con el leísmo de las áreas distinguidoras. En todos los casos, las lenguas en contacto con el español no pertenecen a la familia indoeuropea ni poseen la categoría gramatical de género (además de diferir del español en la expresión de las de número y de caso). En todos los casos, asimismo, las modificaciones que el contacto lingüístico desencadena en el empleo de los pronombres del español son muy semejantes. Estas áreas se caracterizan por: 1) la omisión del pronombre átono en contextos en que su presencia es obligatoria en el resto de dialectos hispánicos. 2) La extensión de la redundancia pronominal a los objetos directos, y no sólo a los indirectos como es propio de la mayor parte de las variedades del español. 3) La simplificación del paradigma pronominal, reduciéndolo a uno o dos pronombres, *le* o *le* y *lo,* según las áreas. Estas tres características sólo se repiten conjuntamente en dialectos del español que están (o han estado largo tiempo) en contacto con lenguas como el quechua, el aimara, el guaraní y el vasco, y nunca en otras variedades. [54] En muchas de las situaciones que analizaremos, los rasgos que caracterizan el español hablado en esas zonas no son sólo propios de los bilingües con escaso dominio del castellano sino que han penetrado en la norma estándar regional, siendo empleados por hablantes de nivel socio-cultural medio y alto, tanto bilingües como monolingües en español desde varias o muchas generaciones atrás.

21.3.1. Los pronombres átonos en contacto con el quechua y el aimara: el español andino

21.3.1.1. Leísmo, objetos tácitos y redundancia pronominal en Ecuador

El español hablado en la Sierra de Ecuador ha modificado el sistema pronominal átono de tercera persona del español general en varios sentidos [→ §§ 19.4.2

[53] Hay noticias de este leísmo en Kany 1945: 133-134, 137-139, Cantero 1979: 308, Marcos Marín 1978: 229-238 o García Martín 1987, y la intensidad de su práctica varía dependiendo de factores que parecen estrictamente individuales.

[54] Me abstengo aquí de tratar aquellos casos en que *lo* presenta en estas variedades papeles distintos que los de referir a un objeto directo o indirecto. Me refiero a oraciones como: *Se lo fue de viaje, Lo andás trabajando, Se lo murió ñor Curpetino, Te lo fuistes de mí* (Honduras, Van Wijk 1969: 6), *Ya me lo voy a mi casa, Dicen que lo nació en Belén, Yo lo hey venido, Tan bonito que te lo soys* (El Salvador, Lipski 1996: 103), *La chiquita no se me lo ha resfriado, Pobrecita, si le digo que he perdido el trabajo, se me lo larga a llorar, Y me lo hay ser buena niña para que la mamá Rosenda la esté bendiciendo* (Noroeste argentino, Gómez y Assis 1977: 301), *Casi lo he entrado a Bolivia, pero no lo he entrado* (Perú, Godenzzi 1986: 196), etc. Tampoco trataré en general de las semejanzas estructurales entre el español y estas lenguas ni de los mecanismos de transferencia lingüística que puedan haber motivado estos extraños empleos de los pronombres. Quiero agradecer a las profesoras Angelita Martínez y Azucena Palacios el haberme permitido consultar trabajos suyos aún inéditos.

y 24.5]. En primer lugar, presenta la posibilidad de omitir los clíticos referidos a objetos directos determinados inanimados en construcciones en que su presencia es categórica en español: [55] las construcciones de anteposición del tema (39), las de pronominalización ditransitiva (40) y en cláusulas subordinadas o coordinadas a la oración donde se encuentra el antecedente (41) (ejemplos tomados de Suñer y Yepez 1988). [56]

(39) a. Las elecciones$_i$ yo nunca $\emptyset_i$ entendí.
b. La leche$_i$ $\emptyset_i$ vendían a $ 1.20.
c. Todos los cursos$_i$ que hice, $\emptyset_i$ hice en una fábrica de Massachusetts.
(40) a. Bueno, yo te $\emptyset_i$ saco [el vestido$_i$].
b. Le $\emptyset_i$ vamos a entregar ahora [el carro$_i$].
c. ¿Te $\emptyset_i$ permitirán entregar sin terminar $\emptyset_i$? [el trabajo$_i$].
d. ¿Cuándo le $\emptyset_i$ vas a dar al profesor? [el libro$_i$].
(41) a. Me dejaban la proforma$_i$ para que yo $\emptyset_i$ vea.
b. No vayas a ver esa película$_i$ porque no $\emptyset_i$ vas a entender.
c. A mi mamá se le quedó un poco mal cerrado el armario$_i$ y logré abrir $\emptyset_i$.

En segundo lugar, ha generalizado las formas *le, les* como únicos pronombres con independencia de la función sintáctica y el género del antecedente (cf. los ejemplos de (42)). Aunque *le, les* pueden referir a antecedentes inanimados, se emplean fundamentalmente para referir a los animados, dado que los primeros se ven señalados en muchas ocasiones a través de un objeto tácito no realizado fonéticamente, según acabamos de ver. Este leísmo resulta con cierta frecuencia redundante, ya que *le, les* acompañan al antecedente, presente en la misma oración en su posición canónica (43) (ejemplos tomados de Kany 1945: 134-135, y Suñer y Yepez 1988: 512).

(42) a. Les van a matar [a ellos].
b. ¿Le soltaron de la cárcel? [a él].
c. ¡Le quiero, Gloria!
d. Ya le vendió [el carro].
(43) a. Le conoció a mamá.
b. Les calentará a los pollitos.
c. Le contrataré al taxi.
d. Mienten los poetas al fingirse enamorados de la luna, a la que ni siquiera le conocen.

El leísmo ecuatoriano venía siendo percibido desde tiempo atrás en la Sierra (Toscano Mateus 1953: 205), pero está extendido hoy por todas las zonas del país, la costa, la sierra y el oriente (según intuyen García y Otheguy (1983: 120), y confirma Quilis (1988)). Sólo cuando el hablante tiene un conocimiento excelente del

[55] Recordemos que los nombres sin determinación o nombres escuetos son los únicos que admiten en español en ciertos contextos sintácticos no estar relacionados con un pronombre explícito, esto es, no realizado fonéticamente: *¿Traes cerveza$_i$? Sí, traigo $\emptyset_i$* (cf. Campos 1986).

[56] La omisión también es posible en oraciones relativas: *La persona que mandó $\emptyset_i$ escribió esta nota [las flores$_i$], Yo le reconocí al hombre que trajo $\emptyset_i$ [el paquete$_i$].*

español estándar, tienden a desaparecer las formas *le, les* en los contextos de acusativo. El empleo de *lo, la* es una manera de mostrar el dominio del género, control del que se ven privados los hispanohablantes, ya sean bilingües o no, de menor cultura (García y Otheguy 1983: 120-123). Pero el número de individuos que son capaces de establecer las distinciones de género es muy minoritario: incluso el habla culta universitaria tiende a reducir los clíticos a *le* y *lo,* evitando *la* (García y Otheguy 1983: 116-118, y García 1990: 179-190).

21.3.1.2. Lo *como único pronombre acusativo, objetos tácitos y redundancia pronominal en Perú, Bolivia y noroeste de Argentina*

El español hablado en las áreas andinas de Perú, Bolivia y noroeste de Argentina, zonas en las que existe (o en el caso de Argentina existió) un bilingüismo estable español-quechua o español-aimara, reúne notables similitudes en cuanto al empleo de los clíticos de objeto.[57] En Perú y en Bolivia de nuevo encontramos la omisión frecuente del pronombre acusativo en estructuras de aparente anteposición del tema (44), pero que probablemente resulten de reproducir el orden objeto-verbo de las lenguas indígenas (Granda 1996).

(44) a. Al maestro$_i$ Ø$_i$ saludó en la plaza. [Escobar 1978: 109]
b. A la chica$_i$ Ø$_i$ he visto en misa. [Escobar 1978: 109]
c. ¿Y de dónde trae Ud. la arcilla? La arcilla$_i$ Ø$_i$ traigo de una mina. [Escobar 1978: 109]
d. El castellano$_i$ nosotros Ø$_i$ hemos aprendido hablando su dejo desde pequeños. [Escobar 1990: 88]
e. El corredor$_i$ tenemos que barrer Ø$_i$ todos los días. [Pozzi-Escot 1975: 327]
f. Todo el sitio$_i$ Ø$_i$ conozco. [Pozzi-Escot 1975: 328]
g. Esos bultos$_i$ vas a llevar Ø$_i$ a la tienda. [Mendoza 1991: 129]
h. A su profesor$_i$ Ø$_i$ estaban buscando. [Mendoza 1991: 129][58]

Este uso es la norma para el español de los bilingües (la mayor parte de la población) de zonas rurales y de las clases populares y medias de las ciudades andinas (Pozzi-Escot 1975: 327-328; Escobar 1990: 94; Klee 1990: 41-45). Sin embargo, a diferencia del español andino ecuatoriano, la omisión del pronombre de objeto directo no parece estar generalizada en las construcciones ditransitivas ni en las oraciones contiguas a la del antecedente.[59] También se diferencia esta variedad de

[57] Los ejemplos que aquí traemos a colación proceden de los siguientes enclaves andinos: en Perú de Ayacucho (Pozzi-Escot 1975 y Lozano 1975), Puno (Godenzzi 1986, 1991), bilingües establecidos en Lima (Escobar 1990), Cuzco (Klee 1989), Calca, junto a Cuzco (Klee 1990), o de toda el área andina peruana (Escobar 1978). En Bolivia, de La Paz (Mendoza 1991). En el noroeste argentino, del habla de Tucumán (Rojas 1980) o de la narrativa oral de la zona (Gómez y Estela 1977 y Martínez 1996 y 1997).

[58] En los bilingües iniciales en castellano, la omisión puede tener lugar también con los objetos indirectos: *A Mario$_i$ Ø$_i$ he pegado con palo* (Escobar 1978).

[59] No obstante, los autores citan ejemplos sueltos de omisiones en estos contextos, sin que sea posible determinar el grado de implantación de estos empleos: *A veces en la noche dejo su quacker$_i$ ya preparado, en la mañana Ø$_i$ calientan y Ø$_i$ toman, Se dice que los antiguos peruanos Ø utilizaban para alimento del ganado* (Escobar 1990: 89), *Yo siempre cuido la vida de mis compañeros$_i$ ... y Ø$_i$ he llevado al hospital* (Klee 1989: 407), *Pero tampoco yo Ø he hecho adrede, Ella Ø sabe pero yo no Ø sé, ¿Quién Ø ha hecho?* (Mendoza 1991: 130-131), *Yo de mil amores quisiera que mis hijos$_i$ estudien en un colegio particular, pero lamentablemente tengo que meter Ø$_i$ aquí, a la zona* (Mendoza 1991: 175-176). Y en construcciones ditransitivas: *Dále Ø no más, A la señora, le Ø hemos de devolver, pero más tarde* (Mendoza 1991: 132).

la ecuatoriana en que la simplificación del paradigma no implica la pérdida de la distinción de caso. El español de los Andes centrales y meridionales distingue *lo* como pronombre que refiere a todo tipo de objetos directos, con independencia de su género y número, de *le*, como pronombre de dativo, para objetos indirectos en singular o plural (Godenzzi 1986; Klee 1989, 1990).[60] Los ejemplos de (45) ilustran este empleo de *lo* como único pronombre de acusativo.

(45) a. La Virgen salía en procesión y solamente, diremos, lo acompañaban un grupo bastante reducido ¿no? devotos. [Godenzzi 1991: 110]
b. Fui a ver la carretera. Ya lo habían arreglado. [Pozzi-Escot 1975: 325]
c. Las Comisiones que necesiten mi ayuda deben pedirlo sin vergüenza. [Pozzi-Escot 1975: 325]
d. Comienza a hacer esas ojotas, esas sandalias y lo venden. [Godenzzi 1986: 189]
e. Después toda la oveja$_i$ me $Ø_i$ quitó y lo$_i$ ha llevado a la hacienda. [Klee 1989: 406]
f. Hicimos construir una escuela en un lugar que ya no lo va a mover ni la naturaleza ni nadie. [Klee 1990: 42]

Sin embargo, hay que subrayar que *lo* suele ir acompañado de su antecedente léxico en la posición canónica del objeto, hasta el punto de que es la altísima frecuencia de redundancia pronominal el rasgo que más caracteriza a esta variedad de español andino. La redundancia con *lo*, a diferencia de la ecuatoriana con *le*, afecta regularmente a todo tipo de objetos directos animados (46) e inanimados (47).

(46) a. Siempre hay que animarlo a esa gente. [Godenzzi 1986: 193]
b. Lo quiere mucho a su hijita. [Rojas 1980: 82]
c. Aquí está el criminal que lo mató a Pedro. [Lozano 1975: 298]
d. Allá vive el hombre que lo fastidiaba a mi hermana. [Escobar 1978: 111]
e. No lo traje a sus primitas. [Escobar 1978: 111]
f. Debías haberlo visto a los dos santitos jugando. [Mendoza 1991: 143]
g. Y lo sacó a los cerdos del corral. [Gómez y Estela 1977: 300-301]

(47) a. Lo dominan la lengua... lo dominan bien el castellano. [Godenzzi 1986: 193]
b. Lo veía las armas. [Godenzzi 1986: 193]
c. Partílo esos tres panes. [Mendoza 1991: 143]
d. No lo has de perder otra vez tu papeleta. [Mendoza 1991: 147]
d. Lo he perdido todos mis documentos. [Mendoza 1991: 174]
e. Quiero que me lo fotocopie a estas hojas. [Gómez y Estela 1977: 301]

[60] Según muestra Klee (1989), los bilingües en español no emplean primeramente clíticos de objeto. Seguidamente, adquieren la categoría de caso, y por último, la de número. Nunca llegan a dominar completamente el género, ni aquellos que hablan la variedad estándar regional.

Con cierta frecuencia, esta redundancia se acompaña de pronombres de dativo, tanto de objeto indirecto como de dativo ético, según se deduce de los ejemplos de (48).

(48) a. Te lo puedo llevar, si quieres, tus bultos. [Mendoza 1991: 143]
b. Cerrámelo la puerta ¿ya? [Mendoza 1991: 146]
c. Traémelo esa sillita. [Mendoza 1991: 170]
d. Me lo vas a traer mi abrigo. [Mendoza 1991: 171]
e. No te lo pueden decir la verdad. [Klee 1989: 406]
f. Sus cuñados se lo han llevado los hijos a Lima. [Godenzzi 1986: 193]
g. Me lo comí todo el racimo. [Pozzi-Escot 1975: 328]
h. Le pedí que me lo calentara la plancha. [Escobar 1978: 111]
i. ¿Me lo va a firmar la libreta? [Rojas 1980: 82-83]
j. Que me lo estudie bien esa lección, m'hijo. [Gómez y Estela 1977: 300]
k. Me lo tumbaba las ovejas. [Gómez y Estela 1977: 300]

Una redundancia que no lo es en sentido estricto es la que aparece en todos los dialectos del español en las oraciones relativas introducidas por *que*. Los pronombres que doblan aparentemente el antecedente de la relativa se conocen como 'reasuntivos' (49) [→ §§ 7.1.2 y 19.4].[61]

(49) a. ¿Quién es el muerto que lo van a enterrar? [Lozano 1975: 298]
b. Yo tengo que andar en la bicicleta que me lo ha dejado el niño Dios. [Gómez y Estela 1977: 300]
c. ¿Cuál es el cabrito que lo van a guisar? [Escobar 1978: 111]

Pero de todos estos empleos redundantes, el que más extraño resulta al comportamiento general de los clíticos del español es el que permite la redundancia con un sintagma nominal indefinido (e incluso inespecífico), como en las oraciones de (50).

(50) a. Mi mamá me lo compró dos truzas. [Pozzi-Escot 1975: 328]
b. Traémelo un vaso de agua. [Gómez y Estela 1977: 301]
c. Lo vio [...] un bultito bien chiquito y lo sacó. [Martínez 1996: 143-44]
d. ¿Pudiera usted cosérmelo unas camisas? [Bolivia, Kany 1945: 149]
e. Yo se los preparaba unos picantitos [Bolivia, Kany 1945: 149]

Los hablantes de nivel socio-cultural más elevado modifican este sistema en varios aspectos. Por un lado, comienzan a reaparecer los pronombres en las anteposiciones del tema. Por otro, se adquiere la distinción de número y se empieza a diferenciar ahora entre *le* y *les*, y, en menor medida, entre *lo* y *los* (cf. (51)). Pero no se alcanza un completo dominio del género, de modo que *la, las* apenas se

[61] En el Noroeste de Argentina parece incluso posible la redundancia en las interrogativas: *¿Qué te lo ha dejado el niño Dios?, ¿Qué me lo han andado haciendo?* (Gómez y Estela 1977: 300). En este caso, en cambio, se trata de una secuencia agramatical en cualquier otro dialecto del español.

emplean sino en el 10 % de las ocasiones en que serían necesarios, tal como sucede en el español ecuatoriano (Klee 1990; García 1990).

(51) a. A María nosotros lo adoramos. [Lozano 1975: 298]
b. A mi hermanita nadie lo busca. [Escobar 1978: 110]
c. El hombre campesino, por ejemplo, a la guitarra lo tiene como conciencia. [Godenzzi 1986: 189]
d. A los de Huayranphue ... yo he ido a vacunarlo. [Godenzzi 1986: 189]
e. Las medicinas lo compraron. [Godenzzi 1986: 193]
f. Nuestras luchas ... no los tenemos escrito. [Godenzzi 1986: 193]
g. Muchas cosas no lo hay. [Godenzzi 1991: 110]
h. Las cosas que tenemos en Calca los hemos hecho nosotros los calqueños. [Klee 1990: 42]
i. Mira, las grabaciones en los idiomas [...] propios los tienen en Lima, pero ellos los van a borrar, me imagino. [Godenzzi 1991: 109]

La dificultad que muestran estos hablantes en el dominio del caso puede dar lugar a la aparición de cierto leísmo, propio del nivel socio-cultural medio e incluso alto, que, a diferencia del ecuatoriano, parece constituir un empleo siempre minoritario (en torno al 10 %) (Klee 1990; García 1990). Como muestran las oraciones de (52), *le(s)* puede referir a un objeto directo masculino o femenino, pero normalmente animado, y al igual que en el caso de *lo,* es muy frecuente la redundancia.[62]

(52) a. Conviven una temporada, por decir unos meses o un año, y después bueno, en estado de gestación les abandonan, les dejan y tienen que estar recurriendo al Juzgado para la pensión alimenticia [las mujeres]. [Klee 1990: 42]
b. Le baja del caballo [a la madre]. [Martínez 1996: 147]
c. A sus colegios ya no le manda a su hijo por falta de medios económicos. [Godenzzi 1986: 193]
d. Todos le queremos a nuestro profesor. [Pozzi-Escot 1975: 328]
e. Al varoncito directo al primero le voy a meter. [Mendoza 1991: 176]

De forma estrictamente paralela a este leísmo, y con una frecuencia en apariencia semejante, también es característico del español andino la extensión de *lo* a empleos de dativo para referir, según es propio de la zona, a antecedentes masculinos y femeninos. Este loísmo suele aparecer en aquellas construcciones en que puede no resultar evidente la presencia del objeto directo. Por ejemplo, en verbos como *pegar,* de objeto habitualmente implícito (53a, b), o de comunicación como *hablar, decir, gritar* o *ladrar* (53c-g), en predicados complejos formados por un verbo de apoyo y un sintagma nominal, como *tener miedo, dar la palabra* (54a, b), o cuando el objeto directo es un sintagma nominal escueto (54c, d), o denota una entidad que se posee de forma estrecha (54e) (cf. Martínez 1997). Este loísmo parece confinado al habla de los bilingües andinos, sin penetrar en el habla de los monolingües

[62] La presencia de este leísmo es segura en el español andino de Perú y Bolivia, y debió de existir también en Santiago del Estero (Argentina) (cf. Vidal de Battini 1964, Rojas 1980 y Martínez 1996).

de la zona (Escobar 1978; Mendoza 1991).[63]

(53) a. A Juan lo he pegado duro. [Escobar 1978: 110]
b. Y lo pegó tanto que Agapito perdió el conocimiento. [Martínez 1996: 157]
c. Había un perro que lo ladraba. [Mendoza 1991: 141]
d. Lo has contado lo que ha pasado. [Mendoza 1991: 141]
e. Entonces la hermanita lloraba, lloraba, gritándolo al hermanito. [Martínez 1996: 164]
f. El Coquena lo diju: —¡Hijuna! ¿Quí hace ostí aquí? [Martínez 1996: 164]
g. Al más chico no lo querían llevar los más grandes y lo dicen que se quede. [Martínez 1996: 146]

(54) a. A la luz lo han tenido miedo. [Martínez 1996: 162]
b. Lo di mi palabra [a él]. [Lacunza y Postigo 1977: 197]
c. Yo los llevo comida [a ellos]. [Klee 1989: 407]
d. A Chabuca lo trajeron mantas. [Escobar 1978: 111]
e. Lo saca las botas al ogro. [Martínez 1996: 162]

Las razones por las que el español en contacto con el quechua peruano y boliviano se comporta de forma tan distinta respecto del español que convive con el quechua ecuatoriano me son desconocidas (cf. Muysken 1984). Sin embargo, me gustaría destacar que esta peculiar reinterpretación de los valores de los pronombres átonos, y en concreto, el empleo de *lo* como pronombre redundante con todo tipo de argumentos en la posición de objeto directo tiene también lugar en las variedades dialectales de hablantes bilingües español-nahua y español-maya.[64]

21.3.2. Los pronombres átonos en el español hablado en contacto con el guaraní

En el español de Paraguay y en la región guaranítica argentina (provincias de Corrientes, Misiones y oriente de las de Chaco y Formosa) encontramos una reorganización del sistema de referencia pronominal muy semejante a la ecuatoriana. Igual que en el español serrano de Ecuador, el español de Paraguay omite los clíticos referidos a todo tipo de objetos directos inanimados, tanto aquellos cuya presencia es categórica en el español general, los referidos a objetos directos determinados y al *lo* neutro (55a-c), como aquellos referidos a objetos sin determinación (cuya omisión también es posible en todas las variedades del español) (55d, e). La omisión no presenta restricciones, siendo la norma en la anteposición de temas (56a, b), las construcciones ditransitivas (56c, d) y en oraciones que siguen a aquella en la que se encuentra el antecedente (56e, f) (cf. Palacios 1998, de quien tomo los ejemplos).

[63] También Ecuador se documenta algún caso, pero restringido al habla de los indios: *Lo di duro [a ella]* (Toscano Mateus 1953: 205). En Perú, Bolivia y el noroeste argentino también se describe esporádicamente laísmo en los mismos contextos y tipo de hablantes en que tiene lugar este loísmo: *A Venancia la has contestado fuerte* (Escobar 1978: 110), *A María la has contestado muy mal* (Mendoza 1991: 141), *La pegué unos azotes* (Lacunza y Postigo 1977: 197).

[64] Lispki (1996: 101-108) analiza con gran agudeza los mecanismos que pueden haber conducido a este *lo* redundante en variedades tan separadas entre sí como el español andino y el español mexicano a partir de lenguas tan distintas como el quechua y el nahua. El español hablado en Yucatán, en contacto con el maya, también presenta este *lo* (Lispki 1996: 305-306).

(55) a. ¿Llevaste la mandió$_i$ a tu mamá? —Sí, $\emptyset_i$ llevé.
b. Tomé los platos$_i$ y $\emptyset_i$ puse en la cocina.
c. Eso no es verdad. —¿Quién $\emptyset$ dijo?
d. ¿Traés comida$_i$? —Traigo $\emptyset_i$.
e. ¡Déjame! No necesito dinero$_i$. —Cuando necesites $\emptyset_i$, no te daré $\emptyset_i$ ya más.
g. Él dijo palabras feas$_i$. —No dijo $\emptyset_i$. —Que dijo $\emptyset_i$ es evidente.

(56) a. Vos sabés, las cosas de mujeres$_i$ nadie $\emptyset_i$ entiende.
b. El lago Ypacaray$_i$ $\emptyset_i$ contaminaron.
c. ¿Esa ropa$_i$ era de papá? [...] ¿Le $\emptyset_i$ vas a dar a Kirito?
d. Me $\emptyset_i$ quitó otra vez [el juguete$_i$].
e. No vas a encontrar las botas$_i$ en la chacra. —Sí voy a encontrar $\emptyset_i$. Siempre $\emptyset_i$ encontré cuando $\emptyset_i$ busqué.
f. —[¿Adónde nos llevarán...?]$_i$ —No sé $\emptyset_i$ [...]. Hay que esperar para ver $\emptyset_i$.

La omisión se detecta de forma regular en los bilingües de nivel socio-cultural medio y bajo, decreciendo su intensidad en el habla más culta. Junto a estos objetos inanimados tácitos, el español popular paraguayo emplea la forma *le* como único clítico de tercera persona para los objetos animados, con independencia de la posición sintáctica ocupada por el antecedente y sin consideración de su género (cf. (57a-d)) ni de su número (cf. (57e-f)).[65] Igual que en el español andino ecuatoriano, *le* origina con alta frecuencia estructuras de redundancia pronominal.

(57) a. Le llevaba a su hijo arrastrando de su brazo. [Usher 1976: 55]
b. Y le mataron al zorro los perros. [Vidal 1964: 162]
c. Le saludo a la señora. [Vidal 1964: 161]
d. Le vi a una de ellas, muy sofocada, que corría desesperadamente [una empleada]. [Usher 1976: 53]
e. Es la edad más pesada para criarle a los chicos. [Sanicky 1989: 190]
f. Los peregrinantes acuden de todos los puntos del país, sin importarle los más duros sacrificios. [Usher 1976: 53]

El español empleado por hablantes de nivel socio-cultural más elevado introduce la distinción de número, distinguiendo *le* y *les* (58), y extiende el uso de esos pronombres para referir a objetos inanimados (59). Hay que destacar que la indistinción casual conduce a emplear la construcción impersonal *se le* para todo tipo de objetos, sin las restricciones de pronominalización que caracterizan a las zonas distinguidoras del caso (cf. la oración de (59e)).

[65] La omisión del pronombre referido a un objeto animado también es posible, pero mucho menos frecuente. Véanse las oraciones siguientes: *Cuando están enfermos ellos$_i$, siempre traigo $\emptyset_i$ para que me atienda la doctora* (Abadía e Irigoyen 1977: 219), *Cuando la criatura$_i$ [...] echa todo, la leche también, llevo $\emptyset_i$ a la salita y rápido mejora* (Abadía 1996: 210). El comportamiento del español paraguayo en el empleo de sus pronombres personales parece estar condicionado de forma clara por la lengua guaraní (según reconocen distintos investigadores, Usher, Abadía, Granda, Palacios). El guaraní carece de género y de marcas de concordancia flexiva para los objetos inanimados, pero puede referir opcionalmente a los animados a través de los pronombres tónicos *ichupe* (singular) o *ichupekuera* (plural). En el guaraní hablado tampoco se marca la diferencia de número, utilizándose *ichupe* para remitir a objetos animados singulares y plurales. El español de esta zona parece haber proporcionado a *le* (o a los tónicos de tercera persona) los empleos propios de *ichupe*.

(58) a. Yo les conozco [a todos los que están acá]. [Sanicky 1989: 189]
b. Viene alguien y les lleva [a las criaturas]. [Sanicky 1989: 189]
c. Uno les orienta como mejor puede [a las hijas]. [Sanicky 1989: 189]
d. Vos les tenés que asustar a las gallinas. [Vidal 1964: 162]

(59) a. El patio estaba seco, le regué un poquito. [Sanicky 1989: 190]
b. Un billete$_i$ medio viejo ya, pero no estaba roto, Demasiado bien me acuerdo que Ø$_i$ saqué y le$_i$ puse ahí. [Granda 1982: 263]
c. Tiene toda su torre iluminada, pero cuando yo le vi parece que no es tan alta como vos esperás. [Granda 1982: 263]
d. A la silla le dejo aquí. [Vidal 1964: 161]
e. Después que está frío, se le corta en pedacitos, [...] se le pone en la horma [la masa]. [Sanicky 1989: 190]

Es distintivo de la variedad española hablada en esta zona la posibilidad de emplear los pronombres tónicos de cualquier persona gramatical sin la duplicación que es obligatoria en el español general, en lugar de los átonos correspondientes (como en *Esta señora dijo a nosotros muchas cosas, Siempre has hablado a nosotros de esa señorita*). La influencia del guaraní, que sólo dispone de pronombres tónicos y exclusivamente para referir a antecedentes animados, debe ser responsable de este empleo. Según se observa en las oraciones de (60), el pronombre tónico de tercera persona puede funcionar con objeto directo o indirecto, pero su antecedente debe ser necesariamente personal.

(60) a. Se erró y bueno, ya no mandó a ella ni un quiniento [pesos]. [Abadía 1996: 214]
b. La maestra dice a ellos para venir temprano. [Usher 1976: 51]
c. Después de descansar invité a él para salir a pasear. [Usher 1976: 53]
d. (Le) encontré a ellos en el monte. [Usher 1976: 50]
e. Me vine y cuando encontré a él así... [Abadía e Irigoyen 1977: 221]
f. Si puede, lleva a ellos con la madre de él. [Abadía 1996: 213]

En Paraguay, donde el conocimiento del guaraní es general entre toda la población, estos usos son comunes en todo el país, pero especialmente intensos en los estratos más populares y en el habla informal de los estratos medios y superiores, abandonándose progresivamente según aumenta el nivel cultural del hablante, que, aun así, nunca renuncia al leísmo con referentes humanos o animados en el singular (Granda 1982: 263). La descripción de la situación en Argentina, en cambio, presenta el leísmo en retroceso como fenómeno no aceptado en la norma lingüística regional, cuyos hablantes prefieren las formas *lo(s)*, *la(s)* como pronombres de acusativo (Vidal de Battini 1964: 162; Sanicky 1989: 190).

21.3.3. El sistema pronominal del español hablado en contacto con el vasco

En el español hablado en el País Vasco y en el norte de Navarra se emplean los pronombres átonos de tercera persona de acuerdo con reglas sintácticas muy semejantes a las que encontramos en el español ecuatoriano y en el español guaraní. La norma estándar regional del español vasco, propia tanto de los hablantes bilingües como de los monolingües de origen autóctono, se caracteriza por emplear *le(s)* como pronombres que refieren a los objetos directos animados [⟶ §§ 28.1 y 28.5], con independencia de su género, y por poder formalizar la referencia a los objetos directos inanimados a través de un objeto nulo o de los pronombres acusativos del español general *lo(s)* y *la(s)*. Los pronombres de dativo se mantienen regularmente (Fernández-Ordóñez 1994, Landa 1993 y 1995). La tabla I esquematiza este sistema que ejemplifico en sus características diferenciales respecto del español general en las oraciones de (61) y de (62). [66]

TABLA I

<table>
<tr><th></th><th>ANIMADOS</th><th colspan="3">INANIMADOS</th></tr>
<tr><td rowspan="2">ACUSATIVO</td><td rowspan="2">le(s)</td><td>masculino</td><td>femenino</td><td>neutro</td></tr>
<tr><td>Ø / lo(s)</td><td>Ø / la(s)</td><td>Ø / lo</td></tr>
<tr><td>DATIVO</td><td>le(s)</td><td colspan="2">le(s)</td><td>le</td></tr>
</table>

(61) a. Yo le crié con leche condensada [al hijo]. (Mu)
b. Porque estaba tan guapa, tan hermosa estaba, como para mirarle [a una mujer]. (Mu)
c. Se suelta el cerdo, el carnicero le agarra de así. (Ap)
d. Fíjate lo que es el instinto del animal. Para que no le moleste nadie, ella se coge, se aparta y ... [la vaca]. (E)
e. Y a la madrugada les tienes todavía sin venir a casa [a los jóvenes]. (Mu)
f. Cogen cinco o seis vacas o terneros o lo que sea, y a esos tendrán que matarles. (Ga)
g. A las tardes no les verás, pero [...] a las doce de la noche o a la una de la mañana o eso, pues igual les verás por ahí [a las chicas]. (E)
h. A mí me gustaban mucho las ovejas [...], por eso les tengo todavía. (Le)

(62) a. Cogemos las vainas$_i$ en la huerta, $\varnothing_i$ llevamos a casa [...], cuando $\varnothing_i$ echas al puchero, [...] cinco minutos y fuera, $\varnothing_i$ echas encima de la mesa [...], cuando están secas, $\varnothing_i$ metes en la bolsa, al frigorífico. (Ap)

[66] Las oraciones citadas proceden de entrevistas realizadas en el País Vasco y en el norte de Navarra a individuos bilingües (Mundaca, Galdácano, Apatamonasterio, Leitza) o monolingües (Errea) de nivel socio-cultural bajo. Fueron grabadas como parte del corpus de español hablado en zonas rurales citado en la nota 10. La procedencia de cada cita se localiza mediante una sigla que indica el enclave en que fue obtenida. En la transcripción de las citas he omitido y regularizado ortográficamente los aspectos subestándar de la pronunciación. El resto de los ejemplos proceden de la tesis de Miren Alazne Landa (1995), cuya autora tuvo la amabilidad de enviarme.

b. Ni merece la pena de guardar Ø$_i$ hasta que venga el trapero, [...] yo Ø$_i$ tiré a la basura, por cincuenta pesetas que vas a tener ¿dónde vas a tener Ø$_i$? [la lana$_i$]. (Ap)
c. Mira, deja Ø$_i$ ahí en la calle, ya Ø$_i$ entrarás luego [la bicicleta]$_i$. (Bb)
d. ¿Qué hace esto aquí? No sé, su dueño Ø$_i$ trajo para arreglar y no ha vuelto [un coche$_i$]. [Landa 1995: 99]

Estos criterios de selección del pronombre son independientes de la estructura sintáctica. De este modo, si el antecedente es un objeto directo inanimado (determinado o no), son perfectamente gramaticales en el español vasco construcciones que requerirían un pronombre átono en el español general: tanto las oraciones simples con objetos tematizados (63) [→ §§ 20.2.2, 20.3.2 y 64.2.3], las interrogaciones sobre argumentos que se encuentren en una oración subordinada (64) [→ §§ 31.2.2 y 35.2.3], como las oraciones de doble pronominalización [→ § 19.5], ya se trate de pronombres dativos de objeto indirecto o de dativos superfluos (65), pueden carecer de clítico de objeto directo.

(63) a. Todo lo que tenías aquí ya Ø tenías vendido. (Ap)
b. Y eso$_i$ ¿por qué Ø$_i$ hacen? (Ap)
c. ¿Costillas? Aquello$_j$ le$_i$ Ø$_j$ quita el carnicero cuando va a partir el cerdo$_i$. (Ap)
d. La carta$_i$ no Ø$_i$ he escrito todavía. [Landa 1995: 180]
e. El carrito$_i$ ¿cuándo Ø$_i$ perdiste?
(64) a. ¿Qué libro$_i$ no sabes cuándo Ø$_i$ rompiste? [Landa 1995: 110]
b. Esto$_i$ creo que Juan Ø$_i$ ha visto. [Landa 1995: 108]
(65) a. Cuando me tocaba [hacer] guardia$_i$, me Ø$_i$ solía hacer uno de Briviesca. (Ap)
b. Yo no sé quién me Ø$_i$ hizo, tampoco no me acuerdo, si me Ø$_i$ hizo mi madre o mi novia [el traje$_i$]. (Ap)
c. Me agarró el collar$_i$ y me Ø$_i$ rompió. (Mu)
d. Y ellos te daban autorización$_i$ para matar, pero ahora no te Ø$_i$ dan. (Ap)
e. No tengo aquí el libro$_i$, pero te prometo que la próxima semana te Ø$_i$ traigo. [Landa 1995: 112]
f. Le tenías que besar la mano$_i$, de monaguillo, [...], él te Ø$_i$ ponía así y tú le besabas la mano. (E)
g. Y las joyas$_i$ que tenía la Dolorosa$_j$ [...], pero le$_j$ Ø$_i$ vendieron. (Mu)
h. Esta pobre$_j$ no tiene un vestidito$_i$, y a ver entre todos, a ver si le$_j$ Ø$_i$ hacen los hermanos. (Mu)
i. También tengo las fotos$_i$ del bote de J., pero están muy desenfocadas, así que no os Ø$_i$ mando. Los padres quieren que les Ø$_i$ mandemos aunque estén desenfocadas. [Landa 1995: 126]

Ello también es válido para las oraciones subordinadas, coordinadas o que siguen a aquella en que se encuentra el antecedente (66). La omisión del pronombre es posible tanto en aquellas oraciones subordinadas completivas como en las oraciones subordinadas adjuntas (cf. (66c, d) *vs.* (66e, f)). E incluso puede encontrarse dentro de las oraciones relativas o subordinadas a un sintagma nominal (cf. (66g, h)).

(66) a. Yo tenía en Elorrio un piso$_i$ [...], antes de venir aquí Ø$_i$ tenía cogido, ya sabía yo que íbamos a casar y ya Ø$_i$ tenía cogido. (Ap)
b. ¿Quién ha puesto ese disco$_i$? Juan Ø$_i$ puso. [Landa 1995: 101]
c. Al principio el libro$_i$ dice que Ø$_i$ leamos sólo si tenemos una mente abierta. [Landa 1995: 94]
d. Ese motor$_i$ produce una presión que es capaz de hacer Ø$_i$ explotar en cualquier momento. [Landa 1995: 95]
e. Te presto el coche$_i$ {con tal de que/para que} Ø$_i$ laves. [Landa 1995: 96]
f. Pudimos comprar entradas$_i$ porque encontramos Ø$_i$. [Landa 1995: 89]
g. ¿Hubo cerveza$_i$ en la fiesta? Sí, además conozco al muchacho que trajo Ø$_i$.
h. Sí, existe el rumor de que alguien trajo Ø$_i$. [Landa 1995: 83] [67]

En este sentido, según señala Landa (1995: 84-91), más que restricciones estructurales, el factor que determina la posibilidad de omitir un objeto directo inanimado es que su antecedente haya sido introducido previamente como tema o tópico [→ § 64.2], esto es, que se trate de información conocida y recuperable de acuerdo con el principio pragmático de la continuidad del tópico. No obstante, también influye la denotación del objeto. Los dos contextos que favorecen nítidamente la omisión son las construcciones ditransitivas y cuando el antecedente es una oración o un predicado. Esto es, contextos en los que no suelen existir dudas sobre el carácter inanimado del objeto. Ilustro este segundo contexto en (67).

(67) a. Tengo que [comprar un taladro]$_i$, pero no hay prisa, si no puedo hacer Ø$_i$ hoy, no importa. [Landa 1995: 112]
b. Yo no sé [qué pasó entre Juan y Pablo]$_i$ porque no Ø$_i$ vi. [Landa 1995: 126]

El leísmo de los objetos directos animados en el español vasco es la otra cara de la misma moneda. Con cierta frecuencia, el leísmo es además redundante, esto es, *le(s)* se acompaña del objeto directo situado en su posición canónica, según se observa en las frases de (68).

(68) a. ¡Si no podemos hacer esto! ¡ni un recado!, le encontramos a la gente y no podemos venir a casa. (Mu)
b. Y yo decía ¿la hija le va a dejar («abandonar») a la madre? (Mu)
c. ¿Estamos bien educándoles a los niños? (Ga)
d. Le acompañabas a una chica, o le sacabas del baile. (Ga)

[67] Hay que resaltar que las oraciones (66f-h) permiten la omisión del clítico no sólo en el español vasco, sino en cualquier dialecto del español, contra lo que sostuvo Campos (1986), siempre que el antecedente sea un sintagma nominal sin determinación (cf. Landa 1995: 82-84).

Hay que destacar que los objetos animados requieren ser referidos por un pronombre, esto es, por *le(s),* en todos los contextos en que es posible omitir el clítico antes señalados salvo en uno: las oraciones de doble pronominalización, estructura en que el español vasco admite con regularidad la omisión del pronombre referido a un objeto directo animado, quizá debido a razones semánticas (el objeto directo animado es menos partícipe del evento que el objeto indirecto). Contrástese la presencia del pronombre cuando se antepone el tema (69a, b) o el foco (69c), frente a su falta en las oraciones ditransitivas de (70).

(69) a. A esta le llevó la madre a Francia para que no le viole nadie. (Mu)
b. Ha habido perro que al mismo dueño le ha mordido. (Ga)
c. Hoy en día ni a un loco no le veo ni reír. (Ga)

(70) a. No vayas a buscar al niño$_i$, que Juan te Ø$_i$ trajo. [Landa 1995: 131]
b. Le$_j$ tuvieron que sacar Ø$_i$ [la cría$_i$ a la vaca$_j$]. (E)
c. ¿Quién mataba al cerdo$_i$? —En mi casa no mataba nadie, o sea, siempre llevabas un carnicero del pueblo [...], y aquel nos Ø$_i$ mataba. (Le)

No obstante, la omisión del clítico parece depender no sólo de los rasgos semánticos del objeto sino también de los del verbo. Si el verbo transitivo presenta aspecto estativo [⟶ § 46.3.2], desde el punto de vista léxico, o imperfectivo [⟶ § 48.1.2], la omisión del clítico es también posible referida a objetos animados (Landa 1995: 127-137). Los datos de que dispongo parecen corroborar plenamente esa impresión, ya que la ausencia de clíticos para objetos animados se produce sobre todo con verbos de aspecto estativo, como *conocer* o *tener* (71), o asociada a contextos verbales imperfectivos y modales (72).

(71) a. No le conozco a la novia$_i$ de Txetxu. ¿Tú Ø$_i$ conoces? [Landa 1995: 118]
b. Ayer me llamó Joseba$_i$, no sé si Ø$_i$ conocisteis. [Landa 1995: 129]
c. Antes no había esa cosa de autobuses, yo Ø$_i$ he tenido cinco años interno en Universidad de Deusto... un año que no podía entrar, Ø$_i$ tuve donde la prima y luego cuatro años allí en colegio, en Deusto [al hijo$_i$]. (Ap)
d. Cuando teníamos los hijos$_i$ en casa, yo tengo cinco hijos, y ... cuando Ø$_i$ teníamos en casa, ya matábamos [cerdos]. (Le)
e. Y la chica menor$_i$ Ø$_i$ tengo en Vitoria. (Le)

(72) a. El cerdo$_i$ se cogía, claro, de la pocilga Ø$_i$ sacábamos [..]. Y después estaban, pues, cuatro hombres o así para coger Ø$_i$ de las patas y Ø$_i$ echaban encima de la mesa. (Le)
b. La gallina$_i$, pues ya, cuando era mayor, Ø$_i$ comías en casa. (Ap)
c. Tienes allí una mujer$_i$ que es viuda y no queremos que Ø$_i$ trates mal ¿eh? (Ap)
d. Si pare en la cuadra, pues a veces Ø$_i$ encuentras igual parida [la vaca$_i$]. (E)
e. Nunca en la vida solía llevar Ø$_i$ yo al médico [a los hijos$_i$]. (Le)

f. Las ovejas$_i$ tendré también que quitar $Ø_i$. (Le)
g. Déjale al perro$_i$ aquí que viva, déjale. Llámale a tu hermana que no vamos a llevar $Ø_i$ y ya está. [Landa 1995: 129]

El leísmo del español vasco condiciona también el empleo del *se* impersonal seguido de pronombre, de modo que *se le(s)* puede resultar tanto de la pronominalización de un objeto indirecto como de la de un objeto directo animado (no siendo esperable la de los inanimados). En ello no difiere esta construcción del uso general del español de las zonas hispanoamericanas distinguidoras del caso, pero sí de la norma peninsular que, según señalé antes (cf. el § 21.2.1.6), parece preferir *se la(s)* para los objetos directos animados femeninos. En las oraciones de (73) se muestran pronominalizaciones de objetos directos animados con *se* impersonal en el español vasco.

(73) a. Allí se le atiende a la gente. (Ap)
b. Se le agarra, se le echa encima [de] la mesa [al cerdo]. (Ap)
c. A las viudas mal no se les ha mirado nunca. (Mu)
d. A la que más, así, más pobre se le ve [a una mujer]. (Mu)

Aunque la omisión de los clíticos de objeto directo y el leísmo sean fenómenos ampliamente arraigados en el español vasco de todos los niveles socio-culturales (según la impresión de Landa (1995: 70)), el grado de omisiones y el manejo correcto de los pronombres de acusativo *lo(s)/la(s)* sí se encuentra condicionado por el nivel de dominio del español alcanzado por los bilingües (Fernández-Ordóñez 1994). Los bilingües de nivel sociocultural bajo y de conocimiento rudimentario del español tienden a omitir la mayoría de los clíticos de acusativo, incluidos los referidos a objetos animados, y a ignorar por completo los pronombres *lo(s)/la(s)*. Dentro de los objetos directos animados, los antecedentes personales registran un grado mucho menor de omisiones que los no-personales, estableciendo la referencia pronominal a través de la forma *le(s)*. A su vez, estos hablantes, aunque de forma muy esporádica, también pueden remitir a un objeto directo inanimado a través de *le*, según se muestra en las oraciones de (74).

(74) a. Yo tenía en Elorrio un piso$_i$ pagándole$_i$. (Ap)
b. Sí, cuajo$_i$, eso. Y luego pues coger $Ø_i$ y meterle$_i$ en un cacharro. (Ap)
c. Sí, cuando se está matando, pues una está cogiendo $Ø_i$ y meneándole$_i$ para que no se cuaje [la sangre$_i$]. (Mu)

Cuando aumenta el conocimiento del español, aparecen tímidamente entonces los clíticos de acusativo masculino y femenino *lo(s)* y *la(s)*, más el neutro *lo*. Esos pronombres se abren camino en los contextos en que el referente es inanimado, penetran parcialmente cuando es animado y nada si es personal. Las áreas de la animación y de lo personal quedan, pues, reservadas preferente o exclusivamente a *le, les*.

Estos hechos nos aclaran algo del origen del leísmo del español vasco. La fuerte asociación de *le(s)* con los objetos directos humanos se explica porque ese empleo resulta de haber extendido los pronombres del dativo al acusativo. Ese mecanismo de extensión también aclara el porqué de la elevada redundancia pronominal de los objetos directos: estos se doblarían a imitación de los indirectos. Los motivos que condujeron a semejante generalización de los empleos de *le(s)* deben buscarse en la dificultad que experimentan los bilingües iniciales para dominar el género del español, categoría inexistente en su lengua materna. Ante la duda a la hora de seleccionar un pronombre de acusativo cuando no se domina el género, se recurre al clítico de dativo *le*, único que puede referir tanto a antecedentes masculinos como femeninos. Esta opción se ve reforzada por la analogía que este aumento de las posibilidades referenciales de *le* crea con los clíticos de primera y segunda personas, *me, te,* que no distinguen género ni caso y que siempre tienen un antecedente personal, tal como le sucede a *le* en más del 90 % de los casos.

El hecho de que lenguas de familias tan lejanas entre sí como el quechua ecuatoriano, el guaraní paraguayo y el vasco hayan conducido a reinterpretaciones de las formas del paradigma pronominal del español coincidentes en este aspecto sólo puede deberse a que todas ellas presentan una dificultad en común para todos los aprendices de español: la carencia de la categoría flexiva de género. En cambio, los motivos por los que el español en contacto con esas lenguas arroja el mismo resultado de permitir la omisión de clíticos de objeto directo inanimado no son tan claros. Sin embargo, es preciso subrayar que en todas ellas no existen pronombres clíticos y que la concordancia del verbo con el objeto se establece en la morfología flexiva verbal, siendo siempre posible en algún caso, si bien con importantísimas diferencias respecto a los contextos que lo permiten, la expresión de esa concordancia con el objeto directo a través de un morfema no realizado fonéticamente. [68] En este sentido, creo necesario resaltar que los pronombres de dativo nunca resultan omitidos en estas variedades del español. [69]

21.4. El sistema pronominal astur-cántabro

En el dominio lingüístico del astur-leonés centro-oriental y del español cántabro los pronombres personales tónicos y átonos distinguen con marcas morfológicas la categorización sintáctica de los nombres en continuos (esto es, no-contables) o discontinuos (contables) [⟶ § 1.2]. [70] Veámoslo con más detalle.

21.4.1. El sistema del español hablado en Asturias [71]

En el español hablado en la zona central y oriental de Asturias, esto es, en los territorios comprendidos entre el río Nalón y el Deva, y por lo que respecta a los pronombres átonos de tercera persona, la marca de continuidad / discontinuidad del

---

[68] Véase Landa 1995: cap. 5 para un análisis detallado de la hipótesis de influencia indirecta del vasco sobre el español de la zona, en contraste con la de influencia quechua-español. Para la relación guaraní-español en este aspecto, véase Palacios 1998.

[69] Por supuesto, en el uso general de esas zonas, ya que los bilingües que comienzan su aprendizaje del español pueden en principio presentar ausencia completa de los clíticos (cf. Klee 1989).

[70] Además de numerosas monografías dialectales, hablan globalmente de este fenómeno, que afecta también a adjetivos en posición predicativa, demostrativos, interrogativos, cuantificadores, posesivos, etc., Neira (1978) y García González (1978, 1979, 1981 y 1988).

[71] Resumo aquí lo expuesto en Fernández-Ordóñez 1994: 100-104.

referente afecta únicamente a los pronombres de acusativo singular (ya que los plurales son obviamente contables) y se sobrepone a la de género, anulándola, según se representa en la tabla II. Los ejemplos de (75) muestran cómo esta reorganización particular del acusativo, que es el resultado de adaptar al español el sistema vigente en el romance astur-leonés centro-oriental, [72] se separa únicamente del sistema distinguidor del caso en el empleo de *lo* para referirse a los nombres femeninos categorizados como continuos. El contraste entre (75b, c) muestra que no es la unidad léxica, sino su categorización como discontinua o continua lo que decide el pronombre seleccionado.

TABLA II

<table>
<tr><td rowspan="4">ACUSATIVO</td><td colspan="4">DISCONTINUOS</td><td colspan="2">CONTINUOS</td></tr>
<tr><td colspan="2">SINGULAR</td><td colspan="2">PLURAL</td><td>masculino</td><td>femenino</td></tr>
<tr><td>masculino</td><td>femenino</td><td>masculino</td><td>femenino</td><td rowspan="2">lo</td><td rowspan="2">lo</td></tr>
<tr><td>lo</td><td>la</td><td>los</td><td>las</td></tr>
<tr><td>DATIVO</td><td colspan="2">le</td><td colspan="2">les</td><td colspan="2">le</td></tr>
</table>

(75) a. La leche lo traen de las montañas para venderlo.
b. Coge esa manzana y cómetela.
c. La manzana da gusto verlo en el árbol.

21.4.2. El sistema del español cántabro [73]

En el habla general de la mayor parte de Cantabria, desde la cuenca del río Deva hasta la del Agüera, aparece una pequeña variación formal sobre el sistema de la Asturias centro-oriental, pero de gran importancia, que consiste en que la forma propia del acusativo masculino contable y singular *lo* se reemplaza por *le*. Encontramos, así, leísmo, ya que se emplea *le* como única forma para el acusativo y dativo masculinos cuando el referente es discontinuo (tabla III). Los ejemplos de (76) ilustran pronominalizaciones de objetos directos masculinos y discontinuos y los de (77) la doble pronominalización en construcciones ditransitivas.

---

[72] El astur-leonés centro-oriental emplea los pronombres de acusativo *lu, la/los, las* ~ *les* para referirse a los discontinuos y *lo* para los continuos, mientras que los pronombres de dativo presentan las formas *y/yos*. En los concejos más orientales de Asturias y en los valles altos de los ríos Deva, Nansa y Saja en el occidente cántabro, se modifica este sistema astur sustituyendo los pronombres de dativo *y/yos* por los castellanos *le/les* (y aparece *se* como pronombre de dativo).

[73] Sigo aquí lo expuesto en Fernández-Ordóñez 1994: 104-107, ampliándolo en algunos aspectos. Véase ese trabajo y la bibliografía allí citada para más detalles.

TABLA III

<table>
<tr><td rowspan="4">ACUSATIVO</td><td colspan="4">DISCONTINUOS</td><td colspan="2">CONTINUOS</td></tr>
<tr><td colspan="2">SINGULAR</td><td colspan="2">PLURAL</td><td>masculino</td><td>femenino</td></tr>
<tr><td>masculino</td><td>femenino</td><td>masculino</td><td>femenino</td><td rowspan="2">lo</td><td rowspan="2">lo</td></tr>
<tr><td>le</td><td>la</td><td>los</td><td>las</td></tr>
<tr><td>DATIVO</td><td colspan="2">le</td><td colspan="2">les</td><td colspan="2">le</td></tr>
</table>

(76) a. Tenemos un frigorífico nuevo. Le hemos puesto aquí.
b. Vimos ese perro y le compramos.
c. A Juan hace tiempo que no le veo.
(77) a. María quería un coche y se le hemos regalado.
b. ¿El collar del perro? Se le quitamos.
c. A Juan ya te le presenté.

Esta extensión de *le* al acusativo provoca algunas modificaciones respecto del empleo habitual de los pronombres en las zonas plenamente distinguidoras. Ejemplo de ello es la construcción impersonal con *se,* que presenta en Cantabria pronominalizaciones en *se le* tan frecuentes cuando el antecedente es animado como cuando es inanimado (78a, b). Es necesario destacar que ello también debe haber favorecido el uso de *se les* referido a objetos plurales inanimados, que ofrece en Cantabria una frecuencia de aparición inusitada respecto a la de otras zonas distinguidoras del caso (78c, d) (cf. el § 21.2.1.6).

(78) a. El cerdo se le cogía, se le mataba, se le limpiaba con una teja.
b. El jamón se le tiene mucho tiempo colgado y luego se le baja.
c. A los niños se les ve enredar desde aquí.
d. Los jamones, al sacarlos de la sal, se les prensaba.

Por otro lado, en este sistema *lo* sigue siendo el pronombre seleccionado para referir a los antecedentes continuos [→ § 1.2.4] con independencia de su género (79a, b). Conviene señalar que los plurales genéricos equiparables a nombres de materia también pueden ser categorizados como continuos y, en consecuencia, ser referidos por *lo* (79c, d). Ello es una muestra más de las características sintácticas que comparten los nombres continuos y los plurales genéricos, como, por ejemplo, la de poder prescindir de determinación en ciertos contextos (Bosque 1996: 17-34).

(79) a. Se llevaba (el) maíz al molino y allí lo molían.
b. En el verano había que recoger (la) hierba y traerlo a casa para el invierno.
c. ¿Tenían medicinas? Las medicinas no lo había antes.
d. Sembrábamos (las) patatas a mano y ahora lo siembran a máquina.

De todo el paradigma cántabro, es el empleo de *lo* referido a antecedentes continuos femeninos el más sensible a la variación sociolingüística. Percibido como altamente dialectal, se sustituye progresivamente por *la* según avanza el nivel sociocultural de los hablantes (García González 1978).

21.4.2.1. La formación del sistema cántabro

El empleo de *le* como pronombre de acusativo en el español de Cantabria tiene probablemente su origen en el contacto secular de esos territorios con el área vascona situada al oriente. Si el establecimiento de marcas gramaticales que permitieran distinguir en la referencia los entes continuos de los discontinuos es de origen asturleonés, la sustitución de la forma leonesa *lu* por *le* debe haber sido favorecida por la influencia del español hablado por los vecinos vascos, que, según hemos visto (§ 21.3.3), ofrece la particularidad de extender al acusativo la forma dativa *le* cuando el antecedente es animado.

La reinterpretación del valor sintáctico de *le* se tuvo que producir lógicamente a partir de contextos como (80a, b), en que un antecedente animado [74] y masculino se veía referido por *le* en el español hablado por vascófonos, pero también a partir de la mala comprensión de oraciones como las de (81), en las que un argumento aparentemente referido por *le* sólo puede recibir, para el hablante no-vasco de romance, caso acusativo. Se trata de oraciones ditransitivas en que el objeto directo es inanimado y masculino. En ellas el antecedente de *le* sólo puede ser el objeto indirecto para el hablante del español vasco, ya que, como hemos visto (§ 21.3.3), en esa variedad del español los objetos directos inanimados no son habitualmente referidos por un clítico (81a-c). En cambio, el interlocutor no-vasco interpreta categóricamente que el antecedente de *le* es el objeto directo, puesto que en su propia variedad no son posibles los objetos nulos específicos (81a′, c′).

(80) a. El caballo le ves desde aquí.
b. Al hijo le tengo estudiando en Bilbao.

(81) a. María$_i$ compró un vestido precioso$_j$ para ti, pero la aduana le$_{i,*j}$ Ø$_j$ requisó.
b. Después de comprar el regalo$_j$ a Pedro$_i$, le$_{i,*j}$ Ø$_j$ dejamos allí.
c. ¿Devolviste el libro$_j$ a Juan$_i$? —Ya le$_{i,*j}$ Ø$_j$ devolví.
a′. María$_i$ compró un vestido precioso$_j$ para ti, pero la aduana le$_{*i,j}$ requisó.
b′. Después de comprar el regalo$_j$ a Pedro$_i$, le$_{j,*i}$ dejamos allí.
c′. ¿Devolviste el libro$_j$ a Juan$_i$? —Ya le$_{j,*i}$ devolví. [75]

La reinterpretación de *le* se dio exclusivamente con referentes masculinos y discontinuos, aunque *le* también puede referir a antecedentes femeninos animados

[74] El leísmo para antecedentes inanimados es también posible en el español de bilingües iniciales *(Con traje negro casar y tenerle yo para toda la vida)*, pero su frecuencia es bajísima, ya que para ese tipo de antecedente lo característico de esta variedad del español es un objeto nulo. Véase el § 21.3.3.

[75] Ello no sólo predice la agramaticalidad de oraciones de un único objeto específico sin copia pronominal ((ia) *vs.* (iia)), según es bien sabido, sino que también implica la presencia del objeto directo (sea como sintagma nominal pleno o a través de un pronombre) en toda oración ditransitiva (cf. (ib-d) frente a (iib, c)). Hay que puntualizar que la oración (iib) seguiría siendo agramatical aunque estuviese presente el clítico *lo (*Ya lo devolví a María),* dado que en las oraciones ditransitivas existe una restricción que impide cliticizar sólo el objeto directo [⟶ § 19.5.7.2].

(i) a. El vestido ya lo devolví.

en el español vasco (§ 21.3.3). Ello hay que atribuirlo al deseo de mantener las distinciones de género y de continuidad o discontinuidad de los antecedentes, manifestadas en el español cántabro no sólo por los pronombres átonos, sino por los tónicos (personales, demostrativos, posesivos) y los adjetivos. Frases como (82a, b) en que el antecedente de *le* es femenino (o aparentemente continuo, (82c)) se sienten necesariamente como foráneas en el español no-vasco, que requiere de la concordancia flexiva, y no pueden dar lugar por ello a una reinterpretación del pronombre. Recordemos que el éxito de *le* como forma para referir a los objetos masculinos discontinuos también se relaciona precisamente con el afán de mantenerlos formalmente diferenciados de los continuos referidos por *lo*.

(82) a. A María$_i$ Pedro no le$_i$ conoce.
b. Regresé a aquella tienda$_i$ y la falda$_j$ le$_i$ $\emptyset_j$ devolví.
c. Hemos restaurado esta mesa$_i$. Lo sucio$_j$ le$_i$ $\emptyset_j$ hemos raspado.

21.4.2.2. Del sistema cántabro al referencial castellano

Aunque el sincretismo entre el acusativo y el dativo en la forma *le* no implica que haya confusión entre ambos en el resto de las situaciones, este leísmo constituye sin duda el primer paso que conduce a un proceso de pérdida de las distinciones casuales. Así lo sugiere el hecho de que en el centro-oriente de Cantabria (valles de los ríos Besaya, Pas, Pisueña y Miera especialmente) los pronombres de acusativo *la, las* y *lo* se extiendan al dativo con referente femenino y continuo, respectivamente, y que en menor medida el leísmo esté penetrando en el plural.[76] Esta incipiente pérdida de las distinciones de caso provoca una reorganización de las posibilidades de pronominalización en la construcción impersonal con *se:* en la zona mencionada puede aparecer esporádicamente *se la, las* referidos a un objeto directo o (incluso) indirecto (animado o inanimado) (83a, b).

(83) a. Se hacía una encina de leña, se la tapaba con tierra y se la prendía fuego.
b. A las vacas se las dejaba que tuvieran el ternero y se las daba verde.

Si me he detenido en estas divergencias propias de la zona centro-oriental de Cantabria es porque muestran el camino que condujo a la formación del llamado sistema referencial castellano. En efecto, en las comarcas rurales y montañosas del sur de Cantabria y las zonas vecinas del noroccidente de Burgos, aunque *la, las* y *lo* continúan compitiendo con *le, les* como pronombres de dativo y *les* con *los* como

b. Ya devolví el vestido a María.
c. Ya le devolví el vestido [a María].
d. Ya se lo devolví [a María].
(ii) a. *El vestido$_i$ ya $\emptyset_i$ devolví.
b. *Ya $\emptyset_i$ devolví a María.
c. *Ya le$_j$ $\emptyset_i$ devolví (a María$_j$).

[76] El laísmo *(A las vacas las damos verde, A la oveja la marcan las orejas)* puede alcanzar en esta zona hasta el 50 % de las ocurrencias, según mis datos. En cambio, *lo* como dativo referido a antedentes continuos *(A la sangre lo dan vueltas)* y *les* como acusativo plural tienen un empleo muchísimo más restringido (quizá no superior al 15 %). Sin embargo, en el área del bajo Pas y en la ciudad de Santander me inclino a suponer mucho más avanzada la confusión entre dativo y acusativo.

forma de acusativo, según sucedía en las comarcas cántabras al norte, la proporción de usos confundidores y distinguidores se invierte, triunfando abiertamente *la, las* como dativos, mientras que, sin obtener tanto éxito, *les* lucha por desplazar a *los* del acusativo y *lo* a *le* del dativo referido a entes continuos. La completa reorganización del paradigma eliminando las distinciones casuales y dando lugar al sistema referencial sólo se encuentra en los territorios situados algo más al sur en Palencia y en Burgos.

21.5. El uso pronominal castellano: el sistema referencial[77]

21.5.1. Características generales

El empleo de los pronombres átonos de tercera persona se ajusta en el español hablado hoy en la mitad noroccidental de Castilla a principios basados exclusivamente en las propiedades inherentes del antecedente, prescindiendo de la posición (a saber, función) sintáctica que este ocupe en la oración. Se viene conociendo este sistema con el nombre de 'referencial' porque los principios que deciden la elección del pronombre desatienden las distinciones funcionales de caso para establecer la referencia atendiendo, en primer lugar, a la categorización del antecedente en continuo o discontinuo [→ § 1.2], y en segundo lugar, si es discontinuo, al género y al número [→ Cap. 74].[78] La tabla IV representa el paradigma castellano occidental de los pronombres átonos, que ejemplificamos sumariamente en (84), (85) y (86).

TABLA IV

	DISCONTINUOS				CONTINUOS
ACUSATIVO	SINGULAR		PLURAL		
	masculino	femenino	masculino	femenino	
	le	la	les (A) los (B) les ~ los (C)	las	lo
DATIVO	le	la	les (A) los (B) les ~ los (C)	las	lo

[77] Aunque resumo aquí lo expuesto en Fernández-Ordóñez 1994, donde pueden encontrarse más detalles, actualizo algunas cuestiones y amplío ese trabajo con lo tratado en los §§ 21.5.2.2, 21.5.3 y 21.5.4.

[78] Véase en Bosque 1983 y 1996 un detallado análisis del comportamiento sintáctico de nombres continuos y discontinuos.

(84) a. Al niño le llevaron al hospital y le hicieron una radiografía.
b. Al cerdo le clavan el cuchillo para matarle.
c. El tractor hace tiempo que le vendimos para desguace porque le hubiéramos tenido que cambiar el motor.

(85) a. A María la recoge un autobús para llevarla al trabajo y la dan de comer allí.
b. A la oveja hay que esquilarla teniendo cuidado de no darla cortes.
c. A esa camisa la quité el cuello para arreglarla.

(86) a. El embutido se cura colgándolo para que lo dé el aire.
b. Según recogías la sangre del cerdo, lo revolvías, ibas dándolo vueltas.

Aunque todos los nombres de materia son continuos, pueden ser recategorizados como contables, y en ese caso, se altera consecuentemente el pronombre seleccionado. Constituyen ejemplos modelo de este contraste los que producen nombres como *queso, lomo, chorizo* o *pan.* El queso, considerado como materia, se ve referido por *lo,* pero cuando de la materia surgen las varias unidades, inmediatamente los pronombres seleccionados son los propios de los nombres discontinuos. *Pan, chorizo* y *lomo* dan lugar a idéntica alternancia: el pan, el lomo o el chorizo como materia frente a las entidades discretas, los panes, los lomos, los chorizos (87a, b). La recategorización también puede tener lugar en sentido inverso. Por ejemplo, *cerdo* es un nombre contable y referido por *le,* pero si se reinterpreta como «la carne de cerdo», el pronombre empleado es *lo* (88a). Lo mismo sucede con *conejo* en cuanto deja de ser un animal para convertirse en «el guiso de conejo», o con *teléfono* si en lugar del aparato denota «el servicio de teléfono» (88b, c).

(87) a. La leche lo cuajaban; entonces ese queso lo metían en unos aros, lo prensaban y lo dejaban escurrir. Al día siguiente sacabas los quesos y les llevabas a vender, y si te sobraba alguno, le dejabas para casa y nos le comíamos.
b. El chorizo lo embuten y lo cuelgan. Despues lo metemos en ollas con aceite y manteca, y cuando quieres uno, le sacas, le fríes y te le comes.

(88) a. El cerdo le sujetamos entre varios y le matan. Después le limpiamos, le colgamos y le abrimos. Luego sólo hay que picarlo, adobarlo y embutirlo. Yo ya no lo pruebo porque me lo ha prohibido el médico.
b. Al conejo le mato y le quito la piel. Luego lo preparo con laurel, cebolla y un poquito de vino.
c. En este pueblo el teléfono lo pusieron hace diez años, pero nosotros le tenemos sólo desde el año pasado.

Los nombres de materia, que son gramatical y referencialmente continuos, se muestran regularmente referidos por *lo: leche, suero, mantequilla, cuajada, manteca, miel, cera, aceite, sal, pimienta, azúcar, sangre, cebolla, pimentón, carne, tocino, lana, leña, madera, resina, tela, piel, trigo, paja, cebada, alfalfa, grano, remolacha, tierra, hierba, abono, nitrato, queso, harina, masa, pan, levadura, vino, orujo, agua, gaseosa, uva, caldo, carbón, azufre, jabón, pescado, café, tomate, dinero,* etc. Nombres continuos que no denotan materia y ofrecen idéntico comportamiento son *ropa, gente* o *ganado.* Colectivos como *ajuar* suelen categorizarse como discontinuos *(El ajuar le cosió ella),* mientras que los nombres abstractos pueden o no ser referidos por *lo* dependiendo de su carácter continuo o discontinuo. Los escasos ejemplos de nombres abstractos de que dispongo parecen sugerir esta alternancia (89):

(89) a. Antes había otro respeto, que ahora no le hay.
b. Teníamos mucho respeto a los padres, vaya si lo teníamos.

Estos criterios de referencia son válidos tanto si el antecedente es definido (90a) como indefinido (90b, c) [→ §§ 5.2.1, 5.2.3 y 12.1-3], específico (90a, b) o inespecífico (90c, d) [→ §§ 5.2.1 y 12.2.3.1], tanto si el pronombre tiene un valor de tipo o genérico (90c, d) o denota un individuo concreto (90a, b y e), bien se trate de un empleo anafórico (90a-d) o de uno deíctico (90e).

(90) a. El coche le hemos llevado al taller.
b. Se han comprado un coche nuevo, pero todavía no le han traído.
c. Si un señor quiere un coche, le tiene que pagar.
d. El coche es muy peligroso, hay que conducirle siempre con cuidado.
e. ¿Es este tu coche nuevo? ¿Me le enseñas por dentro?

Aunque en el plural la eliminación del caso es tan general como en el singular, el pronombre escogido para referir a antecedentes masculinos y discontinuos varía según las zonas. En el área norte del sistema referencial (este de León, Palencia, noroccidente de Burgos, Valladolid) es *les* (solución A). En cambio, la zona sur prefiere *los* (este de Salamanca, Ávila, este de Cáceres, oeste de Toledo y de Madrid) (solución B). La variación en las formas seleccionadas para el plural masculino es comprensible si nos fijamos en el paradigma de pronombres personales que se reinterpretó para dar lugar al sistema referencial. Mientras que todos los pronombres del antiguo paradigma encontraron un significado funcional concreto en el nuevo, para la expresión del plural masculino el sistema distinguidor ofrecía dos formas, *los* y *les.* Por un lado, la analogía con otras series pronominales pudo favorecer la selección de *los,* apoyada por los plurales masculinos *ellos, estos, esos, aquellos.* Por otro, *les* parece resultar la más adecuada desde el punto de vista de la coherencia interna del sistema referencial. Mientras que *lo* sirve para referir a entidades que no pueden pluralizarse, las continuas, *le* es el clítico empleado en el singular para referirse al mismo tipo de entidades a las que se remite necesariamente en el plural, las discontinuas. Si el plural de *la* es *las,* el de *le* debería ser *les.* No obstante, la generalización de *les* o de *los* debe haber sido relativamente moderna, ya que en algunas áreas del sistema referencial ambas conviven en estado de relativa igualdad para referir a posiciones sintácticas de objeto directo o indirecto (este y sur de Burgos, sur de Valladolid, norte y centro de Segovia, oeste de Soria) (solución C). Ejemplifico la variante (A) en (91) y la (B) en (92). La solución (C) se caracteriza por aceptar tanto las oraciones de (91) como las de (92).

(91) a. A los niños les dan de comer en el colegio. Por la tarde les trae un autobús.
b. Los cerdos les comprábamos de pequeñitos; para comer, les echábamos cebada.
c. A los colchones había que sacarles la lana para deshacerles.

(92) a. Cuando venían los quintos, los recibían y los daban dinero.
b. Cuando criaba conejos, los tenía en jaulas y los echaba pienso compuesto.
c. Esos muebles antiguos los llevó al casarse, pero antes los quitó el polvo.

Frente a la variación en el masculino, no es extraña, en cambio, la clara preferencia por *las* para remitir a antecedentes femeninos plurales. Puesto que en el sistema referencial el único rasgo pertinente para el establecimiento de la referencia en el plural es el género, *las* era la única forma disponible que podía señalarlo sin ambigüedad (93).

(93) a. A mis nietas las he explicado bien todas las cosas de antes.
b. A las vacas las dábamos de comer garbanzos y luego las sacábamos al campo.
c. Las patatas, las pelas, las cortas, las das una vuelta en la sartén y están buenísimas.

Las pautas de funcionamiento del sistema referencial en sus diversas variantes permiten aclarar el porqué de las frecuencias de leísmo, laísmo y loísmo tradicionalmente observadas. En el singular, si el leísmo referido a antecedentes animados resultaba ser más frecuente que aplicado a inanimados (leísmo de cosa), ello es debido al carácter necesariamente discontinuo de los primeros, frente a la división de los segundos en discontinuos (referidos por *le*) y continuos (referidos por *lo*) (Klein-Andreu 1981). Téngase en cuenta que el carácter continuo o no de los antecedentes organiza la referencia pronominal no sólo en el área referencial sino también en el español cántabro. Por otro lado, si en el plural el leísmo está estadísticamente menos extendido que en el singular, ello se explica por ser *les* el pronombre masculino del plural sólo en ciertas áreas del sistema referencial (en la A y parcialmente en la C). Reunidos los datos de individuos procedentes de varias zonas castellanas, es evidente que *les* nunca podía aparecer como forma mayoritaria frente a *los*. En cuanto a la frecuencia más alta del loísmo en plural, se entiende si consideramos dos hechos. Primero, que sobre el total de ejemplos de uso pronominal los casos de dativo referido a entes continuos es siempre muy escaso. Segundo, que existe un área referencial que ha hecho de *los* la forma del plural masculino y otra en que *los* alterna con *les* en ese contexto (B y C, respectivamente).

21.5.2. Implantación geográfica y social

21.5.2.1. Área geográfica

Podemos encontrar empleos atenidos a las pautas del sistema referencial en una amplia área peninsular que comprende los territorios del occidente y centro de Castilla situados al sur de la cordillera cantábrica hasta alcanzar La Mancha. [79] Em-

[79] Véase Fernández-Ordóñez 1994: 114-118, donde describo pormenorizadamente la isoglosa que separa las zonas distinguidoras de las confundidoras del caso en la Península.

pleos referenciales existen, pues, en el este de León, Palencia, Valladolid, Burgos, extremo occidental de La Rioja, franja oriental de Salamanca, Ávila, Segovia, oeste de Soria, mitad este de Cáceres, Toledo salvo la zona suroriental, Madrid y extremo oeste de Guadalajara. Sin embargo, el grado de implantación de los empleos referenciales no es, en absoluto, el mismo en todos esos territorios. En general, todas las zonas fronterizas muestran estados transicionales en que compite el sistema basado en el caso con el referencial. Estas zonas son de máximo interés, ya que nos permiten observar qué tipo de antecedentes y posiciones sintácticas favorecieron la implantación referencial. Curiosamente, en todas ellas coinciden los pasos que conducen al abandono progresivo de las pautas de funcionamiento del sistema referencial.

La vacilación en estas áreas se introduce en los contextos siguientes: 1) Con gran facilidad disminuye o se pierde el *lo* referido a antecedentes continuos femeninos, que aparecen referidos por *la,* así como el de *lo* con valor de dativo referido a todo tipo de continuos, que se ve sustituido por *le* (a veces también *la* si el antecedente es femenino).[80] 2) Reaparecen *le, les* como pronombres de dativo femenino (en alternancia con *la, las*), especialmente en las oraciones ditransitivas. 3) Reaparecen *lo, los* como pronombres referidos a objetos masculinos y discontinuos (en competencia con *le, les*). La extensión de *le, les* al acusativo resulta claramente favorecida cuando el antecedente es animado y desfavorecida cuando es inanimado. El mantenimiento de *lo, los* como acusativos resulta más firme en los contextos ditransitivos. 4) La aparición de *los* como pronombre de dativo (en alternancia con *les*) se ve favorecida en las zonas transicionales si el antecedente es inanimado.

Pueden considerarse territorios de plena vitalidad referencial Palencia, Valladolid, el occidente de Burgos, Ávila, Segovia y el occidente de Toledo y de Madrid, mientras que en el resto de las zonas existen soluciones intermedias, de mayor o menor acomodación al sistema distinguidor del caso.[81]

21.5.2.2. Aceptación social

Esta renuncia paulatina a las pautas referenciales no sólo se manifiesta en las zonas transicionales, delimitadas geográficamente, sino que también se encuentra en los hablantes de cualquier área referencial según va aumentando su nivel sociocultural. Ello es atribuible al deseo de aproximarse en el uso al sistema que distingue el caso, propio de la lengua culta. Lo curioso es que no todos los usos referenciales se ven sometidos a idéntica censura y sólo una parte de ellos se ve puesta en entredicho. Por supuesto, se conservan y fomentan aquellos que coinciden con el sistema distinguidor del caso: el empleo de *les* como dativo masculino (áreas A y C) o el de *los* como acusativo (áreas B y C), el de *lo* como acusativo referido a con-

[80] La pérdida de *lo* referido a continuos femeninos también puede desencadenar esporádicamente en las zonas de transición una reinterpretación de las formas pronominales exclusivamente basada en el género, de modo que *le* refiere a todo tipo de antecedentes masculinos y *la* a los femeninos con independencia del carácter continuo o discontinuo. En mis datos esta reorganización ha resultado frecuente en los territorios fronterizos de la Tierra de Campos (Fernández-Ordóñez 1994: 85-87):

(i) El trigo le vendemos y la paja la guardamos.
(ii) A la lana la damos palos. / Al vino le echan colorante.

[81] Véase para más detalles Fernández-Ordóñez 1994: 94-100.

tinuos masculinos o el de *la, las* como acusativos femeninos. De acuerdo con las mediciones sociolingüísticas realizadas por Klein-Andreu (1998) sobre el habla de Valladolid y el norte de Toledo, las únicas que por el momento se ajustan algo a los parámetros del sistema referencial, se censuran los empleos referenciales siguiendo esta escala de valoración: 1) Desaparece en primer lugar el loísmo, como práctica de pésima consideración en la lengua culta. En Valladolid el empleo de *lo* como dativo sólo es conocido por las personas de clase baja y media. [82] 2) En cambio, en Toledo el loísmo de *los* puede conservarse en el habla de las personas de clase media y alta en un porcentaje del 30 %. 3) Un poco menos penalizado se encuentra *lo* para referir a objetos directos continuos femeninos. Aunque todos los grupos sociales mantienen con vitalidad el empleo de *lo* para referir a continuos masculinos, en Valladolid la proporción de *lo* para referir a continuos femeninos desciende desde el 82 % de la clase baja al 54 % en la media y al 27 % en la alta. En Toledo la proporción máxima de este *lo* parece menor, no sobrepasando el 50 %. [83] 4) En cuarto lugar, aparece como uso condenado el leísmo referido a antecedentes inanimados (claro está, masculinos y discontinuos), esto es, el leísmo de cosa, cuya frecuencia disminuye entre los hablantes de la clase alta vallisoletana (y toledana) hasta el 20 %, tanto en oraciones transitivas simples y en ditransitivas. Las clases baja y media, en cambio, sólo reducen la frecuencia de este leísmo en las oraciones ditransitivas (al 70 % frente al 90 % alcanzado en las transitivas simples). 5) En quinto lugar, el laísmo, tanto singular como plural, logra una importante penetración en la lengua culta de Valladolid, sobre todo en los contextos de dos argumentos o participantes (en que nunca baja del 85 %), frente a los de tres en que su uso disminuye del 95 % de la clase baja al 70 % de la media y al 55 % de la alta. [84] En Toledo, en cambio, la implantación del laísmo en la lengua culta es menor: pasa del 80 % de los empleos en la clase baja al 40 % de las clases media y alta en los contextos de tres participantes (en apariencia también en los de dos). 6) Como uso más valorado, que no se oculta, el leísmo referido a antecedentes animados en singular (pero también en plural en las zonas A o C) se mantiene firme en todos los grupos sociales y contextos sintácticos. [85]

En definitiva, la progresiva disminución de los empleos referenciales muestra la tendencia en todas las zonas a aproximarse al empleo sancionado como correcto en la lengua culta peninsular (cf. el § 21.6). La existencia de esta escala de valoración y de corrección progresiva de los usos referenciales debe haber surgido ya desde tiempos pasados, lo que explicaría que siempre fuera el leísmo personal masculino y singular el único empleo abiertamente presente en la lengua escrita.

---

[82] Y en los de la media sólo referido a continuos masculinos (50 % de los casos), frente al 75 % del *lo* dativo de la clase baja empleado con continuos masculinos y femeninos.

[83] En cambio, *lo* referido a continuos masculinos alcanza los mismos porcentajes que en Valladolid. Parece lógico que en el área más meridional del sistema referencial disminuya la proporción de este *lo* referido a continuos femeninos, que, dado su origen astur-leonés, se conservaría con mayor vitalidad en el norte de Castilla. No obstante, mis datos muestran una regularidad mayor en su empleo del que registran las mediciones de Klein-Andreu.

[84] Según Klein-Andreu (1979: 51-52), la frecuencia del laísmo disminuye en Valladolid de un 95 % en la clase baja a un 90 % en la media y a un 59 % en la alta. En Klein-Andreu 1998: cap. 6 ofrece estos porcentajes: en contextos de tres argumentos o participantes la clase baja es laísta en el 99 % de los casos, la media en el 70 % y la alta en el 55 %, mientras que en los contextos de dos participantes la proporción de usos laístas apenas se ve afectada por diferencias sociales (85 % en la alta y media y 90 % en la baja).

[85] Klein-Andreu (1998) también establece diferencias sociolingüísticas en otras zonas referenciales, como Burgos y Soria occidental, que se muestran conjuntamente acordes con el comportamiento del habla de Valladolid y del norte de Toledo. Agradezco a la profesora Klein-Andreu haberme permitido consultar los resultados de su trabajo antes de su publicación.

21.5.3. Los tipos de transitividad y su manifestación pronominal

Los principios que regulan el funcionamiento del sistema referencial se mantienen estables generalmente con todos los tipos semánticos de verbos transitivos, como veremos seguidamente. Sin embargo, el grado de cumplimiento de los mismos parece estar directamente relacionado con el grado de transitividad semántica alcanzado por cada oración, especialmente en las zonas de transición entre el sistema referencial y el distinguidor del caso. Desde el punto de vista del número de argumentos, son las oraciones ditransitivas las más resistentes a aceptar las pautas referenciales. Por otro lado, desde el punto de vista de la denotación del objeto, cuando la lectura es genérica o inespecífica [⟶ §§ 12.3.2 y 12.3.3] se mantiene con más fuerza la selección del pronombre propia de las zonas distinguidoras del caso. En cambio, las oraciones transitivas simples o aquellas cuyos objetos directos son específicos [⟶ § 12.3.2] (definidos o indefinidos) (y dentro de ellos, especialmente los deícticos) conservan los usos referenciales con mayor firmeza (94). Ello sugiere que la difusión del sistema referencial se vio favorecida en aquellas construcciones cuyo grado de transitividad era menor desde el punto de vista estructural y más elevado desde el punto de vista de la denotación del objeto, ya que los participantes definidos, animados y contables dan lugar a estructuras más transitivas que aquellas cuyos participantes son inespecíficos, inanimados y continuos.[86]

(94) a. Mira, el cincho [...] Métele en la lumbre porque estará podrido [...] Veintitantos años lleva ahí, que te lo dio mi madre (V).[87]

b. El vestido de novia lo hacían ellos, mejor o peor. Tú tenías una manera de hacerle y yo tenía otra. Pero no se prestaba el vestido. Por ejemplo, yo te lo prestaba a ti o tú se lo dejabas a la otra... Yo tengo una sobrina... y conserva todavía el vestido de novia que le guarda forjado en el armario. (L)

En definitiva, el sistema referencial, al igual que el sistema de marcación basado en el caso, constituyen procedimientos formales de manifestar el diverso grado de transitividad semántica alcanzado por una oración. Respecto al sistema basado en el caso, ya hace bastante tiempo que se destacó el valor primariamente semántico de la oposición formal entre dativo y acusativo a partir de contrastes como *Juan la molestó con sus impertinencias* ~ *Sus impertinencias le molestan* (García 1975), en que vemos oponerse sujeto agentivo a causa, objeto más afectado a menos afectado, acción inmediata a durativa, acción télica a atélica, etc. (cf. el § 21.2.1).

En el caso del sistema referencial, la pérdida de la distinción casual no implica ni mucho menos la ausencia de procedimientos para manifestar el diverso grado de transitividad alcanzado por cada oración, sino que simplemente éstos son otros. En

---

[86] De acuerdo con Hopper y Thompson (1980), si el número de participantes es dos o mayor que dos, si un predicado denota una acción, si esa acción es télica e inmediata, si la oración es afirmativa y el modo real, si su sujeto es agentivo y afectado su objeto, la transitividad resultante será superior que en el caso contrario en que el número de participantes fuese menor o igual a dos, el predicado denotase un proceso, la acción fuese atélica y durativa, la oración fuese negativa y su modo irreal, el sujeto no-agentivo y mínima la afección del objeto. Igualmente, la transitividad aumenta cuanto más concreto, singular y específico sea un participante y disminuye si es abstracto, plural e inespecífico.

[87] Los datos que cito en este apartado y los siguientes han sido extraídos del corpus de español hablado en zonas rurales peninsulares que he citado en la nota 10. La procedencia de cada cita se localiza mediante una sigla que indica el enclave en que fue obtenida.

el sistema bicasual, la distinción semánticamente relevante es la animación, marcada por el dativo. Si el dativo aparece en una oración de dos participantes, muestra el grado mínimo de transitividad (frente a una oración equivalente en acusativo), y constituye la vía de marcar formalmente el carácter animado de los objetos, esto es, de que sólo los objetos animados pueden ocupar dos posiciones sintácticas, la de objeto directo y la de objeto indirecto. [88] En cambio, en el sistema referencial la marca semánticamente relevante es la continuidad. Los participantes continuos o no-contables indican un grado de transitividad menor que los discretos o contables. La concordancia pronominal que marca a los objetos continuos señala precisamente al polo opuesto al dativo, esto es, a los objetos que siempre son inanimados y que básicamente pueden ocupar una posición sintáctica: la de objeto directo. [89]

Ello debe ponerse en relación con el hecho de que la reinterpretación de *lo* para referir a antecedentes exclusivamente continuos pudo prosperar porque no sólo no entraba en conflicto con el de *lo* con valor de neutro, sino que coincidía en su comportamiento sintáctico y con los valores semánticos señalados por ese *lo.* En cuanto al comportamiento sintáctico, es interesante señalar que al igual que los objetos continuos apenas aparecen en posiciones estructurales de objeto indirecto, es rarísimo encontrar ejemplos de *le* dativo con valor neutro. Además, los ejemplos en que un nombre continuo o un neutro parece ocupar una posición de objeto indirecto presentan otro rasgo en común: el objeto directo que los acompaña muestra evidentes signos de haberse incorporado al verbo. Los ejemplos de (95a-c y 96a-c) muestran las soluciones 'distinguidoras' y los de (95a′, c′ y 96a′, c′) las referenciales, pero tanto en uno como en otro caso los objetos directos son sustantivos escuetos, no-referenciales, que forman un predicado complejo, *dar palos, dar vueltas, hacer daño, dar importancia, coger miedo, encontrar sentido, hacer algo / no hacer nada,* etc. [⟶ §§ 13.5 y 13.5.4].

(95) a. A la lana había que darle palos para ahuecarla.
a′. A la lana había que darlo palos para ahuecarlo.
b. A esa masa le dabas vueltas.
b′. A esa masa lo dabas vueltas.
c. Al campo la caza le hace daño.
c′. Al campo la caza lo hace daño.
(96) a. A eso no le doy importancia.
a′. A eso no lo doy importancia.
b. A esquiar le cogí miedo.

[88] Aunque desde un punto de vista tipológico parece evidente que el dativo es el caso marcado en confrontación con el acusativo, no puedo dejar de señalar que, dentro del paradigma de clíticos del español, hay razones para argumentar que *le* es una forma menos marcada que *lo / la:* 1) Porque, según demuestra Roca (1996), hay muchos motivos para considerar los pronombres de dativo como morfemas de concordancia flexiva en español, semejantes a los que señalan la concordancia con el sujeto, en contraste con los de acusativo, que sólo aparecen vinculados a sintagmas nominales de interpretación específica o genérica, siendo su comportamiento análogo al de pronombres tónicos y determinantes (con los que comparten su origen). 2) Porque *le* está menos especificado que *lo / la:* carece de género y muchas veces prescinde de especificar el número. 3) Porque, según nos demuestra la lengua hablada por aprendices iniciales del español, el manejo del pronombre *le* (así como el de *me, te*) parece adquirirse antes que el de *lo / la* (Klee 1989, Fernández-Ordóñez 1994).

[89] Es bien sabido que el dativo es el caso de la animación: la proporción estadística de empleos de dativo referidos a objetos inanimados no llega al 10 % (cf. Vázquez Rozas 1995: 237-238). Y si el objeto es continuo, el empleo del dativo es, desde el punto de vista estadístico, prácticamente inexistente.

b′. A esquiar lo cogí miedo.
c. No hay nada que hacer. ¿Qué quieres que le haga?
c′. No hay nada que hacer. ¿Qué quieres que lo haga?

En concordacia con esta observación, hay que señalar que en el sistema referencial la mayor parte de los ejemplos de *lo* dativo referido a continuos se encuentran con mayor regularidad cuando el objeto directo forma con el verbo una unidad cuasi-léxica (95a′-c′ y 96a′-c′), mientras que *lo* dativo alterna con *le* cuando el objeto directo es referencial (97).

(97) a. Al chorizo le echamos sal, pimentón y ajo. Una vez que le has echado la sal, el pimentón y el ajo, lo das (*las) vueltas y lo dejas reposar.

Por otro lado, el *lo* neutro refiere a predicados o a complementos oracionales. Este hecho resulta muy interesante, ya que una gran parte de las referencias a nombres continuos se realiza en contextos en que aparecen sin determinación alguna como sustantivos escuetos. Es sabido que los sustantivos sin determinación pueden ser no-referenciales y su significado aproximarse al de los predicados (cf. Leonetti 1990: 159 y ss.; Bosque 1996). Ello sugiere que la referencia mediante *lo* a los nombres continuos podría ser una consecuencia de que estos presenten con frecuencia un carácter semi-predicativo (98a). La misma interpretación es válida para aquellos ejemplos (poco comunes) en que plurales escuetos aparecen referidos por *lo* (obsérvese cómo el carácter continuo del antecedente se manifiesta también en el participio (98b)).

(98) a. Primero coges azúcar, luego lo mezclas con harina.
b. Tenemos comprado nosotros mesas y tableros para todos los años ponerlo. (S).

Veamos ahora el funcionamiento del sistema referencial con los distintos tipos de verbos transitivos. Atendiendo a la clasificación de Campos [⟶ § 24.2.2] y de Gutiérrez [⟶ §§ 33.4, 33.5 y 33.6], veremos cómo el sistema referencial no altera sus pautas en los varios tipos señalados.

21.5.3.1. *Los pronombres de objeto directo*

Dentro de los verbos de actividad física, aquellas clases cuyo sujeto tiene el papel semántico de agente o causa y cuyo objeto resulta efectuado o afectado por la acción muestran un cumplimiento total de las pautas referenciales, hecho que debe ponerse en relación con el alto grado de transitividad semántica que alcanzan (verbos tipo I). [90]

---

[90] No ejemplifico el paradigma completo de los empleos referenciales, sino que me limito a citar aquellos ejemplos en que el pronombre seleccionado no coincide con el del sistema distinguidor del caso. Para los objetos directos, sólo mencionaré ejemplos de *lo* referido a continuos femeninos y *le, les* referidos a discontinuos masculinos. Para los objetos indirectos, de *lo* referido a continuos (masculinos y femeninos), de *la, las* referidos a discontinuos femeninos y de *los* referido a discontinuos masculinos.

I.A) Acción resultativa: Sujeto agente/Objeto directo efectuado.

(99) a. [La cecina] ahí lo hacen de caballo. (R)
b. A mí me gustaban mucho los altares [...] Hubo una temporada que venía por aquí y por este barrio le hacíamos. Todos los años por aquí todas a hacerles. Ay, un año nos costó más; cuando le hicimos en casa de la Ángeles [...]; le habíamos hecho en unas puertas. (V)
c. Este salón le hicieron en el año 45 ¿verdad?, y le abrieron en el 46. (C)

I.B) Modificación: Sujeto agente o causa/Objeto directo afectado.

(100) a. Ahí echábamos la uva para machacarlo con unas prensas que había [...] Y luego después, se ponían las maderas, se bajaba la prensa y lo iba estrujando, iba echando el mosto a la pila. (R)
b. Los tabiques les tiraron para que bailáramos en la pista. (M)
c. Ellos mismos le matan. [...] Sí, le matan, luego le chamuscamos en el corral con paja y luego ya, pues se le lava bien, se le abre, y bueno, ya se le saca el vientre. (V)
d. Pues le descosen el colchón, le vuelven a hacer otra vez, y queda hueco. (SCM)

I.C) Afectación:

I.C.a) Instrumentales: Sujeto agente o causa/Objeto directo afectado.

(101) a. Otros la manteca lo aprovechan para hacer dulces. (M)
b. Hay quien les cría, yo no, yo les he comprado siempre [los cerdos]. (R)
c. Ponían un molde [...] y le rellenaban, le llenaban, le cruzaban los paños y le metían en una prensa, que era una tabla arriba y otra abajo con dos telares así, que se apretaban, y allá le tenían el día. Le sacaban, le metían en sal, le tenían otro día [...] [el molde del queso]. (R)

I.C.b) De objeto interno:

(102) a. Cuando están curados [los jamones], si quiere el muchacho, que quiere coger un cacho, pues parte un cachillo, le lleva o lleva el pernil a casa y le come, y lo demás lo deja. (R)
b. Hay unas que les comen congelados, les sacan cuando van a comerles, pero yo les meto en aceite y en una olla de aceite esos aguantan, todavía les tengo desde que matamos en enero [los chorizos]. (C)

I.D) Movimiento: Sujeto agente o causa/Objeto directo desplazado.

(103) a. [¿La lana?] Sí, sí. Viene un camión y lo lleva, caro o barato, como sea. (R)
b. El jamón le pesamos; si pesa catorce kilos, pues catorce días en sal. Y luego le sacamos y le lavamos un poco y le ponemos a orear un día o dos; le untamos bien de pimiento [...] Y entonces, pues así se conserva muy bien, le tenemos pues de año por año. (V)
c. Los cerdos se cogen y se crían. Son pequeños, les traen. (R)
d. Los estandartes les llevaban los vecinos que entraban [a la cofradía]. (Li)
e. Un autocar que viene ahí de Villada y a las nueve, pues les lleva. Y por la tarde, a las cuatro de la tarde o las seis, les trae [a los niños del pueblo]. (R)
f. No es de aquí el chico... ahora le han trasladado a Palencia. (C)

I.E) Posesión:

(104) a. Yo les he comprado siempre, aquí no pueden los muchachos tenerles [los cerdos]. (R)
b. Los lomos les tengo metidos en unas tripas así de largos. (M)
c. [¿Compran leche a ese señor?] —No, porque lo vende a un lechero que viene. No quiere él venderlo así suelto y no lo vende ya. Eso, al lechero que viene todos los días, se lo compra, se lo lleva y ya está. (R)
d. Otros [jornaleros], pues les tenía de toda la vida. (R)
e. [¿El horno?] —Aquí nosotros todavía le tenemos de leña. (R)

I.F) Influencia: La alternancia de caso que es propia de las estructuras causativas de infinitivo y que analizamos en el § 21.2.1.2 no se manifiesta en el sistema referencial, de modo que la pronominalización del sujeto de la oración de infinitivo depende de su carácter masculino o femenino exclusivamente. Así, en el singular todo el territorio referencial emplea *le* para un sujeto masculino discontinuo, *la* para uno femenino discreto y *lo* para los continuos, con independencia de que el caso exigido por cada lexema verbal en las zonas distinguidoras sea acusativo (105) o dativo (106), o del carácter transitivo (107) o no (108) del infinitivo subordinado.

(105) a. A Juan Pedro le {obligó/animó/invitó} a viajar a París.
b. A María Pedro la {obligó/animó/invitó} a viajar a París.
(106) a. A Juan Pedro le {permitió/impidió/propuso} viajar a París.
b. A María Pedro la {permitió/impidió/propuso} viajar a París.
(107) a. Pedro le {dejó/hizo} a Juan traer sus libros aquella tarde.
b. Pedro la {dejó/hizo} a María traer sus libros aquella tarde.
(108) a. A Juan Pedro le {dejó/hizo} venir.
b. A María Pedro la {dejó/hizo} venir.
c. {La masa del pan/El vino} Pedro lo deja fermentar.

En el plural estas pautas de comportamiento no se modifican, con la salvedad de que el área referencial (A) emplea *les* para los sujetos masculinos plurales allí donde el área (B) utiliza *los*.

En cuanto a los verbos de cognición y epistémicos, encontramos que respetan igualmente las pautas referenciales de selección del pronombre.

II.A) Percepción:

II.A.a) Percepción física:

(109) a. A Pedro hace tiempo que no le veo.
b. A seis kilómetros hay uno [pueblo] que le llaman San Martín, le han tenido que ver si han venido por Guadalupe. (LN)

Cuando los verbos de percepción van acompañados de un infinitivo subordinado, la selección del pronombre que pronominaliza a su sujeto se realiza de acuerdo con las reglas referenciales (110).

(110) a. {A Juan/Ese coche} le veo venir desde aquí.
b. A María la veo preparar sus papeles.
c. El agua lo ves caer desde la ventana.

II.A.b) Percepción cognitiva:

(111) a. Yo Madrid sí que me le sé. (CC)
b. Con eso me iban a coser, cuando asomó el señor médico de aquí, que venía de otro pueblo de abajo, de Sevilleja de la Jara, si le conocen ustedes. (LNR)
c. Había molinos. Hombre, yo no les he conocido. (M)

II.B) Voluntad y sentimiento:

II.B.a) Voluntad:

(112) a. Pues quédate con él, que no le quiero ya, para que le gastes [un mechero que el hablante entrega al oyente]. (R)
b. Los hijos míos, [...] a las cinco de la mañana pasa algún caso y ¿dónde vas a buscarles? (V)
c. Tienen que ser chorizos muy buenos y si no eso, ya no les queremos. (P)
d. En las fiestas lo paga el ayuntamiento. A diario, no. Si un señor quiere un baile, le tiene que pagar él. (S)

II.C) De afección: La sutil diferencia en la forma de configurar el evento que formalizan los verbos de afección a través de la selección de caso resulta eliminada en el sistema referencial y confiada a los mecanismos de inferencia dependientes del carácter más o menos agentivo del sujeto y del grado de afectación del objeto, de si la acción es o no perfectiva, etc. (cf. el § 21.2.1.1). Según ponen de manifiesto las oraciones de (113) y (114), verbos como *molestar, preocupar* o *encantar,* que habitualmente exigen el dativo con sujeto no-agentivo, y verbos como *asustar* o *consolar,* que suelen requerir el acusativo con sujeto agentivo [⟶ § 30.5.3.5], seleccionan el pronombre atendiendo únicamente a las características del género del antecedente:

(113) a. A María la molesta {Pedro/el ruido/que no la dijeras nada}.
b. A María la preocupa {que Luis no haya llegado todavía/su hijo}.
c. A mi nieta {la encanta coser/la encantan los bichos}.

(114) a. Pedro se despertó porque {Luis/la tormenta} le asustó.
b. A Pedro nadie consiguió consolarle.

III) Complementos directos acompañados por un complemento predicativo cuasi obligatorio [→ § 38.2.1.4]:

III.A) Verbos designativos: El funcionamiento pronominal del verbo *llamar* (cf. el § 21.2.1.5) resulta notoriamente interesante en el área referencial. Eliminadas las diferencias de caso, la concordacia del pronombre se establece con el objeto, que no siempre coincide en género y número con el elemento predicativo. Las oraciones de (115), (116), (117) y (118) muestran casos de coincidencia en género y en número del objeto y el complemento predicativo donde puede observarse cómo, con notable regularidad, son el carácter continuo o discontinuo del antecedente, el género y el número los factores que deciden la selección del pronombre.

(115) a. Aquí hacían magdalenas, que se llamaban entonces mariquitas. Ahora se llaman, las llaman magdalenas. (R)
b. La llamaban «la partera» [a una señora]. (LSM)
c. Aquí la llamamos la belesa, la cagada de la mosca era. (R)

(116) a. Yo le llamaba «Verdelín» a un cordero. (SMB)
b. Yo tengo un yerno que le llaman «el Pelos», se llama Alberto. (VH)
c. El raposo, que le llaman. (GS)
d. Es un prado grandísimo, ... le llaman «el Collao». (B)

(117) a. ¿Hacen dulces? —Jerejitos, les llamaban jerejitos. (V)
b. A unos les llamaban los incorregibles. (OP)
c. A los cochinitos, nada más, cerditos los llamábamos. (EA)
d. Hacíamos chorizos, esos los llamamos los malditos, chorizos malditos. (N)
e. Los llamaban los fabriqueros porque fabricaban el carbón. (L)

(118) a. Ese caldo luego está muy rico también, lo llamamos calducho. (PP)
b. La grasa esa que tapa al cerdo el vientre y todo las tripas y eso, que nosotros lo llamamos la manteca. (MV)
c. La careta se lo solían comer los hombres de las bodegas asada, lo llaman el morro aquí. (Q)
d. La leña de monte es mejor. Esto lo llaman monte, pero es pino negral. (SMB)

Estos factores no se alteran dependiendo del carácter más o menos 'externo' del elemento predicativo respecto del objeto, según se deduce de los ejemplos anteriores. Como siempre, en el plural el pronombre seleccionado en el norte es *les* (117a, b) y en el sur *los* (117c-e).

Atendiendo a las mismas pautas, la concordancia se establece exclusivamente con el objeto cuando el predicativo difiere en género (119) y cuando el elemento predicativo es interrogativo o adverbial (120).

(119) a. Aquí tenemos una habitación que la llamo cuarto de los chorizos. (Vm)
b. A la cámara aquí la llamamos el desván. (Vc)
c. Eso que está blando lo llaman quesilla. (V)
d. El mosto nosotros aquí lo llamábamos chichorra. (AF)

(120) a. Y esto otro, ¿cómo lo llaman a esto del registro? (GS)
b. No sé cómo lo llamarán [a] eso. (SM)
c. ¿Dónde echan las uvas? —En canastos, que así los llamamos. (Fc) (área B)
d. Hay una enfermedad que ahora por... la habréis visto por ahí, no sé cómo la llaman [a] esa. (MB)
e. No sé cómo lo llaman, heno, heno de hierba. (Ru)

Aunque muy raramente, puede prevalecer la concordancia con el elemento predicativo sobre la del objeto (121).

(121) a. Se hacían también las mantecas, que les llamaban chirijitos. (R)
b. El mostillo estaba muy rico, la llamaban chorra. (OPe)

En toda el área referencial (pero sobre todo en el sur), se encuentran ejemplos en que se utiliza *lo* como pronombre acompañando a *llamar* pese al carácter discontinuo del antecedente. En casi todos ellos el antecedente discontinuo es indefinido e inanimado y va seguido de una oración de relativo en la que se expresa la denominación (122). [91]

(122) a. Había unas cosas de madera que lo llamaban tarjadores. (S)
b. Lo hacemos ahí, en un sitio que lo llaman «de la hermandá». (S)
c. Ahí arriba hay una ermita que lo llaman Santo Tirso. (OC)
d. Hay un trozo de pinar que es de una comunidad, [...] que lo llaman la comunidad de Tierra Villa. (SMB)
e. Le sacan [...] un trozo de carne que lo llaman la cinta. (Qb)
f. Se sujetaba en un trocito de hierro, que lo llamamos aquí una tanguilla. (Fc)
g. Eso era otra cosa que lo llamaban la calva. (VM)

La presencia de *lo* en algunos de estos casos puede explicarse como una concordancia *ad sensum* dado que en el antecedente figuran construcciones partitivas de nombres de referencia continua como *carne, hierro, pinar* o expresiones como *otra cosa, unas cosas* que denotan una clase o un tipo. Hay que tener en cuenta que *lo* también es posible cuando el antecedente es un nombre escueto continuo (123a) o discontinuo en plural (123b, c), o incluso cuando se trata de un nombre definido de referencia genérica (123d, e) o una oración (123f, g). Parece, pues, que nos encontramos en una extensión analógica del *lo* denominativo a los antecedentes más próximos desde el punto de vista semántico de los nombres continuos y del neutro: obsérvese que no hay ejemplos de este empleo con objetos definidos y animados.

[91] Sólo en unos pocos ejemplos encuentro ausencia del relativo: *Lo llamaban una braga, era un palo muy largo* (AF); *¿Sabe lo que es un caldero?; Y la que no tiene de cobre, pues yo, nosotros lo llamamos herrada, herrada, en otro sitio lo llaman balde de dos asas* (SMM).

(123) a. Cisco, que lo llamamos carbón. (NT)
b. Los furtivos por ahí iban a mano, otros tenían redes, una... reteles que lo llamaban, de hilo. (MV)
c. Hay [...] tripas o longaniza que lo llamamos aquí. (V) [92]
d. Con las pajas que se ataba, que lo llamaban vencejos, lo llamábamos, que era el centeno. (VM)
e. Anda, los chicos, los chicos jugaban a... cómo lo llamaban, al salto moro. (VM)
f. Tienen la costumbre de ir a cortar un árbol ahí a Matute, a Matute que lo llamamos donde está el río. (VM)
g. También han corrido unos gallos, que lo llaman. (PP).

III.B) Verbos realizativos, de opinión, volitivos y de resultado: Según se observa en las oraciones de (124), la selección del pronombre se ejecuta sin considerar el caso.

(124) a. Les declararon inocentes del crimen.
b. No les creen culpables.
c. Dijo que le quería azul marino [el traje de la boda]. (M)
d. La leche lo quiero con azúcar.
e. Les ha vuelto locos hasta que ha conseguido ese libro.

21.5.3.2. Los pronombres de objeto indirecto

I) CIND1: Consideraré en primer lugar los objetos indirectos exigidos por la valencia del verbo o tipo 1.

I.A) Triactanciales o de tres argumentos: Sujeto agente/Objeto directo término/ Objeto indirecto meta u origen [→ § 30.4].

I.A.a) Transferencia material: La elección del pronombre se ajusta exclusivamente a los criterios referenciales. Los objetos indirectos femeninos discontinuos reciben *la-las* tanto si son deícticos (126a) como anafóricos, definidos o indefinidos (126b, c), de referencia concreta o genérica (126d, e), humanos (126a-d), animados (126e) o inanimados (126f).

(126) a. Otra tía carnal la regaló cinco kilos de lentejas [a la mujer del hablante, allí presente]. (M)
b. A mi chica la di trece monedas de duros de plata [...]. [A] mi hija la he dado de todo. (S)
c. A una señora la di tres botellas. (S)
d. El día de la Pascua van a cantarlas, a rondarlas a la puerta y las daban rosquillas [a las mozas del pueblo]. (S)
e. ¿Qué echan de comer a las vacas? —Las echan pulpa, las echan albordón [...] Y las echan de esto, silo que llaman, que es maíz fermentada. (V)
f. Estas son las orejuelas [...]. Con un tenedor las das así y se fríen, las sacas, las echas un poco de azúcar y ya no hay más. (M)

[92] Cf. este ejemplo con el inmediatamente anterior en la grabación: *Longanizas las llamamos aquí* (V).

Cuando el antecedente en posición de objeto indirecto es un nombre continuo, *lo* puede ser el pronombre seleccionado tanto si el objeto directo es un nombre escueto como un nombre determinado (126).[93]

(127) a. Hay quien después al sacarlo lo lava, lo da con un poco de pimiento. Pero antes no lo echaban pimiento [al lomo]. (S)
b. El trigo [...] lo sembraban en noviembre. [...] Y luego pues en mayo había que quitarlo los cardos. (SMA)
c. Entonces te costaba un colchón de lana, pues, a lo mejor a sesenta ptas. el kilo, lo tenías que llegar al río, lavarlo, darlo palos para que se ahuecara y luego hacer el colchón [la lana]. (S)
d. Los jamones pues se curan, se sacan a lo primero, y después que están curados, se recoge a una panera que no lo dé el aire, que esté fresco. (R)

En el área B del sistema referencial (y parcialmente en la C), los objetos indirectos masculinos se pronominalizan en *los,* tanto si el antecedente es humano (127a, b), animado (127c, d) como inanimado (127e).

(127) a. Ahora incluso los dejan la cartilla para que saquen lo que quieran [a los quintos]. (S)
b. Mi madre no podía darlos nada, los podía mandar a lo mejor algo de comida [a sus hijos]. (S)
c. [A los conejos] yo los he solido echar en el agua limón. Ahora [...] los echan pienso compuesto. (S)
d. Van los gallos borrachos por el pueblo, pegándolos. (S)
e. A los ajos hay que quitarlos el tallo. (S)

I.A.b) Transferencia comunicativa: El dativo *le* sólo se mantiene ocasionalmente cuando el antecedente femenino es la interlocutora que se ve referida mediante el tratamiento de respeto *usted* (128e, f).

(128) a. La digo a Eva el domingo «Cógete un bocadillo». (V)
b. Yo la he explicado a mi nieta todas las cosas. (S)
c. A mi madre la escribió lo mismo, que no tenía. (S)
d. Y venían los chicos a las chicas y las decían «¿Me la pingoneas?» (R)
e. Con que no la digo más ya [a la interlocutora]. (V)
f. Bueno, mira, le voy a contar una cosa [a la interlocutora]. (V)

Verbos como *enseñar,* que podríamos englobar en este grupo, se ajustan a los mismos parámetros:

(128) g. ¿Enseñó a sus hijas a coser? —A coser, a hacer las labores de casa, a ser mujeres de casa: eso es lo que las enseñamos. (R)

[93] No obstante, según ya señalé antes (§ 21.5.3), las probabilidades de encontrar *lo* son mayores cuando el objeto directo parece constituir un predicado complejo con el verbo.

En el área B, de nuevo el pronombre seleccionado para referir a los argumentos masculinos es *los* (129), que incluso es posible cuando *ustedes* es el antecedente (129c, d).

(129) a. Vino un señor [...]. Siquiera por la tradición, se tenía que haber callado, aunque los hubiera llamado la atención. (LSM)
b. Yo tampoco tenía capacidad para decirlos a ellos «esto no es así». (AF)
c. A lo mejor hacían, pues lo que los he dicho antes [a ustedes], una vasija grande. (AF)
d. ¡Que se los dé bien [a ustedes]! [...] y a ver si encuentran otra persona que los indique otro poco. (LSM)
e. Si aquí se obligara a todos los críos pequeños a ir a un colegio, [...] enseñarlos a estudiar. [Quilis 1985: 58]
f. El ruso es un señor que lo cogen nada más nacer, los meten en un campo, allí los enseñan cómo se trabaja. [Quilis 1985: 58]

I.A.c) De cambio de lugar abstracto: Hay que destacar que los verbos designativos, como *poner un nombre a alguien o algo,* se ajustan regularmente a las pautas referenciales, según se deduce de (130).

(130) a. El vino este año lo han puesto «Don Daniel» porque un compañero ha tenido un hijo que le han puesto Daniel. (S)

I.B) Biactanciales intransitivos: [94]

I.B.a) Afectación física (incumbencia y adecuación) [→ §§ 30.5.2.1-2]:

(131) a. Las mis hijas, hemos tenido vacas y nunca han ido a echarlas de comer ¡Nunca! Ahora a lo mejor las toca, sí, se han casado con labradores. (V)
b. [A] esa chica, la falta la vista, la falta la vista. (M)
c. [A] esta señora, [...], ahora la sale peor [el chorizo]. (M)
d. Echan la cantidad que tengan que echar y para las vacas, pues las viene muy bien. (V)

(132) a. ¿Sus hijos vienen mucho en verano? —Sí, hombre, vienen el mes que los toca. (NT)
b. Esa manteca, pues los vale [a ellos]. (S)
c. Hay dos o tres ganaderos que también los hace falta un perro. (MV)
d. Se lo dejaban [...] y los servía para el momento [a los novios el anillo]. (BA)
e. Así los estaba mejor [la hierba]. Si lo echaba recién cortado, los sentaba mal a los conejos. (S)
f. Algunos había que no mataban ninguno [cerdo] tampoco, porque no los daba el presupuesto, no los interesaba. (MV)

[94] Puesto que en este tipo de verbos el complemento indirecto es siempre animado (y fundamentalmente humano), me limito a ejemplificar con antecedentes femeninos y con los masculinos de la zona sur del sistema referencial.

I.B.b) Verbos de movimiento (intransitivos) y de influencia [→ § 30.5.2.3]:

(133) a. Ahora a una chica de dieciséis años la mandas fregar y se la viene el mundo encima. (CR).

I.B.c) Acontecimiento [→ § 30.5.2.4]:

(134) a. Pregúntala a ver lo que la pasó en un autobús un día [a una señora allí presente]. (MAT)
b. A mis primos no sabéis qué los ocurrió ayer.

I.B.d) De afección [→ § 30.5.2.5]: [95]

(135) a. La que la gustaba ir de blanco, blanco; la que la gustaba ir de negro, negro. (V)
b. Al agua la gusta ir a lavarse [a la nieta de la hablante no presente]. (V)
c. Mi hija [...] sabe de todo, lo mismo la da matanza que coser, lo que sea. (MAT)
d. No es porque sea hija, pero sí, [conducir] no la da miedo. (NT)

(136) a. Eran los ricos [...] y hacían lo que los daba la gana. (MAT)
b. [Los tomates] los trituro con la turmis y los cuelo porque a mis hijos no los gustan las pepitas. (MAT)
c. Luego con tanta sangre, ¿qué se los ocurre?, coger un mantel [...] [a ellos]. (LNR)
d. Como había mucha uva en aquel momento, lo que los parecía lo guardaban. (AF)

II) CIND2: Se trata de complementos indirectos no previstos por la valencia del verbo o tipo 2 [→ § 30.6].

II.A) Triactanciales (o de tres argumentos) impropios: Como siempre, se mantienen los criterios referenciales de elección del pronombre, según muestran las oraciones siguientes con antecedentes femeninos (137), continuos (138) y masculinos de la zona B (139).

(137) a. [A] la otra [cazuela]$_i$ me la$_i$ pisó una señora la tapa$_j$ y me la fastidió. (M)
b. He cogido y he sacado la camisa, la he deshecho el cuello para hacer... para hacérsela, arreglarla el cuello, quitarla el cuello. (M)
c. El que tenía novia, pues a rondar a la novia, y la ponían el ramo. (BA)
d. Yo las limpio el portal, el estar [a las hermanas]. (R)
e. [A las gallinas] echarlas de comer y listo, y barrerlas el gallinero. (MAT)
f. Cuando estan fritas las magras que llamamos nosotros, meterlas en unas ollas y taparlas con el aceite que las he frito. (T)

[95] Me limito a tratar aquí los que únicamente admiten estructuras inacusativas en las zonas distinguidoras del caso (cf. los §§ 21.2.1 y 21.5.3.1).

(138) a. Hay que saberlo coger el punto [a la mantequilla]. (M)
b. La luz lo come el color [al picadillo]. (S)

(139) a. Los preparaban unos bollos o lo que fuera [a los padres del novio]. (Ce)
b. Ella misma pues a lo mejor los hacía el cocido [a los hijos]. (BA)
c. [Los conejos se comían] todo lo que los traía. Si los traía mucho, se comían mucho, si los traía poco, así se tenían que pasar. (NT)

III) Dativos superfluos o no-concordados [→ 30.7]: El cumplimiento de los criterios referenciales de asignación del pronombre átono parece tener lugar incluso con los llamados dativos superfluos, en los que el pronombre no constituye una función referencial y sirve para marcar el énfasis, el interés o la afectación que el acontecimiento tiene para los participantes en el evento o externos a él. Considérense los siguientes ejemplos de dativo no-concordado (140).

(140) a. ¡No se la ocurra a usted [hacer eso], que se la muere el niño! (Te)
b. Se la juntaron a mi madre dos en la mili, [...] se la juntó el mayor y el segundo. (S)

21.5.3.3. La doble pronominalización en las construcciones ditransitivas

Cuando en las oraciones de tres argumentos se pronominalizan el objeto directo y el objeto indirecto, los criterios referenciales de selección del pronombre se mantienen constantes. En la doble pronominalización, los clíticos de objeto indirecto permanecen los mismos que en las zonas distinguidoras del caso: *me, te, se, nos, os.* En cambio, los pronombres de objeto directo se seleccionan de acuerdo con las pautas referenciales: *le-les/los* para discontinuos masculinos, *la-las* para discontinuos femeninos y *lo* para continuos, según ejemplifico para los continuos en (141).

(141) a. [La mosca] te come el pernil y no te das cuenta. Te lo va comiendo por dentro. (R)
b. [La ropa] se lo tiendo en unos cordeles que tengo puestos en el patio. (R)
c. El que tiene madera, pues lo vende, [...] se lo vende a un maderero. (Mb)

Desde el punto de vista formal ello determina que las secuencias <*me/te + le/les*> se interpretan en el sistema referencial no necesariamente como secuencias de dos pronombres de dativo, sino como una cadena de un pronombre de dativo u objeto indirecto seguido de otro de objeto directo. Ello puede comprobarse en los ejemplos que siguen [→ § 19.5.6].

I) *me le-s*

(142) a. El vestido me le hicieron. (NT)
b. [Me gustaría] que me rebajaran cuarenta o cincuenta años de edad, que me les rebajaran. (R)

II) *te le-s*

(143) a. A lo mejor te hacía falta un vestido, un vestido como este, [...] pues ibas, ibas a misa, te le ponías. (R)
b. Si estaban más tiernos, te les pagaban menos; si estaban más duros, te les pagaban más [los quesos]. (EE)

III) *nos le-s*

(144) a. El caballo nos le iban a pedir. (NT)
b. Dice, cómpreme un jamón, como mataban todos los miércoles y viernes, subí uno, así nos le cura con los nuestros. (BM)
c. [Los chorizos] nos les comíamos antes de tiempo. (GS)
d. Pero ahora es mejor, porque nos les traen ya, y les compramos vivos y mejor que ir a cogerles [cangrejos]. (Li)

IV) *os le-s*

(145) a. Tenemos terneros, si queréis uno para cecina, os le vendemos. (V)
b. Que tengo yo membrillo desde noviembre hecho, ahora os voy a enseñar un cacho y os le doy si queréis. (Pd)

V) *se le-s*

(146) a. Es que [...] la ponen un manto negro esos días hasta el día de Pascua, que se encuentra con Jesús y se le quitan [a la Virgen]. (V)
b. Yo tengo un árbol que me trajo Araceli que se le voy a dar. (NT)
c. Aquel pantalón, que estaba nuevo, desarmándole para volvérsele a armar [a su marido]. (M)
d. La del bar tiene gallinas y pollos, [...] se les compran porque como son criados de corral de pienso natural. (O)
e. Si no, la vecina nos les daba. Si no tenías más platos tú, pues se les pedías a la vecina. (Pd)

No obstante, las secuencias *me le-s, te le-s* también pueden interpretarse como un dativo no-concordado acompañado de un pronombre de objeto indirecto, igual que en las zonas distinguidoras del caso, si el antecedente es masculino (como en *A Pedrito me le han suspendido las matemáticas*).[96] De idéntico modo, si el antecedente es femenino, las secuencias *me la-s, te la-s* no se interpretan obligadamente como una cadena de pronombre de objeto indirecto seguido de objeto directo, sino que pueden representar a un dativo no-concordado acompañado de un clítico de objeto indirecto (como en *A María me la pusieron un vestido espantoso*). Y análoga generalización cabe realizar respecto del valor de *me los, te los* en la zona sur referencial, área en que esas cadenas de pronombres pueden también actuar como dos pronombres de dativo (como en *A mis hijos me los han regalado unos zapatos en Reyes*).

[96] Por ejemplo: *Le pegó al Mateo Rojo una paladera, madre mía, porque había dicho que estaba borracha, le mandó subir, qué paladera me le plantaron* (Gu).

En cuanto a las secuencias *se le-les/los, se la-las, se lo,* no sólo representan cadenas de <*se* objeto indirecto + pronombres de objeto directo>, sino que también son posibles con el *se* impersonal (cf. § 21.5.4.3) y con el *se* medio, funcionando en este segundo caso *le-les/los, la-las* necesariamente como pronombres de dativo: *El hombre se la desmayó cuando ella le habló, La mujer se las acercó y las preguntó la hora, El niño se los murió,* etc.

21.5.4. Omisión y expresión del pronombre átono en el sistema referencial

El empleo de los pronombres átonos de tercera persona en el sistema referencial representa un incremento de la presencia de los clíticos, según se deduce del hecho de que es posible la expresión del pronombre en situaciones en que esta parece estar muy restringida en las zonas distinguidoras del caso.

21.5.4.1. Los nombres de referencia inespecífica como antecedentes

En las zonas distinguidoras del caso, los nombres de referencia inespecífica y con interpretación partitiva o existencial pueden no ser referidos por clíticos de acusativo, a diferencia de los nombres de referencia específica o de lectura genérica, que siempre requieren copia pronominal (Roca 1996) [→ §§ 5.2.1.4 y 13.4.4]. Según muestran las oraciones de (147), pertenecen a la primera clase tanto los nombres sin determinación o nombres escuetos (147a, b) como cuantificados de referencia inespecífica (147c-e).

(147) a. ¿Compraste {patatas/cerveza}? Sí, Ø compré para que Ø tuvieras en casa.
b. ¿Tienes café? Aquí no encuentro Ø.
c. ¿Tenéis algo de café? Lo siento, no tenemos Ø.
d. ¿Has visto muchos elefantes en Kenia? Apenas Ø hemos visto.
e. ¿Compraste algún regalo? Sí compré Ø, aunque con poca convicción.

En cambio, los nombres de interpretación específica [→ §§ 5.2.1 y 13.2.3.1] o con lectura genérica o de tipo (ya sean definidos o indefinidos) [→ §§ 5.2.1.5, 12.1.1.3, 12.3.3.2-3 y 13.3] exigen regularmente ser referidos por un pronombre de acusativo (148).

(148) a. ¿Conoces a mi primo? No, no *(lo) conozco.
b. ¿Has visto a un niño que lleva un anorak azul? Acabo de ver*(lo) pasar.
c. Las ballenas escasean cada vez más y es difícil encontrar*(las) en el mar.
d. Si me compro un coche, pienso usar*(lo) todos los días.
e. He traído el mismo juguete para todos. Repárte*(lo).

En este sentido, conviene destacar que un nombre cuantificado en español puede ser o no referido por un pronombre dependiendo de las características del conjunto sobre el que se cuantifica. Si se cuantifica sobre un sustantivo escueto, un conjunto no-delimitado, la interpretación es inespecífica y puede no haber copia pronominal (149). Pero si la cuantificación se realiza sobre un conjunto delimitado, a su vez ya cuantificado, la interpretación resulta necesariamente específica o genérica y la presencia del pronombre es categórica (150).[97]

(149) a. ¿Me puedes prestar un poco de azúcar? No te Ø puedo prestar porque no Ø tengo.
b. ¿Fuisteis a la subasta? ¿Comprasteis algunos libros? No pudimos comprar Ø porque subieron mucho de precio.
(150) a. ¿Me puedes devolver un poco del azúcar que te di ayer? No te *(lo) puedo devolver porque ya no *(lo) tengo.
b. ¿Fuisteis a la subasta? ¿Comprasteis algunos (de los) libros (que habíais visto)? No pudimos comprar*(los) porque subieron mucho de precio.
c. ¿Han llegado todos los invitados? Sí, pása*(los) al comedor.
d. Odia a todos los animales y nunca *(los) permitirá en su casa.

En el área confundidora del caso, aunque la posibilidad de silenciar el pronombre también existe, con notable frecuencia se expresa el clítico aunque su antecedente sea un nombre escueto (151a-d) o cuantificado de referencia inespecífica (151e-g). En todos los ejemplos los pronombres parecen funcionar al modo de los clíticos partitivos *en, ne* de otras lenguas romances, inexistentes en español.

(151) a. Algunas echábamos azúcar, otras pues no echaban nada porque si no lo tenían... (R)
b. Yo tampoco no tengo nevera ni tengo nada de eso. Como yo no la tengo, pues no lo hago. (R)
c. Antes había hornos, pero ahora ya no les hay. (V)
d. ¿Hay médico en el pueblo? —Siempre le ha habido. (V)
e. ¿Hay una comida típica? —No, no la hay. (R)
f. ¡Si antes en este pueblo había muchísimas ovejas! Muchos pastores las tenían. (R)
g. Dinero no Ø daban. Hombre, daban algo de dinero, el que lo tenía, pues también se lo daba. El que no lo tenía, pues ya te compraba el hombre la cama y eso. (R)

No obstante, esta reinterpretación de los pronombres de acusativo como partitivos no es exclusiva del área referencial, ya que en los territorios distinguidores de la Península Ibérica se acepta con facilidad el impersonal *haber* con clíticos de acusativo como en (151c-e).

---

[97] Enç (1991) señala este contraste para los indefinidos que, en español, es sobre todo pertinente cuando cuantificadores como *algunos* o *muchos* acompañan a nombres discontinuos, ya que una oración como *¿Has visto a muchos colegas?* es ambigua respecto a su interpretación. Puede significar tanto «¿Has visto a muchos colegas?» como «¿Has visto a muchos de los colegas?». Estas diferencias de interpretación se reflejan en la expresión u omisión del pronombre y coinciden con los diferentes tipos señalados de cuantificadores (Moreno Cabrera 1991: 131-133): los cuantificadores no-proporcionales pueden prescindir de copia pronominal mientras que los proporcionales y los universales la exigen.

21.5.4.2. La redundancia pronominal

La redundancia pronominal es un fenómeno que afecta de forma muy diversa a los pronombres de acusativo y a los de dativo en las áreas distiguidoras del caso [→ § 19.4]. Mientras que la duplicación pronominal del dativo es habitual en todas ellas, la del acusativo se evita en la mayoría de los dialectos distinguidores del caso y sólo en el español rioplatense se doblan regularmente los objetos directos específicos (Suñer 1993).

La duplicación de los objetos directos, aunque lejos de ser sistemática, no es desconocida en el área referencial tanto con nombres propios (152a) como con nombres comunes de determinación definida (152b-g) o indefinida (152h, i). La interpretación es siempre específica o genérica, de acuerdo con los principios generales que regulan la presencia de los clíticos de objeto directo.

(152) a. ¿La conocen a la Teodorina? (M)
b. A todos los noventa los damos de comer y la hacemos la comida, nosotras. (S)
c. Le llevaba el ayuntamiento el palio. (V)
d. Ese día le dejan al marido en casa. (S)
e. ¿No lo llevabais vosotros a Valderrábano también el vino? (R)
f. Se echaba un cuajo que había que lo cuajaba esa leche. (R) / Lo echabas en una sabanilla la leche cuajada ya. (V)
g. Los chavales nuestros no lo prueban la carne. (V)
h. En una cazuela horno, que las hay ahora, la he comprado yo una ahora. (M)
i. Ahí le tengo yo colgado uno, uno de mi hermana, que yo no quise este año quedarle («dejarlo») [un jamón]. (M)

La duplicación también puede encontrarse cuando el antecedente es neutro (153a), un sintagma nominal complejo y específico (153b, c) o una oración de infinitivo (153d) o completiva (153e):

(153) a. Lo tienen en todas partes lo mismo. [Quilis 1985: 101]
b. No lo sé lo que harán. (LNR)
c. Cada uno se lo come lo que puede. (LNR)
d. En este pueblo no había agua en las casas [...]. Yo lo he conocido meter el agua. (S)
e. Me lo considero que es muy importante. [Quilis 1985: 101]

Hay que destacar que en el área referencial son también usuales los llamados pronombres reasuntivos de las oraciones relativas, que aparecen preferentemente con antecedentes indefinidos.

(154) a. Había otra timidez, otro respeto, pues que ahora no le hay. (M)
b. Vive aquí una sobrina, que la hemos criado nosotros también. (M)
c. Unas puertas de atrás que hay un poco más alla, que las vamos a poner nuevas. (R)

d. Ahí hay un vino que lo hacen ellos [...]. Esto es un vino que lo hacen ellos. (S)
e. [Echamos] cosas del campo que lo producimos nosotros. (V)

En cuanto a los objetos indirectos, el doblado es posible en las mismas condiciones que en los dialectos distinguidores del caso. Su frecuencia parece, sin embargo, menor, sin duda debido a la notable capacidad de identificación del antecedente a través del pronombre en el sistema referencial, en contraste con lo escasamente informativo a ese respecto que puede resultar el *le* dativo de las zonas distinguidoras. [98]

21.5.4.3. La construcción impersonal con se

La pérdida de la distinción de caso propia del sistema referencial también se ha consumado por completo en las oraciones impersonales con *se* seguidas de pronombre [→ § 26.4.2]. De este modo, el pronombre correferencial con un objeto indirecto o un objeto directo se selecciona atendiendo exclusivamente a los rasgos de género, número y continuidad del antecedente. Las restricciones que en las zonas distinguidoras del caso afectaban a la pronominalización de los objetos directos inanimados no parecen tener efecto en la zona referencial. Aunque en esta variedad son perfectamente posibles las llamadas oraciones pasivas de *se* (sobre todo propias de los objetos directos inanimados), la eliminación del caso ha conducido a generalizar las oraciones impersonales con *se* con cualquier tipo de objetos directos, haciendo posible el uso habitual del pronombre. Como resultado, la pronominalización en esta construcción, aunque no llega a ser categórica, alcanza en el área refencial una regularidad desconocida de los dialectos distinguidores. En los ejemplos siguientes cito pronominalizaciones de objetos directos e indirectos humanos, masculinos (155) y femeninos (156).

(155) a. [Al alcalde] también se le respetaba. (V)
b. Al médico se le avisa por teléfono. (BB)
c. No se le ha llamado al carnicero nunca. (Mo)
d. [Al médico] se le pagaba un equis [...] y se le daba también grano o trigo. (JF)

(156) a. La Virgen se la saca en procesión [...], se la va rezando el rosario [...], se la decía una misa. (Fc) / [A la Virgen] se la compraban flores. (Li)
b. [A la novia] se la ponía una rama de árbol. (MmP)
c. [A las niñas] se las cubría y se las ponía un refajo por aquí. (MM)
d. Algo se las daba si querías [a las parteras]. (ARp)
e. A las forasteras no se las cobraba tampoco [el baile]. (M)

---

[98] En apoyo de esta impresión puedo aducir que los recuentos de doblado de objetos indirectos pospuestos al verbo realizados por Morales (1991) sobre la variedad de Madrid arrojan una frecuencia de sólo el 59 %, frente al 86 % que alcanza la variedad distinguidora del caso de San Juan de Puerto Rico. Dada la eliminación de la distinción de caso en el área referencial, sería de esperar en consonancia con ello un aumento del doblado de los argumentos en posición de objeto directo y una disminución del doblado de los objetos indirectos. Esto es, una aproximación en ambos tipos de objetos en lo relativo a la redundancia pronominal.

Si los objetos son animados (y no personales), las posibilidades de pronominalización y los criterios de asignación del pronombre no varían, según se deduce de (157) y (158).

(157) a. El cerdo se le limpia bien la piel, se le deja bien lavadito, se le abre, se le sacan las tripas, [...] se le deja veinticuatro horas colgado. (CSP)
b. Al conejo [...] se le pegaba un trompazo en la cabeza, se le [de]sollaba. (SMR)
(158) a. Se ataba a la oveja, se la cogía, se la esquilaba. (SMR)
b. Se mataba una gallina y se la cocía, se la cocía un rato. (CA)
c. A la oveja se la echa cebada y paja. (Mo)
d. A las ovejas se las ataba las cuatro patas. (EA)
e. [A las gallinas] se las echaba de comer la cebada o la harina o lo que fuera. [No necesitaban un cuidado especial] si se las trataba bien, si se las metía, se las cargaba por la noche. (MmP)

El hecho de que los antecedentes sean inanimados discontinuos tampoco modifica las posibilidades de pronominalización ni las pautas de selección del clítico. Obsérvense (159) y (160).

(159) a. [El horno] se le barría bien. (CS)
b. [El colchón] se le vareaba, se le ahuecaba la lana. (F)
c. [Cualquier costal] se le colgaba así al hombro. (MmP)
d. [El jamón] se le echa en sal y se le pone una piedra buena encima [...]. Se le tiene diez o quince días, después se le cuelga. (PA)
(160) a. Se hacía una encina de leña y se la tapaba con tierra, se la prendía fuego. (ST)
b. Las tripas [...] se las limpia bien, se las quita toda la caca, se las limpia bien y se las quita todo. (PP)
c. A las morcillas se las echaba un poco [de] arroz. (SMR)
d. Nos metíamos en las carrales, en las cubas a lavarlas, [...] y se las llenaba casi allá, hasta arriba.

La única variación en estos parámetros de selección del pronombre en el área referencial se registra en el plural masculino, que en el área A prefiere *se les* y en el área B *se los*. Ello se constata tanto con objetos humanos (161), animados (162) como inanimados (163).

(161) a. A los hijos se les quiere mucho. (MM) / Los santos se les saca de procesión, se les ponía en sus andas con ramos y cosas. (AC)
b. Se les daba dinero [...], se les daba tocino [a los quintos]. (AC)
a′. Quererlos a los nietos, se los quiere muchísimo. (LSM)
b′. Se los tiene menos respeto a los maestros. (MmP)
(162) a. [Los conejos] se les criaba a hierba. (La)
b. [A los cerdos] se les da pienso, un poco [de] pienso compuesto. (R)
a′. Cuando se los veía que tenían ya un kilo y medio o así, se los mataba para comer. (MmP)
b′. Entonces se los echaba cebada y patatas cocidas [a los cerdos]. (S)

(163) a. Pues algunos [chorizos] se les mete en unas ollas con manteca y aceite y otros, pues se deja en rama. (R) / Los lomos se les puede tomar con aceite. (Ca)
b. Los jamones se les pone unas piedras encima [...], se les lava bien, se les echa un poco [de] pimentón y se les cuelga. (CSP)
a'. Se los pone en sal, se los da bien el «adobao» [los lomos]. (LSM)
b'. Se los echa pimentón, la sal, el ajo y todo eso [a los chorizos]. (S)

También los objetos continuos pueden pronominalizarse en las construcciones impersonales con *se.* El pronombre asignado en este caso es *lo,* tanto si su antecedente es objeto directo o indirecto. Los ejemplos que siguen muestran casos de pronominalizaciones con todo tipo de objetos continuos, (164) y (165).

(164) a. El lomo se lo da una vuelta en la sartén, se lo mete a la olla, se lo cubre con aceite de oliva. (CSP)
b. Se lo segaba, así, se lo hacía haces [...]. Después, se lo sacudía el grano, se lo sacaba primeramente lo más largo, luego se lo sacaba el grano, así, a golpes se lo sacaba [...]. Con unos trillos, de madera, que tenían piedras, como... lo iban cortando, y hasta que se lo hacía menudo menudo, que parecía nieve [el cereal: el trigo, el centeno]. (MV)
c. Todo eso se cuece muy cocido, se lo quita el hueso y se lo pone en un molde, y prensado, y eso es la cabeza de jabalí. (LSM)

(165) a. Lo ordeñan; cuando está templado, se lo echa el cuajo, se lo deja cuando está cuajado, y después, se echa [a] un paño con un pico [la leche que se hace queso]. (M)
b. La lana se lo vareaba para que esponjaría. (Re)
c. Se lo arregla, se lo masa [...]. Y luego se lo cuelga en varales [...]. Y luego después, cuando ya está para freírse, se lo descuelga, se lo baja y se lo hace tajadas y a freír [la carne]. (MmP)
d. Ahí en eso se juntaba toda la carne picadito y ahí en eso se lo echaba la sal, se lo echaba el ajillo ese bien machacado con un poco de agua después en el mortero y eso, se lo regaba bien todo ello y se lo daba vueltas. (J)

Parece, pues, que la construcción impersonal con *se* en este dialecto ha quedado completamente asimilada a la versión transitiva equivalente con sujeto explícito. De todos estos empleos, hay que subrayar que sólo parecen haber sido aceptados en la lengua de nivel intermedio y elevado los relacionados con las secuencias *se le-les, se la-las,* siendo netamente rechazadas en esas variedades las combinaciones *se los* y *se lo.* La amplia aceptación que *se la, se las* alcanzan en la Península debe vincularse con el papel privilegiado que desempeña la ciudad referencial de Madrid en la fijación del dialecto estándar peninsular. [99]

[99] Los ejemplos de *se la(s)* y de *se le(s)/se los* con antecedentes no-personales citados por Santiago (1975: 90-92) proceden en su inmensa mayoría de periódicos madrileños. Y lo mismo cabe decir de muchas de las frases con *se la(s), se lo* y *se los* citadas por Alarcos (1994: 210-211), que fueron halladas o bien en autores hispanoamericanos del cono sur o bien en castellanos como Miguel Delibes o Julián y Javier Marías.

21.6. El uso de los pronombres átonos en el español estándar

Por encima de los varios sistemas de referencia pronominal que acabo de describir, empleados en el habla popular y coloquial, existe en la lengua de nivel sociocultural elevado de todas las áreas del mundo hispanohablante la tendencia a renunciar parcialmente a las características propias de cada dialecto a favor de un sistema de uso que se ajusta básicamente a lo defendido al respecto por la Real Academia Española. Este sistema, que podríamos denominar estándar, es idéntico al sistema distinguidor del caso con la salvedad de tolerar *le* para objetos directos personales en el masculino singular. Es el seguido mayoritariamente por los medios de comunicación así como por muchos de los hispano-hablantes cultos de regiones no-leístas.

21.6.1. El sistema del estándar en la lengua escrita

Desde los recuentos realizados por Cuervo (1895: 99-105), se viene señalando el empleo de *le* como clítico de acusativo referido a antecedentes masculinos por parte de escritores oriundos de las zonas distinguidoras del caso. El propio Cuervo explicó esta práctica como un resultado de la influencia que la prestigiosa lengua de la corte ejercía sobre la forma de escribir (pero no necesariamente sobre la de hablar) de los literatos, que encontraban en *le* «cierto aire de cultura y elegancia». El prestigio asociado a este leísmo hubo de establecerse desde antiguo, pues desde finales del siglo XVI hasta el siglo XIX autores andaluces como Morales o Roa (cordobeses), Fray Luis de Granada, Aldrete (malagueño), Jáuregui, Reinoso o Lista (sevillanos), Bermúdez de Castro (gaditano) o Valera (cordobés) prefieren mayoritaria o exclusivamente *le*. Idéntica preferencia registra Cuervo en murcianos como Cascales o Saavedra, y riojanos como López de Zárate, todavía en el siglo XVII, o como el logroñés Bretón de los Herreros o los canarios Iriarte o Pérez Galdós, ya en el siglo XIX. Los aragoneses como Nasarre o Luzán tampoco desconocieron este empleo ni los escritores de zonas bilingües como el catalán Boscán en el siglo XVI, el valenciano Virués en el XVII, o los asturianos Campomanes y Jovellanos, en el XVIII.[100] La inclinación por el *le* parece depender de preferencias estrictamente individuales, ya que la distinción del caso característica de sus regiones de origen se ve, en cambio, preservada por el sevillano Mexía, el cordobés Pérez de Oliva, el valenciano Gil Polo en el siglo XVI, por el sevillano Alemán o los aragoneses Argensola, en el siglo XVII, por el catalán Capmany en el XVIII, o por el granadino Alarcón en el XIX. Hay que buscar, pues, explicaciones particulares para entender estas divergencias en el uso, según se ha puesto de manifiesto al contrastar las obras de dos escritores andaluces del XIX que vivieron en Madrid, Saavedra, duque de Rivas, moderadamente leísta, y García Gutiérrez, que lo era exacerbadamente (García Martín 1987). En autores del siglo XX se ha notado un contraste equivalente que comprende desde los escritores distinguidores que se mantienen básicamente así en sus obras (los hermanos Álvarez Quintero o Juan Ramón Jiménez, andaluces, o

[100] Hay que matizar, no obstante, que la mayoría de los autores supuestamente leístas imprimieron sus obras en Madrid, hecho que conduce a reflexionar sobre la parte de responsabilidad en este leísmo que cabría atribuir a los impresores.

Cela, gallego) hasta aquellos nacidos en territorios no-leístas que se muestran decididamente leístas en su producción literaria: es el caso del gallego Valle-Inclán, el valenciano Blasco Ibáñez, los alicantinos Azorín y Miró o el andaluz Pemán (Fernández Ramírez 1951: 41-42).

Desde mediados del siglo XIX el empleo de *le* en la lengua literaria reduce su ámbito de aparición, pues poco a poco se reserva para antecedentes masculinos y personales, frente a su extendido uso para referir antecedentes no-personales en los siglos XVII y XVIII (Keniston 1937, Fernández Ramírez 1951, Marcos Marín 1978). En esta reducción del ámbito de aplicación del *le* acusativo tuvo, sin duda, un papel importante la postura de la RAE. Hasta entonces *le* había sido la única forma oficialmente tolerada por esa institución como acusativo masculino, con prohibición expresa de *lo.* En 1854 se produce un cambio radical en esta cuestión dictaminando que *lo* constituye el acusativo masculino, que «nunca o rarísima vez convendría el *le* acusativo a pronombre de cosa» y «que aun en pronombre de persona u otro ser viviente, o al menos orgánico, no debe usarse el acusativo *le* cuando el nombre en igual caso llevaría el artículo definido *el,* sino cuando le correspondería el artículo *al*» (Cuervo 1895: 231-232). La postura académica resultó de aceptar la propuesta que el valenciano Salvá (1830) había incluido en su gramática, refrendada después por Bello (1847) en la suya, y se ha mantenido en lo fundamental hasta hoy en el *Esbozo* (RAE 1973), la última gramática académica.

Ello explica que el leísmo en la literatura de escritores nacidos en áreas distinguidoras se haya ido restringiendo al ámbito de lo personal. Buena muestra de ello son los leísmos esporádicos y debidos a preferencias exclusivamente individuales que se registran en autores hispanoamericanos de Argentina, Chile, Uruguay, México, etc. (cf. Kany 1945: 133-134, 137-139). Pero hay que destacar que frente al leísmo ocasional hispanoamericano, existe en la lengua escrita peninsular un sistema pronominal en que *le* es netamente y de forma creciente la forma preferida para referir a antecedentes masculinos y personales. Así escritores catalanes como Vázquez Montalbán o Porcel emplean *le* en ese contexto en el 91 % de las veces, mientras que andaluces como Ayala llegan a aceptarlo en un 45 % (Klein-Andreu 1992: 174-175).[101]

En cuanto a la lengua literaria de los escritores nacidos en el área referencial, el análisis de los textos muestra que ha evolucionado a lo largo del tiempo para adaptarse a los parámetros de la lengua estándar. Ello se prueba por una disminución de la presencia del leísmo 'de cosa', el laísmo y el loísmo en la lengua escrita a lo largo del tiempo. De su máximo reflejo en la literatura de los siglos XVI a XVIII (Lapesa 1968: 542-547; Marcos Marín 1978: 195-206, 210-218), en autores como Santa Teresa, Quevedo o Moratín, la progresiva penalización de estas 'desviaciones' por parte de la Real Academia desde finales del siglo XVIII ha conducido a su ocultación en la lengua escrita. Así, en la lengua del madrileño R. de la Cruz, el abulense Jiménez Lozano y el vallisoletano Delibes el leísmo alcanza el 97 % de los acusativos masculinos animados, pero sólo el 20 % de aquellos que tienen antecedentes inanimados. El leísmo plural aparece exclusivamente, y de forma mitigada, restringido

[101] Es necesario destacar que los escritores nacidos en áreas no-referenciales se ven contagiados a veces no sólo del leísmo, sino también del laísmo. Es el caso de la gallega Pardo Bazán, predominantemente laísta, o de Galdós, Valle-Inclán o Baroja, con ejemplos minoritarios (Fernández Ramírez 1951: 48; Marcos Marín 1978: 229-241, 248-258). Las razones que motivaron estos usos pronominales «mixtos» deben indagarse individualmente, como ha hecho Korkostegi (1992) con Baroja.

a los antecedentes personales, en los textos de autores de la zona referencial A (como Delibes) (Benezech 1977: 28-33). En cuanto al laísmo, los escritores referenciales tienden a corregirlo en gran medida, dependiendo el grado de eliminación de preferencias esencialmente personales. Frente a su casi total desaparición de la lengua de Chacel (vallisoletana) o Benavente (madrileño) y a su igualación con la forma *le* en Arniches, el laísmo se mantiene predominante, en cambio, en los textos de autores como Gómez de la Serna (madrileño) o Jiménez Lozano (abulense) (Fernández Ramírez 1951: 47-51; Benezech 1977: 40). Por último, el loísmo es, sin duda, el fenómeno más reprimido en la lengua escrita, emergiendo muy raramente a la superficie. No obstante, se registran casos de loísmo con antecedente neutro en Benavente o Gómez de la Serna o con antedentes masculinos y animados en Delibes, Jiménez Lozano o Sánchez Ferlosio (Fernández Ramírez 1951: 51; Alarcos 1994: 204; Benezech 1977: 39).

21.6.2. El sistema del estándar en la lengua hablada

La tendencia, bien conocida, que elimina las particularidades locales de la lengua hablada por los estratos de la sociedad con mayor cultura se manifiesta, en el caso de los pronombres átonos de tercera persona, favoreciendo el sistema de la lengua estándar. La potenciación del sistema del estándar da lugar en cada área a comportamientos diversos según se trate de introducir empleos ajenos a la zona o de suprimir algunos de los genuinos en ese territorio.

Dentro del área referencial, los hablantes de nivel socio-cultural alto disminuyen o suprimen los usos confundidores, pero mantienen con plena vitalidad el leísmo para antecedentes masculinos y personales, que en Burgos y Valladolid se da en la misma proporción en el singular y en el plural y en los estilos formales e informales. En esta zona referencial el laísmo se mantiene con plena vitalidad en la conversación de los hablantes de nivel socio-cultural bajo y medio, pero disminuye radicalmente en los de nivel superior y en los estilos formales (Klein-Andreu 1981; Martínez Martín 1984). Mucho más penalizado resulta el leísmo no-personal y sobre todo el *lo* para referir a continuos femeninos y dativo, que desaparece en la práctica del habla culta (Klein-Andreu 1992 y 1998) (cf. el § 21.5.2.2). [102] En el sur del área referencial, el habla estándar de Toledo y Madrid se comporta como la de Valladolid con la salvedad de que disminuye notablemente el porcentaje del leísmo personal en plural, de acuerdo con el sistema local que prefiere *los* como plural masculino (Quilis 1985; Klein-Andreu 1998).

En las áreas peninsulares distinguidoras del caso, el prestigio del sistema del estándar, irradiado desde Madrid por los medios de comunicación, está conduciendo a una implantación creciente del leísmo de persona masculina y singular (pero no de otros empleos referenciales como el leísmo 'de cosa' o el laísmo). Así los hablantes de nivel socio-cultural superior de las ciudades de Soria y Logroño aceptan este leísmo hasta en un 40 %, frente a su nítido rechazo por parte de los niveles

[102] En la ciudad de León, situada al borde de los límites geográficos del sistema referencial, se han registrado las mismas tendencias: mantenimiento del leísmo personal masculino en singular y plural (si bien los estratos altos leoneses disminuyen su leísmo hasta el 61 % frente al 90 % de los medios y bajos), y reducción progresiva del laísmo según se sube por la escala socio-cultural: del 75 % del nivel bajo, pasando por el 42 % del nivel medio, hasta el 13 % del nivel alto (Cortés Rodríguez 1992).

medios e inferiores (Klein-Andreu 1979). La cada vez más firme implantación del leísmo personal y singular en la lengua estándar también ha sido observada en Córdoba: mientras que los datos obtenidos en conversación arrojan una presencia mínima del leísmo, los registrados mediante cuestionarios ofrecen entre un 20 % y 30 % de *le* acusativo con antecedentes personales y masculinos *(Le vio a Pedro, Le llamé, Le felicitó, Le suspendió).* [103] Y también en el habla de jóvenes de estratos medios en un área diglósica de catalán-español, la comarca valenciana de Camp de Turia, ese leísmo alcanza el 80 % (Blas Arroyo 1994).

En las zonas bilingües en las que el español convive con lenguas no-indoeuropeas y en las que es característico el leísmo asociado a objetos animados sin distinción de género (cf. los §§ 21.3.1 y 21.3.3), el habla de los estratos cultos se distingue por renunciar al uso de *le(s)* para referir a objetos directos personales y femeninos, pero preservándolo para los antecedentes masculinos. En el español vasco, el leísmo personal masculino alcanza el 100 % de los usos en el singular y el 75 % en el plural para todo tipo de hablantes. En cambio, el nivel de aceptación del leísmo personal femenino disminuye sensiblemente según aumenta el nivel sociocultural de los hablantes, tanto en el singular como en el plural (Urrutia Cárdenas 1988: 38).

Aunque vemos cómo los distintos sistemas dialectales de la Península Ibérica se reorganizan en el habla de las personas cultas y en los estilos más formales para acercarse a este sistema de 'compromiso', hay que puntualizar que solamente ciertos contextos sintácticos favorecen esta penetración del leísmo en la lengua estándar. Se trata fundamentalmente de las oraciones transitivas con un único objeto argumental, cuya asignación de caso puede ser dudosa (en oposición a las ditransitivas en las que la asignación de caso resulta obvia) (García 1986 y 1992).

21.6.3. La formación del sistema del estándar

No es fácil llegar a saber con precisión cómo se constituyó este sistema de la lengua estándar peninsular. En su formación deben esconderse tanto razones de carácter gramatical como motivos históricos y sociológicos.

Desde el punto de vista lingüístico, tanto García (1992) como Klein-Andreu (1981 y 1992) han sugerido que el sistema del estándar pudo nacer como un sistema de 'compromiso' a partir de la reunión de los rasgos comunes al sistema distinguidor del caso y al sistema referencial. En el sistema distinguidor, el *le* dativo refiere mayoritariamente a antecedentes animados y el *lo* acusativo y no-femenino a inanimados. En el referencial, el *le* discontinuo es el pronombre siempre empleado para referir a los animados, a condición de que sean masculinos, mientras que el *lo* continuo remite exclusivamente a inanimados. La interpretación coincidente de *le* como animado y de *lo* como inanimado se vio complementada por las restricciones que impuso cada sistema sobre la lectura del género correspondiente a cada pronombre: la interpretación de *le* se vio limitada al masculino por el sistema referencial y lo mismo sucedió con la de *lo* por parte del sistema distinguidor.

---

[103] En correspondencia con ello, el porcentaje de *le* referido a objetos directos masculinos aumenta mucho más en verbos que pueden regir dativo, como *ayudar* u *obedecer,* en contraste con los porcentajes de *le* alcanzados cuando el objeto es femenino. Así *le* es el pronombre preferido en *Le ayudó a él* (61 %) o *Le obedece a él* (78 %), pero minoritario en *Le ayudó a ella* (25 %) o *Le obedece a ella* (32 %) (Uruburu 1993: 138-145).

Desde luego, no cabe ninguna duda de la viabilidad de esta reinterpretación de los valores denotativos de *le* y *lo.* La prueba nos la ofrece el empleo de los pronombres en el habla autóctona de una de las zonas de transición entre los sistemas referencial y distinguidor del caso, la situada al sureste de la ciudad de Madrid, que se ajusta exactamente a los parámetros del sistema del estándar (Fernández-Ordóñez 1994). Aunque no es seguro que el habla de esta zona jugase algún papel en la creación de este sistema, su ubicación geográfica, tan próxima a Madrid, parece sugerirlo, sin que haya que descartar que la desmotivación de los valores de *le* / *lo* como discontinuo / continuo y su relectura como animado / inanimado pueda haber tenido lugar en cualquier otra situación de contacto entre el sistema referencial y el distinguidor del caso. A favor de esta segunda posibilidad figura el hecho de que la reinterpretación que dio lugar al sistema del estándar puede rastrearse desde época antigua en las observaciones y prescripciones de algunos gramáticos, siempre de zonas bilingües. Precisamente fueron dos valencianos, Juan Martín Cordero, en 1556, y Vicente Salvá, en 1830, los primeros en aceptar el leísmo personal y rechazar el del cosa (Cuervo 1895: 220 y 230-231). Ello sugiere que la reinterpretación de *le* como animado y de *lo* como inanimado debía surgir naturalmente cuando se consideraban globalmente los datos sobre el empleo de los pronombres procedentes de los territorios castellanos (referenciales y distinguidores).

ÍNDICE DE SIGLAS [104]

A = Amatriáin, Navarra.
AC = Alba de los Cardaños, Palencia.
AF= Aldeaseca de la Frontera, Salamanca.
Al = Almajano, Soria.
Ap = Apatamonasterio, Vizcaya.
ARp = Arenillas de Riopisuerga, Burgos.
Au = Ausejo, La Rioja.
Az = Azcona, Navarra.
B = Bustarviejo, Madrid.
BA = El Barco de Ávila, Ávila.
Bb = Barriobusto, La Rioja.
BB = Barcina del Barco, Burgos.
Be = Bernales, Vizcaya.
BH = Berrocal de Huebra, Salamanca.
BM = Barcina de los Montes, Burgos.
Br = Briones, La Rioja.
Bri = Brías, Soria.
C = Cobos de Cerrato, Palencia.
Ca = Cabañas de Juarros, Burgos.
CA = Cerezo de Abajo, Segovia.
Cas = Castresana, Burgos.
CC = Coruña del Conde, Burgos.
Ce = Cebreros, Ávila.
Cem = Cembranos, León.
Co = Cossío, Cantabria.
CR = Cifuentes de Rueda, León.
CS = Castrillo de Solarana, Burgos.
CSP = Campo de San Pedro, Segovia.
Cu = Cubilla, Soria.
E = Errea, Navarra.
EA = El Arenal, Segovia.
EE = Encinas de Esgueva, Valladolid.
En = Endrinal, Salamanca.
F = Fuentecén, Burgos.
Fc = Fuentecambrón, Soria.
Fp = Fuentepinilla, Soria.
G = Garde, Navarra.
Ga = Galdácano, Vizcaya.
Ge = Geras, León.
GS = Gredilla de Sedano, Burgos.
Gu = Gumiel del Mercado, Burgos.
JF = Jaramillo de la Fuente, Burgos.
L = Lozoya, Madrid.
La = Lantadilla, Palencia.
LA = Los Arcos, Navarra.
Lam = Lamiña, Cabuérniga, Cantabria.
LC = La Canceda, Roíz, Cantabria.
Le = Leitza, Navarra.
Leb = Lebeña, Cantabria.
LeCo = Ledesma de la Cogolla, La Rioja.
Led = Ledantes, Cantabria.

[104] Las siglas identifican las localidades en que se obtuvieron los datos citados a lo largo del capítulo procedentes del corpus del español hablado en zonas rurales peninsulares que vengo elaborando desde el año 1990 y al que se alude en las notas 10, 66 y 87

LeM = Leciñana de Mena, Burgos.
Li = Ligüerzana, Palencia.
Lin = Linares, Cantabria.
Liz = Lizoáin, Navarra.
LM = Los Navalmorales, Toledo.
LN = Laguna de Negrillos, León.
LNR = La Nava de Ricomalillo, Toledo.
Lo = Lorenzana, León.
LSM = La Serna del Monte, Madrid.
Lu = Lugueros, León.
M = Mazuecos de Valdeginate, Palencia.
MAT = Madrigal de las Altas Torres, Ávila.
Mb = Mombeltrán, Ávila.
MB = Montoto de Bezana, Burgos.
Me = Membibre, Salamanca.
MM = La Mota del Marqués, Valladolid.
MmP = Martinmuñoz de las Posadas, Segovia.
Mo = Montorio, Burgos.
MR = Manzanares de Rioja, La Rioja.
MV = Mediana de Voltoya, Ávila.
Mu = Mundaka, Vizcaya.
N = Navalmanzano, Segovia.
Ne = Nestares, La Rioja.
No = Novales, Cantabria.
NT = Navalperal de Tormes, Ávila.
O = Osornillo, Palencia.
OC = Orbaneja del Castillo, Burgos.
OP = Olleros de Pisuerga, Palencia.
OPe = Ortigosa del Pestaño, Segovia.
Or = Orbaitzeta, Navarra.
P = Prado, Zamora.
Pa = Para, Asturias.
PA = Puente de Almuhey, León.
Pd = Puentedura, Burgos.
PN = Palencia de Negrilla, Salamanca.
PP = Pinillos de Polendo, Segovia.
PY = Puebla de Yeltes, Salamanca.
Q = Quintanaloranco, Burgos.
Qb = Quintanabureba, Burgos.
R = San Román de la Cuba, Palencia.
Re = Reinosa, Cantabria.
Ru = Ruanales, Cantabria.
S = Santiuste de San Juan Bautista, Segovia.
Sa = Santillán, Cantabria.
SA = Salinas de Añana, Álava.
SC = San Cebrián de Castro, Zamora.
SCM = San Cebrián de Mazote, Valladolid.
Si = Sigüés, Zaragoza.
SMA = San Mamés de Abar, Burgos.
SMB = San Miguel de Bernuy, Segovia.
SMM = Santa María del Mercadillo, Burgos.
SMR = Santa María del Río, León.
So = Sopuerta, Vizcaya.
SPR = San Pedro de Rozados, Salamanca.
ST = Santiurde de Toranzo, Cantabria.
T = Tordómar, Burgos.
Ta = Talaván, Cáceres.
Te = Temiño, Burgos.

Tez = Tezanos, Cantabria.
V = Villamoronta, Palencia.
Vd = Vadocondes, Burgos.
Ve = Venialbo, Zamora.
VE = Villamor de los Escuderos, Zamora.
Vdc = Valdelacasa, Salamanca.
Vg = Villagallegos, León.
VH = Villasur de los Herreros, Burgos.
VI = Villamediana de Iregua, La Rioja.
VL = Villalba de Lampreana, Zamora.
Vm = Villaverdemogina, Burgos.
VM = Vegas de Matute, Segovia.
VR = Villar del Río, Soria.

REFERENCIAS BIBLIOGRÁFICAS

ABADÍA DE QUANT, INÉS (1996): «Guaraní y español. Dos lenguas en contacto en el Nordeste argentino», *Signo y Seña* 6, págs. 197-233.

ABADÍA DE QUANT, INÉS y JOSÉ M.ª IRIGOYEN (1977): «El español substandard de Resistencia», en Elena M. Rojas (coord.), *Primeras jornadas nacionales de dialectología,* Tucumán, Universidad Nacional de Tucumán, págs. 213-223.

ALARCOS LLORACH, EMILIO (1994): *Gramática de la lengua española,* Real Academia Española, Madrid, Espasa Calpe.

ALMEIDA, MANUEL y CARMEN DÍAZ ALAYÓN (1988): *El español de Canarias,* Santa Cruz de Tenerife, Litografía A. Romero.

BELLO, ANDRÉS (1847): *Gramática de la lengua castellana destinada al uso de los americanos,* con las Notas de Rufino José Cuervo, edición y estudio de Ramón Trujillo, Madrid, Arco/Libros, 1988.

BENEZECH, JEAN LOUIS (1977): «Remarques sur les pronoms atones de la troisième personne. Léismes, loismes et laismes», *Ibérica* (Université de Paris-Sorbonne) 1, págs. 21-44.

BLAS ARROYO, JOSÉ LUIS (1994): «Datos sobre el uso de los pronombres átonos de tercera persona en el habla de Valencia. Aproximación sociolingüística», *Epos* 10, págs. 93-135.

BOSQUE, IGNACIO (1983): «Clases de nombres comunes», en *Serta Philologica F. Lázaro Carreter* I, Madrid, Cátedra, págs. 75-88.

— (ed.) (1996): *El sustantivo sin determinación. La ausencia de determinante en la lengua española,* Madrid, Visor Libros.

CAMPOS, HÉCTOR (1986): «Indefinite Object Drop», *LI* 17:2, págs. 354-359.

CANO AGUILAR, RAFAEL (1981): *Estructuras sintácticas transitivas en el español actual,* Madrid, Gredos.

CANTERO SANDOVAL, GUSTAVO (1979): «Casos de leísmo en México», *ALM* 38, págs. 305-308.

CARFORA, JUANITA (1968): «*Lo* and *le* in American Spanish», *Hispania* 52, págs. 300-302.

CHACÓN BERRUGA, TEUDISELO (1981): *El habla de la Roda de la Mancha,* Albacete, C.S.I.C.

CONTRERAS, LIDIA (1974): «Usos pronominales no-canónicos en el español de Chile», en *Estudios filológicos y lingüísticos. Homenaje a Ángel Rosenblat en sus 70 años,* Caracas, Instituto Pedagógico, páginas 157-176.

CORTÉS RODRÍGUEZ, LUIS (1992): «El uso de *la(s), le(s), lo(s):* Variantes sociolingüísticas en el habla de la ciudad de León», en *Estudios de español hablado (Aspectos teóricos y sintáctico-cuantitativos),* Granada, Instituto de Estudios Almerienses, págs. 105-118.

CUERVO, RUFINO JOSÉ (1874): *Notas a la Gramática de la lengua castellana de don Andrés Bello,* en Bello (1847 [1988]).

— (1895): «Los casos enclíticos y proclíticos del pronombre de tercera persona en castellano», *Ro* 24, págs. 95-113 y 219-263.

— (1994): *Diccionario de construcción y régimen de la lengua castellana,* continuado y editado por el Instituto Caro y Cuervo, 8 vols., Santafé de Bogotá, Instituto Caro y Cuervo. [*DCRLC* en el texto.]

DAVIES, MARK E. (1995): «The Evolution of the Spanish Causative Construction», *HR* 63, págs. 57-77.

DEMMER, JUANITA y LEAVITT O. WRIGHT (1948): «A Frequency Study of the Third Person Object Pronouns in the *Don Quijote*», *Hispania* 31, págs. 161-162.

ECHENIQUE ELIZONDO, M.ª TERESA (1979): «Apócope y leísmo en la *Primera Crónica General.* Notas para una cronología», *Studi Ispanici,* Giardini editori e stampatore in Pisa, págs. 43-58.

— (1980): «Sobre pronombres afijos en español antiguo», *NM* 81:2, págs. 201-207.

— (1981): «El sistema referencial en español antiguo», *RFE* 61, págs. 113-157.

ENÇ, MÜRVET (1991): «The Semantics of Specificity», *LI* 22:1, págs. 1-25.

ESCOBAR, ALBERTO (1978): *Variaciones sociolingüísticas del castellano en el Perú,* Lima, Instituto de Estudios Peruanos.

ESCOBAR, ANNA M.ª (1990): *Los bilingües y el castellano en el Perú,* Lima, Instituto de Estudios Peruanos.

ESPEJO MURIEL, M.ª DEL MAR (1993): «Laísmo y loísmo en el *El viaje entretenido* de Agustín Rojas Villandrando», en *Antigua et Nova Romania. Estudios lingüísticos y filológicos en honor de José Mondéjar en su sexagesimoquinto aniversario,* I, Universidad de Granada, págs. 110-132.

FERNÁNDEZ-ORDÓÑEZ, INÉS (1993): «Leísmo, laísmo y loísmo: estado de la cuestión», en O. Fernández Soriano (ed.), *Los pronombres átonos,* Madrid, Taurus, págs. 63-96.

— (1994): «Isoglosas internas del castellano. El sistema referencial del pronombre átono de tercera persona», *RFE* 74, págs. 71-125.

FERNÁNDEZ RAMÍREZ, SALVADOR (1951): *Gramática española. 3.2. El pronombre,* volumen preparado por José Polo, Madrid, Arco/Libros, 1987[2].
— (1964): «Un proceso lingüístico en marcha», *Presente y futuro de la lengua española* II, Madrid, OFINES, págs. 277-285.
FLORES CERVANTES, MARCELA (1997): «Individuación de la entidad en los orígenes de *leísmo, laísmo* y *loísmo»,* en Concepción Company (ed.), *Cambios diacrónicos en el español,* Universidad Nacional Autónoma de México, págs. 33-63.
GARCÍA, ERICA (1975): *The Role of Theory in Linguistic Analysis. The Spanish Pronoun System,* Amsterdam, North-Holland Linguistic Series, 19.
— (1986): «The Case of Spanish Gender. Referential Strategies in Language Change», *NM* 87, páginas 165-184.
— (1990): «Bilingüismo e interferencia sintáctica», *Lexis* 14:2, págs. 151-195.
— (1992): «Sincronización y desfase del leísmo y laísmo», *NM* 93, págs. 235-256.
GARCÍA, ERICA y RICARDO OTHEGUY (1977): «Dialect Variation in *Leísmo:* A Semantic Approach», en R. Fasold, R. Shuy (eds.), *Studies in Language Variation,* Georgetown University Press, págs. 65-87.
— (1983): «Being Polite in Ecuador. Strategy Reversal under Language Contact», *Lingua* 61, págs. 103-132.
GARCÍA GONZÁLEZ, FRANCISCO (1978): «El *leísmo* en Santander», *Estudios ofrecidos a E. Alarcos Llorach* III, Universidad de Oviedo, págs. 87-101.
— (1979): «Los pronombres personales en el oriente de Asturias», *Estudios y trabayos del Seminariu de llingua asturiana* II, Universidá d'Uvieu, págs. 47-56.
— (1981): «*/le (lu), la, lo (lu)/* en el Centro-Norte de la Península», *Verba* 8, págs. 347-353.
— (1988): «El neutro de materia», *Homenaje a Alonso Zamora Vicente* II, Madrid, Castalia, págs. 91-105.
GARCÍA MARTÍN, JOSÉ M.ª (1987): «Nota sobre el leísmo en dos autores andaluces del siglo XIX», *ALH* 3, págs. 99-122.
GODENZZI, JUAN CARLOS (1986): «Pronombres de objeto directo o indirecto del castellano en Puno», *Lexis* 10: 2, págs. 187-201.
— (1991): «Discordancias gramaticales del castellano andino en Puno (Perú)», *Lexis* 15:1, págs. 107-118.
GÓMEZ LÓPEZ DE TERÁN, NOEMÍ A. y MIRTA ESTELA ASSIS (1977): «Uso del pronombre personal átono *lo»,* en Elena M. Rojas (coord.), *Primeras jornadas nacionales de dialectología,* Tucumán, Universidad Nacional de Tucumán, págs. 299-302.
GRANDA, GERMÁN DE (1982): «Origen y formación del leísmo en el español de Paraguay. Ensayo de un método», *RFE* 62, págs. 259-283.
— (1996): «Origen y mantenimiento de un rasgo sintáctico (o dos) del español andino. La omisión de clíticos preverbales», *Lexis* 20:1-2, págs. 275-298.
HEREDIA, JOSÉ RAMÓN (1991): «Precisiones sobre el leísmo», Comunicación presentada en el XXI Simposio de la Sociedad Española de Lingüística, Granada, diciembre de 1991.
HOPPER, PAUL J. y SANDRA A. THOMPSON (1980): «Transitivity in Grammar and Discourse», *Lan* 56, páginas 251-299.
HURST, DOROTHY A. (1951): «Spanish Case: Influence of Subject and Connotation of Force», *Hispania* 34-1, págs. 74-78.
KANY, CHARLES E. (1945): *American-Spanish Syntax,* Chicago, University of Chicago Press. [Citamos por la traducción española: *Sintaxis hispanoamericana,* Madrid, Gredos, 1970.]
KENISTON, HAYWARD (1937): *The Syntax of Castilian Prose. The Sixteenth Century,* Chicago, The University of Chicago Press.
KLEE, CAROL A. (1989): «The Acquisition of Clitic Pronouns in the Spanish Interlanguage of Peruvian Quechua-Speakers», *Hispania* 72, págs. 402-408.
— (1990): «Spanish-Quechua Language Contact: The Clitic Pronoun System in Andean Spanish», *Word* 41:1, págs. 35-46.
KLEIN-ANDREU, FLORA (1979): «Factores sociales en algunas diferencias lingüísticas en Castilla la Vieja», *Papers. Revista de Sociología* 11, págs. 46-67.
— (1981): «Distintos sistemas de empleo de *le, la, lo.* Perspectiva sincrónica, diacrónica y sociolingüística», *ThBICC* 36, págs. 284-304.
— (1992): «Understanding Standards», en G. Davis y G. K. Iverson (eds.), *Explanation in Historical Linguistics,* Amsterdam/Philadelphia, Benjamins, págs. 169-178.
— (1996): «Anaphora, Deixis and the Evolution of Latin *ille»,* en B. Fox, *Studies in Anaphora,* Amsterdam/Philadelphia, John Benjamins, págs. 305-331.

— (1998): *Le/s, la/s, lo/s: Variación actual y evolución histórica,* Munich, Lincom Europa (en prensa).

KORKOSTEGI ARANGUREN, M.ª JESÚS (1992): *Pío Baroja y la gramática. Estudio específico del leísmo, laísmo y loísmo y la duplicación de objetos,* San Sebastián, Universidad de Deusto.

LACUNZA DE POCKORNY, ROSARIO y ANA M.ª POSTIGO DE BEDÍA (1977): «Aspectos del español hablado en la provincia de Jujuy», en Elena M. Rojas (coord.), *Primeras jornadas nacionales de dialectología,* Tucumán, Universidad Nacional de Tucumán, págs. 191-197.

LANDA, MIREN ALAZNE (1993): «Los objetos nulos determinados del español del País Vasco», *Lingüística* (ALFAL), págs. 131-146.

— (1995): *Conditions on Null Objects in Basque Spanish and their Relation to* Leísmo *and Clitic Doubling,* Los Ángeles, University of Southern California.

LAPESA, RAFAEL (1964): «Los casos latinos: restos sintácticos y sustitutos en español», *BRAE* 44, páginas 57-105.

— (1968): «Sobre los orígenes y evolución del leísmo, laísmo y loísmo», en K. Baldinger (ed.), *Festschrift Walther von Wartburg,* Tubinga, Max Niemeyer, págs. 523-551.

LEONETTI JUNGL, MANUEL (1990): *El artículo y la referencia,* Madrid, Taurus.

LIPSKI, JOHN M. (1996): *El español de América,* Madrid, Cátedra.

LÓPEZ BOBO, M.ª JESÚS (1990): «Sobre el leísmo en el *Libro de Buen Amor*», *Verba* 17, págs. 343-361.

— (1991): «Laísmo y loísmo en el *Libro de Buen Amor*», *Epos* 7, págs. 593-607.

LORENZO RAMOS, ANTONIO (1981): «Algunos datos sobre el leísmo en el español de Canarias», en M. Alvar (coord.), *I Simposio Internacional de Lengua Española* [1978], Las Palmas, Ediciones del Excmo. Cabildo Insular de Gran Canaria, págs. 175-180.

— (1984): «Observaciones sobre el uso de los pronombres en el español de Canarias», en M. Alvar (coord.), *II Simposio Internacional de Lengua Española* [1981], Las Palmas, Ediciones del Excmo. Cabildo Insular de Gran Canaria, págs. 253-263.

LOZANO, ANTHONY G. (1975): «Syntactic Borrowing in Spanish from Quechua: The Noun Phrase», en R. Ávalos de Matos, R. Ravines (eds.), *Lingüística e indigenismo moderno en América.* Trabajos presentados al XXXIX Congreso Internacional de Americanistas, Lima, Instituto de Estudios Peruanos, págs. 297-305.

MARCOS MARÍN, FRANCISCO (1978): *Estudios sobre el pronombre,* Madrid, Gredos.

MARTÍN ZORRAQUINO, M.ª ANTONIA (1979): *Las construcciones pronominales en español. Paradigma y desviaciones,* Madrid, Gredos.

MARTÍNEZ, ANGELITA (1996): «Lenguas y culturas en contacto: uso de los clíticos *lo-la-le* en la región del Noroeste argentino», *Signo y seña* 6, págs. 139-177.

— (1997): «El hilo se corta por lo más delgado: Variedades dialectales en el uso de los clíticos», *ALH. Homenaje a Germán de Granda* XIII (en prensa).

MARTÍNEZ MARTÍN, F. MIGUEL (1984): «Datos sobre el leísmo y el laísmo de persona en el habla de la ciudad de Burgos», *Epos* I, 159-176.

MENDOZA, JOSÉ G. (1991): *El castellano hablado en La Paz. Sintaxis divergente,* La Paz, Universidad Mayor de San Andrés.

MONGE, FÉLIX (1987): «A propósito de *le* y *lo*», en G. Lüdi, H. Stricker, J. Wüest (eds.), *Romania ingeniosa. Festschrift für Prof. Dr. Gerold Hilty,* Berna-Frankfurt-Nueva York-París, Peter Lang, págs. 347-363.

MORALES, AMPARO (1991): «Duplicación de objeto y variación dialectal», en C. Hernández *et al., El español de América. Actas del III Congreso Internacional,* Junta de Castilla y León, págs. 1053-1064.

MORENO CABRERA, JUAN CARLOS (1991): *Curso universitario de lingüística general. Teoría de la gramática y de la sintaxis,* Madrid, Síntesis.

MUYSKEN, PIETER (1984): «The Spanish that Quechua Speakers Learn: L_2 Learning as Norm-Governed Behavior», en Roger W. Andersen (ed.), *Second Languages: a Cross-linguistic Perspective,* Rowley, Mass., Newbury House, págs. 101-119.

NEIRA MARTÍNEZ, JESÚS (1978): «La oposición 'continuo'/'discontinuo' en las hablas asturianas», *Estudios ofrecidos a E. Alarcos Llorach* III, Oviedo, págs. 255-279.

PALACIOS, AZUCENA (1998): «Variación sintáctica en el sistema pronominal del español paraguayo: La elisión de los pronombres objeto», *ALH* XIV (en prensa).

PAUFLER, HANS-DIETRICH (1971): «Quelques observations sur l'emploi des pronoms personnels dans la variante cubaine de la langue espagnole», *Actele celui de-al XII-lea Congres International de Lingvistica si Filologie romanica,* II, Bucarest, págs. 1-6.

POZZI-ESCOT, INÉS (1975): «Norma culta y normas regionales del castellano en relación con la enseñanza», en R. Ávalos de Matos, R. Ravines (eds.), *Lingüística e indigenismo moderno en América.* Trabajos presentados al XXXIX Congreso Internacional de Americanistas, Lima, Instituto de Estudios Peruanos, págs. 321-330.

PRADO, MARCIAL (1988): «Anotaciones sobre los pronombres clíticos», *Actas del VI Congreso Internacional de la Asociación de Lingüística y Filología de la América Latina* (Phoenix, Arizona, septiembre de 1981), Universidad Nacional Autónoma de México, págs. 813-824.

QUILIS, ANTONIO (1988): «Resultados de algunas encuestas lingüísticas recientes en el Ecuador», en *Hommage à Bernard Pottier* II, París, Klincksieck, págs. 649-658.

QUILIS, ANTONIO, MARGARITA CANTARERO, Mª JOSÉ ALBALÁ y RAFAEL GUERRA (1985): *Los pronombres* le, la, lo *y sus plurales en la lengua española hablada en Madrid,* Madrid, C.S.I.C.

REAL ACADEMIA ESPAÑOLA (1973): *Esbozo de una nueva gramática de la lengua española,* Madrid, Espasa Calpe. [RAE 1973 en el texto.]

ROCA, FRANCESC (1996): «Morfemas objetivos y determinantes: los clíticos del español», *Verba* 23, páginas 83-119.

ROEGIEST, EUGÈNE (1990): «La tipología sintáctica del objeto transitivo en español», *Verba* 17, págs. 239-248.

ROJAS, ELENA M.ª (1980): *Aspectos del habla en San Miguel de Tucumán,* Universidad Nacional de Tucumán.

ROLDÁN, MERCEDES (1975): «The Great Spanish *Le-Lo* Controversy», *Linguistics* 147, págs. 15-30.

SALVÁ, VICENTE (1830): *Gramática de la lengua castellana,* Madrid, Arco/Libros, 1988.

SANCHÍS CALVO, M.ª DEL CARMEN (1992): «Sobre leísmo y apócope del pronombre de tercera persona singular objeto directo», en M. Ariza, J. M.ª Mendoza, R. Cano, A. Narbona, *Actas del II Congreso Internacional de Historia de la Lengua Española* I, Madrid, Pabellón de España, págs. 805-812.

SANICKY, CRISTINA A. (1989): «Las variaciones en el uso del pronombre en Misiones», *Hispanic Linguistics* 3, págs. 185-197.

SANTIAGO, RAMÓN (1975): «'Impersonal' *se le(s), se lo(s), se la(s)», BRAE* 55, págs. 83-107.

STUDERUS, LENARD (1984): «Impersonal *se + lo(s), la(s):* A Tentative Regional Profile», *Southwest Journal of Linguistics* (El Paso, Texas) 7, págs. 57-68.

SUÑER, MARGARITA (1993): «El papel de la concordancia en las construcciones de reduplicación de clíticos», en O. Fernández Soriano (ed.), *Los pronombres átonos,* Madrid, Taurus, págs. 174-204.

SUÑER, MARGARITA y MARÍA YÉPEZ (1988): «Null Definite Objects in Quiteño», *LI* 18:3, págs. 511-519.

TOSCANO MATEUS, HUMBERTO (1953): *El español en el Ecuador,* Madrid, CSIC, Anejo 61 de la *RFE.*

TRUJILLO, RAMÓN (1996): *Principios de semántica textual. Los fundamentos semánticos del análisis lingüístico,* Madrid, Arco/Libros.

TULLIO, ÁNGELA DI (1996): «Verbos psicológicos en español», en M. Arjona *et al., Actas del X Congreso Internacional de la Asociación de Lingüística y Filología de la América Latina,* México, Universidad Nacional Autónoma de México, págs. 133 139.

UBER, DIANE RINGER (1986): «Actions and Activeness in Spanish Clitic Selection», en O. Jaeggli y C. Silva-Corvalán (eds.), *Studies in Romance Linguistics,* Dordrecht-Riverton, Foris Publications, páginas 153-165.

URRUTIA CÁRDENAS, HERNÁN (1988): «El español en el País Vasco: peculiaridades morfosintácticas», *Letras de Deusto* 18: 40, págs. 33-46.

URUBURU BIDAURRÁZAGA, A. (1993): *Estudios sobre leísmo, laísmo y loísmo. (Sobre el funcionamiento de los pronombres personales átonos o afijos no reflejos de 3.ª persona, o de 2.ª con cortesía),* Universidad de Córdoba.

USHER DE HERREROS, BEATRIZ (1976): «Castellano paraguayo. Notas para una gramática contrastiva castellano-guaraní», *Suplemento antropológico. Universidad Católica* (Asunción), 11 (1-2), págs. 29-123.

VÁZQUEZ ROZAS, VICTORIA (1995): *El complemento indirecto en español,* Universidade de Santiago de Compostela.

VIDAL DE BATTINI, BERTA E. (1964): «Zonas de leísmo en el español de la Argentina», en A. J. Van Windekens, *Communications et rapports du Premier Congrès International de Dialectologie générale,* II, Louvain, Centre International de Dialectologie générale, págs. 160-163.

WHITLEY, M. STANLEY (1995): «*Gustar* and other Psych Verbs: A Problem in Transitivity», *Hispania* 78, págs. 573-585.

WIJK, H. VAN (1969): «Algunos aspectos morfológicos y sintácticos del habla hondureña», *BFUCh* 20, págs. 3-16.

22
SISTEMAS PRONOMINALES DE TRATAMIENTO USADOS EN EL MUNDO HISPÁNICO

† M.ª Beatriz Fontanella de Weinberg
Universidad Nacional del Sur, CONICET

ÍNDICE

22.1. Introducción

El sistema pronominal de segunda persona constituye, por su amplia variación regional, uno de los aspectos más complejos de la morfosintaxis española. Baste señalar que existe una forma *vosotros,* que se da en la mayor parte del español peninsular, pero se halla ausente tanto del español canario como del americano, mientras que otra de las formas, *vos,* se emplea en gran parte del Nuevo Mundo, aunque es ajena a la península y Canarias, constituyendo el rasgo más característico en el nivel morfosintáctico del español de América.

Si a esta complejidad le agregamos la determinada por la combinación de estos sistemas pronominales con las formas verbales, la situación se hace mucho más intrincada, ya que las posibilidades de combinación, en especial en las regiones con voseo, son múltiples y variadas.

En este capítulo, consideraremos en primer lugar nuestro tema central: los distintos sistemas pronominales de segunda persona empleados en el mundo hispánico. Pero, a fin de entender su funcionamiento concreto en la lengua no podemos dejar de estudiar su relación con los usos verbales y las fórmulas de tratamiento nominales, a las que dedicaremos parte de nuestro trabajo. Veremos, asimismo, algunos aspectos de la evolución histórica de las actuales fórmulas pronominales de tratamiento, que nos permitirán entender el origen de la actual variación regional que presentan estas formas. Por último, consideraremos las diferencias pragmáticas en su uso que se observan en diferentes comunidades de habla hispana.

22.2. Sistemas pronominales

Los diferentes sistemas de pronombres de tratamiento empleados en las distintas regiones del mundo hispánico constituyen uno de los puntos más complejos de la gramática española ya que existe una gran variación de usos que incluye a la Península Ibérica y Canarias, pero que alcanza su complejidad máxima en América. De tal modo, podemos distinguir en el español actual como mínimo cuatro sistemas pronominales, considerando en uno de los casos dos subsistemas diferentes. [1]

22.2.1. Sistema pronominal I

El siguiente es el sistema empleado en la mayor parte de España:

	SINGULAR	PLURAL
Confianza	tú	vosotros/as
Formalidad	usted	ustedes

Este sistema va acompañado del siguiente paradigma flexivo en el que incluimos también al posesivo [—> §§ 15.2-3], por su estrecha relación con los personales:

[1] Habría que agregar el sistema *vos/os/os/vos/vuestro* a fin de cubrir un uso en vías de extinción detectado en la zona central de Cuba a principios de la década de 1970 (Blanco Botta 1982). Por su carácter residual y a fin de simplificar la exposición, no lo hemos incluido en el cuerpo central de la exposición.

SUJETO	OBJETO	REFLEJO	TÉRMINO DE COMPLEMENTO	POSESIVO
tú	te	te	ti/contigo	tu/s ~ tuyo/a/os/as
usted	lo/la/le	se	usted	su/s ~ suyo/a/os/as
vosotros	os	os	vosotros	vuestro/a/os/as
ustedes	los/las/les	se	ustedes	su/s ~ suyo/a/os/as

El que acabamos de enunciar es un sistema equilibrado, que presenta dos formas para singular, una de confianza, *tú,* y otra formal, *usted,* y dos formas correspondientes para plural: *vosotros,* de confianza, y *ustedes,* para relaciones más formales. Es el único de los sistemas del mundo hispánico en el que actúa la oposición confianza/formalidad para plural, ya que en los restantes se encuentra neutralizada. Su uso se extiende a toda la Península Ibérica, salvo las zonas de Andalucía en las que se emplea el sistema II y a las que más adelante nos referiremos.

En cuanto a las formas utilizadas para objeto, el uso de *lo, la* y *le,* así como de sus respectivos plurales, presenta diferencias en la propia región en la que se emplea el sistema I. En efecto, tal como lo pone de manifiesto Fernández-Ordóñez (1994), existe en la región que emplea este sistema leísmo, ya que *le* y *les* se emplean con valor de objeto directo y también zonas *loístas* y *laístas* en las que *lo* y *la* se utilizan como objetos indirectos. Según lo muestra Fernández-Ordóñez, los condicionamientos sintácticos que determinan estos usos son complejos y difieren subregionalmente [⟶ §§ 21.4 y 21.5]. [2]

22.2.2. Sistema pronominal II

	SINGULAR	PLURAL
Confianza	tú	ustedes
Formalidad	usted	

El sistema II presenta el siguiente paradigma flexivo:

SUJETO	OBJETO	REFLEJO	TÉRMINO DE COMPLEMENTO	POSESIVO
tú	te	te	ti/contigo	tu/s ~ tuyo/a/os/as

[2] Fernández-Ordóñez considera que más allá de la oposición animado/inanimado señalada habitualmente como básica para los sistemas *laístas* y *loístas,* en determinadas regiones peninsulares, actúa la oposición individual/masivo como determinante del uso de estos pronombres [⟶ Cap. 21].

SUJETO	OBJETO	REFLEJO	TÉRMINO DE COMPLEMENTO	POSESIVO
usted	lo/la/le	se	usted	su/s ~ suyo/a/os/as
ustedes	los/las/les	se	ustedes	su/s ~ suyo/a/os/as (vuestro/a/os/as - de ustedes)

La pauta que estamos viendo coincide con el sistema I en sus usos de singular, pero en plural la oposición *vosotros* / *ustedes* se ha neutralizado, con la eliminación de *vosotros.*

Este sistema tiene una vasta extensión que comprende territorios de la Península Ibérica, Canarias y zonas de América. En tierras peninsulares, se extiende por la Andalucía occidental y partes de Córdoba, Jaén y Granada (Lapesa 1980). En Canarias se encuentra prácticamente generalizado —con las peculiaridades que señalaremos más adelante—, mientras que en América se extiende por casi todo el territorio mexicano y peruano, así como en las Antillas. También comprende la mayor parte del territorio de Colombia (véase Montes 1967) y Venezuela (Páez Urdaneta 1981: 90) y una pequeña parte del territorio uruguayo (Rona 1967: 57).

En la Andalucía occidental, *ustedes* es usado con verbo en tercera persona plural por los hablantes cultos (*ustedes caminan, tienen,* etc.), mientras que en el habla popular se lo emplea habitualmente con la forma verbal etimológicamente correspondiente a vosotros (*ustedes camináis, tenéis,* etc.) y con la forma objeto *os* (*ustedes os vais,* Mondéjar 1970: 512 y sig.). En el oeste de Huelva perdura en hablantes rurales la forma objeto *vos.*

En Canarias, el uso ampliamente generalizado para plural es <*ustedes* + verbo de tercera persona plural>. Sin embargo, en áreas rurales de La Gomera, El Hierro y La Palma se mantiene el uso de *vosotros* y *os/vos: bosótruh boh báih; ónde báih* (véase Catalán 1964).

En cuanto a los pronombres objeto correspondientes a *usted, ustedes,* a diferencia del sistema I en que había un amplio leísmo, e inclusive laísmo, en las regiones en las que se emplea el sistema II predominan ampliamente los usos etimológicos [→ §§ 19.5 y 21.1]. [3]

En lo que hace al posesivo, la generalización de *ustedes* como forma de plural lleva al uso de *su/s ~ su-yo/a/os/as* como posesivo de segunda persona plural, en casos como: *¿Dónde están sus carpetas?* Estas formas presentan, entonces, una amplia homonimia ya que se las emplea para tercera persona singular y plural, para segunda del plural y para la segunda forma del singular, *usted.* Tanto en el sistema II, que estamos considerando, como en III y IV, se recurre a varios mecanismos para evitar la ambigüedad. Uno de ellos es la utilización de *de ustedes: ¿Donde están las carpetas de ustedes?* El otro, reservado casi exclusivamente a la lengua escrita, es el uso de *vuestro/a/os/as,* como podemos observar en el ejemplo (1), tomado de una región en la que se emplea el sistema IV:

[3] La gran mayoría de los territorios con los sistemas III y IV poseen también usos etimológicos de los pronombres átonos. Se exceptúan zonas bilingües con quechua (Escobar 1978) y guaraní (Granda 1988) en las que se usan formas no etimológicas.

(1) Megáfono en mano, Ortega [gobernador de Tucumán] salió hasta las escalinatas del hotel... y expresó: «He bajado para dar la cara y hablar con *ustedes* como corresponde. Quiero manifestar*les* mi absoluta solidaridad con *vuestra* situación». [*La Nueva Provincia,* Bahía Blanca, Argentina, 16-II-1995]

22.2.3. Sistema pronominal III

El sistema III presenta dos subsistemas, en los que el inventario es el mismo, pero su funcionamiento es diferente:

IIIa.

	SINGULAR	PLURAL
Confianza	vos ~ tú	ustedes
Formalidad	usted	

IIIb.

	SINGULAR	PLURAL
Intimidad	vos	
Confianza	tú	ustedes
Formalidad	usted	

El paradigma flexivo correspondiente a estos dos subsistemas es el siguiente [para las alternancias entre los pronombres de objeto véanse los §§ 21.3.1-2]:

SUJETO	OBJETO	REFLEJO	TÉRMINO DE COMPLEMENTO	POSESIVO
vos	te	te	vos	tu/s ~ tuyo/a/os/as
tú	te	te	ti/contigo	tu/s ~ tuyo/a/os/as
usted	lo/le	se	usted	su/s ~ suyo/a/os/as
ustedes	los/las	se	ustedes	su/s ~ suyo/a/os/as vuestro/a/os/as

El sistema IIIa es el más difundido en las regiones americanas en las que coexisten voseo y tuteo y consiste en una alternancia bastante generalizada de formas, sin una delimitación funcional, más allá de la mayor preferencia de los hablantes más cultos y en los estilos más cuidados por *tú* y, a la inversa, una mayor frecuencia de *vos* en hablantes de menor nivel sociocultural y en estilos más informales. Esta situación es claramente señalada para Chile por Morales (1972-1973: 262): «Al estudiar los tratamientos que en nuestro medio se dispensan al interlocutor, una de las cosas que mas llama la atención es la relativa falta de autonomía del voseo».

Esta falta de autonomía del voseo de la que habla el autor se ve reflejada claramente por la combinación de formas de tuteo y voseo pronominales y verbales, tema que analizaremos más en detalle posteriormente, pero cuyo funcionamiento anticipamos aquí, tal como lo presenta Morales (1972-1973: 265), quien señala todas las combinaciones como posibles:

A) *TÚ* + verbo en segunda persona de singular: *Tú podrías acompañar a los viejos a un paseo*
B) *TÚ* + verbo en segunda persona de plural: *Tú no tenís por qué andarme poniendo mal con el jefe*
C) *VOS* + verbo en segunda persona de singular: *El que no sepa comportarse no será admitido la próxima vez, ya sabes vos*
D) *VOS* + verbo en segunda persona de plural: *Y vos, huevón, todavía te reís ¡Tremenda gracia!*

Alternancias de tuteo y voseo se encuentran también en gran parte de Bolivia, el sur de Perú, parte de Ecuador, gran parte de Colombia (para su extensión véase Montes 1967), el oeste venezolano, la región limítrofe de Panamá y Costa Rica y el estado mexicano de Chiapas.

El sistema IIIb se encuentra en el Uruguay, donde se distinguen tres niveles de formalidad: *vos,* íntimo, *tú* de confianza y *usted* en el uso formal. Tanto *vos* como *tú* van regularmente acompañados por formas verbales voseantes monoptongadas: *vos cantás, temés, partís; tú cantás, temés, partís.*

Si bien no existe un estudio sociolingüístico detallado de los tratamientos en la comunidad lingüística uruguaya ni en particular en la montevideana, los trabajos parciales existentes (Elizaincín 1981), así como mi propio conocimiento lingüístico de la comunidad coinciden en apuntar hacia un uso diferenciado de *vos* y *tú,* al menos entre las capas medias de la población.

Las formas *vos cantás, tenés, partís* se emplean para los tratamientos más íntimos: entre esposos, entre hermanos y aún en reuniones entre amigos íntimos. En cambio, *tú cantás, tenés, partís* es la forma preferida cuando existe una relativa confianza, aunque no intimidad, como entre conocidos, compañeros de trabajo, profesores y estudiantes universitarios, etc. y en el caso de que no haya un tratamiento de *usted.* Hay, obviamente una franja de alternancia entre ambos tratamientos, pero no tan generalizada que impida distinguir claramente relaciones en las que corresponde uno u otro de los tratamientos. [4]

---

[4] Una situación similar a la de Uruguay con el uso de un sistema con tres grados de confianza en el singular —*vos/tú/usted*— señala Páez Urdaneta (1981: 93), para la ciudad de Maracaibo (Venezuela). Páez Urdaneta no aclara cuáles son los usos verbales, por lo que aparentemente se usarían formas tuteantes con *tú* y voseantes con *vos.*

22.2.4. Sistema pronominal IV

El sistema pronominal IV es el empleado en forma generalizada en el territorio argentino y según datos bibliográficos, el usado también en Costa Rica, Nicaragua y Guatemala (Páez Urdaneta 1981: 78) y Paraguay (Granda 1988).

En El Salvador y Honduras se lo emplea también ampliamente, aunque en los niveles y estilos más elevados puede alternar con el uso de tuteo (sistema II).

	SINGULAR	PLURAL
Confianza	vos	ustedes
Formalidad	usted	

El paradigma flexivo correspondiente es el siguiente:

SUJETO	OBJETO	REFLEJO	TÉRMINO DE COMPLEMENTO	POSESIVO
vos	te	te	vos	tu/s ~ tuyo/a/os/as
usted	lo/la/le	se	usted	su/s ~ suyo/a/os/as
ustedes	los/las/les	se	ustedes	su/s ~ suyo/a/os/as (vuestro/a/os/as ~ de ustedes)

Se trata de un sistema con dos únicas formas para el singular que se oponen por formalidad: *vos* y *usted.* La forma *vos* como trato de confianza está totalmente generalizada y no existe ningún tipo de alternancia o contraste con *tú,* que resulta una forma ajena a la comunidad.[5]

Esta generalización total de *vos,* para el trato de confianza, tanto en la lengua oral como en la escrita se produjo en el habla bonaerense en la segunda mitad del siglo XX, ya que hasta mediados de nuestro siglo aún se empleaba *tú* en la lengua escrita y en usos orales muy formales. El cambio ocurrido en la lengua escrita fue señalado con toda claridad en la década de 1960 por Vidal de Battini (1964: 175): «La costumbre, que ha sido general en el país, de usar el *tú* en el género epistolar, aún en las cartas de mayor intimidad, se está perdiendo sensiblemente. Los jóvenes prefieren el *vos* con sus formas verbales, y consideran afectado el *tú* y sobre todo su forma complementaria *ti,* que también se ha perdido. La escuela, que demostró verdadera preocupación por imponer el *tú* en diversas oportunidades, en la actualidad se ha desentendido de ello».

Casi treinta años después el escritor Fernando Sorrentino (uno de los «jóvenes» de 1964, ya que nació en 1942) muestra la conciencia de los propios hablantes de

[5] Sobre este tema véase Fontanella de Weinberg 1993a.

la carencia total de *tú* aún en la lengua escrita para las generaciones actualmente de edad mediana y jóvenes, al afirmar: «Creo que eso es un problema generacional. Porque los tipos de mi edad jamás nos hemos planteado ese problema: nunca consideramos que se pudiera escribir de otra manera que con el *vos.* Yo no me atrevería nunca a poner *tienes* ni *eres...*» (Sorrentino 1992: 187).

En la actualidad, como hemos señalado, se da un uso generalizado del voseo en relaciones de confianza, prácticamente en todos los estilos orales y escritos (véase Fontanella de Weinberg 1994a). Este uso incluye los registros orales más cuidados, tales como los empleados en cine, radio y televisión; y en el uso en actos oficiales. Lo mismo ocurre en la lengua escrita, en la publicidad; en traducciones de obras de teatro; en traducciones de artículos de revistas donde personas extranjeras formulan declaraciones; en entrevistas periodísticas o literarias; en la reproducción periodística de diálogos que supuestamente habrían mantenido miembros del gobierno; en el empleo en la enseñanza tanto en libros de lectura de la escuela primaria, como en textos de secundaria; y aún en avisos dirigidos a la población por el propio Ministerio de Educación de la Nación. A continuación, veremos unos pocos ejemplos reveladores de estos usos.

Así, en la traducción de un diálogo, aparecido originalmente en el periódico inglés *The Sun* y reproducido por el prestigioso diario porteño *La Nación,* entre el Príncipe Carlos de Inglaterra y su esposa, se lee:

(2) DIANA: —*Vos podés* dormir mañana. *Podés* dormir en cualquier momento. Pero *pensá* en mí por una vez, sí, *pensá* en mí.
CARLOS: —Pensaría más en las otras partes involucradas... *Vos* vas a cuidarte bien, *vos* lo *sabés.*
DIANA: —¿Cómo te *atrevés* a ser tan presuntuoso? [*La Nación,* 14-V-1993]

El voseo es utilizado también en actos oficiales de la más elevada jerarquía, cuando el orador se dirige a una segunda persona con quien tiene una relación cercana. Esto ha sido constante en las últimas décadas a través de distintos gobiernos, sin distinciones políticas o ideológicas, ni en cuanto a la legitimidad de sus mandatos. Así, por ejemplo, en un acto oficial realizado en 1978, un miembro del entonces gobierno militar, afirmaba:

(3) La historia que de una u otra manera, *vos,* Videla, Agosti y yo hemos conformado... esa historia chica que hoy se trunca por *tu* ausencia y porque ya no estamos sentados a una misma mesa, *vos,* Agosti y yo... [*La Nación,* 1-III-1978]

Diez años después, ya en la etapa democrática, ante la muerte de la escritora Beatriz Guido, el Subsecretario de Comunicación Social de la Nación, expresa en su discurso de despedida:

(4) Aquí no estamos para despedir*te. Vos* no *te has ido;* no *querés irte,* no *te irás* nunca. [*La Nación,* 8-III-1988]

Mientras que dos años más tarde, en una carta dirigida por el presidente Carlos Menem a su adversario político Dr. Eduardo Angeloz, afirmaba:

(5) Siempre creí, *vos* lo *sabés* muy bien, que los argentinos debemos clausurar el debate arcaico de aquellos temas que nos separan... *Te* envío un fraternal abrazo. [*La Nación,* 24-II- 1990]

La generalización de este uso pronominal del voseo en el territorio argentino y en especial en la región bonaerense muestra un uso peculiar que lo separa de la mayor parte de las naciones hispanoamericanas, incluso del español del Uruguay, con el que en muchos otros aspectos comparte sus características. Sin embargo una situación similar parece darse en algunos países centroamericanos, en particular en Costa Rica, según señala Francisco Villegas (1965; citado en Páez Urdaneta 1981: 82-83): «Sin hacer caso de la condición social, la posición económica, la distribución geográfica o el nivel educativo, *vos* es la única forma usada... El uso de *tú* indicará, en Costa Rica, procedencia extranjera, afectación, pretenciosidad o pedantería».

22.3. Variación en los usos pronominales y verbales de segunda persona singular familiar

22.3.1. Introducción

Si bien el tema central de este estudio son las formas pronominales de tratamiento, no podemos dejar de lado su relación con las formas verbales que las acompañan [⟶ Cap. 75]. En efecto, la multiplicidad de sistemas pronominales a los que nos hemos referido en el apartado anterior llega a un grado de complejidad mucho mayor cuando tomamos en cuenta su combinación con distintos tipos de formas verbales. Esta complejidad afecta a los sistemas que hemos denominado IIIa, IIIb y IV, ya que los sistemas I y II en que la única forma de segunda persona singular de confianza es *tú,* no plantean problemas, puesto que *tú* se construye regularmente con las formas verbales de tuteo estandarizadas. En cambio, en los sistemas en los que aparece la forma pronominal *vos* las posibilidades de combinación con distintas formas verbales son múltiples. La explicación de esta situación es muy clara: al tratarse de usos no estándar, la variabilidad geográfica y en muchos casos social es muy amplia.

Esta variabilidad se debe en primer lugar a las múltiples posibilidades de combinaciones de formas verbales y pronominales tuteantes y voseantes que ya vimos en el caso de Chile, donde puede combinarse *tú* con formas verbales de voseo o tuteo y *vos,* también, con formas tuteantes o voseantes. En segundo lugar, la variación está determinada por la existencia de una amplia alternancia en las formas verbales voseantes.

Aun en un país en que el voseo pronominal está totalmente generalizado y no presenta ningún tipo de variación con tuteo, como es el caso de la Argentina, si consideramos su relación sintagmática con las formas verbales, la situación muestra una mayor complejidad, pues si bien la región bonaerense, el litoral y el nordeste del país presentan un paradigma verbal único formado por *cantás, temés* y *partís,* para el presente de indicativo, *cantarás, temerás* y *partirás,* para el futuro, y *cantá, temé* y *partí* para el imperativo, en el resto del país, que comprende la región de Cuyo (oeste), el centro y el noroeste, la coexistencia de formas verbales es muy compleja, tal como señala Vidal de Battini (1964): «En la región central-cuyana-noroeste, en lugar de *vos comés* se dice *vos comís;* entre los muy rústicos se oye, en forma discontinua, y con tendencia a perderse, *vos cantáis, vos coméis, vos sois.* Entre personas de cultura de todo el país [actualmente sólo en la región mencionada] se oye: *vos cantas, vos comes, vos vives, vos eres*». Y agrega más adelante: «Las formas del Litoral son las que tienden a imponerse en todo el país», es decir que en la región central-cuyana-noroeste sobre las tres formas indicadas —*vos comís, vos coméis, vos comes*— se superpone actualmente, especialmente en el ámbito urbano, *vos comés.*

A continuación, pasamos revista a los principales usos verbales de segunda persona singular de confianza, tomando como base tres tiempos verbales, que resultan claves para ver los distintos tipos de voseo: presente de indicativo —cuya pauta sigue el presente de subjuntivo—, futuro e imperativo [→ §§ 75.4 y 75.7].

En el caso del presente, en los usos de voseo se distinguen las formas diptongadas, *vos cantáis,* de las monoptongadas *vos cantás* y en el caso de la segunda conjugación se dan dos posibilidades de formas monoptongadas *temés* o *temís.* En el futuro puede darse la forma tuteante *vos cantarás* o las voseantes que nuevamente se diferencian en diptongadas, *cantaréis,* y monoptongadas de dos tipos, *cantarés* o *cantarís.* Por último, en el imperativo podemos encontrar formas tuteantes *canta, teme, parte,* o voseantes *cantá, temé, partí.*

Combinando estas distintas formas, podemos distinguir cinco pautas de voseo verbal que coexisten en distintas regiones hispanoamericanas y que se suman a la pauta tuteante.

22.3.2. Pauta verbal I

Pres. Indicativo	cantas	temes	partes
Futuro Simple	cantarás	temerás	partirás
Imperativo	canta	teme	parte

Esta es la pauta que se usa en todas las regiones tuteantes. Se combina con el pronombre *vos* en zonas de Ecuador, en la provincia de Santiago del Estero (Argentina) y en toda la región centro oeste argentina en hablantes cultos.

22.3.3. Pauta verbal II

Pres. Indicativo	vos cantás	temés	partís
Futuro Simple	cantarás	temerás	partirás
Imperativo	cantá	temé	partí

Esta pauta, combina formas de presente voseantes monoptongadas en *-ás, -és, -ís,* futuro tuteante e imperativo voseante. Presenta una gran extensión, ya que es la empleada en todo el territorio argentino —en las regiones bonaerense, litoral y nordeste como uso único y en el resto del país como pauta en avance, según hemos señalado—, en Uruguay, Paraguay y este de Bolivia, en el estado mexicano de Chiapas y en Centro América, en Nicaragua y Costa Rica. Se la utiliza también en la Costa ecuatoriana. En Chile coexiste con la pauta V, entre hablantes cultos.

22.3.4. Pauta verbal III

Pres. Indicativo	vos cantás	temés	partís
Futuro Simple	cantarés	temerés	partirás
Imperativo	cantá	temé	partí

En esta pauta se emplean formas de presente monoptongadas similares a las de la pauta II y formas de imperativo voseantes, también coincidentes, pero se las combina con formas de futuro voseantes en *-és.* Esta pauta es utilizada en Guatemala, El Salvador, Honduras y Colombia. En el voseo andino venezolano se combinan las pautas II y III, ya que alternan los futuros tuteantes *cantarás,* y voseantes, *cantarés.*

22.3.5. Pauta verbal IV

Pres. Indicativo	vos cantáis	teméis	partís
Futuro Simple	cantaréis	temeréis	partiréis
Imperativo	cantá	temé	partí

Esta pauta combina formas de presente voseantes diptongadas con futuros simples también voseantes diptongados y formas de imperativo voseantes. Se la emplea en Venezuela, en la región de Zulia y provincias limítrofes, en Bolivia, en Oruro, Potosí y Tarija —en donde se usa con el imperativo tuteante— y como formas en total decadencia y retroceso en el habla rural de la región centro-oeste de la Argentina.

22.3.6. Pauta verbal V

Pres. Indicativo	vos cantáis	teméis	partís
Futuro Simple	cantarás	temerás	partirás
Imperativo	canta	teme	parte

En esta pauta se utilizan formas voseantes diptongadas para presente junto a futuros simples e imperativos tuteantes. Su extensión es muy reducida, pues se la ha señalado para el oeste de Panamá.

Se ha señalado el uso de esta misma pauta en Arequipa, Perú (Páez Urdaneta 1981: 98), con una ligera variante, el uso de *cantarás* por *cantarís* como forma de futuro de primera conjugación.

La existencia de cinco pautas de voseo verbal diferentes, cuya complejidad se multiplica por las distintas combinaciones entre pronombres y verbos tuteantes y voseantes a que nos hemos referido con anterioridad, pone de manifiesto la existencia de una muy amplia variación en toda la región voseante, cuya explicación debemos buscarla por una parte en el origen mismo del voseo, que surge de una fusión de paradigmas (Fontanella de Weinberg 1993b) y, por otra parte, en el hecho de que en la casi totalidad de las regiones ha sido un uso subestándar, por lo que no ha sufrido una presión normativa que lo regularizara. En el caso del voseo bonaerense y del litoral argentino, que es actualmente parte indudable del habla estándar regional, en cambio, el uso está perfectamente regularizado.

A continuación veremos brevemente algunos aspectos históricos del origen de los actuales sistemas de tratamiento, que explican en gran medida lo que acabamos de señalar.

22.4. Evolución histórica de los sistemas de tratamiento pronominales

Para entender el desarrollo de los diferentes sistemas de tratamiento pronominales existentes actualmente en español, resulta necesario partir de los usos del siglo XVI, en los que se plantea una serie de conflictos que van a desembocar en la multiplicidad de usos actuales. En esa etapa, tres son las formas usadas para segunda persona singular: *tú, vos* y *Vuestra Merced* (y las formas derivadas de *Vuestra Merced* —que finalmente dará *usted*—, cuyo estado muchas veces no se puede precisar en los documentos, ya que aparece normalmente la abreviatura *V.M.*).[6]

Un estudio realizado sobre un epistolario formado por 650 cartas enviadas por inmigrantes desde América entre 1540 y 1616, a parientes en España (Fontanella de Weinberg 1994a) muestra la complejidad en la selección de los pronombres de tratamiento. En este epistolario se puede observar una notable mayoría de la fórmula *V.M.,* que constituía el único trato posible en las relaciones en las que predominaba el respeto. De tal modo, *V.M.* resultaba la forma exclusiva en todas las relaciones asimétricas en el sentido de menor a mayor poder y era también la forma predominante en relaciones simétricas. Así, *V.M.* se usaba con exclusividad en la relación entre personas ajenas a la familia y entre parientes lejanos y casi con exclusividad entre cuñados, mientras que predominaba decididamente entre hermanos y entre primos.

Sólo aparecía mayoritariamente *vos* en una relación simétrica, la relación entre esposos, lo que parece indicar que esta era la forma que expresaba la intimidad por antonomasia en relaciones simétricas.

---

[6] A estas formas debe agregarse aún una cuarta, de mucho menor frecuencia, *él / ella,* que por su grado de formalidad se ubicaba entre *vos* y *V.M.*

En el caso de las relaciones asimétricas, cuando el destinatario estaba en el polo de menor poder, *vos* era la forma predominante, como ocurría en el trato de tíos a sobrinos y de padres a hijos.

Esta última relación era prácticamente la única en la que aparecía en forma significativa *tú*, aunque su uso, aún en ella, era minoritario con respecto a *vos*.

El siguiente gráfico muestra los usos de los tres tratamientos considerados:

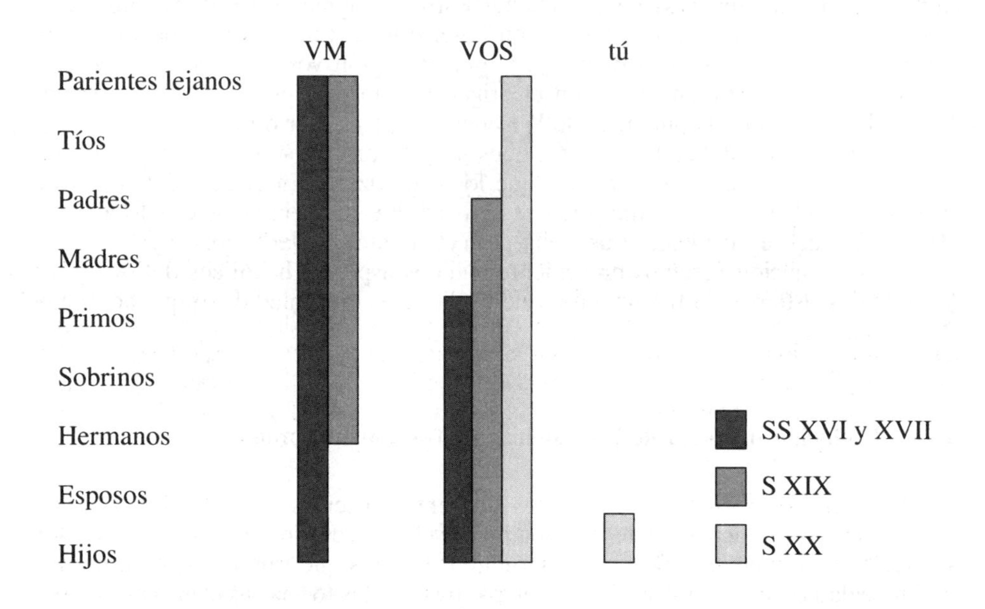

Una primera observación de este gráfico nos muestra que *V.M.* cubría un espectro muy amplio de usos, aún en este caso en que los destinatarios eran en su casi totalidad miembros de la familia. *Vos,* en cambio, cubría un espectro pequeño, limitado a relaciones de intimidad (esposos) o poder negativo (hijos, sobrinos). En cuanto a *tú,* se hallaba reducido a su mínima expresión, pues se lo empleaba prácticamente en una sola relación (padres a hijos) y en ella su uso era minoritario, ya que la fórmula más empleada era *vos.*

Por otra parte, para tener una visión de conjunto de los usos de segunda persona singular, debemos tener en cuenta que *vos* cumplía asimismo otra función, dado que aún mantenía su valor de fórmula de respeto en contextos de alta formalidad, en lo que en la época se conocía como su «uso antiguo», ya que conservaba el valor característico de *vos* en la Edad Media. El empleo de *vos* en estos contextos de alto respeto y formalidad, más elevados que la mayoría de las relaciones en las que se empleaba *V.M.,* pone de manifiesto una total discontinuidad en el espectro semántico cubierto por *vos,* que en la práctica implicaba un valor polisémico.

Otra debilidad del sistema estaba dada porque, más allá de la total superposición formal entre el *vos* íntimo y el cortés —al que acabamos de referirnos— existía una superposición formal generalizada entre las formas objeto y posesivo de *vos*

—os, vuestro/a— y las del pronombre de segunda persona plural, *vosotros/as* (formado por la adición a *vos* de *otros/as*), así como entre sus respectivas formas verbales. Esta situación es claramente perceptible en el epistolario consultado, ya que en más de una ocasión se plantea una ambigüedad sobre si el autor se está dirigiendo a un destinatario o a más de uno, lo que sin duda debió ser también muy frecuente en la interacción oral.

Ante esta situación tan compleja, es indudable que estábamos en la presencia de un sistema muy inestable, en el que era previsible una simplificación, para la que se ofrecían tres alternativas:

1) Eliminación de *vos* y su paradigma
2) Eliminación de *tú* y su paradigma
3) Fusión de ambos paradigmas

Las tres alternativas presentaban ventajas y desventajas, lo que explica, a mi juicio, que no haya habido una solución única en todo el mundo hispánico.

Así, la primera posibilidad —uso exclusivo de *tú* y su paradigma como forma de segunda persona singular íntima y eliminación de *vos* y su paradigma— soluciona, por una parte, la superposición de *vos* con las formas pronominales oblicuas y con las formas verbales de *vosotros* y, por otra parte, la polisemia con el *vos* formal. Presenta en cambio la gran desventaja de que la forma que perdura es *tú,* que, según hemos visto, tenía una mínima cobertura semántica. Por lo tanto, para constituirse en una única contrapartida familiar de *V.M.,* debía expandir notablemente su valor semántico, abarcando en la práctica los usos que en esa etapa cubría *vos.*

La segunda posibilidad —eliminación de *tú* y su paradigma y permanencia de *vos* y su paradigma como única forma de segunda persona singular— tiene como ventaja que la forma triunfante hubiera sido la que cubría en ese momento la totalidad del espectro semántico de los usos íntimos de segunda persona singular, compartiendo sólo algunos con *tú,* mientras que la que hubiera sido desplazada cumplía un papel marginal en el sistema. Entre sus inconvenientes, en cambio, plantea una serie de problemas para su uso concreto, ya que se mantiene la polisemia con *vos* formal y la superposición parcial del paradigma con *vosotros.* A estos problemas se agrega el hecho de que las formas de *vos* presentaban una serie de deficiencias en su integración formal en el paradigma de formas pronominales de singular. [7]

La tercera posibilidad que hemos mencionado es la de que se integrara un paradigma mixto del que participaran formas de *vos* y de *tú.* Esta alternativa se veía apoyada por el hecho de que *tú* no tenía valor semántico exclusivo, sino que se superponía a una porción del espectro de *vos,* y porque formas correspondientes a ambos paradigmas alternaban frecuentemente en una misma carta y aún en un mismo párrafo en los siglos XVI y XVII, lo que constituía un primer paso hacia una fusión de paradigmas. La solución con el paradigma mixto que finalmente triunfó presentaba la ventaja de que mantenía la forma *vos,* de mayor empleo en las funciones más destacadas —sujeto y término de complemento— mientras que al combinarse con *te/tu, tuyo* para objeto y posesivo evita las formas *os* y *vuestro* que se superponían con el paradigma de *vosotros.* Evita, asimismo, en gran medida la superposición con el *vos* formal. Es posible también que la alternativa de emplear

[7] Sobre este tema, véase Fontanella de Weinberg 1993b.

formas verbales distintas de las estándar *(vos sos, amás, tenés),* así como la combinación con formas verbales de singular *(vos eres, amas, tienes)* también constituyera una solución tanto para la superposición con las formas verbales de *vosotros,* como con *vos* formal.

Como desventaja de esta solución, podemos señalar que planteaba el problema de requerir un complejo proceso de reestructuración, por el cual se constituía un único paradigma a partir de dos previos. [8] Este proceso de fusión paradigmática debió tener gran resistencia en las regiones en que la lengua estaba en un proceso más avanzado de estandarización, ya que la presión normativa debió constituir una importante barrera para la erosión de categorías que implicaba el proceso de fusión, tal como oportunamente lo señaló Lapesa (1970), al referirse a la fusión paradigmática ocurrida entre las formas verbales de *vos* y *tú.*

Esto explica que el proceso no haya arraigado en el español metropolitano, ni en las cabeceras de los dos grandes virreinatos americanos, México y Lima, donde la lengua tenía un alto grado de estandarización. En cambio, en casi todo el resto de América Hispánica, se produjo el proceso de fusión con el mantenimiento de *vos* en las funciones más conspicuas. Lo complejo del proceso de reestructuración que implica la conformación del voseo así como el hecho de que se trata de un fenómeno realizado al margen de la normalización lingüística explican la variabilidad e inestabilidad de los paradigmas en la mayor parte de las regiones voseantes.

En cuanto a la situación del plural, la superposición de las formas de *vos* con las de *vosotros,* contribuyó sin duda a erosionar los usos de *vosotros* y a favorecer la generalización de *ustedes* como única forma de tratamiento plural, lo cual explica que en todas las regiones en las que perduró *vos* se eliminó *vosotros.* Es posible que en las que se impuso *tú* y también se eliminó *vosotros* —como en la región americana en la que actualmente se usa el paradigma pronominal II— *vos* haya perdurado lo suficiente como para actuar en la pérdida de *vosotros.* [9]

22.5. Pragmática de los pronombres de tratamiento

Hasta ahora, en nuestra exposición nos hemos centrado básicamente en los diferentes paradigmas utilizados con los pronombres de tratamiento en el mundo hispánico. Pero para tener una visión de conjunto de los usos de las formas de tratamiento deben considerarse las diferencias existentes en el uso concreto de las formas, es decir en la pragmática de los tratamientos. En esta cuestión nos basaremos primordialmente en la oposición en el uso entre el pronombre de tratamiento formal *(usted)* y el informal *(tú / vos).*

22.5.1. La oposición entre los tratamientos de confianza y de respeto [→ § 62.8.1] constituye un fenómeno ampliamente extendido entre las lenguas europeas y ha sido extensamente estudiada a partir de los postulados de Brown y Gilman (1960), quienes distinguen dos ejes fundamentales en los usos de tratamientos: a) el eje del poder, que se manifiesta en los tratamientos asimétricos en los que un hablante recibe *usted* y su interlocutor *tú* o *vos,* manifestándose de tal modo las diferencias

---

[8] Véase Fontanella de Weinberg 1994.

[9] De hecho, las confusiones entre *vos* y *tú* perduran en México y Lima hasta fines del siglo XVIII (Fontanella de Weinberg 1994a).

de poder o estatus, que por diversas razones —edad, relación familiar, relación de trabajo, situación social, etc.— existen entre ambos; y b) el eje de la solidaridad, en el que existe una relación simétrica, ya sea que los interlocutores se intercambian *usted* o *tú/vos* en forma recíproca.

De acuerdo a este esquema, la relación es de poder cuando se maneja en el eje vertical, mientras que es de solidaridad en el eje horizontal, ya se trate de solidaridad formal *(usted - usted)* o de solidaridad informal *(tú/vos - tú/vos).*

Brown y Gilman (1960) postulan que históricamente en las lenguas europeas se ha ido produciendo un cambio desde el predominio de relaciones asimétricas hacia un predominio de relaciones simétricas y aun dentro de estas últimas se ha ido pasando en muchos casos de relaciones recíprocas formales hacia relaciones recíprocas informales.

En el caso del español, este cambio es muy claro a través de los siglos y, así, por ejemplo si partimos del gráfico de usos americanos para relaciones de parentesco de los siglos XVI y XVII que vimos en el § 22.4 y agregamos los usos de mediados del siglo XIX (Rigatuso 1992) y de fines del siglo XX en el ámbito bonaerense, obtenemos el siguiente gráfico: [10]

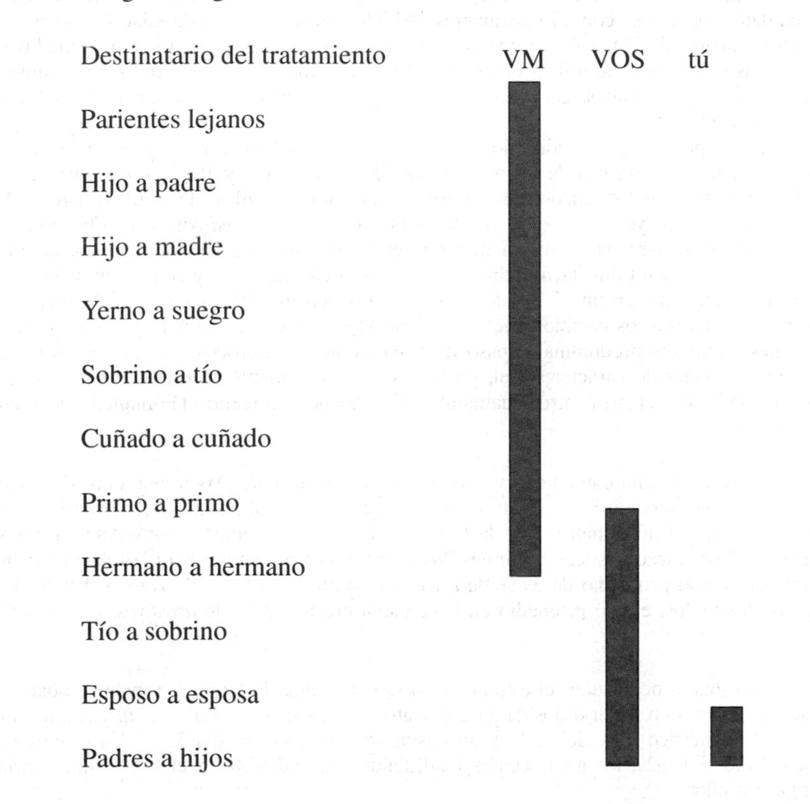

[10] Los datos correspondientes a los siglos XVI y XVII están tomados de Fontanella de Weinberg 1993a y los del siglo XIX de Rigatuso 1992. Los de fines del siglo XX, corresponden a mis observaciones como miembro de la comunidad. La forma *tú* aparece sólo en los siglos XVI y XVII, ya que —como se ha señalado antes— se trata de una región modernamente voseante.

Una observación del gráfico nos muestra que aun en estos usos familiares, en los siglos XVI y XVII hay un marcado predominio de *V.M. (>usted)* que abarca casi todas las relaciones, mientras que en el siglo XIX el dominio de *usted* se restringe, y se expande el de *vos.* Por último en la actualidad *vos* cubre todo el espectro de las relaciones familiares y *usted* ha quedado totalmente desplazado de este dominio.

Los usos actuales de los pronombres de tratamiento en el mundo hispánico presentan diferencias en las distintas comunidades, ya que en las más conservadoras —y en especial en las rurales— perduran usos con mayor predominio de relaciones asimétricas, mientras que en las más innovadoras se nota un mayor avance de formas solidarias y cercanas. A fin de tener una visión de distintas posibilidades pragmáticas, expondremos a continuación algunos aspectos de los casos en dos comunidades americanas, una peninsular y otra canaria.

22.5.2. En el caso de América, tomaremos como fuente en primer lugar Fontanella de Weinberg *et al.* (1968), un trabajo pionero en varios aspectos, ya que, por un lado, aplica por primera vez el esquema de Brown y Gilman al español y, por otro lado, es uno de los primeros trabajos a nivel internacional que usa una metodología del tipo de la de tiempo aparente que introducen teóricamente en ese mismo año Weinreich, Labov y Herzog (1968). En este estudio se trabajó en Bahía Blanca, ciudad bonaerense, con 60 informantes divididos en tres grupos de edad (de 15 a 25 años, de 35 a 45 y mayores de 55), a fin de observar el cambio que se advertía en la comunidad bahiense hacia usos más informales. Se utilizó un cuestionario integrado por 34 preguntas que comprendían relaciones familiares y sociales. En todos los casos quedó confirmado el cambio hacia formas de trato más cercanas.

Así, por ejemplo, en la relación hijos-padres, entre los hablantes más jóvenes hubo un 100 % de usos *vos/vos;* frente a un uso de los mayores de 55 % de *vos/vos* y 45 % de *usted/vos.* En tanto, en la relación nietos-abuelos, encontramos entre los más jóvenes 70 % de trato *vos/vos* y 30 % de *usted/vos* y entre los mayores 11 % de *vos/vos* junto a 89 % de *usted/vos.* Una situación similar, aunque todavía más marcada se da en muchas relaciones sociales. De tal modo, a la pregunta «Cómo trataría usted a un muchacho (chica) que conoció en una fiesta y con quien baila», los más jóvenes respondieron *vos* en un 85 % y *usted* 15 % y los mayores 100 % de *usted.* Concluíamos en ese trabajo, en cuanto a los cambios que se estaban operando en el sistema, que «en el campo de las relaciones familiares predomina el paso de tratamientos asimétricos a tratamientos solidarios, mientras en relaciones de carácter social, profesional o simplemente con desconocidos, se cambia de un trato solidario alejado a otro igualmente solidario pero cercano» (Fontanella de Weinberg 1968: 150).

22.5.3. Veamos ahora una comunidad perteneciente al mismo país, Argentina, pero de características mucho más conservadoras. Se trata de Catamarca, ciudad ubicada en el noroeste argentino —región mucho más tradicionalista que la bonaerense— y especialmente conservadora por su estructura social y sus características culturales. Wainerman (1978) obtuvo para la relación padre-hijo en Catamarca un uso promedio de 39 % de *usted/vos,* frente a un 61 % de *vos/vos.* En cuanto a la relación abuelos-nietos, el uso promedio en Catamarca era un 55 % de *usted/vos,* con un 45 % de *vos/vos.*

22.5.4. En el español peninsular, el estudio realizado por Alba de Diego y Sánchez Lobato (1980) sobre usos de jóvenes en Madrid nos da para el trato a los padres un 100 % de *tú* y con los abuelos un tratamiento simétrico *tú/tú* del 65 % y uno asimétrico de *usted/tú* del 35 %. En cuanto al trato con desconocidos jóvenes, los adolescentes madrileños respondieron en el 100 % que usarían *tú,* para dirigirse a ellos.

22.5.5. Por último, veremos los usos estudiados recientemente en una comunidad rural de Canarias, Buenavista del Norte, Tenerife, por Medina López (1993). En combinación con los vocativos *papá/mamá* (los no marcados para la relación) señala para los hablantes de 15 a 24 años 100 % de *tú;* para los de 25 a 34 años, 79 % de *tú* y 21 % de *usted;* para los de 35 a 54, 75 % de *tú* y 25 % de *usted;* mientras que los mayores de 55 años empleaban un 100 % de *usted.* En los usos con los abuelos, los más jóvenes emplean un 30 % de *tú* y un 70 % de *usted,* los hablantes entre 25 y 34 años un 41 % de *tú* y un 59 % de *usted* mientras que los dos grupos mayores de 35 años respondieron 100 % de *usted.* Este comportamiento lingüístico muestra ser muy conservador, si lo comparamos con los anteriores, ya que en el grupo etario más joven aún predomina *usted* para el trato a los abuelos, mientras que en Bahía Blanca, ya en 1968 predominaba en ese grupo en el trato con los abuelos el uso solidario.

A fin de sistematizar en parte las distintas situaciones que hemos visto —difícilmente comparables por los diferentes esquemas con que se trabajó— ofreceremos a continuación un pequeño cuadro con los usos para padres y abuelos en las cuatro comunidades consideradas. Tomaremos en Bahía Blanca la generación más joven como punto de referencia y en Buenavista del Norte la generación de 45 a 55 años, con el propósito de homogeneizar en parte las edades, dado el tiempo transcurrido (prácticamente una generación) entre uno y otro estudio. En el caso de Catamarca tomamos el total, ya que no se discriminó por edad, y en Madrid la generación joven, la única estudiada.

	PADRES	ABUELOS
B. Blanca, 1968 (jóvenes)	*vos* 100 %	70 % *vos*, 30 % *usted*
Catamarca, 1978 (total)	*vos* 61 %, *usted* 39 %	45 % *vos*, 55 % *usted*
Madrid, 1980 (jóvenes)	*tú* 100 %	65 % *tú*, 35 % *usted*
Buenavista del Norte, 1993 (edad mediana)	*tú* 75 %, *usted* 25 %	0 % *tú*, 100 % *usted*

Estos datos muestran claramente el carácter innovador de las comunidades urbanas de características modernas, Madrid y Bahía Blanca, frente al mucho más conservador de la comunidad rural de Buenavista del Norte. Catamarca constituye también un baluarte conservador, pese a su carácter urbano, por tratarse de una ciudad ubicada en una región típicamente tradicional de la Argentina.

En la relación *hijos/padres* en las dos comunidades innovadoras ya se ha llegado a un uso generalizado de relaciones simétricas (*tú/tú* en Madrid, *vos/vos* en Bahía Blanca), mientras que en las dos comunidades más conservadoras aún perdura un uso significativo de relaciones asimétricas (39 % en Catamarca y 25 % en Buenavista). En cuanto a la relación *nietos/abuelos,* Madrid y Bahía Blanca presentan también el uso más innovador con sólo 35 % y 30 % de relaciones asimétricas, Catamarca ocupa una posición intermedia, con un 55 %, mientras que Buenavista del Norte conserva aún un uso asimétrico en el 100 % de los hablantes.

22.5.6. Por último, consideraremos una situación que se aparta de la generalidad del mundo hispánico. Se trata de los usos señalados en Bogotá y la provincia de Cundinamarca, en Colombia (Ruiz Morales 1980: 767-768) y en la región andina de Venezuela (Gómez de Ivashevsky 1969: 152), en las que se emplea *usted* entre miembros de la familia, amigos y conocidos, al igual que para desconocidos, ya que *tú* «se asocia frecuentemente con nociones de desdén, humillación o actitud paternalista, como en el caso de intercambios entre médico y paciente o entre sacerdote y parroquiano» (Ruiz Morales 1980: 768). De tal modo, el uso de *usted* en estas regiones se habría expandido, en lugar de reducirse como en el resto del mundo hispánico, mientras que el empleo de *tú* quedaría reducido a casos marcados. A estos usos, debe agregarse en Bogotá y su zona de influencia el empleo de *sumercé,* forma lexicalizada utilizada sólo en singular, que expresa afecto e intimidad, por lo que es utilizada especialmente en relaciones amorosas y familiares muy íntimas. [11] Estos cambios semánticos en los valores de los pronombres de tratamiento se apartan de las pautas generales señaladas por Brown y Gilman. Sin embargo un artículo de Montes (1985), poco posterior al de Ruiz Morales, muestra una situación algo diferente en Bogotá. Montes, que trabajó en base a encuestas realizadas en 1982 por sus alumnos, encuentra que entre los jóvenes y especialmente los de clase alta hay un notorio avance del uso de *tú*, de tal modo que los varones jóvenes de clase alta y las mujeres jóvenes del mismo grupo respondieron que usaban *tú* en el ámbito familiar en el 83 % y el 95 % de los casos respectivamente. En cambio en los hablantes de mayor edad el predominio de *usted* es notable, de tal modo que Montes afirma que «en el grupo [de las mujeres adultas de nivel bajo] hay fuerte tendencia a usar *usted* como pronombre único en toda situación» (Montes 1985: 304).

Montes concluye: «De los datos precedentes se desprende un notorio predominio del *tú*, sobre todo entre los jóvenes y particularmente en el estrato alto en donde se alcanzan porcentajes del 95 %. Esto y el hecho de que el uso del *tú* sea muy raro en adultos de estrato bajo nos indica el carácter superimpuesto, por presión desde arriba y más o menos reciente del *tú*» (Montes 1985: 306).

El carácter peculiar que presentan los usos bogotanos haría muy conveniente un nuevo estudio detallado de la cuestión en esa comunidad.

22.6. Relaciones entre fórmulas de tratamiento pronominales y nominales

Si bien el tema central de este capítulo es el estudio de las fórmulas de tratamiento pronominales, resulta imposible tener una visión de conjunto de estos usos si no se los vincula con las fórmulas de tratamiento nominales con las que se encuentran relacionados en forma muy estrecha [→ § 62.8.5.2]. Por otra parte, si consideramos los ejes de poder y solidaridad establecidos por Brown y Gilman (1960), estos se reflejan no sólo en las formas pronominales, sino también en las nominales, tal como lo señaló oportunamente Jakobson en un comentario que realiza en el mismo volumen en que se expone la teoría: «El uso de diferentes pronombres que designan al destinatario no es sino una parte de un código más complejo de actitudes verbales hacia el destinatario y debe ser analizado en conexión con este código total, en particular con la cuestión de si nombramos o no al destinatario y qué título le damos» (Jakobson; en Brown y Gilman 1960: 278).

Para ejemplificar estos conceptos, veremos dos casos en que aun con un trato pronominal recíproco, el conjunto del tratamiento no lo es, ya que las fórmulas nominales son asimétricas. El primero de estos casos se da en la relación entre esposos en la región bonaerense, durante el siglo XIX y la primera mitad del siglo XX (Rigatuso 1992: 130), en la que era muy frecuente que el trato pronominal fuera de *vos* / *vos*, aunque en el nominal la mujer llamaba al esposo por el apellido, mientras que este usaba el nombre o un hipocorístico con ella, como se puede apreciar en la reproducción que hace el escritor Lucio V. Mansilla del habla de sus padres:

(6) a. Se servían pasteles... mi padre decía: «*Agustinita*, dale poco a ese niño... la masa es pesada». [Mansilla 1963: 595; citado en Rigatuso 1992:59]
b. Y mamita le decía a mi padre: «No te he dicho, *Mansilla*, que Mariquita los cuida mucho». [Mansilla 1963: 596; citado en Rigatuso 1992:59]

[11] El uso de *sumercé* se da también en regiones de Santo Domingo, con características propias. Véase al respecto Pérez Guerra 1988.

El segundo caso se refiere al español actual, en el que el trato entre padres e hijos es también simétrico en lo pronominal en la amplia mayoría de los casos con el uso de *tú* / *tú* o *vos* / *vos,* pero asimétrico en lo nominal, ya que los padres tratan a sus hijos por el nombre, mientras que estos emplean el término de parentesco, como puede verse en el siguiente ejemplo del español bonaerense:

(7) —*Gabriel,* vení a estudiar.
—Ya voy, *ma.*

Las fórmulas nominales de tratamiento, a diferencia de las pronominales que constituyen un inventario cerrado, presentan un inventario muy amplio y conformado por diferentes subtipos de elementos. Reproducimos a continuación, con algunas adaptaciones, el cuadro que presenta Rigatuso (1994: 21) al respecto [sobre los 'nombres de título', véanse los §§ 12.2.2.3, 13.4.7 y 62.8.5.2; sobre los 'nombres propios', 'apellidos' e 'hipocorístricos', los §§ 2.1.2, 62.8.5.1, 68.1.5 y 78.1.2]:

FORMAS NOMINALES						
TÉRMINOS DE TRATAMIENTO					NOMBRE PERSONAL	
DE PARENTESCO	SOCIALES				NOMBRE DE PILA - HIPOCORÍSTICO	APELLIDO
	GENERALES	OCUPACIONALES	DE AMISTAD, CORDIALIDAD Y AFECTO	HONORÍFICOS		
papá - mamá	Sr. - Sra.	gobernador	amigo	Va. Excelencia	Juan	García
pa - ma	don - doña	ministro	compañero	Su Excelencia	Gabriel	Gutiérrez
hijo - hija	caballero	intendente	querido	Va. Señoría	Pablo	Borelli
abuelo - abuela	joven	doctor	tesoro	Su Reverencia	María	Petersen
nono - nona	niña	licenciado	...	...	Silvia	Rossi
tío - tía	...	profesor			Laura	Varela
...		...			Juancho	...
					Marita	
					Silvita	
					Gabi	
					...	

A continuación ejemplificaremos con una comunidad peninsular, una canaria y una americana los usos nominales en tres relaciones: *hijos/padres, nietos/abuelos* y entre conocidos jóvenes.

En los hablantes jóvenes de Madrid, Alba de Diego y Sánchez Lobato (1980: 115) señalan que el uso general para la relación *hijos/padres* es *papá/mamá* y dan asimismo los restantes usos posibles:

— *papá/mamá* 100 %
— *pápa/máma* 12,5 %
— *papi/mami* 10 %
— *viejo/vieja* 10 %

— *gordi*	7,5 %
— *papuchi/mamuchi*	5 %
— *jefe/jefa*	5 %
— *pa/ma*	2,5 %
— *papaíto/mamaíta*	2,5 %
— *papito/mamita*	2,5 %

Por su parte, en Santa Cruz de Tenerife (Canarias), Medina López (1991: 76) encuentra las siguientes fórmulas, también entre los jóvenes:

— *pa/ma*	58,9 %
— *papi/mami*	21,6 %
— *papá/mamá*	8,9 %
— *viejo/vieja*	7,5 %
— *papaíto/mamaíta*	0,8 %
— *padre/madre*	0,8 %
— *peque*	1,5 %

En cuanto a Bahía Blanca (Argentina), Rigatuso (1994: 40-50) presenta las siguientes fórmulas, si bien como no trabajó con encuestas no ofrece datos cuantitativos:

— *papá/mamá*
— *pa/ma*
— *papi/mami*
— *viejo/vieja*
— *papito/mamita*
— *padre/madre*

Papá/mamá es en la región bonaerense el uso nominal más general y el menos marcado; *pa/ma* es un uso preferente de niños y jóvenes, de matiz afectivo; *papi/ mami,* de uso general en los hablantes jóvenes, presenta mayor frecuencia en hablantes femeninos, en cambio *viejo/vieja* es usado por algunos hablantes masculinos y minoritariamente por mujeres; *papito/mamita* son formas usadas predominantemente por niños y sólo excepcionalmente por jóvenes; por último *padre/madre* es un uso muy marcado, en general con un valor enfático o jocoso.

Llama la atención que, tratándose de una relación básica como la de padres e hijos haya diferencias tan importantes en el inventario de fórmulas de las tres comunidades. El inventario de las formas usadas en Canarias y Bahía Blanca presenta gran similitud —con la sola excepción de *papaíto/mamaíta* (0,8 %) y *peque* (1,5 %), usadas en Canarias y desconocidas en Bahía Blanca, son las mismas— aunque el orden de importancia parece diferente. En cambio, los usos de Madrid son más conservadores por un lado, con el uso de *pápa/máma,* y más innovadores por otro con la incorporación de *jefe/jefa* y *papuchi/mamuchi.* La forma *máma* era la más frecuente en el siglo pasado en el español bonaerense y se la registra hasta principios de nuestro siglo, pero actualmente su uso es completamente ajeno al habla bonaerense, mientras que la forma *pápa* no fue registrada nunca en la región, ya que la contraparte de *máma* en el siglo XIX era *tata/tatita* (Rigatuso 1992: 113-114). También resulta notoria la diferencia en la frecuencia de algunas formas como *pa - ma,* que en Canarias (58.9 %) —y quizás en Bahía Blanca en este grupo de edad- es la más usada, mientras que en Madrid tiene sólo un carácter marginal (2,5 %).

En cuanto al trato de nietos a abuelos, Alba de Diego y Sánchez Lobato señalan que en Madrid «el vocativo habitual y de un elevado índice de frecuencia, es *abuelo/abuela* con un 99 % [de respuestas en las encuestas]» (1980: 17), y dan otras variantes que han apuntado los informantes:

— *abuelo/abuela*	99 %
— *abuelito/abuelita*	12,5 %
— *yayo/yaya*	5 %
— *viejo/vieja*	2,5 %
— *abueli/buelo*	0,25 %

Con respecto al trato nominal hacia los abuelos no contamos con datos concretos de Canarias. En lo que hace a Bahía Blanca, Rigatuso da como «tratamiento menos marcado y de carácter más general» *abuelo/a* (1994: 71), junto con las siguientes alternativas:

— *abuelo/abuela*
— *abuelito/abuelita*
— *abu*
— *abue*
— *abueli*
— *nono/nona*
— *nonito/nonita*
— *lelo/lela*
— *iaio/iaia*

Comparando ambas listas, vemos una coincidencia bastante grande, ya que ambas están integradas por los diminutivos *abuelito/abuelita* y formas apocopadas como *abueli, abu, abue,* junto con las formas surgidas del habla infantil *yayo/yaya* y *iaio/iaia,* en las cuales posiblemente la principal diferencia radique en la grafía (el fuerte rehilamiento de Bahía Blanca es posible que lleve a la grafía con *'i'* para indicar una realización no rehilada, aunque en la pronunciación no difiere demasiado de la *y* madrileña). Dos formas merecen comentario: el uso de *viejo/vieja* en Madrid, inimaginable en Bahía Blanca pues se lo sentiría como falto de respeto a los abuelos, y el empleo de *nono/nona* en Bahía Blanca. En el caso de *nono/nona,* Rigatuso afirma: «Cuando los hablantes son inmigrantes italianos, suelen recibir de sus nietos el tratamiento habitual en su lengua de origen, independientemente de que estos hablen o no la lengua de sus antepasados... es habitual escuchar el tratamiento *nono/nona* y su forma diminutiva *nonito/a* en boca de nietos de diferente sexo, edad y extracción socio-cultural para sus abuelos italianos. En algunos casos, el uso de esta forma se extiende a abuelos descendientes de italianos» (Rigatuso 1994: 74)

Cabe señalar que *nono/nona* es la única de las formas alternativas que se usa como sinónimo de *abuelo/abuela* en el periodismo y la publicidad bonaerense y con extensiones semánticas, con el valor de 'anciano/anciana' similares a las que se observan para *abuelo/abuela.* Rigatuso ofrece estos ejemplos tomados de una revista porteña:

(8) Los ya muy saqueados arcones de la *nona* siempre ofrecen tesoros nuevos... Todas las carpetitas, orgullo de la abuelita laboriosa... Las fotos de los *nonos* o los chiquitos de color sepia. [«Del tiempo de la abuela», *Revista Mia,* diciembre 1986; citado en Rigatuso 1994: 88]

Por último, veamos los tratamientos nominales empleados entre jóvenes, en los tres puntos que estamos considerando.

Para Madrid, Alba de Diego y Sánchez Lobato (1980: 119) dan las siguientes alternativas:

— nombre propio	25 %
— apellido	5 %
— apodos	10 %
— hipocorísticos	10 %
— *tío*	22,5 %
— *macho*	15 %
— *tronco*	7,5 %
— *cabrón*	7,5 %
— *colega*	5 %
— *simpático, gamberro, capullo, cabroncete, pollo, salido*	2 %

Javier Medina López (1991: 14-15) ofrece las siguientes formas para Santa Cruz de Tenerife:

— nombre	29,3 %
— apellido	3,2 %
— apodo	24,4 %
— diminutivo	4,9 %
— *tío*	8,1 %
— *macho*	4,1 %
— *colega*	21,1 %
— *compadre, pelao, pibe, camarada, charro, nito, primo, pichón, cholo, gallo, pocholo, payo, subnormal, chaval, cacho, baifo, laja*	4,9 %

En cuanto a Bahía Blanca, como no contamos con datos para este tema en la bibliografía, hemos realizado una encuesta con diez adolescentes varones de la ciudad que dio el siguiente resultado:

nombre
apellido
diminutivo
gordo, flaco, denso, borrego, pendejo, pendex, boludo, chabón, mogui/monqui (diminutivos de *mogólico* y *mongólico*, respectivamente), *nabo, tarado, imbécil.*

Con respecto a estas formas, llama la atención —más allá de los usos comunes de nombre, apellido y diminutivo— la existencia en las tres comunidades de una riquísima variedad de términos genéricos, que en la mayoría de los casos son peculiares de cada una de ellas. En efecto, más allá del uso común en Madrid y Tenerife de *tío, macho* y *colega,* las restantes denominaciones son peculiares de cada comunidad, si bien pueden observarse mecanismos comunes en el surgimiento de los términos, como el empleo de formas descriptivas *—pelao, gordo, flaco—,* de designaciones peyorativas *—subnormal, mogui, boludo, tarado—* y de designaciones metafóricas, en muchos casos con valor también peyorativo, como *capullo, pollo, pichón, gallo* y *nabo.* La gran riqueza léxica, la variación entre las distintas comunidades y los mecanismos de creación léxica aplicados muestran características propias del lenguaje adolescente.

Si consideramos en conjunto los tres referentes que hemos visto, contrastan los dos términos de parentesco —con designaciones más limitadas y en su mayoría comunes— y las aplicadas entre jóvenes que muestran una variación amplísima casi sin puntos en común, lo que pone de manifiesto la existencia de relaciones en las que la variación en las fórmulas nominales de tratamiento es enorme, lo que, sin duda, se vería sumamente ampliado si tomáramos mayor número de comunidades como punto de comparación.

REFERENCIAS BIBLIOGRÁFICAS

ALBA DE DIEGO, VIDAL y JESÚS SÁNCHEZ LOBATO (1980): «Tratamiento y juventud en la lengua hablada. Aspectos sociolingüísticos», *BRAE* LX, págs. 95-130.

BLANCO BOTTA, IVONNE (1982): «El voseo en Cuba: Estudio sociolingüístico de una zona de la isla», *BZRPH* XXI, págs. 291-304.

BROWN, ROGER y ALBERT GILMAN (1960): «The Pronouns of Power and Solidarity», en Thomas Sebeok (ed.), *Style in Language,* New York, MIT, págs. 253-276.

CATALÁN MENÉNDEZ-PIDAL, DIEGO (1964): «El español en Canarias», *Presente y futuro de la lengua española,* Madrid, OFINES I, págs. 239-280.

ELIZAINCÍN, ADOLFO (ed.) (1981): *Estudios sobre el español del Uruguay,* Montevideo, Universidad de la República, Dirección General de Extensión Universitaria.

ESCOBAR, ALBERTO (1978): *Variaciones sociolingüísticas del castellano en el Perú,* Lima, Instituto de Estudios Peruanos.

FERNÁNDEZ-ORDÓÑEZ, INÉS (1994): «Isoglosas internas del castellano. El sistema referencial del pronombre átono de tercera persona», *RFE* 74, págs. 71-125.

FONTANELLA DE WEINBERG, M.ª BEATRIZ (1993a): «La generalización del voseo y la estandarización policéntrica del español bonaerense en el siglo XX», *Cuadernos del Sur* 23/24, Bahía Blanca, Universidad Nacional del Sur, págs 35-49.

— (1993b): «Fusión de paradigmas, variación y cambio lingüístico. El caso del voseo», *Homenaje a Humberto López Morales,* Universidad de Puerto Rico, Puerto Rico.

— (1994a): «Fórmulas de tratamiento en el español americano (siglos XVI y XVII)», en M. B. Fontanella de Weinberg (ed.), *El español en el Nuevo Mundo,* Washington, OEA.

— (1994a): «El léxico de cuatro siglos de vida americana», *Boletín de la Academia Argentina de Letras* LIX:231-232, págs. 53-65.

FONTANELLA DE WEINBERG, M.ª BEATRIZ *et al.* (1968): «Los pronombres de tratamiento en el español bonaerense», *Actas de la Quinta Asamblea Interuniversitaria de Filología y Literaturas Hispánicas,* Bahía Blanca, Universidad Nacional del Sur, págs. 142-155.

GÓMEZ DE IVACHEVSKY, AURA (1969): *Lenguaje coloquial venezolano,* Caracas, Instituto de Filología «Andrés Bello».

GRANDA, GERMÁN DE (1988): *Sociedad, historia y lengua en el Paraguay,* Bogotá, Instituto Caro y Cuervo.

LAPESA, RAFAEL (1970): «Las formas verbales de segunda persona y los orígenes del voseo», *Actas del Tercer Congreso General de Hispanistas,* México, págs. 519-531.

— (1980): *Historia de la lengua española,* Madrid, Gredos, 8ª edición.

MEDINA LÓPEZ, JAVIER (1991): *Formas de tratamiento en Canarias: habla juvenil,* Santa Cruz de Tenerife, Producciones Gráficas S. A.

— (1993): *Sociolingüística del tratamiento en una comunidad rural (Buenavista del Norte-Tenerife),* Santa Cruz de Tenerife, Gobierno de Canarias.

MONDÉJAR, JOSÉ (1970): *El verbo andaluz. Formas y estructuras,* Madrid, CSIC.

MONTES GIRALDO, JOSÉ JOAQUÍN (1967): «Sobre el voseo en Colombia», *ThBICC* XXII, págs. 94-100.

— (1985): «El español bogotano en 1983: muestra fonética y gramatical», *ThBICC* XL, págs. 293-307.

MORALES, FÉLIX (1972-1973): «El voseo en Chile», *BFUCh* XXIII-XXIV, págs. 261-274.

PÁEZ URDANETA, IRASET (1981): *Historia y geografía hispanoamericana del voseo,* Caracas, La Casa de Bello.

PÉREZ GUERRA, IRENE (1988): «La forma alocutiva 'Su Merced' en República Dominicana», *ALH* IV, págs. 241-248.

RIGATUSO, ELIZABETH (1992): *Lengua, historia y sociedad. Evolución de las fórmulas de tratamiento en el español bonaerense (1830-1930),* Bahía Blanca, Universidad Nacional del Sur.

— (1994): *Fórmulas de tratamiento y familia en el español bonaerense actual,* Bahía Blanca, Universidad Nacional del Sur.

RONA, JOSÉ PEDRO (1967): *Geografía y morfología del voseo,* Porto Alegre, Pontificia Universidade Católica do Rio Grande do Sul.

SORRENTINO, FERNANDO (1992): *Siete conversaciones con Adolfo Bioy Casares,* Buenos Aires, Sudamericana.

VIDAL DE BATTINI, BERTA (1964): *El español de la Argentina,* Buenos Aires, Consejo Nacional de Educación.

WAINERMAN, CATALINA (1978): *Relaciones familiares en la Argentina. Diacronía y sincronía,* Buenos Aires, Cuaderno del CENEP, 4.

WEINREICH, URIEL, WILLIAM LABOV y MARVIN I. HERZOG (1968): «Empirical Foundations for a Theory of Language Change», en W. P. Lehman y Y. Malkiel (eds.), *Directions for Historical Linguistics,* Austin, University of Texas Press.

23
PRONOMBRES REFLEXIVOS Y RECÍPROCOS

CARLOS PEREGRÍN OTERO
University of California, Los Ángeles (UCLA)

ÍNDICE

23.1. Introducción

Como el celebrado personaje que hablaba siempre en prosa sin saber que lo hacía, el hablante de una lengua que no es gramático de profesión hace uso de la anáfora sin percatarse de ello (con rarísimas excepciones, si las hay), y sin poder evitarlo. ¿Quién no ha dicho algo del tenor de *Juana tiene ante sí una gran oportunidad* sin pararse a pensar que el pronombre *sí,* por estar vacío de contenido significativo, queda a merced de alguna otra palabra de la que puede cobrar sentido, en este caso *Juana*? En términos gramaticales, *sí* remite anafóricamente a *Juana,* su 'antecedente', es decir, depende de su antecedente para su interpretación. Esta 'dependencia' en cuanto a la interpretación es sin duda la propiedad más singular y definitoria de las formas usadas anafóricamente. Es también una propiedad general, aplicable a muchas lenguas naturales, si no a todas. [1] No hay ninguna lengua conocida en la que este tipo de relación gramatical no represente un papel de suma importancia [⟶ §§ 19.1-2].

No tiene, pues, nada de sorprendente que las relaciones anafóricas hayan sido reconocidas desde la antigüedad como una de las propiedades más características de las lenguas humanas. Como señala el *Esbozo* (RAE 1973: § 2.5.1b), ya los gramáticos griegos distinguían la función anafórica de los pronombres de su función ostensiva, demostrativa o deíctica [⟶ Cap. 14]: el pronombre *yo* siempre «señala deícticamente al que está diciendo *yo», tú* señala siempre la persona a la que se habla, y *ellas,* a veces (es decir, en expresiones como *Me lo dijeron ellas,* cuando el que profiere la expresión apunta con el índice a un grupo cercano) puede señalar un grupo de mujeres o niñas.

Nada más fácil que dar otros ejemplos de construcciones anafóricas. Una expresión como *Rosa y Blas hablaron* puede fácilmente ser convertida en una expresión anafórica con una interpretación 'reflexiva' (1a) o puede ese sujeto dar lugar a la aparición de una frase con interpretación 'recíproca' (1b):

(1) a. *Rosa y Blas* hablaron sobre *sí mismos.*
b. *Rosa y Blas* hablaron *el uno sobre el otro.*

Tanto las expresiones reflexivas como las recíprocas son expresiones anafóricas en un sentido especial y preciso. Como la terminología dista mucho de ser uniforme, tal vez convenga establecer algunas estipulaciones antes de seguir adelante.

Tanto la deixis como la anáfora suelen ser entendidas como formas de 'referencia'. Para algunos autores, la categoría fundamental es 'deixis', en sentido lato, que incluye no sólo los demostrativos, sino también ciertos usos de los pronombres personales y otras propiedades del contexto del habla relevantes para la sintaxis, entre ellos persona [⟶ § 19.2.2] y tiempo verbal [⟶ § 44.2.2]. [2] En un uso reciente de algunos cultivadores de la lingüística del texto, la referencia puede ser de dos tipos: exofórica y endofórica. La referencia exofórica remite a una entidad fuera del texto, como por ejemplo *eso* en *¿Has visto eso?* o *ella* en *¿Sabes algo de ella?* La referencia endofórica remite siempre a una entidad dentro del texto y puede ser, a su vez, de dos tipos: anafórica y catafórica. [3] La diferencia entre estos dos subtipos

---

[1] Cf. Geniusiene 1987: § 4.3.
[2] Cf. Lyons 1977: § 15.3, que presenta la deixis como «más básica que la anáfora».
[3] También han hecho uso del término endofórico autores de otras orientaciones. Cf., p. ej., Zribi-Hertz 1995: n. 14.

es solamente de dirección: una anáfora (mejor dicho: una expresión anafórica) remite hacia atrás —hacia una palabra ya mencionada— y una catáfora hacia delante —hacia una palabra todavía no mencionada [→ § 20.2.1].

En las últimas dos décadas el término 'anáfora' ha sido usado, al menos dentro de la orientación generativa, en el preciso sentido de relación (endofórica) obligatoria o insoslayable, caso de las relaciones reflexivas y recíprocas de este capítulo.[4] Este uso de 'anáfora' como equivalente de 'anáfora ligada' no será adoptado en este capítulo, de modo que el término tendrá para nosotros un sentido algo menos restringido. Correspondientemente, el término 'pronominal' será usado en su sentido tradicional, que aquí daremos por bueno. Así, pues, entenderemos que la anáfora *sí* de *sobre sí* o *sí mismos* en (1a) es simplemente un pronombre reflexivo, no un elemento no-pronominal (en el sentido técnico reciente del término 'pronominal').[5]

En el sentido que aquí nos concierne, el vocablo 'anáfora' designa la «relación entre una palabra o frase de cualquier tipo y otra palabra o frase anterior», como cuando una palabra o frase «remite a lo que se acaba de enunciar» (RAE 1973: § 2.5.1.2b). En general, podemos decir, pues, que dos elementos, *A* y *a,* están relacionados anafóricamente cuando la especificación del contenido del 'antecedido' o 'subsecuente' *(a),* p. ej., *sí mismos* en (1a), depende de alguna manera (volveremos sobre ello) del contenido de su 'antecedente' *(A),* p. ej., la frase *Rosa y Blas* en (1).[6] La razón por la que los dos términos aparecen entrecomillados en las líneas anteriores es que no siempre son tomados en su sentido literal. No es imposible, ni siquiera raro, que el 'antecedido' preceda al 'antecedente', como vemos en (2):

(2) Contar historias sobre *sí* mismos es lo que divierte a *los niños.*
a = *sí* A = *los niños*

Es este caso especial de anáfora o relación anafórica en que el 'antecedente' (que no 'antecede' en sentido literal) sucede al 'antecedido' el que recibe el nombre de 'catáfora', es decir, 'anáfora hacia atrás' [→ §§ 20.1 y 43.3.2.3].[7]

Dado su decisivo papel en las relaciones anafóricas, tiene poco de sorprendente que las propiedades sistemáticas de los pronombres, y en particular de los pronombres reflexivos, constituyan uno de los aspectos más interesantes del sistema de una lengua. Ello se debe a que los pronombres, aunque gramaticalmente proteicos y susceptibles de interrelaciones intrincadas, carecen de significación propia [→ § 19.2]. Los pronombres reflexivos en particular son elementos casi del todo vacíos, es decir, casi carentes de rasgos distintivos especificados (por ejemplo, *sí* no es en sí masculino o femenino, singular o plural), de ahí la sugerencia de que dependen de otros elementos precisamente porque necesitan suplir de alguna manera las especificaciones con que no cuentan por derecho propio (Burzio 1991).

---

[4] Un sentido menos restringido fue el predominante hasta hace menos de veinte años aun entre los estudiosos de la gramática generativa, p. ej. Jackendoff (1972), Wasow (1979). El sentido estricto ha sido adoptado con mucha frecuencia desde 1980, en particular en esa tradición.

[5] Véanse Demonte 1989: § 6.3.3 y Lorenzo y Longa 1996: § 6.1.

[6] El término 'antecedido', análogo al término 'referido' de Fernández Ramírez (que lo correlaciona con 'referente'), parece más apropiado y más transparente que 'subsecuente'.

[7] Entre los autores que usan el término se encuentra Bühler (1934: 121). Cf. Lyons 1977: § 15.3. La catáfora no es exclusiva de las construcciones reflexivas, por supuesto. Como es bien sabido, *Este es un ejemplo de predicación catafórica* es justamente eso, un ejemplo de predicación catafórica. Véase Bosque 1993.

Como se sabe, los pronombres suelen ser secuencias sonoras mínimas, a menudo de una sola sílaba, «claramente compuestos de sonidos fáciles de pronunciar, generalmente sin grupos consonánticos» (Meillet 1926: 89).[8] En castellano, o tienen una sola sílaba *(yo, tú, él,* y hace medio milenio *nos* y *vos)* o dos *(ello, ellos* y *ellas, uno).* De especial interés para el propósito de este capítulo es la forma *sí* (acentuada), pues es el único pronombre reflexivo por naturaleza del castellano (junto con la forma fosilizada *consigo,* que hasta ahora le ha cerrado casi completamente el paso a la frase regular *con sí*).[9] Ni siquiera la forma *se* (inacentuada, por tanto clítica en la frase) es reflexiva por naturaleza, aunque sí puede servir como 'imagen clítica' de *sí* (expreso o sobreentendido), como veremos. Es verdad que también pueden funcionar como elementos anafóricos los pronombres objetivos de primera y segunda persona, a saber, *mí* (incluido el *mí* de *conmigo*), *ti* (incluido el de *contigo*), *nos/vos-otros* (acentuados [→ § 19.3]), y/o sus imágenes clíticas *me, te, nos, os* (por supuesto inacentuadas) [→ § 19.5]. Las expresiones resultantes pueden variar no poco de lengua a lengua, aun entre lenguas estrechamente relacionadas genéticamente como el gallego y el castellano o el catalán y el francés. Lo verdaderamente interesante en este contexto es que, como vamos a ver, detrás de la abigarrada gama de diferencias directamente observables se ocultan propiedades muy generales, comunes aun entre lenguas no relacionadas genéticamente.

Para empezar, las propiedades de los pronombres (reflexivos o no reflexivos) son muy diferentes de las propiedades de los nombres *(Rosa, rosa, rosas).* Una de estas diferencias es de capital importancia para nuestro propósito: un detective puede seguirle la pista a una persona llamada Rosa y dar con ella, o comprarle un manojo de rosas, pero si sabe de una persona que está *fuera de sí,* el pronombre reflexivo por sí mismo no le da la menor pista sobre esa persona. Como queda dicho, ni siquiera es un exponente de género o número gramatical, dos de los rasgos distintivos que representan un papel fundamental en la sintaxis, de modo que no sabemos si esa persona es varón o hembra. Un pronombre como *sí* está casi completamente vacío de contenido. De un análisis del paradigma de los pronombres personales sólo podemos concluir que *sí* no es un pronombre de primera o de segunda persona, o, si se prefiere, es un pronombre simplemente no marcado como primera o segunda persona (cf. Bonet 1995); es decir, no es un pronombre personal en la terminología y conceptualización de algunos gramáticos. No por casualidad algunas lenguas, entre las que se cuenta el castellano, no tienen formas reflexivas especiales para los pronombres de primera y segunda persona, pero sí las tienen para los de la 'no persona' (que de cierto modo es más fundamental o fundacional que las dos personas gramaticales en sentido estricto, como veremos). Esta es una de las razones por las que las construcciones no personales en ese sentido estricto, las únicas en las que entra en juego un pronombre exclusivamente reflexivo en la forma, recibirán más atención que las construcciones personales en este capítulo.

---

[8] El texto (publicado por primera vez en 1914) continúa: «Consecuencia de ello es que los pronombres se asemejan en casi todas las lenguas, sin que esto implique comunidad de origen. Y, por otra parte, los pronombres a menudo muestran poca semejanza en lenguas que por lo demás son muy similares.» («Il en resulte que les pronoms se ressemblent plus ou moins partout, sans que ceci implique une communauté d'origine. Et, d'autre part, les pronoms se ressemblent souvent assez peu dans des langues d'ailleurs très semblables.»).

[9] Aunque en el caso de *con* la preposición generalmente se amalgama con *sigo, tigo* y *migo* (versión hispana fosilizada del latín *se/te/mecum*) formando *consigo, contigo, conmigo* (que diacrónicamente equivalen a *con {si/ti/mi} con*), la frase formada sincrónicamente con *sí* no está ausente del habla espontánea ni de la literatura, p. ej. *coqueteando con sí* (Baroja; tomado del *DDDLE,* s.v. *sí*). Sobre la naturaleza de estas combinaciones, véase García 1988 y 1989.

La segunda diferencia está en que los 'pronombres' contrastan claramente con los 'nombres' en que los nombres comunes (mejor dicho las frases nominales que los contienen) y los nombres propios pueden funcionar como expresiones con referencia propia [⟶ Caps. 2, 12 y 13]. Por el contrario, el *sí* de *sí mismo* no puede menos de limitarse, por su propia naturaleza, a remitirnos a su antecedente.

En *Rosa está fuera de sí, sí* nos remite a *Rosa,* su antecedente, y recibe un 'valor' de ese nombre cabal. Podemos captar la esencia de esta relación de dependencia diciendo que en tal expresión el antecedente 'liga' al antecedido, como se dice que un operador (p. ej. *no*) liga a una variable (p. ej. *x*) en las ciencias formales (i.e. *no x*). Entendidas así las cosas, el antecedente de un pronombre reflexivo o recíproco es un antecedente muy especial, ya que es un (elemento) 'ligador', el elemento anafórico (antecedido) es un (elemento) 'ligado' y una relación reflexiva o recíproca es esencialmente una relación de 'ligamiento', concepto de suma importancia al que tendremos que prestar especial atención. (Volveremos sobre el tema en el § 23.3.)

Un hecho de gran interés para nuestro propósito es que, como la información que contienen los pronombres, y sobre todo los pronombres reflexivos, no es suficiente para nombrar al objeto o individuo al que pueden hacer referencia, en casos de alguna complejidad su interpretación conlleva sutiles cálculos mentales cuyos resultados a menudo no están libres de incertidumbre entre dos o más opciones, como es bien notorio. De ahí que el estudio de las estructuras pronominales, y en particular de las relaciones anafóricas, ofrezca un terreno bien abonado a todo el que tenga interés en discernir y entender las relaciones que median entre fenómenos lingüísticos intrincados, que de hecho abarcan toda la gama de aspectos de la naturaleza, adquisición y uso del lenguaje. Incluyen, pues, fenómenos conceptuales, léxicos, sintácticos, semánticos, morfológicos, pragmáticos y literarios.[10]

No parece exagerado decir, en el mismo sentido, que la parcela del uso de una lengua deslindada por los fenómenos pronominales viene a ser como un microcosmos del universo del lenguaje. De ahí que para algunos autores la investigación a fondo de estos fenómenos, que hoy ocupa una posición central en los estudios del lenguaje, pueda tal vez llevar al descubrimiento de vetas insospechadas sobre la naturaleza misma de la gramática y contribuir así a poner de manifiesto algunas de sus propiedades fundamentales, sin excluir propiedades relativas a la «arquitectura» misma del sistema gramatical. Con todo, el estudio sistemático y a fondo de los sistemas pronominales, y en particular de las relaciones anafóricas, es relativamente reciente. Ocupa hoy una posición central en las investigaciones de la teoría de la gramática como una de las intersecciones más complejas e incitantes de algunos de los problemas más intrincados que plantea el conocimiento y el uso del lenguaje.[11] Ha suscitado también el interés de un creciente número de especialistas en otras ciencias cognitivas, además de numerosos filósofos y lógicos, naturalmente atraídos por el tema.[12]

Los datos del castellano, que en determinados respectos no encuentran contraparte en otras lenguas más o menos conocidas, tienen mucho que ofrecer a los

[10] Véanse, entre otros muchos estudios sobre aspectos de algunas de estas cuestiones, Kuno 1972, Clements 1975, Givon (ed.) 1979, Kreiman y Ojeda (eds.) 1980, Hintikka y Kulas 1985, Root 1986, Lust (ed.) 1986, Sell *et al.* 1987, B. Fox 1987, 1996, Keenan 1988, Zribi-Hertz 1989, Saxon 1990, Van Hoek 1992, 1995, 1997, Ch. Koster 1993, Lust *et al.* (eds.) 1994, Y. Huang 1994, Baker 1995 y Comrie 1995.

[11] Véanse, además de los estudios que cabría llamar fundacionales (Chomsky 1970/1977, Wasow 1972), a los que se alude en el capítulo introductorio de Lasnik 1989 y en la versión puesta al día del mismo Otero (ed.) (1994: vol. 1), Everaert 1986a, 1997, Grodzinsky y Reinhart 1993, Reinhart y Reuland 1993, Safir 1996, Tancredi 1995a, 1995b, Reinhart 1996a, 1996b, entre otras muchas publicaciones recientes.

[12] Véanse Harman 1972, 1976, Evans 1980, 1985, Higginbotham 1980, 1983, Reinhart 1983a, 1983b, Hintikka y Kulas 1985, Salmon 1986, 1992, Salmon y Soames (eds.) 1988, Keenan 1988, 1994, Soames 1989, Moltman 1992, Safir 1992, Chierchia 1995 y Postma 1996, entre muchos otros escritos.

estudiosos de la anáfora, como vamos a ver. Un índice de algunas de sus peculiaridades en esta parcela de la gramática es la miríada de dificultades que plantean a los estudiantes (y aun a los lingüistas) extranjeros.[13] A continuación pasaremos revista a una amplia gama de esos datos, entre los considerados básicos y representativos, con el fin de derivar algunas generalizaciones descriptivas provisionales. De estas generalizaciones, en lo que tengan de acertadas, tendrá que dar cuenta cualquier teoría que se precie de aspirar a explicar los hechos fundamentales.

En la exposición que sigue examinaremos los dos tipos de relaciones anafóricas, ligadas (reflexivas y recíprocas) y no ligadas, empezando por considerar la diferencia entre la correferencia con ligamiento y la correferencia sin ligamiento, conceptos que será necesario distinguir cuidadosamente para poder explorar más a fondo un aspecto poco estudiado de nuestro tema (§ 23.2). El cuerpo del capítulo será dividido en dos apartados, uno para cada tipo de relación anafórica. El primero (§ 23.3) tratará de las anáforas (o expresiones anafóricas) ligadas reflexivas y recíprocas, y el segundo (§ 23.4) de las anáforas no ligadas. Dentro de cada uno de los apartados no seguiremos ninguno de los agrupamientos usuales de los datos en particular, sino que simplemente nos atendremos al grado de complejidad de las construcciones, yendo de las menos complejas a las más complejas, según criterios formales sencillos (no técnicos), de fácil aplicación, que parecen resultar provechosos y fiables. El § 23.4 tratará de una clase de construcciones con pronombre no reflexivo, analizado a veces como anáfora reflexiva, que parecen recibir una explicación más satisfactoria si la anáfora es analizada como no ligada, y por tanto muy diferente en su naturaleza de una anáfora reflexiva. En el primer subapartado de esta sección («Reflexividad y correferencia»), que versará esencialmente sobre el aspecto sintáctico del tema, pasaremos también revista a la debatida cuestión de la complementariedad distribucional de las expresiones anafóricas ligadas y los pronombres desde la perspectiva de las dos clases primarias de relaciones anafóricas. En el segundo subapartado («Correferencia y logoforicidad»), examinaremos más a fondo la cuestión de la naturaleza de la relaciones anafóricas no ligadas, atendiendo especialmente a la cuestión de su interpretación, en particular su supuesto carácter de atribuciones de *se.* En un último apartado (§ 23.5) echaremos una rápida ojeada retrospectiva sobre el camino recorrido.

Antes de dejar este apartado conviene establecer algunas estipulaciones terminológicas, para evitar confusiones, dado que el uso dista de ser uniforme. En este capítulo el término 'frase' será usado en su sentido más general, que incluye el sentido de 'frase verbal extendida' o 'cláusula' (la «frase más larga»), y el término 'cláusula' será aplicado tanto a las «frases más largas» independientes como a las dependientes, es decir, tanto a, p. ej., *Juan dice que Ana escribió un libro* como a que *Ana escribió un libro.* Como veremos, los dos tipos de frase que importan más para nuestro propósito (y no sólo para nuestro propósito) son la frase verbal y la frase nominal, con el sujeto incluido, si hay sujeto (o las frases «extendidas» correspondientes), es decir, las dos realizaciones estructurales canónicas de la proposición.

---

[13] Véase Litherland 1995; cf. Yuan 1994. Un reducido inventario de dificultades puede ser espigado en estudios generales como Heatwole 1949, Ramsey 1956, Aid 1973, Nash 1973, Whitley 1986 y en la monografía de Thomas 1993, entre muchas otras publicaciones. Para un intento de explicación general de las dificultades características de los hablantes no nativos, véase Strozer 1994. Cf. Epstein *et al.* 1996, que incluye una variada gama de comentarios de especialistas.

23.2. Una dicotomía fundamental: correferencia con ligamiento y sin ligamiento

La sutil discriminación entre sentidos es una excelente guía cuando nos adentramos en un abigarrado laberinto de fenómenos gramaticales, y a veces la única que nos puede proporcionar faros orientadores, además de evitarnos tropiezos en el curso de nuestra indagación. Sabido es que una expresión como *Se mató* puede servir de envoltura sonora a muy diversos sentidos, y es natural suponer que cada uno de los sentidos (cada una de las proposiciones mentales) corresponde a una estructura sintáctica distinta.

Otro hecho capital que no podemos perder de vista es que no son los vocablos peculiares de una lengua, esencialmente arbitrarios por naturaleza y a menudo accidentales por su historia, los que campean por sus fueros. Lo que verdaderamente importa para nuestro propósito son las propiedades intangibles que algunos de nuestros vocablos, entre ellos los más diminutos y repetidos (p. ej., *sí, ella*), tienen o no en común con los vocablos correspondientes de otras lenguas. Aun a sabiendas de lo que tenga de reiteración de lo ya dicho en el capítulo 19, conviene atraer aquí la atención hacia un contraste muy simple que nos permitirá hacer palmaria esta idea:

(3) a. Ana insiste en que tanto ella como la doncella renunciaron a la herencia.
b. Tanto ella como la doncella insisten en que Ana renunció a la herencia.

No es posible entender estas expresiones sin computar el valor del pronombre *ella,* algo que por supuesto hacemos inconscientemente, sin percatarnos de ello. Cuando lo hacemos, no tardamos en caer en la cuenta de que en (3a) *ella* puede ser *Ana* (lo que cabría expresar como *ella* = *Ana*) o puede ser otra persona, mientras que en (3b) tienen que ser, necesariamente, dos personas diferentes. Es decir, el que profiera u oiga la primera oración puede muy bien hacerlo entendiendo que *ella* es *Ana* (en términos gramaticales, que *Ana* es el antecedente de *ella*), si el contexto lo permite, pero el que profiera u oiga la segunda no tiene esa opción. Una importante propiedad que el castellano comparte con otras lenguas lo impide [→ § 20.2].

En este punto parece conveniente llamar la atención sobre el carácter distintivo de algunos conceptos que tendremos que deslindar cuidadosamente, ya que representan o van a representar un papel importante en la exposición. Para empezar, sería precipitado identificar la relación de antecedencia (que requiere 'identidad' de valores entre expresiones respecto a una estructura jerárquica) con la relación de 'ligamiento', definida sobre secuencias de elementos (en las estructuras reflexivas y recíprocas, por ejemplo). [14] En segundo lugar, necesitamos discriminar meticulosamente entre dos relaciones de identidad que representan un papel de suma importancia en este capítulo: la correferencia con ligamiento y la correferencia sin ligamiento. 'Antecedencia', 'correferencia (ligada o no ligada)', y 'ligamiento', son tres

[14] Véase Larson y Segal 1995: § 10.2.3. Compárese la concepción de antecedencia propuesta en Higginbotham 1983, 1985 que, desarrollando ideas esbozadas en Evans 1980, toma como punto de partida la observación de que la noción semántica de antecedencia es fundamentalmente asimétrica, propiedad no reflejada por el mecanismo de indizamiento o asignación de índices.

nociones distintas que no son barajables sin riesgo de confusión. Una manera de facilitar la comprensión es, pues, precisar, antes de seguir adelante, el contorno de estos conceptos, fundamentales para nuestro propósito.

Conviene empezar por establecer un procedimiento para hacer patente una relación anafórica (obligatoria o facultativa) entre dos elementos, y lo mejor en este caso es quizá adoptar el conocido procedimiento de asignar un mismo índice a los elementos relacionados anafóricamente. Como índices podemos utilizar letras minúsculas a partir de la *i (i, j, k,),* subescritas, como es habitual en las ciencias formales, o dígitos (1, 2, 3), preferiblemente entre llaves (para mayor perspicuidad). Llamaremos a esta manera de asignar índices 'indizamiento', y al asignamiento de un mismo índice a dos elementos 'coindizamiento'. Si dos elementos llevan el mismo índice diremos que están coindizados o en relación de 'coindización'. Otra manera de indicar la misma relación entre dos elementos es subrayándolos, esto es, destacándolos en cursiva. Un simple ejemplo, ilustrando los tres procedimientos, puede servir para dar concreción a todo esto:

(4) $Juan_i$\{1\} telefoneó a su_i\{1\} madre.

La notación indica que entre *su* y *Juan* (antecedente de *su* en este caso) media una relación anafórica (que sin los índices no pasaría de posibilidad para el lector o el oyente, que no así para el escritor o el hablante, hecho que conviene no perder de vista). Pero esto no nos dice demasiado. Si examinamos esta secuencia coindizada con la atención que requiere, descubriremos que es susceptible de dos interpretaciones muy diferentes. Supongamos que alguien nos dice: *Juan telefoneó a su madre, y Luis también.* Podemos entender dos cosas distintas. En una interpretación, Juan telefoneó a su propia madre, y Luis también telefoneó a la madre de Juan, de modo que tenemos 'identificación estricta', en una terminología de uso muy extendido. En términos más generales, entendemos que una persona *x* (*Juan* o *Luis* en este caso) telefoneó a la madre de Juan. Utilizaremos el término 'correferencia sin ligamiento' para denotar la relación que media entre los dos términos coindizados bajo esta interpretación. En la otra interpretación, un caso de 'identificación *no* estricta' o 'identificación imprecisa' [⟶ § 20.2.2], el valor semántico del pronombre varía con el valor del antecedente, por lo que entendemos que *Juan* telefoneó a su propia madre y Luis telefoneó a su propia madre (la madre de Luis), es decir, entendemos que cada persona x telefoneó a la madre de x. Reservaremos el término 'correferencia con ligamiento' (facultativa en este caso sólo para el oyente) para denotar la relación que media entre los dos términos coindizados bajo la interpretación de relación entre un antecedente y una 'variable ligada' *x,* que en nuestro ejemplo está ligada por *Juan.* El antecedente *(Juan)* es el mismo en ambos casos. En la correferencia facultativa el antecedente tendría que ser otro. Tenemos, pues, estas dos interpretaciones:

(5) x telefoneó a la madre de Juan.
(6) x telefoneó a la madre de x.

El concepto de 'correferencia' a secas (entre un antecedente y un elemento referencialmente dependiente) incluye, pues, estos tipos y subtipos, fundamentalmente diferentes:

(7) Tipos y subtipos de correferencia:
I. Correferencia con ligamiento (expresiones anafóricas ligadas)
i. Obligatoria: p. ej., (1a).
ii. Facultativa (para el oyente/lector): p. ej., (6).
II. Correferencia sin ligamiento (expresiones anafóricas no ligadas):
i. Obligatoria (véase el § 23.4).
ii. Facultativa (para el oyente/lector):
a. Intraclausular: p. ej. (4).
b. Interclausular: p. ej. (3a).

La relación de reflexividad, que requiere especial atención en este capítulo, es, por supuesto, un caso especial de correferencia con ligamiento obligatoria, siempre local.

Salta a la vista que el sistema de indizamiento no distingue entre estas dos relaciones posibles (correferencia local sin ligamiento y ligamiento en sentido estricto) entre un antecedente y un elemento dependiente, relaciones que son crucialmente distintas. Además, en contraste con las construcciones pronominales correferenciales sin ligamiento en las que la relación de correferencia es facultativa (para el oyente o el lector), en las construcciones reflexivas o recíprocas, la relación entre el antecedente (o antecedentes, en las recíprocas) y el elemento dependiente (la variable ligada) es obligatoria, hecho fundamental para nuestro propósito. De ahí la conveniencia de contar con conceptos más precisos que los usuales en numerosos estudios: un concepto de 'ligamiento' que no incluye las relaciones correferenciales (posiblemente locales) no ligadas y un concepto de 'variable ligada' que implica una interpretación semántica única. [15]

23.3. Expresiones anafóricas ligadas: reflexivas y recíprocas

En este apartado examinaremos dos clases de construcciones con anáforas ligadas, las anáforas reflexivas y las recíprocas. Por varias razones resulta lógico empezar por las reflexivas, como quedará claro en el curso de la exposición.

23.3.1. Expresiones anafóricas reflexivas sin clítico

Entre las expresiones anafóricas reflexivas es común distinguir dos tipos: [16] las anáforas simples, ligeras o débiles como *sí* (castellano), *sé* (italiano), *soi* (francés), *sich* (alemán), *zich* (holandés), *sig* (danés, sueco, islandés), *seg* (noruego), junto a otras muchas, entre ellas *ziji* (chino), *caki* (coreano) y *zibun* (japonés), una de las más estudiadas; y las anáforas compuestas o fuertes como *sí mismo* (castellano), *se stesso* (italiano, raramente *se medesimo*), *sich selbst* (alemán), *zichzelf* (holandés), *sig selv* (danés), *sig själf* (sueco) *sig sjálf* (islandés), *seg selv* (noruego), *taziji* (chino), *caki casin* (coreano), *zibun-zisin* (japonés), y similares. El paradigma castellano de las anáforas simples se completa con *mí/me, ti/te, nos* y *os;* el de las compuestas incluye *mí mismo, ti mismo, nosotros mismos, vosotros mismos* y *ellos mismos.*

[15] Véase Reinhart 1983a: 115, y Grodzinsky y Reinhart 1993a; Aikawa 1993: §§ 1.2, 3.2. Cf. Fiengo y May 1994: § 1.1, 3.2; Hornstein 1995: § 2.4 (en particular la nota 31).

[16] Al menos desde Faltz 1977; cf. Pica 1985, 1987, Safir 1995, Postma 1996. Es común dar *se* como anáfora simple del castellano, aun entre hispanistas, tendencia no seguida en este capítulo, por las razones dadas más adelante, en particular en los §§ 23.3.1.1 y 23.3.2.

Una característica destacada de todas las anáforas reflexivas compuestas es que tienen que tener un antecedente en un dominio local o próximo que viene a coincidir con una frase mínima (frase verbal o frase nominal, sobre poco más o menos), como veremos. Por el contrario, al menos algunas de las anáforas simples (las llamadas 'anáforas a larga distancia') no siempre tienen antecedentes locales. [17] Puede resultar instructivo comparar algunas de ellas con el pronombre reflexivo acentuado castellano. Así, un ejemplo notorio de ausencia de ligamiento local es el equivalente japonés de (8) (con *zibun* en lugar de *sí*), en el que *zibun* puede referir a *Ana*, mientras que en castellano *sí* no puede referir a *Ana* (como indica el asterisco); sólo puede referir a *Juan* (el dominio local de *sí* aparece entre corchetes):

(8) **Ana* le dijo a Luis [que Juan habló mal de *sí*].

Evidentemente, esta expresión (con la coindización indicada) no es aceptable en castellano, aunque por supuesto hay oraciones complejas en las que *sí* puede estar linealmente muy alejado del antecedente que lo liga, con tal de que no esté demasiado lejos en términos sintácticos. De muestra puede servir este ejemplo (la cláusula subordinada aparece entre corchetes):

(9) *Juan* decidió [que Ana se hiciera cargo de la fábrica que hasta entonces había dirigido Luisa] por *sí* y ante *sí*.

En otras lenguas, el equivalente de *sí* puede ocupar una posición de sujeto, y hasta seleccionar su antecedente en el discurso (Koster 1982), como en el equivalente japonés de este minidiscurso (con *zibun* en lugar de *sí*), plenamente inaceptable en castellano:

(10) —¿Es que alguien fue a la fiesta en vez de *Juan*?
—*No, es que *sí* fue. [18]

En marcado contraste con expresiones anafóricas como la japonesa *zibun*, *sí* carece de esas dos propiedades, como se desprende de (10), y también de (11):

(11) **Anand* parecía otra vez *sí mismo*.

Los ejemplos de (10) y (11) muestran asimismo que el *sí* castellano es un elemento que posee caso oblicuo, por eso sólo es legítimo en posiciones en las que aparece como término de una preposición. Su agramaticalidad en (10) y (11) se debe crucialmente a este factor.

---

[17] Véanse Koster 1985, 1987, Wexler y Manzini 1987, y muy especialmente Koster y Reuland (eds.) 1991, que incluye un estudio sobre el latín (Benedicto 1991), Sigurdsson 1990, Cole *et al.* 1990, 1994, 1996, Katada 1991, Aikawa 1993, Progovac 1993 y Hermon 1994, entre otros estudios; Napoli 1979, Pica 1984, Giorgi 1984, Everaert 1986b tratan de las lenguas románicas.

[18] También en alemán *sich* puede aparecer aislado (Cardinaletti y Starke 1996: (94b)), lo cual es impensable en el caso de su contraparte castellana *sí*:

(i) a. Wen wascht Otto? Sich.
b. *¿Quién lava a Otto? Sí.

A diferencia de *zibun,* por otra parte, *sí* no puede remitir al propio hablante o al interlocutor (en términos gramaticales, a un antecedente de primera o segunda persona):

(12) a. **Yo* estoy durmiendo en la habitación de *sí.*
b. **Vosotros* estáis durmiendo en la habitación de *sí.*

Bien es verdad que algunos hablantes del castellano encuentran perfectamente natural decir cosas de este tenor: [19]

(13) a. Yo de por sí [cf. por naturaleza] soy enemigo de las amnistías. [*El País,* 14-X-78]
b. Cuando volví en sí ya no estaban, estaba yo solo.
c. —¡Hija mía, vuelve en sí, por Dios, vuelve en sí!
—Se dice vuelve en ti, mamá.
(Con *{por/en} sí* en vez de *{por/en} {mí/ti}).*

Por otra parte, en los equivalentes de los ejemplos de (14) en japonés *zibun* no puede reemplazar a *sí:*

(14) a. *Este salario* no da mucho de *sí.*
b. Los piratas le dieron a *Juan* el tesoro para *sí.*

La razón es que *zibun* es un elemento 'orientado' hacia el sujeto de la cláusula, es decir, su antecedente tiene que ser el sujeto gramatical de la cláusula (Kuroda 1965), y además tiene que ser animado. (*Juan* no funciona como sujeto de la frase verbal en (14b) y *este salario* no es un sujeto animado.)

Vemos, pues, que las propiedades de *sí* difieren considerablemente de las del japonés *zibun* (que no por casualidad para algunos autores simplemente requiere un antecedente, sea local o no local), aunque los dos pronombres son clasificados como elementos anafóricos simples, ligeros o débiles. [20]

Las propiedades de *sí* difieren asimismo de las de otros elementos anafóricos simples de diversas lenguas indoeuropeas. Para empezar, los equivalentes holandeses, palabra a palabra, de (15a) y (16a), perfectamente gramaticales en holandés ((15b), (16b)) —aunque el sujeto no está dentro del dominio local de *sí* (la frase entre corchetes)—, son completamente inaceptables en castellano:

(15) a. **Rosa* me hace [(a mí) trabajar para *sí*].
b. *Rosa* laat mij voor *zich* werken.

---

[19] Véase Fernández Ramírez 1951b: § 3.2, 77, *DDDLE,* de donde están tomados los ejemplos (con un mínimo añadimiento), y *DUE,* bajo *sí.* Fernández Ramírez observa que «[e]n los usos hablados [...] se mantiene *sí* en algunas locuciones fijas, como *fuera de sí, dar de sí, por sí* y *ante sí, dueño de sí, volver en sí, no las tiene todas consigo,* etc., algunas de las cuales aplica la lengua vulgar a la primera y a la segunda personas». Moliner es más contundente: «Este uso es vicioso, y está condenado expresamente por la Academia. Sin embargo, hay una indudable resistencia a emplear las formas correspondientes a la primera y segunda persona, sobre todo en plural; y los que, conscientes de la incorrección de la frase, no dicen *no damos más de sí,* en general no se deciden tampoco a decir *no damos más de nosotros.*» La RAE (1920: § 479c), que tacha «este vicio» de solecismo, da estos dos ejemplos:

(i) a. Juanito, es menester que vuelvas en sí.
(ii) b. —Paréceme que huele a almizcle.
—¿Pues no ha de oler, lo llevamos consigo?

añadiendo: «*En ti* y *con nosotros* dirá cualquiera medianamente educado». (Habrá que entender que cualquiera más que medianamente educado, o menos, puede decir *paréceme* sin cometer solecismo.)

[20] Sobre las propiedades esenciales de *zibun,* véase Sportiche 1986. Cf. Katada 1991: § 7; Abe 1992, 1993.

(16) a. **Juan* vio (a) [*sí* caer].
b. *Juan* zag [*zich* vallen].[21]

La existencia de anáforas simples a larga distancia no es ajena a las lenguas romances. Por ejemplo, el pronombre italiano *sé* puede ser ligado por el sujeto más remoto en (17b), en marcado contraste con su contraparte castellana (17a):

(17) a. Aquel dictador {1} pensaba que el pueblo {2} hubiera sido mucho más feliz si los libros de historia hubiesen hablado más de sí {*1/ *2} y de sus hazañas.
b. Quel dittatore {1} pensava che il popolo {2} sarebbe stato molto più felice se i libri di storia avessero parlato di più di sé {1/*2} e delle sue gesta.[22]

A mayor abundamiento, *sí* difiere también del *sé* italiano, uno de sus parientes más cercanos, con el que por lo demás tiene bastante en común, en otras dos propiedades: no puede aparecer en las construcciones copulativas (cf. (10)) [⟶ Cap. 37]:

(18) a. *Carlo* non era più *sé* stesso.
b. *Carlos* no era ya *{*sí/él}* mismo.

Como se ha señalado, *sí* posee caso oblicuo, y en (18b) no lo recibe de ninguna categoría. Tampoco se presta a servir como reflexivo de la no persona gramatical que es 'impersonal' no sólo en el sentido de una frase como *Estaba nevando* sino, además, en cuanto que tiene un sujeto 'indefinido' humano [⟶ § 26.4]:

(19) a. Qui si parla sempre di *sé.*[23]
b. Aquí se habla siempre de *{*sí/uno}*. (= (19a))

(20) a. *Ci si* è lavati.
b. (Aquí) *se* lava a *{*sí/*uno}* mismo.

La comparación de *sí* con el reflexivo impersonal francés resulta ineludible en este punto. El francés *soi,* que ni siquiera es un reflexivo general de la no persona gramatical (como lo es el italiano *sé*), sólo tiene en común con *sí* la reflexividad (los dos son pronombres reflexivos de la no persona). La contraparte castellana de *soi* no es *sí,* por lo que hay que echar mano de *uno,* al igual que en (19b):

(21) a. On a honte de *soi.*
b. *Se* tiene vergüenza de *{*sí/uno}* mismo.

De ahí este revelador contraste:

(22) a. Siempre [INDEF] se quiere [Ø hablar sobre *{*sí/uno}*].
b. Es natural [Ø hablar sobre *{sí / uno}*].

---

[21] Véanse, en particular, Everaert 1986a: § 1.1, Koster 1985: (11). Cf. Koster 1987: § 6.2.

[22] Giorgi 1984: (60a). La autora sugiere (nota 32) que la distribución del pronombre italiano *sé* es similar a la del holandés *zich* en Koster 1985.

[23] Para otros ejemplos de especial interés, véase Giorgi y Longobardi 1991: § 3.8.

Que *uno* corresponda a *soi* cuando funciona como término de preposición no quiere decir que corresponde a *on* cuando funciona como sujeto, como demuestra su compatibilidad con *sí:*

(23) *Uno* tiene vergüenza de *{sí/uno}.*

A mayor abundamiento, ninguno de los dos casos de *uno* en (23) tiene exactamente el mismo sentido que el *uno* que sigue a **sí* en (21b), es decir, el sentido del *uno* que es equivalente de *soi.* Por lo demás, aunque las alternativas del último ejemplo son las dos gramaticales, como tendremos ocasión de explicar, distan mucho de ser equivalentes. Huelga añadir que tampoco (21b) y (23) son equivalentes, como pone de manifiesto este conocido contraste ya que sólo en el caso de *uno* implica la expresión experiencia personal directa: [24]

(24) En Vietnam *se/uno* sufre mucho.

Antes de perder de vista a *soi* es preciso mencionar que comparte con el italiano *sé* la posibilidad de tener un antecedente no local, como *uno* (que no es reflexivo), en contraste con el reflexivo castellano *sí* (INDEF representa un pronombre indefinido sobreentendido, que en este caso funciona como sujeto):

(25) a. L'*on* ne veut jamais croire que les gens disent du mal de *soi* (*-même). [25]
b. Jamás [INDEF] se quiere creer que la gente habla mal de *{*sí/uno}.*

De la revista que acabamos de pasar se deduce, salvo error u omisión grave, que el *sí* castellano tiene, entre otras, las propiedades enumeradas a continuación:

(26) Propiedades de *sí* (lista parcial)
A. Negativas:
1. No puede seleccionar su antecedente en el discurso, en contraste con *zibun* en (10).
2. No puede ocupar una posición a la que le correspondería caso nominativo ((11), (18b)), incluida la posición de sujeto en una cláusula independiente (10), o en ciertas cláusulas dependientes (16a).
3. Como *zibun,* no puede remitir a un antecedente indefinido (cf. (19b), (21b)).
4. En general no puede remitir a un antecedente de primera o segunda persona (cf. (12)).
5. No puede ser ligado 'a larga distancia', a la manera de ciertos otros elementos pronominales de otras lenguas, como el japonés, el holandés, el italiano y el francés, p. ej. *zibun, zich, sé, soi* (cf. (8), (15), (17), (25)).
B. Positivas:
1. Sigue siempre a una preposición fuerte o débil: posee caso oblicuo, (11), y también acusativo y dativo (§ 23.3.2).
2. Puede remitir a un antecedente definido (cf. (19b), (21b)).
3. Puede remitir a una frase que no es el sujeto de la cláusula finita (cf. (14b)).

---

[24] Perlmutter 1971: 36.
[25] Rooryck y Pica 1996, ejemplo (16b).

De este examen comparativo se desprende que las propiedades de *sí* son muy definidas y difieren en aspectos fundamentales de las de elementos similares de otras lenguas. Es natural, pues, preguntarse qué otras propiedades caracterizan (negativa o positivamente) a *sí* y qué distribución tiene este reflexivo en castellano.

23.3.1.1. La sintaxis de sí

En la introducción hemos hecho referencia a la idea de que lo lógico sería restringir el término 'persona gramatical' a la primera y segunda persona. Esto es lo usual en la tradición de los gramáticos árabes, que oponen «el que habla» (una definición de *yo*) y «aquel a quien uno se dirige» (definición de *tú*) a «el que está ausente» (no persona; piénsese en *llueve, nieva, truena, relampaguea,* o *Parece verdad, Resulta increíble, Ello implica que no hay «tercera persona»,* etc.). [26]

Como se sabe, la primera y la segunda persona (en el sentido de la gramática, es decir, como gramaticalización de trasmisor/hablante y receptor/oyente) son reversibles (el yo de turno no puede menos de ceder su derecho al tú si quiere tener un interlocutor válido), lo que no ocurre entre una de las dos personas y la no persona. Por otra parte, los pronombres de primera y segunda persona no son imprescindibles para expresar el concepto de persona gramatical (p. ej., *Llegué, vi, vencí*) o irremplazables (*{Menda/Este padre cura} se niega en redondo,* en vez de *Yo me niego en redondo),* aunque gramaticalmente sí son insustituibles cuando existen (sólo *yo* puede ser sujeto, expreso o sobreentendido, de *Llegué, vi, vencí*).

Recuérdese que los niños empiezan por no usar la primera persona, de modo que una niña llamada María dirá, señalando una foto, *Es María,* mucho antes de decir *Soy yo.* Por el contrario, una novela en primera o segunda persona es, de cierto modo, una especie no del todo natural después de un cierto estadio en la historia de la literatura: formalmente tiene más en común con las «confesiones» de San Agustín o de Rousseau que con la forma avanzada de la novela en términos de evolución de las formas literarias (digamos, la de Jane Austen y otros novelistas posteriores a Austen) que con la novela 'no personal' realmente moderna, caracterizada por su 'estilo no relatador'.

La forma verbal correspondiente a la no persona es la única que es capaz de predicar algo de una cosa y por supuesto la única que permite expresar enunciados generales. En este contexto, no deja de tener interés el hecho de que, como otras lenguas, el latín, por ejemplo, no tenía realmente pronombres de 'tercera persona' como *ella(s).*

Lo que es menos conocido, pero no menos relevante en este capítulo, es que la sintaxis de algunas lenguas, en particular un grupo de lenguas del noroeste de Italia, no sólo trata los pronom-

[26] La lengua, como suele suceder, allanó el camino del descubrimiento: en árabe el verbo concuerda plenamente con un sujeto preverbal, pero cuando el sujeto está en posición posverbal, la concordancia del verbo es la más inocua, la que aparece por defecto: la de no persona y no número (es decir, 'tercera persona singular' en términos de la tradición europea). El más destacado defensor europeo de una concepción análoga a la de los gramáticos árabes es quizá Émile Benveniste, para quien los pronombres llamados de tercera persona son en realidad pronombres 'no personales'. En sus tres brillantes estudios sobre el tema, el primero de los cuales se remonta a 1946, insiste Benveniste en que la oposición que importa es entre 'persona' (primera y segunda) por un lado y 'no persona' por otro, oposición con importantes consecuencias también en el estudio de la literatura. Cf. Hamburger 1957, Kuroda 1971, 1975, Banfield 1973, 1978, 1982; los estudios de Benveniste aludidos han sido reimpresos (capítulos 18-20) en Benveniste 1966. Es de notar que en el primer parágrafo sobre los pronombres personales de su *Gramática,* Bello (1847: § 111) incluye sólo los pronombres de primera y segunda persona.

bres de la no persona (incluyendo el clítico locativo que corresponde al antiguo *y* que sobrevive en *hay* y el clítico partitivo que corresponde al italiano *ne* o al francés *en*) de manera diferente a como trata los pronombres de primera y segunda persona, sino que agrupa a todos los clíticos reflexivos con los clíticos de persona (primera o segunda), lo cual no deja de ser significativo para nuestro propósito (Zanuttini 1997: § 2.2). Una de las propiedades que las formas reflexivas tienen en común con las formas de primera y segunda persona es que no pueden referir libremente. Es de notar también que en las formas llamadas reflexivas del inglés, *self* es precedido por la forma posesiva apropiada sólo en las formas de primera y segunda persona (*myself* y similares; véase el § 23.3.1.2), que además siempre tienen que tener un antecedente local (no siempre explícito), como en otras lenguas. Las de la no persona, que no siempre tienen un antecedente local (pero sí, necesariamente, explícito), no toman la forma posesiva, sino la objetiva *({him-/her-/it-}self, them-selves).*

La relación entre dos pronombres que no son de (primera o segunda) persona difiere considerablemente de la relación entre dos pronombres de primera o segunda persona. Resulta instructiva la comparación de pronombres no personales (en el sentido de Benveniste) con nombres (que por su propia naturaleza no pueden ser de primera o segunda persona):

(27) a. Ella(s) hablaba(n) siempre de ella(s).
b. Ana hablaba siempre de ella.
c. Ana hablaba siempre de Ana.
d. *Ella hablaba siempre de Ana. *(En la interpretación correferencial)*
e. Cada niña hablaba siempre de ella.

En términos de especificaciones, *ella* o *Ana* como parte del complemento es perfectamente compatible con *ella* o *Ana* o *niña* como sujeto. Obsérvese que (27e) es susceptible de dos interpretaciones paralelas a las interpretaciones de *Juan telefoneó a su madre* (= (4)): el pronombre *ella* puede ser entendido como equivalente de un nombre (p. ej., *ella* = *Rosa*) o como una variable (*ella* = *x*, en cuyo caso la interpretación es «cada x habla de x»). En (27a) y (27b) *ella* es ambiguo: puede ser una persona determinada en el discurso o la misma persona que habla (27b). En ciertas lenguas, el equivalente de (27c) es perfectamente natural cuando *Ana* se refiere a la mima persona en los dos casos. Ninguna lengua acepta en cambio (27d) (Lasnik 1989: cap. 9) por razones sintácticas: un nombre no puede tener como antecedente a un pronombre.

Desde esta perspectiva algunas notables propiedades del *sí* castellano no son difíciles de discernir. Una de las más significativas se ilustra a través de las varias opciones de este paradigma:

(28) a. *Nosotras* hablamos siempre de {mí/ti / *nosotras*/todos nosotros/ ella(s)}.
b. {*Yo*/ella} hablaba siempre de {*mí*/ti/nosotros}.

Se advierte en (28) que el castellano distingue *nosotros* de *nosotras,* distinción que el inglés no hace, pero no distingue entre *us* y *ourselves, me* and *myself,* en contraste de nuevo con el inglés. [27] Lo que importa para nuestro propósito es que

[27] Cf. Jackendoff 1972: § 4.1. La necesidad de reemplazar 'no correferencial' por 'de referencia disjunta' en algunos análisis (p. ej. Chomsky y Lasnik 1991: § 4.2, (199)) se debe precisamente a la inaceptibilidad de secuencias como *We like me* «Nosotros me agradamos» (o *I like me* «Yo me agrado»), en inglés. Véase Otero 1975: § 5.

en una y otra lengua las especificaciones manifiestas de dos pronombres que forman parte de la misma cláusula pueden ser idénticas (en las dos opciones subrayadas, por ejemplo, en el caso del castellano) o no serlo (todas las demás opciones).

Como la reflexividad no es una propiedad manifiesta de los pronombres de (primera o segunda) persona en castellano, la estructura visible de una expresión no nos dice nada en lo que respecta al ligamiento o falta de ligamiento. Pero la identidad de especificaciones perceptibles entre dos pronombres de (primera o segunda) persona dentro de una frase es suficiente para concluir que los pronombres no pueden menos de ser interpretados como correferenciales (es decir, tienen el mismo referente en la interpretación), que es lo que indican los subrayados en (28a) y (28b). (Cuando difieren en alguna especificación, sus referentes pueden solaparse, en algunos casos, razón por la cual *todos nosotros* es admisible en (28a).)

Esto se sigue de que los pronombres son 'indizadores' (*indexicals,* en la terminología filosófica del inglés, que se remonta a Peirce). Los pronombres de (primera o segunda) persona son además 'indizadores' de 'carácter' fijo (en una terminología que distingue 'carácter' de 'contenido', dos tipos de 'significación' desde esta perspectiva); específicamente, tienen como carácter fijo referir siempre al 'transmisor'/hablante o al 'receptor'/oyente, respectivamente, a diferencia de su contenido, esto es, de su contribución a lo dicho en un determinado contexto (que, por supuesto, varía con el contexto). [28]

Tenemos, pues, dos tipos de relaciones muy diferentes: (1) la relación entre dos pronombres que no son de (primera o segunda) persona, por tanto sin carácter fijo, aunque con especificaciones propias, no inevitablemente correferenciales cuando las especificaciones no son distintas, relación en la que parece entrar en juego un principio de obviación, entre otros; (2) la relación entre dos pronombres de (primera o segunda) persona, de carácter fijo, con especificaciones propias, inevitablemente correferenciales cuando las especificaciones no son distintas. Con estas dos relaciones como telón de fondo podemos ahora examinar la relación que aquí nos interesa, a saber, (3) la relación entre un nombre o pronombre con especificaciones propias, y el pronombre sin especificaciones propias *sí.* Esta relación tiene más en común con la relación de (2) que con la de (1), ya que ni las formas de primera y segunda persona ni las formas reflexivas pueden referir libremente, como sabemos.

Sin embargo, la relación (3) difiere incluso de la relación (2) de manera muy significativa, como ponen de manifiesto los ejemplos de (29):

(29) a. *Ella(s)* hablaba(n) siempre de *sí.*
b. **Tú* hablabas siempre de *sí.*
c. **Yo* hablaba siempre de *sí.*
d. **Nosotros* hablábamos siempre de *sí.*
e. **Ella(s)* tienden a creer que los niños hablaba(n) siempre de *sí.*

Como vemos, las estructuras de (29) son crucialmente diferentes de las establecidas entre dos pronombres con especificaciones propias. Ello se debe a que la propiedad definitoria de *sí* es precisamente el carecer de especificaciones. Esta propiedad lo asemeja a una variable, por lo que *sí* no tiene valor hasta que recibe el

---

[28] La terminología es de D. Kaplan (cf. Kaplan 1977 y Almog *et al.* 1989: 565-614), con los *Afterthoughts* de Kaplan.

conjunto pleno de especificaciones (no simplemente propiedades o rasgos, sino rasgos con uno de sus posibles valores) de un elemento apropiado (no de primera o segunda persona, como en (29b-d)) con especificaciones propias, como en (29a). En todo caso, *sí* requiere concordar con la tercera persona, con la no persona, y de ahí el fallo de la mayoría de los ejemplos de (29), en los que se le imponen antecedentes de primera o segunda persona.

Desde el punto de vista gramatical, por lo tanto, cabe decir que *sí* recibe su haz de especificaciones por concordancia con un nombre o pronombre con especificaciones propias (por tanto, en un dominio apropiado para la operación de los principios de concordancia, requisito incumplido en (29e)), de manera automática, como consecuencia pura y simple de la operación de los principios gramaticales. Es de notar que los pronombres tácitos o sobreentendidos no son excepción a la regla, como muestra este contraste:

(30) a. Ø pensar en *sí* no es un crimen.
b. Ø pensar en *uno* no es un crimen.
c. Ø pensar en el prójimo no es un crimen.

En (30a) *sí* tiene que estar ligado, pues si no lo estuviera la cláusula no sería gramatical, y sólo puede estar ligado si el pronombre implícito (Ø) tiene especificaciones propias, entre ellas la especificación 'definido', de la que *sí* se apropia y manifiesta. Razones de paridad nos llevan a asumir que Ø tiene también especificaciones propias en (30b), y que una de sus especificaciones es 'no definido', como lo es en (30c).

Así, pues, *sí* necesita, no ya de un antecedente, sino de un antecedente ligador, de ahí el término 'pronombre reflexivo'. En suma, *sí* es un pronombre reflexivo en el sentido de que sólo puede formar parte de construcciones en las que puede remitir a un antecedente ligador (que puede ser una frase simple o coordinada), condición absolutamente necesaria para que una expresión con el pronombre reflexivo *sí* sea gramatical. Es obligado ahora preguntarse qué propiedades tienen estas construcciones, aunque por el momento sólo podamos dar una respuesta escueta a esta pregunta.

A estos efectos, veamos algunos ejemplos representativos, empezando por (14b), repetido como (31a):

(31) a. *Este salario* no da mucho de *sí.*
b. *Esta casa* tiene muchos años ante *sí.*
c. *Juan* habla sólo de *sí.*
d. *Blas* ha triunfado sobre *sí.*

Salta a la vista que en estos ejemplos *sí* no tiene dificultad en encontrar un antecedente dentro de la frase verbal (oración simple). Otro tanto cabe decir de ejemplos como los que siguen (en (33) el verbo principal forma una perífrasis modal):

(32) a. *Su compañero* es frío hasta *consigo.*
b. *El agonizante* estaba en paz *consigo.*
c. *Ese ejecutivo* está en connivencia sólo *consigo.* [29]

(33) *Algunos* pueden sentir vergüenza de *sí* y de los demás. (Cf. (23))

En otros casos el antecedente de *sí* es un pronombre implícito situado dentro de la cláusula (la frase entre corchetes) y se entiende como idéntico a una frase nominal externa con la que está sintácticamente relacionado (*Juan* y *el opositor* en los ejemplos que siguen):

(34) a. Los asaltantes forzaron a Juan a [Ø hablar de *sí*].
b. Parear es unir dos cosas [Ø comparándolas entre *sí*].
c. Es un opositor [que Ø compite sólo *consigo*].

Algunos análisis consideran que en construcciones como las de (35) la frase dentro de la cual *sí* encuentra su antecedente es una especie de «cláusula mínima» no proposicional [→ §§ 24.2.3 y 38.3.2], esto es, se supone que estas frases preposicionales tienen un sujeto tácito:

(35) a. Ana ha alejado a Rosa [Ø de sí].
b. Los piratas le dieron el tesoro a Juan [Ø para *sí*]. (Cf. (14b))

Con esos presupuestos pueden analizarse los ejemplos de (36):

(36) a. La invitada puso *la sopera* [Ø delante de *sí*].
b. *La invitada* puso la sopera [Ø delante de *ella*].

La tesis de que estas dos cláusulas son perfectamente gramaticales bajo las interpretaciones indicadas por los subrayados parece sumamente razonable, tema sobre el que volveremos en el § 23.4. En todo caso, y aunque la naturaleza clausular de estos constituyentes ha sido muy debatida, el contraste pone de manifiesto una diferencia fundamental entre el pronombre reflexivo *sí* y el pronombre no reflexivo *ella: sí* tiene que encontrar su antecedente dentro de los confines de un cierto dominio local, mientras que *ella* no parece estar sometido a ese requisito; de hecho, en este y otros casos, los pronombres no reflexivos no parecen poder tomar como antecedente una frase pronominal (o nominal) dentro de ese dominio local. De ahí el marcado contraste en aceptabilidad entre las cláusulas simples de (37) y las cláusulas complejas de (38) (recuérdese que la cursiva identifica al antecedente de *sí*):

(37) a. *Rosa* apretaba a Luis contra *sí.*
b. En las dificultades, *el clan* se plegaba siempre sobre *sí* bajo un espeso manto de silencio.

(38) a. **Rosa* observó que Tomasa apretaba a Luis contra *sí.*
b. **El clan* partía de la base de que, en las dificultades, la familia se plegaba siempre sobre *sí* bajo un espeso manto de silencio.

[29] Aun así, para numerosos hablantes estas expresiones requieren *mismo* para ser completamente aceptables.

Naturalmente, el antecedente de *sí* puede ser *la familia* en (38b), pero no es eso lo que se discute. El contraste entre las oraciones de (37) y (38) —en las primeras el reflexivo se encuentra en la misma oración simple en la que está su antecedente, en las segundas el reflexivo está en una subordinada— se puede apreciar aun mejor comparando directamente los miembros de un par mínimo:

(39) a. *Juan* confía en *sí.*
b. Juan{1} insiste en que Ana{2} confía en sí{*1,2}.

Dado el paralelo entre las frases verbales y las frases nominales (esto es, entre las oraciones simples y las frases cuyo núcleo sea una nominalización [→ § 6.6]), bien patente cuando las cláusulas y las frases nominales comparten unidades léxicas que hacen al caso, es lógico esperar que los juicios de aceptabilidad sean también paralelos, y (40)-(41) sugieren que así es: [30]

(40) a. *Juan* no tenía confianza en *sí.*
b. Juan{1} creía que Ana{2} no tenía confianza en sí{*1,2}.
(41) a. [Las historias de *Blas* sobre *sí*] son muy divertidas.
b. Blas{1} encuentra divertidas [las historias de Ana{2} sobre sí{*1,2}].

Resulta obvio que *sí* y su antecedente forman parte de la frase nominal mínima (la frase entre corchetes) que la contiene, y el resultado es perfectamente gramatical. Por otra parte, la frase nominal de (42a) no es gramatical con la coindización indicada, pero la de (42b) sí lo es:

(42) a. *Luisa{1} encuentra divertidas [las historias de Juana{2} sobre sí{1}]
b. Luisa{1} encuentra divertidas [las historias sobre *sí*{1} (contadas por ella o por otros)]

Es natural suponer que la diferencia se debe a que, en contraste con (42b), (42a) contiene un sujeto, *Juana* (en un sentido extendido de 'sujeto', por paralelismo con *Juana cuenta muchas historias,* ya que en ambos casos entendemos que es Juana quien cuenta las historias o las tiene), y este sujeto es un candidato a ligador de *sí.* Una manera de incluir las dos alternativas sería decir que el dominio local de una expresión anafórica reflexiva es la mínima unidad frasal (la frase nominal en este caso) que contiene la anáfora y un ligador en potencia. [31] El dominio local, que en los ejemplos anteriores era la cláusula, es ahora la frase nominal, dependiendo de la presencia de un ligador en potencia. Esto explicaría automáticamente por qué (42a) no es gramatical con la indización indicada, en contraste con (42b).

Como es de esperar, dado lo que hemos visto hasta ahora, los juicios respecto de los paradigmas formados por las frases nominales se extienden también a las frases adjetivales [→ § 4.3]:

---

[30] Para algunos hablantes estas expresiones con *sí* oblicuo (y las de (42), (43), (45) y (47)) resultan mucho más naturales si *mismo* sigue a *sí.* Para otros, ambas formas son posibles.

[31] Cf. Chomsky y Lasnik 1991: § 4.2.

(43) a. *Olga* está orgullosa de *sí.*
b. Olga{1} está segura de que Ana{2} está orgullosa de sí{*1,2}.

Estos contrastes, espigados entre muchos otros, sugieren que *sí* y su antecedente tienen que formar parte de una misma frase en sentido lato, sentido que incluye cláusula, frase nominal y frase adjetival.

Supongamos que esta observación no es privativa de estos ejemplos, sino que tiene valor general. Si es así, podemos subsumir los hechos observados bajo la generalización descriptiva (44), que podemos adoptar como hipótesis de trabajo mientras no encontremos datos incompatibles con ella:

(44) Generalización A:
Una expresión anafórica reflexiva (*sí,* por ejemplo) tiene que estar 'ligada' (por un antecedente) dentro de un dominio local del que forma parte, dominio que cabe identificar (provisionalmente) como la frase mínima que contiene un ligador en potencia.

Esta generalización subsume bien los tres casos que hemos analizado: (i) *sí* tiene como antecedente al sujeto del verbo al que modifica la frase preposicional en la que está incluido, (ii) *sí* tiene como antecedente el nombre sujeto de la frase nominal en el que está incluida la FP (fase preposicional) de la que forma parte *(las historias de Blas sobre sí)* y (iii) el antecedente de *sí* es un sujeto tácito de una FP, correferente con una frase nominal próxima en la oración *(la sopera delante de sí).*

Pero aun si es correcto suponer que (44) es un requisito necesario de toda relación anafórica propiamente dicha, el contraste entre (45a) y (45b) sugiere que no es un requisito suficiente, puesto que *Juan* y *sí* forman parte de la misma cláusula en uno y otro caso, y sin embargo *Juan* no puede ser el antecedente del reflexivo en (45b) (de nuevo, (45a, c) disuenan para algunos hablantes, que prefieren *sí mismo* / *sí misma;* véase el apartado siguiente):

(45) a. *Juan* nunca habla mal de *sí.*
b. *La madre de *Juan* nunca habla mal de *sí.*
c. La *madre* de Juan nunca habla mal de *sí.*

La sencilla razón es que *Juan* no ocupa una posición de suficiente prominencia puesto que no es el núcleo, sino un complemento de la frase nominal sujeto.

Puede decirse, asimismo, que *Juan* no tiene 'mando' sobre *sí* ('mando de constituyente', en una terminología ya muy extendida). De modo que no basta que el antecedente en potencia esté lo suficientemente cerca de *sí* (es decir, no basta que los dos formen parte de la misma frase mínima), sino que debe ser un elemento estructuralmente prominente, un núcleo de la frase nominal donde se encuentre el ligador en potencia. Tenemos, pues, que introducir esta condición en la Generalización A:

(46) El antecedente de la expresión anafórica ha de tener mando de constituyente sobre la expresión reflexiva.

Observemos finalmente que, aunque hasta ahora no oficialmente reconocidas, existen también construcciones intrínsecamente reflexivas con *sí,* paralelas a las reflexivas intrínsecas con *se* (§ 23.3.2.1), como muestra el contraste entre estos dos paradigmas:

(47) a. *Yo* sé muy poco de {*mí*/ti/nosotros/vosotros/ella(s)}.
b. *Ana* sabe muy poco de {mí/ti/nosotros/vosotros/ella(s)/*sí*}.

(48) a. *Yo* doy muy poco de {*mí*/*ti/*nosotros/*vosotros/*ella(s)}.
b. *Ana* da muy poco de {*mí/*ti/*nosotros/*vosotros/*ella(s)/*sí*}.

Si se tratase de expresiones 'fijas' [→ § 67.3.2.2], como suelen ser caracterizadas, todos podríamos decir, con naturalidad, *Nosotros damos muy poco de sí,* como pueden decir algunos hablantes (cf. (13)), pero es un hecho incontrovertible que no todos decimos cosas de ese tenor.

Hasta ahora nos hemos limitado a las frases reflexivas que cabría llamar escuetas (las no escuetas son las que contienen el modificador *mism-).* Resulta, pues, inevitable volver la atención hacia este singular modificador, verdaderamente único en el sistema de la lengua, sin perder de vista que de su semántica se ha dicho que «es una de las menos claras de nuestro sistema pronominal» (Bosque 1980: 94). Es también una de las más centrales e intrincadas. «Como todo el mundo sabe», sentenció hace veinte años un ilustre filósofo de origen hispano, «identidad y mismidad [«sameness» en el texto original inglés] son dos de las características más extendidas, y más fundamentales, de los objetos del mundo —y aun de los objetos de fuera del mundo—», ya que sin los conceptos de identidad y mismidad «una criatura no puede pensar, y por tanto no tiene mundo alguno con el que enfrentarse». [32]

23.3.1.2. La interpretación de mismo *y sus variantes*

Los ejemplos en los que *sí* aparece sin *mism-* sugieren que el modificador no tiene nada que ver con la relación de reflexividad (las expresiones reflexivas sin *mism-* no son menos reflexivas que las expresiones con *mism-*) [→ § 3.6.1.2]. [33] Tampoco parece tener nada que ver con la relación de identidad. Las dos ideas reciben cierto apoyo de estos contrastes (clave: Juan = a, él/sí = b, R = relación):

(49) a. Juan es (siempre) {él/*sí} (mismo).
b. Juan es idéntico a {él/sí} mismo.
c. aRb/a = b, R = es (idéntico)

(50) a. *Juan* está celoso de *sí* ?(mismo, no de otro).
b. aRb, a = b, R = estar celoso
c. *Juan* está celoso de *él* (mismo, no del hermano de Luis).
d. aRb, R = estar celoso

[32] Se trata del guatemalteco Héctor-Neri Castañeda (1924-1991), distinguido profesor de la Universidad de Indiana en los últimos años de su carrera; cf. Tomberlin 1986. Las citas proceden de Castañeda 1975: 121; cf. Carlson 1987, Moltmann 1992, y Uriagereka 1996: § 8.

[33] Conviene empezar por tener en cuenta que del francés *lui-même,* que no sólo corresponde a *él mismo* sino tambien a *sí mismo* (el francés no tiene pronombres formalmente reflexivos), se ha dicho que *«-même* est en general facultatif» (Ruwet 1972: cap. 3, § 2); cf. Couquaux 1977, Zribi- Hertz 1980, 1990, 1995. Esto nos lleva a esperar que ciertas expresiones francesas (que serán ejemplificadas en el § 23.4.1) sean sistemáticamente ambiguas (puedan ser interpretadas como no reflexivas o como reflexivas), y así es.

En (49a) *sí* es inadmisible (por razones puramente sintácticas, como hemos visto), de modo que no hay relación de reflexividad sintáctica, y la relación de identidad es expresada sólo por *es.* En la primera opción *(él)* de (49b) tampoco hay reflexividad sintáctica, y la relación de identidad es expresada sólo por *es idéntico,* mientras que en la segunda opción *(sí)* hay una relación reflexiva, y la relación de identidad es expresada por *es idéntico* y por *sí* de consuno. Por otra parte, en (50a) la relación de identidad es expresada sólo por *sí,* y en (50c) no hay expresión de reflexividad o de identidad. El modificador *mism-* es posible en todos los casos, pero no es necesario en ninguno (aunque muchos hablantes lo consideran obligatorio en (50a)), de lo que podemos deducir que no representa ningún papel en la expresión de la reflexividad o de la identidad. ¿Qué es, pues, lo que aporta *mism-* cuando acompaña a *sí?*

La propiedad más importante de este modificador es también la más obvia: por su forma, *mism-o/a(s)* es un adjetivo; por su significación, es un adjetivo que expresa una relación (como *diferente, similar, igual, vecino/colindante,* etc.). Sabido es que algunos adjetivos que pueden preceder o seguir al nombre que modifican contribuyen a la interpretación semántica de la frase resultante de dos maneras sistemáticamente diferentes. Adaptando el conocido ejemplo de Jespersen: en *los industriosos japoneses,* el adjetivo *industriosos* califica como 'epíteto' a *japoneses,* de modo que la frase tiene un sentido muy cercano a *los japoneses, que son industriosos,* por lo que da a entender que todos los japoneses son industriosos. Por el contrario, en *los japoneses industriosos* el adjetivo 'clasifica' (más precisamente, divide en dos clases complementarias, una de las cuales puede ser, en el límite, la clase nula) a los japoneses, por lo que la frase tiene el sentido de *los japoneses que son industriosos,* con lo que entendemos que algunos japoneses son industriosos y posiblemente otros no lo son [→ § 3.2.3.3].[34]

Si reemplazamos *industriosos* por *mismos* en esos ejemplos, observamos inmediatamente que junto a *los mismos japoneses* no tenemos *los japoneses, que son mismos.* Antes bien, una expresión como *Ana y Juan conocen a los mismos japoneses* (o *a diferentes japoneses*) establece una comparación entre entidades que son partes de un grupo denotado por un plural y son coargumentos de una relación (la relación 'conocer' en este caso), de manera bastante similar a lo que ocurre en las construcciones recíprocas (Moltmann 1992). Significativamente, el término inglés que traduce *mismos* cuando, como en este caso, precede al nombre, y que a veces traduce también *igual(es),* es *same* (relacionado diacrónicamente con *similar* y con el *homo* de *homogéneo* y *homosexual*), como en *the same Japanese* (= *los mismos japoneses*), que tiene un claro sentido igualativo o identificativo. Sin embargo, aunque, cuando precede al nombre, *mismos* corresponde a *same,* cuando sigue al nombre, como en *los japoneses mismos,* su traducción inglesa es *themselves* (*the Japanese themselves,* literalmente 'ellos mismos'). En otros casos, por ejemplo, *la idea misma,* una posible traducción sería *the very idea,* jamás *the same idea* (equivalente de *la misma idea*).

Estos datos contrastivos confirman la suposición de que la contribución de *mism-* al significado de una frase cuando sigue al nombre es muy diferente del significado que tiene cuando precede al nombre. Y así parece ser. Obsérvese que una cosa es que *el Papa mismo* haya condenado las dos herejías más aborrecidas, y

[34] Véanse Demonte 1991: cap. 8 (en especial pág. 262), Crisma 1995 y Bosque 1996.

otra que las haya condenado *el mismo Papa.* La papisa Juana, pongamos por caso, pudo muy bien ser *la caridad misma* (i.e. *la caridad personificada*), pero difícilmente *la misma caridad.* Repárese además en que *mism(it)o ahora, mism(it)o aquí, mism(it)o así,* etc. no son admisibles, mientras que si *mism(it)o* sigue a uno de esos adverbios la frase resultante es perfectamente natural. Se diría que si, como se ha sugerido, es verdad que *mism-* «hereda las funciones de *idem* e *ipse* latinos», cabría sospechar que las de *idem,* que tiene la misma raíz que *identidad,* las hereda su interpretación 'igualativa' o 'identificativa' (la de su posición prenominal), mientras que las de *ipse* (*him-/her-/it-self* en inglés), relacionado etimológicamente con *mism-,* las hereda su interpretación 'intensiva' (la de su posición posnominal), idea que conviene no perder de vista. [35]

Tiene, pues, sentido decir que el equivalente inglés del *mism-* prenominal es *same,* pero ¿es igualmente adecuado decir que el equivalente inglés del *mism-* de *sí mism-* (o del *même* de *lui-même* en francés, o del *medesimo* o *stesso* de *sé medesimo/ stesso* en italiano), y más generalmente del *mism-* posnominal, es *self*?

Es un hecho conocido que en algunos casos el *mism-* posnominal traduce y parece corresponder al inglés *selv(es),* que tiene su equivalente etimológico en otras lenguas germánicas. De todos modos, las diferencias entre las dos formas son multidimensionales. Para empezar, *mism- o / a(s)* pertenece, como queda dicho, a la categoría sintáctica de los nombres adjetivos, mientras que *selv(es)* pertenece a la de los nombres sustantivos. Más generalmente, los nombres sustantivos reflexivos del inglés carecen de equivalente sintáctico (que no de equivalente semántico aproximado) en castellano: en lugar de *self-criticism, self-deception, self-defense, self-esteem, self-portrait, self-service,* etc., tenemos *autocrítica, autodecepción, autoengaño, autodefensa, autoestima, autorretrato, autoservicio,* etc. Al menos parte de la explicación parece ser que un adjetivo no puede individualizar, como puede individualizar un nombre con un argumento inherentemente saturado (caso de *selv-* si un análisis reciente es esencialmente correcto). [36] Los dos elementos difieren también semánticamente. En este respecto la etimología de *selv-,* aunque poco segura, no deja de tener interés. A juicio de algunos autores, etimológicamente *selv-* consta de dos partes, *se-lv,* la primera relacionada con nuestro *se* (y nuestro *su*) en su remoto origen indo-europeo y la segunda probablemente derivada de una palabra que posiblemente significaba «cuerpo». [37] Basta con esto para sospechar que *the self,* expresión que denota un concepto abstracto de meollo de la personalidad (mejor dicho, «personidad» o *personhood*) e individualidad, no es equivalente a *el mismo.* En realidad *the self* y las expresiones relacionadas no tienen equivalente en castellano, como tampoco lo tiene *selflessness* y otros derivados de *self-.* [38]

En todo caso, sabemos que la contraparte sintáctica de *selv-* en otras lenguas se deriva en muchos casos de un nombre que denota una parte inalienable de la persona o del cuerpo [⟶ §§ 15.7-8], en sentido lato *(hueso, cabeza, alma, aliento/ espíritu).* [39] Esto resulta patente para nosotros en la lengua criolla de Guinea-Bissau, en la que la contraparte de *self* es *kabesa,* como en vascuence *(buru)* y en el árabe de Marruecos *(ra:s,* que ha reemplazado al árabe clásico *nafs* «aliento/espíritu»). [40]

---

[35] La cita sobre *idem* e *ipse* está tomada de Fernández Ramírez 1951b: 77. Como se sabe, *mismo* se supone que deriva del latin vulgar **medipsimus,* combinacion del vulgar *ipsimus,* forma enfática de *ipse* 'el mismo, el propio', con *met-,* que se agregaba a los pronombres personales para reforzar su sentido» *(DCELC,* bajo *mismo),* de modo que sus credenciales de forma 'enfática' o reforzadora están fuera de duda.

[36] Sobre este punto, véase Safir 1996.

[37] Véase Postma 1996. La palabra aludida es *li:f* (cf. holandés *lijf*/alemán *leib* «cuerpo»).

[38] Tampoco se puede traducir como *el sí* o al alemán como *das Sich* (lo cual es especialmente significativo, dado que el sistema del alemán es el que sí muestra paralelismo con el castellano en los puntos de que estamos tratando en este subapartado).

[39] En francés antiguo, por ejemplo, la contraparte de *sí* era *sun cors,* que literalmente significa «su cuerpo» (en húngaro es simplemente *maga,* lit. «cuerpo»). Cf. Geniusiene 1987: §§ 4.2.2.2 y 4.3.2.1.

[40] Recuérdese que en sentido figurado *cabeza* puede reemplazar a *persona* en castellano (p. ej. *por cabeza/barba* «a cada uno/a uno/a»; *mala cabeza* «persona irreflexiva o alocada»).

Estas consideraciones han servido a algunos estudiosos como apoyo de la hipótesis de que los reflexivos complejos germánicos tienen una estructura similar a las frases de posesión inalienable (Postma 1996). Los reflexivos ingleses han sido aducidos como apoyo sincrónico de esta hipótesis, ya que los de primera y segunda persona están justamente formados por un pronombre posesivo seguido de *selv-: my-/your-self, our-/your-selves,* en contraste con *him-/her-/it- self, them-selves (his-self* es dialectal). Un par de ejemplos bastará para ilustrar el paralelismo señalado (el asterisco indica inaceptabilidad):

(51) a. I saw {myself/*yourself}.
(ETIM.) Yo vi {mi/*tu} cuerpo.
'Me vi a mí (mismo)/*ti (mismo)'
b. I nodded {my head/*your head}.
(LIT.) yo moví {mi/*tu} cabeza.
'Moví la cabeza [en señal de asentimiento]'

Compárese el postulado equivalente etimológico de (51a) con esta cláusula reflexiva del vascuence (ERG = caso ergativo; ABS = caso absolutivo):

(52) a. Jonek bere burua ikusi du.
Juan-ERG su cabeza-ABS vista ha
'Juan se ha visto a sí mismo'

En vascuence, como en otras lenguas, está especialmente claro que la reflexividad es definida metonímicamente: una parte del cuerpo (o una faceta del cuerpo entero, como en las lenguas germánicas) en lugar de la entidad personal entera y verdadera. Lo representado es, pues, una relación de 'identidad aproximada'.

El tipo de paralelismo señalado en el caso del inglés y de otras lenguas germánicas no existe, por supuesto, en castellano, como ponen de manifiesto estos ejemplos:

(53) a. *Rosa y Blas* llevan onerosas cargas sobre *sí.*
b. *Rosa y Blas* llevan onerosas cargas sobre *sus* (propios) hombros.

Habida cuenta de que los hablantes monolingües del castellano podrían muy bien ser hablantes monolingües del vascuence o del inglés en un mundo posible (y no difícil de imaginar), cabría sospechar que las secuencias superficiales [PRONOMBRE-*buru-*] o [PRONOMBRE-*selv-*], por una parte, y [PRONOMBRE-*mism-*], por otra, pueden tener algo en común.[41] Pero no parece existir razón alguna que lleve a sospechar que lo que tienen en común se oculta detrás de un hipotético paralelismo entre *buru/selv-* y *mism-*.

El hecho de que *mism-* parece cambiar de significado cuando aparece pospuesto resulta menos relevante, para nuestro propósito, que el hecho mismo de su posición respecto al elemento que modifica, es decir el hecho de su posposición, paralela, superficialmente al menos, a la de *industriosos* en *los japoneses industriosos.* En el

[41] Cf. Higginbotham 1985: 549-550; Hornstein 1995: § 1.3 para la cuestión de las interpretaciones sin ambigüedad en un hipotético nivel de Forma lógica.

caso específico de *sí mism-* o de *ellos mismos* (que para lo que aquí importa puede ser tomado como representante de las cuatro formas del paradigma en las consideraciones que siguen), parece claro que *mism-* no modifica a *sí* o a *ellos,* ya que los adjetivos no modifican directamente a los pronombres o determinantes.

Una hipótesis que parece tener visos de plausibilidad es que *sí mismo* tiene el mismo análisis sintáctico que *el mismo* o *los mismos.* Si es así, resulta obligado preguntarse de cuál de las dos estructuras posibles de *el mismo* o *los mismos* se trata. No parece demasiado plausible que se trate de la estructura que *el mismo* tiene en *El policía y el narcotraficante resultaron ser el mismo* (i.e. el mismo individuo), donde *el mismo* podría ser traducido al inglés como *one and the same* «uno y el mismo». Como sabemos, *same* en inglés equivale a *mism-* en posición prenominal, por lo que parece razonable suponer que [*el mismo* (INDIVIDUO)] tiene la estructura [*el* [*mismo* N]], donde N = nombre. De aquí a un conocido uso de *mism-,* repetidamente censurado, (54), no hay más que un paso:

(54) Respecto a la ley de Peligrosidad Social recordó que la homosexualidad ha desaparecido de la misma. [*El País,* 12-II-1983] [42]

La otra alternativa en lo que respecta a su posición en la frase es suponer que más bien se trata de la estructura de *mismos* en *Estoy hasta los mismos,* a saber, [*los* [N *mismos*]], paralela a [*them* [N]], donde N = *selves.* Es aquí donde parece que topamos con lo que [*them* [N*selves*]N] y [*sí/ellos* [N]] tienen en común: en una y otra frase tenemos un determinante seguido de un nombre (percibible en inglés como *selv,* implícito en castellano). En lo que al castellano respecta, una estructura que cabría representar, informalmente, como la expresión entera entre corchetes de (55a) se interpreta como la plena relación de identidad representada en (55b), única y exclusivamente por obra y gracia de *sí:* [43]

(55) a. *Juan* es dado a pensar en [[*sí* [N]] (mismo)].
b. [N = Juan]

Así las cosas, la cuestión de la interpretación de *mism-* en *sí mism-* queda reducida a la cuestión de qué es lo que contribuye el adjetivo entre paréntesis a la interpretación de esa expresión.

Las consideraciones precedentes tendrían que haber dejado claro que resulta necesario distinguir el *mism-* prenominal del *mism-* posnominal. No es menos necesario distinguir tres tipos de *mism-* posnominal enfático, que suelen ser barajados en muchos estudios. Ejemplos representativos son los siguientes:

(56) a. La presidenta les ha dado la enhorabuena ella misma.
b. La presidenta misma les ha dado la enhorabuena.
c. *La presidenta* se ha dado la enhorabuena a *sí* misma.

No es raro encontrar estudios, en particular estudios sobre los fenómenos anafóricos en las lenguas romances o germánicas, en los que los tres tipos de frase con

[42] Citado por De Bruyne 1995: 249.

[43] De ahí que el inglés haya tenido que recurrir a la metonimia por medio de *selv-,* como podrá haber recurrido al *body (= cors / maga)* de *anybody,* al *head (= buru)* de *Two heads are better than one* «Dos mentes humanas son mejores que una» (cf. «Cuatro ojos ven mas que dos»), o a cualquier otro sucedáneo suficientemente apropiado.

mism- son descritos y analizados como 'reflexivos enfáticos' porque en ellos aparece el equivalente de *mism-* o de *selv-*. En castellano basta con no cerrar del todo los ojos para ver que, aunque las frases que incluyen *mism-* pueden estar en relación de correferencia con el sujeto de la cláusula en los tres casos, sólo (56c) es una construcción reflexiva (y lo es sólo por obra y gracia de *sí,* conviene insistir). Tampoco es demasiado difícil ver que *mism-* en (56a) difiere considerablemente de *mism-* en (56b) tanto desde el punto de vista sintáctico como desde el punto de vista semántico. Sintácticamente, el primero aparece siempre precedido de un pronombre, como en inglés, en francés y en otras lenguas romances. Y como algunas expresiones adverbiales (*a menudo,* por ejemplo), de las que difiere en lo que respecta a la requerida concordancia, puede aparecer en distintas posiciones en las inmediaciones de un verbo (el lector puede comprobar que en (56a) o (57) *ella misma* puede ser reemplazado por *a menudo* sin que ello afecte la gramaticalidad). Estas observaciones sugieren que este tipo de frase con *mism-,* aunque conectada con una frase nominal, en realidad modifica a una frase verbal:

(57) a. La presidenta vitalicia ha querido ella misma darnos la enhorabuena.
b. La presidenta vitalicia ha querido darnos ella misma la enhorabuena.
c. La presidenta vitalicia ha querido darnos la enhorabuena ella misma.
d. La presidenta vitalicia ha tomado la decisión delante de la asamblea ella misma.

Es de notar que el alejamiento de *ella misma* del sujeto con el que está en relación de correferencia no parece tener como límite la cláusula: en (58) puede ser correferente con *su secretaria* o con *la presidenta vitalicia:*

(58) La presidenta vitalicia dice [que su secretaria hizo público [que ha tomado la decisión delante de la asamblea ella misma]].

En marcado contraste, en (56b) *mism-* va a pelo, sin pronombre expreso, y modifica, no un nombre, sino una frase nominal entera, a la que tiene que seguir inmediatamente, sin solución de continuidad (cf. (59b'), (59d')), de modo que su estructura es también paralela a la que hemos propuesto para *sí mism-*, a saber [[*sí* [N]] *mismo*], pero con el nombre expreso:

(59) a. *La presidenta (ella) misma vitalicia ha querido darnos la enhorabuena.
b. La presidenta vitalicia (*ella) misma ha querido darnos la enhorabuena.
b'. [[La [presidenta vitalicia]] misma].
c. *La presidenta vitalicia ha querido darnos misma la enhorabuena.
d. La presidenta ha tomado la decisión delante de la asamblea misma.
d'. [[La asamblea] misma].

En cuanto a la interpretación, está claro que es muy diferente en uno y otro caso. Una posible interpretación de la expresión con *ella misma,* (57a-c), pero no de la expresión con *misma,* (59b), es que la presidenta vitalicia ha querido darnos la enhorabuena ella misma en persona (y no por medio de un delegado, por ejemplo). En contraste, una posible interpretación de la expresión con *misma,* pero no de la expresión con *ella misma,* es que la presidenta vitalicia (no otra persona) ha querido darnos la enhorabuena.

Si ahora volvemos la atención sobre el tercer tipo de expresión, de los tres que estamos considerando, vemos enseguida que tiene mucho más en común con el segundo *(la presidenta vitalicia misma)* que con el primero *(la presidenta vitalicia... ella misma):*

(60) a. La presidenta vitalicia *(misma)* confía en sus dotes.
b. *La presidenta vitalicia* confía en *sí (misma).*

Una diferencia importante entre estos dos casos de *mism-,* no directamente perceptible en castellano, pero sí en muchas otras lenguas, entre ellas el húngaro, es que cuando modifica al sujeto, como en (60a), el caso de *mism-* es nominativo, mientras que cuando modifica al objeto del complemento de régimen, como en (60b), recibe el caso acusativo. Esta diferencia entre los dos usos de *mism-* que estamos considerando no parece impedir que la contribución del modificador a la interpretación sea similar en ambos casos: en (60a) entendemos que la presidenta vitalicia, no ninguna otra persona, confía en sus dotes, y en (60b) que la presidenta vitalicia confía en *sí,* no en ninguna otra persona. Resumiendo: cabría, pues, decir que la contribución de *mism-* en las dos estructuras, como en otras estructuras en las que aparece en posición posnominal (como los adjetivos clasificadores), consiste en definir dos clases complementarias, una de las cuales es la definida por el antecedente del pronombre, y otra por todos los demás objetos, a los que implícitamente excluye:

(61) Conócete a ti mismo. / Cuídate de ti mismo y olvídate de todos los demás. / Hacía la exhibición para sí misma y para ningún otro.

Tal contribución queda bien de manifiesto en este titular de diario:

(62) *El político* absuelto por cohecho prescrito debía guardar silencio no por respeto a los demás, sino por respeto a *sí* mismo. [*La Voz de Galicia,* 27-VII-1997, 15]

En este punto viene muy a cuento una observación (no exactamente diáfana) de uno de nuestros más ambiciosos gramáticos:

(63) «En los usos reflexivos, es decir, tras de pronombres tónicos, II [= pronombres personales], agrupados con preposición, la presencia de *mismo* no es constante. Actúan factores expresivos y probablemente rítmicos. Pero deciden, sobre todo, aquellas situaciones que presentan el acto de reflexión, siempre excepcional para la conciencia ingenua, como un proceso particularmente anómalo por su misma naturaleza o porque en el enunciado, de una manera expresiva o virtual, al complemento reflejo se contraponen otros probables o posibles complementos.» (Fernández Ramírez 1951b: 78.)

La contraposición con otros posibles «complementos» parece indicar que el autor se refiere al subconjunto aludido (los demás, los otros objetos), con lo que cabe entender que se trata de un tipo especial de focalización, a saber, 'focalización contrastiva' en un sentido muy preciso.

Es, pues, lógico suponer que el paralelismo sintáctico que se da naturalmente entre expresiones como *el Papa mismo, la caridad misma, aquí mismo,* por una parte, y por otra *sí mismo, ti mismo, mí mismo, nos-/vos-otros mismos* y *ellos mismos,* todas con modificación posnominal, en contraste con la modificación prenominal de epítetos como *fría* en *la fría nieve,* no es pura casualidad. En algunos casos al menos «hay que pensar que esta tendencia de *[mism-]* a situarse en el último lugar del grupo [tanto en la modalidad no reflexiva como en la reflexiva] obedece a los elementos expresivos asociados normalmente a *[mism-],* que se manifiestan frecuentemente, dentro de la línea melódica, en una inflexión circunfleja». [44] En otras palabras, cabría interpretar estas palabras diciendo (aunque quizá no sin cierta licencia interpretativa) que, cuando ocupa «el último lugar del grupo», *mism-* forma parte de una frase focalizada (con prosodia propia), a saber, es un focalizador. Pero aun dando esto por sabido, quedan todavía por averiguar dos cosas decisivas:

A) La primera es de qué tipo de focalización se trata, cuestión que los celebrados versos de Luis Cernuda *No es el amor quien muere, / Somos nosotros mismos* pueden ayudarnos a esclarecer. [45] Empecemos por notar que en (64a) *nosotros* estaría ya focalizado por su posición en la frase y por su especial acentuación sin *mismos,* y aun así se puede añadir *mismos* sin que la expresión resultante sea del todo equivalente a la que excluye el refuerzo. Dicho de otra manera, la expresión sin refuerzo basta por sí misma para expresar la estructura semántica focalizada, representada muy informalmente en (64b), estructura que aparece reflejada muy directamente, como se puede ver, en la alternativa de (64a) que no incluye *mismos* (en este ejemplo y en los de (65) y (66) el subrayado indica acentuación de foco canónico): [46]

(64) a. Los que nos morimos somos *nosotros.*
b. Los x tales que los x morimos somos nosotros.

Es de notar además que el refuerzo no parece resultar menos natural (al menos para algunos hablantes) en algunas construciones no reflexivas (66) que en las reflexivas (65):

(65) a. Un lema poco recomendable es «cada uno{1} para sí{1} *(mismo)*».
b. Uno{1} suele tener amor a *sí*{1} (mismo).
c. Tú{1} tienes sabor a *ti*{1} (mismo).
(66) a. Tu recuerdo{1} tiene sabor a *ti*{2} (?mismo).
b. Juan{1} adolece de confianza en *ella*{2} (?misma).

[44] Fernández Ramírez 1951b: § 119/118, 81; cf. Demonte 1991: 235, n. 2. Véase ahora Zubizarreta 1998.

[45] Como podría hacerlo la agudeza de Mihura *Los solteros estamos casados con nosotros mismos,* citada en De Bruyne 1995: 245.

[46] Sobre focalización en castellano, véase Zubizarreta 1998. En los ejemplos de (67), tomados de su capítulo 3, donde aparecen bajo el numero (135), las mayúsculas indican acentuación contrastiva y el subrayado acentuación de focalización por posición, no necesariamente contrastiva.

La razón por la que *mism-* no parece representar ningún papel en la focalización propiamente dicha es que la noción de foco pertinente en estos casos es más general: el foco es la parte no presupuesta de la frase [→ § 64.3]. Así, en las alternativas sin *mism-* la presuposición es que uno suele tener amor a alguien o algo, y el foco es *sí* (65b), o tu recuerdo tiene sabor a alguien o algo, y el foco es *ti* (66a), etc. La focalización que conlleva elementos expresivos, a veces caracterizados como 'énfasis' o 'contraste', es de otro tipo, como muestran estos ejemplos:

(67) a. Vendió [el pintor FRANCÉS]$_i$ varios retratos de [sí mismo]$_i$ (no el pintor inglés).
b. Vendió varios retratos de [sí mismo]$_i$ [el pintor *francés*]$_i$.

En el primer caso, (67a), el foco (FRANCÉS) es contrastivo, como indican las mayúsculas, en el segundo, (67b), es ambiguo entre foco contrastivo [→ § 64.3.2] y foco canónico (por posición), de ahí el subrayado.

Estas consideraciones sugieren que *mism-* no es necesario para focalizar contrastivamente. Esto se ve más claramente en las lenguas en las que la focalización contrastiva puede conllevar consecuencias sintácticas meridianas, claramente reflejadas en el orden de las palabras. En gallego, por ejemplo, *Eu levanteime cedo* (paralelo a *yo levantéme temprano,* propio del castellano del siglo XIII, que hacía gala de un orden paralelo todavía detectable en *érase una vez*) contrasta abiertamente con *Eu MESMO me levantei cedo* «yo MISMO me levanté temprano», con *mesmo* «mismo» como focalizador de *eu* «yo». Pero la focalización de *eu* se basta por sí misma para producir el mismo efecto: *EU me levantei cedo.* [47] Esto nos lleva a esperar que *sí* pueda funcionar como focalizador contrastivo sin ayuda alguna de *mismo,* y así parece ser, como muestra este ejemplo:

(68) El que lo quiere todo para SÍ no es precisamente Juan.

B) Resulta, pues, obligado preguntarse qué es exactamente lo que el *mism-* posnominal contribuye a la expresión de la que forma parte. Esta es la segunda de las cosas que tenemos que averiguar y el siguiente paradigma puede resultarnos ilustrativo: [48]

(69) a. Ana quiere que su novio piense en ELLA no menos de lo que piensa en SÍ.
b. Ana quiere que su novio piense en ELLA MISMA no menos de lo que piensa en SÍ.
c. Ana quiere que su novio piense en ELLA no menos de lo que piensa en SÍ MISMO.

El énfasis es una propiedad común a los tres ejemplos, pero *mism-* aparece sólo con dos de los pronombres contrastados, de lo cual se sigue que *mism-* no es el señalizador del énfasis. El énfasis contrastivo, por lo demás una propiedad de más de un elemento en cada expresión, podrá ser, pues, una condición necesaria, pero no parece ser una condición suficiente para la aparición de *mism-*. La clave parece estar más bien en la diferencia entre (69b) y (69c), las expresiones con *mism-*. En efecto, no es una idea nueva que resulta necesario distinguir entre 'enfatización contrastiva' e 'intensificación': la primera es característica de la oposición entre dos o más elementos de la cláusula o el discurso, mientras que la segunda parece ser característica de uno solo de los elementos de la cláusula o de la circunscripción del discurso en que prevalece, al que se atribuye

---

[47] Strozer 1994: cap. 7, n. 45.

[48] Estos contrastes muestran que la expresión de la reflexividad en castellano es mucho más transparente que la del inglés. Véase el riguroso estudio de Baker (1995). De hecho, el sistema del alemán tiene mucho más en común con el del castellano que con el del inglés, como sugiere la traducción alemana de los ejemplos que siguen. La diferencia más destacada es que, por alguna razón, los hablantes alemanes son mucho menos dados a adosar *selbst* que los castellanos a adosar *mism-*.

el más alto grado de resalto o centralidad (una sola de las personas o entidades mentadas recibe el «haz de luz» que define el centro resaltado en el «escenario» de turno, que la convierte en sobresaliente). La diferencia entre (69b) y (69c) parece, pues, que tiene que ser buscada en el relativo resalto de los respectivos referentes de los pronombres: en (69b) el pensar gira alrededor del referente de ELLA, centro de la situación, mientras que en (69c) gira alrededor del referente de SÍ, ya que el centro de la situación sigue a *mism-*, proyector del haz de luz que lo circunda. Desde esta perspectiva, *mism-* es un intensificador, si no el intensificador por antonomasia. Y si en el universo de una cláusula o un determinado segmento de un discurso no puede haber más que un centro, como hay un solo centro en un círculo geométrico, no puede haber tampoco más que un único intensificador, como sugiere la inaceptabilidad de esta expresión:

(70) *Ana quiere que su novio piense en ELLA MISMA no menos de lo que piensa en SÍ MISMO.

En el § 23.3.1.1 hemos mencionado el conocido hecho de que en algunas lenguas las anáforas reflexivas morfológicamente complejas tienen que estar ligadas en un dominio local, en contraste con las simples, que no siempre lo están (hablamos de las anáforas a larga distancia que se encuentran, por ejempo, en italiano). En castellano, tanto las anáforas complejas como las simples han de estar ligadas en el dominio local definido por la generalización (44). Un hecho que parece digno de mención en este contexto es que *mism-* se diría menos facultativo como compañero del pronombre reflexivo cuando la frase nominal que lo contiene, [N *mism-*], es parte de una frase nominal, en particular si el nombre que encabeza la frase más larga pertenece a una clase especial que ha sido objeto de mucha atención en las últimas décadas. Se trata de los 'sustantivos de representación' [→ § 6.6.4], llamados en inglés «picture nouns», que son, con frecuencia, nombres derivados de un verbo (es decir, nominalizaciones), la significación de cuya raíz comparten. Muchos de ellos tienen un sentido de comunicación sobre alguna materia, usualmente relacionada con una forma de actividad creativa, intelectual o sensorial. Son, pues, relativamente numerosos e inicialmente fueron divididos en cuatro grupos, siguiendo en parte su régimen preposicional en inglés. Típicos del primer grupo son *análisis, crítica, esbozo, estudio, retrato, resumen, parodia, conocimiento, descripción, discusión, distorsion, dramatización, evaluación, imitación, ilustración, representación,* etc.; del segundo, *comentario, charla, reportaje, mentira, broma, teoría, testimonio, conversación, difamación, insinuación, observación* o bien *sentimiento, descubrimiento, pronunciamiento, confesión, deducción, observación,* etc.; del tercero, *pregunta, rumor, concepción, convicción, grabado, impresión, información,* etc.; del cuarto, *foto, idea, ilusión, imagen, noción, opinión, sombra, hecho, dato, espectáculo, programa, perspectiva, artículo, carta, drama, ensayo, filme, novela, ópera, poema,* etc. En este contexto podemos pasar una rápida revista a algunos ejemplos tomados en parte de Campos (1995): [49]

(71) a. *Juan* mostró una buena percepción de *sí* mismo.
b. [Aquella crítica de *sí* misma] dice *Ana* que le daba mucha risa a Blas.

El primero de estos ejemplos no requiere comentario pues es similar a otros ya analizados. El segundo, por el contrario, parece infringir la Generalización A. La

[49] Es este uno de los estudios más cuidadosos sobre esta construcción en castellano.

infracción, sin embargo, es sólo aparente si suponemos que el antecedente inmediato de *sí* es un pronombre tácito o impercibible que funciona como sujeto de *crítica* (como si fuera un posesivo nulo) y es correferencial con *Ana.* Por otra parte, en (72), una pregunta directa, la catáfora resulta inteligible porque el pronombre reflexivo se interpreta en realidad en su posición básica de objeto directo del verbo *mostrar,* y la pregunta indirecta de (73) parece susceptible de un análisis similar:

(72) ¿Cuáles fotos de *sí* mismo mostró *Juan?*
(73) Ana preguntó que qué fotos de *sí* misma había mostrado Blas.

El paralelismo ilustrado por el paradigma (74) puede citarse asimismo en apoyo del análisis que acaba de ser vagamente esbozado:

(74) a. La descripción minuciosa de {*sí/uno} mismo suele resultar penosa.
b. Describirse minuciosamente a {*sí/uno} mismo suele resultar penoso.
c. Aquella minuciosa descripción de {sí/*uno} mismo ({de/por} Luis) llenó a Juan de satisfacción consigo mismo.
d. Describirse minuciosamente a {sí/*uno} mismo llenó a Juan de satisfacción consigo mismo.

Si se admite, como es general admitir, que *describirse* tiene un sujeto tácito, resulta lógico postular, por paridad de razonamiento, que *descripción* también lo tiene, y que en ambos casos puede ser o bien indefinido y humano, como en (74a-b) o bien definido, como en (74c-d) (como hemos indicado en (26) *sí* puede referir a un antecedente definido pero no a uno indefinido).

Con estas consideraciones concluimos el examen de las construcciones sin clítico y pasamos a las construcciones con clítico, bastante más complejas y elusivas, como es bien sabido.

23.3.2. Expresiones anafóricas reflexivas con clítico

Se recordará que Sancho todavía podía decir (75a), mientras que un hablante moderno tiene que decir (75b):

(75) a. Yo he tomado el pulso a mí mismo [*Quijote* II: iv].
b. Yo *(me) he tomado el pulso a mí mismo.

donde *() indica que la información de dentro del paréntesis es obligatoria, es decir, que el pronombre clítico (inacentuado) reflexivo *me* es un elemento del que no es posible prescindir en ese contexto; de otro modo la cláusula no sería gramatical. Aun en nuestros días el clítico no es de rigor en algunas construcciones: [50]

[50] Para el estudio de estas y otras construcciones con *se* es de capital importancia Torrego 1995b.

(76) a. *Blas* (se) es fiel a *sí* mismo.
b. *Tú* (te) eres fiel a *ti* mismo.
c. *Yo* (me) soy fiel a *mí* mismo.

pero en muchas otras, entre ellas muy característicamente la de (75b), la presencia del clítico es absolutamente necesaria, como pasamos a ver, empezando por las construcciones con objeto directo o indirecto.

23.3.2.1. Construcciones extrínsecamente reflexivas

Denominamos 'construcciones extrínsecamente reflexivas' a las del estilo de (78c), cuya característica más singular se pone de manifiesto comparando las dos frases de (77) con las de (78). Nada de lo que hemos visto hasta ahora nos lleva a anticipar la necesaria presencia de *se* en (78c):

(77) a. Los interesados renunciaron a dos.
b. Los interesados denunciaron a dos.
(78) a. Las prebendas no renuncian a sí mismas.
b. *Las prebendas no denuncian a sí mismas.
c. Las prebendas no *se* denuncian a sí mismas.

En efecto, en (78a) *sí* se basta por sí solo para remitir a *prebendas,* pero en (78c) necesita ser como secundado por *se:* (78b) no es una opción viable precisamente porque falta *se.*

La inviabilidad de la alternativa reflexiva sin *se* en (78b) resulta aún más sorprendente cuando observamos que en lenguas muy estrechamente emparentadas con el castellano, el italiano y el francés sin ir más lejos, no existe un requisito homólogo. Compárese el paradigma transitivo italiano de (79) y el paradigma intransitivo francés de (80) con (81):

(79) a. *Juan* loda *sé.* (= (81a))
b. Juan *si* loda. (= (81b))
c. *Juan *si* loda *sé.* (= (81c))
(80) a. Juan parle à *lui*-même.
Lit.: 'Juan habla a sí mismo'
b. Juan *se* parle.
Lit.: 'Juan se habla'
c. Juan *se* parle à *lui*-même.[51]
Lit.: 'Juan se habla a sí mismo'
(81) a. *Juan alaba (a) *sí.*
b. Juan *se* alaba.
c. Juan *(*se*) alaba a sí mismo.

Resulta relativamente obvio, por otra parte, que el contraste de (78) está relacionado con este otro:

(82) a. Renunciaron a las prebendas: Renunciaron a ellas.
b. Denunciaron (*a) las prebendas: *Las* denunciaron (*a ellas).

---

[51] Ejemplos adaptados de Fornaciari 1881: VI, § 8, para el italiano, y de Tremblay 1990: (38)-(40), para el francés.

Este contraste se debe, en suma, a que el aparente paralelismo que los verbos *renunciar* y *denunciar* muestran en algunas construcciones es engañoso: en (77) *a dos* es un complemento 'oblicuo' o de régimen [→ § 29.1] de *renunciar,* pero con *denunciar* no es complemento oblicuo sino 'recto', su objeto directo [→ § 24.2]. En el primer caso es, pues, una frase preposicional, mientras que en el segundo no es una frase preposicional en sentido estricto, sino una frase nominal extendida (con la preposición débil *a* como marca de objeto directo o indirecto). Esta condición es la que explica la presencia de *se* en (78c), ya que el verbo *denunciar* es un verbo transitivo corriente, mientras que *renunciar* es un verbo de régimen. Con otras palabras, el castellano no tiene clíticos como *se, los* para las frases preposicionales, pero sí los tiene para las frases nominales extendidas con función de objeto directo o indirecto, de modo que sólo estas dos clases de frases nominales son generalmente reemplazables por un clítico, como en (82b). Como también sabemos [→ § 19.4], en castellano un clítico puede hacer de 'doble' de un complemento pronominal no oblicuo.

En suma, el clítico *se* es (casi) imprescindible cuando el reflexivo es un objeto indirecto [→ § 24.3 y Cap. 30] (83a), o directo, (83c), salvo que esos objetos estén dentro de otra estructura (por ejemplo, sean el segundo miembro de coordinación como en (83a)). *Se* es imposible en cambio, como indicábamos antes, cuando el complemento es de régimen, (84):

(83) a. Ana escribió una carta *a* la humanidad y *a* {sí/ella} misma.
b. Ana (le) escribió a Blas y *(se escribió) a sí misma.
c. Ana ?*(se) escribió una carta a {sí/ella} misma y a la humanidad.
(84) Ana escribió una carta *sobre* la condición humana y sobre {sí/ella} misma.

El paralelismo sintáctico a este respecto entre las construcciones de objeto directo y las de objeto indirecto es perfectamente natural, dado que un objeto indirecto tampoco es complemento oblicuo, a juzgar por algunas propiedades de la sintaxis de los clíticos en castellano. [52] El contraste entre los complementos oblicuos (85a-b) y no oblicuos (86a-b) es fácil de observar en este paradigma:

(85) a. Juan habla a menudo *de* sí mismo.
b. Juan habla a menudo *con*sigo mismo.
(86) a. *Juan habla a menudo a sí mismo.
b. Juan *se* habla a menudo a sí mismo.

En (85) *hablar* es un verbo de régimen, en (86) selecciona un complemento indirecto o dativo. El paralelismo se extiende a los clíticos no reflexivos, de modo que en (87) *hablar* toma un objeto indirecto (como en (86)) mientras que *apelar* en (88) es un verbo de régimen:

(87) *Juan habla a menudo a ella. / Juan *le* habla a menudo a ella.

[52] Una defensa temprana y relativamente detenida de esta tesis, en oposición a la defendida en Kayne 1975: § 2.16, entonces relativamente en boga, aparece en Strozer 1976: § II.2; cf. Jaeggli 1982 y Suñer 1988. Sobre el carácter funcional de las 'preposiciones débiles' *de* y (posiblemente) *a* en romance, véase ahora lo sugerido en Starke 1995: § 4.1; cf. Demonte 1991: § 6.1.

(88) Juan apela a menudo a ella. / *Juan *le* apela a menudo a ella.

Es natural suponer, como hemos anticipado, que los dos tipos de relación entre *sí* (como objeto directo o indirecto) y *se* corresponden sintácticamente a la relación entre, por ejemplo, *las* y *ellas* (la de objeto directo), y *le* y *ella* (la de objeto indirecto). Pero esto no es completamente exacto, como se desprende de estos paradigmas (el segundo de los cuales requiere especial atención):

(89) a. Las transnacionales *(les)* vendieron la madre patria a sus filiales (ganando mucho dinero).
b. Las transnacionales *la* vendieron a sus filiales (ganando mucho dinero).
c. Las transnacionales **(se) la* vendieron a ellas (ganando mucho dinero). (*Se* = «*les*»)

(90) a. Las transnacionales *(*se)* vendieron *la madre patria* a *sí* misma (ganando mucho dinero).
b. Las transnacionales (*se) la vendieron (a ella{1}) a sí{1} misma (ganando mucho dinero).
c. Las transnacionales *(se) la vendieron (a ella{1}) a ella{*1,n} (ganando mucho dinero). (*Se* = «*les*»)
d. *Las transnacionales (le) vendieron a *sí* misma a *la madre patria* (ganando mucho dinero).

Todos los ejemplos de los dos paradigmas son frases verbales ditransitivas, es decir, con dos objetos (directo e indirecto), las únicas que dan origen a ciertos contrastes. Si las subfrases de una cláusula están organizadas jerárquicamente, de modo que unas «dominan» a las otras, el objeto directo, que es de suponer ocupa una posición más alta que el indirecto, puede servir de antecedente del objeto indirecto, pero no viceversa. La asimetría entre el último y el primer ejemplo de la serie de (90) presta apoyo a esta hipótesis: el objeto indirecto no puede servir de antecedente del objeto directo (cf. (90d)), mientras que el directo puede servir de antecedente del indirecto (cf. (90a)).

Por otra parte, en (89a) la presencia de *les,* que es opcional, extiende la gama de interpretaciones de la frase, como es de rigor en las frases ditransitivas con verbos de transferencia; en (89c), la presencia de *les* (realizado como *se*) es requerida, como lo es la de *le* (realizado como *se*) en (90c).[53] En marcado contraste, *se* no es admisible ni en (90a) ni en (90b) mientras que sí lo es en (91). Ello se debe a que en (91a-b) el antecedente de *sí,* con el que el reflexivo tiene que estar en relación de concordancia, es el sujeto de la frase y *sí* es el objeto, mientras que en (90a-b) no lo es. Nótese además que en (91c), que tiene dos objetos reflexivos, *se* sólo es admisible una vez:

[53] Sobre la asimetría, véanse Barss y Lasnik 1985 y Demonte 1991: § 6.1 y 1995: (9). Sobre la sintaxis y semántica de dos clases de objeto indirecto, véanse Strozer 1976: § III.3 y Demonte 1994a, 1994b. Nótese que el contraste entre (89c) y (90c), con *se (= le(s))* obligatorio, y la interpretación no aceptable de (91c), supone que se requiere disjuntividad de referencia entre los dos objetos, directo e indirecto (cf. Strozer 1976: § III.5.1). Tengo que agradecer a Judith Strozer observaciones muy valiosas sobre las implicaciones de los dos últimos paradigmas.

(91) a. *La madre patria* se vendió y compró a sí misma a las transnacionales.
b. *Las transnacionales* se concedieron y otorgaron la madre patria a sí mismas.
c. *La madre patria* se (*se) vendió a sí misma a sí misma.

Desde esta perspectiva, el *se* extrínsecamente reflexivo (el reflexivo en sentido estricto), motivado por razones puramente sintácticas, no parece ser más que una imagen inacentuada (clítica) redundante de un *sí* sobreentendido en posición de objeto (directo o indirecto) siempre que su antecedente sea el sujeto de la frase verbal extendida, imagen o reflejo que puede ir o no ir acompañado de un pronombre pronunciado, p. ej. *Se alabó (a sí/ella misma) con todo descaro.*[54] De ahí que haya una diferencia muy importante entre las frases reflexivas sin *se* y con *se:* en las primeras *sí* es de todo punto necesario, mientras que en las segundas puede quedar sobrentendido, como hemos visto, de manera similar a como el pronombre personal puede quedar sobrentendido en una frase con clítico, p. ej. *La alabó (a ella).*

Esto nos llevaría a esperar que *Juan le habla a menudo a ella* (con acento especial en *ella*) resultara tan natural como *Juan se habla a menudo a sí.* Si en algún caso el paralelismo entre *sí* y los demás pronombres acentuados (*ella,* por ejemplo) no parece ser completo, la impresión puede muy bien deberse a la diferencia fundamental que los separa, subrayada en la introducción: *sí* no tiene el menor contenido semántico, ni siquiera especificaciones de género y número, y no parece añadir nada a *se* si no está focalizado (cf. (69)) o no va acompañado de *mism-*. De ahí que en principio no sea de esperar que haya diferencia entre las frases sin *se* y las frases con *se,* aun si estas no suenan tan naturales:

(92) *Europa* necesita protegerse (a sí (misma)) contra *(sí (misma)).

En el § 23.3.1.2 hemos visto que la diferencia entre una expresión con *sí* y la expresión con *sí mism-* correspondiente está relacionada con diversos factores, en particular con matices de significación de la frase y la prosodia que los caracteriza. En las frases con *se* u otro clítico reflexivo hay que tener en cuenta un efecto más: la presencia del clítico. Si una frase con *se* y *sí* focalizado, o un clítico y el correspondiente pronombre reflexivo focalizado, pero sin *mism-,* no parece tener el mismo grado de aceptabilidad que la frase que resulta de añadir *mism-* (por ejemplo, en las alternativas de (93) y (94), con objeto directo e indirecto, respectivamente), uno de los posibles factores responsables de la diferencia en aceptabilidad puede ser la peculiar naturaleza de la combinación clítico-pronombre reflexivo, que aquí no hemos analizado con detalle. (Del análisis de *mismo* propuesto más arriba se deduce asimismo que este elemento sí podría tener un papel en la focalización, puesto que los objetos directos e indirectos en posición final suelen ser focos).

(93) a. Los *bienhechores* se admiran a *sí* ?(mismos) más que a los demás.
b. Era como si *Juan* se contemplase a *sí* ?(mismo) y no a otro.

[54] Cf. Bosque 1985, en particular el comentario de (67). Sobre las construcciones castellanas, véase Torrego 1994, 1995b. Quizá el más ambicioso, sistemático y sostenido estudio de las construcciones romances con clíticos es el de Sportiche 1992, 1993, que trata de conciliar aspectos del tipo de análisis propuesto en Kayne 1975, 1989 y Sportiche 1990 con aspectos del análisis propuesto en Strozer 1976, Rivas 1977, Aoun 1981, Bouchard 1982, Jaeggli 1982, 1983, Borer 1983, Sportiche 1983, Burzio 1986 y Roberge 1990; véase también Cortés 1992.

(94) a. *Los estudiantes* se cortaron el pelo a *sí* ?(mismos).
b. *Los estudiantes* (*se) cerraron los ojos (*a *sí* (mismos)).

Es de notar, en otro orden de cosas, que la restricción ejemplificada en (94b), tomando la expresión en el sentido de «cerraron los ojos», no existe en otras lenguas. El rumano, por ejemplo, permite el equivalente de *se* en las construcciones con un complemento de 'posesión inalienable' como los ojos (p. ej. *a-si deschide ochii, a-si ridica mîna, a-si întinde picioarele* (lit.) «abrir-se los ojos», «levantar-se la mano», «estirar-se las piernas», respectivamente), algo que el castellano, entre otras muchas lenguas, no tolera, de ahí la extrañeza de (94b) con las palabras entre paréntesis.[55]

La razón por la que una construcción como (94b), con un dativo reflexivo posesivo [⟶ §§ 15.7.1 y 30.6.5], resulta mucho más extraña en su interpretación reflexiva que en la recíproca es que, aunque no difiere de (95b) más que en la forma del clítico, no tiene una interpretación natural (dado que el proceso de cerrar los ojos es normalmente interno al individuo [⟶ § 15.7], a diferencia de (95b) o de cerrar la salida, por ejemplo):

(95) a. Los estudiantes se cerraron la salida (a sí mismos).
b. Le cerraron los ojos, (?que aún tenía abiertos).
c. Cerraron sus ojos, que aún tenía abiertos.

La frase *a sí mism-*, pues, puede ser usada como diagnóstico para discriminar entre las construcciones sintácticamente reflexivas y otras construcciones que realmente no lo son, a pesar de las apariencias.[56] En las dos frases de (96) la similaridad superficial es engañosa, ya que gramaticalmente uno no puede suicidarse a sí mismo, es decir, *suicidar* no es un verbo transitivo, a diferencia de *desafiar:*

(96) a. Juan puede desafiarse (a sí mismo).
b. Juan puede suicidarse (*a sí mismo).

En los contrastes de (97), por otra parte, podemos observar que no es la interpretación la que decide que *auto-* [⟶ § 76.5.5.4] puede suplantar a *sí* y a *mism-* cuando *sí* es objeto directo (97a′) o indirecto (97b′), ya que, pese a tener el mismo significado, *auto* no puede en cambio suplir la ausencia de *se* (cf. (97a, b)):

(97) a. *Juan puede autodesafiar (a sí (mismo)).
a′. Juan puede autodesafiar*se* (*a sí (mismo)).
b. *Juan puede autoofrecer un regalo (a sí (mismo)).
b′. Juan puede autoofrecer*se* un regalo (*a sí (mismo)).

Que *auto-* puede suplantar tanto al objeto directo como al indirecto se ve también en la ambigüedad de (98a), que persiste en (98b):

(98) a. Juan se vendió (a sí mismo). / (Juan se vendó (a sí mismo)).
b. Juan se autovendió (*a sí mismo). / (Juan se autovendó (*a sí mismo)).

[55] Cf. Geniusiene 1987: § 4.2.3.1.5. Sobre la construcción castellana, véase Kempchinsky 1990 y las referencias allí citadas.
[56] Cf. Otero 1967, Babcock 1970.

En todos los demás casos *auto-* es inadmisible, lo cual viene a confirmar de nuevo que el *se* de las construcciones de objeto directo e indirecto es un elemento sintácticamente distinto de *sí mismo* y *de auto-:*

(99) a. Juan puede (*auto(suicidarse)) (*a sí mismo).
b. Juan puede (*auto)fiarse (de sí mismo).

Las alternativas y contrastes de estos varios paradigmas plantean interesantes cuestiones sobre la relación entre la sintaxis y la morfología que no son de este lugar. Pero sí corresponde a este capítulo tratar de la estructura de las construcciones reflexivas, y en particular, de su estructura temática. Una de las cuestiones que requieren respuesta es la de si las construcciones extrínsecamente reflexivas tienen que ser analizadas como intransitivas y, si la respuesta es afirmativa, si tienen que ser analizadas como inacusativas o inergativas. Como sabemos, son cláusulas inacusativas las que carecen de caso acusativo (el caso del objeto directo en las lenguas no ergativas como el latín o el castellano [⟶ Cap. 25]) y cláusulas inergativas o intransitivas puras las que carecen de objeto directo (el caso 'ergativo' es el caso del sujeto subyacente de por lo menos las cláusulas transitivas en las lenguas ergativas) [⟶ § 24.4].

Una de las tres propuestas más prominentes entre las defendidas en los últimos veinte años analiza la reflexividad como una reducción en valencia o poliadicidad que convierte un predicado transitivo en un predicado intransitivo, y para algunos estudiosos, inacusativo [⟶ § 25.2.1.1].[57] Bajo este análisis, una frase como *Juan se autovendó* es una frase sintácticamente intransitiva, lo cual tiene cierto sentido. Lo que no parece tener tanto sentido es que sea inacusativa, y si *Juan se autovendó* no es una frase inacusativa, no es inmediatamente obvio que *Juan se vendó (a sí mismo)* lo sea. El contraste siguiente proyecta luz sobre las dos cuestiones:

(100) a. Juan se cortó el dedo.
b. Juan se cortó el dedo a sí mismo.
c. Juan se autocortó el dedo.

La primera secuencia, (100a), es suceptible de dos interpretaciones: en una Juan se corta intencionalmente (es un agente), en la otra, accidentalmente. Por otra parte, las dos frases que le siguen no son ambiguas: *Juan* es el agente en los dos casos. Si *Juan* no puede menos de ser el sujeto en (100b, c), ya que la posición del objeto directo está ocupada por *el dedo,* parece lógico concluir que al menos cuando la frase reflexiva es un objeto indirecto la tesis de la inacusatividad no es defendible. Por lo demás, la comparación de las dos cláusulas (100b) y (100c) sugiere que *auto-* tiene bastante de equivalente no sintáctico de *sí mismo.* En cuanto a *autocortar,* evidentemente en (100c) es un verbo no menos transitivo que *cortar* en (100b).

En términos generales, una de las conclusiones con la que todos los estudiosos de las relaciones temáticas parecen estar de acuerdo es que una frase con papel de agente ocupa por derecho propio una posición prominente en la frase, si no la más prominente (cf. Demonte 1991: § 1.2). El contraste entre los ejemplos que acabamos de examinar y una frase a la que sin duda no corresponde el papel de agente es completo: tenemos *La taza se rompió,* pero no *El dedo se autocortó* (cf. *Juan rompió la taza, Juan se autocortó el dedo*). Tiene, pues, sentido decir que *La taza se rompió* es una frase inacusativa, pero no parece tener el mismo sentido decir que *Juan se vendó* lo es.

Todo lo que hemos visto hasta ahora parece sugerir que en *Juan confía en {sí/Blas}* (pero no en *Juan autoconfía (en sí)*), *sí,* en contraste con *auto-,* ocupa una posición argumental, y otro tanto cabe decir de la contraparte sobreentendida de *sí* en las construcciones con *se,* de manera que es razonable concluir, como en la tradición, que *Juan se vendó (a sí mismo)* es una frase

[57] La defensa quizá más rigurosamente argumentada de la tesis de que todas las construcciones reflexivas son inacusativas se debe a Sportiche (1990). Una de las formulaciones más tempranas es la de Grimshaw (1982). Véanse Bouchard 1984, Marantz 1984, Kayne 1986, Grimshaw 1990. Cf. Keenan 1988. Independientemente de las consideraciones que siguen, la hipótesis de la reducción de valencia parece que se compagina mal con un cierto tipo de lengua (las lenguas que cabría llamar de referencia '(des)conectable' o *switch reference*), a lo que dice Broadwell (1996).

transitiva análoga a *La enfermera vendó a Juan.* Bien es verdad que la naturaleza no referencial de *sí* introduce una dimensión adicional en la estructura, abriendo la posibilidad de que tenga carácter de operador con alcance, como otros operadores de la estructura lógica, tema que no es posible desarrollar aquí. [58]

Cerraremos este subapartado haciendo notar que todas las cláusulas reflexivas con *se* que hemos visto aquí pueden ser subsumidas bajo la Generalización A de (44). Es verdad que un análisis más detenido plantearía problemas que no hemos considerado. Podemos señalar, de todos modos, que hay frases reflexivas con *se* sin contraparte sin *se,* entre ellas las de (101a) cuyo análisis se esboza en las secciones sobre cláusulas mínimas (cf. el § 38.3.2.1), (101b) tratada entre las causativas infinitivas [→ § 36.2.5.2] y (101c) estudiada entre las infinitivas seleccionadas por verbos de percepción [→ § 36.2.5.1]:

(101) a. *Juan* se cree [(a *sí* mismo) inteligente]. (Cf. Juan la cree [(a ella) inteligente].)
b. *Juan* se hizo [(a *sí* mismo) criticarse (a *sí* mismo)].
c. *Juan* oyó [a Rosa criticarse (a sí misma)].

23.3.2.2. *Construcciones intrínsecamente reflexivas o con verbos inherentemente reflexivos*

En lo que precede nos hemos limitado a examinar las construcciones reflexivas puramente sintácticas, es decir, con pronombres reflexivos en sentido estricto (pronombres no clíticos, expresos o tácitos). Pero sabido es que hay también construcciones aparentemente reflexivas que no admiten esos elementos pronominales no clíticos. Estas construcciones con verbos 'inherentemente reflexivos' o 'pronominales', es decir, con formas verbales acompañadas siempre de un clítico como requisito léxico, son el tema de este subapartado.

La propiedad definitoria de la reflexividad desde el punto de vista sintáctico es, como hemos visto, que el argumento reflexivo puede ser ligado por un antecedente local. Como las construcciones con verbos como *suicidarse* o *resfriarse* (p. ej. *Blas se {suicidó/resfrió}*) contienen un verbo sintácticamente intransitivo se caracterizan pues por carecer de argumento reflexivo; es evidente que, por lo tanto, no pueden ser reflexivas en sentido sintáctico. De ahí que la reflexividad implícita en la significación de estas construcciones con verbos inherentemente reflexivos deba calificarse de 'intrínseca', en oposición a la reflexividad 'extrínseca', o de naturaleza puramente sintáctica [→ § 26.2]. Más precisamente, estos verbos son reflexivos, no en el sentido de que un antecedente liga a un pronombre reflexivo, sino en el de que su único argumento es como portador de dos papeles temáticos o semánticos distintos, de modo que una sola frase nominal, *Blas* en nuestro ejemplo, es entendida a la vez como sujeto agente *(x)* y como objeto paciente *(y),* con lo que, invariablemente, agente = paciente *(x = y).*

Esta diferencia fundamental entre una construcción sintácticamente reflexiva (con *sí* o *[se (... sí)]*) y una construcción de verbo inherentemente reflexivo permite

[58] Véanse Lebeaux 1983; Chomsky 1984: § 3.5.2.3; Zubizarreta 1987: § 4.2.2.2. Cf. Salmon 1986: § VI.

usar la frase *a sí mism-* como diagnóstico para discriminar fácilmente (al menos en algunos casos) entre los dos tipos de construcción, como hemos visto en el subapartado anterior (cf. (96)) y podemos ver en estos ejemplos:

(102) a. El *capataz* contuvo su furia.
b. El *capataz* se contuvo con dificultad (*a sí mismo).
(103) a. El capataz no tardó en manifestar su *impaciencia.*
b. Su *impaciencia* no tardó en manifestarse visiblemente (*a sí misma).

Como estos dos paradigmas ponen de manifiesto, desde el punto de vista sintáctico podemos distinguir dos subclases de verbos inherentemente reflexivos con forma correspondiente no reflexiva. (103) difiere de (102) en que la alternativa de (b) es 'inagentiva', esto es, el sujeto agente de (a) no aparece en (b), y el objeto pasa a ocupar la posición del sujeto, mientras que tal opción no existe en el primer caso: **Su furia se contuvo* es agramatical.

En (104) tenemos ejemplos de *se* reflexivo no inherente, que aparece subrayado, y de *se* inherente, en negritas. (105) muestra que la frase reflexiva puede funcionar como objeto (directo o indirecto) o como complemento oblicuo (nótese que el asterisco está ahora a veces fuera del paréntesis, y en estos casos no se obtiene agramaticalidad, pero sí ausencia de interpretación reflexiva):

(104) a. Juan puede elogiarse (a *sí* mismo).
b. Juan puede {resfriar*se*/suicidar*se*} (*a sí mismo).
(105) a. Juan puede recordarse (a {[sí mismo]/*ella/*ello}).
b. Juan puede acordarse *(de {[sí mismo] / ella / ello}).
c. Juan puede estar de acuerdo (consigo mismo).

No es una idea nueva que la reflexividad inherente y la inacusatividad son perfectamente compatibles; después de todo existen muchas parejas como *atascar* y *atascarse* (cf. *Atascaron la tubería* frente a *La tubería *(se) atascó*) [⟶ § 25.2.1]. No tiene, pues, nada de sorprendente que algunos verbos inherentemente reflexivos hayan sido analizados como verbos causativos inherentemente reflexivos.[59] En algunos casos la relación es clara y explícita, como en (106), en otros menos obvia, como en (107) (el asterisco indica que la opción ofrecida por el par de paréntesis es inaceptable):

(106) a. El submarino hundió el acorazado.
b. El acorazado fue hundido (por el submarino).
c. El acorazado *(se) hundió (por sí mismo).
(107) a. Mataron al soldado.
b. El soldado fue {matado/muerto} en la batalla.
c. El soldado (se) murió (por sí mismo).

El análisis de un reflexivo inherente como inacusativo implica que el factor causante de la acción en un verbo causativo puede ser de dos tipos: en uno de ellos

---

[59] Chierchia 1989b parece haber resultado seminal. Cf. Levin y Rappaport Hovav 1995: § 3, *passim;* Pustejovsky 1995: § 9.2; Reinhart 1996b. Sobre inacusatividad y reflexividad, véanse Grimshaw 1982, 1990, Marantz 1984, Everaert 1986a, Borgonovo 1996, y especialmente Reinhart 1996b, entre otros trabajos. Cf. Aikawa 1995.

entendemos que el evento es efectuado por el causante (p. ej., en (106a) y en la alternativa de (106b), donde el submarino causa el evento del hundimiento del acorazado); en el otro entendemos que lo que causa evento es un cierto estado del acorazado (106c) [⟶ §§ 25.2.1 y 25.2.2]. Paralelamente, en (107a, b) alguien causa la muerte del soldado, mientras que en (107c) un cierto estado del soldado conduce a su (propia) muerte, tanto en la expresión con *se* como en la expresión sin *se*.

Es evidente, por otra parte, que aunque no se puede hablar de la significación de *se*, como se puede hablar de su función, *se* impone restricciones reveladoras. En (108), por ejemplo, la presencia o no de *se* permite contrastar una muerte natural y una muerte violenta:

(108) a. El soldado se murió {[de pena]/[#en la batalla del Ebro]}.
b. El soldado murió {[de pena]/[en la batalla del Ebro]}.

Conviene tener bien presente, sin embargo, que la pareja transitiva de un verbo inacusativo permite construir cláusulas genuinamente transitivas, distintas de las cláusulas inacusativas, compatibles con *por sí mism-*. Obsérvese que la aserción de (109) no es contradictoria:

(109) *El acorazado* no se hundió a *sí* mismo (siguiendo las instrucciones de su programa informático, para no caer en manos del enemigo), sino que se hundió <u>*por sí mismo*</u>, sin poder evitarlo.

En algunos casos no es difícil percibir la distinción directamente (compárese, por ejemplo, *Juan se defiende en su negocio,* donde *se defiende* se traduciría al inglés *gets by*, con *Juan por lo menos se defendió a sí mismo,* donde se traduciría *defended himself*); en otros es relativamente obvio que se trata de reflexividad inherente (p. ej. *Se irrita por nada, Se despidió de todos*). También es fácil de percibir la diferencia cuando la construcción contiene un predicado secundario, por ejemplo, *culpable* en el caso que sigue:

(110) a. El pastor *se* confesó culpable (*a sí mismo).
b. El pastor *se* confesó a sí mismo.

Bien es verdad que una modificación adverbial (especialmente instrumental) puede bastar, al menos en algunos casos, para forzar la interpretación de la construcción como inherentemente reflexiva:

(111) a. Juan se lavó con jabón La Toja (??a sí mismo).
b. Juan se afeitó con una maquinilla eléctrica.
c. Juan se defendió con uñas y dientes (??a sí mismo).
d. Juan se viste siempre modestamente (??a sí mismo).

La innegable similaridad entre algunos verbos inherentemente reflexivos y los inacusativos sugiere que podría estar justificado analizarlos como una clase de verbos inacusativos [⟶ § 25.2], pero evidentemente no basta para concluir que todos los verbos inherentemente reflexivos son inacusativos, como algunos autores han sugerido en el caso de las lenguas romances. Uno de los argumentos más convincentes es que en italiano unos y otros se conjugan con el equivalente de *ser*. Pero la fuerza del argumento, con ser mucha, no es arrolladora. En primer lugar, se trata de una observación incompatible con una perspectiva más plenamente comparativa, pues es bien sabido que en algunas lenguas germánicas los verbos inherentemente reflexivos se conjugan con el equivalente de *haber,* mientras que los inacusativos se conjugan con el equivalente de *ser,* de modo que el italiano no tiene por qué sugerir universalidad en este caso. En segundo lugar, existen verbos inherentemente reflexivos que se comportan como intransitivos inergativos respecto a algunos diagnósticos que parecen de fiar no sólo en castellano, en hebreo y en otras lenguas, sino también en italiano. [60] En tercer lugar, es bien sabido que la inergatividad y la inacusatividad son o pueden ser propiedades, no del verbo por sí mismo, sino del predicado.

Esta última conclusión aparece bien de manifiesto en el conocido contraste de (112). En (112a), el verbo italiano *correre* requiere el auxiliar correspondiente a *haber (avere),* característico de las estructuras transitivas (incluidas las inergativas, que a tenor de propuestas recientes son veladamente transitivas o cuasi-transitivas en todas las lenguas [→ § 38.2.1]), mientras que en (112b) requiere el auxiliar correspondiente a *ser (essere),* característico de las estructuras inacusativas: [61]

(112) a. Juan ha corso.
'Juan ha corrido'
b. Juan è corso a casa.
'Juan ha corrido a casa'

Esta alternativa no existe en castellano desde hace medio milenio, pero aun sin ella parece razonable sospechar que un contraste como *Juan se afeitó en casa* / *Juan se afeitó en la peluquería* es paralelo al del italiano recién indicado. Así, *Afeitado Juan, el barbero pasó a otro cliente* proviene de una estructura transitiva (que en italiano se construiría con *avere*), mientras que *Afeitado Juan, decidió cepillarse los dientes* tiene relación con la estructura inacusativa que en italiano iría con *essere* (así las cosas, *Juan se afeitó en casa* sería transitiva mientras que *Juan se afeitó en la peluquería* sería inacusativa). Otro tanto cabe decir de los contrastes de (113) y (114), en los que la estructura parece ser inergativa cuando el argumento es agentivo (los casos de a), e inacusativa cuando no lo es (los casos de b):

(113) a. El detenido acabó por desatarse.
b. La cuerda acabó por desatarse.
(114) a. El acusado se llenó de indignación.
b. El convoy se llenó de agua.

Una cuestión importante, que requiere ser examinada para entender la naturaleza de las construcciones intrínsecamente reflexivas, es la de si este análisis es apropiado para todos los verbos inherentemente reflexivos, como es bastante común

[60] Véase Cinque (1988, n. 62) que, aplicando la misma prueba utilizada por Burzio (cliticización de *ne*), muestra que los verbos inherentemente reflexivos del italiano no pueden ser inacusativos, contra lo concluido por Burzio (1986: 39ff., n. 38) por lo que el clítico de estos verbos no puede ser simplemente «un marcador asociado con la falta de asignación de papel temático a la posición del sujeto», como afirma Burzio (1986: 40). Sobre el hebreo hay datos de mucho interés en Reinhart 1996b, trabajo fundamental (tenido muy en cuenta en este subapartado) que se sirve de Chierchia 1989b como punto de partida. Cf. Fontana y Moore 1992: n. 4.

[61] Sobre la 'inacusatividad derivada' de (b), vease Pustejovsky 1995: § 9.2, en particular el comentario sobre (28). Cf. Torrego 1989.

asumir, o si hay también verbos de esta clase que son inergativos, esto es, intransitivos en sentido estricto.

Algunas de las raíces verbales que pueden formar parte de frases transitivas, a menudo causativas (p. ej. *El profesor terminó la clase*), pueden formar parte, alternativamente, de frases inacusativas *(La clase terminó),* y las dos frases corresponden a dos estructuras que difieren sintáctica y semánticamente de manera sistemática: la primera tiene dos argumentos y la segunda sólo uno. Algunas de ellas son también susceptibles de una tercera posibilidad (115c), y otras de esa y de una cuarta posibilidad, p. ej. (116):

(115) a. El profesor terminó la clase.
b. La clase terminó.
c. La clase se terminó.

(116) a. El papá durmió al niño.
b. El niño durmió (dos horas) (*en el acto).
c. El niño se durmió (*dos horas) (en el acto).
d. El niño se durmió deliberadamente a sí mismo.

Parece razonable suponer que la tercera alternativa corresponde a una tercera estructura, sintáctica y semánticamente diferente de las otras dos. Y otro tanto cabe decir de la cuarta (116d), que es una construcción extrínsecamente reflexiva. Tenemos, pues, no dos, sino cuatro estructuras diferentes: dos transitivas, p. ej. (116a, d), y dos intransitivas, p. ej. (116b, c), una de las cuales (116c) corresponde a la forma pronominal del verbo. Las dos estructuras intransitivas difieren en sus propiedades, como se desprende de las modificaciones que admiten.

Como es sabido, existen también raíces verbales con sólo una de las tres posibilidades, que al menos en la forma superficial corresponde de alguna manera a la tercera de las ejemplificadas. Entre estas raíces se cuentan las de (117), que presentamos en dos listas (las que no requieren preposición y las que la requieren [→ § 29.5]), por orden alfabético:

(117) a. Acalambrarse, acatarrarse, afiebrarse, (a)gangrenarse, agolparse, contonearse, desgañitarse, encadarse, enfurruñarse, ensimismarse, fugarse, rebelarse, vanagloriarse, suicidarse.
b. Atenerse a, atreverse {a/con/contra}, dignarse a, abstenerse de, incautarse de, jactarse de, querellarse (con), obstinarse en.

Curiosamente, estas «ovejas sin su pareja» (transitiva) desde el punto de vista sincrónico (*reflexiva tantum* o formalmente no reversibles) parecen ser menos numerosas en unas lenguas que en otras.[62] No es tampoco demasiado seguro que existieran en otros estadios de la diacronía de las lenguas, a juzgar por el estudio tal vez más detenido sobre el tema en una lengua romance.[63] En algunos casos la

[62] Según Luján, que subraya el hecho con propósito distinto al de este capítulo, en italiano son muchas menos (ninguna de las tres que menciona (1976: § 2.1) aparece entre las diez que da Cordin (1988: (59)).

[63] Hatcher (1942: 167), que sugiere que por lo menos en francés el verbo inherentemente reflexivo suele ser derivado del transitivo correspondiente. Sobre el uso de *moquer* mencionado a continuación, véase Byrne y Churchill 1993: § 379, que contiene una lista de treinta y dos verbos inherentemente reflexivos en francés. Conviene hacer notar que en las lenguas bálticas (y eslavas), excepcionalmente ricas en lo que se refiere a la expresión de la reflexividad, casi todos, si no todos, los verbos inherentemente reflexivos se derivan de verbos no reflexivos añadiendo simplemente un marcador de

pareja no pronominal es fácil de rastrear: el verbo inherentemente reflexivo francés *se moquer* «burlarse», por ejemplo, da la impresión de haber perdido su pareja transitiva, aunque todavía se puede encontrar *moquer* en usos más o menos arcaicos, sobre todo en expresiones pasivas. En otros casos no es tan fácil (cf. *atribuir, atreverse*). Para nuestro propósito nos basta con asumir que, dado su carácter histórico y en parte sobremanera accidental, no hay razón alguna para esperar que el vocabulario de una lengua en un momento determinado sea un reflejo perfecto de las propiedades léxicas más hondas que se ocultan detrás de la palabra.

En suma, desde el punto de vista comparativo parece razonable suponer que un reflexivo inherente es un verbo intransitivo con un valor semántico añadido. Parece igualmente razonable admitir que todo verbo reflexivo inherente es el resultado de una operación léxica que reduce a uno los dos argumentos de un verbo transitivo. Pero esto no tiene por qué querer decir que, además de intransitivo, tiene que ser inacusativo: ni hay razones suficientes para suponer que en todos los casos el argumento eliminado es el más prominente o sujeto ni parecen faltar razones para sospechar que en algunos casos el argumento no eliminado (y si acaso ineliminable, como vamos a ver) es precisamente el sujeto, en cuyo caso tenemos dos subclases de verbos inherentemente reflexivos: inacusativos e inergativos.

Como primera aproximación a una explicación de estas dos clases de verbos inherentemente reflexivos podemos empezar por asumir que de la lista anterior los de (117a), que corresponden a glosas inglesas con *become* (*become cramped* «llegar a tener un calambre», *become feverish* «tener fiebre») «volverse, llegar a ser», que apunta a un subevento iniciativo (incoativo), son excelentes candidatos a verbos inacusativos. Estos verbos dan lugar, en efecto, a las correlaciones que Bello (1847: § 432) sugería para los verbos deponentes («[...] decimos *nacida la niña* [...] siendo la niña la que nació»):

(118) a. El árbol se (a)gangrenó. (Está agangrenado.)
a′. Agangrenado el árbol, decidieron derribarlo.
b. Juan se ensimismó. (Está ensimismado.)
b′. Ensimismado Juan, le fue fácil al ratero sustraerle la cartera.

Con sujetos animados podemos comprobar además si tienen o no el papel de agentes:

(119) a. Juan se ensimismó para impresionar a sus alumnos.
b. Los alumnos se acatarraron para no ir a clase.

De nuevo, los verbos de este grupo parecen salir airosos de la prueba: en la interpretación natural de estos ejemplos los sujetos no son agentes y esas oraciones resultan poco naturales.

Indudablemente inacusativos son asimismo los verbos de la clase sintáctica 'ingentiva' distinguida al principio de este apartado (103), y por supuesto los casos especiales considerados hace un momento ((113b) y (114b)). Parece, pues, razonable aceptar, como ya hemos venido sugiriendo, la tesis de que algunos verbos inheren-

---

reflexividad; en una lista de unos 30.000 verbos reflexivos del inglés, no más de 10 parecen ser formalmente irreversibles (Geniusiene 1987: primer párrafo de la introducción y [illegible] respectivamente).

temente reflexivos son inacusativos. Pero ¿es razonable proponer que verbos como *contonearse, vanagloriarse, suicidarse* son verbos inacusativos? Aparte de que no decimos *Juan está {contoneado/vanagloriado}*, tenemos motivos para sospechar que el sujeto superficial de estos verbos tiene el papel temático o semántico de agente. Los ejemplos de (120), frente a los de (119), nos permiten apreciar una importante diferencia en lo que respecta a la participación voluntaria del agente en la acción descrita por el verbo principal:

(120) a. Juan se contonea para impresionar a sus alumnos.
b. Los alumnos se rebelaron para defender la libertad de expresión.

Como queda dicho en el apartado anterior, todos o casi todos los estudiosos de las relaciones temáticas parecen estar de acuerdo en que, si hay un argumento con papel de agente en la frase, ése es el argumento que ocupa invariablemente la posición más elevada en la estructura de la oración, la posición del sujeto. Consecuencia inmediata de esta generalización es que, al menos en esas construcciones, *contonearse* y *rebelarse* son verbos inergativos.

Análisis similar cabe proponer para los verbos con pareja transitiva que requieren, al menos en uno de sus sentidos, un sujeto agente, entre ellos *bajarse, levantarse, catapultarse, columpiarse, desenmascararse, moverse, prostrarse,* etc., en los que el sujeto de la alternativa transitiva sigue siendo el sujeto de la intransitiva. Una subclase especial de estos verbos inherentemente reflexivos describen, metonímicamente, como es de ley en las estructuras reflexivas (cf. el § 23.3.1.2), ya sea actividades físicas del agente sobre partes del cuerpo, p. ej. *afeitarse (la barbilla), cubrirse (la cabeza), lavarse (la cara), peinarse, quemarse (un dedo)* [→ §§ 15.7.1 y 30.6.5], ya partes o aspectos de la actividad mental del agente, p. ej., *acogerse, agotarse (trabajando día y noche), controlarse, dedicarse, explicarse, expresarse, recogerse, repetirse, sacrificarse.* [64]

Si aceptamos, como antes indicábamos, la idea de que algunos verbos inherentemente reflexivos son el resultado de una operación léxica que reduce a uno dos papeles temáticos de una unidad léxica, parece razonable asumir consecuentemente que todos estos verbos se derivan mediante la misma operación léxica a partir de una unidad léxica con dos argumentos. Como hemos visto al examinar los contrastes entre el uso transitivo y el uso inacusativo de una raíz verbal, los verbos que tienen un papel temático con la propiedad 'causa de cambio' y carecen de la propiedad 'estado mental', permiten la reducción o eliminación del papel del sujeto, que en ese caso es el papel de 'causa/instrumento', con lo que el verbo queda descausativizado. Esta reducción explicaría los contrastes entre la acepción causativa (con acusativo) y la descausativizada (inacusativa), entre ellos los que llevamos vistos. Lo que no nos dice esa solución es en qué casos un verbo inherentemente reflexivo no es inacusativo, sino inergativo. Para poder contestar a esta cuestión tenemos que

---

[64] Una idea relativamente reciente es que, aparte de distinguir dos clases de papeles semánticos, hay que reducir los papeles al uso, a propiedades distintivas fundamentales, idealmente irreducibles. Dos propiedades bastarían, a lo que parece, para definir los cuatro papeles de la clase que cabría llamar primaria (Causa / Instrumento, Agente, Paciente / Tema, Experimentante), y en una propuesta que viene como anillo al dedo de este apartado (Reinhart 1996b: § 5), pues se centra en el análisis de los verbos inherentemente reflexivos, esas dos propiedades son Causa de Cambio *(Causing Change)* e Involucramiento de Estado Mental *(Mental State Involved)*. Un Agente tiene esas dos propiedades, mientras que un Experimentante tiene sólo la segunda.

saber además qué ocurre con los verbos que conllevan el papel temático de agente, que además de la propiedad 'causa de cambio' tiene la propiedad 'estado mental'. Existen razones para suponer, en las que lamentablemente no podemos detenernos por falta de espacio, que un papel con esta propiedad (la propiedad del sujeto de un verbo como *rebelarse*) no es susceptible de esa operación léxica. Si es así, un verbo como *rebelarse* no puede menos de ser inergativo.

23.3.2.3. *Unidad y diversidad en las construcciones reflexivas: breve examen comparativo de algunos valores de* se

En los dos subapartados anteriores hemos examinado dos de las funciones que puede representar un clítico reflexivo en sentido lato, es decir, un clítico que tiene en común con *se* el concordar en género y número con el sujeto (llamémosles, para entendernos, 'clíticos subjetivos') [65]. Podemos decir, para facilitar la exposición, que hasta ahora hemos visto dos funciones básicas de los clíticos subjetivos: la del clítico extrínsecamente reflexivo, en sus dos subespecies (objeto directo e indirecto) y la del clítico intrínsecamente reflexivo, que difiere de todas las demás especies de clítico subjetivo en que su relación con el verbo es determinada por una operación léxica, no sintáctica, mientras que en las restantes estructuras con un clítico subjetivo intervienen sólo operaciones de naturaleza sintáctica [⟶ Cap. 26].

Pero es sabido que los clíticos que concuerdan con el sujeto pueden representar además otras funciones. Como en cada tipo de construcción el clítico tiene una función única (aunque parece hacer siempre de 'operador verbal' o 'marcador reflexivo') y se trata de funciones diversas, no parece del todo ilegítimo hablar de un clítico de tal tipo o de tal otro tipo cuando ello facilita la exposición, pero es necesario no perder de vista que detrás de todas esas facetas de un clítico hay, a fin de cuentas, un solo clítico verdadero: el del paradigma *me, te,* etc., del sistema pronominal castellano, con las propiedades descritas en la introducción (§ 23.1). [66] Su naturaleza de clítico, en efecto, no parece diferir en lo esencial de la de los otros clíticos pronominales. En particular, no parece tener más de 'afijo' que los otros clíticos; por ejemplo, ningún afijo verbal conocido parece tener la propiedad que permite a *se* aparecer en distintas posiciones con respecto a su verbo *(Se solía poder afeitar, Decidió afeitarse,* y *Acabó afeitándose).* Ello no quiere decir, ni mucho menos, que no haya ningún afijo con la función de marcador reflexivo en ninguna lengua; quiere decir solamente que es importante distinguir los clíticos de los afijos.

La tercera función de un clítico subjetivo que vamos a considerar podría ser denominada 'aspectual', ya que modifica la estructura eventiva de la cláusula. He aquí algunos ejemplos: [67]

---

[65] [Las cuestiones de este subapartado son materia específica del capítulo 26. El objetivo de esta subsección es poner en relación la materia de este capítulo con la de aquel].

[66] En este punto no parece haber diferencia entre los dos grupos de posiciones alguna vez distinguidos, aparte diferencias meramente terminológicas. Cinque, por ejemplo, que se cuenta entre los defensores de *l'unità del si* (cf. Cinque 1982), distingue seis tipos de *si* (Cinque 1988: § 6). Cf. Alarcos 1970: 156-165, 1994: § 270; García 1975: cap. VI, § 1.1.2 [⟶ § 26.1].

[67] Se encontrará un tratamiento de este tipo de construcción mucho más detenido del que podemos abordar aquí en Strozer 1976: § IV.2, 1978 y Zagona 1996. La estructura eventiva aludida es analizada en el trabajo de Zagona antes mencionado, y en Zagona 1997, sobre la base de la teoría generativa del léxico de Pustejovsky. Cf. Pustejovsky 1995 y referencias allí citadas. (Es de notar que el análisis de estas construcciones es menos transparente de lo que pudiera pensarse, como demuestra la observación de Bello (1847: § 758) de que en una expresión análoga a (121c), la única de las tres mencionadas en ese parágrafo que pertenece a esta categoría, «sirve el *se* para dar a entender la buena disposición, el apetito, la decidida voluntad del bebedor».) Sobre el sentido de 'realización' aludido más adelante, véase Demonte 1991: § 3.1, (11).

(121) a. (Me) vi una película sueca (en parte).
b. Tú (te) tomaste un café (en parte).
c. Juan (se) bebió un vaso de vino (en parte).

Lo primero que tenemos que notar es que el clítico, cuya presencia no es necesaria [→ § 30.7] para que la expresión sea gramatical, es compatible sólo con predicados (perfectivos) en los que el objeto directo experimenta una transición con un punto culminante (por lo que los dos pares de paréntesis de cada expresión no pueden ser eliminados a la vez). Si no hay tal transición, como lo expresa, por ejemplo, un objeto directo no definido, el clítico es inadmisible [→ § 46.2.3]:

(122) a. (*Me) vi películas suecas.
b. Tú (*te) tomaste café.
c. Juan (*se) bebió vino.

Estos predicados con objetos directos no determinados son interpretados como actividades, en contraste con los predicados de (121) sin el clítico, que son interpretados como realizaciones (en el sentido de la teoría léxica) [→ § 46.1]. Pero en las expresiones de (121), con el clítico, el evento denotado por el predicado tiene además un carácter terminativo (de ahí la inadmisibilidad del clítico en (122)). Estas observaciones sugieren que el clítico aspectual es incompatible con predicados que no tienen culminación. Los ejemplos de (123) son consistentes con esa sospecha:

(123) a. La caja (*se) contiene diez libros.
b. Don Juan (*se) amó a diez mujeres.
c. El magistrado (*se) reconoció el error.

Vemos, pues, que de una función de un clítico subjetivo a otra hay un gran trecho, pero ello no quiere decir que las tres funciones que llevamos vistas hasta aquí no tengan nada en común. Si el clítico es en cada uno de los tres casos un marcador reflexivo, que no puede menos de concordar con el sujeto, la función del clítico aspectual tendría bastante en común con la de clítico externamente reflexivo y clítico inherentemente reflexivo (además de ser, como ellos, un clítico subjetivo).

También es una especie de marcador reflexivo el clítico subjetivo en las otras tres funciones que vamos a considerar brevemente a continuación. Empezamos por la función 'media', que viene a ser la cuarta entre las que hemos visto. Como esta función la puede ejercer sólo el clítico subjetivo de la no persona (por tanto, el clítico subjetivo impersonal en el preciso sentido del § 23.1), el único clítico exclusivamente reflexivo, podemos hablar de un *se*-MED (*se*-medio) [→ § 26.2]. La construcción con 'se-medio' puede ser ilustrada con estos ejemplos:

(124) a. Los yacimientos de países indefensos (siempre) se explotan [-] sin mayor dificultad.
b. Las lenguas extranjeras (siempre) se aprenden [-] con no poco esfuerzo.

Tres cosas son de notar en esta clase de construcciones: las restricciones en lo que respecta al tiempo verbal (el presente favorece la interpretación media), la presencia más o menos requerida de una expresión adverbial de modo como *sin dificultad,* y la 'genericidad' (o 'universalidad') [→ § 26.2.3], de ahí que la presencia de *siempre* no contribuya demasiado a la interpretación en las construcciones con *se*-medio, sobre las que volveremos enseguida.

La quinta función de un clítico subjetivo es la pasivizadora (Cl-PAS). Como la función media, esta función la puede ejercer sólo el clítico subjetivo de la no persona, por lo que podemos reducir la abreviación a *se*-PAS (*se*-pasivo) [→ § 26.3]. Un ejemplo representativo es (125b), que es razonable suponer deriva sintácticamente de (125a), y tiene un sentido análogo al de (125c):

(125) a. Alguien explotó ese yacimiento.
b. Ese yacimiento se explotó [-] [POR INDEF].
c. Ese yacimiento fue explotado (por alguien).

(La información entre corchetes representa de nuevo frases impercibibles: [-] es el nido vacío del objeto directo desplazado a la posición de Sujeto; POR es la contraparte tácita de *por,* e INDEF la forma impercibible de un pronombre indefinido análogo en este caso a *alguien.*)

Este *se*-PAS parece ser una especie de generalización del *se*-MED, o, inversamente, *se*-medio se diría un caso especial (por lo demás muy estudiado) de *se*-pasivo. La idea es plausible, pero conviene tener muy en cuenta que una formulación viable no puede dejar sin explicar tres hechos, indudables (al menos los dos primeros): (1) existen lenguas, entre ellas el inglés, que carecen de *se*-medio, pero no de construcciones equivalentes en sentido a las construcciones con *se*-medio; (2) existen también lenguas con *se*-medio que carecen de *se*-pasivo, la más conocida de las cuales es el francés (al menos de algunos hablantes); (3) *se*-medio parece diacrónicamente muy anterior a *se*-pasivo. [68]

La sexta y última de las construcciones con *se* es la externamente reflexiva indefinizadora (Cl-INDEF). Esta función es también privativa del clítico subjetivo de la no persona, por lo que podemos reducir la abreviatura a *se*-INDEF (*se*-indefinido) [→ § 26.4] o simplemente a SE, como a veces se hace, teniendo muy en cuenta que el sujeto con el que SE concuerda no sólo es indefinido sino también necesariamente humano. [69] El examen de (126) y (127) muestra que entre una construcción con *se*-medio (126b), o *se*-pasivo (127b), y una construcción con SE (indefinido) —llamado a veces 'impersonal' en la tradición— como (126a) o (127a) media esencialmente la misma relación que entre una construcción pasiva y la estructura de la que puede ser derivada sintácticamente (en el sentido de que el objeto de la construcción indefinida es el sujeto de la pasiva o la media):

(126) a. [INDEF] (Siempre) se explota los yacimientos de países indefensos sin mayor dificultad.
b. Los yacimientos de países indefensos (siempre) se explotan [-] sin mayor dificultad [POR INDEF]. (= 124a)

---

[68] Sobre las construcciones medias del inglés véase Hale y Keyser 1987, y sobre las del francés, Zribi-Hertz 1982 (cf. Raposo y Uriagereka 1996: § 2); sobre la relación diacrónica entre las varias construcciones que estamos examinando, véase Lapesa 1981: §§ 57.3, 97.4, Martín Zorraquino 1979 (segunda parte) y referencias allí citadas, en particular Kärde 1943 y Monge 1955. Cf. Cinque 1988: § 6.

[69] Una de las consecuencias de esta propiedad definitoria de todas las construcciones con *se,* sin excepción, reconocida desde el primer estudio generativo sobre el tema, es que una expresión como *A menudo se rebuzna* sólo puede tener una interpretacion metafórica (Otero 1965, 1976, y referencias allí citadas).

(127) a. [INDEF] Se explotó ese yacimiento.
b. Ese yacimiento se explotó [-] [POR INDEF]. (= 125b)

Si ahora nos preguntamos qué relación media exactamente entre estas dos clases de construcciones reflexivas, las pasivas y las indefinidas, vemos que la relación sincrónica y la relación diacrónica parecen tener direcciones opuestas: sincrónicamente, las estructura de (126b) y (127b) pueden ser derivadas de las de (126a) y (127a), respectivamente, sin ni siquiera tener que cambiar *alguien* por INDEF, algo necesario en (124). Diacrónicamente, por el contrario, la construcción reflexiva con SE indefinido parece derivar históricamente de la construcción con *se*-medio o de la construcción con *se*-pasivo, al menos en algunas lenguas. [70] Muchas lenguas que tienen el equivalente de SE-indefinido (posiblemente todas), tienen también, o han tenido en el curso de su historia, el equivalente de *se*-MED o *se*-PAS, pero no a la inversa, aun entre las lenguas romances de sujeto omisible (el rumano, por ejemplo, tiene *se*-medio pero no SE), por lo que la posibilidad de tener sujetos nulos o tácitos, propia tanto del castellano como del rumano, resulta ser una propiedad necesaria, pero no suficiente. No es difícil imaginar un reanálisis que puede haber resultado en el cambio de 'diátesis' que supone la innovación (entendiendo diátesis en el sentido restringido de 'voz' gramaticalmente marcada en el verbo o en un elemento íntimamente asociado al verbo). Basta con comparar las diferencias relevantes de las dos estructuras en un par mínimo del cariz de (127) dispuesto como en (128), para reflejar la probable prioridad cronológica de (128a):

(128) a. (En el pasado) se explotó ese yacimiento [-] [POR INDEF].
b. (En el pasado) [INDEF] se explotó ese yacimiento.

Si *ese yacimiento,* el sujeto pospuesto de (128a), es reanalizado diacrónicamente como objeto directo por el hablante, lo cual es del todo natural, *se,* como clítico subjetivo que es, tiene que concordar con el nuevo sujeto tácito, heredero del INDEF sobrentendido de POR INDEF (para mantener el sentido de la expresión, que es esencialmente el mismo en (128a) y (128b)), y por tanto con el papel del indefinido de la frase (agente, en este caso). Se trata, por tanto de una especie de deshacimiento o reversión de las dos operaciones que conlleva la pasivización: 'objetivización' del sujeto y 'promoción' del agente (en vez de 'subjetivización' del objeto y 'democión' del agente). El resultado es que *se,* como clítico subjetivo que es, sigue concordando con el sujeto (ahora impercibible), pero pierde la conexión que *se*-PAS tiene, como señalizador, con la posición del objeto directo. [71]

Lo dicho hasta ahora es compatible con dos posibilidades. Sabido es que hay dos subclases de construcciones con SE-indefinido: la subclase genérica, ejemplificada en (126a), que suscita una lectura cuasi-universal, análoga a la de las construcciones con *se*-medio; y la subclase episódica, ejemplificada en (127a), que favorece una lectura existencial. [72] Esta correlación sugiere que la

---

[70] Cf. Geniusiene 1987: § 4.4.2.2 y, sobre el portugués en particular, Naro 1976.

[71] Es de notar que para que una reconstrucción del proceso de reanálisis de esta naturaleza resulte plausible es de todo punto necesario asumir que el objeto de la expresión reanalizada puede ser tomado como sujeto, cosa de todo punto imposible si la frase nominal va precedida por *a.* Y si esto es así, la idea de que la construcción con «complementos de persona» (precedidos por *a*) fue la primera en generalizarse, y luego tendió a «propagarse con complementos de cosa» «sin preposición» (RAE 1973: § 3.5.6c) se diría sumamente implausible.

[72] El termino 'episódica', utilizado en uno de los estudios más recientes y más detenidos sobre el tema (Chierchia 1995), parece preferible a otros, entre ellos, 'inespecífica' [⟶ §§ 3.2.3.1, 13.4.1 y 37.2.1].

construcción genérica con SE indefinido podría derivar diacrónicamente de la construcción con *se*-medio, y la episódica deriva diacrónicamente de la construcción con *se*-PAS; pero la cuestión está pendiente de investigación.

El ejemplo castellano de construcción reflexiva con *se*-INDEF más temprano que conocemos, *Se cree los mágicos,* si en realidad es de fiar, se remonta al siglo XIII por lo menos, de modo que es posterior en tres siglos a los primeros ejemplos documentados de las dos construcciones con *se* que le preceden diacrónicamente (Martín Zorraquino 1979: 151-152).

Si es verdad que la construcción con SE-indefinido deriva diacrónicamente de la construcción con *se*-medio o con *se*-pasivo, tiene que ser verdad que la innovación afectó primero a las construcciones transitivas, de modo que aunque la prioridad de datación de ese ejemplo tenga que ser tomada a beneficio de inventario, la transitividad es sin duda característica de los ejemplos más tempranos. Como en nuestros días, para numerosos hablantes, si no para todos, la construcción con SE-indefinido es propia también de las construcciones intransitivas, copulativas y pasivas ejemplificadas en (129), es razonable suponer que con el tiempo fue contagiando a las construcciones no transitivas, tal vez en ese orden:

(129) a. Se trató varios temas y de varios otros temas.
b. Se nace, se pace, se crece, se vive y se muere.
c. No se es feliz cuando se es explotado.
d. Se está embarazada o no se está esperando.

Desde la emergencia de la construcción con *se*-indefinido los hablantes tenían, por supuesto, que lidiar con las dificultades que presenta la interpretación de frases como *Se ha divulgado la noticia,* pero con la extensión de la construcción a frases intransitivas como *Se vive* o *Se canta* las cosas parecen haberse complicado considerablemente. Lo que sucede es que expresiones como estas últimas, que serían inequívocamente pasivas en rumano, que no tiene *se*-indefinido, [73] son patentemente ambiguas para los hablantes. Lo que está en juego es si la expresión *Se canta,* pongamos por caso, puede ser interpretada bien sea como *Se cantaron algunas canciones* (con *se*-PAS), en el sentido aproximado de *Algunas canciones fueron cantadas* o bien como *Se cantó algunas canciones.*

En todo caso, no parece que haya noticias de radicales discrepancias en este punto entre los hablantes comparables a las que existen respecto a la legitimidad no sólo de frases análogas a *Se ha divulgado la noticia,* sino también de frases análogas a *Se ha divulgado las noticias.* Una posible explicación, por remota que parezca, de estas discrepancias es que los hablantes en desacuerdo no han interiorizado exactamente la misma variedad del castellano. Para facilitar la exposición, podemos designar la variedad del estadio anterior a la emergencia de la construcción con *se*-indefinido (es decir, anterior por lo menos al siglo XIII) como la variedad A, y la variedad del estadio posterior no sólo a la emergencia de la construcción, sino también a su extensión a las frases no transitivas, como variedad B. En estos términos podemos decir, con algo más de precisión, que una posible explicación de las discrepancias entre hablantes es que se deben a que los que rechazan la construcción han interiorizado una variedad del castellano que tiene en común con la variedad A el no incluir la construcción con *se*-INDEF, y que los que la usan sin ni siquiera darse cuenta de lo que están haciendo han interiorizado una variedad de castellano que tiene esa construcción en común con la variedad B.

Contamos ya con suficientes hechos más o menos incontrovertibles que permiten comprobar inmediatamente si un hablante ha interiorizado algunas propiedades definitorias de la construcción o no. Empecemos por lo más elemental. Aunque el conocido hecho de que la interpretación de una frase activa *(Han divulgado la noticia, Se ha divulgado la noticia)* y la de la correspondiente frase pasiva *(La noticia ha sido divulgada, Se ha divulgado la noticia)* tienen el mismo valor veritativo

[73] Véase Dobrovie-Sorin 1995 y otros trabajos anteriores de la autora allí citados. Sirviéndose de datos del rumano que parecen proyectar no poca luz sobre la cuestión, la autora argumenta, extensa y persuasivamente, que la conclusión de Cinque, basada en un interesante contraste descubierto por él (Cinque 1988: (5)-(7)), es consecuencia de un espejismo. A juicio del propio Cinque estos estudios constituyen «un interesante desarrollo» de su analisis, con consiguiente «simplificación del sistema» por él propuesto (Cinque 1995: n. 4). Conviene hacer notar, en todo caso, que las consideraciones de este subapartado concuerdan con las conclusiones de Dobrovie-Sorin.

dificulta algo las cosas, el problema no parece insuperable. Se dirá que en una expresión escrita no hay indicio alguno de la diferencia, lo cual es innegable. Pero si de lo que se trata es de descubrir lo que de hecho tiene un hablante en su facultad del lenguaje, la observación no es relevante, pues hay sobradas maneras de averiguar si, en la expresión del hablante, la frase entera, *Se ha divulgado la noticia,* pongamos por caso, es un comentario sobre lo que llevó a cabo un agente (es decir, el hablante ha dicho algo sobre lo que ha hecho un agente que por alguna razón deja sin identificar), o si sólo la subfrase, *Se ha divulgado,* es un comentario, no sobre lo que hizo un agente, sino sobre otra subfrase, *la noticia,* que funciona como sujeto de la frase entera.

Otra manera de expresar lo esencial de este tipo de razonamiento es decir que «la vacilación que en nuestros días se produce» entre las dos construcciones «depende de que prevalezca la idea» de que *La noticia ha sido divulgada,* «concertando el verbo con su sujeto pasivo, o bien de que un sujeto indeterminado» ha divulgado la noticia, como muy bien dicen los autores del *Esbozo* (RAE 1973: § 3.5.6c), lo cual implica que las dos construcciones difieren en sus estructuras sintácticas. No necesitamos más indicios de los que tenemos para decidir que la primera interpretación corresponde a una estructura paralela a (128b) y la segunda corresponde a una estructura paralela a (128a), que evidentemente son inconfundibles.

A favor del análisis propuesto en este capítulo (para por lo menos un buen número hablantes, si dejamos abierta la posibilidad de que no todos los hablantes han interiorizado un sistema que incluye la construcción con SE) cabría aducir varios hechos que el examen de expresiones algo menos simples que *Se ha divulgado la noticia* pone de manifiesto, entre ellas las de estos dos contrastes:

(130) a. Los metales blandos se suelen poder derretir fácilmente.
b. Se suele poder derretir fácilmente los metales blandos.
(131) a. Todas las salidas por carretera se pueden y suelen estar vigilando.
b. Se puede y suele estar vigilando todas las salidas por carretera.

Para muchos hablantes (130a) y (130b) difieren considerablemente en significado; por otra parte, (131a) y (131b) no sólo difieren considerablemente en significado (noción no equivalente, como hemos dicho, a valor veritativo), sino que (131b) puede sin duda pasar inadvertida en la conversación coloquial, lo cual tal vez no se pueda decir de (131a). En todo caso, este otro tipo de contraste parece mucho más revelador:

(132) a. Las especies no protegidas tienden a extinguirse (por sí mismas).
b. Se tiende(*n) a eliminar las especies no protegidas (*por sí mismas).

Podemos observar inmediatamente dos cosas. Una es que en estos casos ni siquiera tenemos que lidiar con la identidad de valor veritativo, pues evidentemente (132a) y (132b) distan mucho de ser sinónimas aun en ese restringido sentido; la otra, que la forma plural del verbo no es ni siquiera admisible, de modo que no puede haber discrepancia entre hablantes: si la frase no es aceptable para un hablante, no podemos menos de concluir que su variedad del castellano difiere en este punto de las variedades en las que la frase pasa sin ser notada. Por lo demás, si un hablante dice (132b) cuando intentó decir (132a), la adecuación del análisis queda incólume.

Otro tanto cabe decir respecto a la inadmisibilidad de la forma plural en otras construcciones complejas, entre ellas la que sigue:

(133) Los demonios no son tan negros como se los pinta(*n).

El fenómeno de la imposibilidad de forma verbal plural junto a un clítico adyacente asociado con un objeto directo antepuesto es general, pues se da en todos los casos, salvo rarísimas excepciones que no parecen poner en cuestión ninguna propiedad esencial de la construcción:

(134) a. Las viviendas se las destruyó para hacer negocio.
b. Las noticias se las difundió a los cuatro vientos.

Es de notar asimismo que cuando el objeto directo es de persona, como en (135), la construcción parece ser mucho más aceptada:

(135) a. Se detuvo a dos narcotraficantes.
b. Se excluyó a los banqueros participantes.

Consideremos ahora expresiones en las que el complemento puede aparecer precedido de una preposición, como en estos dos ejemplos [⟶ § 26.4.1.1]:

(136) a. Se trató (de) varios temas.
b. Se escondió (a) prisioneros de guerra.
(Cf. La familia escondió (a) un prisionero.)

En el primer caso no parece razonable postular un principio gramatical que se aplica sólo cuando la preposición forma parte de la expresión. Más bien se diría que para la gramática del hablante las dos alternativas son sintácticamente paralelas y semánticamente muy similares: en (136a) «tratar del tema» no es tratar el tema por completo y en (136b) el sujeto implícito de la alternativa con *a* es más agentivo que el sujeto de la otra alternativa. [74] Nada de esto parece tener que ver con la concordancia sintáctica.

Antes de dar por concluido este subapartado conviene presentar las seis clases de construcciones juntas, por orden de aparición en escena en este capítulo (excepto que la segunda, que difiere de todas las demás, precede a la primera), indicando esquemáticamente y sin demasiado rigor (pero suficiente para nuestro propósito) sus propiedades cruciales. Con ello se podrá ver claramente, de manera sinóptica, que, aunque los miembros de los varios pares que se puede formar con las seis pueden resultar difíciles de distinguir cuando el sujeto aparece en posición preverbal o queda sobrentendido, son inconfundibles entre sí subyacentemente:

(137) a. El submarino se hundió (por sí mismo). (*se*-REFLEXIVO INTRÍNSECO)
b. El submarino se hundió [-] (a sí mismo). (*se*-REFLEXIVO EXTRÍNSECO)
c. El submarino se hundió dos acorazados enemigos. (*se*-ASPECTUAL)
d. El submarino se hunde [-] fácilmente. (*se*-MEDIO)
e. El submarino se hundió [-]. (*se*-PASIVO)
f. [INDEF] se hundió el submarino. (*se*-INDEFINIDO)

La construcción ejemplificada en (137a), *se*-inherentemente reflexivo, es la única en la que la presencia del clítico se debe a una operación léxica (si bien su concordancia es de origen sintáctico) y la única que carece de un objeto directo sintáctico no subyacente (expreso o sobrentendido), de ahí que el *por* entre paréntesis no pueda ser reemplazado por *a;* además, cuando es inacusativa, como en este caso, carece de un controlador en potencia, expreso o implícito, para una frase de infinitivo (no se podría completar diciendo *para poner a salvo el honor de la tripulación*). Con todo, tiene en común con las construcciones ejemplificadas en (137c) y en (137f) que el clítico no está asociado con la posición del objeto directo como lo está en (137b), (137d) y (137e), y en común con (137b) y (137c) que puede, pero no tiene que, tener un sujeto impercibible, y cuando una de ellas lo tiene, es definido

[74] Cf. Torrego 1994: (8); RAE 1973: § 3.5.6b.

(mientras que el de (137f) es siempre impercibible e indefinido). Desde el ángulo opuesto, todas las construcciones, excepto (137a), tienen en común que la presencia del clítico es de origen puramente sintáctico.

Así, pues, a un nivel relativamente abstracto, el paralelismo entre (137b), (137d) y (137e) es considerable, en contraste con (137a), y en otro sentido con (137c) y (137f), siendo de notar que en (137b) el clítico tendría que tener a la vez el caso del sujeto y el caso del objeto (puesto que está asociado con las dos posiciones), lo cual es irrealizable, por contradictorio (si el caso es nominativo no puede ser acusativo, y viceversa), por lo que no puede tener caso alguno; la hipótesis nula es, pues, que ninguno de los clíticos bajo consideración tiene caso. [75]

Con todo, cualquiera de las seis construcciones puede ser difícil de distinguir de cualquiera de las otras en ciertos contextos, no sólo al ritmo del habla, sino también bajo un examen relativamente demorado, a pesar de las radicales diferencias subyacentes que median entre ellas, como acabamos de ver, a menudo no fáciles de aprehender sobre la base de sus formas superficiales. La dificultad parece aumentar considerablemente, como hemos visto, al tratar de distinguir entre (137e) y (137f), que son las dos construcciones que dan origen a desacuerdos contenciosos [→ § 26.3.2], tanto entre hablantes como entre especialistas, en particular cuando son cláusulas independientes con un argumento expreso (que funciona como sujeto en (137e) y como objeto en (137f)), o sin argumento expreso alguno (lo cual suele dificultar aún más las cosas, como queda dicho).

23.3.3. Expresiones anafóricas recíprocas

Volvamos ahora la atención hacia la otra clase de expresiones anafóricas ligadas que corresponde examinar en este capítulo, las anáforas recíprocas, como nuestro ejemplo de (1b): *Rosa y Blas hablaron el uno sobre el otro;* otro ejemplo similar a (1b) es *Se echaban flores el uno al otro.*

Es sabido que las expresiones anafóricas recíprocas tienen mucho en común con las reflexivas, por lo que resulta razonable dar por supuesto que son regidas por los mismos principios. [76] Con todo, hasta hace unos años, pocas construcciones habían recibido menos atención en nuestras gramáticas que estas, «y no puede decirse que sea la causa la supuesta simplicidad de su estructura sintáctica», ya que «las oraciones recíprocas plantean un gran número de problemas, tanto sintácticos como semánticos, que surgen, en gran parte, cuando se intenta profundizar en la escasa información que aporta la doctrina tradicional». [77] En esta sección examinaremos la estructura sintáctica de estas construcciones (§ 23.3.3.1) y a continuación trataremos de su interpretación semántica (§ 23.3.3.2).

---

[75] En principio, esta hipótesis es tambien aplicable a los clíticos no reflexivos. Téngase en cuenta que, por ejemplo, *le* es un clítico dativo y *lo* un clítico acusativo en términos morfológicos (que simplemente los sitúan en un paradigma declinacional), pero no necesariamente en términos sintácticos. Esto no quiere decir que el sujeto o el objeto con el que está asociado el clítico (expreso o impercibible) no tenga caso (posibilidad quizá influida por esa asociación), o que el caso no sea esencial para distinguir entre una construcción con *se*-PAS y una con *se*-INDEF, cuestiones muy diferentes (cf. Mendikoetxea y Battye 1990: n. 10).

[76] Dougherty 1970, Chomsky 1970. Véanse también Fiengo y Lasnik 1973, Chomsky 1975, Langendoen 1978.

[77] Lo citado procede del párrafo inicial de Bosque 1985, el primer estudio serio y detenido sobre el tema en castellano y punto de referencia obligado, que es poco menos que inevitable aprovechar aquí a fondo. A ese trabajo puede acudir todo el que esté interesado en un tratamiento más amplio del tema.

23.3.3.1. Estructura sintáctica

En este subapartado consideraremos dos aspectos fundamentales de las construcciones recíprocas: las relaciones internas a la frase recíproca (que incluyen aspectos morfológicos) y las que cabría llamar externas, es decir, las relaciones de la frase recíproca con el resto de la cláusula. Como en el caso de las cláusulas reflexivas, examinaremos primero las construcciones sin *se* (con lo que resultará más fácil sortear ciertos escollos) para pasar luego a las construcciones con *se,* que son más complejas.

a) *Relaciones internas.* Las construcciones recíprocas, como las reflexivas, pueden tener como núcleo un verbo, intransitivo (138a) o transitivo (138b):

(138) a. Juan y Blas siempre disputaban el uno con el otro.
b. Disidencia y resistencia deben reforzarse la una a la otra.

Pero, sorprendentemente, no pueden tener un nombre como núcleo (139b-c), en contraste con las reflexivas (139a) o con las expresiones recíprocas de otras lenguas:

(139) a. Nuestra admiración por nosotros mismos nos satisface profundamente.
b. *Nuestra admiración el uno por el otro nos satisface profundamente. (Cf. el inglés *Our admiration for each other satifies us deeply.*)
c. *Juan y Blas siempre criticaban las ideas el uno del otro.

Como sugieren los ejemplos de (138), la expresión sintáctica manifiesta de la reciprocidad es la frase *el uno P el otro* (P = preposición) en alguna de sus variantes (*el uno con el otro, (la) una con la otra, el uno del otro, los unos a los otros,* etc.). Un requisito fundamental es que la frase [ART(ículo) *un-*] y la frase [ART *otr-*] (con terminaciones que pueden variar en género y número) estén separadas por una preposición. Podemos, pues, empezar por esquematizar la frase entera (que identificaremos como REC), linealmente, así:

(140) Frase recíproca (= REC)
(ART) un-o/a(s) P (ART) otr-o/a(s)

(Los paréntesis, como de costumbre, representan opciones.) No es difícil ver que este esquema deja algo que desear, como muestra Bosque (1985: 82). Entre otras cosas, sugiere que todas las opciones son posibles, lo cual no es exacto. Tomemos «(ART)», por ejemplo. Contra lo que sugieren los paréntesis, no es posible no optar por el primer artículo cuando no se opta por el segundo (141c):

(141) a. Los dos sillas estaban una al lado de (la) otra.
b. Los dos sillas estaban la una al lado de la otra.
c. Los dos sillas estaban (*la) una al lado de otra.

Tampoco la concordancia en género (142) o número (143) es tan mecánica como sugiere el esquema:

(142) a. Luis y Juana hablan mucho el uno del otro.
b. *Luis y Juana hablan mucho el uno de la otra.
c. Luisa y Juana hablan mucho la una de la otra.
(143) *Los pilotos hablaban el uno de los otros.

A todo esto no nos hemos preguntado qué clase de frase es REC. Una cosa relativamente clara es que la subfrase [(ART) *otr-*] es el complemento de P, de modo que [P [(ART) *otr-*]] es sin duda una frase preposicional. También está claro que [(ART) *un-*] es, esencialmente, una frase nominal.

Bien es verdad que en algunas construcciones recíprocas la estructura de la frase preposicional aparece como velada y ello se debe a que algunas subfrases pueden ocupar posiciones diferentes en la estructura superficial. En el orden de palabras en apariencia más básico, REC puede seguir inmediatamente no sólo a un nombre sustantivo (144a) o adjetivo (144b), sino también a un adverbio (144c), a una preposición escueta (144d), o no escueta (144e):

(144) a. Ana y Rosa siempre muestran gran amabilidad {la una con la otra/con todo el mundo}.
b. Los diplomáticos siempre son amables {los unos con los otros/con todo el mundo}.
c. Lo descubrieron independientemente {la una de la otra/de las otras investigadoras}.
d. Los dos contrincantes estaban enfrente {el uno del otro/de la multitud}.
e. Las dos fábricas estaban en los aledaños {la una de la otra/del aeropuerto}.

En otra ordenación de los constituyentes de estas mismas oraciones, el nombre sustantivo (145a) o adjetivo (145b), el adverbio (145c), la preposición escueta (145d) o no escueta (145e) que precede inmediatamente a la frase REC en las construcciones de esta naturaleza puede aparecer en el interior de la frase recíproca en vez de hacerlo en su posición normal, a modo de intrusión, como si dijéramos, en la estructura esencial de la frase recíproca:

(145) a. Ana y Rosa siempre muestran la una gran amabilidad {con la otra/*con todo el mundo}.
b. Los diplomáticos siempre son los unos amables {con los otros/*con todo el mundo}.
c. Lo descubrieron la una independientemente {de la otra/*de las otras investigadoras}.
d. Los dos contrincantes estaban el uno {enfrente del otro/*de la multitud}.
e. Las dos fábricas estaban la una en los aledaños {de la otra/*del aeropuerto}.

Este último patrón puede entenderse mejor a la luz de construcciones con anáforas recíprocas como las siguientes, donde el nombre sustantivo aparece obligatoriamente en el interior de la expresión anafórica (Bosque 1985: 78-79):

(146) a. Caminaron unos pasos el uno en dirección al otro.
a′. *Caminaron unos pasos en dirección (el uno al otro).
b. Salieron el uno en busca del otro.
b′. *Salieron en busca (el uno del otro).

Estos hechos parecen sugerir que las frases recíprocas de (144) no son meros complementos de esos nombres, adverbios o preposiciones, sino que conforman con ellos una unidad más compleja probablemente con carácter de frase preposicional.

Para un primer acercamiento a esta idea general podemos destacar cómo algunas de estas expresiones recíprocas comparten propiedades de las frases preposicionales. Los tres argumentos que siguen están tomados de Bosque 1985: 77. En primer lugar, una frase recíproca puede alternar con otras frases preposicionales como complemento obligatorio de un verbo que requiera un complemento de este carácter, lo cual muestra que la preposición P está determinada por el verbo, al igual que la preposición de otro complemento regido por el verbo:

(147) a. Tus amigas dependen {*de* la comunidad/la una *de* la otra}.
b. Las dos aviadoras confiaban {*en* su suerte/la una *en* la otra}.
c. Aquellos jóvenes hablaban {*sobre* todo lo divino y lo humano/el uno *sobre* el otro}.

En segundo lugar, una frase recíproca puede coordinarse con una frase preposicional, y es bien sabido que sólo pueden ser coordinadas frases que tienen la misma categoría como núcleo (en este caso P):

(148) a. No sabemos si hablaron [*sobre* todo lo divino y humano] o [el uno *sobre* el otro].
b. Confían [*en* su suerte] y [las unas *en* las otras].

En tercer lugar, una frase recíproca no sólo puede servir de respuesta a una pregunta (149a), sino que también encaja perfectamente en oraciones de relativo 'pseudo-escindidas' (149b) [→ Cap. 65], que, como se sabe, requieren frases preposicionales con la misma preposición a ambos lados de la cópula:

(149) a. —¿*De* quién hablaron?
—[*De* Juan]/[El uno *del* otro].
b. *De* quien hablaban siempre era {[de Juan]/[el uno *del* otro]}.

Parece, pues, razonable concluir que la frase entera es también una frase preposicional.

Queda todavía por explicar lo que concierne a la relación que media entre la frase nominal [(ART) *un-*] y la frase preposicional [P (ART) *un-*] que la sigue sin solución de continuidad, relación que no es obvia. El hecho de que tanto la frase iniciada por P como la frase entera sean frases preposicionales, es decir, el hecho de que la presencia de la frase nominal [(ART) *un-*] no altere la categoría de la frase, sugiere que [(ART) *un-*] es una frase adjunta a [P (ART) *otr-*] que, por lo tanto, no cambia la categoría de la frase a la que está adjuntada. [78]

[78] Se encontrará un tratamiento mas técnico de esta idea —en definitiva, la de que estas expresiones recíprocas configuran una cláusula mínima— en Belletti 1983.

Pasemos ahora al examen de la relación de la frase recíproca con otros elementos de la cláusula externos a ella.

b) *Relaciones externas.* El carácter específico de las construcciones recíprocas queda especialmente de manifiesto cuando se las compara con construcciones distributivas con *cada* que a veces tienen significados muy similares [⟶ § 16.4.3.2]. Compárese (150a) y (150b) con (151a) y (151b), respectivamente:

(150) a. Las puertas casi se tocaban la una *(a) la otra.
b. Los niños se golpeaban los unos a los otros.
(151) a. (Cada) una de las puertas casi tocaba (a) la otra.
b. (Cada) uno de los niños golpeaba a los otros.

Como observa Bosque (1985: 78), la inadmisibilidad de *la una la otra* en (150a) se debe sin duda a que la frase recíproca tiene que ser una frase preposicional en castellano, en contraste con expresiones aparentemente similares en otras lenguas (italiano *l'uno l'altro,* como veremos enseguida, francés *l'un l'autre,* inglés *one another,* alemán *einander,* etc.). Por lo demás, como ya se ha indicado, la preposición que encabeza la frase recíproca está determinada por el núcleo del predicado del que forma parte, que puede ser un verbo (152a) (cf. (153)), un adjetivo (152b), o un adverbio (152c):

(152) a. Congeniaban la una *con* la otra.
b. Eran compatibles los unos *con* los otros.
c. Estaban muy lejos los unos *de* los otros.
(153) a. Se entusiasman el uno *por* el otro.
b. Sienten entusiasmo el uno *por* el otro: lo sienten el uno *por* el otro.

En la variante distributiva con *cada,* la similitud de significado con la correspondiente expresión recíproca es fácil de reconocer. No obstante, existen entre los pares (a) y (b) de (150-151) diferencias importantes, a pesar de su aparente sinonimia, a todas luces engañosa. En primer lugar, las construcciones distributivas con *cada* no expresan formalmente la relación de bidireccionalidad o correspondencia mutua que caracteriza a las construcciones recíprocas de (150), en las que la frase recíproca ocupa la posición de un objeto (directo o indirecto), de modo que en una construcción transitiva la frase recíproca no puede coexistir con otro complemento del verbo, como pone de manifiesto la agramaticalidad de (154b) frente a la gramaticalidad de (154a) (ejemplos de Bosque 1985: 76):

(154) a. (Cada) uno de los dos comparó al otro con una determinada persona.
b. *Los dos se compararon el uno al otro con una determinada persona.

En segundo lugar, las construcciones distributivas con *cada* pueden describir hechos no simultáneos, mientras que las recíprocas implican siempre un evento y sólo uno (más precisamente, requieren un solo argumento y sólo un argumento eventivo con un cierto grado de integridad con respecto al tiempo o a los participantes, sin excluir enteramente, claro, un evento de grupo cuyos miembros están distantes en el tiempo y son independientes uno del otro). Por ejemplo, en (155b) entendemos que se trata de un solo choque, mientras que en (155a) podemos entender que se trata de dos choques que pueden haber o no haber sido simultáneos (véase Fiengo y Lasnik 1973: 450 y Bosque 1985: 74 sobre este punto):

(155) a. (Cada) uno de los dos coches chocó con el otro.
b. Los dos coches chocaron el uno con el otro.

Paralelamente, en (156a) podemos entender que no se miraron simultáneamente, y el período descrito puede ser de veinte minutos, mientras que en (156b) entendemos que se miraron mutua y simultáneamente, y el periodo descrito tiene que ser de diez minutos (ejemplos de Bosque 1985: 75):

(156) a. (Cada) uno de los dos miró al otro durante diez minutos.
b. Los dos se miraron el uno al otro durante diez minutos.

En tercer lugar, no existen contrapartes con *cada* de algunas construcciones recíprocas, ya que *cada* no admite complementos no determinados ni cuantificados:

(157) a. *Cada uno de Ana y Juan odia al otro.
b. Ana y Juan se odian el uno al otro.

En términos sintácticos, una construcción recíproca requiere mínimamente, como hemos visto, un antecedente en plural y, luego, que ese antecedente no esté demasiado lejos (requisitos que comparte con las construcciones reflexivas, excepto por la pluralidad, que en las reflexivas es sólo posible, no necesaria). Un tipo de cláusula algo más compleja que (138a) nos permitirá dar concreción a estos requisitos y hacerlos más precisos, por ejemplo este:

(158) a. Juan y Blas piensan que [Ø] siempre disputan el uno con el otro.
b. Juan piensa que [Ø] siempre disputan el uno con el otro.
c. *Juan piensa que Blas siempre disputa el uno con el otro.

En una expresión como (158a) se puede observar más fácilmente que en una cláusula simple que la frase recíproca conlleva en realidad dos relaciones sintácticas diferentes: la relación con lo que cabría llamar su 'antecedente anafórico' (que en (158a) es [Ø], es decir, el sujeto sobreentendido de la frase verbal de la cláusula subordinada) y su relación con lo que cabría llamar el 'antecedente recíproco' (*Juan y Blas* en (158a)). [79] La primera relación es responsable de la correferencia (correferencia con ligamiento, como vamos a ver), mientras que la segunda relación es responsable del efecto de reciprocidad específico. Esta doble relación es menos obvia en (158b) porque [Ø] (que podría ser reemplazado por *Blas* y *Luis* o *los abogados,* pongamos por caso) es a la vez el antecedente anafórico y el antecedente recíproco, que es lo que ocurre siempre en las cláusulas recíprocas simples, p. ej.

[79] Vease Moltmann 1992. Cf. Heim *et al.* 1991a, 1991b; Williams 1991. Un punto de referencia frecuente, si no piedra miliar en el camino recorrido desde 1970, es Lebeaux 1983.

(138a). Si no hay frase plural que pueda servir de antecedente anafórico y antecedente recíproco, la secuencia no es gramatical, caso de (158c).

Centremos ahora la atención sobre las propiedades anafóricas de la frase recíproca, puestas de manifiesto por este paradigma:

(159) a. Los abogados disputan siempre el uno con el otro.
b. Blas sostiene que los abogados disputan siempre el uno con el otro.
c. *Los abogados sostienen que Blas disputa siempre el uno con el otro.
d. Blas forzó a los abogados a [Ø] disputar siempre el uno con el otro.
e. *Los abogados forzaron a Blas a [Ø] disputar siempre el uno con el otro.

No es difícil ver por qué razón dos de las secuencias no son gramaticales: ni en (159c) ni en (159e) tiene la frase recíproca antecedente anafórico apropiado dentro de la cláusula subordinada, que es su dominio local; por otra parte, (159d) es perfectamente gramatical porque la frase recíproca puede tomar el sujeto sobreentendido como antecedente anafórico y los abogados como antecedente recíproco. Vemos, pues, que la Generalización A de (44) parece ser aplicable también a este paradigma sin más que reemplazar 'anáfora reflexiva (p. ej., *sí*)' por 'anáfora reflexiva *(sí)* o recíproca *(el uno con el otro)*', asumiendo, como hay razones para asumir, que las anáforas recíprocas son también anáforas ligadas:

(160) Generalización A (revisada por segunda vez):
Una anáfora reflexiva (p. ej. *sí*) o recíproca (p. ej. *el uno con el otro*) tiene que estar ligada (por un antecedente con 'mando de constituyente') dentro de un dominio local del que forma parte, dominio que cabe identificar como la frase mínima que contiene un ligador en potencia.

Lo único que puede estar en duda es si una frase de la complejidad de *el uno con el otro* puede contar como anáfora. Pero si esa frase es una unidad, es decir, un solo elemento complejo (como sugieren las consideraciones precedentes), es razonable concluir que la frase recíproca es una anáfora genuina.

Otra propiedad que las construcciones recíprocas tienen en común con las reflexivas es que no pueden tener antecedentes separados, como muestra este ejemplo:

(161) a. Ana hablaba con Juan [sobre política]
b. *Ana hablaba con Juan [el uno sobre el otro]

Como en el caso de las anáforas reflexivas, el antecedente local de una anáfora recíproca puede ser una categoría impercibible o vacía:

(162) a. Los soldados les prometieron [Ø] [[Ø] confiar los unos en los otros.[80]
b. Los soldados les permitieron a ellos [[Ø] confiar los unos en los otros.
b′. Los soldados les permitieron [Ø] [Ø] confiar los unos en los otros.

---

[80] El primer [Ø] representa el objeto indirecto sobreentendido, el segundo corresponde al sujeto lógico del infinitivo, correferencial con el sujeto principal, en (161c) ese sujeto es correferencial con el objeto indirecto.

Como indican los subrayados, el antecedente anafórico de *los unos en los otros* es el sujeto elíptico del infinitivo en ambos casos, pero el antecedente recíproco es diferente: en (162a) es *los soldados;* en (162b) es *ellos;* y en (162b′) es la contraparte impercibible de *ellos.*

En algunas construcciones, el antecedente de la frase recíproca es el sujeto sobreentendido de un infinitivo sin un controlador (sin una frase como *los soldados* o *ellos* en los ejemplos que acabamos de examinar), y este sujeto impercibible [→ § 36.2.2] es a la vez su antecedente anafórico y su antecedente recíproco (en (163c) el infinitivo puede formar parte del complemento de un adjetivo):

(163) a. Hay que [Ø] confiar más los unos en los otros. [tomado de Bosque 1985: 89]
b. Conviene [Ø] tener más confianza los unos en los otros.
c. Hay un diputado que es partidario de [Ø] alcanzar un compromiso los unos con los otros.

Consideremos ahora las construcciones recíprocas con *se,* de las cuales tenemos un ejemplo en (164a). No es difícil mostrar que las condiciones que tienen que satisfacer son en gran medida paralelas a las que tienen que satisfacer las otras construcciones recíprocas, de modo que lo daremos por mostrado y centraremos nuestra atención en algunas de sus propiedades específicas. (Es de notar, como se ve en (164b), que en ciertas construcciones no sólo es posible *se* sino también los clíticos de primera y segunda persona.)

(164) a. Existe la posibilidad de ayudar*se* los unos a los otros.
b. Existe la posibilidad de ayudar*(n)os* los unos a los otros.

La clave de la presencia de *se* está, como sabemos (§ 23.3.2.1), en si la frase recíproca es objeto directo (165c) o indirecto (165a) del verbo, ya que, como sabemos (cf. (78) y (83)) *se* no es admisible cuando no es ni objeto directo ni objeto indirecto. Veamos por separado un paradigma completo de objeto directo (165a, b y c) y otro de objeto indirecto (165d, e y f):

(165) a. Los espectadores *(*se)* enfrentaron a los actores los unos con los otros.
b. *Los espectadores enfrentaron los unos a los otros.
c. Los espectadores *se* enfrentaron los unos a los otros.
d. Los amigos *(*se)* escriben unos sobre los otros con regularidad.
e. *Los amigos escriben unos a los otros con regularidad. (En el sentido de (165c).) [81]
f. Los amigos *se* escriben los unos a los otros con regularidad.

(165c) y (165f) muestran que se ha de duplicar obligatoriamente (de ahí la agramaticalidad de (165b) y (165e)) a una frase recíproca objeto directo y objeto indirecto, respectivamente. Cuando REC es un complemento oblicuo (*los unos con*

[81] Téngase en cuenta que en este ejemplo el asterisco no quiere decir que la secuencia no sea aceptable (lo es entendida como «unos escriben a los otros con regularidad», como lo es *Combatieron los unos a los otros*), sino que no es aceptable como equivalente de (165c).

los otros —«enfrentar a alguien [con alguien]»; *unos sobre los otros* —«escribir [sobre alguien]») *se* es imposible.

Como en el caso de las construcciones reflexivas, la comparación con el italiano arroja luz sobre la sintaxis de una y otra lengua. Dado que el requisito del doblado mediante un clítico no tiene que ser satisfecho en italiano, no resulta demasiado sorprendente descubrir que la contraparte de (165b) con el sentido de (165c) es perfectamente gramatical (cf. (166a)). Lo que puede resultar hasta cierto punto sorprendente es descubrir que en italiano también la expresión (166c) es gramatical:

(166) a. Scrivono gli uni *a*gli altri con regolarità.
b. **Si* scrivono gli uni agli altri con regolarità.
c. *Si* scrivono l'un l'altro con regolarità.
d. *Scrivono l'un l'altro con regolarità.

El italiano difiere del castellano no ya en no permitir sino en excluir (cf. (166b)) el doblado de los objetos directos e indirectos por sus imágenes clíticas. Así, pues, de (166b) y otras secuencias similares que no son gramaticales inferimos que en italiano el clítico no doblaría la frase REC, que es justamente lo requerido en castellano (cf. (165c)). Por otra parte, en castellano la frase REC tiene una preposición como núcleo y sus elementos nominales pueden variar en género y número y otro tanto cabe decir de la clase de cláusulas italianas ejemplificada en (166a), de modo que la diferencia reside en la presencia del clítico reduplicador. En marcado contraste, *l'un l'altro* no tiene la estructura de las frases recíprocas, sino que es en realidad una frase adverbial invariable que por su carácter no argumental no es obstáculo a la presencia del clítico en (166d) y en otras frases por el estilo. Dicho de otra manera, *l'un l'altro* es un elemento adjunto y la función argumental la desempeña aquí el clítico *si*. [82]

De todo lo anterior se deduce que la obligada presencia de la imagen clítica *se* en las construcciones recíprocas, como en las reflexivas, se debe fundamentalmente a un requisito formal del castellano: la necesidad de doblado redundante del objeto pronominal, directo o indirecto [⟶ § 19.4], requisito que es plausible relacionar con una propiedad peculiar del castellano en lo que respecta a la relación que media entre el verbo y los pronombres de objeto (directo o indirecto) o entre las anáforas ligadas y sus antecedentes. Es de notar que, en el caso de *se*, este requisito formal no tiene que ser satisfecho más que una vez en cada frase verbal con al menos un objeto (directo o indirecto), al menos superficialmente, como ilustra este paradigma:

(167) a. Los espectadores *se* enfrentaron los unos a los otros. (= (164c))
b. Los amigos *se* escriben los unos a los otros con regularidad. (= (165c))
c. Ana y Juan (*[se se]) *(se) presentaron *a sí mismos el uno al otro.*

La prohibición de la secuencia (*[se se]) no es la única, como es fácil de mostrar:

(168) a. Tú y yo (*se) nos (*se) presentamos *a nosotros mismos* el uno al otro.
b. Vosotros (*se) *os* (*se) presentasteis *a vosotros mismos* el uno al otro.

---

[82] Esta manera de ver las cosas está en consonancia con lo concluido respecto a *se* en el § 23.3.2.1; cf. Belletti 1982/83: apéndice. Como se sabe, el francés tiene no poco en común con el italiano a este respecto. Cf. Kayne 1975: §§ 5.2-4.

En todo caso, lo que importa en este contexto no es la posible explicación de estas prohibiciones, sino su contraste con secuencias que sólo difieren de las que acabamos de examinar en que sus pronombres no son reflexivos (obsérvese que *los recién llegados* puede ser objeto indirecto en cada uno de los tres ejemplos que siguen, pero objeto directo sólo en (169b)):

(169) a. Ana y Juan los presentaron a los recién llegados.
b. Ana y Juan les presentaron a los recién llegados.
c. Ana y Juan se los presentaron a los recién llegados.

No podemos dejar de señalar aquí que el ejemplo (168b) y los ejemplos con *enfrentar* son los únicos, entre los que hemos analizado hasta ahora, en el que el antecedente de la frase REC es un objeto directo, y no el sujeto del verbo principal. Esta posibilidad existe no sólo con *enfrentar* y *presentar,* sino también con otros verbos de tres argumentos, entre ellos, *cambiar, comparar, enviar, mezclar, recomendar, separar, unir,* etc., como muestra Bosque (1985: 86). Veamos algunos ejemplos:

(170) a. Hay que cambiar los fusibles el uno por el otro.
b. Compararon a los dos estudiantes el uno con el otro.
c. Separaron a los dos contrincantes el uno del otro.

Esta diferencia en la función gramatical del antecedente explica el paradigma de (171), esto es, la agramaticalidad de (171c) se debe a que *agasajar* es un verbo de dos argumentos que, por consiguiente, sólo puede tener al sujeto como antecedente de una expresión anafórica reflexiva objeto directo, en cuyo caso se requeriría *se:*

(171) a. Los invitados los presentaron unos a otros. (Cf. (169a).)
b. Los invitados se presentaron unos a otros.
c. *Los invitados los agasajaron unos a otros.
d. Los invitados se agasajaron unos a otros.

Por el contrario, el objeto indirecto o, mejor, un argumento dativo, que como hemos visto puede ser antecedente de una anáfora reflexiva, no puede ser antecedente de una anáfora recíproca, de ahí este contraste:

(172) a. Les hablé (a ellos) de sí mismos.
b. *Les hablé (a ellos) el uno del otro.

La expresión anafórica recíproca REC aparece también en otras construcciones sintácticas con *se* de otro tipo de complejidad (Bosque 1985: 93):

(173) a. Los dos se veían (muy) lejos el uno {al/del} otro.
b. Los dos se veían desde (muy) lejos el uno {al/(*del)} otro.

Si reordenamos los contituyentes tal como hicimos en (145) los hechos resultan más claros:

(174) a. Los dos se veían *el uno al otro* ((desde) muy lejos).
b. *Los dos se veían *el uno del otro* ((desde) muy lejos).
c. Los dos se veían (*desde) lejos *el uno del otro.*

En efecto, vemos que en (173a) *(muy) lejos el uno del otro* es un complemento predicativo [→ § 38.3.2.1] con un sentido similar al de «ellos estaban (muy) lejos el uno del otro» si bien *ellos* está aquí implícito. Esto es, si consideramos esa frase como una cláusula mínima, un pronombre implícito correspondiente a *ellos* sería el antecedente de REC en este caso. Por el contrario, en (174a) el antecedente es *los dos,* sujeto de *veían,* y la frase recíproca es similar a otras que ya hemos examinado.

La frase recíproca puede aparecer también en el interior de construcciones infinitivas:

(175) a. *{Los/Se}* solían comparar/enfrentar el uno *{a/con}* el otro.
b. *{(*Les)/Se}* solían obligar a trabajar el uno *a*l otro.
b′. *{Les/Se}* solían obligar a trabajar el uno *con* el otro.

A primera vista, podría sorprender que en (175a) *a* sea admisible sin *se* y en (176b′) *se* aparezca, no con *a,* sino con *con.* Pero basta un momento de reflexión para caer en la cuenta de que *se* es requerido por la frase REC con *a* sólo en (175b), como muestra la siguiente versión:

(176) *Los principitos* se solían obligar *el uno al otro* a [Ø] trabajar.

En (176) es fácil de ver que *el uno al otro* es en realidad el objeto de *obligar* y a su vez el controlador del sujeto impercibible de *trabajar,* ya que obligar es un 'verbo de control de objeto' [→ § 36.2.2] *(Los principitos obligaron a los ayudas de cámara a trabajar).* En los otros casos admisibles, en los que el antecedente de REC es el objeto del verbo más a la derecha (*comparar* y *enfrentar* son también 'verbos de control de objeto'), *se* alterna, opcionalmente, con el pronombre no reflexivo *(Los compararon (a ellos) el uno al otro* o *Se compararon (a sí mismos) el uno al otro),* posibilidad no existente en el caso de *trabajar.* Como observa Bosque (1985: 91), cuando el verbo de la cláusula subordinada selecciona la misma preposición que el verbo principal, la secuencia resultante es ambigua:

(177) Los firmantes se obligaron a renunciar el uno al otro.

ya que su significado es que «Los firmantes se obligaron el uno al otro a renunciar (el uno al otro)».

23.3.3.2. Interpretación semántica

Semánticamente, una expresión recíproca *(La discrepancia no excluye el reconocimiento {mutuo/recíproco} de los dos bandos, Los delincuentes se castigan mutuamente, Intercambiaron libros entre sí)* establece una comparación entre entidades distintas (dos o más). En una estructura recíproca también desde el punto de vista sintáctico, esas entidades no sólo son partes de un grupo denotado por un plural, sino además coargumentos de la relación expresada en la frase. Así, pues, una de las posibles interpretaciones de *Juan y Blas piensan que [Ø] siempre disputan el uno con el otro,* es que Juan piensa que siempre disputa con Blas y Blas piensa que siempre disputa con Juan, sin que ninguno de ellos piense necesariamente sobre lo que hace el otro, y los coargumentos de la relación disputan son [Ø] y *el uno con el otro.* En este caso, que es algo más complejo de lo que sería *Juan y Blas siempre disputan el uno con el otro,* las entidades comparadas, Juan y Blas, están además en la relación expresada por «piensan que disputan».

Dada la estructura y la interpretación de las construcciones sintácticamente recíprocas, parece necesario separar la contribución específica del elemento característico de la construcción (*el uno con el otro,* en nuestro ejemplo) de la evaluación semántica del resto de la cláusula. En términos más generales, parece necesario separar (1) el status semántico de una frase recíproca como argumento de un verbo y como anáfora ligada (subsumible bajo la Generalización A), de (2) el efecto de reciprocidad específico; de hecho, los dos aspectos, (1) y (2), se expresan independientemente en algunas lenguas, a veces muy diversas.

Dicho de otra manera, las dos partes de la evaluación de una construcción recíproca se asocian con las dos funciones de la frase recíproca, y a estas dos relaciones sintácticas corresponden dos operaciones semánticas distintas: una operación que establece correferencia con ligamiento y una operación que establece la relación recíproca. En nuestro ejemplo de (178), la primera parte de la evaluación representa el status de REC como argumento de *disputan con* y como anáfora con respecto a *Juan y Blas,* siendo esta relación anafórica mediada por un pronombre implícito; la segunda parte se basa en la relación de REC como expresión recíproca con respecto a *Juan y Blas.* En otras palabras, sólo la estructura anafórica es análoga a la estructura reflexiva, de lo cual se sigue que en este sentido la estructura recíproca es de cierto modo una subespecie de la estructura reflexiva, en consonancia con lo sugerido por algunos autores.[83] Las dos relaciones de REC con Juan y Blas, como anáfora y como expresión recíproca, tienen, pues, que ser representadas separadamente. Una posible representación es la de (178a), que es instructivo comparar con la de (178b), en la que las dos relaciones son menos fáciles de diferenciar, como siempre que se trata de frases sin cláusulas subordinadas (*i* indica la relación de anaforicidad y *r* la relación de reciprocidad):

(178) a. [Juan y Blas]$_r$ piensan que [Ø]$_i$ siempre disputan [el uno con el otro]$_{i,r}$.
b. [Juan y Blas]$_{i,r}$ siempre disputan [el uno con el otro]$_{i,r}$.

Como vemos, REC puede estar relacionado con una sola frase nominal (178b) o con dos frases nominales diferentes (178a).

Este análisis, que tiene la ventaja de que permite dar razón de hechos conocidos, en particular el hecho de que no hay interacción en lo que respecta al alcance entre REC y otros cuantificadores, recibe apoyo de las construcciones reflexivas de lenguas muy diferentes, entre ellas la castellana (179a), la francesa (179b) y la alemana (179c):

[83] Entre ellos Rodolfo Lenz, como señala Bosque (1985: § 1), y los autores del *Esbozo* (RAE 1973: § 3.5.5). Cf. Zubizarreta 1987: § 4.2.2.2.

(179) a. Las mujeres se han liberado.
b. Les femmes se sont liberées.
c. Die Frauen haben sich befreit.

Estas tres expresiones, esencialmente sinónimas, son ambiguas: pueden ser interpretadas como expresiones reflexivas o como expresiones recíprocas. Otro tanto ocurre en otras lenguas, aunque no en todas.[84] En inglés, por ejemplo, una traducción de esas expresiones en su sentido reflexivo es *The women released themselves,* que no tiene sentido recíproco (es decir, no significa «las mujeres se liberaron unas a las otras», otra posible interpretación de los ejemplos de (179)).

Lo que más importa para nuestro propósito es que la forma directamente perceptible de esas expresiones corresponde al primer paso de la interpretación, en el análisis bipartito de las construcciones recíprocas propuesto, que las construcciones reflexivas comparten, y de ahí su ambigüedad. La interpretación propiamente recíproca tiene lugar en el segundo paso del proceso, como hemos visto. Es, pues, la adición de una expresión de reciprocidad lo que impone la interpretación recíproca (los ejemplos de (180) siguen siendo sinónimos, pero ahora no son ambiguos):

(180) a. Las mujeres se han liberado las unas a las otras
b. Les femmes se sont liberées l'une l'autre. (Cf. (166c).)
c. Die Frauen haben sich gegenseitig befreit.

Es importante observar que el alemán no tiene esta otra alternativa:

(181) a. Las mujeres se han liberado a sí mismas.
b. Les femmes se sont liberées elles-mêmes.

Es importante asimismo relacionar esa observación con el hecho de que las dos estructuras y las dos interpretaciones pueden coexistir naturalmente en una sola cláusula, (182):

(182) a. Ana y Juan se presentaron a sí mismos el uno al otro.
b. Ana und Juan stellten sich einander for.
c. Ana and Juan introduced themselves to each other.

Con ese haz de observaciones como telón de fondo, consideremos ahora brevemente una cuestión capital que cabe ilustrar con secuencias como las siguientes, examinadas previamente en este capítulo:

(183) a. Estos chicos se admiran.
b. Esos estudiantes se ayudan.
c. Los náufragos se ataron.

Desde la perspectiva del uso cotidiano de la lengua, sabido es que estas secuencias, como otras muchas de las que forma parte *se,* son susceptibles de múltiples interpretaciones. ¿A partir de qué elementos gramaticales son reconstruidas esas

[84] En una tipología de un aspecto de los sistemas reflexivos de unas 50 lenguas indo-europeas y no indo-europeas en la que el castellano, el francés y el alemán pertenecen al tipo III, en las lenguas del tipo II, entre ellas el turco, el marcador reflexivo no permite una interpretación recíproca de la construcción. Cf. Genuisiene 1987: § 4.4.2.1.

interpretaciones? Es de esperar que de la exposición que precede se desprenda que una cosa que parece estar clara es que *se* en sí no es garantía de casi nada, y por supuesto no es garantía de que una estructura sea transitiva o intransitiva, reflexiva o recíproca. Por ejemplo, en el caso en que las propiedades de la frase, y muy en particular los elementos léxicos, son compatibles con una categoría impercibible (equivalente a un pronombre tónico como *ellos* en los casos anteriores) lo único que puede hacer *se* es legitimar una forma específica de tal categoría.

Otro par de ejemplos puede servir para dar concreción a esta idea: los elementos léxicos de *Acaba de suicidarse un recluta* excluyen la posibilidad de una categoría impercibible por la razón de que el verbo es intrínsicamente reflexivo; los de *No se fían de nadie* la excluyen por razón similar, más el hecho de que llevan un complemento de régimen. En marcado contraste, los ejemplos de (183) contienen elementos léxicos que dan rienda mucho más suelta a la imaginación creativa del oyente en cada situación, de modo que las interpretaciones pueden variar considerablemente de situación a situación, y de oyente a oyente. [85] Téngase en cuenta que en inglés, una de las lenguas en las que las expresiones reflexivas no suelen poder ser interpretadas como recíprocas, es posible imponer a algunas expresiones reflexivas una interpretación recíproca, entre ellas estas dos (la segunda reproduce literalmente un comentario de un empleado sobre sus empleadores):

(184) a. The chimpanzees are grooming themselves.
'Los chimpancés se están acicalando'.
b. I know all of them but they don't know themselves.
'Yo los conozco a todos ellos, pero ellos no se conocen'.

Con todo, ciertos límites resultan infranqueables, como se puede comprobar comparando estos ejemplos entre sí, entre otros muchos:

(185) a. Los invitados *se* ofrecieron una uva.
b. Los invitados *(se)* comieron una uva.

En (185a) es posible, natural y tentador entender la secuencia como si fuese seguida de *los unos a los otros*. Por el contrario, en (185b), que por razones pragmáticas tiene que ser interpretada también distributivamente, esa posibilidad no existe ni sin *se* ni con *se* (y *se* se ve forzado a representar un papel muy diferente al que representa en (185a)). La razón por la que en (185b) no es concebible una interpretación paralela a la que resulta natural en el caso de (185a) es un secreto a voces: la posición argumental que tendría que ocupar *los unos a los otros* está ocupada ya (por *una uva*).

Más concretamente, lo que aquí nos concierne es si la indeterminación de una secuencia como (186a), en contraste con (186b), es similar a la indeterminación de una de las secuencias de (187) (nótese que la inclusión de la frase *a sí mismos* en cada uno de los ejemplos de (186) no parece excluir la interpretación recíproca):

[85] Sobre las numerosas interpretaciones de secuencias algo más complejas que las de los tres últimos ejemplos entre las que tiene que elegir un hablante, contamos ahora con un novedoso y fascinante estudio: Hernández Cámara 1996; cf. los dos ejemplos ingleses de (184), que están tomados de Napoli 1973: 48 (de la versión publicada en 1976). Sobre la cuestión general de la interpretación de las palabras en su contexto, véase Pustejovsky 1995: § 10.6.

(186) a. Los invitados se presentaron (a sí mismos).
b. Los delincuentes se castigan (a sí mismos).
c. Los estudiantes se cerraron la salida (a sí mismos).
d. Se tirotearon [a sí mismos] por error guardias civiles y policías vascos (ertzainas). [*El País,* 3-III-1997]

(187) a. Exactamente dos detectives resolvieron exactamente tres crímenes.
b. Los chicos prometieron que [Ø] cantarían.
c. ¿Qué aparato represivo sostiene el Estado?

Asumiendo una cierta estructura subyacente, cabría sostener, razonablemente, que la gramática ha contribuido todo lo que puede contribuir a la generación de (187a), de modo que las posibilidades de interpretación que la derivación de esta oración deja abiertas no parecen superables por medios estrictamente gramaticales, por lo que requieren información adicional. En cuanto a (187b), la gramática podría contribuir también, quizá, con una indicación morfológica de que el referente de los dos sujetos es el mismo o de que es diferente, y si es diferente la expresión seguiría abierta a múltiples interpretaciones, multiplicidad a la que la gramática no puede poner coto, por lo que es necesaria información de otro tipo, como en el caso anterior. El caso ejemplificado en (187c) es, por supuesto, muy diferente de los dos anteriores, ya que se trata de una ambigüedad genuina (puesto que depende de la estructura), y se suele dar por supuesto que la gramática no puede generar estructuras genuinamente ambiguas de esa naturaleza.

¿Es la indeterminación de (186) similar a la de una de esas tres secuencias, y si la respuesta es afirmativa, a cuál de ellas? Por paridad de razonamiento parece justificado concluir que la única posibilidad de similaridad con (186) que ofrecen esos ejemplos, si ofrecen una, es la de (187c). Más generalmente, la gramática no puede generar una frase anafórica sin tomar un elemento anafórico y hacerlo parte de la frase, ni puede dar un paso sin saber si la estructura va a tener objeto directo o indirecto, o ambos, o un complemento preposicional. Y como en el caso de (187c), en el caso de (186) tiene que saber qué subfrase va a ocupar la posición del objeto directo, si la estructura va a tener uno. Como queda dicho, *se* en sí mismo tiene poco de guía inequívoco: puede no ser sintácticamente necesario (si la estructura subyacente de (186) es paralela a la de *Los invitados aparecieron en la puerta,* por ejemplo) o puede ser la imagen clítica redundante de un pronombre o de una categoría impercibible, lo cual, por supuesto, supone que esa categoría es parte de la estructura subyacente, entre otras posibilidades. Aun *Los invitados se presentaron a sí mismos,* donde *se* tiene que ser necesariamente la imagen clítica de *sí,* sigue siendo una secuencia genuinamente ambigua (estructuralmente ambigua), y como tal debe ser generada por la gramática de modo que la representación estructural opte por uno de los tipos de objeto indirecto posibles (digamos, *unos a otros, a sí mismos,* o *a los demás,* o bien una categoría impercibible apropiada), ya que ese tipo de verbo exige dos objetos, directo e indirecto.

Pasemos ahora a considerar las posibilidades de interpretación de algunas construcciones no ambiguas.

Si es verdad que una frase REC caracteriza, sintácticamente, a una construcción recíproca, no es menos verdadero que todas las cláusulas que tienen esa forma no tienen una interpretación uniforme y, a su vez, que hay cláusulas sin dicha forma y sin embargo susceptibles de una interpretación recíproca. Empecemos por comparar estas dos clases de ejemplos: [86]

(188) a. Los yacimientos estaban cerca unos de otros.
b. Los novios estaban pendientes el uno del otro.
c. Ana y Juan viven al lado el uno del otro.

(189) a. Los condimentos estaban encima unos de otros.
b. Las cajitas estaban dentro unas de otras.
c. Los ciclistas iban detrás unos de otros.
d. Estos jerarcas son superiores los unos a los otros.

Sólo los ejemplos de (188) se ajustan a la definición semántica de la reciprocidad como «correspondencia mutua de una persona o cosa con otra» *(DRAE).* No cabe duda de que esa relación de bidireccionalidad es posible, pero sólo en una clase de predicados, que incluye los de (188). La relación establecida por los predicados de (189) es muy diferente. Basta con observar que de (188c) podemos deducir que Ana vive al lado de Juan y que Juan vive al lado de Ana, mientras que de (189c) no podemos deducir que si un ciclista va detrás de otro, digamos, detrás de Induráin, Induráin va a su vez detrás del ciclista que va detrás de él. Pero, como vemos, esta diferencia es una diferencia de interpretación (un plano estructural distinto, como si dijéramos), no de estructura sintáctica, que es esencialmente la misma y tiene esencialmente las mismas propiedades sintácticas en las construciones de (188) y (189). Aun así, en el primer caso los predicados son simétricos (si A está cerca de B, B está cerca de A) y en el segundo no son simétricos (si A está dentro de B, B no está dentro de A). En cualquiera de esas estructuras puede aparecer REC, pero la relación sintáctica entre REC y su antecedente no conlleva en (188) el mismo correlato semántico que conlleva en (189).

Vistas las cosas desde el punto de vista semántico, la reciprocidad expresada por los predicados de la segunda clase, ejemplificada en (189), no corresponde a una relación de 'bidireccionalidad', como los de (188), sino a una relación de 'linealidad' (Bosque 1985: 65). En otras palabras, los predicados de linealidad, ya sean verbos *(amontonarse, preceder, suceder),* adjetivos *(anterior, posterior, superior)* o preposiciones *(dentro/detrás/encima de),* imponen una ordenación espacial o temporal a sus argumentos. Bien es verdad que existen usos de los predicados de linealidad en los que no hay, o no parece haber, reciprocidad en sentido semántico, aun en el caso en que la ordenación es claramente temporal, como en (190a):

(190) a. Los faraones se sucedían unos a otros.
b. Los reyes de la baraja no se suceden unos a otros.
c. Los números se suceden unos a otros.

Algunos predicados de linealidad no son simétricos, como hemos visto, pero algunos lo son (por ejemplo, *sostener* y *coger* son lineales, pero no son necesariamente asimétricos). Otros predicados resultan inapropiados para establecer una relación de linealidad (*Se golpeaban unos a otros,* pongamos por caso, parece describir

[86] Los ejemplos que siguen y las consideraciones sobre ellos proceden en buena medida de Bosque 1985. Algunas observaciones son asimismo deudoras de Fiengo y Lasnik 1973.

una serie de relaciones bidireccionales o multidireccionales). Y no faltan ejemplos, así *Los elefantes se sostenían unos a otros,* en los que la relación parece ser interpretable no sólo como no lineal («cada elefante sostenía a los demás o se sostenía sobre los demás»), sino también, quizá, como lineal («cada elefante sostenía sus patas sobre el lomo del que tenía delante»); cf. Bosque 1985: 66. Parece ser que en castellano existe una preferencia por el singular en el caso de las relaciones lineales, cuestión que el lector puede decidir por su propia cuenta:

(191) a. Estaban atados uno con otro.
b. Estaban atados unos con otros.

La cuestión de la simetría de los predicados merece algo más de atención, ya que entre las cláusulas naturalmente susceptibles de interpretación recíproca se cuentan no pocas que contienen predicados simétricos [—> §§ 4.3.5.4, 16.3.2 y 41.2.6], ya sean verbos (192a), nombres sustantivos (192b) o adjetivos (192c), o adverbios (192d):

(192) a. Ana y Juan {colaboran/rivalizan/comparten el piso/hicieron las paces/conviven sin dificultad}.
b. Ana y Juan son {hermanos/parientes/vecinos/socios/novios/tocayos/colaboradores}.
c. Ana y Juan son {diferentes/iguales/rivales/antagónicos/comprables}.
d. Ana y Juan {están de acuerdo/viven al lado/siguen lejos}.

Es, pues, importante tener en cuenta que los predicados simétricos tienen propiedades que los diferencian claramente de los predicados no simétricos, incluso cuando unos y otros pueden aparecer en construcciones recíprocas. Las siguientes diferencias proceden de Bosque 1985: § II.

En primer lugar, las construcciones con predicados no simétricos no son interpretadas como recíprocas si no incluyen la frase REC como marca de la reciprocidad (193); por el contrario, algunos predicados simétricos se resisten a una interpretación no recíproca (194):

(193) a. Ana y Juan trabajan (el uno con el otro).
b. Los condimentos estaban encima (unos de otros).
(194) a. Ana y Juan son parientes (el uno del otro).
b. Los niños se turnaban (unos con otros).

En segundo lugar, los predicados no simétricos no están sujetos a una restricción con respecto al cuantificador *ambos* a la que están sometidos los predicados simétricos, que o bien no son susceptibles de interpretación recíproca (195) o son totalmente incompatibles con el cuantificador (196a-b) si no las pone a salvo un tercer miembro que confirme la ausencia de simetría (196c):

(195) a. Ambos lucharon en esa guerra.
b. Son ambos diferentes.
c. Eran ambos hermanos de una orden religiosa.

(196) a. *Eran ambos {hermanos/parientes lejanos}.
b. *Ambas palabras son sinónimas.
c. Parecían ambos idénticos *(a su primo).

En tercer lugar, en los predicados no simétricos se puede reemplazar REC por *entre sí* con tal de que la función de REC sea la de objeto directo o indirecto (197):

(197) a. Se ayudaron {entre sí/el uno al otro}.
a′. Sueñan {*entre sí/el uno con el otro}.
b. Se apoyaron {entre sí/el uno al otro}.
b′. Se apoyaron {*entre sí/el uno en el otro}.
c. Se contentaron {entre sí/el uno al otro}.
c′. Se contentaron {*entre sí/el uno con el otro}.

Por otra parte, los predicados no simétricos suelen ser generalmente compatibles con *entre sí* (198), a menos que no sean susceptibles de una interpretación simétrica (199):

(198) a. Comparten los gastos {entre sí/los unos con los otros}.
b. Son distintos {entre sí/unos de otros}.
(199) a. Se casaron {*entre sí/el uno con el otro}.
b. Se reunen {*entre sí/los unos con los otros}.

En cuarto lugar, en los predicados no simétricos se puede reemplazar REC por el adverbio de reciprocidad *mutuamente* en las mismas condiciones en las que se puede reemplazar por *entre sí,* a saber, cuando la función de REC es la de objeto directo o indirecto (200):

(200) a. Se confiaron {mutuamente/el uno al otro}.
a′. Confiaron {*mutuamente/el uno en el otro}.
b. Se apoyaron {mutuamente/el uno al otro}.
b′. Se apoyaron {*mutuamente/el uno en el otro}.
c. Se preguntaron {mutuamente/el uno al otro}.
c′. Se preguntaron {*mutuamente/el uno por el otro}.
d. Se contentaron {mutuamente/el uno al otro}.
d′. Se contentaron {*mutuamente/el uno con el otro}.

En marcado contraste, los predicados simétricos no son compatibles con *mutuamente* ya sean verbales (201), adjetivales (202), o adverbiales (203):

(201) a. Se cruzaron {*mutuamente/el uno con el otro}.
b. Luchaban {*mutuamente/el uno con el otro}.
(202) a. Eran mutuamente {cariñosos/*parecidos}.
a′. Eran parecidos el uno al otro.
b. Son mutuamente {comprensivos/*opuestos}.
b′. Son opuestos el uno al otro.
(203) a. Vivían muy cerca {*mutuamente/unos de otros}.
b. Estaban de acuerdo {*mutuamente/unos con otros}.

En quinto lugar, aunque los predicados estativos como *alto* o *saber* representan una excepción (*Son altos juntos* y *Saben la respuesta juntos* no son admisibles), los predicados no simétricos no estativos admiten la frase REC o el adjetivo *juntos* con significados sinónimos (204), mientras que los simétricos no admiten *juntos* con significado recíproco (205) [⟶ § 41.2.7.1]:

(204) a. Los dos trabajan {juntos/el uno con el otro}.
b. Son felices {juntos/el uno con el otro}.
(205) a. Son diferentes {*juntos/el uno del otro}.
b. Están lejos {*juntos/el uno del otro}.
c. Chocaron {*juntos/el uno con el otro}.

En sexto lugar, aunque los adjetivos simétricos no rigen siempre la misma preposición *(compatible con, parecido a, inseparable de)* [⟶ § 4.3.5.4], parece característica general de los verbos simétricos no pronominales (y de algunos verbos pronominales, entre ellos *aliarse, cruzarse, pelearse, reunirse,* pero no *parecerse, separarse*), requerir *con* en su interpretación recíproca simétrica (206a) aun si seleccionan otra preposición (206b):

(206) a. Ana y Juan hablaron el uno *con* el otro. (Simétrica.)
b. Ana y Juan hablaron el uno *de*l otro. (Asimétrica.)

No es, pues, sorprendente que un buen número de verbos simétricos contengan *con* (o alguna de sus variantes) como prefijo (*confraternizar, congeniar, compartir, convivir, colaborar, cooperar,* etc.).

Compárese ahora (206) con (207), teniendo en cuenta que en (207a), como en (206), el verbo no es pronominal *(ser de {buen/mal} contentar, No todo el mundo puede ser contentado fácilmente),* mientras que en (207b) sí lo es *(Contentarse con algo es estar satisfecho con ello):*

(207) a. Ana y Juan se contentaron el uno *a*l otro.
b. Ana y Juan se contentaron el uno *con* el otro.

En contraste con los predicados simétricos que rigen un complemento preposicional (p. ej., *Ana es hermana de Juan, Ana vive lejos de Juan*), en general los predicados simétricos requieren, como hemos visto, un sujeto plural, coordinado o no con una conjunción copulativa, nunca disyuntiva. Por esta razón, la mayor parte de ellos son susceptibles de dos interpretaciones distintas: una simétrica y otra no simétrica. Por ejemplo, la oración *Ana y Juan son socios* puede ser entendida en el sentido de que cada uno de ellos es socio del otro (interpretación simétrica) o en el sentido de que son socios de una tercera persona o institución, o de varias de ellas (interpretación no simétrica). Así, pues, en su interpretación simétrica la cláusula es equivalente a esta expresión entera (es decir, con lo contenido entre paréntesis):

(208) Ana y Juan son socios (uno del otro).

23.4. Expresiones anafóricas no ligadas

Nos queda por considerar un tipo de correferencia sin ligamiento que tiene una manifestación de gran interés en varias lenguas, entre ellas la castellana y la japonesa. Se trata de una clase de construcciones que han sido analizadas como reflexivas, pero que en realidad distan mucho de ser reflexivas en sentido estricto, como vamos a ver.

23.4.1. Reflexividad y correferencia

Una de las cuestiones más discutidas entre las planteadas por las relaciones anafóricas es la de la distribución complementaria (aparente o real, parcial o total) de los pronombres reflexivos y los no reflexivos. Las construcciones con *se* ofrecen los ejemplos más inconclusos. En (209a y b) es obligatorio el reflexivo e imposible el no reflexivo si la interpretación es correferencial; (209c y d) muestran que ese uso se invierte cuando el elemento correferencial está en la subordinada y el antecedente en la principal. En (210) se repite esa distribución complementaria con reflexivos y no reflexivos internos a una frase preposicional (el asterisco, pues, indica en todos los casos imposibilidad de correferencia entre las formas que están en cursiva, no agramaticalidad):

(209) a. *Ana* se mortifica (a *sí* misma).
b. **Ana* la mortifica (a *ella*).
c. **Ana* dice que Rosa se mortifica (a *sí* misma).
d. *Ana* dice que Rosa la mortifica (a *ella*).
(210) a. *Ana* se fía a *sí* misma.
b. **Ana* le fía a *ella.*
c. **Ana* dice que Rosa se fía a *sí* misma.
d. *Ana* dice que Rosa le fía a *ella.*

El ejemplo (211) es par mínimo similar al que configuran (210a) y (210b); (212) es otro par formado por cláusulas no simples:

(211) a. Una *persona* tan poco distanciada en sus juicios adolece sobre todo de *sí.*
b. *Una *persona* tan poco distanciada en sus juicios adolece sobre todo de *ella.* [87]
(212) a. **Ana* dice que Rosa confía en *sí.*
b. *Ana* dice que Rosa confía en *ella.*

Los juicios de aceptabilidad tienen valores opuestos si la frase preposicional tiene carácter de 'cláusula mínima' (sin flexión) [—> § 38.3.2] con un pronombre impercibible como sujeto, como en los ejemplos de (213); se trata de un problema

[87] Ejemplo de Demonte 1991: 78, presentado de manera que el contraste salte a la vista.

(ejemplificado en (36) *supra*) intensamente estudiado en el caso de ciertos contrastes diversamente entendidos entre el hebreo y el inglés: [88]

(213) a. **Luis* vio un pájaro [Ø junto a *sí*].
a'. **José* puso la manta [Ø encima de *sí*].
a''. **Juana* encontró una serpiente [Ø cerca de *sí*].
b. *Luis* vio un pájaro [Ø junto a *él*].
b'. *José* puso la manta [Ø encima de *él*].
b''. *Juana* encontró una serpiente [Ø cerca de *ella*].

Es fácil de ver que, por ejemplo, (213a) no implica que Luis está junto a él (= Luis), sino que el pájaro está junto a él, como es de esperar si los verbos son de 'control de objeto' [→ § 36.2.5] (como lo son *ver* y *encontrar*) y las preposiciones de lugar *junto, encima, cerca* son predicados diádicos que cabría representar informalmente así:

(214) *junto* (pájaro, sí = Luis)
encima (manta, sí = José)
cerca (serpiente, sí = Juana)

Como es de esperar, si el antecedente es el objeto, y no el sujeto, de la cláusula finita, la distribución del pronombre reflexivo y no reflexivo en la frase preposicional locativa es la opuesta ([Ø] indica la posición subyacente del objeto, *Juan* en este caso, asumiendo, como es natural, que *sentarse* es un verbo inacusativo):

(215) a. En la fiesta, Ana se puso tan borracha que llegó a creer que vio a *Blas* cerca de *{sí/*él}* cuando en realidad Blas estaba cerca de mí, en la otra esquina del inmenso salón.
b. Si *Juan* pudiera sentarse [Ø] cerca de *{sí/*él}*, en vez de cerca de mí, caería en la cuenta de que no huele lo que se dice a rosas.

Si el antecedente es inanimado, no es necesario medir los pasos con tanta precaución como ha sido necesaria en lo que va de este subapartado:

(216) a. *El sol* se destruyó a *{sí/*él}* mismo.
b. *El sol* hizo que los planetas se destruyesen a {**sí* (mismo)/*sí*/**ellos* mismos}.
c. *Los planetas* atrajeron la nave espacial hacia {*sí* (mismos)/**ellos* (mismos)} (por medio de la gravedad).

Estos contrastes, que parecen ser sistemáticos para algunos hablantes, [89] sugieren que la generalización descriptiva A de (160), repetida como (217a), tiene una contraparte no reflexiva (que podemos denominar 'generalización B'):

---

[88] Véase Beit-Arie 1994 para un análisis más demorado de estas estructuras de control de objeto con frases preposicionales locativas; cf. Koopman 1997. El paradigma que sigue está tomado de Demonte 1989: 194.

[89] Otros, en cambio, dan como buenas tanto *Los planetas atrajeron la nave espacial hacia sí* como *Los planetas atrajeron la nave espacial hacia ellos* indicando, pues, que este es un contexto en el que *sí* y *él* se neutralizan. Aparte la ya mencionada exigencia de *mismo*, que para muchos es perentoria.

(217) a. Generalización A:
Una anáfora reflexiva o recíproca tiene que estar ligada (por un antecedente) dentro de un dominio local del que forma parte, dominio que cabe identificar (provisionalmente) como la frase mínima que contiene un ligador en potencia.
b. Generalización B:
Un pronombre no reflexivo no puede estar en relación de correferencia con un antecedente dentro de un dominio local del que forma parte, dominio que cabe identificar (provisionalmente) como la frase mínima que contiene un antecedente en potencia.

Dadas estas dos generalizaciones (o versiones más precisas de ellas, que no son de este lugar), parece justificado esperar que las posiciones de los pronombres reflexivos y las de los no reflexivos estén en distribución complementaria. [90] Sin embargo, no es difícil encontrar ejemplos en los que no parecen estar en distribución complementaria, entre ellos los siguientes: [91]

(218) a. Ana{1} insiste en que Rosa{2} confía en sí{*1/2/*n} / ella{1/2/n}.
b. Ana{1} admira [la total confianza de Rosa{2} en sí{*1/2/*n} / ella{1/2/n}].

Como indican los índices, en contextos de esta naturaleza el pronombre no reflexivo *(ella* en este caso) es susceptible de interpretaciones diferentes. En el caso de dos de las interpretaciones posibles, a saber {1,n}, *ella* está efectivamente en distribución complementaria con *sí,* pues *sí* tiene, inevitablemente, a *Rosa* como antecedente, pero en el caso de la tercera, a saber {2}, no lo está, al menos a primera vista, pues, como indica la notación, *ella* puede también tener a *Ana* como antecedente, a pesar de que está dentro del dominio local de *Rosa.* ¿Quiere esto decir que la Generalización B no tiene sentido? Mejor que precipitarse a dar una respuesta será tratar de hilar más fino. [92]

Empecemos por presentar separadamente las dos alternativas de uno de los pares posibles para facilitar el comentario:

(219) a. Sólo *Ana* habla siempre de *sí.*
b. Sólo *Ana* habla siempre de *ella.* [93]

La diferencia de interpretación es relativamente fácil de poner de manifiesto en ejemplos de esta naturaleza, ya que con suficiente reflexión se acaba por caer

---

[90] La primera formulación de esta idea, que muy pronto había de ser tenida por básica, aparece quizá en Jackendoff 1972: 136, por lo que alguna vez se la ha designado como Generalizacion de Jackendoff (cf. Everaert 1986a: § 1.1 y 1997).

[91] Véase Huang 1982, 1983. Huang es el primer autor que propuso abandonar la Generalizacion de Jackendoff (véase la nota anterior) y reemplazarla por una teoría en la que las anáforas ligadas y las 'anáforas libres' tienen dominios locales diferentes. Se encontrará un inventario de ejemplos en diversas lenguas romances en la reciente monografia de Jong (1996: § 4.1.5), que explora una dirección diferente a la esbozada en este capítulo.

[92] Las consideraciones que siguen provienen de un breve comentario enviado a Esther Torrego a raíz de haber leído la primera versión de su artículo sobre 'reflexivos reduplicados' (luego Torrego 1995a) al que esta autora parece aludir en la versión publicada en *Probus* (Torrego 1995b).

[93] Este ejemplo es muy parecido a uno de Demonte (1989: 195). La interpretación anafórica de *ella* no deja de ser natural, por lo menos para algunos hablantes, que tienen a su favor las consideraciones que siguen. Algunos hablantes exigen *mismo* tras *sí,* pero no tras *ella,* en oraciones como estas; ello indicaría que *mismo* tiene relevancia en la reflexividad, pese al punto de vista desarrollado en estas páginas.

en la cuenta de que (219a) y (219b) difieren con respecto a su valor de verdad o falsedad. Imaginemos una situación en la que Ana, Rosa y Luisa hablan siempre de Ana. En esa situación, (219a) es verdad, ya que sólo Ana habla siempre de *sí* (por ejemplo, si Ana habla siempre elogiosamente de *sí,* sólo Ana se autoelogia) mientras que (219b) es falsa, ya que no sólo Ana habla siempre de Ana, sino que también Rosa y Luisa hablan siempre de Ana. Por el contrario, en una situación en la que Ana habla siempre de Ana, Rosa habla siempre de Rosa, y Luisa habla siempre de Luisa (es decir, cada una de las tres habla de *sí),* (219a) es una aserción falsa (Ana no es la única que habla siempre de *sí)* mientras que (219b) es una aserción verdadera. Por lo demás, resulta indudable que las cláusulas no son ambiguas: ninguna de las dos puede tener el significado que tiene la otra. La diferencia se puede apreciar mejor si representamos una y otra interpretación de manera esquemática, muy a brocha gorda (recuérdese lo dicho en el § 23.2), pero suficiente para nuestro propósito del momento:

(220) a. Para *Ana* = *x, x* habla siempre de *x*.
b. Para *Ana* = *x, x* habla siempre de *Ana*.

Vemos, pues, que el pronombre reflexivo tiene que ser interpretado como una variable ligada (la segunda *x* en (220a)), mientras que el pronombre no reflexivo, que no puede ser interpretado como una variable ligada, induce una lectura correferencial sin ligamiento (de ahí que aparezca *Ana,* y no *x,* en la segunda fórmula). Es precisamente esta lectura la que caracteriza a la expresión, y su existencia no parece incompatible con la posible distribución complementaria de la anáfora reflexiva y el pronombre no reflexivo interpretado no logofóricamente.

Este análisis (y las diferentes interpretaciones que conlleva) no era fácil de entender con anterioridad a ciertos avances relativamente recientes en nuestro conocimiento de la lógica de las lenguas naturales, por lo que no puede sorprender demasiado que estas construcciones (que no se hurtaron al ojo avizor de algunos estudiosos, por lo menos desde Andrés Bello), no hayan sido estudiadas (aunque son de uso muy frecuente), ya no digamos entendidas en profundidad. Ni siquiera un gramático tan agudo como Bello logró entrever lo que está en juego, a juzgar por lo que escribe sobre este ejemplo (1847: § 950): *¡Felices los pueblos cuando la libertad los restituye a {sí/ ellos} mismos!* Según Bello, en estos casos de 'triple identidad', «si el sujeto es distinto, la forma del dativo puede ser oblicua o refleja», vale decir, no reflexiva o reflexiva. La cuestión de si el sentido es exactamente el mismo en las dos alternativas ni siquiera es tenida en cuenta. [94]

Desde mediados de nuestro siglo esta interpretación anafórica de los pronombres no reflexivos ha recibido algo más de atención, pero los intentos de explicación hasta ahora son raros, y muy recientes. [95] Cumple, pues, tratar de examinar algo más a fondo, desde la perspectiva de las consideraciones precedentes, algunos ejemplos ilustrativos.

[94] Cf. Álvarez *et al.* 1986: § VI.1.1.4 sobre el fenómeno en gallego: «Cada vez e mais frecuente o uso de Prep. + el, etc., en lugar das formas reflexivas, mais isto debe evitarse: *falaba consigo* non significa o mesmo *ca falaba con el,* nin *deixou o neno consigo* o mesmo ca *deixou o neno con el* ou *con vostede.*»

[95] El intento mas importante es en mi opinión el de Torrego (1995a, b), sobre el que volveré más adelante. Padilla 1990, fundamentalmente un estudio sobre el lenguaje infantil, incluye un par de ejemplos en los que es admisible un pronombre reflexivo o no reflexivo. [Puede verse también DeMello 1996 para consideraciones dialectales, así como los varios artículos de García (1985, 1995, 1996 —y otros citados en esas obras—), que analiza datos similares desde una perspectiva funcionalista.]

Si el paradigma de (216) es representativo, las construcciones anafóricas con antecedentes 'inanimados' (interpretados no metafóricamente) son perfectamente subsumibles bajo la Generalización B. En contraste, las construcciones que no parecen ser subsumibles tienen siempre antecedentes 'animados' (individuales o colectivos) en un cierto estado mental, como se puede ver en (221) y en (222):

(221) a. *Ese coronel* conspira (hasta) contra *{sí/él}* (mismo).
b. *Ana y Juan* tiraron de la cuerda hacia *{sí/ellos}* (mismos).
(222) a. *La madre patria* se vendió a *sí* misma a *ella* misma.
b. *La madre patria* se vendió a *ella* misma a *sí* misma. (Cf. Las transnacionales (le) vendieron *la madre patria* a *ella* misma (ganando mucho dinero).)

Aparentemente, la alternativa no reflexiva no es subsumible bajo la Generalización B puesto que el pronombre no reflexivo es correferencial con su antecedente. La solución de este problema, sin embargo, depende del análisis de la frase verbal en cada caso. En (221a) y (222a), si se tratara de una frase verbal simple, la anáfora no reflexiva sería local, contra lo que la Generalización B nos lleva a esperar; una posibilidad alternativa es suponer que tanto en el caso de la frase preposicional de (221a) como en el del objeto indirecto de (222a) estamos frente a una frase verbal compleja de modo que el complemento preposicional y el segundo complemento constituyen otro dominio local. En todo caso, no cabe sino reconocer que estamos frente a datos de considerable complejidad.

Volviendo a (221), estas oraciones ponen de manifiesto otros aspectos formales de la construcción. Uno de los más significativos es que en los ejemplos con pronombres no reflexivos citados hasta ahora no hay indicio alguno de reflexividad (no hay *se,* por ejemplo), por lo que no tenemos razón alguna para asumir que la construcción es una construcción reflexiva, aunque sea correferencial. A los ejemplos inventados que hemos visto podemos añadir otros bien documentados, para disipar posibles dudas:

(223) a. *Azorín* de cuando en cuando piensa en *él* mismo.
b. La buena *mujer* vio todos los ojos posados sobre *ella.*
c. *Ana* sintió unos pasos tras *ella.* [96]

La presencia de *se,* como ocurre en las construcciones reflexivas, sólo es necesaria cuando la anáfora funciona como objeto directo (224) o indirecto (225) de la cláusula:

[96] Ejemplos recogidos y documentados en Fernández Ramírez (1951a: § 116), modificados trivialmente. El autor indica que «en el material examinado» encontró «22 casos de este uso, frente a 162 empleos de *sí*». Indica asimismo que «no aparece *él* tras de la preposicion *a* (49 casos con *sí*) y sólo dos veces tras *de* (40 casos con *sí*) y 1 tras *en* (16 con *sí*)» y que *él* aparece «especialmente tras de preposiciones compuestas», «con 9 casos en total frente a siete pasajes con *sí*». La significación de estos datos no es immediatamente obvia. En todo caso, «la penetración de *él*» en «los usos hablados» es «muy profunda y general», como se sabe.

(224) a. *María* <u>se</u> criticó a *ella.*
b. *Juan* <u>se</u> admira a *él.*
c. *El policía* <u>se</u> hirió a *él.* [97]

(225) a. *Ana* <u>se</u> fía a *ella.* [98]
b. *[Los emigrantes]* sal[en] al ancho mundo, no a turistear, que eso es muy fácil, sino a buscar trabajo, a luchar, a demostrar<u>se</u> a *ellos* mismos si valen para algo. [*El País Internacional,* 26-VI-1995, Cartas, pág. 9]

Este contraste entre las cláusulas intransitivas con frases preposicionales y las cláusulas con objeto directo o indirecto contribuye a confirmar lo dicho sobre *se* en el § 23.3.2.2, a saber, en las construcciones de objeto directo o indirecto, que requieren un elemento clítico (recordemos que el castellano exige una imagen clítica redundante en estos casos), la presencia de *se* es obligada con independencia de que la anáfora sea formalmente reflexiva o no reflexiva.

Importa hacer notar que esta interesante diferenciación entre anáforas reflexivas y no reflexivas dista mucho de ser una peculiaridad exclusiva del castellano. Aun una de las lenguas más alejadas desde el punto de vista genético o geográfico ofrece exactamente el mismo contraste, a lo que parece. Se trata del japonés. Como sabemos, la contraparte de *sí* en japonés (hasta cierto punto, como hemos visto) es *zibun;* la contraparte de *él* es *kare.* Si el análisis en que se basan estas observaciones es de fiar, sólo *zibun* puede ser interpretado o bien como variable ligada o bien como anáfora correferencial (con lo que una vez más difiere de *sí*). Pero *zibun-zisin,* contraparte de *sí mismo,* tiene que ser interpretado como variable ligada, y *kare-zisin,* contraparte de *él mismo,* tiene que ser interpretado como anáfora no ligada, como su contraparte castellana (a diferencia del noruego, por ejemplo, lengua en la que cada una de las dos frases correspondientes, *seg selv* y *ham selv,* respectivamente, es susceptible de cualquiera de los dos lecturas —puede ser interpretada como anáfora ligada o como anáfora no ligada—, si bien, significativamente, sólo *ham selv* aparece en las anáforas no locales). [99]

De hecho, aun una lengua como el francés, que carece de contraparte de *sí,* puede expresar los dos sentidos, aunque no pueda distinguirlos oralmente o por escrito. Estas secuencias ambiguas pueden servir para ejemplificar el fenómeno *(elle* puede traducir o bien *ella,* en una de las dos interpretaciones posibles en castellano, o bien *sí)* (Kayne 1975: § 5.1, (9)):

(226) a. Marie{1} est fière d'elle{2,1}.
'María{1} está orgullosa de ella{2,1}/sí{1} (misma)'
b. Marie{1} pense d'ábord à elle{2,1}.
'María{1} piensa antes que nada en ella{2,1}/sí{1} (misma)'
c. Marie{1} parle souvent d'elle{2,1}.
'María{1} habla a menudo de ella{2}/sí{1} (misma)'

El francés, por supuesto, no es caso único. Algunas de las lenguas germánicas antiguas, entre ellas el inglés, el frisio, el sajón y el holandés no tenían pronombres reflexivos propiamente dichos (es decir, contrapartes del castellano *sí*). [100]

---

[97] Estos ejemplos proceden de Torrego (1995b), excepto por el cambio del juicio de aceptabilidad en el último (de «??*» a perfectamente aceptable: compárese, *En vez de herir a aquel infeliz, a todas luces inocente, el policía optó por herirse a él mismo (con toda intención).*

[98] Para numerosos hablantes estos ejemplos (los de (224) y (225)) no son aceptables, para otro amplio grupo (del que formaría parte el emigrante de casi 70 años que escribe la carta que se reproduce en (225b)), los ejemplos mencionados mejoran notablemente si se añade *mismo.*

[99] Cf. Aikawa 1995 para el japonés, y Richards 1996 para el japonés y el noruego (comparados entre sí). Sobre la última observación del texto, véase Safir 1996: 577, nota.

[100] Everaert 1986a: § 1.2; cf. Bobaljik 1993: n. 7. Sobre la emergencia de las formas con *selv-* en el curso de la evolución de la lengua inglesa, contamos ahora con un estudio muy detenido, Keenan 1994.

Volvamos ahora la atención sobre algunas cuestiones que suscita la interpretación de las anáforas no ligadas de que estamos tratando.

23.4.2. Correferencia y logoforicidad

Como ya hemos advertido, una propiedad característica de la clase de las construcciones bajo consideración es que conlleva la atribución de un estado mental a un ente animado. La comparación de estos dos ejemplos parece instructiva:

(227) a. *La indómita pantera* procedió a destruirse a *{sí/ella}* misma (con furia) (al verse enjaulada).
b. *La nave espacial* procedió a destruirse a *{sí/ella}* misma con furia (como dictaban las instrucciones del programa que la controlaba).

Aunque el grado de aceptabilidad de construcciones no cotidianas no es siempre fácil de evaluar, se diría que *ella* es perfectamente aceptable en el caso de *la pantera,* y difícilmente aceptable en el caso de *la nave espacial,* a menos que hagamos una lectura metafórica (en cuyo caso *con furia* es casi imprescindible, a diferencia del ejemplo anterior). En todo caso, las construcciones de sujeto animado no parecen ofrecer el menor problema (obsérvese que la opción pronominal tiene consecuencias para la interpretación):

(228) a. *Los {narcisistas/pavos reales}* se admiran a *{sí/ellos} mismos.*
b. *Los suicidas* se matan a *{sí/ellos} mismos.*
c. *Los políticos* no estarán nunca dispuestos a prescindir de *{sí/ellos} mismos.*

Esta propiedad de las anáforas no reflexivas que estamos considerando, a saber, el requisito de que el antecedente tiene que ser un ente animado en un cierto estado mental, recuerda de inmediato una de las características (tal vez la definitoria) de la 'logoforicidad', término introducido originalmente en el estudio de las lenguas africanas para designar ciertos pronombres que difieren de los pronombres ordinarios tanto en su morfología como en su distribución sintáctica. En términos muy generales, un pronombre 'logofórico' toma como antecedente un elemento con un papel semántico que incluye la propiedad 'estado mental' y, aproximadamente, el antecedente de un pronombre logofórico es siempre un ente cuyas «palabras, pensamientos, sentimientos, o estado general de consciencia» es descrito en el discurso. Naturalmente, estos pronombres suelen aparecer como argumentos de predicados de conciencia o experiencia mental y comunicacion. [101] Significativamente, los papeles semánticos logofóricos (agente, beneficiario, etc.) que legitiman dependencias logofóricas tienen que tener la propiedad de ser animados y, como consecuencia, han de ocupar una posición relativamente elevada, si no la más elevada, dentro de

[101] Véanse Hagège 1974 y Clements 1975; de la segunda referencia procede lo citado en el texto. En años recientes este término ha sido aplicado a fenómenos más o menos velados de otras lenguas que parecen tener algo fundamental en común con los fenómenos de las lenguas con pronombres logofóricos morfológicamente diferentes de los otros pronombres.

una frase máxima. A tenor de una tesis como esta, el fenómeno no es exclusivamente de naturaleza semántica, ya que la sintaxis constriñe estrictamente la clase de estructuras susceptible de acomodar las relaciones temáticas que requieren que el argumento al que son atribuidas sea (real o metafóricamente) animado.

En el inglés se encuentran casos de dependencias no locales tenidas por logofóricas que puedan ayudarnos a desbrozar algo el camino. Si traducimos al castellano ciertos ejemplos característicos observaremos que la frase supuestamente reflexiva [pronombre-*selv*-] equivale a una frase no reflexiva del castellano: [102]

(229) a. *Juan* le dijo a Rosa que físicos como *{él/*sí}* (mismo) eran cosa llovida del cielo.
b. Ana se enteró por *Luis* de que un trabajo obsceno supuestamente escrito por Luisa y *{él/*sí}* (mismo) estaba siendo circulado.
c. *Maggie* lo miró. ¿Se había referido Juan a *{ella/*sí}* (misma)—a ella y al bebé?

Como vemos, en estos y en muchos de los otros ejemplos tenidos por logofóricos para el inglés (no cabe duda de que reflejan «palabras, pensamientos, sentimientos, o estado general de consciencia» de un ente descrito en el discurso), *sí* es de todo punto inadmisible (aunque *himself, herself* sean gramaticales en inglés), lo cual nos indica (además de que *como* e *y* no son preposiciones) que en castellano las dependencias similares a las logofóricas del inglés no pueden ser no locales. Consideremos ahora un ejemplo en el que también *sí* es admisible, teniendo muy en cuenta que se trata de parte de una descripción de una foto en la que las mujeres estaban de espaldas a la cámara: [103]

(230) Al fondo aparecían *las mujeres,* con los niños detrás de *{ellas/sí}* (mismas).

Para Zribi-Hertz este es el ejemplo magistral de Cantral (1974), a quien se debe también la idea de considerarlo desde esa perspectiva (con las mujeres de espaldas). Según Cantral, la alternativa con [pronombre+*selv*-] está siempre correlacionada con el punto de vista 'interno' de un protagonista del discurso, que generalmente difiere del punto de vista del hablante o emisor. En nuestro ejemplo castellano de (230), ¿qué alternativa refleja el punto de vista del hablante/emisor y cuál el de las mujeres (desde el punto de vista del hablante/emisor)? Todos los ejemplos que hemos visto hasta ahora nos llevan a esperar que la respuesta es *sí* y *ellas,* respectivamente, en contra de lo que pudiera sugerir al poco avisado el análisis original de la contraparte inglesa del ejemplo. Baste con recordar uno, (221), repetido a continuación:

(231) a. *Ese coronel* conspira (hasta) contra *{sí/él} (mismo).*
b. *Ana y Juan* tiraron de la cuerda hacia *{sí/ellos} (mismos).*

[102] Zribi-Hertz 1989: (30), (29), (36) y (33), respectivamente. Los dos últimos son adaptaciones muy breves (preservando sólo lo que importa para nuestro propósito) de citas tomadas de obras literarias. Cf. Baker 1995.

[103] Cf. Zribi-Hertz 1989: (28), con *them* y *themselves,* respectivamente: *The women were standing in the background, with the children behind them./ The women were standing in the background with the children behind themselves.*

El paradigma de (216) sugiere que *sí* no atribuye ningún punto de vista al antecedente, y que *él/ellos* es incompatible con un antecedente incapaz de tener punto de vista. (231a) implica que, desde el punto de vista del hablante, el coronel conspira contra *sí mismo,* quizá sin siquiera advertir que es lo que está haciendo, inadvertencia incompatible con la interpretación que corresponde a *él,* que supone que el coronel sabe muy bien contra quien conspira (el coronel como conspirador aparece como disociado del coronel como objeto de conspiración); (231b) implica a su vez, en la interpretación que corresponde a *ellos,* que Ana y Juan no pueden tirar en esa dirección por casualidad, sin tener idea o conciencia («consciousness») de cuál es su posición (aunque posiblemente sin enterarse, sin «awareness»), implicación que no tiene la interpretación que corresponde a *sí.* Esto sugiere que, en general, la interpretación que corresponde a *sí* refleja el punto de vista del hablante/emisor (la perspectiva «desde fuera»), y la interpretación que corresponde a *ellas* refleja el punto de vista de uno de los entes del discurso (tal como aparece desde el punto de vista del hablante/emisor).

Todo esto viene a confirmar que las relaciones deícticas establecidas por los pronombres *yo* y *tú* no agotan el repertorio de la deixis. Hay otras de no poca importancia. Entre estas relaciones cabría distinguir dos clases: las relaciones entre tiempos/lugares (entre el tiempo/lugar del acto del habla y el tiempo/lugar de los eventos referidos) y las relaciones entre participantes (entre los participantes del acto del habla y los participantes de los eventos narrados). [104] Evidentemente, las relativas al 'punto de vista' son relaciones entre participantes.

En un sentido más bien lato, el término 'punto de vista' incluye varios aspectos de las relaciones entre entes humanos y entidades lingüísticas. Un ejemplo famoso entre los estudiados por filósofos desde los años 60 es el siguiente: *Ralph cree que Ortcutt es un espía,* que tiene una lectura 'transparente', si el punto de vista reflejado en la cláusula subordinada es el del hablante (es decir, si el hablante cree que x es Ortcutt y Ralph cree que x es un espía) y otra 'opaca', si el punto de vista reflejado en la cláusula subordinada es el de Ralph (es decir, si Ralph cree que x es Ortcutt y que x es un espía), distinción relevante en el estudio de ciertas relaciones anafóricas. Entre las relaciones deícticas estudiadas extensamente por lingüistas desde los años 70 se cuentan la relación entre ciertas estructuras sintácticas y el 'punto de vista' implícito en ciertos elementos sintácticos (adverbios, verbos, adjetivos, pronombres, expresiones entre paréntesis) o el punto de vista del hablante/emisor y su 'empatía'. [105]

Si el análisis esbozado en este apartado es correcto, por lo menos un aspecto importante de la complementaridad de distribución de los pronombres reflexivos y no reflexivos, postulada por no pocos estudiosos, queda a salvo: en castellano esa complementaridad parece incuestionable fuera de un cierto dominio local. Por lo que se refiere a ese determinado dominio local la situación es mucho menos clara, y este no es el lugar de llevar a cabo una investigación a fondo. Parece razonable concluir, de todos modos, que los pronombres no reflexivos no logofóricos están en distribución complementaria con las anáforas reflexivas dentro de ese dominio. Los casos problemáticos que hemos encontrado son casos de anáforas no ligadas, que parecen tener siempre una interpretación logofórica.

---

[104] Sobre esta distinción, que se debe a Roman Jakobson, y sus implicaciones, en particular sobre la relación entre ciertos fenómenos gramaticales y el punto de vista o perspectiva que reflejan, véase la versión revisada de Reinhart 1975 y las referencias allí citadas.

[105] Cf. Jackendoff 1972, Fillmore 1972, 1973, Reinhart 1975; Kuno y Kaburaki 1977.

Antes de dar por concluido este subapartado parece obligado considerar la propuesta de asimilar las construcciones ejemplificadas en (223)-(225) a ciertas expresiones estudiadas por varios filosófos norteamericanos en los últimos treinta años.[106] El punto de partida de estos estudios es un artículo del filósofo norteamericano-guatemalteco Néstor-Neri Castañeda, artículo que parece haber sido suscitado por ciertas limitaciones de la lógica epistémica de J. Hintikka (1962). Castañeda creía haber descubierto una nueva categoría de pensamiento y creencia (la creencia de *se* o sobre uno mismo en una terminología ajena propuesta casi tres lustros después, nunca adoptada por Castañeda, a lo que parece), convicción compartida por algunos filósofos influidos por él, y rechazada por otros para quienes no hay diferencia alguna, en lo que respecta a la categoría, entre una creencia *de se* y una creencia *de re.*[107] Lo primero que hay que tener en cuenta es que lo que concierne a Castañeda en ese caso es *él* como sujeto («el *él* de la autoconsciencia» y su relación con *yo*), no como complemento, y en particular las peculiaridades de *he himself* como sujeto. Uno de sus ejemplos más famosos es este:[108]

(232) The Editor of *Soul* believes that *he_himself* is a millionaire.
'El Director de (la revista) *Soul* cree que ÉL es millonario'

Pero aunque son muchos los que toman *he himself* como reflexivo, es evidente que no tiene nada de reflexivo en el preciso sentido de este capítulo (recuérdese lo expuesto en el § 23.3.1.2). Nótese que ni siquiera es traducido por *él mismo,* sino simplemente por *él* con un acento de intensidad fuera de lo común. De especial importancia para Castañeda es que para que la expresión de (232) pueda ser verdadera se requiere que la persona a que se refiere el pronombre tenga conciencia, de alguna manera, de que es millonario. Compárese ahora esa situación con una de estas:

(233) a. Ana no lo sabe, pero se está criticando a {sí/ella} (misma).
b. El rey de Francia está en paz con el de España y {consigo/él} mismo.

Si las opciones con *sí* impusiesen una interpretación de *se,* en el sentido comentado hace un momento, sería imposible decir *Las piedras no se disuelven a sí mismas, Los círculos se cierran sobre sí mismos, El papel se dobló a sí mismo,* etc. Pero lo que no se puede decir de manera natural es *El papel se dobló a él (mismo), Los círculos se cierran sobre ellos mismos,* etc. Ni siquiera resulta demasiado natural decir *Blas se arrojó a él mismo a las fieras,* aunque el sujeto es animado, ya que el verbo no se presta demasiado bien al requerido 'desdoblamiento' imaginativo de un estado mental. Por otra parte, las opciones con *ella / él* son interpretables sólo si la identidad aproximada entre el sujeto y el complemento se reduce a lo que tienen en común las dos facetas de la persona en juego, desdoblamiento quizá más fácil de ver en (233b) que en (233a): el individuo (1) en su papel de rey y (2) en su interioridad de ser humano. Esto es precisamente lo que lo dicho sobre (231), por ejemplo, nos lleva a esperar.[109]

Parece estar también relativamente claro que una construcción anafórica con pronombre no reflexivo no implica que el ente animado al que se atribuye un cierto

[106] Esta propuesta es la de Torrego (1995b), trabajo mencionado más arriba.

[107] Cf. Castañeda 1966, 1967a, 1967b y 1968, el último de los cuales es quizá la mejor introducción a sus ideas. Otros escritos relacionados, de especial interés para nuestro propósito, son las contrapuestas posiciones de Chierchia (1989), que defiende la tesis (atributiva) de Lewis, y Higginbotham (1992), que la rechaza en favor de la tesis proposicional de las estructuras de control de la gramática generativa, así como Tancredi (1996), que, comprensiblemente, toma el trabajo de Higginbotham (junto con Kaplan 1977) como punto de partida. Para Higginbotham, las creencias de *se* son creencias *de re.* Cf. la segunda parte de Castañeda 1984a y Castañeda 1982, 1984b, 1989, y sobre el aspecto de su filosofía que aquí importa, Saarinen 1984.

[108] Cf. Saarinen 1984: (1). En la caracterización de Perry 1977 lo que concierne a Castañeda es «el problema del indizador esencial» *(essential indexical).*

[109] Sobre el paralelo desdoblamiento de la 'correferencia no reflexiva' que supone la interpretacion de análogos ejemplos en francés, véase Zribi-Hertz 1980, en particular el comentario de sus ejemplos (93), contraparte y modelo de (233b), (114), (115) y (118)-(120); Zribi-Hertz 1995: (34) y ss.

estado mental está o no está consciente, de alguna manera, de ese estado mental de su conciencia (por ejemplo, (234a) no nos dice nada sobre si Lolita está consciente, en el sentido del inglés *aware,* de su autoadmiración, o no lo está).[110] No parece que en (234b) y en otras expresiones del mismo cariz (o en la expresión que resulta al sustituir *conscientemente* en (234b) por *inconscientemente*) sea detectable la menor incongruencia:

(234) a. Lolita sólo se admira a ella; quiero decir, como supermodelo, Lolita admira sólo a Lolita.

b. Aquella inusitada experiencia hizo que Ana empezase a perder, poco a poco, pero muy conscientemente, la confianza en ella misma.

La razón es que las expresiones de este tipo suelen reflejar la opinión, creencia o punto de vista del hablante y el punto de vista que el hablante atribuye a los entes del discurso, no el punto de vista de la persona a la que se atribuye un cierto estado mental, como ponen bien de manifiesto los dos últimos ejemplos.[111] Así, pues, una construcción con una anáfora no ligada de esta naturaleza conlleva una especie de desdoblamiento de la persona: desde la perspectiva del hablante Lolita es capaz de aislar su faceta de supermodelo (y Ana su faceta de persona insegura) y distanciarse de ella, evaluándola como si se tratase de una faceta de otra persona, como si dijéramos. En otras palabras, la 'perspectiva' atribuida a Lolita en (234a) es, de cierto modo, paralela a la que el ejemplo tendría si sustituimos Lolita como sujeto (es decir, las dos primeras menciones) por Juana o Juan. De ahí que la evaluación tenga como visos de objetiva (piénsese en una supermodelo que, espectadora de ella misma —que no de sí misma, en este caso—, se «ve» sobre la pasarela algo así como se vería si estuviese sentada en una de las sillas a disposición de los espectadores). Esto no quiere decir que esta objetividad esté libre de prejuicios subjetivos, sino todo lo contrario. Puede muy bien tener más de prejuicio que la construcción correspondiente con *sí,* la más neutra y objetiva, y la única de las dos que, significativamente, no excluye los entes inanimados.

23.5. Conclusión

De la exposición precedente parece desprenderse que una aproximación parsimoniosa al estudio de las estructuras anafóricas soslaya de antemano dificultades que realmente no plantea el estudio de la gramática de la lengua castellana, por mucho que puedan despistar al poco avisado algunas de las confusiones a que ha llevado el estudio, a veces no demasiado cauto, de otras lenguas con datos poco transparentes. Parece estar relativamente claro que los fenómenos anafóricos en el sentido de este capítulo son básicamente de naturaleza sintáctica (y en parte semántica), contra lo que muchos estudios tradicionales parecen sugerir, y que es necesario distinguir dos tipos de anáfora de naturaleza muy diferente: las anáforas ligadas (que incluyen las reflexivas y recíprocas en sentido estricto) y las no ligadas.

---

[110] Cf. Kuroda (1973), que rechaza la propuesta de Kuno (1972, 1973) según la cual hay que entender que el referente del antecedente de *zibun* tiene que ser consciente del contenido proposicional de la cláusula que contiene *zibun.*

[111] El punto de vista del hablante o el de la narración, no necesariamente el del narrador, pues hay al menos un tipo de narración que carece de narrador, contra lo que es frecuente asumir. Véase Kuroda 1971, 1975.

Las únicas estructuras inambiguamente reflexivas son las estructuras con *sí,* expreso o sobrentendido; *mism-* es siempre un aditamento, que puede resultar más o menos indispensable, según los casos. La distinción entre anáforas morfológicamente simples y morfológicamente complejas no parece tener en castellano consecuencias dignas de mención, como no las tiene en alemán, por ejemplo (la distribución de *sich selbst* es esencialmente idéntica a la de *sich,* a lo que parece).

Es razonable suponer que la Generalización A se sigue automáticamente de otros principios de la gramática, si asumimos, como parece justificado asumir, que el cotejo de ciertas especificaciones que exige la concordancia, en particular las de género y número, tiene siempre naturaleza local. La naturaleza de la Generalización B resulta menos transparente, pero parece natural suponer que la no correferencialidad de los pronombres en su interpretación no logofórica es de regla, o por lo menos tiene a su favor un alto grado de preferencia. Si es así, un aspecto importante de la complementariedad de distribución de los pronombres reflexivos y no reflexivos queda a salvo: en castellano esa complementariedad parece incuestionable fuera de un cierto dominio local. Dentro de los confines de ese dominio la situación es mucho menos clara, al menos por el momento, y queda todavía por ver si los pronombres no reflexivos no interpretados no logofóricamente están en distribución complementaria con las anáforas reflexivas aun dentro de ese dominio. Los casos problemáticos que hemos encontrado son casos de anáforas no ligadas, que parecen tener siempre una interpretación logofórica.

Por lo demás, la esencial adecuación de un enfoque estructural no parece haber sido afectada por ninguna de las alternativas básicas propuestas para dar cuenta de los fenómenos anafóricos: (1) en términos de papeles temáticos; (2) en términos de predicación; y (3) en términos de restricciones infringibles jerarquizadas. [112] A lo que parece, sólo la segunda tiene que ser tenida en cuenta (al menos en el estudio de un tipo de lengua), y esta de manera muy limitada (un predicado es reflexivo si y sólo si está marcado como reflexivo) (Fox 1993).

El examen de las estructuras anafóricas no ligadas del castellano iniciado en este capítulo, algunas apenas estudiadas hasta la fecha, se diría que proporciona una avenida no explorada para sondear no sólo los diversos aspectos de un tipo de anáfora que hasta ahora no ha atraído la atención de los estudiosos, sino también la naturaleza de la anáfora en general, y parece susceptible de ser aprovechado con propósitos de índole diversa, sobre todo si, como parece, este tipo de anáfora no ligada cae casi de lleno dentro de la provincia de la gramática propiamente dicha. A mayor abundamiento, las propiedades de su interpretación, entre ellas lo relativo a lo que puedan tener de logofóricas, parecen conjugarse bien con el sesgo que ha venido tomando recientemente la investigación de los fenómenos anafóricos y una de las direcciones de la teorización gramatical. [113] Es verdad que ninguna de las investigaciones más o menos innovadoras ha incluido hasta ahora las anáforas no ligadas, ni por supuesto se ha planteado la cuestión de si su logoforicidad (si es real) merece ser tenida en cuenta, pero esto se debe, al menos en algunos casos, a que el autor no tenía nada interesante que decir sobre la naturaleza de los fenómenos logofóricos.

[112] Véanse Williams 1989, 1994; Reinhart y Reuland 1991 (escrito en 1988/1989), 1989, 1993, junto con Reinhart 1996a; y Burzio 1995, respectivamente. Cf. Tancredi 1992, 1995a, 1995b.

[113] Cf. Jackendoff 1996 y Van Hoek 1997 para ese sesgo.

REFERENCIAS BIBLIOGRÁFICAS

ABE, JUN (1992): *The locality of Zibun and Logophoricity,* manuscrito, University of Connecticut, Storrs.

— (1993): *Binding Conditions and Scrambling without A /A' Distinction,* tesis doctoral, University of Connecticut [distribuida por MIT WP in Linguistics].

AID, FRANCES (1973): *Semantic Structures in Spanish: A proposal for Instructional Materials,* Georgetown University Press.

AIKAWA, TAKAKO (1993): *Reflexivity in Japanese and LF analysis of Zibun Binding,* tesis doctoral, The Ohio State University, en *MIT Occasional Papers in Linguistics* 4 [distribuida por *MIT WP in Linguistics*].

— (1995): *Remarks and replies: «Reflexivity» by Reinhart & Reuland* (1993), manuscrito, MIT.

ALARCOS LLORACH, EMILIO (1970): *Estudios de gramática funcional del español,* Madrid, Gredos.

— (1994): *Gramática de la lengua española,* Madrid, Espasa Calpe.

ALMOG, JOSEPH, JOHN PERRY y HOWARD WETTSTEIN (eds.) (1989): *Theme from Kaplan,* Nueva York / Oxford, Oxford University Press.

ÁLVAREZ, ROSARIO, X. L. REGUEIRA y H. MONTEAGUDO (1986): *Gramática galega,* Vigo, Galaxia.

AOUN, JOSEPH (1981): *The Formal Nature of Anaphoric Relations,* tesis doctoral, MIT.

BABCOCK, SANDRA S. (1970): *The Syntax of Spanish Reflexive Verbs*, La Haya, Mouton.

BAKER, CARL L. (1995): «Contrast, Discourse Prominence, and Intensification, with Special Reference to Locally-free Pronouns», *Lan* 71, págs. 63-101.

BANFIELD, ANN (1973): «Grammar of Quotation, Free Indirect Style, and Implications for a Theory of Narrative», *FL* 9, págs. 1-39.

— (1978): «Where Epistemology, Style, and Grammar Meet Literary History: The Development of Represented Speech and Thought», *New Literary History* 9, págs. 415-54. [Reimpreso, en versión abreviada, en J. Lucy (ed.), *Reflexive Language: Reported Speech and Metapragmatics*, Cambridge University Press, 1993.]

— (1982): *Unspeakable Sentences: Narration and Representation in the Language of Fiction,* Boston / London, Routledge & Kegan Paul.

BARSS, ANDREW y HOWARD LASNIK (1985): «A Note on Anaphora and Double Objects», *LI* 17, páginas 347-354. [Reimpreso en Lasnik 1989, págs. 143-148.]

BEIT-ARIE, OREN (1994): «Anaphora within Locative Prepositional Phrases», manuscrito, Tel Aviv University.

BELLETTI, ADRIANA (1983): «On the Anaphoric Status of the Reciprocal Construction in Italian», *LingR* 2, págs. 101-137.

BELLO, ANDRÉS (1847): *Gramática de la lengua castellana destinada al uso de los americanos,* 20.ª ed., París, 1921.

BENEDICTO, ELENA (1991): «Latin Long-distance Anaphora», en Koster y Reuland (eds.) (1991), páginas 171-184.

BENNIS, HANS, PIERRE PICA y JOHAN ROORYCK (eds.) (1998): *Atomism and Binding* (de próxima publicación).

BENVENISTE, ÉMILE (1946): «Structure des relations de personne dans le verbe», *BSLP* XLIII, fasc. 1. [Reimpreso en Benveniste (1966), págs. 225-236.]

— (1966): *Problèmes de linguistique générale,* París, Gallimard.

BOBALJIK, JONATHAN D. (1993): «On Ergativity and Ergative Unergatives», *MIT WPL* 19, págs. 45-88.

BONET I ALSINA, M. EULÀLIA (1995): «Feature Structure of Romance Clitics», *NLLT* 13, págs. 607-647.

BORER, HAGIT (1983): *Parametric Syntax,* Dordrecht, Foris.

BORGONOVO, CLAUDIA (1996): «Depictives and Extraction», en C. Parodi, C. Quicoli, M. Saltarelli y M. L. Zubizarreta (eds.) (1996), *Aspects of Romance Linguistics*, Georgetown University Press, páginas 73-85.

BOSQUE, IGNACIO (1980): *Problemas de morfosintaxis,* Madrid, Editorial de la Universidad Complutense.

— (1985): «Sobre las oraciones recíprocas en español», *REL* 15:1, págs. 59-96.

— (1993): «Este es un ejemplo de predicación catafórica», *Cuadernos de Lingüística del Instituto Universitario Ortega y Gasset* 1, págs. 27-57.

— (1996): «On Specificity and Adjective Position», en J. Gutiérrez-Rexach y L. Silva Villar (eds.) (1996), *Perspectives on Spanish Linguistics* I, Los Ángeles, UCLA, Department of Linguistics, págs. 1-13.

BOUCHARD, DENNIS (1984): *On the Content of Empty Categories,* Dordrecht, Foris.

BROADWELL, GEORGE A. (1990): *Extending the Binding Theory: A Muskogean Case Study,* tesis doctoral, UCLA.

— (1996): «Binding Theory and Switch Reference», en Bennis *et al.* (eds.) (1998).

BRUYNE, JACQUES DE (1995): *A Comprehensive Spanish Grammar,* adaptada y ampliada por Christopher J. Pountain, Oxford, Blackwell. [Primera ed., en holandés, 1979; 2.ª ed. 1985]
BÜHLER, KARL (1934): *Sprachtheorie,* Jena, Fischer. [Reimpreso en 1965 por Fischer en Stuttgart.]
BURZIO, LUIGI (1986): *Italian Syntax: A Government-Binding Approach,* Dordrecht, Foris.
— (1991): «The Morphological Basis of Anaphora», *JL* 27, págs. 81-105.
— (1995): «Anaphora and Soft Constraints», trabajo presentado en mayo de 1995 en la *Optimality Conference*, MIT.
BYRNE, LIONEL STANLEY RICE y E. L. CHURCHILL (1993): *A Comprehensive French Grammar,* 4.ª ed. revisada y reescrita por Granville Price, Oxford, Blackwell. [Primera edición, 1950.]
CAMPOS, HÉCTOR (1995): «Reconstruction and Picture Nouns in Spanish», en H. Campos y P. Kemchinsky (eds.), págs. 25-50.
CAMPOS, HÉCTOR y PAULA KEMPCHINSKY (eds.) (1995): *Evolution and Revolution in Linguistic Theory: Essays in Honor of Carlos Otero,* Georgetown UP.
CANTRALL, WILLIAM R. (1969): *On the Nature of the Reflexive in English,* tesis doctoral, University of Illinois.
— (1974): *Viewpoint, Reflexives and the Nature of Noun Phrases,* La Haya, Mouton. [Versión revisada de Cantrall 1969.]
CARDINALETTI, ANNA y MICHAEL STARKE (1996): «Deficient Pronouns: A View from Germanic (a Study in the Unified Description of Germanic and Romance)», manuscrito, Universidad de Ginebra.
CARLSON, GREGORY (1987): «Same and Different: Some Consequences for Syntax and Semantics», *LaPh* 10.
CASTAÑEDA, HÉCTOR-NERI (1966): «'He': A Study in the Logic of Self-Consciousness», *Ratio* 7, páginas 130- 57.
— (1967a): «Indicators and Quasi-Indicators», *American Philosophical Quarterly* 4, págs. 85-100.
— (1967b): «On the Logic of Self-Knowledge», *Noûs* 1, págs. 9-21.
— (1968): «On the Logic of Attributions of Self-Knowledge to Others», *JPh* 65, págs. 439-56.
— (1975): «Identity and Sameness», *Philosophia* 5, págs. 121-150.
— (1982): «Hector-Neri Castañeda's Replies», en Tomberlin, (ed.) (1986), págs. 311-464.
— (1984a): «Self-Profile», en Tomberlin, (ed.) (1986), págs. 3-137.
— (1984b): «Replies», en Tomberlin, (ed.) (1986), págs. 333-391.
— (1989): *Thinking, Language, and Experience,* Minneapolis, University of Minnesota Press.
CERNUDA, LUIS (1975): *Invitación a la poesía,* Barcelona, Seix Barral.
CHIERCHIA, GENNARO (1989a): «Anaphora and Attitudes de *se*», en R. Bartsch, J. van Benthem y P. van Emde Boas (eds.) (1989), *Semantics and Contextual Expression*, Dordrecht, Foris, págs. 1-31.
— (1989b): «A Semantics for Unaccusatives and its Syntactic Consequences», manuscrito, Cornell University.
— (1995): *Dynamics of Meaning: Anaphora, Presupposition, and the Theory of Grammar,* the University of Chicago Press.
CHOMSKY, NOAM (1970): «Conditions on Transformations», manuscrito, MIT. [Incluido en Chomsky 1977.]
— (1975): «Conditions on Rules of Grammar», manuscrito, MIT. [Incluido en Chomsky 1977.]
— (1977): *Essays on Form and Interpretation,* Nueva York, North Holland.
— (1984): *Knowledge of Language: Its Nature, Origin and Use,* manuscrito, MIT. [Publicado por Praeger (Nueva York) en 1986.]
— (1995): *The Minimalist Program,* Cambridge, Mass., MIT Press.
CHOMSKY, NOAM y HOWARD LASNIK (1991): «Principles and Parameters Theory», manuscrito, MIT. [Incluido en J. Jacobs, A. von Stechow, W. Sternefeld y T. Vennemann (eds.) (1993), *Syntax: An International Handbook of Contemporary Research* I, Berlín, Walter de Guyter, págs. 506-569.]
CINQUE, GUGLIELMO (1982): «Propio e l'unità del *si*», *RGG* 1:2, págs. 101-113.
— (1988): «On SI Constructions and the Theory of ARB», *LI* 19, págs. 521-581. [Reimpreso en Cinque 1995.]
— (1995): *Italian Syntax and Universal Grammar,* Cambridge University Press.
CLEMENTS, GEORGE N. (1975): «The Logophoric Pronoun in Ewe: Its Role in Discourse», *Journal of West African Languages* 10, págs. 141-177.
COLE, PETER, GABRIELA HERMON y LI-MAY SUNG (1990): «Principles and Parameters of Long-Distance Reflexives», *LI* 21, págs. 1-22.
COLE, PETER y LI-MAY SUNG (1994): «Head-Movement and Long-Distance Reflexives», *LI* 25, págs. 355-406.

COLE, PETER y CHENGCHI WANG (1996): «Antecedents and Blockers of Long-Distance Reflexives: The Case of Chinese Ziji», *LI* 27, págs. 357-390.
COMRIE, BERNARD (1995): *Coreference in Grammar and Discourse,* Oxford, Blackwell.
CORDIN, PATRIZIA (1988): «I pronomi reflessivi», en Renzi (ed.) (1988), I, págs. 593-603.
COROMINAS, JOAN (1954): *Diccionario crítico etimológico de la lengua castellana*, Madrid, Gredos. [*DCELC* en el texto.]
CORTÉS, CORINNE (1992): *Issues in Catalan Syntax,* tesis doctoral, UCLA.
COUQUAUX, DANIEL (1977): «Même marque-t-il qu'un pronom est réfléchi?», *FrM* 45:2, págs. 126-143.
CRISMA, PAOLA (1995): «On the Configurational Nature of Adjectival Modification», en Zagona (ed.) (1995), págs. 59-71.
DEMELLO, GEORGE (1996): «Pronombre *'sí'* vs. pronombre no-reflexivo: 'Juan lo compró *para sí'* vs. 'Juan lo compró *para él* mismo'», *BHS* LXXXIII, págs. 297-310.
DEMONTE, VIOLETA (1989): *Teoría sintáctica. De las estructuras a la rección,* Madrid, Síntesis.
— (1991): *Detrás de la palabra. Estudios de gramática del español,* Madrid, Alianza Universidad.
— (1994a): «Datives in Spanish», *University of Venice Working Papers in Linguistics* 4, 71-96.
— (1994b): «La ditransitividad en español: léxico y sintaxis», en V. Demonte (ed.) (1994), *Gramática del español*, México, El Colegio de México, págs. 431-470.
DOBROVIE-SORIN, CARMEN (1995): «Impersonal *si* Constructions in Romance and the Passivization of Intransitives», manuscrito, Université de Paris VII.
DOUGHERTY, RAY C. (1970): «A Grammar of Coordinate Structures. I», *Language* 46:4 págs. 850-898.
EPSTEIN, SAMUEL D., SUZANNE FLYNN, GITA MARTOHARDJONO *et al.* (1996): *Second Language Acquisition: Theoretical and Experimental Issues in Contemporary Research, Behavioral and Brain Sciences* 19, págs. 677-758.
EVANS, GARETH (1980): «Pronouns», *LI* 11, págs. 337-362.
— (1985): *Collected Papers,* New York, Oxford University Press.
EVERAERT, MARTIN (1986a): *The Syntax of Reflexivization,* Dordrecht, Foris.
— (1986b): «Long Reflexivization and Obviation in the Romance Languages», en P. Coopmans, I. Bordelois y B. Dotson Smith (eds.) (1986), *Formal Parameters of Generative Grammar (II Going Romance),* Dordrecht, Foris, págs. 51-72.
— (1997): «The Study of Bound Anaphora in the Generative Research Tradition», trabajo presentado en la conferencia *The 40-th Anniversary of Generativism*, diciembre de 1997.
FALTZ, LEONARD (1977): *Reflexivization: A study in Universal Syntax,* tesis doctoral, Universidad de California, Berkeley. [Publicado por Garland, Nueva York y Londres, 1985.]
FERNÁNDEZ RAMÍREZ, SALVADOR (1951a): *Gramática española. Los sonidos, el nombre y el pronombre,* Madrid, Revista de Occidente.
— (1951b): *Gramática española. 3.2. El pronombre,* vol. preparado por José Polo, Madrid, Arco/Libros, 2.ª ed., 1987.
FIENGO, ROBERT y HOWARD LASNIK (1973): «The Logical Structure of Reciprocal Sentences in English», *FL* 9, págs. 447-68. [Reimpreso en Lasnik 1989, págs. 37-57.]
FIENGO, ROBERT y ROBERT MAY (1994): *Indices and Identity,* Cambridge (Mass.), MIT Press.
FILLMORE, CHARLES J. (1972): «How to Know whether You are Coming or Going», en K. Hyldgaard-Jensen (ed.) (1972), *Linguistik 1971*, Frankfurt, Athenäum, Verlag págs. 369-379.
— (1973): «May We Come in?», *Semiotica* 9, págs. 97-116.
FONTANA, JOSEP M. y JOHN MOORE (1992): «VP-Internal Subjects and Se-Reflexivization in Spanish», *LI* 23, págs. 501-509.
FORNACIARI, RAFFAELLO (1881): *Sintassi italiana dell'uso moderno,* Presentazione di Giovanni Nencioni, Firenze, Sansoni, 1974.
FOX, BARBARA (1987): *Discourse Structure and Anaphora,* Cambridge, Cambridge University Press.
— (1996): *Studies in Anaphora,* Amsterdam/Philadelphia, John Benjamins.
FOX, DANNY (1993): «Chain and Binding: A Modification of Reinhart and Reuland's 'Reflexivity'», manuscrito, MIT.
FREED BARBARA, AUSONIO MARRAS y PATRICK MAYNARD (eds.) (1972): *Forms of Representation,* Amsterdam, North Holland.
GARCÍA, ERICA (1975): *The Role of Theory in Linguistic Analysis: The Spanish Pronoun System,* Amsterdam, North-Holland.
— (1985): «Quantity into Quality: Synchronic Indeterminacy and Language Change», *Lingua* 65, páginas 275-306.
— (1988): «*Go*, cronopio entre los morfemas: *Consigo* contrastado consigo mismo», *NM* 89, 1998, páginas 98-211.

— (1989): «La historia se repite con *sigo*», *Actas del IX Congreso de la Asociación Internacional de Hispanistas*, Frankfurt and Mann, Vervuer Verlag, vol. 1, págs. 113-173.
— (1995): «Reflexiones sobre la reflexividad», *Iberorromania* 42, págs. 30-57.
— (1996): «What Reflexivity is really like», *Linguistics* 34, págs. 1-51.
GENIUŚIENE, EMMA (1987): *The Typology of Reflexives,* Berlín, Mouton de Gruyter.
GIORGI, ALESSANDRA (1984): «Toward a Theory of Long Distance Anaphors: A GB Approach», *LingR* 3, págs. 307-365.
GIORGI, ALESSANDRA y GIUSEPPE LONGOBARDI (1991): *The Syntax of Noun Phrases,* Cambridge University Press.
GIVÓN, TALMY (ed.) (1979): *Syntax and Discourse,* Nueva York, Academic Press.
GRIMSHAW, JANE (1982): «On the Lexical Representation of Romance Reflexive Clitics», en J. Bresnan (ed.), *The Mental Representation of Grammatical Relations,* Cambridge (Mass.), MIT Press.
— (1990): *Argument Structure,* Cambridge (Mass.), MIT Press.
GRODZINSKY, YOSEF y TANIA REINHART (1993): «The Innateness of Binding and Coreference», *LI* 24, págs. 69-101.
HAGÈGE, CLAUDE (1974): «Les pronoms logophoriques», *BSLP* 69, págs. 287-310.
HALE, KENNETH y SAMUEL JAY KEYSER (1987): «A View from the Middle», *Lexicon Project Working Papers* 10, Center for Cognitive Science, MIT.
HAMBURGER, KÄTE (1957): *Die Logik der Dichtum,* 2.ª ed. revisada, Stuttgart, E. Klett, 1968. [2.ª ed. traducida en parte al ingléx como *The logic of literature,* Indiana University Press, 1973.]
HARMAN, GILBERT (1972): «Noun Phrases Derived from Variable Binding Operators and Grandy's Theory of Pronominalization», en Freed *et al.* (eds.) (1972), págs. 23-40.
— (1976): «Anaphoric Pronouns as Bound Variables: Syntax or Semantics?», *Language* 52, págs. 78-81.
HATCHER, ANNA GRANVILLE (1942): *Reflexive Verbs: Latin, Old French, Modern French,* Baltimore, Maryland, The Johns Hopkins University Press/Londres, Humphrey Milford, Oxford University Press.
HAWKINS, JOHN A. (ed.) (1988): *Explaining Language Universals,* Oxford, Basil Blackwell.
HEATWOLE, OLIVER W. (1949): *A Comparative Practical Grammar of French, Spanish and Italian,* ed. por Mario A. Pei, New York, Vanni.
HEIM, IRENE, HOWARD LASNIK y ROBERT MAY (1991a): «Reciprocity and Plurality», *LI* 22, págs. 63-103.
— (1991b): «On 'Reciprocal Scope'», *LI* 22, págs. 173-192.
HERMON, GABRIELLA (1992): «Binding Theory and Parameter Setting», *LingR* 9, págs. 145-181.
HERNÁNDEZ CÁMARA, DIONISIO (1996): «Sobre las construcciones anafóricas con clítico», *Cuadernos de Lingüística del IUOG* IV, págs. 85-115.
HIGGINBOTHAM, JAMES (1980): «Pronouns and Bound Variables», *LI* 11, págs. 679-708.
— (1983): «Logical Form, Binding and Nominals», *LI* 14, págs. 395-420.
— (1985): «On Semantics», *LI* 16, págs. 547-593.
— (1992): «Reference and Control», en R. K. Larson, S. Iatridou y U. Lahiri (eds.) (1992), *Control and Grammar*, Dordrecht, Kluwer, págs. 79-108.
HINTIKKA, JAAKKO (1962): *Knowledge and Belief,* New York, Cornell University Press.
HINTIKKA, JAAKKO y JACK KULAS (1985): *Anaphora and Definite Descriptions: Two Applications of Game-Theoretical Semantics,* Dordrecht, Reidel.
HOEK, KAREN VAN (1992): *Paths through Conceptual Structure: Constraints on Pronominal Anaphora,* tesis doctoral, UCSD.
HORNSTEIN, NORBERT (1995): *Logical Form,* Oxford, Blackwell.
HUANG, C.-T. J. (1982): *Logical Relations in Chinese and the Theory of Grammar,* tesis doctoral, MIT.
— (1983): «A Note on Binding Theory», *LI* 14, págs. 554-561.
HUANG, YAN (1994): *The Syntax and Pragmatics of Anaphora: A Study with Special Reference to Chinese,* Cambridge, Cambridge University Press.
JACKENDOFF, RAY (1972): *Semantic Interpretation in Generative Grammar,* Cambrdige, The MIT Press.
— (1996): «The Architecture of the Language Faculty», manuscrito, Brandeis University.
JAEGGLI, OSVALDO A. (1982): *Topics in Romance Syntax,* Dordrecht, Foris.
JAEGGLI, OSVALDO A. y KEN SAFIR (eds.) (1989): *The Null Subject Parameter,* Dordrecht, Kluwer.
JONG, JELLY JULIA DE (1996): *The Case of Bound Pronouns in Peripheral Romance,* Groningen Dissertations in Linguistics 16.
KAPLAN, DAVID (1977): «Demonstratives: an Essay on the Semantics, Logic, Metaphysics, and Epistemology of Demonstratives and other Indexicals. Draft #2», manuscrito, UCLA. [Incluido en Almog *et al.* (eds.] (1989), págs. 481-563, con «Afterthoughts», págs. 565-614.]
KÄRDE, SVEN (1943): *Quelques manières d'exprimer l'idée d'un sujet indéterminé en espagnol,* tesis doctoral, Uppsala University.

KATADA, FUSA (1991): «The LF Representation of Anaphors», *LI* 22, págs. 287-313.
KAYNE, RICHARD S. (1975): *French Syntax: The Transformational Cycle,* Cambridge (Mass.), The MIT Press.
— (1986): «Participles, Agreement, Auxiliaries, *Si/Se,* and PRO», trabajo presentado en el *Workshop on Comparative Grammar,* Princeton University.
— (1989): «Null Subjects and Clitic Climbing», en Jaeggli y Safir (eds.) (1989), págs. 239-261.
KEENAN, EDWARD L. (1988): «On Semantics and the Binding Theory», en Hawkins (ed.) (1988), págs. 105-44.
— (1994): «Creating Anaphors: An Historical Study of the English Reflexive Pronouns», manuscrito, UCLA.
KEMPCHINSKY, PAULA (1990): «The Spanish Possessive Dative Construction: θ-Role Assignment and Proper Government», en Hirschbüler y Koerner (eds.) (1992), *Romance Languages and Modern Linguistic Theory,* Papers from the 20th Linguistic Symposium in romance Languages (*LSRL* XX), Amsterdam/Philadelphia, John Benjamins, págs. 135-150.
KOOPMAN, HILDA (1997): «The Structure of Dutch Pps», manuscrito, UCLA.
KOSTER, CHARLOTTE (1993): *Errors in anaphora acquisition,* OTS Dissertation Series, Research Institute for Language and Speech, Utrecht University.
KOSTER, JAN (1982): *Counteropacity in Korean and Japanese, Tilburg Papers in Language and Literature* 13, Tilburg University.
— (1985): «Reflexives in Dutch», en J. Guéron, H.-G. Obenauer y J.-Y. Pollock (eds.) (1985), *Grammatical Representation,* Dordrecht, Foris, págs. 141-168.
— (1987): *Domains and Dynasties: The Radical Autonomy of Syntax,* Dordrecht, Foris.
KOSTER, JAN y ERIC REULAND (eds.) (1991): *Long-Distance Anaphora,* Cambridge University Press.
KREIMAN, K. JODY y ALMERINDO OJEDA (eds.) (1980): *Papers from the Parasession on Pronouns and Anaphora,* Chicago, Chicago Linguistic Society.
KUNO, SUSUMU (1972): «Pronominalization, Reflexivization and Direct Discourse», *LI* 3, págs. 161-195.
— (1973): *The Structure of the Japanese Language,* Cambridge (Mass.), MIT Press.
KUNO, SUSUMU y ETSUKO KABURAKI (1977): «Empathy in Syntax», *LI* 8, págs. 627-672.
KURODA, S.-YASUJIRO (1965): *Generative Grammatical Studies in the Japanese Language,* tesis doctoral, MIT. [Publicada por Garland, Nueva York.]
— (1971): «Where Epistemology, Style and Grammar Meet: a Case Study from Japanese», reimpreso en Kuroda 1979.
— (1973): «On Kuno's Direct Discourse Analysis of the Japanese Reflexive *Zibun*», *Papers in Japanese Linguistics* 2, págs. 136-147.
— (1975): «Reflections on the Foundations of Narrative Theory from a Linguistic Point of View», en Kuroda 1979 y Otero (ed.) (1994), vol. IV, págs. 779-807.
— (1979): *The (W)hole of the Doughnut: Syntax and Its Boundaries,* Ghent/Brussels, E. Story-Scientia.
LANGENDOEN, DAVID T. (1978): «The Logic of Reciprocity», *LI* 9, págs. 177-197.
LAPESA, RAFAEL (1981): *Historia de la lengua española,* Madrid, Gredos.
LARSON, RICHARD K. y GABRIEL SEGAL (1995): *Knowledge of Meaning,* Cambridge (Mass.), MIT Press.
LASNIK, HOWARD (1989): *Essays on Anaphora,* Dordrecht, Kluwer.
LEBEAUX, DAVID (1983): «A Distributional Difference between Reciprocals and Reflexives», *LI* 14, páginas 723-730.
LEVIN, BETH y MALKA RAPPAPORT HOVAV (1995): *Unaccusativity at the Syntax-Lexical Semantics Interface,* Cambridge (Mass.), MIT Press.
LITHERLAND, MARÍA L. (1995): *Grammar Consciousness Raising and the Teaching of Spanish Reflexive Construction to Non-Native Speakers of Spanish,* tesis doctoral, University of Texas.
LORENZO, GUILLERMO y VÍCTOR MANUEL LONGA (1996): *Introducción a la sintaxis generativa,* Madrid, Alianza Editorial.
LUJÁN, MARTA (1976): «The Analysis of Reflexive Inchoatives», en M. Luján y F. Hensey (eds.) (1976), *Current Studies in Romance Linguistics,* Georgetown University Press, págs. 377-87.
LUST, BARBARA (ed.) (1986): *Studies in the Acquisition of Anaphora,* 2 vols., Dordrecht, Reidel.
LUST, BARBARA, GABRIELLA HERMON y JAKLIN KORNFILT (eds.) (1994): *Syntactic Theory and First Language Acquisition: Crosslinguistic Perspectives II. Binding, Dependencies and Learnability,* Hillsdale, NJ, Lawrence Erlbaum.
LYONS, JOHN (1977): *Semantics,* 2 vols., Cambridge, UK, Cambridge University Press.
MARANTZ, ALEC (1984): *On the Nature of Grammatical Relations,* Cambridge (Mass.), MIT press.
MARTÍN ZORRAQUINO, Mª ANTONIA (1979): *Las construcciones pronominales en español,* Madrid, Gredos.
MEILLET, ANTOINE (1926): *Linguistique historique et linguistique générale,* París, 1958.

MENDIKOETXEA, AMAYA y ADRIAN C. BATTYE (1990): «Arb *Se/Si* in Transitive Contexts: a Comparative Study», *RGG* 15, págs. 161-195.

MOLINER, MARÍA (1980): *Diccionario de uso del español,* Madrid, Gredos. [*DUE* en el texto.]

MOLTMAN, FRIEDERIKE (1992): «Reciprocals and *Same/Different:* Towards a Semantic Analysis», *LaPh* 15, págs. 411-62.

MONGE, FÉLIX (1955): «Las frases pronominales de sentido impersonal en español», *Archivo de Filología Aragonesa* 7, págs. 1-102.

NAPOLI, DONNA J. (1973): *The Two Si's of Italian: An Analysis of Reflexive Inchoatives and Indefinite Subject Sentences in Modern Standard Italian,* tesis doctoral, Harvard University. [Publicada por Indiana University Linguistic Club, Bloomington, en 1976.]

— (1979): «Reflexivization Across Clause Boundaries in Italian», *Journal of Linguistics* 15, págs. 1-28.

NARO, ANTHONY (1976): «The Genesis of the Reflexive Impersonal in Portuguese: a Study in Syntactic Change as a Surface Phenomenon», *Language* 54, págs. 779-810.

NASH, ROSE (ed.) (1973): *Readings in Spanish-English Contrastive Linguistics,* San Juan, P.R., Inter-American University Press.

OTERO, CARLOS PEREGRÍN (1965): «El otro *se*», trabajo presentado en el *XI Congrès de Linguistique et Philologie Romanes* (Madrid). [Reimpreso en C. P. Otero (1972), *Letras* I, 2.ª eds., Barcelona, Seix-Barral, págs. 85-97 (cf. 313-6).]

— (1967): «The Syntax of *Mismo*», *Actes du Xe. Congrès International des Linguistes,* Bucarest, Editions de l'Academie de la République Socialiste de Roumanie, 1970, págs. 1145-1151.

— (1975): «Terminología y teoría gramatical», *Verba* 2, págs. 13-28.

— (1976): «On Acceptable Grammaticality: a Rejoinder», *LI* 4, págs. 551-562.

— (1985): «Arbitrary Subjects in Finite Clauses», en I. Bordelois, H. Contreras y K. Zagona (eds.) (1986), *Generative Studies in Spanish Syntax*, Dordrecht, Foris, págs. 81-109.

— (ed.) (1994): *Noam Chomsky: Critical Assessments,* London, Routledge.

PADILLA RIVERA, JOSÉ ANTONIO (1990): *On the Definition of Binding Domains in Spanish,* Dordrecht, Kluwer Academic Publishers.

PERLMUTTER, DAVID M. (1971): *Deep and Surface Structure Constraints in Syntax,* New York, Holt.

PERRY, JOHN (1977): «Frege on Demonstratives», *The Philosophical Review* 86, págs. 474-497.

PICA, PIERRE (1984): «Quelques implications théoriques de l'étude de relations anaphoriques à long distance», en D. Couquaux y R. Mitsou (eds.) (1984), *La grammaire modulaire,* París, Minuit, págs. 187-207.

— (1985): «Subject, Tense, and Truth: Towards a Modular Approach to Binding», en J. Guéron, H.-G. Obenauer y J.-Y. Pollock (eds.), *Grammatical Representation,* Dordrecht, Foris, págs. 259-291.

— (1987): «On the Nature of the Reflexivization Cycle», *Proceedings of the North-Eastern Society* 17, págs. 483-499.

POSTMA, GERTJAN (1996): «On the Possessive Nature of BE and SELF: A Logico-Semantic Approach to Weak and Strong Reflexives», en H. Bennis *et al.* (eds.) (1997), págs. 295-322.

PROGOVAC, LJILIANA (1993): «Long-Distance Reflexives: Movement-to-Infl versus Relativized SUBJECT», *LI* 24:4, págs. 755-772.

PUSTEJOVSKY, JAMES (1995): *The Generative Lexicon,* Cambridge (Mass.), MIT Press.

RAMSEY, MARATHON MONTROSE (1956): *A Textbook of Modern Spanish,* revisado por Robert K. Spaulding, Nueva York, Holt, Rinehart and Winston, 1995.

RAPOSO, EDUARDO y JUAN URIAGEREKA (1996): «Indefinite *Se*», *NLLT* 14:4, págs. 749-810.

REAL ACADEMIA ESPAÑOLA (1920): *Gramática de la lengua española,* Madrid, Perlado, Páez y Cía. [RAE 1920 en el texto.]

— (1973): *Esbozo de una nueva gramática de la lengua española,* Madrid, Espasa Calpe. [RAE 1973 en el texto.]

REINHART, TANYA (1975): «Whose Main Clause: Point of View in Sentences with Parentheticals», *Harvard Studies in Syntax and Semantics* 1, págs. 127-171. (Cf. Reinhart 1983a.)

— (1983a): *Anaphora and Semantic Interpretation,* Chicago, The University of Chicago Press.

— (1983b): «Point of View in Language: The Use of Parentheticals», en G. Rauh (ed.) (1983), *Essays on Deixis,* Tubinga, Gunter Narr Verlag, págs. 169-194.

— (1996a): «Dravidian Anaphora and Implications for Emphatic Anaphors», *LINGUIST On-line Conference on Geometric and Thematic Structure in Binding,* octubre 1996.

— (1996b): «Syntactic Effects of Lexical Operations: Reflexives and Unaccusatives», *OTS Working Papers in Linguistics,* University of Utrecht, de próxima aparición.

REINHART, TANIA y ERIC REULAND (1989): «Anaphoric Territories», manuscrito, Universidad de Tel Aviv University y Universidad de Groningen. [Publicado en 1991 en *Groninger Arbeiten zur germanistischen Linguistik* 34.]

— (1991): «Anaphors and Logophors», en Koster y Reuland, eds., págs. 283-321.

— (1993): «Reflexivity», *LI* 24, 657-720.

RENZI, LORENZO (ed.) (1988): *Grande grammatica italiana di consultazione,* Bologna, Il Mulino.

ROORYCK, JOHAN y LAURIE ZARING (eds.) (1996): *Phrase Structure and the Lexicon,* Dordrecht, Kluwer Academic.

ROOT, R. (1986): *The Semantics of Anaphora in Discourse,* tesis doctoral, University of Massachusetts, Amherst.

RUWET, NICOLAS (1972): *Théorie syntaxique et syntaxe du français,* París, Éditions du Seuil.

SAARINEN, ESA (1984): «Castañeda's Philosophy of Language», en J. E. Tomberlin (ed.) (1986), págs. 187-214.

SAFIR, KEN (1992): «Implied Noncoreference and the Pattern of Anaphora», *LaPh* 15, págs. 1-52.

— (1996): «Semantic Atoms of Anaphora», *NLLT* 14, págs. 545-89.

SALMON, NATHAN (1986): «Reflexivity», *Notre Dame Journal of Formal Logic* 27, págs. 401-29. [Reimpreso en N. Samon y S. Soames (eds.) (1988), págs. 240-274.]

— (1992): «Reflections on Reflexivity», *LaPh* 15, 53-63.

SALMON, NATHAN y SCOTT SOAMES (eds.) (1988): *Propositions and Attitudes,* Oxford University Press.

SAXON, LESLIE (1990): «On One's Own: The Semantics and Pragmatics of Reflexives», en C. Georgopoulos y R. Ishihara (eds.) (1990), *Interdisciplinary Approaches to Language: Essays in Honor of S.-Y. Kuroda,* Dordrecht/Boston, Kluwer Academic, págs. 521-37.

SECO, MANUEL (1986): *Diccionario de dudas y dificultades de la lengua española,* Madrid, Espasa Calpe. [*DDDLE* en el texto.]

SELLS, PETER, ANNIE ZAENEN y DRAGA ZECS (1987): «Reflexivization Variation: Relations between Syntax, Semantics and Lexical Structure», en M. Iida, S. Wechsler y D. Zec (eds.) (1987), *Studies in Grammatical Theory and Discourse Structure. Volume I: Interactions of Morphology, Syntax and Discourse,* Standford, CA, CSLI, págs. 169-238.

SOAMES, SCOTT (1989): «Reseña de Evans 1985», *JPh* 86, 141-56.

SPORTICHE, DOMINIQUE (1986): *«Zibun», LI* 17, págs. 369-374.

— (1990): «Movement, Case and Agreement», manuscrito, UCLA. [Incluido en Sportiche 1998.]

— (1992): «Clitic constructions», manuscrito, UCLA. [Incluido en J. Rooryck y L. Zaring (eds.) (1996), págs. 213-276 y en Sportiche 1988.]

— (1993): «Subject Clitics in French and Romance», manuscrito, UCLA. [Incluido en Sportiche 1998.]

— (1998): *Partitions and Athoms of Clause Structure,* Londres, Routledge.

STARKE, MICHAEL (1995): «On the Format for Small Clauses», en A. Cardinaletti y M. T. Guasti, eds., *Small Clauses,* San Diego, Academic Press, págs. 237-269.

STROZER, JUDITH R. (1976): *Clitics in Spanish,* tesis doctoral, UCLA.

— (1994): *Language Acquisition after Puberty,* Georgetwon University Press.

SUÑER, MARGARITA (1988): «The Role of Agreement in Doubled Constructions», *NLLT* 6, págs. 391-434.

TANCREDI, CHRISTOPHER D. (1992): *Deletion, Deaccenting and Presupposition,* tesis doctoral, MIT.

— (1995a): «Eliminating Binding Theory», *GLOW* 34, págs. 58-59.

— (1995b): «Toward Eliminating Binding Theory», manuscrito, Yokohama National University.

— (1996): *Pronouns and Perspectives,* en Bennis *et al.* (eds.) (1997), págs. 381-407.

THOMAS, MARGARET (1986): *Knowledge of Reflexives in a Second Language,* Amsterdam/Philadelphia, John Benjamins.

TOMBERLIN, JAMES E. (ed.) (1986): *Agent, Language and the Structure of the World: Essays Presented to Hector-Neri Castañeda, with his Replies,* Indianapolis, Hackett Publishing Co.

— (1986): *Hector-Neri Castañeda,* Dordrecht, Reidel.

TORREGO, ESTHER (1989): «Unergative-Unaccusative Alternations in Spanish», en I. Laka y A. Mahajan (eds.) (1989), *Functional Heads and Clause Structure, MIT Working Papers in Linguistics* 10, págs. 253-272.

— (1994): «On the Nature of Clitic Doubling», en H. Campos y P. Kempchinsky (eds.) (1995), páginas 399-418.

— (1995a): «From Argumental to Non-Argumental Pronouns: Spanish Doubled Reflexives», *Cuadernos de Lingüística del Instituto Universitario Ortega y Gasset* III, págs. 1-17.

— (1995b): «From Argumental to Non-Argumental Pronouns: Spanish Doubled Reflexives», *Probus* 7, págs. 221-241.

TREMBLAY, MIREILLE (1990): «Emphatic Anaphoric Expressions in French and the Binding Theory», en A.-M. Di Scillo y A. Rochette (eds.) (1990), *Binding in Romance: Essays in Honor of Judith McA'Nulty,* Ottawa, The Canadian Linguistic Association, págs. 233-58.

URIAGEREKA, JUAN (1996): «Formal and Substantive Elegance in the Minimalist Program (on the Emergence of some Linguistic Forms)» en Ch. Wilder *et al.* (eds.) (1996), págs. 170-204.

— (1995): «Conceptual Reference Points: A Cognitive Grammar Account of Pronominal Anaphora Constraints», *Language* 71, págs. 310-40.

— (1997): *Anaphora and Conceptual Structure,* The University of Chicago Press.

WASOW, THOMAS (1979): *Anaphora in Generative Grammar,* Gante/Amberes/Bruselas, E. Story-Scientia P.V.B.A.

WILDER, CHRIS, HANS-MARTIN GÄRTNER y MANFRED BIERWISCH (eds.) (1996): *The Role of Economy Principles in Linguistic Theory,* Berlín, Akademie Verlag.

WILLIAMS, EDWIN (1989): «The Anaphoric Nature of -Roles», *LI* 20, págs. 425-56.

— (1991): «On 'Reciprocal Scope'», *LI* 22, págs. 173-192.

— (1994): *Thematic Structure in Syntax,* Cambridge (Mass.), MIT Press.

WHITLEY, M. STANLEY (1986): *Spanish/English Contrasts: A Course in Hispanic Linguistics,* Georgetown University Press.

YUAN, BOPING (1994): «Second Language Acquisition of Reflexives Revisited», *Language* 70, págs. 539-545.

ZAGONA, KAREN (ed.) (1995): *Grammatical Theory and Romance Languages,* Amsterdam/Philadelphia, John Benjamins.

— (1997): «Voice and Aspect», manuscrito, University of Washington.

ZANUTTINI, RAFFAELLA (1997): *Negation and Clausal Structure: A Comparative Study of Romance Languages,* Nueva York/Oxford, Oxford University Press.

ZRIBI-HERTZ, ANNE (1980): «Coréferences et pronoms réfléchis: notes sur le contraste *lui/lui même* en francais», *Linguisticae Investigationes* 4, págs. 131-179.

— (1982): «La construction *se*-moyen du français et son statut dans le triangle: moyen/passive/réfléchi», *Linguisticae Investigationes* 6, págs. 345-401.

— (1989): «A-Type Binding and Narrative Point of View», *Lan* 65, págs. 695-727.

— (1990): «*Lui-même* argument et le concept de 'pronom A'», *Languages* 97, págs. 100-127.

— (1995): «Emphatic or Reflexive? On the Endophoric Character of French *lui-même* and Similar Complex Pronouns», *JL* 31, págs. 333-374.

ZUBIZARRETA, M.ª LUISA (1987): *Levels of Representation in the Lexicon and in the Syntax,* Dordrecht, Foris.

— (1998): *Prosody, Focus, and Word Order,* Cambridge (Mass.), The MIT Press.